The New Encyclopædia Britannica

in 32 Volumes

FOUNDED 1768
15TH EDITION

ENCYCLOPÆDIA Britannica

Encyclopædia Britannica, Inc.
Jacob E. Safra, Chairman of the Board
Jorge Aguilar-Cauz, President

Chicago
London/New Delhi/Paris/Seoul
Sydney/Taipei/Tokyo

The information on this page refers to
The New Encyclopædia Britannica.

First Edition	1768 – 1771
Second Edition	1777 – 1784
Third Edition	1788 – 1797
Supplement	1801
Fourth Edition	1801 – 1809
Fifth Edition	1815
Sixth Edition	1820 – 1823
Supplement	1815 – 1824
Seventh Edition	1830 – 1842
Eighth Edition	1852 – 1860
Ninth Edition	1875 – 1889
Tenth Edition	1902 – 1903

Eleventh Edition
© 1911
By Encyclopædia Britannica, Inc.

Twelfth Edition
© 1922
By Encyclopædia Britannica, Inc.

Thirteenth Edition
© 1926
By Encyclopædia Britannica, Inc.

Fourteenth Edition
© 1929, 1930, 1932, 1933, 1936, 1937, 1938, 1939, 1940, 1941, 1942, 1943, 1944, 1945, 1946, 1947, 1948, 1949, 1950, 1951, 1952, 1953, 1954 1955, 1956, 1957, 1958, 1959, 1960, 1961, 1962, 1963, 1964 1965, 1966, 1967, 1968, 1969, 1970, 1971, 1972, 1973
By Encyclopædia Britannica, Inc.

Fifteenth Edition
© 1974, 1975, 1976, 1977, 1978, 1979, 1980, 1981, 1982, 1983, 1984, 1985, 1986, 1987, 1988, 1989, 1990, 1991, 1992, 1993, 1994, 1995, 1997, 1998, 2002, 2003, 2005, 2007
By Encyclopædia Britannica, Inc.

Printed in U. S. A.

Library of Congress Control Number: 2006921233
International Standard Book Number-10: 1-59339-292-3
International Standard Book Number-13: 978-1-59339-292-5

Britannica may be accessed at http://www.britannica.com on the Internet.

不列颠百科全书

国际中文版

修订版

Encyclopædia Britannica
International Chinese Edition

3

中国大百科全书出版社

《不列颠百科全书》国际中文版

Bogotá 波哥大 西班牙语正式名称为圣菲波哥大。哥伦比亚共和国首都。位于东科迪勒拉山的肥沃高原上。海拔 2 640 米。1538 年,欧洲人开始在该地建居民点,不久,波哥大成为西班牙南美殖民统治中心。1819年,

波哥大市波利瓦尔广场上的大教堂

美国不列颠百科全书公司供图

玻利瓦尔战胜西班牙人,获取该城。脱离西班牙后,于 1821 年波哥大成为大哥伦比亚联邦(包括今委内瑞拉、厄瓜多尔、巴拿马和哥伦比亚)首府。1830 年联邦解散后,仍为新格拉纳达(后成为哥伦比亚共和国)首府。在 19 世纪,争夺政治权利的斗争以及地理上的孤立,限制了波哥大的发展。直至 1958 年自由党和保守党才达成解决办法。波哥大为哥伦比亚航空线枢纽。设有南美洲第一家商业航空公司——哥伦比亚国家航空公司。铁路通加勒比海岸和太平洋沿岸。通泛美公路和西蒙·波利瓦尔公路。建有轮胎、化工品、医药生产基地;但主要还是商业活动,有股票交易所(1928)和主要银行。设有沙勿略主教学院(1622)和圣托马斯大学(1580)等高等院校。还有植物研究所,国立音乐学院、国立博物馆、国立天文台和国立图书馆。市内外均有开阔优美的公园。南面 32 千米处有特肯达马瀑布(157 米)。乘缆车直登蒙塞拉特山(550 米)顶,参观建筑在山上的教堂和神殿。人口约 6 004 782 (1997)。

Bogra 博格拉 旧作 Bagura。孟加拉国西北部城市。位于贾木纳河支流戈罗多亚河西岸。交通便利,是恒河与贾木纳河之间巴林德地区南部的商业中心。1876 年建市。有一个公园、一个剧场和一个为发展养蚕业而设立的育种场。市北的莫哈斯坦遗址已被鉴定为奔德拉王朝首府,它建于孔雀王朝时代(公元前 300 年),在后续的笈多、巴拉王朝时代繁荣昌盛。人口约 93 114(1991)。

Bogue, Treaty of 《虎门条约》(1843-10-08) 参阅 **Nanking, Treaty of《南京条约》; Qiying 耆英**。

Bogusławski, Wojciech 博古斯瓦夫斯基(1757-04-09,波兰波兹南~ 1829-07-23,华沙) 波兰启蒙运动时期演员、导演和主要剧作家。1778 年成为演员。1783 ~ 1814 年间他在华沙担任波兰国家剧院的导演,后来到勒武韦工作,并随他的剧团巡回演出波兰剧和外国剧。许多人认为他是波兰戏剧之父。曾写作 80 多个剧本,大部分是改编西欧作家的喜剧;并大大提高了专业表演的水平。他最著名、最受欢迎和最富有特色的剧本《想象的奇迹,又名克拉科夫人和山民》(1794)取材于本国民间传说,是一部爱国主义的喜歌剧。

Bohai (ancient Chinese state) 参阅 **Parhae 渤海**。

Bohemia 波希米亚 欧洲中部历史地区,原为神圣罗马帝国的王国,继为哈布斯堡奥地利帝国的省份。南连奥地利,西接巴伐利亚,北与萨克森、卢萨蒂亚毗邻,东北与西里西亚接壤,东与摩拉维亚交界。1918 ~ 1939 年以及 1945 ~ 1992 年是捷克斯洛伐克的一部分;自 1993 年起构成**捷克共和国**(**Czech Republic**)的大部分领土。

5 或 6 世纪斯拉夫捷克人已牢固在此扎根。在 9 世纪末曾隶属摩拉维亚,但为时很短。到 10 世纪在普热美斯王朝诸亲王的统治下,实现了基督教化并得以巩固。虽然诸亲王逐渐依附神圣罗马帝国,但他们却能将摩拉维亚并入波希米亚并使二地区成为一可独立生存的王国。1198 年普热美斯家族中最伟大的亲王鄂图卡一世被封为波希米亚(神圣罗马帝国中的王国)的世袭国王。1306 年普热美斯王朝终结。1310 年卢森堡王朝开始统治波希米亚王国。到 14 世纪结束时,该王国统治范围包括摩拉维亚、西里西亚、上和下卢萨蒂亚及波希米亚省。1437 年卢森堡王朝告终,继之而来的是权力交递之争,贵族掌权,不仅波希米亚的君主制受害,而市民和农民也丧失了许多自由,有些已沦落到农奴的地步。1471 ~ 1526 年亚盖沃王朝统治波希米亚,很不得力。1526 年奥地利的哈布斯堡大公斐迪南一世继承王位,从而建立了哈布斯堡王朝对波希米亚的统治。基督教新教与罗马天主教的冲突导致 1618 年新教徒叛乱反对哈布斯堡的统治。在 1620 年怀特山战役中帝国天主教武装击败了波希米亚的新教徒,斐迪南一世皇帝又能够实施对波希米亚的统治权。波希米亚丧失了作为王国的地位,从此要接受哈布斯堡皇帝专制主义的统治。新教被镇压下去,居民大多逐渐改信天主教。1635 年波希米亚失去了上、下卢萨蒂亚,18 世纪中叶又失去了西里西亚;到这时波希米亚已完全并入奥地利帝国,这一状况一直持续到 20 世纪初期。

1848 年,波西米亚和摩拉维亚的捷克人反抗哈布斯堡王朝统治的起义失败。捷克人继续鼓动要求在奥匈帝国内部实行自治。斯洛伐克人也表示反对哈布斯堡王朝。第一次世界大战结束时,捷克和斯洛伐克两个民族联合起来(1918)成立了捷克斯洛伐克共和国;波希米亚则成为这个新成立国家的西端省份和工业中心地带。波希米亚西部许多说德语公民(苏台德地区德意志人)的存在,为纳粹德国在《慕尼黑协议》(1938)之后占领捷克斯洛伐克提供了借口;波希米亚(同摩拉维亚一起)成为德国的保护地,直至第二次世界大战结束,1945 年盟国恢复捷克斯洛伐克国家政权时为止。从 1945 ~ 1949 年波希米亚又一次成为捷克斯洛伐克的西端省份;但 1949 年波希米亚省和其他省(摩拉维亚和斯洛伐克)被新的较小的行政单位——县所代替。波希米亚作为长期的行政区划从此结束。

1993 年捷克斯洛伐克和平地划分为捷克共和国和斯洛伐克共和国,波希米亚则构成捷克共和国的中部和西部。

Bohemian Confession 《波希米亚信纲》 拉丁文拼作 Confessio Bohemica。捷克基督教饼酒同领派(胡斯派中的温和派)1575 年制订的教义纲要。后来《波希米亚信纲》为波希米亚王国国内的弟兄联盟、信义宗和加尔文宗所接受。这部文献以《奥格斯堡信纲》为蓝本,吸收信义宗的因信称义教义和加尔文对圣餐的解释。

Bohemian Forest 波希米亚森林 德语作 Böhmer Wald,捷克语作 Šumava(舒马瓦山)。在波希米亚高原西南部。大部沿德国-捷克共和国边境,西北自奥赫热河上游河谷向东南延伸至奥地利境内多瑙河河谷。以捷克共和国舒马瓦高地和德国欣特勒森林为主体。平均海拔 1 100 米。有大阿伯山(1 456 米)和普莱希山(1 378 米)。舒马瓦高地是伏尔塔瓦河发源地,富水力资源。森林占该地区 1/3 以上,主要为针叶林、落叶林。人烟稀少。有矿藏和采石场。西北部为较低的捷克山林(上普法尔茨林山),与主要山群(舒马瓦山和

欣特瓦尔德山)之间相隔一洼地。洼地延伸于卡姆、菲尔特和多马日利采之间。该山林坡度比较平缓,多数山岭被辟为高地农田。雷根河和伊尔茨河也发源于波希米亚森林。平行、较低的巴伐利亚森林位于西南部,在德国境内。波希米亚林区以玻璃工业和木材加工业著称。

Bohemian garnet 波希米亚石榴子石 参阅 **pyrope** 镁铝榴石。

Bohemian glass 波希米亚玻璃制品 13世纪以后波希米亚和西里西亚生产的刻花玻璃制品。以1685～1750年生产的具有巴罗克风格的刻花和雕刻玻璃最为著名。17世纪初,布拉格鲁道夫二世的宝石雕刻工C.莱曼把雕刻宝石的技术应用到玻璃上,从而成为第一个完善这种技术并形成个人风格的近代玻璃雕刻家。波希米亚的玻璃业原来并不发达,约1700年发明了光彩夺目的钾-钙玻璃(波希米亚水晶),并采用了设计优美的雕刻图案和丰富多彩的装饰,才使该地的玻璃制品闻名于世。经过F.温特等玻璃雕刻家的努力,西里西亚也成为这类玻璃制品的生产中心。18世纪末叶,在新的洛可可风格出现以后,为了与英国的雕花铅玻璃制品竞争,波希米亚又发明了具有中国式图案的黑色玻璃、仿宝石玻璃、宝石红玻璃和乳白色套料玻璃等各种玻璃制品。19世纪末叶,波希米亚玻璃制品的工艺水平下降,维也纳工业家L.洛布梅尔在卡梅尼茨基谢诺夫创办玻璃雕刻设计室,才得以恢复。

约1710～1720年的波希米亚玻璃高脚杯
美国不列颠百科全书公司供图

Bohemian language 波希米亚语 参阅 **Czech language** 捷克语。

Bohemian Massif 波希米亚地块 捷克共和国波希米亚地区四边形切割高地,面积约为158 000平方千米。波希米亚地块以布拉格为中心,最高海拔1 602米,周围有4条山脉环绕:西北为奥雷山脉,东北为巨人山脉,东南为波西米亚-摩拉维亚高地,西南为波希米亚森林。

Bohemian-Moravian Highlands 波希米亚-摩拉维亚高地 捷克语作Českomoravská Vysočina(捷克-摩拉维亚高地)。捷克共和国的高原,长200千米,宽56～80千米,为波希米亚高地东南部界限。高原本身大致为下列河流所限定:西有卢日尼采河,南有迪耶河,东有摩拉瓦河,北有易北河(拉贝河)数支流。波希米亚-摩拉维加高地为绵延起伏、森林茂密的丘陵地区,平均高度为600～750米。它是易北河和多瑙河两大水系主要分水岭的一部分。土地贫瘠,不宜发展农业;20世纪30年代末期以后,萨扎瓦河畔日贾尔和最大城镇伊赫拉瓦才有新工业。高原现有许多历史重镇和城堡。

Bohemian school 波希米亚学派 自1346年起得到波希米亚王查理四世赞助,并自1355～1378年间得到神圣罗马皇帝支持,产生于布拉格及其近郊的视觉艺术流派。当时,布拉格以其富有生气的波希米亚建筑传统和别具一格、自成体系的绘画风格,影响了14世纪欧洲尤其是德国的后期哥特式艺术。波希米亚学派的两座重要建筑代表作均建于布拉格,即查理王宫和圣·维图什大教堂。查理的大臣们收藏了许多王宫和大教堂的设计图。优秀作品多为外来匠师所作。这些作品在用色的鲜明、欢快和表示形体透视变化上与当代意大利的图样相仿,但也保留了当地的波希米亚装饰成分。

维廷高的画师约1380～1390年画的《复活》
美国不列颠百科全书公司供图

波希米亚学派最卓越的成就当推壁画和板上画。波希米亚学派绘画的产生曾得力于为查理王作过大量板上画的意大利北部画家托马索·达·莫德纳创作的启迪。活跃于14世纪50年代的第一代波希米亚画家,以霍恩浮斯祭坛画的画师为代表,在很大程度上受到比较雅致的锡耶纳画派式样的影响。托马索的风格对布拉格画家泰奥多里库斯风格的形成起了重要作用。泰奥多里库斯是第二代波希米亚学派的首要画家,曾受查理之托装饰王宫的圣十字架小教堂(约1357～1367),绘制一幅钉十字架和一些圣徒的板上画。这些作品尽管显示了锡耶纳艺术的影响,但在自然主义、心理刻划和体积表现方面都与托马索·达·莫德纳的绘画极为相近。约1360年在布拉格埃毛斯隐修院作画的另一些画家,以深幽密集的构图、轻柔绚丽的帷幔、栩栩如生的人物形象和强烈的性格刻划创作了描绘基督生平的精湛壁画。波希米亚学派最后一个重要画家是维廷高的画师(或称特热邦祭坛画的画师),他代表第三代波希米亚画家(活动时期约1380～1390),其画风由泰奥多里库斯的画风演变而来,似乎也比前人更多受到当代法国绘画的影响。查理之子瓦茨拉夫1378年继承父位,由他赞助,手抄本插图画派继而兴起。

Bohemond 博希蒙德 又拼Bohemund,法语作Bohémond或Boémond。安条克公爵名和的黎波里伯爵名,按年代顺序分列于后,并各以● 为标记。

● Bohemond I 博希蒙德一世(1050至1058～1109-03-05或07,可能在意大利巴里)奥特朗托公爵(1089～1111)、安条克公爵(1098～1101,1103～1104),第一次十字军的领袖之一,曾攻占安条克(1098-06-03)。其父圭斯卡德出身雇佣兵,后成为阿普利亚和卡拉布里亚公爵。博希蒙德于1079年开始领兵,1081年攻占阿夫洛纳。同年拜占廷皇帝阿历克塞一世康尼努斯登基,与诺曼人为敌,成为博希蒙德的对手达30余年。1083年阿历克塞将他们逐出色萨利的拉里萨。1085年博希蒙德丧父,他只得到巴里的一个封邑存身。1095年11月教皇乌尔班二世发起第一次十字军东征,博希蒙德立即响应,率领一支小小的诺曼军队参加东征,1096年冬经希腊半岛到达君士坦丁堡。十字军渡过博斯普鲁斯海峡,与土耳其人作战。在尼凯亚、多里莱乌姆和安条克的战斗中，博希蒙德战绩辉煌。1098年攻克安条克后，他留守该城，没有参加进攻耶路撒冷的战役。十字军返回家园后，他成为新建十字军国家安条克公国的首脑。他屡次进犯邻邦阿勒颇，扩展领土，但在进攻北方的锡瓦斯时被俘，直到1103年获释。1105年9月前往罗马觐见教皇，然后游历法国。1106年与法王腓力一世之女结婚。1107年再次进攻希腊，率大军在阿夫洛纳登陆。阿历克塞急于结束战争，让他统治安条克和几个希腊城邦。他也无力再战，只得接受臣服拜占廷的屈辱条件。

● **Bohemond Ⅱ 博希蒙德二世**(1107～1130-02) 安条克公爵(1119～1130)。博希蒙德一世之子。1126年从阿普利亚到达安条克，不久便与耶路撒冷摄政鲍德温二世的女儿艾丽斯结婚。1129年与鲍德温联合进攻大马士革，翌年在西里西亚被穆斯林军所杀。当地埃米尔将其头涂上香油以防腐，并作为礼物呈献给了哈里发。

● **Bohemond Ⅲ 博希蒙德三世**(1145～1201) 安条克公爵(1163～1201)。博希蒙德二世的外孙。1163年即公爵位。次年与穆斯林作战失败被俘；后获释。1180年因遗弃第二个妻子而被逐出教会。晚年在立嗣问题上颇受折磨，其幼子曾一度于1199年将其父逐出安条克。

● **Bohemond Ⅳ 博希蒙德四世**(约1175～1233) 的黎波里伯爵(1187～1233)、安条克公爵(1201～1216，1219～1233)。博希蒙德三世的幼子。1201年挫败侄子雷蒙德·鲁本继承父位，为安条克公爵。1216年去的黎波里时，雷蒙德占据了安条克，但1219年被废黜。博希蒙德仍统治安条克和的黎波里，直到逝世。

● **Bohemond Ⅴ 博希蒙德五世**(约1198～1252-01) 安条克公爵和的黎波里伯爵(1233～1252)。博希蒙德四世之子。1233年继父位后，继续与亚美尼亚交战，直至1251年未来的博希蒙德六世与亚美尼亚国王之妹成婚始媾和。他大部分时间住在的黎波里，安条克则由城镇会议治理。

● **Bohemond Ⅵ 博希蒙德六世**(1237～1275) 安条克公爵(1252～1268)和的黎波里伯爵(1252～1275)。博希蒙德五世之子。1252年继承父位。他住在安条克，对的黎波里放任不管。1258年2月他应侄子塞浦路斯的雨果二世之邀为耶路撒冷国王。1268年安条克被马木路克人占领，从此最富有、最古老的十字军国家消失。

● **Bohemond Ⅶ 博希蒙德七世**(？～1287-10-19) 的黎波里伯爵(1275～1287)。博希蒙德六世之子。1275年继承的黎波里伯爵爵位，由其母摄政。他曾与定居在的黎波里的圣殿骑士团发生冲突。1287年劳迪塞亚被埃及苏丹侵占。他死后不到两年，的黎波里即为埃及人兼并(1289)。

Bohlen und Halbach, Alfried von 波伦·翁德·哈尔巴黑 参阅 **Krupp von Bohlen und Halbach, Alfried**克虏伯·冯·波伦·翁德·哈尔巴黑。

Bohlen und Halbach, Gustav von 波伦·翁德·哈尔巴黑 参阅 **Krupp von Bohlen und Halbach, Gustav**克虏伯·冯·波伦·翁德·哈尔巴黑。

Böhm, Georg 博姆(1661-09-02，图林根霍亨基兴[德国]～1733-05-18，汉诺威吕讷堡) 德国作曲家，主要以键盘乐作品闻名，对J.S.巴赫颇有影响。1684～约1690年在耶拿大学学习以后，终生任吕讷堡教堂管风琴师，巴赫无疑是在那里听过他的演奏。博姆的拨弦键琴组曲具有J.J.弗洛贝格的风格，但他的管风琴曲具有独创性，有几首是公认的杰作。他在管风琴帕蒂塔和合唱赞美诗前奏曲中对合唱赞美诗曲调的处理，给了巴赫很大影响。

Böhm, Karl 博姆(1894-08-28，奥地利格拉茨～1981-08-14，萨尔茨堡) 奥地利指挥家，以指挥R.施特劳斯、瓦格纳、莫扎特等作曲

美国不列颠百科全书公司供图

家的作品的演出和录音而享誉世界。在维也纳攻读法律，也随曼迪切夫斯基和阿德勒学习音乐，1917年在格拉茨歌剧院首演，三年后任该院首席指挥。1921年进慕尼黑歌剧院，其后相继在达姆施塔特(1927)、汉堡(1931)和德累斯顿(1934)任音乐总监。1936年在科文特加登剧院作他的伦敦首演。接受德累斯顿一职使他受到公众抨击，因为他是取代被纳粹强迫辞职的F.布施。1938年在萨尔茨堡取代B.瓦尔特，也是类似情况。1943～1945年及1954～1956年指挥维也纳国立歌剧院。1957年首次在纽约市大都会歌剧院演出，指挥《唐·乔凡尼》。从60年代早期起，由于在拜罗伊特音乐节的演出，被认为可能是瓦格纳作品最负盛名的演释者。他为莫扎特的全部交响曲灌制过唱片和磁带。他的指挥特点是热烈、精巧、抒情。

Böhm, Theobald 博姆(1794-04-09，慕尼黑～1881-11-25，慕尼黑) 德国长笛演奏家、长笛作曲家和制作家。他创造的音键机械和指法体系普遍为后人采用。早年学习长笛，1818年成为慕尼黑宫廷乐师。1828年开办工厂，1832年研制出第一支博姆式长笛，特点为装有一套控制杆(音键)和环形物，以控制音孔的开启和闭合。这些环形键使手指可以在闭合一个音孔的同时利用与环形键联接的一根杆或轴启动远离手指的另一个键。有了这些键，笛孔便能开在符合声学要求的位置上，不必考虑手的大小。1847年他把长笛的音键装置应用到主节和吹节之上。这个新设计得到普遍认可，基本上就是现代管弦乐队使用的长笛。早在1839年，博姆式单簧管就曾展出，博姆式双簧管也已制成。他还对声学从事广泛的研究和实验。

Böhm-Bawerk, Eugen von 柏姆-巴维克(1851-02-12，奥地利帝国摩拉维亚布伦[今捷克共和国布尔诺]～1914-08-27，奥匈帝国蒂罗尔克拉姆萨赤[今在奥地利]) 又译博姆-巴维克。奥地利经济学家和政治家。奥地利经济学派主要的理论学家。1872～1875年在奥地利财政部任职，其间曾到几所德国大学学习。1880年移居因斯布鲁克，1884年任因斯布鲁克大学正教授。1890年回财政部，参加了1892年的币制改革，采用金本位制。其后几度出任内阁部长。1904年辞去政府职务到维也纳大学任教。柏姆-巴维克和门格尔、维塞尔号称奥地利学派的三大支柱。从门格尔的研究成果出发，他提出了一种关于利率和资本周转期的来源与确定的理论，这就是奥地利学派的资本理论。

Böhme, Jakob 伯麦(1575，萨克森格尔利茨附近阿尔蔡登堡[德国]～1624-11-21，格尔利茨) 德国哲学神秘主义者，文艺复兴和宗教改革后理性运动中最有影响的领袖之一，对后世唯心主义和浪漫主义运动有着深远影响。接受初等教育后，于1594或1595年去格尔利茨，当时该地对宗教改革问题正进行激烈争论。1600年他当鞋匠时，从宗教体验悟到有助于消除那个时代紧张气氛的真知灼见，即“万物都不外乎是与否”的辩证原理。1612年完成《曙光》后被迫辍笔。这时伯麦的思

美国不列颠百科全书公司供图

想趋于成熟，又接触到思辨的炼金术著作，特别是瑞士医生帕拉切尔苏斯的著作，这些加深了他对自然神秘主义的兴趣。1619年重新执笔。论述忏悔、顺从、再生的短文以《通向基督之路》为题于1622年出版。1623年完成两部巨著，其一为《伟大的神秘》，该书根据帕拉切尔苏斯的3个本原(盐、硫、汞3个神秘

元素）解释《旧约》中的创世，将文艺复兴的自然神秘主义同《圣经》相结合；另一巨著《论神恩的遴选》用辩证观点论述自由问题。从1619年起直到1624年去世，他至少完成了30部著作。因对当局抱抗拒态度而进一步受迫害，以致被送到德累斯顿的选侯法庭审讯，回家后仍不断遭受邻居攻讦。但他受到身为贵族、医生、文人的一些朋友所敬重，得以在邻近城堡躲避，并成为一个近乎秘密组织的核心人物。

Böhmer, Johann Friedrich　波梅尔（1795-04-22，美因河畔法兰克福［德意志］～1863-10-22，美因河畔法兰克福）　德国历史学家，以编纂中世纪德意志帝国文件的《古文件汇编》而闻名。先后在格丁根和海德堡两大学读书后到意大利去旅行。他在那里对艺术史发生了兴趣。1830年任法兰克福市立图书馆馆长，次年开始出版《古文件汇编》。《汇编》的第一卷《从康拉德一世至亨利七世历代罗马国王和皇帝的文件，911～1313》（1831），包括文件摘录和编者的评注及历史背景说明。其他各卷有《加洛林王朝历代国王文件集》（1833）和德意志帝国1314～1347年、1246～1313年、1198～1254年的文件集。

Böhmer Wald（central Europe）　参阅**Bohemian Forest 波希米亚森林**。

Bohol　保和　菲律宾中南部米沙鄢群岛中的岛屿。略呈椭圆形，面积3 864平方千米。位于北面的卡莫特斯海与南面的保和海之间。境内河流短促，亦无良港。居民集中于沿海一带及中部卡门镇周围的低洼平原。保和中西部的"巧克力山"或"圆锥山"景色奇特，得名于气候干燥时的褐色外观及对称的锥状山体。是世界上仅有的两三处同类奇景之一，已辟为旅游胜地。主产稻米、玉米和椰子。重要城镇有洛翁和塔利邦。人口约881 051（1990）。

Bohol Sea　保和海　又称棉兰老海。北太平洋西部的一部分。东西长270千米左右，四周为菲律宾的岛屿：棉兰老岛（南和东）、莱特岛、保和岛和宿务岛（北）和内格罗斯岛（西）。北面经保和海峡、塔尼翁海峡和卡尼高海峡与米沙鄢海相通，东面经苏里高海峡与菲律宾海相连，西面注入苏禄海。保和海有丰富的渔场。

Bohomolec, Franciszek　博霍莫莱茨（1720-01-29，波兰维捷布斯克附近［今属白俄罗斯］～1784-04-24，华沙）　语言学家，波兰启蒙运动时期优秀的剧作家。在罗马结束学业并获得耶稣会教士资格后，在华沙任教，并开始改编哥尔多尼和莫里哀的喜剧，供他的学生演出。早期作品讽刺了波兰贵族的无知和愚昧。曾为广大观众写过其他剧本，如《按日历办婚事》（1766），嘲笑了无知和迷信，一般认为这是他的最佳作品；《妖术》（1774）也是讽刺迷信的。《好领主》（1767）是对农民与乡绅关系的社会评述。晚年编写《指导者》杂志，对波兰的启蒙运动做出重大贡献。

Bohr, Aage N(iels)　玻尔（1922-06-19，丹麦哥本哈根～2009-09-08，哥本哈根）　丹麦物理学家。曾就读于哥本哈根大学，于1954年取得博士学位。在40年代，作为他父亲N. 玻尔的助手，在美国洛斯阿拉莫斯从事原子弹的研制工作。从1946年起，他开始与其父在哥本哈根建立的理论物理研究所发生联系，并于1963年担任了该研究所的所长，直到1970年。50年代初，他根据同B. R. 莫特森一起进行由J. 雷恩沃特的一些理论而产生的那些实验，发现亚原子粒子的运动能使原子核变形，从而对广泛承认的所有原子核都具有完美球形的理论提出了挑战。这个发现对了解并发展核聚变是重要的。由确定某些原子核的非对称性状并作出相应的说明，他与莫特森和雷恩沃特共获1975年诺贝尔物理学奖。著有《原子核的旋转态》（1954）和《原子核结构》（2卷，1969、1975）等。

Bohr, Harald August　玻尔（1887-04-22，丹麦哥本哈根～1951-01-22，哥本哈根）　丹麦数学家，建立了概周期函数理论。著名物理学家N. 玻尔之弟。1915年为哥本哈根工学院教授，1930年任哥本哈根大学教授。早期研究主要涉及狄利克雷级数，这是由德国数学家P. 狄利克雷为在数论中应用分析而引进的级数。其后他与德国的E. 兰道合作，集中精力研究黎曼 ζ 函数，这种函数对素数论以至整个函数论都十分重要。1914年，他们提出了关于使得 ζ 函数等于零的条件（零点分布）的定理（现在称为玻尔-兰道定理）。玻尔对可以通过狄利克雷级数表示的函数的兴趣导致他建立概周期函数理论。

Bohr, Niels (Henrik David)　玻尔（1885-10-07，丹麦哥本哈根～1962-11-18，哥本哈根）　20世纪重要科学家之一，他首先应用量子理论，即将某一系统的能量限制在某些离散值来研究原子结构和分子结构问题。在量子物理学的发展过程中，他曾是主导人物，也做出了主要贡献。1922年获诺贝尔物理学奖。

早年生活　玻尔的父亲克雷斯蒂安·玻尔是哥本哈根大学的生理学教授，以有关呼吸的物理和化学方面的工作闻名于世。他的母亲埃仑·艾德勒·玻尔出身于富有的犹太家庭，在丹麦的银行界和议会中很有地位。玻尔的科学兴趣和科学才能，很早就被人们所认识，并在这样一种温暖的知识分子家庭

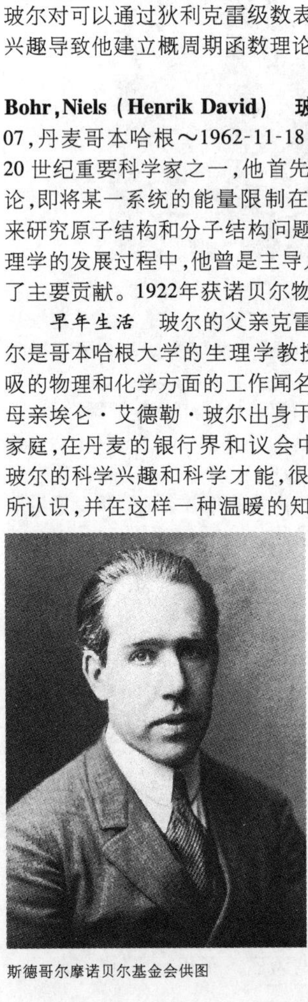

斯德哥尔摩诺贝尔基金会供图

气氛中得到了鼓励和培养。他的弟弟哈拉尔德是一位卓越的数学家。

在哥本哈根大学时，玻尔由于他对射流振动测定表面张力的理论分析和精确实验而获得了丹麦皇家文理科学院的金奖。1911年，他以金属电子论的论文得到了博士学位，在这篇论文中，他强调了经典物理学不足以在原子水平上研究物质的特性。此后，他到了英国剑桥，希望在J. J. 汤姆孙爵士那里继续进行这方面的工作。汤姆孙早年虽也曾研究过这一问题，但当时对玻尔有关金属电子的思想没有表示多大兴趣。1912年3月玻尔迁到曼彻斯特，在那里他参加了研究原子结构的E. 卢瑟福的小组。

玻尔在曼彻斯特研究卢瑟福当时所建议的原子的核模型（即卢瑟福原子模型）在理论上的内涵。玻尔是首先认识到原子序数重要性的学者之一。原子序数指出元素周期表中元素的位置，也等于其原子核所带电荷的固有单位数。他认识到元素的物理和化学性质与原子核外运动的那些电子有关，只有原子量和放射特性才与小且重的原子核有关。卢瑟福的核型原子不论从力学上还是从电磁理论上讲，都是不稳定的，但是玻尔引进了新的而在当时还不太清楚的量子论，就得到了稳定的核型原子。这种量子论是M. 普朗克、A. 爱因斯坦以及其他物理学家发展的，它和经典物理学完全不同。玻尔设想任一原子只能具有一组离散的稳定（状）态或定态，每一稳定态的能量是一个定值。他对原子结构的这一描述被称为"玻尔原子模型"。

玻尔的原子量子论论文的最精彩结果，是得到了氢原子发射光谱的系列线族。用他的理论，可以相当精确地计算那些谱线的频率，那些频率可以用电子的电荷和质量以及普朗克常量决定（普朗克常量亦称作用量子，用 h 表示）。在这里，玻尔假定当原子在某一稳态时，不放出辐射；只有当原子从一个稳态变换到另一个稳态时，才放出辐射。这样放出的辐射频率，应该等于两个能态之间的能量差值被普朗克常量除得的商。这就意味原子不能连续吸收或放射辐射能，而只能通过有限大的步骤，或通过量子跳跃达到。这也就是说，原子发射的辐射频率不等于原子内电子运动的频率。对这种大胆的看法，一些玻尔同时代的学者都很难接受。不过，玻尔理论后来为许多新的光谱测量以及其他实验所一再证实。

1912年夏季，玻尔从曼彻斯特回到哥本哈根和玛格丽特·娜隆结婚，并继续在原子物理新道路上前进。这一工作是1913年在哥本哈根完成的，但首先在英国出版。玻尔在哥本哈根和曼彻斯特相继当过讲师，1916年在他的家乡被任命为教授。1921年，哥本哈根大学为玻尔建立了一个新的理论物理研究所，他担任所长直到去世。

在20年代早期，玻尔集中研究两个互相关连的问题。他试图发展一种协合的量子论，它既要在原子水平上能取代经典力学和电动力学，又要能处理原子世界的一切问题。他也企图解释一切化学元素的原子结构和性质，特别是能解释周期表中的有序规律和原子发射光谱的复杂图样。当时基础还不确

定，理论是试探性的，模型也有问题，玻尔经常用对应原理来指导他的研究。根据这一对应原理，由量子公设推定的稳态之间的每一跃迁过程，必和经典力学描述的电子运动的有关谐分量(单一频率的)相对应。正如玻尔1923年所说："尽管量子公设和经典力学、电动力学的基本理论是根本不同的，但人们仍能从原子发射的辐射和从粒子运动获得辐射源的经典想法之间找到关连。"在一定范围之内，用上述不同方法计算所得频率，竟精确地相等。

哥本哈根的玻尔研究所很快便成为研究原子物理和量子论的国际中心。在研究所成立初期，就有各国学者和玻尔在一起工作，如荷兰的H.A.克拉末、匈牙利的G.C.de赫维西、瑞典的O.克莱因、德国的W.海森伯和美国的J.斯莱特。玻尔自己开始远出访问，曾到许多欧洲国家、加拿大和美国讲学。

当时，玻尔比同时代的科学家更加重视当时原子模型的暂行性和符号性，他相信物理学将经历一次剧烈的变革。1924年，他曾准备考虑能量和动量守恒可能不适用(只在统计平均的意义上才能适用)于原子水平的问题。为了避免光的粒子化性质这种悖谬而提出的这类极端想法，很快就被证明是站不住脚的，而且是不必要的。几年后，新的量子力学诞生了，这种全新的综合性理论符合玻尔久已期待的变革。这种新的量子力学不仅是一种计算所要求的数学结构，而且要求有物理解释。这种新的物理解释，是由玻尔和一批批到他的原子物理学世界首都来访问的人流的热烈讨论中产生的，他们讨论怎样把自然界的新的数学描述与实验物理学的运作过程及其成果联系起来。

玻尔用他的并协原理来说明量子物理学的特性，认为"任何原子物体的性态，与界定相关现象产生条件的测量仪器的相互作用不能明显分开"。其结果是，在不同实验条件下所得证据，不能纳入单一图像，而只能认为是互相补充构成现象的总体。对于量子物理含意的这种解释，是对物理解释的一种新看法，它逐渐为多数物理学家所接受。不过，最有名的和最直言不讳的反对者是爱因斯坦。

爱因斯坦对玻尔早年的工作推崇备至，称之为"思想界的最高乐章"，但他从来没有接受玻尔声称的为了理解原子现象，量子力学是"经典物理的理性推广"。爱因斯坦和玻尔曾多次讨论物理学的基本问题，有时还是由一位双方都亲密的好友撮合的，他就是荷兰莱顿大学的理论物理学教授P.埃伦菲斯特，但他们始终没有达到基本共识。不过，玻尔很重视爱因斯坦的重要反对意见，他认为这些意见迫使他在概念上得到了发展，而且他们的讨论给他以非常深远的印象。

1930年起，玻尔继续从事于由量子理论引起的认识论问题，同时还对核物理学这个新领域做出了贡献。他把原子核比作一个液滴，他的液滴模型是理解许多核过程的关键手段，特别是1939年在理解核裂变(一个重核分裂为两个几乎等质量的两部分，并释放巨大的能量)的实质中起了重要作用。同样，他的原子模型在解释其他类型的核反应方面也获成功。

玻尔研究所一直到第二次世界大战爆发时为止，始终是理论物理学众目睽睽的焦点。核物理学的年会以及时间长短不同的正式和非正式访问，几乎把每一位和量子物理学有关的人士都带到了哥本哈根。玻尔的很多友好同事都曾亲切地描写研究所那非凡的进取精神，从各国汇聚在那里的年轻科学家们无忧无虑地一起工作、一起游玩，把对物理学和外面黑暗世界的严重关注隐藏在心中。小组中最活跃的H.B.G.卡西米尔曾这样写道："甚至玻尔，他比谁都用功，也比我们任何一个人都更有毅力，他常在休息中玩纵横组字谜戏、运动和侃大天。"

晚年生活 1940年丹麦被德国人蹂躏和占领，面对纳粹的权势，玻尔尽力维护其研究所的工作和保持丹麦文化的完整性。1943年，由于他的犹太血统和从不隐蔽的反纳粹观点，他受到立即逮捕的威胁。玻尔和妻子、家人，由丹麦地下抵抗运动(组织)深夜用渔船送到瑞典。几天后，英国政府派一架没有武装的蚊式轰炸机到瑞典，玻尔就这样通过戏剧性的飞行飞到英国，在飞行中他差一点丧命。在以后两年中，玻尔和他的一个儿子奥格一起参加了裂变核弹的工程。奥格以后继承父业，是一位理论物理学家，主持了理论物理研究所，获得了诺贝尔物理学奖。他们在英国工作了几个月，就和英国的研究组一起搬到了美国新墨西哥州的洛斯阿拉莫斯研究中心。

玻尔特别关心原子武器对人类的可怕威胁。早在1944年，他就试图说服英国首相丘吉尔和美国总统罗斯福必须通过国际合作来解决这些问题。虽然这种呼吁并未成功，玻尔在1950年致联合国的一封公开信中继续努力提出一个"开放世界和合理的和平政策"。玻尔相信为了控制核武器，人民及其思想都必须自由交流。他领衔推动了1955年在日内瓦召开的第一届国际和平利用原子能会议，并协助建立了欧洲核研究委员会(CERN)。在他获得的众多奖誉中，玻尔曾于1957年获得第一届"美国和平利用原子能奖"。

在他的晚年，玻尔曾试图指出，在人类生活和思想的许多方面，互补的思想可能说明一些问题。他对几代物理学家都会有重大影响，对他们的科学思想和生活观点都起着启蒙引导作用。玻尔自己不断向各方面学习，甚至对最年轻的共事者也抱着倾听学习的态度。他和同事们、妻子、儿子和兄弟的关系都很好，他从他们那里获得了力量。他的精神富有国际性，但他也是十足的丹麦人，他深深扎根于他的丹麦文化之中。这一点可以从他负责的许多公共事务中看出来，特别是他从1939年起就是丹麦皇家科学院院长，一直负责到生命结束。

Bohr atomic model 玻尔原子模型 对原子特别是氢原子结构的描述。丹麦物理学家N.玻尔于1913年提出。它根本不同于早先的经典描述，是第一个与量子理论结合的原子模型，也是各种量子力学模型的前身。玻尔模型与后来的原子模型都是用一组离散的容许值来描述原子中电子的特性。只有当电子在两个容许或固定态之间突然跃迁时，原子才吸收或发出辐射。德国出生的物理学家J.弗兰克和G.赫兹在1914年直接由实验验证了离散态的存在。1913年前，人们认为原子是带负电的轻电子，像行星一样环绕极小的带正电的重原子核，沿任意半径的圆轨道旋转。玻尔修正了行星式电子运动的观点，使模型与实际的氢原子所发射的有规律的光谱线系相符合。玻尔把电子限制在其半径取一系列离散值的圆轨道上运行，因而解释了氢的发射光谱中一系列离散的波长。玻尔认为，只有当电子从离核较远的轨道向离核较近的轨道跃迁时，才有光从氢原子辐射出来。一个电子在这突然跃迁中失去的能量与发射光量子的能量完全相等。

Bohrā 博赫拉人 生活在印度西部地区的穆斯台阿利教派信徒。他们大多属于伊斯兰教什叶派的伊斯玛仪派，内中还包括少数逊尼派信徒。前者多经商，后者多务农。穆斯台阿利派最初产生于埃及，后中心转到也门。1539年后，该派在印度发展很快，其中心自也门转至印度。1588年，因争夺领导权，该派分裂为达乌德派和苏莱曼派。

Böhtlingk, Otto von 伯特林克(1815-06-11，俄罗斯帝国圣彼得堡～1904-04-01，莱比锡) 德国语言学者兼词典编纂家。其七卷本梵德词典和其他著述是19世纪语言学研究的重大贡献。在波恩大学学习期间(1839～1842)编辑出版了公元前第5或第6世纪的印度梵语语法学家巴尼尼的语法书(两卷本，1839～1840)。1842年返回圣彼得堡，参加帝国科学院工作，发表了若干关于梵语的著作，其中包括迦梨陀娑所写剧本《沙恭达罗》的校译本(1842)，其巨著《梵语词典》(1853～1875)是在罗特和韦贝尔等印度学家的协助下编纂的，该词典的新版于1879～1889年问世。

Bohuslän 布胡斯 瑞典历史上一省份。位于瑞典西南部，与挪威接壤。东至达尔斯兰省和西约特兰省，西临卡特加特海峡。有天然峻峭海岸，其边缘有岩石、裸岛和岩礁。发现的石刻和古老的墓地表明，早在石器、青铜器和铁器时代，该地已有人居住。据称布胡斯省还是古英语史诗《贝奥武甫》第二部分的背景所在地。由于战略地位重要，曾为斯堪的纳维亚各国多次战争的争夺目标。后据《罗斯基勒和约》(1658)归属瑞典。布胡斯虽有一些农业(主要农作物有马铃薯、燕麦和黑麦)，但主要行业为渔业(占瑞典海产量的比重较大)、采石(特别是花岗石)业和旅游业。造船业亦重要。主要城市多为海滨游览地，孔艾尔夫有14世纪的布胡斯城堡，该地区即由此城堡得名。最大城市为乌德瓦拉。还有马斯特兰德、吕瑟希尔和斯特伦斯塔德等城市。面积4 447平方千米。人口261 046(1998)。

Boian 博伊安文化 以现代罗马尼亚南部为中心的新石器时代文化(约公元前7000)。

其特点为台地居址，最初由泥筑棚屋组成，后来变为设防的高地居址。博伊安文化阶段的标志为红铜斧的使用、农业的扩展和家畜的饲养。博伊安陶器的纹饰特点为波浪纹、彩绘纹以及线形的刻划纹或镂空纹。博伊安文化向北扩展到特兰西瓦尼亚，向东北抵达摩尔达维亚，逐步同化了那些地区的早期文化。

Boiardo, Matteo Maria　博亚尔多（1440或1441-05，教皇国斯堪迪亚诺～1494-12-19，雷焦艾米利亚）　意大利诗人。他的《热恋的罗兰》（1476）是一首综合亚瑟王朝及加洛林王朝浪漫故事的史诗。另一作品《情诗三集》（1499）是他的抒情诗集之一。

boid　蟒类　蟒科蛇类，包括蚺和蟒，80多种，广布全世界，主要分布于热带。几乎所有的种均有两个肺，有腰带，肛门前面两侧有爪状的后肢残余。某些种类具对热敏感的唇窝。体表往往具虹彩光泽，尤其是脱皮之后。无毒，以咬和身体缢缩的方法绞杀猎物。本科包括世界上最大型的蛇类（网纹蟒和水蚺），也包括小型的洞穴蛇类。

Boie, Heinrich Christian　博伊厄（1744-07-19，霍尔斯泰因梅尔多夫～1806-03-03，梅尔多夫）　德国诗人和编辑。主要因创办过文学刊物而闻名。曾在耶拿大学追随C.W.冯·多姆学习神学和法律，后创办文学刊物《德意志博物馆》（1776，1789年改名为《新德意志博物馆》）。1776年，从事文学活动，并兼任政府职务。担任过一些地方官职，最后任农村地区南迪特马申的长官。

Boieldieu, François-Adrien　布瓦埃尔迪厄（1775-12-16，法国鲁昂～1834-10-08，雅西）　作曲家，把法国滑稽喜歌剧发展成比较严肃的早期浪漫主义歌剧。曾在鲁昂师从管风琴

美国不列颠百科全书公司供图

家C.布罗什，创作两部歌剧和许多在形式上与众不同的钢琴奏鸣曲，它们是出自一位法国作曲家笔下的第一批重要钢琴作品。1796年定居巴黎，与É.梅于尔和L.凯鲁比尼相识。翌年发表3部喜歌剧。1798年任巴黎音乐学院钢琴教授，写了两部成功的歌剧《巴格达的哈里发》（1800）和《我的姑妈奥罗尔》（1803）。1804～1810年任俄国圣彼得堡歌剧院指挥。1816年任路易十八宫廷音乐总监。1817年成为法兰西学院成员，1820年任音乐学院作曲教授。这一时期创作的主要歌剧有《巴黎的让》（1812）、《红色小风帽》（1818）和最成功的《白衣夫人》（1825）。《白衣夫人》由E.斯克里布写剧本，取材于W.司各脱的《湖上夫人》、《寺院》和《盖·曼纳令》。至1914年，这部歌剧已上演1 700场。布瓦埃尔迪厄的作品表明法国歌剧音乐在法国大革命后的一代人中的发展。其轻快风格可与罗西尼媲美。表现神秘与浪漫故事的场景，特别是《白衣夫人》，则与韦伯的作品相似。他还谱写过许多竖琴或钢琴伴奏的声乐浪漫曲和一部竖琴协奏曲。

Boii　博伊人　凯尔特部落。其中一部分定居在博诺尼亚（意大利博洛尼亚）附近的山南高卢；另一部分定居在后来称为波希米亚的地区，这一地区的名称就是以博伊人命名的。阿尔卑斯山南侧的博伊人在整个公元前3世纪都在反抗罗马人，但在公元前191年臣服罗马，成为一拉丁殖民地；另一支联合凯尔特部落赫尔维蒂人，入侵高卢，在公元前58年被凯撒打败。他允许战败未死的人居住在利热河（卢瓦尔河）和埃拉韦尔河（阿列河）之间。多瑙河以南残存的博伊人大约在公元前50年被达契亚国王布雷比斯塔消灭。在波希米亚的一支于公元前8年被马科曼尼部落驱逐。

boil　疖　又作furuncle。葡萄球菌引起的皮肤感染。其特征为位于毛囊部的炎症性结节状肿胀，内含脓液。自觉疼痛，触之硬，脓液排出后始渐痊愈。好发于受摩擦或浸软的有毛皮肤处，如项部、面部、肘窝、臀部及腹股沟等处。睫毛根部的疖肿名为睑腺炎。痈为聚集在一起的疖，有数个脓头。若原发的皮肤病有瘙痒感，经手搔抓后葡萄球菌易侵入毛囊而形成疖肿。健康人固然可以发生疖肿，但体弱者更易发生。有些易感者可反复发生疖肿。疖肿通常无需治疗，只需保持局部清洁，避免感染进一步发展。病情较重者应用抗生素。当医院里有耐青霉素的金黄色葡萄球菌引起疖肿流行时，便对老年体弱患者带来严重的医疗问题。

Boileau(-Despréaux), Nicolas　布瓦洛（1636-11-01，巴黎～1711-03-13，巴黎）　法国诗人，当时文学评论界泰斗。以在法国和英国文学中坚持古典主义准则的影响著称于世。其父为政府官员。他在大学读书时进步甚快，在已成为作家的哥哥吉尔的鼓励下选择了文学事业。最初写过抨击名人的《讽刺诗》（1658），在私下向朋友们朗读。一位出版商设法取得这些诗稿后于1666年刊出。翌年完成了仿英雄诗体作品《读经台》，描写两个教会权贵为了在教堂里安放一个读经台而发生争吵，是同一体裁作品中最成功者之一。1674年发表的用韵文写成的说教式论著《诗艺》，规定了古典传统诗歌的写作准则。这部著作当时受到高度重视，成为古典主义原则的不易经典，极大地影响了18世纪英国全盛时期的诗人，如约翰逊、德莱顿和蒲柏。这部作品今日仍受重视，主要由于它使人们得以了解当时的文学论战。1677年被任命为王家史官，1684年当选为法兰西学院院士。1692年，文学界分裂成为所谓“古”、“今”两派，布瓦洛重新投入论战。鉴于妇女支持今派，写了《反对

美国不列颠百科全书公司供图

妇女论》（1694）这篇反女权主义的讽刺作品；随后又发表另一篇作品《论上帝之爱》，收入《尺牍诗》第12卷（1698）中。古典主义戏剧和诗歌的规则并非布瓦洛的独创，但人们有所误会，而布瓦洛也并未认真加以澄清。在他之前的法国作家早已表述过这方面的原则，他只不过表达得更为明确有力罢了。他还翻译过据认为是朗吉努斯的经典论文《论崇高》。具有讽刺意味的是，它成为浪漫主义美学的主要来源之一。

boiler　锅炉　又称蒸汽发生器。一种将液体转化为蒸汽的装置。在传统的火力发电厂中，锅炉由燃烧燃料的炉膛将燃烧产生的热量传递给水的受热面和形成、收集蒸汽的空间构成。普通锅炉有一个炉膛，用以烧矿物燃料，在某些设备中可烧废燃料。核反应堆也可用作产生高压蒸汽的热源。早在公元1世纪，亚历山大的希罗就制造了锅炉，但只用作玩具。直到17世纪才认真考虑蒸汽动力用于实际工作的可能性。第一台带安全阀的锅炉是由法国的D.帕潘于1679年设计的。到18世纪初英国才制造和使用锅炉。早期的锅炉用熟铁制成，随后认识到高压高温的优点，制造商转而采用钢。现代锅炉用合金钢制成，以承受高压和超高温。大多数普通蒸汽锅炉分为火管式和水管式两类。在火管式锅炉中，水包围着有炉膛热气流过的钢管，水面上的蒸汽被收集在圆筒形的汽包中。当压强超过额定工作压强时，安全阀放出蒸汽。安全阀对一切锅炉都是必需的，因为在封闭容器中持续对水加热而无法放汽，结果压强不断升高，最后锅炉爆炸。火管锅炉的优点是易于安装和操作，广泛用于建筑物供暖和工业生产过程的动力源。蒸汽机车也采用火管锅炉。在水管式锅炉中，水在管内，炉膛热气在管外循环。当20世纪初期研制出汽轮机发电机组时，就研制出现代水管锅炉，以适应对大量高压高温蒸汽的需要，这种蒸汽远远超出了火管锅炉的供应能力。水管锅炉的管子在汽包之外，汽包没有受热面，而且比火管锅炉内的小得多。由于这个原因，水管锅炉的汽包更能承受高压和高温。各种尺寸和结构的水管锅炉用于轮船和工厂。另有带小

水管的特快升温锅炉,以便快速产生蒸汽。快速蒸发锅炉可以不需要汽包,因为管子的工作温度很高,把给水瞬时蒸发成蒸汽,并在流出管子之前受到过热。最大的锅炉装置用在公用事业的中心发电站。大型锅炉用于轧钢厂、造纸厂、炼油厂、化工厂和其他大的制造厂。

Boilermaker, The(boxer) **锅炉修理工** 参阅 **Jeffries, James Jackson** 杰弗里斯。

boiling 煮 食品烹调方法,将食物浸没在水中,加热到接近沸点(100℃[212℉])的过程。主要用以煮肉和蔬菜,煮到何种程度要按各自需要的味道及地区或传统习惯而定。在美国南方,蔬菜通常煮的时间长、煮得软,并加混合香料。法国新烹饪法和中国烹饪法则强调要尽快地煮或蒸,以保存食物的新鲜、色泽、质地及味道。煮的方法有各种专门名称。"煵"是将85℃左右的热水放在双层锅内,下层锅内热水的热量不断传到上层,而又不使热水直接接触上层锅中的食品。比"煵"的温度再高点为"氽",这时可以看出水在循环且微微颤动,这种温度可以煮熟蛋和鱼。在水开始有声响,尤其是接近沸腾温度,水的表面出现小水泡时为"煨",在一个有盖或无盖的平锅里用文火慢煨,是做汤、炖菜或干烧的一般方式。"焯"是用开水浇在蔬菜、水果或果仁肉上,以便剥去外皮。"炖"是将食物浸没在冷水中,然后缓慢地加温到半开或沸腾。蒸煮包括两种相关的技术,均主要用于烧蔬菜。第一种是将蔬菜放入有盖锅的篦子上,篦子下有浅层水,将水煮开,优点是能保持食品的色泽、质地、香味和营养。第二种叫高压煮,需用密封锅,用以煮韧性或需长时间煮的食物。

boiling point 沸点 周围环境施于液体的压强与它的蒸气压强相等时的温度。若进一步加热时,其结果是使液体转化为蒸气而温度并不升高。在任何温度下,液体都部分气化进入上部空间,直至蒸气压强到达该温度的蒸气压时为止。随着温度的升高,蒸气压增大;升至沸点时,在液体内部形成许多蒸气泡,升腾出液面。液体的沸点随外加压强而变;正常沸点为蒸气压等于标准海平面的大气压强(760毫米汞柱)时的温度。在海平面上,水在100℃时沸腾;而在高海拔处,水的沸点降低。参阅 **vaporization**。

Boilly, Louis-Léopold 布瓦利(1761-07-05,法国拉巴瑟～1845-01-04,巴黎) 法国大革命和法兰西帝国时期多产画家,以用讽刺与幽默的笔触描绘巴黎生活和风貌而著名,也是最早运用石板画技术的画家。布瓦利11岁开始学画并以绘画为生。1785年来到巴黎,法国大革命期间,因题材多讽刺当代的伦理道德而涉嫌,为解脱自己而画《马拉的胜利》。这件作品使他成为共和派艺术家协会的成员。1804年,他的作品《邮车到达驿站》和《雕刻家乌东在自己的工作室里》获奖。1823年,他的第一批石板幽默组画《脸谱》问

布瓦利自画像,1795年
美国不列颠百科全书公司供图

世。布瓦利一生画了5 000件肖像画和约500件反映当时巴黎生活的作品。

Boina 博依那 马达加斯加西部的一个强大而短暂的萨卡拉瓦人的王国。萨卡拉瓦人起源于马达加斯加南部。约17世纪中叶向西海岸迁移。萨卡拉瓦人在西部建立了两个王国。其中之一的博依那由阿德利阿曼迪索阿利沃创建。他死时(约1710),该王国据有马南巴洛河与马哈赞巴河之间的广阔沿海平原,并向邻近的国家索取贡品。在拉瓦希妮女王(卒于1808年)时代,博依那与法国人结盟,以反对世仇梅里纳人。19世纪初王国开始分裂。1850年之前为梅里纳人所灭。

Boineburg, Johann Christian, Freiherr von (baron of) 参阅 **Boyneburg, Johann Christian, Freiherr von** 博伊内堡。

Bois-le-Duc (The Netherlands) **布瓦勒杜** 参阅 **'s Hertogenbosch** 斯海托亨博斯。

Boisbaudran, Paul-Émile Lecoq de 布瓦博德朗 参阅 **Lecoq de Boisbaudran, Paul-Émile** 勒科克·德·布瓦博德朗。

Boise 博伊西 美国爱达荷州首府,州内最大城市,也是埃达县治(1864年以来)。位于该州西南部,濒博伊西河。随着1862年博伊西盆地淘金热的出现,1863年在今"政府岛"建立博伊西堡,发展为一个社区,为附近矿山

博伊西市的州议会大厦
美国不列颠百科全书公司供图

提供服务。1864年设市。20世纪初成为农业和伐木业中心。20世纪初当地修建水库、运河和水坝。1926年开始有商业性航空运输。发展起农业、木材业、批发销售和卡车运输业。20世纪90年代以来博伊西周围地区高科技产业的发展也带来了人口的迅速增长。设有美国水电资源署太平洋西北地区总部和博伊西国家森林总部以及博伊西州立大学(1932,初级大学)。人口:市约185 787;博伊西城市都会区约432 345(2000)。

Boise National Forest 博伊西国家森林 位于美国爱达荷州西南部的大片常绿松树林区。1908年建立。面积10 570平方千米。佩埃特河北福克谷地把它一分为二。主要部分

博伊西国家森林中的萨尔蒙河
美国不列颠百科全书公司供图

南北长175千米,东西宽90千米;另一部分南北长60千米,东西最宽处19千米。地势陡峭多山,最高点大鲍尔迪峰海拔2 963米。北部一些19世纪70年代的金矿村现成为伐木或放牧点。这些森林风景区禁止商业性开发,仍未修建道路,只有几条简易道路。可进行捕鱼、狩猎、泛舟和远足旅行等活动。博伊西北部26千米处的博古斯盆地滑雪区是冬季运动中心。

Boise River 博伊西河 在美国爱达荷州爱达荷城东南,博伊西国家森林区内,由中福克河和北福克河汇合而成。向西流经阿罗罗克水库和拉基皮克峰水库,穿博伊西城,在俄勒冈州边界处注入斯内克河。长约150千米。有多座水坝。与爱达荷州首府一样,得名于法语,意为"多树的"。1863年前名为"里德河"。

Boise State University 博伊西州立大学 美国男女生合校的公立高等学府,设于爱达荷州博伊西。该校共有8个学院,包括L.G.塞兰德应用技术学院,该学院授予多个领域的应用科学学位,如信息技术、园艺学和烹饪技术。博伊西州立大学在30多个领域开设了预科、本科课程,并授予硕士学位。此外,还授予教育学和地球物理学博士学位。大学还在5个校外中心开设课程。学生可到全世界大约30所学校留学。重要的研究机构包

括地理空间研究所和猛禽研究中心。现有注册学生约17 000人。该校1932年由美国新教圣公会创办,当时还是一所专科学校。1934年脱离新教圣公会后,该校由博伊西商会赞助成为一个非营利性机构。1965年成为一所四年制学院,并改名为博伊西学院。1969年学院合并到州立大学系统。1974年学院升格为大学时,校名变为博伊西州立大学。

Boisguillebert, Pierre Le Pesant, sieur de (sire of) **布阿吉尔贝尔**(1646,法国鲁昂~1714,鲁昂) 法国经济学家,重农学派的先驱,路易十四时期财经改革的鼓吹者。当时财政大臣柯尔贝尔力图压低法国农产品价格,以提高制造业的潜力。布阿吉尔贝尔认为,农业发达才是国家财富的源泉,主张保护农业;但他相信经济和社会关系中的自然规律,反对流行的中世纪的经济限制政策,这使他接近自由放任主义的观点。在财政改革方面,他拥护直接税,反对间接税;主张改革由王室攫取其大部的人头税;提倡十分之一的所得税。由于他的政策观点和对另一受贬的改革家沃邦的支持,曾声誉扫地并一度被放逐。

Boismorter, Joseph Bodin de **布瓦莫蒂埃**(1689-12-23,法国蒂永维尔~1755-10-28,鲁瓦西-昂-布里) 法国多产作曲家,作有康塔塔、芭蕾-歌剧和其他声乐,也有器乐作品。最早几首乐曲于1724年在巴黎问世,至1747年已发表各种由声乐与器乐组合而成的作品百余首。布瓦莫蒂埃的音乐,特别是声乐曲,非常走红,因此他无需庇护人资助便能腰缠万贯。他是第一位采用意大利协奏曲曲式的法国作曲家。第一部可任选乐器独奏的法国协奏曲亦出自他笔下,即1729年可供大提琴、维奥尔琴或大管独奏的协奏曲。他的大量音乐是为长笛而作,还著有一部长笛教学法,现已佚失。

Boisrobert, François Le Métel, seigneur de (lord of) **布瓦罗贝尔**(1589,法国卡昂~1662-03-30,巴黎) 法国多产戏剧作家,法兰西学院创建人之一。出版过一部《圣经·诗篇》述意集(1627)、小说《阿纳克桑德和奥拉济的印第安故事》(1627)、悲喜剧《皮朗德与济西曼纳》(1633)及几部颂扬路易十三和枢机主教黎塞留的诗歌选集。他利用黎塞留的影响,不但为其他作家谋求补助金,而且还极力促成建立法兰西学院。除17世纪法国戏剧的研究者外,他的剧作已大都被人遗忘。

Boitano, Brian **博伊塔诺**(1963-10-22,美国加利福尼亚森尼韦尔~) 美国花样滑冰运动员。8岁时开始滑冰,1982年在美国全国锦标赛上首创三周跳。1984年首次参加奥运会,得第五名。1985～1988年连获全国锦标赛冠军,并两次在世界锦标赛(1986和1988年)夺冠。为使他的花样滑冰融入更多的艺术性,他和舞蹈编导、前加拿大双人滑冠军S.贝齐克一起编舞。在加拿大艾伯塔省卡尔加里冬奥会的花样滑冰中,表现出动人的活力和天赋,在长节目中做了几乎完美无缺的表演,包括8个三周跳中最具特色的塔诺三周跳(跳在空中时一臂举过头顶),获得金牌。其后,在一些电视特别节目中表演,包括在阿拉斯加冰川滑冰的《冰帆》(1988)。1996年入选世界和美国的滑冰名人堂。他还通过合伙成立的白帆制片公司,导演并制作滑冰电视片。

Boito, Arrigo **博伊托**(1842-02-24,伦巴第-威尼斯帕多瓦～1918-06-10,米兰) 意大利诗人、作曲家。笔名托比亚·戈里。因所作歌剧《梅菲斯托费尔》以及根据莎士比亚戏剧而撰写的《奥瑟罗》和《法尔斯塔夫》(由威尔地谱曲)歌剧台本而享誉乐坛。曾就读于米兰音乐学院,后获奖学金而去巴黎深造,并结识威尔地。1862年为威尔地的《列国赞歌》创作歌词。1866年战争爆发后参加加里波第的志愿军。在创作《梅菲斯托费尔》时,曾发表文章支持德国并猛烈抨击意大利音乐和音乐家,从而大大触犯威尔地。及至1868年,当该剧在米兰上演时,博伊托的论战已激起极其强烈的敌对情绪,几乎导致一场骚乱,因此歌剧仅演出两场便被撤销。后经大量修改,于1875年在博洛尼亚上演,至今仍是意大利歌剧保留剧目。在根据歌德《浮士德》改编的多部歌剧中,博伊托的《梅菲斯托费尔》也许是最忠实于原著精神的,台本写得超群绝伦。这部歌剧或多或少受到贝多芬和瓦格纳的影响,在当时看来显得不落窠臼,无论是就其与众不同的和声语言,还是从它对意大利歌剧的某些传统手法的摒弃而言都是如此。博伊托的第二部歌剧《尼禄》花去他将近50年时间,他去世后才由V.托马西尼和A.托斯卡

美国不列颠百科全书公司供图

尼尼完成,于1924年在米兰首演。尽管它的构思宏伟、场面豪华,却没有《梅菲斯托费尔》所特具的音乐性格。博伊托于1873年同威尔地重新言归于好,便着手修改威尔地《西蒙·博卡内格拉》的台本。他为《奥瑟罗》和《温莎的风流娘儿们》(《法尔斯塔夫》的台本)所作的绝妙改编本激发了这位古稀之年的作曲家的想象力。博伊托还曾为其他作曲家创作台本,其中包括篷基耶利的《乔孔达》一剧的台本,并曾以托比亚·戈里奥的笔名发表诗集一册与几部小说。

Bojador, Cape **博哈多尔角** 又拼 Cape Boujdour。非洲西海岸延入大西洋部分。现为西撒哈拉之一部分。沿岸险礁林立。1434年葡萄牙航行者首次乘船通过此地。后葡萄牙人以获得奴隶为主要目的来此开发,1450年后西班牙和葡萄牙争夺此地。1860年根据与摩洛哥签订的得土安条约被西班牙占有,1884年正式并入西班牙。20世纪初设灯塔。1976年西班牙从西撒哈拉撤出后,摩洛哥称对海角拥有主权,在此地建立脱盐厂和驻军兵营,并将当地居民点定为新设博吉杜尔省的省会。海角与北面的阿尤恩之间通公路。

Bojer, Johan **博耶尔**(1872-03-06,挪威特隆赫姆附近奥凯斯达尔松伦～1959-07-03,奥斯陆) 挪威小说家。20世纪20年代在国际上很受欢迎,因为他的作品富于戏剧性,表现了

美国不列颠百科全书公司供图

当前大众关切的问题。小说有《最后的北欧海盗》(1921)以及也许是他的最好作品《海滨的人们》(1929)。他出身在贫寒的渔民家庭,早年即以写作成名。在讲英语的国家里,他以《大饥馑》(1916)一书闻名,小说记述了现代技术的种种诱惑和弊端。曾数次访问美国,在那里写了一部雄心勃勃的关于移居美国的挪威人的小说《移民》(1924)。其国际影响力一直持续到20世纪40年代。

Bojo Guksa **普照国师**(1158,高丽～1210,高丽) 高丽高僧曹溪宗创始人智讷的尊号。智讷25岁出家为僧。深受中国禅师慧能倡导的顿悟教义的影响。1190年与几个僧人共同成立新组织,反对高丽佛教的繁文缛礼。1200年移居智异山松广寺,创曹溪宗。智讷认为,佛教的最终目的是谋求心灵本质的宁静,脱离外界影响,并著《法集别行录并入私记》加以阐述。

Bok, Bart J(an) **博克**(1906-04-28,荷兰霍伦～1983-08-07,美国亚利桑那图森) 荷兰出生的美国天文学家,以研究银河系结构和演化以及"博克球状体"有优异成绩而著称。所谓博克球状体是在一些明亮星云背景上看到的小暗云。博克认为它们可能是星际气体和星际微尘在收缩成为星体过程中的凝聚云。博克曾在莱顿大学和格罗宁根大学学习(1932年获哲学博士学位),后在哈佛大学(1929～1957)、澳大利亚国立大学(1957～1966)和亚利桑那大学(1966～1974)从事科学研究和教学工作,并留在亚利桑那任名誉教授。1938年入美国国籍。1957～1966年在澳大利亚斯特罗姆洛山天文台任台长。1966～1970年在亚利桑那斯图尔德天文台任台长。1941年与妻子P.F.博克合写了一本杰作《银河》(1981,第5版)。1970～1976

年，博克任国际天文学联合会副主席，1972～1974年，任美国天文学会主席。

Bok, Edward 博克(1863-10-09，荷兰登海尔德～1930-01-09，美国佛罗里达莱克威尔士) 美国妇女期刊界有创新的编辑。《妇女家庭杂志》主编(1889～1919)。对该杂志有重

美国国会图书馆供图

大改革并有助于美国当代文化的形成。生于荷兰，自幼随家庭移居美国纽约州布鲁克林。家贫，白天在西部联合电报公司当勤杂工，晚间上夜校，后来参加出版界工作，24岁为《斯克里布纳杂志》广告主任。1886年创办博克辛迪加印刷厂，出版特写报纸，用一整页专门刊登妇女读物。"博克专页"的成功，使他受聘为费城《妇女家庭杂志》的主编。博克规定该杂志各编辑部几乎在每一主题上都要报道和劝告妇女。他在该刊上鼓吹妇女普选权，改进卧车设施，保护野生动物和城市的清洁卫生；反对路旁广告牌，酗酒和电力公司侵占纽约尼亚加拉瀑布。1892年他的杂志拒登专卖药广告，引起广泛响应，最后促使政府颁布《纯洁食物和药品法》(1906)。自传《博克的美国化》(1920)获1921年普利策奖。余生致力于社会慈善事业，特别是在城市修葺和维护世界和平方面。

Bokāro 波卡罗 全名波卡罗钢城。印度东北部加尔克汉德邦中北部城市。濒达莫德尔河，在印度最大的钢铁厂之一的正西。钢铁厂的建造始于1967年，第一座高炉于1972年落成。该厂由苏联援助建造，于80年代完工。附近有大煤田。波卡罗城的兴建是为钢铁厂的职工提供住处和其他公用设施。与东南面加尔各答有公路和铁路相通。人口：市333 683；都会区398 890(1991)。

Bokassa, Eddine Ahmed 博卡萨(1921-02-22，法属赤道非洲乌班吉-沙里地区博班吉［今在中非共和国］～1996-11-03，班吉) 原名Jean-Bédel，又称博卡萨一世。非洲军事领袖、中非共和国总统(1966～1977)，自封中非帝国皇帝(1977～1979)。酋长之子。民族主义者B.波冈达的外甥。早年在当地教会学校读书。1939年参加法国军队。他在法越战争中立功，获十字军功章。1961年得上尉军衔。他应D.达科总统的邀请，任新独立的中非共和国的军队总司令。1966年利用枪杆子废黜达科，自任共和国总统。任职期间实行独裁，内外政策变化莫测，政府不断改组，总统权力日益扩大。1977年仿效自己崇拜的英雄拿破仑一世，加冕为博卡萨一世皇帝，为此花费了2亿美元，实际上使早已赤贫的中非共和国破产。他改共和国为中非帝国。但好景不长，根据国际控告证实博卡萨亲自参与帝国警卫队屠杀100名学童的事件，1979年9月，法国伞兵部队实行军事政变，把他推翻，恢复共和国，达科重任总统。博卡萨逃亡到象牙海岸，后移居法国。1980年缺席被判处死刑，1986年未加解释作出返回中非共和国的抉择，遂被捕并受审。1987年被判定犯有杀害学童罪和其他罪行(虽免除同类相食罪)。随后死刑被减轻，并于1993年获释。

Boké 博凯 几内亚西部城镇和港口。在大西洋海岸附近，临努涅斯河。博凯东北80千米的森格雷迪是全国最重要的铝土矿产区，20世纪70年代初它开始通过博凯西南55千米处的新建深水港卡孔代出口氧化铝。曾为奴隶市场所在地。1865年博凯镇成为法国商站，1870～1914年间出口花生、咖啡和野生橡胶。码头可停泊吃水2米的船舶，但水运不便。科纳克里港的发展使博凯作为港口的重要性大为降低。是兰杜马、富拉尼、纳卢、米基福雷和贝贾(贝加)等部族买卖大米、鱼类、牲畜、柑橘和棕榈油及棕榈仁的市场中心。人口约33 205(1983)。

Bokenam, Osbern 博肯南(1392-10-06?，英格兰诺福克旧博肯南?～1447?) 英国诗人，《圣女轶事》一书作者。该书主要用7行或8行为一组的10音节诗行写成，共约1万行，叙述12位女圣徒的13个故事。每篇序词较轶事本身更加生动有趣。故事的第一篇《圣女玛格丽特》系为博肯南的朋友T.伯格而作。仅存的一份抄本，现藏于不列颠博物馆。博肯南的生平不详，仅知他是英国宗教诗作者约翰·利德盖特的弟子，他的作品可能是受G.乔叟《贞节妇女的传说》一诗的启示写成。

Bokhara 参阅 **Bukhara 布哈拉**。

Bokhara rug 布哈拉地毯 土库曼斯坦和乌兹别克斯坦各民族手织的铺地用品，以红色为主。许多布哈拉地毯都是在乌兹别克斯

19世纪晚期的布哈拉公主地毯
美国不列颠百科全书公司供图

坦的布哈拉市出售。此类地毯原来由特克土库曼人生产，但是萨洛尔人、萨里喀人、约穆特人和埃尔萨里人后来也生产(参阅 **Ersari carpet**；**Salor rug**；**Yomut carpet**)。这些民族的祈祷毯或门毯称为哈其鹿地毯，过去常作为布哈拉公主毯出售，而高档特克地毯则作为布哈拉皇家地毯出售。此外，还生产绒面袋子，不同尺寸的鞍垫和门围；极为窄长供装饰用的帐篷带(在帐篷周围)；以及叫做帕拉斯的编织地毯。伊朗东部、阿富汗和巴基斯坦现已生产各种颜色的布哈拉地毯。

bokmål 博克马尔语 又称里克斯马尔语(Riksmål)。挪威书面语，由丹麦书面语逐步改革发展以符合挪威语习惯法而成。博克马尔语一词在挪威语中的意思是"书面语言"，里克斯马尔语一词在挪威语中近似"官方语言"，字面意思是"王国的语言"。

Bokn Fjord 博肯峡湾 挪威西南部罗加兰郡的北海峡湾。出口处北为卡姆岛，南为通根内斯半岛，相距20千米(12英里)。伸入内地约45千米。其主要分支包括北面的肖尔峡湾和桑代德峡湾，东北面的赛于达峡湾和许尔峡湾，东南方的吕瑟峡湾和赫格峡湾。峡湾内有许多岛屿和小岛。其中最重要的是峡湾入口中心的克维茨群岛、北端入口处内的博肯岛、峡湾中部的芬岛和伦讷斯群岛，以及靠近头部的翁布岛。峡湾周围唯一城市是通根内斯半岛西岸的斯塔万格。

Boksburg 博克斯堡 南非高滕省城镇和多种工业及采矿中心。位于约翰内斯堡以东8千米处。1887年建为东兰德地区首府。随着这一地区发现金矿、煤矿，它成为威特沃特斯兰德地区的重要产金市镇。1903年设镇。生产多种工业和消费品，如电摩托、起重机、陶瓷。金矿仍在开采，但矿井极深。镇周由居民区环绕。人口260 905(1996)。

bokuseki 墨迹 又拼mo-chi，moji。中国和日本禅宗和尚的书法。中国早在六朝就使用墨迹一词，到宋代墨迹即成一般书法的同义语。日本僧侣从汉语里采用墨迹这个词，但是只限于禅宗和尚的书法。1365年的书画图录中即用此义。日本室町时代(1338～1573)墨迹成为与禅宗有关的重要艺术成就，当时书法被视为禅宗大师的一项主要文化素养。墨迹以毛笔书写，字体雄浑遒劲，常附有题跋或偈语，以示大师教诲弟子或颂扬来访要人。许多墨迹后来成为收藏珍品，极有艺术价值。这些作品既有美学方面的引人入胜之点，也具有历史上足资佐证的功能。日本最为闻名的墨迹作品出自禅宗和尚梦窓疎石(1275～1351)、雪村友梅(1290～1346)及铁舟德济(活动盛期1342～1366)等人之手。

bola 博拉 又作bolas。源自西班牙语，即"球"之意。南美印第安人的武器，主要用于打猎，通常由3个一组的石球系在细长的绳索上组成。在空旷地区追猎鸵鸟、栗色羊驼和其他动物时，把博拉像掷石器般地旋转，然后与地面平行抛出，缠住猎物的腿。阿根

廷和乌拉圭的加乌乔牧人也用博拉猎牛。

Bolama 博拉马 几内亚比绍博拉马岛东北岸的港镇。博拉马岛和城镇位于几内亚本土和比热戈斯群岛之间。1941年前为葡属几内亚首府。19世纪60年代末英国对此岛提出领土要求，但经美国总统格兰特仲裁，将它划归葡萄牙。20世纪40年代以后地位衰落，人口不断下降。人口3 332(1979)。

Bolān Pass 博兰山口 中布拉惠岭的重要隘路，位于巴基斯坦俾路支省。长期以来是商人、入侵者和游牧部落往返印度和亚洲高原的通道。它由一系列的山谷、峡口组成，南自林德利(海拔150米)，北至戈尔布尔附近的达尔瓦扎(海拔1 766米)，全长89千米，最宽处26千米。有公路与铁路连接锡比和奎达。博兰河上筑有拦河坝，拦截雨季洪水，为锡比平原上约9 700公顷土地提供灌溉。

Bolāngir 博朗吉尔 印度东部奥里萨邦西部城市。曾是巴特那王子领地的首府。现为农产品市场与手工业中心。设有拉坚德拉学院(1943年建)和赛拉斯里宫(巴特那统治者府第)。人口约70 014(1991)。

Bolcom, William (Elden) 博尔科姆(1938-05-26，美国华盛顿西雅图～) 美国作曲家、钢琴家和教师。作品兼收并蓄多种风格，从通俗的卡巴雷夜总会歌曲到比较传统

美国不列颠百科全书公司供图

的古典乐曲，无所不包。5岁即能识谱。11岁开始在华盛顿大学上课，1958年毕业。先后在米尔斯学院(1958～1961，受业于米约)和巴黎音乐院(受业于米约和梅西昂)学习作曲。旋赴斯坦福大学深造，1964年获音乐艺术博士学位后在数所学校任教或担任住校作曲家，自1973年起受聘于密歇根大学。在整个这些年代中博尔科姆试图扫除他认为存在于通俗音乐与“严肃”音乐之间的人为屏障，作曲才能大为进步。他的作品多种多样，包括“卡巴雷歌剧”《今夜爆炸性新闻》(1963)、《钢琴练习曲12首》(1959～1966)、取材于罗特克诗歌的声乐套曲《开放的房子》(1975)、《优雅的幽灵雷格》(1971，这是他的几首雷格泰姆作品之一)，以及受布莱克启发而作的口碑载道的《天真与经验之歌》(1956～1982)。从1971年起，他和第3任妻子、次女高音歌唱家莫里斯举办美国流行歌曲音乐会，演出曲目大多录制成唱片。

Bolden, Buddy 博尔登(1868，美国路易斯安那新奥尔良～1931-10-04，新奥尔良) 短号演奏家。传闻他是爵士乐的创始人，但未尽可信。许多爵士音乐家，包括杰出小号演奏家阿姆斯特朗在内，都认为他是最有权威的爵士乐演奏家之一。博尔登一生中经历的细节鲜为人知，但他曾是一名理发师，并且在1895～1899年间曾负责一个包括短号演奏家B.约翰逊在内的乐队，则都是有案可稽的。公认为是新奥尔良下层音乐生活的中心人物，往往同时在6、7个乐队中工作。1906年精神开始失常，1907年6月5日被关进东路易斯安那州立医院，从此未能出院。

Boldrewood, Rolf 博尔德雷伍德(1826-08-06，伦敦～1915-03-11，澳大利亚维多利亚墨尔本) 澳大利亚浪漫主义小说家，本名托马斯(亚历山大)·布朗。因著有《武装抢劫》(1888)和《矿工的权利》(1890)而享有盛名，这两本书均以现实主义手法扣人心弦地描述了澳大利亚开拓者的生活。他生于伦敦，童年时随家人移居澳大利亚并在那里求学。曾在维多利亚经营农场数年。后在新南威尔士和维多利亚任采金地的治安法庭法官和特派员。初期写短篇小说，后著有回忆录《老墨尔本自传》(1884)。1878～1906年间写有大约20部小说。

Bolebrooke (of Sussex), George Sackville-Germain, Baron 博尔布鲁克男爵 参阅 **Sackville (of Drayton), George Sackville-Germain, 1st Viscount** *萨克维尔子爵(第一)*。

bolero 博莱罗舞 又译波列罗舞。3/4拍的西班牙舞。活泼热烈，节奏鲜明。可单人或男女成对作舞，舞蹈者按自击响板的节奏迈着复杂华美的舞步。其特点是“走”、“急停”

博莱罗舞
美国不列颠百科全书公司供图

以及种种跺脚舞步。著名的舞曲有M.拉威尔的《博莱罗》(1928)管弦乐曲。拉丁美洲的博莱罗舞是缓慢、热情的伦巴舞，舞步简单。

Boleslav 波列斯拉夫 英语作Boleslav，Boleslas或Boleslaus。波希米亚统治者之名，按年代顺序列于后，并以●为标记。

● Boleslav I 波列斯拉夫一世(?～967-07-15) 波希米亚公爵(929年起)，为中世纪捷克人国家奠定基础。弑兄后继位。他以布拉格为国家的行政中心，推行基督教，兼并摩拉维亚、斯洛伐克和西里西亚。950年神圣罗马帝国皇帝奥托一世前来进攻，他被迫承认他的宗主权。几年后，他与奥托共同抗击马扎尔人的入侵。955年，在莱希费尔德战役中指挥波希米亚的部队作战。

● Boleslav II 波列斯拉夫二世(?～999-02-07) 波希米亚公爵(967～999)。波列斯拉夫一世之子。他继承父业，进一步加强捷克人对其他波希米亚部落的统治，并修建一些隐修院和教堂。

● Boleslav III 波列斯拉夫三世(?～1035或1037) 波希米亚公爵(999～1002，1003)。波列斯拉夫二世的长子和继承人。由于波希米亚的动乱，他在1002年先后逃往德意志和波兰。1003年在波兰人的帮助下一度回国，杀死政敌。但不久又被赶出国门。落入波兰国王博莱斯瓦夫一世手中，后双目失明，死于狱中。

Bolesław 博莱斯瓦夫 英语作Boleslav，Boleslas或Boleslaus。波兰统治者之名，按年代顺序列于后，并以●为标记。

● Bolesław I 博莱斯瓦夫一世(966或967～1025-06-17) 波兰公爵(992年起)，1024年起成为波兰首位国王。他扩张波兰领土，将波美拉尼亚、卢萨蒂亚，一度还将波希米亚诸公国纳入版图，使波兰成为欧洲的一个主要国家；他还创建了不受德意志控制的波兰教会。皮亚斯特第一代公爵梅什科一世之子，992年继承大波兰公国领地。随后积极发动政治军事行动，壮大波兰势力。996年征服波美拉尼亚，占领克拉科夫。他摆脱德意志基督教会的控制，使波兰教会独立发展。1002年神圣罗马帝国皇帝奥托三世死后，他夺取卢萨蒂亚、米斯尼亚(迈森)和波希米亚，因而与德意志亨利二世发生3次战争。1018年签订《包岑条约》，他占有卢萨蒂亚和米斯尼亚，而将波希米亚让给亨利二世。此后他继续推行扩张政策。1018年7月21日击败基辅大公雅罗斯拉夫一世，封女婿斯维亚托波尔克为基辅大公。1024年12月25日，他由格涅兹诺大主教加冕为国王。

● Bolesław II 博莱斯瓦夫二世(1039～1081)波兰国王(1058～1079)。1058年其父卡齐米日一世去世后继位。在德意志诸王与教廷争斗期间使波兰的国际地位得以恢复。1060年协助贝拉一世获取匈牙利王位。1069年干预基辅事务，立姻亲伊贾斯拉夫为基辅大公。1076年教皇格列高利七世承认他为波兰国王。1077年第二次干预基辅事务后发生内乱，他在流亡中死去。

● Bolesław III 博莱斯瓦夫三世(1085-08-20～1138-10-28) 波兰公爵，曾将长子继承王室遗产主要部分的长幼顺序继承制引入波

兰。他还使波美拉尼亚人皈依基督教。弗瓦迪斯瓦夫一世海尔曼之子。父亲在世时，他统治波兰的一个省。1102 年继承父位（1082 ～1296 波兰的统治者不称国王）。1109 年击退德意志国王亨利五世对西里西亚的入侵。他用 22 年时间夺取原属波兰的波美拉尼亚省，1112 年征服东波美拉尼亚，直到 1135 年宣誓效忠神圣罗马帝国皇帝洛塔尔二世之后才得到西波美拉尼亚。然后，他把波美拉尼亚和西里西亚封给长子，把其他各省依次封给较小的儿子，并为此制定继承法。这种按长幼顺序继承的制度原为满足所有王子的欲望，但却引起纷争，导致整个国家的分裂。

Bolesławski, Richard　波莱斯瓦夫斯基（1889-02-04，波兰华沙～ 1937-01-17，美国加利福尼亚洛杉矶）　又名雷萨德·施谢德尼茨基。电影与戏剧导演。最著名的作品有 20 世纪 30 年代盛极一时的美国影片《拉斯普金与女皇》（1932）、《印度的克莱武》（1935）和《悲惨世界》（1935）。1906 年作为莫斯科艺术剧院的演员而开始其舞台生涯。曾参加第一次世界大战。1920 年移居美国，在纽约的美国实验剧院任导演。1929 年进入好莱坞。著有《演技六讲》（1933）。

Boletaceae　牛肝菌科　真菌门多孔菌目的一科。担子果肉质，孔状。约250余种，不少种可食用。世界性分布，在湿热雨季常见于林中。牛肝菌属（*Boletus*）约50种，有的种可

一种牛肝菌属（*Boletus zelleri*）植物
美国不列颠百科全书公司供图

一种黏盖牛肝菌属（*Suillus pictus*）植物
美国不列颠百科全书公司供图

食。菌伞下表面红至褐色。美味牛肝菌（*B. edulis*）在 7 ～ 8 月见于树林下。黏盖牛肝菌属（*Suillus*）50 种，与某些树种形成菌根共生关系。

Boleyn, Anne（queen of England）　**博林**　参阅 **Anne** Boleyn **安妮**。

Bolgary　博尔加尔　前称保加尔。俄国境内古城。中世纪时曾为伏尔加-卡马河流域小国博尔加尔的都城。遗址位于俄罗斯西部鞑靼斯坦共和国博尔加尔村附近。考古发掘始于 1870 年。约于公元 500 年始有最早定居点。13 世纪下半叶成为金帐汗国最重要的商业和手工业中心。1361 年被布拉克-帖木儿汗摧毁。现保存有大批 13 和 14 世纪石建筑。

Bolgatanga　博尔加坦加　加纳北部城镇，位于北方大道上。该城实际上是一个由土墙圈起的院子所组成的分散村落。每个院子周围均为农田。整个地区面积约 410 平方千米。居民主要从事经济作物栽培和畜牧业。彩色篮筐编织是该镇热闹集市的一景。人口 31 500（1984）。

Bolger, James Brendan　博尔格（1935-05-31，新西兰北岛奥普纳基～　）　新西兰农场主、政治家，1990 ～ 1997 年任新西兰总理。博尔格出身于一个爱尔兰天主教移民家庭，父母在塔拉纳基省经营牛奶场。15 岁离开学校，帮助父母在农场干活。他最初参加政治是加入农场主联合会的一个地方分会。1963 年博尔格迁移至北岛中部，建立了自己的农场，并以此为基地，成为农场主联合会怀卡托省分会副主席。1972 年起随国民党在大选中获胜而进入议会。在诺曼·柯克的只任一期的工党政府期间，博尔格作为反对党成员在野 3 年。之后，新总理罗伯特·马尔登任命他为农业和渔业部副部长，以及毛利人事务部副部长。博尔格在马尔登随后的两届政府内任劳工部长，在此期间，他支持对强制性的工会主义进行大胆的抨击。1981 年他竞选国民党副主席职位和 1984 年竞选主席职位均告失败，但于 1986 年替代吉姆·麦克莱成为党的领袖。翌年，在 8 月举行的每 3 年一次的大选中未能击败戴维·朗伊，但在 1990 年大选中国民党获得压倒性胜利，博尔格出任总理。

Bolingbroke, Henry　博林布鲁克　参阅 **Henry**（England）亨利（英格兰）项下的 **Henry IV 亨利四世**。

Bolingbroke, Henry Saint John, 1st Viscount, Baron Saint John of Lydiard Tregoze　**博林布鲁克子爵（第一）**（1678-09-16，可能是英格兰威尔特郡～ 1751-12-12，伦敦附近巴特西）即 H. 圣约翰。英国女王安妮时代杰出的托利党政治家。1701 年进入国会，支持托利党，攻击以前的辉格党内阁。1704 年任陆军大臣后转而支持安妮女王的主要大臣之一 R. 哈利的温和政策。1710 年在哈利内阁中任北方事务大臣，不久又与哈利争权，但未能争到多数人的支持。乔治一世即位后他被撤职，因害怕追究他与法国谈和及支持詹姆斯三世上台的活动，他于 1715 年逃往法国。于是英国政府剥夺了他的财产和公民权。他精心策

美国不列颠百科全书公司供图

划 1715 年的叛乱，没有成功，而他本人也被詹姆斯三世抛弃。在法国流亡期间，他与伏尔泰等人结识，从事历史和哲学的研究并出版一些著作。与此同时，经过多次请求，他于 1723 年获准回国，但未能恢复贵族爵位和上院议席。他迁怒于权倾一时的辉格党领袖 R. 沃波尔，决心将沃波尔搞掉。他企图重建一个新政党，但是未能成功。1735 年他再度亡命法国，仍寄希望于在英国出现新的反对党，并为此写了他最著名的著作《一位爱国国王的思想》，但希望均成泡影。他还是一位颇有才华的历史学家，博学多才，仪表堂堂，能文善辩，但生性放荡，声名狼藉，野心勃勃，不择手段，最后落得一个背信弃义的名声。

bolivar　玻利瓦尔　委内瑞拉的货币单位。1 玻利瓦尔等于 100 分。委内瑞拉于 1879 年采用玻利瓦尔为货币单位。委内瑞拉中央银行是唯一有权发行货币的银行，不过在 20 世纪 40 年代之前，私人银行也可以发行通货。硬币面值由 5 分至 5 玻利瓦尔不等。纸币面值由 5 至 2 万玻利瓦尔不等。纸币正面一般印有委内瑞拉重要历史人物的头像，如几种面值纸币上印有 S. 玻利瓦尔的头像，他是 19 世纪领导南美人民反对西班牙统治的革命战士，货币玻利瓦尔是根据他的名字命名的。面值 20 玻利瓦尔纸币上印有 1831 ～ 1846 年委内瑞拉领袖 J. A. 派斯的头像。背面印有委内瑞拉的重要象征，如教堂、中央银行及各种纪念物。法律规定，1、2 和 5 玻利瓦尔铸币正面要有 S. 玻利瓦尔头像，背面要有国徽，其他币值的硬币铸有委内瑞拉中央银行董事会审定的图案。

Bolívar　玻利瓦尔　哥伦比亚西北部省份。西北滨临加勒比海。面积 25 978 平方千米。大部地区为炎热、潮湿、森林茂密的低地。产牲畜、甘蔗、烟草、棉花、谷物、咖啡和林产品。矿物资源包括金、煤和石油。主要工业（纺织、石油冶炼和饮料）和外贸集中在省会**卡塔赫纳**（**Cartagena**）。有公路与邻省相连，航空线通向全国各地。人口 2 137 258（2003）。

Bolívar 玻利瓦尔 厄瓜多尔中部高原一省。几乎全部位于安第斯山脉的西科迪勒拉山地。1884年建省。面积4 003平方千米。东靠钦博拉索山，即厄瓜多尔境内安第斯山最高峰（6 267米）。里奥钦博河流经全省。产珍贵木材和金鸡纳（奎宁的原料）。农作物有谷物、薯类、甘蔗、烟草、柑橘和咖啡。在大庄园中大面积种植玉米。饲养肉牛和猪亦占重要地位。省会瓜兰达（Guaranda）附近有汞矿和盐矿，但产量有限。天主教会编制了全省城乡发展规划。人口184 000（2000）。

Bolívar 玻利瓦尔 委内瑞拉东南部州。面积238 000平方千米，居本国各州之首。北部为丘陵，南部边境有高原，安赫尔瀑布（Angel Falls）就在此处；中间有未开发的丛林。境内卡罗尼河是世界水电资源最丰富河流之一，建有两处大型水电工程。卡罗尼和奥里诺科两河汇合处的圭亚那城（Ciudad Guayana），是本国南部3/4地区最大城市。本州铁矿储藏丰富（参阅 Bolívar, Cerro）。其他已开采的有金刚石、黄金、煤、石灰、锰、镍、铝土矿和高岭土。北部有少量农业。大部分地区交通不便。水运、铁路和一级公路集中在北部。州首府为玻利瓦尔城（Ciudad Bolívar）。人口1 122 975（1995）。

Bolívar, Cerro 玻利瓦尔山 委内瑞拉东南部玻利瓦尔州中北部铁矿山。宽0.75英里（1.2千米），长4英里，高出四周1 650英尺（500米）。1947年发现。与圣伊西德罗同为20世纪发现的最重要矿场。据估计，优质矿物储量2.5亿多吨，平均含铁量50%以上，可全年露天开采。每年有数百万吨矿物经铁路运往奥尔达斯港装船出口到美国、欧洲和日本。

玻利瓦尔山

美国不列颠百科全书公司供图

Bolívar, Simón 玻利瓦尔（1783-07-24，新格拉纳达加拉加斯[今属委内瑞拉]～1830-12-17，哥伦比亚圣玛尔塔附近） 南美洲克里奥尔军人和政治家。曾在新格拉纳达（1819年重新命名为哥伦比亚或大哥伦比亚，包括委内瑞拉和厄瓜多尔，还有哥伦比亚）、秘鲁，以及上秘鲁（玻利维亚）领导反对西班牙统治的革命。他是哥伦比亚（1819～1830）和秘鲁（1823～1826）两国的总统、实际上的独裁者。出身于委内瑞拉一个西班牙血统的土著贵族之家。幼年父母双亡。16岁去欧洲求学3年。1804年重游欧洲。伏尔泰、孟德斯鸠和卢梭等人的著作，对其政治思想的形成很有影响。认为西班牙属美洲独立的时机已经成熟，并矢志以解放祖国为己任。拿破仑入侵西班牙后，西班牙殖民地的独立运动也风起云涌。1810年4月19日，玻利瓦尔参加并组织起义，将西班牙总督逐出委内瑞拉，由一个政务会取而代之，而玻利瓦尔进入军队。1811年7月5日，委内瑞拉宣布独立。不久，西班牙人卷土重来，他出走新格拉纳达（今哥伦比亚），并发表《卡塔纳赫宣言》，敦促革命部队摧毁西班牙人对委内瑞拉的统治。此时玻利瓦尔已经成为西属美洲各新生共和国强大的旗手，并被任命为一支其使命为解放委内瑞拉国远征军的指挥官。他苦战6次，于1813年8月6日进军加拉加斯，接受了“解放者”的称号，实行政治独裁。但1814年委内瑞拉共和国第二次覆灭，他出走牙买加。在流亡中，他写了著名的《牙买加来信》，信中明确勾出建立从智利、阿根廷到墨西哥的西班牙美洲各国联盟的蓝图。他写道，“把我们与西班牙联结在一起的纽带已经断了”。他建议在西属美洲大陆建立立宪共和国，以英国政府为样板，设世袭的上议院、选举产生的下议员以及一位终身总统。1819年8月7日，他率军突袭波哥大，统一了南美洲北部，实现了新格拉纳达和委内瑞拉的联合，这是他梦寐以求的目标。1819年底，成立大哥伦比亚共和国，他当选总统，并任三军统帅。1821年6月解放委内瑞拉。1822年5月解放厄瓜多尔。1824年12月解放秘鲁。1825年4月解放上秘鲁，这个新国家以解放者西蒙·玻利瓦尔的姓氏命名为玻利维亚。至此结束了西班牙在南美洲长达300年的殖民统治。1826年在巴拿马举行泛美大会，为增进本半球未来的团结和相互了解打下了基础。至今，美洲国家组织和联合国都仰仗玻利瓦尔这位世界上最早主张并实施国际真诚合作的政治家。当时，人们志在建立民族国家，而他却放眼一洲。所以，他自知自己的计划很难被接受。未几，委内瑞拉和新格拉纳达的领导人因宪法问题发生分歧，酿成内战。1829年秋，委内瑞拉终于与大哥伦比亚分裂。玻利瓦尔沮丧至极，于1830年5月自行引退，离开波哥大，准备出走欧洲。同年底，死于肺结核。

美国不列颠百科全书公司供图

Bolivia 玻利维亚 全称玻利维亚共和国。南美洲中西部内陆国家，面积1 098 581平方千米。行政首都为拉巴斯；法定首都为苏克雷。该国全部位于热带地区，北和东与巴西接壤，东南与巴拉圭为邻，南连阿根廷，西南与智利相接，西与秘鲁交界。人口约6 993 000（1988）。

土地 玻利维亚可分为3个主要自然地理区。西南高地，或阿尔蒂普拉诺，海拔在3 600～3 800米之间，为广大的内陆盆地，从该国西南部延伸而过，并被第2个地理区安第斯山脉的东、西两个支脉（西科迪勒拉山脉和东科迪勒拉山脉）所围绕。东科迪勒拉山的东坡大部为地形崎岖的茂密林带，有许多被高耸山岭分隔的深邃河谷及峡谷（此地区北部称为荣加斯，南部称为巴列斯）。西科迪勒拉山地形变化不太明显，是一个由海拔6 100米的火山群所环绕的高原。该国最高峰（萨哈马山）海拔6 542米，位于拉巴斯西南约160千米处。一个地震活跃区的中心位于苏克雷以北不到160千米处，近几年来该处有多次地震发生，尤以1958年9月的一次震灾损害最大。第3个地理区奥连特包括该国北部和东部，为占全国面积2/3的低地区。其范围由北部拉诺斯的热带雨林，穿过潮湿的亚热带中部地区，一直延伸到东南部气候半干旱的玻利维亚查科草原。

阿尔蒂普拉诺地区为内陆水系（即不入海）盆地，包括的的喀喀湖，该湖为世界最高的可通航湖泊（3 810米），也是南美洲地区面积最大淡水湖（8 300平方千米）之一。该区域因雨量不均，致使20世纪70年代水浇地面积扩展较快。奥连特地区许多北向河流与巴西的马德拉河汇合，形成注入世界最大的亚马孙河水系总流量10%以上的水量。奥连特的大片低地盆地人口稀少，这是由于该区虽有可耕地，但大面积的季节性河水泛滥和与西部人口稠密的高地区之间的交通不畅，阻碍了其发展。

该国雨量分布不均，西南部的西科迪勒拉山区少雨或无雨，东北部尽头的奥连特地区的潮湿雨林则高达1 530毫米以上。整个南部地区每年夏季至少有4～6个月少雨或无雨。人口稠密的拉巴斯和的的喀喀湖区（位于阿尔蒂普拉诺北部）年平均雨量约580毫米，干旱季节仅几个月。年温度变化主要与海拔高度有关，低地和山间谷地平均温度约为25 °C，海拔较高的地区约为16 °C。低地区域（奥连特）年温度变化不大，平均为23～27°C。

玻利维亚的土地面积仅有3%为可耕地。约1/4土地为牧场，在海拔较高处饲养着安第斯山地特有的反刍动物，如栗色羊驼、亚美利加驼、羊驼和骆马；在奥连特低地部分地区则饲养牛。

寒冷、荒凉、迎风的阿尔蒂普拉诺地区普遍植被稀少，主要是草原，其间偶有一些小树及灌木丛。然而，由于这个高地区域雨量充沛，适合农业发展，并有重要矿藏，距智利和秘鲁的港口又比较近，现已成为玻利维亚人口最稠密地区。该国一半以上土地长有森林，其中包括山间谷地的温带大森林以及奥连特区北部亚马孙河流域上游的多种热带林。在雨林的野生动物中，蟒蛇、大鳄鱼、树懒与美洲虎（现已濒临灭绝）为当地特有。雨林南面的草原和灌木林中有三趾鸵鸟、美洲狮与沼泽鹿。

阿尔蒂普拉诺地区有丰富的矿藏，包括储量很大的锑、钨、锡和具有商业价值的锌、铅、铜、银、金和硫磺矿。

人民 玻利维亚的人口由3个主要种族集团构成：印第安人、梅斯蒂索人（印第安人西班牙人混血）以及西班牙人后裔。印第安人为艾马拉人和克丘亚人两个民族的后裔，还包括若干较小的亚马孙及安第斯森林部族；绝大多数印第安人为农民，或矿山、工厂及建筑业工人。西班牙语为玻利维亚的主要语言，但印第安诸语言，特别是艾马拉语和克丘亚语仍广泛使用，并和西班牙语一起被宣布为官方语言。梅斯蒂索人传统上从事手工业、贸易或城市小商业。自从1952年开始较大范围的社会改革后，这部分人中的很大一部分已有机会进入中学和大学，因而得以从事经过专门训练的职业。西班牙人后裔历来是该国的统治阶层，他们大多是地主、矿山主和其他商人，以及从事专门职业者。20世纪40年代后，西班牙人后裔与梅斯蒂索人通婚的人数日益增多，这两个集团的界限已变得不大明显。

全国有近95%人口信奉天主教。在阿尔蒂普拉诺的印第安人社区，仍然残存着一些带有泛神论特色的前哥伦布时期宗教。基督教新教各派构成人口中的少数，此外，还有一些犹太教徒和穆斯林。

由于人口出生率在南美洲最高，玻利维亚有相当高的人口增长率。根据登记，其死亡率在南美洲亦最高。2/5以上人口的年龄在15岁之下。该国为拉丁美洲城市最少的国家之一，约50%的人口居住在农村。位于阿尔蒂普拉诺的拉巴斯是最大城市。

经济 玻利维亚经济属发展中的混合型经济，主要以生产天然气、锡和其他矿产，饲养牲畜，生产粮食以及若干工业为基础。人均国民生产总值在20世纪80年代中期出现实际负增长，为南美洲最低的国家之一。国民生产总值的年增长率在70年代为2.3%，但至80年代初期和中期已变成负增长。农业约占国民生产总值的1/4，占用全国半数以上的劳动力。马铃薯及谷类（以玉米、稻米、小麦和大麦为主）为主要农作物。香蕉、柑橘和木薯亦为主要食用作物，甘蔗、咖啡、棉花、可可和烟草则为主要经济作物。制作可卡因的原料古柯，种植在拉巴斯北面和东面的山间谷地，也是一种重要经济作物（尽管是为了供应非法的国际毒品市场）。主要牲畜有绵羊、牛、山羊和猪，此外还有当地特有的驯化动物，如亚美利加驼、羊驼和豚鼠（荷兰猪的一种）。

玻利维亚的大部分森林集中在东部和北部的奥连特区，该地长有大片热带原始林，但林业基本上仍不发达。

矿产部门的生产总值虽不到国民生产总值的1/10，却约占该国出口收益的90%。玻利维亚是锡、锑和钨的主要生产国。石油产量基本可满足国内需求。天然气亦有生产，已成为该国正当出口收入最多的产品。该国2/3以上的电力来自水力发电站，其余则靠热电厂供应。政治动乱、缺乏加工业以及国内运输工具不足均阻碍了玻利维亚的矿产量和收益的最大增长。

制造业仍欠发达，产值不到国民生产总值的1/5，雇用了约1/10的劳动力。重要产品有食品（面粉、精制糖和咖啡）、水泥、鞋类、家具、纺织品、熔炼有色金属、采矿设备和精炼石油等。建筑业亦不发达。

旅游业主要集中在的的喀喀湖附近，此处的印加遗址、西班牙殖民时期建筑、湖上天然美景以及安第斯山的滑雪场均对游客颇有吸引力。

20世纪50和60年代，大部分较大的玻利维亚矿业和工业企业均已实行国有化，政府通过5年经济计划调节经济发展。可是80年代中期以后，此项政策已完全改变，私营部门被看做是主要发展力量。最重要的工会联合组织为玻利维亚总工会，其下属成员工会按行业部门分组。玻利维亚的工会，尤其是其组织完善的锡矿工人工会，有与该国历届统治政权斗争的历史。

玻利维亚是南美洲最贫穷的国家之一，缺乏外国投资和国内储蓄，政局不稳定、管理不善和贪污腐化成风，阻碍了该国工业和农业的发展。到80年代中期，该国经济增长率已有5年时间不是极小就是负增长，据估计，通货膨胀率高达14 000%。后来采用货币和工资控制，取消各种补贴，实行准浮动汇率，年通货膨胀率才有所降低。

玻利维亚为联合国及其所属机构成员。它也是美洲国家组织、拉丁美洲一体化协会、安第斯集团和拉丁美洲经济体系成员。

该国铁路大部分已国有化，由玻利维亚国营铁路公司经营。仅有小部分公路网铺有路面。除通往圣克鲁斯的公路外，所有铺设路面的公路均集中在阿尔蒂普拉诺与安第斯谷地区。可通航的内陆水道约有14 500千米。通过与巴拉圭、巴西、阿根廷商定的协议，内陆国家玻利维亚可免税使用大西洋各港口。拉巴斯和圣克鲁斯建有国际机场。

该国的主要贸易伙伴有阿根廷、美国、巴西、德国、英国和日本。主要输出产品为天然气、锡、锌、咖啡、银和钨。主要输入产品为工业原料、消费品、工业机械以及设备和运输设备。

政体与社会状况 玻利维亚为一独立的共和国，其政治生活常被军方所控制。例如，该国陆军于1980年7月夺取政权，即为玻利维亚独立154年中的第189次政变。1985年选举产生文官政府，根据1947年宪法施政。

政府由民选的总统及内阁领导。立法权属于有157名议员的国民议会（由众参两院组成）。总统和立法机关成员均由选举产生，任期4年。总统任期届满后不得连选连任。主要政党是极右翼的民族主义民主行动和中间偏右的民族主义革命运动党。司法系统由12名经国会任命的最高法院法官管理。

玻利维亚人的健康状况较差，尤其是在农村地区。许多人染有诸如伤寒、结核病和疟疾等严重疾病。营养不良也是一个大问题。为南美洲婴儿死亡率最高的国家之一。人口平均预期寿命仅约51岁。该国的健康问题由于缺少医生而变得更加恶化。许多地方的住房状况仍相当简陋。

小学和中学教育实行免费制。6～14岁未成年人须接受小学义务教育。尽管政府努力提高人民的识字能力，但人口识字率仅约

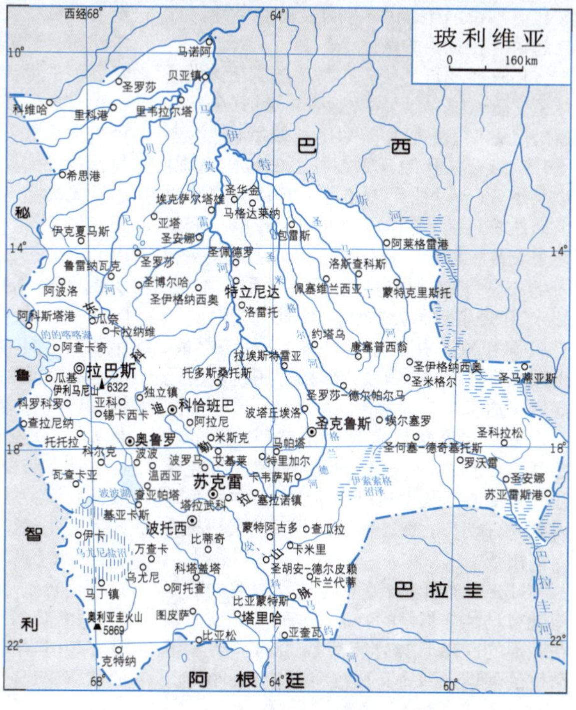

美国不列颠百科全书公司供图

60%。该国高等教育的最高学府为设在拉巴斯的圣安德烈斯大学。在军人统治时期，新闻媒介通常须受政府的新闻检查。报纸为私营。最有影响的电台为政府经营的玻利维亚之声。电视节目由国营电视广播管理机构管理。大学电视台播放教育节目。

文化生活 西玻利维亚安第斯文化的卓越成就，尤其是印加帝国及其后代和所属臣民从公元第1千纪开始的文化成就，在拉巴斯的国立博物馆和国立考古博物馆以及蒂亚瓦纳科的地方博物馆中均有展出。其中有印加人的建筑、金属制品和纺织品。音乐和舞蹈的民间表达方式在近两个世纪中盛行于玻利维亚，特别是在地方的婚礼喜庆、葬礼前的守灵或庆祝地方守护神的生日时常可见到。文学和美术的发展比较缓慢，直到20世纪最初几十年，作家和艺术家才开始创作具有玻利维亚独特表现形式的作品。主要涉及玻利维亚穷人，尤其是印第安人的社会问题，在小说家A.阿格达斯、诗人F.塔马约、画家G.de罗哈斯和雕塑家M.N.del普拉多、H.阿尔马拉斯的作品中均有表现。从当地主题获得灵感的艺术品，在大部位于拉巴斯的许多艺术博物馆中均可看到。

历史 玻利维亚最早的历史鲜为人知。人类开始居住在安第斯地区至少已有21 000年之久，但明确而具有区域性意义的文化直至公元第1千纪才开始发展。这些文化很可能促使了马铃薯和亚美利加驼的驯化。公元600年后某一时期，高雅文化曾集中于蒂亚瓦纳科，这是距的的喀喀湖以南约48千米的一个礼仪中心。这种文化一直持续发展了约500年，并向外部扩展其影响，留有一些纪念性建筑以证明它的成就。1200年后，蒂亚瓦纳科文化被许多讲马拉语的小王国所继承，这些小王国的统治遍及玻利维亚，并一直持续到西班牙时期。

从更西面来的讲克丘亚语的印加民族，在15世纪后期将艾马拉并入他们的帝国，称科拉苏约省，但基本上未触动其本地语言及文化。不论怎样，印加人确实在整个地区建立起讲克丘亚语的殖民地。

1532年西班牙侵入印加帝国。在该世纪结束之前，西班牙已建立起查尔卡斯(今苏克雷)、拉巴斯、圣克鲁斯和奥罗佩萨(科恰班巴)等城市，并开始开采波托西的银矿资源。玻利维亚(当时被称为秘鲁总督辖区的查尔卡斯法院辖区)兴于17世纪。波托西一度曾为美洲最大城市。查尔卡斯由于建有学院和大学被称为"美洲的雅典"。可是到了17世纪末，矿产资源开始枯竭。19世纪初期的独立战争结束后，接踵而来的是严重经济萧条，当玻利维亚成为一个国家时，它在经济上已很不发达了。

早在1809年便有人谈论玻利维亚的独立，但直到1824年S.玻利瓦尔的副手苏克雷在阿亚库乔战胜西班牙军队后，独立战争才得到充分支持。1825年西班牙军队最终被苏克雷击败。

几乎从一开始，独立的玻利维亚的政治史就有动乱与不稳的特点。与秘鲁结成的昙花一现的联邦于1837年解散，1884年太平洋沿岸的阿塔卡马省又被智利占有。1880年开始一段文官统治时期，并一直持续到1936年。1932～1935年灾难性的查科战争(为控制博雷阿尔平原与巴拉圭进行的边界战争)使玻利维亚遭到重创。20世纪40年代接连不断出现的各种党派，使政府几乎不可能保持稳定，但1952年4月，由矿工、农民与其他团体组成的联盟，推翻了当时的军人政权，开始了玻利维亚的全国革命。50年代初期的这场重要社会革命，把锡矿开采部门收归国有，第一次授予该国印第安人普选权，把土地分给许多印第安人，部分地使他们脱离传统的奴隶地位。

50年代后期，一些在1952年革命中开始的社会改革计划暂被搁置，以便支撑日益衰退的经济。其后的20年社会持续动荡不安，进入80年代仍未见好转。1980年举行的民主选举因政变而夭折，但军人政权又因国内动乱而被迫下台，于1982年将政权交给选举产生的文官政府。由于通货膨胀失控，1985年又举行新的选举；新选出的政府制定了严格的紧缩措施，以控制通货膨胀，稳定经济。20世纪90年代出售许多国有企业控股权。建成了通往巴西的天然气管道。至2000年政府已稳定了经济，并且在解决可可种植农的问题上取得重大突破。

Bolkiah Mu'izzaddin Waddaulah, Haji Hassanal 博尔基亚(1946-07-15，文莱文莱镇[今斯里巴加湾市]～　　) 文莱第29代苏丹。前苏丹赛福丁的长子，幼年受宫廷教育，后进入马来西亚吉隆坡维多利亚学院和英国皇家桑赫斯特军事学院学习。1961年被封为王储。6年后赛福丁退位，他于1967年10月继位苏丹，1968年8月加冕。不过在以后的10年中其父仍在幕后掌权。1979年母亲去世后，其父退出政务，他开始执掌实权。经常走遍全国聆听国民呼声，改进政务。为从英国独立作准备，建立本土的行政系统以代替英国原先的机构；并打击腐化。1984年1月，英国在担任保护国95年之后，正式撤走。虽然在大的投资组合等方面还存在许多问题，但两国间的关系保持友好。1986年赛福丁去世。1992年10月任首相兼国防部长和财政部长的博尔基亚举行了在位25周年庆典。继续保持他父亲1962年宣布的紧急状态统治。20世纪80和90年代他一直位居世界最富有者的之列，其财产来自石油和天然气。

Böll, Heinrich 伯尔(1917-12-21，德国科隆～1985-07-16，波恩附近) 德国作家，1972年诺贝尔文学奖获得者，所写关于第二次世界大战期间和以后德国艰苦生活的讽刺性小说，抓住了德意志民族变动中的心理。伯尔是木工之子，1937年中学毕业。1938年，被征召从事劳役，后在德军中作为列兵和下士服役6年。战后定居在故乡科隆。1947年开始发表小说。在早期小说《火车正点到达》(1949)和《亚当，你那时在哪里?》(1951)中，他描写士兵生活中的冷酷和绝望。在《我们早年的面包》(1955)中一个机械匠的生活里以及在《九点半钟的台球》(1959)中一个建筑师的家庭里，他探讨了现实的忧虑，后一小说由于具有内心的独白和倒叙手法，成为他最复杂的小说。受欢迎的作品《一个小丑的看法》(1963)中，其主要人物由于喝酒而沉沦，本是一个报酬优厚的表演者，一变而成为沿街乞讨的音乐师。其他作品有《一语不发》(1953)和《一次出差的结局》(1966)等。在最长的小说《一位女士及众生相》(1971)中，伯尔描写了出现在中年"女士"莱尼·普法弗尔生活中的众多人物，从而展示出自两次世界大战到70年代德国的生活全景。《失去名誉的卡塔琳娜·勃罗姆》(1974)抨击现代新闻界的道德准则和当代德国的价值观念。《这个小伙子将来如何?或:关于书的事》(1981)则是1933～1937年的回忆录。

作为基督教徒及和平主义者，伯尔以高度道德化的个人观点观察社会。他常写的主题是社会成员对个人责任是接受还是拒斥。他以质朴冷峻的语言和常常是尖刻的讽刺表达他反对战争、不肯妥协的态度。一般认为，他对德国民族在第二次世界大战中的经历作了突出的人道主义的说明。

boll weevil (*Anthonomus grandis*) **棉铃象甲** 鞘翅目象甲科昆虫，北美洲最严重的棉花害虫。成虫的大小因幼虫期取食量的多少而异，一般约6毫米，包括几占体长之半的长而弯的喙在内。刚羽化时淡黄色，数周后变成

棉铃象甲(*Anthonomus grandis*)
美国不列颠百科全书公司供图

灰色或黑色。雌虫春季从半冬眠状态下苏醒，并在棉铃内产卵约100～300粒，在大部分棉铃受侵害之前，不在其他雌虫已产卵的棉铃内产卵。2～3周内可从卵发育为成虫，每年2～10代。幼虫始终生活在棉铃内，破坏棉籽和周围的纤维。因幼虫和蛹期都在棉铃内度过，所以此时用杀虫药无效。棉铃象甲遍见于北美洲几乎各棉区，在19世纪90年代从墨西哥进入美国，造成很大损害。估计每年可造成300～500万包棉花的损失。据说正是棉铃象甲为害，使农民认识到必须使作物多样化，不能仅依赖棉花。预防制止方法包括:及早毁掉棉秆、清理越冬区、处理棉子、提早播种时间及培育早熟的棉花品种。

Bolland, Jean 博兰德(1596-08-18，布拉班特公爵领地蒂勒蒙～1665-09-12，安特卫普) 天主教耶稣会会士和教会史学家，继续编纂《圣徒行传》，创建耶稣会所属继续编印《圣徒行传》的博兰德会。《圣徒行传》不仅内容丰富，而且体现历史批判原则。博兰德生平不

详。《圣徒行传》原是由罗斯维德着手编写的。1629年他奉命继续编写。他与亨辛尼乌斯合作,修改并扩充原来框架,按死亡期排列圣徒,兼收待考事迹而加以说明,各章附加索引、年表和梗概。他生前完成《一月》(2卷,1643)和《二月》(3卷,1658)。为了考核事实,他广泛地进行通信和旅行,在意大利境内各图书馆研究未经核证的资料。死后弟子亨辛尼乌斯和帕彭布罗克及后世圣徒传记家继承他的事业。

Bollandist 博兰德会 比利时天主教耶稣会会士组成的小团体,致力于编纂出版按圣徒瞻礼日顺序编排的《圣徒行传》。最初倡导者是耶稣会会士罗斯维德,他本来计划根据古代手稿出版18卷圣徒传并加注释。1629年罗斯维德死,博兰德率领一些人继续搜集资料,并根据亨辛尼乌斯的建议扩大涉猎范围。《圣徒行传》前两卷(一月部分)于1643年在安特卫普出版。自1659年起帕彭布罗克参与其事,他可能是博兰德会中最主要人物。编纂工作继续进行。1794年法国革命军进占比利时,编纂工作停止。比利时耶稣会重建后,编纂工作于1837年恢复。

Bollingen Prize 博林根诗歌奖 为在美国诗歌界做出杰出贡献者而设的一种奖金。最初由国会图书馆授予,基金是慈善家P.梅隆于1948年捐赠的。梅隆钦佩心理分析学家C.容,故将此项奖金以容度暑所在地的瑞士城镇之名命名。1949年第一次奖金授予E.庞德,当时他正因第二次世界大战期间在意大利发表的一些反犹太人和亲法西斯主义的广播而以叛国罪受到指控,于是一个国会委员会要求国会图书馆不要参与授奖。1950年该奖金转由耶鲁大学图书馆颁发。最初每年评奖一次,1964年始改为每两年一次。1961年博林根基金会还增设了翻译奖。

bollworm 螟蛉 鳞翅目多种蛾类的幼虫,包括麦蛾科的红铃虫及一些棉铃虫种类。夜蛾科的玉米果穗螟蛉(**corn earworm**)幼虫蛀吃玉米果穗顶尖。由于此种农害幼虫亦蛀藏于番茄和棉铃中,有时称为番茄蛉或棉铃虫。其他被侵害的作物包括豌豆、苜蓿、蚕豆、大豆、亚麻、花生及其他经济作物。此类害虫可由天然寄生虫、早种作物、诱虫作物及农药来控制。

Bollywood 宝莱坞 印度电影制片工业,20世纪30年代始于孟买并发展成一个巨大的电影帝国。喜曼苏·赖1934年开创孟买有声电影,带动了印度电影的成长。多年来,几种典型的体裁从宝莱坞崭露头角:史诗电影,特别是《莫卧儿王朝》(1960);印度的西部电影,如《修雷》(1975),描写妓女的电影,如《纯洁的心灵》(1972),精彩呈现了令人目眩神迷的电影艺术以及充满感官刺激的舞蹈编舞;还有以《欢迎赎罪之母》(1975)为代表的神话电影。与其说是电影本身还不如说是明星演员,成为票房成功的重要原因。宝莱坞电影的标准特色包括程式化的剧情发展,走位技巧熟练的打斗场景,壮观的歌舞场面,赚人热泪的情节剧,以及不食人间烟火的英雄人物等。21世纪之初,宝莱坞每年推出1 000部剧情片,在英国与美国的亚裔人口中开始拥有越来越多的国际观众。

Bologna (Italian painter) **博洛尼亚** 参阅 **Primaticcio, Francesco** 普利马蒂乔。

Bologna 博洛尼亚 拉丁语作Bononia。意大利北部城市,艾米利亚-罗马涅区首府和博洛尼亚省省会。位于佛罗伦萨以北、雷诺与萨韦纳二河之间。原为埃特鲁斯坎人的费尔西纳(**Felsina**)。公元前4世纪被高卢人博伊部落占领后成为古罗马殖民地和城市。6世纪属希腊拉韦纳宗主教区管辖,后归罗马教廷统治。野蛮人入侵后,曾被西哥特人、匈奴人、哥特人和伦巴第人占领。经过一段封建时期后,在12世纪初期,皇帝承认其权利,博洛尼亚成为自由市镇。归尔甫派和吉伯林派的斗争使该市在众多伯爵之间反复易手。1506年并入教皇辖地。1860年并归意大利王国。市中心的拱型街道建在古罗马城镇的基础上,现仍保留着中世纪的面貌,有阿西西利斜塔和加里森达斜塔。市内中世纪建筑中最著名的是市政厅、商会和雷恩齐奥宫等。贝维拉夸宫(1477～1482)现为该市最华丽的建筑之一。它曾为大主教所在地,现有许多大教堂,其中有圣彼得罗尼奥教堂、圣方济各教堂、圣多梅尼科教堂、巴罗克式圣彼得罗主教堂等。建于11世纪的博洛尼亚大学在12～13世纪名望最高,1803年迁至切莱西宫(1562)。该校有许多知名的教师,如伊尔内留斯等。博洛尼亚为许多名人的诞生地,教皇格列高利十三世、格列高利十五世、卢西乌斯二世和本尼狄克十四世均诞生于此。该市以规模宏大的公共图书馆和大学图书馆闻名。市博物馆藏有翁布里亚(维朗诺瓦)文物和埃特鲁斯坎人墓葬等珍品。市美术馆藏有博洛尼亚画派的绘画及其他许多名画,其中最著名的是拉斐尔的《圣塞西利亚》。为主要的铁路和公路枢纽,农贸市场和食品加工业中心,亦为重要工业中心。生产农业机械、电动机、摩托车、铁路设备、化工品和鞋等。当地共产主义运动力量强大,第二次世界大战后地方政府一直由共产党人担任领导。人口:城市区约394 969(1994)。

博洛尼亚市的圣普罗科洛教堂
美国不列颠百科全书公司供图

Bologna, Giovanni da 博洛尼亚 参阅 **Giambologna** 詹博洛尼亚。

Bologna, University of 博洛尼亚大学 欧洲最古老、最有名的大学之一。11世纪建于意大利博洛尼亚。12、13世纪成为研究民法和教会法规的主要中心,吸引着欧洲各国大学生。由于该校当时无固定校舍,同一国籍的学生为了相互保护便组织自由协会(参阅 **nation**)。这些组织成为现代大学学生组织的典型。1158年腓特烈一世(红胡子)授予博洛尼亚大学学生一些特权,最后这些特权扩至给予意大利各大学。博洛尼亚大学的学生绝大多数是成年男子,因为民法和教会法规是最早的研究学科,所以它吸引已在教会或政府部门任职的成年人,如领班神父、学校领导人、大教堂教士等。1200年左右成立医学系和哲学(即文理)系,理科各系则在17世纪有了发展。18世纪时招收女生和聘任女教师。经过一段衰退期后,博洛尼亚大学于1860年改组,恢复了其在意大利各大学中前茅的地位。该校现有法学、政治学、文学和哲学、医学和工程学等系。

Bologna stone 博洛尼亚石 一种质地致密的银白色石料。由意大利炼金术士V.卡斯卡里奥洛于1603年在意大利博洛尼亚附近的帕代诺山发现,他利用这种石料合成一种昼曝于日,夜则可熠熠发光的物质。初以为是能将贱金属变为黄金的点金石,后方知为硫酸钡,一种重晶石矿物。

Bolognese school 博洛尼亚画派 狭义指16世纪后期和17世纪初期意大利画家洛多维科·卡拉齐及其堂兄弟阿戈斯蒂诺和安尼巴莱两兄弟的作品和理论。其气质和倾向各异,但许多早期作品都是三人合作,特别是湿壁画组画。他们不满于风格主义(**Mannerism**)画家矫饰过度,立志从事艺术改革,进行研究和实验。他们认为直接观察更为优越,因而根据真实的模特儿作画。其画明快、单纯、生动,很符合反宗教改革的要求。1585年前后,为了推广他们的主张和培养青年画家,这几位堂兄弟建立了"进步美术学院"。该学院培养出多梅尼基诺、G.雷尼等一批画家,

安尼巴莱·卡拉齐绘《圣彼得在阿庇安路途中遇基督显灵》(约 1601)
美国不列颠百科全书公司供图

成为对意大利巴罗克绘画最有影响的力量。

bolometer 测辐射热计 利用在电阻电桥一个臂上的涂黑金属带的温度升高来测量辐射热的仪器。第一个测辐射热计是美国科学家 S.P.兰利于 1880 年发明的。他在惠斯通电桥上连接一个电流计。在电流计偏转量不大的条件下,偏转量与辐射强度成正比。较新的测辐射热计包括 4 个铂线栅(每个由许多铂条制成),接入电阻电桥的 4 个臂上。将相对两臂上的一对线栅一前一后安装,使一个线栅的开口对着另一个线栅的铂条,两者均暴露在热辐射场中;另外一对线栅则屏蔽。这样就使电流计的效用增大一倍,并可补偿任何附加的温度变化。因此能探测小到0.000 1 ℃的温度变化。测光谱辐射热计的电桥中,只有一个臂是由沿长度侧立放置的单个金属条构成,用于检测光谱中辐射强度的分布。

Bolovens Plateau 波罗芬高原 法语作 Plateau des Bolovens。老挝南部富庶而起伏平缓的高原。位于湄公河和安南山脉南段西麓之间。高约 1 100 米,北和南缘最高,两地山峰分别高达 1 583 米和 932 米。地处 6 ～ 11 月西南季风风口,年降雨量 4 000 毫米以上,为老挝雨量最大地区。人口稀疏,居住有老听族的浴韦人、尼亚亨索埃人和索乌人。当地土壤肥沃,因内战、交通不便和植物病虫害妨碍种植咖啡、棉花和烟草的试验,现大部仍为灌丛和高草地。有公路穿经。北松有农业实验站。

Bolsena 博尔塞纳 意大利中部拉齐奥(拉丁姆)区维泰博省城镇。传说 1263 年一位怀疑变体论教义的司铎,在该城圣克里斯蒂纳教堂地下室做弥撒时,发现他祭献在祭坛上的圣饼有血滴,从而相信了变体论。该城因此以“博尔塞纳神迹”闻名于世。为纪念该神迹,教皇乌尔班四世创立圣体节,并建造奥尔维耶托大教堂,藏有带血迹的圣坛布。该城有一座 10 ～ 13 世纪的城堡和小型博物馆。经济以蔬菜种植业、渔业和酿酒业为主。人口:城市区约 4 076(1993)。

Bolshaya Sovetskaya Entsiklopediya 《苏联大百科全书》 英文名称Great Soviet Encyclopedia。苏联出版的大型百科全书。初版共 65 卷,于 1926 ～ 1947 年间出版。第二版 50 卷,于 1950 ～ 1958 年间出版,虽仍是以马克思列宁主义观点编写的,但倾向性比第一版略减。第二版有一整卷介绍苏联情况。有一补卷(第 51 卷),内容包括政治人物(主要是在斯大林时代受到清洗、后来恢复名誉的人物)传记、度量衡表和各国货币资料等。第三版共 30 卷,是根据苏联共产党中央委员会的决议(1967)编辑的,1970 ～ 1978 年出版,采用小号字体印刷,条目内容缩减,体例更加紧凑。1981 年出版《专名索引》卷。纽约和伦敦的麦克米伦出版公司从 1973 年开始出版这部书的英语译本。1974 年以后,苏联与意大利、希腊、西班牙、拉丁美洲以及孟加拉各地出版商签订了该书的翻译与出版合同。

Bolshevik 布尔什维克 俄国社会民主工党(**Russian Social-Democratic Worker's Party**)的一派,在列宁领导下,于 1917 年 10 月夺取政权,成为俄国主要政治力量。布尔什维克派是 1903 年在党的第二次代表大会上形成的。那时,追随列宁的同志坚持党员应限于职业革命家的主张,他们在中央委员会和《火星报》编辑部中占有多数,因而自称“布尔什维克”(多数派),并称其反对派为“孟什维克”(少数派)。虽然两派共同参加 1905 年革命,但是分歧越来越大。布尔什维克继续坚持高度集中的、有严格纪律的职业化政党。1906 年布尔什维克抵制第一届杜马的选举,在后来的几届杜马中又拒绝与临时政府和其他政党合作。1912 年,列宁领导极少数支持者组成一个性质截然不同的“布尔什维克”组织,决定性地(虽然不是正式地)分裂了俄国社会民主工党。列宁使自己一派保持严格组织纪律的决心,疏远了他的许多布尔什维克同事,他们或希望从事非革命活动,或不赞同列宁的政治战术以及认为正统的马克思主义一贯正确的主张。1912 年,没有著名的俄国社会民主党人参加列宁一派。1917 年 4 月列宁回国后,要求退出第一次世界大战,并且号召苏维埃夺取政权。布尔什维克在城市工人和士兵中得到越来越多的支持。10 月,他们在彼得格勒和莫斯科苏维埃中取得多数。然后他们推翻临时政府,正式掌握政权。他们拒绝与其他革命组织分享权力,除左派社会革命党人,随后镇压了一切对立的政治组织。1918 年 3 月,俄国社会民主工党(布)改称俄共(布),1925 年 12 月改称联共(布),1952 年 10 月改称苏联共产党。

Bolshevik Revolution 布尔什维克革命 参阅 **Russian Revolution of 1917** 俄国 1917 年革命。

Bolshoi Ballet 大剧院芭蕾舞团 俄罗斯及直至 1990 年或 1991 年解体前的苏联的主要芭蕾舞团,以精心演出保存 19 世纪古典舞蹈传统的古典舞剧和儿童舞剧而著名于世。该团名称始于 1825 年,当时新建的莫斯科大剧院从其前身彼得洛夫剧院(建于 1776 年)那里接过了它的芭蕾舞团。该团的风格(后来被称为“莫斯科风格”)逐渐形成,由于更多地受到俄罗斯民间文艺的影响,因而比起圣彼得堡以传统风格为特点的几家舞蹈团更为自然。在 19 世纪中,杰出的舞剧编导如 M.佩季帕、C.布拉西斯和 A.圣-列翁都在大剧院编排过作品。19 世纪末一度衰落。1900 年 A.戈尔斯基被任命为团长。他使它恢复为第一流的舞蹈团,并且在布景和服装方面采用了现实主义手法,使之成为此后该团演出的特色,到 20 世纪 60 年代大剧院芭蕾舞团已是世界最著名的芭蕾舞团体之一。大剧院芭蕾舞学院自 1961 年正式称为莫斯科舞剧编导学院。

Bolshoi Theatre 大剧院 俄罗斯最主要的芭蕾舞剧与歌剧的戏剧团体。最初系由几个演出小组于 18 世纪 70 年代中期在莫斯科合并而成。作为剧团之家的第一个永久性剧院建筑于 1780 年在莫斯科揭幕,1805 年毁于火灾。翌年,大剧院改为政府经办。1825 年新建剧院揭幕,1853 年再次毁于火灾。1856 年再次重建,扩建的大剧院可容纳观众 2 000 余人。到 19 世纪末,大剧院上演的俄罗斯及其他欧洲国家的歌剧和芭蕾舞剧作品对整个西方世界的表演艺术均产生影响。1924 年剧院主体增加一小型附属剧场。1961 年将容纳6 000人的克里姆林宫大会堂作为第 3 演出场地,供大型演出之用。1917 年俄国革命、两次世界大战以及 1990 ～ 1991 年发生的苏联解体,均不曾对这家剧团造成损害。20 世纪 50 年代中期起剧团的歌剧和芭蕾舞团进行广泛的巡回演出。

bolson 封闭盆地 半干旱的平底山谷或洼地,中心一般为干盐湖或盐盘,而四周完全为丘陵或山岳所包围。是盆岭区特有的盆地的一种典型。这个术语往往只用于美国西南部和墨西哥北部的某些盆地。

Bolsover 博尔索弗 英格兰德比行政、历史郡城镇区。面积 160 平方千米。行政中心设在博尔索弗镇。博尔索弗镇有英国最大的无烟燃料厂。现大力发展新兴工业以补偿煤炭工业的衰落。名胜古迹有 17 世纪的博尔索弗堡和建于 16 世纪的雄伟的哈德威克宫。人口:镇 11 743(1991);区 71 200(1998)。

bolt 螺栓 通常与螺母一起用于连接两个或更多零件的机械紧固件。螺栓连接易于

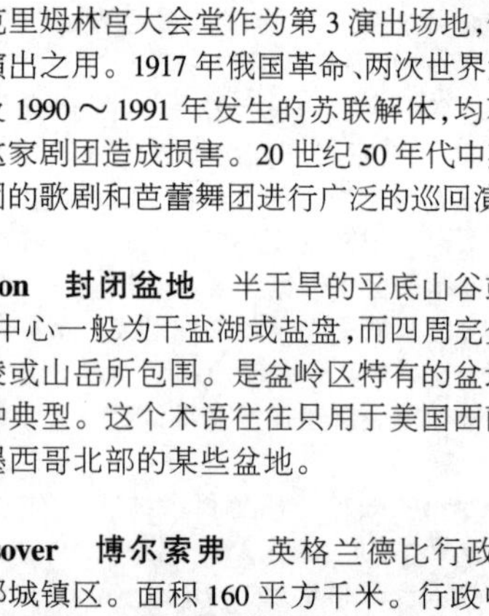

螺栓

装、拆；为此，螺栓（或螺钉）紧固件较其他机械紧固件用得更广，在发展大量生产的产品和钢结构方面起了重要作用。螺栓是一个带栓头并在部分长度上有螺纹的圆柱体。螺母是与螺栓配对的阴螺纹件，其内螺纹与螺栓上的螺纹相啮合。参阅 **nut；washer**。

Bolt, Robert　博尔特（1924-08-15，英国曼彻斯特附近～1995-02-20，汉普郡彼得斯菲尔德附近）　英国电影剧本作家和剧作家，以其几部史诗般的电影剧本闻名。1941 年在保险公司工作。第二次世界大战期间在皇家空军和陆军中服役。1949 年获曼彻斯特大学历史学士学位，后任教员至 1958 年。剧本《樱花盛开》（伦敦，1957）的成功使他放弃教职。他最成功的剧本是《千秋万代》，描写英王亨利八世与内阁大臣托马斯·莫尔之间的殊死斗争。该剧在伦敦（1960）和纽约（1961）上演时，获得高度赞扬。1966 年改编为电影。他为大卫·李恩等导演所写电影脚本有《阿拉伯的劳伦斯》（1962）、《日瓦戈医生》（1965），其他电影脚本有《瑞安的女儿》（1970）、《拉姆夫人》（1972）、《恩惠》（1984）和《使团》（1986）。他最成功的后期剧本是《女王万岁！万岁！》（1970）。

bolt action　枪机　枪后膛的一种机械装置，由击针、弹簧和退子钩组成，装在闭锁机机匣内。它是研制确实有效的连发枪的关键。装有弹簧的击针在枪机（即闭锁机）内来回滑动。用带圆头的手柄使枪机在机匣内往复运动，并转动一定的角度。枪机前或后（或前和后）有一或几个凸榫，在步枪准备射击时，凸榫落在机匣卡槽内，枪机就固定在对准弹膛底部的位置。当枪机被推向前时，它把一颗枪弹推进弹膛内，并扳上扳机，处于准备击发状态。扣扳机时放松枪机内的弹簧，推动击针。射击后，在枪机头部的退子钩将弹壳退出并抛掉。枪机又从弹仓中推出另一颗枪弹，再重复上述过程。有的枪机不需要转动就能闭锁，称为直拉式枪机。

Bolton　博尔顿　英格兰大曼彻斯特都会郡的城镇和都会自治市。属兰开夏历史郡。区面积 140 平方千米。该镇 16 世纪即以毛纺业闻名。18 世纪棉纺取代毛纺。1779 年博尔顿当地人塞缪尔·克朗普顿发明了走锭纺纱机，掀起一场纺织业的变革。1780 年开办了当地第一家纺织厂。这一时期博尔顿成为纺织、煤矿、造纸、机械等工业中心。20 世纪 60 年代机械制造业成为从业人员最多的行业。人口：城镇 139 020（1991）；都会自治市 267 500（1998）。

Bolton, Edmund　博尔顿（1575？～1633？）Bolton 又拼 Boulton。英国历史学家、古物鉴赏家、诗人。他的抒情诗在 16 世纪晚期诗选集《英格兰的埃利孔山》（1600）中属最佳之列。受教育于剑桥和伦敦内殿律师学院。曾在宫廷做过小官，但因信奉天主教，被禁止担任公职，以写作为生。他是 W.卡姆登和其他学者的朋友，曾请求詹姆斯一世建立皇家学院，因国王死去未遂。后来为官方编修英格兰史和伦敦志的计划也未能实现。又因不服国教而遭监禁，最终大概潦倒而死。其最重要的著作是《尼禄皇帝》（1624）和《苛评》，后者论述历史的写法，评论了同时代的作者。

Bolton, Guy (Reginald)　博尔顿（1884-11-23，英国赫特福德郡布罗克斯伯恩～1979-09-05，伦敦）　美国剧作家和歌剧歌词作者，或许是以他那机智而清新的歌剧剧本而闻名于世。与之合作的有 P.G.沃德豪斯、G.米德尔顿和 F.汤普森这样一些著名人物。父母均为美国人，写剧本之前曾学习建筑。第一部剧本于 1911 年在百老汇演出，但直到开始为百老汇写音乐剧后他才出名。与沃德豪斯和其他人合作，他写出的脚本由于 J.克恩、G.格什温和 C.波特这样一些作曲家为其配乐而增色不少。他比较好的作品有《噢，年轻人！》（1917，与沃德豪斯合写，克恩作曲）、《嗳，女士！女士！》（1918，与沃德豪斯合写，克恩作曲）、《萨利》（1920，克恩作曲）、《女士，好好干！》（1924，与汤普森合作，格什温作曲）、《噢，凯！》（1926，与沃德豪斯合作，格什温及 H.迪茨作曲）、《随便什么都行》（1934，与沃德豪斯、H.林赛和 R.克劳斯合作，C.波特作曲）。博尔顿还为伦敦的一些演出写脚本。他被认为是一位对音乐剧发展做出过有益贡献的人。

Boltwood, Bertram Borden　博尔特伍德（1870-07-27，美国马萨诸塞阿默斯特～1927-08-15，缅因汉考克角）　美国化学家和物理学家，他关于元素铀和钍的放射性衰变的研究在同位素理论的发展中具有重要意义。1897～1900 年在耶鲁大学任教，1900 年与美国化学家 J.H.普拉特合作，开办了采矿工程师和化学家咨询公司。后来对放射性产生了兴趣，并于 1904 年证明许多放射性元素衰变成另一些放射性元素。他发现元素锾，现称钍 230。1905 年他提出铅是铀衰变的最终产物。两年后他研究出通过测定铅和铀的比例确定某些岩石年代的方法。随后研究出的放射性测年法彻底改革了对地球年代的估算方法，并且对于考古学也具有非常宝贵的价值。1910 年，博尔特伍德成为耶鲁大学的放射化学教授。过度繁重的工作使他精神分裂，并且间歇地发作抑郁症，最终自杀身亡。

Boltzmann, Ludwig Eduard　玻耳兹曼（1844-02-20，奥地利维也纳～1906-09-05，意大利杜伊诺）　奥地利物理学家。最大的成就在于对统计力学的发展，由此解释并预言了原子的性质（如质量、电荷和结构）如何决定物质的可见特性（如黏性、导热性和扩散）。1866 年获得维也纳大学博士学位后，在维也纳、格拉茨、慕尼黑、莱比锡任数学和物理学教授。19 世纪 70 年代发表了一系列论文，指出有关能量交换的热力学第二定律可以通过把力学定律和概率论用于原子的运动而作出解释，由此阐明了热力学第二定律的统计性质，以及系统接近热力学平衡态是因为平衡是物质系统压倒一切的最可能的状态。他在探索这个问题时，得出了系统的各部分在一定温度下的能量分布的一般定律，并导出能量均分定理（麦克斯韦-玻耳兹曼分布律）。这个定理说明一个原子沿各个不同方向的运动的平均能量是相同的。还推导出原子因碰撞而造成的能量分布变化的方程式，并为统计力学奠定了基础。他也是最早认识英国的麦克斯韦提出的电磁理论重要性的欧洲大陆科学家之一。他关于统计力学的著作，虽受到猛烈攻击，长期被误解，但终因 1900 年前开始的原子物理学的各种发现，以及涨落现象（如布朗运动）只能用统计力学来解释而得到了支持。

美国不列颠百科全书公司供图

Boltzmann constant　玻耳兹曼常量　物理学的基本常量之一，符号为 k，在经典物理学和量子物理学的每个统计公式里几乎都出现。以 19 世纪奥地利物理学家 L.玻耳兹曼命名。他对理论物理学的一个分支——统计力学——的创立和发展做了重大贡献。玻耳兹曼常量的量纲为能量除以温度，数值为 $1.380\ 662 \times 10^{-23}$ 焦耳/开或 $1.380\ 662 \times 10^{-16}$ 尔格/开。

Boltzmann distribution law　玻耳兹曼分布律　参阅 **Maxwell-Boltzmann distribution law 麦克斯韦-玻耳兹曼分布律**。

Bolu　博卢　土耳其西北部城市。海拔 742 米。一度为赫梯帝国领土，公元前 5 世纪为比提尼亚王国，附近埃斯基希萨尔为古代小亚细亚繁华城市比提尼亚遗址。1325 年为奥斯曼土耳其人占领。现代博卢城有女子师范学院和林业学校。工业有皮革制品。人口 84 565（2000）。

Bólu-Hjálmar (Icelandic folk poet)　**博卢-希奥马尔**　参阅 **Jónsson, Hjálmar 荣松**。

bolus　食团　在口内经咀嚼并与唾液混合的食物团块。食物经咀嚼后成小颗粒状。唾液中含有消化酶、水及黏液等，与食物混合后使之潮湿润滑，便于产生味觉，便于吞咽，并能分解食物中某些成分。食团从口咽下，进入胃内，与胃液混合，体积缩小，称为食糜。

Bolyai, Farkas　鲍耶（1775-02-09，匈牙利大塞本[今罗马尼亚锡比乌]～1856-11-20，匈牙利毛罗什-瓦萨尔海伊[今罗马尼亚特尔古穆列什]） 匈牙利数学家，诗人和剧作家。以毕生时间试图证明欧几里得关于平行线不相交的(第五)公设。在格丁根大学学习时成了著名数学家C.F.高斯的密友，保持通信直到1855年高斯逝世。1804年他在毛罗什-瓦萨尔海伊的福音归正会学院任教职，到1853年退休。他几乎与科学界完全隔绝，但仍然不倦地研究平行线公设，1804年他把一种证明寄给高斯，高斯指出了缺陷，但他还继续研究。他在失望时写诗、乐曲和剧本，以寻安慰。他的剧作有《一个爱国者写的五部悲剧》（1817）和《巴黎的进程》（1818）。1829年他完成了最重要的著作《将好学青年引入纯粹数学原理的尝试》（1832），这是一部介绍几何学、算术、代数和分析的严密而有系统的论著，但是没有受到同时代人的重视。他的儿子J. 鲍耶却成功地创立了一种非欧几何学。

Bolyai, János　鲍耶（1802-12-15，匈牙利科洛斯堡[今罗马尼亚克卢日]～1860-01-27，匈牙利毛罗什-瓦萨尔海伊[今罗马尼亚特尔古穆列什]） 匈牙利数学家，非欧几里得几何的创立人之一。数学家F.鲍耶之子。13岁时在父亲教导下掌握了微积分和分析力学，1818～1822年在维也纳皇家工程学院学习，1822～1833年在工兵部队任职。他父亲企图证明欧几里得的平行公设的热情感染了他，不顾父亲的警告，坚持寻求一种证明。19世纪20年代他得出结论：证明也许是不可能的，就开始发展一种不依赖欧几里得公设的几何学。1831年他发表了《绝对空间的科学》，这是一个完整的、无矛盾的非欧几何系统。在他的著作出版以前，他发现他的大部分工作高斯已经做了。尽管高斯没有优先权，因为他没有发表他的研究成果，但这对J.鲍耶却是一个重大打击。他的论文作为附录印在他父亲的《将好学青年引入纯粹数学原理的尝试》(1832)中，但是这部著作没有受到重视。1848年他发现N.I.罗巴切夫斯基在1829年已经发表了实际上和他相同的几何学的报告。鲍耶继续研究数学，做了一些其他重要贡献，但是在生前一直没有为人所识。他还发展了作为有序实数对的复数的严密的几何概念。

Bolza, Oskar　博尔查（1857-05-12，莱茵兰-普法尔茨贝格察伯恩[德国]～1942-07-05，德国布赖斯高地区弗赖堡） 德国数学家和教育家，以其将超椭圆积分约化为椭圆积分工作和对变分法提出新的见解而特别闻名。在柏林大学学习，1886年在格丁根大学获博士学位。1889年在美国约翰斯·霍普金斯大学任微职，同年又受聘为克拉克大学数学副教授，1893年应邀去芝加哥大学数学系任教。1910年他回德国任弗赖堡大学名誉数学教授，直至去世。他曾在美国和欧洲广泛讲授变分法。1904年发表《变分法讲演集》，是变分法的经典著作。1913和1914年发表的几篇论文，发展了一种新颖的变分问题（称"博尔查问题"）。后来关于他的函数论和积分方程的讲稿被威廉·V.洛维特收集、整理成《线性积分方程》，于1924年出版。

Bolzano　博尔扎诺　德语作Bozen。意大利北部特伦蒂诺-上阿迪杰区博尔扎诺-博岑省省会(1927年起)。三面环山，南面为泛滥平原，产葡萄、水果和蔬菜。中世纪始建居民点。1531年由蒂罗尔伯爵管辖。1805年并入巴伐利亚。后属奥地利帝国。1918年归属意大利。居民大多说德语。1947年和1969年意大利政府两度以立法形式允其实行文化自治，以杜绝德语居民与奥地利合并的要求。老城区的著名古迹有大教堂，14～15世纪堂区教堂，多明我会隐修院、14世纪的方济各会教堂。13世纪的马雷奇奥城堡藏有市政档案。龙科洛堡内有约1400年画的骑士题材壁画。设有一所音乐学院和市博物馆。现为旅游业和商业中心。有电力冶金和机械工业。生产汽车、纺织品、葡萄酒等。人口约98 233(1991)。

Bolzano, Bernhard　波尔查诺（1781-10-05，奥地利哈布斯堡王朝领地波希米亚布拉格[今在捷克共和国]～1848-12-18，布拉格） 波希米亚数学家和神学家，曾于1816年证明二项式定理，并提出区别有限和无限的方法。1805年于布拉格大学取得牧师资格并任该校哲学与宗教教授。由于他在课堂上宣讲军事造成社会浪费与战争的不必要而被许多同事和教会领袖排挤。他极力主张全面改革教育、社会与经济制度，以引导国家利益趋向和平，而不是趋向民族间的武装冲突。他的观点不为大学和教会当局所容，他们要他改变信念并停止自由化的教学。1819年被解职，后转入从事社会、宗教、哲学和数学方面的著述。波尔查诺对逻辑、数学的变数、极限和连续性有创见。他对力、空间和时间的物理方面的研究所得出的理论和德国哲学家I.康德的理论不同。著有《二项式定理》(1816)、《纯解析证明》(1817)、《函数模型》(1834)、《科学模型》(4卷，1834)、《逻辑新图解的探索》(4卷，1837)、《无穷之佯谬》(1851)。

Boma　博马　原称隆比或恩博马。刚果(金)西南部刚果河河口湾上港口城市。距大西洋100千米。原为土著居民点，19世纪中叶是贸易中心和奴隶市场。1886～1926年曾为比属刚果首府。作为铁路终端站，输出棕榈油、香蕉和来自北方马永巴林区的木材等。人口135 284(1994)。

bomb　炸弹　一种爆炸性武器，内装炸药，有引信，在一定条件下点燃(如撞击)，可以投掷(如从飞机上投下)或安放在指定地点。在军事学上，航空炸弹或炸弹一词指的是从飞机上投下的武器，借助于高爆炸药或燃烧剂或其他物质的爆炸来造成破坏。炸弹与炮弹、导弹、鱼雷的不同之处在于后面这几种都使用一台人工制造的机器来推动它在空中或水中穿行，而炸弹则仅靠重力来使它到达目标。常规炸弹和原子弹、氢弹之间也有重大区别，后两种炸弹的摧毁力要比前者大得多（参见 **atomic bomb; thermonuclear bomb**）。

典型的常规炸弹是流线型的圆柱体，由五个主要部分组成：外壳、内装的爆炸物质、使炸弹在飞行中稳定的装置如尾翅之类、点燃炸弹主要装药的一个或数个引信，以及解除引信保险或准备引爆的机构。外壳大多用金属制成，头上做成尖形，称为头部。绝大多数常规炸弹内的爆炸药是梯恩梯(TNT)、黑索今(RDX)、硝酸胺或其他烈性炸药的相互组合。炸弹尾部的安定翅能使炸弹从空气中下落时头部朝下，其原理就和箭上的羽毛一样。

炸弹可按其用途及内装的爆炸物质而分类。最常用的是：爆破弹、杀伤弹、杀伤爆破弹、穿甲弹和燃烧弹。爆破弹依靠冲击波的力量来破坏房屋和其它建筑物，通常装有延时引信，以便炸弹能在击穿几层楼、深入目标大楼之后才爆炸。与之成对比的是杀伤弹，爆炸时形成一大批对人起致命作用的快速运动的碎金属片。它的弹壳壳体由缠绕在爆炸药外面的方形截面钢丝组成。杀伤爆破弹兼具爆破与杀伤两种效果，可广泛使用于各种目标，可能是一种最通用的炸弹。穿甲弹有一个厚壳，弹壳有尖头，用来穿透装甲目标或加固目标，如军舰和掩体。上述各种炸弹一般的大小为45～1 360千克之间。曾经正式使用过的最大的炸弹是英国的"大满贯"型，重达1万千克，是在第二次世界大战中使用的。

燃烧弹有两种主要类型，集中式燃烧弹是铝热剂，这是铝粉和氧化铁的混合物，能在很高的温度下燃烧。这种炸弹的壳体用镁制成，镁是一种能在高温下燃烧的金属，用铝热剂点燃。集中式燃烧弹以其高热量来使建筑物燃烧。另一种类型的燃烧弹是薄壁容器内装凝固汽油，用来对付人员、车辆和易燃的设施。凝固汽油散布面积很大，落在哪里就黏附在哪里，并长时间燃烧。现代的凝固汽油混合物包括汽油、苯和聚苯乙烯增稠剂。

上述各种炸弹都是第二次世界大战中使用过的。较新的类型有集束炸弹和燃料空气弹。集束炸弹包括一个外壳，内装数十个小炸弹，外壳在空中裂开，放出小炸弹，像雨点般落下，接地后即爆炸。集束炸弹有杀伤及穿甲两种能力。燃料空气炸药用来在接近地面的上空产生爆炸蒸汽云，这种燃料猛烈燃烧产生的超压能引爆敌人埋设的地雷，从而扫清地面军队前进的道路。

在空中轰炸时，投弹瞄准总是一件最不容易的事，因为轰炸机必须选定一个投弹点，以便从运动的飞机上投下的炸弹其弹道能与地面目标相交。飞机和炸弹的飞行路线可以用数学计算出来，但是投弹手必须在几秒钟之内投下炸弹。在第二次世界大战中采用机械瞄准具和无线电瞄准具，由经过专门训练的空勤人员（称为投弹员）来操作，从而把这个问题解决了。

灵巧炸弹或自导引炸弹能把炸弹引导到目标上，命中精度更高。这种炸弹上装有弹翼和可调节的尾翅，这样，炸弹在飞行中依靠滑翔而获得一定的机动能力。炸弹头部装有小型激光或电视制导系统，制导系统将目标位置的数据提供给计算机，计算机将信号输给致动器，致动器调节弹翼和尾翅，使炸弹按预定路线到达目标。用激光制导系统时，从飞机上发射激光束照射目标，炸弹上的激光传感器接收目标反射回来的激光束，跟随此光束直达目标。电视制导装置是装在炸弹上的，飞机捕获目标后将电视制导装置“锁定”目标，然后将目标图像连续发给炸弹上的计算机或发给飞机机组人员，这两者都能直接引导炸弹到达目标。

炸弹上用的引信有几种。着发引信是历史上最常用的一种。它装在炸弹头部，撞击时就爆炸，从而引爆炸药。与之成对比的是定时引信，它是在控制的时间延迟后开始工作的。另一种是近炸引信，当它接近目标时，它能感知已到达炸弹爆炸能破坏目标的距离上。传感器实际上是一个小型的雷达装置，它发出信号并接收邻近目标的回波。大多数炸弹引信都是在炸弹离开飞机或快要离开飞机的瞬间才解除保险的。所以装上引信的炸弹在装弹时或向目标运送过程中都是不会爆炸的。这种最后时刻解除保险的办法依靠的是一种简单的机械装置。最普通的方式是在炸弹上装一个小小的风车，炸弹落下时流过炸弹的空气推动风车旋转，于是引信解除保险。

在第一次世界大战中硬式飞艇和飞机的迅速发展，使炸弹第一次体现出在军事上的重要性，但在当时投弹量还微不足道，主要原因是飞机的载弹量很小。第二次世界大战中大量使用了大型炸弹，单是盟国对德国的轰炸就投下150多万吨炸弹。美国在朝鲜战争和越南战争中的投弹量也接近此数，但在1991年的海湾战争中由于大量使用高精确度的灵巧炸弹，投弹量随之减少。

bomb　火山弹　在火山学中，指一种未凝固的火山物质，直径大于64毫米，由火山爆发时所喷出的全流体或部分流体的熔岩团块形成，在喷射过程中凝固。其最后形状取决于岩浆最初的大小、黏度和喷射速度。一些形状像足球或纺锤，叫做纺锤形火山弹；一些可能是变扁的，叫做牛屎形火山弹或薄饼形火山弹；另一些是长条状的。火山弹落地时若仍是熔融的或可塑的（这是含铁与镁的岩浆于轻度爆发时所形成的火山弹的特征），则可部分熔合成黏合集块岩。如果火山弹的外表部分凝固，经撞击后会形成表面皱裂的面包壳状火山弹。由火山弹黏结成的岩石沉积物称集块岩。

Bombacaceae　木棉科　锦葵目的一科。含27属，乔木或灌木，与锦葵科近缘，是热带的

修面刷树（*P. ellipticum*）
美国不列颠百科全书公司供图

特征科。花通常大而美丽。本科较有名的属种如：木棉属（*Bombax*），8种，如红丝棉树（*B. ceiba*）；假木棉属（*Pseudobombax*），20种，如修面刷树（*P. ellipticum*）；爪哇木棉属（*Ceiba*），10种（产商品木棉[**kapok**]）；南美的轻木（**balsa**，*Ochroma lagopus*，木材特轻）；榴莲（**durian**，*Durio zihethinus*，产于马来亚，果实大，气味独特）；以及非洲的猴面包（**bao-bab**，*Adansonia digitata*）。

bombard　邦巴管　德语拼作pumhart或pommer。属肖姆管族的双簧片管乐器。其名称来自14世纪的一种大炮。至16世纪，肖

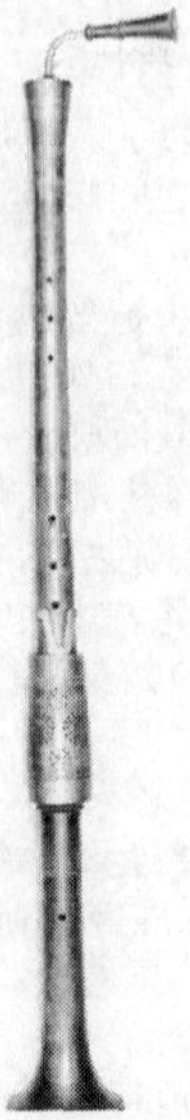

次中音邦巴管
美国不列颠百科全书公司供图

姆管有高音和低音各种规格，高音的仍称肖姆管，低音的改称邦巴管。在布列塔尼，邦巴管与风笛一起使用，奏二重奏。

Bombardier Inc.　邦巴迪埃公司　加拿大制造商，生产飞机、铁路运输设备和系统，以及机动消费品。该公司于1978年采用现名，于1986年进入航空航天领域。总部设在蒙特利尔。邦巴迪埃公司的航空与航天部门主要从事设计、制造、销售地区间航线飞机、商用喷气式飞机及多用途飞机，并对之提供支持。此外，还从事机体组件制作和提供国防产品和服务。产品包括加拿大航空公司地区间航线喷气式运输机、德哈维兰-8（Q系列）地区间航线涡轮螺旋桨式飞机、里尔系列轻型和中型商用喷气式飞机、宽体加拿大航空公司挑战者号和远程邦巴迪埃全球快速商用喷气式飞机和加拿大航空公司415涡轮螺旋桨式水陆两用飞机。邦巴迪埃公司的运输部门从事设计、制作和销售地铁车厢、轻型通勤铁路车辆、高速城际用车和设备、自动化铁路用车和设备，以及城市快速公交系统。并与英国铁路运输制造商阿尔斯通公司合作生产高速火车（机车和车厢），为美国铁路客运公司生产美国连接东北部城市铁路用电动机车。其娱乐产品部门生产摩托雪橇、个人用船和运动艇，以及适合各种地形的车辆和多用途车辆。2000年该公司有雇员5万余人，大多数在北美和欧洲。其销售收入有90%以上来自加拿大以外的市场。

邦巴迪埃的一项传统业务始自1942年加拿大发明家邦巴迪埃创设的公司。1937年，邦巴迪埃取得了一项装有滑板和履带、用于雪地的运载器专利——现代摩托雪橇的先驱，5年后他创立了邦巴迪埃雪地自动车有限公司，制造供军用的运载器。第二次世界大战后，该公司制造供公共交通和货物运输以及紧急救援用的大型、多种乘客雪地运载器。1959年，该公司推出个人消费者使用的摩托雪橇获得成功。1967年将公司名称改为邦巴迪埃有限公司。属于现代公司的第二项传统业务始于1902年创建的蒙特利尔机车与机器有限公司。该公司被美国机车公司收购后，于1908年成为蒙特利尔机车厂有限公司（MLW）。20世纪60年代末，美国机车公司大部分资产被沃辛顿公司收购后，MLW成为MLW-沃辛顿公司。邦巴迪埃有限公司于1976年与MLW-沃辛顿合并组成邦巴迪埃-沃辛顿有限公司，两年后改名为邦巴迪埃公司。合并前几年，邦巴迪埃已开始收购一些公司，形成其履带运载器业务的纵向联合。这一系列收购中最大的一笔交易是1970年收购奥地利企业罗纳工厂及其子公司罗泰克斯工厂，后者自1962年起即供应其雪橇发动机。该工厂1823年建立，专门制造快速运载车辆。兼并罗泰克斯后，这一子公司继续为日益增长的邦巴迪埃运载器系列供应发动机，包括1988年推出的海上个人游艇，最终成为轻型飞机发动机的主要制造商。1982年赢得纽约市地铁825辆车厢的订单后，邦巴迪埃确立了在北美洲铁路运载业中的主导地位。20世纪80和90年代，它兼并了几家铁路车厢和设备制造商，其中包括德国车辆公司。20世纪80年代中期，邦巴迪埃积极实施多样化经营，兼并了数家著名的飞机制造商，涉足航空航天业，其中有加拿大主要航空航天公司加拿大航空公司（1986）、欧洲最老的飞机制造商北爱尔兰的绍特兄弟公司（1989）、美国商用喷气式飞机制造商利尔公司（1990）。加拿大德哈维兰亦于1992年正式加入邦巴迪埃家族，带来了历经64年的飞机设计和制造传统。1995年，邦巴迪埃与美国合伙人建立商用喷气式飞机解决方案公司，实施商用喷气式飞机部分拥有计划，据此顾客可按其需要购买飞机的股份。

bombasine（textile）　参阅**bombazine**邦巴辛绸。

bombax cotton　木棉　又作tree cotton或vegetable down。又称树棉。木棉科木棉属（*Bombax*）各类乔木的种籽纤维。这些植物生长于热带国家，并种植于西印度群岛及巴西。单根纤维柔软，颜色从淡黄到褐色，长度0.5～3.25厘米，直径20～40微米。与一般的商品棉花不同，木棉纤维生长在籽荚的内侧，而不是生长在种籽上。虽然木棉有时也与普通棉纤维混纺，但因其强度差、缺乏弹性、含有木质素，不宜单独用作纺织纤维，主要用作填充料。生产木棉纤维的植物有七数木棉（*B. septenatum*）和爪哇木棉（*B. ceiba*）。前者纤维长2～3厘米，是木棉中最长、强度最大者；后者纤维长1～1.5厘米。这两种木棉都生长在西半球热带地区。在南亚和非

洲,马拉巴尔木棉(攀枝花,*B. malabarica*)的纤维长1～2厘米。树棉一词又指乔木状木棉树(*Gossypium arboreum*)的绒毛,该种主要生长于亚洲。

Bombay　孟买　马拉塔语称Mumbai。位于印度西海岸的孟买,为马哈拉施特拉邦首府,全国商业金融中心,阿拉伯海主要港口,属世界上最大、人口最稠密的城市之一。孟买原是一个古代移民点,以当地孟巴(Mumba)女神的名字命名。孟巴女神是印度教大神湿婆之妻雪山神女的化身,其神庙曾坐落在现孟买市东南部。

长期以来孟买一直是印度棉纺工业的中心。如今它的制造业已经多样化,商业和金融业也已实力雄厚,生气勃勃。不过,孟买也患上了大多工业化大城市及扩展中的城市的通病,即空气和水的污染、贫民窟增加、人口拥挤等。同时,由于地处岛屿的限制,城市已很难再向外扩展。孟买已成为世界上人口最稠密的城市之一,看来已无法承受其巨大的人口压力。面积:都会区(大孟买)603平方千米。人口:都会区(大孟买)11 914 398(2001)。

自然地理及人文地理

景观　城市位置　孟买市地处原由7个小岛组成的半岛上,离印度西部贡根海岸不远。自17世纪以来,这些小岛通过建设排水系统和围海造地,以及修筑堤道和防波堤,联结成较大的地块,称为孟买岛。该岛的东面是孟买港的避风水域。岛上有一地势低的平原,其面积的1/4低于海平面,东西两侧是两座平行的低矮山脉。戈拉巴角是这两条山脉中较长的一座延伸至最南端形成海角,它是将孟买与开阔海面隔开的一道天然屏障。西部山脉的尽头是马拉巴尔希尔,海拔55米,是孟买的最高点之一。在两座山脉之间是巴克湾浅滩。浅滩顶端和孟买港之间的一块略为高一点的地段有一城堡,孟买市最早就是以它为中心建立起来的,现在那里主要是政府机关和商业机构所在地。从巴克湾向北,地势下斜至中央平原。孟买岛的最北部是个大盐碱滩。

孟买旧城从南端的戈拉巴角到北边的马希姆和锡翁,约有26平方英里。1950年,孟买向北扩展,用大堤将一个大岛萨尔塞特岛与其连接起来。1957年之前,又有一些郊区市县和附近乡村并入大孟买。孟买都会区不断扩大,到80年代中期已达到233平方英里(603平方千米)。70年代初,为了缓解城市的拥挤,在萨尔塞特岛和大陆之间修建了一座桥,横跨孟买港的源头塔纳河。

孟买的自然景观美不胜收,是当地其他城市所无法企及的。孟买湾的入口处在大陆西高止山脉的衬托下形成一幅壮观的画面,宽广的港湾,小岛星罗棋布,无数小船白帆掩映如繁星点点,成了船只避难的好去处,在海上风暴来临的时候尤其如此。港湾中最大的岛屿是埃勒凡塔岛(又称象岛),它因有8、9世纪的石窟庙宇而闻名。

孟买的主要树种有椰子树、芒果树、罗望子树和榕树。萨尔塞特岛曾是野生动物经常出没的地方,包括老虎、豹、豺、鹿等,然而如今再也看不到它们了,现在有的只是牛、羊等家畜和秃鹫、鸽子、鹤、鸭等鸟类。

气候　孟买的气候炎热而潮湿,分为4个季节:冷季从12月到2月;热季从3月到5月;从西南方向吹来的季风带来的雨季从6月直到9月;紧接着是季风期后季节,从10月到11月,其时天气又转热。1月平均气温为19 °C,5月平均气温为33 °C。年降雨量1 800毫米,其中7月份的平均降雨量达608毫米。

城市布局　孟买旧城相当拥挤,然而在马拉巴尔希尔等比较富裕地区还能看到一些绿地,有公园和运动场。在孟买城市化之初,部分地区已形成贫民窟。许多工厂的建立使该市更加拥挤,加上汽车用量日增及其附近设有炼油厂,使孟买的空气和水的污染以惊人的速度增加。

孟买金融区坐落在该市南部,在孟买旧城堡周围。再南边的戈拉巴角一带及西边沿着尼塔吉·苏巴什路和马拉巴尔希尔一带,则是住宅区。城堡北面是主要商业区,向北逐渐并入商业、住宅混杂地区,该市大多数老厂就在此地区。再往北是住宅区,但其附近最近亦已发展为新兴工业区,并建起了一些棚户区。

孟买的住宅大部分属私人所有,只有一小部分为公房,由政府通过公共基金协会修建,或由私人合作机构与公共基金协会合资兴建。孟买人口十分稠密,能向家境一般者提供的住房奇缺,因此,工商企业感到很难吸引中层专业人才、技术或管理人员。非熟练工人不断从内地流入,因而该市贫困潦倒和无家可归者日增。孟买市政计划人员想方设法阻止这一移民趋向,动员企业主在孟买港对岸、发展中的孟买"孪生城"新孟买去投资设厂,并为此禁止他们在孟买市内开设新厂或扩建老厂。但在执行中每当企业主威胁要将其企业转移到国内其他地方开设时,上述禁令大多得不到执行。

孟买的建筑是18、19世纪富丽堂皇的哥特式与富有现代色彩型式的结合。老式的行

孟买市港口,右为印度之门,左为新、旧泰姬·马哈尔宾馆

美国不列颠百科全书公司供图

政和商业大楼同摩天大楼和多层水泥砌块建筑并存。

人民 20世纪40年代以来，孟买的人口虽不是惊人地增长，至少也是稳定地增长。20世纪初，它的人口是85万，1941年倍增至169.5万，到1991年达到990万以上。该市由于实行节育计划，人口出生率远远低于全国平均水平，人口总增长率上升主要是由于外地人口流入所造成。

孟买是世界人口最稠密的城市之一，1981年大孟买人口密度为平均每平方英里35 000人以上，而旧城不少地区，人口密度至少3倍于上述数字。不过，邻近巴克湾的吉尔加乌姆、贝恩迪市场及布利斯瓦尔，人口密度则较低。内城的部分地区，平均人口密度为每平方英里近100万人，或许是世界之最了。

孟买是一个国际都市，世界上各种宗教和各个地区的人都有。人口中约半数为印度教教徒，亦有穆斯林、基督教徒、佛教徒、耆那教徒、锡克教徒、袄教徒以及犹太教徒的等重要社区。

在孟买，几乎所有印度语言及多种外国语言都有人使用。马拉塔语是孟买所在的马哈拉施特拉邦的用语，在孟买通用的印度各语言中占支配地位。其次是古吉拉特语及印地语。其他语言有孟加拉语、普什图语、阿拉伯语、汉语、英语及乌尔都语等。

经济 孟买是印度的经济中心和商业金融枢纽，其经济结构在某些方面反映了印度独有的特点，即核子时代与牛粪岁月的融合。印度原子能委员会大楼坐落在此，其内部设有核反应堆及钚分离器，而市内许多地方却仍在使用传统的生物能源作燃料。

工业 19世纪促使孟买繁荣昌盛起来的棉纺业如今仍是该市重要的工业，但地位已相对下降。新兴工业如金属、化工、汽车、电子、机械等及大批辅助性工业，以及城市工业如粮食加工、造纸、印刷出版等，已成为制造业扩大就业的主要部门。

商业及金融业 坐落在孟买的有关机构有：印度储备银行、中央银行及其他一些商业银行，印度人寿保险公司（印度国有化企业、政府公债及私人股份的最大投资者），其他重要长期投资金融组织。上述机构又为该市吸引来一些商业及金融业服务组织。

孟买证券交易所是印度主要的股票及股份市场。尽管印度独立后全国各地形成了一批经济中心，从而使孟买在独立证券交易中的地位有所下降，但就金融及其他商业交易量而言，孟买仍是最佳的中心，而且是印度经济的晴雨表。

交通运输 孟买同印度北部、东部和南部有公路网相连。它是西部铁路及中部铁路的尽头，可通过铁路将旅客及物资运往全国各地。萨尔塞特岛上的瑟哈尔国际机场是许多外国航线的重要入境点，其附近的圣克鲁斯机场是国内航线机场。印度约60%的国际空运业务及近40%的国内空运业务由孟买承担。孟买港所提供的设施使它成为印度西部主要港口，尽管印度西海岸也出现了一些主要港口，如孟买北部的根德拉，其南部的果阿及科钦。孟买还承担了印度40%以上的海运贸易。

孟买市郊有两个电力火车系统，作为主要的公共交通运输工具，每天载运数十万往返于城郊的上班人员。该市还有市政府经营的公共汽车。

行政与社会状况 *政府* 孟买作为马哈拉施特拉邦的首府，是邦政府整体不可分割的政治组成部分，其总部称为曼查拉雅。邦政府统辖警察部队，并对若干市政部门实行行政管理。中央政府管理交通、通信，如邮电、铁路、港口、机场等。孟买也是印度西海岸海军舰队总部及印度旗舰基地。

孟买市政由完全自治的大孟买市政厅管理。其立法机构，4年一次由成年选民选举产生，通过各个常设委员会行使职能。首席执行官称市政专员，3年一次由邦政府任命。市长每年一次由市政厅选举产生，他主持市政会议，在市内享有最高荣誉，但无实权。

公用事业 市政厅起多种作用，包括提供或维持诸如医疗服务、教育、供水、消防、垃圾处理、市场、公园以及排水系统建设、道路改造、街道照明等工程计划。

市政厅负责市内交通运输及供电等公用事业。电力由政府部门及私人机构的高压输电网提供，在全市分配使用。供水也由市政厅管制，主要来自该市附近的塔纳县的陶沙湖、萨尔塞特岛的杜尔西湖及韦哈尔湖。早先曾用以供水的帕瓦伊湖，由于水质差，不宜饮用，已证明不合要求。

卫生 孟买有100多家医院，分属联邦、邦或市政厅管辖。有一些主治结核病、癌症及心脏病的专科院所。还有一些一流的私人医院。专门从事热带病研究的一流细菌学研究中心哈夫金研究所也设在这里。

安全 警察部队由警监领导，他负责大孟买的法治，行政上对邦内政秘书负责。

教育 孟买人口的识字率，大大高于全国平均水平。初等教育是免费义务教育，由市政厅负责。中等教育由公立及私立学校提供，受邦政府监督。另有公立及私立工业院校，可颁发机械、电子、化工等学科的各类学位及文凭。中央政府管辖的印度理工学院也设在该地。孟买大学于1857年建立，下设约130个学院及20多个教学部，果阿的几所学院也附属于孟买大学。

文化生活 孟买的文化生活反映出其人口使用多种语言的特点。市内建有许多博物馆、图书馆、文学及其他文化机构、艺术宫、剧场等。也许印度没有其他城市可以以如此多样化及高质量的文化娱乐设施而自夸了。孟买又是印度电影工业中心。设有一个露天舞台，终年有西方的及印度的音乐演奏会及音乐节在此举行，还上演印度舞蹈。西印度威尔士亲王博物馆设在孟买市的一幢印度-萨拉森式的建筑物内，分为艺术、考古及自然历史3个主要组成部分。博物馆附近的杰罕吉尔艺术宫是孟买第一个永久性艺术陈列馆及文教活动中心。

孟买是印度印刷业的重要中心，报刊业发达，出版英文、马拉塔文、印地文、古吉拉特文、信德文及乌尔都文报纸，以及数种月刊、双周刊及周刊。全印广播电台的地区站以孟买为中心。电视于1972年开始播放。

克里希纳吉里森林公园是位于大孟买北部的国家公园，邻近古佛教大学遗址坎赫利（Kānheri）石窟，是度假胜地。该石窟有洞穴百余，内藏2～9世纪巨大的佛像雕刻。此外还有一些公园，如在市中心的吉贾马达公园（孟买动物园坐落其中），位于默泽冈境内水库的巴普提斯塔公园，在马拉巴尔希尔的P.梅达公园、K.尼赫鲁公园以及斯洛平公园等。

布雷伯恩体育场及万克赫德体育场是印度全国很流行的板球比赛场所。体操及田径比赛在V.帕特尔体育场举行。朱胡海滨是最豪华的沐浴与游泳场所。

历史

孟买已知最早的居民是土著渔民科利人，尽管在大孟买坎迪夫利发现的旧石器时代石器表明当时已有人居住。古希腊天文学家及地理学家托勒玫称该地为赫布塔尼西亚，公元前1000年，是与波斯及埃及海上贸易的中心。公元前3世纪是阿育王朝领土的一部分。公元6世纪至8世纪为遮娄其人所统治。遮娄其人在埃勒凡塔岛（加拉布里）留下了自己的痕迹。马拉巴尔角的沃克斯瓦尔庙可能是公元9～13世纪来自贡根海滨的锡拉哈拉酋长们统治时修建的。1187～1318年德瓦吉里（Devagiri）的雅达瓦人统治期间，于1294年还击印度斯坦的卡尔吉王朝袭击时，发现了孟买岛上的马希卡瓦蒂（Mahikavati，马希姆[Mahim]）移民点。这些移民的后代在今日孟买仍可找到。孟买岛上大多数地名都可溯源到那个年代。1348年，孟买被入侵的穆斯林军队所征服，成为古吉拉特王国的一部分。

1507年，葡萄牙征服马希姆的企图失败。然而，1534年古吉拉特的统治者巴哈都尔沙苏丹却将该岛割让给葡萄牙人。1661年，葡萄牙国王将它作为其嫁给英皇查理二世的姊妹——布拉干萨的凯瑟琳的嫁妆转让给英国。1668年，英皇又将它让与东印度公司。

同加尔各答及马德拉斯相比，孟买起初并非东印度公司的巨大财产，只是该公司在印度西海岸的一个立足点而已。其时大陆上的莫卧儿人、马拉塔人及古吉拉特各地土邦王公较有权势，就连英国的海军力量也非莫卧儿人、马拉塔人、葡萄牙人及荷兰人的对手。进入19世纪时，外界事态的发展推动了该市的扩展。德里莫卧儿王朝的衰落，莫卧儿与马拉塔的互相敌对和古吉拉特的不稳定，驱使手工艺人及商人逃到海岛避难，这一切使孟买开始发展起来。而随着马拉塔势力的消灭，该岛与大陆建立起商业及交通往来，并扩展了对欧洲的商业及交通联系，孟买繁荣起来了。1857年建立起第一个纺织厂，到1860年，孟买已成为印度最大的棉花市场。美国1861～1865年南北战争造成对英国棉花供应中断，使孟买的商业大大兴旺发达起来。然而，美国南北战争结束后，棉花价格大跌，泡沫经济随之破裂。不过，当时内地已经开放，孟买已变成进口贸易的一个强大中心。

1869年苏伊士运河通航，孟买又繁荣了起来。但随着人口的增长，贫民窟及不卫生状况持续猛增。1896 年鼠疫流行,为此设立了“城市改善信托基金”,以开辟新安置区,并为手工艺人建造住房。1918 年曾拟实行一项雄心勃勃的计划,围海造地 525 公顷(1 300英亩)。然而,此项计划直到第二次世界大战后修筑起自纳里曼角至马拉巴角的公路(如今叫做尼塔吉·苏巴什路,印度第一条双向公路)之后才完成。战后,开始在孟买城郊修建住宅区,孟买市政厅管辖范围随之扩至大孟买郊区。孟买先后成为前孟买省区首府、孟买邦首府,1960 年起成为马哈拉施特拉邦首府。

19 世纪末 20 世纪初,孟买既是印度民族主义运动的中心,又是马拉塔地区政治活动的中心。1885 年,印度国民大会党在孟买召开成立大会。该党在印度独立前一直是亲印反英情绪的焦点,1942 年在孟买召开会议通过“撤离印度”的决议,要求印度完全独立。1956 ～ 1960 年,马拉塔激烈反对孟买邦的双语(马拉塔语-古吉拉特语)构成。那是英帝国主义统治印度的遗产。上述抗议最终导致将孟买邦划分为古吉拉特及马哈拉施特拉两个新邦。

Bombay, University of　孟买大学　印度第一批现代大学之一,1857 年由英国人建立。它原是一个附属性的授予学位的机构,后来承担了教学工作。由于 1948 ～ 1950 年间孟买所在邦众多地区大学的建立,它被定为一所联合大学,统管大孟买都会区许多学院和研究生院。学校设有文、理、技术、法律、医学、商业、牙科学、美术和印医等学院。在 20 世纪晚期,约有 16 万学生。主要授课语言是英语。

Bombay duck (*Harpodon nehereus*)　**龙头鱼**　龙头鱼科的鱼,分布于印度北部的河口。广泛用为食用鱼,干后可作调味品。体长约 41 厘米。色暗,呈淡灰色或褐色;具黑色细点。口大,尾鳍叉形,胸鳍及腹鳍大。本属(*Harpodon*)有几个近缘种分布于从非洲到澳大利亚和新几内亚。

bombazine　邦巴辛绸　又拼 bombasine。又称邦巴津织物。用丝经毛纬织成的平纹或斜纹织物,通常为黑色。次级品用人造丝为经、精梳毛纱或棉纱为纬。邦巴辛绸最初用纯丝制成,颜色很多。由于它主要用于丧服和宗教界人士的外衣,颜色逐渐变为以黑色为主。它产于古代的中国和日本,后来英国、意大利、法国、西班牙也生产这种织物。西班牙和拉丁美洲在冬季通常用黑色邦巴辛绸作披巾。

bomber　轰炸机　设计用来投掷炸弹或鱼雷、对选定的目标进行高空突击的军用飞机。其投掷的炸弹包括高爆炸弹、燃烧弹、原子弹、热核炸弹或其他炸弹。高空轰炸始于意土战争。1911 年 12 月初一架执行观察任务的意军飞机的飞行员向 2 个土军目标投掷了 4 枚手榴弹。第一次世界大战中,德国从 1915 年起以齐柏林飞艇当做战略轰炸机使用,不久又加上戈塔式大型双翼机进行轰炸。第一次世界大战中各主要参战国都研制了轰炸机,均为双翼机。英国海军部的汉德利·佩基 0/100 型是第一种重型夜航轰炸机。德国研制了 R.VI 型轰炸机,该机装有 4 台各 260 马力的发动机,可载 2 吨炸弹,空勤组 7 人。到第一次世界大战结束时,各国均在建造轰炸机。虽然这些轰炸机载弹量有限,但军事家们已认识到轰炸机将在现代战争中发挥重要的作用。两次世界大战之间,轰炸机由蒙皮木结构向全金属转变,由速度慢的双翼机向速度较快的单翼机方向转变。30 年代第一批 4 发动机重型轰炸机(包括美国的 B-17)问世,俯冲轰炸机也得到发展,著名的有德国的“斯图卡”。德国轰炸机有容克、亨克尔和道尼尔,英国有兰开斯特、哈利法克斯和威灵顿,苏联则有图波列夫的各式轰炸机,它们速度快、航程远、载弹量大,但机体庞大笨重,执行任务时需要战斗机护航。第二次世界大战爆发时,英国的威灵顿轰炸机常因油箱中弹而起火,因此广泛采用了自封油箱。昼航轰炸机装备机枪以防御敌方战斗机,但收效甚微。夜航轰炸机可隐蔽突入敌方纵深。战争开始时轰炸精度甚低,到战争结束时,因有了新式轰炸瞄准器、无线电导航及雷达瞄准,在夜间高空轰炸也能准确投弹命中目标。第二次世界大战中最杰出的重型轰炸机有 B-17、B-24和 B-29。B-29 轰炸机载弹量达 9 000 千克,装备有 10 门 0.5 英寸口径的机枪。第二次世界大战后研制出第一种涡轮喷气式轰炸机,以美国的 B-52 最著名。空空导弹和地空导弹的出现、防空系统的改进,使大型轰炸机即使在高空也很易毁损;与此同时,洲际弹道核导弹则有在核战争中起主要作用的趋势。但尽管有了洲际导弹,重型轰炸机仍为核大国战略威慑力量的重要组成部分,美苏两国都在研制新型轰炸机,如 B-1 轰炸机和新型的图波列夫轰炸机。

Bombycillidae　太平鸟科　雀形目的一个鸣禽科。包括**蜡翅鸟**(**waxwing**)、丝羽翔食雀(最著名的是亮丝鹟,*Phainopepla nitens*)以及不大为人所知的亚洲西南部的灰连雀。蜡翅鸟不规则地分布在北半球,但亮丝鹟仅限于北美和中美。多数太平鸟科鸟有渐细的羽冠和鲜明的翅纹,喙短而颇宽。均树栖。多数

波希米亚蜡翅鸟(*Bombycilla garrulus*)
美国不列颠百科全书公司供图

种类主要以果实,尤其是浆果为食;但亮丝鹟可以在飞行中捕食昆虫;太平鸟科鸟类均以昆虫喂其幼雏。或将**棕榈鵙**(**palm-chat**)亦归入太平鸟科。

Bomi Hills (Liberia)　**博米希尔斯**　参阅 **Vaitown 瓦伊敦**。

Bomu River　博穆河　又称姆博穆河,中非共和国河流。为乌班吉河源头河。发源于刚果(金)多鲁马西北。向西流形成 725 千米长的刚果(金)-中非共和国界河。沿途流经稀树草原,过班加索,在亚科马与韦莱河汇合形成乌班吉河。下游有急流。1877 年被希腊人发现。1910 ～ 1911 年法国考察队对此河进行了全面水文测量。

Bon　盆会　又称盂兰盆会。日本最隆盛的周年节日之一,日期在 7 月 13 ～ 15 日,追念家族先人和一般亡灵。人们相信,亡灵会在此节和新年期间返回各自的出生地。届时人们清洗石碑,各社区举行欢乐舞蹈,点纸灯笼、放焰火迎接亡灵,节后再以灯笼和焰火将他们送走。盆会是根据《盂兰盆经》所设立的节日,类似西方的万灵节。《盂兰盆经》载,佛

约 1700 年的盂兰盆会绘画
美国不列颠百科全书公司供图

陀弟子目连命众僧以饮食和住所周济其先人灵魂，从而救母出地狱。盂兰盆会虽然是佛教节日，但不限于佛教范围，它也反映日本固有宗教生活中关于生者与死者关系密切的信念。

Bon 苯教 又写作本教，俗称黑教。西藏古代盛行的宗教。原有的特点是崇奉神王，认为历代神王都是天神显身；有专事降神的巫师；崇拜天地、山林、水泽的精灵和杀牲献祭。公元8世纪以后，受到藏传佛教的影响，将一部分佛经改为苯教经，并繁衍教义；而藏传佛教各派也吸收了苯教的若干内容与仪式。8世纪末期藏王赤松德赞下令苯教徒改信佛教。又因苯教徒将佛经改译为苯教经典触犯藏王禁令而使众多苯教徒受到迫害。自此苯教势力渐衰。但在藏族地区的北部和东部边缘还继续存在。

Bon, Cape 邦角 突尼斯东北部半岛。向地中海突出80千米。1943年25万名德国和意大利军队在该半岛向盟军投降。为丘陵和肥沃平原区。属地中海气候。雨量充沛。以产蔬菜、水果(柑橘)和橄榄闻名。有渔港、海滩、天然气田和葡萄园。主要中心区有纳布勒(手工艺中心)、古莱比耶(渔港)和哈马马特(海滩胜地)。

Bon Marché 廉价市场 法国巴黎的一家百货公司。19世纪初是一家小商店，到1865年前后成为世界上第一家具有现代规模的百货公司。1876年占据一座由工程师埃菲尔和建筑师布瓦洛设计的新大楼。

Bona(Algeria) **博纳** 参阅**Annaba**安纳巴。

Bona Dea 善德女神 古罗马宗教所崇奉的女神，她保佑土地肥沃，妇女生育。她的庙完全由妇女掌管。禁忌是葡萄酒和番樱桃。献祭时以母猪为牺牲。崇拜中可能杂有对希腊女神达米娅崇拜的成分。

Bonacolsi FAMILY **博纳科尔西家族** 意大利有权势的家族，曾统治曼图亚(1276～1328)、摩德纳(1312～1326)、卡尔皮(1317～1326)等城市。1200年，该家族的甘多尔福成为曼图亚的执政官。其子马蒂诺1233年任大教区长。皮纳蒙泰(1293卒)首先确立博纳科尔西家族在曼图亚城的大统领地位，他还征服另外几座城市。1291年他把权力交给儿子巴德隆。巴德隆自封总首领和终身教区长，1299年被侄子圭多和里纳尔多推翻。1308年圭多指定帕塞里诺为继承人。帕塞里诺时期，该家族的权势达到顶峰。皇帝亨利七世承认他是曼图亚执政并授以皇帝代表的头衔(1311)，他把权力扩张到摩德纳和卡尔皮。1328年8月发生叛乱，帕塞里诺及其子侄皆被杀。

Bonaire 博奈尔岛 加勒比海中小安的列斯群岛西端荷属安的列斯群岛的第二大岛，面积288平方千米，北部是丘陵地带，南部地形平坦。年平均温度为28℃。年降雨量不

博奈尔岛的戈托湖

美国不列颠百科全书公司供图

到500毫米。博奈尔岛在殖民时代是一个奴隶市场。岛上大多数居民是黑奴的后裔，其余部分是土著印第安人、西班牙人和荷兰人的各种混血种人。岛上大多数居民信奉天主教。农业生产仅能维持当地消费，唯一的出口农作物是不需要灌溉的芦荟。由当地政府的海水淡化厂提供岛上居民的饮用水。每年输出大量食盐。岛上仅有一个小型服装厂。此外还生产一些手工艺品。群集在盐滩上的色彩绚丽的鸟类，特别是红鹳，是博奈尔岛上一处吸引游客的景观。首府克拉伦代克。人口8 753(1981)。

Bonaiuti, Andrea di (Florentine painter) **博纳乌蒂** 参阅**Andrea da Firenze**安德烈亚(佛罗伦萨的)。

Bonald, Louis-Gabriel-Ambroise, vicomte de (viscount of) **博纳尔**(1754-10-02，法国米约附近勒蒙纳～1840-11-23，勒蒙纳) 政治哲学家和政治家。与法国天主教思想家约瑟

美国不列颠百科全书公司供图

夫·德·迈斯特尔一样，均系王统(正统王权)主义的主要辩护者，采取否定法国革命的价值，拥护国王和教会权力的立场。1785～1789年任米约市长，1790年任阿韦龙行政区区长，第二年为抗议牧师的公民(非宗教的)章程而辞职。这一改革虽然为国家的新立宪会议所通过，但被教皇、大多数法国教士和国王路易十六所否认，因为它限制了法国的天主教教会。移居海德堡之后不久，就因其保皇主义著作《政治权力与宗教权力学说》(1796)而被革命政权判罪。1797年返法国，著有《对社会秩序的自然法则的分析》(1800)、《论离婚》(1801)和《单纯根据理性……加以考虑的原始立法》(3卷，1802)。拿破仑被放逐和波旁王政复辟(1814)后，博纳尔任公共教育委员会委员(1814)、法兰西学院院士(1816)并被授予子爵(1821)和贵族(1823)称号。在此期间，发表《有关欧洲共同利益的意见》(1815)和《社会形成原则的哲学论证》(1830)。1830年7月革命爆发后，放弃贵族称号，退隐到勒蒙纳城安度余年。

Bonan 保安族 中国少数民族。主要分布在甘肃西南部。人口16 505(2000)。语言属阿尔泰语系蒙古语族，兼用汉语文。一般认为该族是由元朝以来一批信仰伊斯兰教的中

保安族男子

中国大百科全书出版社供图

亚色目人，在青海同仁地区戍边屯垦，同当地蒙古、藏等族长期交往，自然融合形成的。清同治初年东迁至甘肃积石山。以农业生产为主，种植青稞、小麦等。保安刀制作技艺高超，刀把上刻有花纹或图画。信奉伊斯兰教，婚礼一般在伊斯兰教的主麻日(星期五)举行。人死行土葬，早亡午葬，晚亡晨葬。1981年成立积石山保安族东乡族撒拉族自治县。

Bonan language 保安语 中国保安族语言。属阿尔泰语系蒙古语族。主要分布中国甘肃省临夏回族自治州。使用人口约9 000。保安语(大墩)语音特点：有26个辅音音位，双唇、舌尖中和舌根塞音各分清浊，有小舌浊塞音；舌尖前、卷舌、舌面前塞擦音各分清浊；有唇齿、舌尖前、卷舌、舌面前、舌根和喉门清塞音；有3个鼻音(双唇、舌尖中和舌根)和边音、颤音各1个，还有双唇和舌面半元音各一个。有11个元音和13个复合元音，其中i、u、a各分长短，有1个卷舌元音。元音无和谐现象；在多音节词里，重音落在最末一个音节。有丰富的形态变化。名词有数(单数、复数)、格(主格、领-宾格、与-位格、从-比格、造-联格)和人称领属；形容词重迭表示性质或特征的极限；动词有态(主动态、使动态、众动态)、式(志愿式、命令式、希望式)、时(过去时、现在时、将来时)、体(进行体、完成体)、语气(确定、非确定)；句子主语在前，谓语在后；补语可在主语和谓语之间，也可在主语之前；修饰语在中心词之前，但数词作修饰语时可在中心词之前，也可在后。

Bonanza Creek 博南扎河 在加拿大育空地区西部。源出道森附近，流向西北，汇入克朗代克河，全长32千米。1896年两岸发现金矿。参阅**Klondike River**。

Bonaparte FAMILY **波拿巴家族** 因法国皇帝拿破仑一世(**Napoleon I**)(1804～1814或

1815在位)而著称的家族。"波拿巴"原为"布拿巴",是中世纪初意大利几个望族的姓氏。其中一族于1100年前定居佛罗伦萨,到13世纪分成圣·米尼亚托和萨尔扎纳两支。16世纪中叶,属于后一支的弗朗西斯科·布拿巴移居科西嘉岛,其后裔一直在那里当律师和地方法官。拿破仑的父亲卡洛·马里亚(参阅Buonaparte, Carlo Maria)和母亲玛丽亚·莱蒂齐亚(参阅Buonaparte, Maria Letizia)都生于科西嘉岛。其子女有:约瑟夫(1768生)、拿破仑(1769生)、吕西安(1775生)、伊丽莎(1777生)、路易(1778生)、波利娜(1780生)、卡罗利娜(1782生)和热罗姆(1784生)。路易之子查理-路易后为法国皇帝,即拿破仑三世(1852～1870在位)。吕西安、路易和热罗姆的后裔,直到20世纪后期仍用波拿巴姓氏。

Bonaparte, Carlo Maria (father of Napoleon) 参阅 **Buonaparte, Carlo Maria 波拿巴**。

Bonaparte, (Marie-Annonciade-) Caroline 波拿巴(1782-03-25,科西嘉阿雅克肖～1839-05-18,佛罗伦萨) 那不勒斯王后(1808～1815),拿破仑的幼妹卡罗利娜,1800年与J.缪拉(**Murat, Joachim**)结婚。她颇具野心,善于阴谋诡计,使丈夫不断升官。从巴黎总督、法国元帅、贝格和克莱沃大公、皇帝驻西班牙代表,一直当上那不勒斯国王(1808)。缪拉由于对拿破仑不够忠诚,后被处死(1815)。卡罗利娜避居到的里雅斯特,改称利波纳伯爵夫人。

Bonaparte, Charles Joseph 波拿巴(1851-06-09,美国马里兰巴尔的摩～1921-06-28,巴尔的摩) 美国律师,拿破仑幼弟热罗姆·波拿巴之孙。哈佛法学院毕业。1874年在巴尔的摩当律师。他主张改革文官制度,颇受T.罗斯福赏识。罗斯福当选总统后,他任海军部长(1905～1906)和司法部长(1906～1909)。任司法部长时建立了联邦调查局(原名调查局),起诉了大量的垄断案件,其中最著名的导致1911年解散美国烟草公司。

Bonaparte, Charles-Louis-Napoléon 波拿巴 参阅 **Napoleon III 拿破仑三世**。

Bonaparte, Charles-Lucien, PRINCIPE (prince) DI CANINO E DI MUSIGNANO **波拿巴**(1803-05-24,巴黎～1857-07-29,巴黎) 法国科学家,拿破仑一世二弟吕西安的长子。1825～1833年发表了4卷本《美洲鸟类学》,奠定了他在科学界的声誉。1848～1849年暂停研究,参加意大利的反奥独立斗争。1849年7月被迫离开意大利到荷兰,然后返回法国。波拿巴的主要著作有:《鸟类学、哺乳动物学、爬行动物学和两栖动物学及鱼类学系统概观》(1850)、《蜂鸟概述》(1854)及《化石鸟类学》(1858)。

Bonaparte, (Marie-Anne-) Élisa 波拿巴(1777-01-03,科西嘉阿雅克肖～1820-08-07,的里雅斯特附近的圣安德烈亚) 拿破仑的大妹妹伊丽莎。1797年5月与科西嘉贵族F.巴西奥克希结婚。1805年拿破仑赐给她皮翁比诺领地和卢卡领地,1809年3月又封她为托斯卡纳女大公。她性格豪迈,颇有才干,但同拿破仑的关系往往很紧张。拿破仑死后,她退隐博洛尼亚,后又迁至的里雅斯特附近的圣安德烈亚。称孔皮纳诺伯爵夫人。

Bonaparte, Jérôme 波拿巴(1784-11-15,科西嘉阿雅克肖～1860-06-24,法国维勒热尼) 威斯特伐利亚国王、法国元帅、拿破仑一世的幼弟热罗姆。1800年入执政官卫队,后调往海军,在西印度群岛巡航。不久去美国,与伊丽莎白·帕特森结婚。1805年返回欧洲后,拿破仑命他与妻子离异,改与符腾堡的卡特琳公主结合,并立他为威斯特伐利亚国王。在1812年远征俄国时,他因作战不力回到德国的卡塞尔。1813年拿破仑在德国失败,他也返回法国。在拿破仑第二次逊位时,他离开法国。1847年回国时,他的侄子路易-拿破仑(拿破仑三世)当政,任命他为残废军人院总管、法国元帅和参议院议长。

Bonaparte, Joseph 波拿巴(1768-01-07,科西嘉科尔特～1844-07-28,意大利托斯卡纳区佛罗伦萨) 法国律师、外交官、军人。拿破仑的长兄约瑟夫。那不勒斯国王(1806～1808)和西班牙国王(1808～1813)。1796年随拿破仑参加意大利战役,后又参加法国收复科西嘉的远征。1797年督政府任命他为驻帕尔马宫廷公使,后改驻罗马。同年底返回巴黎,在五百人院中为代表科西嘉的议员。他未参与雾月(1799-11-09)政变,他成为国务会议和立法团的成员。1800年与美国签署《莫尔特方丹协议》;主持谈判导致与奥地利签署《吕内维尔条约》(1801);代表法国与英国特使康华里爵士谈判,导致签署《亚眠条约》(1802)。标志着拿破仑与欧洲实现了全面和平。然而一年后英法关系恶化,他的外交努力终成徒劳。拿破仑在德国期间,他任法国政府元首一年。1806年奉派前往那不勒斯驱逐波旁王朝,同年晚些时候成为那不勒斯国王。他努力清扫封建制度遗迹,整顿修会,改革司法、财政和教育制度。由于拿破仑对他日益不满,他离开那不勒斯,于1808年成为西班牙国王。后因西班牙叛军在拜兰打败法军,他被迫离开马德里。1814年3月联盟军攻入巴黎时,他仓皇出走。拿破仑在罗什福尔投降后,他前往美国。1830年呼吁承认拿破仑之子赖希施塔特公爵继承法国王位,但未成功。后去英国。波拿巴曾一度住在热那亚,最后在佛罗伦萨去世。

Bonaparte, Joséphine 波拿巴 参阅 **Joséphine 约瑟芬**。

Bonaparte, (Maria-) Letizia (mother of Napoleon) 参阅 **Buonaparte, (Maria) Letizia 波拿巴**。

Bonaparte, Louis 波拿巴(1778-09-02,科西嘉阿雅克肖～1846-07-25,意大利里窝那) 法国军人,拿破仑一世的弟弟路易,任荷兰国王时(1806～1810),保护其臣民福利。由于不愿参加大陆封锁,他与拿破仑发生冲突。曾在夏龙军事学校学习。后随拿破仑参加1796～1797年的意大利战役。1798～1799年拿破仑远征埃及时,他当副官。1804年晋升将官,翌年任巴黎总督。1806年7月拿破仑立他为荷兰国王。到1809年,拿破仑考虑兼并荷兰,以制止荷兰与英国间的秘密贸易。1810年,由于同英国以及路易的谈判均告失败,拿破仑进军荷兰首都,路易退位。荷兰被法国兼并后,路易旅居波希米亚、奥地利和瑞士,自称圣勒伯爵。最后在意大利度过晚年,从事文学研究。著有《关于荷兰政府的历史文件与思考》(1820)、《玛丽,或爱情的痛苦》(1812)和《归来》(1846)。

Bonaparte, (Napoléon-Eugène-) Louis 波拿巴(1856-03-16,巴黎～1879-06-01,祖鲁兰乌伦迪附近) 法国王储、拿破仑三世的独子。1870年普法战争爆发后参加军队。战败后与皇后一起逃离法国,定居英国奇斯尔赫斯特。他在英国完成军事教育。1873年1月9日父亲死后,波拿巴主义者拥立他为拿破仑四世。波拿巴主义者的领袖们认为他应以武功赢得王冠,劝他志愿参加英国对祖鲁兰的远征。他在外出侦察时遭祖鲁人伏击,死于乌伦迪。遗体运回英国,葬在奇斯尔赫斯特。

Bonaparte, Louis-Lucien 波拿巴(1813-01-04,英国伍斯特郡桑格罗夫～1891-11-03,意大利法诺) 法国语言学家、政治家,拿破仑的二弟吕西安·波拿巴的第3子。生于英国,在意大利度过青年时代。1848年去法国,两度短暂地担任议员。在他的堂兄拿破仑三世发动的政变(1851-12-02)中,他没有起直接作用。他虽成为参议员和亲王,但在政治上所起的作用很小。他从事英格兰方言的研究,还发表过一些有关巴斯克语言的名著。

Bonaparte, Lucien 波拿巴(1775-05-21,科西嘉阿雅克肖～1840-06-29,意大利维泰博) 拿破仑的二哥吕西安。五百人院议长。促使拿破仑在雾月19日(1799-11-10)当选为执政官。曾在法国求学。1789年返回科西嘉,参加雅各宾俱乐部。他是一个直言不讳的演说家,曾在法国南方进行活动。1798年进入五百人院任科西嘉议员,后任议长(1799-11-09～10)。雾月19日,他拥护拿破仑当执政官。1800年他任驻马德里大使,后返回巴黎,与茹贝尔图夫人秘密结婚。拿破仑命他与夫人离异,封他为亲王,但他拒不从命,离法赴美途中,被英军俘获,后在监视下留居英国至1814年。在拿破仑百日统治期间,他在巴黎予以赞助。后在意大利度过晚年。著有史诗《查理曼》(1814)、《百日纪实》(1835)和《回忆录》(1836)。

Bonaparte, Napoléon 波拿巴 参阅 **Napoleon I 拿破仑一世**。

Bonaparte, Napoléon-François-Charles-Joseph 波拿巴 参阅 **Reichstadt, Napoléon-François-Charles-Joseph, Herzog von 赖希施塔特公爵**。

Bonaparte, Napoléon-Joseph-Charles-Paul 波拿巴(1822-09-09,的里雅斯特～1891-03-17,罗马) 拿破仑一世最小的弟弟热罗姆·拿破仑的幼子。1848年法国革命后,作为科西嘉代表选入国民议会。尽管他表面上反对1851年建立帝国的政变,但被指定为拿破仑三世无子嗣时的王位继承人。他同思想进步人士相互来往,在宫廷中反对皇后欧仁尼。1854年参加克里米亚战争,任师长。回法国后主持1855年法国举办的国际博览会。1858年任殖民地和阿尔及利亚事务大臣。意大利解放战争爆发后,曾指挥法军占领托斯卡纳。第二帝国末年,波拿巴因数次发表轻率言论而被革去一切官职。帝国垮台后,他过半隐居式的生活。

Bonaparte,(Marie-)Pauline 波拿巴(1780-10-20,科西嘉阿雅克肖～1825-06-09,佛罗伦萨) 拿破仑的二妹波利娜。天性活泼,在姊妹中最有姿色。1797年与拿破仑的参谋C. V. E.勒克莱尔将军结婚,并前往圣多明各。勒克莱尔死后,她返回巴黎,1803年改嫁C.博盖泽亲王,并随夫去罗马。但不久即返回巴黎。1806年接受瓜斯塔拉女公爵的称号。1810年因对拿破仑的新后玛丽-路易丝简慢无礼而出宫廷。1814年随母亲至厄尔巴岛。1825年因癌症死于佛罗伦萨。意大利杰出雕刻家卡诺瓦所作的她仿维纳斯女神横依卧榻的雕像是世界名作。

Bonaparte, Pierre-Napoléon 波拿巴(1815-10-11,罗马～1881-04-07,法国凡尔赛) 法国亲王(1851以后),拿破仑之弟吕西安·拿破仑之子。1848年革命后自称共和派,任科西嘉的众议员。1851年拿破仑三世发动政变后,他与这位堂兄妥协,因而被共和派抛弃。从此,在政治上无足轻重。1870年1月杀死新闻记者V.努瓦尔,使第二帝国末期掀起的共和风潮更加声势浩大。但最终被判无罪。

Bonapartist 波拿巴主义者 19世纪拥护拿破仑一世和拿破仑三世以及他们的理论与政策的人们。1814年拿破仑一世退位以后,他的追随者多半拥护他的儿子拿破仑二世。1821年拿破仑去世以后,这些人企图以拿破仑二世(当时为赖希施塔特公爵)为核心,重新振作,但当时拿破仑二世实际上被奥地利哈布斯堡王朝囚禁,健康不佳,1832年去世。拿破仑一世的侄子路易-拿破仑利用人们对拿破仑的崇拜,千方百计为取得法兰西王位而奋斗。1848年12月,波拿巴主义者争取选票,使路易-拿破仑当选为总统。3年内,他便能解散议会,逮捕政敌,实行独裁。1852年11月当选为法国皇帝。这时,波拿巴主义者分裂成为两派:一派是拿破仑三世周围的保守派,他们鼓励天主教会参加教育和农村组织,主张对商业投资采取自由放任政策,鼓吹建立强有力的中央政府和通过公民投票来批准政策;另一派是激进派,他们反对教权,主张进行普选。1891年拿破仑-热罗姆死后,波拿巴党实际已不复存在。

Bonard, Louis-Adolphe 铺那(1805-03-27,法国瑟堡～1867-03-31,亚眠) 法国海军上将,法国驻交趾支那第一任总督。1825年在法国海军中服役。1835年擢升海军上尉。1842年为海军上校。1862年晋升海军中将。1849年被派管理大洋洲的法国领地。1853年任南美洲的法属圭亚那总督。1861年11月任驻交趾支那法军司令官,兼管那里的法国领地。同年12月攻占边和省,1862年3月攻占永隆省。6月赴西贡与安南朝廷代表商谈订立和平条约,依约为法国取得嘉定、定祥、边和和昆仑岛。在他任职期间曾在西贡建立一所军人医院。他的殖民政策采取温和的方针,十分关注法国行政官员与越南人间的关系,意在通过当地官员间接统治交趾支那,并为此起用去职的越南籍华人。他设立向法国军官教越南语的学校,在当地学校设法语课。1863年回国。1867年任瑟堡地方行政长官。

Bonaventure, SAINT 波拿文都拉,圣(约1217,教皇国巴尼奥雷焦～1274-07-15,里昂) 原名乔凡尼。中世纪主要神学家、方济各会会长、枢机主教。1235年入巴黎大学,1243

美国不列颠百科全书公司供图

年获文学硕士学位,加入方济各会。1243～1248年在巴黎方济各会学校学习神学。1248年开始讲授《圣经》及郎巴德《名言集》,著有《圣经评注》和《神学概要》等。1257年任方济各会会长。当时该会内部不和,一部分属灵派强调赤贫初旨,另一派主张松弛,他谴责一派安抚另一派,保持该会统一,并对它进行改革。1260年重新拟订方济各会章程。由于他善于调和互相矛盾的神哲学思想及教会传统,教皇格列高利十世于1273年任命他为意大利境内阿尔巴诺枢机主教。在第二次里昂会议上,他在整顿教会、调和地方神职人员与各修会之间的矛盾方面起主要作用。

Bonaventure Island 博纳旺蒂尔岛 法语作Île Bonaventure,加拿大魁北克省东部巴斯-圣洛朗-加斯佩锡地区岛屿,位于圣劳伦斯湾内,在佩尔塞旁加斯佩半岛顶端。岛长4千米。每年4～11月有成千上万只候鸟(塘鹅、海雀、海鸥、三趾鸥和海鸠等)飞到岛上的悬崖峭壁间筑巢栖息。

Bonavista 博纳维斯塔 加拿大纽芬兰省东部城镇。在博纳维斯塔湾东北岸。为捕捞鳕鱼、鲑鱼的重要渔港,有现代化烘干、切片和冷藏设备的鱼加工厂。设有该省最古老的学校(1726)。公路和铁路通圣约翰斯等城。特拉诺瓦国家公园(396平方千米)在海湾南岸。1964年设镇。人口4 597(1991)。

Boncompagni, Ugo(pope) 邦科姆帕格尼 参阅**Gregory XIII 格列高利十三世**。

Boncourt, Louis-Charles-Adélaïde Chamisso de 邦库尔 参阅**Chamisso, Adelbert von 沙米索**。

bond 债券 由地方、州郡、国家政府和私人公司签发的规定有偿还义务的借款契约。借款人承诺按期(一般每半年一次)照债券面额的一定百分比支付利息,并于到期日以法定货币按面额赎回债券。债券常表示金额巨大的债务;其形式较期票正规,一般盖有印鉴。契约条款载于债券之上,这也就是借款人与代表债券持有者的受托人之间的协议。债券利息常凭持票人提交从债券上剪下有编号的息票来支取。息票多附于债券之上,载明在债券期限内每次付息的日期。出售债券时,自上一次付息日起应付而未付的利息可计入债券售价之内。多数债券还本时付给债券持有人,故易于转让;但有些是记名债券,只付给指定的持有人。绝大部分债券,发行人皆可在到期之前赎回,但事先须发出适当的通知,债券到期期限一般为10～30年。政府债券可以用发行债券的政府部门的课税能力予以支持;或者,政府债券是收益债券,仅用那债券限定的特定项目——如收费道路、机场、供水系统——予以支持。公司债券可用不动产(抵押债券)或其他财产如借款人所拥有的设备(设备债务)作担保。如果债券没有担保,则称之为信用债券。债券的等级是根据发行债券的政府、市或公司的信誉大小而对债券所评定的等级。等级是独立的评级单位(在美国最大的评级单位是斯坦达德和普尔公司及穆迪投资服务社)所评定的,一般分为AAA到D级。AAA到BBB级的债券被视为"投资级",即适于被银行或其他信托机构购买的债券。BBB级以下的债券,被视为"蹩脚"或高产债券;它们往往是新公司或投机公司发行的。虽然"蹩脚"债券违约的风险很大,却比那些较有保证的债券能提供更高的利率。

bond 砌合 在墙体或构筑物中砖石或其他砌块的规则排列,以保证砌体的稳定性和强度。各种砌合形式同时有装饰作用。要把砌块结合在一起,可以在砌筑时把各层砌块错开地叠放,也可加金属联结件和插入垂直构件使上下层砌块结合。可以用一层丁砖(短侧面外露的砖)将砌体中顺放的里外砖结合在一起。两面露头的砖石称为系石或穿墙石。长侧面外露的称为顺砖。常用的砌合法有:顺丁分层砌合(英国式砌合),即一层全顺与一层全丁交替的砌合;一顺一丁砌合(荷兰式砌合),即每层一块顺砖与一块丁砖相间的砌合,丁砖的中线与下一层顺砖的中线相对;五顺一丁砌合(美国式砌合),即每隔五层用一层丁砖,其余全为顺砖,这种砌合最常用,因较为便于操作。人字砌合是一种斜纹砌合,即每层砖的方向与层面成45°斜角,上下层砖的方向互相垂直,墙面出现锯齿形状。其他尚有:磨砖对缝(无灰浆缝)、十字纹、凹凸式、犬牙式(斜砌、露出45°角,作为装饰性的墙头砌合法)、空斗砖、立砖等各种不同砌合法。

Bonds, Barry L(amar)　邦兹(1964-07-24,美国加利福尼亚里弗赛德～　　)　美国职业棒球选手。在亚利桑纳州立大学时就是全美明星球员。这位左强打者及一流的盗垒者打过大联盟的两支球队:分别任匹兹堡海盗队(1985～1992)和旧金山巨人队(1993起)的外野手。他数度获选最有价值球员,到1998年球季末,他已经拿过8次金手套。2001年他以73支全垒打超越M.麦奎尔的70支,以177次保送超越B.鲁思的170次,双双打破大联盟单一球季的记录。其父亲鲍比·邦兹(1946年出生),同样也是一个非凡的职业棒球选手。

Bond, Carrie Jacobs　邦德(1862-08-11,美国威斯康星简斯维尔～1946-12-28,好莱坞)　伤感艺术歌曲女作曲家和词作者。这类歌曲曾非常流行,其中著名的有《只不过是为了你而苦恼》(1901,F.斯坦顿作词)、《我真诚地爱你》(1906),特别是《完美的一天》(1910)。1895年丧偶,贫病交迫地来到芝加哥,创办自己的歌曲出版事业——"邦德音乐商店"。《完美的一天》的唱词是一次在加利福尼亚观日落受启发而得。此曲乐谱销售额达500余万份。她共作有约170首歌曲,还有自传《旋律之路》(1927)、一本诗歌和哲学论文集《道路的尽头》(1940)。

Bond, Julian　邦德(1940-01-14,美国田纳西纳什维尔～　　)　美国议员和黑人民权运动领袖。以努力奋争通过正式选举得到佐治亚州众议院议员席位而闻名。著名教育家之子。在亚特兰大莫尔豪斯学院读书时即帮助建立民权组织,领导静坐运动,要求取消亚特兰大餐馆的种族隔离。1960年参与创建学生非暴力行动协调委员会,后担任该委员会的联络委员。1965当选为佐治亚州议会议员,但由于支持学生非暴力行动协调委员会发表的谴责美国在越南违反国际法的声明,州议会不承认他的议员资格。他的选区两次再度选他为议员,均遭州议会拒绝。最后,1966年12月美国最高法院作出判决,认为州议会的拒绝违反宪法。邦德在1967年1月9日宣誓就职。在1968年的民主党全国代表大会上,他领导的反对派集团赢得佐治亚州半数的席位。他支持提名麦卡锡为总统候选人,自己成为大党的第一个黑人副总统候选人。后因不够宪法规定的年龄而退出竞选。1967～1975年在佐治亚州众议院任职,1975～1987年在佐治亚州参议院任职。1986年竞选美国众议员未成。除在议会活动外,还任南部贫困法中心主席和全国有色人种促进协会执行主席。

Bond, Sir Robert　邦德(1857-02-25,纽芬兰圣约翰[加拿大]～1927-03-16,惠特伯恩)　纽芬兰自由党领袖,1900～1909年任英国殖民地总理。1882年选入纽芬兰立法会议,1884年任议长。1889年任自由党政府殖民部长。他想给法国和美国在纽芬兰沿海捕鱼的权利,但未获联合王国批准。在总理任内,为了刺激本国经济的发展,曾大力引进外资,如伦敦《每日邮报》在大瀑布城建造纸厂,使伐木成为纽芬兰的主要工业。1908年与英国总督发生矛盾,翌年辞职。1914年退休。1901年受封骑士。

Bond, William Cranch　邦德(1789-09-09,美国马萨诸塞缅因区法尔茅斯[今缅因波特兰]～1859-01-29,马萨诸塞剑桥)　美国天文学家。他同其子G.P.邦德一道,发现土星的第

美国利克天文台供图

8颗卫星土卫七和土星的内环(称C环或砂环)。邦德基本上是自学成才。他观测1806年的日食后,对天文学发生兴趣,单独发现多颗彗星。1840年,被任命为哈佛学院的第一位天文观测员。1847年,任哈佛天文台第一任台长,两年后当选为英国皇家天文学会非正式会员,成为享受这种荣誉的第一个美国人。1848年,邦德仔细研究猎户座星云和土星,终于发现了土卫七。1850年,他首创用达盖尔银版照相术拍摄清晰可见的月球和织女一(天琴座α)的照片,1857年第一次洗印出清晰可见的月球照片。

Bond albedo　邦德反照率　参阅albedo反照率。

Bonde, Gustaf, Friherre (Baron)　邦德(1620-02-04,瑞典艾斯普隆达～1667-05-25,汉堡[德国])　瑞典政治家。1648年任索代曼兰省省长,1653年任枢密大臣,1660年任

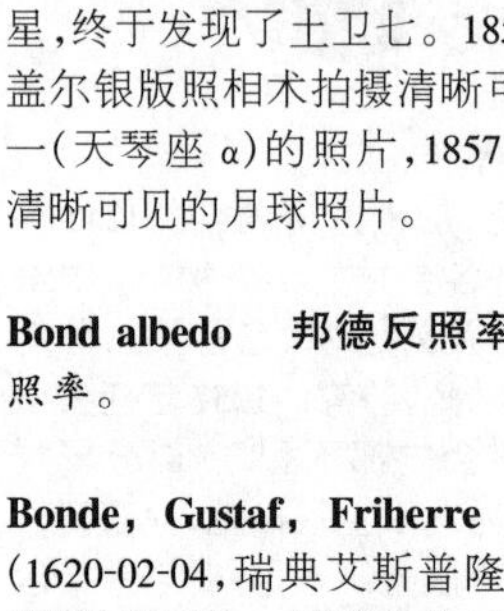

美国不列颠百科全书公司供图

财政大臣和摄政委员会委员。他努力缩减政府开支,并且提出一个实行和平、经济发展和恢复王室土地政策的计划,不再依靠外国财政援助。他所制定的1662年预算为国王查理十一世提供了施政的指导原则。

Bondfield, Margaret (Grace)　邦德菲尔德(1873-03-17,英国萨默塞特查德～1953-06-16,萨里桑德斯特德)　工会领袖,英国第一位进入内阁的妇女。仅受过很少的学校教

美国不列颠百科全书公司供图

育。14岁开始在布店当售货员,看到社会上的悲惨状况,当全国店员工会成立时即参加该工会。1899年她是参加英国职工大会的唯一女代表,1923年成为英国职工大会的第一位女主席。同年当选为工党下院议员。1929年再度当选,在麦克唐纳第2届政府中任劳工大臣,但在1931年的选举中失败。1938年从工会工作中退休。她的自传《一项终生的工作》于1949年出版。

Bondi, Sir Hermann　邦迪(1919-11-01,奥地利维也纳～2005-09-10,英国剑桥)　英国数学家和宇宙学家,同F.霍伊尔和T.戈尔德一起提出稳恒态宇宙理论。曾获剑桥大学三一学院文学硕士学位。第二次世界大战期间在英国海军部工作(1942～1945)。1945～1954年在剑桥大学,1954年后在伦敦国王学院教数学。他把自己的学术生涯同献身于公众事业结合起来,是欧洲空间研究组织的主任(1967～1971)、英国国防部的首席科学顾问(1971～1977)、能源部门的首席科学家(1977～1980)和自然环境研究委员会的主席(1980年起)。1948年邦迪、霍伊尔和戈尔德提出稳恒态宇宙理论,认为宇宙的性质在大尺度时空范围内是一样的。这意味在宇宙膨胀时要有新的物质不断产生来平衡这种膨胀。自从1961年发现宇宙背景辐射后,这一理论已经站不住脚。所谓宇宙背景辐射就是从空间各个方向发出的微弱射电辐射,它暗示了宇宙是在过去某一时刻由一团密度极大、温度极高的物质通过强烈的爆炸而产生的。邦迪的著作有:《宇宙学》(1952,1960年再版)、《大宇宙》(1960)、《相对论与常识》(1964)、《物理理论中的假设和神话》(1967)。他1959年成为皇家学会会员,1973年得巴思勋章。1990年出版自传。

bonding　键合　参阅chemical bonding化学键。

Bondoukou　邦杜库　科特迪瓦东部城镇。在通往加纳、布基纳法索和首都阿比让的公路交叉点上。早期曾为库兰戈人的贸易中心。15世纪末被布龙人(来自西方的阿坎族

支系）占领。自18世纪中叶至1874年邦杜库王国是阿散蒂联盟的一部分。1941年邦杜库国王率领数千人民进入黄金海岸（今加纳），参加戴高乐将军的自由法国武装部队。现为商业城镇和旅游胜地。附近有占地90万公顷的布纳野生动物保护区。人口33 051（1988）。

Bône（Algeria） **波尼** 参阅 **Annaba** 安纳巴。

bone 骨 脊椎动物体内坚硬的结缔组织，主要由坚硬的骨基质和嵌埋其中的骨细胞构成。骨有多种功能：构成身体骨骼的主要部分；肌肉运动的支点和杠杆；为脑、脊髓、造血组织（红骨髓）和很多重要的深部软组织器官提供保护；也是重要生命元素钙的体内贮库。

骨的成分 骨基质由纤维性结缔组织胶原蛋白和沉积于骨基质中的钙构成。主要以羟基磷灰石的结晶形式和骨的有机物质相结合。矿物质结晶使骨具有硬度、抗压强度和刚度。胶原纤维使骨具有弹性和抗拉强度，但胶原纤维需与矿物质结晶相结合才具有抗拉强度。在正常成人，骨的各种细胞成分约占骨总体积的1%～5%。骨有四种细胞成分：①成骨细胞，位于骨皮质表层，主要功能是分泌骨基质、分化为骨细胞；②破骨细胞，骨皮质的细胞成分，能溶解和吸收异位骨基质以完成骨结构改建；③骨细胞，即成熟的成骨细胞，嵌埋在骨基质中，是骨的生命标志；④未分化间充质细胞，是有多分化潜能的细胞，主要分布于骨膜，可在一定条件下转化为成骨细胞或破骨细胞。

骨的结构 骨可按照外形分为扁骨和长骨。骨的外层为骨皮质，其质密而光滑。骨的内部为骨松质，由交织成网状的骨小梁组成，骨小梁的间隙中有血管和骨髓。骨小梁的排列与主要拉力和压力的方向一致。长骨的中央段称为骨干，其一头或两头为干骺端，末端为骨骺。骨基质、胶原纤维和钙盐结晶所构成的基本结构形式是有同心圆结构的骨板。在致密骨，骨板以哈弗氏管为中心作规则的复层排列。于是就形成了沿骨长轴纵行的、不规则圆柱状、骨质、厚壁、微细的管道系统——哈弗氏系统（骨单位）。其中心管道内有数量不等的小血管通过。除了中心管之外，哈弗氏系统还包括大量的哈弗氏腔隙（骨细胞陷窝）和营养骨组织的哈弗氏小管网（哈弗氏腔隙之间的交通管网）。骨松质由片状或针状的骨小梁互相交叉连接而成，故呈海绵状，其骨板的排列没有致密骨那么规则。但骨小梁的排列方式符合该骨的承力方向，故疏松骨有极高的承重强度。

成骨过程 人类的成骨过程开始于胚胎第3个月，青春后期完成发育。致密骨和疏松骨的成骨方式不同。前者为软骨成骨。即先由软骨中的成骨细胞分泌类骨基质（由胶原蛋白和黏多糖组成的凝胶样物质）；随后，钙盐便开始沉积其中（软骨钙化）；继而软骨细胞变性、坏死；在骨化中心，由间充质细胞分化而来的成骨细胞取代坏死的软骨细胞，并开始分泌骨基质。短骨只在中部有一个骨化中心；而肢体长骨常常3个，分别位于中部和两端。长骨在完全骨化之前，其两端始终保留着一薄层软骨，即骺板。骺板消失即意味着骨的发育停止。扁骨和疏松骨的骨化方式是膜内成骨。即由成骨细胞（由结缔组织中多潜能间充质细胞分化而来）直接向含有丰富胶原纤维和毛细血管的纤维膜中分泌骨基质，形成网状骨小梁。并以膜内骨化中心为基础逐渐向外扩展。以颅骨为例，婴儿出生时，多中心的颅骨骨化尚未完成，骨缝和囟门还都是软的。完全闭合后形成颅缝。

骨结构改建 显然，上述两种成骨的结果距离正常的骨结构还相去甚远，还必须经历一个骨结构改建的过程，才能最后形成成熟骨。骨结构改建是通过破骨细胞完成的。因为有了成骨后坚硬的骨基质，骨的生长发育和改变形状就不能靠细胞分裂来实现。位于骨皮质内面、骨髓腔、疏松骨的骨小梁上的破骨细胞可扩大骨腔的容积；位于骨皮质外面的破骨细胞可减小骨隆突的体积。发育中的长骨骺板生长区的内面即有破骨细胞活动，其功能是减小新生骨的宽度以适应原长骨的长度和承力角度。在骨内，破骨细胞的作用是按照致密骨的哈弗氏系统的模式改造未成熟骨（交织骨）的结构，也就是溶通哈弗氏系统中的各种管道系统，构建成熟的骨板。

活的骨组织不断地进行新陈代谢，衰老的骨组织被新生者取代，成骨细胞和破骨细胞的功能之间始终保持着一种动态平衡。儿童时期的成骨速度明显高于改建的速度，但这也是一种生长性平衡。破骨细胞的作用效率要比成骨细胞高得多，因此前者的数量就比后者少得多。骨板之间的接合线就是这种“溶成”过程留下的痕迹。

还应特别强调指出：成骨过程，不管是新生、发育、修复，还是新陈代谢，都是一种功能适应现象。不行使功能，就只有溶骨而没有成骨——这就是骨的“废用性萎缩”。

骨结构改建不仅能改变骨的结构，而且还是调节体液中的钙离子浓度的基本机制。要维持正常的神经传导、凝血机制，保持细胞膜的完整性、通透性和正常的肌肉活动，就必须维持体液中钙离子浓度的正常、稳定。全身99%的钙都贮存在骨，故当血钙浓度下降时，甲状旁腺激素就会激发破骨细胞的活性，使更多的钙离子进入血液；而当血钙浓度升高时，降钙素就会抑制溶骨，减少骨钙的释放。保证人体对钙正常的吸收和利用取决于三方面因素：足够的钙摄入量，正常的内分泌功能，摄入充足的维生素D以促进机体对钙的吸收。

骨的疾病 不同年龄组有不同的骨疾病。骨骼畸形或发育不良多见于儿童；风湿性关节炎和脊柱侧弯多见于青年人；而老年人多患骨质疏松症、骨关节炎等，有时也会因循环障碍出现骨病变。

很多骨病都和骨的成分有关，如骨硬化、骨质疏松症、因维生素D缺乏而导致的儿童佝偻病、成人的骨软化等。其中以骨质疏松症最为常见，尤其是老年女性，并常致骨折。另一种常见于老年人的骨病是变形性骨炎。

骨坏死的原因很多，如损伤、动脉栓塞、代谢性疾病、摄入过量的皮质类固醇激素等。骨髓炎可源于外伤，亦可因血源感染所致。骨肿瘤有良性的、也有恶性的；转移性骨肿瘤是指从其他组织的恶性肿瘤转移而来的继发性骨肿瘤。大部分先天性骨病是孕、产过程中的机械原因所致，还有一部分属于遗传性疾病。骨折均系外伤所致，但同年龄、有无原发骨病和身体的健康状态有密切关系。骨折愈合的好坏同诸多因素有关，如循环状态、感染情况、有无骨折碎片和数量的多少等等。

骨疾病的治疗方法很多，常用的有牵引、骨缝术（即直接用夹板螺丝把断骨接合）、关节成形术、关节置换术、关节固定术、骺骨干固定术、腱移植术、骨移植术等。最后的解决办法是截肢。

Bone, Henry 博恩（1755-02-06，英格兰康沃尔特鲁罗～1834-12-17，伦敦） 英国画家，所作搪瓷器皿上的细密肖像画，是18世纪末和19世纪初欧洲艺术创作中的杰出成就。其肖像画作品受到皇家美术学院的赞赏，1811年他被接受为该院成员。他还曾绘制许多精致的大幅细密画，其画面之大在英国是从未有人尝试过的。其中在女王伊丽莎白一世时期所作的85幅肖像画被认为是他最杰出的作品。它们陈列在多塞特郡温伯恩明斯特的金斯顿莱西。

Bone, Sir Muirhead 博恩（1876-03-23，格拉斯哥～1953-10-21，牛津费里欣克西） 以建筑物为题材的著名苏格兰铜版蚀刻画家。曾学建筑，后在格拉斯哥美术学校学美术。为典雅的建筑造型所吸引，喜描绘故乡景色，其中有蚀刻组画《代表作选辑》（1899）及《格拉斯哥五十图》（1911）。通常用干刻法作铜版画，采用铅笔、炭笔和斯比亚褐色颜料起稿。1901年移居伦敦，1903年展出作品并成名。1936年出版《古老的西班牙》水彩及素描两卷集。第一次和第二次世界大战期间，任随军画师。1937年受封为爵士。

bone, necrosis of 参阅**osteonecrosis**骨坏死。

bone and shell script 甲骨文 参阅**zhuan shu** 篆书、**Chinese writing system** 中国文字。

bone black 骨炭 又作bone char或bone charcoal。在有限的空气存在下加热骨头而制取的一种炭（**charcoal**）。用于去掉液体特别是原糖溶液中的有色杂质。骨炭仅含约12%的单质碳，其余成分主要为磷酸钙和碳酸钙。

bone cancer 骨癌 骨细胞生长失控的一种疾病，直接源于骨骼的原发性骨癌相对罕见，大多数骨癌是身体其他组织通过血液或淋巴系统转移而成。不同类型的骨组织引起不同类型的原发性骨癌。半数以上的原发性骨癌，曾经致命，但现在能治愈。只有一小部分骨癌与已知的致危因素相关的。多数骨癌常见症状是疼痛或骨质脆软，一般不会察觉。轻外伤引起明显疼痛并且残疾，导致进一步检查时发觉。其他可能发生的症状包括骨折、关节灵活性降低、发热、疲劳以及贫血。骨癌检测会发现血中碱性磷酸酶升高。还可用X光成像、骨CT成像、磁共振、骨扫描，最终诊断需要显微镜检查切除的肿瘤。骨癌预后取决于骨癌类型和转移范围。长期存活的患者已超过50%。软骨肉瘤预后最好，骨肉瘤预后最差。骨癌治疗取决于骨细胞类型、肿瘤位置、大小以及转移程度。大多数病例需要手术、化疗和放疗相结合。某些病例需要截肢，某些病例只需切除病变骨骼并填充骨骼或骨移植物。手术前后根据骨癌特殊类型采取适当的化学治疗。仔细检查有助于在早期阶段诊断和治疗骨癌，因而改善存活机会。

bone china　骨灰瓷　含有骨灰的硬质瓷。骨灰瓷的最初发展归功于约西亚·斯波德二世。大约在1800年他提出了制造骨灰瓷的技术。他的基本配方——六份骨灰，四份瓷

约1825年的斯波德骨灰瓷百花香罐
美国不列颠百科全书公司供图

石和三份半瓷土——至今仍为英国骨灰瓷坯体的标准配方。硬质瓷坚固，但相当容易碎裂，除非经特殊处理，硬质瓷通常带蓝色或灰色色调。而骨灰瓷较易制造，瓷质硬，且不易碎裂，具有象牙白的外观。骨灰瓷的配方提出后，不久就被斯波德的竞争对手们所采用，如明顿、科尔波特、达文波特、德比、伍斯特，以及利物浦的海格兰内阿姆工厂。后来加入竞争的则有纽霍尔(1810)、韦奇伍德(1812)和罗金汉(1820)。各工厂产品的质量、形式和装饰互不相同。约在1820年以后，有的工

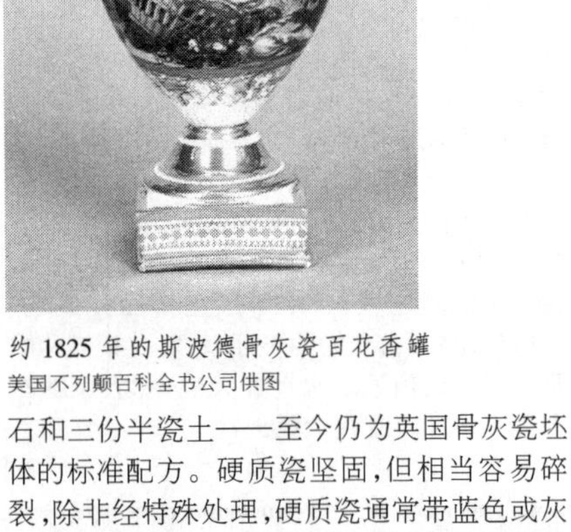

1815～1820年的韦奇伍德骨灰瓷盘
美国不列颠百科全书公司供图

厂追求鲜艳的色彩、过度的金饰和拥挤无度的图案；另一些工厂则生产一些趣味高雅、装饰简单的餐具。因为有许多早期的骨灰瓷器出厂时没有标记，所以就只能靠推测来归类。在英、美两国最流行的是以骨灰瓷作餐具。

bone conduction　骨传导　声音通过颅骨传导的现象。有两种形式：压缩式骨传导(频率在1 500赫兹以上的高调声音可使颅骨各部分[包括内耳迷路]产生压缩式振动，刺激听感受器)及惰性骨传导(低调声音使整个颅骨振动，而迷路内的内耳感受器由于惰性其动作落后于骨壁；其效果就如空气中的声波使内耳感受器产生运动，而颅骨仍处于静止状态一样)。

bone cyst　骨囊肿　骨的一种局限性良性病变，一般为囊状，其内充满液体。单房性骨囊肿见于儿童和少年的长骨或跟骨，常于发生病理骨折后始被发现；治疗包括切除囊肿并进行植骨，但常见自愈者。动脉瘤样骨囊肿，一般见于男孩，患骨膨胀，由血管团块形成；临床症状有肿胀和疼痛；此种囊肿可自行消退，也可在X射线治疗后消退，或需手术切除。

bone lace (type of lace)　参阅**bobbin lace**梭结花边。

bone lesion　骨转移癌　其他器官的恶性肿瘤转移到骨骼所形成的恶性新生物。骨组织的原发性恶性肿瘤相当少见，但半数以上恶性肿瘤患者在死亡时均有骨内转移病灶。骨转移癌有两型：成骨型(可见结构零乱的新骨形成)及溶骨型(可见骨质破坏，引起骨折及骨骼深部疼痛)。肺癌、乳腺癌、肾癌及前列腺癌最易造成骨转移；肺癌可造成典型的钻孔形溶骨型病损；乳腺癌及前列腺癌则经常产生成骨型转移。骨转移癌常发生于脊柱、肋骨、骨盆及四肢的长骨中。参阅**sarcoma**。

bone marrow　骨髓　又作myeloid tissue。填充于骨腔中的柔软的凝胶状组织。骨髓中血管组织占优势者称红骨髓，脂肪组织占优势者称黄骨髓。在人类，除了淋巴细胞由淋巴组织制造外，其他血细胞均由骨髓制造，骨髓又与肝、脾协同破坏衰老的红细胞。黄骨髓主要用作脂肪的储存库，但在大出血或发热等情况下可转变为红骨髓。7岁以前身体对造血的需要较高，故全身骨髓均为红骨髓。以后脂肪组织逐渐代替了红骨髓。成年后仅在脊椎、髋骨、胸骨、颅骨及四肢长骨的两端才有红骨髓，其他的松质骨及长骨的中央腔均充满黄骨髓。红骨髓由纤细、多血管的纤维组织组成，含有网状细胞。网状细胞首先变为各种干细胞；成髓细胞及成红细胞分别产生颗粒细胞及红细胞。血小板来自巨核细胞。新的血细胞进入窦状隙。成年哺乳动物的血液形成主要发生于骨髓中，低等脊椎动物体内某些其他组织也能产生血细胞，而爬行动物及两栖动物某些血细胞即在血流中形成。许多人类血细胞，包括红细胞及血小板，离开骨髓后即不再发生进一步的发育。因为骨髓产生的许多细胞与机体的免疫防御有关，所以骨髓移植已用于治疗一些免疫缺乏症。骨髓对辐射及某些抗癌药敏感，进行这些治疗时会损伤骨髓，这些疗法能损害免疫力，原因即在于此。骨髓穿刺和髓细胞学检查是临床重要的实用技术和诊断方法。在白血病、多发性骨髓瘤、戈歇氏病、贫血和其他造血系统疾病的诊断上，骨髓的化验结果是最重要的诊断根据。

bone-setting　正骨　用手法整复、夹板固定治疗骨伤的中国传统医术。《理伤续断方》(841)概括了9世纪中叶中国正骨术的原理、方法，系统论述颅、肋、股、胫腓、尺桡、趾、指等骨折的诊断要点和整复要领。《世医得效方》(1337)、《普济方》(1406)、《正骨心法要诀》(1742)等医书论述骨和关节折伤、脱臼等症近40种，并且载明其复位方法。9世纪已有用手术切开复位法治疗复杂骨折的病例。近代又创造中西医结合治疗四肢骨折的新法，即用小夹板局部固定取代超越上下关节的石膏固定；提倡局部早期活动取代限制早期活动等。经过大量的病例证明，新法使治愈时间缩短1/3以上，而且关节僵直、肌萎缩、骨不连等并发症几乎完全消失，已引起国际骨科学界的重视。

bonefish (*Albula vulpes*)　**北梭鱼**　又作banana fish或ladyfish。又称多骨鱼。海鲢目北梭鱼科海产游钓鱼类，栖于热带海沿岸和岛屿浅水区，由于敏捷和有力气而为游钓人

北梭鱼(*Albula vulpes*)
美国不列颠百科全书公司供图

所称赞。最大长度和重量约76厘米和6.4千克。尾鳍深叉形，口小，位于猪嘴状吻突的下面。于海底掘寻蠕虫类及其他食物。线鳍北梭鱼(*Dixonina nemoptera*)为本科仅有的另外一种。

Boner, Edmund (English bishop)　参阅**Bonner, Edmund**邦纳。

Boner, Ulrich　博内尔 (创作时期1324～1349)　瑞士作家和多明我会修士。他的寓言诗集是第一本用德文出版的书(1461)。他是伯尔尼一个家族的成员。他的寓言所用形式称为“实例”，每一则包含一种道德训条，用中古高地德语写成，大约完成于1350年，标题是《宝石》，因为期望它们能起到宝石所起的那种魔术般的效力。虽然博内尔仅仅提到两个来源——《伊索寓言》和4世纪拉丁文作家所著《阿维阿努斯》——但是很明显，他曾借鉴过其他材料。目前《宝石》有许多古手抄

本，说明当时甚为流行。

boneset 泽兰 又作thoroughwort。菊科泽兰属(*Eupatorium*)植物，约500种，草本。主要原产美洲热带。北美的贯叶泽兰(*E. perfoliatum*)常见于湿处，粗糙有毛，多年生，高约0.6～1.8米；叶披针形，有皱，叶缘齿裂，在基部绕茎连成一片；8月开花，花小，筒状，白色，许多花聚成头状，再组成一个扁平且分枝的花团。该属有几个种，特别是原产东部海岸平原的可疑泽兰(*E. dubium*)，俗称乔派草。还有粉绿茎泽兰(甜乔派草，*E. purpureum*)、斑茎泽兰(斑乔派草，*E. maculatum*)见于美国北部和中部的潮湿丛林和草甸。大部分乔派草有粉色或紫色花团。皱叶泽兰(*E. rugosum*)俗名白蛇根，含一种有毒的醇类，动物食后患震颤病，表现为肌肉震颤、软弱、便秘，甚至死亡；人食中毒牲畜的乳、肉后发生急性的乳毒病，特征为软弱、呕吐、便秘。泽兰茶是治疗热病的民间土方。

Bonet, Juan Pablo 博内特(1560，西班牙托雷斯-德贝雷连～1620，托雷斯-德贝雷连) 西班牙牧师和教育家。聋人教学的先驱。发展并改进了聋哑人言语和非言语的表达技能。所著《通过掌握字母和技术教哑人说话》(1620)一书对此多方面的教学法作了详细论述。他从学习书写的字词开始，教授字母的音值，强调唇舌的正确位置对发音清楚的必要性。他还教授手势语符号及字母。

Bonfils, Frederick Gilmer 邦菲尔斯(1860-12-21，美国密苏里特洛伊～1933-02-02，科罗拉多丹佛) 美国报纸出版者。将《丹佛邮报》办成有全国声望的报纸。与H.H.塔门一起于1895年买进《丹佛邮报》，以此报“为人民服务”，反对犯罪与腐化。在该报大门上刻着大字：“噢！正义！如果你在别处被驱逐，请到这里来安身。”他们不顾安危和迫害，坚持与邪恶斗争，使该报有很大影响和销路。

美国不列颠百科全书公司供图

Bong Range 邦山 利比里亚中西部山脉。东北-西南走向，长25英里(40千米)。最高点约2 116英尺。为法明顿河源头。从20世纪60年代中期起，德国-利比里亚矿业公司在此开采铁矿，并经该公司的铁路运至西南50英里的蒙罗维亚港装船出口。

Bongars, Jacques, SEIGNEUR (lord) DE BAULDRY ET DE LA CHESNAYE 邦加尔(1554，法国奥尔良～1612-07-29，巴黎) 法国外交家、古典学者，曾编辑有关十字军的史料。早年在德意志、意大利和君士坦丁堡求学。1593～1610年任法国驻德意志公使。1581年刊印3世纪罗马历史学家查士丁著作的注释本。1597年出版阿里斯泰奈托斯书信集的法译本。1600年完成匈牙利历史著作汇编。1611年辑录有关十字军的资料，编成《法兰克人替上帝行道》一书。

Bongo 邦戈人 又拼Bungu。曾广泛分布在现今苏丹西南部，现在则分散在瓦乌南部和东部的村落里。操尼罗-撒哈拉语系查理-尼罗语支的中苏丹语。由于各部落缺乏合作，住地又为大片灌木林相隔，以致18世纪以来怜遭接踵而来的入侵者的残杀。酋长虽对重要法律及社会问题可提供咨询，但无实际权力。邦戈人现居住道路两侧，主要以种植高粱、稷子、芝麻和烟草为生，同时饲养鸡和少量绵羊和山羊。长于狩猎，旱季多从事渔猎，使用毒箭、长矛、网罟、陷阱、罗网等。邦戈人还以其金属工艺品著称。他们为邻近各族供应铁制工具，直到当地铁矿石被进口铁料所取代时才中止。

bongo (*Boocercus*, or *Taurotragus*, *euryceros*) **紫羚羊** 又作broad-horned antelope。又称邦戈羚、宽角羚。偶蹄目牛科动物，大型颜色鲜艳的羚羊。胆小，奔跑迅速，灵活，常以小群或成对在非洲中部的密林中生活。肩高约1.3米。沿整个背部都有竖立的鬃毛。雌雄都有一对沉重扭旋的角。雄体浅红褐至深桃花心木色，腹部黑色，腿黑白两色，头上有白色斑纹，身上有狭窄垂直的白色条纹；雌体有类似的斑纹，但一般为更鲜明的浅红褐色。

紫羚羊(*Boocercus euryceros*)
美国不列颠百科全书公司供图

bongo drum 邦戈鼓 一对用手指扣击的古巴黑人小鼓之一，最早出现于1900年，主要用于拉丁美洲舞蹈音乐(两鼓的定音通常相隔5度，如C-G)。两鼓连在一起，两个鼓面(直径分别约为13厘米和18厘米)或用钉子钉或用棒条箍紧。鼓架为木制，一端开口。古巴民间音乐中还有另外一些鼓也称邦戈鼓。

Bongor 邦戈尔 乍得西南部城镇。临洛贡河，与喀麦隆的达纳隔河相望。为四周农业地区的医疗、教育和服务中心。地处种棉区。建有机场。洛贡河在邦戈尔和恩贾梅纳之间可以季节性通航。人口20 488(1993)。

Bonham's Case 博纳姆案(1610) 英国高等民事法院首席法官爱德华·柯克爵士判决的一个案件。在该案中，他坚持普通法在英国具有至高无上的地位，指出国会的特权来自判例并受判例约束，他宣称：“国会的立法如果违背普通的权利或理性，或者令人厌恶，或者无法实施，则普通法可予控制并确定其无效。”在此以前，柯克已将此原则适用于国王立法，在本案中则扩大适用于国会立法。

Bonheur, Rosa 博纳尔(1822-03-16，法国波尔多～1899-05-25，默伦) 女画家和雕刻家，以能准确而细致地塑造动物的形象闻名。晚年作品色调明亮，画面处理高度完善，与17世纪著名的荷兰动物画家P.波特如出一辙。博纳尔先由其父R.博纳尔、一位美术教师予以教导，后师承巴黎的L.科涅，1841年起参加巴黎历届画展。其中《马集》一画展出于1853年，是被人广为复制的作品之一。博纳尔生活不循传统，喜画猛兽，1865年成为第一个获得大十字荣誉勋章的女性。

博纳尔绘《马集》(1853～1855)
美国不列颠百科全书公司供图

bonheur du jour 小立橱写字台 18世纪60年代出现的一种小巧精致的写字台，是18世纪法国最流行的家具之一。沿桌面后部是一排存放物品的小立橱，常半开半闭，装有小橱、搁板和一个抽屉，顶端有时装有黄铜或镀金黄铜柱廊作为装饰。细长的桌腿常常由一块作横档用的搁板相连接，桌腰(横饰带)是

18 世纪下半叶的法国悬铃木小立橱写字台

美国不列颠百科全书公司供图

一个抽屉。有的装有梳妆用具。虽然后来大多数这种写字台为长方形，但在早期有时为椭圆形，通常有细长的狮爪形弯脚。

Bonhoeffer, Dietrich **朋谔斐尔**（1906-02-04，德国普鲁士布雷斯劳～1945-04-09，巴伐利亚弗洛森比格） 德国基督教（新教）神学家。1923～1927年在蒂宾根和柏林大学攻

美国不列颠百科全书公司供图

读神学，后曾在纽约协和神学院学习一年，1931 年返回德国任柏林大学系统神学讲师。1933 年纳粹党当权，朋谔斐尔立即表示反对，特别反对纳粹党排犹。朋谔斐尔是德国新教反纳粹力量之核心宣信会的主要代言人。1935 年他奉派前往芬肯瓦尔德（波美拉尼亚）成立宣信会神学院。该神学院于 1937 年遭当局取缔，但继续秘密活动至 1940 年。他在这个神学院倡导祈祷、单独认罪和共守纪律等成例，日后载入他 1939 年所著《共同生活》一书。当时朋谔斐尔对国际关系的看法接近于和平主义。自 1931 年在英国剑桥参加普世教会运动会议后，他担任世界教会促进国际友谊联盟的欧洲青年工作干事，努力向世界各地基督徒说明德国新教会斗争的重要意义，获得英国圣公会奇切斯特主教贝尔的支持。1938 年他的姻弟法学家汉斯·冯·多赫纳尼介绍他与反希特勒组织建立关系。尽管他的活动受到限制，他仍能借陆军谍报处工作人员的身份从事抵抗运动。1942 年 5 月朋谔斐尔飞往瑞典，通过贝尔主教，代表反希特勒组织向英国政府建议进行和谈，因盟国坚持德国无条件投降而未获结果。1943 年 4 月朋谔斐尔被纳粹逮捕，监禁于柏林。1944 年 7 月暗杀希特勒案件败露，搜查到的文件证明朋谔斐尔直接参与此案。于是他再次受审，次年被处决。他自 1940 至 1943 年间断续撰写《基督教伦理学》，该书片断于他死后出版。1951 年出版的《狱中书信》是关于他信念的最重要著作。他一生未婚，订婚后不久即入狱。

Bonhomme Richard and Serapis, engagement between **"博诺姆·理查德"号和"塞拉皮斯"号海战**（1779-09-23） 美国独立战争中美国海军 J.P. 琼斯舰长在英格兰东海岸赢得光辉胜利的一次战斗。当时，英国海军由于受到法国和西班牙庞大的联合舰队的牵制，无暇他顾。1779 年 8～10 月，琼斯以法国为基地，率舰游弋不列颠群岛海域，伺机袭击英国商船。9 月 23 日琼斯所指挥的"博诺姆·理查德"号与 R. 皮尔逊舰长所指挥的英国商船护航舰"塞拉皮斯"号进行长达 3 个半小时的激烈海战。战斗开始时，英舰命令美舰投降，琼斯豪迈地说："我还没有动手呢！"一时传为佳话。战斗中双方损失惨重：美舰伤亡约 300 人，英舰毁伤无数。结果英舰被迫投降。

Boniface **卜尼法斯** 天主教几代教皇和敌对教皇的称号。按年代顺序分列于后，并各以 ● 为标记。

● **Boniface I, SAINT** **卜尼法斯一世，圣**（?，罗马～422-09-04，罗马） 教皇（418～422 在位）。他被罗马选举团内多数派选为教皇，同时另一派教士推选助祭攸拉利乌斯，两人都自称合法，从而引起第 5 次分裂，使罗马陷于混乱。根据协议，两人都应离开罗马以待会议决定。攸拉利乌斯不遵守协议，因而丧失西罗马皇帝霍诺留的支持。卜尼法斯一世返回罗马，15 个星期的分裂宣告结束。他在外交方面既谋求和平又坚持原则，在教义方面热烈支持希波主教圣奥古斯丁反对**贝拉基主义**（**Pelagianism**）。

● **Boniface II** **卜尼法斯二世**（?，罗马～532-10-17，罗马） 教皇（530～532 在位）。哥特人的后裔，是第一位出身日耳曼族的教皇。在任助祭时即由教皇菲利克斯四世预定继位。但多数罗马神职人员担心东哥特人掌握教权，另选亚历山大助祭狄奥斯科鲁斯为教皇。形成两教皇对立局面。就在登位同年，后者死去，分裂局面结束。卜尼法斯郑重批准第 2 届奥朗日（在法兰西境内）会议关于绝罚半贝拉基主义的决议。

● **Boniface III** **卜尼法斯三世**（?，罗马～607-11-12，罗马） 教皇（607-02-19～607-11-12 在位）。他曾任罗马教会助祭，在教皇格列高利一世 603 年派遣他出使君士坦丁堡期间，拜占廷皇帝福卡斯承认罗马主教位居各地教会之首。

● **Boniface IV, SAINT** **卜尼法斯四世，圣**（?，意大利瓦莱里亚～615-05-08，罗马） 教皇（608～615 在位）。610 年主持为整顿隐修院纪律而召开的罗马会议。在位期间政局纷扰，教务混乱，持异端（基督一性论）的各主教与拜占廷帝国入侵军队勾结。553 年第二次君士坦丁堡会议谴责聂斯脱利派，此举在伊斯特拉引起分裂，于是隐修院长圣高隆班写信给卜尼法斯四世，指责他不该赞成这次会议的决定。卜尼法斯隐修而终。

● **Boniface V** **卜尼法斯五世**（?，那不勒斯～625-10-25，罗马） 教皇（619～625 在位）。即位后即从事重建由于拉文纳大主教埃留提利乌斯引起战争而饱受战祸的意大利。他将教会法扩延到民法范围，确立教堂庇护罪犯之特权。他多次写信勖勉在不列颠人中传教的人员，推动了基督教在英格兰、特别是在诺森伯里亚的传播。

● **Boniface VI** **卜尼法斯六世**（?，罗马～896-04-19，罗马） 教皇（896-04 在位）。他或死于痛风或是被继其位为教皇的司提反六世所谋杀。卜尼法斯六世是教廷史上黑暗时期（896～898）的中心人物，898 年教皇约翰九世召集罗马会议谴责卜尼法斯六世。

● **Boniface VII** **卜尼法斯七世**（?，罗马～985-07，罗马） 原名弗兰科。教皇或敌对教皇（974-06～974-07，984-08～985-07 在位）。靠罗马豪门克雷申蒂家族扶植上台。他原为枢机助祭，杀害前代教皇本尼狄克六世而即位。后因神圣罗马帝国皇帝奥托二世要求而遭驱逐，由本尼狄克七世继位。本尼狄克七世死后，约翰十四世当选，不久奥托死去，克雷申蒂家族为了重新控制教廷，将携带教会金库避居君士坦丁堡的卜尼法斯七世召回复位。卜尼法斯七世立即囚禁约翰十四世，一说他将约翰十四世害死。他在位多施诡计，后被一名报复的罗马暴民谋杀。

● **Boniface VIII** **卜尼法斯八世**（约 1235 至 1240，教皇国阿纳尼～1303-10-11，罗马） 教皇（1294～1303 在位）。当时，教廷的权力受到西欧特别是法国的君主们的挑战。出身显

美国不列颠百科全书公司供图

贵家庭，曾在博洛尼亚学习法律，其后在教廷任职，累次升迁。1281 年任枢机主教。1290 ～ 1291 年代表教廷参加巴黎宗教会议，使英法两国的再次开战推迟，并促成法兰西与阿拉贡之间的和平。他声称教皇切莱斯廷五世确有逊位的愿望。他继位为卜尼法斯八世后，把切莱斯廷五世幽禁于富莫内城堡，后者不久死去。卜尼法斯的阴谋手腕遭到教会内外猛烈抨击。当时欧洲各国君主纷争不已，用度浩繁，往往不经教皇同意而擅自向神职人员征税。1296 年卜尼法斯八世发布通谕，禁止这种行为，违者处以绝罚。法兰西国王腓力四世置之不顾，反而禁止财富出境，并驱逐外国商人，切断教廷财政来源。1297 年，罗马科隆纳家族劫夺大量教皇财宝，其中一部分人投奔腓力。1301 年，法兰西南部一主教被政府判处徒刑，卜尼法斯严厉斥责腓力，要求释放该主教并采取补救措施。1302 年，卜尼法斯发出通谕，力辩教会权力应凌驾于世俗权力之上，声称任何人只有服从教皇才能得救，成为中世纪鼓吹教皇权力至上的最著名通谕。正当他准备给予腓力绝罚处分时，腓力派人联合科隆纳家族把他拘捕，不久被释，返回罗马而死。6 年后，教廷被迫迁往法兰西境内阿维尼翁，历 68 年始返回罗马。

● **Boniface IX 卜尼法斯九世**（约 1355，那不勒斯～ 1404-10-01，罗马） 原名托马切利。教皇（1389 ～ 1404 在位）。继乌尔班六世之位。原来乌尔班六世当选后，其教皇资格问

美国不列颠百科全书公司供图

题引起争论，终于演成罗马、阿维尼翁两地教皇对立的局面。卜尼法斯九世登位后，认为这种分裂是政治问题，尽力筹款以争取盟友，以反对阿维尼翁的敌对教皇克雷芒七世（由卜尼法斯处以绝罚）及其继位者本尼狄克十三世。他不但未能结束分裂局面，反因不择手段搜罗金钱而树敌。

Boniface，Saint 卜尼法斯，圣（约675，英格兰韦赛克斯～754-06-05，弗里西亚多克姆） 原名温弗里德。英格兰传教士和改革家，因在德意志传教成绩卓著，被称为德意志的使徒。他曾在本笃会大隐修院受良好教育，成为本笃会修士，约 30 岁受祝圣为司铎。他曾先后于 716 和 722 年两度到欧洲大陆上向弗里西亚撒克逊人传教，受到其国王拉德波德阻挠。718 年，卜尼法斯随一批盎格鲁撒克逊朝圣者到罗马，教皇格列高利二世委

富尔达隐修院 10 ～ 11 世纪手卷中的圣卜尼法斯（左）施洗图

美国不列颠百科全书公司供图

托他到莱茵河以东地区传教。719 年拉德波德去世，卜尼法斯遂重返弗里西亚，协助另一位英格兰人威利布罗德主教传教。722 年

坐落在石灰岩半岛上的博尼法乔

美国不列颠百科全书公司供图

到黑森，建立最初的一批本笃会隐修院。他成绩卓著，教皇格列高利二世召他到罗马，祝圣他为传信主教。10 年间（725 ～ 735）卜尼法斯在图林吉亚辛勤传教，一方面劝化异教徒改信基督教，另一方面对原来通过爱尔兰传教人员信教的信徒进行信仰教育。他坚决反对爱尔兰传教人员的任意妄为，他的活动受到英格兰本笃会男女修士的协助。教皇格列高利三世（731 ～ 741 在位）命令卜尼法斯组建巴伐利亚教会，卜尼法斯最初建立 4 个主教区。他这一做法具有深远的政治影响，因为巴伐利亚的基督教化为巴伐利亚最终并入加洛林帝国铺平了道路。754 年当卜尼法斯在圣灵降临节主日向新信徒朗读《圣经》时，一群不信教的弗里吉亚人将他杀害。卜尼法斯是组织家、教育家和改革家，他对中世纪德意志和法兰西的学术、政治和教会的历史进程起了重要影响。他把传教事业收归罗马教廷控制之下，统一了传教事业。

Boniface of Querfurt，Saint 卜尼法斯（奎尔富特的），圣 参阅 **Bruno of Querfurt，Saint** 布鲁诺（奎尔富特的），圣。

Boniface of Savoy 卜尼法斯（萨伏依的）（约 1207 ～ 1270-07-14，萨伏依圣埃莱娜） 英格兰基督教坎特伯雷大主教。他是萨伏依伯爵之子，1234 年当选勃艮第地区贝莱主教。1241 年当选坎特伯雷大主教，迫于局势，直到 1244 年才上任。到任后，卜尼法斯发现教会负债累累，遂决心精简教会机构并向教会田产佃户和神职人员募捐。1244 年冬参加里昂会议时，得教皇英诺森四世准许，进一步聚敛，办法之一是在英格兰全境征税。1249 年回到坎特伯雷，与不承认他职权的当地教区官吏发生冲突，甚至互殴，结果他判处伦敦主教以绝罚。

Bonifacio 博尼法乔 法国科西嘉大区南科西嘉省城镇。位于科西嘉岛最南端，佩尔图萨托角西侧。与撒丁岛北端之间隔 12 千米宽同名海峡。公元 828 年为防御海盗而建。12 世纪末热那亚人从比萨人手中获得此城。现保持热那亚传统，居民讲热那亚方言，并抵制族间仇杀这类科西嘉岛风俗。与岛上其他地区不通火车。经海路与撒丁岛等地进行谷物、葡萄酒和软木贸易。有一游艇海港和商业码头。人口 2 658（1999）。

Bonifacio，Andres 博尼法西奥（1863-11-30，马尼拉～1897-05-10，菲律宾班蒂斯山） 菲律宾爱国志士。生于马尼拉，出身贫苦，几乎未受过正式教育。参加革命活动前当信差和货栈看守。喜读书，博学多闻。他主张菲律宾脱离西班牙的统治，完全独立。1892 年在马尼拉创立卡的普南（菲律宾儿女协会）。到 1896 年，卡的普南拥有会员 10 万人，除马尼拉外，在中吕宋、班乃、民都洛、棉兰老等岛都设有支部。会员大多为工人和农民。1896 年 8 月在吕宋发动武装起义，但被西班牙军打败，部队撤至蒙塔尔万。他的部下 E. 阿奎纳多中尉则坚持抵抗。1897 年 3 月在特赫罗斯举行大会，推举阿奎纳多为新成立的菲律宾共和国总统。他拒不承认大会的决定，企图另立革命政府。1897 年 4 月被阿奎纳多逮捕，以叛乱罪执行枪决。

Bonin Islands 小笠原群岛 日语拉丁字母转写作 Ogasawara-guntō。日本一岛群。在

太平洋中部，日本东南800千米处。由近30个火山岛组成。陆地面积72.5平方千米。可分为父岛列岛、婿岛列岛和母岛列岛三大岛群。最高点在母岛，海拔450米。第二次世界大战前属东京都，后在美国军事控制下。1968年归还日本。现与南鸟岛(马库斯岛)和火山列岛属同一行政管辖范围。最大岛屿父岛(25平方千米)有群岛最佳锚地二见港。1543年由西班牙航海家R.L.de比利亚洛沃斯发现。1876年由日本并吞。可耕地面积仅占群岛11%，余为丘陵与林地。具有经济价值的木材有雪松、红木、铁木、黄杨木、檀木和白橡。近海有捕鲸业。人口2 809(1995)。

Bonington, Richard Parkes **波宁顿**(1801-10-25，英国诺丁汉郡诺丁汉附近阿诺德～1828-09-23，伦敦) 英国浪漫主义画家，以创作风景画和历史题材画著名。其绘画风格在

波宁顿自画像
中国大百科全书出版社供图

英国和法国都受到模仿，影响很大。曾在法国学习英国画家格廷的水彩画传统技法，结识法国画家德拉克洛瓦。1819年进巴黎美术学院，入B.格罗的画室。他的水彩画在巴黎很受欢迎，在著名的1824年画展中与康斯太布尔、劳伦斯爵士等人一起展出作品，并获金质奖章。1825年陪同德拉克洛瓦到英国旅行，师从特纳学习技法，并受到英国流行的历史题材画的影响。在后来的历史题材画中，他综合了佛兰芒和威尼斯的油画技法，并有所创新。作品曾在伦敦展出(1826、1828)，受到好评。作为一位浪漫主义运动的画家和油画、水彩画的革新者，波宁顿对英国和法国都有影响。其构思才赋很高，设色也不愧为巨匠。为W.司各特小说所作的插图，显示了他运用石版画新技法的才能。

bonito(*Sarda*) **狐鲣** 鲈形目鲭科狐鲣属(*Sarda*)似金枪鱼的集群鱼类。游动敏捷，掠食性，遍布全世界。背侧有带纹，腹侧银白，体长约75厘米，流线形，尾基很窄，尾鳍叉状，背鳍与臀鳍后方各有一行小鳍。一般认

大西洋狐鲣(*S. sarda*)
美国不列颠百科全书公司供图

为有3种：大西洋与地中海的大西洋狐鲣(狐鲣，*S. sarda*)；印度洋-太平洋的东方狐鲣(*S. orientalis*)；太平洋的智利狐鲣(*S. chilensis*)。印度洋-太平洋产另一种与狐鲣近缘的跃鲣(*Cybiosarda elegans*)。参阅**tuna**。

Bonivard, François **博尼瓦尔**(1493，萨伏依塞塞勒～1570，日内瓦) 日内瓦爱国者，拜伦所写《希永的囚徒》一诗的主人公。曾在日内瓦附近的圣维克托任隐修院长。他反对萨伏依公爵查理三世和日内瓦主教侵犯城市的自由。1519～1521年被公爵囚禁。1528年起兵反对萨伏依公爵。1530年被关入希永，1532年后一直坐地牢，直到1536年获释。后成为新教徒。1542年开始编纂《日内瓦编年史》(1831)，另著有《日内瓦的新旧政府》(1555)。

Bonn **波恩** 德国北莱茵-威斯特伐利亚州城市。临莱茵河，北距科隆24千米。1949～1990年为西德临时首都，1990～1999年为德国联邦政府所在地(后首都迁往柏林)。早为史前渡口村，原居民点公元前1世纪后不久便消失，其名称"波恩"却因罗马人公元1世纪兴建波恩西亚城堡而保存下来。

13～19世纪，波恩地位加强，成为科隆大主教区和选侯区首府。1794年被法国革命军占领。1815年并入普鲁士。19世纪下半叶成为居民城镇。第二次世界大战中受到严重破坏。1949年被选为西德临时首都后加快了发展。1969年与巴特戈德斯贝格、博伊尔和几个小堂区合并。波恩只有有限的轻工业。典型的产品为实验室设备、开关、管风琴和旗帜。至今，最主要的是服务行业，包括许多与波恩作为首都有关的行业，农产品由相邻各村庄供应。虽然首都迁往柏林，但市内仍设有许多政府部门、地方机构和外国派驻机构。通联邦铁路和公路，国外旅行经科隆机场。作为贝多芬的诞生地，波恩对发展音乐艺术特别关心。拥有市管弦乐团，举办众多的全国和国际性音乐会。贝多芬音乐厅是一座现代化的音乐厅，为本市音乐生活的中心。其他文化设施有市剧院、莱茵省考古博物馆、亚历山大柯尼希动物陈列馆等。主要历史名胜有罗马大会堂(11～13世纪)、三座乡村教堂(10、11、12世纪)、选侯宫和大主教宫等。娱乐场地有市南缘和西缘的维纳斯贝格、克罗伊茨贝格和埃纳特等森林。人口306 016(2002)。

波恩市的波恩大学
美国不列颠百科全书公司供图

Bonnard, Pierre **勃纳尔**(1867-10-03，法国丰特奈-欧罗斯～1947-01-23，勒卡内) 法国画家。大学毕业后进修法律，1888年在政府机关工作，同时上美术学校，后入朱利昂学

勃纳尔绘《开花的扁桃树》(1946)
美国不列颠百科全书公司供图

院，结交新一代美术家。1890年在蒙马特尔与M.德尼和E.维亚尔共用一个画室。19世纪90年代成为美术家团体"纳比派"的主要成员。喜画日常生活场景，如点着油灯的房间、躺在床上的裸妇、街景等。1893年后为书籍和杂志画插图，显示出对描绘城市生活独特的幽默和情趣。曾给P.魏尔兰的象征主义诗集《平行集》作装饰画，为书籍插画开创了一个新阶段。1906年左右完成了4幅一套的室内装饰画《娱乐、学习、游戏、旅行》，继承

了路易十四时代以来法国图案设计的豪华传统。1908年左右开始在法国北部画风景画。1910年转到南方,从此成为描绘这一地区的妙手。其画题很简单,但在处理日常事物的手法上,是当时最杰出的大师之一。喜欢玩弄透视技巧,如在《餐室》(1913)中,运用不同层次的透视并使色调从暖转换到冷。20年代以其最出名的主题之一(澡盆中的裸体)画了一系列油画。从20年代末起,画题主要是静物、自画像、海景、花园等,色彩浓重。主要作品有:《槌球游戏》(1892)、《街头两条狗》(1895)、《室内》(1898)、《戴草帽的姑娘》(1903)、《拿着一篮水果的女人》(1915～1918)、《桌子》(1925)、《照镜子的裸体女人》(1933)、《窗前的桌子》(1943)等。

Bonnat, Léon　博纳(1833-06-20,法国巴约讷～1922-09-08,蒙希-圣埃卢瓦)　法国著名肖像画家和教师。曾师从马德里的F.马德拉索学画,并受巴约讷市的资助,到巴黎L.科涅门下学习。早期作品都是宗教画,带有明显的西班牙巴罗克艺术的痕迹。其肖像画创作始于1875年,大多受委拉斯开兹和西班牙现实主义画家的影响。主题包括梯也尔、雨果、泰纳、巴斯德、安格尔和其他同时代人。画过约200幅肖像画,多数形象逼真,色调柔和。1888年成为美术学院教授,1905年出任院长。他的种类繁多和精美的艺术收藏品是巴约讷的博纳博物馆的部分展品。

Bonne, François de　博纳　参阅**Lesdiguières, François de Bonne, Duke de 莱迪吉耶尔公爵**。

Bonnefoy, Yves　博纳富瓦(1923-06-24,法国图尔～　)　法国诗人。原是一位数学系学生,后来搬到巴黎,深受超现实主义者的影响。他的诗作描写一个思想性的宇宙,通过对"真实世界"的直觉而被带进生活中。他的诗集包括《影子的光亮中》(1987)和《雪的开始与终结》(1991)。博纳富瓦同时也是一位学者,编辑了《神话学》(1981),一部神话与宗教的字典。1981～1994年担任法国大学比较诗学的教授。

Bonner, Edmund　邦纳(约1500～1569-09-05,英格兰伦敦)　Bonner又拼Boner。伦敦主教,他支持亨利八世的反罗马教皇措施,反对爱德华六世和伊丽莎白一世时期推行新教的作法。他在玛丽一世时代以用火刑处死新教徒为乐事。原为律师,1532～1543年多次为亨利八世出使外国,包括数度赴教皇克雷芒七世处请求批准解除亨利与阿拉贡的凯瑟琳的婚姻。1540年任伦敦主教。1549～1553年因反对爱德华六世而坐牢。玛丽·都铎即位后,于1553年8月5日恢复其主教职位,他在伦敦加强对新教徒的迫害。伊丽莎白在位初期,因他拒绝承认她在英国教会的最高权力而再次坐牢,在狱中度过他人生最后的10年。

Bonner Durchmusterung(BD)　《波恩星表》　载有北天324 188颗恒星的位置和视星等的星表。它是在德国天文学家F.W.A.阿格兰德领导下在波恩编成的,费时25年,1859～1862年正式出版。1863年出版的附图是当时最全和最精确的。1989年重新出版了该星表,共记载325 037颗恒星。参阅**Córdoba Durchmusterung**。

Bonners Ferry　邦纳斯费里　美国爱达荷州北部城市,邦德里县县城(1915),位于加拿大边界库特内河以南43千米处。19世纪70年代初E.邦纳在此地建立贸易站和渡口,城市由此发展。1892年建成铁路将此地与华盛顿东部相连。次年发生火灾,城市大部被毁,但随后迅速重建。20世纪20年代邦纳斯费里成为重要的木材运输中心,以迄于今。库特内国家野生动物保护区位于市区以西8千米。人口2 515(2000)。

Bonnet, Charles　博内(1720-03-13,瑞士日内瓦～1793-05-20,日内瓦附近)　博物学家、哲学作家。他发现单性生殖(即不通过受精的生殖),并且发展了进化的突变理论。他虽

瑞士国立图书馆供图

是律师,但喜研究自然科学。最初致力于昆虫学研究,研究了蚜虫的习性并发现雌虫不用雄虫授精,也能繁殖。1742年他发现毛虫和蝴蝶用毛孔呼吸,他给这种毛孔命名为气门。后又转向植物学,研究叶子的结构和机能。因视力衰退,不得不再次改变研究重点,乃转向哲学。由于观察过蚜虫,便在《有关机体的考察》(1762)中指出,每一雌性机体本身都包含有一无限系列的预先形成个体的胚胎细胞,使物种不死和不变。对于化石证明已绝灭的物种,1769年他著的《哲学的复兴》中予以回答,并推论:地球定期发生全面性灾难,大多数生物被毁灭;幸存者在进化的尺度上则升高一级。在生物学作品中他最早使用"进化"一词,所著《心理学论文》(1754)及《关于灵魂功能的分析论文》(1760)开生理心理学之先河。

Bonnet, Georges-Étienne　博内(1889-07-23,法国巴西拉克～1973-06-18,巴黎)　法国激进社会党领袖,第二次世界大战前任外交部长,是支持对纳粹德国实行绥靖政策的著名人士。毕业于巴黎大学,学习法律和政治学。1924～1928年和1929～1940年为众议员。1925年任副部长,在整个30年代继续任内阁高级职务。1936年任驻美大使。1937年在卡米耶·肖当政府中任财政部长。第二次世界大战前夕,他在1938年4月任达拉第

美国不列颠百科全书公司供图

政府的外交部长,支持慕尼黑协定,奉行绥靖政策。1939年9月～1940年3月降职任司法部长。后支持维希政权,任全国委员会委员(1941～1942)。他在盟军登陆前离开法国。法国解放后,政府开始对他提出控诉,后又作罢。他曾前后两次(1944和1955)被激进党开除。后来,重新被选入众议院(1956～1968)。著有回忆录《凯道赛》(1961)。

Bonnet Carre Spillway　邦卡莱溢洪道　美国路易斯安那州东南部圣查尔斯县的紧急泄洪河道。从新奥尔良上游40千米的密西西比河东岸延伸到庞恰特雷恩湖。长11千米,1935年建成。每秒导水量7 100立方米,水泥堤岸长2 346米,沿堤有350个导流口。溢洪道使新奥尔良在1937、1945和1950年的洪水中免遭损害。溢洪道还开设多项娱乐活动。

bonnet monkey(species *Macaca radiata*)　**帽猴**　一种印度猕猴,因头部有浓密而长的毛形似帽子而得名。浅灰褐色,脸裸露,粉红色。体长约35～60厘米,尾长50～70厘米。

帽猴(*Macaca radiata*)
美国不列颠百科全书公司供图

雄猴平均体重6.7千克,雌猴平均体重4千克。行动敏捷。有时到果园及食品店攫取食物。

bonnet shell　女帽螺　冠螺(**helmet shell**)的一类小型海生软体动物。

Bonneville, Benjamin-Louis-Eulalie de 博纳维尔(1796-04-14,法国巴黎或其附近～1878-06-12,美国阿肯色史密斯堡) 美国陆军工程师、边疆开拓者,著名的落基山探险家。1803年随家人由法国迁居美国。1815年从西点军校毕业。1821年被派到史密斯堡服役。1832年获准离开军队去西部探险。他组织了110人的探险队,主要为了经营皮货。但是,他的探险活动毫无成果,皮货贸易也没有进展。1865年晋升准将。重新从历史的角度对他的活动所作的评价实际上损害了主要由W.欧文编辑的《美国上尉博纳维尔在落基山脉和边远西部地区的历险》(1837)中为他树立的浪漫英勇的形象。

Bonneville, Lake 邦纳维尔湖 史前的湖,形成于约3万年前(更新世晚期)。高水位时面积约5.2万平方千米,包含现今美国犹他州的西半部以及内华达州和爱达荷州的各一部分。现存遗迹有淡水的犹他湖以及咸水的大盐湖、塞维尔干湖。注入邦纳维尔湖的支流的沉积物造成了一些三角洲和峡谷口,犹他州的所有主要城市都是在那些地方建立的,大部分可灌溉的土地也都在那些地方。邦纳维尔湖区西北部的大盐湖今天是一些主要化学工业基地,利用湖的卤水制造硫酸钾、硫酸钠和盐。湖区西南部为大盐湖荒漠,面积约1万平方千米,包括邦纳维尔盐沼在内,为著名的高速赛车场。

Bonneville Salt Flats 邦纳维尔盐沼 属大盐湖荒漠。在美国犹他州西北部图埃勒县。面积260平方千米。是约3万年前更新世晚期古湖的残余。夏末滩面板结,像水泥一样结实,故成为高速赛车场。1935年以来,在该地创造出汽车和摩托车速度和耐力的世界纪录。

Bonney, Mary Lucinda 邦尼(1816-06-08,美国纽约汉密尔顿～1900-07-24,汉密尔顿) 美国教育家和改革者,积极参与早期女性教育运动和19世纪末维护美国印第安人土地权的运动。1835年毕业于特洛伊女子书院。在泽西市、纽约市、费城等地教书。1850年和朋友在费城成立栗树街女子书院。1883年,书院迁往宾夕法尼亚州奥冈兹,成为奥冈兹女子学院。她还积极参与国内外浸礼会等组织的传教活动。1879年,美国国会提案废除印第安准州保留地的协议,她起而反对。1880年初组织13 000个签名的请愿活动,要求总统和国会尊重协议。1881年将5万人签名的第二次请愿递交参议院,当时她们被称作印第安人中央委员会。后正式成立印第安人协约维护协会,任会长。1882年该协会更名为全国印第安人协会。同年组织第三次请愿,有10万人签名,并起草了详细的土地分配计划。1884年辞去协会主席,但仍参与印第安人的改革运动。1888年到伦敦参加新教传教会议,与牧师T.伦波特(1890年去世)相遇并结婚。

Bonney, Thérèse 邦尼(1894?,美国纽约锡拉丘兹～1978-01-15,法国巴黎) 全名Mabel Thérèse Bonney。美国摄影家、作家,以第二次世界大战期间拍摄战争照片而闻名。加利福尼亚大学毕业,获得哈佛大学硕士、巴黎大学博士学位。1919年成立美国红十字会通讯社欧洲分社。20世纪30年代初举办若干次摄影展,还成立了自己的新闻图片社,为33个国家的报纸和杂志提供图片。1935年任纽约市洛克菲勒中心法国美术馆馆长,致力于促进美法两国的文化交流。1938年发表了一系列以梵蒂冈的生活为主题的摄影作品。1939年在芬兰为拍摄奥运会作准备时,成为唯一目击俄国入侵芬兰的摄影记者。1940年6月,是默兹战役在场的唯一外国记者。她拍摄的战争照片曾在美国国会图书馆和全美各地展出。

Bonnie and Clyde 邦尼与克莱德 参阅 **Barrow, Clyde; and Parker, Bonnie** 巴罗和帕克。

Bonnin, Gertrude 邦宁(1876-02-22,美国南达科他扬克顿苏城～1938-01-26,华盛顿[哥伦比亚特区]) 婚前名Gertrude Simmons,笔名Zitkala-Sa。作家和改革家。母为达科他人,父为白人。19岁进入印第安纳州里士满厄勒姆学院,1897年毕业。在宾夕法尼亚州卡莱尔印第安学校执教两年。曾在《大西洋月刊》和《哈珀月刊》发表小说和自传体散文,笔名红鸟。其文章主题来自为保留印第安文化特性而进行的斗争。1901年出版达科他人逸事的选集《印第安传奇》。1902年与R.T.邦宁结婚,移居犹他州的印第安人保留地,为美国印第安人协会通讯员。1916年任协会秘书,和丈夫迁往华盛顿[歌伦比亚特区],担任协会与印第安事务署之间的联络员,并编辑《美国印第安杂志》(1918～1919)。1926年成立全国印第安人委员会,自任主席,努力促进印第安人的公民权、更好的教育、卫生保健,以及对印第安文化的确认与保留。她毕生都是印第安人的代言人。

Bonny 邦尼 旧称伊巴尼或乌巴尼。尼日利亚河流州油港。临邦尼河。南距比夫拉湾10千米。原为伊乔人传统贸易中心(鱼、盐、棕油和棕仁)。15～19世纪是邦尼王国首都。曾为西非最大贩奴港之一,1790年近2万奴隶(大部为伊格博人及其他腹地部族)由此装运去美洲。19世纪30年代后禁止贩奴。19世纪50年代该地成为棕油和棕仁的主要输出港。1961年后以输出尼日尔河三角洲的石油为主。1964年扩建可容纳吃水11米轮船的码头。现设有多座储油库。出口椰子和椰壳粗纤维。有保健中心和圣公会大教堂(1889)。人口约9 186(1972)。

Bonny, Bight of (Atlantic Ocean) **邦尼湾** 参阅 **Benin Bight of** 贝宁湾。

Bono 博诺 15～18世纪西非阿坎人的国家,位于几内亚森林地带和苏丹稀树草原之间,在今加纳共和国布朗阿哈福地区。约建立于1450年。据说,历代国王在开采黄金方面都起过重要作用:奥布努曼科马(活动时期约1450～1475)和阿里·克瓦梅(活动时期约1550～1560)曾把西苏丹的采矿技术引入阿坎人的地区;奥武苏·阿杜阿姆(活动时期约1650)曾全面整顿采金业。黄金通过撒哈拉贸易大道沿线的西苏丹货物集散地运往北非港口,再转道运往欧洲及其他地区。1722～1723年博诺被阿散蒂的奥波库·瓦雷征服。

bonobo (species *Pan paniscus*) **小黑猩猩** 又作pygmy chimpanzee。又称倭黑猩猩。猩猩科无尾、似人的灵长动物。1933年前被视为黑猩猩(*P. troglodytes*)的一个亚种,以后才首次划为独立的种。小黑猩猩外形及生活习性酷似黑猩猩,但也有一些不同。分布范围较黑猩猩小,仅见于刚果(金)中部的低地雨林中。身材大小似黑猩猩;成年雄性体约重39千克,雌性重约31千克,而雌雄两性直立时均高约115厘米。但小黑猩猩与黑猩猩相比,上肢更长更细,身体细长,面部不那么向前突出。小黑猩猩大部分在树上觅食,仅在转移到另一株树上取食时才降到地面。主要以果实为食,辅以叶子、种子、草,以及毛虫、啮齿动物乃至幼小的小羚羊之类动物性食物。日间活动,夜间筑睡巢休息。30～100个个体组成一大群,其活动范围为22～60平方千米。大群中,6～15个个体又组成小群,小群中的个体在一起觅食,但其成员经常变换。大部分组群中,带着幼仔的雌体构成核心,雄体往往听从成熟雌体的领导。雌性小黑猩猩与雌性黑猩猩相比,多数时间在性行为中更为主动,雌性小黑猩猩大致每隔5年生育一次,生育后一年内又可与雄体交配。小黑猩猩交配时有时采取面对面的姿势,这在黑猩猩中极为罕见。小黑猩猩在野生环境中的数量在减少,主要原因是人类破坏其森林栖息地以及非法捕猎。《红皮书》中将其列入濒危物种。20世纪后期估计其数量不足40 000只。捕来豢养的小黑猩猩也相对罕见。

Bonomi, Ivanoe 博诺米(1873-10-18,意大利曼图亚～1951-04-20,罗马) 意大利政治家,在墨索里尼法西斯政权前后出任首相,第二次世界大战期间曾领导反法西斯运动。

美国不列颠百科全书公司供图

1909年作为社会党人代表曼图亚被选入议会,1912年由于其温和的民主的观点与改革派领袖毕索拉提一起被开除出社会党,乃加入社会党改革派。第一次世界大战期间,曾志愿服役。1920年出任焦利蒂政府的国防部长，代表意大利与南斯拉夫谈判拉巴洛条约。1921年7月出任联合政府首相，因无法控制法西斯党及社会党的许多过激做法，于1922年2月辞职。墨索里尼上台后，他退出政坛。1940年参加反法西斯运动；1942年出任该运动领袖。1943年7月25日墨索里尼下台后，出任反法西斯各派全国委员会主席。1944年6月9日罗马解放后，由全国解放委员会指定为首相，但因解放委员会不久开始施加压力，敦促政府采取比较强硬的政策，同年11月26日辞职。不久因英国政府干预恢复原职。博诺米奠定了意大利经济和行政重建的基础，并着手重组军队。1945年6月12日辞职，以支持F. 帕里。作为制宪议会条约委员会主席，于1946年参加在巴黎举行的外长会议。从1948年起，任参议院议长，直至逝世。

Bononcini, Giovanni 博农奇尼（1670-07-18，摩德纳公国摩德纳～1747-07-09，维也纳） Bononcini又拼Buononcini。作曲家，主要作为韩德尔在英国的对手而闻名于世。先随其父（作曲家、理论家）学习，后又曾求学于博洛尼亚。很早就表现出音乐才华，1687年受聘担任大提琴手，不久后在蒙特任圣乔凡尼教

美国不列颠百科全书公司供图

堂乐正。约1691年移居罗马，其后一度暂栖威尼斯，1698年与兄（亦为作曲家）一起定居维也纳。1720年应皇家音乐学院邀请去伦敦。在音乐创作的竞争中败给韩德尔。因为韩德尔的支持者是国王。他们以创作3幕歌剧《慕齐奥·谢沃拉》作为公开比赛，由博农奇尼写第2幕，韩德尔写第3幕。韩德尔获胜。他有8部歌剧在伦敦上演，其中《阿斯塔托》、《克里斯波》与《格里赛尔达》最为成功。18世纪30年代早期，以洛蒂所作的一首牧歌作为自己的创作呈送古代音乐学会。事泄后，在声名狼藉中离开英国前往巴黎。最后一部作品《赞美颂》于18世纪40年代作于维也纳。虽然他是一位有天才的多产作家，但与韩德尔相比，除歌剧外却相形见绌；在歌剧中二人均采用高度传统化的乐汇，不过博农奇尼表现出简朴流畅的旋律风格。

bonsai 盆景 日文作盆栽。在容器中栽培的树木或矮化的树木及其培养、加工的技术。盆景所用的材料是普通的乔木和灌木，制作方法是将其根和枝条加以修剪，并用铁丝等固定枝条使之定向生长从而使植株矮化。盆景艺术源于中国，约1 000多年前中国人就在瓦盆、陶盆和木桶中栽培树木，将天然情景移入咫尺盆中，后来这项技术又被日本人接受和发展。日本有关树桩盆景的记录，最早见于高阶隆兼所画的《春日权现验记》（1309）。盆景艺术是直接受自然界的启迪而产生。生长于高山岩缝中或悬挂于峭壁上的树木终生低矮而扭曲。从美学观点看，日本人在盆栽方面欣赏的是：枝干老态龙钟，上部根条露出土外，显得饱经风霜；这被视为体现了万物无常的哲学概念。盆栽植物寿命可达一个世纪或一个世纪以上，并可代代相传，被视为家

盆松

美国不列颠百科全书公司供图

珍。人们对盆景的要求是小巧玲珑，松柏的针叶要短，落叶树的树叶要小。小花、小果的树桩盆景尤令人喜爱。从美学观点看，枝叶间保存一定空隙十分重要。微型森林中树干下部应保持光裸。好的盆景植物通常是耐寒种类，在冬天不太冷的地方能够整年置于室外，偶尔为了欣赏而移入室内。在日本，人们通常将盆景置于起居室的壁龛或小桌上陈列，然后放回室外的盆景架上。选择盆景容器也很重要，一般是陶器，外面上釉或不上釉，圆形、椭圆形、正方形、长方形、八角形或花瓣形等，盆底有一个或数个漏水洞，容器的颜色、大小应与所栽植物协调。若容器为长方形或椭圆形，则不宜把树桩栽在盆的正中央，也不要太靠边，应视枝条伸展的情况决定栽种部位。在正方形或圆形的容器中，树桩要栽于稍离中心的位置，但悬崖式盆景则要把植物栽于悬垂面的对边。盆景经整形后有其正面，展览时正面对着观众。微型盆景仅5厘米高，从播种或扦插到展出需要3～5年，寿命可达数十年。小型盆景高5～15厘米，需经5～10年以上的培育。中型盆景高15～30厘米，普通盆景高至60厘米，3年即可培育成功。野外采选的自然矮化树桩常因不适应环境和底土的改变而栽培失败。盆景应根据种类和根的生长程度每1～5年翻盆一次。移栽时均应剪去部分老根，缩小土团，使树桩总能在小而浅的容器中生长。浇水次数与种其他植物相同，亦可施用液体肥料。整个生长季节都要修枝掐芽。在日本一些地区盆景行业作为苗圃业的一部分，具相当规模，美国加利福尼亚也有小规模的盆景生产。

Bonstetten, Karl Viktor von 邦施泰滕（1745-09-03，瑞士伯尔尼～1832-02-03，日内瓦） 用法文和德文写作的瑞士作家。他兴趣广泛，眼界宽阔。出身于保守的贵族家

美国不列颠百科全书公司供图

庭。早年拒不从政，转而从事对贺拉斯和卢梭的研究，出国旅行，并在欧洲自由知识界中结交朋友。回到伯尔尼后父亲去世，他又进入地方政界，成为开明的行政官和法官。1798年法国入侵，他前往丹麦，定居日内瓦以前，在那里度过3年。他的魅力和四海一家的气质使他成为国际精英中的佼佼者，这种情况反映在他的广泛通信和各种著作中。后者是比较各民族特性的现代研究著作的先驱。他的《南方人和北方人；或气候的影响》（1824）是其中的最优秀作品。这样的著作超过了他的哲学论著。

Bontebok National Park 邦特博克国家公园 南非西开普省国家公园。在布里德河谷，占地32平方千米。建于1931年。1960年移至现址。是稀有的南非羚羊和少数其他羚羊，包括绵羚、小羚羊、狷羚和旋角大羚羊的自然保护区。

Bontecou, Lee 邦特库（1931-01-15，美国罗得岛普罗维登斯～ ） 美国艺术家，其作品从隐晦而富戏剧性的抽象结构到柔和而明快的自然形式，令人产生很不同的感受。1952～1955年在纽约艺术学生联盟学习，师从雕刻家W. 佐拉奇。1959年举办第一次个人作品展，次年在纽约的莱奥·卡斯泰利美术馆举办展览。作品最初呈现出奇异的鸟类或动物的形状，之后发展成更抽象的机器形状。她利用旧传送带、洗衣袋、帆布背包构成作品中的织物部分，以加强作品中生物形态与人为结构的结合。她有意地创造一些既可以当绘画，又可以当雕塑的作品。1964年为林肯中心的纽约州剧院制作了一块大型浮雕。女儿出生后，其作品风格和力度都有了巨大的改变，开始朝柔和美的方向转化。作品由原始与神秘转变为柔和、流畅、自然，而且经常用能够反射光线的塑料做材料。这些作品往往含有警示性的政治色彩。1966年获全国文学和艺术学会一等奖。20世纪70年代，在作品中更加充分地表现自我；80年代，作品日益减少。

Bontempelli, Massimo 邦滕佩利（1878-05-12，意大利科莫～1960-07-21，罗马） 意大利诗人、小说家、剧作家及文学评论家。他的魔幻现实主义是从**未来主义**（**Futurism**）发展而来。最初任教师，写有几卷传统诗歌，后接受未来主义派反传统的无政府主义文艺思想，

并发展成为自己的观点。处女作《紧张的生活》(1920)是一部早期未来派小说。后又创作更为独特的作品,如《来得及时的人》(1937)和《太阳的变革》(1941);特别是《忠实的爱人》(1953)赢得意大利最高文学奖"芦笛奖"。优秀剧作为《西北屏障》(1919年出版,1923年首演)与《我们的女神》(1925年首演)。评论作品中著名的有《20世纪的奇遇》(1939)和《介绍与论述》(1945)。

Bontemps, Arna (Wendell)　邦当(1902-10-13,美国路易斯安那亚历山德里亚～1973-06-04,田纳西纳什维尔)　美国作家,专门描写美国黑人的生活和斗争。父亲是石匠,母亲是

美国不列颠百科全书公司供图

教师,在加利福尼亚州长大。1923年毕业于加利福尼亚州太平洋联合学院,曾在纽约和其他地方任教。20年代中期,开始在有影响的黑人杂志《机遇》和《危机》发表诗作。第一部长篇小说《上帝赐予星期天》(1931),讲一个与马相处很好但与人却格格不入的职业赛马师,此书被认为是哈莱姆文艺复兴的最后一部作品。以后的两部小说描写奴隶的反叛——《黑色的雷霆》(1935)写弗吉尼亚,《黄昏鼓声》(1939)写海地。他为青年读者写了许多关于美国黑人历史的非小说作品,还编了几部美国黑人的诗歌和民间故事集。在后者中有《布鲁斯之父》(1941),W.C.汉迪谱曲;《黑人的诗》(1949)和《黑人民间故事集》(1958),二者均与L.休斯合编;《美国黑人诗歌》(1963);《大奴故事》(1969)。

Bonthe　邦特　塞拉利昂西南部的大西洋海港,位于歇尔布罗岛东岸。19世纪英国反对奴隶贸易的据点。港口输出棕榈仁、生姜、棕榈纤维和咖啡。由于海湾淤塞,吞吐量日益减少。现为稻米、鱼和棕榈纤维的贸易中心。有一所公立医院、天主教中学和几座教堂。人口约7 032(1985)。

Bonus Army　补助金大军(1932)　12 000～15 000名参加过第一次世界大战的美国退伍军人携妻带子在华盛顿聚会,要求立即发给战时服役补助金,以缓和大萧条时期的经济困难。美国国会曾于1924年就校正补偿证书或补助金进行投票,但这笔钱须等到1945

1932年补助金大军在华盛顿示威中同警察搏斗
美国不列颠百科全书公司供图

年才能全部支付。补助金大军(有时称为补助金远征军)于1932年夏在美国首都汇聚,试图迫使政府早日一次付清这笔他们急需的补助金。他们住进国会山下面无人居住的简陋棚屋,并沿阿纳卡斯蒂亚河搭起棚户和帐篷。尽管没有足够的住屋和缺医少食,但是该运动的领袖W.W.沃特斯仍设法维持秩序,赶走闹事的人。补助金法案最终未能在国会通过,大多数退伍军人灰心丧气地返回家园。余下约2 000～5 000人在此后几星期内进行抗议和扰乱活动,造成气氛紧张不安和发生骚乱的可能。地方当局要求H.胡佛总统进行干预,以维持社会秩序。P.L.迈尔斯准将偕同美国陆军参谋长D.麦克阿瑟将军率领的军队用坦克和催泪弹将示威者驱散,并将他们的营地夷为平地。一名退伍军人被打死,数名退伍军人和警察受伤。国会随后拨款10万美元遣送抗议者返回家园。从政治上看,这一事件是对胡佛的一次打击。1933年5月第2支补助金大军卷土重来,这次新上任的总统罗斯福的夫人及总统助理L.豪接见了他们。尽管这一次仍未能通过补助金法案,但是美国国会成立了公共资源保护队,许多退伍军人可在保护队中找到工作。1936年,国会不顾总统的否决,最终通过向退伍军人支付约20亿美元补助金的法案。

Bonvesin da la Riva　邦韦辛(里瓦的)(约1240,意大利米兰～约1315,米兰)　意大利教师、道德家和诗人。其最重要作品为用口语写成的诗体《三篇集》(1274),三篇各自描写了地狱的痛苦、天堂的欢乐和耶稣的受难。邦韦辛为米兰地区一修道会会员,曾讲授文法,用拉丁文或本地口语写了大量道德宗教论著。较有意义的有用拉丁文写的《就餐礼貌50例》,它提供了有关当时社会风俗礼节的宝贵资料。《米兰市的伟大工程》对米兰及其周围地区的地形、居民情况以及建筑作了详细的描绘。

bony fish　硬骨鱼　脊椎动物亚门硬骨鱼纲(Osteichthyes)所有种类的通称,包括现存鱼类的绝大部分,几乎包括世界所有供垂钓的鱼种与经济鱼种在内。科学术语Pisces亦指这种鱼类。硬骨鱼纲指除了盲鳗、七鳃鳗等无颌纲及鲨、魟等软骨鱼纲外,400多科2万种左右的现代硬骨鱼——真骨次纲(Teleostei)的种类和少数原始鱼。主要特征是具有至少一部分由真正的骨(与软骨对照而言)组成的骨骼,其他特征包括:大多数种类具泳鳔(有浮力的气囊),鳃室覆以鳃盖,有骨质板状鳞片,头骨有接缝及行体外受精。硬骨鱼遍布淡水及海水水域,洞穴、深海、温泉中皆有其踪迹;各种外形与习性皆有。体型小自鰕虎(*Pandaka pygmaea*)的12毫米,大至旗鱼科(Istio phoridae)枪鱼和剑鱼的4.5米长,及普通翻车鲀(*Mola mola*)的900千克以上(1吨)重。

bony tongue　骨舌鱼　骨舌鱼科几种体型笨重的热带河鱼的统称。除头部外,全身覆盖着大而坚硬的镶嵌状鳞。本科最大的种类为南美的巨骨舌鱼(*Arapaima gigas*),长可达约2.4米,重约91千克,体绿色,有淡红色尾

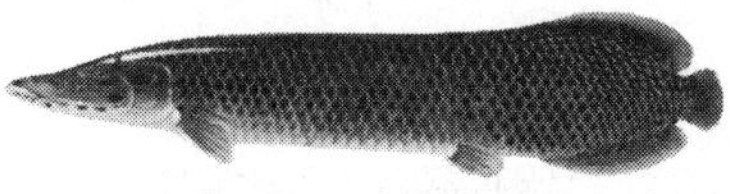

巨骨舌鱼(*Arapaima gigas*)
美国不列颠百科全书公司供图

鳍,动作绵软。其他骨舌鱼类有非洲的异耳鱼属(*Heterotis*[即*Clupisudis*])、南美的双须骨舌鱼(*Osteoglossum bicirrhosum*)和东印度巩鱼属(*Scleropages*)的两种。

booby(*Sula*)　鲣鸟　鹈形目鲣鸟科鲣鸟属的6或7种大型热带海鸟。体长约65～85厘米。红足鲣鸟(*Sula sula*)和面具鲣鸟(蓝脸鲣鸟,*S. dactylatra*)广布于太平洋、大西洋和

红足鲣鸟(*Sula sula*)
美国不列颠百科全书公司供图

印度洋。蓝足鲣鸟(*S. nebouxii*)分布在太平洋自加利福尼亚南部到秘鲁北部和加拉帕戈斯群岛上。嘴长,身体呈雪茄状,翅窄而尖,棱角分明。在海洋上空飞行寻找鱼群和鱿鱼。发现鱼群时,头朝下迅速竖直地潜入水中。鲣鸟成群地营巢,但有强烈领域感,有许多"仪式"性的动作(如点头、刺戳)都是用来保卫它们在大繁殖群中各自领域的。求偶表演是精致复杂的舞蹈(几次交替地抬起脚,紧跟着是一个鸟类学家们称为"朝天"的姿势:平展双翅指向尾部,抬头,发出悠长连续的啭鸣声)。每窝通常产2枚卵,产于地面上简陋的巢中。鲣鸟驯服,不怕人。早期的海员轻易地杀戮鲣鸟,认为它们不聪明,故称之为

“笨鸟”。

boogie-woogie 布吉-伍吉 布鲁斯钢琴乐的一种强敲击风格。用右手在钢琴上弹奏连复段(切分、反复的乐句),左手演奏重复的八分音符的音型(固定低音)。20世纪初开始出现并与美国西南诸州有关联,因此最初有“快速的西部风格”或“西部摇滚布鲁斯”之称。它的低音音型是从吉他伴奏中的快速模进演化而来的。20年代演出于芝加哥南区低级夜总会和收费家庭舞会,直至30年代后期才引起全国注意。1938年由几位杰出表演家在纽约市卡内基音乐厅举行的音乐会使它红极一时。第二次世界大战后很快衰退。

boojum tree(*Idria columnaris*) **圆柱木** 又称布哲姆树。富基埃氏木科(Fouquieriaceae)圆柱木属(*Idria*)唯一的种,仅生于墨西哥下加利福尼亚州和索诺拉州的沙漠中。形如倒立的细长的胡萝卜,高15米,顶端具带刺的小枝,开淡黄色下垂的花簇。与近缘的墨西哥刺木一样,叶小,早落,靠绿色枝条行光合作用。膨肿的树干基部通常中空,成为蜜蜂筑窝之处。木材松软,能存水。圆柱木在加利福尼亚州南部和亚利桑那州有时作景观树栽种。小型的植株可栽于室内。

book 图书 公开发表的文学或学术著作。联合国教科文组织为了统计的目的将图书定义为除封面外篇幅至少不下49页的、非定期的印刷出版物。但实际上还没有一条严格的定义可以令人满意地将所有这样划分的出版物都包括进去。图书的形式、内容和印制手段在其漫长历史上有很大不同,但有些固定的特征还是可以确认的:首先,图书是用于交流的工具;其次,图书是使用书写符号或其他可见符号(如图画或乐谱)传达涵义的;再次,图书是用于有形流通的。因此,可给它下这样一个定义:一本书是手写的或印刷的,有相当长度的信息,用于公开发行;信息记载在轻便而耐久的材料上,便于携带。它的主要目的是宣告、阐述、保存与传播知识和信息,因其便于携带与耐久而能达到此目的。图书在任何文明社会中都起着保存和传播知识的职能。古代埃及的纸莎草纸书卷较之苏美尔、巴比伦、亚述和赫梯人的泥制书板更近乎是现代图书的直接祖先。但这二者均起始于公元前3000年左右。中国人虽不及苏美尔人和埃及人那么早,但他们凭借书籍单独地创造了广博的学术。原始的中国书是用绳子将竹简或木简编系起来而制成。希腊人采用了纸莎草纸书卷,并将它传给了罗马人。到公元400年时,犊皮纸或羊皮纸手抄本取代了纸莎草纸书卷,使书的形式起了革命的变化。到15世纪时,纸质的手写本已很普遍。中世纪隐修院大都设有图书室和缮写室。中世纪的手写本书籍(最初印刷书籍的范本)是受到14～15世纪人文主义的兴起和对口语兴趣日益增长的影响而发展起来的。15世纪后半叶,印刷术传播迅速。那时所印的书籍现在称之为古版书。书籍使思想和学术革命成为可能,16世纪时这种革命已很明显。其根源就在于印刷机能印出大量的复本,能一次印出全书的一个版本,能按新型字体印出样式一致的书籍,使印刷本在外表上显然有别于手写本。17世纪的书籍外表比起16世纪图书艺术的最佳版本较为粗劣。因为17～18世纪西方的读者急剧增加,尤其是识字妇女增多。18世纪末发明的印制插图的平版印刷术具有重大意义,因为它奠定了胶版印刷的基础。19世纪印刷的机械化为适应工业化社会对图书需求的增长提供了条件。到20世纪,图书虽遇到传播和存储知识的新手段的挑战,但它仍然保持了文化上的优势地位。平装本不仅使图书销量大增,而且从50年代起一些比较专门的书也有了销路。第二次世界大战后,由于改进了的高速胶印术的发展,书籍中彩色插图显著增加,在儿童读物和课本中尤其如此。

Book Cliffs 布克陡崖 美国犹他州中东部和科罗拉多州西部的地貌。起于犹他州赫尔珀附近,在格林河与罗恩陡崖(高610米)交会,沿塔瓦普茨高原和罗恩高原蜿蜒400千米,止于科罗拉多州大章克申附近,是世界最长的连续陡崖。在斜阳之下,悬崖宛如一本侧放的图书。联邦政府将大部分崎岖地带列入公共莽原区或放牧地。

book club 购书会 一种图书销售组织,潜在的购书者通过该组织免费订阅供书目录,图书按订单或“消极优先购买权”售出,然后通过邮寄送到读者手中。第一家购书会是1919年在德国成立的,专营古典著作的翻印和发行业务。1926年在美国成立的“每月图书会”是美国最早的购书会之一,它在成立后的40年间,销售了2亿多册新版小说和非小说类书籍,主要销往书店较少的地区。购书会及类似销售组织通常采用“消极优先购买权”制度,即订户收到当月书单后如不欲订购需将拒绝购买的声明寄回,否则书籍将自动寄出,订户要为此付帐单。到80年代,美国已有大约100家这样的购书会,大都专营某一类图书。较大的综合购书会选书精当,并发行大印数图书和租版自印图书以降低成本和书价。专业性购书会分别经营心理学、法律、宗教、侦探小说、历史、政治、园艺和少年读物。购书会一般采用免费赠阅或大折扣售书等刺激方法来吸引新会员。老会员还常可得到赠书。

book collecting 藏书 凭自己的爱好、评价和鉴赏力而有选择地收藏图书,目的不仅是为了自己参考、阅读或消遣,也是为了把某个领域的书籍精心地、完善地收藏起来。私人藏书是世界上许多大图书馆的基础。例如著名的牛津大学博德利图书馆就是以贡献藏书的查尔斯·博德利爵士命名的,法国国家图书馆的核心部分就是14世纪法王查理五世的藏书。经过藏书家们的努力,历史文化的基本资源和文学、艺术的不朽作品才得以传世而不致永久湮没。只有在近代,各国政府和某些机构才承担起保存图书的若干职能,但很少能提供私人图书馆的灵活性。多数藏书家专门收藏初版书籍,另有其他种种做法。一般分为三类:按作者收藏、按主题收藏和善本收藏。按作者收藏,即选择一个作者,将其所有版本的作品收藏起来,或集中收藏某一个作者某一个时期的作品,甚至其中一、二部作品的所有版本。按主题收藏,即广收群书,例如从经典著作、美国文学,以至棋、咖啡、职业、拳击、侦探小说,或核能开发等均可列为收藏对象。第三类收藏范围小,虽可将某一作者或主题作为藏书的基础,但只收藏一些精心选择的善本。这种藏书常应注意的有装饰华美的手稿、装钉、出版风格、精美的印刷、插图及其他。不管哪一种收藏方式,书籍本身的状况十分重要。一本书的最好版本和拙劣版本或普通版本之间在价值上有很大差别。另外要看是否与名人有关,最理想的藏书是有作者的批注或题词,或者曾经名流占有、使用并留有印记的书籍。藏书家还必须懂得图书印刷、出版的过程,要掌握一些有关版本学的知识。

book lung 书肺 一种呼吸器官,出现在某些呼吸空气的蛛形纲动物,如蝎和少数蜘蛛。每个书肺是由一系列富有血管的平行排列的叶状薄片组成。可提供广大的表面以便与周围的空气交换氧和二氧化碳。蝎有4对书肺,蜘蛛有1～2对,各包于一囊内,由一小裂隙与外界相通。

book of hours 祈祷书 中世纪后期极盛行的一种祈祷用书。最早出现于13世纪,内容是向圣母祈祷的祷词。家庭和个人对小型袖珍本书的日益增长的需求,使这种形式的祈祷书在富裕人家极为流行。对这种祈祷书的需要大大促进了哥特式手写本彩饰的发展。这种装潢精美的小型祈祷书,内容依施主的意愿而不同。最华丽的祈祷书范本是14和15世纪在法国北部和低地国家制作的贝里公爵的《最佳祈祷书》,现收藏在尚蒂伊的孔代博物馆,其中有公爵富丽宅邸的图画、精致年历页和许多圣经故事画以及圣徒行状的插图。另外知名的范本有现收藏于纽约隐修院的让娜·德埃夫勒《祈祷书》(约1325)和收藏于巴黎法国国家图书馆的《昂古莱姆查理祈祷书》和《罗昂祈祷书》。

Book of the Dead 《死者书》 古埃及陪葬文集。包含符咒,用以在阴间保佑死者。该文集大约在公元前16世纪编修而成,包括棺文(约公元前2000)、金字塔文(约公元前2400)等。较晚近的内容包括献给太阳神瑞的颂诗。此文集由多人撰写编辑,取材广泛,由缮写人员抄写在纸草卷上,往往附有彩色插图,出售给死者的家属。

book van 车载图书馆 参阅 bookmobile 流动图书馆。

bookbinding 装订 将若干单页或折页(最常见的是纸、羊皮纸或犊皮纸)缀合在一起,装入封面内,构成不同于书卷的手写本或书本。图书装订起始于手写本取代书卷的时代。最早的装饰华美的装订用于教堂祭坛用书,常饰以珠宝、金饰、象牙、刺绣等工艺。典型的美术装订是用花纹精美的皮革,最初见于埃及科普特教会的寺院。手工装订用于精装、工具书和具有特殊价值的书籍的装订，以及珍藏手稿、古籍、历史文献等的修补。机械装订完全使用自动或半自动的机器上封面（书壳）。印刷好的书页先折成书帖。衬页可以连接在书籍的最前一帖和最后一帖，用机器把各帖订在一起，或用胶黏剂粘在一起（无线胶订）。卷帙浩瀚的书籍，例如百科全书，通常采用锁线装订（锁线装订机在书页上钻孔，从孔内穿线缝订）。其他工序有压平、切齐、切口着色、书脊扒圆、加封套、打包、邮寄等，这些工序大多用机器完成。平装本的装订过程大体上与有书壳的精装本相同，专业装订厂现已采用联动线生产。

bookcase　书橱　装有搁板并常装有玻璃门的存放书籍的家具。自古以来就有被用来存放书籍的书橱。书橱的历史还可与中世纪英国的大学图书馆内的设备相联系。为日记作家S.佩皮斯制造的12个栎木书橱被认为是英国最早的书橱。最初的几个于1666年8月制成。现在这12个书橱全都存放在剑桥大学马格达莱学院佩皮斯图书馆内。在意大利，一种精致的嵌入墙内的书橱于17世纪问世。同时，法国人最早使用上半部分装上玻璃代替木板的书橱。在安妮女王统治英国时期（1702～1714），书橱变得十分简单，比例合适，注重实用，并采用薄木板。这些书橱一般有一个平直的正面，下半部分的橱门打开后即露出抽屉。一些结构上的特点，诸如三角饰、檐板、壁柱（半柱）等，曾盛行一段时间，但到1750年这种倾向逐步过时。虽然装潢可以是很精美的，但是T.奇彭代尔在《绅士与家具木工的指南》（1754第1版）一书中建议："如需要，一切都可省去。"这一时期，大部分大的书橱也都只用木板作正面。大约从1770年起，复古运动对书橱的设计产生影响，强调简单的式样。18世纪末期，开始采用一种小型的可转动的圆形或方形书橱，装有多层开架搁板，其直径自下至上逐层减小，依靠中间的一根固定在基座或爪形器具上的柱子转动。

bookkeeping　簿记　企业登录各项交易币值的工作，它是**会计（accounting）**工作的一个分支。簿记主要提供两种资料：①企业的现行价值或资产净值；②某一段时期内企业价值的变动——是赢利或亏损。

公司管理负责人、投资人及债权人都需要此种资料。管理人员要利用这种资料来说明业务经营的结果，借以控制费用、编制预算并制定财务方针；投资人要了解企业经营现状据以决定买进、保留或卖出公司证券；贷款人则用以分析企业的财务报告，以便决定是否给予该企业以贷款。早在巴比伦、古希腊和罗马时代已有帐目。簿记的复式记录始于商业发展时的意大利，簿记的讲授手册在15世纪的意大利各城市开始研究散发。20世纪后半期以来，工商业大发展，赋税和政府规章日趋重要，均需有详明的帐目记录，簿记遂更臻完善。簿记主要有两类帐簿，即日记帐与总帐。日记帐记载每日交易（如销货、进货等），总帐则登录各个帐户的数额。日记帐必须逐日分别按"借"、"贷"方过记总帐。一般每月月终都须编制损益表和资产负债表，前者是说明企业一个时期的经营成果，后者反映的是企业某一时间的财务状况，以资产、负债和所有者权益等表达之。

bookmaking　赌注登记　在体育（尤其是赛马）、政治斗争和其他比赛中确定赌注余额和收支的赌博办法。包括英国、澳大利亚和新西兰在内的英联邦国家，以及比利时和德国准许赌注登记组织公开活动。美国约有几十万赌注经纪人，然而只有数千人（在内华达、纽约和新泽西）在合法经营着。合法的赌注登记活动集中在职业棒球、橄榄球、篮球和拳击等项目上进行。赌注登记经纪人争取每一次都做到帐面平衡。为了保护自己，较小的经纪人对有希望获胜者下的赌注总额加以限制，或者把部分赌注转移到另一个较大的经纪人那里。这一做法造成若干家资金雄厚的、大的登记组织应运而生，它们只接受其他经纪人转来的赌注。赌注登记的合法性因国家而异。

bookmobile　流动图书馆　或称车载图书馆、旅行图书馆。是装有书架的有篷卡车，或其他车辆，它将书籍运到农村或城镇，在过小而不值得设立固定分馆的地方开展图书馆服务，并为那些有条件开展图书馆业务而计划将来成立固定分馆的社区起示范作用。19世纪出现于英国和20世纪初出现于美国的最早雏形是马拉的运书车。多种功能汽车的研制成功使得有可能批量生产这种为图书馆特制的车辆（在第二次世界大战之后）。流动图书馆的使用已遍及法国、德国、斯堪的纳维亚、前苏联、大洋洲及其他地区。在县级或省级图书馆系统中，流动图书馆可以是唯一为读者服务的场所，也可以是对固定图书馆站点的补充。在人口居住分散的地区它也可以实行逐户服务。流动图书馆还用于为学校区服务，安置直观教具，运送教学展览品。有些地方，流动图书馆还辅之以电话或小船，例如在加拿大就把流动图书馆作为联系爱斯基摩人的一种手段。

bookplate　藏书者标签　一种印制成的用以表明所有权的图案标签，通常贴在书封里。可能源出德国，在那里发现了已知最早的、约为15世纪中期的样本。现存最早的、载明日期从1516年起的藏书者标签也是德国人的。美国最早的载明日期的标签是一位雕刻师于1749年为托马斯·迪林制作的标签。16世纪英国早期的刻有纹章的藏书者标签由一简单的非装饰性的盾形徽章、对称的头盔、头盔上的羽毛装饰和底部涡卷形的刻有所有者姓名的装饰构成。后来渐渐注重装饰性，直至1770年古典图样重又流行为止。图片式的藏书者标签包括肖像、书架布置、藏书室景象和风景画。路易十五统治下的法国和18世纪中叶的英国盛行寓意性的藏书者标签，上面印有基督徒基本美德和诸如真理、正义、智慧、希望和忠诚等抽象观念的象征物。表现藏书者兴趣和职业的图案，如公正的天平、海军和军事纪念品、调色板也出现在设计中。

19世纪90年代英国人R.A.贝尔设计的J.帕特森的藏书者标签

美国不列颠百科全书公司供图

19世纪末期，德国设计家们开始用裸体人像作为藏书者标签的主要图样，欧洲和美国也随之仿效。

bookworm　蛀书虫　一切咬书的昆虫的俗称，包括许多种类（如蛾、甲虫）的成虫或幼虫。可食干燥的含淀粉的物质或纸张，因此可损坏书籍。可咬坏书籍的封皮及钻入书页造成许多小洞。常见的种类有衣鱼（缨尾目）和书虱（啮虫目）。白蚁及蟑螂亦常为害书籍。

Boole, George　布尔（1815-11-02，英格兰林肯郡林肯～1864-12-08，爱尔兰科克郡巴林坦普尔）　英国数学家和逻辑学家。致力于近代符号逻辑的建立，现被称为布尔代数的逻

美国国会图书馆供图

辑代数的开拓者，他的观点被成功地应用于计算机线路的设计。除了受父亲的启蒙和在本地上了几年学以外，他是自学数学的。他父亲的商店衰落后，不得不工作以供养家庭，16岁教书，20岁在家乡自办学校。他利用紧张的工余时间在机械学院读了许多数学杂志，深刻钻研了牛顿、拉普拉斯、拉格朗日等人的经典著作。从1839年开始给新创办的《剑桥数学杂志》提交了一系列有创见的论文。1844年在《皇家学会哲学学报》上发表的

一篇重要论文里，讨论了如何把代数方法与微积分方法结合起来。不久，他就看出代数也能应用于逻辑学，并在1847年出版小册子《逻辑学的数学分析》，很有说服力地论证了逻辑学应与数学密切联系，从而赢得英国逻辑学家A.德·摩尔根的钦佩，于1849年成为科克女王学院的数学教授。1854年发表了《对于奠定逻辑和概率的数学理论基础的思维规律的研究》，他认为这是他思想的成熟的论述。他指出了代数的符号与能够表示逻辑形式和演绎推理的那些运算之间的类似，并说明了量的符号如何能够从那些运算中分离开来。在《思维规律的研究》中完整地叙述了他所独创的逻辑推理的一般符号方法，使我们能够对于任何一组给定的包含任意多个术语的命题，通过对前提的符号处理引出结论，这些结论原是逻辑地包含在前提之中的。布尔在1847和1854年的著作开创了逻辑代数现在称为布尔代数(**Boolean algebra**)的这门学科。

Boolean algebra　布尔代数　一种代数系统，其中用字母表示的不是像算术代数中的已知数或未知数，而是对象的类或逻辑学的命题，并且其中的运算是同集合论或逻辑学一致的。它是以英国教师G.布尔命名。他常被认为是"数理逻辑之父"。1847年，他发表了《逻辑学的数学分析》；1854年，又发表了《思维规律的研究》。他主要是论证：逻辑学是数学的学科而不是哲学的学科，并且古典的三段论法推导的结论能够通过纯粹代数的方法达到。他在1854年发表的著作中就提到：用符号 x、y、z 等表示简单的名称或性质，用 $1-x$、$1-y$、$1-z$ 等表示它们的否定；对由共同的名称或性质所定义的事物类，像乘法那样用连结相应的符号来表示；对由彼此不同的部分组成的事物的汇集，用符号"+"连接它们的表达式。例如，如果 x 表示一类硬的东西，y 表示一类有弹性的东西，z 表示金属，则"非弹性的金属"表示为 $(1-y)z$，"硬的弹性金属"表示为 $x\,y\,z$，而"除了既不是硬的又不是弹性的金属以外的金属"就表示为 $z-(1-x)(1-y)z$。通过引进一个"不定符号" v，命题能表示成等式。例如，$y=vx$ 能解释成"所有的人是终有一死的"，其中 x 表示"终有一死的生物"，y 表示"人"，而 v 是一个不定的类，关于 v 仅知道其某些成员是"终有一死的生物"。其他三段论法的命题可用类似的方式表示，例如"没有任何 y 是 x"表示为 $y=v(1-x)$；"某些不是 y 的东西是 x"表示为 $v(1-y)=vx$ 等等。布尔曾经用他的代数推出了三段论法的所有正确的古典法则，并且论证了某两种公认的古典形式不是必然正确的。近代形式的布尔代数是布尔体系的巨大发展，这归功于逻辑学家E.施罗德；他结合A.德·摩尔根关于类之间的关系的工作，极大地补充了布尔的三段论法理论的研究。在近代布尔代数中，符号"+"在集合论上解释为类的并，在逻辑学上解释为命题的析取(即"包含'或'")，例如 $A+B$ 的意思是："或 A 或 B 或二者"，这与它在布尔的原来体系里的解释不一致，在那里，"A 和 B 二者"是不允许的。另一方面，$A \cdot B$ 保持原来布尔的解释。为避免跟初等算术和算术代数里的和与积所伴随的性质相混淆，通常改用符号∪和∩分别表示布尔的和与积，代替更熟悉的符号"+"与"·"。布尔的和与积像算术的和与积一样，具有通常的交换性和结合性：$A\cup B=B\cup A$，$A\cap B=B\cap A$(交换律)；$A\cup(B\cup C)=(A\cup B)\cup C$，$A\cap(B\cap C)=(A\cap B)\cap C$(结合律)；此外，积对于和是分配的，和对于积也是分配的：

$$A\cap(B\cup C)=(A\cap B)\cup(A\cap C)$$
$$A\cup(B\cap C)=(A\cup B)\cap(A\cup C)$$

后者是与算术代数里的情形不同的，在那里，等式 $x+yz=(x+y)(x+z)$ 不成立。A 的补现在用 $\overline{A}$ 或 A' 表示，避免了布尔用"−"可能引起的混淆。布尔的不定项 v 最初曾难以解释，现在也通过引进记为 $\subseteq$(或 $\leqslant$)的"包含"的序关系而避免了。例如"所有 A 是 B"表示为 $A\subseteq B$，读作"A 含于 B"或"B 包含 A"，逻辑学上等价于"若 A 则 B"或"A 蕴含 B"。从形式上讲，布尔代数是一种元素的集合，它具有两个二元运算∪和∩，服从交换律、结合律、分配律；具有特定集合 O 和 I，使得 $O\cup A=A$，$O\cap A=O$，$I\cup A=I$，$I\cap A=A$；具有一个序关系 $\subseteq$ 使得 $O\subseteq A\subseteq I$ 并且当 $A\subseteq B$ 且 $B\subseteq C$ 时 $A\subseteq C$(传递性)；还具有补的一元运算使得 $A\cup\overline{A}=I$，$A\cap\overline{A}=O$，$\overline{A\cup B}=\overline{A}\cap\overline{B}$，$\overline{A\cap B}=\overline{A}\cup\overline{B}$，$\overline{\overline{A}}=A$。

1938年起，C.E.香农等人发表了关于继电器和开关电路分析的一系列论文，从而使布尔代数在工程中有了重要的应用，因为开关同布尔代数的逻辑学解释都具有二值特征。一个开关是"开"或"关"，完全像一个逻辑命题是"真"或"假"。两个串联或并联开关 A 和 B 能用 $A\cap B$ 或 $A\cup B$ 表示，前者有逻辑学上的解释"A 与 B"，后者则有解释"或 A 或 B 或二者"。在前一情形，仅当两个开关都是开的电流才能流通；而在后一情形，则只要有一个开关是开的就可以。相应的逻辑学的解释是：复合命题 $A\cap B$ 是真的，仅当 A 和 B 两者都是真的；而 $A\cup B$ 是真的，只要 A 和 B 至少有一个是真的。相当复杂的开关系统都能用布尔代数的计算方法分解和设计，这种计算方法在20世纪50年代由A.G.伦茨、W.西蒙、J.O.坎坡、H.G.弗莱格和其他人结合矩阵的方法而进一步推广。

历史上，布尔代数是在19世纪代数摆脱算术的束缚的过程中发展起来的，它为抽象代数的发展提供了动力，延续至今。19世纪前期，剑桥大学分析学会的成员，特别是G.皮科克，对于近代抽象代数的基础进行了研究。最初研究的是各种运算，它们被赋予比算术和代数里的和与积更广泛的解释，就像后来所理解的那样。但皮科克强调"形式的永久性"观点，即认为各种运算不管怎样解释，仍然应当遵守通常算术里的交换律、结合律和分配律。这对于代数的发展起了不必要的限制作用。这个限制被W.R.哈密顿的四元数代数在1843年首先打破，在那种代数里乘法的交换性不成立。接着4年之后，出现了布尔和德·摩尔根的著作，它们可以被认为是近代数理逻辑的雏型。

boomerang　飞标　弯曲形的投掷器，澳大利亚土著居民多在狩猎及战争中使用。飞标又是艺术品，土著人在飞标上画有或刻上与传统和神话相关的图案。在一些宗教仪式上被用作配乐乐器。飞标有两种，飞标式的棒状武器则是多种多样的。可飞回的飞标(其名源于新南威尔士州的图鲁瓦尔部落)体轻而细，掷出时可保持平衡，长约30～75厘米，重约340克，其形状有大弯、小弯以至平直的两个边，成一角度，在制作时或在灰烬中加热之后，将两端各扭向相反方向。可飞回的飞标曾在东澳大利亚及西澳大利亚流行，有时作为玩具，用于比赛，有时猎手用它模拟飞鹰，以驱逐鸟群，使之进入悬挂的树网里。可飞回的飞标(又称飞去来器)是由不飞回的飞标发展而成，后者在飞行中会突然转向。不飞回的飞标比可飞回的飞标更长、更直也更重。用它狩猎，击中的动物非死即伤，在战争中也会造成大量伤亡。不飞回的飞标有一端呈鹤嘴锄状。古埃及人曾使用过不飞回的飞标状武器。加里福尼亚和亚利桑那两州的印第安人和印度南部的印度人也都使用这种武器，用以捕杀鸟、兔和其他兽类。

boomslang (*Dispholidus typus*)　**非洲树蛇**　游蛇科唯一对人类确实危险的毒蛇。遍布非洲撒哈拉沙漠以南的稀树干草原。栖于灌丛或树上，常将前半身伸向空中不动，静候着

非洲树蛇(*Dispholidus typus*)
美国不列颠百科全书公司供图

安乐蜥和鸟类。身体和眼的颜色变化多样，善于伪装。自卫时，颈部膨胀，露出鳞片之间的黑色皮肤，随之可能进行冲击。毒牙生在口腔后部，直伸到口的前端。人被其毒牙咬伤后会引起出血，极微量毒液即可致死。

Boone　布恩　美国艾奥瓦州中部布恩县城市，在得梅因河东25千米，埃姆斯西244米处。经济以农业、铁路运输和轻工业为主。设有布恩圣经学院(1891)。附近多青年组织的夏令营。市南4英里有莱杰斯州立公园。市西有美国最高、最长的铁路桥之一，高出河面达56米。1866年设镇，1868年设市。人口12 803(2000)。

Boone　布恩　美国北卡罗来纳州西北部城镇，沃托加县县城。在蓝岭山顶(995米)。1871年设镇。为著名山区度假胜地，可钓鱼、狩猎和滑雪。有伯利烟草市场。为肉牛和奶牛的饲养中心。生产电器组件、服装及罐头食品。设有州立阿巴拉契亚大学(1899)。该

校贝尔克图书馆收藏有阿巴拉契亚山区的历史文物。克米特·亨特关于开拓者的剧作《西部的号角》,自1952年起每年夏季都在城东的丹尼尔·布恩剧院上演。城南有"七魔"滑雪区。城西南有国家森林。人口13 472(2000)。

Boone, Daniel 布恩(约1734-11-02,宾夕法尼亚伯克斯县～约1820-09-26,美国密苏里圣查尔斯) 美国边民、传奇式英雄,对开辟弗吉尼亚、田纳西和肯塔基三州交界处阿巴

美国不列颠百科全书公司供图

拉契亚山坎伯兰隘口的通道颇有贡献。他受教育很少。早年随父母迁往北卡罗来纳州。一生大部时间从事游猎和捕兽,智勇兼备。美国独立后,他曾沿俄亥俄河做测量工作。1799年移居密苏里,继续从事狩猎活动。英国诗人拜伦的名作《唐璜》(1823)中有7个诗节叙述了他的英雄业绩,使他的英名传遍世界。

Boonesborough 布恩斯博罗 美国肯塔基州麦迪逊县游览村。是1775年建的布恩斯博罗堡遗址所在地。独立战争时期曾屡遭印第安人袭击。现设州立布恩斯博罗堡公园。人口1 885(1990)。

Boonville 布恩维尔 美国密苏里州中部城市,库珀县县城(1818)。在密苏里河畔,东距哥伦比亚43千米。1810年始有人定居。曾为密苏里河和圣菲小道上的重要商埠。1839年设村,1896年设市。现为农业贸易中心,生产电器、鞋、木制品等。设有肯珀军事学校和学院(1844)、密苏里男童职业学校(1889)。附近还有州立阿罗罗克公园。人口8 619(2002)。

Boorstin, Daniel J(oseph) 布尔斯廷(1914-10-01,美国佐治亚亚特兰大～2004-02-28,华盛顿[哥伦比亚特区]) 美国社会历史学家和教育家,以研究美国文明史闻名。主要著作《美国人》共3卷,分别为《殖民时期的经验》(1958)、《立国时期的经验》(1965)和《民主时期的经验》(1973)。其中,第3卷于1974年获普利策奖。曾在哈佛大学、牛津大学学习并获学位。历任芝加哥大学教授(1944～1969)、华盛顿市史密森学会历史和技术博物馆馆长(1969～1973)和国会图书馆馆长(1975～1987)。他还是《芝加哥美国文明史》丛书编辑。著有《发现者》(1983)、《创造者》(1992)和《探索者》(1998)三部曲,作品审视了学术界思潮的发展历程。

Booth, Catherine 布思(1829-01-17,英国德比郡阿什本～1890-10-04,埃塞克斯克拉克顿) 救世军创立者威廉·布思之妻,她本人也是著名的传道者及社会工作者。其父制造马车,一度为循道宗平信徒传道师,其母是虔诚的清教徒。她幼年体弱,主要在家中受教育,对当时的神学颇有心得。1844年举家迁往伦敦,成为循道宗布里克斯顿卫斯理教堂的热心信徒。当该教堂驱逐一批"改革派"时,她和未来的丈夫也包括在内。1855年两人结婚,她成为丈夫的得力助手。

她坚决相信妇女有权传播福音。她的小册子《女性神职人员》(1859)至今仍有说服力。1860年起,她在盖茨黑德她丈夫的教堂中传教。1880～1884年在伦敦西区举行多场极为成功的布道会,成为一位著名的讲演家。1885年参与促成《刑法修正案》通过的行动,使女青年获得保护。她不相信人要得救必须履行圣礼。虽然救世军后来对圣礼所采取的态度并非完全由她决定,但是她的看法对此肯定产生了影响。

Booth, Charles 布思(1840-03-30,利物浦～1916-11-23,英国莱斯特郡惠特维克) 英国轮船主和社会学家。著有《伦敦人民的生活和劳动》(17卷,1889～1891,1892～1897,1902)。1866年与其弟兄合营欧洲和巴西之间的海运业务;1901年将其改组为布思邮船公司,自任董事长。1904年任枢密顾问官,

美国不列颠百科全书公司供图

1905～1909年为皇家济贫法委员会委员。上述著作涉及贫困、工业和宗教影响3个问题,阐述了社会各阶级的生活条件。力图分析贫困的原因(在4 076例中,有62%是由于收入低或不固定,23%是由于家庭人口多或有病,15%是由于浪费、酗酒或拒绝工作),并指出贫困、堕落与固定收入、小康生活之间的关系。该书还附有许多地图,用各种颜色表明每条街的贫困程度。布思特别关心老龄人,主张对所有的老年人而不是仅限于收入低于某一标准的老年人发放养老金。

Booth, Edwin (Thomas) 布思(1833-11-13,美国马里兰贝莱尔附近～1893-06-07,纽约) 19世纪美国剧坛著名悲剧演员,作为莎士比亚戏剧人物哈姆雷特的最杰出扮演者之一而受到怀念。他出身于著名的表演世家,他的兄弟约翰·威尔克斯·布思是刺杀林肯总统的凶手。

其父朱尼厄斯·布鲁特斯·布思是位性格

美国不列颠百科全书公司供图

怪异的演员,1796年生于伦敦,1821年移居美国,在美国很受欢迎,其名望仅次于美国演员E.福雷斯特。13岁时布思即随同其父旅行演出。1849年9月10日在波士顿博物馆首次登台,在其父演出的莎剧《理查三世》中饰特莱塞尔一角。两年之后有一天夜里在纽约当他父亲拒绝登台时他代父扮演理查三世,模仿其父作出可信的表演。他吸收了其父夸张的表演风格,这种风格在当时十分流行。

1852年他陪父亲去加利福尼亚,同年其父去世,他继续在那里演出,并到各矿区小城巡回表演。1854～1855年到澳大利亚和桑威奇群岛(即现在的夏威夷群岛)巡回演出。他作为明星的最早演出是1857年在波士顿和纽约市进行的,青年戏迷蜂拥而至来看他的演出。1860年在纽约的一系列精彩演出中他向戏剧界的最高权威挑战,并且战胜了老演员福雷斯特。

然而,布思未能克服从其父那里继承来的难以控制的脾性。由于酗酒,他的表演时而受到影响。1860年他与女演员玛丽·德夫林结婚,后生下一女。1863年玛丽去世,他又未能在身边陪伴,从而受到双重打击,原因是他饮酒过度,未能听到朋友的召唤,此后更失去自制能力。

1864年布思成为纽约冬园剧场合伙经理,在那里与其两个兄弟于1864年11月25日同台演出,这是他们仅有的一次,分别在莎剧《朱利乌斯·凯撒》中扮演布鲁图、卡修斯、马克·安东尼。同年11月至次年3月他扮演哈姆雷特连续上演100个夜场。此后他在扮演这个角色时把自己和角色融为一体,他的相貌、嗓音和举止都非常适合这个角色,瘦瘦黑黑,带音乐感和令人同情的声调,并具有一种自然矜持的神情。他的表演风格比其父更稳重,变得日益克制、感人。

1865年4月14日他兄弟约翰·布思刺杀林肯总统事件给他很大打击,他的精神再也没能恢复,并导致离开舞台,直到1866年1

月才在冬园剧场再次扮演哈姆雷特。

1869年他和女演员玛丽·麦克维克结婚，这是桩不幸的婚姻，因为玛丽的神经功能不稳定。同年他在纽约自办剧院，他的莎剧节目及其他剧目都在这里成功上演。他由于缺乏生意人的精明，最后输掉剧院，40岁时便破产。他努力工作以弥补损失，从此之后他一直在别人经营的剧院里演出。

1861年他首次去伦敦演出，1880年再次访问英国。他在伦敦公主剧院的表演几乎是失败的，直到更高级的兰心剧院经理、著名演员亨利·欧文邀请他去兰心剧院合作演出，这两位明星轮流扮演奥瑟罗和伊阿古，成为值得纪念的合作演出。1882年在他妻子去世后布思再次赴英演出，次年又到德国巡回演出。他饰演的哈姆雷特在那里受到热烈欢迎，而他扮演的伊阿古和李尔王被认为是他扮演哈姆雷特后的最佳角色，他在德国的演出因而成为他艺术事业的顶峰。他在国内的经济状况也彻底改观，1886年他与美国演员兼剧院经理劳伦斯·巴雷特建立起生意和表演上的伙伴关系。

1888年布思在纽约建立起一个演员俱乐部，目的是为演员及其他行业的杰出人士提供一个聚会场所。最后几年他就住在俱乐部里。他的告别演出于1891年在布鲁克林的音乐学院内举行，仍饰哈姆雷特。对他本人及后来几代人来说，他成熟性格的高贵气质、他艺术上的辉煌成就，以及他为提高同伴演员的士气和社会地位的热情，使他成为美国戏剧舞台上最伟大的人物之一。

Booth, Evangeline Cory 布思（1865-12-25，英国伦敦～1950-07-17，美国纽约哈茨戴尔） 原名Eva Cory Booth。救世军创始人W.布思之女，在家里受教育，17岁即负责伦敦某区

美国不列颠百科全书公司供图

的救世军工作。她的音乐天赋和美丽容颜使她很快就得到“贫民窟白衣天使”的雅号。1889年负责主持救世军在克莱普顿的国际训练学院，并指挥伦敦及附近各郡的所有救世军。后转到美国，改名伊万杰琳。又前往多伦多，统率加拿大的救世军。1904年成为美国救世军司令，开创新型社会服务，包括未婚母亲医院、“伊万杰琳之家”、老年之家，并在第一次世界大战期间开办售卖“步兵多福饼”的随军小卖店（1919年获颁战时优异服务勋章）。1906年旧金山地震后开展救济。她得到许多杰出富人的支持，1919年旅行全国，筹款1 600万。美国的救世军迅速发展，成立了4个地区司令部，但都由她的纽约总部管理。1923年归化为美国公民。1934年成为救世军的第4位将军，是统率全世界救世军的最后一个布思家族的人。5年后退休。著作包括《救世军战争传奇》（1919，与G.L.希尔合著）、《福音诗歌》（1927）、《走向更美好的世界》（1928）和《妇女》（1930）。

Booth, George 布思 参阅 **Delamere, George Booth, 1st Baron** 德拉米尔男爵（第一）。

Booth, John Wilkes 布思（1838-05-10，美国马里兰贝莱尔附近～1865-04-26，弗吉尼亚罗亚尔港附近） 19世纪美国一个最著名的演员世家的成员，刺杀林肯总统的凶手。早年

美国国家档案馆供图

就显示出卓越的表演才能。1856年在巴尔的摩初次登上舞台。1859年在弗吉尼亚州里士满参加莎士比亚剧团。1860年在南部各州巡回演出时深受欢迎。他积极支持南部各州，公开主张实行奴隶制，毫不隐讳他对林肯的憎恨。他自愿参加1859年绞杀废奴主义者J.布朗的里士满国民警卫队。在南北战争时期担任南部邦联的密探。1864年秋开始密谋劫持林肯总统，并找到几名同谋者。1864年冬，这个集团经常在华盛顿聚会，计划一些可供选择的劫持方案。几次尝试失败后，他决定不惜任何代价刺杀林肯总统。1865年4月14日晨，他获悉总统将在当晚到首都的福特剧院观看喜剧《我们的美国表兄弟》，便立即召集同伙，布置任务，他本人负责刺杀林肯。在下午6时左右，他进入剧院做刺杀的准备工作。喜剧上演第3幕时，他见林肯没有带警卫，便走上包厢，拔枪击中林肯的脑后。然后越过栏杆，跳到舞台上，虽然折断左腿骨，但仍能夺门而出，骑马逃走。林肯次日早晨7时许逝世。11天后，即4月26日联邦军队到达弗吉尼亚州的一个农庄。据说布思正躲藏在一个烟草库里，他们放火焚烧了仓库。藏在烟草库里的D.埃罗尔德投降了，但布思拒绝投降。布思被击中后（或是一名士兵，或是布思自己开的枪），被拖到农舍门廊，随后死去。他的尸体经一名曾在一年前为他做过手术的医生确认后就秘密地掩埋了。

Booth, Mary Louise 布思（1831-04-19，美国纽约米尔维尔[今亚普汉克]～1889-03-05，纽约州纽约） 美国新闻记者，多产的法语翻译家，《哈珀市场》杂志第一任主编。作为正规教育的补充，她如饥似渴地阅读和学习各种语言。14岁时即在布鲁克林其父担任校长的学校任教1年。后迁往曼哈顿，白天为制

美国不列颠百科全书公司供图

衣工，夜晚学习。她向各类报刊投稿，是《纽约时报》的自由撰稿人。自1856年翻译法文的《大理石工人手册》开始，翻译逐渐成为她的主要工作。她总共翻译了约40部法文著作，同时一丝不苟地编写《纽约市史》。这部前所未有的巨著于1859年出版并3次再版。1861年，布思完成了A.de加斯帕兰伯爵所著《一个伟大民族的崛起：美利坚合众国》的翻译。该书激起了人们的热情，并被证明大大鼓舞了南北战争初期支持联邦政府各州的士气。随着战争的进展，她翻译了加斯帕兰的《欧洲之前的美洲》（1862）、E.拉布莱的《美国的巴黎》（1863）、A.科尚的《奴役的结果》（1863）及《解放的结果》（1863），受到林肯总统等人的赞扬。1864～1866年，她翻译了三卷H.马丁所著《法国史》。1867年，受聘为哈珀兄弟出版公司创办的新周刊《哈珀市场》的第一任主编。在她的主持下，该杂志取得巨大成功，头十年销量即达8万份。她担任主编一职直至去世。

Booth, Maud Ballington 布思（1865-09-13，英国萨里林普斯菲尔德～1948-08-26，美国纽约格雷特内克） 基督教救世军领袖，基督教美国义勇军创建人之一。她于1881年开始出席救世军会议，后在法国、瑞士、英国的救世军工作。1886年与救世军创建人威廉·布思之子巴林顿·布思结婚，翌年夫妇共同担任美国救世军指挥工作。她为帮助美国组建救世军工作达9年之久。1896年因与威廉·布思在行政政策方面意见不合而辞职，另建美国义勇军，义勇军成为长期的教会与慈善机构。后来她致力于监狱改革，为恢复犯人宗教和社会活动而工作，并为发展假释制度做出了贡献。

Booth, William 布思（1829-04-10，英国诺丁汉郡诺丁汉～1912-08-20，伦敦） 基督教救世军的创始人和首任将军（1878～1912）。布思是营造商之子，少年在当铺学徒，15岁改变信仰而积极传道。1852年他成为循道会新团契的正式传教员，1855年与凯瑟琳·芒福德结婚。布思在新团契工作9年后脱离，开始作独立奋兴布道家，1864年他到伦敦，在帐篷中和露天讲道，并在怀特查珀尔成立基督徒传教会，其后（1878）改名救世军。布思模仿

英国陆军的规章制度,但最初的几次“战役”引起了暴力反对。有人组成“枯骨军”(“救世”与“枯骨”在英文都以S为首字母)捣乱会场,多年来布思的追随者往往以扰乱治安罪被罚款或监禁。1889年后这些动乱才平息下来。救世军的活动于1880年扩展到美国,1881年扩展到澳大利亚,其后到印度、锡兰和其他地方。布思将军在1890年发表的《在最黑暗的英国以及出路》中,提出了改善贫困犯罪的10点权宜办法:①在城市中建立贫民生活区;②贫民务农区;③海外殖民地;④组织抢救家庭活动队;⑤失足妇女救济所;⑥嗜酒人员挽救措施;⑦牢门抢救队;⑧贫民银行;⑨贫民律师;⑩怀特查珀尔海滨救济中心。到19世纪末,对布思工作的多年反对和挖苦终于改变为广泛的同情。社会各界纷纷捐款,许多计划都已落实。英王爱德华七世积极赞助布思的事业,并坚持邀请布思出席1902年国王加冕典礼。1905年布思将军访问英格兰各地时,受到许多城市市长和企业界人士的隆重欢迎。在美国和其他地方,他的事业也受到当局的热诚鼓励。

Booth, William Bramwell **布思** (1856-03-08,英国约克郡哈利法克斯～1929-06-16,伦敦) 救世军创始者威廉·布思之长子,救世军的第二任将军(1912～1929)。1874年即以全部时间积极参与救世军工作,1880年起为救世军的主要组织者。他将他父亲的社会服务计划付诸实践。1885年和W.T.斯特德为争取保护失足女青年的立法而进行活动,因办事技术问题而在伦敦中央刑事法院受审,后来被判无罪。布思是一位能干的演说家,不懈地维护基督教义纯洁。其父去世后,他成为救世军将军。

Boothbay Harbor **布斯贝港** 美国缅因州南部林肯县城镇。位于大西洋沿岸一个半岛上,在希普斯科特和达马里斯科塔两河之间。1889年设镇,曾为贸易和造船业中心。现主要为游览胜地和渔港。轻工业生产有帆布制品、小船和食品等。镇内有铁路博物馆和历史博物馆。市西有州立海洋渔业研究站。面积15平方千米。人口2 334(2000)。

Boothferry **布斯费里** 英格兰亨伯赛德郡一区和自治市。面积647平方千米,以古尔港为中心。大部分为农业区。有5条河流流贯。生产大量谷物、甜菜和蔬菜。该区的埃普沃思是J.韦斯利的诞生地。人口约63 100(1991)。

Boothia Peninsula **布西亚半岛** 北美大陆最北部分(北达北纬71°58′)。属加拿大西北地区。1829年由詹姆斯·罗斯爵士发现。1831年罗斯在半岛西岸确定第一个北磁极点。半岛面积32 330平方千米,宽195千米,向北伸入北冰洋273千米。为无树高原。人口稀少,斯彭斯贝和汤姆贝为仅存的居民点。人口648(1996)。

Booths, Feast of (Judaism) 参阅 **Sukkoth** 住棚节。

bootlace worm **带虫** 参阅 **ribbonworm** 纽形动物。

bootlegging **私酒生意** 美国历史上非法制造、贩运和销售酒类的活动。该词在19世纪80年代的中西部地区常用以指与印第安人交易中藏在靴筒里的私酒。1920年据美国宪法第18条修正案而实施禁酒后,它成了一个全国性的词汇。禁酒令结束了酒类的合法交易,导致非法售酒的出现。最早的私酒生意始于把外国生产的酒通过边界或海岸偷运入美国。另一种方式是通过药房按真实的或伪造的处方销售大量的“药用”威士忌。此外,大量的工业用酒精被转用于配制私酒,这种劣质酒常导致失明、麻痹和死亡。私酒生意导致有组织犯罪活动的滋生与蔓延。团伙、匪帮或争夺地盘,或相互勾结,把私酒生意扩展到贩毒、赌博、诈骗、卖淫、高利贷等勾当。20世纪20年代末和30年代初,美国全国性犯罪组织黑手党就兴起于协调意大利私酒商和其他匪帮的活动之中。1933年禁酒令被废止,但私酒商并未绝迹。20世纪末,美国的许多城镇仍然禁酒,而私酒生意依然盛行。参阅 **prohibition**。

bop (music) **博普** 参阅 **bebop** 比博普。

Bophuthatswana **博普塔茨瓦纳** 以前曾为一共和国(虽然国际上从未承认)。被合法指定为南非共和国茨瓦纳族人的家园。由南非中北部威特沃特斯兰德以北或以西的7个地区组成,首都姆马巴托位于马弗肯(前马弗京)附近,1980年马弗肯已划为博普塔茨瓦纳的一部分。“博普塔”的意思是使操茨瓦纳语的人“结合起来”。1600年前后茨瓦纳族人在此定居。1837年为布尔人控制。20世纪60年代,南非政府指定博普塔茨瓦纳的一些地区为茨瓦纳族的黑人“家园”。1961年成立的地方议会在10年后为部分选举、部分委任的立法议会所代替。1972年博普塔茨瓦纳正式自治,首席部长L.M.曼戈普。1977年12月宣布成立独立的共和国。只有南非承认其为独立国家。参阅 **black state**。博普塔茨瓦纳的大多数半干旱地带用于放牧肉牛和奶牛。其少量适于耕种的土地种植玉米、高粱、小麦、花生、水果和豇豆。当地有生产饮料、烟草加工、纺织品、木制品、皮革制品等小型工业。有很多工人在马弗肯和威特沃特斯兰德就业。20世纪80年代赌场也成为一个收入来源。根据废除种族隔离制的南非新宪法,博普塔茨瓦纳于1994年解散,重新并入南非。其几块飞地成为奥兰治自由邦(今自由邦)省和新成立的西北、东德兰士瓦(今普马兰加)省的一部分。

Bopolu **博波卢** 又作Bopora或Boporo,西非利比里亚西部城镇。曾是以马林克人为主的孔多联盟(包括戈拉、瓦依、德和洛马等种族)的中心。过去博波卢商人把奴隶、象牙、黄金和紫檀染料从北部运到沿海的瓦依人和德人处以换取盐、烟草、枪支和欧洲布。现在以种植水稻和木薯为主要经济活动。某些地区正在勘探金刚石。人口500

博波卢镇外村庄

美国不列颠百科全书公司供图

(最新统计)。

Bopp, Franz **葆朴**(1791-09-14,德国美因茨大主教管区美因茨市～1867-10-23,柏林) 德国语言学家。他确定了梵语在印欧诸语言比较研究方面的重要性,并且建立起一种有价值的语言分析方法。他的第一部重要著作《论梵语动词变位系统……》(1816)曾预示其重大成就。该书设法探求梵语、波斯语、希腊语、拉丁语及日耳曼语的共同来源,实为一开创性工作。他集中精力对动词作历史分析,为书中所比较的各种语言的历史汇集了最早的可信赖的资料。1820年,他的研究扩

美国不列颠百科全书公司供图

及其他语法部分。在担任柏林大学东方文学和普通语文学教授期间(1821～1867),出版了梵语语法(1827)和梵拉词典(1830)。但他的主要活动集中于6卷本巨著《梵语、禅德语、希腊语、拉丁语、立陶宛语、古斯拉夫语、哥特语和德语比较语法》(1833～1852)的编纂工作。他在书中试图描写这些语言的原始语法结构,探寻其语音规律,研究其语法形式的来源。葆朴另撰有包括对几个印欧语族的研究和有关马来-波利尼西亚语与印欧语关系及梵语和希腊语重音等多篇论文。

Boppard **博帕德** 德国西部莱茵兰-帕拉蒂纳特州城市。位于莱茵河左岸,科布伦茨市以南约20千米。原为早期凯尔特人聚居区和罗马时代包多布里加碉堡的所在地。现代名称“博帕德”就是从“包多布里加”(Baudobriga)演变而来的。在墨洛温王朝时期,博帕德为王室宅邸;在中世纪期间,为重要的商业和航运业中心;在霍亨斯陶芬王朝诸皇帝的统治时期,成为自由的帝国首都。然而在1312年,皇帝亨利七世将此城典押给其弟兄特里尔的大主教、选帝侯鲍德温,此城落于诸选帝侯的掌握之中达数世纪之久。1815年,博帕德又被维也纳议会转让给普鲁士。迄

今，博帕德市仍有部分被中世纪城墙所环绕。因其外表美丽如画，现已成为旅游中心。该市的著名建筑物有：罗马风格的圣塞维鲁教堂（12～13世纪）、哥特风格的加尔默罗会教堂（14世纪）和大主教城堡（14世纪）。现在大主教城堡已成为市博物馆。该市还有一处矿泉疗养所。除旅游业外，该市还有药品和化学品制造业。人口约16 346（2003）。

Boquerón　博克龙　巴拉圭西北部一个省。西北邻玻利维亚，西南与阿根廷接壤。原为全国最大省份，面积达64 877平方英里（168 030平方千米）。1973年缩小到18 034平方英里。主要河流为皮科马约河。属潮湿热带气候。主要产品盖布拉卓木（硬木材，可产单宁酸）经窄轨铁路运至巴拉圭河港口。亦产大豆、棉花、高粱和花生。省会佩德罗佩纳。9号公路将该省西南部与通往亚松森的公路干线连接在一起。野生动物有美洲虎、美洲狮、野猪、貘和狐狸。人口16 900（1990）。

Bor　博尔　苏丹南部地区琼莱省省会。临杰贝勒河，南距朱巴140千米。周围地区生产谷物（主要为粟和芝麻）并饲养牲畜。传统手工艺有皮革制品、木制品和鞣制兽皮。博尔为朱巴与喀土穆之间的一个轮渡码头。有公路通朱巴和马拉卡尔。有机场。1905年始有学校。

Bor　博尔　俄罗斯西部下哥罗德州城市。位于伏尔加河左岸，与下诺夫哥罗德市隔河相望。其间有公路桥（建于1965）相连。有船舶修理所。制造船用配件、港口装备和玻璃器皿。1938年建市。人口约63 300（2000）。

Bor　博尔　塞尔维亚东部城市。有欧洲最大铜矿之一，1904年起即为采矿中心。博尔采矿冶炼厂生产铜、金、银、铂、钯等。附近大克里韦尔新发现的高品位铜矿正在开采。建有矿业学院和矿业博物馆。附近加姆济格勒镇保存有中世纪建筑遗迹。人口约39 387（2002）。

bora　布拉风　吹向意大利黑山亚得里亚海域的寒冷强劲的东北风。该词系威尼斯方言，源出拉丁语 *boreas*，意即"北风"。在冬季最常见。当冷空气从东面吹来越过山脉而下降到海岸时，由于下沉极快，来不及出现绝热增温，就产生布拉风。其风速常常超过100千米/小时，据说能把人吹倒，把车辆刮翻。在欧洲其他地区（如保加利亚、黑海和俄罗斯北极地区的新地岛）出现类似的风也称为布拉风。

Bora-Bora　博拉博拉岛　南太平洋中部法属波利尼西亚的社会群岛中背风群岛的火山岛，多山，四周有珊瑚礁。西岸的瓦伊塔佩是主要村庄。该岛在第二次世界大战中为美国空军基地，旅游业为该地主要产业。主要出产椰干和珠母。人口5 767（1996）。

Borach, Fannie（comedienne）　**博拉奇**　参阅 **Brice, Fanny 布赖斯**。

boracite　方硼石　无色玻璃状的硼酸盐矿物氯硼酸镁（$Mg_3B_7O_{13}Cl$）。在硬石膏、石膏和石盐的沉积矿床中呈内嵌晶体产出。在德国施塔斯富特的盐丘矿床中以结核状产出。那里它作为硼的资源开采。详细的物理特性参阅 **borate mineral**（表）。

borage（*Borago officinalis*）　**琉璃苣**　又称药用琉璃苣。紫草科一年生草本植物。稍具黄瓜香味和味道。株高60厘米，被粗毛。叶大，粗糙，长圆形。花序松散，下垂；花梗通常

琉璃苣（*Borago officinalis*）
美国不列颠百科全书公司供图

淡红色；花星状，鲜蓝色，有时白色或玫瑰色；雄蕊鲜黄色，5枚，在花中心排成圆锥形。原产地中海东部地区，古希腊人已将其利用，现欧洲和北美广泛栽培。可作蜜源植物，鲜叶在欧洲为蔬菜，鲜叶及干叶又可用于炖菜及汤、饮料的调味。

Boraginaceae　紫草科　至少有100属、约2 000种植物的一个大科。多为草本，也有乔木或灌木，以叶有茸毛为特征。分布于热带及温带，但最集中于地中海地区。叶常互生，为单叶；花鲜蓝色，有时带红色，漏斗状或筒状并向外张开，花冠裂片5，花常俯垂或排成蝎尾状聚伞花序。该科有一些种类，规模不大地栽为庭园观赏植物，如弗吉尼亚蓝钟花

紫草科的刺聚合草（*Symphytum asperum*）
美国不列颠百科全书公司供图

（弗吉尼亚滨紫草、弗吉尼亚滨瓣庆，*Mertensia virginica*）、勿忘我草（勿忘我草属[*Myosotis*]）、天芥菜属（*Heliotropium*）、肺草（肺草属[*Pulmonaria*]）、琉璃苣（药用琉璃苣，*Borago officinalis*）等。洋荽属（*Cerinthe*）和倒提壶属（*Cynoglossum*）以及蓝蓟属（*Echium*）等的种则不如上述种类著名。普通蓝蓟（蓝鬼草、蓝杂草，*E. vulgare*）属恶性杂草，难以根除。少数种具有经济意义，如琉璃苣可作蜜源植物和药草用；药用聚合草（*Symphytum officinale*）作药草栽培；染匠朱草（*Alkanna tinctoria*）的根可提取红色染料；药用紫草（白果紫草，*Lithospermum officinale*）的叶可泡茶饮用。

Borah, William E(dgar)　**博拉**（1865-06-29，美国伊利诺伊费尔菲尔德～1940-01-19，华盛顿[哥伦比亚特区]）　爱达荷州的美国共和党参议员，任职33年。以第一次世界大战结束时阻止美国加入国际联盟和世界法院所发挥的重大作用而闻名。早年当律师。1906年首次选入美国参议院，后5次连任，成为美国历史上任期最长的参议员之一。他不赞成中央集权，致力于社会改革，提出建立劳工部和联邦儿童局等项法案。他还极力支持联邦所得税法，反对托拉斯。在对外政策上，他奉行

美国国会图书馆供图

孤立主义。1921年向国会提出提案，呼吁在华盛顿召开国际裁减海军军备会议，结果于1922年2月6日达成了《海军军备限制条约》。1924年任参议院外交委员会主席，总揽大权达16年之久。他支持对苏联的外交承认，帮助建立与拉丁美洲的睦邻关系。20世纪30年代经济大萧条时期，他支持旨在缓解国内经济状况的许多新政措施。欧洲局势日趋紧张时，他坚持孤立主义立场，反对想把美国拉入盟国的一切企图。

Borah Peak　博拉峰　美国爱达荷州最高点。高3 859米。属洛斯特里弗岭，在查利斯国家森林中，位于卡斯特县境，黑利东北80千米处。位于地壳运动活跃区，为1983年地震的震中。

borane　硼烷　由硼和氢衍生出来的一系列无机化合物的总称（参阅 **boron**）。

Borås　布罗斯　瑞典西南部艾尔夫斯堡省城镇。临维斯坎河。建于1622年。现为瑞典重要的纺织业中心，设有纺织学院。也是服装业主要中心。有一些邮购公司。镇西有露天博物馆、木结构教堂、古老的农民住房等。人口：都市区约96 246（1996）。

borate mineral　硼酸盐矿物　各种天然产出的硼和氧的化合物。大部分硼酸盐矿物是稀有的，但仍有一些能形成具有工业开采价

值的大型矿床。硼酸盐矿物的结构含有 BO_3 三角形或 BO_4 四面体，其中氧或羟基分别位于三角形的角顶或四面体的角顶，硼原子位于中心。这两种类型的单位可以出现在同一结构里。角顶可以共享一个氧原子，以便形成扩展的硼氧网络，或者与另一金属离子连接则可以含有一个羟基。任何一种矿物中的硼氧络离子的直径的大小，一般都是随矿物形成时温度和压力的增加而减小。有利于形成硼酸盐矿物的地质背景有两种：①第一种是在工业上较有价值，沉积环境为一不透水盆地，接受由火山活动产生的含硼酸盐溶液，随后的蒸发作用引起碱质和碱土质含水硼酸盐矿物的沉淀。随着沉积作用持续进行而引起的硼酸盐埋深不断增加，按成分分层的硼酸盐层就作为温度和压力梯度的后果而结晶出来。因为要硼酸盐沉淀必须有蒸发作用，所以这种盆地沉积通常都出现在沙漠地区。如莫哈韦沙漠的克拉默区和加利福尼亚的死谷，那里都发现有成层的贫水硼砂、硼砂、硬硼钙石和钠硼解石的巨厚矿层。开采方法主要靠剥离浮土以及传统的露天采矿技术。其他重要的蒸发盐矿床多在哈萨克斯坦的因迭尔博尔斯基区和意大利的托斯卡纳，碱金属硼酸盐的蒸发顺序可在实验室里再现，因为它形成时的温度和压力都很低，是容易达到的。碱金属硼酸盐的溶解和诸如钙和镁之类的金属离子的加入，结果会造成其他一些硼酸盐矿物的沉淀。常见于蒸发岩矿床中的硼酸盐有硼砂、硬硼钙石、板硼钙石、贫水硼砂和三方硼砂。②硼酸盐矿物的第二种地质背景是富含硖酸的变质环境，在这种环境中，硼酸盐是由于围岩受热和压力的影响发生蚀变而形成的；类似的硼酸盐也可作为结核出现在某些埋藏较深的沉积物里。这些化合物都是在较高的温度下形成的，常由紧密堆积的同镁、锰、铝或铁之类半径小的金属离子相结合的 BO_3 三角形所组成。这些硼酸盐的成因不像蒸发硼酸盐那样明显，有些是在变质作用期间，从侵入的炽热的花岗岩中得来的含硼蒸气的反应作用产生的；另一些则是蒸发硼酸盐的重结晶作用的产物。许多硼硅酸盐

硼酸盐矿物

名称及分子式	颜色	光泽	莫氏硬度	比重	晶形、形状	裂纹解理	折射系数	晶系空间结构	备注
方硼石 $Mg_3B_7O_{13}Cl$	无色或白色	玻璃光泽	7～7.5	2.9～3.0	单晶，镶嵌结构，立方状晶体	贝壳状断口到不平坦裂纹	α = 1.658～1.662 β = 1.662～1.667 γ = 1.668～1.673	斜方晶系（在265 ℃以上呈等轴晶系）Cmm	强压电介质和热电介质
硼砂 $Na_2B_4O_7\cdot10H_2O$	无色到白色、淡灰色、淡蓝色、淡绿色	玻璃光泽到树脂光泽	2～2.5	1.7	短柱状晶体	一组完全解理和一组较完全解理	α = 1.445 β = 1.469 γ = 1.472	单斜晶系 $C\frac{2}{c}$	略有甜味或咸味，逆磁性
硬硼钙石 $Ca_2B_6O_{11}\cdot5H_2O$	无色，白色、淡黄色、灰色	明亮玻璃光泽到金刚光泽	4.5	2.4	短柱状晶体块状	一组完全解理，一组清楚解理	α = 1.586 β = 1.592 γ = 1.614	单斜晶系 $P\frac{2}{m}$	
板硼钙石 $Ca_2B_6O_{11}\cdot13H_2O$	无色，部分失水后变成白色云雾状	玻璃光泽	2	1.7	短棱柱体和粗晶集合体，晶簇，晶壳，粒状块体	一组完全解理	α = 1.492～1.495 β = 1.501～1.510 γ = 1.516～1.520	单斜晶系	
贫水硼砂 $Na_2B_4O_7\cdot4H_2O$	无色	玻璃光泽	2.5	1.9	很大的晶体，纤维状、页片状、不规则状块体	二组完全解理	α = 1.454 β = 1.472 γ = 1.488	单斜晶系 $P\frac{2}{c}$	
硼镁铁矿 $Mg_2Fe^{+3}BO_5$	暗绿色到炭黑色	绢丝光泽	5	3.6（硼镁铁矿）到4.7（硼铁矿）	纤维状、页片状集合体，簇状	无可见解理	α = 1.83～1.85 β = 1.83～1.85 γ = 1.97～2.02	斜方晶系	以 Fe^{2+} 代 Mg 与硼铁矿形成固溶体系列
白硼钙石 $Ca_4B_{10}O_{19}\cdot7H_2O$(?)	白色	土状光泽	3～3.5	2.4	松软的、白垩状的到坚硬的结核	土状到贝壳状断口	α = 1.569～1.576 β = 1.588～1.594 γ = 1.590～1.597	三斜晶系(?)	
白硼锰石 $MnBO_2(OH)$	白色到草黄色	绢丝光泽到土状或黯淡光泽	3～3.5	2.6（硼镁石）到 3.3（白硼锰石）	纤维状块体或黏结体或细脉状、结核状		α = 1.575～1.670 β = 1.646～1.728 γ = 1.650～1.732	可能是斜方晶系	以 Mg 代 Mn 与硼镁石形成固溶体系列，硼镁石折射率较低
三方硼砂 $Na_2B_4O_5(OH)_4\cdot3H_2O$	白色（天然）无色（人造）	玻璃光泽		1.9	在自然界发现细粒的粉末，物理性质由人工假立方晶体给出	锯齿状裂缝	ω = 1.461 ε = 1.474	六方晶系 R32	
钠硼解石 $NaCaB_5O_9\cdot8H_2O$	无色，白色	玻璃光泽、绢丝光泽或缎状光泽	2.5	2.0	小结核体，圆球体，或镜头状晶体集合体，纤维葡萄簇状晶壳，单晶稀少	一组完全解理，一组较完全解理	α = 1.491～1.496 β = 1.504～1.506 γ = 1.519～1.520	三斜晶系	

(如蓝线石和电气石)都是在此种条件下形成的。这类化合物兼有 BO_3 三角形和 SiO_4 四面体两种结构单位。与变质环境有关的硼酸盐矿物有方硼石、硼镁铁矿和白硼锰石。

Boratynsky, Yevgeny Abramovich 参阅 **Baratynsky, Yevgeny Abramovich** *巴拉丁斯基*。

borax 硼砂 又名粗硼砂(tincal)。含10个水分子的四硼酸钠($Na_2B_4O_7 \cdot 10H_2O$)。它是既软又轻的无色结晶物质,有多方面用途:作为玻璃的成分,在陶瓷工业中作为陶器的釉料,冶金中作为金属氧化物炉渣的溶剂,作为焊接剂,并作为化肥的加料、肥皂的添加物,消毒剂、漱口剂和水的软化剂。当硼砂从克什米尔和西藏的许多盐湖中采出,到欧洲进行精炼时,就早已为人们所知。工业上生产的硼砂来自硬硼钙石、贫水硼砂、三方硼砂和来自硼砂矿物,制取硼砂矿物的方法是将矿石溶在水中,把黏土滤出,然后蒸发溶液。直到20世纪30年代,硬硼钙石是硼的主要来源,以后被贫水硼砂取代,随后贫水硼砂又被硼砂矿物取代。世界上工业硼化合物的供应量大约50%来自加利福尼亚南部,包括塞尔斯湖的硼砂皮壳和卤水,克拉默附近的巨大的贫水硼砂和硼砂矿床,以及死谷的热泉或盐湖和干盐湖蒸发形成的硬硼钙石矿床。

Borbón, HOUSE OF (Spanish), Italian BORBONE 参阅 **Bourbon, house of** *波旁家族*。

Borcherds, Richard Ewen 博彻兹(1959-11-29,南非开普敦~) 英国数学家。曾入剑桥大学学习数学,1983年获博士学位。后在剑桥和美国加州大学伯克利分校从事教学和研究。1998年,以运用顶点代数和李代数证明月光猜想所假定的某些模函数与大魔群之间不可思议的关系,在柏林的国际数学大会上获菲尔兹奖。

Borda, Jean-Charles de 玻尔达(1733-05-04,法国达克斯~1799-02-20,巴黎) 法国数学家和航海天文学家,以对流体力学的研究和发展导航仪及用来测量地球形状和大小的大地测量仪器而著名。玻尔达早年参加陆军,后来转入海军,升为上校舰长。他曾参加几次科学航行,在美国独立战争中也起了作用。他发展并使用许多仪器来测量子午弧或经线,参与把米制引进法国。玻尔达把对流体的流动和流体阻力的研究应用于火炮、船只和水泵上。他还结合测量技术发展了一系列三角函数表。

Bordaberry Arocena, Juan María 博达维里·阿罗塞纳(1928-06-17,乌拉圭蒙得维的亚~2011-07-17,蒙得维的亚) 乌拉圭总统(1972~1976)。出身富有的牧场主家庭,曾就学于蒙得维的亚共和国大学法学院,其父死后开始经营家里的牧场。50年代世界牛肉和羊毛价格下跌,打击了乌拉圭经济,值此动乱时期他开始政治生涯。在1958年的选举中,经济危机导致自由派红党被逐下台,由博达维里所属的保守派民族(白)党掌权。他曾在几个农业部门工作(1959~1962)、1962~1965年在参议院任职。1964年领导农村行动联盟,代表地主开展运动,以总统制取代执政的九人执行委员会。1969年博达维里转入红党,被阿雷科总统任命为农牧业部部长。博达维里在1972年当选总统后,军队带头要求重新计票,并指控舞弊。他任总统才6个星期便下令中止宪法和个人自由,容许军方消灭给国内造成不安的图帕马罗斯游击队。至1973年,总统实际上已成为军方的傀儡,将实际控制权交给七人国家安全委员会。在军队的强大压力下,博达维里解散议会,禁止一切政党,同意实行新闻检查和政治镇压。经济情况继续恶化,1976年6月12日博达维里被军方推翻,其后便重新经营牧场。

Bordeaux 波尔多 法国西南部城市及港口,阿基坦大区吉伦特省省会。临加龙河,距加龙河与多尔多涅河汇合点24千米,距加龙河河口96千米,位于种植葡萄的梅多克地区东面一片平原之上。

波尔多市的圣安德烈大教堂及佩-伯兰钟楼
美国不列颠百科全书公司供图

梅多克地区土质干燥,早在青铜器时代即有居民点,最迟在罗马时期波尔多已是一繁华城镇和港口,与西班牙和不列颠的联系尤多。此地原名布迪加拉,是塞尔特人比图里吉部落的分支维维西人的重镇。罗马时期为阿基塔尼亚省省会,该省疆域从比利牛斯山直到卢瓦尔河。罗马皇帝戴克里先曾将阿基塔尼亚分为三部分,在4世纪中,布迪加拉是其中一部分阿基塔尼亚-塞肯达的首府。学者奥索尼乌斯生长于该城,他描述布迪加拉是一方形的、围有城墙的城镇,是高卢主要教育中心之一。罗马帝国衰落时,波尔多周围地区有一段时期政治局势动荡。10世纪初,阿基坦诸公爵将其设为公爵领地,该地局势才恢复稳定。

阿基坦的埃莱亚诺继承了阿基坦公爵领地,1154年,其夫登位为英王亨利二世时,波尔多和其余公爵领地归属英国。14世纪间,亨利二世的后裔黑衣王子爱德华设宫廷于此20年,至今仍受当地人尊崇。其子理查(后为国王理查二世)亦出生于此。英国人统治期间,该城享有极大自由:从1235年起,市长由选举产生,该市与英国各港口间贸易兴旺。邻近城镇如圣埃米利永和利布尔讷等参加了由波尔多领导的联盟。1453年法国人在卡斯蒂永战胜英国人后,该城并入法国。但波尔多市的市民曾长时期抵抗对城市自由的限制,1548年发生抗盐税叛乱后,共有120名叛乱者被处决。

17世纪为动乱时期。在宗教战争中市民受屠杀,贸易衰退。18世纪通过“三角贸易”,波尔多再度复兴:将非洲奴隶贩往西印度群岛,向波尔多运回糖和咖啡,又把武器和葡萄酒销往非洲。吉耶讷的管理长官图尔尼侯爵把该市建设得环境宜人,有许多广场和精美的建筑物。法国大革命中的吉伦特党在此成立。该党在恐怖时期严重受挫。在拿破仑战争中,由于英国的封锁,波尔多处境困难,遂于1814年宣布支持波旁家族,促使路易十八封其侄孙为波尔多公爵。

随着铁路铺设,港口设施大为改善、与非洲西部和南美之间贸易增加,城市日益繁荣。普法战争中,1870年德军迫近图尔时法国政府迁往波尔多。第一次世界大战爆发,1914年8月巴黎受到德军威胁,政府又设在该城。第二次世界大战期间,1940年6月,德国进军巴黎,法国政府先迁至图尔,再迁至波尔多。在波尔多,雷诺总理领导政府的少数派提出“决一死战”的口号。他的支持者有戴高乐和芒代尔。雷诺呼吁美国和英国紧急援助。但他被反对派推翻,于6月16日德军进入巴黎两天后辞职。波尔多受到狂轰滥炸之后被德军占领,又因成为德国重要的空军和潜水艇基地而被盟军猛烈轰炸。1944年8月,该城主要由法国军队收复。1945年开始,波尔多不断扩建了许多新的郊区。

现代的波尔多市有一条半圆形的环城林荫大道,大道外为勒布斯卡、科德朗、梅里尼亚克、塔朗斯和贝格勒各郊区。加龙河宽500~690米,流经市区和拉巴斯蒂德郊区之间;环绕一长8千米的新月形码头,码头后面有高大仓库、厂房和楼宇。城市各大广场外是有特色的低矮的白色房屋。河右岸的拉巴斯蒂德有建于19世纪的桥相通。旧城墙有几座城门至今尚存,还有一座圆形罗马剧场的遗迹。建于1775~1780年的大剧院柱廊顶有雕像,可入法国最佳剧院之列。建筑家T.加尼埃设计巴黎歌剧院就是以此剧院堂皇轩敞的双面台阶和圆形拱顶为模式的。码头往下是坎孔塞广场,为欧洲最大广场之一,有吉伦特党人纪念碑及孟德斯鸠和蒙田的巨大塑像。蒙田墓在1441年创办的大学校园中。波尔多的古宗教建筑物有两座建于15世纪的钟楼,一座是圣安德烈大教堂附近的佩-伯兰钟楼,一座是有高达109米尖顶的圣米歇尔钟楼。20世纪后期城市发展规划提出改建市中心区并在北面一个大湖周围和加龙河河口湾西岸扩建新区的计划。兴建了一座展览厅和连接城市与附近国家公路的现代化大桥。原来加龙河上只有一条供人行和汽车通行的桥。

波尔多的大家族以经营航运和贸易发家致富,主要靠名闻遐迩的波尔多葡萄酒。在英国人统治时期,酿酒及经营葡萄酒贸易的家族大为兴盛。15～17世纪一度衰落，18世纪以后虽然时有气候不好和葡萄遭虫害，但一直发展繁荣。虫害最烈是1869年的葡萄根瘤蚜蔓延。现在葡萄种植园约为原来最大种植面积的50%。法国政府和种植园主严格控制葡萄酒的质和量以保证此一重要出口产品的国际市场。18世纪以来，港口区的地位就很重要，但其作用日益转移至其5个外港(即可停泊深水船舶的靠海港口)，尤其是在与安的列斯群岛、非洲和法国的西海岸之间的往来上。近年数量可观的进口物资是石油。此项贸易有利于积累资金，但虽经努力仍不能使工业发展。除传统的食品加工和家具制造业外，近年还增加了炼油、石油化工产品和药物制造工业，还建有一家汽车厂。服务业容纳了主要的就业，这也体现出波尔多是商业和行政中心的地位。该市还有多所大学和研究生院，是地区文化中心。人口215 363(1999)。

Bordeaux I, II, and III, Universities of 波尔多第一大学、第二大学、第三大学 设于法国波尔多、由国家资助的男女同校自治高等教育机构。根据1968年法国《高等教育方向法》，为实行高等教育改革，建立于1970年，以取代原波尔多大学。原波尔多大学是在查理七世统治时期，经教皇训令批准，创办于1441年。它对当时的政治和宗教事务起过重要作用，甚至可派代表参加高级教会会议。15～18世纪，该校曾培养出一些著名人物，如法国小品文作家蒙田(1533～1592)和法官、政治哲学家孟德斯鸠。该校的一些学院，如神学院、宗教法规与民法学院、医学院和艺术学院，都是典型的欧洲文艺复兴时期的大学。法国革命期间，原波尔多大学被关闭，并被法国大学的各个学院所取代。1896年原波尔多大学重新成立，被授予自治权，并由国家资助。现在的几所大学经过重新调整，都设有教学和研究单位，在学术和行政管理上都享有自主权。波尔多第一大学设有法律、经济和科学单位，并有一个天文台。波尔多第二大学设有医学和生命科学单位，并附设若干研究所。波尔多第三大学设有文学艺术、语言等单位，以及一个工业学院。

Bordeaux, Henri Dieudonné, Duke (duc) de 波尔多公爵 参阅 **Chambord, Henri Dieudonné, Count (comte) de 尚博尔伯爵**。

Bordeaux wine 波尔多葡萄酒 又称克拉瑞酒。法国波尔多市周围地区所产种类繁多的葡萄酒的总称。该地酿酒历史悠久，早在古罗马时代就以产酒与勃艮第和莱茵河地区齐名。在英国占领波尔多时，英王查理一世和约翰(1199)先后向从12世纪成立后沿袭至今的行会管理机构颁发酿酒特许证。在监督酿酒的仪式上仍按照中世纪的习俗，身穿圣埃米利永地区的传统长袍。克拉瑞酒是当时的一种淡色酒，用白葡萄酒和红葡萄酒混合而成，在现代法语中已无克拉瑞一词。现波尔多地区为世界高级葡萄酒的最主要产区之一。根据波尔多酒的分类，该地区分为36个区，各区再划分为联社，每个联社拥有若干个葡萄园，当地称为酒庄，它们生产最好的葡萄酒。瓶装酒都标有酒庄的名字，以防掺假。酒庄的最佳瓶装酒被列为"特级"，又细分5类成熟度；这5类成熟度不完全代表酒的质量，在上等酒中常用来表示不同程度的口味。其他标准如市场价格、出口数量及商品声誉等，也是评定等级的因素。尽管对瓶装酒商标有强制性的管理办法，但仍有劣质酒以波尔多牌出售。此外，气候恶劣的年景生产的葡萄酒质量较次，因此还必须根据葡萄的收获期来评定酒的等级。波尔多葡萄酒以梅多克、格拉芙、圣埃米利永及普美乐等地的产品最为有名。梅多克葡萄酒呈红色，性柔和，味浓郁。该地区长80.5千米，宽5～11千米，有12个联社，均拥有可酿造独特风味葡萄酒的土壤。1855年所评定的61种"特级"红葡萄酒，除一种外，均为该地产品。格拉芙地区则以白葡萄酒见长，酒味醇厚，但不太甜。实际上，该地区红、白葡萄酒的产量相近；红葡萄酒的酒味匀和，酒色澄清，保有葡萄香味，有时等级评定在白葡萄酒之上。欧特-布里永酒庄葡萄酒的成熟度于1855年被评为一类，并于1959年按法定分类标准被评为格拉芙8种优质红葡萄酒之一，同年还有5个酒庄的白葡萄酒被评为格拉芙优质酒。索泰尔讷酒和巴尔萨克酒为自然发酵的甜葡萄酒，具有持久的葡萄香味，为世界公认佳酿。为了提高质量，收获前，任葡萄挂在藤枝上过熟，以提高含糖量，因而酒液甘甜，酒精含量较高。这些酒也准予使用欧特-索泰尔讷商标，但并无这一地区。圣埃米利永葡萄酒有时称作男子汉酒，性烈，比梅多克葡萄酒色深。1955年评定了12种超成熟度的圣埃米利永葡萄酒。波尔多红葡萄酒最多可存放8～23年，不过含酒精量高的可保存50年或更长时间。干白葡萄酒酿后1～2年就可饮用，比红葡萄酒或甜白葡萄酒熟化期短，约7年后开始变劣。甜白葡萄酒可在酿后3年饮用，10年达到最佳点，可存放30年。

Borden 博登 又称博登港，加拿大爱德华王子岛省南部普林斯县城镇。临诺森伯兰海峡。1916年以当时加拿大总理R.L.博登之名命名。为渔港和运输中心，有公路、铁路通夏洛特敦和其他城市。1852年从博登附近至托门丁角的北美第一条海底电缆铺设成功。1919年设镇。人口436(1991)。

Borden, Sir Frederick William 博登(1847-05-14，加拿大新斯科舍康沃利斯～1917-01-06，新斯科舍坎宁) 加拿大政治家，曾帮助加拿大建立海军。在哈佛大学学医后，在坎宁行医几年。1874年当选为加拿大众议院自由党议员，1911年落选。1902年受封为爵士。1896～1911年任民兵和国防部长，努力加强军队的训练和纪律。随着取得哈利法克斯、新斯科舍和埃斯奎莫尔特的海军设施，该部便负责发展海军，并且停止用英国军官指挥民兵。

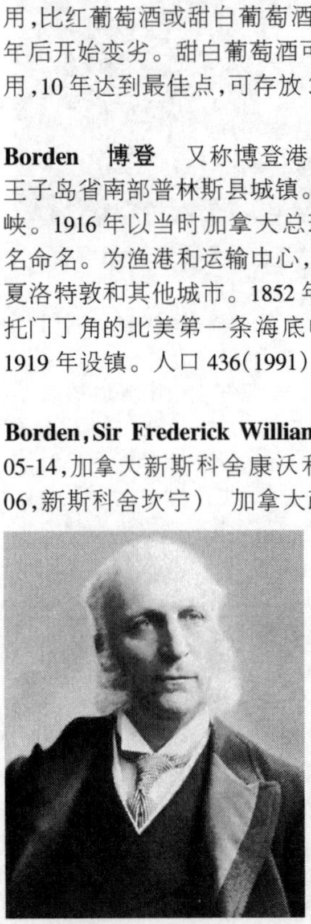

美国不列颠百科全书公司供图

Borden, Gail 博登(1801-11-09，美国纽约诺威奇～1874-01-11，得克萨斯博登) 美国慈善家、企业家和发明家，预见到浓缩食品是保障人类食品供应的方法之一。最初发明一种肉饼，在1851年的伦敦博览会中获金奖，但在商业上并不成功。后首创生产炼乳的工艺，1856年获美国、英国专利。1861年开设炼乳厂。青年时他曾帮助勘测肯塔基州未来城市卡温顿。在密西西比州南部担任过教员。1829年迁居得克萨斯州，绘制了该州第一张地形图；帮助起草了该州的第一部宪法；又是该州第一份历史悠久的报纸的合作创办人；并规划了加尔维斯顿的城市建设。

Borden, Lizzie 博登(1955-02-03，美国密歇根底特律～) 全名Linda Elizabeth Borden。美国电影制作人，其影片从女权主义的角度出发，体现出兼收并蓄的风格和主题，与主流电影大不相同。韦尔斯利学院美术学士，纽约市立大学昆斯学院美术硕士。1976年导演了实验性影片《重组》，1983年导演的女权主义经典影片《火焰中诞生》大获成功。1986年担任女权主义文献片《上班女郎》的编剧、导演、剪辑和制作，力图消除色情意味。随后在好莱坞拍摄惊悚片《爱情犯罪》。1994年与他人合写并执导了《让我们来谈性》中的美国部分——《情色地图》。

Borden, Lizzie (Andrew) 博登(1860-07-19，美国马萨诸塞福尔里弗～1927-06-01，福尔里弗) 轰动全美国的杀害父亲和继母的女嫌疑犯。利齐·博登3岁丧母。其父富有，以严厉和吝啬闻名，于1865年续弦。利齐与妹妹埃玛常因家庭经济问题同父亲、继母龃龉。1892年8月4日上午博登先生外出，其妻与一名爱尔兰仆人B.沙利文和利齐留在家中(埃玛已外出)。博登先生回家后在躺椅上打盹。约上午11点15分，利齐(按她的证词)发现其父头部被利器重创致死，又在楼上发现其继母的尸体被肢解。经检验证明，其母比其父先死亡一小时左右。不久有人见到利齐在炉中烧了一件衣服。沙利文则于当晚携带一件未查明的包裹离开该屋。未发现凶器。利齐于1893年6月以双重杀人罪被捕并受审，后根据现场的证据被宣告无罪。她一直居住在福尔里弗，死时66岁，基本上被社区所摈弃。

Borden, Sir Robert (Laird) 博登(1854-06-26，新斯科舍格朗普雷～1937-06-10，渥太华) 加拿大保守党领袖(1901～1920)，第8任总理(1911～1920)。他坚持加拿大在国际联盟中享有单独的会员资格，并在把加拿大从殖民地地位转变为独立国家方面起了决定性的

美国不列颠百科全书公司供图

作用。1914 年被封为爵士。生于格朗普雷的一个小村庄里。不到 15 岁即中断学习，担任母校教师助理。1874 年在哈利法克斯的一家法律事务所当学徒，1878 年在新斯科舍省获律师资格。1889 年与劳拉·邦德结婚后，开设一家法律事务所，后来发展为沿海诸省最大的法律事务所之 一。1896 年接受保守党提名参加代表哈利法克斯的议员竞选。1900 年再度当选后，出任保守党领袖。1911 年自由党因决定接受与美国的互惠贸易协定而丢失政权，博登遂出任总理。他最关注英加关系，力求确立加拿大在帝国政策中的影响。第一次世界大战前他的海军政策——包括付给英国 3 500 万美元建造 3 艘战列舰——就体现了这一思想。在战争的头两年里，博登一再要求英国作决定时，有必要让加拿大参加，但直到 1917 年劳合·乔治组建帝国战时内阁（IWC）时，博登才获得表达加拿大观点的机会。在凡尔赛会议期间，他支持美国总统威尔逊的“14 点建议”，强调加拿大的利益要求英帝国与美国之间建立可能的最密切的联盟。第一次世界大战期间，博登组织联合政府。1917 年大选中联邦主义者的胜利，保证了博登通过参战来提高加拿大国际地位的政策得以持续下去。博登对英加关系的过分关心部分地造成了他在内政上的无所作为。由于指责他的政府无能、滥授官职和发战争财，公众对他的信任降低。他支持盟国出兵干涉俄国内战，急切派遣加拿大军队参加。他逮捕温尼伯总罢工（1919）领导人和对他们进行指控的政策，使他与劳工对立。他于 1920 年 7 月辞职。退休后曾作为加拿大代表出席在华盛顿召开的海军裁军会议（1921）。著有《加拿大宪法研究》（1922）、《英联邦内的加拿大》（1929）和《回忆录》（1938）。

Bordentown 博登敦 美国新泽西州西部伯灵顿县城市。濒特拉华河。1682 年建居民点。独立战争期间，政论家托马斯·潘恩曾住在这里（1781 ～ 1787）。拿破仑长兄、流亡的西班牙国王约瑟夫·波拿巴曾在市郊购置约 600 公顷土地，作为招待欧洲贵族的“小王国”。残留地产已辟为波拿巴公园。其他古迹有穆拉特宫、霍普金森旧居及博登楼等。19 世纪成为特拉华-拉里坦运河终点，兴建新泽西州第一个铁路工厂。现在经济以农业、食品加工业和轻型制造业（运动服、印刷机械、包装等）为基础。设有约翰斯通弱智者就业训练与研究中心和一所青少年教养所。1825 年设镇，1867 年设市。人口 3 969（2000）。

Border, Allan Robert 博德（1955-07-27，澳大利亚新南威尔士悉尼的克里莫～ ）澳大利亚板球手。1993 年成为历届（国际）决赛阶段比赛中得分最多的击球手。博德生长于悉尼，用左手击球和投球，1977 年开始参加最高水平的板球比赛。1978 ～ 1979 年在墨尔本首次参加决赛阶段比赛，1983 ～ 1984 年任昆士兰队队长，在 1984 ～ 1985 年赛季中继休斯之后任澳大利亚队队长。尽管在大部分运动生涯中他担任队长的球队总是输球，但他仍是澳大利亚历届国际板球决赛中成绩最佳的击球手，其平均得分保持在 51 分左右。1993 年他超过印度击球手加瓦斯卡尔击球得分 10 122 的纪录，成为在板球决赛史上击球得分最高的人。博德是历史上参加决赛阶段比赛次数最多的运动员（至 1992 ～ 1993 年赛季为止共 150 次）。在 1987 年世界杯比赛中曾率澳大利亚队战胜英格兰队。

border ballad 边境歌谣 一种生动活泼的英雄叙事歌谣，描述 15 和 16 世纪发生在英格兰和苏格兰边境上的袭击、械斗、诱拐和私奔等事件。在这一带，英格兰或苏格兰的法律均无效。这些叙事歌谣所涉及的虽然有一些有历史价值，但多数都是歹徒和匪帮的个人报复事件。这些人在边境施行他们自己的一套残暴做法。参阅 **coronach**。

border terrier 边境㹴狗 㹴狗的一个品种，在英格兰和苏格兰边境乡村育成，用以猎危害家畜的狐。体高约33厘米，体重5～7

边境㹴狗
美国不列颠百科全书公司供图

千克。头扁，似水獭；肩窄；被毛厚，不畏恶劣天气，色蓝灰、棕褐、金黄或红棕。

Borders 博德斯 苏格兰东南部一个地区。1975 年设建制。面积约 4 698 平方千米。包括原贝里克、皮布尔斯、罗克斯堡和塞尔扣克等郡及原米德洛锡安郡一小部分，现分为特威代尔、埃特里克和劳德代尔、罗克斯堡和贝里克希尔等区。牛顿圣博斯韦尔斯为地区首府。人口约 102 649（1991）。

Bordes, Charles 博尔德（1863-05-12，法国武夫赖附近罗什科邦～1909-11-08，土伦）法国作曲家，唱诗班指挥和音乐学家。对重新上演文艺复兴时期的复调合唱音乐起了重要作用。师从于弗兰克。1890 年成为巴黎圣热尔韦教堂唱诗班指挥。使该堂成为研究和演出 15、16、17 世纪声乐的中心。1894 年与管风琴家 A.吉尔芒和作曲家丹第共同创办圣歌学会，1896 年改组为宗教音乐学院，自任教授。它的刊物《圣热尔韦论坛》（1895）是法国音乐学的主要喉舌。出版《古代宗教大师乐曲选》，为一些合唱团体提供宝贵资料。1905 年前移居蒙彼利埃，创办圣歌学会的地方性分会。对民歌亦有兴趣，于 1889 年旅行到巴斯克农村搜集传统曲调，其中有 100 首编辑成集，以《巴斯克传统曲调选粹》为名出版（1889 ～ 1890）。作为一位作曲家，他的歌曲创作成就很大。他也创作钢琴音乐、宗教的和世俗的合唱作品、一首长笛与弦乐《巴斯克组曲》、《贝亚恩舞曲》，以及一首为管弦乐队而作的交响诗。

Bordet, Jules(-Jean-Baptiste-Vincent) 博尔德（1870-06-13，比利时苏瓦尼～1961-04-06，布鲁塞尔） 比利时细菌学家、免疫学家。由于在血清中发现免疫因子（该发现对诊治

美国不列颠百科全书公司供图

多种危险的传染病极为重要）而获 1919 年诺贝尔生理学或医学奖。1894 ～ 1901 年于巴黎巴斯德研究所研究细菌及红细胞在血清中的裂解过程，对血清学的建立起了重要作用。1895 年，他发现有两种血清成分能使细菌细胞壁破裂（溶菌现象）：一种是耐热的抗体，只存在于对该种细菌有免疫力的动物体内；另一种是不耐热的物质，存在于一切动物体内，今称补体。3 年后发现异体红细胞在血清中也会裂解，并称该过程为溶血。1901 ～ 1940 年在布鲁塞尔创建并领导了布拉班特省的巴斯德研究所，在那里和 O.让古一起继续研究免疫。他们的工作为用血清学方法检验许多疾病（包括伤寒、结核，尤其是梅毒）提供了依据。1906 年他和让古一起发现百日咳的致病菌（今称百日咳博尔德氏菌[*Bordetella pertussis*]）。1907 ～ 1935 年任布鲁塞尔大学细菌学教授，在那里研究过血凝现象及噬菌体。

Bordighera 博尔迪盖雷 意大利西北部利古里亚区因佩里亚省城镇。位于西海岸，在文蒂米利亚和圣雷莫之间。为主要冬季游览胜地。出口花卉、橄榄油和棕榈枝供从棕榈主日到复活节的一周（参阅 **Holy Week**）圣彼得教堂（罗马）和其他教堂举行宗教仪式用。人口约 11 121（1993）。

Bordinho, Maurício 博尔迪尼奥 Bordinho 又拼 Bordino 或 Bourdin。参阅 **Gregory**（papacy）格列高利（教皇）项下的 **Gregory**（**VIII**）格列高利（八世）。

Bordone, Paris **博尔多内**(1500,威尼斯共和国特雷维索[今在意大利]～1571-01-19,威尼斯) 文艺复兴时期威尼斯画家。多以宗教、神话等为题材,最擅长肖像画。他是提香的学生。创作时期的大部分时间在威尼斯,其间也曾访问过法国。据说可能在16世纪40年代曾访问奥格斯堡为富格尔家族工作过。他的多数作品没有确切的日期。威尼斯美术学院有署名和标有1540年的《渔夫与总督》是其主要的历史画。博尔多内的风格逐渐变得有些风格主义,色彩更强烈。虽然他继续绘制户外圣哲家庭的画,但也绘制一些体态优美的女子画像。

Bordoni, Faustina **波唐尼**(约1700,威尼斯～1781-11-04,威尼斯) 意大利女中音歌唱家,最早的杰出歌剧女主角演员之一。婚后从夫姓哈塞(Hasse)。因其美貌、演技、歌喉音域和呼吸控制而闻名。出身显贵,曾师从加斯帕里尼,并得到马尔切罗兄弟的庇护。1716年在波拉罗洛的《阿里奥丹特》一剧中首次登台(在威尼斯),一鸣惊人;到1722年时已在意大利遐迩闻名,以致有人在那不勒斯为她铸造奖章以示敬意。1723年首次在慕尼黑亮相,演出托里的《格里塞尔达 》。1724年韩德尔在维也纳宫廷歌剧院听她演唱后即聘请她;1726年随韩德尔的歌剧公司在伦敦上演其《亚历山德罗》一剧。在伦敦时她与著名女高音歌唱家楚左尼成为竞争对手,二人誓不两立,双方的崇拜者更使她们的关系进一步恶化,终于在1727年一次演出博农奇尼的《阿斯蒂阿纳特》时爆出揪头发大打出手的丑闻。这二位歌剧名家后来在盖伊的《乞丐歌剧》及其续集《波利》中被塑造成波利和露西两角而加以讽刺。波唐尼塑造的韩德尔歌剧角色还有:《阿德米托》中的阿尔切斯蒂斯和《里卡尔多一世》中的普尔切里亚(1727);《西罗》中的艾米拉和《托勒梅奥》中的埃利萨(1728)。与作曲家哈塞结婚后移居德累斯顿,至少曾在他的15部歌剧中扮演角色。她又多次长时间地访问意大利,在威尼斯演出歌剧30余部。1750年曾在法国宫廷演唱。70岁以后仍很活跃,那时已退隐威尼斯。

bore **膛径** 枪炮膛管的内径。在刻有来福线的枪炮膛管中,如步枪、手枪、机枪、大炮或舰炮等,其膛径的大小以口径(calibre 或 caliber)来度量。在传统的英、美制中,炮的口径单位是英寸,枪的口径单位是0.01英寸;米制则用毫米或偶尔用厘米。口径亦指炮弹或枪弹的外径,也用英寸或毫米为单位。有时用两组数字表示枪弹的直径与长度,例如,口径6×47即代表直径6毫米、长度47毫米的子弹。猎枪的膛径以型号表示。猎枪的型号最初以总重量为1磅的该膛径球形铅弹的数目表示,故枪的型号愈小,膛径愈大。但后来猎枪的型号按膛径标准化,已与原来的表示法无关。

bore **涌潮** 也作tidal bore。特高涨潮时入海河流中逆流而上的水体。沿河上溯的速度约为正常潮流的2～3倍,涌潮通常的特征是前端为轮廓鲜明的一个或几个波,常为碎浪,然后是比前端水面更高的主体。涌潮在近岸处比河心高。由于动量的关系,有些涌潮的势头在高潮之后继续上溯约半小时。涌潮不在河口出现,而是向上一段距离在河床又窄又浅、可集中涨潮的动量处形成。涌潮在大潮及其前后的几次潮中发生,但不会在小潮时发生。在法国塞纳河下游鲁昂与海之间的可怕涌潮称为"马斯卡雷潮"。

Boré, (Jean) Étienne **博雷**(1741-12-27,法属北美洲～1820-02-02,美国路易斯安那新奥尔良附近) 路易斯安那州制糖工业的奠基人。在路易斯安那州种植槐蓝前,曾在路易十五的王室卫队任职10年。18世纪90年代初虫害毁灭槐蓝作物后,他完善了制砂糖的工艺过程(1794或1795),并在他的土地上改种甘蔗。1803～1804年任法国和美国统治下的新奥尔良市长。

Boreal Climatic Interval **北方气候期** 全新世中的一个气候期。放射性碳的年代测定表明,北方气候期大约开始于9 500年前,结束于7 500年前。在前北方气候期之后,大西洋气候期之前。在欧洲其早期以榛-松群落占优势的森林为特征,海面下降;其晚期以榛-栎林占优势,海水再次侵入陆地。但这两个阶段气候一直保持温暖干旱。

boreal forest **北方森林** 参阅 taiga 泰加林。

boreal forest moss **北方林藓** 参阅feather moss 羽毛藓。

Boreas **波瑞阿斯** 希腊神话中的北风神。他掠走雅典王厄瑞克透斯的女儿,美丽的俄里蒂亚;他们以诸风之王及王后的身份住在色雷斯,有两子,卡莱斯和泽特斯。为向雅典

绘于公元前5世纪阿提卡水罐上的波瑞阿斯诱拐俄里蒂亚的图案

美国不列颠百科全书公司供图

人表示友好,他在色萨利的塞皮亚斯海角的海面上,摧毁了波斯国王薛西斯的舰队。雅典人为了报答,在伊利索斯河附近为他建立一座神庙或祭坛,并举行节庆活动。在艺术作品中,波瑞阿斯被描述为长着胡须,身强力壮,穿着御寒服并长有翅膀。

Borel, (Félix-Édouard-Justin-) Émile **波莱尔**(1871-01-07,法国圣阿夫里克～1956-02-03,巴黎) 法国数学家,创立了点集测度的第一个有效理论,与法国的R.贝尔和H.勒贝格一起开创了实变函数的现代理论。1896年,执教于巴黎高等师范学校,是年发现了皮卡定理的初等证明。这一惊人成就为他阐述整函数及其值分布理论提供了基础,而在其后30年中,这一课题在复变函数论中占有主导地位。他虽然没有最早为发散级数的约定和作出定义,但却最早构思并发展了关于这种级数的一个系统理论(1899)。1909年,巴黎大学为他专门设立了函数论教授席位。他写了关于对策论的一系列论文(1921～1927),并首次为策略对策作了定义。他曾任法国国民议会议员(1924～1936)、海军部长(1925～1940)。第二次世界大战期间参加抵抗运动并荣获抵抗运动奖章(1945)。他还被授予大十字军功章(1950)和国家科学研究中心颁发的第一枚金质奖章(1955)。

Borel, Jacques **博雷尔**(1925-12-17,法国巴黎～) 法国作家、翻译家和评论家。公务员之子,1949年毕业于巴黎大学。1952～1967年间在法国各高级中学教授英语,1966～1983年间在美国一些学院和大学任访问教授。其主要作品《爱慕》(1965)是一部半自传性小说,记叙一个儿子和他的寡妇母亲的关系,在描写事件与思想的大量细节上具有普鲁斯特或乔伊斯的创作特色,获龚古尔奖。此后又有《爱慕》的续篇《回家》(1970)及其他小说、诗集和文学批评文章问世。他还编辑了保罗·魏尔兰作品全集于1959～1962年间出版。他翻译的詹姆斯·乔伊斯的诗作于1967年出版。

Borel, Petrus **博雷尔**(1809-06-29,法国里昂～1859-07,阿尔及利亚穆斯塔加奈姆) 原名约瑟夫-皮埃尔·博雷尔,又称博雷尔·德·欧特里沃。法国诗人、小说家。在浪漫主义运动中起指导作用的文学评论家。小五金商之子。学过建筑设计,后选择文学并成为19世纪30年代最愤世嫉俗的青年作家之一,获得"变狼妄想患者("狼人")"的称号。是包括奈瓦尔和戈蒂埃在内的"民主青年"的大胆作家中的领袖人物。随着古典主义风格的复兴,他日益陷于贫困。后在阿尔及利亚殖民政府中谋得一个职务。由于生性傲慢和敏感,1855年被辞退;在穆斯塔加奈姆的一所哥特式住宅里过着落魄的逸士生活,终其余

美国不列颠百科全书公司供图

年。博雷尔的作品散发着恐怖和情节剧气息,其中包括《狂想诗集》(1832)、短篇小说集《尚巴维,伤风败俗的故事》(1833)和《皮蒂法尔夫人》(1839)。后者有一诗序,为诗人C.波

德莱尔超世俗的风格的前奏。

Borelli, Giovanni Alfonso　博雷利(1608-01-28,那不勒斯王国那不勒斯[意大利]～1679-12-31,罗马)　原名 Giovanni Francesco Antonio Alonso。意大利生理学家、物理学家。第一个用静力学及动力学的规律来解释肌肉运动及其他身体功能。曾任数学教授。最著名的著作为《动物的运动》(1680～1681),他在书中试图以力学原理来解释动物身体的运动,因此被认为是物理医学派的奠基人。也写过许多天文学著作。1666年著文讨论木星对其卫星的引力影响。1665年用皮埃尔·玛丽亚·穆托里的假名发表一封信,首先提出彗星沿抛物线轨道运行。

borer beetle　窃蠹　鞘翅目窃蠹科昆虫,约1 100种。多形小,长1～9毫米,圆柱形。受惊时常缩足装死。为人熟知的有烟草窃蠹、红毛窃蠹、药材窃蠹、家具窃蠹等,为害药材、

红毛窃蠹(*Xestobium refuvillosum*)
美国不列颠百科全书公司供图

谷类、香料、烟草、木材、垫褥芯,有一些生活于真菌、种子、瘿中或树皮下。英语中 borer beetle 一词意为钻蛀甲虫,此词亦用于棘胫小蠹科的钻树种类。

Borg, Björn (Rune)　博格(1956-06-06,瑞典南泰利耶～　)　瑞典网球运动员,当代最杰出的网球名将之一。他是继 L.多尔蒂之后(1902～1906)连获5次温布尔登锦标赛(1976～1980)单打冠军的第一个运动员。他还史无前例地接连4次赢得法国公开赛的男子单打冠军,前后共6次获此项荣誉(1974～1975,1978～1981)。博格自幼学打网球,13岁即击败瑞典的少年尖子选手。他善长强有力的发球和双手反手击球。14岁进入职业网坛,17岁夺得意大利公开赛冠军,18岁登上法国公开赛冠军宝座。1975年他为瑞典第一次赢得戴维斯杯立下汗马功劳。此时,他已连续16次夺得单打冠军,超过 B.蒂尔登连拿12次冠军的纪录。直到1981年春他在温布尔登网球赛中败给 J.麦肯罗为止,他已写下了赢得41场单打比赛和连续5次夺魁的空前纪录,可是,在4个"大满贯"赛中有两个桂冠始终与他无缘,那就是美国公开赛和澳大利亚锦标赛的冠军。1983年1月,他宣布永久退出职业网坛。在此之前,由于税收的原因,他已把家安在摩纳哥。他与 E.斯科特合著的《B.博格:我的一生与比赛》于1980年出版。

Borgå (Finland)　博尔戈　参阅 **Porvoo 波尔沃**。

Borge, Victor　博尔格(1909-01-03,丹麦哥本哈根～2000-12-23,美国康涅狄格格林尼治)　原名 Borge Rosenbaum。丹麦出生的美国喜剧演员及钢琴家。1922年第一次登台举行音乐会,1934年首次在一出讽刺音乐剧中演出,之后便开始写作并导演戏剧,发展出一种结合幽默感与音乐的风格。1940年移民美国。虽然他曾以独奏家或是客座指挥的身份与许多世界领导地位的管弦乐队合作演出,但他不可忽视的钢琴演奏天分却常被他的幽默感所掩盖。

Børge Mountains National Park　伯尔格山国家公园　挪威语作 Børgefjell Nasjonalpark。位于挪威北特伦德拉格和诺尔兰两郡的边界线上。1970年建立。面积1 087平方千米。在崇山峻岭(最高峰克维峰海拔1 703米)之中有许多湖泊与河流。园内有许多珍禽异兽。

Borgen, Johan (Collet Müller)　博尔根(1902-04-28,挪威克里斯蒂安尼亚[今奥斯陆]～1979-10-16,瓦勒岛)　挪威小说家、剧作家、短篇小说与散文作家,20世纪挪威最重要作家之一。主要作品有小说三部曲《小领主》(1955)、《黑泉》(1956)、《得手》(1957),英译名《小领主》,描绘1917年到第二次世界大战期间挪威中上层阶级的生活。在主人公萨根身上,他深刻地描绘了那种平时牢骚满腹而战时与纳粹相勾结的人的形象。该小说还简述了作者在哥本哈根和巴黎的生活,从中并可作心理研究。短篇小说集《走向黑暗》(1925)是他踏上文学生涯后的第一部作品。《爱情短篇小说选》(1952)及《短篇小说选》(1961)极为成功,获得批评家和普通读者的好评。此外还发表了《我》(1959)、《蓝山》(1964)、《红雾》(1967)等经验主义小说,探究异化与认同的问题。他还写剧本,以及短小精悍和妙趣横生的随笔。1965年因发表《新故事弗吕登堡》获北欧理事会文学奖。1954～1959为一文学杂志主编。他能够既热情而又明晰地对作品进行透析,将许多外国作家介绍给挪威读者。

Borger　博格　美国得克萨斯州西北部哈钦森县城市。为博格-菲利普斯-布纳维斯塔石油和天然气产区综合体的一个组成部分。1926年创建。主要工业品除石油和天然气外,有炭黑、印刷油墨及合成橡胶。由于灌溉面积扩大,农牧业有重要经济价值。附近有桑福德水坝拦成的梅勒迪斯人工湖。阿利贝茨燧石矿国家保护区内有(占地539公顷)史前时期的印第安人采矿场。市内有弗兰克·菲利普斯学院(1946)。人口14 382(2000)。

Borgerhout　博尔赫霍特　比利时北部城镇,在安特卫普省安特卫普市的东郊。该镇原为安特卫普和德尔讷之间的村庄,1836年设为城镇。此镇在第一、第二次世界大战期间都曾为德军占领。镇上有漂染厂;生产蜡烛、化学制品、烟草和挂毡、精于钻石切割与抛光的技术。附近曾出土高卢-罗马人的骨灰瓮。建于19世纪的教堂是比利时第一座新哥特风格的教堂。人口43 556(1982)。

Borges, Jorge Luis　博尔赫斯(1899-08-24,布宜诺斯艾利斯～1986-06-14,瑞士日内瓦)　阿根廷诗人、小说家。他的家族在阿根廷历史上很有地位,祖先中有英国血统的人。父

美国不列颠百科全书公司供图

亲知识渊博,是英语学校教员。博尔赫斯童年阅读过大量英文版世界文学名著。在父亲的启迪下,从小立志从事文学工作。第一次世界大战前夕,全家移居日内瓦,在该地学会法语和德语,并获日内瓦大学文学士学位。1919年离开瑞士,在西班牙与青年作家一起搞反对颓废的极端主义运动。1921年回布宜诺斯艾利斯,开始写诗,歌颂家乡的美丽风光,1923年出版第一部诗集《布宜诺斯艾利斯的热情》。以后写了几部随笔集和诗集。接着开始创作小说,如他的第一部短篇小说集《世界丑事》(1935),重述世界上一些恶人的生平。1938年起,为维持生活,在图书馆任职9年。1938年其父去世,他头部又受重伤感染,几乎因此丧命。此后8年,创作大量短篇幻想小说,汇编成一系列的小说集。同时与人合作,写一些侦探故事。这些作品首次揭示了博尔赫斯的整个梦幻世界,以独特的文笔讽刺现实。1955年,任国立图书馆馆长兼布宜诺斯艾利斯大学英美文学教授。此后双目失明,只能靠口授写些短篇。他在国内名气不大,直到1961年与 S.贝克特同获国际性的福门托奖之后,他的小说和诗歌才开始被誉为20世纪世界文学的经典著作。

Borghese FAMILY　博盖塞家族　意大利贵族世家。源出锡耶纳,13世纪兴起,16世纪迁往罗马,出过许多高官显宦。早期成员加尔加诺是教皇派驻那不勒斯的使节(1456),彼得是元老院议员(1516)。马克安东尼奥(1504～1574)开始迁居罗马。其子卡米洛后来成为教皇**保罗五世(Paul V)**。教皇保罗五世授给这个家族许多特权,任命其侄卡法雷利(1576～1633)为枢机主教。卡法雷利在教会政治中起过重要作用,对倡导艺术尤感兴趣。他发现并鼓励了 G.L.贝尔尼尼(1598～1680)的天才使之成为意大利巴罗克风格的杰出雕塑家和建筑师。他资助建设或重建了罗马的许多教堂和宫殿。他建造的博盖塞别墅收藏了大量的油画和雕塑品(参阅 **Borgh-**

ese Gallery）。马克安东尼奥第三为那不勒斯总督。19 世纪，该家族的卢多维科（1775 ～ 1832）与拿破仑的妹妹结婚（1803），成为将军，当过皮埃蒙特总督。

Borghese Gallery　博盖塞陈列馆　罗马国家博物馆。以收藏意大利巴罗克风格的绘画和古代雕刻而著称。设于宾西亚丘陵上的博盖塞公园内，馆房原为荷兰建筑师 J.范·桑滕（G.瓦桑齐奥）设计，1613 ～ 1616 年修建的博盖塞别墅。绘画大多为 17 世纪教皇保罗五世（C.博盖塞）及其侄子红衣主教 S.博盖塞所收藏，其他古玩则为 18 世纪 M.博盖塞和 19 世纪 F.博盖塞所收藏。1902 年意大利政府从博盖塞家族手中将别墅及其收藏品收归国有。

Borgia FAMILY　博尔吉亚家族　西班牙巴伦西亚贵族后裔，定居意大利，在 15 ～ 16 世纪的宗教和政治中起过巨大作用。这个家族的某些成员以善于背信弃义闻名。该家族出过两个教皇和许多政治和宗教领袖。1455 年阿方索（1378 ～ 1458）成为教皇加里斯都三世（**Calixtus III**），1492 年罗德里戈（1431 ～ 1503）成为教皇亚历山大六世（**Alexander VI**）。罗德里戈之子切萨雷（参阅 **Borgia, Cesare**；约 1475/1476 ～ 1507）把持政权，企图在中意大利建立一个王国。罗德里戈之女卢克雷齐娅（参阅 **Borgia, Lucrezia**；1480 ～ 1519）赞助艺术事业，但以玩弄政治阴谋著称。博尔吉亚家族在 16 世纪末叶开始衰败，到 18 世纪末已湮没无闻。

Borgia, Cesare, DUC (duke) DE VALENTINOIS　博尔吉亚（约1475或1476，可能于罗马[意大利]～ 1507，西班牙比亚纳附近）　教皇亚历山大六世的私生子。他是文艺复兴时代的

美国国会图书馆供图

一个头目，身兼罗马涅公爵和教会军总司令，一方面加强了他父亲的教皇国的势力，另一方面力图在意大利中部建立自己的大公国。根据他施用的计谋策略，《君主论》的作者马基雅弗利推崇他为新"君主"的一个榜样。博尔吉亚之母是他父亲最著名的情妇瓦诺扎·卡塔奈。他出生时父亲是罗德里格·博尔吉亚枢机主教，担任教会的副主教。小博尔吉亚自幼受宗教教育，1480 年教皇西克斯图斯四世解除他的私生子身份，以便让他能充任教会职务。他的家庭背景和文化背景基本上是西班牙的。博尔吉亚自幼聪明伶俐，14 岁入佩鲁贾大学修法律，后转比萨大学，取得教会法和民事法学位。1491 年任潘普洛纳主教。1492 年他父亲登上教皇宝座，他任巴伦西亚大主教，1493 年任枢机主教，成为他父亲的主要顾问之一。1497 年其弟胡安神秘地被暗杀，谣传系博尔吉亚所为，但无确凿证据。1498 年他辞去枢机主教之职，欲娶那不勒斯国王之女卡洛塔，未成，前往法兰西娶纳瓦拉国王之妹夏洛特，同时接受了法兰西国王路易十二世授予的瓦伦蒂努瓦公爵称号。1499 年，作为教廷军总司令，博尔吉亚在大批法兰西军队的援助下发动有计划的军事行动，先后占领了大多原由半独立的名誉主教控制的罗马涅和边界地区各城市。教皇亚历山大六世和博尔吉亚的所作所为在教皇国内部和意大利其他国家激起强烈反对。反对博尔吉亚的人们说他是贪婪残暴的怪物，杀害同胞兄弟并以不正当手段凌驾于其父之上。博尔吉亚野心无度又刚愎自用，决心趁生父未死他尚能享受教廷政治和财力支持之时，奠定自己作为意大利一君主的地位。不少政治暗杀事件据说是他所为，其中证据最确凿者是 1500 年 8 月他杀害姻弟比谢列公爵阿方索一案。博尔吉亚的第三次罗马涅（1502 ～ 1503）之役最好地表现了他的手法。他以急行军突袭了毫无戒备的乌尔比诺，然后又迅速攻陷了卡梅里诺。当时，他手下的几位重要将领担心他的权势，策动所谓马焦内阴谋案反对他。博尔吉亚丧失了大部分部队，被迫固守罗马涅。但是，他利用大量的教廷资金重建军队，同时利用外交手腕成功地离间了阴谋分子。然后他以寻求和解为由，安排与一些阴谋分子在塞尼加利亚会见，待到这些人离开自己的部队后，就将他们逮捕处决（1502 年 12 月）。当时博尔吉亚有强大的军队支持，可能正在策划进攻托斯卡纳，以建立自己的国家。不期他的父亲卒于 1503 年 8 月 18 日，他本人其时也疾病缠身，加上痛恨博尔吉亚家族的朱利亚诺（罗韦雷的）被选为新教皇（称尤里乌斯二世），于是博尔吉亚的生路日窄。尤里乌斯二世拒绝承认博尔吉亚为罗马涅公爵或教廷军总司令，并要求他归还罗马涅诸城。博尔吉亚被捕，后因同意交出所占城市而获缓刑。他趁机逃往那不勒斯，却又被西班牙总督科尔多瓦逮捕。博尔吉亚被押到西班牙，先囚在巴伦西亚附近钦奇利亚堡，后囚在坎波城，1506 年越狱。他自知短期内难回意大利，遂投奔姻兄纳瓦拉国王，1507 年在比亚纳城外与纳瓦拉叛乱分子作战身亡。

Borgia, Saint Francis　博尔吉亚（1510-10-28，西班牙甘迪亚～ 1572-09-30 或 10-01，罗马）　原名弗朗西斯·德·博尔吉亚-阿拉贡。西班牙贵族、耶稣会第 3 任总会长。1546 年参加耶稣会，在甘迪亚城开设耶稣会学院，1547 年教皇颁发谕旨将该院改为大学。1550 年到罗马，受到耶稣会创始人依纳爵·罗耀拉接见。1551 年返回西班牙任司铎。1554 年依纳爵·罗耀拉任命他为西班牙各分会巡阅使，1565 年被选为总会长。就任后在欧洲增设分会及学校。由他派遣前往当时西班牙治下的佛罗里达传教的人徒劳无功，后来耶稣会在秘鲁和新西班牙成立分会。根据他的建议，教皇庇护五世采取关于国外传教工作的两项重要政策：一是通过设在罗马的机构（类似后来的传信部）实行集中管理；二是要求各殖民地官吏以人道主义对待土著人民，以利于他们信奉天主教。1571 年教皇派博尔吉亚赴西班牙、葡萄牙和法国以加强反土耳其联盟。在返回途中生病，到罗马后不久去世。

Borgia, Lucrezia　博尔吉亚（1480-04-18，罗马～ 1519-06-24 教皇国费拉拉）　意大利贵族女子，意大利文艺复兴时期声名狼藉的博尔吉亚家族的中心人物。西班牙枢机主教

美国不列颠百科全书公司供图

R.博尔吉亚（后来的教皇亚历山大六世）的私生女，先后嫁给 3 家西班牙贵族。亚历山大六世即教皇位后，把她嫁给意大利贵族斯福尔扎。后来斯福尔扎指控她与生父通奸乱伦，1497 年离婚。亚历山大又把她嫁给比谢列公爵阿方索，1500 年阿方索被她的兄弟切萨雷的一个仆人所杀。次年她所生的男孩（时已 3 岁）出现，教廷文件先说此子是她兄弟的、后说是她父亲的私生子。同年，费拉拉公爵娶她为妻。1503 年亚历山大六世死，她退出政界，热心赞助文艺，虔信宗教，去世时 39 岁。

Borglum, (John) Gutzon (de la Mothe)　博格勒姆（1867-03-25，美国爱达荷圣查尔斯的贝尔湖～1941-03-06，伊利诺伊芝加哥）　美国雕刻家。曾恢复了古埃及和美索不达米亚的习俗，在巨大岩石的自然结构上刻制巨大的政治人物雕像。先在旧金山学美术。1890 ～ 1893 年就读于巴黎朱利昂学院。其绘画与雕刻均为沙龙所接受。在英国曾接受重要任务，并为王室所赏识。1901 年在纽约开业，雕刻了名为《狄俄墨得斯的母马》的青铜群像，是纽约大都会博物馆收购的第一件美国雕刻。他以多才多艺的技能雕刻了许多爱国者的胸像，为纽约圣约翰教堂雕刻了 12 使徒的英雄形象。但不久便转而致力于他妻子所描绘的"大体积的激情价值"。他妻子是一位楔形文字和其他中东文字的学者。以一

美国国会图书馆供图

块6吨重的大理石雕刻了林肯总统的巨型头像，置于华盛顿美国国会大厦圆形大厅内。从而使南方妇女也想要一个联军李将军的类似头像。但博格勒姆却开始在佐治亚纪念山上雕刻李将军及其部属、士兵的大型行列像。但由于与其资助人的争吵，他不得不放弃这项庞大的工程。后来，他接受政府的薪俸，将另外一座山变成纪念碑。在南达科他州的拉什莫尔山国家纪念碑雕刻了华盛顿、杰斐逊、林肯、罗斯福的头像。在技术上他创造了新的方法，利用炸药及气锤迅速雕刻大块石料。此工程完成于他去世的1941年，最后的雕刻细节由其子林肯完成。

Borgo Maggiore　马焦雷镇　圣马力诺共和国马焦雷区城镇和首府。地处首都圣马力诺市东北的蒂塔诺山坡上，海拔520米。为本国主要集镇和意大利领事馆驻地，并被视为首都的郊区，有首都的大部分商店和机关。与首都通缆索铁道和公路，与意大利的里米尼通直升飞机航运（夏季）和公路。人口约1 970（1982）。

Borgongini-Duca, Francesco　博尔贡吉尼-杜卡（1884-02-26，罗马～1954-10-04，罗马）天主教枢机主教和梵蒂冈教廷高级官员。1906年受神职为司铎，1907～1921年任罗马乌尔班宣教学院教授。还曾在罗马北美洲学院任教，培养美国修士多人。《拉特兰条约》于1929年正式缔结，这可能是他在外交方面

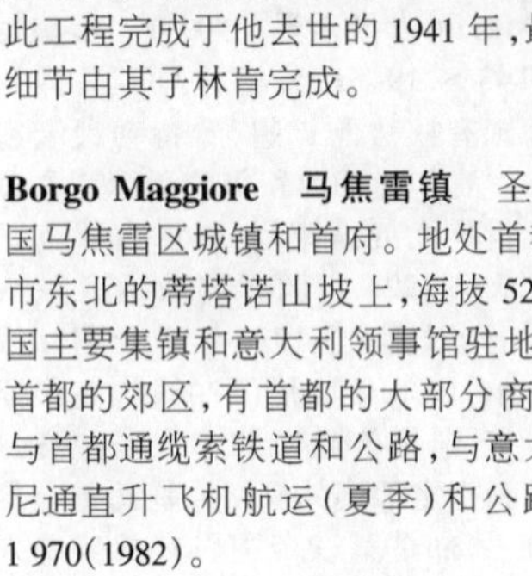

美国不列颠百科全书公司供图

的最大成就。该条约由他起草，并由他以梵蒂冈非常教务圣部秘书的身份会同教廷国务卿加斯帕里与墨索里尼签署。它规定教廷不受意大利辖制，在国际关系上享有主权。此后他任教廷驻现代意大利第一特使。1929年教皇庇护十一世任命他为土耳其境内赫拉克利亚名誉大主教。1951年访问美国。1952年教皇庇护十二世任命他为枢机主教。

Borgu　博尔古　又拼Borgou。非洲西部内陆地区。范围包括贝宁和尼日利亚部分地区。东和东北以尼日尔河为界。名称可能源于一种名为博尔古的可作饲料的水草。当地部族过去效忠博尔古苏丹和布萨酋长。1894年发生领土纠纷。1898年英法协定规定其西部为法属，东部为英属。该地区尼日利亚部分为动物和森林保护区。

Borgu　博尔古　尼日利亚西部夸拉州世袭酋长国。据1898年的公约，英、法两国要求博尔古王国割地。其东部3.1万平方千米的土地让于英国，1900年设博尔古省。余下的领土于1907年划归孔塔戈拉省。1923年博尔古区属伊洛林省。1954年卡亚马和布萨两酋长国合并为博尔古酋长国。地处平原和多树草原，有几条小河自西流入其东界尼日尔河。土地贫瘠、降雨量少，加上19世纪富拉尼人掠奴、贩奴等原因，使其成为全国人口最稀少的地区之一。居民多为博尔古、布萨、博科、雷舍、富拉尼、坎巴里和约鲁巴人。主要从事畜牧、家禽饲养、农耕（高粱、黍类、牛油果、洋葱、玉米、花生、棉花、烟草）和捕鱼。卡亚马和布萨的黄金开采业曾一度兴旺。1968年建造卡因吉人工湖时，迫迁了尼日尔河沿岸的几座城镇。现主要城镇有卡亚马、新布萨、奥库塔和瓦瓦。

Borhyaenidae　古鬣狗科　已灭绝的南美有袋哺乳动物的一个科，生存于古新世晚期至上新世（约5 500万年前至500万年前）。根据古鬣狗属（*Borhyaena*）命名。这一属的标本发现于阿根廷中新世早期（2 600万年前）的岩石中，头骨很大，牙厚重，适于碾碎食物。但并非一切古鬣狗都似鬣狗。古袋虎属（*Thyla-cosmilus*）是上新世的酷似剑齿虎的有袋动物。还有许多似狼和狐。

boric acid　硼酸（H_3BO_3）　白色晶体，存在于某些矿物和火山源水或温泉中的硼含氧酸。参阅**boron**。

boride　硼化物　硼（**boron**）与各种金属化合形成的一类坚硬的物质。

Borinage　博里纳日　比利时西南埃诺省的煤矿和工业区。从中世纪起的采煤业曾是该地发展的基础。现煤矿停采，主要工业为冶金和玻璃制造业。

Boring, Edwin G(arrigues)　波林（1886-10-23，费城～1968-07-01，马萨诸塞剑桥）　美国心理学家，最初从事心理学实验工作，以后以研究心理学史著名。在康奈尔大学学习工程学和心理学，1914年获博士学位。1919年任克拉克大学心理学副教授，1922年任教授。1924年任哈佛大学心理实验室主任，1928～1957年任该校心理学教授，1957年后任名誉教授直至逝世。他主要研究消化道的感觉性刺激和分离神经纤维的生理后果。但他的研究兴趣十分广泛，是美国心理学界研究背景最广的学者之一。1929年发表名著《实验心理学史》，此书使他成为美国心理学史学家的元老之一。波林的著作还有《意识的物质属性》（1933）和《实验心理学史中的感觉和知觉》（1942）。

boring machine　镗床　用镗刀在工件上扩大预制孔，使孔光滑而精确的机床。镗刀可以是具有单刃的钢、硬质合金或金刚石刀具，或是小砂轮。装在旋转主轴镗头内的单刃镗刀，顶在预制孔的侧壁上作圆周运动。镗出的孔径大小，由调整镗头来控制。砂轮有绕其轴快速转动的行星运动，而砂轮轴又与镗头一起绕主轴线缓慢地转动，用调整砂轮轴线与主轴轴线之间的距离来控制孔径。镗床上主轴可以绕垂直或水平轴线旋转。工具制造车间所用的镗床，有1根垂直主轴和1个夹持工件的工作台，可在彼此相互垂直的两个方向作水平运动，因此加工出的孔与孔之间有准确的孔距。在某些镗床上，孔距误差小于0.002%。在进行大生产的工厂，一般使用带有多主轴的特殊镗床。

Boris I　鲍里斯一世（？～907-05-02，保加利亚普雷斯拉夫）　保加利亚汗（852～889）。在其治下，保加利亚人皈依基督教，创立独立的保加利亚教会，斯拉夫文学产生，并建立了首批斯拉夫-保加利亚学术与教育中心。鲍里斯以积极的策略处理国内和外交事务，对形成统一的保加利亚民族群体具有极其重要的意义，并为保加利亚日后的发展留下持久的印记。他继承父位时，保加利亚已是欧洲最大的国家之一，其疆界大致为东北至第聂伯河，北至喀尔巴阡山脉，西北至蒂萨河，西至亚得里亚海，南至托莫尔、贝拉西察、皮林、罗多彼和斯特兰贾山脉。斯拉夫部族与原始保加利亚人在境内共同居住。保加利亚人系突厥人种，7世纪末定居于巴尔干半岛。由于斯拉夫人和保加利亚人种族不同，宗教和语言相异，要想统一国家，必须先强迫全体臣民信仰一种共同的宗教。鲍里斯原打算接受天主教，但由于对拜占廷战争失利，不得不接受君士坦丁堡的正教教义。在一天夜里，鲍里斯全家和支持他的政策的贵族由拜占廷主教秘密施行洗礼。许多贵族和平民激烈反对强制受洗，纷纷起来反抗。鲍里斯处死了52名贵族，并株连其家人。经君士坦丁堡第8次普世基督教会会议（869～870）决定，保加利亚正式归君士坦丁堡牧首管辖，但为独立的大主教区。鲍里斯积极向保加利亚人民灌输基督教义，并在全国修建教堂。他大力支持斯拉夫传教士克雷芒、内厄姆和安格拉里厄斯在普利斯卡、普雷斯拉夫和奥赫里德创建斯拉夫学术中心。由于斯拉夫学者勤勤恳恳的工作，斯拉夫语在教会仪式和文学生活中取代了希腊语，成为保加利亚的官

方语言。889年鲍里斯退位，由长子弗拉基米尔继承。弗拉基米尔一反父王的政策，变成了异教逆流的工具。鲍里斯在贵族和军队的支持下，将儿子赶下汗位，并施以盲刑。鲍里斯死后，正教会追谥他为圣徒，每年5月15日举行纪念他的活动。

Boris III　鲍里斯三世（1894-01-30，保加利亚索非亚～1943-08-28，索非亚）　保加利亚国王（1918～1943）。父为保加利亚的斐迪南一世，母为波旁-帕尔马世系的玛丽亚·路

美国不列颠百科全书公司供图

易莎。虽然父母均为天主教徒，但因政治和王朝的原因，鲍里斯自幼信奉东正教。1918年10月4日其父退位，由他继承保加利亚王位。他坚决反对保加利亚政坛的铁腕人物农民联盟领袖A.斯塔姆博利伊斯基，因此一般认为，在1923年6月推翻斯氏的政变中，他起了一定作用。此后数年间他成为阴谋暗杀的对象，1925年4月的短短几天中即两次遇刺。他与意大利的乔凡娜公主结婚（1930），暂时巩固了保意两国的关系。但在20世纪30年代末期，他更靠拢德国，并寻求与南斯拉夫和解。在保加利亚建立军事独裁（1934）之后，他一步步巩固自己的势力，1935年11月得以任命自己的亲信G.基奥谢瓦诺夫为首相。自1938年起至逝世止，除了名义之外，他是个彻底的独裁者。保加利亚表示接受轴心国协定（1941-03）之后，鲍里斯仍然保持少许的独立性。甚至在保加利亚站在轴心国一边参加第二次世界大战，并参与侵入南斯拉夫和希腊之后，他还能够拒绝对俄国宣战。他在与希特勒的一次激烈会谈后不久去世。究竟死于心脏病突发还是暗杀，至今仍是个谜。

Boris Godunov　鲍里斯　参阅 **Godunov, Boris** 戈东诺夫。

Borisoglebsk　鲍里索格列布斯克　俄罗斯西南部沃罗涅日州城市。位于沃罗纳河左岸，邻近该河与霍皮奥尔河汇流处。1646年建为要塞。现为谷物集散中心。当地有农产品（面粉和肉类）加工业。市内建有铁路修理厂。有师范、医学和音乐学校。人口约72 100（1991）。

Borisov　鲍里索夫　白俄罗斯明斯克州城市。在别列津纳与斯哈河汇合处。建于12世纪。先后受立陶宛、波兰和俄罗斯人统治。为重要交通中心。莫斯科—华沙铁路、公路和别列津纳河航道交会于此。有木材加工业，可生产塑料、车用电器、吊车和玻璃器皿等。人口约150 200（1991）。

Borja, Alfonso de（pope）　**博尔贾**　参阅 **Calixtus III** 加里斯都三世。

Borja, Rodrigo　博尔吉亚　参阅 **Alexander**（Papacy）亚历山大（教皇）项下的 **Alexander VI** 亚历山大六世。

Borja y Aragon, Francisco de　博尔吉亚-阿拉贡　参阅 **Borgia, Saint Francis** 博尔吉亚。

Borkou　博尔库　又作Borku。乍得北部一个地区。以法亚镇为地区中心。位于提贝斯提高原以南，恩内迪高原以西，大部分为沙漠。绿洲地区种植椰枣、大麦和蔬菜，放养骆驼、驴和山羊。地下水来自乍得湖盆地。居民为提达、阿拉伯和柏柏尔族游牧和半游牧民。

Borkou-Ennedi-Tibesti　博尔库-恩内迪-提贝斯提　乍得最北部及最大省份。面积600 350平方千米，省会法亚（原称拉若）。全境大部为干旱沙漠，人口稀少，居民为阿拉伯、柏柏尔、特达和纳卡扎斯族游牧民和半游牧民。历史上西非跨越撒哈拉至昔兰尼加（利比亚）的商道及西非至麦加的朝圣路线均穿越此区。20世纪初虽受法国控制，但始终是一个被认为难以驾驭的地区。1965年法军撤出后归属乍得共和国，但北部游牧部落仍继续对抗南方人占多数的中央政府。人口约73 185（1993）。

Borlänge　博伦厄　瑞典中部达拉纳省城镇。临达尔河。随着1875年铁路修通，它发展成邻近农业工业地区的重要贸易中心。1891年获自治权，1898年成为集镇。与杜姆纳尔沃和克旺斯韦登两村合并后，于1944年设镇。邻近矿产丰富的贝里斯拉根地区，现为重要钢铁中心。另有造纸、锯木、机械、铸造、印刷、屠宰、皮革制品等工厂。有发电站。亦为重要的铁路和公路枢纽。杜姆纳尔沃露天博物馆展出16和17世纪建筑物。人口约48 457（1996）。

Borlaug, Norman Ernest　博劳格（1914-03-25，美国艾奥瓦州克雷斯科～2009-09-12，得克萨斯达拉斯）　美国农业科学家、植物病理学家和1970年诺贝尔和平奖获得者。他是所谓绿色革命的主要倡议者之一。曾在明尼苏达大学学习植物生态学和林学，并于1941年获得博士学位。1944～1960年任洛克菲勒基金会墨西哥合作农业规划研究员。他在阿蒂萨潘草原研究站所培育的谷物新品种，使粮食产量有了明显提高。在他为墨西哥政府工作期间，该国小麦产量增加了两倍。60年代中期引进的"矮秆"小麦，使巴基斯坦和印度的收成增加60%。他还培育出小麦和黑麦的杂交品种。他曾任美洲粮食收成计划负责人（1960～1963），国际玉米和小麦改良中心主任（1964～1979）。他还是许多委员会的顾问，农业、人口控制和可再生资源方面的咨询小组成员。

Borman, Frank　博尔曼（1928-03-14，美国印第安纳加里～　）　美国航天员，同J.A.洛弗尔和W.A.安德斯于1968年12月乘"阿波罗"8号完成第一次载人绕月飞行。

美国国家航空和航天局供图

1965年他和洛弗尔乘"双子座"7号，在太空进行了330小时35分的耐航飞行。1950年毕业于纽约西点军校。1951～1956年在空军第44战斗轰炸机中队任职，后在空军战斗机武器学校任教。1957年获加利福尼亚理工学院航空工程硕士学位，后在西点军校和空军航空航天研究飞行员学校任教。1962年被国家航空和航天局选作第2批航天员。在完成"阿波罗"8号飞行后，他任国家航空和航天局负责空勤人员活动的副处长。1970年7月退职，任东方航空公司总经理（1970～1986）。

Bormann, Martin　博尔曼（1900-06-17，德国哈尔伯施塔特～1945-05，柏林？）　又译鲍曼。纳粹德国有权势的党魁，希特勒最亲密的助手之一。青年时即为积极的泛德意志分子。第一次世界大战结束后，参加右翼德国自由团的活动。1924年因参与政治谋杀人狱，获释后加入国社党。1926年成为图林根纳粹报刊首脑，1928年以后任冲锋队高级职务。1933年任副元首赫斯的参谋长。1941年5月希特勒指定他接替赫斯为副元首。尽管他处于幕后，却是第三帝国极有权势的人物。他掌握着立法和党内提升任免权，并对国内政策尤其是内务安全有极大影响。他残酷迫害犹太人和斯拉夫人，扩大奴役劳工计划。希特勒死后不久他便失踪。纽伦堡国际军事法庭对他进行缺席审判，1946年10月1日以战犯罪处死刑。1972年在西柏林建筑工程中挖出两具骷髅，柏林一法医专家断定其中一具为博尔曼。1973年西德当局正式宣布博尔曼已死。

Born, Bertran de　博恩　参阅 **Bertran de Born** 贝特朗（博恩的）。

Born, Max　玻恩（1882-12-11，普鲁士布雷斯劳～1970-01-05，格丁根）　德国物理学家。因对亚原子粒子的特性作了统计学的系统阐述，与W.博特共获1954年诺贝尔物理学奖。1921年任格丁根大学理论物理学教授，对热量作出极精确的定义，是对热力学第一定律最令人满意的数学叙述。1926年在他的学生W.海森伯建立一种新量子论的第一批定律的公式之后，就与之合作发展了充分说明这种理论的数学阐述。稍后，当E.薛定谔提出

量子力学波动方程时，玻恩指出这个方程的解具有物理学上的统计意义，又引进了一种有用的技术叫做玻恩近似，来解有关原子粒

美国不列颠百科全书公司供图

子散射的问题。和 J.R.奥本海默开创了一种计算分子的电子结构的简化法，获得广泛应用。1933 年，玻恩逃离纳粹德国，任剑桥大学斯托克斯席位讲师。1936 年，被选为爱丁堡大学泰特自然哲学讲座教授。1939 年入英国籍。1953 年退休回到格丁根。

Borneo 婆罗洲 世界大岛之一。位于马来半岛东南，属马来群岛的大巽他群岛。西北临南海，顺时针方向依次为苏禄海、西里伯斯海、望加锡海峡和爪哇海。政治区划大部分为印度尼西亚领土（1949 年以前属荷兰），称加里曼丹。西北海岸和北端为沙捞越和沙巴（前北婆罗洲），于 1963 年加入马来西亚联邦。中间为文莱伊斯兰苏丹国。岛上多山，大部分地区有稠密雨林覆盖。东北-西南走向长 1 336 千米，最大宽度 960 千米，面积（包括邻近岛屿）约为 755 000 平方千米。脊部山脉自东北隅（最高峰基纳巴卢山高 4 101 米）向西南横跨该岛形成克罗克、尼文会斯和穆勒山脉。岛上大部分地区河流可通航，为贸易和商业活动的重要生命线，常常也是唯一命脉。北方岛形趋狭，河流通航里程很少超过 160 千米，常常比这更短，故岛北腹地直到最近仍为世界上最为与世隔绝的地区之一。赤道气候，炎热、潮湿，全年明显分为两季，10～3 月为季风期，其余为较干燥、平静的夏季。年平均降雨量约 3 800 毫米。动植物种类极多，其中包括世界上最大的花（大花草属拉弗尔斯花）；猩猩和长臂猿、云纹豹、象、犀牛和许多昆虫。人口稀少（按亚洲标准），将近 3/4 居民在印度尼西亚境内。民族成分复杂，有非穆斯林的达雅克人、伊斯兰教马来人、华人和少数欧洲人。

有经济价值的矿产资源不多。19 世纪初以来，曾有个体生产者对金矿、钻石、锑、镁、石膏和铁矿等进行过小规模开采。在丹戎巴厘巴板、文莱及在婆罗洲北岸大陆架上十多处地点有油田。东海岸开发集中于阿塔卡地区。1958 年以来，达图角（西南）已开发铝土矿，西南部有煤矿开采。一般而言，除少数肥沃的火山地区以外，婆罗洲土地贫瘠。居民主要食物为大米，另有玉米、木薯、黄瓜、南瓜。土著人小规模种植橡胶，华人居民大规模种植胡椒。近来，婆罗双树属树种及糖胶树胶在市场上受到欢迎。沿海地区出口西谷米、椰子干、卡奇染料（自红树皮提取）及水产。高地种植烟叶，运销低地地区。现试种咖啡、可可和大麻。有关婆罗洲的叙述最早见于公元 150 年托勒密所著《地形指南》。该地发现的罗马人购物用的珠子，以及印度-爪哇人的人工制品，证明公元前 2 至前 3 世纪这里文明发达。在库泰河发现的 3 块经过粗加工的基石，上有铭文记载向婆罗门僧侣送礼的过程，这些公元 5 世纪初年的石头，证明东加里曼丹曾有过一个印度王国。西加里曼丹卡普阿斯河及其他河流域亦发现具有笈多王朝艺术风格的佛像。加里曼丹的后期统治者很可能是臣服于东爪哇麻喏巴歇帝国（1293～1520）的诸侯。16 世纪初随着伊斯兰教的传入，此地建立了若干穆斯林王国，其中包括马辰、三发、苏卡达纳和兰达克等。苏卡达纳统治者效忠于爪哇的穆斯林马打蓝王国。

现代欧洲人对婆罗洲的认识始于 14 世纪时经过东南亚的旅行者。据记载，第一位欧洲来客是方济各会修士波代诺内的奥多里克，他于 1330 年从印度去中国时到过塔拉马西姆。16 世纪初葡萄牙人在岛上建立起贸易关系，西班牙人紧随其后。17 世纪初，葡萄牙人和西班牙人的贸易垄断被荷兰人打破，后者通过干涉诸穆斯林王国的事务，以自己的影响成功地取代了马打蓝的影响。中国南海和苏禄海沿岸狭长地带一向倾向菲律宾，并常常遭苏禄海盗袭击。英国势力，特别是在北部和西部的势力，削弱了荷兰人的势力。文莱苏丹国这个伊斯兰教王国，曾一度控制整个岛屿，但到 19 世纪时，统治范围仅限于北部和西北部。西南的沙捞越被分离出去，成为独立王国，尔后沦为英国殖民地。东北部的北婆罗洲（即后来的沙巴）被一家英国公司据为促进贸易、镇压海盗的基地。其界线亦于 1912 年划定。这些损失使成为英国保护国的文莱国土大为减少。第二次世界大战期间，日本人侵婆罗洲（1941～1942），岛上象征性地驻扎着的英国和荷兰军队被迅速消灭，直到 1945 年该岛才被重新夺回。1946 年 7 月，沙捞越和北婆罗洲均成为英国直辖殖民地。在荷属婆罗洲，由于荷兰人试图重建其统治，强烈的民族主义情绪逐渐发展，并最终导致印度尼西亚军队和荷兰军队之间的战争。1949 年，婆罗洲的主权被移交给印度尼西亚，第 2 年，新宪法宣布荷属婆罗洲为印度尼西亚共和国的一部分。1963 年，沙巴和沙捞越加入马来联邦时，英国政府放弃了对这些地区的统治权。而印度尼西亚游击队袭击边境地区的敌对活动却从此开始。1966 年双方达成协议，袭击才停止。除日本占领时期外，文莱自 1888 至 1983 年一直处于英国保护之下。1984 年元旦始获得完全独立。婆罗洲人口：约 12 305 000（1990），其中加里曼丹 8 911 000；沙巴和沙捞越 3 135 000；文莱 259 000。

Bornholm 博恩霍尔姆 丹麦的岛屿和州名。位于波罗的海，距哥本哈根 169 千米。10 世纪以前是北欧海盗据点。后由瑞典和吕贝克（汉萨同盟的德意志城市）所控制。1660 年归属丹麦。该岛面积为588平方千米。全岛的2/3北部由花岗岩构成，沿海峭

博恩霍尔姆的海滨风光
美国不列颠百科全书公司供图

壁耸立，内陆森林茂密。人口比较稠密的南部地势起伏，沿海有沙丘。出产谷物、饲养奶牛和猪。主要输出鱼类、花岗石、磁器和陶器。旅游业也很发达。现存中世纪遗迹有 13 世纪的哈默斯胡斯城堡废墟和丹麦 6 个 12 世纪圆形教堂中的 4 个。有北欧海盗遗迹。全岛以伦讷（首府；始建于 12 世纪）和内克瑟为中心。人口约 44 060（2002）。

Bornholm disease 博恩霍尔姆氏病 参阅 **pleurodynia** 流行性胸肌痛。

bornite 斑铜矿 一种铜的矿石矿物，是铜铁硫化物（Cu_5FeS_4）。有代表性的产地是塔斯马尼亚的芒特莱尔、智利、秘鲁和美国蒙大拿州比尤特。是一种常见的铜矿物，呈等轴

斑铜矿
美国不列颠百科全书公司供图

晶体，不过很难发现此种形态。易于风化成为辉铜矿以及其他铜矿物。有关详细物理性质，参阅 **sulfide mineral**（表）。

Borno 博尔诺州 旧称博尔努，尼日利亚东北部一州和世袭酋长国。北界尼日尔，东北邻乍得湖和乍得共和国，东与喀麦隆接壤。面积 116 400 平方千米。为全国面积最大的州，是人口最稀少的州之一。居民以卡努里人为主。博尔努原系 12～13 世纪繁荣昌盛的卡内姆帝国的南部一省。约 1380 年卡努里人被逐南迁，建博尔努王国。16 世纪初卡努里人夺回卡内姆，并将其划为一省。约 1571～1603 年间为卡内姆-博尔努王国的鼎盛时期。1808 年在护教战争中为富拉尼人征服。19 世纪 20 年代重获独立。1846 年成立博尔努苏丹国。1893 年被苏丹人击败。后领土被英、法、德 3 国瓜分。1902 年被认可成立英属博尔努酋长国。其酋长被认为是全国仅

次于索科托苏丹的重要穆斯林首领。20世纪初英、法瓜分博尔努后,属北尼日利亚。1967年设为博尔诺州。1991年博尔诺州西半部分离,归属约贝州。博尔诺州植被大部属苏丹稀树草原型,生长阿拉伯树胶、波巴布树、角豆、牛油果树、树头棕和木棉树。北部和东北部撒赫勒草原多带刺灌丛和沙质土壤。主要地形特征为博尔努平原、比乌熔岩高原和乍得湖以南及西南的黑棉土沼泽。境内有注入乍得湖的季节河流。最南部有贝努埃河支流贡戈拉河。经济以农(高粱、黍类、花生、洋葱、玉米、芝麻、饿稻、棉花、靛青)、牧业为主。乍得湖周围有渔业。1964年成立乍得湖委员会,以解决喀麦隆、乍得、尼日尔与尼日利亚4国的湖水利用、水利资源开发和农牧渔业发展等问题。州首府迈杜古里为主要工业中心和最大城市。其他城镇有恩古鲁、波蒂斯库姆、加舒阿、比乌和巴马。迈杜古里有机场,铁路通包奇及南方,公路干线通其他州及乍得的恩贾梅纳。人口2 596 589(1991)。

Borobuḍur　婆罗浮屠　又拼Barabuḍur,又译千佛塔。印度尼西亚中爪哇宏伟的佛教古迹,位于日惹西北68千米处,建于约公元778～850年夏连特王朝统治时期。婆罗浮屠将窣堵波(佛塔,原为佛骨纪念塚)的象征性形式与寺丘和曼荼罗(佛教中将圆天方地合为宇宙的神奇象征)结合起来。其风格受印度笈多及其以后艺术的影响。婆罗浮屠大约从公元1000年起显然遭到忽视,到处长满杂草,直至1907～1911年由荷兰考古学家予以修复。20世纪80年代初,又第二次进行修葺。

约用57 000立方米灰色火山岩建成的婆罗浮屠围成一座小丘,形似一台阶式的金字塔,其基部与上面5层平台为方形,上层3个平台为圆形,最高中心是一个大型窣堵波,高出台基31.5米。每一平台代表人生中通向完美境界的个别时期。朝圣者必须绕行佛塔9次方能到达顶端(反映佛教教义中九九归一的神奇数字)。佛坛四边均有一阶梯通向顶端。

该建筑物平台侧墙上的一系列浮雕表现了通向涅槃的升华阶段(灵魂自由),底层浮雕表现人生的善果和罪孽,第二层为佛陀的生平故事和本生经中的场景(佛陀前世故事),上层是取自大乘佛教经典的更富于哲理性的浮雕。二层圆台更开阔简朴,筑有72座圆铃状窣堵波,有些透过穿孔石造建筑可以看到半隐半现,冥思冥想的佛陀。

婆罗浮屠

美国不列颠百科全书公司供图

Borodin, Aleksandr (Porfiryevich)　鲍罗丁(1833-11-12,俄国圣彼得堡～1887-02-27,圣彼得堡)　19世纪俄罗斯民族乐派主要作曲家,亦为科学家,因研究乙醛而闻名。自幼显出对语言与音乐的天赋,小学时代开始学习钢琴、长笛、大提琴与作曲。1850～1856年在内、外科医学院学习,主修化学,并于1858年获博士学位。1859～1862年赴西欧留学。回国后,在医学院任化学副教授,1864年升正教授。在此期间,创作第一部重要作品《降E大调第一交响曲》(1862～1867),这是与巴拉基列夫交往的成果。他和里姆斯基-科萨科夫、穆索尔斯基及居伊都是巴拉基列夫小集团(即"五人团")的成员。1869年开始创作《B小调第二交响曲》,同时创作其歌剧杰作《伊戈尔王子》(死后由里姆斯基-科萨科夫与格拉祖诺夫完成)。他还写了两部弦乐四重奏、十余首卓越的歌曲和未完成的《A小调第三交响曲》以及音诗《在中亚细亚草原上》。他的音乐创作只不过是科研之余的消遣。除科研和教学外,还于1872年协助建立了妇女医学课程。80年代由于工作压力和身体多病,他很少有时间作曲。在一次舞会上遽然故世。鲍罗丁的作品使他成为第一流俄罗斯作曲家。他具有浓烈的抒情气质,但亦以善于处理史诗性题材著称。他的节奏意识十分灵敏,管弦乐色彩的运用和遥远地域的再现亦均超群绝伦。所作交响乐与弦乐四重奏属于浪漫主义时期最佳作品,在曲式结构上使用单主题动机发展为整个乐章。其旋律反映出俄罗斯民歌的特色;和俄罗斯民族乐派其他作曲家一样,他也采用与西欧音乐迥然不同的独特和声。

美国不列颠百科全书公司供图

Borodin, Mikhail Markovich　鲍罗廷(1884-07-09,俄罗斯亚诺维奇[现称贝拉汝斯]～1951-05-29,西伯利亚)　20世纪20年代共产国际驻中国主要代表、苏联驻中国国民党代表、国民政府高级顾问。他把孙中山的结构松散的国民党建成高度集中的列宁式的组织。1903年在俄国加入布尔什维克党。1906年被捕并被放逐。1907年移居美国,就学于印第安纳州瓦尔帕莱索大学,后来在芝加哥创办一所供流亡者读书的学校。1917年俄国革命以后回到苏联,并作为共产党的代表被派往斯堪的纳维亚、墨西哥、西班牙、土耳其和英国。1923年来中国给孙中山当顾问。除帮助国民党进行改组和重建思想体系外,鲍罗廷还协助孙中山创办黄埔军校,请求苏联政府派军事顾问团及调拨款项、军械支持军校,帮助发展军队。1925年孙中山逝世后,蒋介石从莫斯科受训回国,成为这支军队的首脑。1927年蒋介石实行反共清党后,鲍罗廷离开中国。他回莫斯科后历任劳动人民委员部副人民委员、塔斯社副社长,从1932年起任英文《莫斯科新闻》主编。他在斯大林所指挥的反犹太知识分子的浪潮中,于1949年2月消失踪影,1951年死在西伯利亚劳改营里,后来苏联为他恢复了名誉。

Borodino, Battle of　博罗季诺战役(1812-09-07[旧历08-26])　拿破仑战争中的一次喋血战役。拿破仑入侵俄国时,曾在莫斯科以西约110千米处交战。他率兵13万人,火炮500多门;俄军12万人,火炮600门。结果拿破仑获胜,占领了莫斯科。俄军由M.I.库图佐夫将军指挥。他在博罗季诺城修筑防御工事,阻挡法军的前进。拿破仑于1812年9月7日从正面进攻,从早晨6时直到中午,在5千米长的战线上发生激烈的拉锯战。由于库图佐夫投入每一个可以动用的兵卒进行抵抗,拿破仑失掉了赢得决定性胜利的机会。当日下午,双方均已精疲力尽。只有炮战一直持续到黄昏。夜间,库图佐夫撤退。一个星期后,拿破仑占领了莫斯科。在博罗季诺战役中,俄军伤亡4.5万人,包括俄国第2军司令官P.I.巴格拉基昂亲王在内。法军损失约3万人。俄军虽受重创,但仍继续作战,最后将拿破仑逐出俄国。

Borommatrailokanat (king of Siam)　**巴隆玛特莱洛卡纳**　参阅**Trailok**特莱洛。

boron　硼(B)　化学元素,周期表Ⅲa主族(硼族)的准金属,为植物生长所必需,并在工业上有广泛用途。纯晶态硼为黑色有光泽的半导体,即高温下像金属一样导电,低温下几乎为绝缘体。硬度很高(莫氏硬度9.3),足以使金刚砂磨料产生划痕,但太脆不能用作刀具。按重量计,硼约占地壳的0.001%,硼一般以化合态的硼砂、斜方硼砂和硼砂石(水合硼酸钠)等主要工业硼矿存在。它们尤其集中分布在美国加利福尼亚干旱地区。也作为干硬硼钙石、钠硼解石和气石等分散矿石存在。天然硼酸以意大利贮量最丰。1808年由J.L.盖-吕萨克和L.-J.泰纳尔合作,以及由H.戴维独立用加热氧化硼(B_2O_3)与金属钾的方法首次制得硼。在此后的一个多世纪中,只生产了无定形棕黑色粉末状不纯的硼产品。纯的晶态硼可用氢还原电热钽丝上的溴化硼(BBr_3)或氯化硼(BCl_3)制得,但操作很困难。一定量的元素硼广泛用于提高钢的硬度。硼还以硼铁合金形式加入许多种钢中(硼含量为0.001%~0.005%)。硼通常也用于有色金属工业,作为脱氧剂、铜基合金和高导电铜冶炼的除气剂,用于铝铸造以改善其粒度。在半导体工业中,硼是一种掺杂剂,在硅和锗中仔细地有控制地加入少量硼可改进硅和锗的导电性。以硼酸或硼酸盐形式存在的痕量硼是陆生植物生长必不可少的,因而间接地也是动物生存所必需的。蔬菜"黑心"病或甜菜干腐病都因缺硼而引起。但硼酸盐过量时则变成无选择的妨碍植物生长的化学剂。自然界中,硼有两种稳定性同位素:硼10(19.8%)和硼11(80.2%),此比例微小的变化使硼原子量发生±0.003范围的变化。较稀少的同位素硼10具有高热中子截面(3 836靶恩),故硼及其某些化合物用作中子防护屏。纯硼至少有四种结晶形变体或同素异形体。常温下晶态硼几乎是化学惰性的,沸盐酸对它无作用,热的浓硝酸也只能把很细的硼粉缓慢转化成硼酸。在化学性质上硼是非金属性的。硼在其化合物中显三价。由于硼的前三级电离能太高,因而不能形成含有B^{3+}离子的化合物,只能形成三或四配位的共价化合物。三配位的衍生物是平面型的分子,它们容易跟含有孤对电子的化合物形成给体-受体络合物(也称加合物),在这类加合物中,硼原子是四配位的,四个基团按四面体方式围绕硼原子排布。通过形成阴离子或通过接受从配位原子来的一对未共用电子都可以产生该四面体键合方式。这种键合方式可以形成各种各样的结构。固态硼酸盐呈现五种类型的结构,包括好几种阴离子(如由硼和氧形成的BO_3^{3-}离子)和若干共用电子键。最熟悉的硼酸盐是四硼酸钠(通常称作硼砂)$Na_2B_4O_7 \cdot 10H_2O$,硼砂存在于自然界的盐层中。硼砂很久以来被用作肥皂和温和的消毒剂。由于它能溶解金属氧化物,它还被广泛地用作焊接助熔剂。具有多种工业应用的其他硼化合物还有硼酸H_3BO_3(也叫正硼酸)。这一白色固体可通过用硫酸处理硼砂的浓溶液制取。硼酸通常用作烧伤和外伤的温和消毒剂,也是眼睛洗液的主要成分。硼酸的其他重要应用还有:用作织物防火剂、制备电镀镍溶液、鞣制皮革,并且还是许多有机化学反应催化剂的主要成分。硼酸受热失去水分形成偏硼酸HBO_2,由偏硼酸再失水便形成氧化硼B_2O_3。由氧化硼和二氧化硅可以制造耐热玻璃(硼硅玻璃),这种玻璃可用作炊具和制作某些实验室设备。硼与各种金属化合生成一类硼化物。这类硼化物通常较硬、具有较高的熔点,化学性质不活泼,电阻率比相应的纯金属高。某些硼化物是所有已知物质中最硬、最耐热的物质,它们的某些应用就是根据这些极突出的特点的。例如,硼化铝AlB_{12}在很多场合中用作研磨和抛光金刚石粉的一种组分。硼与氮反应生成氮化硼(BN),跟碳一样,氮化硼也存在两种同素异形体,一种具有类似于石墨的层状结构,另一种却具有类似于金刚石的立方晶系结构。后者在很高温度下能耐氧化作用,而且极硬,这些性质使它能成为高温磨料。硼能跟所有的卤素反应生成单分子的很活泼的三卤化物。这类称作路易斯酸的化合物容易跟胺、膦、醚以及卤离子形成络合物。硼与氢反应生成一系列叫做硼烷的化合物,最简单的硼烷是二硼烷B_2H_6。其分子结构和化学性质在无机化合物中是很独特的。它们的分子结构表明,有些硼和氢的原子被较多的原子紧密地包围或键合,而不是一对原子只通过一对电子键合。这一特殊现象引出了一个新的化学键(三中心键)概念,即一对电子不一定局限于两个原子之间,而可以为三个原子所共享。二硼烷可跟各式各样的化合物反应生成硼或大量的硼烷衍生物,其中包括有机硼化合物,例如烷基或芳基硼烷以及跟醛的一些加合物。硼原子序数5。原子量10.811±0.003。熔点2 200°C。沸点2 550°C。比重2.34(20°C)。化合价3。电子组态2,3或$1s^2 2s^2 2p^1$。

boron carbide 碳化硼(B_4C) 碳和硼的结晶化合物。碳化硼是极硬的合成物,用于研磨和抗磨产品、轻质复合材料及核能发电的控制棒(参阅 **nuclear reactor**)。碳化硼莫氏硬度9~10级,是已知最硬的合成物质之一,仅次于金刚石和立方晶系的氮化硼。作为研磨物,碳化硼以粉末形式用于金属制品和陶器的抛光,但其氧化温度低至400~500°C,不能研磨硬化工具钢。由于碳化硼硬度佳而密度很低,已在武器和高性能自行车中用作铝的强化物,而其抗磨性使之用于喷砂器的喷嘴和泵的封盖。作为中子吸收剂,碳化硼以粉末或固体形式用来控制核反应器中的核分裂速率。在高温电炉中用碳还原氧化硼而制成碳化硼,研磨后的黑色粉末在2 000°C以上的温度加压固化。碳化硼的熔点近2 350°C。

boron group element 硼族元素 组成周期表Ⅲa族的5个化学元素,即硼(B)、铝(Al)、镓(Ga)、铟(In)、和铊(Tl)。除了铝列为地壳中最常见元素的第三位以外,所有硼族元素都比较稀少。在自然界,这些元素没有一个以非化合的形式存在。这一族最轻的元素硼是非金属,而其余的元素均为银白色金属。每个硼族元素的原子结构最外层都有3个电子。因此,这一族元素的最高氧化态为3,除硼外形成带有3个正电荷的离子。

Bororo 博罗罗人 分布在巴西马托格罗索州巴拉圭河上流及其支流一带的南美印第安人。操一种属于大格语群的语言,有两种方言:正统的博罗罗语和奥图克语。人分东西

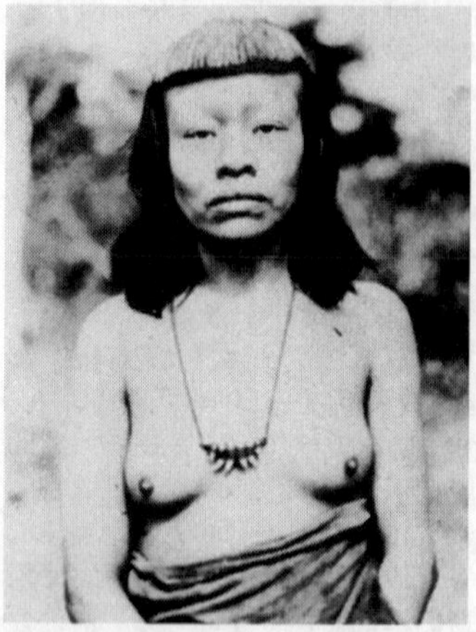

博罗罗妇女

美国史密森学会供图

两支,总数不足1 000。原以游牧和采集为生,后来成为定居的农民。但在很多居民集团中,种地仍然以属于狩猎、采集和捕鱼。在种植木薯、玉米和稻谷时使用刀耕火种方法。由妇女播种和收割,男人开垦土地和狩猎。集体狩猎要接受萨满赞同和指导。在雨季,博罗罗人离开村庄迁至高处,但村庄是他们永久性的住处,村庄的组织形式反映出他们社会结构的复杂性。村庄以男人住所和祭祀广场为中心,外围房屋排列成圆周形或半圆周形。博罗罗人以母系推算亲戚关系。一个人的住所可由其属于某一氏族或部落而确定。社会结构以年龄、亲戚关系和性别为基础。社会由半偶族、氏族以及按年龄和性别组成的社团构成。4~7个氏族可组成一个半偶族。氏族有传统的等级制度,也可按其他许多不同特征加以区别,因此这一系统可由许多不同的群体和亲属关系的组合形成。

Borotra,Jean 博罗特拉(1898-08-13,法国阿尔邦~1994-07-17,阿尔邦) 20世纪20年

1924年温布尔登锦标赛中的博罗特拉

美国不列颠百科全书公司供图

代法国网球名将。1927年作为“四火枪手”之一使法国首次获戴维斯杯。他击球有力，动作灵活。1924和1926年获温布尔登锦标赛冠军。1928年获澳大利亚锦标赛冠军。1924和1931年又夺得法国冠军。另获多次大满贯双打和混合双打冠军。作为个人，他共赢得19个大满贯。1922年、1924～1937年以至1947年一直作为法国队员参加戴维斯杯赛。1976年入选国际网球名人堂。

borough 自治市镇 在英国，指享有特权的区或城镇，有权选举一个议会议员。中世纪的英国自治市镇是一个城市中心，持有享受特权、自治权和后来准予合并的特许状。从16世纪起，自治市镇作为地方政府单位的重要性虽降低了，但作为议会选区却增加了新的重要性。1835年市机构的改革使英国的自治市镇有了一个统一的法规，使之成为现代地方政府的单位。1888年的地方政府法建立了郡自治区，它们不同于市自治区，被赋予不受郡政府支配而独立行动的权利。但1974年英国政府改组地方政府时，废除了郡自治区。20世纪90年代英格兰重新确立36个都会自治市辖区和33个伦敦自治市辖区。威尔士亦设自治市镇。在美国，自治市镇一词只是在殖民地的弗吉尼亚州偶尔出现，独立后也未广泛使用。村、镇、市这些名词被最普遍地用于市的单位。美国的市作为正式的城市单位十分接近英国的自治市镇。在一些州内，自治市镇得到正式承认。这种自治市镇是合并的镇或村，地位次于市。1897年纽约市立法机构将五大城市区，即曼哈顿区、布鲁克林区、昆斯区、布朗克斯区和里士满区，合并成大纽约市时，采用了这个名称。

borough-English 英区地产继承制 英国的幼子继承制度。根据这一制度，全部不动产一律传给幼子，无子时传给幼女。幼子继承制是盎格鲁-撒克逊时代早已习惯的制度，诺曼人征服后仍在各英区施行。英区地产继承制大部分为不自由农民所采用，它也和长子继承制一样，旨在保持领主采地制度。这种制度在许多领主采地上相沿成俗，直到1925年《土地经营法案》将其废除时为止。

Borovichi 博罗维奇 俄罗斯西北部诺夫哥罗德州博罗维奇区行政中心。临姆斯塔河。1770年设镇。有多种经济部门，除传统手工业（特别是织袜业）外，还有陶瓷、造纸和木材加工业。有医科学校及师范学校。人口约62 000(1983)。

Borovský, Havel（Czech author） **博罗夫斯基** 参阅 **Havlíček Borovský, Karel** 哈夫利切克·博罗夫斯基。

Borowski, Tadeusz 博罗夫斯基（1922-11-12，前苏联乌克兰日托米尔～1951-07-03，波兰华沙） 波兰作家、诗人。在德国占领下的华沙出版过一本非法诗集，题为《大地在何方》(1942)。1943～1945年间被囚于奥斯威辛集中营，后转押达豪集中营。战后，在慕尼黑发表《潜流的名义》(1945)。1948年出版散文。两本小说集《再会吧，马利亚》和《石头世界》，主要描写纳粹集中营的生活和探索人类道德败坏和堕落的根源。后加入共产党，开始在新政权工作。1948年与人合创青年知识分子俱乐部。作为记者，发表过多部短篇小说集，支持共产党政权。后因个人问题自杀身亡。

Borromean Islands 博罗梅安群岛 马焦雷湖的4个小岛，面积约20公顷。位于意大利西北部皮埃蒙特区韦巴诺-库西奥-奥索拉省巴韦诺和斯特雷萨不远处。贝拉岛以其别墅和梯形花园闻名。最大岛屿马德雷岛在东北部，有宫殿和花园。最小岛是北面的圣乔瓦尼岛，在帕兰扎岸外。最西面岛为苏佩廖雷岛，岛上有一风景如画的渔村。

Borromeo, Saint Charles 博罗梅奥（1538-10-02，米兰公国阿罗纳～1584-11-03，米兰） 天主教枢机主教，意大利反宗教改革运动的重要人物。1559年在帕维亚大学获民法、教会法博士，次年其叔父教皇庇护四世任命他为枢机主教、米兰大主教，后来在教廷历任咨议会主席乃至国务卿。在1562～1563年特伦托会议第3次会议时，教皇得他襄助甚多。他叔父死后，博罗梅奥参加1566年选举教皇庇护五世的秘密会议。他同米兰参议会、米兰总督以及一部分神职人员和卑微会发生冲突。他受到他自己所属的安布罗斯会等修会的支持。1569年卑微会司铎法里纳企图暗杀他。他要求从宽处理法里纳，但法里纳及其同案犯仍在受酷刑后被处决。博罗梅奥在1576～1578年鼠疫流行期间表现英勇，受到称颂。

Borromini, Francesco 博罗米尼（1599-09-25，伦巴第公国比索内～1667-08-02，罗马） 意大利建筑师。少年时学习石工、建筑和雕刻，1620年投入罗马著名建筑师C.马代尔诺门下。其时马代尔诺主持罗马圣彼得大教堂的重建工作，由于博罗米尼的才能，深得其师赏识，师徒二人乃共同参与大教堂及其他工程的设计及修建事宜。博罗米尼在处理建筑物的立面及内部空间方面，颇有创新。1629年马代尔诺逝世后，博罗米尼与接替其师的建筑师G.L.贝尔尼尼共事，继续进行大教堂的修建工作，并合作设计了该教堂内圣彼得墓上的巨大的青铜华盖。1633年后，博罗米尼独立从事建筑师业务。他设计的圣卡洛教堂，由于内部空间狭小，将通常分开布置的三个不同部分，大胆地组合在一起；教堂内部空间，在精心控制的光线下，产生一种幻觉的效果，椭圆形的拱顶似乎悬浮在教堂的上空。圣卡洛教堂以其新颖的布局和改革传统的大胆手法，而轰动全欧。博罗米尼生性孤僻，过着独身生活，虽然才华出众，但不善与人相处。他同贝尔尼尼合作修建圣彼得大教堂时，在建筑细部方面迭有新意，给贝尔尼尼以深刻印象。贝尔尼尼性格开朗，富有魅力，且善于和王公贵人周旋，故而声誉日隆，已成为闻名的雕刻家、画家及建筑师。而博罗米尼则狷介偏激，与人落落寡合，而悲叹自己的才华未受世人重视。由于两人性格迥异，加之博罗米尼在圣彼得大教堂的修建工作中，同贝尔尼尼意见相左，终于分道扬镳。当时的建筑理论认为房屋各部分比例，应按人体比例进行设计，因为人体是上帝按自己的形象

博罗米尼于1642～1660年建的罗马圣伊沃（萨皮恩扎的）教堂穹窿顶内部
美国不列颠百科全书公司供图

和比例创造的；但博罗米尼则以几何图形及其组成部分，作为建筑设计的依据。他虽然熟悉古代建筑，但并不拘泥于前人的清规戒律，而勇于进行革新。他在改进空间处理、加强拱肋结构以减少墙面、利用新颖华丽的装饰，以及把光线作为设计要素等方面，都有独到之处，并且对巴罗克建筑风格的发展，作出了重大贡献。此外他所具备的丰富的施工经验及熟悉结构和材料的技术知识，使他能驾轻就熟地实现其他建筑师所不敢尝试的创新。因此博罗米尼不愧为意大利巴罗克建筑的一代巨匠。博罗米尼晚年命途多舛，不仅他设计的建筑物不能顺利完成，而且他亲近的门徒及赏识他的顾主，均相继去世。他不幸罹忧郁症而产生幻觉，焚毁了自己手中的全部图纸，最后因病自杀。

Borrow, George(Henry) 博罗（1803-07-05，英国诺福克郡东迪勒姆～1881-07-26，奥尔顿湖沼地带） 英国旅行家、语言学家和19世纪最富有想象力的散文作家之一。出身职业

美国不列颠百科全书公司供图

军人家庭。早年随父亲的部队辗转于英属各岛屿。其杰作《莱文格罗》(1851)中的几段即为对当时生活情况的描写。1815～1818年在公立中学读书，开始涉猎多种语言。学法律不成，1824年去伦敦一年。后因健康不佳，长期浪迹农村，与吉卜赛人接触甚多。《莱文格罗》和《吉卜赛男人》(1857)就是根据他的所见所闻写成的。1826年出版从丹麦文翻译的《浪漫主义民谣集》。去西班牙后在一家圣

经会社工作，著有《记西班牙吉卜赛人》(1841)和《圣经在西班牙》(1842)。

Borsa, Roger 博尔萨 参阅 **Roger**(Apulia)罗杰(阿普利亚)项下的 **Roger** 罗杰。

borsch 罗宋汤 又拼 borscht，borsht 或 bortsch。斯拉夫国家的一种甜菜汤。在俄罗斯、波兰的食谱中占重要地位，但通常认为最早来自乌克兰。罗宋汤可热吃也可凉吃，有的淡而清、有的浓而稠。乌克兰罗宋汤是种美味的牛肉汤，加有各样蔬菜，其中主要是块根菜和卷心菜，甜菜根使汤有特殊的色泽。这种汤常同酸奶油饰菜，以及牛肉和洋葱馅酥饼一起食用。波兰的一种没有肉的甜菜汤加香菇调味，与小蘑菇饺子一起食用。有些俄式罗宋汤用谷物或面包发酵制作的淡啤酒(格瓦斯)烹调。

Borsippa 博尔西珀 巴比伦尼亚古城，即今比尔斯或比尔斯尼姆鲁德，在伊拉克中部巴比伦西南。博尔西珀的守护神为那波，因地处首都附近，而成为重要的宗教中心。汉穆拉比(公元前 1792 ～前 1750 在位)在此建造或重建了巴比伦国神马尔杜克神庙。尼布甲尼撒二世在位时期(公元前 605 ～前 562)最为繁盛。1902 年德国考古学家科德韦在这里发掘出由尼布甲尼撒建造的未完成的阶梯式尖塔。公元前 5 世纪初博尔西珀被阿契美尼德国王薛西斯一世摧毁。

Borsod-Abaúj-Zemplén 包尔绍德-奥包乌伊-曾普伦 匈牙利北部一州，面积 7 247 平方千米。境内多山，有河流所造成的岸边低地。河流皆沿北一南方向从斯洛伐克流至蒂萨河。为了控制和储存流水，上包尔绍德的几条河流上已筑起拦河坝。东部的博德罗科兹平原是州内最适于耕种的土地，盛产豌豆和小扁豆。托考伊地区以产葡萄酒著名。该州是匈牙利人口最多、工业化程度最高的州之一。工业化城市米什科尔茨(**Miskolc**)为州首府，在其西面的利拉菲赖德是著名的矿泉疗养和游览胜地。列宁城是迅速发展中的城镇，有化工厂和炼油厂。沙托拉里奥赫里是商业中心。人口约 770 000(1990)。

Borstal system 博斯托尔制度 适用于 16 ～ 21 岁青年的英国感化制度。取名于肯特郡博斯托尔旧监狱。该制始于 1902 年，但直到 A. 佩特森爵士于 1922 年就任监狱督官时才基本成形。每一个教养所收容 50 名以内的青年犯人，配有一个男性或女性管教人员，辅以若干工作人员。管教严厉，基本上是一整天艰苦但有趣的工作。除此以外，每周还有晚间 6 小时的职业训练课程。管教的期限根据被教养者的进步程度决定，平均约为 15 个月。入监者释放后受中央就业辅导协会监督，必要时他们可被收回再受训练。B. 贝汉的《博斯托尔的男孩》(1958)是对博斯托尔生活的幽默而冷酷的写照。

bort 圆粒金刚石 工业用金刚石(**industrial diamond**)的一种。

bortsch(beet soup) 参阅 **borsch** 罗宋汤。

Borūjerd 博鲁杰尔德 又拼 Burūjird，Barūjird。伊朗西部洛雷斯坦省博鲁杰尔德县主要城镇。位于高山下，宽阔而富饶的河谷中，海拔 1 700 米。位于从波斯湾和胡齐斯坦省到德黑兰的主要公路上，是繁荣的地区中心。区内有许多古迹。人口 183 879(1986)。

bōryokudan 暴力团 日本具有数百年历史的犯罪匪帮，20 世纪结合成类似黑手党的组织。成员被称为无赖或歹徒，遵守武士道般的仪式，多有精致的纹身，从事讹诈、勒索、走私、开设妓院、贩毒、赌博、高利贷、包揽短工以及其他非法活动；还控制了日本主要城市的许多旅馆饭店、酒吧、弹子房、运输公司、人才介绍所、出租汽车车队、工厂及其他行业。暴力团也卷入美国的犯罪活动。其历史可追溯到 16 世纪，当时失业的武士沦为盗匪，结成小帮。到 20 世纪后期，人数已经超过 15 万(据警方估计)，组成了 2 000 多个帮伙。多数附属于一个大集团，以求得保护；大集团约有十几个。最大的集团有山口组，约 1926 年由山口春吉组成，第二次世界大战后由田冈一雄(**Taoka Kazuo**)充当头目，扩大势力；另有稻川会和住吉联合(会)，等等。匪帮的头头叫做“亲分”(老板)，追随者叫做“子分”(门徒)。暴力团等级森严，纪律严格，常常可同右翼极端民族主义意识形态相比拟。“子分”要歃血宣誓效忠，凡违纪者要表示悔过，其方式是用刀剑切断小指，包以丝巾献给“亲分”作为改过自新的一种仪式。

Borzage, Frank 博扎奇(1893-04-23，美国犹他盐湖城～ 1962-06-19，加利福尼亚洛杉矶) 又译鲍沙其。美国电影导演和制片人，以其浪漫的超越主义和明快流畅的制片风格而闻名。博扎奇是一位手艺高明的石匠之子，13 岁即与表演结缘。1912 年去好莱坞当电影演员。他首次导演是在 1915 或 1916 年，他在其 1916 年导演的全部 15 部影片中参加演出。据认为他导演了 50 多部默片，但很少有几部——《懒汉们》(1925)是其中之一——被保留下来。博扎奇第一部广受欢迎的成功影片是《七重天》(1927)，这是他的许多部出色情节剧中最早的一部，他因此片获电影艺术和科学学会 1927/1928 年最佳导演奖。接着，他又摄制了一系列重要影片，有《马路天使》(1928)、《永别了，武器》(1933)和《生死同心》(1938)。1946 年他与以生产低成本电影闻名的共和影片公司签订合同。在该公司工作的 3 年期间，博扎奇摄制了他的最后一部杰出影片《月亮升起》(1949)。博扎奇以注重人物性格挖掘而著称，是位不矫揉造作而崇尚自然的导演。许多批评家认为，他的最佳成就可与比他更著名的同时代人约翰·福特和霍华德·霍克斯媲美。

borzoi 俄国灵猩 俄国培育的用以追捕狼的猎狗。从阿拉伯灵猩及形似柯利牧羊狗的一种俄国牧羊狗育成。前称俄国猎狼狗。以体态优美著名，壮实，敏捷。体高 66 ～ 79 厘米，体重 27 ～ 48 千克。头长而窄，耳小，胸高而窄，后肢长，肌肉发达。尾长而卷曲。被毛发亮，平坦或稍卷曲，白色带暗条纹。

俄国灵猩
美国不列颠百科全书公司供图

Bosanquet, Bernard 博赞基特(1848-06-14，英国诺森伯兰阿尔尼克～ 1923-02-08，伦敦) 曾促使黑格尔唯心主义在英国复兴的哲学家。力图将这种唯心主义原则用于社会问题和政治问题。1870 年被任命为牛津大学的大学学院研究员，并在该校任导师直到 1881 年。此后他迁居伦敦，致力于哲学著作并为慈善组织协会工作。1903 ～ 1908 年，任苏格兰圣安德鲁斯大学道德哲学教授。在其有关伦理学、美学和形而上学的著作中，借重黑格尔之处比较明显。1886 年翻译黑格尔《艺术哲学》的引论后，即撰写《美学史》(1892)和《论美学的三篇演说》(1915)。这两部作品均表明他相信美学能协调自然世界和超自然的世界。其伦理哲学和社会哲学，特别是联系实际的作品《伦理学方面的某些建议》(1918)表明他想有条理地将现实看成是一个具体的统一体，而享乐和义务、利己主义和利他主义则在统一体中调和起来。社会生活需要一个共同的意志，它既出自个人的合作，又使个人处于自由的和社会满意的状态之中。这种观点在其《国家的哲学理论》(1899)和《社会的与国际的理想》(1917)中均曾有所阐述。博赞基特的形而上学建立在黑格尔的人的认识和经验具有能动性这一概念上，但他强调人的思想内容和对象的相互关联性。在《关于精神性质的三章》(1923)中他写道：思想是“联系的发展”和“整体意识”。在其观点受英国哲学家 G.E. 穆尔和贝特兰·罗素激烈批评后，声誉随即下降。

Boscawen, Edward 博斯科恩(1711-08-19～1761-01-10，英国萨里哈奇兰帕克) 英国海军上将，七年战争中功勋卓著。早年参加海军，先后在西印度群岛(1726)、贝洛港(1739)和卡塔赫纳(1741)服役。回国后与著名“蓝袜子”范妮·格兰维尔(18 世纪的才女)结婚。1742 年当选为议员，但仍在海军中任职。1747 年 5 月在非尼斯特雷角外的海面上击败法国海军，因而成名。后被派去指挥驻印度的一支舰队。1755 年 4 月因在纽芬兰海域俘获法国舰只“阿尔西德”号和“利斯”号而引起七年战争的突然爆发。1758 年晋升海军上将。翌年指挥地中海舰队追击法国舰队，俘

3 艘毁 2 艘，粉碎了法国舰队入侵英国的计划。为此，1760 年 12 月荣任海军陆战队上将的显职，但次年即去世，光辉经历遂告终止。

Bosch, Carl **博施**（1874-08-27，德国科隆～1940-04-26，海德堡） 工业化学家，发展了哈伯-博施高压合成氨法，并因发明高压化学法而与F.伯吉尤斯一起共获1931年诺贝尔化

美国不列颠百科全书公司供图

学奖。博施曾在莱比锡大学受教育，在 J.维斯利采努斯指导下学习，1898 年因有机化学方面的研究而获博士学位。他兴趣广泛，1894 年在夏洛滕堡学习工程学，取得车间生产经验。离开莱比锡后，在巴登苯胺-苏打公司工作，后任该公司（成为法本化学工业公司的一部分时）的董事长；在此他将 F.哈伯的由氢和氮两元素在高压和催化剂作用下合成氨的方法，由实验室规模转变为工业规模。他对该法的研究，包括进行 20 000 次以上的实验，其中包括由有关金属及其化合物中寻找催化剂的长久而艰巨的工作。他还发明了在高温下于催化剂上通蒸汽和水煤气的混合物，以大规模制取氢的博施法。

Bosch, Hiëronymus **博斯**（约1450，布拉班特斯海尔托亨博斯[今在荷兰]～1516-08-09，斯海尔托亨博斯） 杰罗姆·凡·阿肯的笔名，又称 J.安托尼松（Jeroen Anthonizoon）。中世纪晚期北欧重要画家。祖父、父亲都是画家。在当时的文献中，被公认为"独特的画家"。其作品主要为复杂而独具风格的圣像画。学术界尊为对人性具有深刻洞察力的天才画家和第一个在作品中表现抽象概念的画家。约有 35 ～ 40 幅画被认为是其作品，只有 7 幅有他的签名，所有作品都无年代。除作画外，他还装饰祭坛和设计玻璃窗画。早期绘画构图不够熟练，布局稚拙，笔法变化不多，如《愚人的教化》、《耶稣被钉死在十字架上》、《博士来拜》、《七死罪》、《迦拿的婚礼》等，都是这一时期的作品。中期作品有三联画《干草马车》、《圣安东尼的诱惑》、《人间乐园》等。在三联画的盖扇上画的《七死罪》，表现出一种类似水彩的风格；中幅描绘的是一句佛兰芒箴言："世界是个干草堆，各尽其能来夺取。"博斯在画中展示出魔鬼引导人群从天堂（左幅）走向恐怖地狱（右幅）的诡计。其《圣安东尼的诱惑》风格上臻于成熟，笔法较前肯定而精练，构图灵活，形象优美，色彩真实、深厚，精彩地把握了轮廓和运动的细微差别。《人

博斯绘《圣安东尼的诱惑》
美国不列颠百科全书公司供图

间乐园》是博斯成熟艺术的代表，他以丰富的想象力，表现了夏娃的创造、最初的诱惑以及堕落的人间欢乐之情。画面的美、情欲、飘忽的想象以及寻欢作乐的尘世中人们的幻梦，表达了其强有力的肖像技法的独创性。晚期作品与前不同，题材不再是有许多人的牧场或地狱般的图景，而是稠密的人物群像，表达了他对绘画陈规的反抗。如《加戴荆冠》、《背十字架》等作品，十分富有表现力。他的成熟作品中最宁静和没有忧虑的是描述许多圣徒的沉思或休息。这类作品中有《在帕特莫斯的福音传教士圣约翰》和《在祈祷的圣哲罗姆》。博斯侧重于表现世界罪恶的做法，并没有阻碍他发现世界的美，他对色彩和谐的掌握和对有层次感的构图的运用是有目共睹的。

Bosch, Johannes, graaf van den (count of) **博斯伯爵**（1780-02-02，荷兰海尔韦内～1844-01-28，海牙） 荷兰政治家，在荷属东印度群岛建立家长式的定植制度，由此在 1830 ～ 1860 年间从出口作物中获得巨额财富。早年在荷属东印度群岛巴达维亚（今印度尼西亚雅加达）的陆军中服役（1798 ～ 1810）。他曾根据这段经历写成《亚洲、非洲和美洲的荷兰属地》（1818）一书，书中力主反对自由殖民体制，主张实行强有力的家长式统治；他辩称不习惯于工作的种族需要强力的指导。1830 年任荷属东印度群岛总督。他建立一套定植制度，根据该制度，印度尼西亚贵族有半自治权，村民必须服徭役，每个村庄至少要用 1/5 的土地种植供出口的作物。

Bosch（Gaviño），Juan **博什（加维尼奥）**（1909-06-30，多米尼加共和国拉贝加～2001-11-01，圣多明各） 多米尼加作家、学者、政治家。1962 年当选为多米尼加总统，但未及一年即被推翻。博什作为知识分子，早年反对特鲁希略的独裁政权，1937 年被流放。1939 年创立左派组织多米尼加革命党。多米尼加革命党是多米尼加共和国的第一个有组织的政党，是唯一具有建设性纲领、能在特鲁希略死后接替执政的政党。博什能言善辩，长于演讲，在 1962 年 12 月 20 日大选中以压倒优势获胜，他是第一个直接寻求一向被忽视的农民支持的政治家，这使他在大选中获得压倒多数。他不仅争取穷苦大众，而且超越阶级界限，博得中产阶级和知识界的好感。

博什于 1963 年 2 月 27 日就职。到任初期即面临严重问题。美国因古巴的卡斯特罗政府而感到惊慌，对加勒比地区左翼政治运动的任何风吹草动均存有戒心。而公开持敌对态度的美国驻多米尼加共和国大使的有损新政权的报告，更为这种恐惧火上浇油，博什 4 月 29 日的倡导自由民主的宪法则又使这个国家的 4 个强大势力集团离他而去：土地拥有者，即使是最小的，也因他禁止拥有大庄园而感到惊恐；教会被宪法的世俗性质所激怒；实业家们感到宪法是为工人而定的；军方则认为他们的权力遭到削弱。1963 年 9 月 25 日，军方推翻了博什。他在波多黎各流亡两年（1963-09-28 ～ 1965-09）后获准回国，并勉强获准参加新的选举。由于对安全感到担心，博什在竞选中并未全心投入，从不公开露面，终败于为美国全力支持的保守党候选人巴拉格尔。博什和他的党放弃参加 1970 年大选，但到 1973 年，多米尼加革命党要求重新加入政治进程。博什退出该党，另组多米尼加解放党。在此后的总统选举中，博什一再失败，但一再声称选举有弊。

他任职时间过短，无从评定他作为总统所起的作用，但博什对多米尼加的政治发展做出了重大贡献。经过 31 年的独裁统治，博什创建了一个真正的政党，这就迫使反对党也得这样做，并使他的国家能有合法的代议制选举。博什被公认为是一位杰出的历史学家和小品文作家，著述多为有关多米尼加和加勒比地区政治的作品。还写过小说和一本传记《西蒙·玻利瓦尔》（1960）。

Bosch, Robert **博施**（1861-09-23，符腾堡乌尔姆附近的阿尔贝克[德国]～1942-03-09，德国斯图加特） 工程师和工业家，他主持发明了汽车火花塞和永磁发电机，他设在世界各地的工厂生产了一系列精密机器和电气设备。博施在美国受教育，跟随 T.A.爱迪生和德国电气工程师 S.贝格曼工作。1886 年他在斯图加特设立制造公司。1902 年他的合作

者 G.霍诺尔德发明了博施火花塞，大大加速了汽车的发展。他本人也研制出内燃机点火用的永磁发电机，并对汽车灯、喇叭和油泵等装置进行了研制工作。博施的社会见解在当时是先进的。他在 1906 年实行了每日 8 小时工作制，主张工业仲裁和自由贸易。

Bosch GmbH 博施公司 全名罗伯特·博施公司。德国公司，欧洲最大的汽车零件制造商，也是世界上最大的汽车点火装置、喷油设备和反锁制动系统的制造商之一。该公司还生产工业用液压和气动设备、电信设备和系统、动力机器、家用电器、收音机、电视机、视听设备。总公司在斯图加特，其子公司遍及全欧洲、南北美洲、亚洲和澳大利亚。1886 年 R.博施(**Bosch, Robert**)为修理电气设备创建该公司。博施的磁电机及其合伙人的火花塞，这两项发明成为公司汽车零件生产的基础。自 1900 年起该公司开始向迅速发展的美国汽车市场出售汽车零件。到 1914 年公司有 2/3 的产品销往美国。但 1918 年其在美国的资产大部分被国外财产保管处没收。第二次世界大战期间该公司在美国的其余资产被接管。到 20 世纪 50 年代，随着战后全球经济的复苏该公司恢复了在美国和其他国外汽车市场的销售。同时，开始走多样化经营道路，生产家用电器、动力工具和液压器材。其生产的发动机由于油耗低、污染少在 70～80 年代颇受欢迎。80～90 年代以来其发明的反锁制动系统在欧美市场广泛使用。90 年代初该公司经济曾一度下滑，后逐渐走上良性发展轨道。1917～1937 年该公司股票公开发行，现大部分归博施家族所有。

Bosco, Saint John 鲍斯高(1815-08-16，撒丁王国皮埃蒙特都灵附近的比基[意大利]～1888-01-31，都灵) 天主教撒肋爵会(慈幼会)创始人。1841 年在都灵受神职为司铎。为了救济在城市寻求职业的男童，他借用房屋，为他们提供教育、宗教指导和文娱活动，后来办成包括文法学校、职业学校及教堂的综合设施。他与他人一起于 1859 年在都灵成立撒肋爵会，该会在他生前已普及到英格兰、法国、西班牙及南美洲等地。他又与马扎雷洛共同创办撒肋爵女修会。

Boscovich, Ruggero Giuseppe 博斯科维奇(1711-05-18，威尼斯地区达尔马提亚拉古萨[今克罗地亚杜布罗夫尼克]～1787-02-13，米兰[意大利]) 塞尔维亚-克罗地亚语作

美国不列颠百科全书公司供图

Rudjer Josip Bošković。意大利天文学家，第一个提出用几何学方法，通过 3 次观测旋转行星表面上的一点，求出行星的赤道，并根据 3 次观测到的行星的位置，算出行星的轨道。他的父亲是塞尔维亚人(原信奉东正教，后改信罗马天主教)，而他的母亲是意大利人。1726 年他参加耶稣会，在罗马学院学习数学和物理，1740 年在这个学院任数学教授。是欧洲大陆上最早接受牛顿万有引力定律的科学家之一，发表过近 70 篇关于光学、天文学、万有引力、气象学和三角学等方面的论文。博斯科维奇是大地测量学的鼻祖，为验证其关于地球形状的理论，1750 年测量了意大利的罗马和里米尼之间一段子午线的弧长。1764 年任帕维亚大学数学教授并兼任米兰的布雷拉天文台台长。1769 年他率领一支考察队到加利福尼亚观测金星凌日，但由于西班牙反对耶稣会而撤回。1773 年耶稣会会员在意大利遭到压迫时，博斯科维奇接受法国国王路易十五的邀请出任海军光学总监。1783 年他返回意大利。1787 年在米兰逝世。

Bose, Sir Jagadis Chandra 博斯(1858-11-30，印度孟加拉迈门辛～1937-11-23，比哈尔邦吉里迪) 印度植物生理学家、物理学家。发明了一些高度敏感的仪器，用以测定活机

美国不列颠百科全书公司供图

体对外界刺激的微小反应，因此他先于后来的生物物理学家而注意到动植物组织间的平行性。1895 年用实验研究波长极短的无线电波的准光学性质，改进了金属屑检波器，从而促进了固态物理学的发展。博斯 1884 年在剑桥大学获得学位。1885～1915 任加尔各答管辖区学院物理科学教授，1917～1937 年建立并领导了加尔各答博斯研究所。为研究工作之便，他建造了一些自动记录仪以记录极微小的运动，并记录下一些令人惊讶的现象，如植物表现有感觉能力，受伤时会出现颤抖现象。有《活体及非活体的反应》(1902)及《植物的神经机制》(1926)等著作。

Bose, Satyendra Nath 玻色(1894-01-01，印度加尔各答～1974-02-04，加尔各答) 印度数学家、物理学家，与 A.爱因斯坦合作创立电磁辐射类似气体的性质的理论(参阅 **Bose-Einstein statistics**)。毕业于加尔各答大学，1916 年在该校任教，以后到达卡大学(1921～1945)，最后回加尔各答大学(1945～1956)。玻色于 1918～1956 年发表的大量科学论文，对统计力学、电离层的电磁性质、X 射线结晶学和热致发光的理论以及统一场论等作出了贡献。他发表的《普朗克定律和光量子假说》(1924)受到爱因斯坦的赏识，并选他为合作者。

Bose, Subhas Chandra 鲍斯(约1897-01-23，印度奥里萨邦克塔克～1945-08-18，台湾台北?) 别号"尊敬的领袖"。印度革命者，在第二次世界大战中领导一支印度国民军与英

美国不列颠百科全书公司供图

美一方作战。父为一富有的著名孟加拉律师。鲍斯在加尔各答管辖区学院求学，1916 年因从事民族主义活动而被开除，后人苏格兰教会学院，1919 年毕业。他的父母又送他进英国剑桥大学，准备将来当一名印度文官。1920 年，他通过了文官考试，但在 1921 年 4 月，当他得知印度发生民族主义骚动后，他放弃了文官资格，匆匆回国。他一生活动中，特别是在早期，在金钱和情感上得到他哥哥萨拉·昌德拉·鲍斯(1889～1950)的支持。后者是加尔各答富有的律师，国民大会党的政客。甘地发动了不合作运动，使印度国民大会党成为强有力的非暴力组织。他让鲍斯去孟加拉一个政客达斯手下工作。鲍斯在那里成为教育青年的人、新闻记者和孟加拉国大义勇军司令员。他的活动导致在 1921 年 12 月被监禁。1924 年他被任命为加尔各答市政府首席执行官，达斯为市长。不久他因被怀疑与秘密革命运动有联系而被驱逐出境至缅甸。1927 年获释回国时他发现孟加拉国民大会党在达斯死后已处于混乱之中。此时甘地恢复了他的国大党活动，鲍斯被选为孟加拉国大党主席。1930 年，不服从运动开始时，鲍斯已遭扣押；旋又获释，后复遭逮捕，监押一年后，他终于获准去欧洲。在流放期间，他写了《印度的斗争，1920～1934》，吁请欧洲各国领导人支持印度的独立运动。1936 年他离欧返国，又被扣押，一年后获释。1938 年他被选为印度国大党主席，成立了一全国规划委员会，委员会制订了工业化的政策。这与甘地的以他的纺车为象征的经济思想不合。1939 年鲍斯击败一位甘地派而再次当选，由此可见他的主张是合乎民意的。虽然如此，这位"叛逆主席"感到少了甘地的支持他还得辞职。他创立了前进同盟，希望把激进分子团结起来，但在 1940 年 7 月又遭监禁。他深知在印度历史的紧急关头，自己不能置身图圄，乃决意绝食至死，英国政府为之惊慌失措而将其释放。1941 年 1 月 26 日，他逃过了严密监视，乔装逃出他的加尔各答寓所，经过喀布尔和

莫斯科，于4月到达德国。在纳粹德国，鲍斯接受索尔兹的亚当·冯·特罗特指导的一个新成立的印度特设局的调教，与其他一些集合在柏林的印度人从1942年1月起在德国设置的印度国民电台以英语、印地语、孟加拉语、波斯语、泰米尔语、泰卢固语、古吉拉特语和普什图语定时进行广播。日军进犯东南亚后年余，鲍斯离开德国乘德日潜艇、飞机于1943年5月抵达东京。7月4日他以东亚印度独立运动领袖的身份，在日本资助和影响下，在东南亚日本占领区内搜罗了约4万印度人，组建了一支军队。1943年10月21日，鲍斯宣布临时独立印度政府成立，他的所谓印度国民军随日本军队进至仰光，经缅甸全境于1944年3日18日进入印度境内的科希马和因帕尔平原。在顽强战斗中，这支混合日印军队因得不到日机空中支援而战败，被迫后撤。但印度国民军继续作为一支以缅甸、后以印度支那为基地的解放军而存在了一个时期。日本战败后，鲍斯随之陷入绝境。1945年8月日本宣布投降后数日，鲍斯逃离东南亚，途中飞机坠毁，他被烧伤，据称死于台湾一所日本医院中。

Bose-Einstein statistics　玻色-爱因斯坦统计法　不可分辨粒子的集合，在可占有的离散能态的系集中可能有的两种分布方法之一。同态粒子的聚集是遵从玻色-爱因斯坦统计法的粒子的特性，激光的内聚冲流和超流体氦的无摩擦蠕动可用粒子这种特性加以说明。这种性状的理论由A.爱因斯坦与印度物理学家S.N.玻色提出（1924～1925），他们认识到不可分辨的全同粒子集合体能按这种方式分布。与费米-狄拉克统计法（Fermi-Dirac statistics）相反，玻色-爱因斯坦统计法只适用于不遵从泡利不相容原理（Pauli exclusion principle）的粒子即玻色子。

Boselli, Paolo　博塞利（1838-06-08，撒丁王国皮埃蒙特萨沃纳[今在意大利]～1932-03-10，意大利罗马）　意大利政治家。原为罗马大学财政学教授，1870～1921年一直为众议员，1921年后为参议员。1888年任教育大臣，1899年任财政大臣。1915年，他支持意大利参加第一次世界大战反对奥匈帝国。1916年A.萨兰德拉政府倒台，他出任首相，组成联合政府。1916年8月，他的政府对德宣战。翌年，意军在卡波雷托战役惨败后辞职（1917-10-30）。墨索里尼掌权后，他表示效忠于新的法西斯政权。1929年3月，他作为政府发言人在参议院支持批准意大利与梵蒂冈的条约。他还任意大利历史研究所所长，并创建罗马的复兴运动博物馆。

Bösendorfer, Ignaz　伯森多费尔（1796-07-28，奥地利维也纳～1859-04-14，维也纳）　奥地利钢琴制造家，所设商行以其姓名为名。曾随维也纳钢琴制造者J.布罗德曼当学徒。在李斯特开始选用伯森多费尔的钢琴以后，他的公司便举世闻名。1830年获得奥地利皇帝的正式表彰。伯森多费尔曾试验多种连动装置（一种机械装置，将手指的压力传到包有衬垫的琴槌，再从而传给琴弦）；他的大大小小三角钢琴采用不同连动装置设计。最大的“特大三角琴”音域之大不同寻常，竟有8个8度，后缩短为标准的7个半8度。现代伯森多费尔音乐会三角钢琴长3米（9英尺）多，因其音质而得到很高评价。他的企业由其子路德维希继承；1872年路德维希在维也纳建造伯森多费尔会堂，作为室内乐演奏和钢琴独奏的中心。1919年路德维希去世后，这一企业转入他人手中。

Bositeng Lake　博斯腾湖　中国最大的内陆淡水湖，断陷湖。维吾尔语意为“绿洲”。又称巴格拉什湖。位于新疆维吾尔自治区天山南坡焉耆盆地东南部最低洼处，为开都河尾闾，又为孔雀河源。湖体东西长60.5千米，南北平均宽15.9千米，呈扁平碟形，水面面积1 030平方千米，湖面平均水位海拔1 048米，湖盆最低处海拔1 031米，最大湖深17米，平均深8米，贮水量约77.3亿立方米。湖水矿化度在1.5克/升以上。湖体可分两部分：大湖面积约980平方千米，小湖面积约百余平方千米，小湖附近还有苇湖沼泽约300平方千米。湖水补给主要来自开都河。湖体对径流还有一定调节作用。芦苇资源丰富。湖西有铁门关水库，景色秀丽。

Bošković, Rudjer Josip（astronomer）　参阅 **Boscovich, Ruggero Giuseppe 博斯科维奇**。

Bosman, Herman Charles　博斯曼（1905-02-05，南非开普敦附近凯尔斯河～1951-10-14，伊登代尔）　南非短篇小说家、小品文作者。作品主要描写南非农村地区阿非利堪人的个性与生活。父母都是阿非利堪人（在南非出生的欧洲人后裔）。本人在约翰内斯堡上过大学，接受英国教育，获教育学学位。一次回家探亲时枪杀了一个同母异父兄弟，被判死刑，后减刑为10年监禁，在狱中实际服刑仅4年。教学生涯因此中断。最早的《沙尔克·鲁仑叔叔故事》就是写于狱中。他的《冰冷的瓦罐》（1949）是狱中讽刺随笔录。他的短篇小说发表在许多报刊上，第一本集子《马弗京路》出版于1947年。大部分作品都在死后出版，有《回归尘土》（1963）和《朱里·斯蒂恩的邮局》（1971）等。由L.阿伯拉罕斯编辑出版的有《博斯曼作品精选》（1965）及《博斯曼文集》（1981），博斯曼由此而成名。博斯曼还有数部诗集及两部小说《夜中的贾卡兰达》（1947）和《威廉斯多尔普》（1977）。充其量，其早期短篇小说只是成功地将短篇小说的形式套用于表达粗犷的德兰士瓦草原环境而已。他用简洁辛辣的笔调生动地刻画了阿非利堪人最优和最劣的特点。他的后期作品常常写得比较松散随便，沙尔克·鲁仑叔叔式的人物为1948年国民党当政后未定型的一代新人所代替。

Bosna River　波斯尼亚河　Bosna又拼Vosna。波斯尼亚-黑塞哥维那境内河流。源出伊格曼山脚的岩溶泉，入萨瓦河，全长271千米。8条支流皆以盛产淡水鱼闻名。沿河大城市有泽尼察和多博伊。第二次世界大战后，已沿河谷发展工业，尤其是冶金业。

Bosnia and Herzegovina　波斯尼亚和黑塞哥维那　全称波斯尼亚和黑塞哥维那共和国。巴尔干半岛中西部国家，1918年至1991～1992年原为南斯拉夫的一部分。黑塞哥维那占有南端的三角形地带，包括莫斯塔尔（主要城市）；面积更大的波斯尼亚由广阔的中部和北部地区组成，包括萨拉热窝。在历史上，黑塞哥维那长期从属于波斯尼亚。

波斯尼亚和黑塞哥维那东邻现今的塞尔维亚和黑山，北、西、南三面为克罗地亚所环绕。一条狭长的走廊使黑塞哥维那在亚得里亚海内雷特瓦水道上的内乌姆有一个出海口，这条走廊位于杜布罗夫尼克西北约40千米处，沿达尔马提亚海岸将克罗地亚分开。波斯尼亚和黑塞哥维那的首都是萨拉热窝。面积51 129平方千米。人口约3 366 000（1998）。

自然地理与人文地理　波斯尼亚和黑塞哥维那大部分为山区，地势高处达海拔1 800米以上，但南部向亚得里亚海陡降。萨瓦河、德里纳河和内雷特瓦河及其支流流经这一地区。西南部，包括迪纳拉山脉，其特点

美国不列颠百科全书公司供图

是喀斯特地貌（带有裂隙、岩坑和洞穴的石灰岩）和夹有可耕土壤的小片洼地。

波斯尼亚气候一般温和，但冬天时有严寒天气。相比之下，黑塞哥维那的气候特点则是夏季酷热，10～1月雨量最多。

波斯尼亚和黑塞哥维那居住着许多民族，但主要是波斯尼亚人（旧称穆斯林，约占人口2/5）、塞尔维亚人（1/3）和克罗地亚人（1/5）。这3个民族讲同一种语言，即塞尔维亚-克罗地亚语。在种族上很难区分，但塞族人多为东正教徒，使用西里尔字母；而克族人多为天主教徒，使用罗马字母。波斯尼亚人为斯拉夫人的后裔，在土耳其（奥斯曼）的长期统治下皈依伊斯兰教。从有史以来，波斯尼亚和黑塞哥维那两地人民便相互混居，这一混居的形式在和平时期形成一种世界大同的气氛，但也酿成数次战争中的敌意。

可耕地约占总面积的15%左右，良田主要集中在北方。除干旱的喀斯特荒地外，土壤适合种植谷物，特别是玉米和小麦。黑塞哥维那和波斯尼亚比较蔽风的地带可种植大豆、油菜、橄榄、葡萄、桑树、无花果、石榴、瓜类、柑橘、柠檬、水稻和烟草。耕种往往和牲畜饲养同时进行，该国是一个主要的绵羊饲养国。

波斯尼亚和黑塞哥维那有各种矿产，包括铁、铝矾土和铜。该国的河流具有相当大的水电潜力。现代矿业和工业始于奥地利统治时期，而前南斯拉夫政府又鼓励该地发展工业，尤其是冶金工业。然而，波斯尼亚和黑塞哥维那仍为前南斯拉夫最贫困的地区之一。

波斯尼亚和黑塞哥维那的多民族特征一直在其政府部门中有所体现。1991～1992年南斯拉夫垮台后，波斯尼亚和黑塞哥维那的这种多民族观念便体现在其具有7个成员的共和国主席团中，其中3个主要民族各选出委员2人。此外，尚有两院制的国家议会，一为公民院，一为地区院。1992年内战爆发后，国家陷于事实上的分裂，政府的正常运作陷于停顿。

历史 波斯尼亚和黑塞哥维那的古代居民为印欧语系的伊利里亚人，他们广泛居住在巴尔干半岛西北部。罗马人征服该地区后，该国并入罗马的伊利里坎省，但萨瓦河沿岸地区仍属于潘诺尼亚省。到公元6世纪下半叶，斯拉夫人开始在该地区定居。在此后的5个世纪中，该地区的各部分分别处于塞尔维亚人、克罗地亚人、匈牙利人、威尼斯人和拜占廷人的统治之下。12世纪，匈牙利王国开始通过一些出身波斯尼亚、克罗地亚或匈牙利的总督来统治这一地区。1322年波斯尼亚人科特罗曼被选为总督，在14世纪的以后时间里，科特罗曼王朝（尤其是在其侄特伏尔特科一世统治下）将波斯尼亚的领土扩大，把塞尔维亚的胡姆省和亚得里亚海沿岸的大部地区都划入其版图。

1386年，奥斯曼土耳其人入侵波斯尼亚，经多次战斗后，波斯尼亚于1463年成为土耳其的一个省。胡姆在一群自称为圣萨瓦大公的统治者领导下支持了较长一段时间。这一称号在黑塞哥维那至今仍被人们记起。16和17世纪，在与哈布斯堡王朝和威尼斯的连绵战火中，波斯尼亚成为土耳其的一个重要前哨基地。在这一时期中，当地居民大多皈依伊斯兰教。由于奥斯曼帝国被逐出欧洲，其在波斯尼亚的统治亦愈加困难，不论穆斯林还是基督教徒均对来自君士坦丁堡的干预产生反感。

1877～1878年俄土战争后，波斯尼亚和黑塞哥维那在柏林会议上被指定由奥匈帝国占有，但在名义上仍属土耳其。1908年10月7日该国并入奥匈帝国。新宪法将选区分为3个选举团，对东正教徒、天主教徒和穆斯林分别给予固定比例的席位。塞尔维亚日益增长的民族主义并未因此而得到满足。1914年6月28日，奥地利大公斐迪南在萨拉热窝被波斯尼亚的塞尔维亚学生G．普林西普刺杀，导致第一次世界大战爆发。波斯尼亚和黑塞哥维那1918年10月26日作为塞尔维亚-克罗地亚-斯洛文尼亚王国的一部分并入塞尔维亚，1946年这块由两部分组成的领土成为共产党南斯拉夫的共和国之一。

随着1989～1990年东欧共产主义的崩溃，波斯尼亚和黑塞哥维那也卷入了南斯拉夫各地的民族主义浪潮。1991年克罗地亚退出联邦后，波斯尼亚的克罗地亚人和波斯尼亚人通过举行公民投票，号召成立独立的、多民族共和国。然而，波斯尼亚的塞尔维亚人拒绝脱离如今是被塞尔维亚人统治着的南斯拉夫，于是从1992年起，波斯尼亚和黑塞哥维那陷入一场内战。各民族在内战中将其占领区的全部人口"清洗"一遍。塞尔维亚人占据了北部和东部的大部地区，克罗地亚人占据了西部地区，而波斯尼亚人则据守在中部和西北部的一些城市中。战争于1995年12月结束，签署的和平协议将波斯尼亚和黑塞哥维那一分为二，一半归波斯尼亚-克罗地亚联盟，一半归波斯尼亚-塞尔维亚共和国。至21世纪初，在世界银行的资助下完成多项基础设施建设，并且进行政治和经济改革。但民族问题依然突出，波斯尼亚和黑塞哥维那共和国的前途并不明朗。大多数克罗地亚人和塞尔维亚人认为国家的未来应是或独立为两国，或分别划归克罗地亚和塞尔维亚。

Bosnian crisis of 1908　1908年波斯尼亚危机　由奥匈帝国兼并巴尔干波斯尼亚和黑塞哥维那两省所引起的严重国际紧张局势。虽然柏林会议(1878)给予奥匈帝国暂时占领和管理波斯尼亚和黑塞哥维那的权利，但正式说来，这两个省仍归奥斯曼帝国所有。1908年7月，青年土耳其党人在君士坦丁堡发动革命，建立立宪政府，并实施改革纲领，这时奥地利外交大臣埃伦塔尔决定在土耳其新政权重新控制波斯尼亚和黑塞哥维那之前将其兼并，为了达到这一目的，埃伦塔尔在摩拉维亚的布赫劳会见俄国外交大臣A.P.伊兹沃尔斯基，1908年9月16日伊兹沃尔斯基同意俄国对兼并将不表示反对。作为交换条件，埃伦塔尔保证奥地利将不反对博斯普鲁斯海峡和达达尼尔海峡向俄国军舰开放。1908年10月7日，奥匈帝国以皇帝诏书形式，兼并了波斯尼亚和黑塞哥维那。伊兹沃尔斯基对如此仓促的行动没有准备，无法控制国内反对兼并的强烈群众意见。另外，在地理上和民族上与波斯尼亚和黑塞哥维那有密切关系的塞尔维亚亦为这一兼并所激怒，要求奥地利把其中的部分地区割与塞尔维亚。伊兹沃尔斯基慑于国内的反奥舆论，不得不支持塞尔维亚的要求。但是，奥地利在其盟友德国的坚决支持下，声言如果塞尔维亚坚持自己的要求，则要入侵塞尔维亚。1909年3月，伊兹沃尔斯基照会德国：俄国接受奥地利的兼并。虽然这次危机没有立即引起战争就得到了解决，但是后来的形势发展终于导致第一次世界大战的爆发。

Boso　博索（?～887-01-11，维埃纳[法国]）下勃艮第（普罗旺斯）国王，877年即位。阿登伯爵比樊之子。876年统辖伦巴第，得公爵称号。在西法兰克国王路易三世和卡洛曼未成年时，他召集普罗旺斯各主教，授意他们拥立他为法兰克国王（879-10-15）。此后，他不断扩大自己的领地，建成一个大勃艮第王国。在后来的岁月中，特别在880～882年他丧失了许多北方边缘土地给德意志和法兰西的卡洛林王朝。死后由其子路易继位，901年称路易三世。

Bōsō Peninsula　房总半岛　位于日本本州，范围同千叶县。伸入太平洋130千米，西面环抱东京湾，最宽处达106千米。地势从东南（海拔100米）向西北（海拔30米）倾斜，多丘陵，东北部有沿海平原。利根川下游冲积平原构成半岛北界。

boson　玻色子　具有整数自旋（角动量的量子数为0、1等等）的亚原子粒子，因遵循**玻色-爱因斯坦统计法**（**Bose-Einstein statistics**）而得名。玻色子包括介子（如π介子和K介子）、偶质量数核（如氦4）和体现量子场论中需要的粒子（如光子和胶子）。玻色子和称为费米子的另一族亚原子粒子的显著不同处为：占有同一量子态的粒子数目不受限制。例如，这一性状会引起当氦4冷却变为超流体时的一些值得注意的性质。

Bosorra（ancient Syria）　又拼Bosora。参阅**Bostra 波斯拉**。

Bosporus　博斯普鲁斯海峡　又拼Bosphorus。土耳其语作İstanbul Boğazı（伊斯坦布尔海峡），Karadeniz Boğazı（卡拉代尼兹海峡）或Boğaziçi。沟通黑海和马尔马拉海，并将土耳其亚洲部分和欧洲部分隔开的海峡（"咽喉"）。全长30千米。北面入海口最宽处3.7千米，奥斯曼帝国鲁梅利希萨勒和阿纳多卢希萨勒两城堡间最窄处750米。中流深度36.5～124米不等。海峡中央有一股由黑海流向马尔马拉海的急流，水面底下又有一股逆流把含盐的海水从马尔马拉海带到黑海。因鱼群季节性地通过海峡往返黑海，渔业颇盛。海峡两岸树木葱郁，村庄、游览胜地、华丽的住所和别墅星罗棋布。博斯普鲁斯意为"牛涉水之地"，据传曾有传说人物伊俄，化身为一小母牛漫游越过色雷斯国博斯普鲁斯海峡。鉴于海峡的重要战略地位,为了保卫跨越海峡南端的君士坦丁堡(今伊斯坦布尔),拜占廷诸皇帝和以后的奥斯曼帝国诸苏丹沿海峡两岸,特别是欧洲一侧先后修建了许多

博斯普鲁斯海峡欧洲一侧岸上面向亚洲海岸的鲁梅利希萨勒城堡

美国不列颠百科全书公司供图

城堡,其中最有代表性的是阿纳多卢希萨勒和鲁梅利希萨勒两城堡;前者位于海峡亚洲一侧沿岸,为巴耶塞特一世于1390～1391年所建;后者就在海峡正对面,为穆罕默德二世于1453年所建。由于19世纪时欧洲强国日益增长的影响,1841、1871年先后订立通过海峡的商船和军舰的管理条例。第一次世界大战中,奥斯曼帝国战败后,海峡的控制权由国际委员会接管,1936年始重归土耳其管理。跨越博斯普鲁斯海峡的大桥于1973年建成。

Bosporus, Kingdom of the　博斯普鲁斯王国　也称辛梅里安博斯普鲁斯。位于今乌克兰南部刻赤海峡的一个古希腊国家,它在公元前4世纪曾达到国力的巅峰。王国的主要城市潘蒂卡派(今刻赤)曾先后受到阿尔凯安纳克提德王朝(公元前480～前438)、斯巴多奇德王朝(公元前438～前110)的统治,后者曾把其他希腊移民地、如公元前7和前6世纪建立的尼姆法伊乌姆并入潘蒂卡派。公元前5世纪下半叶以后,雅典在博斯普鲁斯各城市有很大影响;雅典控制了当地的贸易直到公元前404年,并且在公元前4世纪一直是博斯普鲁斯的主要顾客。斯巴多奇德王朝镇压了黑海上的海盗活动,他们对谷物、鱼类和奴隶买卖进行管理,使博斯普鲁斯的贸易繁荣。公元前3世纪中叶王朝和经济衰微开始。公元前110年之后,本都国王控制了这一地区。建立于公元1世纪的新王朝在罗马帝国保护下统治了300年。公元342年后,这个国家交替地受蛮族和拜占廷的统治。

boss　凸雕饰　又称浮雕装饰。中世纪拱顶上用来接合交叉的拱肋和遮挡接缝的雕刻拱顶石。13世纪时带有自然主义雕刻的凸雕饰在英国广为流行,如伦敦威斯敏斯特教堂和伊利的教堂都有这种凸雕饰。14世纪时凸雕饰上出现了描绘故事的雕刻。15世纪时发展起来的扇形拱顶中则带有一种悬垂物状的长条形凸雕饰。

英国14世纪格洛斯特大教堂圣母堂内的拱顶凸雕饰

美国不列颠百科全书公司供图

Boss, Lewis　博斯(1846-10-26,美国罗得岛普罗维登斯～1912-10-12,纽约奥尔巴尼)　美国天文学家。因编制星表而闻名。1876年任奥尔巴尼达德利天文台台长。1882年率领远征观测队去智利观测金星凌日。1895年前后开始筹划编制一部载有恒星位置和运动的总星表,并在1906年后得到华盛顿卡内基财团的资助。他扩大观测机构,既在奥尔巴尼观测北天的星,又到阿根廷观测南天的星。用新数据订正旧星表,并于1910年出版了《6 188颗恒星的基本星表(历元1900)》。他逝世时工作虽未完成,但他的儿子本杰明继承父志,于1937年完成了这一工作,发表了5卷本的《33 342颗恒星总星表(历元1950)》。

bossa nova　新鲍萨音乐　葡萄牙语,意为"新趋向"。20世纪50年代后期由桑巴(一种巴西舞蹈和音乐)和冷静爵士乐相结合而成的巴西流行音乐。它用切分节奏的2/4拍,配器富于变化但很简单,只限于用少数几样节奏性乐器:如吉他、乐弓、鼓,或用钢琴的单音作伴奏。在声乐乐段,配乐有所控制,以便使歌唱者有更大自由去即兴演唱。作为舞蹈,与桑巴差异甚微,都要求有同样微妙的身体摇摆节奏与脚的两步动作。新鲍萨音乐最主要的演奏者有B.鲍威尔、A.C.若宾、S.盖茨、H.曼和J.吉尔贝托等。

Bosse, Abraham　博斯(1602,法国图尔～1676,巴黎)　法国巴罗克风格时期的著名铜版画家、油画家和建筑师。在数学家G.德扎尔格的影响下掌握了透视法,从而成为画院的透视学教授,后被选为名誉院士。其版画大都为寓言画、风俗画、卷首插图及古装画,包括《人类时代》(1636)及《拉迪斯拉四世的婚礼》(1645)。其名著为《论古典建筑柱式设计》(1664)。今天他的作品留存下来的很少,只有一幅《傻处女》。他除对讽刺和漫画艺术的发展做出贡献外,他还用不带偏见的木刻和版画讽刺贸易和各种职业。

Bossert, Helmuth Theodor　博塞特(1889-09-11,德国兰道～1961-02-05,土耳其伊斯坦布尔)　德国语文学家、考古学家。曾在土耳其黑山发掘公元前8世纪赫梯城堡,发现双语言对照的铭刻,由此得以释读最古老的赫梯象形文字。1919～1934年致力于个人研究与著述。1934年任柏林大学近东语言及文化教授及伊斯坦布尔大学近东语言及文化研究所所长。1930年前后,他决心致力于赫梯象形文字音值及赫梯语一般结构的研究。在土耳其时,曾多次考察、研究古代安纳托利亚

美国不列颠百科全书公司供图

诸文化。1946年2月首次访问黑山,考察其雕刻、铭刻与浮雕。1947年在其指导下,开始了赫梯建筑遗址与浮雕的发掘。在此工作期间,博塞特发现了解读赫梯语的双语钥匙。著有《世界古今工艺美术史》(6卷,1928～1935)、《古安纳托利亚》(1942)、《黑山发掘的初步报告》(1950)和《古叙利亚》(1951)。

Bossuet, Jacques-Bénigne　波舒哀(1627-09-25,法国第戎～1704-04-12,巴黎)　在捍卫法兰西教会权利、反抗教皇权威方面最善雄辩和最有影响的主教。如今主要以他的文学作品包括伟人悼词而闻名。波舒哀生于官吏家庭,15岁以前在第戎耶稣会学校受教育。1642年到巴黎,在纳瓦拉学院学习神学。1652年受祝圣为司铎。并在获神学博士后在梅斯教堂任职。在梅斯,他的主要活动是讲解教义和与新教人士进行辩论。1660年和1661年他在巴黎小兄弟会女隐修院和加尔默罗会女隐修院作大斋节布道讲演,1662年又奉召向国王路易十四作布道讲演。1669年起,他应召为逝世的要人致悼词,其中包括英格兰王后亨利埃塔及其女儿等。作为神学博士,波舒哀也介入了关于詹森主义的争论。波舒哀于1669年被任命为法兰西西南部孔东主教,1670年因被任命为王储教师而辞职,由此他被选进法兰西学院。他的主要著作《根据经文论政治》使他获得专制主义理论家的名声。在这本著作里,他引用《圣经》论证王权,认为任何合法政府都表达上帝的旨意,它的权威是神圣的;同时他又强调君主身负重任,应当时刻铭记以上帝为表率,爱民如子,不滥用权势。1681年起他任莫城主教终生。在关于法国教权归属的高卢主义争执中,路易十四坚持法国国王可以限制教皇的权力,不让他任意向空缺主教区征收赋税或

美国不列颠百科全书公司供图

采取其他某些行动，而越山主义则认为教皇至高无上。1681～1682年，法国神职人员举行特别会议讨论这一问题，会上由波舒哀致开幕词，论教会的统一，并草拟会议的最后文件《四条教规宣言》。这两份文件于1682年提交给法兰西神职人员大会。《四条教规宣言》指出，在世俗事务上国王独立自主，而在信仰问题上，教皇的判断如未经全体教会同意亦并非一贯正确。1685年，路易十四撤销《南特敕令》，意在取缔法国基督教新教。波舒哀拥护国王的政策，但他反对迫害基督教新教徒，力主用以理服人的方法使他们改信天主教。他发动许多人抨击康布雷大主教费奈隆所倡导的静修派神秘主义。1699年，罗马教廷终于在波舒哀的敦促下谴责费奈隆。

Boston　波士顿　英格兰林肯郡的一个区和自治城镇。濒临费恩北缘的威特姆河。面积360平方千米。13世纪起为小港口，也是汉萨同盟的成员，从事羊毛和酒的贸易。波

濒临威特姆河的波士顿教堂
美国不列颠百科全书公司供图

士顿教堂俯瞰费恩原野，是显著的景观；其塔高83米。这座装饰型风格的建筑1931年已修复一新。许多清教徒就是从这里出发前往新大陆。现为港口和农牧产集市，有农产品加工业。人口：城镇35 124(2001)；区55 739(2001)。

Boston　波士顿　美国东北部马萨诸塞州首府，濒临大西洋的港湾马萨诸塞湾。波士顿作为一个大城市，其市区(包括查尔斯河的一部分、波士顿港和大西洋一部分)的面积异常小，仅有119平方千米，而且其中1/4以上是水域。

其政治区划内的面积、人民和组织机构只能说明其实体，而作为一个城市和城市的名称，波士顿可说是美国意识发展的一种象征，其影响范围远超出其周边地区。作为新英格兰诸州的精神首府，作为这个国家与欧洲传统最紧密的联结点，作为美国独立战争和美国的先驱，作为最早的美国文化中心，波士顿对这个国家的影响几乎长达3个世纪之久。虽然在20世纪的大部分时间里，波士顿如同整个新英格兰地区一样在国家生活中起的作用越来越小，但是它依然是美国教育、文化、医学和科学各领域活动最多样化、最有活力地相互结合的一个中心。

自然地理和人文地理

景观　波士顿及其深水避风港的四周为小山丘所包围，北起米德尔塞克斯山岗，南至布卢希尔斯丘陵。

殖民时期城镇范围　波士顿建于多山丘的肖马特半岛上，半岛原先几乎四面都被水所包围。只通过一条狭窄地带沿着今日的华盛顿大街与南面大陆上的罗克斯伯里连接。狭窄地带的西面是大片的淤泥滩和盐沼，涨潮时一片汪洋，统称为巴克贝。此外，查尔斯河流向半岛，接近波士顿湾处，在北面和西面进一步将半岛与大陆隔开。半岛东部对着港口，从港口插入的镇湾将波士顿分为北端和南端。殖民时期的城镇中心是在现今的旧州议会大厦(1711～1747)，通往大陆的唯一道路在这里与通海港的主要道路相交叉。

虽然原先的中心和殖民时期的南端久已用来开设银行、办公室以及经营零售和批发贸易，但是有一些18世纪的建筑物被保留了下来，如：法纽尔厅(1742～1805)、老科奈书店(1711)、老索斯会议厅(1729)和皇家小教堂(1750)。北端是早期城镇唯一继续充作居民区(始于1630年)的地方。殖民时期遗留下来的建筑物有保罗·里维尔厅(约1680)和基督教堂(1723)——旧北教堂，这里的灯火照亮了英军于1775年进军列克星敦的道路。与这些建筑物并存的是类似地中海区的丰富生活方式。

漫长的海岸线为码头、船坞提供了宽广的场地，从半岛的任何一部分都只须步行几分钟就能到达海岸。自从殖民地的开拓开始后，由于建造码头和填平沼泽湾，港口的海岸线一直不断向外扩展。在原居民区外有一块18公顷的波士顿公地，自从1634年城镇购得它之后，一直用作公共露天场所。在公地北面有一座三峰山，其中只有比肯希尔虽被大大削低，但还有遗迹可寻。其他山丘在19世纪时都被削平用以填垫洼地，从而为该市增加了土地面积。

布尔芬奇的设计　18世纪的最后几年，空地日显不足，一系列大变动开始从根本上改变这里的外貌。在这个扩建时期，担任了20余年镇长的建筑师布尔芬奇(1763～1844)，精巧地把一座18世纪英国城镇改造成19世纪的美国城市。虽然他的许多最杰出的工程已被破坏殆尽，但是公地北面比肯希尔的现州议会大厦(1795～1798)的中央部分却是由他设计建造的。在此地建起州议会大厦从而把比肯希尔的高地牧场改变成为美丽的居民区，居民区保存至今很少变动。在州议会大厦和查理街之间有几条街道，包括著名的路易斯堡广场，广场上有许多由布尔芬奇和19世纪主要建筑师们设计的房屋，受到历史遗址立法的保护，并命名为比肯希尔历史遗址。

19世纪由于人口的压力要求更多的土地，山丘被削平来填平小海湾。大量新造的土地使本来被水环绕的半岛变成大陆的一部分，难以辨认其本来的面目。连接半岛和大陆的窄颈的两侧被填平成了新的南端，但在19世纪末叶变成了贫民区。滨海区大大向外延展，巴克贝建起了大坝(1818～1821)，为新工场场地提供潮汐发电动力。沿坝的一条堤道自公地向西延至苏埃尔岬，即巴克贝区的今肯莫尔广场，从而与大陆之间有了更直接的交通要道。波士顿公地正西的巴克贝浅滩被填平后所造成的土地，在19世纪30年代被辟为大众花园，花木繁茂，极为美观，园内还有一个人工池，一座小型吊桥横跨其上，夏天天鹅形的游艇荡漾池中。

巴克贝工场盆地从未像其发起者所预期的那样发展，部分由于19世纪30年代铁路线的铺设阻碍了水的流动，使这一地区变成了臭水塘。1857年马萨诸塞州议会批准将其填平，从而又造出可观数量的新土地。计划规定建造4条与米尔坝(比肯街)平行的街道和几条交叉街道。联邦大道自大众花园向西，宽60米，在其车路之间有一条花园式的绿化带，创造出一种巴黎林荫大道的气氛。由于已无山丘可削，所需砂砾石必须从几英里外的尼德姆采石场挖出，用火车运来。至19世纪末，巴克贝已全部填平并建起了房屋，房屋受到统一高度的限制，并须逐层缩进。今日该区呈现一派美国建筑的风光，其与下半世纪之协调就如同比肯希尔与上半世纪协调一般。虽然巴克贝的许多房屋已改建为公寓、办公室、学校或作其他适当的用途，但是该区仍保留许多其原有的特征，如作进一步的变动则须以建筑学观点为依据。

连绵的公园系统　19世纪80年代巴克贝工程接近竣工时，美国园林建筑师F.L.奥姆斯特德(1822～1903)为市内各公园制订了一项大型的、富于创造性的设计方案：经过一个称之为芬威的开阔公园，再沿着马迪河直达布鲁克林和牙买加平原，将公地、大众花园以及联邦大道和西罗克斯伯里的富兰克林公园连接起来。包括在这个协调系统内的还有阿诺德植物园，是哈佛大学在牙买加平原上研究植物学的基地。这便使得世纪交迭之际在市的西部建立了一些学术组织，诸如波士顿交响乐团、新英格兰音乐学院、美术博物馆以及哈佛大学医学系和一些医院。1910年竣工的一座大坝把港湾潮汐拦在查尔斯河外，从而在巴克贝北面形成一泓淡水。仿照德国

波士顿市的法纽尔厅市场
美国不列颠百科全书公司供图

汉堡的阿尔斯特河流域建设的查尔斯河流域是波士顿最美丽、最有特色又最著名的地区。

郊区化和归并地 19世纪50年代，有了马车道(后电气化)，使许多工人有可能迁出市区，突然使邻近的城镇人满为患。曾经是风景宜人、不属城市的社区罗克斯伯里、西罗克斯伯里、多切斯特、布赖顿和查尔斯敦于1855～1873年间纷纷并入该市。城市和乡村的界线在一片混乱和快速的扩建中到处趋于消失。

20世纪，除了1912年海德公园村并入外，再没有其他城镇并归波士顿市府管辖。虽然剑桥市和布鲁克莱恩镇是独自为政，但是偶尔来此的游客很难辨认出波士顿市止于何方，这两个市镇又始于何处。查尔斯河把波士顿和剑桥分开，但是河两岸又都像是一个都会的一部分。通过1919年成立的都会区委员会，某些地区间的合作还是有了保证，这个委员会是由早先马萨诸塞州议会所建立的下水道和水域与公园委员会合并而成的。

现代建筑 直至20世纪中叶，波士顿市还只有教堂的尖顶和海关的塔楼点缀其天空，后者作为联邦的建筑物不受市规定125英尺高度的限制。建筑法规的修改与建设高潮同时到来，这就使60年代的市容有了极大的变化。其中第一个突出例子就是火车站有52层塔楼的咨询中心大厦的建成。波士顿城市的更新始于1958年初，结果是西端全部拆毁，居民纷纷搬迁、街坊邻里分散，从而让出空地来建筑查尔斯河公园的多座公寓塔楼。不顾市民的感情对大片面积作如此全面的、大规模的破坏，反应极其不佳，使市长不得不在1960年任命一位有经验的律师为波士顿重新开发局的领导。随后的7年时间，开发局强调更新不再主张全面拆毁和重建。它竭力增强该市的传统特色，把当代最佳的建筑艺术和富于想象力的城市设计纳入新的规划。包括1968年竣工的新市政厅在内的政府中心，加上联邦的、州的和私人的办公大楼，同邻近的法纽尔厅和其他古建筑交相辉映，极为协调。政府中心的建设促进了相当数量的私人建筑物于60年代在附近的兴建。汉考克互惠人身保险公司于1976年兴建一座塔楼，高度超过咨询塔楼，基督教科学派则资助重建大教堂附近的大片建筑。沿大西洋路的海滨地带商业区于60年代及70年代进行修缮，后来又对北面的原波士顿海军造船厂所在地进行了开发，使海滨地带得以修建商业、住宅和娱乐等建筑物，并保留下有历史意义和建筑学价值的建筑。远眺波士顿，其外观不再是低矮的楼房，而是一系列塔楼从海滨一直排列至腹地。

城市中心狭窄而拥挤的街道适于步行而不适于行驶车辆，因为波士顿人个个爱乱穿马路之故。法纽尔厅四周和市北端的街边市场一如既往是市的重要组成部分，然而政府中心的阶梯广场却为现代的市政厅提供一个宜人的环境，这是一个令人心旷神怡的露天大场地。旧市政厅的第二帝国巴罗克式的外观被保留下来，其内部改建为可增加国家收入的办公室、银行和餐馆。

人民 1800～1900年间波士顿从一个有2.4万主要是英国血统居民的相对单纯的海港，改变为多语种的城市，在56万居民中约半数是爱尔兰人，1/5来自加拿大海滨各省。少数移民来自俄罗斯、意大利、德国和欧洲其他国家，还有出生在美国的黑人，此外该市人口不足11%为传统的新英格兰裔。波士顿人口在19世纪的急剧增长是似乎无休止的移民潮所致。从1810至1900年，每10年至少增加总数的1/4；50年内增加数超过了40%。最高的增加率是19世纪30年代的52%和40年代的47%。许多新来者带来了贸易和手工艺方面的经验，他们虽然在波士顿登陆，却又很快西移到正在扩展中的边远地区，因为那里极需他们的技术。那些无技术的一般劳动者只好留在波士顿，拥挤在城市贫民区里。早先抵达者发达起来即迁往他处，常常是市区外，他们的空缺就由更多的无技术移民所顶替。至19世纪中叶，爱尔兰移民占满了北端，但在世纪的最后30几年，北端成了波士顿第一个纯粹为东欧犹太人聚居的中心。现在此地占主导地位的居民是意大利裔。在市的其他部分也发生了同样的变化。

20世纪移民大大减少，使人口的增加趋于缓和。通过从南方来的移民，波士顿的黑人人口骤然增加，大部分人都拥挤在日渐衰落的罗克斯伯里地段。

人口：市581 616(2003)；波士顿主要都会统计区3 406 829；波士顿-劳伦斯-塞勒姆联合都会统计区5 819 100(2000)。

经济 **金融** 银行业、保险业和投资以及其他金融和商业服务行业是市经济生活的主要组成部分。新英格兰区联邦储备银行就设在波士顿。

工业 主要工业有食品加工、服装生产、印刷出版、机器装配、运输设备和工具制造等。研究和开发机构在第二次世界大战后如雨后春笋，蓬勃发展，大部分以市区外的都会区为基地。

波士顿仍为零售商业的中心，批发业务则转移到城外。大量的大学和医院的建立使高等教育和卫生事业成为波士顿经济生活中重要的一环。虽然都会区人口中只有1/5住在波士顿，该市却生产都会区的近一半商品。市里的大部分工作职位都由郊区居民担任。

交通 公共交通由马萨诸塞湾交通管理局负责管理，地铁、架空和地面交通线构成该市的交通网。国家的第一条地铁于1897年兴建于此，虽然它已被列为历史古迹，但仍有实用价值。

至大都会区的铁路客车曾经经营得很好，却在与私人汽车和公共汽车的竞争中情况严重地恶化。汽车和公共汽车堵塞城市交通，尤其在殖民时期铺设的狭窄迂回的商业区街道更显得拥挤不堪。2000年建成了通往首都华盛顿的高速铁路。波士顿东部的洛根国际机场为欧洲和国内航班中心，繁忙异常。

行政和社会状况 **政府** 波士顿由经选举产生、任期4年的市长和有9名议员的市议会治理。马萨诸塞州政府集中在比肯希尔山顶的州议会大厦和政府中心附近的其他建筑物内。其他联邦办事机构设在早期的联邦建筑物和海关大楼内。波士顿是美国第一海军军区司令部所在地，但波士顿海军造船厂已于1974年关闭。

教育和卫生 大学、学院以及各种学校在波士顿电话簿的分类栏里占据了好几页。在市区内有波士顿大学(1869)、东北大学(1898)、萨福克大学(1906)、马萨诸塞大学波士顿分校、西蒙斯学院(1899)、伊曼纽尔学院(1919)、埃默森学院(1880)以及哈佛大学

(1636)的医学系、公共卫生系、牙科系和工商管理系。

哈佛的其他院系和麻省理工学院(1861)就设在查尔斯河对岸的剑桥市。1999年拉德克利夫学院(1879)与哈佛正式合并。波士顿学院(1863)是天主教耶稣会所办,具备大学所有的条件却无大学之名,校址在市区边缘的切斯纳特山丘上。塔夫茨大学(1852)医学院设在波士顿,校本部在梅德福。马萨诸塞总医院是最古老的医院,已经与贝思伊斯雷尔、儿童医院、迪科内斯、布里格姆、妇产医院和塔夫茨新英格兰医疗中心等医院合并。高等教育和卫生部门几乎都和市内或市附近各处有联系。

文化生活 波士顿的文化生活丰富多彩。市内有一批保留剧目轮演剧团的专用剧场和常驻芭蕾舞剧团和歌剧团;另外还有许多巡回剧团来此演出。波士顿及其郊区还为包括几个主要球队俱乐部的所有种类的运动员和观众提供方便。

成立于1881年的波士顿交响乐团是世界一流的交响乐队,在交响乐大厅演出,是波士顿最精彩的音乐活动。新英格兰音乐学院和其他音乐学校就设在附近。室内音乐很丰富,由于区内有几个大键琴和其他乐器制作者,大家对早期音乐也很感兴趣。在查尔斯河流域的哈奇纪念场举行的夏季露天音乐会是少数长盛不衰的户外活动之一。音乐会多数由波士顿流行音乐乐队演出。不过,该市的文化生活并不完全依赖于表演艺术的繁荣,而是更多地有赖于大学学院、博物馆、图书馆和小型私人团体的活动。

成立于1870年的美术博物馆是世界主要的美术陈列馆之一,收藏并展出国际上闻名的东方、埃及和古典的收藏品,也展出绘画、版画、纺织物和装饰艺术等重要作品。芬威的伊莎贝拉·斯图尔特·加德纳博物馆收藏有极为丰富的意大利文艺复兴时期的绘画。博物馆是加德纳夫人所创建,原为她的寓所,收藏品原先就收藏于此。由于博物馆对该市有贡献,1924年加德纳夫人逝世后,其布置未作过改动,这是一座极为重要的纪念馆,从鉴赏角度看也有历史意义。河对岸的哈佛大学也有一座美术馆和几座自然科学史博物馆。科学公园的科学博物馆俯瞰着查尔斯河流域,博物馆码头的少年博物馆旨在对年轻人进行教育。

波士顿还有许多图书馆。波士顿公共图书馆是美国第一个靠国家税收维持的免费图书馆。1895年的图书馆大楼由麦金、米德和怀特的建筑师事务所设计,是19世纪美国建筑的杰作。图书馆内部装饰有法国画家沙瓦纳(1824～1898)和美国画家萨金特(1856～1925)的壁画,是该馆的一大特色。其丰富完美的藏书通过全市的分馆发挥了极大的作用。波士顿图书馆是一个专用图书馆,建立于1807年,马萨诸塞州历史学会、新英格兰历史系谱学会、州图书馆以及大学和学院图书馆都提供了可观的图书。查尔斯河对岸的哈佛大学则有一个属于世界上最大的学术图书馆。

大学生划船队在查尔斯河上划船,小船荡漾在巴克贝和剑桥海岸之间宽广的小湾中。19世纪时波士顿对海洋不够重视,因此很少将港湾用于娱乐。波士顿重建局设法扭转这种局面,将包括新英格兰水族馆在内的海滨商业区和查尔斯敦海军造船厂的一个地段划归波士顿国家历史公园。奥姆斯特德所设计的完美的公园区受到汽车行驶的破坏,只有牙买加平原上的阿诺德植物园幸免于难。

仅仅游览城市已是波士顿主要的娱乐方式之一。每年有成千上万的游客来到波士顿,只为了观光这里许多古迹和城市的建筑风格。该市保留了一些殖民时期的房屋和相当数量的19世纪建筑物,不过市内及其四周亦可看到20世纪下半叶美国和欧洲主要建筑师各种各样的作品。

历史

殖民时期 *建立居民点与发展* 1630年马萨诸塞湾公司的英国清教徒来此定居,他们是基于宗教原因离开英国圣公会来到大西洋彼岸的。表面上以做生意为理由成立的马萨诸塞湾公司在其主管人温思罗普(1588～1649)的率领下,把公司可在新英格兰原野设立自治殖民地的特许状带到新大陆来。新建立的城镇以许多移民者在英国的原居留地林肯郡的波士顿命名之。

与其说是自愿不如说是迫于需要,新英格兰人由于无其他谋生之道,只得转向海上求生存,于是成了造船工人、商人、水手和捕鱼人。肖马特半岛是一个可辟为港口的理想地方,波士顿就建立在半岛上。伍德在1634年的著作《新英兰的前景》中描绘它为"最适宜于与英国通商、最适宜于将该国所需的商品运入之地,并且是航运和贸易的要冲"。随着1648年清教徒教会在英国的胜利,人们自由往返于新英格兰与故土之间,家族的和贸易上的密切联系,把波士顿和伦敦连结起来。到17世纪末,波士顿远洋船队的规模仅次于英语世界中的伦敦和布里斯托尔的船队。在18世纪中叶之前,波士顿一直是英属北美的最大城镇,后来落后于发展更快的费城和纽约市。

政治生活和革命活动 波士顿在建立之初50年,是个单一的、自治的清教徒社会,马萨诸塞湾公司的首脑们以其认为合适的方式进行统治。在公理会原则基础上建立的3个清教徒教派几乎就是波士顿所有有组织的宗教派别。宗教上持不同意见的人被流放出去,一些坚持返回的公谊会教徒受到上绞刑的惩罚。殖民地商人的持续兴旺发达使伦敦注意到马萨诸塞湾,但采取维护王室在当地权力的步骤已是在17世纪80年代查理二世统治末年了。1684年公司的特许状被宣布无效。1686年,随着安德罗斯来此出任马萨诸塞湾省的第一任总督,王室权力也就在波士顿建立起来。这种变化使英国圣公会首次进入该城镇,纯清教徒居住的时期结束。虽然公理会牧师,尤其是善辩的马瑟家族的父子英克里斯(1639～1723)和科顿(1663～1728)仍有发言权,但是权力体系却已经改变。

波士顿从来不是一个驯服的城市。当1688年"光荣革命"的口号传来时,公民们便于1689年4月18日将安德罗斯撵出办公室并加以囚禁。他们对17世纪上半叶的自治记忆犹新。伦敦试图推行航海法,靠牺牲殖民地利益从波士顿贸易中征税,愤怒的居民们忍无可忍群起抵制无法无天的当权者。1765年英国议会通过印花税法之后,不满情绪更甚,总督住宅遭到袭击并被捣毁,还毁掉许多无法弥补的殖民地史料。1770年发生波士顿惨案,英国军队向示威群众开枪射击,枪杀数人。1773年发生波士顿茶党案,殖民地居民伪装成印第安人将3艘轮船的茶叶倾入波士顿海港内。这些事件是美国独立战争前衡量群众激愤之情的关键大事。

1775年4月19日,当地民兵和英军在列克星敦和康科德交火,至此事情已无挽回余地。翌冬G.华盛顿的军队在波士顿包围了英军,市里的正常生活旋即停止。1776年3月17日,迫于华盛顿炮兵部队驻扎在多切斯特高地,英国军队和官员只得撤离。随他们而去的有忠于王室的保皇派,包括一些大商人。1780年拟定了一份宪法,汉考克当选为马萨诸塞州第一任州长。

1776年后的波士顿 *适应独立后的生活* 在独立战争中,通过政治和军事活动或海上的冒险行动,许多新人脱颖而出,填补了离去的亲英分子所留下的空缺。美国的独立严重地危害了波士顿海上贸易,因为在独立战争接近尾声时,波士顿商人在英帝国的港口自然地成为外国人,从而要另觅新的贸易渠道以求生存。他们把船只派往远方尚不熟悉的港口,以扭转危局。开展同中国的贸易以及开辟通往如印度等地的新贸易路线,使波士顿得到从未有过的繁荣。

整个19世纪上半叶,海上贸易创造了可观的财富,当然这些财富的获得还包括不依赖海上的其他商业和制造业经营上的成就。波士顿人在19世纪的第二个10年里开始建立纺织厂,1813年最先在沃尔瑟姆,然后在梅里马克河沿岸的新城镇建厂,那里有充足的水力可资利用。30年代铁路的建成使曾经看似遥远的城镇骤然变近了。波士顿人口的急剧增长不仅由于海上贸易和制造业的发展,还由于未曾预料到的大批移民从欧洲涌来,数目之多使波士顿在19世纪的人口陡增了20倍。到1822年,传统的政府形式,即由一个市政委员会贯彻执行由所有公民在镇年会中所作决策的形式,已不复可行,于是从立法部门获得了一份市特许状。

文化时代 19世纪波士顿还在这个新兴国家的宗教和教育方面取得举世瞩目的地位。大批移民的迅速涌入和公理会清教徒开拓者的后代的失势是这个变化的主要因素。1799年圣十字教派成立时是镇上唯一的罗马天主教教派。1808年,其创建者谢韦吕是一个从法国革命中逃来的难民,被任命为波士顿第一任主教。1875年主教辖区升为大主教管辖区时,市内有28个天主教堂区。

波士顿新教的宗教思潮的变化也是引人注目的。英国圣公会皇家小教堂的亲英派教区长与英国人一起在1776年撤离,小教堂于1787年成为一位论派的教堂,不过直至19世纪最初的25年,才在许多公理会里有了以一位论为教义的永久性组织。美国一位论协会于1825年成立,由钱宁(1780～1842)领导,于是成为一独立教派，是从原先公理会自由派牧师会议改组而成的。从“钱宁一位论”到超验哲学只是一步之差，后者在19世纪大部分时间影响了该地区许多艺术作品和思想；这一教派到废奴运动也只是一步之差，直言不讳的作家和编辑加里森（1805～1879）以及其他一些人领导了这个运动；这一教派还在社会事务中提倡开明的道德修养，这种人在19世纪的波士顿还为数不少，而另一些人则只是以美国佬的勤奋方式发家致富而影响了不少人的思想。19世纪下半叶，本市还是创始人艾娣（1821～1910）的基督教科学派创始地。大教堂至今还坐落于此，并且是该教派的总部，这种教派逐渐成为一国际基督教派。

教育和文化机构同样发展迅速。查尔斯河对岸的纽敦，后称作剑桥，1636年就成立一所学院，教育出一批殖民地初期的神学家和牧师。该学院后来以查尔斯敦的牧师哈佛（1607～1638）命名，1638年他将自己的图书馆遗赠该校，在19世纪第三个25年之前，这是该地区唯一的学院。19世纪哈佛虽然一直处在最有名望的地位，一大批其他重要高等教育机构也建立了起来，于是波士顿成为全国学术和高等文化的同义语。它也是人们心目中的圣地，不论是国外来的，还是从新英格兰之外的本国文化较低地方来的人，都要在19世纪美国这个以熙熙攘攘商业主义和以粗鄙俚俗为特征的染缸中寻找一些出淤泥而不染的优良品质。

金融增长 在内战中，大部分波士顿人都支持联军，自此海运不再是波士顿生活中最主要的事业。随后船主和商人们就向制造业、铁路和迅速扩展的边远地区进行开发投资。银行业和投资业同各种形式的制造业和商业互相配合，以取代海上贸易，成为19世纪下半叶波士顿的主要行业。但在20世纪初，商业的范围缩小了。虽然大量的资金继续向新英格兰以外投资，却很少有外地的公司由波士顿操纵。该市金融资本还是很雄厚的，只是纽约市和芝加哥以及美国西部发展中的各州的崛起逐渐减少了波士顿所能筹集的资金的比例。不过波士顿的金融经营公司在投资上有其一套技巧，从而使国家的其他地方对它们要另眼相看，最终导致那些操纵着共有投资资金的波士顿公司得到较大地发展。这样，不论是在私人的信托办事处还是投资公司中的“精明人”都成了波士顿的财富，纺织厂和铁路却不那么靠得住了。纺织工业在20世纪20年代渐趋不景气，由波士顿投资创建的梅里马克河上的几个工业城市开始了数十年的艰难历程。接下来的年代，有些工厂完全停工，有些则迁移到南方去寻觅廉价的劳动力和原材料。

20世纪上半叶对波士顿来说是分裂和不幸的年代，除了当地政治腐败外，它还经历了两次世界大战，两次大战间隔期间又发生了禁酒和大萧条。第一次世界大战之后汽车的增加使越来越多的波士顿人迁徙到市区外去，其结果对旧中央住宅区十分不利。许多国防工业在第二次世界大战后如雨后春笋般地兴起，这些均为哈佛、麻省理工学院和其他研究机构的科学家们所创造的成果。这些工业都建在市区外面。

Boston 波士顿乐队 美国摇滚乐队，不仅以出唱片的时间长闻名，还以独特的重金属流行乐而名声大噪。乐队最初成员有T.肖尔茨、B.德尔普、F.希恩、B.古德罗和J.哈希安。1976年推出精心制作的单曲《不止是一种感情》，登上摇滚乐舞台。该曲融合了前卫摇滚和20世纪60年代流行乐的元素。在美国40首最热门歌曲中，有3首为波士顿乐队的作品。该乐队的第一张专辑《波士顿》在摇滚乐历史上成为销量最大的专辑唱片。吉他手肖尔茨曾在麻省理工学院获机械工程硕士学位，他在家庭录音棚里工作了7年，制作出声音洪大的吉他，这把吉他和德尔普高亢嘹亮的歌喉一起成为该乐队的标志。乐队的第二张专辑《不要回头》由于与《波士顿》相似而遭到批评，但仍然畅销。8年后，乐队发行了第三张专辑《第三阶段》，肖尔茨的完美主义和一场法律纠纷使乐队四分五裂，只有肖尔茨和德尔普留在乐队，但是乐队的这张专辑仍然取得了成功，其中的单曲《阿曼达》还荣登排行榜首位。波士顿乐队自1994年发行了不太成功的《继续走》后销声匿迹。

Boston, Ralph 博斯顿（1939-05-09，美国密西西比劳雷尔～ ） 美国跳远运动员，世界纪录保持者，第一个跳过8.23米（27英尺）的人。1960年8月12日跳到8.21米，以0.08

美国不列颠百科全书公司供图

米之差超过欧文斯保持25年之久的世界纪录。在罗马奥运会上获金牌。1964年平苏联运动员捷尔-奥瓦涅相所创8.31米的世界纪录。1965年跳出最佳成绩8.35米。1964年在东京奥运会上获银牌。1968年在墨西哥城奥运会上获铜牌。

Boston, Siege of 围攻波士顿（1775-04～1776-03） 美国独立战争时期，北美殖民地军队围攻英国人占据的波士顿市，并获得胜利。1775年4月19日之后，北美民兵对波士顿展开围攻。6月，1.5万名殖民地军队包围T.盖奇将军的6 500名英国正规军。邦克山战役（1775-06-17）之后，G.华盛顿指挥北美殖民地军队。1776年3月4日，华盛顿占领多切斯特高地，将大炮对准波士顿的城市和港口。3月17日，英军被迫乘船撤走，波士顿的围攻遂告结束。

Boston and Maine Corporation 波士顿-缅因公司 前波士顿-缅因铁路公司。美国新英格兰地区最长的铁路。它铺设于马萨诸塞州中部和北部、缅因州东南部、新罕布什尔州，还有数公里在佛蒙特州和纽约州。该铁路于1835年在新罕布什尔州注册，公司于1841年成立。最终并入该公司者有111家铁路公司。约7.6千米长的胡萨克隧道于19世纪60年代开始修建，1875年完工，是当时美国最长的隧道。虽然到20世纪70年代公司破产，但改组时仍继续营运2 278千米的干线和支线。该铁路运输的货物主要是纸张、石油、煤、食品和谷物加工产品。1984年波士顿-缅因铁路公司被T.梅隆收购。

Boston Athenaeum 波士顿图书馆 在美国波士顿，系独立的研究图书馆。藏书75万册。图书馆建于1807年，1847年迁至灯塔大街现址，并经过多次扩建。特别藏品有南部邦联的各种印刷品、皇家小教堂藏书（1698）和C.E.梅森版画藏品。艺术陈列馆创建于1827年，以陈列波士顿地区的画家和艺人的作品、展出18～19世纪波士顿和新英格兰版画为其特色。

Boston Globe, The 《波士顿环球报》 波士顿出版的日报，是该市最大报纸，也是美国最有影响的报纸之一。1872年创刊。起初发展缓慢，1877年发行量约8 000份。其时由C.H.泰勒将该报买下，在他任发行人期间，改出早晚两版，增加新英格兰地区和本市新闻，大篇幅报道犯罪案件和灾难事件的轰动性新闻。20世纪以来，该报继续注重地区和本市新闻，但愈益重视全国和国际新闻，编辑方针大体持自由派立场。现在的《波士顿环球报》以其精美版面、社会报道和从音乐到政治以至医药的广泛评论而知名。

Boston ivy（species *Parthenocissus*, or *Ampelopsis*, *tricuspidata*） **爬山虎** 又称爬墙虎、地锦、波士顿常春藤、日本长春藤（Japanese ivy）或常春藤。葡萄科攀缘木质藤本植

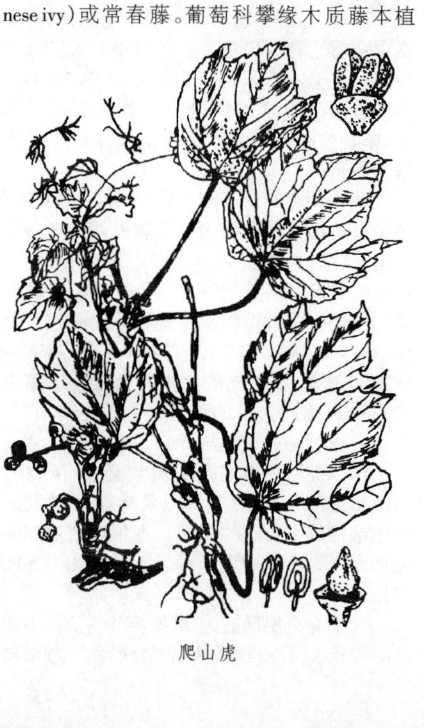

爬山虎

物。原产于东亚,已引入其他地区,作为石墙或砖墙的攀缘观赏植物。藤茎可长18米。叶互生,单叶三裂或复叶具三小叶,秋季变为鲜红色。花成簇,不显,与叶对生。果小,蓝黑色,鸟喜食。

Boston Latin School 波士顿拉丁学校 公立中等学校。是美国现有的最老的学校。1635年作为拉丁文法学校而建立,向任何社会阶层的所有男生开放,开税收资助公共教育之先河,其目的是教育青年学习古典著作,准备升大学。1789年,拉丁学校课程设置发生变化,学程从7年减为4年。1877年,即男校创立242年之后,严格的大学预科的女校建立。1972年后改为男女兼收的学校,培养出多位名人。

Boston Marathon 波士顿马拉松赛 起点设于美国马萨诸塞州霍普金顿,终点在波士顿后湾区,全程42 195米的赛跑。1897年举行首次比赛,之后每年逢爱国节(原为4月19日,1969年起改为4月的第三个星期一)举行一次。是世界最著名马拉松赛之一,由波士顿田径协会主办。有来自世界各地的运动员参加,1960年约200名,到21世纪初期有20 000多名。两名赛跑选手,克拉伦斯·德马(1922～1924)和比尔·罗杰斯(1978～1980),连续3次在比赛中获胜。1981年濑古下创下2小时9分26秒的记录,阿利森·罗创下2小时26分46秒的女子记录。1972年首次准许女运动员参赛。

Boston Massacre 波士顿惨案(1770-03-05) 美国独立战争前,英军与波士顿的群众由于积怨太深而爆发的一次小规模冲突。惨案使英国在北美的统治更失人心。在冲突中,英军开枪向市民射击,黑人水手C.阿塔克斯(原为奴隶)与另外4个人丧生。

Boston Mountains 波士顿山 在美国阿肯色州西北和俄克拉何马州东北部。东一西走向,绵亘320千米,宽约50～55千米。是欧扎克山脉最高的一段,以怀特河及阿肯色河为界。特纳沃德和布兰农等山峰高逾730米。境内有欧扎克国家森林的一部分、布法罗国家河流区和阿肯色州立德弗尔斯登公园。

Boston Police Strike 波士顿警察罢工(1919) 美国波士顿市警察为抗议不准他们组织工会而举行的罢工。第一次世界大战之后,波士顿警察想要加入美国劳工联合会,但市警察当局却认为他们没有组织工会的权利。1919年9月9日,有80%左右的波士顿警察开始罢工。城市很快陷入抢劫和骚乱之中。市长A.J.彼得斯命令波士顿国民警卫队维持治安和破坏罢工。后来马萨诸塞州州长C.柯立芝又调集全州国民警卫队进行镇压,有两人被杀。柯立芝正式宣告说:“任何人、任何地点、任何时候都无权罢工危及公共安全。”柯立芝因这一声明在美国声誉大增,并被视为维持法律和秩序的英雄,这大大有助于他被提名为共和党总统候选人(W.G.哈定逝世后继任总统)。

Boston Tea Party 波士顿茶党案(1773-12-16) 一次由装扮成莫霍克印第安人的美洲爱国者将属于英国东印度公司的342箱茶叶从船上抛入波士顿港内的事件。美洲人抗议的既是茶税(征税而不给代表名额),又是他们所看到的东印度公司的垄断。1767年英国议会通过的《汤森条例》以及规定对输入英国殖民地的各种产品征税,引起了殖民地的抗议和普遍抵制风潮。英国议会不得不于1770年予以废除,但茶税除外,以示其自认为有权不经殖民地同意即可提高这类殖民地税收。波士顿商人则继续收受荷兰贸易商走私进口的茶叶以规避这项法令。1773年议会通过《茶叶条例》以帮助资金困难的东印度公司,授权该公司可以:①垄断所有对殖民地的茶叶出口;②免缴出口税;③归还其所存某些剩余茶叶的应缴税款。发往殖民地的茶叶只能由东印度公司的船只运送,并只能经由该公司代理商出售,不经过独立经营的殖民地装运人和商人。这样,该公司在美洲或英国均可以低于通常的价格出售茶叶,即可以以低于任何竞争对手的价格出售。对于这种垄断的感受驱使原本保守的殖民地商人与S.亚当斯所领导的激进分子和他的自由之子组织联合起来。在纽约、费城和查尔斯顿等城市,茶叶经理人放弃或取消了订货,商人也拒绝收货。但在波士顿,皇家总督T.哈钦森决定维护法律,坚持正在到港的船只“达特茅斯”、“埃莉诺”和“比弗尔”号均应将货物寄存,必须缴纳应征税款。1773年12月16日夜,一伙大约60余人,在大群波士顿人的鼓动下,身披毛毯,头戴印第安人头饰,开入格里芬码头,上船后将价值1.8万英镑的茶叶抛入海中。作为报复,议会通过了一系列惩罚性措施,在殖民地称为《不可容忍法》。其中包括《波士顿港口法案》,规定在未缴付被毁茶叶款项前,禁止该城市的海上贸易。英国政府单挑出马萨诸塞进行惩罚的做法只不过更加促成了殖民地的团结,将事态推向战争。

Boston terrier 波士顿㹴狗 19世纪后半叶在波士顿由英格兰斗牛狗及一种白色的英格兰㹴狗培育成的狗品种,少数美国起源的品种之一。体型似㹴,眼深色,嘴短,被毛短细,黑色或带斑纹,面、胸、颈和腿带白色。成熟时,体高35.5～43厘米,体重从不足7千克至约11千克。性驯顺。

Bostra 波斯拉 又作Bozrah,拉丁语作Bostra,希腊语作Bosorra或Bosora。即今布斯拉沙姆(阿拉伯语Buṣrā ash-Shām)。叙利亚城市遗址。在大马士革以南108千米。最初为纳巴泰人的城市。罗马皇帝图拉真征服后,波斯拉成为罗马阿拉伯行省的首府,是约旦河以东的一个重要的罗马要塞。在该城市出生的罗马皇帝腓力的统治下建成大城市。4世纪初成为主教教座,634～635年投降穆斯林。十字军于12世纪占领这一城市,但未能守住。同一世纪中,地震及土耳其的苛政使之一蹶不振。现址有庙宇、剧院、凯旋拱门、沟渠、蓄水池、教堂、清真寺和13世纪城堡等文物遗址。

Bostum (Iran) 参阅**Basṭām**巴斯塔姆。

Bosumtwi, Lake 博苏姆推湖 加纳中南部湖泊,位于库马西东南27千米。为内陆湖。由于火山喷发或陨石冲击而成。面积49平方千米,深70～73米。湖岸建有旅游设施(1976)。

Boswell, James 鲍斯韦尔(1740-10-29,苏格兰爱丁堡～1795-05-19,英格兰伦敦) 英国著名文人约翰逊的苏格兰朋友和传记(《约翰逊传》2卷本,1791)作者。20世纪出版的他的日记,证明了他也是世界最伟大的日记写作者之一。

美国不列颠百科全书公司供图

爱丁堡与伦敦 鲍斯韦尔的父亲亚历山大·鲍斯韦尔从1749年起便是艾尔郡奥欣莱克的律师和地主,1754年被任命为法官,并有符合法官身份的称号——奥欣莱克勋爵。鲍斯韦尔家是古老的、与名门望族有关系的家族,鲍斯韦尔服从了有不凡抱负的家族的强大的压力。

5岁被送往第一流的日校学习,但他不喜欢这所学校。8～13岁在家由家庭教师授课。1753～1758年在爱丁堡大学念完文科课程。1758年重返爱丁堡大学学习法律。他迷上了戏剧,并与一信奉天主教的女演员相爱。奥欣莱克勋爵经过慎重考虑,将他送往格拉斯哥大学,他在该校听过亚当·斯密的讲课。1760年春他逃学前往伦敦。他很快发现自己热爱大城市文化,他爱社交、爱玩、耽于声色、对女子很有吸引力;而伦敦也为他提供了似乎能满足他要求的纵情享乐和高雅乐趣。此时他染上了淋病,他一生中多次受此病的折磨。

1760～1762年,鲍斯韦尔在严格的监督下在家学习法律。为了从厌烦的课程中寻求解脱,他向女子献殷勤,参加一个叫做奉承俱乐部的滑稽幽默团体,也胡乱写一些东西。他的出版物(大部分是诗)没有显出有多大的天才。

鲍斯韦尔成年后,渴望当英国近卫步兵。奥欣莱克勋爵答应他,如果他能通过民法考试,他会得到一笔附加年金,也可以去伦敦通过有影响的人谋一份军职。1762年7月鲍斯韦尔通过了考试。

期待着巨大的幸福,他于当年秋天开始写日记。他的日记集中表现了他的天才。他高度的生活情趣都记录在他的日记中。他那富于想像力的用文字记叙往事的能力是罕见的。他的日记比起大部分人的日记更富有戏剧性,因为他记述过去的每件事,就像这些事正在他身边发生,而他却并不知道结局如何一样。他日记中的人物的谈吐和神情各有不同。

鲍斯韦尔第二次去伦敦逗留时间不长,从1762年11月到1763年8月。到伦敦后不久,他获悉儿子在苏格兰诞生。儿子取名查尔斯,他为儿子安排了英国圣公会的洗礼。儿子的母亲多伊格很可能是个仆人。在伦敦他结识了小说家、剧作家和诗人哥尔德斯密斯和激进的政治家及善辩论者威尔克斯。1763年5月16日在演员和书商戴维斯家的后会客室,他意外地被介绍和约翰逊相见。他钦佩约翰逊的作品,早就渴望见到他。约翰逊对他很粗鲁,但鲍斯韦尔忍住了怒气。一周后又去拜访,这回约翰逊对他产生了好感——伟大的友谊开始了。约翰逊时年53岁,鲍斯韦尔仅22岁。由于地位和智力上的差异,双方都表示了谦虚。一旦真正明白参加英国近卫步兵的计划并不可行,鲍斯韦尔便向他父亲低头,同意去当律师。经过协商他同意去荷兰乌得勒支念一冬民法,然后去国外有节制地旅行一次。

欧洲大陆旅行 鲍斯韦尔深为约翰逊的虔诚所感动,圣诞节那天,在海牙的大使馆礼拜堂,生平第一次领受了英国国教的圣餐式。他有一段时间很虔诚,但失去新鲜感后就不再有吸引力了。他获悉自己的孩子去世之后非常抑郁,总做恶梦,梦见自己被吊死。他很沮丧地发现,比起禁欲和辛勤工作来,放荡带给他更大的欢乐,于是不久他又陷入从前的淫乱生活。

他和腓特烈大帝的朋友和参事、年老的詹姆斯党人马里沙尔伯爵作伴,从乌得勒支前往柏林旅游,但他从未见到国王。1764年12月路过瑞士时,他和卢梭以及伏尔泰会晤。鲍斯韦尔在意大利逗留了9个月,到各地观光。在那不勒斯,他和威尔克斯(当时被剥夺了公民权)成为密友,并和比特伯爵的长子芒斯图尔特勋爵一起旅游,而芒斯图尔特正是威尔克斯谩骂的主要目标。

他一生中最独特的行动是在1765年秋天去科西嘉岛旅行6星期,会晤正在谋求从热那亚获得独立的英勇的科西嘉首领保利。保利折服于他的魅力,成为他的终生挚友。从科西嘉回到欧洲大陆后,他往报社投寄短文,把事实和荒诞的政治推测混合在一起。

苏格兰律师和地主 回到苏格兰后,鲍斯韦尔于1766年7月26日加入苏格兰律师公会,在爱丁堡当了17年律师,完全是职业性的,相当专注。他很珍视的伦敦之游绝不是每年都有的,而且在1784年以前一直是在假期进行。他是很能干的法庭律师,尤其是在刑事案件方面,但是在苏格兰,刑事法庭上的胜利既无名又无利。

1768年2月他出版《科西嘉岛纪实》一举成名。法国当时已暴露出吞并科西嘉岛的意图,人民渴望获得有关科西嘉岛和保利的信息。出于宣传的动机,他在书中把自己写得全然缺乏判断力,把这次旅行记叙局限为对保利的回忆,但结果依然十分合意。介绍保利的手法看来是很聪明的,使人想起古希腊传记作家普卢塔克用以写伟人传的手法。

1766～1769年间,鲍斯韦尔以好几项很不合法的婚姻计划自娱,同时还与一年轻的多兹夫人私通。他们的女儿萨莉和查尔斯一样,似乎也是幼年夭折。最后,在1769年11月,与他唯一想过要与之结婚的女子——他的表妹蒙哥马利——结了婚。

婚后最初几年,总的来说,鲍斯韦尔很快活,工作很努力,对妻子很忠实,很有信心在国会中争得一席位,在政府中谋得一个好工作,或至少能担任苏格兰的法官。1771年保利来苏格兰拜访他。1773年他被选入一个由雷诺兹爵士建立、以约翰逊博士为中心的群星灿烂的俱乐部为会员。当年晚些时候约翰逊带着他去赫布里底群岛进行了那次著名的游览。鲍斯韦尔最终有5个子女,都很健康,很有出息。鲍斯韦尔被任命为苏格兰律师公会的一位检查官和律师图书馆的馆长之一。他两度出任共济会卡农盖特·基尔温宁分会会长,并拒绝被提名为苏格兰大师。但是到1776年,他开始感到失败的强烈暗示。他轻率地投身于艾尔郡的政治活动使自己置于邓达斯的对立面,邓达斯当时以政治暴君的面目出现在苏格兰的选举活动中。鲍斯韦尔的参政活动并不是越来越值得注意。他开始大量喝酒以振作精神,而不是像以前那样去使之发挥出来。因为距离远、妻子怀孕,或者因为妻子经常抱怨,所以他们夫妻分居,这时他又与当地的女人有了来往。早在1778年就显示出,他夫人患上了肺结核,病得很重。

1777～1783年间,他在《伦敦杂志》上发表过一系列散文,共70篇,起了个很有意义的名字,合称《自疑病患者》,很值得一读,虽然这些文章并没有占去他全部精力。1783年年底,一心希望引起皮特新政府的注意,他出版了一本小册子,抨击由皮特的大政敌福克斯提出的东印度法案。皮特致以谢函,但无意用他。1782年鲍斯韦尔继承奥欣莱克爵位,经营管理地产很小心,也相当精明。但是他认为他只有在伦敦才会快活,而且莫名其妙地认为他在英格兰当律师会比在苏格兰当律师取得更大的成功。

《约翰逊传》和伦敦 1784年12月13日,约翰逊去世。鲍斯韦尔决定要写《约翰逊传》,但先发表与他去赫布里底的游记,作为第一篇。1785年春,前往伦敦准备出版该书。《与法学博士约翰逊一同赴赫布里底旅游日记》(1785)一书优于他以后出版的所有其他著作。该书出版于鲍斯韦尔一生中最健康、最快活的时期,游览的文字记述本身就非常有趣,并提供了一连101天与约翰逊朝夕相处的详情。该书十分畅销,但却激起了对他贬低自己的言语举动提出的轻蔑的指控,从此这项指控就和鲍斯韦尔的名字连在一起了。真正被议论的其实并不是他的智力,而是因他有意向基本的文学法则提出挑战,因为基本文学法则主张:凡是渴望受人尊敬的作家都不应公开自己的愚蠢言行而不提及可作补偿的性格上的长处。他以一个历史学家的客观态度分析并记录下自己的虚荣心及弱点,而在描述约翰逊的情节中又无情地将自己的人格放到次要的地位。他记述约翰逊有时给他的打击,而又经常未能消除读者的顾虑,即他是明白自己所写的事情的含意的。

1786年鲍斯韦尔从内殿律师学院获得了充当英格兰律师的资格,于是举家迁往伦敦。之后他几乎没有承办过案件。他主要的事情就是写那本《约翰逊传》,断断续续地写,但写得十分专心。

虽然鲍斯韦尔收入很少,但还是让子女接受费用昂贵的教育。迁往伦敦后只去过一次爱丁堡,而且几乎是秘密的。他妻子渴望去奥欣莱克庄园,后来病重时坚决要求被送往那里。鲍斯韦尔觉得他需要留在伦敦,以便将《约翰逊传》脱稿,及随时接受朗斯代尔伯爵的邀请,因为伯爵曾给过他意外的鼓励,使他被选为卡莱尔的记录法官。他妻子去世时(1789-06-04),他不在她身边,而当他想和朗斯代尔分手时,却受到非常野蛮的对待。

1791年5月16日,两卷本的《约翰逊传》出版。当时的评论高度赞誉该书,却大肆嘲笑作者。鲍斯韦尔对他文学上的盛名极为高兴,但却感到自己是个失败者。他晚年生活总的来说不快活。他举止古怪,对一个50多岁的人而言似乎是放纵自己的结果:人们在他面前不敢自由谈论,生怕他们的谈话会被报道出去。他有一恶习:在别人家里喝醉酒撒酒疯(他从不独饮),使得他成为一个不好接待的客人。可是他的5个子女都深深地爱戴他,而且他总还有几个朋友深切地关心着他,其中就有他的作品的编辑马隆,他知道鲍斯韦尔的价值和他的需要。他看到《约翰逊传》第二版印刷完毕(1793-07-07)。1795年去世时他正在准备第三版。

评论 长期以来人们相信鲍斯韦尔死后不久他的私人手稿就都被毁了,但在20世纪20年代他的大量手稿在都柏林附近的马拉海德堡被发现,并被他的玄孙马拉海德勋爵卖给一位美国收藏家艾沙姆。这些私人笔记,连同20世纪30年代在马拉海德堡发现的一些其他笔记,与一位教授艾博特在阿伯丁郡鲍斯韦尔的遗嘱执行人的后代家中发现的另一部分笔记合并在一起,卖给了耶鲁大学。在波特尔的主编下,耶鲁大学开始有系统地出版鲍斯韦尔的多卷本笔记。第一本是《鲍斯韦尔在伦敦的日记,1762～1763》,1950年出版。

《约翰逊传》将永远被视为鲍斯韦尔的最高成就,虽然,自从鲍斯韦尔日记出版以来,该书的独特的价值即被看出并非完全出自作者之手。正是约翰逊的谈话的引申才使该书优于其他同类书籍。这些谈话完全抄自他的日记,有时候改动极少,日记都可以看成是印刷厂的原稿。这部多卷本日记一卷一卷相继出版,证明了鲍斯韦尔具有和20世纪作家根据他们自身的条件进行竞争的能力,从而证实了鲍斯韦尔的艺术家的地位,并增加了他的艺术家的名望。这部日记也第一次真正地为读者描绘了鲍斯韦尔的复杂的性格。

Boswell Sisters, the 博斯韦尔姐妹合唱团
美国爵士乐三人合唱团,她们以错综的和谐与节奏上的探索而闻名。对菲茨杰拉德和安德鲁姐妹合唱团的歌手有很大影响。三姐妹是玛莎、康妮和赫尔维蒂。博斯韦尔姐妹成长于爵士乐时代早期的新奥尔良，向家中的黑仆学习音乐。在她们最初的公开表演（包括与新奥尔良交响乐团）中，玛莎演奏钢琴，赫尔维蒂（被称为“维特”）表演小提琴、吉他和班卓琴，康妮表演大提琴、萨克斯管和长号。到1925年发展成为一支歌唱队，但名气不大。在一次电台演出中，主唱康妮发现她的声音在感冒后减弱，为此她凑近麦克风，以一半的音量演唱，结果发出的声音与合唱团的声音更加和谐，使她们获得意外成功。之后，康妮被很多人认为是第一个将麦克风的作用发挥到极致的流行歌手。1930～1935年是博斯韦尔姐妹合唱团的鼎盛时期。在此期间，除了频频在电台表演外，还推出最著名的唱片，并出演了好莱坞影片《广播大会》(1932)和《青楼情孽》(1934)。她们的和声异常和谐，并加入拟声唱法，模仿乐器的声音，而且在一首歌中多次变换速度。她们经常改变曲调，在演唱中加入切分音，因此往往难以辨认旋律。她们喜爱热烈强劲的节奏，得到了许多出色的爵士音乐家的赞赏。著名的唱片有《神经过敏》、《古老的亚祖河》和《呼喊》等。1936年，赫尔维蒂和玛莎放弃了音乐事业，成为家庭主妇。康妮成为独唱演员，一直到70年代中期退休。80年代初，她们重新推出唱片，再次赢得歌迷拥戴。她们对爵士乐演唱的影响十分深远。许多评论家认为博斯韦尔姐妹合唱团是有史以来最伟大的爵士乐合唱团之一。

Bosworth（England） **博斯沃思** 参阅 **Hinckley and Bosworth** 欣克利-博斯沃思。

Bosworth Field, Battle of **博斯沃思原野战役**(1485-08-22) 英国玫瑰战争中约克王理查三世与亨利·都铎（即未来的亨利七世）的一次战役，战场在莱斯特西19千米处。是役奠定了都铎王朝的基础。1485年8月初，亨利从流放中归来，在米尔福德港登陆，向在莱斯特的理查进军。8月22日清晨，理查率军占领了安比恩山头的优势阵地。理查的助手诺福克公爵约翰·霍华德在最初的小规模战斗中战死。斯坦利勋爵托马斯（后来的德比伯爵第一）和诺森伯兰伯爵亨利·珀西虽应国王之召前来应战，但未能在战役中帮助约克人。当理查向亨利·都铎进军时，斯坦利勋爵的兄弟威廉爵士（他私下保证支持亨利）进攻理查的侧面。结果约克军土崩瓦解，理查坠马后在沼泽中战死。

bot fly **胃蝇类** 双翅目几个小科昆虫的统称。成虫外表似蜂，具茸毛但无鬃毛。幼虫寄生于哺乳动物。马胃蝇（胃蝇科）包括胃蝇属(*Gasterophilus*)的种类，是一类马的严重害虫。成蝇（常称为蝇）在马的前足、鼻、唇和身体上产400～500粒卵。马舔卵时，已成形的幼虫受潮湿和摩擦的刺激而孵出，被马吞下后附于胃壁和肠壁上，从马的消化道内取得营养和氧。8～11个月后成熟，随粪便排出。纹皮蝇(*Hypoderma lineatum*)及牛皮蝇(*H. bovis*)又称鞍瘤蝇，对牛骚扰严重。幼虫钻入牛的皮肤，在牛体内游移数月，然后在背

疽蝇(*Cuterebra*)
美国不列颠百科全书公司供图

部皮下停留，变成蛴螬状，并形成具特征性的肿块（鞍瘤），最后化蛹，羽化。成虫又产出更多的幼虫。狂蝇科的北美和欧洲的鹿鼻狂蝇(*Cephenomyia* 属)每小时可飞行80千米左右，可能是飞行最快的昆虫；绵羊胃蝇（绵羊狂蝇，*Oestrus ovis*）的幼虫则产在绵羊鼻中，常引起家畜蹒跚病。疽蝇科(Cuterebridae)的兔疽蝇(*Cuterebra cuniculi*)侵袭兔类；去势疽蝇(*C. emasculator*)侵袭松鼠的阴囊，有时使之不育。疽蝇科的人肤蝇（人疽蝇，*Dermatobia hominis*）危害家畜、鹿和人；雌蝇把卵附于蚊、厩螫蝇或其他昆虫身上，再传给真正的宿主；卵借宿主体温而孵化，纤细的幼虫穿入皮肤。热带美洲的肤蝇属(*Dermatobia*)种类有时危害更大，可造成牛肉和皮革减产。

botanical garden **植物园** 又作botanic garden。种植现存植物种类的园地。原先的植物园主要用以展示各类群间关系；现代的植物园大部分主要用以展示观赏植物，其布局尽可能强调植物的自然关系。因此，两个功能便交织在一起：美观和分类体系。一些植物曾是重要的药物来源，在早期的植物园中占据着极端重要的地位，但现在人们主要是从历史的角度对这些植物感兴趣，所以当代展品中这些植物并不一定都有展出。以收集展出木本植物（乔木或灌木）为主的植物园常称为树木园，它可以是单独的机构，也可以是植物园的一部分。

当前植物园的一个主要目的是保存大量的植物种类，给它们挂上标签，上面标明其俗名、学名以及产地。植物园收集的植物种类数量差异很大，从数百种到数千种不等，决定于植物园面积的大小以及其经济实力、学术能力等。

随着世界人口越来越城市化，人们也越来越认识到植物园在工业化国家中是重要的文化资源之一。植物园给城市居民提供一部分他们再也没有机会接触的自然环境，以解除人口压力带来的内心烦恼，帮助人们养成新的与大自然有关系的兴趣和爱好。

历史 植物园作为一个具体的机构，其历史可以追溯到古代的中国和地中海沿岸国家。这些早期的植物园事实上常常是种植果树、蔬菜和其他用作食物及药物的草本植物的中心。印刷术发明后，已存在数百年的有关植物的手稿得以广泛流传，这又进一步刺激了人们出版描述药用植物的书籍——药草书（草本植物志）。草药医生和他们的草药志又刺激了植物园的建立。到16世纪末欧洲已有5所这样的植物园，到20世纪中叶植物园的数量已达数百所。欧洲最早的两所植物园在意大利的比萨(1543)和帕多瓦(1545)。最初，这些植物园与大学的医学院有联系。当时的医学教授大部分是植物学家，他们的“医药花园”用来培训学生和种植药用植物。但这些花园也有其他功能，例如，16世纪著名的植物学家卡罗鲁斯·克鲁西乌斯就在荷兰莱顿的植物园种植了大量的鳞茎花卉，这就是荷兰鳞茎花卉业的起源。

19世纪早期，瑞士医生、植物学家J.格斯纳就记载到18世纪末欧洲有1 600所植物园。植物科学于18和19世纪形成，当时许多重要的植物学家都是植物园的领导人。从那时开始，作为教学和医学园地的植物园日渐走向衰落，由主要用来培育植物品种并展示观赏植物和有特别兴趣的植物类群的植物园取代。

英国基尤皇家植物园
美国不列颠百科全书公司供图

植物园中收集的现存植物种类越来越多，这对专业的植物学家是一个珍贵的研究资源，但更重要的是，植物园给广大公众提供了学习植物知识和掌握种植植物方法的大好机会。某些植物园每年既为成人又为儿童开

办短期的介绍植物知识和植物栽培法的科普讲座。

植物园保存了大量可能在培育植物新品种方面非常重要的有价值的遗传特性。宾夕法尼亚州肯尼特斯奎尔附近的朗伍德花园近年与美国农业部合作,派出几个考察队收集有可能用作育种原种的植物物种以及一些已经十分美观可用作观赏植物的植物物种。历史上,英格兰基尤的皇家植物园曾派出考察队收集物种,又将一些经济植物种植到可能生长繁育得更好的世界其他地方,并因此闻名。橡胶树(*Hevea brasiliensis*)、菠萝、香蕉、茶树、咖啡、可可、多种材用树、金鸡纳树以及其他药源植物得以广泛传播和种植,基尤皇家植物园出了很大的力。

植物园的另一个功能是培养园艺家。加拿大早就在尼亚加拉瀑布公园委员会园艺学校实行这一个项目。基尤、爱丁堡、都柏林和威斯利的皇家园艺学会植物园已为许多国家培养出许多出色的园艺家,他们在各国担任园艺事业的管理职务。

布局和设施 植物园和树木园与公园不同之处在于它们一般是按照所收集植物物种的科学关系布局的,而不是仅仅考虑景色效果或提供游戏场所或其他纯属娱乐性的设备。举例说,传统的植物园布局是将乔木和灌木都收集在植物园的树木园部分。可是乔木和灌木常常按其各自的分类类群错落有致地种在园中各处,与各种草本植物交错分布。

植物园或部分植物园,有时按照植物的原产地布局。在植物园内又建小园(如玫瑰园、鸢尾园、岩石花园、野生植物园、日本风景园等)的情况也不少见。植物园的面积各异,从几公顷到1 000公顷不等。

虽然将植物园按上述原则布局就可以将植物严格按照其分类学类群安排种植,但仍然可能种植某些类群的植物。举例说,蔷薇属(*Rosa*)包括许多种和数以百计的已命名的人工杂种,除蔷薇属外,蔷薇科还有许多其他属,各属都有许多种及栽培品系。一个植物园可以专门收集蔷薇科植物,但乔木种可以与灌木种分开种植。这个一般原则对其他科属来说也有效。

通常植物园内都有用于服务或展出的温室,在其中繁殖或种植那些难以忍受季节变化的植物。举例说,在冬季十分寒冷的温带地区,热带的兰花必须在温室内种植。热带的蕨类、菠萝类,原产于热带或接近热带地区的经济植物,许多仙人掌和其他肉质植物,非洲的堇菜及秋海棠类也是如此。可以在温床或温室内播种育苗,一俟天气足够暖和即将幼苗移栽到户外。

植物园希望扩大自己收集的植物数量,就必须有保藏区,保藏区能于具体季节为某些物种提供最适合的温度条件。冷床即可为许多植物提供此种服务,又为需要一个寒冷时期但不能耐受冰点的幼龄植物提供过冬的条件。以板条建成的房屋也可以作为临时的保藏场所,为某些植物种类提供半遮荫的环境,甚至用来种植某些不能耐受夏季烈日的植物。

许多植物园都有植物标本室,收集数以千计的固定在标本卡或纸上的干制植物标本。这些物种已经专家鉴定,并标明其学名以及在何处采集,如何种植等信息。这些标本按科属归档,放入柜中,其存放总要考虑容易取阅参考。标本室与保存活植物一样,是植物界的"字典",参照标本对不认识的植物的命名是非常重要的。

许多与大学有联系的植物园拥有收藏丰富的图书馆、植物标本室和实验室研究设施。这些植物园给专业的分类学家提供了必不可少的服务。某些城市的植物园还为没有实际经验的新园丁提供教室和温室讲习班设施,科普性的教学活动也越来越多。

大部分大型植物园都出版技术杂志和科普小册子。规模较大的植物园也出版、制作能吸引公众的书籍和影片。

专业的考虑 要使植物园内种植的植物维持良好的状态,首先要考虑的当然就是优良的植物栽培实践。对城市的植物园来说,维护草坪的技术是非常重要的。精明的城市居民在判断一所植物园时考虑更多的是其总的外观而非园中的植物收集工作有多么优秀。乔木和灌木都需要系统的修剪;所有重要的树木都不能超过两年不加修剪。老树需要特别的修剪,有了伤口也需要照料,这样就不会出现腐烂。也需要经常喷药以预防制止病虫害。

在植物园历史的早期,只能靠知识丰富的收集人员出去考察,常常要到遥远的地方去。他们会找到生长在野外的新种,并将所需植物的样本带回。现在苗圃业已发展得非常壮大,有许多小商行专门经营具体类群的植物,因此可以直接从这些苗圃商行购买多种多样的植物,购回即可种植。各植物园间也经常交换种子和稀有的植物。某些植物园还每年印制种子交换一览表。

管理园内植物所需的设备决定于作业规模的大小。除了为满足工作人员的物质需要和存放工具和设备需要足够的建筑物外,美观而效率高的教室空间对开展教育项目的植物园也是必不可少的。也需要为学生实习准备一个温室部。

需要多少工作人员决定于植物园的具体的目的以及可利用的资源、气象条件以及需要照料的面积大小。至少一位园艺家应是熟练的育种家或花圃工。一位受过高级园艺培训又有经验的领班园丁管理着整个工作。如果植物的体积本来就很大,那么熟练的工匠就需要与监工密切配合以照顾所有的结构和管理清洁、加热以及其他日常服务工作。

需要多少专业人员也决定于机构的目的以及财力资源,一位通晓全面知识的植物学家是必不可少的。植物标本室需要一位分类学家;如果收藏的书籍杂志达到一定数量,就要配备一名图书管理员。通常分类学家负责监督植物标签的制作和贴放。如果收集的植物数量较大,则必须有一位植物病理学家。如果植物园的教育模式中包含针对成人或儿童的教学计划,则需要建立一支基干的教师队伍或需要特邀的兼职教师来授课。植物园的全面工作,从园艺到人员的管理,都由一位主任来协调,如果植物园是私立的,该主任又需要对董事会负责。如果植物园是大学的一部分,则通常由一位植物学教授或园艺学教授负责,并且是教授所在部门的附属机构,由该机构管理。如果植物园由政府支持,则通常由一位主任和顾问小组管理。

某些植物园是单独建立的,在经济上靠富人捐款维持。直接由政府机构管理的植物园通常靠税款支持。私立学院和大学的植物园靠私人资助,常常也从有组织的纳税人团体或为其建立的捐赠基金获得经济援助。

Botanical Garden 植物园 德语作Botanischer Garten。德国植物学家K.冯·格贝尔于1914年在慕尼黑创建的植物园。园中有大量温室(1958年完全建成),包括17个用于展览、8个提供服务的温室,其中棕榈馆尤为著名。其他著名的温室栽培植物包括高山植物、食虫植物、仙人掌、非洲肉质植物、青锁龙属(*Crassula*)植物、龙须海棠亚科(Mesembryanthemeae)植物等。20公顷的户外花园约有1万种植物。园中植物对植物学研究固然重要,其排列方式又具最大的美学效果。有一个巨大的岩石花园,以种植高山植物为特色;面积巨大的分类园则为提供植物进化知识而设;几个美丽的展览园供大众参观;还有一系列野生植物园区,其中生长着土生的以及移植自其他地理区的种类(包括一年生植物、多年生植物、鳞茎植物及乔木和灌木)。该园还设有著名的巴伐利亚植物标本馆(国家植物收藏品馆),收藏约150万件干燥植物标本。

Botanischer Garten und Botanisches Museum Berlin-Dahlem 参阅**Berlin-Dahlem Botanical Garden and Botanical Museum** *柏林-达勒姆植物园和植物博物馆*。

botany 植物学 生物学的分支学科,以植物为研究对象。早期人类的食、住、衣、药、装饰物、工具等乃至巫术用品无不取自植物。绿色植物借助光合作用制造食物,养育了一切生物,而今日人类及许多生物所需的氧气全系35亿年以来植物借光合作用所产生。原始人先是采集植物,以后进而种植植物,自农业人口定居之后才出现了人类文明。人类在这些活动中积累的知识便构成今日植物科学的基础。今日常称亚里士多德的弟子特奥弗拉斯图斯(公元前300)为植物学创立者。公元1世纪,希腊的迪奥斯科里德斯将植物分为芳香、烹饪及药用3类。公元1世纪,老普林尼的《博物志》中也记载不少植物知识,但谬误甚多。中国的药草书出现甚早,但对西方植物学无直接贡献。印刷术流传后,西方的**草药志**(**herbal**)才于15～16世纪逐渐出现。16世纪研制出光学镜头和复式显微镜,开创了一个新纪元。17世纪的植物学家不再偏重于研究药草,G.鲍欣提出许多至今有效的新概念。R.胡克、N.格鲁及M.马尔丕基等人的工作创立了植物解剖学。胡克创"细胞"一词。18世纪,实验生理学初步证明,植物在阳光下吸收水和二氧化碳,增加植株重量,并放出氧气。1753年C.林奈发表《植物种志》一书,确立了双名制,并将生殖性状(花)用为重要分类根据。19世纪C.达尔文和G.孟德尔的工作为植物进化观奠定了基础。至20世纪植物学进展更为迅速,这包括:光合作用机理的阐明;光敏色素的发现;植物激素的发现;微量元素作用的研究;遗传育种技术的进步;同位素计年法的建立;前寒武纪岩石中藻样及细菌样化石的发现;抗生物质的分离等。

植物学有下面4个主要领域:①形态学研究植体(由细胞到器官各个层次)的结构及形状。分支学科有细胞学、解剖学、组织学、生殖形态学、实验形态学等。②生理学研究植物功能,与生物化学及生物物理学密切相关。③生态学研究生物与环境间的交互作用,在某些方面与生理学相近。④系统学研究植物的鉴定和分类。此外,还有些特别分支,如细菌学、真菌学、藻类学、苔藓植物学、蕨类植物学、古植物学、孢粉学、植物病理学、经济植物学、人种植物学等。在形态研究方面,显微镜及相应的制片技术起了决定性作用。相差显微镜使人们得以观察活组织,而电子显微镜则将人带进超微领域。组织培养法可用于研究植物的形态发生。在生理学领域,生物化学及生物物理技术大量应用,这包括超离心、电泳、层析、放射性同位素技术、各种电子仪器以及各种光谱波谱技术。X线衍射则有助于了解大分子的构造。生态学将许多生理学方法应用于户外研究,常需精确测量大量环境参数,而且可能需要计算机帮助来处理数据。群落生态学则采用统计方法来测度群体的分布和丰度。现代植物分类学家已能在植物园及温室、环境室中利用有对照的实验方法来辅助分类。植物标本及图志仍是重要的分类参考资料。电子显微镜、细胞学及遗传学方法、植物化学方法都为分类学提供了新的武器。计算机的出现还使数量分类技术得以实现。20世纪后半叶还采用大分子分析来判断植物间的亲缘关系。

植物学与许多科学密切相关。医学和有机化学常取材于植物,而农、林、药等应用学科直接建基于植物学。园林艺术一直为各种文明所重视。农业产品则为人民生活所不可缺。历史上,至少有300种植物曾用作食物,约100种已驯化或曾大量种植,但仅约200种的产量大到可进入国际商业市场。稻、麦、玉米、甘蔗、甜菜、马铃薯、甘薯、大豆、蚕豆、椰子和香蕉是世界上最主要的12种食物,都由原始民族培养而成。茶、咖啡以及酒也都是历史悠久的饮料。植物纤维不仅提供服装原料,还可用于制绳、造纸等等。林业一直是建材、燃料、纤维、化工原料等的重要来源,在水土保持、野生动物保护、狩猎动物及鱼类生息、提供游憩场所等方面也起很大作用。但森林资源也被大量浪费。直到今日,森林的这些价值才开始受到重视。重要植物产品还有药材、芳香油等。现在世界许多国家都有植物学会和植物学杂志,植物园也很普遍。

Botany Bay 植物学湾 澳大利亚新南威尔士州塔斯曼海(太平洋)小海湾。大致呈圆形,直径约8千米、湾口宽约1.6千米。乔治斯河和库克斯河注入湾内。1770年J.库克船长在此首次登上澳大利亚大陆,因在当地发现许多新植物而得名。现今,植物学湾的沿岸成为悉尼市的郊区。金斯福德-史密斯机场在其西北。湾畔还有班纳隆发电厂和国家自然保护区。植物学湾港口现经疏浚,集装箱船多在此停靠。

Botero, Fernando 博特罗(1932-04-19,哥伦比亚麦德林～　　) 哥伦比亚画家和雕塑家。从10几岁就开始绘画。1960年移居纽约时,他已形成自己的风格:将笔下的人与动物描绘成圆圆胖胖的样子。在这些作品中,他使用单一而明亮的色彩,大胆的轮廓外形,反映出拉丁美洲民间传说艺术的影响,而他强有力的创作常常赶上或超过前辈大师。1973年博特罗移居巴黎并开始创作雕塑,专注于圆圆胖胖的物体。20世纪末,他那不朽的青铜人体雕塑在户外的展出十分成功,并移往全球各地展出。

博特绘《意大利风景》
美国不列颠百科全书公司供图

Boteti River 博泰蒂河 旧称博特莱特莱河。博茨瓦纳河流。由源自奥卡万戈三角洲的塔马拉卡内河在马翁附近延伸形成。向东南流入达乌湖,后向北,注入马卡迪卡迪盐沼。长约305千米。

Botetourt, Norborne Berkeley, Lord 博特图尔特(约1718,英格兰～1770-10-15,弗吉尼亚[美国]) 英国在弗吉尼亚殖民地的总督(1768～1770)。初在英军服役和在议会供职。1764年他被证实是合法的继承者后,得到勋爵或男爵爵位,后者已被中止3个多世纪。4年后他被任命为弗吉尼亚总督。开始时他在殖民地议会受到欢迎,并在暗中同情其反对将政治犯转交给英国的强烈立场。但在殖民地议会通过要求税收的独有权的决议后,他将其解散。他和英国国务大臣通信,企图为殖民地废除所有英国议会制定的税则,然未能改变议会的决定。他担任总督只有短短的2年,却得到了殖民地议会的赞许,专为他在殖民地首府威廉斯堡建立了全身像。他被埋葬在威廉和玛丽学院的校院内。他死后,男爵爵位再度中止。

Botev, Khristo 波特夫(1849-01-06,奥斯曼帝国鲁梅利亚卡洛费尔[今在保加利亚]～1876-06-01,保加利亚韦斯莱兹山附近) 保加利亚爱国志士、诗人,反对土耳其统治的国民革命运动的英雄之一。1863年去俄国留学,深受虚无主义的影响。1867年返国,随即流亡罗马尼亚,生活极为贫困,但始终献身于保加利亚解放运动。他的爱国诗集《歌与诗》于1875年出版。1876年5月保加利亚起义期间,他率领一小股起义军回国,几天后就被土耳其军队杀害。

Both, Jan 博特(约1618,尼德兰乌得勒支～葬于1652-08-09,乌得勒支) 17世纪荷兰巴罗克画家、铜版画家、倾向于意大利风格的风景画大师。早年随其父学画,后师从A.布卢马尔特。1638～1641年间与兄弟安德利斯一起居住在罗马,后返回乌得勒支。所画山林环绕的罗马风景画,画面阳光灿烂,农民作息其间,生气勃勃,显然受克劳德·洛兰和范拉埃的影响。他和范拉埃一样,对市井画的兴趣在现代风格方面;但是他更注重风景,人的活动是附属的。克劳德·洛兰的古典作品是理想化的,光和气氛的处理一般化;而博特对大自然的描绘更具体更写实,观察胜过想象。

Both, Pieter 博特(约1550,荷兰阿默斯福特～1615-02,毛里求斯) 荷兰殖民者。1599～1601年率领舰队航行东印度群岛,1609年11月任荷属东印度群岛首任总督,受命垄断东印度群岛的贸易,不允他国染指。他先后在万丹和雅加特拉(后称雅加达)建立商站(1610),这个排他主义政策意味着将英国人赶走。该目标由他及其继任在17世纪30年代基本实现。博特在一次船只失事中,于毛里求斯岛外溺死。

Botha, Louis 博塔(1862-09-27,纳塔尔格雷敦镇附近～1919-08-27,南非德兰士瓦省比勒陀利亚) 南非军人和政治家,南非联邦首任总理,极力主张布尔人与英国人和解。向内地移民先驱之子。1884年,在祖鲁兰弗雷黑德地区(今夸祖鲁/纳塔尔北部)协助建立新共和国。1888年新共和国并入南非共和国,积极参与政治活动。1897年选入议会,属温和派,反对P.克留格尔总统敌视"外国人"(主要指英国移民)的政策。1899年南非战争爆发后,他升为南部军队的指挥官。在一次伏击中俘获一组武装列车,俘虏中有W.丘吉尔。1900年任德兰士瓦军队总司令。尽管他有卓越的军事才能,但无力抵挡优势的英军。他被迫举行谈判,并成为《弗里尼欣和约》(1902-05)的签字人之一。战后重返政坛,担任人民党主席。1907年德兰士瓦成立自治政府时,当选为总理。1910年国民大会选他任南非联邦首任总理,任职至去世。1911年他建立南非党。第一次世界大战爆发后,他接受英国的要求,占领了德属西南非洲(今纳米比亚)。1919年曾出席凡尔赛和会。

Botha, P(ieter) W(illem)　博塔(1916-01-12,南非保罗鲁～　　)　南非政治家,总理(1978～1984)和第一任国家总统(1984-09～1989-08)。奥兰治自由邦人。1932～1935年在布隆方丹的奥兰治自由邦大学学习法律,但未毕业就离校。十几岁时就积极从事政治活动,20岁时移居开普省并成为国民党的专职组织者。1948年在国民党内以压倒的优势被选入议会。1958年成为内政部副部长,1961～1980年历任商业发展、有色人种事务、公共工程和国防等部的部长。1978年B.J.沃斯特辞职后,他接任总理。博塔政府面临内政外交的严重困难。莫桑比克、安哥拉和津巴布韦黑人政府相继执政给南非黑人民族主义者和西南非人民组织增添新的活力。其他事态发展(尤其在1980年)也经常导致南非黑人学生和劳工发生动乱。博塔为了寻求削弱安哥拉、莫桑比克和津巴布韦政府,报以军事行动,包括南非军队经常性的出击,以配合邻邦国内反政府组织的行动。博塔还拒绝从纳米比亚撤军。与此同时,博塔在国内推行"改革"计划——给黑人家园以"独立"——旨在分裂国内非白人反对派的同时,缓和国际舆论。该计划的关键是制定颁布新宪法,给亚洲人和有色人种以极有限的权力,但对黑人大多数不作任何让步。虽然拟议中的改革维持白人优势,但国民党右翼却于1982年分裂出去成立保守党。1983年他假手白人公决使宪法得以通过。次年他当选总统。此后,他试图在完全支持种族隔离与好斗的非白人之间走中间道路,但收效甚微。1989年他因病辞党魁职务,但直至党内和内阁两方面都反对他时,他才放弃总统职务。

Bothe, Walther (Wilhelm Georg)　博特(1891-01-08,德国奥拉宁堡～1957-02-08,西德海德堡)　德国物理学家。因为发明探测亚原子粒子的新方法及由此而得到其他许多发现,与M.玻恩共获1954年诺贝尔物理学奖。曾任教于柏林大学(1920～1931)、吉森大学(1931～1934)和海德堡大学(1934～1957)。1925年和H.盖革用两个盖革计数器来收集康普顿效应的数据。他们同时测量了由单独碰撞而放出的单个光子和电子的能量和方向,否定了对康普顿效应的统计解释,确立了电磁辐射的粒子性。博特1929年和德国天文学家W.科尔霍斯特再次应用了这个符合计数法,发现宇宙线不像过去人们相信的那样完全由γ射线构成。1930年博特发现铍受α粒子轰击时发出的一种异常的辐射。后来由英国的J.查德威克判明为中子。第二次世界大战时,博特是德国核能研究的领导人之一。对中子及其在原子反应中的作用,作了理论研究,负责计划和建造德国第一座回旋加速器,于1943年完成。

Bothnia, Gulf of　波的尼亚湾　瑞典语作Bottniska Viken。波罗的海北部海湾,西岸为瑞典,东岸为芬兰。面积约11.7万平方千米,南北长725千米,东西宽80～240千米。南部湾口几乎被奥兰群岛封闭。最深处295米,平均深度约60米。海水含盐量极低。冬季封冻5个月。有翁厄曼河、于默河、吕勒河、托讷河、凯米河和奥卢河注入。湾内多小岛,不利于航行。主要港口有芬兰的波里、瓦萨和奥卢;瑞典的吕勒奥、海讷桑德、松兹瓦尔和耶夫勒。沿岸有许多锯木厂。

Bothriolepis　沟鳞鱼　又拼Bothryolepis。盾皮鱼纲胴甲目的绝灭属。为中、晚泥盆世(约3.87亿年前至3.60亿年前)的特征化石。躯体前端是很笨重的骨盔甲。眼位于头甲顶部,与接受光的松果眼很近。头甲分两部分,一部分覆盖头部,另一部分覆盖胸部。躯体后部裸露,甚至无鳞片。发育很强壮的肩区骨刺呈现出锯齿状的边缘,并可活动。显然具有功能性的肺,这表明肺是很古老的构造。沟鳞鱼大概是习惯于河、湖的底栖动物,用钩状前肢沿水底活动。由于嘴部不发达,显然不是动作灵敏的食肉者。

Bothwell, Francis Stewart Hepburn, 5th earl of　博思韦尔伯爵(第五)(?～1614-07以前,那不勒斯)　即F.S.赫伯恩。苏格兰贵族。科尔丁厄姆隐修院院长约翰·斯图亚特之子,詹姆斯五世国王之孙。1581年封博思韦尔伯爵,任苏格兰海军大臣,为詹姆斯五世宫廷中的重要人物。他极力主张入侵英格兰,为玛丽·斯图亚特之死报仇。1589年曾因参加暴动入狱,后又因行使巫术坐牢。1591年脱逃,议会遂剥夺了他的领地和爵位。1593年博思韦尔俘获国王,威逼国王给予赦免。约1595年他逃往法国。后一贫如洗,死于那不勒斯。

Bothwell, James Hepburn, 4th earl of, DUKE OF ORKNEY AND SHETLAND　**博思韦尔伯爵(第四)**(1535?～1578-04-04,丹麦西兰岛德拉格绍姆)　即J.赫伯恩,也是奥克尼和设得

美国不列颠百科全书公司供图

兰公爵。苏格兰女王玛丽·斯图亚特的第三个丈夫。他显然是杀害玛丽的第二个丈夫达恩利勋爵亨利·斯图亚特的策划者。第三代博思韦尔伯爵帕特里克之子。1556年继承爵位。他拥护信奉天主教的摄政洛林的玛丽,而同苏格兰的新教贵族进行斗争。1560年玛丽·斯图亚特亲政,他出任枢密官。1562年因被指控阴谋绑架女王而关入爱丁堡城堡,翌年8月逃出。1564年9月去法国。1565年应召回国,参加平定莫里伯爵詹姆斯·斯图亚特的叛乱。因忠心耿耿和在达恩利杀害女王秘书里奇奥的事件中表现得足智多谋而赢得女王的垂青,后来与女王同居,1567年5月15日举行新教婚礼。不久新教和天主教贵族联合叛乱,女王的军队拒绝作战,6月玛丽向叛军投降,条件是允许博思韦尔出走。他最后逃往丹麦。

Botlete River (Botswana)　**博特莱特莱河**　参阅 **Boteti River** 博泰蒂河。

Boto, Eza　博托　参阅 **Beti, Mongo** 贝蒂。

Botocudo　博托库多人　居住在巴西米纳斯吉拉斯州的南美印第安人。操一种大格语群的语言。其文化同巴西东部森林和山区的其他游牧部落相似。他们分成50至200人的狩猎群,由据信在超自然世界有权势之人领导。他们相信天上有神灵,神灵通过萨满调解人间事务。群与群之间常有冲突,一般通过决斗解决。由于反抗白人的扩张,受到白人灭绝政策的无情打击。极少数幸存者为一些务农并与殖民者妥协的人的后裔。

Botoşani　博托沙尼　罗马尼亚东北部一县。面积4 965平方千米,北连乌克兰,东接摩尔多瓦。普鲁特河与锡雷特河分别为该县东、西边界,两河均向东南流。县城博托沙尼(**Botoşani**)市为纺织中心。其他城镇有:特鲁谢什蒂、尼古拉伯尔切斯库、多罗霍伊、瑟韦尼及德勒巴尼。县内丘陵起伏。该地区以前属封建的摩尔多瓦公国。农业有谷物种植与家畜饲养。布切恰镇有一制糖厂。多罗霍伊镇有纪念作曲家G.埃奈斯库(1881～1955)的博物馆,他生于利纳尼乡(现名乔治斯·埃奈斯库镇)。多罗霍伊的其他景观有15世纪的教堂和阿登卡塔森林。诗人M.爱明内斯库(1850～1889)出生于伊波泰什蒂村,村里现有一所纪念他生平的博物馆。伊特卡尼村附近的德拉戈米尔纳隐修院是A.克里姆卡于1609年修建的,他是摩尔多瓦公国都主教兼微型画家。院内藏有一套经克里姆卡创设的学校培养的图案花饰绘制者的手稿集。什泰弗内什蒂村是画家斯特凡·卢奇安(1868～1916)的出生地。有铁路和公路通过博托沙尼和多罗霍伊。人口约460 115(1997)。

Botoşani　博托沙尼　罗马尼亚东北部城市,博托沙尼县县城。在该国摩尔多瓦(Moldavia)地区北部富饶的农业区,靠近摩尔多瓦(Moldova)边界。长期以农产品和葡萄酒贸易闻名,也是工业中心,纺织业尤其发达。人口约129 285(1997)。

botrytis blight　葡萄孢疫病　又称葡萄孢腐烂病或灰霉疫病。在潮湿地区,由灰葡萄孢(*Botrytis cinerea*)引致的常见植物疾病。大多数蔬菜、果树、花卉及木本植物均易受侵染。植株的受伤、老熟及死亡部分首先受害。在潮湿天气发病,表现为软腐、黄褐色至褐色斑点,后其上被以土灰色霉状物;幼苗、嫩茎或叶凋萎倒地;芽腐烂;花上出现斑点;较老

熟的花及果实变褐色并腐烂。本病常发生于臭氧损伤植物之后。控制方法是去除病部。合理栽培,如注意间距以保持通气良好、注意施肥及齐土面灌水,有助于预防本病。收获的蔬菜、水果应尽可能贮存于接近 0 °C的条件下,气候冷湿时应喷洒杀真菌剂。

Botsaris, Markos 博察里斯(约1788,奥斯曼帝国希腊索列～1823-08-21,卡尔派尼西翁) 希腊独立战争初期的重要领导人。早年参加南伊庇鲁斯索列人对阿里帕夏的斗争。1803 年阿里帕夏占领索列人的要塞,他逃往科孚,在法国人指挥的阿尔巴尼亚团队中当兵。他在 1814 年参加了爱国社团"菲力克·希特里亚"。1820 年他和索列人一道返回伊庇鲁斯,参加昔日敌人阿里帕夏所领导的反土耳其政府的暴动。阿里帕夏失败后,他又率领索列人投身于 1821 年 4 月爆发的争取希腊独立的斗争。1822 ～1823 年在迈索隆吉翁城保卫战中得胜。1823 年 8 月 21 日夜率领数百名索列人游击队大胆袭击驻扎在卡尔派尼西翁的 4 000 名阿尔巴尼亚人。作为土耳其军队前卫部队的阿尔巴尼亚人被打败了,但博察里斯也阵亡了。

Botswana (people) **博茨瓦纳人** 参阅 **Tswana 茨瓦纳人**。

Botswana 博茨瓦纳 全称博茨瓦纳共和国。旧称贝专纳兰。非洲南部内陆国家。境内大部分为卡拉哈里沙漠。南北最长处和东西最宽处均约为 965 千米;南和东南与南非接壤,西和西北与纳米比亚交界,北与赞比亚为邻,东和东北与津巴布韦相连。首都哈博罗内。面积 581 730 平方千米。人口约 1 663 000(2003)。

土地 博茨瓦纳为非洲高原南部的一部分,地势大多平坦(平均海拔 1 000 米),只有东南部地区为起伏不平的丘陵地(海拔 1 400 米)。全国分为 3 个截然不同的地形区:东部是岩丘牧场(硬草地),季节性河流纵横;西北部是奥卡万戈沼泽(10 000 平方千米);南部则是卡拉哈里(沙草原)。卡拉哈里大部分为半荒漠,还有草地和旱生刺槐灌丛,只有西南部多沙丘,是真正的沙漠地区。

境内仅有的永久地表水源为西北部与纳米比亚交界的乔贝河(流域面积 145 000 平方千米),西北端的奥卡万戈河(流域面积 137 300平方千米)和东南部与南非交界的林波波河(流域面积 77 700 平方千米)。乔贝河(经由赞比西河)和林波波河均注入印度洋,奥卡万戈河发源于安哥拉,流至奥卡万戈沼泽低平湿软的内陆三角洲。南部大部分没有地表水系。

该国大体上属亚热带气候,但时有大陆性极端气候出现。夏季(10 ～ 3 月)气温可达约 34 °C;冬季(4 ～ 9 月)气温则降至 0 °C。年平均降雨量(多集中在 12 ～4 月)约 460 毫米,东北部 635 毫米,东部 380 毫米,而西南部则在 127 毫米或以下。降雨量极其多变,严重干旱和饥荒往往持续达数年之久,并屡次出现。东部(林波波河流域)雨量适中的地区适宜耕种与养牛,有几处全国最佳畜牧场。

全国土地面积中约 3/4 覆盖有热带稀树草原型植被。植被与降雨量分布相对应,从西南部的稀疏草地和旱生灌丛,向东、向北依次渐变为灌丛和树木草原。真正的森林仅分布在乔贝河两岸。甚至在卡拉哈里也有植被,足以养活成群的野生动物。野生动物种类繁多,如狮子、大象、豹、河马、长颈鹿,多种羚羊、鳄鱼和数种毒蛇,均在若干国家公园和野生动物保护区内受到保护。境内矿产资源尚未完全探明,但已开始开采金刚石、铜、镍和煤矿。奥拉帕、莱特拉卡内和朱瓦能的金刚石总储量居世界前列。东部莫鲁普莱附近有大型煤矿储藏;东北部马卡迪卡迪盐沼盛产盐和纯碱。境内还有钚、铬铁矿和铂等矿藏。

人民 境内族系复杂,统称博茨瓦纳人,但博茨瓦纳族人约占一半。其他主要部族有:卡拉加里(加拉加迪)、恩瓜托、茨瓦蓬、比尔瓦和卡兰加。次要部族有科伊科伊人和桑人,仍散居在卡拉哈里,过着游牧生活,作季节性迁移时越过纳米比亚边界。还有数千欧洲裔白人,大多经由南非而来。官方语言为英语;通用语言为塞茨瓦纳语。

全国多数人名义上均为基督徒,但多兼信非洲传统宗教。真正的基督徒约占 40%;其中大部分属英国圣公会、公理会和卫理公会教派;这些群体在该国融为一体。境内另有较小的基督新教和天主教社区。

该国因缺水而人口稀疏。东部为人口最稠密地区,而中西部和西南部人口极其稀少,有的地方实际上杳无人迹。

平均预期寿命男性 57 岁,女性 63 岁。该国是由于平均寿命提高致使出生率下降的第一个非洲国家。城市人口仅约占总人口的 1/4。15 岁以下人口几乎占 1/2。

经济 博茨瓦纳属发展中混合型经济,兼有公有和私有经济成分,其经济依赖牲畜饲养和金刚石、铜、镍等矿物的开采,曾得到来自南非、欧洲经济共同体和各种国际机构的大量援助。制造业几乎未获发展。国民生产总值远远超过人口增长速度。人均国民生产总值居南部非洲前列,但仍低于世界标准。

农业收入仅占国内生产总值一小部分,却占用多达 3/4 的劳动力。养牛业是主要农业活动,由少数家族把持,其牛的拥有量占全国一半以上。大多数牛售予洛巴策城的博茨瓦纳肉类委员会。肉类出口欧洲经济共同体受到《洛美公约》的支持,但受害于突然蔓延的口蹄疫病,直至 1981 年通过接种疫苗和建立防疫栅栏系统疫病始被消灭。抗旱高粱、蔬菜、甜瓜、玉米、黍类和豆类等主食生产大多只能达到维持生活的最低水平,且常常因无法预测的降雨和土壤贫瘠而不敷国内所需。经济作物有棉花和花生。

矿业收入占国内生产总值的 2/5 以上,但仅占用一小部分劳动力。矿业以金刚石、铜-镍矿的生产与出口为主;金刚石出口是主要外汇与国库收入来源。金刚石由政府和南非德比尔斯联合矿业公司共同开采。政府对铜、镍生产亦拥有股份。采煤用于国内发电。南非矿山由于熟练工人短缺,雇用了大量的博茨瓦纳工人。主要贸易伙伴是南非关税联盟成员(提供博茨瓦纳大部分进口物资)和欧洲经济共同体成员国(接受博茨瓦纳大部分出口物资)。制成品和食品是主要进口商品。

政体与社会状况 博茨瓦纳为多党议会

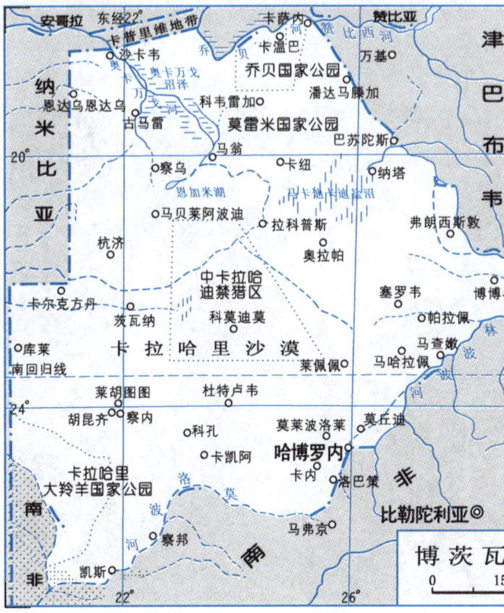

美国不列颠百科全书公司供图

博茨瓦纳首都哈博罗内市的国民议会大厦

美国不列颠百科全书公司供图

制共和国。根据1966年宪法，一院制国民议会拥有立法权，由34位直接选出的议员，4位间接选出的议员和2位当然议员(议长和检察长)组成。议员任期5年。选出的酋长院代表主要部落，是政府的咨询机构；国民议会中有关各部落事务的立法，在通过前须先提交酋长院。行政权力属于总统，总统由直接选举产生，任期5年。总统在任命的内阁辅助下执政，内阁须向国民议会负责。博茨瓦纳民主党是该国独立以来第一大党。

该国没有社会保障体制，但政府提供免费卫生保健服务。70年代政府在扩大保健服务方面的开支显著增加，现今大多数人民已有享受医疗的机会(主要靠流动诊所)，但医务人员普遍缺乏。胃肠道及呼吸道疾病是最常见的严重疾病；心血管病发病率有所增加。艾滋病的蔓延严重威胁国家的发展，是世界上艾滋病感染率最高的国家之一。至2000年全国有超过1/3的成人感染艾滋病，艾滋病孤儿数量剧增，已成为严重的社会问题。超过3/4的人民受过教育，1980年开始实施免费小学教育。小学学龄儿童入学率约90%，但继续就读中学者仅1/4。首都哈博罗内设有博茨瓦纳大学(1976年创办)。

历史 该地区最早的居民为科伊科伊人和桑人。境内铁器时代遗址可追溯到公元190年，在讲班图语的农民南迁时期即有人定居。7～13世纪期间，在东南部哈巴内附近和西北部直到措迪洛山建立了一些酋长领地。13和14世纪在德兰士瓦西部建立了茨瓦纳诸王朝，18世纪迁入博茨瓦纳，并建立数个强国，包括恩华凯采、奎纳和塔瓦纳。19世纪初，战争破坏了各国的发展，但19世纪40年代重新建立了一些贸易国家。

自19世纪初以来即有欧洲传教士到博茨瓦纳活动，但该地令欧洲人感兴趣的正是1867年在这里发现的金矿。1885年该地成为英国贝专纳兰保护地。第2年莫洛波河以南地区成为英国直辖殖民地；10年后并入开普殖民地。直到20世纪60年代，贝专纳兰仍为英国保护地。

1961年成立行政与立法会议，取代传统的英国常驻行政长官。1965年立宪，举行第一次大选，贝专纳兰(后来的博茨瓦纳)民主党赢得了议会31个席位中的28个。1966年9月30日，博茨瓦纳共和国宣布独立，仍留在英联邦内，并为联合国成员国之一。

博茨瓦纳独立后竭力在经济依赖南非和维护与周边黑非洲各国的外交关系两者之间保持微妙的平衡。70年代末期成为罗得西亚难民和津巴布韦人民革命军游击队员的避难所，尤其是在1980年津巴布韦获得独立之前。1984～1990年期间与南非的关系恶化，尤其是1985年和1986年哈博罗内先后两次遭袭击之后；不过南非政局好转和1990年纳米比亚独立使该地区的紧张局势趋于缓和，并使博茨瓦纳有可能着手解决自己的经济问题。1998年下莫哈埃出任总统，2004年连任。新政府将减少贫困、扩大就业、发展教育和防治艾滋病作为工作重点。

Botta, Carlo Giuseppe Guglielmo 博塔(1766-11-06，皮埃蒙特圣乔治-卡纳韦塞[意大利]～1837-08-10，法国巴黎) 意大利出生的法国历史学家、支持拿破仑的政治人物。1786年在都灵大学医科毕业。早年受法国大革命思想的熏陶。1794年因给法国人提供情报被捕。次年前往法国。1796～1798年在拿破仑远征意大利和科孚时任随军医师。1799年任皮埃蒙特政府成员，并出版一部科孚史。他热烈拥护拿破仑。1808年当选为法国下院副议长。1815年成为法国公民，后任南锡学院和鲁昂学院院长。主要著作为《美国独立战争史》。该书富于想象力，根据当时的文件及拉斐特提供的材料写成，1820～1821年出版英译本。

Botta, Paul-Émile 博塔(1802-12-06，皮埃蒙特都灵[意大利]～1870-03-29，法国阿谢尔) 法国驻外领事、考古学家，1843年曾在伊拉克杜尔舍鲁金(今豪尔萨巴德)发现亚述王萨尔贡二世王宫，由此开创了对古代美索不达米亚大规模的实地考古调查工作。出身显贵，曾习医。1842年任驻奥斯曼美索不达米亚(今伊拉克)摩苏尔领事，得到发现已湮没的亚述古城的便利条件，这些古城当时仅散见于众说纷纭的古代著作和《圣经》参考读物中。他先自底格里斯河东岸的基云吉克(摩苏尔对岸)发掘，一周之内，发现萨尔贡巨大宫阙遗存，还有著名的飞人、浮雕及楔形文字碑铭。当时博塔误认为他已发现尼尼微城，向巴黎提出了报告，法国政府资助进一步发掘并派遣美术家弗朗丹对文物进行现场绘图。一批文物在海运途中沉没，另一批文物运抵巴黎和罗浮宫。《尼尼微的历史遗迹……》(1849～1850)包括有一卷博塔的文字说明和4卷弗朗丹的插图。后来博塔就专门致力于楔形文字的研究，并任驻耶路撒冷领事(1846)及叙利亚的黎波里领事(1868)。

Bottesini, Giovanni 博泰西尼(1821-12-22，意大利克雷马～1899-07-07，帕尔马) 意大利低音提琴家、作曲家和指挥家。以其挥洒自如的低音提琴演奏及其在低音提琴演奏技巧上所做贡献最为闻名。父为作曲家、单簧管演奏家；博泰西尼幼年即从父受基本音乐训练。其所以选择低音提琴为专业，是因为当他于1835年申请入米兰音乐学院就读时，这是仅剩的两个奖学金名额之一。入学不足数周，他的演奏技巧便已相当不错，因而获得奖学金。1839年离开音乐学院赴美国和欧洲巡回演出。博泰西尼的第一部歌剧《克里斯托弗罗·哥伦布》于1847年在哈瓦那首演。在一次巡回演出途中，他与威尔地在威尼斯邂逅，从此成为终身不渝的至交。1849年在英国演出，这是他在那里多次公演的第一次，作为一位低音提琴大师，他的精湛技艺在英国备受欢迎，历久不衰。他的指挥在欧洲各地也是名闻遐迩。1871年威尔地的《阿依达》在开罗首演即由他指挥。约自1870年起他日益以更多时间致力于作曲，创作出许多歌剧、圣乐、管弦乐和低音提琴曲。

Botticelli, Sandro 波提切利(1445，佛罗伦萨[意大利]～1510-05-17，佛罗伦萨) 佛罗伦萨早期文艺复兴画家。所作《维纳斯的诞生》(约1485)和《春》(1477～1478)被现代评论家誉为文艺复兴精神之代表。其艺术创作复杂而丰富，最具个人风格，擅长表现情感。幼随金银匠学艺，后成为僧侣画家利波利比的门徒。著名艺术家马萨丘对他也有较深影响。1470年开设作坊，在画家波拉约洛接受的6件一组标题为《美德》的订件中，画过《坚毅》一图。1472年，菲利波之子菲立皮诺人其作坊当学徒。前期作品如《圣·塞巴斯提安》(1474)，以浅浮雕形式为基础，富有韵律的轮廓线与明确固定光的人物组成画面，显示出自己的特点。为梅迪契别墅所作《春》和《维纳斯的诞生》是其艺术成熟的代表作。画中有14世纪哥特式纤丽秀逸的色彩和写实的自然景象，但温柔静谧的主题却是其对古典艺术的新理解，那些优美的线条节奏，与梅迪契贵族文化要求的理想美完全吻合。一生承接了大量教会订件，包括应召为罗马教皇装饰西斯廷礼拜堂(1481～1482)。其主要保护人是"豪华者"罗伦佐·梅迪契，除为绘制壁画，还受托为但丁《神曲》画插图，那些精美、洗练的线描是当时书籍插图中仅有的杰作。15世纪90年代中叶，以《诽谤》(约1495)开始，《神秘的基督降生图》(1501)为续，最后作圣齐诺比乌斯生平组画，波提切利明显脱离"华美"风格。作品规模缩小，人物变形趋于抽象，基本色相更为深沉饱和。晚年依靠圣

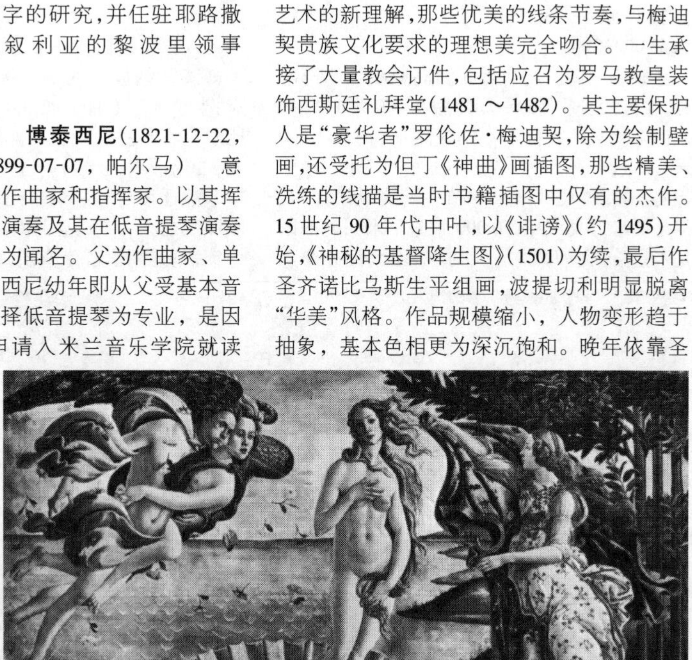

波提切利绘《维纳斯的诞生》(约1485)
美国不列颠百科全书公司供图

路加公会的津贴勉强度日。由于背离古典主义传统，死后几百年中，其艺术一直不受重视，直到19世纪浪漫主义运动中，英国"拉斐尔前派"才"重新发现"他。评论家开始撰文推崇他的"线描风格"和高度的幻想式情感。在美术史上对他有各种评价：或说他博学多识，是不关心题材的唯美派；或说他是受新柏拉图哲学影响的艺术家，终生敬仰革新的萨伏那罗拉神学的信徒等等。尽管他画了不少宗教画，但主要追求生命力和诗意的表现，把古代人们想象的奥林匹斯众神按文艺复兴精神展现给观众。波提切利艺术中的人文主义精神与古代文化有着联系，如《春》和《维纳斯的诞生》的题材，可以在卢克莱修、贺拉斯、奥维德等古典作家作品中找到来源。

bottle 瓶 盛装液体或半液体的细颈、硬质或半硬质容器，通常都有紧密的塞或盖，以防内容物溢出、蒸发或与外物接触。虽然早期的瓶用葫芦和兽皮一类材料制成，但最后玻璃成了制瓶的主要材料。公元前1500年以前，埃及人生产瓶子的方法是将熔化的玻璃涂覆在硅泥芯上，等瓶子硬化后，再将芯子挖出。公元前200年，中国、波斯和埃及采用了吹制玻璃的方法。除了制造精致而昂贵的装饰性瓶子外，手工法最终已被金属模型法所代替，1903年起大量采用了连续生产的自动化设备。玻璃瓶能极有效地保护内容物，并因晶莹透明，能制成各种形状而吸引人。它的主要缺点是易碎，而且只有有色玻璃才能保护光敏物品。能够多次回收重复使用的玻璃瓶，其每次的使用费，相对而言最为低廉，不过任何节约都将被反复运输的费用所抵消。在20世纪60年代，重量轻而不回收的瓶子极为普及，但到了70年代又提倡回收，以此作为处理固体废物解决生态问题的一种手段。从石油中提取原料制得(与玻璃瓶的制作很相似)的塑料瓶，具有不碎、重量轻、可将内容物挤出等优点，在某些用途上，对物品的保护不如玻璃有效，也缺乏玻璃的诱人光泽和透明度。由于少数塑料容器与一些化学元素接触后会分解，因而在处置这种瓶时会造成污染。

bottle gourd (*Lagenaria siceraria*) **葫芦** 又作 white-flowered gourd 或 calabash gourd。又称白花葫芦。葫芦科蔓生或攀缘藤本植物。原产旧大陆热带，在温暖地区已栽培数百年，以观赏或取用其硬壳果实。葫芦各栽培类型藤蔓的长短，叶片、花朵的大小，果实的大小形状各不相同。果有棒状、瓢状、海豚状、壶状等，类型的名称亦视果形而定。葫芦枝蔓生长快，茎多毛，卷须分叉，有麝香气味。花大，白色，美观。叶稠密。常栽培作凉棚或供观赏。果实嫩时可食，成熟后壳硬，可做水瓶、瓢、匙羹等用具以及鸟巢、小装饰品、灯具及乐器等。有些品种果实长达1米余。葫芦以种子繁殖，易栽培，但要求有较长的炎热季节果实才能成熟。

bottle tree 瓶树 梧桐科瓶树属(*Brachychiton*)植物。原产于澳大利亚。株高约18米，在其他温带地区栽培作为观赏植物。树干形如巨瓶，故名。

瓶树(*Brachychiton rupestris*)
美国不列颠百科全书公司供图

bottlenose (bird) **瓶鼻海雀** 参阅 **puffin** 角嘴海雀。

bottlenose whale 瓶鼻鲸 又称胆鼻鲸。剑吻鲸科4种喙鲸的统称。其鳞茎状的前额陡垂到吻的基部。所谓巨瓶鼻鲸有两种，一种为贝尔德氏槌鲸(*Berardius bairdii*)，体长约12.8米，是最大的喙鲸。巨瓶鼻鲸的下颌有两对牙齿，而胆鼻鲸属(*Hyperoodon*)的种类仅有一对牙齿。瓶鼻鲸能进行长距离的深层潜水，以枪乌贼、鱼和底栖生物为食。北大西洋瓶鼻鲸(细颈瓶状胆鼻鲸，*H. ampullatus*)在冬季随着它们所捕食的乌贼，通常以2～4头为一群，并且从有大块浮冰的海面向南迁徙。由于鲸群有不愿意丢弃伤残的成员习性，因而很容易遭到捕杀。巨瓶鼻鲸也是猎捕的对象。

北方瓶鼻鲸(*Hyperoodon rostratus*)
美国不列颠百科全书公司供图

Bottniska Viken (Baltic Sea) 参阅 **Bothnia, Gulf of** 波的尼亚湾。

bottom water 底层水 海洋最低处的高密度水层，温度、盐度和含氧量与上层水有明显区别。南太平洋、南印度洋、南大西洋和北大西洋一部分的大多底层水是南半球冬季在南极洲附近形成。南极洲大陆架上，特别是威德尔海和罗斯海的海水部分结冰，产生无盐冰，残留海水盐度为34.62‰，温度为−1.9°C。盐水因密度高(1.02789克/厘米^3)而下沉。下沉时与其他水混合，温度略升，但在到达深的海底时仍为−0.9°C，继而沿海底向北流。南极底层水，按这个温度追踪，在大西洋越过赤道，远至北纬45°，在大浅滩附近还可以观察到。北冰洋因被地形阻障所隔离，在作为底层水来源方面较为次要。白令海槛阻止底层水流入太平洋，格陵兰和不列颠群岛之间的海岭和浅滩阻止它进入大西洋。在格陵兰附近，由于湾流表层盐水冷却到−1.4°C，产生一些底层水，沿西大西洋的海底南流。底层水发源处表层所溶的氧浓度为每升4～6毫升，是底栖生物唯一的氧源。深海海底动物极稀少，呼吸耗氧很少。但是底层水离水源越远，氧浓度越小，这种趋势可以用来判明水源并估计水的流速。底层水流速极小，1～2厘米/秒。只有在海盆西缘，流速据计算为10厘米/秒。

Bottome, Margaret McDonald 博顿(1827-12-29，美国纽约州纽约～1906-11-14，纽约) 婚前名 Margaret McDonald。美国专栏作家和宗教组织者，基督教教会发展和服务组织现称上帝儿女国际修道会的创始人。1850年与F.博顿牧师结婚。1886年1月与其他9位妇女自行组织起一个固定的研究小组，取名为上帝之女。她们每个人又组织一个10人小组，这些成员又每人组织一个10人小组，就这样不断扩大。1887年该组织允许男子加入，因而改名为上帝儿女修道会。20年内，在美国和加拿大参加该组织的人数估计达50万。此时该组织名称前面已冠有国际二字。每年她都被选为该修道会主席。1896年当选为医学传教士协会主席。著有《耶稣复活后的七个问题》(1889)、《阳光之旅：东方的一瞥》(1897)和《死亡与生命》(1897)等。

bottomry 船只抵押借款契约 船主用船只作为一定期限内的担保抵押物以借款装修船只的一种海事契约(现几乎已被淘汰)。该约规定，若船只在某一特定航程或期限内因所列举的风险而毁损，贷款人将丧失其贷款。类似的契约还有以船只所载货物为担保者，称为船货抵押借款。

Bottrop 博特罗普 德国西北部北莱茵-威斯特伐利亚州城市。濒莱茵-黑尔讷运河。博特罗普早在中世纪时已见记载。19世纪后半叶当地发现煤田。1921年设市。1975年纳入基希黑伦和格拉德贝克，城市人口几乎增加一倍。南部为工业区。北部有大片公园和森林。经济以采煤和炼焦业为主。制造业有煤的化学副产品、机械和建筑用钢。人口约120 324(2003)。

Botucatu 博图卡图 巴西圣保罗州中部城市。附近农业区(出产咖啡、棉花、大米、甘蔗、菜豆和土豆)的加工中心。有铸造、纺织、面包厂和工农业机械制造厂。产品经铁路和公路运到州首府和附近乡镇。有一机场。1855年设镇，1876年设市。人口约81 252(1991)。

botulism 肉毒中毒 由肉毒梭状芽孢杆菌产生的肉毒杆菌毒素引起的中毒。最常发生于食用含有毒素而未经妥善消毒的罐头食品以后。肉毒梭状芽孢杆菌不能在有氧的情况下存活，可在土壤中形成抗热的孢子并污染制罐头用的新鲜食物。如果食品没有经过一定时间的高温加工，孢子仍可存活。于是孢子在密封的罐头内萌芽并释出细菌。细菌在繁殖过程中分泌毒素，这种毒素是毒性最强的蛋白质之一。毒素与孢子不同，容易被热破坏。毒素被食入和吸收后，通过阻断神经冲动的传递而破坏自主神经系统。中毒的开始症状是恶心和呕吐，根据食用污染食物的多少，食入后 6 小时或不足 6 小时出现症状。以后出现疲乏、头痛、头晕、视力模糊、复视；喉黏膜发干，患者自觉喉部紧缩，继之吞咽和说话困难；全身肌肉虚弱无力。当呼吸肌受累时，应早期作气管切开并及时使用器械呼吸以抢救生命。肉毒中毒死亡病例中有半数由于呼吸肌麻痹。通常不死于肌肉麻痹则可完全康复。早期诊断、及时用肉毒抗毒素可大大增加患者存活的机会。然而，明显症状的出现常常是在神经系统受到损害以后。在这个阶段使用抗毒素往往为时已晚。食用家庭自制罐头通常较食用商品罐头更易发生肉毒中毒。

Botvinnik, Mikhail Moiseyevich　博特温尼克（1911-04-17，俄罗斯圣彼得堡～1995-05-05，莫斯科）　苏联国际象棋大师。三次获世界冠军（1948～1957，1958～1960，1961～1963）。14 岁在一次表演赛中击败世界冠军卡帕布兰卡。1931 年博特温尼克第一次（一共 7 次）赢得苏联国际象棋冠军。1946 年世界冠军阿廖欣去世，冠军称号空缺；1948 年举行世界锦标赛，博特温尼克继阿廖欣之后成为世界冠军。1957 年败给斯梅斯洛夫，翌年又夺回世界冠军。1960 年输给世界冠军挑战者塔尔，1961 年又夺回冠军。1963 年败给彼得罗相。1932 年毕业于列宁格勒工业学院，任电机工程师，1955 年起为全苏电能科学研究院的准院士。

Bou Saâda　布萨达　阿尔及利亚中北部城镇。在霍德纳盐湖和撒哈拉阿特拉斯山之间。镇北半部为围有城墙的旧区，南半部为法国人修建的新区。很早即为西非与地中海之间重要的商队贸易中心，集市每天开放，经营珠宝、金属制品、地毯和佩刀。阿拉伯和柏柏尔游牧民常到此做买卖和休息。冬季游人众多。新区有纺织厂。人口 66 688（1987）。

Bouaflé　布瓦夫莱　科特迪瓦中部城镇。在红邦达马河北岸。是森林和草原过渡区的贸易中心，为咖啡、山药、木薯和大蕉集散地。草原上主要居民为从事农业的古罗人和加古人。镇上设有公立医院。人口 34 562（1988）。

Bouaké　布瓦凯　科特迪瓦中部城市，在首都阿比让至布基纳法索瓦加杜古公路和铁路线上。1969 年成为自治市。是全国第二大居住区及内陆商业及交通中心。加工棉花、烟草、西沙尔麻和稻米；附近有全国最大纺织厂。1912 年铁路建成后是稻米、山药和牲畜贸易中心。各类货物由此集中运往阿比让输出。有纺织研究所及兽医研究所。有假面具、青铜制品、塞努福或达荷美编织物和陶瓷器皿销售市场。人口 329 850（1988）。

Bouchardon, Edmé　布沙东（1698-05-29，法国肖蒙～1762-07-27，巴黎）　法国雕刻家，早期新古典主义先驱。其雕刻把古典的罗马技法与当代主题巧妙地结合在一起。曾与其师 G.库斯图同去罗马，并在 1722 年获罗马奖。其后 10 年留居罗马，用大理石复制古代雕像，并作大量半身雕像。回国后任路易十五的雕刻师，为宫邸制作重要作品。其位于巴黎格勒内勒街的《四季之泉》（1739～1745）是精致的二层建筑雕刻，饰以四季景物浮雕和巴黎知名人士雕像，灰褐色的装饰显示了洛可可艺术的影响。《丘比特用海格立斯的木棒做弓》（1739～1750）是一件古典作品，现陈列于罗浮宫。原立在协和广场上的路易十五骑马青铜雕像（1748～1762），在法国革命时被毁坏。

Boucher, François　布歇（1703-09-29，巴黎～1770-05-30，巴黎）　法国画家、版画家和设计师。作品充分表现出洛可可时期的法国趣味。早年随其父学画。受鲁本斯和华托的

布歇绘《春》（1755）
美国不列颠百科全书公司供图

影响，风格以色彩精细、形式柔美、技巧熟练和主题浮华为其特征。1723 年获罗马奖，1734 年成为皇家学院院士，1765 年当院长，并获得路易十五首席画师称号。布歇接受的第一个重要订件是把华托的 125 幅素描制成版画。1737 年在巴黎沙龙个人画展中获得声誉，后相继完成皇后在凡尔赛的订件和他的朋友及顾主蓬巴杜夫人的订件。18 世纪 40～50年代，布歇的画风在路易十五宫廷中成为最高的标准。他被推崇为 18 世纪最大的画家之一，他对妇女的描绘尤为人称道。一生作品约有 1 000 幅油画、1 万幅素描和大约 180 幅版画。

Boucher (de Crèvecoeur) de Perthes, Jacques　布歇·德·彼尔特（1788-09-10，法国勒泰勒～1868-08-05，阿布维尔）　法国考古学家、作家，曾首先提出人类史前史可根据地质年代进行测算的概念。1825 年起担任阿布维尔海关税务司，暇时在索姆河谷从事考古活动。1837 年在更新世（约 1 万年前）砾石沉积中发现燧石手斧及其他石器。尽管他不是发现石器时代文明遗迹的第一人，但是他首先提请世界科学界注意石器时代的革命意义，因为当时人们还认为公元前 4004 年是上帝创造世界的年份。1838 年他把石器送往阿布维尔的科学团体作为实证，1846 年提出论文讨论原始工具制造问题，但均未得到承认。最初，他认为手斧的制作年代，就是《创世记》中所说的大洪水时期，但后来又得出结论：砾石层也只是由一次大洪水产生的，因此，这些工具的制造者（“前洪水期人”）一定曾在洪水之前存在过。1859 年达尔文的《物种起源》一书发表，布歇·德·彼尔特的结论终于为英国一群卓越科学家如赖尔等人所确认。布歇·德·彼尔特的考古学著作有《凯尔特及前洪水期古物志》（3 卷，1847～1864）等。

Boucher-Desnoyers, Auguste-Gaspard-Louis　布歇-德努瓦耶　参阅 **Desnoyers, Auguste-Gaspard-Louis, Baron 德努瓦耶**。

Boucherville　布谢维尔　加拿大魁北克省南部蒙特利尔区城镇，在圣劳伦斯河东岸。历来为商品蔬菜集市中心。第二次世界大战后迅速发展，成为蒙特利尔市的郊区居民镇。横贯加拿大的公路经此。工业以食品加工和服装业为主。1957 年建镇。人口 33 796（1991）。

Bouches-du-Rhône　罗讷河口省　法国东南部普罗旺斯-阿尔卑斯山-蓝岸大区省份。位于罗讷河口。1790 年由普罗旺斯的南部地区组成。面积 5 112 平方千米。北界迪朗斯河，南濒地中海达 193 千米。自阿尔勒以下的沼泽三角洲地区称**卡马尔格（Camargue）**。种植水稻和养马。罗讷河主河道东面是平坦的灌溉地区克罗，出产蔬菜和饲料等。其他地区广泛出产地中海地区三大物产：小麦、葡萄酒和橄榄。省的西部为低地流域。经济企业有阿尔勒的碾米厂、拉西约塔的海军造船厂、欧巴涅的陶器厂和拉贝多尔的水泥厂。最大港口城市马赛控制着全省商业和工业命脉。第二次世界大战后建起拉韦拉油港，发展起石油化工业。晒盐长期为沿海经济活动。建在滨海福斯的工业联合体（钢铁和石油化工）将重工业引到法国地中海沿海地区。古罗马城镇艾克斯和阿尔勒是旅游中心。画家塞尚和凡高曾描绘过该省的自然风光，使之闻名。沿罗马古道建有现代高速公路。马赛为省会，也是普罗旺斯-阿尔卑斯山-蓝岸经济规划区的首府，又是专区的所在地。人口约 1 793 876（1994）。

Boucicault, Dion　鲍西考尔特（1820或1822-12-26，都柏林～1890-09-18，纽约）　原名狄奥尼修斯·拉德纳·布西科特。爱尔兰-美国剧作家和演员，对美国戏剧的形式和内容有重要影响。在英国受过教育，1837 年开始演戏，1840 年他的第一个剧本被科文特加登剧院的维斯特里斯夫人拒绝。第二个剧本《伦敦保险公司》（1841）是现代社会戏剧的先声，获得巨大成功，直到 20 世纪还经常上演。其

他值得注意的早期剧作有《鹤发童心》(1844)和《科西嘉兄弟》(1852)。1853年到纽约。他领导的剧作家运动促使1856年美国第一部戏剧版权法问世。剧本《纽约的穷人》取材于1837年和1857年的经济恐慌，1857年在沃利克剧院长期上演，其他地方也出现类似的剧本，如《利物浦的穷人》。《混血儿》(又名《路易斯安那州的生活》，1859)，由于含蓄地攻击奴隶制而引起轰动。鲍西考尔特和他当演员的妻子于1860年加入劳拉·基恩的剧团，同时开始写一系列流行的爱尔兰剧本：《少女鲍恩》(1860)、《阿拉-纳-波格》(1864)、《奥多德》(1873)和《肖兰》(1874)。1862年在伦敦为约瑟夫·杰斐逊成功地改编了《瑞普·凡温克尔》(1865)。1872年返美国长期居留。他一生写有150个剧本。他对社会问题的关心预示着欧洲和美国戏剧的未来发展。

Boucicaut, Jean II le Meingre　布锡考特(约1366～1421，英格兰约克郡)　法国元帅、军人，骑士精神的倡导者。其父(卒于1368)也是法国元帅。在参加了几次战役后，

美国不列颠百科全书公司供图

于1391年由查理六世授予元帅衔。1396年东征至匈牙利，在尼科波利斯(今保加利亚境内的尼科波尔)被土耳其军俘虏，后被赎回。1399年率领一支军队和一支舰队，在加利波利击败土耳其舰队，使加拉塔免于陷落，从而保卫了拜占廷帝国。他抵挡土耳其军对君士坦丁堡的进攻整整一年。接着回法国招募志愿兵，后被派往热那亚以加强法国在该地的统治。在威尼斯经过小规模战斗，使热那亚的统治暂时得到巩固，但1409年热那亚人趁他离开时赶走了法国人。1415年在阿让库尔战役中被俘，后死于英国。

Boudewijn I (king of Belgium)　参阅 **Baudouin I 博杜安一世**。

Boudicca　布狄卡(?～公元60)　又拼Boadicea。公元60年领导反罗马统治起义的古代不列颠王后。丈夫是爱西尼(在今诺福克境内)国王普拉苏塔古斯。公元60年普拉苏塔古斯临死前，因无男嗣，即指定两个女儿和罗马皇帝尼禄为其私人财产的继承人，以求罗马皇帝保护他的家族。罗马人却趁机吞并了爱西尼王国。因此，布狄卡在整个东英吉利举行起义，焚毁卡穆洛杜南(科尔切斯特)、维鲁拉米翁、伦迪尼乌姆(即伦敦)市场和几个军事哨所，杀死罗马人和亲罗马的不列颠人7万名(根据塔西佗《编年史》)，并粉碎了罗马第9军团。后战败，服毒或中风而死。

Boudin, Eugène　布丹(1824-07-12，法国翁弗勒尔～1898-08-08，多维尔)　最早在室外直接对景写生的法国风景画家之一。其大量海景画是19世纪的自然主义与印象主义之

布丹绘《多维尔海滩》(1869)
美国不列颠百科全书公司供图

间承前启后的作品。早年曾受法国画家米勒的鼓励，在巴黎短期学画，并为C.柯罗的作品所倾倒。1853年开始画海洋，细致地描绘海洋阴晴潮汐的变化和海景中的光线。1858年与18岁的C.莫奈相识，鼓励他做一名风景画家并启发他注意明亮色彩和光线在水面浮动的映象，这些在莫奈后来的印象主义绘画中，产生了明显的影响。布丹曾参加过1874年的印象派画展，但从1875年起则参加官方美术沙龙。其海景画销路很好。1888年法国政府开始为卢森堡画廊购买他的作品。以后逐渐得到普遍的承认。1892年布丹获荣誉勋位勋章。

boudinage　布丁构造　来自法语boudin，意即“香肠”。也译香肠状构造。变形岩层形成的一种圆柱形构造。从横截面看一般呈桶状，也可呈透镜状或长方体状。通常是互相

美国纽约州哈得孙高地汤姆琼山的香肠状构造
美国不列颠百科全书公司供图

挨近而由短的颈状物连接在一起而呈一串香肠状，并由此而得名。最厚的石香肠约厚20米，最薄者则约为1厘米。香肠状构造由坚实而柔韧的岩层在滑动或挠曲滑动褶皱过程中拉伸而形成。确切的形成方式还不清楚。石香肠通常与褶皱轴平行，但偶尔也有在同一岩层中有两组相互垂直的石香肠，一组与褶皱轴平行，另一组与褶皱轴垂直。邻近的软弱岩层会流入石香肠的颈部，或这种颈状物可能被诸如石英、长石或方解石等重结晶矿物所充填。香肠状构造在各种类型的岩石中都有，也是褶皱岩石最常见构造之一。

Boudinot, Elias　布迪诺特(1740-05-02，费城～1821-10-24，美国新泽西伯灵顿)　美国律师和政府官员，曾参加美国独立战争。1760年成为执业律师。他是律师行业的一位领袖。尽管他是一名保守的辉格党党员，但他支持美国革命。他在美国革命爆发时成为革命党党员，起初担任新泽西州议会议员，后担任出席大陆会议的新泽西州代表之一。在美利坚合众国政府建立以后，任美国众议院议员(1789～1795)。1795年他出任设在费城的美国造币厂厂长，任该职达10年。

Boudjedra, Rachid　布杰德拉(1941-09-05，阿尔及利亚艾因贝达～　)　阿尔及利亚多产革命作家。第一部小说《休妻》(1969)，因以直率的语言正面抨击当代阿尔及利亚穆斯林的因循守旧而引起非议，成为一项新兴的实验小说运动的领袖。在阿尔及利亚、突尼斯受传统穆斯林教育，在西班牙和阿尔及利亚大学深造，又获巴黎大学哲学学位。曾在巴黎和摩洛哥的拉巴特教哲学，还在阿尔及利亚电影制片局工作。《休妻》以其艰难的青年时代经历为背景写成，传统的道德标准和新政权的自满情绪使布杰德拉深感不满，从而抵制和反抗。至于第二部小说《曝晒》(1972)，作者描写实验的心理状态，混淆梦想与现实的界限。在以后的作品中，他使用了完全不同的独创风格。《一次特殊大胆行动的理想交通图》(1975)中主人公是个不识字的柏柏尔族农民，作品描写他进城求职在地铁中迷路的种种窘态。《顽固的蜗牛》(1977)，描写一个小资产阶级暴露了他的平庸生活和道德准则，它象征阿尔及利亚革命的不彻底。《1001年怀旧》(1979)是一部讽刺小说，描写一个想象中的撒哈拉村子面临当代文化帝国主义，即美国电影公司的渗入。

Boué, Ami 布韦(1794-03-16,德国汉堡～1881-11-21,奥地利维也纳) 奥地利地质学的创始人,促进了地质研究方面的国际协作。原在爱丁堡学医,因受著名苏格兰地质学者

美国不列颠百科全书公司供图

R.詹姆逊的影响,对地质学发生了兴趣。研究了苏格兰各地和赫布里底群岛的火山岩之后,在《论苏格兰地质》(1820)一文中公布了他的发现。虽在1817年获得了医学博士学位,并在欧洲大陆继续其医学研究,但最后决心献身地质学。1830年定居巴黎,是法国地质学会奠基人之一。此后4年中,在《法国地质学会会志》上发表了关于各国地质学进展的报道。1835年移居维也纳。后来3次去土耳其旅行,并在《土耳其欧洲部分》一书中发表了他的地质研究成果(1840)。1845年完成了他对地质学的全面综述:《对世界地质图的分析》。

Bouea(Cameroon) 参阅 **Buea 布埃亚**。

Boufarik 布法里克 阿尔及利亚北部城镇。在米提贾灌溉平原中央。建于1836年。呈长方形,街道长而直,树木成荫。周围地区经济以农业为主,产葡萄、柑橘、谷物、烟草和蔬菜。培育鲜花以提取香料。有酒厂和牛市。人口约54 023(1987)。

Boufflers, Louis-François, duc de(duke of) **布夫莱公爵**(1644-01-10,法国卡尼～1711-08-22,枫丹白露) 法国国王路易十四时代历次战争中的主将。1662年进入法国陆军,在荷兰战争(1672～1678)中任王家龙骑兵司令。在大同盟战争(1689～1697)中,布夫莱成为法国元帅。后被封为公爵。1695年抗击

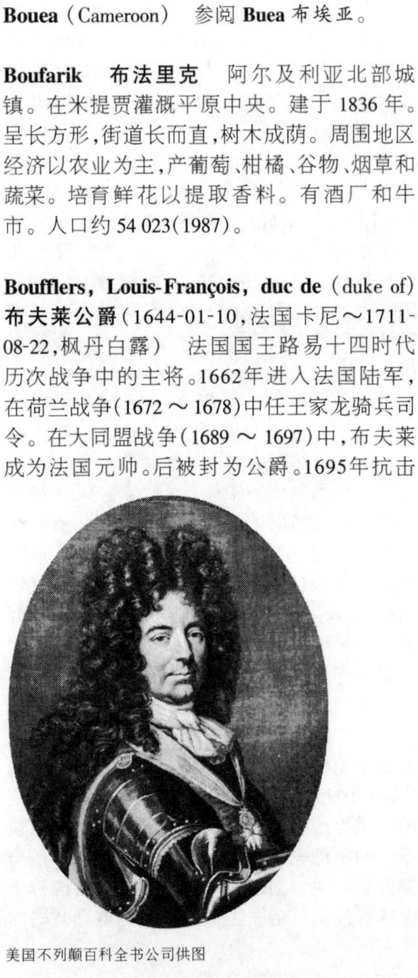

美国不列颠百科全书公司供图

奥兰治的威廉三世指挥的英荷联军,守卫那慕尔两个月后投降。法国对英、奥、荷3国开战(即西班牙王位继承战争)后不久,任西属尼德兰法军司令。1702年在奈梅亨城下重创荷军,后被英军司令马尔伯勒第一公爵约翰·丘吉尔逐出荷兰领土。1704年任国王卫队司令。1708年他保卫里尔,3个月后被迫向英奥军投降。次年,他不顾年老多病,仍在维拉尔元帅麾下服役。维拉尔在马尔普拉凯战役(1709-09-11)中负伤后,他组织撤退,使部队免于被歼。

Boufflers, Stanislas-Jean, chevalier de(knight of) **布夫莱**(1738-05-31,法国南锡～1815-01-18,巴黎) 法国作家、军人、法兰西学院院士(1788)。主要以其传奇式流浪冒险

美国不列颠百科全书公司供图

故事《戈尔孔达的女王阿琳》而闻名。其母布夫莱侯爵夫人后来是波兰国王兼洛林大公斯坦尼斯瓦夫·莱什琴斯基的情妇,她把儿子带到吕内维尔城的大公府邸内抚养,原拟使之担任教职,但他的性情证明他并不相宜。布夫莱在巴黎的圣叙尔皮斯教堂学习神学期间写出了名作《阿琳》。这个极富魅力的故事描写一个挤奶女工在经历了一系列风流艳事以后当了戈尔孔达的女王。小说为作者赢得声誉,但他却因此被逐出圣叙尔皮斯教堂。后参加僧侣骑士团,既在洛林任圣职,又担任他乐任的军职。其后24年,在欧洲多次参战,但常回巴黎厕身社会名流之中,以倜傥机智及与孔特斯·德·萨布朗的风流艳事闻名。他曾任驻塞内加尔总督,1789年为南锡出席三级会议的贵族代表,1791年逃避法国大革命亡命德国。失去神职后与萨布朗夫人结婚。1800年拿破仑当政,他返回巴黎主持其全集出版(1803)。

Bougainville, Louis-Antoine de 布干维尔(1729-11-11,巴黎～1811-08-31,巴黎) 法国航海家,作为首次环球航行(1766～1769)的法国海军指挥官,曾到南太平洋许多地区考察。著有《环球航行》(1771)。1756年作为L.-J.de蒙卡尔姆将军的随从武官去加拿大,法国-印度战争爆发时在同英军作战中崭露头角。24岁时参军,1763年离开陆军,参加海军。次年航行去大西洋,在福克兰群岛建立了一个法国殖民地,后在1767年转让给西班牙。他受法国政府委派,进行过一次环球考察旅行。1766年12月在博物学家和其他科学家陪同下出海,通过麦哲伦海峡后,向西北穿越南太平洋,访问了塔希提。在向西航

美国不列颠百科全书公司供图

行中,到过萨摩亚和新赫布里底。后继续西行,进入任何欧洲船只以前均未航行过的海域。到达大堡礁边缘,没有看到澳大利亚,转而北行,经过所罗门群岛边缘,登上新不列颠岛。由于船员们当时患坏血病和船只需要维修,而停泊在摩鹿加的布鲁(1768-09)和爪哇的巴达维亚(今雅加达)。1769年3月回到布列塔尼的圣马洛。其后担任过路易十五的秘书(1772)、支持美国独立战争的法国舰队指挥官(1779～1782)。拿破仑一世任命他为议员,封为伯爵。所罗门群岛中一个最大的岛、新赫布里底群岛中一处海峡和一种植物均命名为布干维尔。

Bougainville Island 布干维尔岛 太平洋西南部所罗门群岛中巴布亚新几内亚最东端的岛。属巴布亚新几内亚的北所罗门省。所罗门北部的皇帝岭(其最高峰巴尔比峰[2 743米])和巴加纳山均为活火山,南部有克朗普林斯岭。沿岸有珊瑚礁。1768年为法国航海家布干维尔发现。1898年由德国管理,1914年被澳大利亚军队占领,1920年归为澳大利亚委任统治地。1942年初被日军占领。第二次世界大战后为联合国新几内亚托管地。1975年归新独立的巴布亚新几内亚。至今仍有活跃的脱离主义运动。行政中心为阿罗瓦。基埃塔为商业中心。生产椰干、可可和木材。潘古诺有世界最大的露天铜矿之一(1972年始采),是巴布亚新几内亚主要的外汇收入来源。面积约9 300平方千米。人口:自治区175 160(2000)。

Bougainvillea 叶子花属 又称九重葛属。紫茉莉科的一属,约14种,灌木、藤本或小乔木。原产南美洲,在温暖地区生命力强。许多种有刺。仅木质藤本种广泛栽培,有几个种育出美丽的栽培变种,常栽于室内及温室。有些种,如巴西的光叶子花(*B. glabra*)有色彩鲜明的纸状苞片围着不显眼的花,俗称纸花;其苞片为紫色或洋红色,一些变种的苞片色彩较淡。产于哥伦比亚至秘鲁的秘鲁叶子花(*B. peruviana*)的苞片为玫瑰色至洋红色。*B.* × *buttiana* 可能是上述2种的杂交种,已育出苞片为柠檬黄("金光")、橙("路易斯·沃森")和绯红("巴特夫人")诸色的品种。

Boughton, Rutland 鲍顿(1878-01-23,英国白金汉郡艾尔斯伯里～1960-01-25,伦敦)

美国不列颠百科全书公司供图

歌剧作曲家。是英国大力提倡瓦格纳乐剧理论的主要人物。1900 年在皇家音乐学院学习,但还靠自学。曾有意以亚瑟王传奇为题材创作一套乐剧,并在格拉斯顿伯里建立一个音乐节剧院以上演这些乐剧。所作浪漫主义歌剧《不朽的时刻》(1913)在伦敦连演 216 场,极为成功。其他歌剧有《康沃尔王后》(1924)、《百合花姑娘》(1934)和《加拉哈》(1944)。与他在格拉斯顿伯里规划中的合伙人布克利合著《未来的乐剧》(1908)。

Bouguer, Pierre　布给(1698-02-16,法国勒克鲁瓦西克～1758-08-15,巴黎)　法国多学科科学家,曾在 18 世纪 20 年代作过若干最早的天体光度测量工作,并把天体的视亮度和标准烛光作比较。1735 年,他从一个远征队的行列中离开,到秘鲁的赤道附近地区测量子午线的弧长,并用取得的数据求出地球形状的新测量结果。后将研究成果写入其著作《论地球的形状》(1749)。他在不同高度用摆测量重力,而且是试图测出高山在水平方向的万有引力的第一人。他在高原上测量重力的偏差并按标高进行归算,正确地指出产生偏差的原因在于测站和平均海平面之间物质的质量。他编制一份大气折射表,研究光在空气中的吸收,并提出光束通过透明介质时衰减的布给定律(有时称为朗伯定律)。这一定律和他的测光工作都发表在《关于光的渐变实验》(1729)一书中。他在 15 岁时就已接替他父亲 J. 布给任皇家水文学教授。以后曾写过有关海军演习和航海术方面的著作,在船舶设计上,他导出一个计算定倾中心高度的公式,定倾中心是船舶稳定性的一个度量。

Bouguereau, William-Adolphe　布格罗(1825-11-30,法国拉罗谢尔～1905-08-19,拉罗谢尔)　画家,19 世纪上半叶法国学院派画坛最重要的人物。1846 年进入巴黎美术学院,1850 年获罗马奖学金。在意大利学习 4 年回到法国之后,其神话和寓言题材的绘画吸引了大批追随者;作品以高度完整、技法全面的写实主义和表现多愁善感的题材为特征。其一生获得了多种荣誉,几十年一直定期在沙龙举办个人画展,成为当时法国最著名的画家。作为官方正统艺术的维护者,在沙龙排斥印象派和其他具有探索精神的画家的过程中起了主要作用。晚年以拉斐尔前派的风格画了一些宗教画,用以装饰巴黎几个大教堂的附属小教堂。现代批评家大都指责布格罗是一个守旧的画家,在人物造型处理上,为了追求高度的优美而舍弃技法的大胆运用和创新的精神,因而完全流于保守与俗艳。

bouillabaisse　普罗旺斯鱼汤　以海鲜加佐料烧成的汤,源于法国地中海沿岸地区,是普罗旺斯地方的名菜。其烹饪方法五花八门,但马赛的菜谱被公认为正宗。其配料除鱼和介壳类动物外,还有橄榄油、洋葱、番茄、大蒜、欧芹、藏红花、茴香、麝香草、月桂叶和橘皮等。真正的普罗旺斯鱼汤是用地中海的鱼,包括有名的岩鱼(racasse),与牙鳕鱼、大海鳗、梭鱼、大龙虾和蟹肉、蠔、贻贝等烹调而成。所有配料同时用急火快烧。吃前,加红酱汁(rouille),含大蒜、红辣椒、面包屑,以提味。

Bouillaud, Jean-Baptiste　布约(1796-09-16,法国加拉特～1881-10-29,巴黎)　法国医学家。最先从临床上证明言语中枢在大脑前部。又证明失语可表现为不能应用词汇、不能记忆词汇、不能控制与言语有关的运动等形式。在心脏病学方面亦作出重要贡献,证明心脏病与风湿性关节炎有关。他在心音的发生机制和诊断价值的研究中作出重要贡献,并首先描述了严重的异常心音和心律失常。也最先认识洋地黄的药用价值,称之为"心脏的鸦片"。布约曾因参加拿破仑的军队而中断医学教育,滑铁卢战役后回巴黎继续学习并很快成名。35 岁时任巴黎慈善医院临床医学教授,四年后发表关于心脏的重要著作,次年发表著作讨论风湿热与心脏的关系。创"心内膜"及"心内膜炎"等术语。但其医学理论亦不尽合理,因他喜欢给发热患者快速放血而被称为"最后一个大放血者"。他擅长诊断,是"解剖诊断学派"的领袖,该学派强调"观察"患者而非"检查"患者,主张将病理发现与临床实践结合起来。

Bouillon　布永　比利时卢森堡省古城镇,在瑟穆瓦河畔。11 世纪为下洛林公爵领地的座城,1096 年归列日主教管辖,1482 年归纪尧姆·德·拉马尔克所有,1591 年传到亨利·德·拉图尔·德奥维涅手里。1794 年布永宣布成立共和国,但次年被法国吞并。拿破仑战败后,1815 年 11 月战胜国把布永与卢森堡一起给与尼德兰。1831 年卢森堡分治时,布永归比利时所有。该城是避暑胜地,以保存完好的中世纪古堡著称。人口约 5 427(1983)。

Bouira　布维拉　阿尔及利亚中北部城镇。位于朱尔朱拉山西南伊塞尔河和苏马姆河的分水岭附近,西北距阿尔及尔 93 千米。周围地区为泰勒阿特拉斯山脉及山谷环绕,主要出产橄榄、谷物和葡萄。南面的苏尔古兹兰是马、牛、羊的交易中心。人口:城市区约 53 065(1987)。

Boujdour, Cape　参阅 **Bojador, Cape** 博哈多尔角。

Boulaida, el- (Algeria)　参阅 **Blida** 卜利达。

Boulainvilliers, Henri de,　COMTE DE (count of) SAINT-SAIRE　**布兰维里耶**(1658-10-21,法国圣赛尔～1722-01-23,巴黎)　法国历史学家、政论家。他研究古典著作、法国历史和科学,钻研笛卡儿、斯宾诺莎、牛顿和洛克的作品。他的许多专著都具有独特的历史观。所著《法兰西国家》一书(3 卷,1727～1728)叙述从法国君主政体开始至路易十四统治结束之间的历史,强调对重大事件必须进行社会心理的分析。他在《法国贵族论》中分析法国贵族阶级衰败的原因,攻击路易十四的暴虐专横,探讨法国政治制度的合法性。除历史著作外,布兰维里耶还写有哲学论文《自然总体系的理念》(1683)和《宗教与古代哲学史》(1700?)。

Boulanger, Georges(-Ernest-Jean-Marie)　布朗热(1837-04-29,法国雷恩～1891-09-30,布鲁塞尔)　法国将军、陆军部长、政界人士。曾领导一个短暂却有巨大影响的独裁运动,

美国不列颠百科全书公司供图

在 19 世纪 80 年代几将第三共和国推翻。毕业于圣西尔军校。1856 年进入陆军,先后在意大利、阿尔及利亚、印度支那服役,曾参加普法战争。1880 年 5 月任准将。后奉命指挥驻突尼斯的军队,但因与政治驻扎官 P.-P. 康邦意见不和而被召回。他回巴黎后,在 G. 克列孟梭和激进党支持下开始参与政治。1886 年在 C.-L. de S. de 弗雷西内内阁中任陆军部长。由于他善于沽名钓誉,人们认为他会为法国洗雪普法战争失败之耻。他成为仇视共和体制的各派手中的工具。1886 年 12 月弗雷西内政府倒台,新总理 R. 戈布雷留任他为陆军部长。1887 年 5 月 M. 鲁维埃拒绝让他入阁,把他调往克莱蒙费朗任第十三军团司令。然而,此时"布朗热运动"正在蓬勃发展。波拿巴主义者和保王党人都支持他。1888 年他被夺去兵权,并被陆军除名,但是当选为代表北部省的议员。1888 年他成为法国政治风云的中心人物。1889 年 1 月,他以压倒多数票当选为代表巴黎的议员。在宣布选举结果时,群众欢呼若狂,并敦促他立即接管政府,但他表示拒绝。P. 蒂拉尔的新政府决定对他起诉,要求众议院撤销他的议员豁免权。他逃离巴黎,先往布鲁塞尔,后往伦敦。根据宪法参议院作为最高法院对他进行缺席审判,他被判处放逐。1891 年在布鲁塞尔自杀。

Boulanger, Nadia　布朗热(1887-09-16,巴黎～1979-10-22,巴黎)　法国女指挥家,20 世纪最有影响的作曲教师之一。1897～1904 年在巴黎音乐学院接受正式训练,师从 G. 福

美国不列颠百科全书公司供图

莱学作曲，师从 C.-M.维多尔学管风琴。其后在该院教作曲，同时进行私人教学。布朗热曾经发表过几首短小作品，1908 年以康塔塔《海妖》一曲获得罗马大奖第 2 名。1918 年她的才华横溢的妹妹莉莉(亦为作曲家)去世后，她即以自己的作品“毫无价值”为由，从此不再作曲。1921 年布朗热开始了与位于枫丹白露的美国音乐学院的长期联系。这是指挥家 W.达姆罗施于第一次世界大战后为美国音乐家创办的一所学院。1938 年作为第一位女指挥家参加波士顿乐团、纽约爱乐乐团和费城管弦乐团演出。1937 年她已是为在伦敦皇家爱乐乐团的演出中指挥通场节目的第一位女指挥家。20 世纪 30 年代末，布朗热录制了 C.蒙特威尔地的一些鲜为人知的作品，并大力推荐 H.许茨和福莱难得演出的乐曲，推广早期法国音乐。第二次世界大战时期卜居美国，主要在首都华盛顿音乐学院和马里兰巴尔的摩皮博迪音乐学院执教。回到法国后重返巴黎音乐学院和美国音乐学院任教，1949 年任美国音乐学院院长。布朗热的学生包括伯格尔、贝克莱、布莱克伍德、布利茨坦、卡特、科普兰、达蒙德、弗朗塞、哈里斯、米约、皮斯顿和汤姆逊等作曲家。作为一位教师，她对学生的影响有个性特征，而不是说教式的，她拒绝撰写理论教科书。她的目标是在发挥学生个人天赋的同时扩大其美学的悟性。

Boulder 博尔德 美国科罗拉多州中北部城市，博尔德县县城(1861)。在落基山脉弗拉蒂朗(Flatiron)岭山脚，丹佛西北 48 千米，海拔 1 632 米。该市临博尔德河。1858 年由矿工拓居。1871 年设镇，1873 年修通铁路，遂成为通向矿山之门户和农业中心。1918 年设市。该市的科罗拉多大学(1876)曾支持其发展。从 20 世纪 50 年代初起，博尔德市形成大型行政-工业-教育联合体，成为科学和环境研究主要中心。该市设有国家标准局、世界太阳活动数据中心美国分部、国家大气研究中心。工业公司正日渐增多。该市的自来水供应很奇特，部分来自高在北美大陆分水岭之上的市属阿拉巴霍冰川。附近博尔德峡谷等地风景优美，辟有 2 400 公顷的公园区。博尔德为落基山国家公园(西北)和罗斯福国家森林(西)的主要门户。人口：城市 94 673；博尔德-朗蒙特主要都市统计区 225 339；丹佛-博尔德-朗蒙特联合都会统计区2 581 506(2000)。

Boulder City 博尔德城 美国内华达州东南部克拉克县城市。俯瞰胡佛水坝拦成的米德湖。1931 年初建时为胡佛水坝等工程雇员的住宅社区。1960 年设市，现为美国水电资源局和米德湖国家游览区管理局所在地。1979 年博尔德城通过公民投票政府同意控制增长，此后每年制定新建建筑物数量。至 20 世纪 90 年代，人口增长率仅为 3%。人口 14 966(2000)。

Boulder Dam 博尔德水坝 参阅 **Hoover Dam** 胡佛水坝。

boule 五百人会议 古代希腊的咨询议会。从《荷马史诗》可以看出，它可能由贵族顾问团演化而来。事实上，每一制宪城邦都设有这种会议，从公元前 6 世纪末起在科林斯、阿尔戈斯、雅典、希俄斯和昔兰尼均有记载。它出现于向民主体制转换的时期，此时，贵族的元老会议(**gerousia**)或因新的会议(五百人会议)而改制，或为这一会议所取代，也可能同这一会议相对立。例如，公元前 594 年在雅典，梭伦并没有取消贵族会议，而据说另立一个四百人会议来指导全体会议或公民大会(**Ecclesia**)的工作。克利斯提尼在公元前 508 年把雅典会议的人数增加到 500 人。在克利斯提尼的改革之后，雅典的五百人会议每年都用抽签的办法选出，只有公元前 411 和前 404 年短时期的寡头反动期间例外。克利斯提尼的 10 个部族中的每一个部族都要提供 50 名至少是 30 岁的议员，部族的每个农村地区或村庄大体上也按其规模分配一定数目的议员。雅典五百人会议的职能，通过誓言为议员作了规定。由抽签而选出的人，并不是非服兵役不可。由于贫困的公民可能不愿服兵役，所以五百人会议中是有财产的人起主导作用。

财产资格的规定到公元前 322 年才生效。雅典五百人会议的最重要的任务是起草议案交付公民大会讨论和批准。它也主持财政，控制舰队和骑兵的经费，判断当选的高级官吏是否胜任其职，接待外国使节，为将军(**strategus**)提供建议，在非常时期公民大会也可授予特殊的权力。甚至在厄菲阿尔特的改革(公元前 462)之后，在政治的重要性方面，五百人会议也未曾完全取代贵族会议(参阅 **Areopagus**)。

在希腊化时期，雅典的体制对其他城市的议会组织产生广泛的影响，尽管其他类型的体制也有所存留或被引进。维奥蒂亚同盟各城市设置 4 个会议：它们轮流起五百人会议的作用，为其余 3 个会议准备议程，而那些会议此时则起着原先大会的作用。德尔斐的会议把它的 30 名议员分为两组，每组总揽国家事务 6 个月。到公元 3 世纪末，世袭议员逐步取代了通过抽签、选举或由高级官吏选定的议员，会议也成了一种常设机构，逐步类似于西罗马帝国的元老院。

Boule, André-Charles 参阅 **Boulle, André-Charles** 布尔。

Boule, (Pierre-) Marcellin 布尔(1861-01-01，法国蒙萨尔维～1942-07-04，蒙萨尔维)地质学家、古生物学家和体质人类学家，对采自欧洲、北非和中东的人类化石作过广泛的研究，并修复了法国圣拉沙佩勒-欧桑的第一具完整的尼安德特人骨架(1908)。使他获得声誉的著作是《化石人》(1921)。曾广泛研究法国中部的山脉，发表了对当地火山锥的研究报告(1900)及其他地质学著作。在巴黎国

美国不列颠百科全书公司供图

立自然历史博物馆任教授时(1902～1936)，兼任《人类学》杂志编辑(1893～1940)，还创办了另外两种科学期刊并兼任巴黎古人类学研究所所长多年。知识渊博，能把地质资料和考古资料联系起来，建立起远古时期的年代顺序。

Boulemane 布勒曼 摩洛哥中北部城镇、省会和省的名称。布勒曼城位于中阿特拉斯山区，海拔约 1 700 米；是柏柏尔半游牧民的贸易中心；西北路通非斯市，东南路通拉希迪耶镇。布勒曼省建于 1975 年，面积 14 395 平方千米，北连非斯省和塔扎省，东北接乌季达省，东邻菲吉格省，南连拉希迪耶省，西南接海尼夫拉省，西邻伊夫兰省。该省西半部的中阿特拉斯山区山峰和高原大部覆盖雪松、栎树和松林；东部为中阿特拉斯山外围低山带和穆卢耶河上游谷地。该省西部的塔马扎特语柏柏尔人以游牧为生，并制作木雕、织毯和伐木。穆卢雅河谷的柏柏尔人和阿拉伯人种植橄榄、无花果、石榴、苹果，放牧绵羊和山羊。人口：城镇 3 295(1982)；省约 133 600(1981)。

boules 滚球 法语作 Jue de boules。又称 pétanque。一种类似地滚球(又译保龄球)和地掷球的法国式滚球戏。人们认为这种球戏是 1910 年前后在一种叫做普罗旺斯(provençal)的十分古老的球戏基础上发明出来的。滚球戏由两人或两个队进行。运动员轮流投掷或滚动一个球，使它尽可能靠近靶球；如需要，一方运动员可用自己的球把对方的球撞开。这种球戏所用的球通常用钢制成，直径为 7～8 厘米；靶球略小，直径约 25～35 毫米。比赛场地长约 15 米，宽约 4 米。

boulevard 林荫大道 经过美化布置的宽阔大道，通常有几条车道和人行道。最早的林荫道建于古代中东地区，特别是安条克。林荫大道一般为城市的主轴线，视野宽广，沿路的树荫使视觉受到的干扰减小到最低程度。巴黎美术学院设计林荫道的原则是以直线和严格的几何图形为特征，19世纪后期城

C.毕沙罗绘《晨光下的意大利林荫大道》(1897)
美国不列颠百科全书公司供图

市规划的自然主义学派则更多地采用迂回曲折的林荫道。

Boulez, Pierre 布莱(1925-03-26,法国蒙布里松～) 当代最杰出的法国作曲家、著名钢琴家和指挥家。曾在圣艾蒂安学院主修数学,兼学音乐,后在里昂攻读数学、工程和音乐。1944～1945年在巴黎音乐学院师承作曲家、管风琴家梅西昂。1945～1946年随12音体系创始人勋伯格的弟子莱博维茨学习12音技巧。22岁开始在新成立的马里尼剧院任音乐总监达10年。1954年举办了一系列先锋派音乐会(即马里尼音乐会,后改称“音乐天地”)。及至60年代,他不仅以作曲家闻名,更以擅长指挥20世纪曲目与传统曲目而在国际上享有盛誉。1971年任纽约爱乐乐团音乐总监以取代即将退休的伯恩斯坦。1976～1977年演出季后辞职回到巴黎,领导音乐与音响学协调研究所,这是蓬皮杜国家文化艺术中心的音乐实验中心。他的作品和指挥都表现出对于器乐织体上和音色上的细微变化的敏感性,早期作品受12音体系作曲家和梅西昂的影响,并通过梅西昂而接受了

美国不列颠百科全书公司供图

东方音乐的某些特色。也受诗人马拉梅与夏尔作品的影响。在为长笛与钢琴写的《小奏鸣曲》(1946)中,12音的模仿与卡农飞快进行,只给人留下织体与运动的印象。两架钢琴的《结构》第一集(1952)中的12音系列几乎就是取自梅西昂的作品,但布莱将它精细加工,在音高、时值、力度方面,都有严格的排列,其精确程度令人吃惊。为人声与6件乐器写的《无主的槌》(1954)中华丽的装饰性织体在各声部中流动,人声与乐器自发地此起彼伏。布莱的革新特点可见之于《重重褶裥》(1960年首演),表演者必须始终意识到作品的结构以进行自我调整。在《第三钢琴奏鸣曲》中,像在《重重褶裥》中一样,他表现了偶然音乐的因素。其他作品有:两个乐队的《力量之诗》(1958年首演)、两架钢琴的《结构》第二集(1961)、室内乐《光芒》(1965)以及《天地》(1968)等。有论著3本:《今日音乐思考》(1964)、《走出学徒期》(1966)和《偶然出现与有心选择》(1975)。

Boulhaut (Morocco) **布勒豪特** 参阅**Ben Slimane**本苏莱曼。

Boulle, André-Charles 布勒(1642-11-11,法国巴黎～1732-02-29,巴黎) Boulle又拼Boule或Buhl。法国著名家具工匠。他的木镶嵌技艺高超,被称为布尔工艺,18、19世纪

布尔制作的精致家具
中国大百科全书出版社供图

风靡欧洲,为许多人所模仿。他还是个建筑师,擅长青铜工艺和镶嵌细工,并善于设计精美的字母图案。年轻时学过绘画和雕塑,后在巴黎设计家具,声誉斐然。1672年应法王路易十四召聘,继马塞之后任凡尔赛宫的王室工匠,宫中的许多家具都出自他之手。他用精美绝伦的镶木细工装饰的皇太子书房(1681～1683,现已毁),堪称杰作,并曾为西班牙国王腓力五世、波旁公爵以及巴伐利亚和科隆选侯等显贵制作家具。其风格以精美的黄铜装饰和螺钿镶嵌为特点。源于16世纪意大利工匠的木镶嵌工艺到布勒手中发展到了顶点,他收集了许多艺术大师如拉斐尔、鲁本斯等的作品,从中吸取创作灵感。

Boulle, Pierre(-François-Marie-Louis) 布勒(1912-02-20,法国阿维尼翁～1994-01-30,巴黎) 法国小说家。在主要描写他在东南亚,特别是在马来亚的经历的作品中,成功地把冒险事业与心理分析结合起来。虽原习电气工程,却前往亚洲当了8年种植园主和军官。以其小说《桂河大桥》(1952)闻名于世,作品描写第二次世界大战期间被日本人俘虏的一群英国士兵,以朦胧的伦理寓言式的手法,说明道德逐步被邪恶或至少是荒唐行为所吞没。小说中的一位英国军官出于其持身原则和职业道德为日方修建了一座桥梁。根据这部小说改编的影片很受欢迎,1957年上映并获得包括最佳影片奖的6项学院大奖。布勒以东方传说为素材,创作了伏尔泰式的哲理故事,如《刽子手》(1954)。并从东方背景出发,转向幻想文学,著有《荒诞故事》(1953)和科学幻想小说《猿人的星球》(1963,1968年改编为电影)。作者在《$E=mc^2$》(1957)中以讽喻但富于人情味的笔调,考察了处在政治、社会和心智的激烈变动中的现代人类命运。后期作品包括《丛林的耳朵》(1972)和《地狱的美德》(1974)。1978年出版的《好巨轮》是一部讽刺作品,抨击环境主义者并为巨型油轮引起的污染辩护。

Boullée, Étienne-Louis 部雷(1728-02-12,法国巴黎～1799-02-06,巴黎) 法国富有想象力的建筑师、理论家和教师。他本来希望当画家,但遵从父亲的意愿转向建筑。曾师从J.-F.布隆代尔、G.布弗朗和J.-L.雷岐,19岁即开设自己的事务所。18世纪60～70年代设计了几所巴黎市的宅第,重要的有布吕努瓦饭店(1774～1779)。虽他那些已经施工的作品革新了新古典主义,但他作为教师和理论家具有真正持久的影响。A.-T.布隆尼亚尔、J.-F.-T.查尔格林、J.-N.-L.迪朗、A.-F.佩尔和L.-M.蒂博等大师均出于他的门下。他共执教50余年。在为一些公共纪念物所作的重要理论性设计中,他力图使建筑形式表达自然界的雄伟壮丽、广阔无垠、令人敬畏,以及创造这一世界的神明睿智,而激发观看者的崇高感情。同时,他也深受其同代人

部雷绘淡墨画《牛顿衣冠冢》(1784)
美国不列颠百科全书公司供图

一心好古，特别是热爱埃及大建筑物的影响。部雷的成熟作品的显著特点是把古代作品所提示的几何形式加以抽象，构成纪念性建筑物的一种新概念，使其既具古典建筑理想的静美，又有相当的表现力。部雷在他的著名论文《形体理论》中研究了各种几何形式的性质和它们对感官产生的影响，赋予立方体、棱锥体、圆柱体和球体以“固有的”象征品位，而认为最后一种是理想形式。他在一系列的公共纪念物设计中，根据自己的理论绘出想象的形式，而以1784年设计的一个巨大球体达到顶峰，这是预备给英国物理学家I.牛顿造衣冠冢的图形，衣冠冢的内部是一个代表宇宙的空球。为了使几何形式有生气，部雷依靠光与影的鲜明和独特的效果。他还强调发挥建筑物的神秘性的潜在能力，常将部分结构埋在地下。从部雷的大量运用象征主义，也可以看出这种对于建筑艺术的“诗的”追求，这在一定程度上预示了19世纪的浪漫主义运动。例如，他设计的市政厅立在4个像托架似的警卫室上边，表示社会是靠法律来维持的。部雷强调观看者的心理学，这是他那直到20世纪才出版的《建筑艺术论》的一个中心主题。由于他爱提出宏伟的构思，曾被批评为夸大狂，但是，应该认为这些构思只是富有想象力的方案，并非实际的设计。部雷想创造一种适应理想的新社会秩序的独特的和新颖的建筑艺术，这一愿望是20世纪建筑学中的同类思考的前奏。

Boulogne 布洛涅 法国北部加来海峡省港口城市。在加来市西南海岸上，临利亚讷河口。距英吉利海峡对面英国的福克斯通45千米。早为罗马港口，882年被诺曼人摧毁，

布洛涅港口
中国大百科全书出版社供图

912年重建。曾为佛兰德和蓬蒂欧之间争议的目标，1477年路易十一将其并入法国，归属拿勃艮第。1544～1550年被英国占领。当破仑将其作为计划入侵英国之运载港时，港口曾受到海军炮击。第一次世界大战中受英国远征军管制。第二次世界大战中曾为德军潜艇基地，港口受到严重破坏。旧城建在河东13世纪壁垒后山丘顶，城内有13和17世纪所建的法院、城堡、市政厅和钟楼。第二次世界大战后，山脚下新城完全经过重建。西岸有工业区，名卡佩库里。港口有深水外港和停小船内港，为重要跨海峡客运和汽车轮渡港，进出口贸易量可观。法国大渔港，主要捕捞鲱鱼和鲭鱼。有罐头厂、醃鱼厂、铸造厂和水泥厂，生产钢笔、绳索、帆布和鱼网。人口44 244(1990)。

Boulogne, Jean 布洛涅 参阅 **Giambologna** 詹博洛尼亚。

Boulsover, Thomas 布尔索弗（1706，英格兰德比郡埃尔金顿～1788-09，设菲尔德） 英国发明家。熔镀法或“老式设菲尔德熔镀法”的发明者。他在设菲尔德当过艺徒，1727年成为卡特勒公司的正式工匠。1743年修理铜银刀把时，发现两种金属可以熔合。又发现熔合金属在轧机上轧制时，延展均匀，如同一种金属。过去用一种金属覆盖或镀另一种金属时，要把制件全部作好，再焊上一层薄片。他的发明，为经济地生产各种镀制品开辟了道路，从钮扣和他自己造的鼻烟盒，直到凹形器皿和炊事用具都能熔镀，设菲尔德的其他工人很快就大量制造这些器具。布尔索弗后来又发明了过去只能用手工锤制的锯条钢轧制方法。

Boult, Sir Adrian Cedric 博尔特（1889-04-08，英国柴郡切斯特～1983-02-23，肯特） 英国指挥家，在长达60年的艺术生涯中主持英国广播公司(BBC)交响乐团和其他主要管弦乐队。最早在牛津基督教堂接受音乐训练，后去莱比锡音乐学院深造。1913年回国参加科文特加登歌剧院工作。1919年受聘在皇家爱乐乐团指挥一个演出季。一年后开始在皇家音乐学院担任为期10年的教学工作。1919年佳吉列夫俄罗斯芭蕾舞团在伦敦演出期间，由博尔特指挥。1923年接受伯明翰市管弦乐团之聘担任指挥，一直工作到1930年，然后受聘训练和指挥英国广播公司交响乐团，并担任该公司音乐总监。在与这一乐团合作的20年中，将它发展成为世界主要乐团之一。1950～1957年间担任伦敦爱乐乐团首席指挥。接着他名义上退休，但1959～1960年又在伯明翰指挥一个演出季，并许多次以客座指挥身份参加演出，直到1981年正式退休。博尔特的指挥风格俭约精炼，很少用左手，一生中致力于推广当代英国作曲家的作品，包括W.沃尔顿、M.阿诺德和V.威廉斯。1937年被封为爵士。电影《棒尖》(1971)介绍了他的指挥风格。

Boulter, Hugh 博尔特（1672-01-04，伦敦～1742-09-27，伦敦） 英格兰阿马大主教，18世纪新教鼎盛时期爱尔兰的实际统治者。原为圣公会牧师，1719年成为英王乔治一世的

美国不列颠百科全书公司供图

私人牧师。1724年任阿马大主教和爱尔兰基督教圣公会大主教。他在任最高法院法官时，成为英国政府关于爱尔兰问题的首席顾问。他认为由于天主教徒在爱尔兰占大多数，英国在爱尔兰的利益受到了威胁。因此，他于1728年制定严惩天主教徒的刑法，不准天主教徒参加选举和从事法律职业。他鼓励建立新教徒的学校，促使天主教徒改变信仰，并竭力在教会和政府机构中任用英格兰人而排挤爱尔兰人。

Boulton, Edmund 参阅 **Bolton, Edmund** 博尔顿。

Boulton, Matthew 博尔顿（1728-09-03，英国沃里克郡伯明翰～1809-08-17，伯明翰） 英国制造商和工程师，投资生产并推广J.瓦特的蒸汽机。1762年他在伯明翰附近开办生

美国不列颠百科全书公司供图

产小金属制品的工厂，因工厂需要动力，当1768年他初次见到瓦特时便对蒸汽机的发明深为关切。1775年他与瓦特合作发展蒸汽机事业，因为科尼什锡矿需装配大量排水泵发动机，他们在工程师兼发明家W.默多克的帮助下兴办了蒸汽机工业。博尔顿预见到工业上将大量需要蒸汽动力，因而极力主张瓦特设计往复式旋转发动机和瓦特式发动机，并在他的厂里用作研磨机的动力。1786年，博尔顿将蒸汽动力用在造币机械上，为东印度公司铸造了大量硬币，也向皇家造币厂提供机械设备。1785年他成为皇家学会会员。到1800年当他的儿子M.R.博尔顿继承父业时，在不列颠群岛和国外所安装的蒸汽机已经接近500台。

Boumedienne, Houari 布迈丁（1927-08-23，阿尔及利亚盖勒马附近克劳泽尔～1978-12-27，阿尔及尔） 原名穆罕默德·布哈鲁巴。阿尔及利亚军官，在一次政变后于1965年7月任总统。20世纪50年代参加起义军，改名胡阿里·布迈丁。1960年任民族解放阵线总参谋长，集中全力在摩洛哥和突尼斯建立一支阿尔及利亚军队。1962年9月占领阿尔及尔，支持本·贝拉掌握政权。本·贝拉成为独立的阿尔及利亚的总统后，他任国防部长和副总统。1965年6月他发动政变推翻本·贝拉，出任总统。最初由一个26人组成的革命委员会领导。1967年12月一次反对他的军事政变失败后，他确立了对阿尔及利亚的直接领导权。1971年实行石油工业国有化。1975年冒着与摩洛哥发生战争的危险，企图打开穿过原西属撒哈拉通向大西洋的通路。1976年布迈丁政府颁布新宪法。他与西方国家谈判，订立重要工业的合同，又与苏联集团保持密切而又独立的关系。是不结盟运动的

领袖。

Bound Brook 邦德布鲁克 美国新泽西州中北部萨默塞特县自治镇。濒拉里坦河。在纽约市西南50千米处。1681年建居民点。1891年设镇。G.华盛顿的军队曾两次驻扎在村后山丘(中布鲁克高地)上。据说,1777年华盛顿在此将星条旗定为美国国旗,现为州立历史纪念地。主要为居民区,亦有若干工业,包括化学制品、医药、纺织及服装等制造业。人口10 155(2000)。

boundary layer 边界层 流体力学术语。流动的气体或液体与表面如飞机的机翼面或管道的内壁等相接触的薄层。边界层流体受剪力作用。若流体与表面接触,则跨过边界层流体运动速度范围将由最大到零。边界层中的特殊流动,可以用比较简单的方式处理。机翼前缘的边界层较薄,接近后缘较厚。因此,机翼前缘或上游的边界层一般为层流,而在机翼后缘或下游的则为湍流。

Boundary Peak 邦德里峰 美国内华达州最高点。海拔4 006米,是怀特山脉最北端的山峰。在托诺帕西南偏西105千米,埃斯梅拉尔达县茵约国家森林内。因近加利福尼亚州界而有此名(意为边界山峰)。登上该峰需一天时间。

boundary values 边值 解物理问题时伴随微分方程的条件。从物理状态提出数学问题时,为了求一个解,需要考虑两个方面:①解及其导数必须满足的微分方程,它描述在区域内物理量所具有的性质;②解及其导数必须满足的辅助条件,它们或者描述区域外部所带来的影响(边值),或者给出有关解在某一特定时刻的信息(初值),后者表示系统过去的状况如何影响系统未来的性质。边值问题的一个简单例子是,在区间0～1之间函数$f(x)$满足微分方程$f'(x)=2x$,并且已知函数在$x=1$时的边值为$f(x)=2$。函数$f(x)=x^2$满足微分方程,但并不满足边值条件;而函数$f(x)=x^2+1$则同时满足微分方程与边值条件。微分方程的解包含任意常数或任意函数(在多元的情形下),它们要由辅助条件来决定。这里,物理学与数学的关系十分重要,因为对任意选择的条件,微分方程并不总是有解的;但假如问题代表了一个实际的物理情形,即使解未能明确求得,通常也可以证明解的存在。对于偏微分方程,存在三类辅助条件:①初值问题,如给出波传播的初始位置与速度;②边值问题,表示在边界上始终不变的条件;③初边值问题,这时为了求解,必须给出初始条件以及在区域边界上随时间变化的值。参阅 **Sturm-Liouville problem**。

Boundiali 本贾利 科特迪瓦西北部城镇,位于通往首都阿比让、马里和几内亚公路交叉点上。是塞努福人牲畜、玉米、木薯和薯蓣贸易中心。有轧棉厂。本贾利的木刻匠人为阿比让的游客制作手工艺品。人口21 829(1988)。

Bountiful 邦蒂富尔 美国犹他州北部戴维斯县城市。位于沃萨奇山和大盐湖之间,在盐湖城正北。1847年建居民点。为防御印第安人,居民点筑有2米高、1米厚、5千米长的土墙。1855年设镇。1890年设市。现为住宅区。亦有苗圃和多种经营的农业。东北为邦蒂富尔峰(2 890米)。人口41 301(2000)。

Bounty "邦蒂"号 英国武装运输船,因其船员于1789年4月28日举行叛变而闻名。当时的船长为W.布莱(**Bligh, William**)。参阅 **Christian, Fletcher**。

Bounty Islands 邦蒂群岛 新西兰外围群岛。在南岛以东668千米的南太平洋中。由13个花岗岩小岛组成,陆地总面积130公顷。岛上荒无人烟。只有大群海豹、海鸟,尤多企鹅。

Bounty System 津贴制度 美国历史上,对应征入伍者予以鼓励的方案,曾广泛实行,尤其是在南北战争时期。1917年《选征兵役制法案》宣布这一制度为非法。在法国印第安人战争、美国独立战争、1812年战争和墨西哥战争中,部队津贴除支付现金外,还包括授予土地。在南北战争期间,部队只发放现金津贴。1861～1865年,联邦政府以及州和地方共支付约7.5亿美元的入伍津贴,其中州和地方的津贴略多一些。当时普遍流行的入伍后领取津贴而开小差的做法(即入伍,领取津贴,逃跑;再入伍,领取津贴。如此不断往复)是这一制度固有的缺陷。许多人充当掮客,在征募新兵中侵吞钱财。掮客们甚至把社会渣滓当做壮丁推荐给召集新兵的军士们,在发现并清除这些不合格的新兵之前,钱已落入私囊。

bouquet garni 烹调用香料 捆成束的香料,入汤或入炖菜、卤汁及煎熬的汁液内以提味,待上菜前取出。常用者如欧芹(香菜)、麝香草和月桂树叶。新鲜的可捆成束煮,干的用布包着煮。芹菜、大蒜、茴香、橘皮、薄荷皆为常用的添加剂。

Bouraoui, Hédi (André) 布拉维(1932-07-16,突尼斯斯法克斯～) 突尼斯诗人、学者。他的创造性和批判性作品着意于使人类处境更为光明和超越文化界限。在法国图卢兹大学专攻英国文学,在美国印第安纳大学获英美文学学位,在康奈尔大学获罗曼语学科学位。后去多伦多,在约克大学任教。学术著作有:《创造文化》(1971)、语言教科书《语言和行动》(1971)以及对阿兰-傅尼埃的评论集《论〈大摩尔纳〉的意图结构:走向诗境的小说》(1976)。他曾出版过几部用法语写的诗集,如《颤抖》(1969)、《咏维苏威》(1976)等。他的诗通常集中写北非土著民族与北美人、加勒比海人和欧洲人的亲缘关系。布拉维作品动人之处在风趣和知识多面性,更重要的是对人类的同情。

Bourassa, (Joseph-Napoléon) Henri 布拉萨(1868-09-01,蒙特利尔～1952-08-31,加拿大魁北克蒙特利尔岛乌特勒蒙) 加拿大政治家和新闻记者,加拿大民族主义鼓吹者,蒙特利尔《义务报》创办人(1910)。原学法律。以写政论出名。1890年任魁北克省拉贝勒县蒙特贝洛市长。1896～1907年为自由党联邦

美国不列颠百科全书公司供图

众议员。1899年因反对加拿大支持帝国主义在南非的活动而辞职。1900和1904年作为国民党领袖重新当选众议员。他主张加拿大在英王领导下完全独立,并与保守党人共同反对美国向加拿大投资。1908～1912年为魁北克省立法会议议员,在立法会议中反对自由党人。1917年反对保守党提出的征兵制。1925年作为独立人士再度当选为联邦议会议员。翌年与W.L.M.金共同提出要求限制总督职权,但拒绝在新建立的金政府任职。1935年落选。

Bourbaki, Nicolas 布尔巴基 20世纪30年代中期法国约12位数学家合写论文所用的笔名。此名实有其人,乃1870～1871年普法战争中之法军将领,当时他力图突破普鲁士军防线,结果惨败,因此选用此笔名带有诙谐意味。合著此书的数学家们一度均就学于巴黎高等师范学校,包括法籍C.谢瓦莱、A.韦伊、H.嘉当、J.迪厄多内、C.埃雷斯曼和美籍S.艾伦伯格。上述几位数学家,以布尔巴基为集体笔名著书的目的在于给数学以完全创新的表现形式,并用图解阐明当代数学的公理结构。因此他们采用特殊符号解说要点,每章结尾均附有关的历史资料和习题。《数学基本原理》是1939年开始写的第一篇论著,这一系列论著很快便成为近代数学在基本观点方面的标准参考书籍。每章末所附历史资料于1960年被汇集出版,书名《数学史料》。

Bourbon, DUKES OF **波旁公爵** 法国波旁家族(**House of Bourbon**)封爵贵族,按年代顺序分列于后,并各以●为标记。

● **Bourbon, Louis I, 1er duc de** (1st duke of) **波旁公爵(第一)**(约1270～约1342) 克莱蒙伯爵罗贝尔之子,1327年由法王查理四世封为波旁公爵。曾参加过几次征战,其中包括库特赖战役(1302)和蒙桑佩韦尔(1304)战役。1310年任国王的侍从长。

● **Bourbon, Pierre I, 2^e duc de** (2nd duke of) **波旁公爵(第二)**(约1311～1356,法国普瓦捷) 1342年起为波旁公爵。在法国的腓力六世和约翰二世在位期间,他任外交官和

总督。1341～1343年在布列塔尼征战后，任朗格多克总督。他谈判缔结了一些条约，升任中将。1356年参加普瓦捷战役。

● **Bourbon, Louis II, 3e duc de** (3rd duke of) **波旁公爵(第三)**(1337～1410-08-19) 波旁公爵(1356起)、克莱蒙和福雷伯爵，绰号善良的路易。他是布列塔尼-法兰西英雄贝特朗·迪·盖克兰的盟友，法国的约翰二世的坚定支持者。约翰在普瓦捷为英军所俘时，他成为英军的人质，以保证赎金如数支付。1367年返回法国，在普瓦图和吉耶讷再度与英军作战(1368～1370)。

● **Bourbon, Jean I, 4e duc de** (4th duke of) **波旁公爵(第四)**(1380或1381～1434，伦敦) 克莱蒙伯爵(1404起)、波旁公爵(1410起)，百年战争期间法国奥尔良王室的拥护者。他曾领导阿马尼亚克人抵抗英王亨利五世对法国的侵略，1415年在阿让库尔被俘，解往英国。尽管支付了赎金，但亨利五世终未将他释放。

● **Bourbon, Charles I, 5e duc de**(5th duke of) **波旁公爵(第五)**(1401～1456-12-04) 波旁公爵(1434起)和克莱蒙伯爵。初为国王查理七世效劳，功勋卓著。后与阿朗松公爵让二世一起成为布拉格叛乱领袖(1440)。这次贵族叛乱为时短暂，名义上是由未来的路易十一所领导的。

● **Bourbon, Jean II, 6e duc de**(6th duke of) **波旁公爵(第六)**(1427～1488) 1456年起为波旁公爵。他的福尔米尼大捷(1450)和沙蒂永(1453)大捷，对征服诺曼底和吉耶讷以及击溃英格兰人起了很大作用。路易十一给予他对奥尔良、贝里、利穆桑、佩里戈尔和朗格多克的治理权。他是法国王室的积极拥护者。

● **Bourbon, Pierre II, 7e duc de** (7th duke of) **波旁公爵(第七)**(1438～1503-10，法国穆兰) 波旁公爵(1488起)、博热领主(1474起)。1474年国王路易十一将长女安娜(**Anne of France**)嫁给他，并在临终前将13岁的儿子查理八世托付给他。1483～1491年，波旁公爵与安娜两人实际上成为法国的摄政。对于曾遭受路易十一无情压迫的人们所作出的反应，他们竭力使用机智的让步或军事行动来增强国王的权威，如1484年在图尔召开议会，发动"愚蠢的战争"，征讨布列塔尼等。

● **Bourbon, Charles III, 8e duc de**(8th duke of) **波旁公爵(第八)**(1490-02-17，法国蒙庞西耶～1527-05-06，罗马) 法国国王弗兰西斯一世时代的陆军统帅，后又成为弗兰西斯的主要敌人神圣罗马帝国皇帝查理五世手下的主将。波旁家族地位较低一支的蒙庞西耶伯爵吉尔伯特的次子。父兄死后，通过联姻很快就继承了波旁和蒙庞西耶两个家族的领地。1505年他15岁时，已经成为法国最有权势的人物之一。从此开始他的光辉军事生涯。1507年参加热那亚包围战，1509年参加阿尼亚代洛战役。弗兰西斯一世即位后，任命他为法国统帅(1515)。他对马里尼亚诺大捷作出很大贡献，使他的幼主获得米兰。25岁时任米兰总督。后来失宠，主要原因似乎是国王的母后反对他。国王曾向巴黎高等法院提出诉讼，要求从他手中收回波旁家族的遗产。由于国王的诉讼法理无据，议会未作判决。此时，他开始与查理五世皇帝和英王亨利八世进行谈判，企图瓜分法国。弗兰西斯对此有所风闻，但未能阻止他逃走。他投奔查理五世，率领德意志雇佣军击退法国对意大利的进攻(1524-04)。然后入侵普罗旺斯，攻占土伦，在帕维亚战役(1525-02-24)中俘获弗兰西斯。1526年签订《马德里和约》，恢复了弗兰西斯的自由。弗兰西斯保证发还波旁公爵的产业，但事后没有践约。查理五世虽然任命他为米兰总督，但没有向他的军队提供粮饷。因此，他于1527年春率部前往罗马进行抢掠，在第一次攻城战中阵亡。

● **Bourbon, Louis III, duc de** (duke of) **波旁公爵** 参阅 **Condé, Louis III, 6e prince de** 孔代亲王(第六)。

● **Bourbon, Louis-Henri, duc de** (duke of) **波旁公爵** 参阅 **Condé, Louis-Henri, 7e prince de** 孔代亲王(第七)。

● **Bourbon, Louis-Joseph, duc de** (duke of) **波旁公爵** 参阅 **Condé, Louis-Joseph, 8e prince de** 孔代亲王(第八)。

● **Bourbon, Louis-Henri-Joseph, duc de** (duke of) **波旁公爵** 参阅 **Condé, Louis-Henri-Joseph, 9e prince de** 孔代亲王(第九)。

Bourbon, House of **波旁家族** 西班牙语拼作Borbón。欧洲过去最重要的统治家族之一。这个家族始于法兰西国王路易九世(1226～1270在位)的孙子波旁公爵路易一世。它产生过1589～1792年和1814～1848年的法国国王；1700～1868年，1870～1873年，1874～1931年以及1975年以后的西班牙国王或女王；1731～1735年，1748～1802年以及1847～1859年的帕尔马公爵；1734～1808年的那不勒斯和西西里国王以及1816～1860年的两西西里国王；1801～1807年的伊特鲁利亚国王，1815～1847年的卢卡大公。波旁家族是卡佩家族的分支。1328年卡佩家族嫡系绝嗣，波旁家族嫡系成为当然的法国国王。1589年亨利四世成为法国国王。全部波旁系君主都是亨利的后裔。在法国，波旁家族的正宗在拿破仑战争后复辟，后被1830年革命推翻。旁支奥尔良家族取代正宗地位，但在1848年革命中倾覆。波旁家族在意大利统一于萨伏依王朝时退位。西班牙波旁家族几经动乱，延续到1931年。

Bourbon, Louis Auguste de 波旁 参阅 **Maine, Louis-Auguste de Bourbon, duc du** 曼恩公爵。

Bourbon-Condé, Anne-Geneviève de 波旁-孔代 参阅 **Lougueville, Anne-Geneviève de Bourbon-Condé, duchesse de** 隆格维尔公爵夫人。

bourbon whiskey 波旁威士忌酒 用玉米糖化醪蒸馏制成的威士忌酒。醪液至少含51%玉米，余为麦芽与黑麦。放在新烧焦的橡木桶中陈酿而成。参阅 **whiskey**。

Bourbonnais 波旁 法国历史文化区，范围大致包括法国中部的阿列省，相当于前波旁省。罗马时代波旁分为阿基塔尼亚和卢格杜南西斯两部分。波旁地区起源于封建时代，它是由艾蒙一世(10世纪)的后裔，历代波旁领主和贵族从邻近各省逐渐分割出来的。他们的后裔路易在1327年被封为第一个波旁公爵，成为大波旁王朝的始祖。法国王室在反叛的城堡总管查理三世(第8位波旁公爵)死后，于1527年没收波旁，1531年将其归属王室。到18世纪，波旁的各部分分别成为布尔日、克莱蒙、欧坦、讷韦尔和利摩日等5个主教管区的一部分。波旁的主要城镇是穆兰(首府)、甘纳、蒙吕松和拉帕利斯。该省在穆兰设有一个军管区总部。在司法上它属巴黎的高等法院管辖。地处法国中央地区北缘的高地。较高地区干旱，但较低地区有从山区北流的阿列河灌溉，出产谷物、水果、蔬菜、制酒葡萄，并饲养牲畜。蒙吕松为仅有的工业中心。截至20世纪初一直以佃农为主，后来经过土地改革，相对来说为数不多的农村人口赞成发展大的家庭农场。传统的农舍以石灰石建成，屋顶上盖有茅草或瓦片。村落通常分布于古老的罗马大道两旁。宗教以天主教占优势，基督教新教在大城镇外面偶有发展。穆兰、蒙吕松和维希有少量新教徒飞地。一些乡村地区仍有祭祀死者的风俗，民间传说中多鬼神故事。教士们有时被要求为谷仓祝福，据说可以避邪。由于教士职位的候选人不足，已使得许多教区合并。冬季举行的家庭晚会，以讲述民间流行的传说故事和歌谣为特色。波旁地区有大量地方文化团体，仅蒙吕松就有300多个这样的组织。

Bourboune, Mourad 布尔布纳(1938-01-23，阿尔及利亚吉杰勒～) 独立后阿尔及利亚新一代小说家。他批评新独立国家中存在的压制和宗教传统。第一部小说《生长染料木的山》(1962)描写旧秩序和殖民主义的垮台和以1954年11月1日独立战争开始的新时代的来临。《宣礼员》(1968)以谜一般的措词来介绍主人公，通过他表现现代北非人与过去决裂。主人公是个不信神的宣礼员，他的亵渎神明的暴力行为等于是阿尔及利亚政府独立以来的种种伪真理的咒语。

Bourchier, John 鲍彻 参阅**Berners, John Bourchier, 2nd Baron** 伯纳斯男爵(第二)。

Bourchier, Thomas 鲍彻(约1412～1486-03-30，英格兰肯特诺尔) 英格兰枢机主教、坎特伯雷大主教。他在玫瑰战争期间(1455～1485)使英格兰教会保持稳定。父亲威廉于

1419年被封为厄镇伯爵，母亲是爱德华三世国王的孙女。鲍彻曾任伍斯特教区主教（1435～1443）和伊利教区主教（1443～1454）。因被约克和兰开斯特两个有世仇的家族所接受，1454年被选为坎特伯雷大主教。1455～1456年任大臣。1461年兰开斯特家族失败后，他成为新即位的约克家族出身的国王爱德华四世的忠实支持者。1467年爱德华任命他为枢机主教。1483年他劝说爱德华的遗孀将其有可能要求继位的幼子约克公爵理查交给格洛斯特公爵理查，后者不久篡位，成为理查三世，而约克公爵及其兄爱德华五世于1483年8月从伦敦塔神秘地失踪。

Bourdeille, Pierre de　布尔代耶　参阅 **Brantôme, Pierre de** 布朗托姆。

Bourdelle, (Émile-)Antoine　布代尔（1861-10-30，法国蒙托邦～1929-10-01，巴黎）　法国雕刻家。其作品把英雄式的魄力和夸张起伏的表面，与古希腊罗马艺术的平滑而富于装饰性的简洁相结合，给20世纪初的雕刻注入了新的活力。曾在图卢兹美术学校学习。1885年去巴黎，受业于J.-B.卡尔波和J.达卢，后又进罗丹的工作室。罗丹对他毕生艺术创作有极大影响。1900年创作主要作品《阿波罗头像》，其庄严宏伟颇似希腊早期古

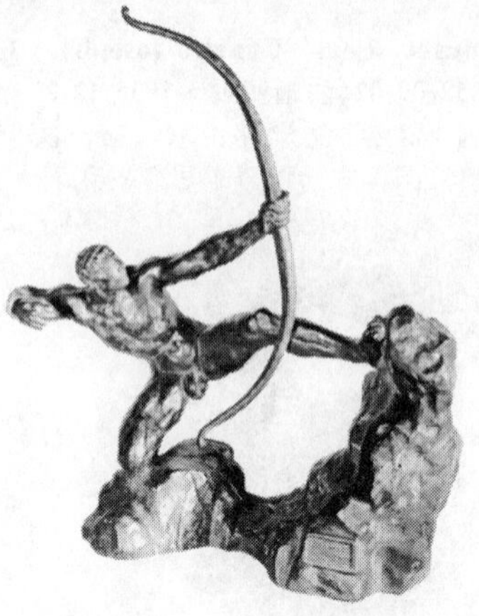

布代尔的铜雕《弓箭手赫拉克勒斯》（1909）
美国不列颠百科全书公司供图

典型。《弓箭手赫拉克勒斯》使他在1910年巴黎一年一度的当代美术展览会上首获胜利。同年作《罗丹在工作》全身雕像，其头部模仿米开朗琪罗的作品《摩西》。1912年为香榭丽舍大街剧院作浮雕，主题是"阿波罗和他的思索"，伴以翩翩起舞的9位缪斯。1914年创作了另一杰作《垂死的半人半马怪》。他作为雕刻家始终未能完全摆脱罗丹的影响，后成为一位著名的教师，其工作室也成为大茅草屋学院。

Bourdet, Édouard　布尔代（1887，法国圣日尔曼昂莱～1945-01-17，巴黎）　法国戏剧家，以对当代社会问题进行讽刺和心理分析而著称。《女犯》（1926）为他的成名之作。该剧从心理学角度描写一个性生活失调的女人的痛苦。随着文学界讽刺刊物《新近问世》（1928）的出现，他为尔后在两次世界大战期间所创作的系列性讽刺喜剧确立了一种模式。这些系列剧中比较著名的有《性的传奇》（1931）和《艰难时世》（1934）。1936～1940年任法兰西喜剧院导演。后期剧作包括《结婚》（1941）、《父亲》（1943）等。

Bourdin, Maurice（antipope）　**博尔丁**　参阅 **Gregory (Papacy)** 格列高利（教皇）项下的 **Gregory (VIII)** 格列高利（八世）。

bourdon（music）　**布尔东低音**　参阅 **drone** 持续低音。

Bourdon, Sébastien　布尔东（1616-02-02，法国蒙彼利埃～1671-05-08，巴黎）　法国著名风景画家，善于把大自然作为历史画和宗教画的背景。他也以颇有声色的漫画和栩栩如生的肖像画知名。擅长模仿其他画家再加上

布尔东绘《风景与磨坊》
美国不列颠百科全书公司供图

一点个人的笔触，但从未创出自己特有的风格。7岁时，由其父送至巴黎学画，14岁前往波尔多和图卢兹。因缺乏资助而应征入伍，一位军官发现他有艺术天才，劝其退伍，并资助他前往罗马。在那里，认识了画家克劳德·洛兰和N.普桑，同时为一位艺术品商人提供临摹作品。1643年为圣母院绘制《圣彼得殉教》。他还完成另一些作品，包括加朗蒙特府第的装饰以及为沙特尔圣安德烈教堂牧师会作的《圣安德鲁殉教》。1648年参与创办法国皇家学院，任教授及院长，并主持了有关当代艺术问题的系列演讲。1652年到瑞典，不久任克里斯蒂娜王后的首席宫廷画师。1653年回巴黎，执行政府任务，并为圣伯诺伊教堂绘制《基督受难》。1657年去蒙彼利埃为大教堂绘制大型作品《西蒙·马格努斯的堕落》。晚年为科洛涅城和圣乔治隐修院工作。其杰作布勒通韦利埃府第走廊的装饰画，就属此时期。他的最后一幅作品《海格立斯的神化》因其逝世而未能完成。

Bourg-en-Bresse　布尔格　法国东部城镇，罗讷-阿尔卑斯大区安省省会。位于瑞士日内瓦西面，临雷苏兹河。为侏罗山以西布雷斯-栋布低地区的主要中心。11世纪建立集

布尔格的布鲁教堂
美国不列颠百科全书公司供图

市。1250年获特许状。15世纪初被萨伏依公爵们定为布雷斯（**Bresse**）地区主要城市。1601年归属法国。保存有哥特式布鲁教堂，它是玛格丽特（奥地利的）为纪念其夫腓力四世（萨伏依的美男子）遵其母波旁的玛格丽特所嘱修建的晚期哥特式杰作。圣母教堂主要部分为16世纪所建。原布鲁隐修院被辟为安省博物馆。经济以轻工制造、农产品贸易（特别是禽类）和旅游为主。设有里昂大学分院。人口40 666（1999）。

Bourgeois, Jeanne-Marie（comedienne）　**布尔茹瓦**　参阅 **Mistinguett** 米丝廷盖特。

Bourgeois, Léon(-Victor-Auguste)　布尔茹瓦（1851-05-21，巴黎～1925-09-29，法国埃佩尔奈附近的奥热尔堡）　法国政治家、国际联盟的热情支持者、1920年诺贝尔和平奖获得

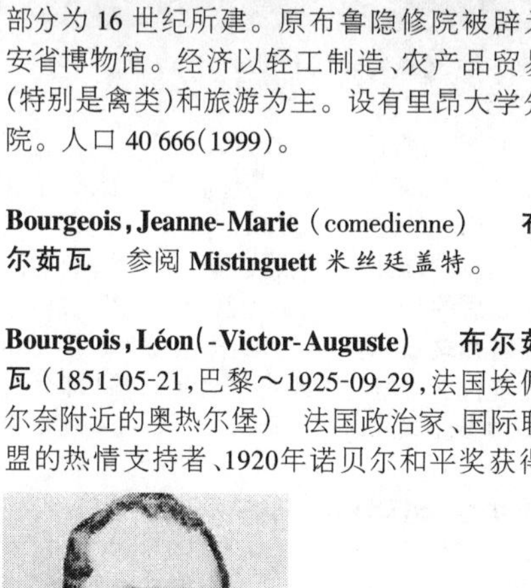

美国不列颠百科全书公司供图

者。早年曾学习法律,1876年成为文官。1887年任塞纳省警察总监。1888年当选代表马恩地区的议员。担任过几届部长职务后出任总理(1895-11～1896-04)。后成为激进社会党领袖。1905～1923年选入参议院,1920～1923年任参议院议长。他是出席1899年海牙会议的法国代表,在会上主张国际合作。1903年任海牙国际法院法官。在阿尔赫西拉斯会议期间,他协助起草了1906年关于摩洛哥独立的协定。1919年任法国出席国际联盟代表。他以鼓吹社会连带主义理论著称。

Bourgeois, Louise　布尔茹瓦(1911-12-25,法国巴黎～2010-05-31,美国纽约)　法国出生的女雕刻家,以纪念碑式抽象雕刻闻名,作品常涉及与男女相关的生命形态。出生在一个挂毯编织艺人的家庭,25岁时入美术学院并

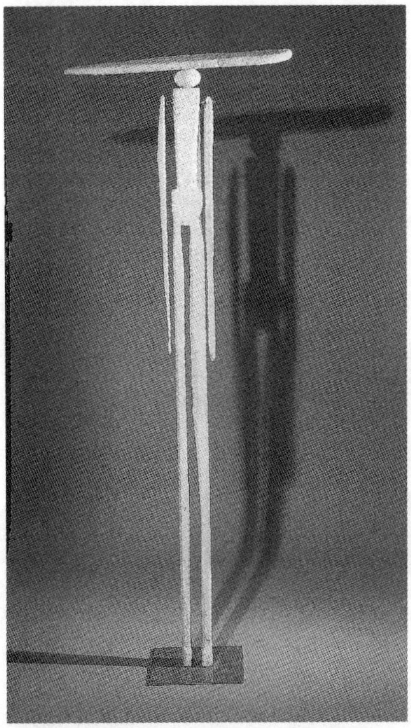

彩绘木雕《观察者》(约1947～1949)
美国不列颠百科全书公司供图

在F.莱热的画室学习艺术,1938年与其美国丈夫R.戈德华特结婚并移居纽约市,开始展出其超现实主义油画和铜版画。40年代末始作雕刻,创作了一批瘦高形体的木雕作品。在以后的几十年中,她还创作了许多大理石、石膏和玻璃材料的抽象作品。1982年在纽约现代艺术博物馆举办回顾展,1993年代表美国参加威尼斯双年展。

Bourgeois, Loys　布尔茹瓦(约1510,巴黎～1561以后)　Loys又拼Louis。基督教胡格诺派作曲家。《日内瓦赞美诗歌集》中的许多音调悠扬的配乐由他写作、收集和编辑。早年生活鲜为人知。1541年移居日内瓦,1557年返回巴黎。是加尔文的朋友,二人曾同居一处(1545～1557)。1547年被批准为日内瓦公民,1551年因擅自篡改既定的赞美诗曲调而被拘禁,经加尔文斡旋,一天后获释,最终他的改动被认可。所作赞美诗配乐是以诗人C.马罗和杰出神学家贝扎的法文版《赞美诗》为依据的。他的和声配置虽未广泛流行,但所作旋律却为后来许多作曲家采用。将民间零星流行曲调和一些礼拜仪式圣咏的片段用入自己的旋律,最著名的是《赞美诗篇134》,即众所周知的《老一百首》。在《赞美诗歌集》中他本人创作的约85首,其余由他的继承者于1562年完成。除为《赞美诗歌集》所做贡献外,他还在《音乐正规之路》(1550)一书中倡议运用视唱法(用音节唱名do,re,mi)以取代当时流行的圭多手,即将音与手的各个部分联系起来以学习音符的方法。

bourgeoisie　资产阶级　在社会经济理论中,指由所谓的中产阶级占支配地位的社会等级。在法国,该词原指中世纪住在有城墙的城镇里的居民。这些城镇居民以手工业或技艺为生,在经济社会等级中居于地主和农民之间。随着城市工业引进机械以及工厂制兴起,中世纪手工业者开始分化为两个阶级——雇主和雇工,并且形成一种新的阶级观念,把资产者这个概念用来专指雇主。由此就产生一种强调资产者(或资本家)与*无产阶级*(**proletariat**)之间的区别、划分经济和社会阶级的体系。这种区分在19世纪初反对法国大革命中兴起的不加区别的民主理想主义的反动潮流中有着重要的政治意义。后来,马克思主义者就根据这种把人区分为资产者和无产者的观点,建立了一套矫饰的社会和政治哲学体系。试图在这一狭窄的基础上创立一种包括历史和政治的综合哲学是不现实的。这一点为随后发生的社会主义与共产主义的各种流派之间的斗争所证实。当马克思的早期合作者恩格斯承认演进和革命一样在人类社会发展中的重要性时,他就在马克思主义体系上留下了第一道裂痕。马克思和恩格斯的继承者们,从考茨基和列宁到斯大林和赫鲁晓夫,都被迫对现代工业和政治生活的实际情况日益作出让步。人们对复杂、费解的现代社会和政治的认识日益增加,马克思主义关于社会阶级划分的理论在认识这些问题方面已失去了说服力。在最发达的资本主义国家,目前有一种试图恢复最古老的社会政治划分方法的强烈趋势。亚里士多德的政治体系着重3个阶级——上等、中等和下等阶级——的区别,并且强调中等阶级在非常有序的国家中的重要性。但在当代政治生活中,这3大阶级错综复杂,它们当中的任何一部分都无法算作是资产阶级。现在这个词主要在讨论艺术和风格时还继续使用。到20世纪中期,在政论作家和政治家的词汇中资产阶级一词已近消失。

Bourges　布尔日　法国中部谢尔省省会。位于奥尔良东南,临贝里运河,当耶夫尔和欧龙两河汇流处。古为比图里热斯人都城,称阿瓦里坎。公元前52年韦辛格托里克斯英勇反抗凯撒攻城,凯撒称布尔日为高卢最美城市之一。公元3世纪基督教传入。查理曼统一贝里,将布尔日作为阿基坦首府。百年战争中,查理七世(1422～1437)和贞德(1429～1430)曾在此居住。路易十一在此出生并于1463年捐助建立大学(法国革命中被关闭),居雅斯(1522～1590)曾为该校讲授

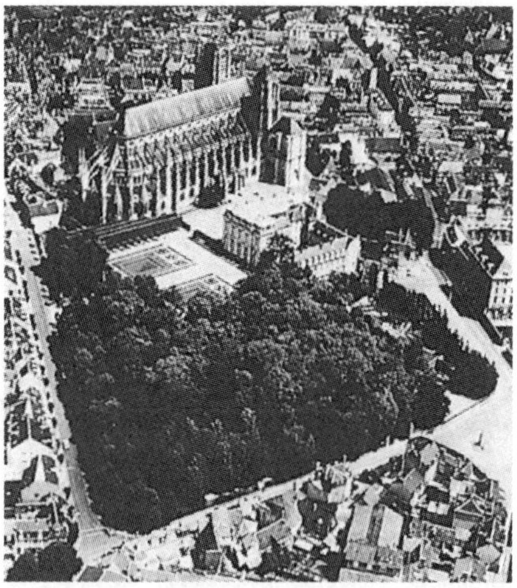

布尔日市的圣艾蒂安大教堂
美国不列颠百科全书公司供图

罗马法的著名教师。J.加尔文在此改宗路德教派。城市所在山丘顶部有12～13世纪所建哥特式圣艾蒂安大教堂。市内雅克·科尔(查理七世的财政官员)的宅邸是15世纪法国建筑杰作。市政厅和贝里博物馆为15、16世纪在高卢-罗马人要塞基础上建造,曾为贝里省省会。现为羊、牛、葡萄酒和谷物贸易中心。有铸造、兵工、食品加工、机械和轮胎制造等行业。人口78 773(1990)。

Bourget, Paul(-Charles-Joseph)　布尔热(1852-09-02,法国亚眠～1935-12-25,巴黎)　法国小说家、文学评论家。第一次世界大战前法国保守知识分子思想的代表人物。文

美国不列颠百科全书公司供图

学生涯以诗歌开始,德彪西曾为他的一些诗篇配曲。布尔热深受批评家泰纳的影响和启发,发表一系列出色的论文,将当时的悲观主义之源追溯到斯丹达尔、福楼拜、波特莱尔、泰纳和勒南的作品。早期小说由于描写上流社会环境而在当时甚为风行,其中有《残酷的谜》(1885)、《爱之罪》(1886)和《安德雷·科内利》(1887),均属于自然主义传统的心理研究之列。最重要的小说《门徒》(1889)预示了他的重要思想转变,序言号召青年宁可遵循传统道德观念,也不要依从现代科学理论。小说描写一位受人尊敬的信奉实证主义哲学的教授(此人很像泰纳)对一个青年的有害影响。后者把哲学家的教导付诸实践,危险地玩弄人的感情,结果以悲剧性犯罪告终。布尔热于1901年皈依天主教。后期小说《阶级》(1902)和《离婚》(1904)逐渐成为支持教会、传统习俗、国家主义和君主政体的说教。

Bourguiba, Habib(ibn Ali) 布尔吉巴(1903-08-03,突尼斯莫纳斯提尔～2000-04-06,莫纳斯提尔) 突尼斯独立的设计师、突尼斯第一位总统(1957～1987),阿拉伯世界持温和政

美国不列颠百科全书公司供图

见和渐进主义的主要代言人之一。出身军人家庭。早年在突尼斯市受到良好的阿拉伯和伊斯兰基础教育及法国和西方思想的教育。1924～1927年在巴黎大学学习法律和政治学,同许多法国自由主义者以及为独立而斗争的阿尔及利亚人和摩洛哥人建立了联系。1927年回突尼斯,从事律师业7年。1932年创办民族主义的法文报纸。1934年退出失去活力的民族主义政党——宪政党,另组新宪政党,并任总书记(14年后任党主席),从而成为独立斗争的中心人物。他的渐进政策被称之为"布尔吉巴主义"。他把突尼斯人民的要求归结为两个字:独立。在他的领导下,突尼斯人民投身于民族运动。作为一个有特殊才干的组织者,布尔吉巴不仅普遍建立党的基层组织,还建立了一整套党的后备机构,以应付殖民当局的逮捕和放逐。1934～1952年间,共有9个这样的机构相继发挥作用,使斗争延续不息。布尔吉巴本人曾3次遭监禁(1934～1936,1938～1942,1952～1955)。第二次世界大战爆发时,他在法国维希狱中,拒绝与轴心国合作。他相信同盟国将赢得战争,力求使突尼斯保持中立。1945～1946年和1951年,布尔吉巴遍访中东、美国、远东和欧洲,鼓吹突尼斯独立。1952～1954年,突尼斯民族主义者日益采取恐怖行动,法国政府惶恐不安。鉴于镇压不再有效,孟戴斯-弗朗斯政府于1954年开始与布尔吉巴谈判。1955年4月,布尔吉巴与孟戴斯-弗朗斯的继任人富尔的谈判使突尼斯获得了内部自治。1956年3月20日,布尔吉巴与法国总理摩勒签订条约,宣告突尼斯独立。1957年达成除比塞大外法军撤出突尼斯的原则协议,同年废除君主制后,布尔吉巴当选为突尼斯总统。两年后颁布宪法。为防止军事政变的危险,布尔吉巴使突尼斯仅保持少量的军队(国防开支从未超过国家预算的10%),而教育和农业的经费通常各占25%,保健的经费甚至还更多一点。他最成功的举措之一是将约5万游牧民安置定居在突尼斯南部。他将国家交由文官政府按照现代行政法治理。由于突尼斯依靠外援发展经济,故布尔吉巴奉行中立政策。但在阿拉伯政界,布尔吉巴是个有争议的人物,因为他常对阿拉伯国家联盟的"一致的"决议或命令采取勇敢而独立的立场。他信奉温和的社会主义。60年代中期,突尼斯尝试实行严格的农业合作社制度,并由国家控制贸易和工业,导致灾难性的结果,于是布尔吉巴重又采取审慎的做法。1975年突尼斯国民议会宣布他为终身总统。1986年这位年迈的领导人开始变得反复无常,免去了他的亲密顾问们的职务,并免去他亲自挑选的接班人、总理姆扎利的职务。在内政部长本·阿里坚决镇压图谋推翻政府的伊斯兰原教旨主义者之后,布尔吉巴任命他为总理(1987年初)。1987年11月,本·阿里以这位年迈的领导人健康状况不佳、过于衰老、不再能有效治理国家为由,免去布尔吉巴的总统职务。

Bourignon, Antoinette 布里尼翁(1616-01-13,法国里尔～1680-10-30,荷兰弗里斯兰) 女奥秘神学家、宗教热情分子。自信是圣经《新约·启示录》第7章中所说的"身披日头的妇人"。她是天主教徒,自发地隐退苦修并管理孤儿院,但由于她不相信人性和生性粗暴专横而归于失败。她抨击任何形式的宗教组织。在荷兰、法国和英格兰特别是苏格兰都有许多人追随她。

Bourke 伯克 澳大利亚新南威尔士州北-中部城镇。临达令河。1878年设为自治市。19世纪80年代和90年代为繁忙港口,1955年并入达令行政区,现为伯克行政区的一部分。位于米切尔公路线上;与位于其东南660千米的悉尼,有航空和铁路相连。伯克现为一广大内陆农业区(产羊、柑橘、饲料)的服务中心。重要的羊毛运输点。有肉类加工厂和洗毛厂。人口2 976(1991)。

Bourke FAMILY 参阅 **Burgh Family** *伯格家族*。

Bourke, Richard Southwell 伯克 参阅 **Mayo, Richard Southwell Bourke, 6th Earl of** *梅奥伯爵(第六)*。

Bourke, Ulick de 伯克 参阅 **Clanricarde, Ulick de Burgh, Marquess and 5th Earl of** *克兰里卡德侯爵和伯爵(第五)*。

Bourke-White, Margaret 伯克-怀特(1906-06-14,美国纽约州纽约～1971-08-27,康涅狄格斯坦福德) 原名Margaret White。美国女摄影家,在新闻摄影领域中对专题报道有创新而成为重要人物。父亲是印刷业的工程设计师。伯克-怀特曾在哥伦比亚大学(1922～1923)、密歇根大学(1923～1925)、西部保留地大学和康奈尔大学(文学士,1927)就读。在大学期间,她学习摄影并付诸实践,曾短时期结婚(1925～1926),1926年采用新姓氏伯克-怀特,包含了她母亲的娘家姓伯克。1927年她作为工业摄影师和建筑摄影师,开始其专业生涯,不久就以其独创风格赢得声誉。1929年出版商卢斯雇用她为他新创办的《幸福》杂志工作。

在拍摄德国的克虏伯钢铁厂和苏联的第一个五年计划的图片时,她展示了自己的新闻摄影风格。1936年《生活》杂志创刊时,她是该杂志最早的4个专职摄影师之一。她拍摄的佩克堡水坝照片刊登在该杂志的创刊号封面上。

她1935年结识南部小说家考德威尔,同他合作出版了3本附插图的作品:描述南部分成制佃农的《你看到了他们的面容》(1937);描述纳粹占领前捷克斯洛伐克生活的《多瑙河以北》(1939)和一部美国概观《这是美国吗?》(1941)。伯克-怀特和考德威尔于1939年结婚,又于1942年离婚。

第二次世界大战爆发后,她为《生活》杂志采访战地消息,是美国第一个随军女摄影师。她在乘坐运输船横越大西洋去北非时,船被鱼雷击沉,但她死里逃生,采访了意大利战役中盟国步兵日常的艰苦斗争。后又采访了莫斯科的保卫战。战争即将结束时,她随美国军队渡过莱茵河到了德国。她拍摄的被关在集中营里骨瘦如柴的受害者和煤气室里的尸体的照片,震惊了全世界。

伯克-怀特摄《佩克堡水坝》(1936)
美国不列颠百科全书公司供图

第二次世界大战结束后,她到印度旅行,拍摄了圣雄甘地的照片。也记录了由于印度次大陆划分为信奉印度教的印度和信奉伊斯兰教的巴基斯坦而引发的几百万人的大迁徙。在朝鲜战争中,作为韩国军队的战地记者,深入共产党地区,报道了那里的激烈战斗。1952年患了震颤性麻痹症。以后大部分时间用于写作,但还继续摄影。她的最后两个专题摄影报道,一是美国的耶稣会士,二是从空中看到的美国。1969年她从《生活》杂志社退休。

Bourmont, Louis-Auguste-Victor, Count (comte) de Ghaisnes de 布尔蒙(1773-09-02,法国布尔蒙堡～1846-10-27,布尔蒙堡) 法国军人、政治家,阿尔及尔的征服者(1830),并因此获得法国元帅称号。1788年进入警卫队,1792年参加保皇军。3年后成为保皇党在法国西部旺代的叛乱主角。1800年开始与拿破仑一世和解,后又因涉嫌参与保皇党阴谋被捕。1804年逃往葡萄牙。3年后参加法国入侵军,返回法国。他在意大利战役和俄罗斯战役(1810～1812)、吕岑战役(1813)和诺让战役(1814)中为拿破仑征战,屡立战功,擢升准将,获荣誉勋位勋章。但在

滑铁卢战役(1815-06)前夕投靠普鲁士人,重新参加保皇派。在1823年法国远征军镇压西班牙起义时,他为路易十八效劳。6年后,他在极右派波利尼亚克亲王的政府中任陆军

美国不列颠百科全书公司供图

部长。1830年征服阿尔及利亚,晋升元帅。他拒绝支持"公民国王"路易-菲力普,因参加贝里公爵夫人的密谋(1832)而流亡葡萄牙。1840年获赦回国,始终支持波旁家族的王位觊觎者尚博尔伯爵亨利。

Bourne 伯恩 美国马萨诸塞州东南部巴恩斯特布尔县旅游城镇,位于科德角半岛底部科德角与巴泽兹湾之间。由巴泽兹贝、卡托梅特、莫纽门特比奇、波卡塞特、萨加莫尔和伯恩代尔等9个村组成。约1640年始建,1884年设镇。大西洋近岸内航道之一部分的科德角运河流经此地。1928年前铁路货车制造业一度兴盛。现以旅游、商业和越橘种植业为经济支柱。马萨诸塞海洋学院(建于1891)和奥蒂斯空军基地都为当地带来经济收入。阿普图克塞特印第安商站复制遗址、印第安坟山和格雷加布尔旅店(克利夫兰总统夏季休养所)均为著名游览区。面积106平方千米。人口约18 721(2000)。

Bourne, Francis 伯恩(1861-03-23,伦敦克拉珀姆～1935-01-01,威斯敏斯特) 天主教枢机主教,1903年任威斯敏斯特大主教。他主张尊重巴勒斯坦地区阿拉伯人的权利,坚

美国不列颠百科全书公司供图

持天主教在教育事业中的权利,谴责在爱尔兰发生的暴行,反对总罢工,驳斥现代派神学,对于梅西耶、哈利法克斯和其他圣公会人士发起的关于教会合一问题的马林对话态度冷淡。他重视大学教育事业,主张天主教不必自设大学,天主教徒应投考国立大学。他也不主张成立天主教政党而赞成天主教徒参加现有政党。

Bourne, Geoffrey (Howard) 伯恩(1909-11-17,澳大利亚西澳大利亚珀斯～1988-07-19,美国纽约州纽约) 澳大利亚出生的美国解剖学家,因研究哺乳动物肾上腺而被誉为研究细胞和组织的化学(组织化学)的先驱。曾就读于牛津大学,1935年获理学博士学位;1943年获哲学博士学位。1957～1962年任佐治亚州亚特兰大市埃默里大学解剖学系主任。1962年入美国籍。1962～1978年任亚特兰大耶尔克斯地区灵长类研究中心主任。1978年任西印度群岛格林纳达圣乔治大学医学院副院长及营养学教授。1933年用哺乳类肾上腺进行实验,创造了最初的组织化学技术,用以证明动物组织中存在维生素C。后来研究伤口愈合和酶在硬和软组织中的定位。重要著作包括《肌肉的结构与功能》(1962)和《骨骼生物化学和生理学》(1956)。灵长学研究方面的著作有《猿人》(1970)、《灵长类的奥德赛》(1974)及《温文尔雅的巨人:大猩猩的故事》(1975)。

Bourne, Randolph Silliman 伯恩(1886-05-30,美国新泽西布卢姆菲尔德～1918-12-22,纽约市) 美国文学批评家和随笔作家。擅长笔战,为第一次世界大战前成年的青年激进分子代言人。出生时被助产医生的钳子毁了面容,4岁时又患脊柱结核,因而发育迟缓并且驼背。23岁获得奖学金前打零工,1913年从哥伦比亚大学毕业时获硕士学位。同年他的《青春与生命》问世。这个散文集表达了他坚持的信念,认为他这一代青年将把美国生活中许多过时的和无价值的东西清除干净。他在欧洲住过一年,于1914年写下《欧洲印象:1913～1914年》一书。以后注意力转向实用主义哲学家杜威的进步教育理论,写成两本关于教育的书:《加里制学堂》(1916)和《教育与生活》(1917)。他是《新共和》周刊1914年创办以来的长期撰稿人,但美国参战后因其主和观点,该杂志不接受其稿件。他在《战争与知识分子》一文中向力主战争的观点发动进攻,文章发表在《七艺》杂志1917年6月号上。该杂志因常发表伯恩反战的论文于是年被禁止出版。伯恩死于1918～1919年的大流行性感冒。死后出版的两卷散文集是:《不合时宜的文件》(1919),主要由他的反战文章构成;《一个激进的文学工作者的历史及其他》(1920),其中包括一篇未完成的自传体小说的片断。

Bournemouth 伯恩茅斯 英格兰多西特郡的一个区和海滨胜地。濒临英吉利海峡。1810年有多西特乡绅在此建避暑住宅。到1841年仅有26所房屋,但以后特别是1870年通铁路后发展迅速。普尔港以东海岸悬崖前面排水良好而不宜农业的松林地和灌木丛生的沙土荒原,自有了自来水供应后便发展起大规模的住宅区。荒原有一些溪流,其中伯恩河入海口附近已发展起主要购物和娱乐中心(带有礼堂和剧院)。气候宜人,冬季温暖,不仅延长了旅游季节,还使其成为退休者的住宅镇和本国主要会议中心之一。有大片海滩、住宅区和商业区。靠内陆有轻工业区,仅在经济上起辅助作用。面积47平方千米。人口约162 400(1998)。

bournonite 车轮矿 常见的硫盐矿物,一种含铅、铜和锑的硫化物($PbCuSbS_3$)。比重大、暗色晶体集合体和块体,具金属光泽,与含硫的其他矿物共生。产地有德国的哈茨山、意大利、玻利维亚、秘鲁、加拿大的安大略以及美国西部等。晶体具斜方晶系对称。参阅 **sulfosalt**(表)。

Bournonville, August 布农维尔(1805-08-21,哥本哈根～1879-11-30,哥本哈根) 丹麦舞蹈演员和编导。主持丹麦皇家芭蕾舞团近50年,建立了以技巧精湛的舞蹈和表现力丰富的哑剧表演为基础的丹麦芭蕾风格。在去巴黎跟随A.维斯特里斯和P.加德尔进一步学习之前,他先向当时主要舞蹈家之一、他的父亲A.布农维尔学习过。在巴黎歌剧院和伦敦演出之后,回到哥本哈根担任丹麦皇家芭蕾舞团独舞演员和编导。1836年改编并上演了F.塔里奥尼的芭蕾舞剧《仙女》,让他的学生L.格莱恩饰演女主人公。布农维尔的很多更为重要的芭蕾舞剧是以他巡回演出时所作的观察为基础的。例如《那波利》(1842)就是受到意大利的一次旅行的启发;《布鲁日》(1851)显示了他对17世纪佛兰德斯艺术的兴趣;《哈丹杰的婚礼》(1853)是访问挪威时得到的启发;他的最后一部芭蕾舞剧《从西伯利亚到莫斯科》(1876)则是到俄国旅行的产物。以西班牙(《斗牛士》、《拉文塔纳》)、奥地利(《喀尔巴阡山》)、东方(《阿布达拉》)为背景的这些芭蕾舞剧,以及根据世界各地素材构思的舞蹈(《远离丹麦的地方》),与那些歌颂丹麦的芭蕾舞剧(其中包括常常被称为丹麦民族芭蕾舞剧的《瓦尔德马》和《一个民间故事》)可以媲美,各有千秋。他的《练功展览》(1849)是现在唯一的一部介绍19世纪初古典舞蹈课堂训练的芭蕾舞剧。作为一个擅长优美的大跳和哑剧表演的舞蹈演员,他在自己的舞剧中也着重要求这些素质。他的舞蹈编导风格反映了他的老师维斯特里斯的前浪漫主义的手法。一个多世纪以来,他的很多芭蕾舞剧一直保留在丹麦皇家芭蕾舞团的上演剧目中。他也曾在斯德哥尔摩为瑞典皇家歌剧院当导演(1861～1864),并在维也纳上演过几部作品(1855～1856)。1877年返回丹麦后退休,被封为爵士。

1979年,为纪念布农维尔逝世一百周年,丹麦皇家芭蕾舞团在哥本哈根举办为期一周的布农维尔节,内容包括所有现存的他的芭蕾舞剧的演出、带示范表演的讲座、美术展览、出版特刊、公开课以及展示布农维尔舞剧与技巧的排练。来自世界很多地区的舞蹈著作家、研究布农维尔的学者和芭蕾舞迷都参加了这次盛会。

bourrée 布雷舞 法国一种变化甚多的民间舞蹈,特点是舞步急速和跳跃。舞蹈者有

时穿木底鞋子，以便跺脚发出响声。布雷舞显然源于奥弗涅，但在法国其他地方及西班牙的比斯开也跳这种舞。M.普雷托里乌斯所著《音乐概要》(1615)中提到了布雷舞

布雷舞
美国不列颠百科全书公司供图

曲。舞台化的布雷舞采用 2/4 或 4/4 节拍(民间也有 3/8 的)。16 世纪中叶曾经用于抽象的乐曲中。在 18 世纪 J.S.巴赫和 G.F.韩德尔等人的组曲中，布雷舞曲常常被选入 galanteries 乐章中。布雷舞步是芭蕾舞最初的一批舞步之一。布雷舞步(pas de bourrée)有各种不同变化，一般都是细碎、快速的步子，是为较大舞步作准备动作的。布雷小跑舞步(pas de bourrée couru)是一种双脚彼此贴紧用脚尖进行(成一位或五位)的平稳小跑步。

Bourrienne, Louis-Antoine Fauvelet de　布里埃内(1769-07-09，法国桑斯～1834-02-07，卡昂)　法国外交官，一度任拿破仑的秘书。他的《回忆录》对第一帝国有精彩的描述，但其评论并不十分翔实可靠。据称在布列讷军事学校时，他是拿破仑的朋友。18 世纪 90 年代初曾任革命政府驻德意志外交官。1797 年奉拿破仑之命去意大利参加与奥地利的谈判，并起草《坎波福尔米奥条约》。1804 年奉命赴汉堡领导对英国的商战，个人敛聚了巨大的财富。1813 年被召回，失宠。1815 年 3 月拿破仑自流放地归来，他支持波旁王朝和路易十八的复辟(1815-07)，历任参议、国务大臣和众议院议员。著有剧本《未知者》(1792)和比较著名的《回忆录》(1829～1831)。

Boursault, Edme　布尔索(1638-10，米西埃韦克[今法国塞纳河畔米西]～1701-09-15，巴黎)　法国文人。活跃于 17 世纪中叶巴黎的文学界。13 岁时前往巴黎，由诗人德巴罗抚养成人。他所写的轻快诗歌收在《雅诗的乐趣》(1663)一书中，所写的剧本，许多获得很大的成功，第一部剧作《画家的肖像或太太学堂的反批评》(1663)攻击并惹恼了莫里哀，后者写了《凡尔赛即兴》一剧予以反击。1667 年他写作了《讽刺讽刺诗》作为对布瓦洛的名作《讽刺诗》的答复。这一作品后改写成剧本，但它的公演似乎为布瓦洛所阻止。布尔索也写小说，包括某些野史式作品；他的《书札》前后印行好几个版本；他还用诗写日记，记载了巴黎文学界和社会方面的日常琐事。

bourse　参阅 stock exchange 证券交易所。

Boursiquot, Dionysius Lardner (dramatist) **布西科特**　参阅 **Boucicault, Dion** 鲍西考尔特。

Bousoño, Carlos　博索尼奥(1923-05-09，西班牙博阿尔～　　)　西班牙诗人、文学批评家和西班牙文学中主要的文学理论家。博索尼奥于马德里研究文学与哲学，1945 年出版第一本诗集《升向爱情》，为宗教信仰而斗争。1946 年去墨西哥和美国教文学，1948 年回西班牙，获马德里大学博士学位，并在该校讲授诗歌。后来的作品有：《感觉的夜》(1957)、《现实的入侵》(1962)、《灰烬里的颂歌》(1967)。他的评论作品有：《诗歌表现原理》(1952，获西班牙学院法斯滕拉特奖)、《诗歌选集》(1976)等。

Boussac, Marcel　布萨克(1889-04-17，法国沙托鲁～1980-03-21，巴黎附近)　法国实业家和纺织品制造商。绸布商兼成衣商之次子，18 岁时接管家庭企业。1910 年在巴黎纺织区建起棉纺厂，它是庞大的企业布萨克商行的核心。1915 年布萨克创建飞机布(toile d'avion)工业，1918 年购进政府所有飞机布的存货。两次大战期间他开办飞机布零售连锁商店。1947 年开设迪奥尔女式时装店。他还生产家用电器并购得巴黎的日报《黎明报》。1978 年债权人群集，政府也不再给以金融支援，布萨克庞大的企业终于倒闭，资产以 1.75 亿美元售予法国联合企业阿加什-维纱公司。

Boussingault, Jean-Baptiste　布森戈(1802-02-02，法国巴黎～1887-05-12，巴黎)　法国农业化学家。他证明植物不是从大气中，而是从土壤中以硝酸盐的形式吸取氮，有助于确定生物氮循环的基本过程。曾任里昂大学化学教授及巴黎工艺学院农业化学教授(1839～1887)。发现氮对动植物都不可缺少，证明植物不是从大气中吸取氮，而是从大气的二氧化碳中取得碳。又对不同食物中氮含量、不同品种小麦中谷蛋白的含量、植物叶子的功能、肥料的作用及价值、合金钢的特性等进行了有价值的研究。主要著作为《农学、农业化学及生理学》(1860～1874)。

boustrophedon　牛耕式转行书写法　一种书写法，上一行由左至右，下一行换成由右至左，再下一行又由左至右。某些伊特鲁里亚语文本就是用的这种牛耕式转行书写法，公元前 6 世纪左右的某些希腊语文本用的也是这种书写法。此词源自希腊语，字面意思是“像牛耕作时那样转身”。

Boutens, Pieter Cornelis　巴滕斯(1870-02-20，荷兰米德尔堡～1943-03-14，海牙)　荷兰诗人、神秘主义者、古典学者。有他自己独特而晦涩的风格，并对其他诗人有影响。曾在乌得勒支大学学习希腊文和拉丁文，后去海牙当家庭教师并从事写作。1898 年出版第一本诗集，集中收有名诗《我关上心灵的窗子》。此后的诗集，从《声音》(1907)一直到《春天的月亮》(1916)，都是用象征手法处理孤独、痛

美国不列颠百科全书公司供图

苦和死亡的主题，形式和韵律完美。叙事诗《比阿特里斯》(1908)写一位修女如何与情人年年相会，但幽会后照例回修道院继续修炼；颇受读者欢迎。他还翻译过荷马、索福克勒斯、歌德等人的作品。

Bouterwek, Friedrich　布特韦克(1766-04-15，汉诺威附近奥克[德国]～1828-08-09，格丁根)　哲学家、美学与文学评论家。先曾接受康德哲学，后利用其分析方法时，又批判这

美国国会图书馆供图

一哲学。受德国和意大利的唯心主义(认为现实主要是观念的体现)之影响颇深。曾在格丁根大学学法律，后成为康德哲学的阐述者。1797 年任格丁根大学哲学教授。对康德学说的形式主义并不满意，指责康德的逻辑只能得出有前提的结论。倾向于弗里德里希·亨利希·雅可比的观点，认为哲学上的确实性完全基于人们能够洞察到终极的存在这一唯一的实体。布特韦克的美学哲学也受他对康德主义之修正的影响。认为美是一种预析的直觉，它把审美标准建立在单一的、先验的、类似一种“神秘”的美之上。还曾受让·保尔之美学的影响，认为诗歌是一切艺术的理论基础。体现其哲学思想发展的主要著作有：《现代诗歌与修辞学史》(12 卷，1801～1819)、《宗教与理性》(1824)、《哲学教本》(1813)和《短篇著作集》(1818)。

Bouteville, François-Henri de Montmorency-　布特维尔　参阅 **Luxembourg, François-Henri de Montmorency-Bouteville, duc de** 卢森堡公爵。

Bouthillier, Léon　布蒂利耶　参阅 **Chavigny et de Buzançais, Léon Bouthillier, Count de**

沙维尼和比藏赛伯爵。

boutonneuse fever 纽扣热 又称南欧斑疹热。一种与斑疹伤寒相似而较轻的热病。病原为康纳尔氏立克次氏体,经蜱传播,发生于多数地中海国家及克里米亚。有证据表明肯尼亚斑疹伤寒及南非蜱咬热等很可能与纽扣热为同一种病,虽然作为传播媒介的蜱可以不同。最初发现寄生于狗身上的褐色的血红扇头蜱 *Rhipicephalus sanguineus* 为病原携带者,继而发现其他种的蜱亦能传播本病,贮主可能为野生动物,但狗显然为其重要传染源。病程略似落基山斑疹热,但较轻。死亡率低于3%。原发病灶称为黑斑,常见于蜱咬处,全身各部均可见,但多在衣服覆盖的部位。实验表明氯霉素及四环素治疗该病有效。参阅 **Rocky Mountain spotted fever**。

Boutros-Ghali, Boutros 布特罗斯-加利(1922-11-14,埃及开罗~) 埃及学者、政治家,1992年1月1日~1996年12月31日任联合国秘书长,是担任联合国这一领导职务的第一位阿拉伯人和非洲人。布特罗斯-加利是埃及最有名望的科普特家族的一支的后裔,曾获开罗大学学士学位(1946)和巴黎大学国际法博士学位(1949)。后任开罗大学教授并曾在美国、欧洲、印度、中东和非洲许多大学和学院讲授国际法和国际事务。同时用法文出版过几部学术著作。1977年10月被任命为负责外交事务的国务部长,次月埃及外交部长因抗议埃-以和解而辞职后,他陪同埃及总统萨达特进行了历史性的耶路撒冷之行。1991年成为副总理。1992年任联合国秘书长以来,大力倡导联合国参与建立冷战后的"世界新秩序"。

Bouts, Dirck 包茨(约1400,荷兰哈勒姆~1475-05-06,布拉班特卢万[今比利时]) 15世纪北尼德兰画家,早期作品明显受韦登和范爱克的影响。1457年后定居卢万,作品进

包茨绘《耶稣哀歌》
美国不列颠百科全书公司供图

入成熟期,人物处理上开始摆脱韦登的影响。所画人物仪态端庄;题材富有寓意。有两幅代表作,一幅是1464年圣礼会为卢万圣·彼得教堂绘制;另一幅是1468年受卢万城之托绘制的,但去世时尚未完成。

bouts-rimés 限韵诗 一种作诗的文学游戏,即一个人按照另一个人提供的一系列押韵词作诗。游戏要求按照原定的次序押韵,其结果还要多少有点意思。据说发明这种游戏的是17世纪初期法国一位小诗人迪洛。这种诗的广泛流行促使法国诗人萨拉森写出了一首杰出的讽刺长诗,题为《战败的迪洛,或限韵诗的失败》(1654)。这一风气在19世纪又因大仲马而得以复兴。在19世纪的英国,据说济慈在同他的友人亨特的一次限韵诗比赛中写出了迷人的诗歌《蟋蟀与蚱蜢》(1816)。

Boutwell, George Sewall 鲍特韦尔(1818-01-28,美国马萨诸塞布鲁克林~1905-02-27,马萨诸塞格罗顿) 美国南北战争时期和战后重建时期主要的激进共和党人。早年自修法律。1842年进入州议会。1851年,反奴隶制的民主党人和自由土壤党人联盟选举他为马萨诸塞州州长。1855年他参与组织马萨诸塞州共和党。1860年支持A.林肯竞选总统。1862年担任国内税收专员。翌年选入美国众议院,1863~1869年为众议院激进共和党人领袖。曾任重建南方联合委员会委员,帮助起草和通过第14条和第15条宪法修正案。他严厉批评A.约翰逊总统的重建政策,1867年带头弹劾约翰逊。1869年U.S.格兰特总统任命他为财政部长。1873~1877年为美国参议员。在R.B.海斯总统时期受命编纂《美国法令修订汇编》(1878)。1880年他在马萨诸塞开设律师事务所,专门处理有关国际法的事务。

Bouvard, Alexis 布瓦尔(1767-06-27,法国孔塔敏斯~1843-06-07,巴黎) 法国天文学家,巴黎天文台台长。因发现8颗彗星并于1808年发表《木星、土星星表》、1821年发表《天王星星表》而闻名。前一星表精确预言了木星和土星的未来轨道,后一星表则出现偏差,于是他猜想有未知天体使天王星的运动出现异常。1846年,即布瓦尔死后3年,J.C.亚当斯和U.勒威耶发现海王星,证实了他的猜想。布瓦尔于1803年当选为法国科学院院士,1826年当选英国皇家学会会员。

bouvardia(genus *Bouvardia*) **布瓦尔木属** 茜草科(**Rubiaceae**)的一属,约30种,常绿灌木或草本。多原产热带美洲。花大,艳丽,通常红色、白色或黄色。在较寒冷的气候条件下有在温室栽培出售者。

Bouvet Island 布维特岛 挪威语作Bouvetøya。南大西洋中一小岛。世界上最孤立的岛屿之一。在好望角西南2 400千米处,南距南极洲1 600千米。原为火山,多岩石,岸边冰崖峭立,登陆十分困难。此岛于1739年首先为法国航海家布维特·德·洛伊埃(1705~1786)发现,并以其名命名。1898年一支德国探险队确定其经纬度,但未能登陆。面积59平方千米,海拔935米,无人居住。1927年12月挪威国旗首次在岛上升起,挪威国王于1930年2月27日下令将此岛划归己有。1971年挪威政府宣布该岛为其自然保护区。

Bouvier des Flanders 佛兰德牧牛狗 一种牧牛狗,以能干著名。第一次世界大战中曾充当救护狗和通讯狗。在佛兰德西南部及法国北部丘陵地育成。在比利时该品种必

佛兰德牧牛狗
美国不列颠百科全书公司供图

须获得警犬工作奖或作为警卫犬、军犬,获奖之后才能赢得冠军称号。体健,貌粗犷,被毛厚而坚韧、蓬乱,棕、黑或灰色,杂以灰毛和白毛,或杂花颜色。体高58~70厘米,体重27~32千克。

Bouvines, Battle of 布汶战役(1214-07-27) 法王腓力二世奥古斯都大败神圣罗马皇帝奥托四世、英王约翰以及佛兰德伯爵、葡萄牙的费迪南、布洛涅伯爵、达马尔坦的雷诺等组成的国际联军的决定性战役。这次胜利大大提高了法国君主在法国和欧洲的威望。国际联军的领导者原计划由英王约翰率兵在法国西部登陆,在阿基坦和安茹煽动叛乱,然后向巴黎进军;神圣罗马帝国的军队以及佛兰德和布洛涅伯爵的军队则从北边向巴黎进军。1214年7月2日,英王约翰在昂热附近受挫,计划宣告失败。法王腓力趁势在北方发动凌厉的攻势。双方在布汶和佛兰德的图尔奈之间的沼泽平原上进行决战。结果,法军大获全胜。奥托逃脱,雷诺和费迪南被俘。腓力二世成为英王在法国领地的拥有者;丢失领地的英王约翰面临贵族们日益增长的反对;在日耳曼,奥托四世的权力也大为削弱。

bouzouki 布祖基琴 又拼buzuki。希腊的长颈弦乐器,由土耳其人引进。与阿富汗的坦布尔琴关系极为密切。它和曼多林琴一样,有档子,用3排或4排双股金属弦。多用于社交集会中的舞蹈和文娱节目,尽管它的音乐通常是怀旧的或忧郁的。被许多听众所接受,已成为希腊流行乐的主要乐器。

Boveri, Theodor Heinrich 博韦里(1862-10-12,巴伐利亚班贝格[德国]~1915-10-15,维尔茨堡) 德国细胞学家。研究了蛔虫卵,证明染色体是细胞核内可分的连续实体。1885年获慕尼黑大学医学博士学位,1885~1893年在慕尼黑动物研究所从事细胞学研究。

1893年任维尔茨堡大学教授。1885年开始对染色体作一系列的研究，1887年发表第一篇主要报告，描述未受精卵的发育，包括极体的形成。后又阐述在蛔虫卵分裂早期出现在核里的指状小体，确定它即为染色体。第三篇报告证明了E.范贝内登创建的学说——受精卵的染色体一半来自卵细胞，一半来自精子。后来，他采用中心体一词，并证明中心体是卵细胞分裂时的分裂中心。还证明单个染色体决定着特定的遗传特征，并指出染色体受细胞核周围的细胞质影响，以说明细胞质的重要性。

Bovet, Daniel　博韦(1907-03-23，瑞士纳沙特尔～1992-04-08，意大利罗马)　瑞士裔意大利药理学家。因发现多种化学药物而获1957年诺贝尔生理学或医学奖。他在日内瓦大学学习，1929年获理学博士学位。1937年

世界卫生组织供图

到巴黎的巴斯德研究所工作并任治疗化学实验室主任。1944年发现第一种抗组织胺药吡拉明，该药可阻抗组织胺的作用，能有效地遏制变态反应。1947年在寻找人工合成的箭毒代用品时发现三碘季胺酚和其他肌肉松弛药，其中包括琥珀酰胆碱衍生物，是他最先发现其箭毒样作用。箭毒及其人工合成代用品用于手术时的轻度麻醉，可使肌肉松弛。1947年博韦应邀在罗马高级卫生研究所建立化学治疗实验室，最后加入意大利籍。1964年任意大利萨萨里大学药理学教授。1969～1971年任罗马全国研究理事会心理生物学及心理药理学实验室主任，1971～1982年任罗马大学心理生物学教授。

bovid　牛科动物　偶蹄目牛科(Bovidae)哺乳动物。包括牛、羚羊、绵羊和山羊。反刍，草食，生活于东、西半球的各种生境，如山地、森林、沼泽、平原和荒漠。独栖或成小群，许多种成大群。体型或优美(羚羊)或粗壮(牛)或轻巧(山羊)。肩高差别很大，侏儒岛羚(*Neotragus pygmaeus*)25厘米左右，美洲野牛(*Bison bison*)2米左右。或仅雄性有角，或两性均有。每产1～5仔，因种而异；妊娠期4～11个月。牛科包括约45属，110种。家牛、绵羊、山羊对人类有很大经济价值。大角羊和有些羚羊则为狩猎对象，以获取其肉、角或皮。

bovine infectious keratoconjunctivitis　牛传染性角膜结膜炎　又称红眼病或传染性角膜炎。感染引起牛眼结膜或角膜的炎症。可能早期即合并病毒感染。患眼分泌物中常发现牛莫拉氏杆菌，也常见其他细菌如葡萄球菌和棒杆菌，日光的紫外线照射亦与发病有关。秋家绳类可传递本病。患病的肉牛体重下降，奶牛患病后产奶量可减少25%。

bovine spongiform encephalopathy　牛海绵状脑病　又称疯牛病(mad cow disease)。牛的一种致命性神经变性疾病。牛海绵状脑病由一种潜伏期长达2～5年的传染因子引起，症状包括行为改变(如狂躁和不安)、肌肉协调性及行动功能逐渐丧失。疾病后期动物经常体重减轻，颈部和身体肌肉稍微萎缩，以不正常而夸张的方式走动，也可能孤立于群体之外；通常在症状开始出现后1年内死亡，没有已知的治疗或缓解方法。1986年牛海绵状脑病首次在英国被确认，成为该国的流行病，尤其是在英格兰南部。欧洲其他地方和加拿大也有案例报告。该病类似羊的神经变性疾病(称为痒病)，人们认为发病的原因是痒病的传染因子传给了牛。研究人员怀疑：这种情况发生在用因痒病感染而死亡的羊的尸体和弃肉(屠宰后的杂碎)制成的高蛋白质补充饲料喂牛时。几十年来动物残骸用作补充饲料一直不成问题，但20世纪80年代早期改变了处理方法，降低了处理过程中的温度，不再使用特定溶剂。事件发生的时机隐然说明：新的处理方法不再使传染因子失效。1988年以这种推断为基础，英国政府禁止使用取自动物的蛋白质补充饲料。牛海绵状脑病、痒病和其他生物体的类似疾病(例如人类的克罗伊茨菲尔德-雅各布二氏病)被归类为可传递的海绵状脑病。这样命名的原因是：患病生物体的大脑组织出现孔穴，成为海绵状形式。这些疾病的起因是一种不寻常的传染因子，称为普利子。普利子由哺乳类和鸟类动物身上一种正常状况下无害的蛋白质变形而成。然而，普利子蛋白质增殖时在神经细胞中建立其迷形。这种累积以某种方式损害神经细胞，导致特有的神经变性。引发疯牛病的普利子是否可传给人类至今不明，如果研究人员证实这种传递是可能的，那90年代中期发生于青壮年的克罗伊茨菲尔德-雅各布二氏病就与食用受牛普利子污染的牛肉有关。

bovine typhus, contagious　传染性牛斑疹伤寒　参阅 **rinderpest** 牛瘟。

bow　琴弓　弯形杆，用涂上松香的马尾绷在杆的两端，在雷贝克琴、维奥尔琴和小提琴族的弦乐器上摩擦琴弦而发音。从16世纪起，弓毛的松紧由奏者手持的一端的弓根加以调节。非欧洲的和民间的琴弓和18世纪末叶以前的欧洲琴弓的弓杆都呈凸形弯曲。法国的F.图尔特(1747～1835)制定的现代西方琴弓则呈凹形弯曲。

Bow, Clara　鲍(1905-07-29，美国纽约布鲁克林～1965-09-27，加利福尼亚洛杉矶)　美国电影女演员，因主演根据格林的同名小说拍摄的默片《性感女郎》而被称为"性感女郎"。她成为20年代生气勃勃、身心解放的妙龄女郎的化身。1927～1930年是好莱坞最叫座的5名演员之一。鲍出身贫寒家庭，遭受父亲性虐待，又被精神不正常的母亲弃之不顾。13岁辍学。16岁时在一次选美活

美国不列颠百科全书公司供图

动中获胜，奖励项目包括可在电影《在虹那边》(1922)中出场。此后3年里主要与派拉蒙电影公司合作，成为一名成功的女演员。在《陷阱》(1926)、《海上泛舟》(1922)、《羔皮靴》(1926)、《舞娘》(1926)等影片中，她通常扮演指甲美容师、女侍者、女引座员或女售货员之类角色。她被格林选中在《性感女郎》中出任主角，获得惊人的票房成功之后，又出演了《爱打闹的罗茜》(1927)、《红头发》(1928)、《三度周末》(1928)、《周六夜晚的骗局》(1929)、《野性》(1932)和《嘻闹》(1933)等影片。电影进入有声时期后鲍不能适应这一转变(她有浓重的布鲁克林口音)，加上流传一系列个人丑闻，声誉大大下降，1933年后完全退出影坛。晚年患有精神疾病。

bow and arrow　弓箭　一种兵器。弓是一根用木头或其他有弹性的材料制成的狭板，把它弯起来并用弦绷紧；箭是一根尾部带羽毛的长木杆。把箭尾槽搭在弦上，然后向后拉箭，使弓产生足够的张力，松开后，箭即被射出。箭头是用一定形状的燧石、石头、金属和其他坚硬的材料制成的。

弓箭起源于史前时期。从古埃及时代到欧洲中世纪，在地中海一带和欧洲，弓是一种首要的兵器，在中国和日本使用的时间则更长些。希腊和罗马穿盔甲的步兵一般是蔑视弓的作用的，然而他们经常遭到敌方娴熟的弓箭手、特别是骑兵中的弓箭手的袭击。但是箭之所以成为战场上令人生畏的飞行兵器，主要是由于弩弓(**crossbow**)和英格兰长弓的发展。弩在古时已为人知晓，但是直到中世纪才趋于完善；而英格兰长弓则是于14世纪投入欧洲战场的。似乎起源于威尔士的长弓同男人一样高；箭的长度只有它的一半，这就是有名的"布码杆"。射箭者用向前伸直的手臂持弓，把箭向后拉到耳朵处。一名英格兰射箭手可在一分钟内发出6支瞄准好的箭。其有效射程约为200码，但是一名杰出的射手能把箭射到比这远一倍的地方。相比之下，使用弩不需要那样的体力或训练，而且它的射程更

远些。弩是一种用支托或杈子水平地支起来的短弓，瞄准时把它举至与肩齐高。弩的力量比长弓更大，但是装起来比较慢。

土耳其精锐部队的步兵所使用的用混合材料制成的土耳其弓，其威力与弩一样大，对中世纪后期的战争也有巨大影响。

在许多民族的文明史上，弓在军事上的重要性次于它作为狩猎器械的价值。北美印第安人、爱斯基摩人、许多非洲国家的人民以及其他地方的人在狩猎和战争中都使用一般的弓或弩。日本有些古老的木弓长2.44米；日本人还用兽角或鲸鱼骨制造小一些的弓。日本弓和箭筒（装箭用）常被工匠精心装饰一番并写上他们的名字。位于安达曼海和孟加拉湾之间的安达曼岛上的土著人曾制造出很宽很大的弓。非洲的制弓人一般做小弓，部分原因是在非洲丛林里一般射程不远。爱斯基摩人的弓用木头和骨头复合制成，并用动物腱加固，这种弓和大部分亚洲做的弓相似。美洲印第安人的弓用木头或者木头加动物腱制成。弓有用几种混合材料如木头和兽角或者木头和金属制成的。在现代复合弓上加绳索和滑轮能提高准确性和力量。许多狩猎运动者宁可用弓而不用火器，也有人两者都用。

弓弦也可用各种材料制成。材料要求有韧性。从各种弓弦可看到材料种类的千差万别。中世纪的英国长弓通常用亚麻或大麻做弦，但是土耳其和阿拉伯的弓用的却是丝弦或马海毛弦。世界许多地方还用藤条、竹丝、植物纤维、动物腱或皮革做弓弦。

箭的种类更多。箭杆一般由整块材料制成，但也常用两种不同的材料如木头和金属合制而成。用金属、石头、骨头或贝壳制成的箭头可用嵌入、胶接或两者兼用的方法固定在箭杆上。为使箭飞行稳定，箭尾部分几乎总要插上羽毛或其代用品（树叶、毛皮或皮革）。然而，如果箭杆前段偏重，可不在箭尾加插羽毛。参阅 **archery**。

bow lute (musical instrument) **弓式诗琴** 参阅 **pluriarc** *普柳里尔琴*。

Bow porcelain **鲍瓷** 约1744～1776年在埃塞克斯的斯特拉特福-勒-鲍地区一家工厂生产的英国软质瓷。从1750年起，鲍瓷中的骨灰或煅烧骨料的使用比例就很高了，这是天才的爱尔兰雕刻师托马斯·弗赖依的一项发明。该工厂就是他与合伙人爱德华·海林共同建立的。鲍瓷厂迅速扩大，30多年中的总产量为数可观。鲍瓷在外观和质量上品种繁多。一种表面光洁，色调柔和的奶白釉料可能是它的最大成就。鲍瓷最早是仿制中国的青花瓷和日本的多色瓷，以之与东印度公司的进口货抗衡。有些图案因适用性广泛而一直被用于该厂的大部分餐具上。该厂采用了釉下蓝和釉上彩，釉上彩初时艳丽，18世纪50年代中期转向柔和，随后又普遍趋向于重饰金，制作更加精细、色彩也更加丰富。当时还生产不加彩饰的餐具，是仿制中国的饰有梅花浮雕的白瓷。约1755年，鲍瓷厂生产的餐具名列英国印花瓷器的前茅。鲍瓷厂还大量制作塑像，例如政界代表人物、将军、

约1760年的鲍瓷瓶
美国不列颠百科全书公司供图

男女演员等。还生产鸟类和动物的模型。在其他地方，老式的洛可可风格被路易十六风格所取代，这可能是鲍瓷厂于1776年歇业的原因。

Bow River **鲍河** 位于加拿大艾伯塔省南部，为南萨斯喀彻温河主要源头河。源出班夫国家公园内加拿大落基山脉戈登山麓，出鲍湖向东南流328英里，在梅迪辛哈特以西

加拿大落基山脉的鲍河
美国不列颠百科全书公司供图

37英里处与老人河汇成南萨斯喀彻温河。因印第安克里部落人以河边黄杉木材制弓（bow），故名。19世纪初西北公司开发此地，鲍河以有水电和灌溉之利而地位重要。鲍河流域最大居民点为卡尔加里，此地有省立鲍河谷地公园。

bow wave **舷波** 在水或空气那样的流体中传播的前进扰动。它是由于物体穿过流体运动时它的最前点产生位移的结果。自上向下看，前进中的航船的舷波的波峰呈V字形，V形的锐度由船和在水中传播的波这两者的相对速度决定。参阅 **wave motion**。

Bowdich, Thomas Edward **鲍迪奇**（1791-06-20，英国格洛斯特郡布里斯托尔～1824-01-10，冈比亚巴瑟斯特［今班珠尔］） 英国旅行家和科学书籍著作家。1817年代表非洲商人公司与阿散蒂帝国（在今加纳）进行和谈，有助于英国扩大势力和吞并黄金海岸殖民地。1819年出版《从海角岸城堡到阿散蒂的使命》一书，为欧洲人对全盛时期阿散蒂的最早记述，至今仍被认为是经典之作。回到英国后，他对非洲公司的作为提出责难，导致英国政府废除了公司，接管了黄金海岸的行

美国不列颠百科全书公司供图

政治理（1821）。1820～1822年在巴黎学习期间结识了居维叶、洪堡等学者，发表了有关地理和其他学科的著作，有些著作由他妻子绘制附图。在他到达巴瑟斯特准备对冈比亚地区进行三角测量时不久即因疟疾病逝。著有《西北非地理漫笔》（1821）和《古埃及、阿比西尼亚和阿散蒂人共有的迷信、风俗和艺术》（1821）等。

Bowditch, Nathaniel **鲍迪奇**（1773-03-26，美国马萨诸塞塞勒姆～1838-03-16，波士顿） 美国自学成才的数学家和天文学家。所著航海方面的书籍是当时最优秀的著作，并发现在天文学和物理学上有重要用途的鲍迪奇曲线。1795～1799年间长途航海4次。1802年任商船船长。长期钻研数学。对英国人J.H.穆尔所著《实用航海术》进行校改，1799年出修订版，增订内容极多。1802年以穆尔所著为基础出版《新美国实用航海术》，为美国海军部采用，再版约60次。鲍迪奇的科学论文很多。在一篇关于一个摆同时沿两个互相垂直的轴摆动的论文中，画出所谓鲍迪奇曲线（后来利萨如加以详细研究，便命名为利萨如图形）。鲍迪奇把P.S.拉普拉斯的关于天体引力的巨著《天体力学》的前4卷从法文译为英文（1829～1839），修订增补注释，篇幅超过原著1倍多。1804～1823年任埃塞克斯火灾与海运保险公司总经理。1823～1838年任波士顿的马萨诸塞医院人寿保险公司精算师。1829年至逝世前，任美国艺术和科学学会会长。

Bowditch curve （geometry） **鲍迪奇曲线** 参阅 **Lissajous figure** *利萨如图形*。

Bowdler, Thomas **鲍德勒**（1754-07-11，英格兰萨默塞特巴斯附近的阿什利～1825-02-24，威尔士格拉摩根斯旺西附近的里丁） 英国医学博士、慈善家和文人，以所著《家藏莎士比亚戏剧集》（1818）闻名。他对莎士比亚戏剧加以删节和阐释，使家长对子女朗读时不致伤害他们的感情或毒害他们的心灵。他极力保持莎士比亚戏剧中的所有佳句，剔除他认为是为了取悦放荡的人而写进的“微疵”。虽然人们批评他篡改莎士比亚的作品，但他使莎士比亚的戏剧为广大读者所了解，有一定的功劳。1838年英国流行“鲍德勒化”一

语，意即“删改”（现含贬义），即是对他最永久的纪念。

Bowdoin, James　鲍登（1726-08-07，波士顿～1790-11-06，波士顿）　美国革命时期（1775～1783）马萨诸塞的政治领袖，美国艺术和科学研究院（1780）的创始人和首任院

美国不列颠百科全书公司供图

长。鲍登1745年毕业于哈佛大学，后经商。1779～1780年任马萨诸塞立宪会议主席，1788年任马萨诸塞州批准联邦宪法会议代表。鲍登在任马萨诸塞州州长期间（1785～1787），曾镇压谢斯起义（贫苦农民反抗重税的暴动）。鲍登是杰出的物理学家、天文学家，曾著有科学论文多篇，并与B.富兰克林合写过电学论文。缅因州不伦瑞克市的鲍登学院即以他的名字命名。

bowel movement（physiology）　参阅 **defecation** 排粪。

Bowell, Sir Mackenzie　鲍威尔（1823-12-27，英国萨福克里克金霍尔～1917-12-10，加拿大安大略贝尔维尔）　加拿大出版商、政界领袖，加拿大自治领总理（1894～1896）。10岁随父母至贝尔维尔，在当地报纸当学徒，后成为此报纸业主。1867～1892年为加拿大众议院保守党议员。1894年出任总理，此前在3届政府中连续任关税、国民军以及贸易商业部长。1895年封爵士。1896年初，其政府半数部长集体辞职，他被迫引退。保守党失势后，他作为反对党领袖继续任参议员。1906年退休。

Bowen　鲍恩　澳大利亚昆士兰州东北部港镇。临埃奇克姆湾的珊瑚海小湾丹尼森港。在西北部160千米处的汤斯维尔重要性超过它之前，一直是该区主要港口。位于布鲁斯公路线上。有铁路通布里斯班（东南600英里）。番茄和水果产区的服务中心。有银、铜、花岗岩矿床。生产焦炭和盐。梅林达生产的肉类和科林斯维尔生产的煤经此输出。人口8 312（1991）。

Bowen, Catherine（Shober）　鲍恩（1897-01-01，美国宾夕法尼亚哈弗福德～1973-11-01，哈弗福德）　美国女历史传记作家，以部分小说化的传记闻名。从皮博迪学院和朱利亚德音乐学院毕业以后，对写作产生了兴趣。她写的伊丽莎白时代的法律家E.柯克爵士的传记《狮子与宝座》（1957）使她荣获1958年全国图书奖。其他许多作品包括：关于柴可夫斯基的故事《挚爱的朋友》（1937）、《奥林波斯来的美国人》（1944）、《法官霍尔姆斯和他的家人》（1944）、《约翰·亚当斯与美国革命》（1950）以及《费城的奇迹：1787年5～9月制宪会议的故事》（1966）。

Bowen, Elizabeth（Dorothea Cole）　鲍恩（1899-06-07，都柏林～1973-02-22，伦敦）　英国女小说家。上流家庭出身。童年早期在都柏林和科克郡的基尔多里度过。在《七个冬天》（1942）中，她叙述了这一段生活。7岁时同母亲去英格兰。12岁丧母，寄居于肯特海岸的亲戚家里。20岁开始写短篇小说。

美国不列颠百科全书公司供图

第一部短篇小说集《遭遇》于1923年出版。随后发表的有《旅馆》（1927）和《去年九月》（1929）。鲍恩第二次世界大战期间在英国新闻部门工作。长篇小说《一天中最热的时候》（1949）以战时伦敦为背景，是她最重要的作品之一。短篇小说集《魔鬼情人》（1945）也以战争为题材。散文有《印象集》（1950）和《回味》（1962）。最后一部著作是《图景和会话》（1975）。其他著作还有《在巴黎的屋子》（1935）、《心之死》（1938）、《鲍恩的院子》（1942）。

Bowen, I(ra) S(prague)　鲍恩（1898-12-21，美国纽约塞尼卡福尔斯～1973-02-06，洛杉矶）　美国天体物理学家。他对星云（稀疏气体云）光谱中绿色强发射线的解释极大地

美国不列颠百科全书公司供图

促进了对天体化学组成的研究。由于这些发射线与已知的任何元素发射线的特征不同，因此，曾一度以为它们是由一种假想的元素——“氙”产生的，而鲍恩则指出，这些发射线同电离氧和电离氮在压力极低条件下的发射线一致。

1926年鲍恩在位于帕萨迪纳的加利福尼亚理工学院任教。1931年升为正教授，1946年出任威尔逊山天文台台长，1948～1964年，出任由威尔逊山天文台和帕洛马山天文台合并而成的海尔天文台台长。1938年发明星象切分器，这是一种用来提高狭缝摄谱仪效能的装置。1964年退休，成为天文台的名誉成员。他曾获得太平洋天文学会布鲁斯奖章（1957）和皇家天文学会金质奖章（1966）。

Bowen, Norman L(evi)　鲍文（1887-06-21加拿大安大略金斯顿～1956-09-11 华盛顿［哥伦比亚特区］）　加拿大岩石学家、矿物化学家。他父亲B.A.鲍文是从伦敦迁居到加拿大的。他曾在金斯顿女王大学攻读化学、矿物学和地质学，后入麻省理工学院。1910～1911年在华盛顿卡内基学院地球物理研究室从事多种矿物实验研究。在大学的6个夏天（1907～1912）都在加拿大安大略省矿业局工作，并为加拿大地质调查局在不列颠哥伦比亚太平洋铁路沿线工作。取得博士学位后，他回到华盛顿地球物理研究室，该研究室工作的性质使他能够避免必须在地质学和化学之间作出彻底的选择。1915年在岩石学极关键问题上，完成了一系列实验性的研究，并写成关键性论文《火成岩石演化的晚期阶段》。该文确立了他在岩石学上的国际地位，时年仅28岁。

美国参加第一次世界大战使鲍文转入光学玻璃研究。战后（1919）回到女王大学任矿物学教授。两年后又返回华盛顿研究，他花了16年专攻硅酸盐系统。当他把他的实验物理化学数据用于野外岩石学问题时，他的研究工作就有了更大的分量。在这项工作的后期，他勤奋地亲访与火成岩问题有关的标准产地：南非的布什维尔德、东非的碱性熔岩和挪威的许埃和费恩地区的橄榄岩地区。1927年春天，鲍文在普林斯顿大学为地质学的高班学生讲课，主要内容于1928年发表在《火成岩的演化》一书内。在此书生动的表述中，他提供了对岩石学思想产生深远影响的调查和综合方法。后来，鲍文与参加耶鲁大学实验室的一位年轻而能干的实验家J.F.沙伊雷尔广泛合作。他们共同研究含铁的硅酸盐系统，从 Fe_2O_3 开始，然后是FeO。1937～1947年，当鲍文被芝加哥大学请去担任“C.L.哈钦森功勋岩石学教授”时，他与地球物理研究室作了第2次的、乃至更多次的大决裂。他在那里很快发展了一个实验岩石学学派，并由他的从事碱性系统平衡研究的学生们写出了一系列学术论文。鲍文本人对这些成果在碱性岩的成因与分异上的意义进行了综合（1945）。

第二次世界大战以后，鲍文于1947年应邀再次回到地球物理研究室研究包含挥发分、特别是水分的矿物系统。这项工作以他与O.F.塔特尔合作关于花岗岩的研究达到顶峰（发表于1958年）。鲍文与地球物理研究室的协作总共延续了35年以上，他漫长而光辉的人生记录是因美国和欧洲的学术团体之荣誉奖励而得到公认的。他于1952年退休以后，迁居佛罗里达州的克利尔沃特。两年后他又回到华盛顿，直到逝世。

Bowenia　鲍恩氏苏铁属　苏铁科的一属。2种，多年生常绿植物。原产澳大利亚。块

茎状,地下茎形似巨大的胡萝卜。长20～30厘米。二回羽状复叶。常栽培供观赏。

Bower, Frederick Orpen　鲍尔(1855-11-04,英国约克郡里彭～1948-04-11,里彭)　英国植物学家。研究原始陆生植物特别是蕨类植物,在很大程度上促成当代重视研究这些植物的起源与演化的局面。

鲍尔以"插入理论"著名。他假设原始陆生植物在进化过程中,牺牲了一个有性的配子体世代而代之以一个无性的孢子体世代,也就是说,在配子融合成合子后"插入"了一个孢子体阶段,这样便独立地形成了"世代交

美国不列颠百科全书公司供图

替"的规律模式。他认为,陆生植物的进化方式是,孢子体中大部分孢子逐渐变得不育,只剩下少数还保留潜能以形成独立植物所特有的营养细胞。虽然陆生植物确切说来起源于何种藻类,这问题尚未解决,但鲍尔在其经典著作《陆生植物区系的起源》(1908)一书中总结提出的一些问题,在植物进化这广泛的领域中,确实有助于将古植物学与植物形态学结合起来。1877～1878年他在维尔茨堡大学师从德国植物学家J.冯·萨克斯;1879年在斯特拉斯堡大学师从A.巴里。1880～1885年在伦敦大学任英国生物学家T.赫胥黎的助手和植物学讲师。他一生中大部分时间都在格拉斯哥大学担任植物学教授(1885～1925)。还著有《蕨类植物》(3卷,1923～1928)、《植物的大小与形态》(1930)以及《原始陆生植物》(1935)等。

Bower, Walter　鲍尔(1385,苏格兰洛锡安区哈丁顿～1449)　《苏格兰编年史》的著作者。此著作是对福尔登的约翰的著作的扩充和继续,为第1部苏格兰通史。1441年动笔,1447年完成,编年一直到这一年为止。鲍尔除依据福尔登的约翰而外,还参照温顿的安德鲁的年代记。《苏格兰编年史》于1722年根据15世纪晚期的手稿第1次刊印,现存几种抄本,剑桥大学基督圣体学院所藏的一部显然是著者的亲笔。W.F.斯基恩将《苏格兰编年史》译成英语,编入他的《苏格兰历史学家》第1和第4卷(1871～1872)。

鲍尔大概在圣安德鲁斯加入教会,1417年成为福斯湾因奇科姆岛隐修院院长。从那年以后,教皇和皇家的记录中载有他的名字,值得注意的事项有:他要求任圣十字架隐修院院长未成(1420),他反对与英格兰媾和(1432),以及他曾任议会查账员。

Bowerbank, James Scott　鲍尔班克(1797-07-14,伦敦～1877-03-08,伦敦)　英国博物学家和古生物学家,以对英国海绵的研究而著名。1847年以前,在他热心经营鲍尔班克

美国不列颠百科全书公司供图

制酒公司期间,他用了大量时间研究博物学。他曾讲授植物学(1822～1824)和人类骨学(1831),同另外6个人一起创立伦敦黏土协会(1836)。1847年创立古生物地理学会。主要著作有权威性的《伦敦黏土中的化石果实和种子的历史》(1840)和《英国海绵类专论》(4卷,1864～1882)等。

bowerbird　凉亭鸟　雀形目园丁鸟科(Ptilonorhynchidae)鸟类,17种,见于澳大利亚、新几内亚和附近岛屿,在地上营造颇为精致的构筑物。有的种类称为猫鸟、园丁鸟、搭台鸟。雄鸟构筑凉亭状物,在凉亭内或其上进行求偶表态并高声鸣叫;雌鸟到那里去会雄鸟并在稍远处的简单巢内产卵。凉亭镶嵌着各类发亮的、有颜色的物品,形状可分3类:①垫型或平台型:阿奇博尔德氏凉亭鸟(巴布亚阿奇博尔德氏鸟、雪山亭鸟,*Archboldia papuensis*)用植物材料铺成一个厚垫,周围包围着或悬挂一些物体。澳大利亚东北

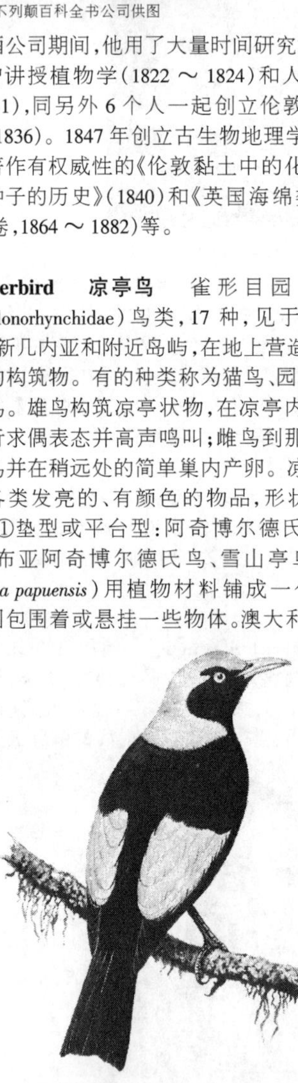

摄政王凉亭鸟(*Sericulus chrysocephalus*)
美国不列颠百科全书公司供图

森林中的齿嘴亭鸟(*Scenopoeetes dentirostris*)亦称齿嘴猫鸟、搭台鸟,把叶子有银色光泽的叶面朝上(枯叶放到一边)排列成"马戏场"形。②五朔节花柱型:在一块空地上用枝条在一根或几根树苗的周围搭成一个塔状。金亭鸟(*Prionodura newtoniana*)在塔与塔之间搭上一个屋顶状的桥。造园鸟属(*Amblyornis*)有4种,雄园丁鸟将万年藓类种在花柱周围成草坪状,并用花、浆果和其他物体加以装饰。褐色园丁鸟(无冠园丁鸟,*A. inornatus*)不像其他种类那样有橙色的头顶,所造的花园最为奇特;棚屋大得像儿童游戏室。③林荫道型:在一个由细枝组成的圆垫上,用枝条筑两座靠得很近的平行墙,两墙互相交织或在上方连成拱形。造林荫道的鸟有:缎凉亭鸟(*Ptilonorhynchus violaceus*)、摄政王凉亭鸟(金头别墅鸟、紫背别墅鸟,*Sericulus chrysocephalus*)及其近缘种、点斑大亭鸟(*Chlamydera maculata*)及其近缘种。缎凉亭鸟和摄政王凉亭鸟用植物浆、炭和唾液做颜料,涂到内壁上,也可能用绿叶做涂抹工具,这是鸟类使用工具的一种罕见的例子。

Bowery, the　鲍厄里　美国纽约市下曼哈顿区的一个街区。从查塔姆广场沿对角线方向延伸至第4大道和第8街交叉路口。沿印第安人与荷兰人战斗时所使用的一条小道发展而成。1807年命此名。1860～1875年曾是纽约市的剧场戏院集中地区。19世纪80年代后变成了贫民窟所在地,有许多廉价的咖啡馆、旅馆、沙龙、舞厅和当铺,到处是游手好闲的浪子和被社会遗弃的人。1892年后因传唱P.雷伊特的一首流行歌曲:"鲍厄里呀,鲍厄里!"曲终反复歌唱:"我决不再去那里。"使这个街区更加声名狼藉。

Bowes, Edward　鲍斯(1874-06-14,旧金山～1946-06-14,美国新泽西拉姆森)　别名Major Bowes。美国广播界先驱人物。他在其杂耍节目《新颖的业余时间》中开办了许多著名的文娱节目。这个节目从1935～1946年鲍斯去世,由全国广播公司播出。它使一些有抱负的表演者——歌唱家、喜剧演员等——有向全国广播听众演出的机会。

鲍斯6岁时丧父,因此他必须尽力工作以增加家庭收入。他从中学辍学后,当过办公室勤杂员,并经营过房地产业。后来他与人合伙在纽约与波士顿办戏院,然后又与人合伙在纽约市建造美国国会大厦戏院。作为一种推销经营的手段,他在此开办了最后成为著名的、长期演出的《业余时间》这个节目。他的广播节目曾推出了喜剧演员B.霍普、歌唱演员F.西纳特拉等人。鲍斯去世后,这个节目以"泰德·麦克独创业余时间"为主题在电视上继续播出。

Bowes-Lyon, Elizabeth Angela Marguerite(queen consort of George VI of Great Britain)**鲍斯-莱昂**　参阅**Elizabeth 伊丽莎白**。

bowfin(*Amia calva*)　**弓鳍鱼**　又作grindle,mudfish或dogfish。又称泥鱼、狗鱼。弓鳍鱼目(全骨超目)淡水鱼类,弓鳍鱼科现存的

弓鳍鱼(*Amia calva*)幼鱼
美国不列颠百科全书公司供图

唯一代表。该科最早发现于侏罗纪(始于约1.8亿年前)。为从五大湖往南到墨西哥湾的北美缓流水体的贪吃鱼类。体色绿褐斑驳,具长的背鳍和锥形强牙。雌体长达75厘米,雄鱼较小,特点是有一具橙色环的黑色尾斑。春季产卵,雄鱼在植被中营造粗糙的巢穴,守卫受精卵和新孵化的仔鱼。

Bowie, David **鲍伊**(1947-01-08英国伦敦～) 原名David Robert Jones。英国创作歌手和演员。20世纪70年代是其巅峰期,以千变万化的形象和多变的音乐风格而闻名。在赶时髦的60年代,他面对各种各样的乐队竞争,摆脱他们的影响,成为个人创作歌手。象征其生涯真正起点的科幻单曲《太空怪物》在1969年高居排行榜前10名,但直到几年后才成为美国电台的热门歌曲。他第一张值得注意的专辑《出卖世界的人》(1970)是有先见之明的民谣、艺术摇滚和重金属的混种音乐,但没有让他变得家喻户晓。随后的专辑有《令人满意》(1971)、《星尘殒落的沉浮与火星来的蜘蛛人》(1972)、《钻石狗》(1974)、《年轻的美国人》(1975)等。就音乐来看,后来的《低沉》(1977)及其续集《英雄》(1977)和《房客》(1979)证实是他影响最深远、最持久的作品,成为后辈技术摇滚的典范。80年代,主要专辑有《骇人巨兽》(1980)、《跳舞吧》(1983)和《永远别让我失望》(1987)。在90年代晚期,他似乎欲振乏力了。1996年入选摇滚乐名人堂。

Bowie, James **鲍伊**(1796?,美国肯塔基洛根县～1836-03-06,得克萨斯圣安东尼奥) 得克萨斯革命(1835～1836)中的著名英雄,主要因在阿拉莫战役(1836-02～03)中的作用而

美国国会图书馆供图

为人所铭记。1800年随父母迁居密苏里州,1802年移居路易斯安那州。18岁离家外出,靠垦荒和锯木为生。后一度任职州立法机关。约1828年到得克萨斯,与墨西哥人副州长胡安·马丁·德·贝拉门迪结为至交。后加入墨西哥籍,分得土地。1831年与贝拉门迪的女儿结婚。由于墨西哥限制性的法规,他投身得克萨斯革命运动,任得克萨斯军上校,屡建战功。后在阿拉莫战役中为墨西哥军队所杀。

Bowie, William **鲍伊**(1872-05-06,美国马里兰安纳波利斯章克申～1940-08-28,华盛顿[哥伦比亚特区]) 美国大地测量学家,他研究均衡现象和原理,能合理地解释这样一种趋势:密度较大的地壳岩石导致地形上的凹陷,轻的地壳岩石导致地形上的隆起。他早年就读于康涅狄格州哈特福德的三一学院(1893年获理学士学位)及宾夕法尼亚州伯利恒的利哈伊大学。1895年参加美国海岸和大地测量局的工作。1915～1937年担任大地测量分队长。建立了大陆重力异常的系统观察,并促进了各大洋的重力测量。这些观测结果表明重力异常同地形特征可对比,并且证实地壳均衡是一种地质现象。同他在海岸和大地测量局的前辈J.F.海福德一起,计算出了均衡补偿面(在这个面以上,每单位面积地壳的重量是相等的)深度表。认为这个带将出现在相同的深度上,就像J.H.普拉特所预测的,而不是像G.爱里所预测的出现在不同的深度。著有《地壳均衡》一书(1927)。

Bowker, Richard Rogers **鲍克**(1848-09-04,美国马萨诸塞塞勒姆～1933-11-12,马萨诸塞斯托克布里奇) 美国编辑和出版者,在提高美国图书馆专业标准中起重要作用。纽约市

美国不列颠百科全书公司供图

立学院毕业,先后任《纽约晚邮报》和《纽约论坛报》文学编辑。创办专营文献目录资料的鲍克公司。1876年积极参与建立美国图书馆协会,创办《图书馆杂志》,自任主编50余年。还编辑和出版《图书馆索引年鉴》、《美国图书目录》和《出版者周刊》,成为版权问题权威。曾著有关于版权史、文献和立法之书两种以及关于商业、政治、教育、宗教和经济学的著作。他主张公务员制改革,起草了第一部国家公务员改革纲要。1879年他还参与组成共和党独立派。

Bowles, Chester (Bliss) **鲍尔斯**(1901-04-05,美国马萨诸塞斯普林菲尔德～1986-05-25,康涅狄格萨塞克斯) 美国广告企业家、政府官员和著名的开明政治家。耶鲁大学毕业。1929年创办广告公司,1941年任职于康涅狄格州战时配给局,后迁任州物价管理局局长。1943年秋任罗斯福政府的联邦物价局总管。1946年任H.S.杜鲁门政府经济稳定署署长。1947～1948年任联合国秘书长特别顾问。1948年当选康涅狄格州州长,因在民权等问题上持开明态度,1950年连任竞选中失败。1951年任驻印度、尼泊尔大使。1953年当选为众议员。1961年任副国务卿。1963～1969年任驻印度大使。

Bowles, William Lisle **鲍尔斯**(1762-09-24,英国北安普敦郡金斯萨顿～1850-04-07,威尔特郡索尔兹伯里) 英国诗人、批评家、教士,以所著《十四行诗14首》(1789)闻名。早期

美国不列颠百科全书公司供图

浪漫主义诗人特别是T.柯尔律治曾受其影响。该诗虽然具有一定影响,但由于缺乏伟大诗作持久的灵感和气魄,只能算是二流作品。作为批评家,他认为天然物体和七情六欲比人造物品和矫揉造作的感情更富有诗意。他用这个原则来抨击伟大诗人A.蒲柏,展开一场所谓"蒲鲍之争"。在这场论战中,为蒲柏辩护的主要是T.坎贝尔和L.拜伦。拜伦称鲍尔斯为"悲哀的十四行诗人的易感伤的大王",这也许是这场历时7年(1819～1826)的公开辩论给人们留下的唯一记忆。

bowling **保龄球** 又称(tenpins)十柱滚木球戏,一译地滚球。把一个比较重的球在一条长而窄的滑道上滚动以击倒一组木瓶柱的一种游戏。以击倒木瓶柱多者为胜。保龄球历史悠久,在一座公元前约5200年的埃及墓中发现的古物中就有保龄球,当时人们使用石柱和石球。在古代的德国也有人玩保

1959年美国保龄球锦标赛的个人比赛冠军与混合赛冠军E.卢班斯基

美国不列颠百科全书公司供图

龄球。有大量资料提到公元1300年以后在德国和中欧的各种类型的保龄球。15～17世纪期间保龄球在英国和其他欧洲国家盛行。九瓶柱保龄球由荷兰移民在17世纪带到美国,这种游戏十分流行,并且多是为了赌博,以致在许多州都被禁止。传说在18世纪初人们把瓶数加至10个,此规避只适用于九瓶柱的规则。1895年美国的男子管理机构美国保龄球代表大会成立,负责规则和器材的规范化,并于1901年主办了第1届全国锦标赛。与这个组织相对应的是女子国际保龄球代表大会,成立于1916年。在很长时间内保龄球的瓶柱是用手摆。20世纪50年代采用的自动换瓶机是一次革命,保龄球场也大大增加。1958年成立了美国职业保龄球协会。

它现在主办好几个赚钱的锦标赛。成立于1951年的国际保龄球联合会是管理所有不同种类保龄球的世界性组织。保龄球在一条19米长的光洁滑道上进行。瓶柱之间距离1英尺，排列成三角形。球须用非金属材料做成，不能重于7.3公斤。一局比赛分10轮，每人每轮可滚2个球。如果第1个球把所有瓶柱都碰倒，这就叫做“全击倒”。如果有瓶柱未被击倒，就把已击倒的瓶柱拿开，然后再滚第2个球。如果第2个球将剩下的瓶柱都碰倒，那就叫做“两投全倒”。全击倒和两投全倒值10分。如连续两次全击倒，则第一轮的分数为20加下一轮第一个球击倒的瓶柱数。一局的满分是300，即连续12次全击倒。比赛可在2人或2个队(每队最多5人)之间进行。参阅 **Sporting Record**：Bowling。

Bowling Green　鲍灵格林　美国肯塔基州中西部城市，沃伦县县城(1796)。临巴伦河。1780年开始有人定居。19世纪中叶州内建成若干条铁路后，鲍灵格林成为水路和铁路运输中心。是烟草、玉米、干草和牲畜的重要市场。有多种制造业(汽车及发动机、服装)。设有西肯塔基大学(1906)和州立鲍灵格林职业技术学校(1939)。1810年设市。人口49 296(2000)。

Bowling Green　鲍灵格林　美国俄亥俄州西北部城市，伍德县县城(1868)。1832年开始有人定居。原为沼泽地，由德国移民改造成农田。现出产牲畜、谷物、番茄等。1886年发现石油，工业一度繁荣。1914年番茄罐头厂和州立师范学校(州立鲍灵格林大学前身)的建立促进了城市的发展。现生产塑料制品、化工品、活动房屋、可调节座椅、冲模、地板维护设备等。1855年设镇；1904年设市。人口29 636(2000)。

bowls　滚木球　又称草地滚木球(lawn bowls)。一种户外运动。玩时将球(通常称为滚木球)滚向一个静止的较小的球——称为靶球。玩球的目的在于把球滚得比对手更接近靶球。为达此目的，有时将对手的球或靶球撞到一边。在古埃及时代即有一种形式的滚木球戏，到中世纪已成为闻名于欧洲大陆的游戏。国际地滚球委员会成立于1905年。滚木球戏通常是在一个约37～38米见方的平坦草坪上进行，有浅沟及小草堤环绕场地的四周。球场分成6个球道，每一道宽约5.5～6.4米。游戏用球虽然是由橡胶、木质或混合材料制成，但仍统称为木球。滚木球直径为12～14.5厘米，最大重量为1.5公斤，颜色是黑色或褐色。球的一侧是个平面，这样在滚动时就会呈曲线前进。靶球是白色的，有0.2～0.3公斤重，直径为6.3厘米。球员从一块61×36厘米的橡胶投掷板将球滚出。游戏开始时，先将靶球滚向球场的另一边，只要它停在离投掷板至少23米远的地方，就可成为靶子。然后球员轮流进行滚球。在单人组和双人组的游戏中，每名球员使用4个球；在3人组游戏中，每人滚3个球；在4人组游戏或大场地游戏中，每名球员滚2个球。当所有的球都滚出去之后，一场游戏就算结束。记分时，凡一方的球比对方的球更靠近靶球者都得1分。在双人组和4人组的游戏中，一场为21分；3人组则为18分。单人组每场的分数则无特别规定，但通常的比分都是21分。英格兰北部和中部各郡，盛行一种皇冠式草地滚木球。草坪是正方形的，草坪中央是一块稍为隆起的地面。草地滚木球是在不平坦的草地上进行的。通常由两位球员比赛，每人有两个球。球和靶球都有一侧是平面，而游戏可在草地的任何方向进行。草地木滚球的另一个变种——室内滚木球，主要流行于英国和加拿大，在铺有地毯的室内球场进行。英国室内滚木球协会(EIBA)于1971年成立。参阅 **Sporting Record**：Bowls。

Bowman, Isaiah　鲍曼(1878-12-26，加拿大安大略滑铁卢～1950-01-06，巴尔的摩)　地理学家、教育家。任美国地理学会主席20年期间，使学会具有了国际声誉。1905年毕业于哈佛大学。1909年获耶鲁大学哲学博士学位，1905～1915年在该校执教。其著作《森林自然地理学》(1911)，是全面论述美国自然地理区划的第一部著作；加上1907、1911、1913年3次在安第斯山区进行的广泛野外考察，奠定了他在地理学上的地位。任美国地理学会主席时(1915～1935)，扩展了会员和机构，并提出对美国以南的美洲大陆测绘地图的25年计划，促进多项研究课题，其中包括拓殖聚落研究及极地地理学研究。在1935～1948年就任约翰斯·霍普金斯大学校长时，设置了地理学、海洋学及航空学学系。在1918～1919年巴黎和会上任威尔逊总统的领土问题顾问。罗斯福总统常就科学政策和国家政策问题征询他的意见。著作很多，尤以《新世界：政治地理问题》出名。

Bowman, Sir William　鲍曼(1816-07-20，英国柴郡楠特威奇～1892-03-29，萨里多金附近)　英国外科医师、组织学家。阐明了尿在肾内生成的方式。在有关眼睛和横纹肌的结

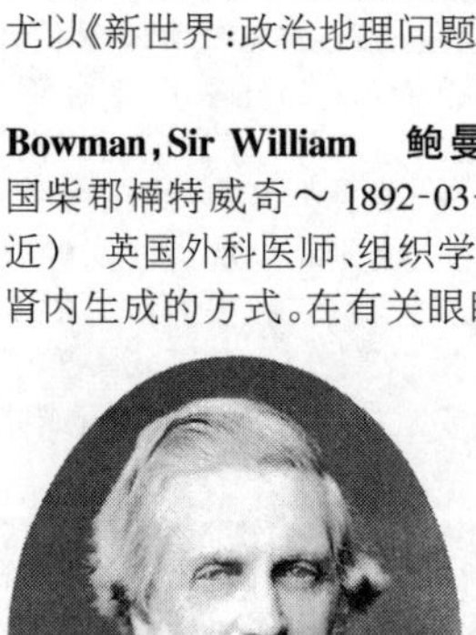

美国不列颠百科全书公司供图

构和功能方面，也做出重要贡献。1840年在伦敦国王学院医院工作期间，即随其师R.托德研究各种器官组织的细微结构和功能。其后两年，发表了3篇重要论文，论述了横纹肌和肾脏的结构和功能、肝脏的细微解剖学等。他发现肾单位内包绕肾小球的包囊(鲍曼氏囊)与肾小管相连续，肾小管最终将尿液导入膀胱，由此创立了尿液生成的滤过学说。他与托德合作，将研究结果写成一部生理学和组织学的开创性著作《人类生理解剖学和生理学》(5卷，1845～1856)。他曾在皇家伦敦眼科医院(1846～1876，后改名穆尔菲尔兹眼科医院)和国王学院医院工作(1856)。1848～1855年在伦敦国王学院任教，致力于研究眼科。后私人开业，被公认为伦敦杰出的眼科医师和世界第一流的眼科学家之一。他是描述眼的某些结构和功能的第一个科学家。1884年受封从男爵。

Bowning orogeny　鲍宁造山幕　晚志留世(志留纪始于4.3亿年前，终止于3.95亿年前)时期澳大利亚东部的造山事件。影响塔斯曼地槽的造山幕中最剧烈的几幕之一。深成侵入体广泛分布，东部大陆边缘大部分露出海面，也就是上升到海平面之上。

Bowo　波密　中国西藏自治区林芝地区辖县。位于自治区东南部，喜马拉雅山、念青唐古拉山和横断山交会处，滨帕隆藏布江北岸，川藏公路穿过境内。海拔2 800米。面积14 600平方千米。1960年由倾多、曲宗、易贡三宗合并置波密县，1983年划归林芝地区管辖。县府驻札木。北有念青唐古拉山屏障，南邻近印度洋，洋上湿润气流可沿纵谷深入，是西藏气候最温暖、雨量最丰沛的地区之一。与林芝、察隅、墨脱一起被誉为“西藏的江南”。境内盛产青稞、小麦、玉米、豌豆、油菜籽等。果树有苹果、桃、梨、核桃等。境内有中国最大的海洋性冰川。波密以原始森林广布著称。因水热条件良好，林木生长速度和单位面积蓄材量都较同类型林区高。1978年发现一片古柏林，大的高达50米以上，树围14米，树龄千年左右。原始林的树种有1 000多种，分属100多个科。其中云杉平均高近57米，较北美、西欧同类树种高一倍以上，每公顷木材蓄积量达2 000～2 500立方米，相当中国东北地区冷杉、云杉林每公顷蓄积量的近8倍，是世界罕见的杉木材积区。1982年建立波密岗乡山地温带针叶林保护区。林海深处还有虎、豹、猴、鹿、麝、猞猁等珍贵兽类。此外还有300多种食用菌类。县城札木是20世纪50年代初川藏公路通车后兴建的新城镇。人口25 000(1988)。

Bowral　鲍勒尔　澳大利亚新南威尔士州东部城镇，位于南部高地的边缘。1825年始有人定居。1863年设镇。为附近蔬菜、乳品、水果、粗面岩和煤产区的服务中心。亦为游乐区，有菲茨罗伊瀑布和旺佩亚石灰岩洞穴等名胜。人口8 705(2001)。

Bowring, Sir John　鲍令(1792-10-17，英国德文郡埃克塞特～1872-11-23，埃克塞特附近的克莱尔蒙特)　英国著作家、外交官，维多利亚时代中期在社会生活许多方面都著名的卓越人物。早年在国外经商，熟习各种语言。当哲学家、经济学家边沁1824年起主编《威斯敏斯特评论》时，鲍令一起成为主编，后来承担全部工作。19世纪20年代起出版东欧以及尼德兰和西班牙文学的研究著作和翻译作品。1835～1837年和1841～1849年任议员。他在议会中支持自由贸易，主张撤销谷

美国不列颠百科全书公司供图

物法案、进行刑法改革和在军队中废除鞭刑。他还主张英国货币采用十进位制。1849年任英国驻广州领事和中国商务监督。1854年任香港总督。1855年访问暹罗(今泰国),与暹罗王签定商约。1861年任英国驻新成立的意大利王国的高级代表。他是边沁的朋友和著作出版人,1838～1843年出版边沁的《生平与著作》11卷。他的主要著作有《暹罗王国和人民》(2卷,1857)和死后由其子刊印的《生平回忆》(1877)。

Bowring Treaty 《鲍令条约》 1855年暹罗(泰国)与英国之间达成的协议。根据协议,泰国国王取消了在对外贸易方面的许多限制:进口税规定为3%;英国臣民可以在泰国的所有海港进行交易,在曼谷附近拥有土地和在泰国境内自由来往。此外,还给予英国臣民以治外法权。这个协议达到了早先英国各使团未能达到的商业和政治目的,从而使暹罗接受西方的影响,同西方进行贸易,并使其外交关系进入一个新时代。

box elder (*Acer negundo*) **梣叶槭** 又作ash-leaved maple。槭科速生耐寒乔木。原产美国中部及东部,引入欧洲后已广泛栽培,供观赏。树高9～15米。复叶(为槭树类中所少见),有小叶片3、5或7枚,叶缘有粗锯齿。

梣叶槭(*Acer negundo*)
美国不列颠百科全书公司供图

翅果,内有种子一粒。因梣叶槭速生并抗旱,北美草原地区的早期移民广泛种植作为荫蔽树。树液可制糖浆或糖,木材供制条板箱、家具、纸浆及烧炭用。

box frame construction 箱形框架结构 又称蜂窝框架构筑法、横墙(承重)结构。混凝土结构的一种,以许多单独的箱形小室或房间为单元并列和重叠起来成为一个整体结构框架。由于房屋的主要重量由横墙承受,横墙必须有足够的厚度以承受自重和其上的荷载。因此这种结构的高度受到限制,最常应用于以钢筋混凝土板作墙和楼板的低层公寓和类似建筑中。19世纪80年代晚期,曾用预制混凝土墙板和楼板或现浇整体混凝土房间拼装了若干大型建筑,最著名的例子为美国佛罗里达州圣奥古斯丁的庞塞·德莱昂旅馆(1886～1888)。当时所用为素混凝土,不久即改用钢筋混凝土,箱形框架结构也被墙体不承重的开敞框架体系代替。

box lacrosse 室内兜网球 兜网球的变种,主要流行于加拿大。每队6人,而不是一般兜网球的10人(男子)或12人(女子)。场地面积不超过60米×27米,球门约140厘米见方。室内兜网球于1932年获得加拿大兜网球协会承认。60年代推行了7人制的兜网球运动,主要在室内进行。

box set 盒式舞台布景 西方戏剧舞台上的一种包括细节的写实布景。其室内景用3面墙加屋顶,似一房间,沿台口的第4堵墙,即距离观众最近的那堵墙被略去。时常将细

1866年威尔士亲王剧院上演T.W.罗伯逊的《我们的》一剧所用盒式舞台布景
美国不列颠百科全书公司供图

部包括立体的门、由户外景色相衬的窗、楼梯,有时把强光和阴影也都一一绘出。盒式舞台布景于1832年由维斯特里斯夫人在伦敦首次使用,19世纪末被广泛使用。

box turtle (*Terrapene*) **箱龟** 几种水龟科箱龟属陆栖爬行动物的统称,产于美国和墨西哥。背甲高,呈圆形,最长可达18厘米左右。腹甲中间有关节,可向背甲方向收紧与之连在一起,形成一个保护"箱",将身体的柔软部分保护在内。箱龟常用来作玩赏动物饲养,杂食性,食蚯蚓、昆虫、蘑菇和浆果。人们常靠捕鸟犬指出箱龟的位置,美国南部的猎狗会将箱龟拾起带回。普通箱龟(*T. carolina*)产于美国东部至密西西比河流域地区;其甲通常褐色或稍黑,带黄色或橙色斑纹。

普通箱龟(*T. carolina*)
美国不列颠百科全书公司供图

西部箱龟(*T. ornata*)栖居于美国中部开阔平原和多沙地区;背甲顶部扁平,褐色,带辐射状黄条斑。

boxer 斗拳狗 被毛平滑的使役狗,因开始争斗时举起强壮的前爪似拳击而得名。在德国育成,包含斗牛狗和㹴狗的遗传因素。勇敢,善斗,聪明,适于做警犬。亦用于守门或与

斗拳狗
美国不列颠百科全书公司供图

人作伴。体方形,吻部扁方形。脸上毛色似黑色面罩,被毛光滑而短,红棕色或杂花色。体高53～63.5厘米,体重27～32千克。

Boxer Rebellion 义和团运动 中国清朝末期以农民为主体的反帝爱国运动。1894年中日甲午战争失败后,在西方强国策划瓜分中国的形势下,山东曹州(今菏泽)一带的大刀会和德州一带的义和拳开始爆发反对外国教会势力的斗争。1899年秋,这些义和拳、梅花拳和大刀会等民间秘密结社逐渐改称义和团,提出"扶清灭洋"口号,受到清廷和西方强

被捕的义和团民
中国大百科全书出版社供图

国两方面的注目。次年在华北、东北各省迅速发展,北京城内设坛(基层组织单位)达800余所。1900年1月底,英、德、美、法等国公使联合照会清政府限期剿灭;5月以"保护使

馆”为名驻兵京、津。6月10日英、法、日、俄、德、美、意、奥八国联军2 000余人由天津出发进犯北京，被义和团阻于廊坊，旋败退天津。17日联军从海面攻陷大沽炮台，天津义和团为抵抗联军的进攻，会同清军进攻紫竹林租界，开展天津保卫战。清廷利用义和团反对西方强国的要求，指派清军会同义和团围攻各国使馆，于21日对各国宣战，设团练大臣统驭并鼓励义和团“御外侮”。7月联军陷天津。8月，10万义和团和清军与2万联军血战于北仓、杨村、河西务、通州等地，因清政府腐败无能和装备落后，牺牲惨烈。14日北京沦陷，慈禧太后挟光绪帝出逃西安，立即出卖义和团乞和。1901年9月清廷与各国签订屈辱的《辛丑和约》（又称《北京议定书》，通称《辛丑条约》）。北京沦陷后八国联军增兵10万，进攻张家口和保定地区，对撤至乡间继续战斗的义和团进行残酷屠杀。1902年4月义和团余部在景廷宾领导下，以“扫清灭洋”为口号，于巨鹿（今属河北）起义，继续斗争了一段时期。

boxfish 箱鲀 又作trunkfish或cowfish。箱鲀科（Ostraciontidae或Ostraciidae）一小类浅水海鱼类的统称，特点是身体大部分包在一个坚硬的箱状保护壳内。一些种头上具角状

箱鲀（*Ostracion*）
美国不列颠百科全书公司供图

突，因而有cowfish（牛鱼）之名。分布于全世界热带和温带海中，底栖。肉味美；也常干制为艺术品。口的位置低。除眼、口、鳍及尾部外，全部包于硬壳中，硬壳由骨板愈合而成，断面略呈三角形、方形或五角形，因种而异。箱鲀常具鲜艳的色彩。体小，最大长达50厘米。当被捕获或触摸时，常放出一种有毒物质，能毒死在一起的其他鱼类。与箱鲀近缘的六棱箱鲀科的种类亦有壳但腹下有一条脊棱，背鳍与臀鳍之后各有开口，分布从日本到澳大利亚。

Boxhole Meteorite Crater 博克斯霍尔陨石坑 澳大利亚北部地方的博克斯霍尔霍姆斯特德附近冲积物中的陨石坑。成碗状，在亨伯里陨石坑群东北250千米，是1937年发现的。直径为178米，深16米，在这地区发现了许多镍铁碎屑。尽管在这个地区还没有找到熔凝石英玻璃，但由于坑的规模大，被认为是陨石碰撞时爆炸造成的。

boxing 拳击 用双拳进攻和防守的运动，有职业与业余之分。在现代拳击中，运动员戴着有衬垫的手套在一个用4根绳子围着的台上进行比赛，每场比赛包括3～15回合，每一回合延续3分钟，每2个回合之间有1分钟休息。拳击作为一种体育在公元前1 500年前后即见于地中海地区。希腊人于公元前7世纪后期把拳击纳入奥运会。到了罗马帝国的末期，拳击运动逐渐衰落，一直到现代才再有关于拳击流传的记载。到18世纪初，拳击运动在英格兰重新出现。直至19世纪末，手套无人使用，最初没有规则，允许使用摔跤技术，并允许在对方倒地后继续向其攻击。1734～1750年保持英格兰重量级冠军称号的布劳顿首先推出规则，规定一方被击倒时一回合便告终止；如果他过了30秒还不能继续比赛，这场比赛便结束。根据布劳顿的规则，不允许攻击已经倒地的对手，也不允许抓抱对方腰以下的部位。1839年采用了继布劳顿规则之后出现的第一套规则——伦敦职业拳击规则。这套规则（1853年修改过）规定比赛在一个有绳子围住的24英尺见方的台上进行。有关比赛的回合和结束的规则与布劳顿的规则相同，但是一个选手被击倒后必须靠自己的力量站起来，而不能依靠他的助手。踢人、以拇指击眼部、用头撞人、用牙咬人、击打对方腰带以下的部分，都明确规定是犯规。1867年昆斯伯里侯爵规则（**Marquess of Queensberry rules**）出台，起先在业余比赛中使用，后来取代了伦敦规则。在伦敦职业拳击规则下最后参加比赛的名将是美国冠军沙利文。在昆斯贝里侯爵规则下获世界冠军的第一个人是科贝特，他于1892年战胜了沙利文。从沙利文以后，美国成了主要的拳击运动中心，其部分原因是外来移民提供了不断更新的拳击人才库。美国的拳击影响在西班牙——美国战争以后扩展到菲律宾，进入20世纪以后又扩展到拉丁美洲国家。第二次世界大战以后拳击传入东亚，在50年代传入非洲的新兴国家。到了20世纪下半叶，美国只在重量级保住优势。在18世纪和19世纪上半叶，职业拳击比赛没有体重规定，大部分运动员都在现在所谓的重量级即79公斤级中比赛。其他级别在19世纪下半叶出现。现在人们几乎一致同意下列体重级别：特轻量级——不超过51公斤；最轻量级——不超过53公斤；次轻量级——不超过57公斤；轻量级——不超过61公斤；次中量级——不超过67公斤；次重量级——不超过72公斤；中量级——不超过79公斤；重量级——79公斤以上。拳击比赛于1904年首次在奥运会中进行。1946年成立的国际拳击协会现在管理奥运会拳击运动。在美国，1920年成立全国拳击协会，1962年改名为世界拳击协会。由于美国在世界拳击中占统治地位，1963年便成立了世界拳击理事会与之抗衡。这两个组织都关心举办锦标赛和对冠军的承认。从1965年开始两个组织都各自提名竞争对手为冠军（有时偶然也意见一致），这就必然引起标准的降低。1983年成立另一职业组织——国际拳击联合会。业余拳击于19世纪晚期盛行时，规定允许比赛一方将对方击倒，使其在裁判员从1数到10仍不能起立而结束比赛，但主要还是强调通过有力的打击得分并由裁判员按分数判定胜负。经过一段时间以后，职业拳击也采用了按分判定胜负的制度。这样，一场比赛可有如下不同结果：比赛经预定回合以后裁判员按分数判定胜负；一方被击倒；一方虽未被击倒失败但已无招架之力时，裁判员可宣布对方技术得胜；平局。台上裁判员总是只有1人担任，但台下裁判员为2至5人不等。有时台上裁判员对按分判胜负没有表决权。一场业余比赛有3回合，一场职业比赛有4至12回合，而在锦标赛中每场比赛有12或15回合。所有运动员都戴有护齿。在业余比赛中，如有一方运动员可能受重伤，裁判员即宣布停止比赛。在职业比赛中，如有一方运动员无招架之力，裁判员即宣布停止比赛。在业余和职业比赛中，运动员将对方击倒后必须在裁判员点数之前进入中立角。参阅 **Sporting Record**：Boxing。

1977年美国运动员D.洛佩斯（左）打败墨西哥运动员J.托雷斯
美国不列颠百科全书公司供图

Boxing Day 节礼日 英国和澳大利亚、加拿大、新西兰等英联邦国家向仆人、手艺工人和穷人发放礼品的节日（12月26日）。关于该节日的起源众说纷纭，有人认为源于教堂打开征集善款的捐款箱，接济穷人。也有人

认为源于圣诞节后将节日的礼品盒发给雇工的传统。按照后一种说法，因在雇主庆祝圣诞节时仆人须为其工作，所以让仆人自己第二天过节。这一发放红包的习俗一直延续至今，但现在则常在圣诞节前而非圣诞节后向雇工发放。12月26日若为周六或周日时，则正式节日顺延至下周一。12月26日还是马的主保圣人圣斯提芬的节日，所以节礼日也举行赛马、猎狐、打橄榄球等赛事。

boxwood　黄杨木　黄杨科黄杨属（*Buxus*）锦熟黄杨（*B. sempervirens*）等植物的木材。该属含约30种常绿灌木。木材坚实沉重，木纹细致，通常白色或浅黄色。英语中boxwood一

锦熟黄杨（*Buxus sempervirens*）
美国不列颠百科全书公司供图

词也指其他类似的木材，如大风子科的委内瑞拉板箱木（*Gossypiospermum praecox*）；西印度群岛黄杨木在北美木材业中指两种热带乔木：榆树科的（*Phyllostylon brasiliensis*）及紫葳科的五叶蚁木（*Tabebuia pentaphylla*）木材。桃金娘科桉属（*Eucalyptus*）、红胶木属（*Tristania*），夹竹桃科念珠藤属（*Alyxia*），芸香科九里香属（*Murraya*）多种植物的木材也称boxwood。黄杨属植物叶小，全缘。花亦小，无花瓣；花单性，雌雄同株，雌花通常着生在雄花上方。果蒴果状，有三棱。锦熟黄杨（普通黄杨、常绿黄杨）原产于地中海地区，几世纪以来木材用于雕刻、镶嵌、乐器等精细器具的制造。黄杨树生长缓慢，树冠紧密，树高不超过6米，世界上许多地方栽种于庭园、花坛及路边，修剪成各种形状，装饰和美化环境。有一个矮化类型 *B. sempervirens* var. *suffruticosa* 常种于园中步道旁。小叶黄杨（日本黄杨，*B. microphylla*）及其变种也是常见的观赏灌木。

boxwork　网格构造　又称框格构造。褐铁矿（含水氧化铁矿物的混合物）的蜂窝状构造，遗留在因硫化物矿物颗粒被溶解而形成的空洞中。网格构造的形态可呈海绵状、三角形、锥形、菱形或不规则形。颜色可为各种色调的赭黄色和橙色直到深褐色。网格构造的颜色和形状常被用来鉴定已溶解掉的硫化物矿物。参阅 **gossan**。

boy bishop　童子主教　中世纪普遍流行的一种习俗，即在12月28日悼婴节（纪念耶稣基督诞生后希律王为搜索他而滥杀婴儿之事）挑选一名男童扮演主教。在英格兰，童子主教于12月6日选定，该日是儿童的主保圣人圣尼古拉的瞻礼日。在悼婴节前夕，当选的男童率其僚属接管主教座堂，习演除弥撒以外的一切典礼和职务。几次教会会议都曾试图废止这种习俗的滥用或加以限制，1431年巴塞尔会议决定禁止这种习俗。但是，它在民间根深蒂固，难以取缔。在英格兰，直到伊丽莎白一世女王才最终废止了它。在德意志，类似的习俗一直延续到18世纪末，每年3月12日选出一名小学生任主教，纪念学校的主保圣人圣大格列高利。

Boy Scouts　童子军　11～14或15岁男性少年的组织，目的在于培养公民道德、勇敢精神及进行各种户外活动的技能。1908年英国的一位骑兵军官R.S.S.巴登-鲍威尔中将（后成为勋爵）创立童子军运动。他的想法是，少年应当将自己组织成6或7人的自然小组，由1名少年任领导，即侦察班长。他们的训练包括跟踪、搜索、测绘、发信号、捆扎、急救一类，以及野营和类似户外活动中需要的所有技巧。要成为1名童子军成员，就要承诺忠于祖国、帮助他人、服从军规。童子军运动后来传到其他国家。至1910年，瑞典、墨西哥、阿根廷、美国以及加拿大、澳大利亚和南非等英联邦国家中都有了童子军。全世界215个国家和地区都有了童子军组织。各国童子军都按照基本一致的方式组成：订立一条童子军军规；组织儿童参加野营、游泳、航海、爬山、乘独木舟、洞穴探险等户外活动；对参加者进行循序渐进的训练，优秀者奖以徽章（例如在美国，最高嘉奖是童子军鹰徽；在加拿大和英国则是女王童子军徽章）；对于童子军日常的优良行为则进行表扬鼓励。童子军的象征包括握左手为礼、佩戴百合花徽章和使用“时刻准备着”的口号。各地童子军定期举行聚会，从1920年起国际上每4年举行一次“世界童子军大会”。1916年巴登-鲍威尔创立了一个与童子军平行，由更年幼的男童（6～8岁）参加的组织——“幼狼”童子军（在有些国家被称作幼儿童子军）。14、15岁以上的男性青少年则有名目为“海上探险队”、“探险者”之类的各种组织。参阅 **Girl Scouts**。

Boyacá　博亚卡　哥伦比亚中东部一省。面积23 189平方千米。西部为气候凉爽的安第斯山高地，东部是森林茂密的低山坡和面

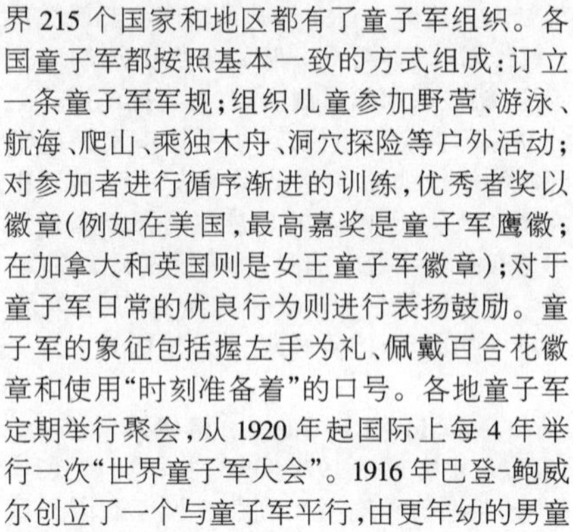

博亚卡省的托塔湖
美国不列颠百科全书公司供图

积辽阔的平原。1886年建省。高地上的托塔湖是著名风景点。博亚卡省有以种植谷物、咖啡、烟草、香蕉和其他水果为基础的传统农业经济，并以绿宝石矿著名。哥伦比亚的第一个钢铁联合厂于1955年在帕斯德里奥建成，生产全国大部分钢材。有一条铁路干线和公路干线连接省会通哈（**Tunja**）和省内其他主要城市。巴塔河上的奇沃尔水坝是世界上最高的石填水坝之一，坝上有水电站。人口1 351 829（1997）。

Boyacá, Battle of　博亚卡战役（1819-08-07）　拉丁美洲独立战争时期，南美洲起义部队在波哥大附近战胜西班牙军队的一次战役，使新格拉纳达（哥伦比亚和委内瑞拉）脱离西班牙的控制。由S.玻利瓦尔和桑坦德尔率领的约3 000人起义部队在加梅萨（7月12日）和巴尔加斯河（7月25日）奇袭西班牙军队，获得初胜。8月5日占领通哈。在博亚卡的最后一战中，玻利瓦尔军队击败西班牙军队主力，俘获约1 800名士兵及西班牙指挥官。8月10日玻利瓦尔占领波哥大，被誉为新格拉纳达的解放者。他建立临时政府，以桑坦德尔为副总统和代理首脑。玻利瓦尔随后去委内瑞拉的拉安戈斯图拉，宣布建立大哥伦比亚共和国的计划。

boyar　波雅尔　中世纪俄国社会中和国家政权机关中的上层分子。基辅罗斯时代（10～12世纪），他们在军政部门身居高位，并组成杜马，就国家大事向大公出谋献策。13～14世纪，在俄国东北部各公国中，波雅尔是富有地主的特权阶级，充任大公的助手和顾问。在15～17世纪，莫斯科的波雅尔一般由沙皇按照门第等级任命为政府各部门的首脑、省长和军队司令。17世纪，波雅尔的社会和政治地位下降。18世纪初彼得一世废除波雅尔的等级和称号。

Boyce, William　博伊斯（1710，伦敦？～1779-02-07，伦敦）　英国教堂音乐作曲家先驱之一，知名的管风琴师，音乐编辑，亦以其交响曲而享有盛名。曾在圣保罗大教堂任唱诗班歌手，后又在该教堂学习管风琴，作曲生涯与其所任官职紧密联系。1736年任皇家教堂作曲家，写了许多圣歌和礼拜乐曲，并在其他教堂当管风琴师，也创作世俗戏剧音乐。早期为假面剧《培利俄斯与塞蒂斯》作曲，该剧约在1740年前首演。小夜曲《所罗门》（1743）是他最优秀戏剧音乐之一，其中一首男高音独唱曲《轻柔地吹来吧！啊，南方的微风》一度流行。为两把小提琴、有低音的大提琴或拨弦键琴而作的12首奏鸣曲（1745）获得经久的声望。1749年由于为W.梅森的颂诗配曲和所作圣歌《啊！欢乐吧》获得剑桥大学音乐博士学位。1750年又为诗人德莱顿的《世俗假面剧》配乐，其中有一首著名的《莫马斯神对战神马尔斯之歌》。1755年开始担任国王乐队领队。1758年成为皇家教堂管风琴师。1759年为加里克的童话剧《小丑入侵》谱写音乐，其中《勇敢的人》一歌最为著名。1760年《8首交响曲》出版，10年后《12首序曲》出版。博伊斯的交响曲通常采用意大利

美国不列颠百科全书公司供图

序曲形式:快-慢-快。它们与管弦乐组曲和大协奏曲有联系,而与发展中的古典交响曲关系不大。1760～1773年出版了3册《大教堂音乐》,这是英国王政复辟之后第一本教堂音乐集,共收罗3个世纪的作品,一直通用到19世纪中叶。

boycott 抵制 又译杯葛。指在劳工、经济、政治或社会关系中为反对被认为不公正的做法而采取的集体的、有组织的抵制行动。这种抵制在1880年爱尔兰土地骚动期间为C.S.巴涅尔所推广,以反对地主的高地租和收回土地。在爱尔兰,佃户们遵循巴涅尔提出的行为守则、并有效地摈弃英国的田庄管理人C.C.杯葛(Boycott)后,boycott(抵制)这个词就被创造出来了。抵制最经常地被劳工组织用于向资方争取提高工资和改善工作条件的一种手段。在20世纪50和60年代美国民权运动期间,人们也运用抵制作为社会和政治斗争的工具,联合抵制那些歧视黑人的商店及企业,以期降低它们的收益而影响其政策。

抵制一词也可表示拒绝参加预定的活动。一国代表可抵制国际会议或集会,例如作为对另一国的政策和行为表示不赞同的一种手段。抵制也可被国家、国家集团或国际组织用以影响或反对另一国家的政策或行动。例如,美国为反对苏联1979年入侵阿富汗,曾发起联合抵制1980年在莫斯科举行的夏季奥运会。国际组织发动抵制的例子有:罗得西亚在1965年非法宣布脱离英国而独立,同年联合国便要求所有成员国同罗得西亚断绝经济关系,抵制一直延续到1979年。

Boycott, Charles Cunningham 杯葛(1832-03-12,英格兰诺福克圣彼得自治市～1897-06-19,萨福克弗利克斯顿) 英国在爱尔兰的地产经理人。原为退役陆军上尉,抵制(boycott)一词便来源于他的名字。1873年杯葛给厄恩伯爵在梅奥郡充当地产经理人。1879年爱尔兰成立土地同盟。1880年同盟通知杯葛说,由于歉收,他必须少收25%的地租。1880年9月在杯葛企图发出收回租地的令状后,土地同盟主席、爱尔兰民族主义政治家查尔斯·斯图亚特·巴涅尔极力主张佃农要与拒绝降低地租的人断绝一切来往。巴涅尔的办法首先用于对付杯葛,杯葛则被迫从爱尔兰北部雇用工人,在士兵的保卫下收割他的庄稼。于是,"杯葛"遂成为抵制的代用语。

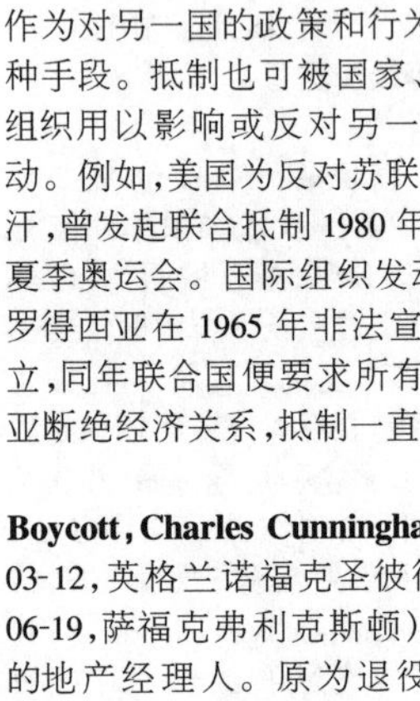

美国不列颠百科全书公司供图

Boyd, Belle 博伊德(1844-05-09,美国弗吉尼亚马丁斯堡～1900-06-11,威斯康星基尔伯恩) 美国内战时期为南部邦联效劳的间谍,后为女演员和讲师。内战爆发时她和她母亲不准联邦军队士兵上她们家的屋顶升旗。当一名士兵冲进屋内时,被她开枪击毙。审讯时,她以正当自卫作辩护而获释。J.希尔兹将军带领一批联邦军军官在她家驻扎,她窃取联邦军拟从弗兰特罗亚尔撤退的计划,历尽艰险,通过火线将联邦军准备在撤退时炸毁该镇桥梁的情报报告杰克逊将军。以后继续公开为南部邦联当间谍,同时充当J.S.莫斯比的游击队的信使和侦探。1862年被捕,后在交换俘虏中获释,不久再次被捕,1863年因患伤寒被假释。她不能再在北方有所作为后就充当信使。1864年她带着南部邦联总统J.戴维斯的信件,乘一艘偷越封锁线的船去英国,船被联邦船只截住后,她将押送捕获船的联邦军官哈丁迷住;哈丁听任该支持南部邦联的船长逃脱,并为此受军法审判,被逐出海军。他俩于1864年8月在英国结婚。博伊德在英首次登台演出,1868年在美国首演,不久便息影舞台。1865年她所著的《在军营和狱中的贝尔·博伊德》在英国出版。

Boyd, Martin (à Beckett) 博伊德(1893-06-10,瑞士卢塞恩～1972-06-03,罗马) 笔名马丁·米尔斯。英裔澳大利亚小说家。以长篇小说《蒙特福特一家》(1928)闻名。这部小说叙述一个迁往澳大利亚的英国家庭的几代人的故事。博伊德在维多利亚度过童年,在墨尔本受教育,随后去英国,在第一次世界大战中在英国服役。战后在澳大利亚住了几年,后又回到英国。他的前3部长篇小说以笔名马丁·米尔斯发表。除《蒙特福特一家》是完全的澳大利亚小说外,其他的如《野餐》(1937)和《露辛达·布雷福德》(1946),虽然刻画的是澳大利亚人,但几乎完全以英国为背景。随后,用真名写过两本回忆录:《一股火焰》(1939)和《我的愉快的日子》(1965),主要内容是其青年时代和战时经历。

Boyd (of Kilmarnock), Robert Boyd, 1st Lord 博伊德(基马尔诺克的)(?～约1471,英格兰诺森伯兰) 詹姆斯三世在位时期的苏格兰政治家。托马斯·博伊德爵士(1439卒)之子,古老世家出身。约在1454年被封为贵族。詹姆斯三世年幼时,他为苏格兰的摄政之一。1466年他成为幼王的唯一监护人。作为苏格兰的统治者,他曾经大力改革某些宗教基本原则;安排詹姆斯三世与丹麦和挪威国王克里斯蒂安一世的女儿玛格丽特的婚姻,并且从挪威得到奥克尼群岛。但是,当1467年他为自己取得宫内大臣和大法官的职务、使他的长子托马斯获得阿兰伯爵的称号并与国王的妹妹玛丽订婚的时候,他的敌人已经过于强大,把他定为叛逆罪,判处死刑。他逃往英格兰。当他被推翻时,他的儿子托马斯·博伊德正在丹麦给国王迎接新娘玛格丽特,完成任务后逃往欧洲大陆。

Boyd, William 博伊德(1898-06-05,美国俄亥俄亨德里斯堡～1972-09-12,好莱坞) 美国电影和电视演员,以在西部系列片中扮演卡西迪而闻名。虽出生于俄亥俄,却在俄克拉何马长大,13岁即辍学,此后干过各种零活。1918年在德米尔的《旧宠新欢》中扮演一个角色,开始他的电影生涯;整个20年代,一直在德米尔的影片中演出。1935年在影片《霍普朗·卡西迪》中首次扮演这一西部牛仔英雄人物。他的高大的身材和白发,使他具有一种特殊的风度;他戴着黑帽,穿着黑衣,骑着白马,很快就被公众确认为银幕上的英雄。在随后的影片中,他扮演这一角色直至40年代后期,接着在电视系列片中重又扮演这一角色,片名也叫《霍普朗·卡西迪》(1952～1954)。

Boyd-Orr of Brechin Mearns, John Boyd Orr, Baron 博伊德-奥尔(1880-09-23,苏格兰艾尔郡基尔莫斯～1971-06-25,安格斯埃兹尔) 又称Sir John Boyd Orr(1935～1949)。

美国不列颠百科全书公司供图

苏格兰科学家、营养学权威,1949年诺贝尔和平奖获得者。在格拉斯哥大学受教育,初学神学,后改攻营养学。1914年任阿伯丁大学动物营养研究所所长,1929年在那里创办帝国动物营养局。1936年出版《食物,健康与收入》,初获声誉,该书报告了1935年对不同收入的阶层的食物组成进行的调查,说明半数英国人口的收入不够维持基本营养需要的开支,10%的人口营养不足。这份报告和罗威特研究所(原动物营养研究所)的其他研究报告,成为第二次世界大战期间英国食品配给制的基础。他在战争期间是内阁粮食政策科学委员会的成员,并任阿伯丁大学农学教授。1945年任格拉斯哥大学校长、代表苏格兰各大学的下院议员,并任联合国粮食和农业组织理事长至1948年。著有:《国家粮食供应及其对公众健康的影响》(1934)、《粮食与人民》(1943)、《粮食——世界团结的基础》(1948)、《白人的困境》(1953)及《旧事回忆》(1966)。

Boye, Karin(Maria) **博耶**(1900-10-26,瑞典哥德堡～1941-04-24,阿灵索斯) 瑞典现代派重要女诗人、长短篇小说作家。在乌普萨拉大学和斯德哥尔摩大学求学,成为受法国小说家巴比塞影响而兴起的"光明"社会主义运动的主要人物。曾在宣传心理分析理论和现代派文学观点的杂志工作。她的5本诗集,以《云》(1922)开始,最后一部为《七种遭天罚的大罪》(1941),表现了她的观点及风格的演变过程,从单纯抒发一个中产阶级少女的梦想及一个青年激进分子对生活的向往,到表现更狂放的形象、更宽广的视野以及对人类问题的感受。长篇小说有《危机》(1934)和《卡洛卡茵》(1940,同年出英译本)。第二次世界大战期间自杀身死。

Boyer, Charles **布瓦耶**(1897-08-28,法国洛特菲雅克～1978-08-26,美国亚利桑那菲尼克斯) 舞台和电影演员,以扮演典型的、温文尔雅的高卢情人著称。少年时即立志投身表演事业,但应母亲的要求,先在巴黎大学毕业,获哲学学位后,再进入巴黎戏剧学院学习表演。21岁时首次扮演主角。20年代,他不仅是巴黎舞台上最受欢迎的浪漫多情的男主角,并且不断受聘拍摄无声电影。有声电影伊始,他前往好莱坞,在那里拍摄他的第3部影片《个人的世界》(1935),这使他成为国际明星——一位带着浓重口音的英俊男演员。在他漫长而卓越的电影生涯中拍摄的影片,包括《阿尔及尔》(1938)、《万物和苍天》(1940)、《煤气灯下》(1944)、《八十天环游地球》(1956)、《怎样偷窃一百万》(1966)和《斯塔维斯基》(1974)等。

Boyer, Jean-Baptiste de **布瓦耶** 参阅 **Argens, Jean-Baptiste de Boyer, marquis d'** **阿尔让侯爵**。

Boyer, Jean-Pierre **布瓦耶**(1776,海地太子港～1850-07-09,巴黎) 海地政治家、总统(1818～1843)。黑白混血人,在法国受教育。1806年与黑白混血人领袖A.S.佩蒂翁和黑人领袖H.克里斯托夫一起杀死海地独裁者J.-J.德萨利纳。然后,他又与佩蒂翁一道反对克里斯托夫。这两位领袖死后,他于1821年统一了国家。他任总统期间,企图以农业法来挽回经济衰退的势头。农业法规定:劳工不得离开土地流入城市,也不得自营农场或商店。他还建立农村保安队,以保证农业法的实施。但是这些措施都无法阻止生产的下降。1825年他与法国达成协议:法国承认海地的独立,而海地要向法国赔1.5亿法郎作为在海地独立战争中黑人奴隶杀死其法国种植园主的赔偿。这些赔偿很快就使原已十分贫困的海地人民更不堪其负担。布瓦耶还维持一支庞大的腐败军队,他们经常掠夺农民,使黑人农民和城市黑白混血人之间的裂痕越来越大。布瓦耶政权的腐败和不景气的经济导致1843年的人民起义。他被迫逃往牙买加,后去巴黎。

Boyer, Paul D. **博耶**(1918-07-31,美国犹他普罗沃～) 全名Paul Delos Boyer。美国生物化学家。由于对涉及产生储能分子腺苷三磷酸(ATP)的酶催化过程作出解释而与J.E.沃克共获1997年诺贝尔化学奖。腺苷三磷酸是所有生物细胞新陈代谢过程的燃料。丹麦化学家J.C.斯科也因单独研究这种分子而分享此奖。博耶1943年在威斯康星大学获生物化学博士学位后,承担过许多教职。1963年去洛杉矶加利福尼亚大学任教,在1990年被任命为荣誉教授之前,任教授(1963～1989)和分子生物研究所所长(1965～1983)。50年代初,博耶开始研究细胞如何形成腺苷三磷酸,这个形成过程发生在动物细胞的线粒体中。1961年,英国化学家P.D.米切尔披露:形成腺苷三磷酸所需要的能量,是氢离子沿着其浓度梯度的方向穿过线粒体膜时提供的(米切尔由于这一研究获1978年诺贝尔化学奖)。博耶最近的研究更明确地揭示出腺苷三磷酸合成中所涉及的内容。他的研究集中于腺苷三磷酸合酶,并且显示酶如何利用氢流从腺苷二磷酸(ADP)和无机磷酸盐形成腺苷三磷酸所产生的能量。博耶假设一种不平常的机制解释腺苷三磷酸合酶的特性,被称作"束缚转变机制",已部分为沃克的研究所证实。

Boyington, Pappy **博英顿**(1912-12-04,美国爱达荷科达伦～1988-01-11,加利福尼亚弗雷斯诺) 又名Gregory Boyington。第二次世界大战美国王牌飞行员,曾击落28架日本飞机,1943年在南太平洋组建传奇式的黑羊中队,被授予美国荣誉勋章。1934年毕业于华盛顿大学,1936年应征加入美国海军陆战队,成为一名飞行员。后退出海军陆战队赴中国参加陈纳德将军指挥的美国志愿航空队即飞虎队。日本偷袭珍珠港之后,于1942年重新加入海军陆战队并组建214空军中队,又称黑羊中队,该部是第二次世界大战时最有名的战斗部队之一,主要在所罗门群岛作战。他在1944年1月3日最后一次战斗飞行中,击落了3架敌机,但自己也在新不列颠岛的拉包尔港上空被击落,为日本潜艇俘获,送至日本一战俘营。虽然其下落不明,美国政府仍于1944年授予博英顿少校荣誉勋章。1945年从战俘营获释,1947年以上校军衔退伍。1958年出版回忆录《黑羊咩咩》。

Boyle, Kay **波伊尔**(1902-02-19,美国明尼苏达圣保罗～1992-12-27,加利福尼亚米尔瓦利) 美国女小说家和诗人。幼年大部分时间在欧洲度过,但她的家庭在第一次世界大战爆发时经济上遭受损失,使他们在迁居俄亥俄州的辛辛那提市后生活比较艰难。她攻读过建筑和音乐,其间遇上一位法国学生,与其结婚后,1923年随他去法国,在法国、英国和奥地利居留,直至1941年才回美国。第二次世界大战后,她第3次结婚,任《纽约人》杂志驻法国和西德的记者(1946～1953)。以后她又在一些美国学院和大学任教。波伊尔两次获奥·亨利优秀短篇小说奖,得奖小说为《维也纳的白马群》(1935)和《失败》(1941)。她的长篇小说中较为出色的有《为夜莺所苦》(1931)、《星期一晚上》(1938)和《没有别离的一代》(1960)。主要短篇小说集有《维也纳的白马群及其他故事》(1936)、《冒烟的山:战后德国的故事》(1951)、《小说五十篇》(1980)。尚有两本诗集颇获评论界的好评,一为《留言与我的学生及其他》(1970);一为《这不是一封信及其他》(1985)。波伊尔的早期作品以个人在追求浪漫的爱的过程中所经历的冲突与失意为主题;后来的小说则往往突出个人投身广大政治和社会运动中去认识自我和实现自我价值这一思想。《不得不说的话:凯·波伊尔散文选,1927～1984》出版于1985年。2001年出版其第一部小说《过程》。

Boyle, Richard **玻意耳** 参阅 **Cork, Richard Boyle, 1st Earl of** **科克伯爵(第一)**。

Boyle, Robert **玻意耳**(1627-01-25,爱尔兰沃特福德郡利斯莫尔～1691-12-30,英格兰伦敦) 英裔爱尔兰化学家和自然哲学家。伦敦皇家学会创始人之一,由于对气体性质的开创性研究而闻名。他认为物质由微粒构

美国不列颠百科全书公司供图

成,是近代化学元素理论的先驱。1635年进伊顿学院学习。1639～1644年在欧洲大陆、主要在瑞士旅行和学习。1656～1668年,他寄居牛津大学,有幸得到有才华的发明家、后来任皇家学会实验管理员的R.胡克的帮助,制造了气泵,进行了许多开拓性的实验,用实验论证了空气的物理特性以及空气对于燃烧、呼吸和声音的传播是必不可少的。1662年他在皇家学会发表了著名的玻意耳定律,即在恒温下,气体的体积与压力成反比。同年,他在其《怀疑派化学家》一书中,抨击了亚里士多德的土、气、火、水四元素理论及帕拉切尔苏斯的盐、硫、汞三要素学说。玻意耳发展了基本微粒的概念,用以取代以上这些学说,他认为正是那些基本微粒的结合,产生了物质的粒子;不同的物质是由于基本微粒的数目、位置和运动的不同造成的。虽然玻意耳并未设想到不同种类的基本元素(这是19世纪的观点),但是他的观点在一定范围内还是正确的。他也曾在科学实验工作中研究过金属的煅烧,并提出了区分酸性与碱性物质的方法,这是应用化学指示剂的开端。1680年玻意耳被选为英国皇家学会会长。直到晚年,他一直关心着学会的活动和慈善事业。作为一名虔诚的新教徒,他特别热心在国外宣传基督教,出资翻译并出版爱尔兰文和土耳其文《新约全书》。1690

年他发展了神学观点，认为研究自然是宗教的一项中心任务；自然界是一种类似时钟的机器，由造物主创造并启动，然后就按照后天的规律运转，这些规律就是科学研究的内容；人类的灵魂是无形的，它比构成人体的活动细胞更可贵。

Boyle's law 玻意耳定律 又名马略特定律。是在恒温下有关气体的压缩与膨胀的关系式。爱尔兰物理学家 R.玻意耳于 1662 年提出此经验式，指出：在温度恒定的条件下，一定量气体的压强(p)与体积(V)成反比，即 $pV=k$，k 为常数。法国物理学家 E.马略特于 1676 年也发现了这一关系式。这一定律可从完全气体(**perfect gas**)的分子运动论导出。在足够低的压强下，真实气体服从玻意耳定律，但在较高压强下乘积 pV 一般略有降低。

Boylesve, René 布瓦莱夫(1867-04-14，法国拉艾笛卡尔～1926-01-14，巴黎) 勒内-玛丽-奥古斯特·塔尔迪沃的笔名。法国小说家。其作品以图赖讷地区为背景，出色地记

美国不列颠百科全书公司供图

录了 1870～1900 年间法国西部城乡社会的变迁。布瓦莱夫在图尔的普瓦捷和巴黎学习文学、美术、科学与法律，然而他最后并没有成为一个专业人才。在做了 10 年种种无关紧要的工作以后，他开始以他母亲的娘家姓为笔名写作他的第一部小说《奈安的太太小姐们的医生》(1894)，其中布瓦莱夫的本色已经初露端倪，在小说风格方面成为普鲁斯特的先驱。在又出版了几本作品之后，他发表了被称为"图赖讷地方小说"系列的力作：《克洛克小姐》(1899)、《食粮》(1901)、《栏杆上的孩子》(1903)、《有教养的姑娘》(1909)等。这些作品出色地塑造了一些外省人物，细节写得丰富多彩。他以惯有的嘲讽笔调描述了正统的价值观念如何窒息了艺术与精神上的追求。布瓦莱夫 1918 年被选为法兰西学院院士。

Boyne, Battle of the 博因河战役(1690-07-01[新历 07-11]) 英格兰国王威廉三世在爱尔兰博因河畔打败前王詹姆斯二世的一次战斗。詹姆斯是天主教徒，1688 年被迫逊位。但在法国人和爱尔兰人支持下，企图夺回王位。詹姆斯在博因河以南奥尔德布里奇地区集合了约 7 000 名法国步兵、一批爱尔兰正规骑兵、未经训练的爱尔兰步兵和步骑兵，总共约 2.1 万人。威廉统率的是荷兰的蓝卫兵，法国的两团胡格诺派信徒，一些英格兰军，以及丹麦、普鲁士、芬兰和瑞士的雇佣兵，总共约 3.5 万人。威廉的骑兵从奥尔德布里奇和罗斯纳里分左右两翼渡过博因河。詹姆斯害怕被包围，匆匆弃阵逃跑，威廉大获全胜。北爱尔兰每年 7 月 12 日庆祝博因河战役，认为这是新教的胜利。

Boyne, River 博因河 爱尔兰语作 An Bhóinn。在爱尔兰基尔代尔郡。源出艾伦沼泽。东北流 110 千米后注入爱尔兰海。在诺斯、纽格兰奇和道斯出土的新石器时代墓穴具有考古价值。博因河谷附近的塔拉是古代爱尔兰王宫所在地。为著名的博因河战役(1690)的战场。

Boyneburg, Johann Christian, Baron (Freiherr) von 博伊内堡(1622-04-12，图林根爱森纳赫[德国]～1672-12-08，德美因茨) Boyneburg 又拼 Boineburg。德国政治家、文人，致力于哈布斯堡家族皇帝与其他德意志邦君的力量均势，并解决天主教-路德宗-加尔文宗的争执。博伊内堡曾在耶拿大学(1638～1643)和黑尔姆施泰特大学(1643～1644)求学，为路德会教友。在黑森-达姆施塔特伯爵和黑森-布劳巴赫伯爵府供职后，1653 年成为罗马天主教徒，任美因茨大主教-选侯的宫廷典礼官兼首席大臣。1658 年成为莱茵联盟的主要谈判代表。1664 年被政敌逮捕。获释后主要从事研究，与文人和科学家有大量通信(尚存)。

Boyoma Falls 博约马瀑布 旧称斯坦利瀑布。刚果(金)中部卢阿拉巴河上的 7 个瀑布。分布在基桑加尼和乌本杜之间 100 千米长的河曲上，总落差约 60 米。第 7 道瀑布最大，宽 730 米。瀑布以下河段称为刚果河。有铁路环绕瀑布群，连接基桑加尼和乌本杜河港。

Boys, Sir Charles Vernon 博伊斯(1855-03-15，英国拉特兰温～1944-03-30，汉普郡安多弗圣玛丽-伯恩) 英国物理学家和灵敏仪表发明家。以研究石英纤维著称，利用石英纤维的扭力来测定微量的力。这项技术用于辐射微热计(1888)和他为 H.卡文迪什对牛顿引力常数进行实验所精心设计的仪器(1895)中。早年他曾制作一种积分仪(1881)，用于机械绘制给定数学函数的反导数曲线图。还发明和改进测试煤气用的自动记录量热计(1905)，以及拍摄快速运动的物体(如枪弹和闪电)照片的高速摄影机。1935 年册封为爵士。

Boys Town 博伊斯镇 美国内布拉斯加州东部道格拉斯县村镇。因专门收容无家可归的男孩，故又译男孩镇。原设在奥马哈(1917)，由弗拉纳根神父创立，后西迁 16 千米至现址。1936 年设村。现占地 600 公顷，内有农场、天主教堂和基督教堂、马厩及一座体育中心和可容纳 1 000 名孩子的学校。组织上由孩子们自治，经济上靠捐助维持。1979 年开始收容少量女孩。男女孩童定期上课并被授以各种职业技能。该镇全体人员把纪律、教育和亲切管理结合起来，证明对增强和恢复无家可归或问题儿童的心理健康十分有效。由于该镇不断壮大，20 世纪 80 年代在佛罗里达的塔拉哈西和奥兰多成立两个卫星住宅区，在得克萨斯的圣安东尼奥成立一个，其他则在筹建当中。1938 年由屈赛和罗尼主演的影片《男孩镇》问世后，该村引起社会广泛关注。人口约 818(2000)。

boysenberry 博伊森莓 一种果形很大的莓，被认为是黑莓的一个品种。果暗红黑色，是制做罐头、蜜饯的佳品。主要生长于美国南部和西南部及从加利福尼亚南部至俄勒冈的太平洋沿岸地区。博伊森莓于 20 世纪 20 年代初期由加利福尼亚州纳帕的鲁道夫·博伊森(1895～1950)所培育成功，故名。参阅 **Knott, Walter; and Knott, Cordelia**。

Bozeman 博兹曼 美国蒙大拿州北部城市，加勒廷县县城(1867)。在加勒廷河谷的南端。1864 年开始有人定居。1874 年设镇。1883 年设市。经济以农为主，伐木为辅。旅游业对于地方经济至关重要。可通往黄石国家公园和加勒廷国家森林。附近布里奇峡谷出口处有一个国家鱼苗孵化场。有蒙大拿州立大学(1893)和加勒廷国家森林管理总局。人口约 27 509(2000)。

Bozeman, John M. 博兹曼(1835，美国佐治亚～1867-04-20，美国蒙大拿黄石河附近) 19 世纪 60 年代的淘金热时期，通向蒙大拿西部淘金市镇的"博兹曼小道"的开辟者。1861 年抛下妻儿单身前往科罗拉多矿区，翌年与几千个淘金者同去蒙大拿淘金。由于道路盘旋曲折，他决心另辟一条捷径。1862 年下半年，他从班纳克向东越过大陆分水岭，然后沿着比格霍恩山脉东麓南进。这条后来以博兹曼小道而闻名的路要穿过印第安人保留地。他及其伙伴遭到苏人的攻击，历尽千辛万苦才到达拉勒米堡。1863 年春，他又不顾危险，率领一批移民再次从这条路通过。又遭到印第安人的袭击，除他而外，其余的人都改道前进。他在夜间穿过印第安人土地，终于到达弗吉尼亚城。1864 年他又率领移民通过这条路。翌年联邦军队开始守卫博兹曼小道。1866 年 12 月，苏人在卡尼堡附近屠杀旅客，将小道封锁。1867 年博兹曼又从弗吉尼亚城动身，勇敢地重走此路，在途经黄石时被 5 个黑脚印第安人杀死，他的伙伴也受了伤。

Bozhou 亳州 中国安徽省辖地市。位于省境西北部，黄淮平原南端。辖谯城区和涡阳、蒙城、利辛 3 县。面积 8 110 平方千米。秦置谯县。东晋咸康四年(338)改小黄县。北周末为亳州治所。隋大业三年(607)复为谯县。明洪武初年(1368)废县入亳州。1921 年设县。1948 年设亳州市，1949 年废市复县，1986 年又撤县设市，并被确定为国家级历史文化名城。1998 年被评为全国优秀旅游城市。2000 年设省辖地级市。地势平坦。气候温和湿润，年平均气温 14.5 °C，年降水量 811

毫米。涡河及其支流斜贯市境，地下水丰富。农业以小麦、玉米、油菜、棉花为主。境内多泡桐树，桐木出口日本和东南亚等地。中药材有140多种，所产白芍、菊花以量大质佳闻名。亳州自古为中国四大药材市场之一。工业有酿酒、建材、食品、卷烟、丝织、制药、粮油加工等部门。所产“古井贡酒”为中国八大名酒之一。传统手工业产品以万寿绸被面、羊毛细毡、登云布底鞋最著名。交通运输以公路为主，有105、311国道通阜阳、蚌埠、商丘等地，并有京九铁路通过。涡河水运可经淮河通往长江沿岸各港口。亳州是老子、曹操、华佗的故乡。古迹众多，花戏楼、曹氏家族墓群、华佗庵属国家级文物保护单位。人口5 460 000(2006)。

Bozrah(ancient Syria)　参阅**Bostra**波斯拉。

BP　参阅 **British Petroleum Company PLC, The** 英国石油公司。

Braak, Menno ter　**布拉克**(1902-01-26，荷兰艾贝亨～1940-05-14，海牙)　著名荷兰评论家。他才智敏锐，不断地对艺术上的矫揉造作挑战，有“荷兰文学良心”之称。1932年

美国不列颠百科全书公司供图

参与创办《论坛》杂志，反对矫揉造作的现代唯美主义，重新提倡正直和诚挚。主要文学作品：《市民的狂欢》(1930)充满着嘲讽和特有的创造性笔调；《无党派的政治家》(1934)和《关于新旧基督徒》(1937)，明显地表现出他对政治、宗教教条的不信任，并提出：所有群众运动主要由不满而产生的理论。他尊重人身自由，憎恨军国主义，致使他在纳粹入侵荷兰时自杀。

Braaten, Oskar　**布罗滕**(1881-11-25，挪威克里斯蒂安尼亚[今奥斯陆]～1939-07-17，奥斯陆)　挪威小说家、戏剧家。第一个将工厂工人的生活情况介绍给广大读者及戏剧观众。布罗滕与挪威工人运动关系密切，但其作品较多刻画在奥斯陆东区公共住宅中他幼年、青年时代的生活，而不是对工人组织与工人运动作分析。剧本《大洗礼》(1925)获得很大成功。两部小说《狼窝》(1919)及《玛蒂尔德》(1920)拥有众多读者。1910年前他曾在书店工作，其后还做过记者、编辑和挪威剧院副经理。

Brabant　**布拉班特**　9世纪中叶在法兰克人的加洛林帝国衰亡和解体后出现的封建公国。它以卢万和布鲁塞尔为中心，是竞相争夺达3代之久的前下洛林公国的一部分。1190年亨利一世(勇士)首次采用布拉班特公爵称号。他的3代后嗣在位时比较太平。1283年布拉班特的约翰一世从当时正在争夺称号的贝格的阿道夫五世手中买下林堡公国。约翰得到这片领土后，将两个地区合并由他统治。约翰三世的女儿、卢森堡文策斯劳斯公爵的妻子约翰娜继公爵位后，发布了公民权利宪章，俗称《快乐的特许状》。但是，当约翰娜继承布拉班特的称号时，她受到妹夫佛兰德伯爵路易二世的挑战。在随后的争斗期间，约翰娜依旧统治布拉班特，并在丈夫死后统治卢森堡，然而她不得不倚靠勃艮第王室的支持。1390年她将自己的一切权利让给与她的侄女佛兰德的玛格丽特结婚的勃艮第的勇敢者腓力二世。1430年家系绝嗣，公国由勃艮第王室继承，两代后又通过联姻传给哈布斯堡王室。在西班牙哈布斯堡王室的腓力二世统治下，开始了“八十年战争”。战争时期，布拉班特被分成南北两个部分。南部仍由西班牙统治，北部则归属荷兰人。另加上几小片土地，北部形成了今荷兰的北布拉班特省。布拉班特的南部根据《乌得勒支条约》(1713)割给奥地利哈布斯堡王室。在1789～1790年对皇帝约瑟夫二世的武装抵抗和1795年的法国征服以后，南布拉班特成为比利时的一部分。在比利时的国旗上仍可见到公国的象征，比利时国使用布拉班特旗。布拉班特公爵的称号业已恢复，作为比利时国王长子的尊称。

Brabant　**布拉班特**　比利时中部一省。辖4个区：讲佛兰芒语的哈尔-维尔沃德和卢万、讲法语的尼维尔，以及两种语言都讲的布鲁塞尔。1830年比利时独立时在这里产生的

布鲁塞尔市南的滑铁卢古战场
中国大百科全书出版社供图

革命歌曲《拉布拉班森讷》(La Brabançonne)，后成为比利时国歌。面积3 358平方千米，为比利时9省中人口最稠密者。地处比利时低矮高原之中部，全省从南向北倾斜。斯海尔德盆地东部，主要河流为塞纳河、代勒河和热特河。省内土壤肥沃，耕作精细，主要种植小麦和甜菜，产量高。省会布鲁塞尔附近以商品蔬菜栽培、猪和家禽饲养、花卉和苗木生产为主。全省有近10%的森林地区，最大林区为布鲁塞尔东南的苏瓦涅森林。全省尤其布鲁塞尔地区和曾恩河谷，工业化程度相当高。工业包括纺织、食品加工和冶金业。除布鲁塞尔(省会)外，主要城市有卢万、尼维尔、蒂嫩、图比兹、哈雷和维尔沃德。建有沙勒罗瓦-布鲁塞尔运河和威尔布罗克运河，以及从布鲁塞尔与卢万呈扇形伸展的几条铁路。古城堡中，著名的有贝尔瑟尔、加斯毕克和埃勒威特。滑铁卢古战场在布鲁塞尔南面。人口约2 243 026(1990)。

Brač　**布拉奇**　意大利语作Brazza(布拉扎)。亚得里亚海较大岛之一。属克罗地亚。岛上崎岖多山，最高点维多瓦山海拔778米，也是亚得里亚海诸岛的最高点。面积395平方千米。居民主要从事渔业和农业。该岛出产无花果、橄榄、巴旦杏和酿酒葡萄。还开采大理石供出口。有小规模旅游业。岛上淡水不足，夏季需从大陆运入。主要村庄为苏佩塔尔。斯克里普村有古代断垣残壁。该岛先由希腊、罗马人占据，后又由海盗及杜布罗夫尼克、威尼斯、波斯尼亚、法国、奥匈帝国等强权统治，另有短期间的自治。1918年并入南斯拉夫。人口13 824(1991)。

Bracciano, Lake　**布拉恰诺湖**　意大利中部拉齐奥区的圆形湖泊。位于罗马西北萨巴蒂尼山中。沿岸有温矿泉，可能由一组火山口形成。湖面海拔164米，面积57平方千米，最深处160米，直径约9千米。该湖以出产鳗鱼及其他鱼类闻名。湖滨城镇布拉恰诺和安圭拉腊萨巴齐亚保存有中世纪后期的宏伟城堡。南岸有水上飞机基地。

Bracciolini, Gian Francesco Poggio　**布拉乔利尼**　参阅 **Poggio Bracciolini, Gian Francesco** 波焦·布拉乔利尼。

Brace, Charles Loring　**布雷斯**(1826-06-19，美国康涅狄格利奇菲尔德～1890-08-11，瑞士坎菲尔)　美国改革者和社会福利工作的先驱。曾创建纽约市援助儿童会，任执行干事达37年。出身名门，曾先后就读于耶鲁大学及纽约市协和神学院。1853年主持一儿童救济机构，后一直在援助儿童会供职。1872年他写的自传性记述，《纽约的危险阶层及在其中工作二十年的经历》一书奠定了他为世界权威的地位。他去世时，一著名社会学家估计由于他的影响，约有30余万名儿童得到救济。1882年出版《基督教社会的人道发展史》，是支持日益发展的社会福利运动的重要著作。另著有比较宗教、欧美旅游方面的书。他熟识当代许多杰出人物并与之经常通信，还为《纽约时报》及若干时评刊物撰稿。他的女儿爱玛选辑了《查尔斯·洛林·布雷斯的一生及其书信》(1894)。他死后，其子查尔斯(1855～1938)继任援助儿童会的执行干事。

brace and bit　**手摇曲柄钻**　用在木材上钻孔的手工工具，是一种曲柄形的旋转装置(即手摇钻)，夹持钻头并使其旋转。图中所示钻头系木工用的传统式样，其六个部分如图所示。进给螺丝使钻头定中心并将其拉入木材内。有两个锋利刀尖的钻刃，用于划圆，并钻削木材。使用时，手摇钻上卡盘或套内的可调节卡爪夹持钻头扁尾。钻孔时，操作者一手推压头部促使钻头钻进木材，另一只手握紧手把并转动手摇钻。手摇钻上的棘轮机构

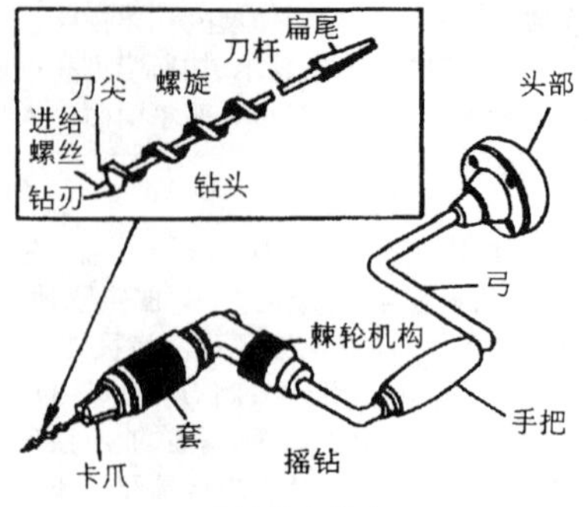

手摇钻和钻头

靠弓的摆动使摇钻仅能向一个方向转动。

Bracegirdle, Anne　布雷斯格德尔（约1663或约 1673 ～ 1748，英国伦敦）　英国戏剧舞台最早的女演员之一。曾向贝特顿学艺，受到他很大鼓励。1688年在伦敦特鲁里街剧院

美国不列颠百科全书公司供图

沙德韦尔的一部戏中露面，其才华首次为人注目。接着有好几位剧作家如康格里夫和罗，都为她写过由她主演的剧本，最著名的一个角色是在纳撒尼尔·李的《竞争的皇后们》中的斯塔蒂拉。大约 1707 年，当她盛年时，因新星奥德费尔德的崛起而黯然离开舞台。她享有品格高洁的盛名，这在当时对一位女演员来说是难能可贵的。据信她曾同康格里夫结婚，他给她留下一笔遗产。去世后被安葬于伦敦威斯敏斯特教堂。

Brach（Libya）　参阅 **Birāk** 比拉克。

brachial plexus　臂神经丛　由第5到第8对颈神经的前支（腹侧分支）和第 1 对胸神经的大部分前支构成的神经网。部分位于颈外侧三角区，部分位于腋窝，主要分成两个神经干，干又发出分支：一是分布于背部和部分胸部的锁骨上神经；一是分布于手臂和胸部其他区域的锁骨下神经。

brachiation　臂行　某些动物特化的树栖行动方式，以两手交互抓握树枝摆荡而行。长臂猿与合趾猿前臂颇长，指呈长钩状，肩关节灵活，最擅臂行。南美的蜘蛛猴为半臂行动物，尾有捕握功能，用作第三臂。蜘蛛猴于枝桠间摆荡，又能在枝条上奔跑。因为典型的臂行猿类下到地面时借两足行进，故若干研究人员相信，人类祖先或由原始臂行猿类演化而来；而其他研究者则根据指节行走类人猿（如大猩猩）臂长与指弯这一事实，认为它们是臂行猿类的后裔。

brachiopod（marine invertebrate）　参阅 **lamp shell** 腕足类。

brachiosaur　腕龙　蜥脚形亚目腕龙属（*Brachiosaurus*）的恐龙，晚侏罗世（1.5 亿年前至 1.3 亿年前）生活于非洲、北美和欧洲。是已找到的一副完整化石骨骼的最大最重的蜥脚形亚目恐龙；人们也找到过更大的骨化石，这些化石属于其他可能与腕龙有亲缘关系的蜥脚形类恐龙，但这些化石不完整。腕龙的外形宛如巨大的长颈鹿，颈部极长，前肢明显长于后肢，这在恐龙中很不多见。这些都是适应性的变化，似能使腕龙将头抬得很高，以取食高树上多叶的枝条。腕龙体长至少达23 米，头高 12 米，体重 80 吨。头形甚高，头顶半球形，吻部宽而扁。腕龙体型庞大，故有些研究者提出：腕龙大部分时间泡在水中，借水的浮力支持其沉重的身躯。腕龙的鼻孔开在头顶、眼的上方，这也支持上述理论。但腕龙要将身躯浸入水中，则这么深的水中水压会压迫肺部，使呼吸变得困难甚至不可能。

现在一般认为腕龙已完全适应于陆上生活，在高树的顶部取食，其骨骼结构强壮，但重量相对较轻，故腕龙的四肢及骨骼系统可能强健到足以支撑全身的重量而无需借助于水的浮力。

brachistochrone　最速降线　又称捷线，理想化的路径，沿着这种路径，一个物体在只有重力的作用下，从一点无摩擦地滑行到另一点所需要的时间最少（见图）。寻求这种路径

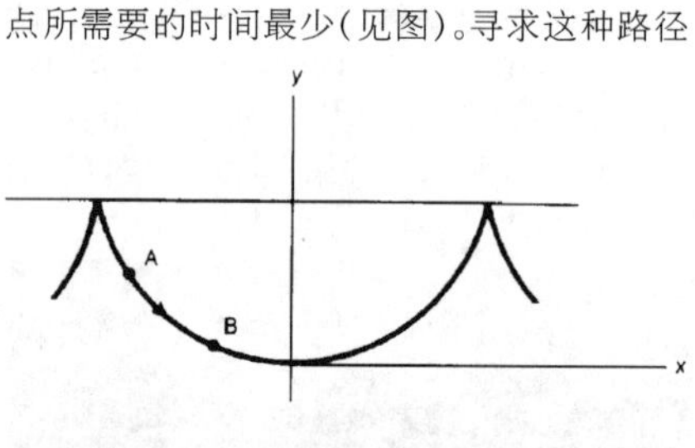

的问题是瑞士数学家雅各布·伯努利在 17 世纪后期提出来的。他和他的弟弟约翰·伯努利一起，还有 G.W.莱布尼兹和牛顿以及其他数学家发现这种曲线就是旋轮线（**cycloid**）。

brachygraphy（rapid writing method）　**省略式速记术**　参阅 **shorthand** 速记。

bracken　欧洲蕨　又作 brake。欧洲蕨属（*Pteridium*）植物。仅鹫样欧洲蕨（欧洲蕨，*P. aquilinum*）一种，广泛分布于世界温带和热带。有 12 个变种，其中 4 个产于北美和英国。柔毛变种（*P. a. pubescens*）分布自阿拉斯加至墨西哥，东至怀俄明、科罗拉多及得克萨斯。宽叶变种（*P. a. latiusculum*）分布纽芬兰至明尼苏达，南至俄克拉何马及田纳西，亦分布于北欧及东亚。假尾状变种（*P. a. pseudocaudatum*）分布自马萨诸塞至佛罗里达，西至密苏里及得克萨斯。尾状变种（*P. a. caudatum*）原产西印度群岛，亦见于佛罗里达南部。标准变种（*P. a. typica*）常见于英国。欧洲蕨具黑色的多年生根状茎，在地下匍匐蔓延；茎上长出直立叶。叶高达 5 米以上，秋季枯死后仍常保持直立，可为野生禽兽提供栖息所，人类亦可用之为饲草和盖茅屋顶的材料。

欧洲蕨（*Pteridium*）
美国不列颠百科全书公司供图

Brackenridge, Hugh Henry　布雷肯里奇（1748，苏格兰阿盖尔坎贝尔敦附近的金泰尔～1816-06-25，美国宾夕法尼亚卡莱尔）美国革命战争后第一部描写边地生活的小说《现代骑士团》（1792 ～ 1815）的作者。5 岁时因贫穷随家人从苏格兰来到宾夕法尼亚州约克县的一个农场，在当地一位牧师指导下学习拉丁文和希腊文。后半工（教书）半读在新泽西学院（今普林斯顿大学）学习，1771 年获学士学位。1774 年在普林斯顿继续攻读神学硕士学位。作为革命的热烈拥护者，加入华盛顿的军队并任随军牧师，发表过两部以革命为主题的诗剧：《邦克山之战》（1776）和《魁北克包围战中蒙哥马利将军之死》（1777）。1778 年发表《以圣经为基础的 6 篇政论》。1779 年为促进美国本土文学，创办《联邦杂志》，但当年停刊。1781 年成为律师，定居匹兹堡边区，创办了当时美国西部边区的第一份报纸《匹兹堡公报》。1786 年被选入宾夕法尼亚州议会，将获得的一笔基金用于创办一所学院，即后来的匹兹堡大学。他在 1794 年威士忌酒反抗运动中作为双方的调停人，但双方均不接受。1801 年定居卡莱尔。他在杰弗逊的共和党中的领导地位使他在 1799 年被任命为宾夕法尼亚最高法院法官，他任此职直到去世。

bracket　托座　建筑中，自墙内伸出或在墙面上挑出的木、石或金属的荷重构件，可作为雕像、起拱点、梁或搁板等的支座。常作涡卷形，可以雕刻、浇铸或塑造，它们有时完全作装饰用。托座有许多类型如托臂（**corble**）、涡卷形支托（**console**）等，但有不少类型并无专门名称。托座具有水平地向外拉和垂直地向下压的两方面的作用。如果荷载太重，有破坏墙体的危险，因此其平面往往是从内部楼板延伸出来，以便和外倾力相平衡。这种做法见于英国伯克郡温莎城堡老隐修院。

bracket clock　壁钟　英国的一种用发条驱动的摆钟。最初一般放在墙壁上一个小托架上，后来放在一块搁板上。托架大都有一个抽屉，以便存放拧紧发条用的钥匙。1660 年后一段时间内制造的那些最初的壁钟多为建筑式样，两边是柱子，顶端为三角饰；后来取消柱子，用穹顶代替三角饰，并装上一个提携用的把手。用乌木色涂饰受到公众喜爱。

Brackley, Thomas Egerton, Viscount, Baron Ellesmere 布雷克利子爵（约1540～1617-03-15，英国伦敦） 即T.埃杰顿。英国法学家和外交家。他使大法官法庭从普通法法庭独立出来，从而制订了衡平法上救济的不成

美国不列颠百科全书公司供图

熟原则。就读于牛津布拉塞诺斯学院，1572年从林肯律师学院取得律师资格，在女王伊丽莎白一世治下晋升很快，1596年任掌玺大臣，在职长达21年。他还多次完成外交使命。詹姆斯一世即位后，布雷克利支持其王室特权和教会政策，旋即被封为埃尔斯米尔男爵，并出任大法官。大法官法庭原为审理不适用普通法的民事案件（以纠正普通法的死板和不足），因而与普通法法庭有分庭抗礼之争。1616年当它获准不再受理普通法的案件时，布雷克利与其对手、高等法院的首席法官E.柯克爵士之间出现冲突，但国王倾向于衡平法（牛津伯爵案），从而确立了大法官法庭的衡平法裁判权。1616年受封为子爵。翌年，他卧病在床时拒绝接受伯爵爵位，但其继承人立即受封为布里奇沃特伯爵。

Brackman, Barbara 布拉克曼（1945-07-06，美国纽约州纽约～ ） 美国被褥史专家。1967年获堪萨斯大学艺术教育学士学位，1974年获特殊教育硕士学位。在堪萨斯大学和伊利诺伊大学任职于特殊教育近20年。24岁开始挑选收集被褥式样，做成索引卡片。后编纂为《被褥式样大全》（1979）和《嵌花织物大全》（1993），分别有4 216种和1 795种被褥式样。并编成电脑软件形式发行。所著《棉布中的线索》（1989）是最早以历史方法、根据颜色和花样确定被褥和其他古老织物年代的研究报告。除撰写一些著作和文章外，她还为时尚公司设计仿古织物，为向日葵图案合作社设计被褥花样。2001年人选被褥名人堂。

Bracknell Forest 布拉克内尔福里斯特 英格兰伯克地理、历史郡单一政区。区面积109平方千米。老镇19世纪为贩牛市场。1949年设为新城镇后工业涌人，有机械、家具和服装等行业；最南端为桑德赫斯特皇家军事学院（1799）。人口：城镇约60 895（1991）；区约110 700（1998）。

braconid 茧蜂 膜翅目茧蜂科寄生昆虫，数百种。色深或暗淡，长度很少超过1.5厘米。有的翅上具条带或斑点。雌蜂的产卵器长而显著。许多种能防制害虫。如小绒茧蜂

茧蜂（*Apanteles*）
美国不列颠百科全书公司供图

（*Apanteles glomeratus*）寄生在菜粉蝶（*Pieris rapae*）和粉纹夜蛾（*Trichoplusia ni*）的幼虫体内。天蛾绒茧蜂（*A. congregatus*）寄生于烟草天蛾（*Protoparce sexta*）和番茄天蛾（*P. quinquemaculata*）。有的寄生于吉丁科和天牛科甲虫等蛀木的害虫。锈茧蜂（*Chremilus rubiginosus*）侵袭谷象（*Sitophilus granarius*）。地中海地区的同色蝇茧蜂（*Opius concolor*）是油橄榄实蝇（*Dacus oleae*）的寄生虫。雌茧蜂在宿主的幼虫或卵中产一个或多个卵。幼虫至少在化蛹前一直寄生于宿主。化蛹可在宿主体内，或附在其体壁上，或离开宿主而在叶或茎上。在一个宿主体内的幼虫可多达约150条。

bracteate 布莱克梯特垂饰 早期斯堪的纳维亚文明特有的薄形黄金垂饰，形似花盘。制作过程：先在诸如黄铜或木头等的抗性材料上雕刻出浮雕图案，然后压上黄金薄片成型。源出于罗马后期和拜占廷的硬币。以后改用有地方色彩的动物和民族神话人物图案，如托尔骑在山羊上。

Bracton, Henry de 布雷克顿（英格兰德文？～1268，德文埃克塞特？） Bracton又拼Bratton或Bretton。中世纪英国主要的法学家。《论英国法律和习惯》一书的作者，该书是一部关于普通法的最早的系统的专题论述。虽然主要依据英国的司法判决和英国法官所要求的诉讼方法，但布雷克顿用引自民法（罗马法）和教会法的原则将普通法加以扩充。《论英国法律和习惯》一书显示出某些大陆法学家，最明显的是博洛尼亚的罗马法注释派阿佐内（阿佐）的影响。1245年布雷克顿成为亨利三世国王的巡回法官，约1247～1257年他是君主（御前）法院的法官，该法院后来成为王座法院。像他同时代的大多数其他英国法学家一样，他是一个神职人员，从1264年起，是埃克塞特大教堂的大法官。1884年大约有2 000件显然出自布雷克顿之手的英国法律案件手稿集被后人发现。该手稿由英国法学家F.梅特兰加以编辑，于1887年出版，书名叫《布雷克顿札记》。

Bradbury, Ray 布雷德伯里（1920-08-22，美国伊利诺伊沃基根～2012-06-05，加利福尼亚洛杉矶） 美国作家。以富于高度想象力的短篇科幻小说和融社会批判与对失控的技术灾难意识为一体的长篇小说而闻名。1940年发表第一篇短篇小说，不久后便为杂志大量供稿。第一本短篇小说集是《黑暗的狂欢节》（1947），随后出版《火星人编年史》（1950），该书描写实利主义的地球人利用并收买一个质朴的火星人的故事，通常被认为是一部经典的科幻作品。其他重要短篇小说集有：《用图解说明的人》（1951）、《太阳的金苹果》（1953）、《十月的乡村》（1955）、《消愁药》（1959）、《欢乐机》（1964）和《我歌颂带电的物体》（1969）和《肉眼莫及》（1996）等。长篇小说有《华氏451度》（1953；1966年拍成电影）、《蒲公英酒》（1957）和《恶由此而来》（1962；1983年拍成电影）等。他还写舞台剧、电视剧本和一些电影脚本，其中有《大白鲸》（1956，与休斯顿合作）。20世纪70年代著有几部诗集，20世纪70～80年代主要写儿童短篇小说和犯罪小说。其短篇小说被收入700多部选集。

Braddock, Edward 布雷多克（1695，苏格兰珀思郡～1755-07-13，宾夕法尼亚大梅多斯［美国］） 法国印第安人战争初期派往北美殖民地而失利的英国指挥官。爱德华·布雷多克少将（1725卒）之子。1710年加入科尔德斯特里姆近卫军团。曾在荷兰服役，参加1747年围攻贝亨奥普佐姆的战斗。1754年晋升少将。次年2月布雷多克赴弗吉尼亚，统帅驻北美的英军同法国人作战。虽因管理混乱和资源缺乏而受厄，但经过数月准备后，他远征荒漠原野，进攻法国人占据的迪凯纳堡（今宾夕法尼亚州匹兹堡）。布雷多克的军队开辟了一条从马里兰的坎伯兰向西的道路，这是第一条跨越阿勒格尼山脉的道路。当时的弗吉尼亚民兵中校G.华盛顿，也是他指挥下的700名地方军和1 400名英国正规军中的一员。布雷多克的军队顺利渡过莫农加希拉河，到达距迪凯纳堡仅13千米处。由于缺乏敌情侦察，前列纵队的1 459名官兵于7月9日在一个深谷里遭到254名法国人和600名印第安人的伏击。在随后的屠杀和混战中，布雷多克身负重伤，被运离战场。4天后死于一个名叫大梅多斯的重新集结点，并葬在该处。

Braddock, James J(oseph) 布雷多克（1905-12-06，美国纽约州纽约～1974-11-29，新泽西北伯根） 美国职业拳击运动员。1935年6月13日在纽约州长岛市经过15个回合胜贝尔获最重量级世界冠军。1937年6月22日在芝加哥经过8个回合被路易斯击倒。1926年起从事职业拳击运动。1926～1935年共参加85场比赛，胜51场，其中26场直接击倒对方取胜。

Bradenton 布雷登顿 美国佛罗里达州中西部城市，马纳蒂县县城（1903）。位于马纳蒂河南岸，靠近坦帕湾的河口。德索托1539年曾在附近登陆。1854年约瑟夫·布雷登率先在此种植糖料作物，建造类似城堡的建筑

(残迹犹存)。后发展成避寒胜地和农牧产品销售加工中心。1903年设县。1947年与东边的马纳蒂合并为布雷登顿市。经济随轻工业兴起日趋多样化。格林桥附近的南佛罗里达博物馆和毕晓普天文馆展有印第安手工制品和海洋生物。附近埃灵顿有该州主要邦联圣地甘布尔宅邸(J.P.本杰明纪念馆,1842～1845建)。1957年设马纳蒂初级学院。人口:城市49 504;布雷登顿都会统计区589 959(2000)。

Bradford 布雷德福 英格兰西约克郡大都会的城市和区,位于利兹以西。史料记载1311年建有漂洗厂,为早期毛纺品制造业。17世纪末期出现精纺毛料业。19世纪由于沙石、铁矿石和煤的开采,布雷德福迅速发展。到1900年已成为约克郡羊毛采购的主要中心,经营海内外市场的羊毛。19世纪后期,生产精纺毛织品、丝绸、羊驼毛织品和天鹅绒服装。当前市内雇有大批劳力从事羊毛分级整理。利用合成纤维与其他纱线混纺正日渐增加;布雷德福染料工业在西约克郡居统治地位。该市已更加世界化。重要的维多利亚时代建筑物有市政厅(意大利风格)和羊毛交易所(威尼斯-哥特式)。堂区教堂(15世纪建)于1920年改建成为大教堂。1957年创建的布雷德福工学院于1966年改为布雷德福大学。人口:城市457 344;区467 668(2001)。

Bradford 布雷德福 美国宾夕法尼亚州北部麦基恩县城市。在图农旺特河河汉上,靠近纽约州边境。约1827年始建,名为利特尔顿。1873年设自治镇,改为现名。1879年设市。1871年因发现石油而骤富。1881年石油产量占世界的75%。19世纪末石油产量下降,但1906年采用注水法后产量又有所增加。现在石油工业在当地经济虽仍重要,但较之种类繁多的制造业相形见绌。1963年建立匹兹堡大学布雷德福分校。附近有阿勒格尼国家森林、州立公园和康布兰特印第安保留地。人口9 175(2000)。

Bradford, Roark (Whitney Wickliffe) 布雷德福(1896-08-21,美国田纳西劳德代尔县～1948-11-13,路易斯安那新奥尔良) 美国小说家。他的小说和民间故事系根据他同美国黑人的接触写成。他受正规教育很少,而从周围的人中汲取写作素材。1920年开始当记者,在南方一些城市中接触到令人感兴趣的人物,包括新奥尔良河畔的乐师、传教士和讲故事者。他青年时代在一个种植园生活时曾经熟悉这些人物,现在重新同他们接触后,促使他为《纽约世界报》写了一系列短篇小说。他发表的第2篇小说获1927年欧·亨利纪念奖。后来这些小说汇集成一本受欢迎的书《老人亚当及其孩子们》(1928),这是没有受过教育的黑人讲述的圣经故事。M.康内利把这些故事改编为剧本《绿色的牧场》,1930年获得普利策奖。布雷德福还写了一些小说,从历史角度观察美国黑人,如《约旦河此岸》(1929),这部小说描写各种植园使用机器后发生的情况。他作品中的一个主要弱点是过分依赖黑人这个旧主题。然而,他的态度是温和的,富有幽默感,并准确地运用方言土语。

Bradford, William 布雷德福(1590-03,英格兰约克郡奥斯特菲尔德～1657-05-09,马萨诸塞普利茅斯[美国]) 普利茅斯殖民地总督。帮助形成和巩固在新英格兰的第一永久性殖民地的政治机构。孩提时,被新教改革的热情所迷,12岁时即成为分离主义教会(清教主义的"左翼")的虔诚会员。1609年他加入追寻宗教自由的新教团体迁往荷兰。在那里因缺乏经济机会,他又帮助组织100名清教徒移民新大陆(1620)。在海船上,他参与制订《"五月花"号公约》(自愿合作的公约,普利茅斯政府的基础)。1621年他被选为新大陆殖民地总督,一直任职到1656年。培育了殖民地民主制度,诸如选举权和城镇会议,从而形成自治政府的传统,为未来的国家政治发展做出了榜样。他不鼓励宗派,欢迎所有分离主义团体来到新英格兰。此外,他还采取措施吸收不信仰宗教者到殖民地来。所著《普利茅斯开发史,1620～1647年》是一部无比珍贵的资料,既详尽记载了航海情况,又描述了殖民者所遇到的困难和挑战。

Bradford, William 布雷德福(1663-05-20,英格兰莱斯特郡～1752-05-23,纽约市) 移居美洲的印刷业者。出版第一本美洲年鉴《美洲信使》(1685)、第一本《美洲公祷书》(1710)和多种政治性小册子。先在伦敦学习印刷技术,1682年移居北美宾夕法尼亚。在费城开设印刷厂(1685)和书店(1688)。1690年与W.里顿豪斯等人在宾夕法尼亚罗克斯伯勒(今在费城)创办美洲第一家造纸厂。1693年去纽约担任殖民地皇家印刷商,在以后的半个世纪中出版书籍约400种。1725年11月发行纽约第一家报纸《纽约日报》。他的许多后代也都是印刷商。

Bradford, William 布雷德福(1823-04-30,美国马萨诸塞费尔黑文～1892-04-25,纽约市) 美国海景画家,其作品以新颖和色彩效果强烈而引人注目。他是贵格会教徒,自学成材,描绘他在马萨诸塞、拉布拉多及新斯科舍海岸所见到的船舶与海上风景。他曾数次与I.海斯到北极探险,为第一位描绘北方冰冻地区的美国画家。其作品《午夜阳光下停在梅尔维尔湾的"美洲豹"号轮船》于1875年在伦敦皇家学院展出。他是纽约市全国设计学会会员。画风一度受在费尔黑文与他一起工作的A.范毕斯特的影响,但他善于观察事物的细节,而范毕斯特则追求整体效果。

Bradford-on-Avon 埃文河畔布雷德福 英格兰威尔特郡西威尔特区的堂区(城镇)。濒临布里斯托尔埃文河。中世纪时为羊毛贸易中心。曾以所产优质绒面呢闻名。工业革命开始,生产衰落,最后的呢绒厂也于1905年关闭。现工业以橡胶加工为主。有中世纪石桥和礼拜堂。城镇人口约8 815(1991)。

埃文河畔布雷德福的中世纪礼拜堂和斯特林桥
美国不列颠百科全书公司供图

Bradlaugh, Charles 布雷德洛(1833-09-26,伦敦～1891-01-30,伦敦) 英国激进人物、无神论者、伏尔泰和T.潘恩式的自由思想家。在19世纪后半叶他以提倡个人自由而令人瞩目。法院小职员之子。曾在英军服役(1850～1853),并继承父业,后来成为反对宗教的演说家。1860年接办《国民改革家》,1868～1869年该杂志被起诉犯有亵渎上帝及煽动言论罪。1874～1885年与支持非正统派事业的A.贝赞特过从甚密。1876年布里斯托尔的一家出版商因出版美国医生C.诺尔顿写的节育小册子《哲学的果实》而被判轻刑,翌年布雷德洛和贝赞特两人在伦敦重新刊印此书并大肆传播,受到严厉惩罚。1880年布雷德洛作为激进派被选入下院。但是有5年之久,他拒绝就职,因为他要求不作宗教宣誓。在此期间,他又3次当选,后来他同意宣誓,但又被禁止,直至1886年1月终于获准就职。此时,公众舆论已倾向于他,可他本人反对社会主义,变得越来越保守。

美国不列颠百科全书公司供图

Bradley, A(ndrew) C(ecil) 布雷德利(1851-03-26,英国格洛斯特郡切尔滕纳姆～1935-09-02,伦敦) 19世纪末和20世纪初英国文学评论家、卓越的莎士比亚学者。就学于牛津大学,1882～1906年相继任利物浦大学、格拉斯哥大学、牛津大学英语、文学和诗歌教授。他的《莎士比亚悲剧》(1904)分析深刻,文体明晰,受到广大读者称誉,被公认为现代莎士比亚评论的经典著作。他对莎士比亚剧本人物的心理分析早于后期弗洛伊德精神分析派的评论;他对莎士比亚剧本人物形象的分类给 C.斯珀吉翁及其以后的评论家以极大的启发。1909 年出版《在牛津的诗歌讲稿》,1929 年出版《杂录》。

Bradley, Bill 布雷德利(1943-07-28,美国密苏里克里斯特尔城～) 美国大学和职业篮球运动员。9 岁开始打篮球,后来成为密苏里州中学篮球史上最优秀的球员。他在普林斯顿大学求学时,为球队前锋,是主要得分手。在 3 个赛季中每场平均得 30.1 分。1965 年获业余体育联合会沙利文奖,是获该项奖的第 1 名篮球运动员。1964 年美国篮球队在奥运会比赛中夺得金牌,其时布雷德利为该队队员。1967 ～ 1968 年赛季加入美国全国篮球协会(NBA)尼克斯队,为该队打球直到 1977 年退出球坛。在他任该队队员期间,该队于 1970 和 1973 年共两次获全国篮球协会冠军。1983 年入选篮球名人堂。1978 年当选为美国参议员,代表新泽西州。

Bradley, Edward R. 布拉德利(1941-06-22,美国宾夕法尼亚费城～) 美国广播新闻记者。作为切尼州立学院(现为宾夕法尼亚切尼大学)学生,他志愿去费城广播电台 WDAS - FM 工作,从而涉足广播业。1964 年毕业获教育学学士学位,成为一名小学教师,但夜晚仍为电台工作,做过流行音乐唱片节目主持人和记者等工作。1967 年辞去教职,前往纽约加入 WCBS 电台任记者。他在哥伦比亚广播公司担任过许多其他职务。1971 年曾短期去巴黎工作。70 年代初期,曾驻越南西贡和柬埔寨金边,在柬埔寨当记者时被弹片击伤。1976 年开始采访总统竞选活动,移居首都华盛顿,最后成为常驻白宫记者。但其特写则采自全球。1980 年,有两篇哥伦比亚广播公司特别报道获奖。1981 年参加 60 分钟新闻杂志节目。至 2004 年,已 18 次赢得艾美奖 。

Bradley, Edward Riley 布雷德利(1859,美国宾夕法尼亚～ 1946-08-15,肯塔基列克星敦) 美国运动员、赌博业主、慈善家、良种马马主和骑手。他所占有的马有 4 匹获得肯塔基大赛冠军。19 世纪末他在佛罗里达州棕榈滩开设绿洲总会(赌场)。他在同地开设的大使馆总会受到来佛罗里达州过冬的名流和工业界要人的资助。由于医生建议他从事户外活动,便买下肯塔基州列克星敦附近的闲暇农场,同时对赛马发生兴趣。他的马总计胜 1 000 场比赛,获利 250 万美元以上,但入不敷出。每年在闲暇农场举行慈善赛马,以收入周济肯塔基州的孤儿,不分种族和宗教信仰。1940 年绿洲总会转让给天主教的圣多马学院,作为海洋生物实验所。

Bradley, F(rancis) H(erbert) 布拉德利(1846-01-30,英国萨里克拉珀姆～ 1924-09-18,牛津) 有影响的绝对唯心主义学派哲学家。其学说以黑格尔思想为基础,并认为精神较之物质是更加基本的宇宙特点。1870 年当选为牛津大学默顿学院研究员,不久因患肾病而终生处于半残状态。由于无教学任务而他又从未结婚,故能以大部分时间从事写

美国不列颠百科全书公司供图

作。在其第一部重要著作《伦理学研究》(1876)中,试图揭露穆勒的功利主义学说中明显的混乱。这一学说认为伦理行为的目的是求得人的最大幸福。在《逻辑原理》(1883)中,他指责经验主义者的有缺陷的心理学。认为他们的逻辑只局限于人类头脑中各种观念的联系的学说。上述两部书中均采用了黑格尔的思想,从而给予黑格尔适当的称赞,但从未完全接受黑格尔学说。其最有雄心的著作《现象和实在:形而上学论稿》(1893)是"对于最重要原则的批判性论述",意在"激发人们探索和怀疑的精神"。但此书使其信徒们失望,他们原望他能证实宗教的真理。他认为:尽管实在确实是精神的,人却无法详细论证这一观点。他宣称宗教并非"最后的和终极的"事物,而是一种实践的事情。哲学家的绝对观念同宗教徒的上帝是不相容的。由于他是一位有才能的论辩作家,其作品中最有影响的是否定的和批判的方面。反对唯心主义的领袖人物罗素和 G.E.穆尔均受惠于其精明的辩证法。现代评论家更加重视的是他通过对真理的认真探索达到结论的方式,而非结论本身。

Bradley, James 布拉得雷(1693-03,英格兰格洛斯特郡舍伯恩～ 1762-07-13,格洛斯特郡查尔福德) 英国天文学家,因发现光行差效应而闻名。1717年在牛津大学巴利奥尔学

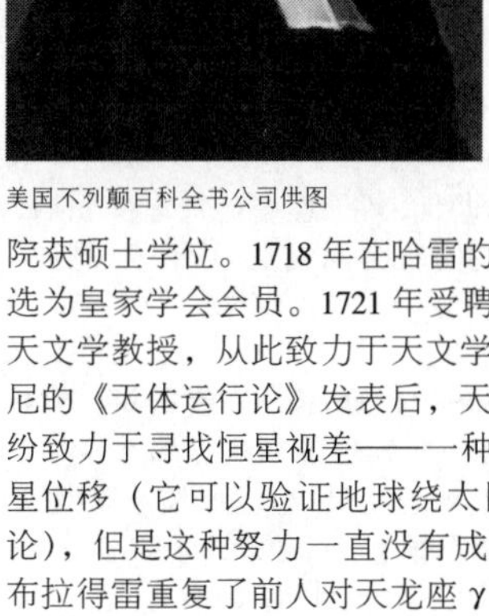

美国不列颠百科全书公司供图

院获硕士学位。1718 年在哈雷的推荐下,被选为皇家学会会员。1721 年受聘为牛津大学天文学教授,从此致力于天文学研究。哥白尼的《天体运行论》发表后,天文学家们纷纷致力于寻找恒星视差——一种周期性的恒星位移(它可以验证地球绕太阳运动的理论),但是这种努力一直没有成功。1725 年布拉得雷重复了前人对天龙座 γ 星的视差观测,由于此星太远,也未获预期结果。但他却观测到另一种数值较大、方向奇特的位移。他认为这是由一种称为光行差效应引起的,即它是星光速度与地球轨道速度合成的结果。这一意外的发现同样使他达到了原先想要证明哥白尼理论的目的。1728 年他将此发现通知了皇家学会。1727 ～ 1732 年又发现恒星的另一种位移,并推断它是由于月球引力方向的变化导致地球自转轴产生章动引起的。1748 年皇家学会为此授予他科普利奖章。还编制了一本包含 3 000颗恒星的位置表。他是后牛顿学派的第一流实测天文学家。他率先研究如何提高观测精度,并以实测工作进一步证实了牛顿的天体力学理论。

Bradley, Joseph P. 布雷德利(1813-03-14,美国纽约伯恩～ 1892-01-22,华盛顿[哥伦比亚特区]) 从 1870 年起任美国最高法院大法官。作为一位大法官,他强调联邦政府有权管制商业。他在美国南北战争以后迅速工业化时期作出的反映这一观点的一些决定,对于保证一个全国性的制成品市场具有重要的意义。他反对宪法保障黑人的公民权,使南部各州改造运动遭到失败。1870 年布雷德利被格兰特总统任命为最高法院大法官,并被指定为第 5(南部)巡回区的巡回法官。他审理的第一个重大的公民权案件是美国诉克鲁克香克一案,那是 1874 年他在联邦巡回法院进行初审的。这是一件白人武装袭击案,白人一次杀死在路易斯安那州政治集会上的 60 个黑人。布雷德利裁决说,像公民的选举权、和平集会权、携带武器权以及适用正当程序和平等的保护权之类的权利,不是由联邦政府而是由各州加以保护的。当这个案件送到最高法院时,大多数大法官持同样的观点。1883 年布雷德利和最高法院大多数大法官宣称 1875 年的民权法中有两条违反宪法,这两条禁止以肤色为理由在旅店、公共交通工具和娱乐场所实行种族歧视。布雷德利认为这个法令超出了国会的权力范围,因为宪法第 14 条修正案所禁止的只是各州采取的而不是私人采取的歧视行为。J.哈伦大法官对此持不同的意见,他要求注意旅店和饭店的公共性质,他的这一不同意见后来为国会在 1964 年的民权法中所采用,并得到最高法院根据贸易条款在"亚特兰大汽车旅馆中心诉美国案"(1964)和"卡曾巴赫诉麦克勒格案"(1964)中给予支持。

Bradley, Lydia Moss 布拉德利(1816 - 07 - 31,美国印第安纳韦韦～ 1908-01-16,伊利诺伊皮奥里亚) 美国慈善家。1837 年与 T.S.布拉德利结婚,迁居皮奥里亚。在之后的 30 年里,其夫靠经营地产和银行业发家。为了纪念 6 个夭折的孩子,他们计划捐助一家教育机构,但丈夫 1867 年去世。她在皮奥里亚投资房地产,为实现捐助教育的目标积累了大量财富,同时还从事其他慈善活动。1896 年获准建立布拉德利工学院。她向学院捐赠 200 万美元和 28 英亩的土地,使学校一开始就有了坚实的基础。该学院兼顾理论和实用,并且是开创家政学的先驱。1946 年成为布拉德利大学。

Bradley, Marion Zimmer 布拉德利（1930-06-03，美国纽约奥尔巴尼～ ） 婚前名 Marion Zimmer。美国作家，尤以多篇科幻小说以及用女性人物的眼光对经典神话和传奇故事的重新设想闻名。1946～1948年就读于纽约州师范学院，事业有成后，于1964年自哈丁-西蒙斯学院毕业。1949年与R.A.布拉德利结婚，后离异。为多产作家，曾以其本名和一些笔名发表过多部历史奇幻和哥特派小说，但以科幻小说和故事最为人知。第一部重要作品《双重性格的怪孩子》发表于1954年。第一部小说《穿过太空的门》1961年问世。另两部小说，《阿尔东的剑》和《拯救星球者》于1962年出版。以《阿瓦隆之雾》（1982）赢得畅销书作者的地位。这是一部着重描写女性人物的亚瑟王传奇的改写本。同样，《狂热分子》（1987）也是以女性人物的观点重写了伊利亚特。还主编自己主办的《奇幻杂志》。

Bradley, Omar N(elson) 布雷德利（1893-02-12，美国密苏里克拉克～1981-04-08，纽约） 美军将领，第二次世界大战期间指挥高效率的第12集团军，保证了盟军对德的胜

美国陆军部供图

利。美国首任参谋长联席会议主席（1949～1953）。1915年毕业于西点军校。曾任佐治亚州本宁堡步兵学校校长，第82师和第28师师长。在北非战役中任第二兵团司令，1943年5月攻克比塞大，迫使25万名轴心国军队投降，并解放突尼斯。同年8月攻克西西里。后调往英国，指挥美国第1军团，参预制订进攻法国的计划。1944年6月参加诺曼底登陆并参与最初的几场战役。8月25日进入巴黎。这时，他晋升为美国第12集团军司令，统率大军在法国、比利时、卢森堡、荷兰、德国和捷克斯洛伐克进行战斗，直至欧战结束。尔后，布雷德利回国，任退伍军人事务管理局局长（1945～1947）、陆军参谋长（1948～1949）。1950年晋升五星上将。1953年退休后活跃于私人企业。著有回忆录《一个士兵的故事》（1951），与C.布莱尔合著的《一位将军的一生》于1983年出版。

Bradley, Tom 布拉德利（1917-12-29，美国得克萨斯卡尔弗特～1998-09-29，加利福尼亚洛杉矶） 全名 Thomas Bradley。美国政治人物，洛杉矶市长（1973～1993）。奴隶之孙，佃农之子，在贫困中成长。7岁随父母移居洛杉矶。考入加州大学洛杉矶分校，未毕业。1940年到洛杉矶警察局工作。1956年获西南大学法学士。在警察局21年，由普通警察升为中尉。后积极参加民主党活动，1963年当选洛杉矶市议会议员。1969年参加市长选举，受瓦茨暴动影响而失败。1973年击败在任市长S.约蒂而当选，连任5届。两次竞选州长未成。业绩主要有争取主办1984年夏季奥运会和主持20年的城市发展。1989年发生他收受企业在该市经营业务的咨询费之事，虽免于刑事起诉，但受到民事指控，被处以罚金。他任内最大的危机是1992年4名白人警察殴打黑人R.金，酿成5天暴乱，50多人被杀，数千人受伤，并且发生大范围的纵火和抢劫。布拉德利受到普遍批评，后未再竞选连任。

Bradman, Don 布雷德曼（1908-08-27，澳大利亚新南威尔士库塔曼德拉～2001-02-25，南澳大利亚阿德莱德） 澳大利亚板球运动员。在国际比赛中共为澳大利亚赢得6 996分，创平均每场获99.94分的纪录。1928～1948年同英格兰队比赛时取得29次每局均获100分的成绩。1948年率领澳大利亚队在英格兰比赛4场获全胜。1949年退出球坛，当年封为爵士。

Bradshaw, John 布雷德肖（1602，英格兰柴郡斯托克波特～1659-10-31，伦敦） 曾判处英格兰国王查理一世死刑的法庭庭长。乡绅之子。后来成为律师。1643年任伦敦地方法

美国不列颠百科全书公司供图

院法官。在英国内战早期，他利用自己的法律知识帮助议会党人。1647年成为柴郡切斯特的首席法官。1649年1月控制下院的独立派（激进的清教徒）任命他为审判叛国犯国王查理一世的法庭庭长。查理拒绝辩护，要求由议会审讯，遭到布雷德肖的拒绝，他判处查理一世死刑（1月30日执行）。1649年3月出任英联邦执行机构——国务会议主席。1653年O.克伦威尔建立护国公政府，布雷德肖对此不满，于1654年退出政治舞台。1659年5月，克伦威尔逝世，其子理查德被迫辞职后，布雷德肖重任国务会议成员，并于6月任掌玺大臣。

Bradshaw, Terry (Paxton) 布雷德肖（1948-09-02，美国路易斯安那什里夫波特～ ） 美国职业橄榄球运动员，全国橄榄球联盟匹兹堡钢铁工人队的前卫，率领本队4次参加美国橄榄球联合会比赛（1974～1975，1978～1979），并获全胜。他于1970年被钢铁工人队列为第一个选拔对象而入队，但直至1974年才显示出其实力，当年钢铁工人队首次获冠军。1977～1978年在传球前进距离上名列全联盟第一。

Bradstreet, Anne 布雷兹特里特（约1612，英格兰北安普敦郡北安普敦？～1672-09-16，马萨诸塞湾殖民地安多弗[美国]） 母家姓 Dudley。在美洲殖民地最早写出真正有价值的英文诗歌的一位女诗人。她的宗教组诗《沉思集》受到20世纪文学批评界的重视，被认为是一部不朽之作，但至19世纪中叶始刊行。父亲托马斯·达德利是清教徒林肯伯爵的总管家。她在有文化教养的环境中长大。16岁时她同伯爵的另一被保护人西蒙·布雷兹特里特结婚，两年后，与父母及丈夫和其他清教徒渡海至马萨诸塞湾定居。在养育8个孩子和料理家务的同时仍从事写作。她的姐夫未经她的同意，就将她的诗带到英国，以《第十位缪斯新近在美洲出现》（1650）为题发表。美洲第一版的《第十位缪斯》内容修改，篇幅增加，书名改为《一些风格各异、充满智慧的诗歌》（1678）。其中大部分诗都是冗长的模仿性作品，只有最后两首《凡人的虚荣》和《大卫对扫罗和约拿单的哀悼》独具风格，意境纯真。她后来的一些诗歌是为她的家庭而写，表现了她全心接受清教徒教义以后在精神上的成长过程。她也写过一些动人的和更富有个人色彩的诗，其中有描写她在生孩子之前和孙儿死去时的思想。这些短诗因有独创性和没有说教而受人喜爱。散文集《沉思》中有许多简洁有力的警句。

Bradwardine, Thomas 布雷德沃丁（约1290～1349-08-26，伦敦） 基督教坎特伯雷大主教、神学家和数学家。曾就学于牛津大学默顿学院，后任该院学监。1349年任坎特伯雷大主教后不久死于瘟疫。他的神学论文强调神意与人类意志一致，使信仰者得出普遍的决定。著有数学论文，但其错误观点影响欧洲机械论达一世纪。

Bradwell, Myra Colby 布雷德韦尔（1831-02-12，美国佛蒙特曼彻斯特～1894-02-14，芝加哥） 美国女律师及编辑。曾参与涉及妇女法律权益的几起重要案件。与其丈夫J.B.布雷德韦尔同学法律，1868年创办法律周刊《芝加哥法律新闻》，不久该刊成为美国西部最重要的法律出版物。1869年申请为伊利诺伊州律师，因是女性被拒绝。1873年美国最高法院维护下级法院的裁决，但对妇女进入律师界开了先例。1890年成为伊利诺伊州的律师。1892年3月获准进入美国最高法院工作。她积极维护女权，曾参与制定使已婚妇女保留自身工资的权利（1869）及保护寡妇权益的州法律。在《芝加哥法律新闻》发表文章，评价法律界的见解及立法事项，促进制订大企业章程，制定分区制各项法令以及制定法律界职业标准。

Bradwell v. State of Illinois 布雷德韦尔诉伊利诺伊州 美国1872年的一桩法律案件，审查伊利诺伊州最高法院以M.布雷德韦尔

是女性为由拒绝发给她律师执照是否符合美国宪法。布雷德韦尔诉伊利诺伊州案于1872年提交美国最高法院。伊利诺伊州的意见着重提到,管理律师执照的条例是基于州议会沿用英国普通法不允许妇女担任律师的规定。伊利诺伊州法庭进一步写道,"上帝指定两性各有不同的活动范围,制定、采用和执行法律为男人之事乃自明之真理。"布雷德韦尔的律师在美国最高法院辩称,伊利诺伊州最高法院拒绝发执照剥夺了布雷德韦尔作为美国公民的"特权和豁免权"。美国最高法院的裁定维持伊利诺伊州最高法院的判决,认为布雷德韦尔的要求不属于美国宪法第14修正案的范畴,因为她是该主管州的公民,而且第14修正案的保护并不涉及律师执照的管理。在裁定的并存意见中,3名法官写道:"妇女至高无上的天职和任务是履行作为妻子和母亲的崇高而慈爱的职责。"但后来,1890年布雷德韦尔被允许进入伊利诺伊律师界,1892年美国最高法院给她颁发律师执照。

Brady, Alice　布雷迪(1892-11-02,美国纽约州纽约～1939-10-28,纽约)　美国女演员。出色的表演才华使她成功地完成了从默片到有声影片的转型。曾在新英格兰音乐学院学习,父亲是剧院经理。1910年放弃歌剧,开始在百老汇登台表演。次年出演《巴尔干王妃》,1912年在《小妇人》中的表演受到普遍称赞。1914年来到好莱坞,拍摄的影片有《种瓜得瓜》、《镀金笼》、《波希米亚人》、《罗斯夫人》和《女人与妻子》。1918年重返百老汇,成功出演了《永恒之后》,并在《大梭鲈鱼》、《老妈妈》、《羊羔的新娘》、《哀悼》和《小姐》等剧中取得巨大成功。20世纪30年代重返银幕,成功演出了一系列有声影片,包括《柳暗花明》、《我的高德弗里》、《春闺三凤》、《芝加哥大火记》(获奥斯卡最佳女配角奖)和《少年林肯》。尽管她饰演的多为富有、轻浮的上流社会妇女,但是她塑造的各种舞台形象和得到奥斯卡承认的表演才华表明她具有驾驭各种角色的能力。

Brady, James Buchanan　布雷迪(1856-08-12,纽约市～1917-04-13,新泽西大西洋城)　美国金融家和慈善家,以穷奢极欲的生活方式著称。布雷迪曾在纽约中央铁路公司充当侍者及其他各种职务,后在铁路供应处搞销售,是位极成功的推销员,他抽取巨额佣金,很快就成为亿万富翁。他极为慷慨,又酷爱美好的生活。布雷迪出手大方,且随意免除他人的欠款。主要经营珠宝业,特别是金刚石。每当在公共场所露面时,总是佩戴大宝石,故赢得"金刚石吉姆"的绰号,是纽约市众所周知的传奇人物。还使布雷迪著名的是他的胃口奇佳,尤喜在大宴会中无节制地吃喝。1912年捐款给巴尔的摩市约翰斯·霍普金斯医院以成立医学研究所。临终遗嘱赠巨款给纽约医院。

Brady, Mathew B.　布雷迪(约1823,美国纽约莱克乔治附近～1896-01-15,纽约市)　19世纪美国最著名的摄影师之一。以拍摄政治家肖像和美国内战照片出名。美术家兼发明家塞缪尔·F.B.莫尔斯曾教他银板照相术。布雷迪先后在纽约市(1844)、华盛顿(1848)、纽约市(1854)开设了3家照相馆。1845年着手计划拍摄当代名人肖像,包括D.韦伯斯特、E.A.坡和J.F.库柏等。他的美国总统肖像集可以表明其计划的规模。除就职后仅一个月即去世的W.H.哈里森外,布雷迪拍摄、复印和收藏了从J.O.亚当斯直到W.麦金利的历届总统肖像。加上已颇具声誉的布雷迪照相馆,连同1850年出版的《美国名人像集》,使他名扬海内外。美国内战爆发后(1861),他决定拍摄整个战争场面,雇用了20多名摄影师(其中最著名的摄影师有A.加德纳[1821～1882]和T.H.奥沙利文[1840～1882]),分赴各战区。他从华盛顿办公室指挥他的摄影师和管理照相馆。他可能拍摄过像布尔兰、安蒂特姆和葛底斯堡等战场照片。另外,还拍摄了有纪念意义的林肯战地照,以及李将军于1865年4月在阿波马托克斯率军投降后不久的照片。他投资10万美元,相信美国政府会在战后收购其照片,但政府不感兴趣,使布雷迪财政破产。此外,最佳摄影师因布雷迪拒绝他们在作品上署名遂辞职离去。1873年的经济恐慌迫使他出卖纽约的照相馆,并宣告破产。他无力支付底片保管费,陆军部在公开拍卖中以2 840美元购买它们。尽管他在政府中的朋友努力为他说项,国会在1875年也只给他2.5万美元,他再也没有偿还债务的能力。他被人遗忘在一家医院的慈善病房里,死于酒精中毒。

美国不列颠百科全书公司供图

Brady, Nicholas　布雷迪(1659-10-28,爱尔兰科克郡班登～1726-05-20,英格兰萨里里士满)　基督教圣公会牧师和诗人。与塔特合作,将《圣经·诗篇》改写为韵文译本,题名《诗篇新译》,1696年获准出版,基本上取代了斯特恩霍尔德和霍普金斯的旧译本。他还将维吉尔的史诗《埃涅阿斯纪》用无韵诗体译成英语,于1726年出版。

Brady, William A(loysius)　布雷迪(1863-06-19,旧金山～1950-01-06,纽约市)　美国演员、剧团经理、戏剧演出人、电影制片人和体育比赛赞助者。1882年在旧金山首次登台,1889年成为演出人,后在纽约曼哈顿剧院、四十八街剧院和普莱豪斯剧院上演了250多个剧目,其中有:《往东去的路》、《汤姆叔叔的小屋》、《自由的灵魂》等。1917年美国总统威尔逊任命他为一个委员会的主席,以组织电影业为第一次世界大战服务。他是最早的电影制片人,1915～1920年任全美电影业大会主席。

bradycardia　心动过缓　心率异常减缓,达到60次/分或少于60次/分的现象。心率慢本身并没有多少临床意义;在年轻人(特别是受过训练的运动员)身上或在入睡时,生理性心动过缓十分常见。当伴有其他症状时,心动过缓可预示有心脏疾病。心脏本身的起搏器(窦房结)功能障碍引起的心动过缓,常伴有虚弱、精神错乱、心悸及晕厥。当病人患有病窦综合征,其心率缓慢与心动过速相交替时;当窦性心动过缓伴有充血性心力衰竭或其他严重并发症时,需要安装人工起搏器来调整心率。另一个常见的心动过缓的原因——房室结电传导阻滞,其症状类似于窦性心动过缓。药物诸如洋地黄类或吗啡也可造成心动过缓。急性心肌梗死发作的患者常有心动过缓,表明预后良好。

Bradysaurus　缓龙属　罕见的早期爬行动物的绝灭属。化石见于南非的中二叠世地层(二叠纪始于2.9亿年前,持续5500万年)。属巨齿龙类的早期爬行动物群。巨齿龙类的特征是:粗大的躯体、强壮的四肢和肢带,有许多骨质隆起的奇形怪状的头骨。缓龙像其他巨齿龙类一样,沿颌的边缘有锯齿状齿,有腭齿及厚的头骨,适于食植物。头骨约长半米。

Braemar　布雷马　全称Castleton of Braemar。苏格兰格兰扁地区一个风景如画的山村,在克卢尼河与迪河汇合处。属阿伯丁历史郡。以1715年发动全国性起义的地点而闻名。现为著名旅游胜地和迪赛德高地的中心,有皇家猎鹿场、城堡和府第(包括巴尔莫勒尔堡的皇家宅第)。每年9月在此举行全国性民间体育比赛。人口478(2001)。

Braga　布拉加　葡萄牙北部城市和布拉加区首府。可能于公元前296年由迦太基人所建,罗马人称之为布拉卡拉-奥古斯塔。作

布拉加市圣耶稣·多蒙特圣所前的阶梯
美国不列颠百科全书公司供图

为凯尔特某一部族卡莱奇-布拉卡里人的都城,为5条战略军事要道的交会点。相继被苏埃比人(5世纪)和西哥特人(585)占领。因西哥特人曾在此摒弃阿里乌和普里西利安教派反对基督神性和反对肉欲的异端邪说而著名。公元716年被摩尔人占领。1040年由卡斯蒂利亚和莱昂国王费迪南德一世占领。1093～1147年为葡萄牙宫廷所在地。布拉加现为大主教区,其大主教为葡萄牙的首主教。名胜有12世纪大教堂(16世纪重建)、17世纪的圣克罗斯教堂以及收藏许多珍本书手稿的图书馆。东南约5千米小山上矗立有仁慈耶稣大教堂,圣灵降临节有成千上万人来此朝圣;此处有18世纪的建筑阶梯颇负盛名。向外约1英里为萨梅罗山,山顶有圣母马利亚的庞大塑像。1973年设有米尼奥大学。生产枪械、珠宝器、刀剑、家具、电子设备、纺织品和帽子。每年6月和9月举办大型牲畜交易会。与波尔图和维亚纳堡通公路和铁路。布拉加区面积2 673平方千米。人口:城112 039;市139 557(2001);区约754 700(1992)。

Braga, Rubem　布拉加(1913-01-12,巴西伊塔佩米林河畔卡舒埃鲁～1990-12-19,里约热内卢)　巴西新闻工作者和作家。在文学界,以所写《纪事》著称。《纪事》为一种兼有短论和小说成分的杂文。他几乎为里约热内卢和圣保罗所有的期刊工作过。第二次世界大战期间,曾到意大利采访,后又到其他南美国家和美国。布拉加曾任巴西驻摩洛哥大使(1961～1963)。对于他所描写的各种人物,主要是里约热内卢及其郊区的居民,表现出善意的幽默感和容忍的同情心,对乐观主义和各民族间的团结友爱表示肯定。布拉加最著名的文集有:《伯爵和小鸟》(1936)、《哑嗓子的人》(1949)、《黄蝴蝶》(1956)和《哀哉,科帕卡瓦纳!》(1960)等。

Braga (Joaquim), Teófilo (Fernandes)　布拉加(1843-02-24,亚速尔群岛蓬塔德尔加达～1924-01-28,里斯本)　葡萄牙诗人、评论家、政治家。曾试图写一部完整的葡萄牙文学史。出身于传统的天主教保皇派家庭,1868年毕业于科英布拉大学,成为共和主义和反教权主义的坚决支持者。1872年在里斯本大学任现代文学教授。他天性活泼好动,写了大量有关文学、社会、历史、政治问题的文章,以及一些诗歌。长诗《时代的幻景》(1864),是受了雨果的《历代传说》的影响写成。他编辑出版了好几本论葡萄牙民间文学的书,以及一些早期民歌和歌谣集。他是A.孔德的实证主义在葡萄牙的主要信徒。布拉加对葡萄牙文学史的研究范围甚广,但是由于他缺乏比例感,而且生硬地以事实硬套他的社会观和哲学观,使他搜集的极有价值的材料中往往充斥着离题和推理的东西,有不少成为芜杂的废物。文学史著作有《葡萄牙浪漫主义文学史》(1880)、《葡萄牙文学史》(10卷,1870～1881),以及对浪漫主义诗人A.加雷特和18世纪葡萄牙诗人的研究。他是一个坚定的共和主义者。1910、1915年曾两度任共和国总统。

Bragança　布拉干萨　巴西北方帕拉州东北部城市。地区商业中心。出产棉花、烟草、木薯、玉米、稻米和甘蔗。有石灰窑。产品经铁路和公路运往贝伦。有机场。人口约59 100(2003)。

Bragança　布拉干萨　葡萄牙东北部城市和布拉干萨区首府。位于西班牙边界波尔托东北170千米,临库莱布拉山区萨博尔河支流。原为凯尔特人城市,称布里甘蒂亚;后成为罗马人的茹利乌布里加。它是历史上重要城市,为布拉干萨家族所在地。1640～1910年的葡萄牙国王和1822～1889年的巴西皇帝皆出自该家族,他们的封建城堡仍然存在。1662年布拉干萨的凯瑟琳成为英王查理二世之王后。布拉干萨为主教区和历史上的后山省省会。名胜古迹有12世纪市政厅(该国最早和最大的市政厅)、文艺复兴式大教堂和城墙(有18所岗楼)等。布拉干萨家族财产属于国有,它资助成立布拉干萨基金会,基金会在该家族16世纪住地维索萨别墅辟有图书馆、博物馆和演讲中心。为葡萄酒、橄榄油、谷物和牲畜贸易中心,有纺织等少量制造业。有数世纪历史的大斋首日(圣灰星期三)基督教节日每年都吸引许多观光客。与波尔托之间有铁路和公路相通。布拉干萨区大部分为山区,产优质铁矿。面积6 608平方千米。人口:城19 997;市32 699(2001);区约154 700(1992)。

Bragança, House of　布拉干萨王室　1640～1910年统治葡萄牙、1822～1889年统治巴西帝国的王朝。第1位布拉干萨公爵是阿丰索(1461卒)。1640年葡萄牙脱离西班牙获得独立以后,第8位布拉干萨公爵若昂二世即葡萄牙王位,称约翰四世。此后,王储冠以布拉干萨公爵称号。这个新王朝延续到1853年玛丽亚二世逝世为止。她的儿孙,即萨克森-科堡-哥达-科哈里王室一直统治到1910年君主制结束为止。1822年巴西宣布独立之后,布拉干萨王室的两名成员在巴西称帝,直至1889年巴西共和国成立为止。

Bragg, Billy　布拉格(1957-12-20,英格兰埃塞克斯郡巴金～　　)　全名Steven William Bragg。英国歌手、歌曲作者和吉他手。将个人情感和政治态度融入到爱情歌曲和道德歌曲,深受20世纪80年代中期评论界的推崇。生于伦敦东区一个工人阶级家庭,曾加入一支朋克乐队,后入伍退出乐队。离开军队后成为一个现代民谣歌手。受到碰撞乐、朋克乐和民谣歌手的启发,用电吉他开始寻找各种机会演唱。1984年,他的首张专辑《生活是一场间谍间的斗争》获得好评,其中的《新英格兰》成为热门歌曲。布拉格是一名忠诚的社会主义者,他在英国矿工罢工期间举行了多场公益演出。其接下来的专辑制作更加精良,包括《与收税人谈诗》(1986)、《利瓦伊·斯塔布斯的眼泪》和《工人的娱乐时间》(1988)。1988年以一首披头士乐队的歌曲《她正离家而去》登上英国排行榜首位。继创作了比较刻板的《国际歌》(1990)后,在专辑《不要在家里这样做》(1991)和《威廉·布洛克》(1996)中恢复了简单、抒情的旋律。1998年布拉格与美国另类乡村摇滚乐队威尔可合唱团合作的《美人鱼大道》在英国比在美国更受欢迎。

Bragg, Braxton　布雷格(1817-03-22,美国北卡罗来纳沃伦顿～1876-09-27,得克萨斯加尔维斯顿)　美国南北战争时期南部邦联军军官。1837年毕业于西点军校。曾参加塞米

美国国会图书馆供图

诺尔战争和墨西哥战争(1846～1848)。作为邦联军的少将,他指挥一支部队参加夏洛战役(1862-04),约翰斯顿将军死后,他升为四星上将。同年秋季,他勇敢地指挥军队从田纳西州东部经肯塔基州向路易斯维尔挺进,投入佩里维尔战役(10月),但他不愿一决雌雄,遂撤回田纳西州,因而受到严厉谴责。但南部邦联总统J.戴维斯仍留他为田纳西军首领。1862年12月～1863年1月,他与W.S.罗斯克兰斯将军进行一场胜负不分的斯通河战役。9月他大败罗斯克兰斯于奇克莫加,并一度围攻驻守查塔努加的联邦军队。11月,他在查塔努加大战中溃败,被解除军职,任总统军事顾问。战后在亚拉巴马州和得克萨斯州任土木工程师。

Bragg, Don　布雷格(1935-05-15,美国新泽西彭斯格罗夫～　　)　美国田径运动员,铝竿时代杰出的撑竿跳高选手。1959年2月13日以15英尺9⅛英寸(4.8米)的成绩创室内撑竿跳高世界纪录。1960年7月2日创室外世界纪录,成绩为15英尺9½英寸。1960年在罗马奥运会上以15英尺5⅛英寸的成绩获撑竿跳高金牌。

Bragg, Sir (William) Lawrence　布拉格(1890-03-31,澳大利亚南澳大利亚阿德莱德～1971-07-01,英格兰萨福克伊普斯威奇)　澳大利亚出生的英国物理学家兼X射线晶

美国不列颠百科全书公司供图

体学家。他在测定晶体结构的基础上，提出X射线衍射的布拉格公式，因此和他父亲共获1915年诺贝尔物理学奖。他原在阿德莱德大学求学，1909年到英国剑桥大学三一学院学物理学，1912年在德国物理学家M.劳厄发现X射线通过晶体产生衍射的基础上，进行了一系列实验。1913年发表布拉格公式，这是用X射线衍射分析晶体结构的基本公式。他还用他父亲设计的X射线分光计精确测出X射线的波长。1914年担任三一学院的自然科学讲师。1915～1919年第一次世界大战期间在英军中任声测距技术顾问。战后到维多利亚大学任物理学教授，并在那里创办他的第一个研究组，从事硅酸盐、合金及金属性质的研究。

1921年布拉格被选为英国皇家学会会员。1937～1938年任国家物理实验室主任，不久再返剑桥任实验物理学的卡文迪什席位教授，并创办他第2个研究金属与合金、硅酸盐和蛋白质的研究组。当他1954年担任伦敦皇家学会会长后，实现了几点成功的革新：常年为学童作学术讲演并做学校不能开出的实验演示；开办自然科学教师课程；对缺少科学知识的公务人员进行补课。他组织了第3个研究组，其中有些成员成功地解决了复杂的有机晶体的结构问题。1941年受封为爵士，1965年退休。

Bragg, Sir William (Henry)　布拉格(1862-07-02，英国坎伯兰威格顿～1942-03-12，伦敦)　英国物理学家，现代固体物理学的创始者之一。由于用X射线研究晶体内原子和分

斯德哥尔摩诺贝尔基金会供图

子结构的贡献，和他儿子L.布拉格共获1915年诺贝尔物理学奖。1920年受封为爵士。他的贡献导致后来晶体元件的发展。1882年取得剑桥三一学院的奖学金，于1885年以优异的成绩通过数学毕业考试，同年就任澳大利亚阿德莱德大学数学和物理教授。除教学外，还去一家仪器制造商行作学徒，制造各种需要的教学用仪器设备。他回英国后，于1912年发明布拉格电离分光计，为现代X射线中子衍射计的雏型，他曾用其第一次精确测定X射线波长和晶体的各项数据。1904年当他成为澳大利亚科学促进协会物理学部主席时，开始考虑有独创性的研究。英国著名物理学家E.卢瑟福因布拉格后来在α、β和γ射线方面的研究工作而推荐他为英国皇家学会会员。他在1907年被选为皇家学会会员，同年在利兹大学任教，此时，他发展了γ射线和X射线具有类似粒子性质的观点。第一次世界大战后，他在伦敦大学学院设立晶体学研究组。在化学和物理学家J.杜瓦逝世后，接任伦敦皇家协会和戴维-法拉第研究实验室主任，吸收了许多青年科学工作者，启发并鼓励他们工作，很多人都成了名。W.布拉格又是热心的科学普及演讲者和作家，他为儿童们写的《圣诞节讲话》一书成为当时的畅销书。1935～1940年担任皇家学会会长。他虽然接受了许多荣誉，但对自己的成就十分谦虚。

Bragg law　布拉格定律　受到X射线、γ射线之类电磁辐射或电子、中子等粒子波照射时，晶体中诸原子平面的间隔与在这些平面上产生最强反射的入射角之间的关系式。为了获得最强的反射波列，波列必须保持同相以产生相长干涉，即波的诸对应点(即波峰或波谷)同时到达一点。布拉格定律是英国物理学家L.布拉格首先确定的。附图表示同

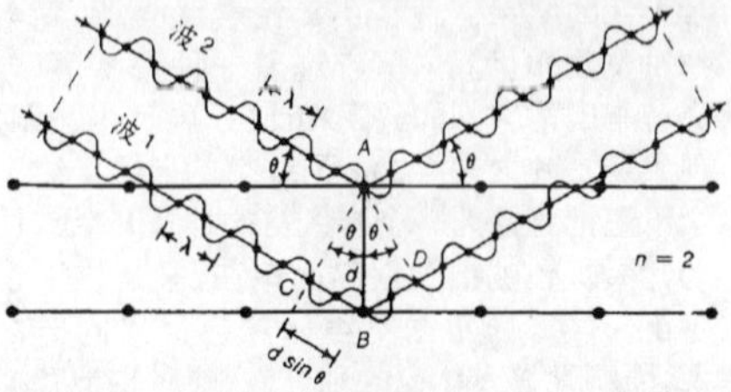

布拉格衍射

相的波1和波2，掠过晶体原子 *A* 和 *B*，晶体的点阵平面间的隔距为 *d*。实验证明，反射角 θ 等于入射角 θ。两束波反射后保持同相的条件为光程 *CBD* 必须为波长 λ 的整倍数即 $n\lambda$。从几何上看，*CB* 和 *BD* 相等，并等于 $d\sin\theta$。于是 $n\lambda = 2d\sin\theta$，这便是布拉格定律。从图可以看出，当 $n=2$ 时，沿路径 *CB* 只有1个波长，且反射角小于如 $n=3$ 时的反射角。具有相当于 $n=1$ 角度的反射波，称为一级反射；具有相当于 $n=2$ 角度的，称为二级反射；依此类推。n 为分数的其他任意角的反射波不同相，发生相消干涉而趋于消失。布拉格定律用于测量波长和决定晶体的点阵间隔。测量波长时，辐射束和检波器都置于任意角 θ 上。然后调整角度直到接收到一强信号。这个角度称为布拉格角，然后从布拉格定律中直接给出波长。这是准确测量X射线和低能量γ射线能量的主要方法。按照量子理论，中子的能量具有波的属性，常用布拉格反射来测定。

Braggart Warrior (theatre)　参阅 **Miles Gloriosus 吹牛军人**。

Brahe, Per, Greve (Count), THE YOUNGER　**布拉厄(小)**(1602-02-18，斯德哥尔摩附近的吕德布霍尔姆堡～1680-09-12，斯德哥尔摩附近的伯厄松德堡)　瑞典贵族、军人、政治家。瑞典国王古斯塔夫一世瓦萨的外甥、老布拉厄的孙子。他在三十年战争中打过2年仗(1626～1628)，获上校军衔。1629年成为贵族典礼官，翌年任枢密大臣。1632～1644年为女王克里斯蒂娜摄政委员会委员。1635年参加与波兰关于签订《施图姆斯多夫休战协

美国不列颠百科全书公司供图

定》的谈判。他两度任芬兰总督(1637～1641，1648～1654)，在芬兰改革行政机构，发展商业、交通和农业，并兴建许多新城镇。1640年创办奥布(图尔库)大学，1646年起自任校长，直至逝世。1641～1680年任大法官时期，作为国王查理十一世摄政委员会委员(1660～1672)，具有巨大影响。

Brahe, Tycho　布拉厄(1546-12-14，丹麦斯卡尼亚克努斯特鲁普～1601-10-24，布拉格)习称第谷。丹麦天文学家。他所作的天文观测可能是望远镜发明前最精确的。这些观测

美国不列颠百科全书公司供图

使欧洲人终于接受了哥白尼体系并成为17世纪天文学改革的基础。1559～1562年，他在哥本哈根大学学习法律。1560年8月21日如期出现的日全食使他惊奇不已。从此以后，他在学校中白天上课，夜晚观测星空。1562年进莱比锡大学。1563年8月作了第一个天文观测记录——木星合土星。他发现已有的星历表很不精确，便决心献身于天文观测工作。1565～1570(或1572?)年到欧洲各地游学。1571年(?)定居于斯卡尼亚，并建造了一个小型天文台。他在此遇到了一生中第3次，也是最重要的一次天文事件：1572年11月11日，他发现仙后座中出现了一颗比金星还亮的新星。经仔细观测，他证明这是一颗遥远的恒星。1573年和农家女基尔斯蒂尼结婚，生有子女8人。仙后座新星的发现使他想在德国建立一座大型天文台。1576年，丹麦国王腓特烈二世为了把他留在丹麦，特出资在文岛(位于哥本哈根与赫尔辛基的中途)

为他建立一座大型天文台。他称该台为天文堡。第谷不但是科学家和能工巧匠,而且还是艺术家。他建立印刷厂以印制和装订他的手稿,聘请能人研制出当时最好的天文仪器,使他的天文堡成为当时北半球天文研究和发现的中心。1597年他离开文岛,1599年定居于布拉格,任鲁道夫二世的御前天文学家。他论证1577年彗星远在月球距离以外,还获得777多颗恒星的精确位置。他还提出一种修改的哥白尼体系:地球静止不动,行星绕太阳旋转,而太阳则率领行星绕地球旋转。若考虑到他只用简单仪器进行实测,他的这些成就堪称文艺复兴时期的光辉成就之一。在逝世前不久,他把自己一生精心观测的资料赠给他的学生和助手J. 开普勒,为开普勒发现行星运动三定律和牛顿发现万有引力定律创造了条件。

Brahm, Otto　布拉姆(1856-02-05,德国汉堡～1912-12-28,柏林)　德国文学评论家。他的现实主义舞台思想对20世纪戏剧有很大影响。1889年,参与建立并随后领导"自由舞台"剧团。1890年创办同名期刊(后为《新德意志评论》)。《自由舞台》以A.安托万在巴黎著名的写实主义自由剧院为模式,把易卜生和托尔斯泰的反对传统观念的戏剧引入德国,但经过两个演季后即告失败。后又领导柏林德意志剧院,其作品特别着重于真实的再现,促使德国现实主义进入一个新的发展阶段。他鼓励作家们选择反常行为、犯罪、疾病以及无产阶级的生活为题材,重视自然对话及人物、事件和环境的统一。

Brahmā　梵天　吠陀时代晚期印度教大神之一。后来各教派崇拜对象纷纭,他逐渐为毗湿奴和湿婆所取代。后世认为梵天就是吠陀教的创造之神生主。相传梵天自金胎(梵卵)中出生,随即创造大地和万物。有4个脸,象征4部吠陀、4个时和4个种姓。有4臂,手执法器、念珠和书册,或坐或立在莲花座上,或骑天鹅。在绘画中,面色黄,着白衣,戴白色花冠和花环。

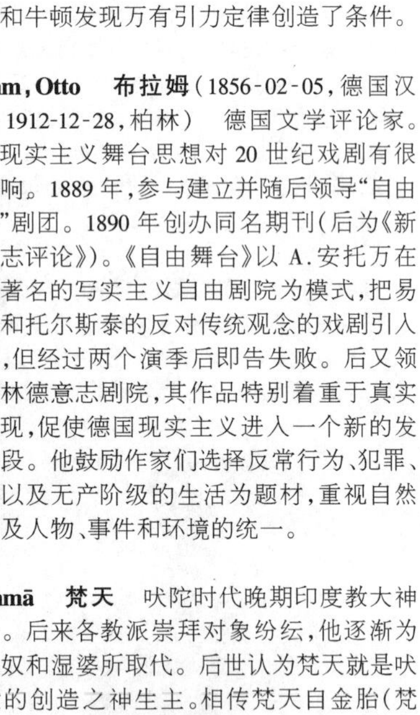

孟加拉博格拉县贾杰纳加尔的梵天雕像
美国不列颠百科全书公司供图

brahma　梵　梵语作brahman。奥义书中所说的最高存在或绝对状态,亦即万物之母。梵语此词的语源不详。奥义书中对于梵的解释众说纷纭,但均认为梵是永恒的、可意识到的、不可改变的、无限的、无所不在的,梵也是有限和变化的宇宙之精神泉源。对于梵的阐释明显不同,成为吠檀多不同流派的特色。吠檀多是以奥义书所载各种文献为基础的正统印度哲学体系。根据吠檀多不二论学派的说法,梵绝对不同于任何现象性的事物,而人类对于不同现象的感知,只是投在这一真实上的幻觉而已。异同论(二不二论)学派认为,梵与其所"制造"的世界无所不同,其所不同者,则是现象把某些梵自身以外的条件强加于梵的结果。适任不二论学派强调,梵与精神及物质世界之间存在着一种关系,可与灵魂与肉体之间的关系相比拟,同时也强调,现象乃是梵之一种"大而化之"的显示。这个学派还把梵拟为一个有人格的神,即梵天,认为梵天既超越物质世界而存在,又是内在于宇宙的。二论学派不承认梵与世界同一之说,强调梵之本体论的独立性,同时也把梵拟作一个有人格的神明。在早期印度神话中,梵被赋予人格,成为造物之神梵天,并被列入同位三神之中,即:造物之神梵天,保护之神毗湿奴及毁灭之神湿婆。

brahma-loka　梵世间　印度教和佛教名词。指多层的宇宙中,虔敬的天神所在的部分。在上座部佛教中,据云梵世间有20个不同的天界,较低的16天是物质世界(色界诸天),所居住的神一层比一层喜悦而聪明;较高的4天不存在物质和形式,组成无色界诸天。上座部佛教认为,梵世间的再生是静虑而德高者享有的酬报。人所能达到的实际层次,由他对佛陀、法、僧伽的虔诚以及他对宇宙的真正无形的本性的洞察深度来决定。和上座部宇宙观中其他所有的世界一样,梵世间也经常发生变化、毁灭和重建。

Brahma Samaj(Hindu theistic movement)　参阅**Brahmo Samaj**梵社。

brahmacharya　梵行　佛教用语。狭义指不淫;广义指比丘及比丘尼,以及在家信徒为了修身培德以止苦得悟而进行的努力。根据要求,在家信众不杀生、不偷盗、不邪淫、不妄语、不饮酒。沙弥、比丘及比丘尼除遵守这些戒条(第三条改为不淫欲)外,还须不非时食(不在午后进食)、不听视歌舞、不涂饰香鬘、不坐高广大床、不蓄金银财宝。

Brahmagupta　婆罗门笈多(598～约655,印度)　古代印度天文学家。他在《增订婆罗门历数全书》(628,西方又译《宇宙的开端》)中以诗的形式叙述了印度天文学体系。其中有2章是讲数学的,包括等差级数、二次方程和各种有关直角三角形、三角形面积和四边形面积以及表面积、体积等的几何定理的证明,其他23章是关于天文学的,论述月食、日食、行星合日、月相以及行星位置的测定等。

Brahman　婆罗门　又拼Brahmin。梵语作Brāhmaṇa,意为神学的掌握者,是印度教流行地区4个中瓦尔纳的最高一级。婆罗门的崇高地位可追溯到吠陀时代末期,当时印度北部操印欧语的移民已分为婆罗门(僧侣)、刹帝利(武士)、吠舍(商人)和首陀罗(贱民)。此后,他们的相对地位无根本变化。研究和背诵经文的权利向来为精神贵族所专有。若干世纪以来,印度的学术掌握在他们手中。政治权力通常操在武士种姓手中,但婆罗门时常充当统治者的顾问和大臣。在英国统治时期,婆罗门大体上仍能保持其精神上的领导地位,无论是最初在担任政府职务方面,还是后来在民族主义运动中,都是这样。1947年印度独立后,婆罗门继续领导国大党,控制中央政府,不过在许多邦中反对势力已在发展。在婆罗门势力特别巩固的印度南部,反婆罗门运动有相当大的力量,但这并未动摇其作为僧侣的传统地位。大多数婆罗门种姓是绝对素食主义者,其成员禁止从事某些职业。他们不得耕地或触动不洁之物(如皮革或生皮),但可以务农和干不违犯这些特殊禁律的农活。他们还可以被雇为家庭佣人;许多富有的印度教徒雇有婆罗门厨师,这样的厨师颇受重视,因为所有种姓的人可以吃他们所做的饭。婆罗门分为10个主要地区性群体,5个聚集在北方,5个聚集在南方。北方包括娑罗室伐底、高达、根瑙杰、弥湿罗和乌特卡尔婆罗门,南方包括马哈拉施特拉、安得拉、达罗毗荼、卡纳塔和马拉巴尔婆罗门。参阅**varna**。

Brahman　婆罗门牛　又作Zebu。又称瘤牛。原产于印度的几个牛品种。在美国与改良的肉牛杂交后育成适应性强的肉牛品种美国婆罗门牛。在拉丁美洲用类似的方法杂交育成印度-巴西牛。19世纪中叶,印度牛首次输进西半球,吉尔牛、古吉什拉特牛、内洛尔牛等品种能适应美国南部和巴西湿热的气候,又不畏昆虫骚扰,而来自北方的欧洲品种则很不适应。赫里福德牛和短角牛属于最先与这些印度牛杂交的品种,以后仍一直使用。杂交育成的新品种,如肉牛王,其肉脂肪含量明显降低。其他著名的杂种有沙白雷牛(沙罗莱牛与婆罗门牛杂交育成)、婆罗门-安格斯牛(由婆罗门牛与安格斯牛杂交育成)。纯种婆罗门牛目前主要用作种牛,很少屠宰。婆罗门牛的外貌特征是鬐甲部有明显的组织隆起如瘤状,角通常向上向后弯,耳下垂。这些特征在杂种中仅稍有保存。婆罗门牛多为灰色,公牛的前后肢色较深;也已育成纯红色的品系。

Brāhmaṇa　《梵书》　印度教最古经典吠陀的各种无韵体评注,阐释祭礼所引用的吠陀经文的含义和祭司动作的象征意义。这种《梵书》先后于公元前900～前700年期间编纂成书。当时,收入专集的颂词已被奉为神圣。这种专集汇编历代教义,用神话和传说加以印证,说明各种祭祀仪式并阐发经文隐义。主要议题是祭祀,是有关印度礼仪史现存最古的资料。《梵书》附录各章语言风格与正文相同,但更富于哲学内容,而且限于在远离村庄的森林中传授。比较晚近的这种著作称作《森林书》(Āraṇyakas),是《梵书》与《奥义书》之间的过渡环节。由梨俱吠陀派传承的《梵书》现存两部:《爱达罗氏梵书》(即《他氏梵书》)和《憍尸多基梵书》。

Brāhmani River　婆罗门河　印度东部奥里萨邦东北部河流。由森克河与南科埃尔河汇合而成,从比哈尔邦南部向南东南再转向东流经480千米归入默哈讷迪河的北支,最后在帕尔迈拉斯角注入孟加拉湾。

Brahmanism　婆罗门教　由吠陀教演变而成的古代印度宗教。该教祭司出身于婆罗门种姓,同时该教奉梵天,故名。婆罗门教与继起的古典印度教之间有区别,后者更为重视湿婆、毗湿奴等神,更为重视虔诚礼拜。

Brahmapur　布拉马普尔　原称贝汉布尔。印度东部奥里萨邦东南部城镇。距孟加拉湾14千米。位于加尔各答至马德拉斯的国道上和东南部铁路线上,是该地区的稻谷、甘蔗及其他农产品的贸易中心。工业有碾米业、制酒业和丝织业。设在该城镇的学校有卡利戈特学院(1878)、贝汉布尔大学(1967)、一所法律学校、一所医学院、一所教师进修学校和一所妇女学院。人口210 418(1991)。

Brahmaputra River　布拉马普特拉河　孟加拉语作Jamuna(贾木纳河);威妥玛-翟理斯拼音作Ya-lu-tsang-pu Chiang(雅鲁藏布江),汉语拼音作Yarlung Zangbo Jiang;藏语作Tsang-po。是中亚和南亚地区的一条主要河流。从它在中国西藏境内喜马拉雅山的发源地到它与恒河交汇处,全长约2 900千米。布拉马普特拉河在西藏发源后,向东流经中国西南部,南面是喜马拉雅山主脉,北面是念青唐古拉山。在这两山之间,布拉马普特拉河长约1 125千米。而后该河向南流经喜马拉雅山的东麓,流入印度东北部的阿鲁纳恰尔邦和阿萨姆邦。布拉马普特拉河经阿萨姆谷地流向西南,长724千米,然后再向南,穿过孟加拉国流向孟加拉湾,并与恒河和梅克纳河汇合形成一个大三角洲。该河共有24条主要支流,流域面积约为650 000平方千米。布拉马普特拉河流域气候变化很大;该河在西藏境内流域气候寒冷、干旱,而在阿萨姆谷地和孟加拉国境内流域的气候则普遍湿热、多雨。该河的主要水文特点是河道多变,并且由于降雨量大以及蒂斯塔河、多尔萨河和焦尔塔加河这些支流的巨大下泻流量,下游河段几乎年年洪水泛滥。在雨季,布拉马普特拉河的水流量估计可达每秒14 000立方米以上。控制河水泛滥的工程开始于20世纪50年代。目前,布拉马普特拉河在孟加拉平原的河段以及从在阿萨姆邦的上游河段到距入海口1 130千米的迪布鲁格尔的河段均可通航。其在拉孜附近的大约645千米长的河道也被开拓成可通航的深水河道。布拉马普特拉河上繁忙的交通运输对于不断开发其下游谷地的经济资源,其中包括阿萨姆的茶园、森林和石油、煤炭、天然气矿藏以及孟加拉国的黄麻资源,已变得十分重要。

Brahmarṣi-deśa　布拉赫马地区　梵语意为"圣人之地",历史上指印欧语系民族在印度占据的第2个地区。范围东起锡林德,南至马图拉,包括亚穆纳河和恒河之间地区。境内有般度人的首府因德拉普拉斯塔(德里)和传说中库鲁人与般度人的战场古鲁克塞特拉。公元前1000年前已有人居住。此地区与《梵书》的吠陀梵语注释及《奥义书》的神授启示论文有密切关系。

brahmavihāra　梵住　梵语,佛理指促进精神发育的4种高尚行为,人可以通过这4种行为转生于梵天。这4种行为分别是:①慈无量心,即纯全的同情之德,它使众生得福;②悲无量心,即纯全的仁爱之德,菩萨就是出于悲无量心才为了普救他人而推迟进入涅槃的;③喜无量心,即纯全的喜乐之德,见他人得福而喜乐;④舍无量心,即纯全的泰然平和之德,对万事无所牵扯,对众生无所偏爱。这4者又称为四无量,因为它们使无限的众生蒙福。

Brāhmī　婆罗米文字　一种文字体系,是佉卢文字以外的所有印度文字的祖先。婆罗米文字从阿拉米文字派生或受其影响发展而来。它的形成可追溯至公元前8世纪或公元前7世纪,当时闪米特人把这种文字传给印度商人。这种文字是半字母文字,每个辅音后面或者有固定的a音,或者有附加符号以表示另一元音;首元音各有其专门符号。婆罗米文字和由它派生的文字多数都是从左到右书写,但在中央邦发现的一枚公元前4世纪的硬币上,却刻有从右到左书写的婆罗米文字。由婆罗米文字派生的有天城体文字(用于梵语、印地语和其他印度语言)、孟加拉和古吉拉特文字以及达罗毗荼诸语言所用文字。

Brahmin (Indian priestly caste)　参阅 **Brahman 婆罗门**。

Brahmin　文人雅士　指美国新英格兰一些高贵的、自命文雅的、古老孤傲的新英格兰家族成员。其中有美国19世纪最杰出的一些文学家。原词是对印度社会的最高种姓婆罗门的幽默称呼,后用以指19世纪一些著名的新英格兰作家,如O.W.霍姆斯、H.W.朗费罗和J.R.洛威尔。他们以文学鉴赏的评判人自居,把波士顿作为他们那个时代的美国文学之都。他们虽然拥护民主思想,但在美学上都很保守。在R.W.爱默生、H.D.梭罗、N.霍桑、H.梅尔维尔、W.惠特曼、E.爱伦·坡和马克·吐温先后发表杰作的年代里,他们却提倡温文尔雅的、有理性的人道主义,这与他们杰出的同时代人有些格格不入。然而,这些文人雅士对于美国文艺鉴赏所产生的重要影响却一直持续到19世纪90年代。

Brahmo Samaj　梵社　Brahmo又拼Brahma。印度教内部的一神论改良派组织,1828年由罗易在加尔各答创建。梵社承认吠陀的权威,不相信转世,也不坚持业报或轮回之说。它摈弃印度教的礼仪而采取基督教(新教)的某些仪式。在伊斯兰教和基督教的影响下,该派抨击多神论、偶像崇拜和种姓制度。该社的社会改革计划取得可观的成功,但该社势力从未壮大。罗易主张自内部改革印度教,但是他的后继人泰戈尔却否认吠陀的权威性,以理性和直觉为梵的基础,从而于1850年另立门户。泰戈尔却力图保留印度教的一部分传统习俗。1866年以盖沙布·钱德尔·森(Keshab Chunder Sen)为首的激进派别树旗帜,成立印度梵社(老派改称真梵社)。新派主张折衷,放眼世界,在争取社会改革方面影响力极大。他们主办自律团体"希望团",鼓励妇女受教育,鼓吹寡妇再嫁,要求立法禁止童婚。盖沙布把自己的女儿嫁给库奇比哈尔土邦主,新娘新郎都距婚龄甚远,他这种做法背叛了自己提出的改革原则,于是不少追随者弃他而去,在1878年另立公共梵社。公共梵社逐渐重归《奥义书》的教导,继续推进社会改革。该派在20世纪实力减弱,但是它所提出的基本社会主张至少在理论上已为印度教社会所承认。

Brahms, Johannes　勃拉姆斯(1833-05-07,汉堡[德国]～1897-04-03,奥匈帝国维也纳[今在奥地利])　浪漫主义时期德国作曲家和钢琴家,作有交响曲、协奏曲、室内乐、钢琴

美国不列颠百科全书公司供图

曲、合唱作品和200余首歌曲。19世纪后半叶交响乐和奏鸣曲风格的大师。一位在浪漫主义者对古典主义传统的准则提出异议并加以否定的时代中,积极捍卫海顿、莫扎特和贝多芬古典传统的人。

年轻的钢琴家和音乐总监　初从父学音乐,7岁起先后师从F.W.柯塞尔和E.马尔克森学习钢琴。1850年结识匈牙利犹太小提琴家E.雷孟伊,与他一起举行音乐会,并从他那里学到一些吉普赛音乐,这一影响伴随他终身。第一个转折点是在1853年。他与小提琴大师J.约阿希姆相识,约阿希姆立刻意识到勃拉姆斯的天才,并把他引见给舒曼。两位作曲家一见如故。舒曼在《新音乐杂志》撰文热情赞扬勃拉姆斯的作品,引起强烈反响,于是勃拉姆斯成为音乐界有影响的人物。但总是有些事使他陷入困境,主要的问题是舒曼那篇文章引起的。当时在李斯特和瓦格

纳控制的"新日耳曼乐派"和以舒曼为主要代言人的保守派之间已经矛盾颇深。舒曼对勃拉姆斯的赞扬惹得新日耳曼乐派很不高兴，而勃拉姆斯本人虽然受到李斯特的友好接待，却不讳言自己对这些自我感觉良好的现代主义者缺乏好感，因此他也被卷进了争论。他和舒曼一家建立了亲密的关系，1854年舒曼的精神病初次发作时，他曾协助克拉拉料理家务。1856年舒曼去世后，他们一直相知甚深，保持原有关系。1857～1860年间他奔走于德特莫尔德宫廷——在那里教钢琴和指挥一个合唱协会——和格丁根之间，1859年被任命为汉堡一女子合唱队指挥。这类职务为他提供了宝贵的实践经验，并给他留有足够的时间从事创作。在此期间除两首欢快的管弦乐《小夜曲》和色彩绚丽的《降B大调第一弦乐六重奏》(1858～1860)之外，还完成了《D小调第一钢琴协奏曲》(1854～1858)。1861年回到汉堡，翌年首次访问维也纳，取得一些成功。因谋取汉堡爱乐音乐会指挥之职未成，于1863年定居维也纳，任歌唱协会指挥。至1872年他已是音乐之友社首席指挥，并指挥维也纳爱乐乐团共3个演出季，所选乐曲并非如人们所估计的那样保守。在维也纳期间他创作了几首最重要的作品。1868年他最著名的合唱作品《日耳曼安魂曲》完成，于同年耶稣受难节在不来梅首演，反应强烈，其后便在德国各地演出。这首至今被认为是19世纪最重要合唱作品之一的安魂曲使勃拉姆斯得以跻身于第一流德国作曲家之列。与此同时勃拉姆斯也写了一些成功的轻快作品。1869年他奉献出两卷钢琴二重奏的《匈牙利舞曲》，成绩斐然，从此在世界各地演出。1868～1869年创作钢琴4手伴奏的四重唱《爱情华尔兹》。一些最优秀的歌曲也作于这一时期。

成熟与成名 19世纪70年代，勃拉姆斯已在写作一些重要的室内乐作品，并慎重地向着纯管弦乐的方向发展。1873年作《海顿主题变奏曲》的管弦乐版本。即使是一贯严于责己的作曲家本人也认为这是一次非常成功的试验，因此他觉得自己完全可以着手完成《C小调第一交响曲》了。这部宏伟之作于1876年杀青，同年首演。翌年《D大调第二交响曲》问世，这是一部宁静的田园诗般的作品，不像《C小调》那种史诗般的哀婉动人。《F大调第三交响曲》作于6年以后(1883)，它的前3个乐章比较静谧沉默，但末乐章却表现出大自然力量的激烈冲突。又过了一年，勃拉姆斯的最后一部交响曲《E小调第四交响曲》动笔(1884～1885)，这部作品很可能是受到他当时正在阅读的索福克勒斯的古希腊悲剧的启示而作。勃拉姆斯的声誉逐渐蔓延到德国和奥地利的国界以外。瑞士和荷兰对他的艺术表现出纯真的欣赏，他在这两国以及匈牙利与波兰的巡回演出赢得极大的赞扬。布雷斯劳(现弗罗茨瓦夫)大学于1879年授予他荣誉学位。这时勃拉姆斯的同时代人都敏锐地意识到他的作品的杰出意义，而将巴赫、贝多芬、勃拉姆斯(人们所谓的3个"B")归于同样出类拔萃的地位。但是也有相当多的音乐家不承认他的伟大。当时一些先锋作曲家(最主要是李斯特和瓦格纳)的热情仰慕者们看不起他的作品，认为它们过于不合时尚，缺乏表现力。此后勃拉姆斯始终住在维也纳。1875年辞去音乐之友社指挥之职，从此悉心作曲。在举行巡回音乐会时，只指挥或演奏(钢琴)他自己的作品。他保持着几位亲密挚友，终身未娶。

晚年 1891年勃拉姆斯因与杰出单簧管演奏家米尔费尔德相识，并受其启发而着手为单簧管写作室内乐，包括《单簧管、大提琴与钢琴三重奏》(1891)，《单簧管与弦乐五重奏》(1891)，以及两首《单簧管与钢琴奏鸣曲》(1894)。这些作品结构完美，可出色地发挥这一管乐器的潜力。1896年完成他根据《圣经》经文而为男低音和钢琴所作的《四首严肃歌曲》。这是一部悲观主义的作品，其构思来自他对已经病入膏肓的克拉拉的思虑。这一年的5月20日克拉拉谢世。不久后，勃拉姆斯也不得不寻求医生治疗，并查明他患有严重的肝病。1897年3月他最后一次在音乐会露面，一个月后死于癌症。

目标与成就 勃拉姆斯的音乐补充并中和了19世纪后半叶浪漫派个人主义的迅速增长。他是一位传统主义者，因为他极为尊崇海顿、莫扎特和贝多芬所展现的律动的精妙与活力，另外还加上舒伯特的影响。浪漫主义作曲家们对感情因素的关注创造了新的和声远景，但也造成两个无法回避的后果。第一，它形成了一种倾向于狂想曲的趋势，常常导致缺乏条理性；第二，它减慢了音乐的进程。许多作曲家越来越不关注如何保留在18和19世纪之交曾经使一些大师名扬四海并在贝多芬的室内乐和交响曲中登峰造极的交响乐发展的技巧。勃拉姆斯敏锐地意识到这方面的损失，致力于进行补偿，力图使这种在他看来还远未耗尽的力量存活下去。但是他所向往的并非重新恢复旧的风格，而是在他的时代的语言中注入积极的力量。因此他的音乐语言实际上与贝多芬或甚至舒伯特没有什么相似之处；在和声上它受到舒曼以及在某种程度上甚至受到瓦格纳的影响。使他有别于所有同时代人的是他对节奏和律动的灵活而熟练的控制。在管弦乐作品中，勃拉姆斯显示出他调度音色的独具一格的手法，尤其是他对木管和铜管乐器的运用和他的弦乐写法，但重要的是，他的色彩并非就事论事地涂抹上去，而是经过精心调度的。另一方面，勃拉姆斯又是一位技艺精湛的微型画家，这不仅指他的许多精致而多姿多彩的歌曲，而且还有晚期的那些玲珑剔透且极富个性的钢琴曲。作为一位歌曲作曲家，他既写复杂和高度组织有序的作品，也写极其简单的分节歌类型。晚期的钢琴音乐往往言简意赅，一般都表达一种深邃的与世隔绝的心态，使人很难一下子就领会个中三昧；而其表面上的总体音响和情绪草草听来则可能显得很单调。勃拉姆斯的音乐幅度之广在他的合唱音乐中得到最有力的证明。他的合唱写作将韩德尔的讲究实效的殷实稳健同可与巴赫媲美的对位技巧结合在一起。《日耳曼安魂曲》表现出他在这一领域中的所有特点，以及他的协调独唱与合唱的本领。这部作品的线条的开阔和壮丽及其结构的力度，把勃拉姆斯的潜在忧郁气质安置在客观的非宗教性人道主义气氛之中。因此他不同于只关心自己的浪漫派，他或许是一个斯多葛主义者。

Brahui 布拉灰人 巴基斯坦西部俾路支的部落联盟。多数以游牧为生，分布地域从博兰山口穿过布拉灰丘陵到达阿拉伯海的穆阿里角。布拉灰语是达罗毗荼语系最西北部的一支，该语系其他语言则在印度半岛流行。布拉灰语中有很多信德语借词，但在印度-伊朗方言包围之中，仍保持孤立状态，彼此并无渊源关系，其原因不详。据估计，布拉灰人口约156万。由于布拉灰人在体形上与俾路支和普什图邻近各部落很相似，故该部落联盟具有很强的吸收力。布拉灰人信仰穆斯林教，属逊尼教派，妇女并不严格地与外界隔离。29个部落听命于格拉德地区的布拉灰汗。长期以来，此地与联盟的命运息息相关。据信8个部落形成布拉灰人的核心，约占布拉灰人口的1/11。从属这些核心部落的有许多土著而受控制的民族。布拉灰人于17世纪推翻某一印度拉贾王朝而崛起；18世纪在纳绥尔汗的统治下为其鼎盛时期。随后，格拉德地区为其活动中心，该地区1948年并入巴基斯坦。

Brahui language 布拉灰语 达罗毗荼语系中一种独立语言。通行于巴基斯坦西部，所有其他达罗毗荼语言通行于印度半岛；布拉灰语独立于其他语言之外的结果是大量借用周围非达罗毗荼语(如俾路支语、信德语、波斯语)。没有文字，正为邻近的语言所取代，许多说布拉灰语的人都已是操双语者了。

Braid, James 布雷德(1795，苏格兰法夫希尔～1860-03-25，英国曼彻斯特) 英国外科医师、催眠术研究的先驱，他为使催眠术从盛行的动物磁性理论中解脱出来而做了大量工作。1841年他从事外科时，对当时的催眠现象产生了极大的兴趣。他根据实验否定了流行的见解：有一种流体或其他什么作用从操作者奇妙地流向患者从而引起催眠。他用生理学观点将催眠解释为一种神经性睡眠，诱导方法是：诱使患者集中注意力去凝视一个光亮的、无生命的物体，从而造成疲劳，引起睡眠。现代"催眠"一词即布雷德于1843年首创(见《催眠学》)。他主要对催眠的治疗效用感兴趣，并报告了用催眠治疗瘫痪、风湿病和失语症成功的案例。他希望能用催眠来治愈似乎是不治之症的各种"神经性"疾病及减轻接受外科手术患者的痛苦和焦虑。他的研究结果最初境遇颇为不顺，但它们很快就极大地推动了法国神经精神病学派的发展。

Braid, James 布雷德(1870-02-06，苏格兰法夫厄尔斯费里～1950-11-27，英国伦敦) 英国高尔夫球运动员，20世纪头10年5次获英国公开赛冠军。第一次世界大战前曾和H.瓦登、J.H.泰勒共称英国高尔夫球"三巨头"。1901、1905、1906、1908和1910年获英国公开赛冠军。1910年夺得法国锦标赛冠军。1903、1905、1907和1911年获《世界新闻》锦标赛冠军。

Braid movement　布雷德运动　尼日利亚出现的相信先知疗法的宗教运动。约在1910年源起于尼日利亚三角洲教会(半从属于英国圣公会的非洲信徒教会),他们团结在巴卡纳教区教堂的布雷德周围。据说他能够用祈祷给人治病。圣公会起初欢迎这种宗教奋兴,1916年初崇拜布雷德的人数猛增,圣公会转而反对这个运动。当地殖民地政府认为这个运动有反对欧洲人的迹象,布雷德因涉及煽动是非的嫌疑而两次入狱。于是一些信徒脱离这个运动,还有人另组教会。布雷德死于1918年,现在尼日利亚东南部或多或少具有基督教信仰的"基督军"仍奉他为创始人。

braiding　编缏带　在纺织生产中,用机器或手工把3根或更多的纱线或斜裁的布条,相互斜向交织制成扁平或管状织带的加工方法。扁平缏带常用作外衣和家具布上的装饰性滚边,或作为一种修饰方法折叠包在坯布边缘上。具有人字形图案的装饰性缏带有时用来镶饰出图案的轮廓。缏带可以缝合在一起制成缏带地毯。用塑料或草类等编制的缏带也可制成帽子、手提包和带子等。

Brăila　布勒伊拉　罗马尼亚东南部一县。面积4 724平方千米。县境大部分为低地,西部有伯勒甘平原。锡雷特河流向西南,为该县北界;多瑙河及其支流多瑙费赫河则向北流。该地区过去是封建的瓦拉几亚公国的一部分,1554～1829年为土耳其人占据。县城布勒伊拉市是罗马尼亚沿多瑙河岸的最大港口之一,可停泊远洋轮船。工业有钢、铁、机械、纺织和造纸。沃代尼、维济鲁和弗乌雷等地有食品加工厂。伯勒甘平原地区种植小麦和玉米,并饲养家畜。作家P.伊斯特莱蒂(1884～1935)曾住在萨拉特(盐)湖镇。其他城镇有格罗佩尼、恩苏勒采伊和基斯卡尼。有公路和铁路通过布勒伊拉市。人口约393 467(1982)。

Brăila　布勒伊拉　罗马尼亚东南部城市,布勒伊拉县城。濒多瑙河,距河口170千米,为全国第2大港。1350年首次在西班牙文地理著作中提及,名为德里纳戈;1368年在发给布拉索夫商人的一份运输贸易执照中称为布勒依拉。1554年被土耳其人占领,直至1828～1829年俄土战争结束时才归属瓦拉几亚地区。战时为激战场所,到1829年已严重毁坏。1835年开始重建。现可通中小型远洋轮,有大型谷物装卸和仓储设施。为重要工业中心,有金属加工、纺织、食品加工等。名胜古迹有艺术博物馆、历史博物馆、希腊教堂(1863～1872)和天使长米迦勒与加百列的正教教堂(1831年前为清真寺)。人口约212 050(1982)。

Braille　布拉耶盲字　当今国际通用的盲文符号,是法国盲人L.布拉耶(1809～1852)于1824年在巴黎国立盲童学校就学时发明的。他改进了C.巴比埃发明的一种凸点书写符号,把12个凸点减为6个,使面积缩小到触觉最灵敏的手指尖可触及的范围之内,便于摸读。这种盲字体系很快就为盲人学生所接受,但直到布拉耶死后两年,即1854年才被巴黎的学校正式承认。直到1932年,英语国家才普遍接受了布拉耶盲字。布拉耶盲字6个凸点组成一个单元,叫做"方",左边是1、2、3点,右边是4、5、6点。这6个点可以组合成63种形式。用1、2、4、5点组成的10种形式列为第一行。在这10种形式上各增加第3点,组成第2行的10种形式。在第一行各增加第3、6点,组成第3行的10种形式。在第一行各增加第6点,组成第4行的10种形式。把第一行点位下移,即用2、3、5、6点组成第5行的10种形式。再用3、4、5、6点组成第6行的6种形式。用4、5、6点组成第7行的7种形式。布拉耶体系可以书写任何一种语言。中国目前通用的汉语新盲字是1952年以国语注音符号为依据设计排列的,前18个为声母,后34个为韵母,共用了52个布拉耶形式来拼写汉语。布拉耶的书写工具叫"板"。包括两块连在一起可以合起来的金属片。下面的一块按行铸成凹点模,上面的一块对应地有若干空格。书写时把厚纸固定在两块金属片之间,用顶端稍圆的锥状铁笔沿空格边缘所示点位,自上而下把纸压入凹点模内,使厚纸的另一面形成小凸点。布拉耶盲字从正面书写,反面摸读。书写时自右往左,阅读时则自左往右。布拉耶盲字可以使用带有6个键的打字机。第一架布拉耶盲字打字机是由伊利诺伊盲人学校学监F.H.霍尔于1892年发明的。这一器具经过改装至今还在使用,还出现过类似的器具。最近的处理布拉耶盲字的发明,是电动凸版机,类似于电动打字机。

Braille, Louis　布拉耶(1809-01-04,法国巴黎附近库普弗雷～1852-01-06,巴黎)　法国教育家。发展了一个为盲人所广泛使用的印刷及书写体系,该体系即以他的名字命名。

美国不列颠百科全书公司供图

3岁时在父亲的挽具店玩弄工具时发生事故致盲,但仍成为优秀的风琴演奏者和大提琴手。1819年获奖学金,入巴黎国立盲童学校学习,1826年起在该校任教。对C.巴比埃在该校展览的一种书写体系发生兴趣,15岁时对该体系作了改进,以简单工具书写,适合盲人使用。后又修改自己的这种6圆点组合编码体系,用于乐谱。1829年发表论文,介绍他的印刷活字,1837年又作补充。晚年患肺结核。病故后,遗体归葬故里,后于1952年移送巴黎,葬先贤祠。

brain　脑　动物身体前端神经组织集中的结构。脑用以整合感觉信息并指导运动应答,从而在维持生命所必需的本能活动中起重要作用。在高等脊椎动物中,脑也是学习的中心。低等脊椎动物的脑为管状,似高等脊椎动物脑发育的早期阶段。脑分为3个明显的区域:后脑、中脑和前脑。虽然高等脊椎动物脑的形态在胚胎发育过程中经历了很大的变化,这3个部分依然可以分辨出来。后脑由延髓和脑桥组成。延髓在脊髓和脑的高级部分之间传递信号;也是心跳、呼吸等自主功能的中枢。脑桥的一部分由连接脊髓和脑高级部分的神经束构成。脑桥也包含将信息从大脑传到小脑的神经细胞。中脑的背侧部分来自视叶,在鱼类和两栖类是主要的感觉整合中心。在爬虫类及鸟类,中脑也起一个重要的整合作用。哺乳动物的中脑大为退化,主要起联系后脑和前脑的作用。小脑通过大的神经束与延髓、脑桥、中脑联系。人的小脑相对较大,其功能为保持平衡及使肌群的运动适量和适时,从而动作协调。前脑包括两个大脑半球及其下方的间脑(包括丘脑和下丘脑)。丘脑是延髓和大脑之间的主要转接站;下丘脑是性驱力、愉快、疼痛、饥饿、渴、血压、体温以及其他内脏功能的重要控制中心。下丘脑产生控制垂体前叶分泌的释放激素,也产生催产素和抗利尿激素,后两种激素储存于垂体后叶并由此释出。大脑最初是作为嗅叶的一部分而发挥功能,人的大脑则与更复杂的功能有关。人和其他高等动物的大脑发达,覆盖在脑的其他部分之上,灰质表面形成沟回。沟回的复杂程度在一定程度上决定于身体的大小。小型哺乳动物(如小食蚁兽、狨)一般大脑表面平滑,而大型哺乳动物(如鲸、象、海豚)的大脑则沟回复杂。两侧大脑半球由一深沟(大脑纵裂[半球间裂])分开。大脑纵裂基部有很厚的神经纤维束组成的胼胝体,用以连接两侧大脑半球。因为神经纤维在延髓交叉,少数纤维在脊髓交叉,左侧大脑半球控制身体的右半侧,右侧大脑半球控制身体的左半侧。虽然在许多方面左右大脑半球互为镜影,但也存在着重要的功能差异。例如,在许多人控制言语的区域位于左侧半球,而控制空间知觉的区域在右侧半球。每侧大脑半球由两条主要的沟(中央沟和大脑侧裂)分为4部分:额叶、顶叶、颞叶及枕叶。中央沟又称罗兰多氏裂,又将皮质运动区(位于中央沟前方)与皮质感觉区(位于中央沟后方)分隔开。皮质运动区和感觉区始于半球的顶部,其上端部分控制身体的下端部分,而其下端部分控制身体的上端部分。大脑半球的其他功能区亦已确定,包括枕叶的视皮质和颞叶的听皮质。灵长动物皮质的很大一部分并无明确的运动或感觉功能;这些所谓联系皮质似乎与高级精神活动有关,并构成人类大脑皮质的最大部分。

brain cancer　脑癌　指不同类型脑细胞的肿瘤。因发生部位和细胞类型的不同,脑癌在多年内或进展快速,或进展缓慢。通常治疗困难,很难彻底根治。各种脑癌病因大多不明。与许多其他癌症不同,脑部肿瘤在人群中似乎是随机发生的,通常与已知的致癌因素无直接关联。但是,接触电离辐射(如头部照射X射线)后患某些脑癌的风险会增加,就如同免疫系统受抑制或有肿瘤家族史者较易罹患肿瘤一样。脑癌的症状差异极大,依发生部位而定。言语、听力、视力和运动功能发生困难或改变都可能表明有脑部肿瘤存在。许多脑部肿瘤刚开始时是因长年的慢性头痛而察觉的,在某些病例中,则是急性发作。症状还包括呕吐、恶心和身体某部位麻木。如果怀疑有脑部肿瘤,应进行神经系统检查以测试一般的脑部功能。进一步的诊断通常需要利用X射线、计算机断层摄影扫描(CT)和磁共振成像(MRI)等方法检查。为确诊脑癌通常需要切除一些脑组织进行分析,常在肿瘤切除手术中进行采样切片。脑癌通常只能在症状出现后才能诊断出来,患者的存活率也差异极大,取决于肿瘤的类型和部位。手术是脑癌最常用的治疗手段。手术能治愈某些脑癌,但有些只能缓解癌症的症状并延长这些患者的存活期限。在大部分病例中,不可能将肿瘤完全切除。放射疗法可用以治疗某些脑癌,但另一些脑癌对放射疗法没有反应。一般来说,放射疗法对生长快速的脑癌类型效果最好。化疗可用于某些脑部肿瘤,但因脑部存在保护性屏障,许多化疗药物不能通过血液进入脑部。化学疗法对生长快速的脑部肿瘤效果最好,但一般不能将脑癌治愈,并会产生与放射疗法相似的副作用。当患者的一般健康状况较差或肿瘤生长的部位难以用手术切除时,常常会采用放射疗法和化学疗法。在有脑癌家族史或个人头部曾频繁接受过X射线的罕见病例中,因对象罹患脑癌的风险较高,神经科医师就会对其进行定期检查,以尽早发现脑癌迹象。除此之外,并无已知的预防脑部肿瘤措施。

brain scanning　脑扫描　确定颅内异常的诊断方法。有数种,最有效的两种是同位素扫描及电子计算机化轴位体层摄影(CAT)。同位素扫描的原理是某些放射性同位素能选择性地集中于脑肿瘤和血管病变处。其过程是将锝^{99}、碘^{131}或其他放射性同位素注入到颅内的静脉内。这些物质向全脑蔓延时开始衰变并放出γ射线。放射性探测装置(如闪烁计数器或γ射线照相机)在颅外作前后运动,测量发射的γ射线量。可由某一部位射线的密度得知颅内异常的存在、形状和大小。电子计算机化轴位体层摄影(CAT)是使X射线从许多不同的角度通过脑部。X射线源和电子探测器围绕患者头部旋转时,X射线源发射出一系列短促的辐射脉冲。探测器将信息输入电子计算机,无数次扫描得出的X射线资料,经过分析和整合,构成清晰的脑横断面影像。利用这种三维影像医生便容易确定脑肿瘤、脑脓肿、血凝块及其他常规X射线方法难以确定的病变。20世纪70年代中期,影像诊断技术的一项重要发展是核磁共振(NMR)。NMR有和CAT一样的成像效果,但NMR却没有因X射线和电离辐射造成的放射性损伤。此外,NMR的优势还表现在它能够揭示生理的、生化的和结构上的各种异常状态。但那些装有心脏起搏器、动脉瘤夹、大型金属假肢和带有离子治疗器械的患者不能接受NMR检查。正电子发射体层摄影(PET)也是一种计算机控制的影像诊断技术,需先向患者体内注射放射性示踪剂,然后在体外寻踪。结果也是横断面成像。

brain syphilis (disease)　**脑梅毒**　参阅 **paresis** *麻痹性痴呆*。

Brain Trust　智囊团　美国历史上,1932年F.D.罗斯福首次竞选总统时的顾问团。哥伦比亚大学教授R.莫利、R.特格韦尔和A.A.伯利(小)是其中的核心。他们在经济、社会问题上和政策抉择方面为罗斯福出谋划策,并替他起草讲演稿。

Braine, John　布雷恩(1922-04-13,英国约克郡布拉德福德～1987-10-28,伦敦)　全名John Gerard Braine。英国小说家,所谓"愤怒的青年人"之一,是第二次世界大战后成长的一代英国作家的代表人物。曾就读于圣比德文法学校。以小说《最高的房间》(1957,1958改编为电影)闻名。书中主人公兰普顿是英国青年工人,娶富商之女发财致富,反害自身。布雷恩上过利兹图书馆专科学校。当《最高的房间》出版时,他正在约克郡当图书馆员。他以后写的小说均没有《最高的房间》那样受人欢迎。《等待希拉》(1976)在1977年改编为电视剧;《伴我到天明》(1970)在1980年改编为电视剧。

Brainerd　布雷纳德　美国明尼苏达州中部城市,克罗温县县城。临密西西比河。1871年北太平洋铁路公司建为伐木营地。班扬游艺中心有伐木业史展览,每年6月举行节庆。市西北19千米处有根据19世纪70年代明尼苏达伐木营地复制的"美国伐木镇"。伐木业现已衰落。收入来源以造纸、服装、铁路工场、旅游和州立布雷纳德医院为主。有布雷纳德社区学院(1938)。1881年设市。人口约13 178(2000)。

Brainerd, David　布雷纳德(1718-04-20,美国康涅狄格哈德姆～1747-10-09,马萨诸塞北安普敦)　基督教长老会传教士。1744～1747年奉派到纽约、新泽西和宾夕法尼亚一带向印第安人传教。1744年在新泽西纽瓦克受按立为牧师,后在苏格兰荣耀传信会任传教士。他通过译员向特拉华人、易洛魁联盟6部落、散内克人(可能即塞内卡人)和图塔拉斯人传教。白天他骑马沿萨斯奎哈纳河和特拉华河而行,晚上宿营。

Braintree　布伦特里　英格兰中北部埃塞克斯行政、历史郡的城镇、区。面积612平方千米,包括布伦特里、博金、霍尔斯特德和威特姆4个城镇。中世纪末以毛织品贸易业繁荣起来。17世纪引入丝织品生产。当地保存有精美的中世纪教堂等建筑。人口:镇33 229(1991);区130 000(1998)。

Braintree　布伦特里　美国马萨诸塞州东部诺福克县城镇。临韦茅斯福河,位于波士顿正东南。1634年始建,名摩诺狄格,为波士顿的一部分;1640年设镇,以英格兰埃塞克斯郡的布伦特里为名。早在1643年便有冶铁业,1752年建立玻璃制造业,18和19世纪生产巧克力、纺织品和五金商品等各种产品。制造业占重要经济地位,多数人从事服务业和贸易业。是政治家约翰·汉考克和约翰·亚当斯及其子约翰·昆西·亚当斯两位总统的出生地。人口约33 828(2000)。

brainwashing　洗脑　又称强制说服,指为说服不信者去效忠、接受命令或接受教义而进行的系统努力。"洗脑"是一个通俗说法,泛指任何旨在违背本人愿望、意志和理解的情况下操纵人们的思想和行动的方法。通过对自然环境和社会环境的控制,以图消除对任何处于对立面的团体或个人的忠诚,向个人证实其观点和思想方法是错误的,必须改变,以及加强对处于统治地位的党的忠诚和盲目服从。该词用于政治或宗教灌输,以及思想意识的改造最为适当。洗脑的典型手法包括:使之与前伙伴和消息来源隔绝;实施一种强迫的统治方式,要求绝对服从和百依百顺;保持强大的社会压力和对合作者进行奖赏;对不合作者进行肉体上的和心理上的惩罚,对其进行社会排斥和批判,剥夺食物、睡眠和社会接触,直到奴役和苦刑,并且不断地加重。至于态度和观点改变的深度和持久性,视个人的性格、实施改造的动机的程度,以及环境对新的准则的支持程度如何而定。

braising　炖　在盖紧的容器中用水和油缓慢地加热肉或蔬菜的烹调方法。它与将食品全部浸入液体中的焖不同,也与不另外加汁的干烧不同。炖是干烧与汽蒸的结合。要炖的食物首先在平锅中以少量油脂炒至棕黄色,然后加少量的液体,盖上锅盖继续煮。肉通常用蔬菜垫底;炖小块的家禽肉、兔子肉或小牛肉可称炖浓汁肉丁;炖大块肉则叫锅烧。

Braithwaite, R(ichard) B(evan)　布雷思韦特(1900-01-15,英国牛津郡班伯里～1990-04-21,剑桥郡剑桥)　英国哲学家。以其对科学原理和对道德与宗教哲学所提出的理论而闻名。曾就学于剑桥大学,先学物理和数学,后改学哲学。1924年成为该校研究员,后任伦理学讲师(1928～1953)及道德哲学教授(1953～1967)。在物理科学方面的理论研究,对他在科学归纳推理的性质和模型运用方面的理论以及对或然律运用方面的理论都有重要作用。他也将自己的科学方法运用于道德哲学及宗教哲学的研究,特别运用于数学游戏理论方面。在1955年出版的《游戏理论——道德哲学家的工具》一书中,他演示了将游戏理论应用于道德选择和伦理决策的方法。他最重要的著作《科学解释:关于科学中的理论、或然性与规律的研究》(1953),是一部论述自然科学方法论的书。

Braj Bhasa language　布拉吉语　属于印度-雅利安语,通行于印度北方邦的马图拉,一般认为是**印地语(Hindi)**的西部方言。它作为一种文学语言一直使用到19世纪晚期,很多文学作品都是描写与马图拉区密切有关的主神黑天的。

Brak（Libya） 参阅 **Birāk** 比拉克。

Brak, Tell（ancient Syrian site） 参阅 **Birāk, Tall** 毕拉克。

brake（plant） 参阅 **bracken** 欧洲蕨。

brake 制动器 减慢物体的速度或停止其运动的装置。多数制动器以机械、液压或电动方式作用于旋转机件并吸收其能量。机械制动器通过机械、液压或气动方式使旋转金属鼓(或盘)与固定摩擦件接触，产生机械摩擦，以热的形式消耗动能。制动鼓的摩擦件可以是制动带或带有凹面的制动块；制动盘的摩擦件为制动垫或制动环。摩擦材料可以是有机物、金属或陶瓷，常用模压石棉。用刚性连杆进行机械式操作，对于单台制动器来说是满意的。然而，如在汽车上采用的几个制动器由一个动力源驱动时，就难于在所有车轮上获得相同的制动效果；为此，用液压方式以相同压强的油驱动所有制动器的办法是可取的。铁路车辆的制动，是靠压缩空气推动铸铁制动块，直接挤压车轮的周边(参阅 **air brake**)。液压制动器有一个转子和一个定子。转动阻力来自液体的摩擦，以及从转子内一系列水室到定子内一系列辅助水室间的液体循环。转动阻力的大小取决于转子的速度，因此这些制动器不能完全停止转动件；但是如具备冷却液体的装置时，则能以很有效的方式消散大量的动能。这种制动器对行驶于山区的重型卡车特别有用。

Brakpan 布拉克潘 南非德兰士瓦省城镇。位于约翰内斯堡以东。是威特沃特斯兰德内的东兰德工矿综合体区域的一部分。建于1886年。附近发现煤和金矿后，发展迅速。1919年设镇。有宽阔的林荫大道和与工业区分离的郊外住宅区。1978年起，利用矿渣提取出可观的金和铀。人口46 416(1985)。

Bramah, Joseph 布拉马(1748-04-13，英格兰约克郡斯坦巴勒～1814-12-09，伦敦) 工程师和发明家，他的制锁厂是英国机床工业的发源地。1784年他在商店橱窗里展出他的新锁，标明谁能撬开，就奖给200几尼。虽然有许多人去尝试，但经过67年始终未被撬开，最后一位机械工用了51小时才将这把锁打开。这种锁的特点是构造复杂，它只有在制造出一整套设计良好、加工精密的机床之后，才能大批生产。他雇用青年锻工H.莫兹利协助他制锁，后来证明这位锻工在工程方面才华出众。布拉马和莫兹利设计制造成制锁机的样机，有力地促进了机床工业的建立，为19世纪英国制造业大发展奠定了基础。布拉马的其他发明中最著名的有液压机、木工刨床和钞票计数机等。

Bramante, Donato 布拉曼特(1444，大概为乌尔比诺公爵领地蒙特阿斯德鲁瓦尔多～1514-04-11，罗马) 意大利建筑师、画家，文艺复兴盛期建筑风格的创立者。他早期在乌尔比诺绘制壁画，1477～1499年移居意大利

布拉曼特1502年设计的蒙托里奥的圣彼得教堂内的坦庇埃托小礼拜堂
美国不列颠百科全书公司供图

北部伦巴第省。1477年为贝加莫的波台斯塔府邸的立面绘制壁画，尔后曾往米兰参加大教堂修建事宜，并从事立面设计及壁画工作。1488年曾与其他建筑师共同起草帕维亚大教堂的新设计方案，主持建造了该教堂的地下室及下层部分。他似乎与达·芬奇过从甚密，两人于1490年都曾致力于解决米兰大教堂塔楼的形式及结构问题。1492年他设计改建米兰圣安布罗焦教堂的教区长住宅和圣马利亚教堂的圣坛。布拉曼特善于博采众长，他曾考察过文艺复兴初期著名建筑师F.布鲁内莱斯基的作品，他从米兰其他艺术家的创作中吸取教益，又研究过伦巴第的古代建筑，这一切有助于他日后在罗马的工作，又为他建立文艺复兴盛期的建筑风格创造了有利条件。1499年他前往罗马，设计了圣马利亚和平修道院(完成于1504年)和蒙托里奥的圣彼得教堂内的坦庇埃托小礼拜堂。1503年教皇尤里乌斯二世当选，企图改建罗马以重现昔日罗马帝国的辉煌。布拉曼特成为教皇在建筑及城市规划方面设想的代言人。他为罗马新城规划了规模巨大的建筑群，前所未有地表现出古代罗马都城的风貌。但他设计的建筑物并不泥古，而往往以不偏不倚的个人的现代化设计手法，来体现上述风貌。约从1505年起，他设计了观景楼面积庞大的院落，将原有的梵蒂冈教皇宫的核心部分向北扩充，同已有的英诺森八世的别墅连接。此项工程虽然建造速度很快，但因工程浩大，直至布拉曼特去世时，仍远未完成。该工程后来继续进行，由于作了许多修改，如今已无法辨认布拉曼特当初的设计意图了。他于1505年开始设计的罗马圣彼得大教堂的新巴西利卡(长方形教堂)，是他最伟大的设计作品，也是当时最雄心勃勃的建筑计划，但他去世时建筑物尚未成形。1508年当尤里乌斯二世的罗马新城规划开始实施时，他充任建筑师和城市规划师。他按照规划开辟了许多街道，并在街道两旁建起了新的建筑物。他在新辟的朱利亚大道(Via Giulia)上，建起了成为市政府活动中心的宽阔广场，还设计建造了一座巨大的新法院大厦(1508)，并把圣比亚焦教堂(1509，也是他设计建造的)合并在一起。该建筑因被视为16世纪的建筑典型而闻名于世。布拉曼特知识广博，多才多艺，不仅是著名的建筑师、画家，而且能够写诗和演奏音乐。他幽默机智，雅善笑谑。他看不起教士和趋奉的朝臣，而器重和帮助有才能的人士。布拉曼特死后安葬于圣彼得大教堂。

Bramantino 布拉曼蒂诺(约1455，米兰～1536，米兰) 意大利米兰画派画家和建筑师，D. 布拉曼特的门徒。作为独立性格的大师，绘画风格中的怪诞成分为其特征。早期作品始自约1490年。该时期的代表作是古怪而有趣的《牧羊人的崇拜》(米兰安布罗斯图书馆藏)。进入16世纪后，他设计了表现一年12个月的挂毯(米兰斯福尔扎城堡收藏馆)，以及《圣母》和《圣马丁》两幅湿壁画(两者均藏在米兰布雷拉画廊)。1508年可能应布拉曼特之邀离开米兰到罗马，其《圣母与二圣徒》(安布罗斯图书馆藏)作于此时。1520年返回米兰，完成《圣母和圣徒们》和《逃亡埃及》(洛迦诺萨索圣母院藏)，同时为圣纳瓦洛马焦雷教堂设计特里武尔齐奥葬礼小教堂。1525年被斯福尔扎公爵任命为宫廷画师和建筑师。其作品以图表式形象著称。他的作品景色光辉灿烂，充满诗意。

brambling（species *Fringilla montifringilla*） **燕雀** 雀形目新大陆燕雀科鸣禽，在斯堪的纳维亚到日本的针叶树和桦木林中繁殖，到更靠南的地方越冬，有时在欧洲出现数百

燕雀(*Fringilla montifringilla*)
美国不列颠百科全书公司供图

万只。长15厘米。雄鸟羽衣大部分黑色，腰白色，胸和肩淡红褐色。雌鸟褐色，有黑条纹。

Brampton 布兰普顿 加拿大安大略省东南部皮尔自治区城市。位于多伦多市西侧，濒临埃托比科克湾。约初建于1830年。有种花、制革、木材业，生产汽车、鞋、文具、家具和光学仪器等。1873年设镇。1976年设市。人口268 251(1996)。

Brampton Island 布兰普顿岛 澳大利亚昆士兰州东北岸外坎伯兰群岛一岛屿。隔惠森迪水道与麦凯相望。有汽艇和班机往来于麦凯。为珊瑚环绕的近岸陆边岛，面积8平方千米。岛上森林覆盖的山丘高215米。是大堡礁上设施完善的度假胜地。

Brân 布兰 凯尔特语“乌鸦”，古代凯尔特人所崇奉的巨神。据中世纪威尔士故事集

《玛比诺吉昂》载，他是“全岛（即不列颠）之王”，身材魁伟，房屋容纳不下，因此他和群臣只好住帐篷。有关布兰的神话中最引人注意的一点是他的头被人砍下以后的经历。据说布兰受伤，自知难以免死，就请求同伴将他的头割下，无论到何处都要携带它，并嘱咐他们，他的头可以给他们作伴，使他们欢乐，只要他们不启开某一扇禁门，它就永不会腐烂。如敞开那扇门，他们就被驱回现实世界而想起无限烦恼。他们最后要把这个头葬在伦敦的怀特山。后来的事情果然应验，他的同伴度过80个欢乐的年头，然后把这颗头颅葬在伦敦，它在被人挖出以前一直保佑不列颠不受侵略。

bran　麸皮　从小麦、黑麦或其他谷类种仁脱离下来的可食用的破碎种皮（保护层）。小麦麸皮中含16%的蛋白质、11%的纤维素及50%的碳水化合物。碾得较粗的麸皮用作饲料，碾得较细的用作早餐谷类食品，或制作面包和松饼。麸皮对消化系统有益。

branch and twig borer　蛀枝虫　鞘翅目长蠹科及Psoidae科昆虫。长蠹科昆虫称为长蠹，约550种。生活于干材中或树皮下。体长3～20毫米，但棕榈长蠹（*Dinapate wrighti*）

蛀枝虫（*Apathe*）
美国不列颠百科全书公司供图

分布于北美西部，体长可达50毫米。苹果枝长蠹（或称葡萄藤长蠹，*Amphicerus bicaudatus*）钻入活的苹果树枝或葡萄藤内，但在枯木中繁殖。电缆长蠹（*Scobicia declivis*）又称短路长蠹，会钻入电缆的铅包皮内，若水气由长蠹所钻孔道进入电缆即可致短路。但电缆长蠹可能不以电缆包皮为食，而常生活于栎、槭等树中。Psoidae科昆虫头大（顶面观），成虫黑或褐色，长14～28毫米。幼虫钻入心材。斑肢蛀枝虫（*Psoa maculata*）仅于无生命的木材内繁殖，*Polycaon*属常为害果园。

Branch Davidians　戴维教派　相信耶稣基督即将复临的宗教派别。1935年由豪特夫创立于得克萨斯州韦科附近，是从基督复临安息日会分出的团体。在具有领袖魅力的V.豪厄尔（1959～1993年取名戴维·考利什）领导下，该派修建了自己的庄园作为总部，并囤积武器，到1993年共有130名追随者在那里生活。那年发生一场枪战，4名联邦执法官被杀，联邦执法当局围困庄园51天。最后司法部长雷诺下令采取突击行动，僵持在大火中结束。约80名成员死亡，包括几名孩童和豪厄尔本身。关于最后进攻的正确条件和必要性引起激烈争论，导致国会介入调查，并在2000年解除了对联邦执法官的刑责。

branchial arch　鳃弓　又作visceral arch或gill arch。又称内脏弓。鱼及两栖动物咽部两侧用以支持鳃组织的骨质或软骨质弧形棒状结构。较高级脊椎动物的胚胎中也存在与之相应但已退化的嵴状物（但在某些种中则可形成一过性的真正的鳃裂）。在人类胚胎，鳃弓发育成下颌骨、舌骨及喉等结构。

Branchidae（Greek religion）**　布兰奇达伊**　参阅**Didyma**狄杜玛。

branching　分支放射　不稳定原子核放射性蜕变的一种特殊类型，能发生两种以上的不同衰变过程。例如，一种给定的放射性核素，有些核射出电子，其余的核射出α粒子。例如任何一批铋214原子，99%以上射出电子而衰变成钋214，剩余部分（0.021%）射出α粒子而衰变成铊210。

branchiopod（class Branchiopoda）**　鳃足类**　甲壳纲的一个最原始的亚纲（鳃足亚纲[Branchiopoda]）动物。主要特征为：自由生活，大量分布于淡水（沙漠间歇性水塘至大湖），少数分布于海水；通常有成对的复眼；除无甲目外均有背甲；胸部附肢4对或4对以上，一般同型，扁桨状，内缘密生刚毛，除运动外亦用以滤食水中有机颗粒（如细菌）；腹部通常无附肢。现生种类分4个目：①无甲目（Anostraca），如盐水虾，无背甲，眼有柄，体长形，蠕虫状；躯干部有11、17或19对附肢，雄虫的第二触角变化为抱握器，交配时执握雌虫用；卵携带在最后一对躯干附肢后面的孵育囊中，生活在淡水和内陆咸水中。②背甲目（Notostraca），如蝌蚪虾，背甲大，马蹄形，向后扩展到躯干的背方；躯干部节数和附肢数之间无明显关系，后面有几节各有3～4对附肢，结果有的种类躯干部附肢多达71对，生活在淡水中，眼无柄，现存1种：*Triops cancriformes*。③贝甲目（Conchostraca），如蚌虾、蚌壳虫，背甲大，分两瓣，似蚌壳，包住头和躯干部；眼无柄；躯干部附肢10～27对；第二触角大，用于游泳；卵携带在躯干和背甲之间；雄虫的第一对躯干附肢变形为抱握器，在交配时执握雌虫的背甲用；生活在淡水中。④枝角目（Cladocera），如水蚤、溞，背甲二片，不包住头部；眼无柄；躯干部附肢4～6对；卵携带在背甲和躯干之间；第二触角大，用于游泳；雄虫第一对躯干附肢常有钩，交配时抱握用；多数生活在淡水中，有几种海产。有的分类系统把贝甲目和枝角目降为两个亚目，并合为一目（双甲目[Diplostraca]）。而Lipostraca目已绝灭。

鳃足类大小为0.25毫米～10厘米。典型的鳃足类的生活史自无节幼体开始，无节幼体的身体不分节，有第一触角、第二触角（用于游泳）和大颚3对附肢。后体分节，并出现其他附肢。但无甲类和背甲类幼体的第二触角失去游泳的功能。贝甲类圆蚌壳虫属（*Cyclestheria*）及几乎所有的枝角类（仅薄皮水蚤除外）的幼体孵出即形似成体，不经过无节幼体阶段。鳃足类发育成熟迅速。在沙漠温暖的间歇性水塘中一种小型枝角类两天即成熟产卵。温带地区的水蚤类在夏天不到一周即成熟。多为雌雄异体，但有的营孤雌生殖；有的雌雄同体。枝角类的生殖习性最多样化：环境良好时，产在孵育囊中的非受精卵发育很快，约两天孵化为雌虫，这些雌虫再产卵而产生更多的雌虫；缺少食物或温度突然改变时，有些卵发育为雄虫，雌虫开始产受精卵。受精卵能抵抗冰冻或干燥等不良环境，若环境适宜即能孵化。许多枝角类以受精卵越冬，间歇性水塘中的枝角类则产这种卵以度过干燥期。有些北极枝角类所产的休眠卵不需受精。休眠卵一般在翌春孵化，孵出雌性幼体。但薄皮水蚤属（*Leptodora*）的休眠卵孵出无节幼体。本亚纲其他目的种类也能产休眠卵。许多生活在沙漠水塘中的种类只产休眠卵，这些卵能长时期忍受干燥，直到环境再次转好（有时要几年时间）。温暖地区湖中，有几种水蚤属（*Daphnia*）的体型有显著的季节变异。冬季雌体头圆，但在春末和夏季头尖。高盐水中的盐水卤虫（*Artemia salina*）的形状变化也与环境有关，身体的比例随水的盐度而变化。鳃足类以微小生物（如细菌、藻类）为食，有助于使水体澄清；背甲类亦食寡毛纲环虫及摇蚊幼虫。薄皮水蚤及大眼水蚤属（*Polyphemus*）亦食其他小型甲壳类。背甲类及无甲类用附肢游泳，贝甲类及枝角类用触角游泳。鳃角类对光敏感。无甲类常以腹部对光，故常背朝下游泳。枝角类在不同光线条件下运动情况亦异。鳃足类的排泄器官为颚腺。眼发达，有肌肉，可见迅速的震颤运动；无甲类有眼柄，故眼易转动；水蚤的眼合并为一。鳃足类血浆中溶有血红蛋白，在缺氧的水中，血红蛋白量高，血色较红，移至含氧丰富的水中10日后，血色变淡。血红蛋白分解后不形成胆色素。

Branco, Cape　布朗库角　巴西东部帕拉伊巴州大西洋沿岸海角。地处南美大陆的最东端。在帕拉伊巴州首府若昂佩索阿东南，相距8千米。雨量充足。该地有白色沙滩，沙滩后面是高达45～150米的平顶山状的沉积层。

Branco River　布朗库河　位于巴西北部罗赖马地区。由源出委内瑞拉边境的乌拉里奎拉河及源出圭亚那边境的塔库图河汇合而成。向南－西南流，注入亚马孙河的一条主要支流内格罗河。全长775千米。下游航道畅通，上游河道多险滩。枯水期水位下降很快。

Brancovan, Anna de Noailles, princess　布兰科万公主　参阅**Noailles, Anna de**诺阿耶。

Brancusi, Constantin　布朗库西（1876-02-21，罗马尼亚霍比塔～1957-03-16，巴黎）　罗马尼亚雕刻家，长期活动在法国。其作品在现代雕刻史上占突出地位，对试图摆脱具象题材的现代艺术家有重大影响。生于贫苦的农民家庭，小时放羊，学过木雕。1894年入克

美国不列颠百科全书公司供图

拉约瓦工艺美术学校学习。1898 年入布加勒斯特美术学校。1903 年对罗丹的雕刻发生兴趣，后到慕尼黑旅行。次年徒步前往巴黎，入美术学院学习，在雕刻家 A.梅西耶（1916 卒）的工作室工作两年，学习文艺复兴时期佛罗伦萨雕刻艺术。1906 年首次在巴黎展出作品，这时雕刻还带有罗丹影响。1907 年作《祈祷者》，向简略形式的创作方法迈出了第一步。1908 年作《睡中的缪斯》。同年又作《吻》，两个雕琢简略的人形紧紧抱在一起，上面刻着几道对称的线，显示出其个人风格。1910 年完成另一件《睡中的缪斯》，用青铜雕出一个蛋形的头。蛋形雕刻在其艺术中十分常见，一般是浮雕式的，有时是浅浮雕式的。这类作品是其最写实和最有造诣的。另一作品主题是"麦厄斯特拉"——罗马尼亚传说中的神鸟。1912 ～ 1940 年共创作 28 件《麦厄斯特拉》的变体雕刻。1912 年荣获布加勒斯特官方沙龙的雕刻一等奖。布朗库西十分重视雕刻的材料，同一题材常常用木头、青铜或大理石等创作许多变体雕刻，加以比较。1918 年创作《无尽之柱》变体木雕，之后又以这一主题创作了多件作品，最著名的是 1937 ～1938 年为罗马尼亚特尔古日乌公园作的一件，用钢铁铸成，高达 30 米。同时为这个公园还创作了另外两件著名的雕刻：《吻之门》和《静之碑》。1939 年到美国参加"时代艺术"展览。最后一件重要作品是 1943 年完成的《飞龟》。1952 年入法国籍。1955 年纽约高根翰博物馆为他举办了一次大规模的展览，展出其全部作品。布朗库西临终将自己的整个工作室（包括 80 多件雕刻作品）捐献给巴黎市立现代艺术博物馆。主要作品有：《祈祷者》(1907)、《睡中的缪斯》(1908)、《吻》(1908)、《麦厄斯特拉》(1912)、《X 公主》(1916)、《金鸟》(1919)、《鱼》(1922)、《公鸡》(1924)、《无尽之柱》(1937)、《飞龟》(1943) 等。

Brand, Hennig 布兰德（活动时期1670，汉堡[德国]） 德国化学家。发现磷，为第一个知姓名的元素发现者。他是军官，自称医生。不断寻求据称能把贱金属变为黄金的点金石，因而常常被不公正地称为"最后的炼金术士"。约在 1669 年，他从尿中分离出一种白色蜡状物质，命名为磷（"载光物"），因它在黑暗中能发光。虽然布兰德对他的方法保守秘密，但磷于 1680 年仍为英国化学家 R.玻意耳所发现。

Brand, Sir Johannes Henricus 布兰德（1823-12-06，开普敦[今在南非]～ 1888-07-14，奥兰治自由邦布隆方丹） 政治家，长期担任奥兰治自由邦总统，致力于布尔共和国和英南非殖民地间的和平共处。开普殖民地下院议长克里斯托弗·布兰德爵士之子。曾就学于开普敦南非学院和荷兰莱顿大学。1849 年返开普敦执律师业，颇有成就。1864 年出任奥兰治自由邦总统，4 次当选，连任至死。他坚定而机智地克服自由邦面临的巨大困难。在与巴苏陀人进行了漫长而又代价高

美国不列颠百科全书公司供图

昂的战争后，向巴苏陀人首领姆什韦什韦提出苛刻条件，要后者说服英国人兼并巴苏陀兰（1868，今莱索托）。当英国在 1871 年吞并西格里夸兰钻石地带时，他争得了 9 万英镑的补偿。在 1880 ～ 1881 年英国与德兰士瓦战争期间，他充当调解人，努力为和平奔走。1882 年被维多利亚女王封为爵士。他的精明管理使自由邦在资源贫乏情况下繁荣昌盛，因而被誉为"模范共和国"。

Brandan, SAINT 参阅 **Brendan, Saint** 布伦丹，圣。

Brandeis, Louis (Dembitz) 布兰代斯（1856-11-13，美国肯塔基路易斯维尔～ 1941-10-05，华盛顿[哥伦比亚特区]） 律师，美国最高法院大法官（1916～1939），担任高级法院职务

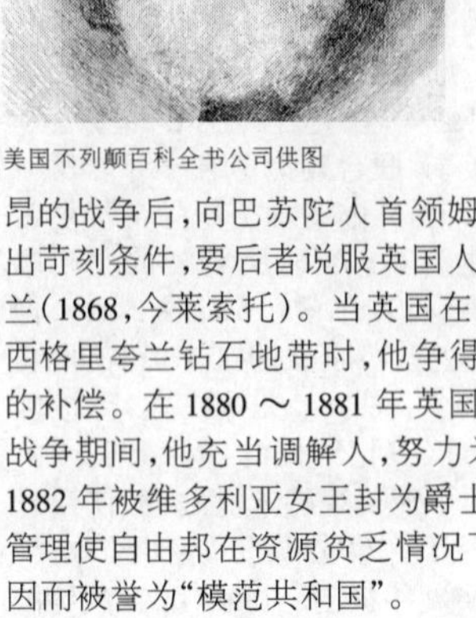

美国国会图书馆供图

的第一个犹太人。布兰代斯的父母是有教养的波希米亚犹太家族的成员，1849 年从布拉格移民到美国。布兰代斯幼年就读于路易斯维尔公立学校和德国德累斯顿的安娜 6 年制中学，后入哈佛大学法学院，并于 1877 年以全班第一名毕业。他在密苏里圣路易斯执律师业不到一年就回到波士顿执律师业，直至 1916 年被任命为最高法院大法官。在律师界，由于他代表了那些通常得不到如此优异辩护的人们的权益，布兰代斯被称为"人民律师"。当纽约公平人寿保险公司的事态引起普遍恐慌之际，布兰代斯成了新英格兰保险客户保护委员会的义务辩护人。最后，为了使保险公司纠正弊端，布兰代斯设计了一种在马萨诸塞（自 1907 年起）、纽约和康涅狄格州实行的制度。按照这种制度，人寿保险可在储蓄银行的柜台上办理，其费率应在劳动者的支付能力之内。1907 ～ 1914 年，他为各州规定最高工时和最低工资的法令进行了辩护，认为这些法令并不违反宪法。当时他设计了一种至今仍被律师们称为布兰代斯辩护要点的文件，把经济的和社会的资料、历史的经验和专家的意见整理编辑出来，以支持法律上的主张。他最有名的著作、论文集《他人的钱财，银行家们如何加以利用》，探讨了投资银行家对美国实业实行的控制。他的著作攻击垄断和联锁董事会，有助于 1914 年克莱顿反托拉斯法和联邦贸易委员会法的通过。这些法令加强了政府的反托拉斯权力。他对威尔逊总统关于加强企业之间竞争的原则所提供的支持得到了报答，于 1916 年 1 月 28 日被任命为最高法院大法官。尽管有很多工商业利益集团和反犹分子的激烈反对，美国参议院批准了这项任命，布兰代斯于 6 月 5 日就职。

在布兰代斯的主要司法见解中，他既不相信可以用全体人民的名义无限制地使用行政权力，也不相信那种个人自由的概念，任由几个人协议去垄断那些影响到每个人的经济活动。他认为，要维持联邦制，各州的立法机关必须能够制定出适应各种不同的和不断变化的需要的法律，但是当这些法律妨碍自由表达思想时，他希望对这些法律加以限制。在惠特尼诉加利福尼亚一案（1927）中，惠特尼是一个共产党人，根据一项关于罪犯团伙的州法令被定罪，布兰代斯发表了一项赞成意见，主张只有在某种言论具有挑起公认的非法行为的"明显而现实的危险"时才可以据以科刑。但是，由于看到法院在程序问题上的局限性，他投票赞成定罪，因为惠特尼的律师没有在审判庭上适当地提出宪法保障言论自由的问题。在此之前，当最高法院根据 1917 年的《间谍法》确认对美国参加第一次世界大战发表批评意见为有罪时，他曾经提出异议。在大多数重要的有争议的问题上，布兰代斯都和他的同事霍姆斯意见一致，并且常常是居于少数。但是在新政时期，霍姆斯和布兰代斯的许多异议主张都被最高法院认可。布兰代斯在支持大多数新政立法的宪法合法性时并不是完全不加鉴别的，例如，他附议法院确认 1933 年《国家工业复兴法》违宪的裁定。他于 1939 年 2 月 13 日退休。

布兰代斯自1912年起就是犹太复国主义的热情支持者，那是他唯一公开支持的事业。1948年在马萨诸塞沃尔瑟姆创立的布兰代斯大学是以他的姓氏命名的。

Brandeis University 布兰代斯大学 设于美国马萨诸塞州沃尔塞姆的一所私立男女同校高等学府。该校建于1948年，是美国第一所犹太人主办的、不属任何宗教派别的大学。该校主要组成部分是一个学院和一个艺术与科学研究院。学院有科学、社会科学、人文科学和创作艺术系。该校的近东和犹太学院开设古代和现代犹太思想、历史和文化方面的课程，并进行这些方面的研究，还开设犹太公共服务课程，使学生毕业后能在犹太人社会中从事专业性工作。弗洛伦斯·海勒社会福利高等研究院授予社会福利政策博士学位。

Brandenburg 勃兰登堡 神圣罗马帝国的侯爵领地，后成为选侯领地。位于德国东北的低地。为普鲁士王国权力核心所在地。第一次世界大战后成为普鲁士的一州。第二次世界大战后普鲁士解体，勃兰登堡在奥得河以西的部分成为单独的州。1952年东德改州为专区后，勃兰登堡失去旧建制。但1990年东西德合并之前，又重新成立勃兰登堡州（参阅 **Brandenburg**）。

最早占据勃兰登堡的是森农人，后来由斯拉夫人取代。德意志国王捕鸟者亨利一世（919～936在位）攻克斯拉夫族哈弗里邦的首府勃兰尼堡并征服该地。此后，斯拉夫人又将日尔曼人赶走。但自1106年起，在萨克森公爵洛塔尔（后为德意志帝国皇帝）和他1134年所授的北部边境侯爵大熊阿尔贝特一世统治下，德意志开始加紧征服这一地区，并向该地殖民和使该地基督教化。此后一个世纪中，在阿尔贝特的继承人阿斯卡尼亚家族统治下，这种做法一直延续下去。斯拉夫人逐渐在文化上、政治上和经济上被同化。13世纪勃兰登堡十分繁荣。柏林是几个新建的城镇之一。勃兰登堡分为易北河以西的老马尔克，易北河与奥得河之间的中马尔克和奥得河以东的新增领土新马尔克3个部分。12世纪中期，勃兰登堡的统治者被承认为选侯（参加选举神圣罗马帝国皇帝的邦君）。这个权利得到查理四世皇帝金玺诏书（1356）的确认。1320年阿斯卡尼亚家族绝嗣后，这个选侯领地由于纷争四起而不得安宁。在卢森堡的德意志国王文策斯劳斯执政期间（1373～1378）强化了统治，但一般来说，在14世纪，地方上的贵族均靠牺牲选侯和以前的自由农民的利益而获得了相当大的权力。

1415年神圣罗马帝国皇帝西吉斯蒙德指定霍亨索伦的腓特烈为选侯，重新恢复了勃兰登堡更为有力的中央政府。铁牙腓特烈二世（1440～1470在位）镇压了造反的贵族和城市。他不断受到与邻邦波美拉尼亚人战争的困扰。他的弟弟和继承人阿尔贝特三世阿希勒斯（1470～1486在位）最终对波美拉尼亚人建立了宗主权。约阿希姆一世（1499～1535在位）将罗马法引进勃兰登堡。在他的儿子和继承人选侯约阿希姆二世和约翰的统治下，接受了路德派教义，已归俗用的主教管区土地由王朝接管。约翰·西吉斯蒙德（1600～1620）获得克莱沃、马尔克、拉芬斯堡和明登，这些地方成为德意志西部霍亨索伦权力的核心。在此之前，王朝已在西里西亚找到了立足点（1537），最重要的是自1569年起，波兰国王承认勃兰登堡选侯为普鲁士公爵。

在选侯乔治·威廉时期（1619～1640），勃兰登堡在“三十年战争”（1618～1648）中最初寻求中立，但却遭到瑞典人的侵略和占领。其子大选侯腓特烈·威廉（1640～1688）解放了选侯领地并重新恢复了秩序。腓特烈·威廉获得东波美拉尼亚、已归俗用的哈尔伯施塔特、明登和卡明主教管区，以及马格德堡大主教管区。通过扩大领土与进行政治和军事活动，腓特烈·威廉成为德意志主要的新教邦君，并将勃兰登堡-普鲁士建设成为一个财政稳定、军队强大和政治健全的欧洲强国。1688年5月9日大选侯去世时，勃兰登堡有普鲁士作后盾，在神圣罗马帝国的诸侯国中实力仅次于奥地利。选侯被认为是德意志新教主义的首领，其领地已超过10万平方千米，财政收入也成倍增加。他的军队虽然还不大，但其有效的训练却无与伦比，并使他能在当时的政治和军事的结合中取代从前由瑞典所占有的地位。

新选侯腓特烈三世（普鲁士腓特烈一世）在更为有利的条件下承接了他父亲的政策所结出的果实。他支持奥兰治的威廉于1688年进攻英国，联合其他德意志邦君反对法王路易十四，后又协助神圣罗马帝国皇帝反对法国和土耳其。当时腓特烈的主要顾问是埃贝哈德·丹克尔曼（1643～1722），他对继续大选侯的改革所做的工作极有价值。但由于树敌太多，1697年失掉权力，并被囚禁数年。腓特烈三世所做的一件最重要的工作就是完成了他父亲的未竟之业，使自己及继承人获得了普鲁士国王的称号。这个问题最初于1692年提出。1698年，当利奥波德一世皇帝及其大臣们因面临由于西班牙王位继承权问题可能出现一场争斗而安抚勃兰登堡时，这个问题再度被提起。最后的决定是从普鲁士而不是从勃兰登堡取得国王称号，因为普鲁士位于神圣罗马帝国范围之外。作为回报，腓特烈答应援助利奥波德8 000名士兵。腓特烈自封“普鲁士国王”，1701年1月18日在柯尼斯堡举行加冕礼。腓特烈晚年时期主要是参与西班牙王位继承战争和在大北方战争的变迁中确保自己国家的利益。在这一时期，勃兰登堡没有扩大多少领土，但却较为繁荣兴旺。这使选侯能为教育事业做许多事，并在建筑方面花一些钱。成立哈雷大学（1694）、艺术学院和科学院。柏林也变得更好了。腓特烈死于1713年2月25日。此后勃兰登堡的历史融入普鲁士（**Prussia**）的历史。

Brandenburg 勃兰登堡 德国东部一州。1990年东、西德合并过程中所设。包括原东德波茨坦和法兰克福两专区、科特布斯专区大部和新勃兰登堡与什未林两专区的小部分。目前勃兰登堡州面积为29 059平方千米，占原东德的东部和中部偏东地区的全部。首府波茨坦。勃兰登堡封邑（principalith of Brandenburg）在历史上是神圣罗马帝国的选侯领地，普鲁士王国王朝权力的中心，1701年并入普鲁士王国。1815年成为普鲁士的一省。从1871年德国统一到第二次世界大战结束地位未变。战后普鲁士解体时，勃兰登堡省在奥得河以西部分单独成为一州。1952年东德废除州的建制，划分新的专区，勃兰登堡州的建制被撤销。1990年又由上述各专区合并设勃兰登堡州。柏林在该州的中央，但是为一个独立的行政实体。今日的勃兰登堡州大部分是沙质的平原，分布有许多土壤肥沃的地区，还有大片松林与枞树林地带。由于该州的土壤为沙质，故原有“神圣罗马帝国沙匣”之称。但得到易北河、奥得河及其支流的灌溉，水量充足。该地区以湖泊密布著称，大、小湖泊有600多个。主要农作物有大麦、裸麦、燕麦、马铃薯和小麦；饲养牲畜、经营牛奶场、商品用果园及菜园等亦是重要经济来源。该州森林覆盖面积相当大。人口不甚稠密，重要城市只有波茨坦、科特布斯、勃兰登堡和奥得河畔法兰克福。主要工业有工程设计、炼钢轧钢和纺织品制造。勃兰登堡州境内有易北-哈弗尔运河和奥得-施普雷运河；这两条运河经哈弗尔河及施普雷河使易北河及奥得河相通，河上可行平底船。人口约2 542 700（1992）。

Brandenburg 勃兰登堡 德国东部勃兰登堡州城市。位于柏林以西哈弗尔河两岸。原是西斯拉夫黑费利部族建立的集镇，名布伦纳堡。928年被德意志国王亨利一世（捕鸟者）占领。948年首建主教区。983年被斯拉夫人夺回，后因黑费利族国王普利比斯拉夫-亨利无嗣而由阿尔贝特一世继承。1157年重建该镇，命名为勃兰登堡总督管辖区。1161年重建主教区。1356年总督管辖区成为勃兰登堡选帝侯的领地。南岸原斯拉夫人居民区为老城区，而北岸德意志人居民区为新城区和历届勃兰登总督的驻地。直至1715年南北两部分才联合成为单一的市。1539年主教区成为路德派教区，1598年该教区并入勃兰登堡选侯区。市内古建筑包括1165年建的罗马式大教堂（14世纪重建时改为哥特式的建筑，20世纪60年代进行过大规模修复工作）、圣雅各礼拜堂（1320）和大约同时建成的圣凯瑟琳教堂。在当地钢铁工业的基础上，发展拖拉机和机器制造工厂。另外还有纺织和制革工厂。附近有德国的主要轧钢厂和拉丝厂以及一个游览中心普劳恩湖。作为易北-哈弗尔运河东端一个繁忙的河港，该城还有一家制造渔船的造船厂。人口约89 889（1991）。

Brandenburg Gate 勃兰登堡门 柏林唯一保留下来的城门。位于菩提树下大街西端。该门建于1788～1791年，由C.G.朗汉斯仿照雅典的山门设计。作为柏林的凯旋门，其上竖有著名的4马牵引的“胜利战车”的铸像。整个建筑在第二次世界大战期间遭到严重损坏，1957～1958年期间重新修复，

勃兰登堡门
美国不列颠百科全书公司供图

并用原来的模子重铸了战车。1961～1989年柏林墙使东德人和西德人都不能接近该门。在东西柏林重新统一的过程中，该门于1989年12月22日重新开放。

Brandes, Edvard　布兰代斯（1847-10-21，丹麦哥本哈根～1931-12-20，哥本哈根）　作家、政治家，19世纪晚期丹麦左翼联盟争取全面实行议会制政府斗争中的重要人物。他从事过文学评论，但主要以政治活动闻名。从1880年起至第一次世界大战止任丹麦议会下院议员。1913～1920年任激进党政府的财政部长。他的犹太人出身、无神论观点、"欧洲人"气质，使他从政治生涯之始就与19世纪90年代后期组成改革党的左翼联盟中的稳健派有分歧。在他大力影响下，激进党终于在1905年脱离改革党。

Brandes, Georg　布兰代斯（1842-02-04，丹麦哥本哈根～1927-02-19，哥本哈根）　丹麦文学批评家、学者。自1870年到20世纪初期在斯堪的纳维亚文学界产生了巨大影响。

美国不列颠百科全书公司供图

布兰代斯出生于犹太家庭。1864年毕业于哥本哈根大学，后漫游欧洲（1865～1871），在巴黎结识法国文学批评家泰纳和勒南以及英国政治哲学家米尔等人，深受他们的影响。他以使丹麦脱离文化方面的孤立和地方主义为己任，并以革新者的热情向他的同胞传播西欧政治文化的自由倾向。1871年他开始在哥本哈根大学授课，讲稿以《19世纪文学的主流》（1872～1890，6卷）书名出版。这些课程促进了丹麦文学向现实主义的突破。布兰代斯号召作家反对后期浪漫主义的幻想和抽象的唯心主义，而为进步思想和现代社会改革写作。剧作家易卜生在和他结识以后，即敦促他领导这一自己长期为之大声疾呼的精神革命。布兰代斯还接近并拥护B.M.比昂松、J.P.雅科布森、J.李、A.谢朗和A.斯特林堡等重要斯堪的纳维亚作家。因之他成了斯堪的纳维亚文学中自然主义运动最重要的领导者。布兰代斯虽在哥本哈根的自由主义知识分子中有其追随者，但遭到国内保守分子的强烈反对，骂他是"不信上帝的犹太人"。哥本哈根大学拒绝授予他美学教授职位，他在失望之余，移居柏林（1877～1883）。布兰代斯写了许多学术著作，其中有论述丹麦宗教哲学家S.克尔恺郭尔、德国社会党领袖F.拉萨尔和丹麦剧作家L.霍尔堡等人的专著。评论文章中著名的有《现代突破者》（1883，即指他自己的追随者）和《丹麦的诗人》（1877）。19世纪80年代末受尼采的影响，布兰代斯形成了一种贵族激进主义哲学，表现在他的《贵族激进主义》（1889）及以后写的莎士比亚、歌德、伏尔泰、凯撒和米开朗琪罗等人的传记中。他虽在1902年被请回哥本哈根大学任教授，但始终是一位颇受争议的人物。他一生勇于谴责暴政和反动，有《耶稣的神话》（1925）那样的作品，因此树敌很多。

Brando, Marlon, (Jr.)　白兰度（1924-04-03，美国内布拉斯加奥马哈～2004-07-01，加利福尼亚洛杉矶）　美国戏剧和电影演员。早年参加纽约戏剧工作室扮演小角色，因在百老汇首演的T.威廉斯的戏剧《欲望号街车》（1947）中扮演主角而一举成名。40年代末成为"演员研究所"的最早成员之一，奉行以"体系"闻名的表演理论。曾连续4年被提名为美国奥斯卡金像奖最佳男演员候选人。这几部影片是《欲望号街车》（1951）、《萨巴达万岁》（1952）、《凯撒传》（1953）和《码头风云》（1954）。后因《码头风云》获金像奖。1959年创建潘尼拔公司，自任制片、导演。后在《教父》（1972）中扮演主角再次获金像奖，但因抗议美国印第安人的悲惨遭遇而拒绝领奖。此外还演了《巴黎最后的探戈》（1973）、《超人》（1978）和《现代启示录》（1979）等影片。90年代后出演多部影片，包括《新手》（1990）、《天生爱情狂》（1995）、《意外之财》（1998）和《大买卖》（2001）。

Brandon　布兰登　加拿大马尼托巴省西南部城市。临阿西尼博因河。1881年通铁路后建立。地处横贯加拿大的公路和两条横跨北美大陆的铁路线上，是重要的运输中心。为一富庶产粮区的贸易中心，有"加拿大小麦城"之称，生产面粉、肉类、化肥、化学药品和石油产品。设有布兰登大学（1899）、阿西尼

布兰登市远眺
美国不列颠百科全书公司供图

博因社区学院和政府经办的农业试验场。附近有旅游区多处。当地每年举办皇家冬季交易会和马尼托巴省展览会。1882年设市。人口38 567（1991）。

Brandon, SAINT　参阅 **Brendan, Saint** 布伦丹，圣。

Brandon, Charles　布兰登　参阅 **Suffolk, Charles Brandon, 1st Duke of** 萨福克公爵（第一）。

Brandon Mountain　布兰登山　位于爱尔兰凯里郡丁格尔半岛。海拔953米。半岛西部的山脉是由地质学家称为丁格尔层的岩层构成。丁格尔镇北为峻峭的布兰登山脉，其中布兰登山最高。

Brandt, Alfred　布兰特（1846-09-03，德国汉堡～1899-11-29，瑞士布里格）　德国土木工程师，阿尔卑斯山大隧道中最长的辛普朗隧道开凿成功，主要应归功于他。在19世纪70年代，作为年轻的铁路工程师，他看到了建筑圣哥达隧道的艰巨性，并感到有可能用水力钻代替风钻，以改进打眼爆炸程序。他设计了一种机器，并在建筑阿尔贝格隧道时作了试验，证明非常成功。在建筑20千米长的辛普朗隧道时，他拟订了一个新方案，以克服由于隧道深度引起的高温问题，即用许多横巷把两条平巷连接起来，以提供通风道并形成输送供应品与清除碎石的环行铁路。这个设计方案取得辉煌成就。由于他几乎每天工作24小时，在工程开工一年多后，因积劳过度而去世。

Brandt, Bill　布兰特（1904-05，英国伦敦～1983-12-20，伦敦）　摄影家，主要以拍摄20世纪英国生活和变形裸体照片而著名。他拍摄的照片以强烈的反差为特色——深沉、单调的黑色和质朴的白色。1929年在美国艺术家和摄影家M.雷的巴黎摄影室工作。1931年回到英国，成为自由职业新闻摄影师。他拍摄的一系列照片刊登在一本名为《英国家

庭生活》(1936)的摄影画册上。他深受法国摄影家 E. 阿特热、布拉赛和 H. 卡蒂埃-布勒松的影响,在摄影画册《伦敦之夜》(1938)中,这种影响仍很明显。1937 年在英国北部拍摄工业城市和煤矿区,暴露了 30 年代英国产业工人的绝望情景。第二次世界大战开始时,他任英国内政部专职摄影师,拍摄了后方的情景,如伦敦市民拥入市内地下防空掩蔽所等 。还摄有《月光下的圣保罗教堂》(1942)之

布兰特摄《裸体》(1952)
美国不列颠百科全书公司供图

类的照片,展现出在灯火管制时伦敦空寂无人的街景。战后他摄制了一系列与英国文学有关的风景照,出版时起名《文学英国》(1951)。后来他用视角极大的大型照相机在极近的距离拍摄,使人体变形,成为抽象的影像。这种表现手法在其摄影画册《裸体的透视》(1961)中达到极点。他还出版了另两部相集:《光之影》(1966,于 1977 再版)和《布兰特的裸体像,1945 ～ 1980》(1980)。

Brandt, Georg　布兰特(1694-07-21,瑞典里达尔许坦～ 1768-04-29,斯德哥尔摩)　瑞典化学家,发现并分离了钴,成为第一个发现古代未知金属的人。1727 年任斯德哥尔摩矿业委员会化学实验室主任,3 年后成为皇家造币厂监察长。1730 年发现并命名了钴。他发现了砷化物的组成和溶解度,1733 年公布于世。以后又从事锑、铋、汞和锌的研究。他关于盐酸、硝酸和硫酸生产方法的著作发表于 1741 和 1743 年。他是断然否定炼金术的首批化学家之一,晚年致力于揭露炼金术生产黄金的骗局。

Brandt, Willy　勃兰特(1913-12-18,德国吕贝克～ 1992-10-08 或 09,波恩附近的温克尔)　原名卡尔·赫伯特·弗拉姆。德国政治家,西柏林市长(1957 ～ 1966),德国社会民主党领袖(1964 ～ 1987),德意志联邦共和国总理(1969 ～ 1974)。1932 年考入大学。翌年因纳粹上台流亡国外,为逃避追捕,化名威利·勃兰特。最初在挪威从事新闻工作。德国占领挪威后,他逃往瑞典,居留到第二次世界大战结束。战后,他以挪威公民身份返回德国,一度任挪威驻柏林使馆新闻专员。后来他恢复德国公民身份,担任社会民主党执行委员

美国不列颠百科全书公司供图

会柏林代表。1949 年当选为联邦议会议员。8 年后任西柏林市长。这个职位使他扬名世界。当 1958 年,尤其是 1961 年筑起柏林墙后,苏联要求西柏林成为一个非军事化的自由城市时,勃兰特表现出极大的道义上的勇气。1964 年任德国社会民主党主席。1966 年成立基督教民主党和社会民主党联合政府时,他出任外交部长和副总理。1969 年,社会民主党在联邦选举中获胜,勃兰特出任总理,与自由民主党组成联合政府,将基督教民主党第一次推向反对派的地位。他的政府首先确定马克币值,然后签订防止核扩散条约。其后他集中精力于外交事务,推行谋求改善与东德、东欧国家以及苏联关系的“东方政策”。他的努力导致 1970 年 8 月与苏联签订条约,规定双方放弃使用武力和接受欧洲边界现状。1970 年 12 月与波兰签订互不侵犯条约,确定奥得河—尼斯河为波兰西部的边界。1971 年 9 月参加签订关于柏林地位的四大国协议。他与波兰的条约引起争论,诋毁者认为这是领土的损失,支持者则盛赞开启了德国重新统一的可能性,并巩固了与东欧的关系。他坚决支持欧洲联合,力促英国加入欧洲经济共同体。1974 年 5 月因其助手 G.纪尧姆被揭为东德间谍而辞职。但在 1987 年前他仍担任社会民主党主席,1976 ～ 1992 年担任社会党国际的领袖。1979 年起主持国际发展问题的独立委员会(以勃兰特委员会著称)是一个有威望的专门研究世界经济政策的组织。由于致力于东西方和解而获得 1971 年诺贝尔和平奖。著有《威利·勃兰特在流亡中:随笔、感想与信件,1933 ～ 1947》。《人民与政治:1960 ～ 1975》是勃兰特的回忆录。

brandy　白兰地　用葡萄酒或其他发酵果醪蒸馏出的酒精饮料。一般单指葡萄酒制品,其他果酒或果醪制品则须注明水果名称。白兰地除某些果酒制品外均须经过陈酿,用木桶陈酿的白兰地,酒液呈琥珀色;用内涂石蜡的木桶或陶器陈酿可保持原色,然后用焦糖液调色。含酒精约 50%(容量);用于增加雪利酒、马德拉酒及其他餐后甜葡萄酒酒精含量的白兰地,含酒精约 80% ～ 95%(容量)。与其他蒸馏酒一样,装瓶后不再陈化。酒商以瓶上的星或字母表示产品质量。白兰地一名由荷兰语 *brandewijn*(烧过的酒)转化而来,指蒸馏时加热。16 世纪开始商品生产。传说是一个荷兰船主欲浓缩葡萄酒体积以便运输,打算到家时重新兑水,但浓缩的饮料意外地立刻受到欢迎。许多产酒国均生产白兰地。著名的法国白兰地,如夏朗德省和夏朗德滨海省出产的科涅克,被公认为最佳品种,此外还有热尔省出产的阿马尼亚克。盛产雪利酒的西班牙和盛产波尔图酒的葡萄牙也生产上等白兰地。希腊白兰地有美塔克沙,味甜并用焦糖着色;茴香酒不着色,加茴香与甘草调味。美国白兰地主要产于加利福尼亚州,中性,质地均一。皮斯科白兰地主要产自秘鲁,用麝香葡萄酒蒸馏而成。用葡萄榨汁后剩下的余渣蒸馏的白兰地以勃艮第的产品最为有名。意大利及美国加利福尼亚产不经陈酿、味道浓烈的白兰地酒。用发酵苹果酒蒸馏的苹果白兰地,有法国卡尔瓦多斯出产的苹果烧酒和美国的苹果烧酒。法国阿尔萨斯产用木莓醪蒸馏的木莓酒和用草莓醪蒸馏的草莓酒。其他水果白兰地往往带有糖化过程中从果核中释出油料的苦杏仁味,如巴尔干国家产的金黄褐色李子白兰地,匈牙利产的杏子白兰地。有名的樱桃白兰地产于德国、法国的阿尔萨斯和瑞士。法国还有用黄香李酿制的黄香李酒和青李子酿制的青李子酒。白兰地一般单独饮用,或加苏打水作为餐后饮料。并用于调配混合饮料和作糕点调味剂,以及加在食料中引火烧制某些风味食品。还可作为酿制另一种蒸馏酒——**甜酒(liqueur)**的酒基。

Brandys, Kazimierz　布兰迪斯(1916-10-27,俄罗斯帝国波兰罗兹[今属波兰]～ 2000-03-11,法国巴黎)　波兰小说家和随笔作家。早期拥护社会主义现实主义,后转而否认共产主义意识形态。出身于犹太中产阶级家庭。1939 年毕业于华沙大学法律系。第二次世界大战期间从纳粹占领的波兰死里逃生,1945 年参加马克思主义周刊《熔炉》编辑部工作。第一部长篇小说《木马》(1946)描写波兰知识分子在纳粹恐怖统治下的苦难命运。4 卷长篇小说《两次大战之间》(1948 ～ 1953)从共产党员的角度写波兰知识分子在第二次世界大战前后及战争期间的道德和意识形态的转变过程。这些早期作品确立了其社会主义现实主义领导地位。不过自 20 世纪 50 年代初起,他的共产主义理想开始幻灭。1956 年政府对波兰文化生活的控制有所放松,他在《保卫格林纳达》(1956)中对共产主义思想稍加批评。在《致 Z 女士的书信》(3 卷,1957 ～ 1961)和短篇小说集《浪漫主义》(1960)中,对波兰当代现实生活中伦理、心理变化进行了精辟的分析。

Brandywine, Battle of the　布兰迪万河战役(1777-09-11)　美国独立战争中英、美军队在费城附近的一次战役。英国将军威廉·豪误认为英军开赴费城可以唤起该地亲英分子响应,从而使宾夕法尼亚州不致卷入战争。他的行动导致驻在纽约州北部的英国 J. 伯戈因将军陷于孤立,直接造成了英军在萨拉托加战役中的惨败。1777 年 7 月威廉·豪率英军(约 1.5 万人)从纽约市出发,与 G. 华盛顿的大陆军(约 1.1 万人)在费城西南 40 千米处的查兹福德遭遇,英军占领了战场,但未能摧毁大陆军和割断大陆军与首都费城的联系。因而大陆军完整无损,革命仍然充满活力。

Brandywine Creek 布兰迪万河 美国特拉华州西部和宾夕法尼亚州东南部河流。源出宾夕法尼亚州切斯特县。东南流，在特拉华州西部汇入克里斯蒂娜河。全长 32 千米。1777 年独立战争中的一次重要战役在此进行。参阅 **Brandywine, Battle of the**。

Branford 布兰福德 美国康涅狄格州南部纽黑文县城镇（镇区）。临长岛湾。1644 年创建。现为纽黑文市南郊。其范围包括布伦特福德自治镇和派恩奥查德、斯托尼克里克及肖特比奇等村。当地的经济以旅游业为主。其海湾和海滩为避暑胜地。人口约 28 683（2000）。

Branick's rat 布拉尼氏鼠 参阅 **pacarana** 长尾豚鼠。

branle 布朗莱舞 12世纪的法国链形舞。为欧洲贵族所采用（约 1450 ～约 1650），在法国和英国尤其盛行。该舞特征为舞蹈者左右摇摆，因而得名（法语 branle 意为摇摆）。舞蹈者成对臂挽臂或手拉手连成一圈，交替着

布朗莱舞
美国不列颠百科全书公司供图

向左跨大步（一般为 4 步），然后向右跨数量相等的小步，如此沿圆形或蛇形向左移动，音乐为 4/4 拍，随着速度的变化，舞步有走、跑、滑、跳 4 种。贵族常表演哑剧式的布朗莱，模仿互相责骂的洗衣妇，或模仿男女求爱，（如普瓦图省的布朗莱，可能是小步舞的原型）。特别在法国，布朗莱舞有为不同年龄设计的式样，如活泼的勃艮第布朗莱舞适合最年轻的舞蹈者。

Branner, Hans Christian 布兰纳（1903-06-23，丹麦哥本哈根附近奥德鲁普～ 1966-04-24，哥本哈根） 丹麦第二次世界大战后著名小说家。早年在哥本哈根大学攻读语言学，曾试学演出，又在出版社工作过，后从事写作。短篇小说集《我们很快就会消失》（1939）的出版使他成名。《两分钟寂静》于 1944 年出版，1966 年出版同名文集，其中收有布兰纳 16 篇翻译短篇小说。《博奇的故事》（1942）描述一个孩子的日常生活，1973 年出版英译本。短篇小说《骑术教练》（1949）及剧本《法官》（1952）明显地表明他对精神分析心理学的特殊关注。第二次世界大战后，他试图开拓一条通向一种现代人文主义的道路。他的全部作品都着力于维护个人求得独立和尊严的生存权利。

Bransfield, Edward 布朗斯费尔德（约 1795 ～ 1852） 英国海军军官，据信首次亲眼看到南极大陆，并绘制了南极大陆的部分海图。曾任在智利瓦尔帕莱索的英国船"安德洛玛刻"号船长，被指派乘"威廉斯"号去测量位于南极半岛附近的、新近发现的南设得兰群岛。1820 年 1 月与威廉·史密斯到达该群岛，在乔治王岛登陆，取得了正式所有权，继而航行到迪塞普申岛。向南航行时，发现并测量了"积雪覆盖的高山"（1820-01-30），可能就是南极洲上的布兰斯菲尔德山和雅吉诺山。海图现存英国海军部航道测量局。

Br'ansk（city and region, Russia） 参阅 **Bryansk** 布良斯克。

Branson 布兰森 美国密苏里州西南部塔尼县城市。位于阿肯色州边界附近的欧扎克山区。濒临塔尼科莫湖。H. B. 赖特小说《山中的牧羊人》（1907）即以当地为背景。该书的广泛影响使旅游成为该市的最大行业，夏天每晚在户外圆形剧场重演此故事。市西的银元城系仿照 1870 年矿镇欧扎克而建。市南的波因特卢考特设有欧扎克斯学院（1906），学生免交学费，只需在学院工厂工作。1912 年设市。人口 6 050（2000）。

Branson, Sir Richard 布兰森（1950-07-18，英国萨里郡沙姆利格林～ ） 英国企业家，维珍集团有限公司的主管，因其宣传举动及在汽艇比赛和热气球飞行中创造的纪录闻名。幼年辍学，十几岁时即在盘活《学生》杂志上首次获得成功。当杂志 20 世纪 60 年代晚期开始赔钱时，他成立了维珍邮购唱片公司来筹集资金，并于 1971 年开设英国第一家唱片折扣店。1973 年，布兰森与他人组建维珍唱片公司，很快成为全球朋克和新浪潮音乐的主要公司。1984 年成为维珍大西洋航空公司的主要大股东。这家公司以一架飞机起家，在与老牌航空公司的激烈竞争中取得成功。1992 年将维珍唱片公司出售，为维珍大西洋航空公司筹集更多资金。90 年代末，维珍这家英国最大的私营联合大企业旗下已有 100 多家分号，包括维珍超大型商店。1986 年布兰森与他人共同创下二人汽艇横渡大西洋的纪录。1987 年，和一名瑞典驾驶员成为乘热气球横渡大西洋的第一组人员，而在 1991 年，两人又第一次横渡太平洋。后来他还参与为 S. 福塞特 2005 年创纪录的飞行筹款，此人完成了独自一人驾机环绕地球不间断飞行的创举。1998 年出版自传，1999 年受封为爵士。

brant（*Branta bernicla*） **黑雁** 又作 brent goose。类似小型短颈加拿大雁的一种水禽，只是颜色更深。虽然颈和头亦为黑色，但没有白颊，却有稍长的狭窄白色颈环，同藤壶雁（白额黑雁）一样喙周围黑色如围嘴状。繁殖于北极，向南越冬于欧亚大陆和北美。参阅 **barnacle goose**。

Brant, Joseph 布兰特（1742，俄亥俄河畔～ 1807-11-24，加拿大安大略布兰特福德附近） 本名塔延达内基亚。北美印第安人莫霍克族首领，基督教传教士，美国独立战争（1775～

美国不列颠百科全书公司供图

1783）期间的英军军官。1761 ～ 1763 年在康涅狄格黎巴嫩市摩尔印第安人慈善学校就读，学习英语，精通西方的文学和历史。13 岁随姐夫、英国人北方印第安人事务局长威廉·约翰逊爵士参加战斗，1774 年给威廉的继任吉伊·约翰逊当秘书。1775 年被派往英国，入宫觐见。回北美后，在美国独立战争中，领导易洛魁人的 4 个部落为英国人效劳。战后，协助美国人同迈阿密人及其他西部的部落签订和约，并领有一片土地，继续传教工作。1785 年再次访英，为上加拿大第一个主教区筹集资金。

Brant, Mary 布兰特（约 1736，美国纽约莫霍克谷～1796-04-16，加拿大安大略金斯顿） 别名 Molly Brant。印第安人首领。莫霍克部落酋长之女，是北方殖民地督察专员 W. 约翰逊爵士的第二个莫霍克妻子。1774 年约翰逊死后，她将府第交给长子，与其他几个孩子一起搬到纽约的一个农场。她全家都是亲英派。弟弟是奇袭切里谷的首长，长子在夺取伊森艾伦的战役中立功，她自己在 1777 年 8 月的奥里斯卡尼战役前为英军传递情报，运送弹药。作为酋长的女儿和深得人心的约翰逊遗孀，她在使整个易洛魁人加入英国阵营上起着决定性作用，并且使尼亚加拉的托里要塞战事持续很久。战后定居安大略，和其他亲英派难民创建金斯顿镇。1783 年英国发给她一笔养老金。暮年是虔诚的圣公会教徒。

Brant, Sebastian 布兰特（1458?，斯特拉斯堡～ 1521-05-10，斯特拉斯堡） 德国讽刺诗人，所著寓言《愚人船》最为人们所熟悉，是 15 世纪最著名的德国文学作品。在巴塞尔求学，1489 年获法学博士学位，并在法律系教书。巴塞尔加入瑞士联邦（1499）时，他返回斯特拉斯堡，1503 年任该城司法官。马克西米连一世任命他为帝国参议员和在领地内享有王权的伯爵。他的著作是多方面的，包括法律、宗教、政治（支持马克西米连，反对法国人和土耳其人），特别是道德方面的内容。但

美国不列颠百科全书公司供图

主要著作却是《愚人船》(1494)。这个寓言讲一条船载满了傻子,在傻子驾驶下开往纳拉戈尼亚,即"愚人的天堂"。船上的 100 多个愚人象征着当代的各种严重的和微小的缺点,其中有罪犯、酒鬼、行为不检的教士和纵欲的修士、挥霍者、受贿的法官、爱管闲事的人以及妖娆的女人,都包括在他的不留情面、辛辣而又扫荡性的讽刺之中。作者的目的在于唤起同时代人改过向善,敦促教会和国家实行革新。作品语言通俗易懂,诗文粗犷,遒劲有力,每一章都附有十分精美的木刻画,可能为丢勒所作,可惜常与内容脱节。这部作品立即获得成功,被广泛地翻译,并引起"愚人文学"(**fool's literature**)派的产生。他不是宗教改革的先驱者,甚至也不是一个真正的人文学者,倒像是中世纪思想的最后一个体现者。

Brantford 布兰特福德 加拿大安大略省东南部城市,布兰特郡首府(1852)。在格兰德河畔。1784 年此地授予著名的莫霍克人首领约瑟夫·布兰特作为美国独立战争后的六部落联盟领地。1805 年后有白人居住。现为工农业中心。生产农业车辆、冷冻等设备和纺织品。市内有该省最古老的基督教教堂——建于 1785 年的小教堂(女王陛下的莫霍克小教堂)。与印第安人有关的事物还有布兰特郡博物馆、伍德兰印第安文化中心、每年的印第安六部落联盟庆典(8 月)和印第安约翰射箭纪念赛(6 月)。1847 年设镇,1877 年设市。人口 86 417(2001)。

Branting, Karl Hjalmar 布兰廷(1860-11-23,斯德哥尔摩~1925-02-24,斯德哥尔摩) 瑞典政治家、社会民主运动先驱、1921 年诺贝尔和平奖获得者。他曾在斯德哥尔摩和乌普萨拉学习科学。1883年参加激进派《时代报》

美国不列颠百科全书公司供图

的工作,后任该报编辑。1886 年任《社会民主党人》杂志编辑。他是 1889 年成立的社会民主党的主要创始人之一。1896 年首次选入议会下院。挪威 1905 年单方面退出瑞典-挪威二元君主制,布兰廷协同其他社会党人和自由党人平息了瑞典的复仇主义情绪。1907 年成为社会民主党领袖,他促进该党与进步的自由派结盟,导致 1917 年成立联合政府,他出任财政部长。在第一次世界大战中,他主张瑞典保持中立。1919 年代表瑞典出席过巴黎和会。他是瑞典参加国际联盟的首任代表。1919 年任第二国际伯尔尼会议主席。1920 年 3 月组成瑞典社会民主党政府,但在同年 9 月的大选中败北。1921 年 9 月重掌政权,直至 1923 年 4 月。1924 年 10 月第 3 次组阁,1925 年 1 月 25 日因病辞职。

Brantôme, Pierre de 布朗托姆(约1540,法国佩里戈尔～1614-07-15,法国) 法国军人和编年史家。原名皮埃尔·德·布尔代耶。布尔代耶男爵的第 3 子。少年时代在纳瓦拉王后玛格丽特的宫廷中度过。1549 年前往巴黎求学,1555 年在普瓦捷大学毕业。后进入亨利二世的宫廷。他到过意大利、西班牙、葡萄牙和不列颠群岛。后因摔伤致残,从事写作。其著作以坦率和质朴著称,主要内容是战斗故事或骑士传说。所著《皮埃尔·德·布尔代耶回忆录》(1665 ～ 1666)描叙他的生活及他的时代的事情,颇有价值。

Braose FAMILY (of Scotland) 参阅 **Bruce family 布鲁斯家族**。

Braque, Georges 布拉克(1882-05-13,法国阿尔让特伊～1963-08-31,巴黎) 法国画家,20 世纪最重要的美术创新者之一,曾与毕加索共同发起立体主义绘画运动。作品绝大多

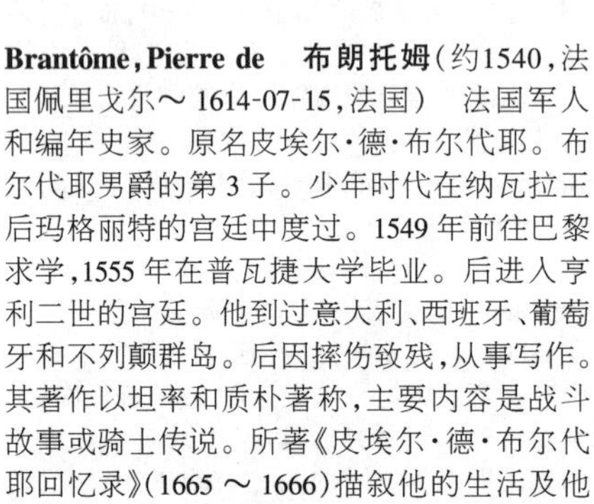
布拉克绘《二重唱》(1937)
美国不列颠百科全书公司供图

数为静物,画风粗放,用色较薄,沉着而和谐,画面完整严谨。其父和祖父都是业余画家,1890 年全家移居勒阿弗尔。小时随父学画,15 岁入勒阿弗尔美术学院。1902 ～ 1904 年间,在巴黎一私立美术学院学习,并在公立美术学院学过很短一个时期,课余常到罗浮宫参观,对埃及和希腊古风时期的作品极为仰慕。早期绘画受印象派(尤其是莫奈与毕沙罗)影响,后受塞尚影响。1905 年参观秋季沙龙后,对野兽派强烈的色彩十分欣赏,遂在以后两年中参加了野兽派绘画运动。1907 年与毕加索结识,为毕加索近作《亚威农的少女们》所倾倒,两人遂成为至交,共同筹划发起立体主义运动。1908 年夏,布拉克作《埃斯塔克之屋》等组画,批评家 L.瓦塞里称之为"立体",于是"立体主义"作为一种画派出现。1911 年作《弹吉他的男人》,主要是棕、灰、绿 3 色,画面几乎是平面的,视点与光源是多方面的,形体支离破碎,这些都是其画风的突出特点。布拉克认为,绘画不是再现对象,而应是独立的。1912 年他按这一方向走得更远,创作了"拼纸画"《水果盘与玻璃杯》,即用 3 张壁纸剪碎拼贴在绘画里。第一次世界大战期间参军,退役后重新参加立体主义绘画运动,当时亦称为综合的立体主义。1919 年画《静物与纸牌》,画风有所变化,笔法更为自由。20 年代画了一系列拿水果或吉他的女人题材的作品,30 年代开始画人像,如《画家和他的模特儿》等。晚年其作品在世界各地展出,1961 年 12 月,成为第一个生前在罗浮宫展出作品的艺术家。布拉克的主要作品有:《埃斯塔克之屋》(1908)、《弹吉他的男人》(1911)、《音乐》(1914)、《提水果篮的裸体女人》(1926)、《圆桌》(1929)、《画家和他的模特儿》(1939)、《海景》(1953)、《黑鸟》(1957)等。

Bras d'Or Lake 布拉多尔湖 加拿大新斯科舍省东北部布雷顿角岛的潮汐咸水湖。面积 1 098 平方千米,北面有大、小布拉多尔水道通大西洋;南端为圣彼得斯运河,凿穿一狭窄地峡沟通大西洋。为受人喜爱的泛舟、捕鱼和夏季休养胜地,湖滨有铁路和两条重要公路(其中一条为横贯加拿大公路)。

Braschi, Giannangelo (pope) 参阅 **Pius VI 庇护六世**。

Brasidas 布拉西达斯(?～公元前422,马其顿安菲波利斯[今在希腊]) 斯巴达将领。在斯巴达和雅典之间的伯罗奔尼撒战争(公元前 431 ～前 404)的第一阶段(公元前431 ～前 421)中,他是斯巴达唯一的天才指挥官。他具有斯巴达人罕有的口才和仪表,博得雅典许多盟国的赞美。公元前 431 年,他在战斗中初露头角。公元前 424 年,他在迈加拉粉碎雅典军的进攻。不久以后就开始分割雅典帝国的北部,把阿坎索斯城和斯塔基罗斯城、更重要的是把安菲波利斯的雅典移民地,都并入斯巴达的版图。公元前 423 年春雅典和斯巴达缔结休战协定,但是他拒绝放弃斯基奥尼,不久又占领了门德。公元前 422 年 4 月休战期满,雅典人派克里昂去收复色雷斯。在布拉西达斯的巧妙指挥下,斯巴达军在安菲波利斯打败雅典军队。但是,他和克里昂都在此役中阵亡。次年缔结了《尼西亚斯和约》。

Brasil 参阅 **Brazil 巴西**。

Brasil, Banco do 巴西银行 巴西的大银行,主要办理国内业务,在若干外国设有办事处。总行在巴西利亚。1808 年 10 月 12 日创建,1854 年和 1906 年曾两次改组。19 世纪末到整个 20 世纪巴西银行为国家农业和商业

发展提供重要金融保障。1937 年建立农业和工业信用部，为全国发展项目提供信贷服务。该部门服务覆盖面广，最终使得巴西银行跻身世界最大的农业银行之列。同时银行不断拓展业务，为医学和农业研究提供贷款，支持小型企业和郊区发展。1987 年首次发放信用卡。自 20 世纪末起该行开始经营国际资本市场。

Brasília　巴西利亚　巴西首都。在联邦区中戈亚斯州境内，地处托坎廷斯河、巴拉那河、圣弗朗西斯科河和科伦巴河的源头。1891年国家宪法规定兴建首都。经过8年勘

巴西利亚市三权广场上的正义女神像与国民议会大厦
美国不列颠百科全书公司供图

测，于 1956 年选定现址。1960 年市中心三权广场落成后，联邦政府开始从里约热内卢迁来。城市很大部分被人工湖环绕。郊区各城镇分布在人工湖以北。中心城市布局呈“十”字形，南-北轴线大街为主要交通干线；东-西轴线大街两侧为联邦和市政建筑。东-西大街西端有市府大楼，东端三权广场四周有行政、司法、立法机构大楼。国民议会大厦由一座圆顶建筑、一座带托盘状屋顶的平台式建筑和两个联立式中心塔楼组成。公路和航空线通往国内各地，与国内和国外有定期航班飞机往来。经济以建筑、食品业、服务业、印刷出版为主。设有许多全国性公司的总部。高等学校有巴西利亚大学（1962）。文化生活以大学为中心。联邦区文化基金会主办多种全国性艺术和学术活动。其他文化设施有国家剧院、巴西利亚博物馆、历史研究所，多电影院、夜总会和体育场所。辟有动物园和森林游览区，湖、河中泛舟、垂钓活动盛行。人口 2 043 169（2000）。

Braşov　布拉索夫　罗马尼亚中部一县，面积 5 351 平方千米。居民区散布在东喀尔巴阡山脉与特兰西瓦尼亚山脉（南喀尔巴阡山脉）谷地中。奥尔特河及其支流向西南流过县境。县城布拉索夫市是罗马尼亚最大的工业和文化中心之一，与瑟切莱、勒什诺夫及科德莱亚同为机械、金属制品、化学品和纺织品产地。泽尔内什蒂生产纸张与纤维素，费尔迪瓦拉有建材工业。县内有铁矿。赫尔曼与普雷日梅尔二村庄有几所著名的 13 世纪的教堂。赫尔曼制造波斯式地毯。普雷日梅尔有纺织厂、农业合作社和鲑鱼孵化场。位于波斯塔瓦鲁山（高 1 797 米）山麓上的波亚纳-布拉索夫是滑雪胜境。布切吉山脉和皮亚特拉-克拉尤林山上还有其他一些旅游区。13 世纪期间，条顿骑士团在廷帕山顶（960 米）上筑了城堡，但该城堡在 1455 年被伊万·科尔温的督军摧毁，石料后来被用于布拉索夫市构筑防御工事。在布拉索夫市附近已发现新石器时代、铜器时代和铁器时代的文物。该地区曾先后遭萨克森人（13 世纪）、土耳其人（15 世纪）、奥地利人（17 世纪）和德意志人（20 世纪初）占领。布拉索夫市有公路与铁路通往四面八方。市内有大学一所。人口约 706 623（2002）。

Braşov　布拉索夫　1950～1960年称斯大林城，德语作 Kronstadt（喀琅施塔得），匈牙利语作 Brassó。罗马尼亚中部城市，布拉索夫县县城。是全国最大城市之一。位于特兰西瓦尼亚山（南喀尔巴阡山脉）北坡，3 面环山，距布加勒斯特170千米。1211年由条顿骑士团

布拉索夫市的布莱克教堂
美国不列颠百科全书公司供图

建立，是撒克逊人聚居区。旧城里的古迹有市政厅、58 米高的塔楼、东正教圣尼古拉教堂、圣巴多罗买教堂（13 世纪，市内最古老建筑）、哥特式基督教教堂（亦称布莱克教堂）。有博物馆和大学。第一部用罗马尼亚语写的书于 16 世纪中在此出版。1559 年在这里创办全国第一所罗马尼亚语学校。工业生产有拖拉机、卡车、直升飞机、轴承、纺织和化工产品。为公路和铁路枢纽。人口约 283 901（2002）。

Brass　布拉斯　尼日利亚南部里弗斯州的城镇兼小港口，临几内亚湾和尼日尔河三角洲内的布拉斯河河口。原为伊乔族支系嫩贝人的传统渔村，在 19 世纪初变成了为布拉斯（嫩贝）州提供奴隶的贸易港。该州的主要奴隶集中站（布拉斯和嫩贝），受到欧洲商人怂恿的非洲商人“王朝”所统治，时常派独木作战舟进入内地——尤其是通过伊格博人领地——去掠夺奴隶，以之交换西方的布匹、工具、酒精和武器。布拉斯是几内亚湾沿岸最后的奴隶出口补给站之一（供巴西和古巴的市场需要）；附近的邦尼王国的统治者们在英国人取得了对邦尼河的控制之后，使用隐蔽的三角洲港作为奴隶的输出地。19 世纪中叶，布拉斯已成为棕油和棕仁的重要集散点。在油河保护领地和皇家尼日尔保护领地的制度下，布拉斯仍然是个棕油港；但其重要性已被皇家尼日尔公司的港口——阿卡萨所掩盖。现为渔港和当地棕榈产品、木薯、芋和大蕉的贸易中心。

brass　黄铜　铜和锌的合金。黄铜有一定的硬度和可加工性，是历史上长期以来的重要合金。早期的黄铜（叫做菱锌矿黄铜）起源于新石器时代，可能通过还原锌矿石和铜矿石的混合物炼出。在古代文献（如《圣经》）中，黄铜一词常用以指青铜，即铜与锡的合金。

合金的特性　黄铜的可锻性取决于锌含量；锌含量大于 45% 的黄铜不能用于冷、热加工。此种又名叫白铜的黄铜在工业上用途不广，但其粒状物可用于铜焊（焊接），还可用作形成某些用于模铸的合金的基体。可锻黄铜可进一步分为两类：一类可用于冷加工（通常锌含量小于 40%）；另一类锌含量较高，可用于热加工，前一类又叫 α 黄铜，广泛用于制造销子、螺栓、螺钉、供作军火用的药筒和弹壳。β 黄铜可锻性差，但强度大，适合制作龙头的手柄、喷头、窗和门的配件及其他工件夹具。第 3 组黄铜除铜和锌外，还含有其他元素。添加元素的目的是为了改善其物理和机械性能、抗腐蚀性、切削性能和改变其色泽。这类黄铜中有铅黄铜，更易于切削加工；船用和海军用黄铜，含有少量的锡，可改善其抗海水腐蚀的能力；含铝黄铜强度大并能抗海军用黄铜不能抗的腐蚀。

黄铜器皿　古罗马人最早用黄铜制造容器、盔甲、首饰和胸针或别针。在罗马人撤离北欧后，黄铜制品日趋没落，但在加洛林王朝期间曾再度被使用。黄铜比青铜具有更大的可锻性，曾被用于制造水罐、水盆、灯、碗、壶和许多其他家用器皿。欧洲在 13 ～ 17 世纪，制作墓碑的黄铜被用于纪念死者。雕有记述死者生平铭文和图案的黄铜板被用作坟墓的墓碑，常常刻有铭文、纹章和其他图案，以记述死者的生平和环境。在英国至今尚有 4 000 多块这样的墓碑。16 世纪当银和金从新大陆涌入欧洲之前，用黄铜做盆和盘盛行一时，成为资产阶级家庭的装饰品。这些物品均经锤打而成并饰有浮雕图案。当美洲的银和金取代黄铜成为装饰用金属时，它在制作家庭用器皿和枝形吊灯方面找到了其他用途，如烛台、日晷仪和时钟等。此外黄铜已成为制造天文、测量、航海和其他科研用精密仪器的主要材料。黄铜可以锻造、浇铸、镂刻并饰以浮雕。参阅 **bronze；bronze work**。

brass instrument　铜管乐器　在音乐中，用唇靠近杯形或漏斗形吹口吹气激起空气柱振动的管乐器的通称。通常为黄铜或其他金属制的，但以前为木或角制的。更精确的名称是唇振乐器。人类文化学者常把任何这类乐器称做喇叭，但当乐器是动物的角或用角制成时，又常叫做号角。西方管弦乐队中的典型铜管乐器有小号（**trumpet**）、长号（**trombone**）、圆号（**French horn**）和大号（**tuba**）。唇振乐器由圆柱形或圆锥形的管构成，只发一个基音，在超吹时则发出它的自然泛音列（如基音为 C，泛音列为 c-g-c′-e′-g′-b♭′［近似的音高］-c″-d″-e″等等）。多数现代铜管乐器都安装了阀键和伸缩管，用以改变乐器的管长。这就使奏者可以有几个基音，每个基音都有自己的泛音列，从而可以奏出完整（12 个音）的半音音阶。铜管乐器像所有管乐器一样，属于气鸣乐器类。

Brassaï 布拉赛(1899-09-09,奥匈帝国特兰西瓦尼亚布劳绍～1984-07-08,法国尼斯附近的艾泽) 原名盖乌拉·哈拉斯,匈牙利出生的法国诗人、画家、雕塑家和摄影家。以其生动的巴黎夜景照片而知名。他的笔名取自他

布拉赛摄《毕加尔酒吧广场上的"首饰"》(1932)
美国不列颠百科全书公司供图

出生的城市。原学艺术,到巴黎后(1924),放弃了艺术而从事新闻工作。不久,爱上摄影这门独特的艺术。其早期摄影作品主要是表现巴黎蒙帕那斯地区的夜景。该地因艺术家和犯罪分子经常出入而知名。1933 年出版第一本摄影画册《巴黎之夜》,是其成功之作。第 2 本画册《巴黎的享受》(1935)刊登有如《两个罪犯》等优秀作品,使其名闻世界。第二次世界大战期间,在街上公开摄影是不允许的。因此,布拉赛恢复了绘画和雕塑,并开始写诗。第二次世界大战后,布拉赛重操摄影职业。1947 年其巴黎街景照片被用作普雷韦尔的芭蕾舞《约会》的背景。战后拍摄的许多照片都继承了早期作品的主题和技巧。但也有像《异国风味的摩纳哥花园》(1946)和《里维埃拉的白色雨伞》(1948)一类照片,表现出其对新题材的兴趣,提高了对形式和空间的认识。布拉赛喜爱静的而不喜爱动的题材,如《塞维勒复活节前一周》,这幅照片刊登在其摄影画册《欢乐中的塞维勒》(1954)上。然而,他总是使那些最无生气的题材,如墙上随意涂抹的痕迹,充满着人类生活的温暖感。《30 年代的秘密巴黎》于 1976 年出版。知名艺术家、艺术商及友人的肖像集《我生活中的艺术家》于 1982 年出版。

Brasseur de Bourbourg, Charles-Étienne 布拉瑟·德·布尔布尔(1814-09-08,法国敦刻尔克附近布尔堡～1874-01-08,尼斯) 法国传教士、民族志学者,尤长于中美洲及墨西哥史前史。在根特和罗马学习后,1845 年成为罗马天主教牧师及魁北克神学院教会史教授。1846 年在波士顿任代理主教。1848～1863 年主要在墨西哥和中美洲旅行布道。潜心研究墨西哥古代文物,曾撰写一部阿兹特克文明史,于 1857～1859 年发表;1861～1864 年又辑有各土著民族语言文献汇编。1863 年他宣布发现墨西哥象形文字释义方法,但迄今证明无甚价值。1864 年任法国驻墨西哥远征军考古专家,辑录《墨西哥古代文献集》,由法国政府于 1866 年刊行于世。

布拉瑟学术研究的最大成就是 1861 年出版基切语《圣书》的法译本,附以基切语法及一篇论述中美神学的专论。1871 年编辑出版《墨西哥—危地马拉文库》。在 1869～1870 年间发表的《特罗安诺手稿:马雅书写系统及语言研究》一书中,他曾释解印第安图画文字的一些规则。

Brassey, Thomas 布拉西(1805-11-07,英国柴郡切斯特附近布尔顿～1870-12-08,苏塞克斯黑斯廷斯) 英国早期铁路承包商,在世界各地建筑铁路。布拉西作为测量员开始他的生涯,后成为商店合伙人,最后成为商店经理。1935 年他参加修建大枢纽铁路、伦敦—南安普敦铁路。1841～1843年参加修建巴

美国不列颠百科全书公司供图

黎—鲁昂铁路,随后又在法国、荷兰、意大利、普鲁士和西班牙修筑铁路。加拿大的大干线铁路长 1 800 千米,是在 1853～1859 年由他和 S.M.皮托、E.L.贝茨建筑的。他们还修建了克里米亚铁路(1854)。有一段时间,布拉西在欧洲、印度、澳大利亚和南美洲都有工程在进行,估计雇工达 7.5 万人。

他的长子——托马斯·布拉西——布拉西伯爵第一(1836～1918-02-23,英国伦敦),是英国公认的海事权威。他被选入议会任自由党议员后,在格莱斯顿内阁任文职海军大臣(1880～1883),以后又任议会国务秘书(1884～1885)。他创办了《海军年鉴》(1886),著有《英国海军》(1882～1883)一书。1886 年受封男爵,1911 年成为伯爵。

Brassicaceae 十字花科 又作 Cruciferae。白花菜目的一个大科,共 350 属,多为草本植物,叶有辣味,其中很多种有重要经济意义。花瓣 4 枚,白色、黄色或淡紫色,排成十字形;萼片亦 4 枚。雄蕊 4 长 2 短;子房 2 室,上位。角果,种子有黏质外层,受湿则膨胀。十字花科最重要的是芥属(*Brassica*),约 40 种,皆产于旧大陆,包括甘蓝、芥菜及油菜类。甘蓝(*B. oleracea*)有许多可食变种,如木立羽衣甘蓝、结球甘蓝、抱子甘蓝、花椰菜、茎椰菜及葡萄牙结球甘蓝等。其他可食种有芜蓝(*B. caulorapa*)、羽衣甘蓝(*B. fimbriata*)、芜菁甘蓝(*B. napobrassica*)及芜菁(*B. rapa* 或 *B. campestris*)、芜菁茎椰菜(*B. ruvo*)、七叶芜菁(*B. septiceps*)等。芥菜(*B. juncea*)叶可腌食,种子是芥末原料,亦可榨油。芸苔(*B. napus*)的叶可做沙拉及牛饲料,种子可饲鸟及榨菜籽油。幽芥(*B. nigra*)的种子是芥末的原料,原产欧亚,已在北美归化成为广泛分布的杂草。萝卜(*Raphanus sativus*)是一种常见根菜,其变种鼠尾萝卜(*R. sativus* var. *caudatus*)的角果长而可食。坏血病草(药用辣根菜、药用岩芥,*Cochlearia officinalis*)原产北美温带,可用治坏血病,叶有柏油味,可做沙拉。辣根(*Armoracia lapathifolia*)产欧洲,其根可制辣味调料。羽叶播娘蒿(*Descurainia pinnata*)是广布于北美的一年生杂草,叶羽状,花黄色到白色。该科的观赏植物有岩生庭芥属(*Aurinia*)、香雪球属(*Lobularia*)、屈曲花属(*Iberis*)、缎花属(*Lunaria*)、紫罗兰属(*Matthiola*)、桂竹香属(*Cheiranthus*)及含生草属(*Anastatica*)等。紫南庭芥(*Aubrieta deltoidea*)是普遍栽培的岩石庭园花卉或沿边花卉。

Brassó (Romania) 参阅 **Braşov 布拉索夫**。

Brasstown Bald 布拉斯敦峰 蓝岭山脉的山峰,原名伊诺塔峰,是美国佐治亚州的最高峰(1 458 米)。位于布莱尔斯维尔以东 14 千米,北卡罗来纳州边界正南,汤斯和尤宁两县交界处。该山林木茂密,处于查塔胡奇国家森林范围内。光秃的山巅之上建有 5 层的瞭望塔。

Brathwait, Richard 布拉思韦特(1588,英国威斯特摩兰肯德尔～1673-05-04,约克郡卡特里克) 英国诗人,以所著生动的《巴拿比的日记》(1638)著称。该书用拉丁韵文写成,同年出版英译本,地舆知识引人入胜,始终妙趣洋溢。在牛津和剑桥受教育后,去伦敦开业当律师,但实际上却写了一些平庸无奇的剧本和田园诗。后来隐居乡里,写有《英国绅士》(1630)和《英国贵妇》(1631)两本书。

Brătianu, Constantin 布勒蒂亚努(1866-01-13,罗马尼亚弗罗里卡～1952?) 罗马尼亚政治家。19 世纪大政治家扬·布勒蒂亚努之子。1895 年起为议员,1933 年任财政大臣,同年 12 月成为自由党领袖。此后一贯反对国王卡罗尔二世的专断独裁和首相特特雷斯库的妥协政策。在第二次世界大战期间,他最初支持政府对苏联作战的政策。但在苏联收复罗马尼亚领土以后,则采取反对安东内斯库政府的立场,参与筹划 1944 年 8 月 23 日的反法西斯政变。此后两度出任不管部大臣,但 1945 年 3 月拒绝在格罗查的左派政府中任职。他持亲西方和反苏立场,共产党掌权后,布勒蒂亚努于 1950 年左右被捕,未经审判而入狱,死于狱中。

Brătianu, Ion (Constantin) 布勒蒂亚努(1821-06-02,瓦拉几亚皮泰什蒂[今在罗马尼亚]～1891-05-16,罗马尼亚弗罗里卡) 罗马尼亚政治家,长期担任首相,是现代罗马尼亚

的主要缔造者之一。曾在布加勒斯特参加1848年革命。后退居巴黎,为摩尔多瓦和瓦拉几亚合并和自治而奔走。他创立罗马尼亚自由党,1866年推选库扎亲王为大公。曾任财政大臣,在制订1866年宪法时起过重要作用。1876～1888年(1881年有短期中断)任首相,宪法改革和土地改革及布勒蒂亚努的个人品质为他的独裁、政府腐败挽回一些声誉。1883年与德国和奥匈帝国结盟。1888年辞职。

Brătianu, Ionel　布勒蒂亚努(1864-08-20,罗马尼亚弗罗里卡～1927-11-24,布加勒斯特)　罗马尼亚政治家。6度出任罗马尼亚首相,大罗马尼亚理想的主要代言人。著名

美国不列颠百科全书公司供图

政治家扬·布勒蒂亚努之子。自由党领袖。1907年任内务大臣,两年后出任首相。1910年和1914年又两度任首相。第一次世界大战初期,他希望避免与德国发生冲突,后主张罗马尼亚参加协约国一方(1916-08)。1918年2月辞职,同年12月又出任首相。战后在巴黎和会中,他坚持实现大罗马尼亚的理想。1919年9月再次辞职,而不接受同南斯拉夫妥协。1922年又出任首相,任内通过新宪法,实行全国土地改革。1927年6月最后一次组阁。

Bratislava　布拉迪斯拉发　德语作Pressburg(普雷斯堡),匈牙利语作Pozsony(波若尼)。斯洛伐克首都及西斯洛伐克州首府,滨多瑙河。位于该国最西南部。有史前人类遗址。8世纪斯拉夫人在此定居。1291年获敕命自由镇特权。1526～1784年为匈牙利首都,哈布斯堡统治者们在市内哥特式圣马丁大教堂加冕为匈牙利国王。多瑙河畔100米高台地上的巨大城堡曾是奥地利王室的府邸。第一次世界大战后成为前捷克斯洛伐克共和国斯洛伐克首府,文化中心。有夸美纽斯大学(1919)、斯洛伐克科学院、各种专科和技术学校、国家剧院、国立美术馆和博物馆。并为公路、铁路和港口等重要枢纽。有纺织、化学、金属和电子产品等工业。人口448 292(2000)。

Bratsk　布拉茨克　俄罗斯中东部伊尔库茨克州城市。位于安加拉河与奥卡河交汇处的下游。1631年建要塞,1954年前为一个无关紧要的居民点,当泰舍特—勒拿铁路穿经此地,并建成布拉茨克水电站(1964年建成,为世界最大水电站之一)后著名。有一个大型炼铝厂和木材加工厂。人口约252 500(1999)。

Bratsk Dam　布拉茨克水坝　俄罗斯安加拉河上的重力土坝,1964年建成。高125米,顶长4 417米,体积1 096.2万立方米。拦成水库可贮水1 692.7亿立方米,发电能力为4 500兆瓦。混凝土坝垛上靠下游一侧有一条双车道公路。修建条件极为困难。西伯利亚冬季气温低达-58 ℃,每年霜冻期为281天;且地处偏僻,材料、人工及建筑设备均需长途运输。安加拉河上有4座电站。布拉茨克电站是第二座。其他3座分别在伊尔库茨克、乌斯季伊利姆及博古恰内。

Brattain, Walter H(ouser)　布拉顿(1902-02-10,中国厦门～1987-10-13,美国华盛顿西雅图)　美国科学家,他和J.巴丁及W.B.肖克莱一起由于研究半导体(制造晶体管的材料)的特性,以及研制出晶体管而共获1956年诺贝尔物理学奖。在许多场合,晶体管代替了体积大的真空管并成为微型电子器件的

美国不列颠百科全书公司供图

先导。1929年布拉顿成为贝尔电话实验室的物理学研究员。他的主要研究领域包括固体表面特性,特别是物质表面的原子结构(它往往和物质内部的原子结构不同)。1967～1972年在华盛顿州的惠特曼学院任副教授。他获得许多专利,在固体物理学方面写了很多论文。

Bratteli, Trygve(Martin)　布拉特利(1910-01-11,挪威讷特岛～1984-11-20,奥斯陆)　挪威政治家,工党主席(1965～1975),挪威首相(1971～1972年和1973～1976年)。布拉特利于1928年加入工党青年组织。20世纪30年代任《劳动青年报》编辑,1940年任青年组织书记,1945～1946年任主席。在第二次世界大战时期,当德国占领挪威时,他参加抵抗运动,后被捕入德国监狱和集中营。战后,他任工党副主席(1945～1965)、主席(1965年起)。1950年被选入议会。1951～1955年和1956～1960年间任财政部长,1960～1964年任交通部长,1971年任首相。1972年他支持挪威加入欧洲共同体的建议,但为议会拒绝,遂辞职。1973年重掌政权,1976年1月9日又辞职。

brattishing　顶饰　又作cresting。用在墙壁和隔板顶部或屋脊上的连续性装饰。哥特式建筑时期(12～15世纪)极为流行,常见于教堂的大梁或上部结构和圣坛屏的檐口上,例如连续的叶尖饰或小锥形尖顶装饰。而都铎

英国萨默塞特巴斯隐修院的16世纪早期顶饰

美国不列颠百科全书公司供图

式蔷薇图案是中世纪晚期英格兰最常用的纹样,例如威斯敏斯特教堂中的亨利七世礼拜堂(1503～1519)的顶饰。

Brattleboro　布拉特尔伯勒　美国佛蒙特州东南部温德姆县城镇(镇区)。临康涅狄格河,在韦斯特河河口。建于1724年,1753年设镇。有印刷、造纸、木材制品和光学产品等。农业以种植饲草及谷物为主。冬、夏季多游客。设有国际训练学院、奥斯汀聋哑学校以及美国最大的私立精神病医院之一的布拉特尔伯勒休养院等。荷尔斯泰因-弗里斯牛协会总部设于此。克里默里大桥位于镇西3千米处,是佛蒙特州保存得最好的有顶盖桥梁之一。面积83平方千米。人口12 005(2000)。

Bratton, Henry de　参阅 **Bracton, Henry de** 布雷克顿。

Brauchitsch, (Heinrich Alfred) Walther von 布劳希奇(1881-10-04,柏林～1948-10-18,汉堡)　德国陆军元帅。在第二次世界大战的第一阶段任陆军总司令,参与拟订和执行进攻波兰(1939-09)、荷兰、比利时、法国(1940-05～06)、巴尔干(1941-04～05)和苏联(1941-06～12)的作战计划。1900年在普鲁士警卫部队服役。第一次世界大战时为参谋部军官。希特勒掌权后,他历任东普鲁士军区司令、第四集团军司令,1938年出任陆军总司令。德军在莫斯科前线大败后,希特勒归罪于布劳希奇,1941年12月19日迫他辞职。战后他未及作为战犯受审即已死去。

Braudel, (Paul Achille) Fernand　布劳德尔(1902-08-24,法国默兹吕梅维尔～1985-11-28,巴黎)　法国历史学家和教育家,20世纪最重要的史料编纂者之一。教师之子,在巴黎大学攻读历史。1924～1932年在阿尔及尔讲授历史,接着在巴黎的中等学校(1932～

1935)及巴西圣保罗大学(1935 ～ 1937)讲授历史。1937 年在巴黎高级研究实验学院执教。1940 年法国沦陷,布劳德尔被德军俘虏,当时任法国陆军中尉,被囚于吕贝克战俘集中营,至 1945 年获释。被囚期间,他完全凭借记忆写成论 16 世纪地中海地区历史的论文。1947 年巴黎大学为此授予他博士学位。论文于 1949 年以《腓力二世时代的地中海与地中海世界》(1967 修订版)为名分两卷出版。该书集中论述了 16 世纪西班牙与奥斯曼两个帝国之间的争夺,这一争夺以地中海勒班陀战役(1571)告终。该书详尽地叙述了当时地中海地区的地理、历史、宗教、农业、技术和思想状况。这一经典著作不仅对长期的趋势与变迁作了详细的分析,并且对暂时性的历史事件也都加以叙述。

1956 ～ 1968 年,布劳德尔任有影响的史料杂志《年鉴:经济、社会、文明》的主编,该刊为法国学者 L.费夫尔与 M.布洛克所创办。以他们和布劳德尔为领导的编年史学派,反对当时史学家们所习以为常的以政治与外交事件为中心的研究方法,而代之以着重研究影响这些事件的诸如气候、地理、人口以及交通、运输等情况。他们在细察某一特定时代的贸易和日常生活的具体情况时,很重视运用统计分析与定量化的方法。

布劳德尔的第 2 部重要著作是 3 卷本的《15 ～ 18 世纪物质文明、经济与资本主义》(第 1 卷,1968,第 2、3 卷,1979),其英译本的书名为《15 ～ 18 世纪文明与资本主义》。3 卷书名分别为:《日常生活的结构》、《商业的齿轮》以及《世界的展望》。这是一部研究中世纪至工业革命的世界社会与经济史的专著,布劳德尔再次展示人类各种经验、活动与事件的全貌,试图解释为什么西欧成为工业革命的发源地。

第二次世界大战后,布劳德尔返回高级研究实验学院,担任该院权威的第 6 组(社会科学)主任(1956 ～ 1972)。自 1949 年起任法兰西学院(Collège de France)教授,1984 年当选为法兰西学院(Académie Française)院士。

Brauer, Richard Dagobert **布劳尔**(1901-02-10,柏林～ 1977-04-17,美国马萨诸塞贝尔蒙特) 数学家、教育家,发展代数理论的先驱。毕业于柯尼斯堡大学。1925 年在 I.舒尔指导下获柏林大学博士学位。在柯尼斯堡大学任教到 1933 年,后离校和 H.魏尔一起研究旋量的经典解释问题。他们的研究为诺贝尔奖获得者 A.M.狄拉克的自旋电子理论提供了数学基础。后来对在 1896 年提出群特征标的 G.弗洛比尼斯的著作发生兴趣,推进了他的成果,发展了模特征标的理论,它对群特征标给出了新的见解,并推进了代数学的发展。1935 年在多伦多大学任职,1948 年去密歇根大学任教。1952 年任哈佛大学数学系教授,直到 1971 年退休;其间 1959 ～ 1963 年任系主任。20 世纪 50 年代后期,开始研究有限单群的分类,为此献出了全部余生。1971 年被美国授予国家科学奖章。

Braun, Alexander Carl Heinrich **布劳恩**(1805-05-10,巴伐利亚雷根斯堡～1877-03-

美国不列颠百科全书公司供图

29,柏林) 德国自然哲学学派的主要植物学家。活力论者。为细胞学说提供了许多重要论据,并为阐明原始植物的性周期进行了大量的工作。他与德国生物学家 K.席姆佩尔合作,力图根据他们的观察建立一种概念式的植物模式:叶在茎上的排列(叶序)在许多情况下是按固定的几何规律作螺旋式排列。他曾担任卡尔斯鲁厄工艺学校植物学及动物学教师(1833 ～ 1846)及布赖斯高的弗赖堡大学植物学教授(1846 ～ 1850),后任柏林大学植物学教授和植物园主任(1851 ～ 1877)。他用了大量时间研究隐花植物,并在《对自然界中复壮现象的观察》(1851)一书中陈述了植物结构的理论体系。他与经验主义的归纳式推理展开论战,并在自己的著作中鼓励对植物形态学进行系统的研究。他将细胞定义为细胞质围以弹性膜,确认细胞是生物体形态和功能的基本单位,这也许可算作他最重要的贡献。

Braun, Eva **爱娃·布劳恩**(1912-02-06,德国慕尼黑～ 1945-04-30,柏林) 希特勒的情妇,后来成为其妻子。出身于巴伐利亚的一个中下阶级家庭,曾在天主教女子学院上学。她

美国不列颠百科全书公司供图

和希特勒在 30 年代相遇,当时她是希特勒的照相师海因里希·霍夫曼在慕尼黑所设商店的女店员。她使希特勒得到更多家庭方面的而不是色情的欢乐。希特勒从未允许她和他一起公开露面,她对希特勒的政治生活并无影响。1945 年 4 月她到柏林,决心与希特勒共死。举行婚礼后次日服毒自尽。

Braun, (Karl) Ferdinand **布劳恩**(1850-06-06,黑森-卡塞尔富尔达～ 1918-04-20,美国纽约布鲁克林) 德国物理学家,因发展无线电报,与 G.马可尼共获 1909 年诺贝尔物理学奖。1872 年布劳恩获柏林大学哲学博士学位。在维尔茨堡、莱比锡、马尔堡、卡尔斯鲁厄和蒂宾根等地任职后,于1895年成为斯特

美国不列颠百科全书公司供图

拉斯堡大学的物理研究所所长和物理学教授。布劳恩改进了马可尼发报系统而受到了诺贝尔委员会的承认。在早期的无线电发射中,无线电天线直接置于电源电路中,广播的距离被限制在 15 千米的范围内。布劳恩采用了无火花天线电路(获 1899 年专利),通过电感耦合将发射机功率送达天线电路。这一发明大大地增大了发射机广播的距离,现已应用于雷达、无线电和电视。他发现的用作整流器的结晶材料,使晶体无线电接收机得以发展。他还是阴极射线管的著名研制者。他于 1897 年演示了第一个示波器(即布劳恩管)。他成功地产生了狭束电子流,通过交流电压的控制在荧光屏上扫描出图样。这一发明是电视显像管和雷达荧光屏的前身,也是重要的实验室研究仪器。他于 1915 年前往纽约市以证实一件与无线电专利有关的案件。1917 年美国参加第一次世界大战,布劳恩作为德国公民而被扣留,战争结束前夕去世。

Braun, Lily **布劳恩**(1865-07-02,普鲁士哈尔伯施塔特～1916-08-09,德国采伦多夫) 德国主要女权运动者和社会主义作家。1893 年与 G.冯·吉齐基结婚,受其影响,成为无神论者、和平主义者及男女平权主义者。1895 年其夫死后她加入社会民主党。她从不墨守成规,因受党内正统派批评而最终脱党。1896 年与 H.布劳恩结婚。合作出版《新社会》周刊,并与 M.考厄创办女权运动的报纸《妇女运动》。其重要著作《妇女问题》一书阐明资本主义工业因雇佣妇女而破坏家庭,从而使社会主义不可避免。

Braun, Otto **布劳恩**(1872-01-28,德国柯尼希斯贝格～ 1955-12-14,瑞士卢加诺) 德国政治家、社会民主党领袖,初为柯尼希斯贝格社会民主党领导人,1911 年成为该党全国执行委员会委员。两年后被选入普鲁士议会下院,第一次世界大战后被选入魏玛立宪会议(1919)及德国国会。1920 ～ 1932 年,除 1921 年及 1925 年的短暂中断外,他一直担任普鲁士总理。他的执政给魏玛共和政体提供了强

有力的民主支柱。1932 年 7 月被德国总理弗朗茨·冯·巴本解职，但仍在普鲁士政府中担任影子咨询职位。1933 年 1 月纳粹上台后移居瑞士。

Braun, Wernher von 布劳恩（1912-03-23，德国维尔西茨～1977-06-16，美国弗吉尼亚亚历山德里亚） 德国工程师，在火箭技术和太空探测等方面都有光辉的成就。出身于贵族家庭。自幼对天文学感兴趣。1920年随家迁

美国不列颠百科全书公司供图

往柏林。在校学习期间，成绩不好，尤其是数学和物理。1925 年他得到由火箭先驱 H. 奥伯特所著《进入行星际空间的火箭》一书，因不懂数学而读不下去，因而发愤学习，这成为他一生的转折点。1930 年进柏林理工学院，参加德国航天学会，用业余时间协助奥伯特试验液体火箭发动机。1932 年毕业，获机械工程学士学位并入柏林大学就读。其间利用多恩贝格尔提供的研究经费在库默斯多夫陆军试验场从事固体火箭试验。两年后获柏林大学物理学博士学位，其学位论文论述了对 300 磅和 660 磅推力火箭发动机的理论研究和试验。1934 年 12 月他的液体火箭研究小组成功地发射了两枚火箭，火箭垂直上升，高达 2.4 千米。后来在佩讷明德建立大型军用火箭试验场，多恩贝格尔任军事长官，布劳恩任技术主任，研制出液体火箭发动机的飞机、起飞助推器、远程弹道导弹 A-4（V-2）和超音速防空导弹“瀑布”。他们 1944 年在火箭和导弹技术方面所达到的水平，在许多年内都领先于其他任何国家。大战结束时他和整个研制小组投降美军。在美国继续试验和发射缴获的 V-2 火箭，进行高空研究，并开展先进的冲压式喷气发动机和火箭导弹的研制工作。1952 年起，他担任美国陆军弹道导弹计划的技术主任，领导研制“红石”、“丘辟特”-C、“朱诺”、“潘兴”等导弹。1955 年归化为美国公民。他在整个 50 年代中是举世瞩目的发展航天事业的关键人物。他撰写了航天科普文章和著作，并发表演讲。1957 年 10、11 月苏联连续发射两颗人造卫星，11 月 8 日他接受新任务，于 1958 年 1 月 31 日发射了美国第一颗人造卫星“探险者”1 号。美国国家航空和航天局成立后，他随其机构归该局领导，担任马歇尔航天中心主任，研制“土星”I、“土星”IB 和“土星”V 型运载火箭。1970 年调至华盛顿国家航空和航天局总部，1972 年退职，任费尔柴尔德工业公司副总裁。1975 年创办国家航天研究所，旨在争取公众对航天活动的支持和理解。他曾多次获得美国政府机构和国内外各种学会授予的奖励。

Braunau **布劳瑙** 又作 Braunau Aminn。奥地利北部上奥地利州城镇。濒因河，位于萨尔茨堡北面。原为巴伐利亚公爵领地。1260 年获自治特许状。1779 年归属奥地利。1889 年阿道夫·希特勒在该地出生。多 16、17 世纪建筑，有两座 15 世纪哥特式教堂。生产天平、灭火器和木制品。郊区有奥地利最大炼铝厂。人口 16 690（1998）。

Braunschweig **不伦瑞克** 英语作 Brunswick。德国北部下萨克森州东南一行政区。该行政区东以萨克森-安哈尔特州为界，南与黑森州相邻，汉诺威行政区在其西，吕讷堡行政区在其西北。行政区面积 8 093 平方千米，是德国汉诺威旧州和历史上更大的萨克森地区的一部分。目前边界是 1977 年重新划定的，并入原不伦瑞克行政专区、希尔德斯海姆行政区东南部及吕讷堡行政区一小部分。不伦瑞克行政区以区行政首府及区内最大城市不伦瑞克命名。

地理 哈茨山脉从德国中部山地的边缘插入，直至不伦瑞克行政区的中央。上哈茨山大部分在此行政区内，是这个板岩-花岗岩高原的西北部及较高部分。流经上哈茨山的小河溪冲刷成一些狭窄的、两壁陡峭的河谷。多处河谷已筑坝拦水供德国北部平原之用。由于地形陡峭，气候阴冷潮湿，还生长有云杉树与枞树森林。东部下哈茨山地区发达的农业不能向该地区扩展。不伦瑞克的经济侧重于林业、轻工业和旅游业。平原上的居民过去对上哈茨山心怀恐惧，以为是妖巫聚居之处，但现在山中有风景优美的疗养地、避暑地和冬季运动中心，吸引众多的度假游客。其中最著名的有巴特哈尔茨堡、哈嫩克利和布劳恩拉格。戈斯拉尔位于山脉北部边缘，是一座风景如画、古色古香的神圣罗马帝国时代的城市。上哈茨山北面、西面和西南面为下萨克森山所环绕。南部高原有水平方向的砂石和灰石岩床，莱讷河宽阔的河道和威悉河狭窄曲折的河谷从南至北跨跃其上。格丁根是一重要文化中心，位于莱讷河流域富饶的黄土农业区中。格丁根郊区有精密工业、光学和电气等行业。莱讷山是下萨克森山的一部分，从哈茨山向西绵亘至汉诺威与威悉山相连接，山区以农业为主。莱讷山的陡坡亦向北伸延，但在北哈茨山前沿大片黄土覆盖的平原之间逐渐变得开阔。北哈茨山前沿是德国的甜菜主要产区之一；甜菜残渣用作大批栏养牛群的饲料。该地还生产大量小麦与蔬菜作物。该行政区主要工业城市有不伦瑞克、萨尔茨吉特和沃尔夫斯堡。3 座城市坐落在前沿地带沿中部运河地区。主要工业产品为机动车辆。萨尔茨吉特和派讷附近有铁矿开采，不伦瑞克北部吕讷堡灌丛西南部的油田已开采石油。

行政区的人口密度不一，上哈茨山地区人口每平方千米不到 20 人，而在北哈茨山前沿地区人口每平方千米达 500 人。居民是上萨克森人、下萨克森人、法兰克人和图林根人的后裔。居民以哈茨山为界，分别使用高地和低地两种德语。居民中 3/4 以上是新教教徒。农村居民点的主要格局是不规则而又密集的村落，很少有分散的农庄。在哈茨山狭窄的谷地中，最普通的是只有一条笔直街道的村庄。地区农舍的建造利用本地森林资源仿效法兰克人半露木架结构的样式。行政区的高等教育以格丁根、不伦瑞克和克劳斯塔尔-采勒费尔德等城市的大学为主。

历史 不伦瑞克（布伦瑞克-吕讷堡）是韦尔夫家族的公爵领地，在易北河下游和威悉河之间的地带。该公国是 1235 年腓特烈二世皇帝所设，赐与韦尔夫家族始创人亨利（狮子）的孙儿奥托。13 世纪末年开始，该公国开始分封给家族的各分支。其后若干世纪，又有多次分封、合并和重新分封。17 世纪，韦尔夫家族一个分支卡伦堡-格丁根（汉诺威）家族因与英国王室联姻而显赫起来，1714 年汉诺威王朝继承了大不列颠和爱尔兰的王位。参阅 **Hanover**。

然而不伦瑞克领地不断分封，家族各分支的诸侯又时有纷争矛盾，因此不伦瑞克始终未能在德国政治上起重要作用。1648 年缔结《威斯特伐利亚和约》之后，勃兰登堡及其后继者普鲁士权力增加，不伦瑞克黯然失色。1806 年后，拿破仑将不伦瑞克并入威斯特伐利亚王国，但 1814 年，此地又归还其法定统治者腓特烈·威廉公爵。1815 年威廉于卡特勒布拉身亡，其子查理二世未成年，公国由大不列颠摄政王乔治执政。查理公爵成年后，十分不得民心。1830 年发生革命动乱，查理被迫永远流亡国外。1831 年其弟威廉被正式拥立为继位人，是一位贤明而深得人心的统治者。

1866 年之后，继位问题尖锐化。威廉未婚无嗣，继位者应为前汉诺威国王乔治，而乔治的封地已并入普鲁士。普鲁士对乔治继位持反对态度。威廉公爵在不伦瑞克议会同意下于 1879 年做出下列安排：他死后由一摄政会议执政，如继位人不能继位，则由摄政会议指定一位摄政。威廉卒于 1884 年 10 月 18 日，汉诺威王朝乔治五世之子坎伯兰公爵恩斯特要求继位，但由于他未正式宣布放弃汉诺威的继承权，因此议会宣布他的继位将危害帝国和平，而摄政会议便不同意他继位，另选举普鲁士的阿尔贝特亲王为摄政王。

1906 年阿尔贝特死后，不伦瑞克议会于 1907 年 5 月选举梅克伦堡-什未林的约翰·阿尔贝特公爵为摄政王。1913 年继承权问题得到解决，因为坎伯兰的恩斯特·奥古斯特亲王放弃了对汉诺威继承权的要求而被承认为不伦瑞克公爵，同时于 5 月 24 日娶德皇威廉二世的独生女维多利亚·路易丝公主为妻。1919 年后，该公国成为独立的魏玛共和国。

在纳粹统治时期，不伦瑞克地区面积大大减少。1945 年在英国军政府统治下，不伦瑞克的大部分重新划定为一个州；但 1946 年 11 月，该州又并入新设的下萨克森州。人口约 1 591 182（1989）。

Braunschweig **不伦瑞克** 德国北部下萨克森州城市。濒临奥克河。据传建于 861 年（实际可能晚得多）。12 世纪由萨克森公爵亨利（狮子）建造。13世纪成为汉萨同盟的

不伦瑞克市的铜狮纪念碑
美国不列颠百科全书公司供图

领导成员。第二次世界大战中受严重破坏。市内中世纪建筑有12世纪所建罗马风格圣布拉西乌斯大教堂,内有亨利(狮子)和其妻玛蒂尔达的陵墓;12世纪伯格-丹克瓦特罗德城堡中有归尔甫家族宝库。城堡广场上的铜狮纪念碑(1166)为不伦瑞克的象征。著名建筑还有老市政厅(14～15世纪)、文艺复兴风格的布商会堂和里奇蒙德宫(1768～1769)。科研工作享有国际声誉。卡罗洛·威廉明娜工科大学为德国最古老大学。设有联邦物理、技术、生物、农业、林业和航空等专科学院。铁路枢纽,有机场。工业有金属加工、机械、汽车、办公用品、计算机、钢琴、出版、电子等。为德国最重要的食糖市场,并以香肠、芦笋和姜饼闻名。人口约245 076(2003)。

Brauwer, Adriaen (Flemish painter)　参阅 **Brouwer, Adriaen** 布劳尔。

Brava Island　布拉瓦岛　葡萄牙语作 Ilha Brava。佛得角共和国最南端岛屿,在大西洋中,距西非海岸约640千米。面积67平方千米,最高点枫丹阿斯山海拔976米。经济以捕鱼和一些农作物为主。新辛特拉为主要城镇。人口约6 820(2000)。

Bravais, Auguste　布拉菲(1811-08-23,法国阿诺奈～1863-03-30,勒谢奈)　法国物理学家,以晶体点阵理论闻名,布拉菲点阵因其而命名。在巴黎接受传统教育后,1837年从里昂取得博士学位。因对探险发生兴趣,曾参加海军。1841年在里昂大学讲授天文学。1844年被选进里昂的皇家科学、文学和艺术学会,1845年任巴黎综合工科学校的物理学教授,1854年进入科学院的地理航海部。布拉菲使人们重新燃起了研究晶体的外部形态和内部结构的兴趣。他在对点阵特性做了深入细致的研究之后,于1848年导出了点在晶体空间的14种可能排列方式。在《晶体学研究》(1866)一书中,他详尽地分析了分子多面体的几何学。他还对地磁、北极光、气象学、植物地理学、天文学和水文学等进行过广泛的研究,并写了许多专著和文章。

Bravais lattice　布拉菲点阵　用以描绘晶体中原子有序排列的14种可能的点的三维组态中的任何一种。实际晶体中每个点表示一个或几个原子,如果把这些点用线连起来,就形成晶体点阵,点阵又分为若干全同的基元(即晶胞),它们代表各种布拉菲点阵的特性。1850年法国科学家A.布拉菲证明晶体中原子的有序排列只能形成14种晶胞。布拉菲所指出的这些点阵分为6种或7种主要的晶体对称系。所有的晶体学家都承认有立方晶系(**isometric system**)、正交晶系(**orthorhombic system**)、单斜晶系(**monoclinic system**)、四方晶系(**tetragonal system**)、三斜晶系(**triclinic system**)和六角晶系(**hexagonal system**),但有的人认为六角晶系中包括三角晶系在内,另有一些人则认为三角晶系是第7种晶系。

Bravo, Nicolás　布拉沃(约1786,墨西哥奇尔潘辛戈～1854,奇尔潘辛戈)　墨西哥军人、政治家,共和国创始人之一,曾任总统和代理总统。1811年同家人一起参加农民领袖J.M.莫雷洛斯的队伍,从而成为支持反对西

美国不列颠百科全书公司供图

班牙的战争的第一批富有的(西班牙血统的)克里奥尔家族之一。他们帮助这次农民起义成为一次全面的革命。在1810～1821年反对西班牙的独立战争中,他担任墨西哥军司令。1821～1823年参加A.de伊图尔维德领导的第1届墨西哥独立政府,任执行委员会委员。1823年执行委员会创建了墨西哥合众国共和体制。1824～1827年任共和国副总统,19世纪30年代一度担任总统。在1846～1848年的墨美战争时期,他任代理总统以及普埃布拉、韦拉克鲁斯、瓦哈卡、塔瓦斯科等地区的司令。1847年墨西哥城被美国军队攻陷后,他在城外的查普特佩克要塞指挥战斗。

Bray　布雷　英格兰伯克地理、历史郡温莎-梅登黑德单一政区城镇(教区)。濒临泰晤士河。英国著名民歌《布雷的牧师》讲的便是当地牧师的故事。现主要为住宅区。人口6 999(2001)。

Bray　布雷　爱尔兰语作Bré。爱尔兰威克洛郡沿海城镇和旅游胜地。附近布雷河谷有巴利曼教堂(建于12～13世纪)遗址。有电子工业与机械工业。人口26 244(2002)。

Bray, Thomas　布雷(1656,英格兰什罗普郡马顿～1730-02-15,伦敦)　基督教圣公会教士。他促进美洲各殖民地的圣公会的建立。原为乡村教区长,1696年被伦敦主教指派协助北美洲马里兰殖民地圣公会开展工作,1700年在该地停留数月,但主要留在英国靠通信指挥工作。他为马里兰和其他殖民地招聘传教士,并创办图书馆。这些图书馆本来专供圣公会神职人员使用,后来范围扩大,赞助者也增多,1699年已建有30所。

Brazdžionis, Bernardas　布拉兹齐奥尼斯(1907-02-02,帝俄立陶宛斯滕拜凯莱伊～2002-07-11,美国加利福利亚洛杉矶)　笔名Vyte Nemunelis。立陶宛最主要的诗人、编辑、评论家和儿童读物作家。曾在考纳斯大学学习立陶宛语言和文学(1929～1934),上高中时已写过两部诗集,他的第3本诗集《不朽的犹太人》(1931)显示了他的独创性。曾做过教师和出版工作,1940年任考纳斯迈罗尼斯文学博物馆馆长。第二次世界大战即将结束,苏联即将占领时,离开立陶宛(1944)到德国。1949年迁往美国,定居波士顿,任《立陶宛百科全书》的世界文学编辑。6年后,任洛杉矶出版的《立陶宛时代》主编。作为多种诗体的诗人,他稳步地从浪漫主义转向现实主义,从局部性主题扩展到全面性主题。他的诗时而抒情谧静,时而激昂高亢。诗的风格大多是传统的,但不使用传统的语言模式,而用断裂和重复的字句、音韵。他的诗歌中蕴含着对上帝和天命的信仰,早期在立陶宛写的宗教诗就有《圣经》中的主题,并明显地使用祈祷书式语言。立陶宛在第二次世界大战中失去独立后,爱国的和人道的主题逐渐在他的诗中占据上风。他的儿童诗在立陶宛文学中居于最优秀和最受欢迎之列。他还编过几部立陶宛文学作品选集。

Brazil　巴西　全称巴西联邦共和国,葡萄牙语作 República Federativa Do Brasil。南美洲国家,面积几乎占该洲陆地总面积的一半。除厄瓜多尔和智利以外,巴西与所有南美洲国家均相连。南接乌拉圭,西南与阿根廷、巴拉圭、玻利维亚交界,西邻秘鲁,西北毗哥伦比亚,北为委内瑞拉、圭亚那、苏里南及法属圭亚那。巴西的整个东部边界占南美大西洋海岸线逾7 400千米。首都巴西利亚。面积8 511 996平方千米。人口约174 632 960(2002)。

土地　巴西在地形上可分为很多高地及低地地区,但北部亚马孙河盆地和南部巴西高原在该国地形中占有极突出的地位,因此所有其他重要地区均按其与这两种地貌特征的联系加以划分。巴西高原平均海拔1 000米,包括一些主要位于东南部的嵯峨山脉,有的高达2 700多米。巴西高原本身南连拉普拉塔河盆地(大部位于乌拉圭和阿根廷),东为被海山(为大陆崖的一部分)所隔开的狭长海岸低地(高原在此处常从760多米的高度骤降至海平面,形成独特的陡坡),北接平均

海拔不足250米的亚马孙平原。

亚马孙河与其1 000多条已知的支流构成世界最大的河流流域，面积超过7 047 000平方千米。亚马孙平原的2/3位于巴西北部，占该国全部领土的45%左右。亚马孙河全长约6 400千米，几乎全程均可通航，为巴西主要运输干线。但该河水流平缓，不宜广泛用于水力发电或灌溉。20世纪70年代迅速增加的巴西农灌区大部出现在亚马孙河以南的该国其他主要河流流域，如圣弗朗西斯科河流域和拉普拉塔河流域。巴西的大部分水力发电能量由拉普拉塔河流域的巴拉那河上的几座水坝提供。1982年建成的伊泰普大坝水力发电站是世界最大水力发电站之一。

亚马孙平原上的气候变化不大，年平均温度约26 ℃。大部地区年降雨量为2 000～3 000毫米，但有些地区年降雨量平均可多达5 000毫米。该国其他地区大部雨量适中，只有东北部半干旱的圣弗朗西斯科河流域除外，其年平均降雨量仅为600毫米(有时甚至少于250毫米)。东南海岸平原气候炎热、潮湿，类似亚马孙河平原。

全国仅有7%的土地面积为可耕地，但有3/5的土地覆盖着森林。可耕地大部位于拉普拉塔河流域及沿海地区。巴西有丰富多样的热带植物，其中包括亚马孙平原的广大热带常绿林，以及东南狭长海岸线沿岸的较小森林。南里约格朗德州有高草草原，为更广阔草原的残存部分；在较干旱的东北部是多刺的落叶灌木林，被称为卡廷加。在狭长的沿海雨林西面，巴西高原海拔最高处有半落叶森林。大部内地高原则兼有灌木丛生的落叶森林和热带大草原。人烟稀少的北部地区有野生动物出没，亚马孙平原的热带雨林中长有多种世界上独有的植物。

巴西的金属矿藏丰富，其铝土矿储量居世界第3位，铌储量为世界之冠，铍储量亦居世界前列。另外，还有优质铁矿、黄金以及世界上一些储量最大的锰和锡。巴西是拉丁美洲最大的石油生产国之一，随着近海油气田的发现，其石油和天然气储量更为巨大。

人民 巴西是拉丁美洲人口最多的国家。虽然其人口增长速度很快，1940～1981年增加两倍，但平均人口密度仍相当低。几种不同的种族自殖民地历史的最初时期即已逐渐相互通婚。当时葡萄牙人即与印第安人和带到种植园及矿山劳动的非洲人通婚。现在纯粹的种族已经罕见。黑人多分布在巴伊亚、里约热内卢、马腊尼昂和米纳斯吉拉斯诸州。近代移民几乎均集中在南方，以白人为主。印第安人居住区被限制在亚马孙平原最遥远且无多少经济价值的地区。

大多数巴西人讲葡萄牙语，但在印第安语言和非洲语言的影响下，已有一些变化并更加丰富。几乎所有巴西人皆信奉天主教；这意味着巴西是世界上信奉天主教的人口最多的国家。然而，印第安人和非洲人并未完全放弃以前的礼拜仪式或传统信仰，与源自非洲的礼拜仪式相糅合的基督教是他们当中最流行的主要教派。

巴西人口以增长速度快、年轻化、种族来源多和地区流动大为特征。人口出生率依然相对较高。为向全国人口提供有关母亲和儿童的保健信息及服务，一项计划生育工程已经展开。死亡率已逐渐降低。人口的年轻化(约半数在20岁以下)直接促成了高出生率。大量人口从农村地区迁入城市，迅速增长的城市人口现已占全国人口的3/4。

经济 巴西属发展中的市场经济，主要以制造业、金融服务业、农业和贸易为基础。国民生产总值的增长快于人口增长。人均国民生产总值高于南美国家的平均水平。

农业约占国内生产总值的1/10，占用了1/5的劳动力。玉米、稻米和小麦等谷类是主要农作物，种植面积占全部耕地的1/3。巴西是世界上最重要的咖啡、甘蔗、大豆、番木瓜、柑橘和木薯生产国，也是世界上香蕉、可可、豆类、红橘及蜜柑和鳄梨的主要生产国之一。家畜饲养亦为重要经济活动，牛和猪的数量居世界前列。巴西的广阔森林集中在亚马孙河流域，该处有许多大片尚未开发的热带森林，不过现在这些森林的消耗速度(大量木材被作为燃料)过快，环境保护部门可能要强制采取补救措施。巴西的木材工业发展良好，基本上以桉树、洪都拉斯松树以及其他种植在该国南部的引进树种为主。在沿海和内陆河流，特别是亚马孙河，均有优良渔场，可进行商业捕捞。

巴西的矿产资源丰富，但大部尚未开采。主要矿产品有铁砂、锡、磷酸盐、石油、天然气、石灰石、铝土矿、煤、盐、铜、锰、瓷土、铬、重晶石、铀、锌、黄金、宝石及石英等。该国约90%的电力来自水电厂。

制造业约占国内生产总值的1/4，与矿业一起共雇用了1/6的劳动力。产品种类繁多，有精炼石油产品、钢锭、生铁、水泥、原糖、焦炭、肥料、橡胶、纸板制品、铬铁合金、机械、飞机、武器、电气用品(包括计算机)、纺织品、汽车和商用车辆等。

建筑业约占国内生产总值的1/20，雇用了同等比例的劳动力。建筑业集中在工业厂房、公路、铁路、水坝及水力发电厂。巴西旅游业相当发达，是一个很有发展的行业，主要集中于城市和大西洋沿岸的海滩。

该国的经济基本上为自由企业经营，但石油、天然气的勘探、开采和精炼则由国营的巴西石油总公司垄断。政府还在某些其他工业，诸如汽车、造船、飞机和微电子工业公司中拥有半数以上的股权。1970年开始的多年发展计划，已被用于指导经济发展。但是，联邦政府用于发展工业的支出连同预算赤字需要巴西大量借债。严重的通货膨胀已延续多年，1985～1992年的年通货膨胀率平均为730%。许多经济部门均有工会组织。

巴西的主要贸易伙伴是美国、德国、日本、阿根廷和意大利。主要出口商品有非电动机械、铁砂、运输设备、金属制品(包括钢铁)、咖啡、豆类及大豆制品、靴鞋；主要进口商品有石油和其他矿产品、非电动机械、化学品(包括化肥)及食品。

巴西的铁路部分归政府所有，部分归私人所有。除某些供上下班乘坐的线路和散装运油车外，在全国运输网中作用不是很大。公路网虽然只有小部分铺设路面，但城市间的公共汽车服务发展很快。内河航运承担了全部国内货物运输的1/10左右，大西洋沿岸有许多深水港口。航空运输也很重要，尤其是在亚马孙河地区。全国共建有21座国际机场，但只有里约热内卢和圣保罗两地机场的国际空运最为繁忙。

政体与社会状况 巴西是一个联邦共和国。1988年宪法废除了总统以前通过政令统治的权力。由众、参两院组成的国民议会行使立法权。众议员任期4年，参议员8年。新宪法规定，每隔5年直接选举国家权力最大的职位——总统职位。主要政党包括温和的巴西民主运动党和右翼社会民主党。司法系统的最高机构为联邦最高法院，法院的11位法官经参议院批准后，由总统任命。

巴西的医疗卫生状况根据地区远近和收入水平而有所不同。一般来说，农村地区医疗卫生状况最差，医生和受过训练的护士严重短缺。20世纪80年代中期开始推行的健康计划，目的在于使现有的医疗设施尽可能

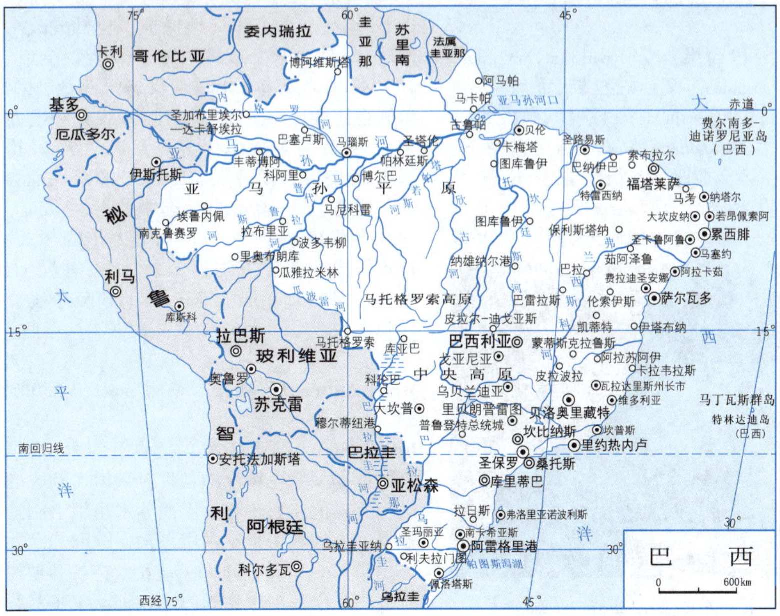

美国不列颠百科全书公司供图

地为公众所用。但因大多数医院由私人经营，此项计划成效不大。对健康危害最严重的疾病包括循环系统疾病、寄生虫病（如疟疾）、传染病（如流行性感冒和结核病）以及在婴幼儿中最为严重的营养不良。平均预期寿命66岁，低于委内瑞拉或阿根廷。大量农村人口不断涌入城市，造成住房紧张，在一些城市中的棚户区尤为明显。

小学和中学教育在公立学校为免费，7～14岁未成年人须接受义务教育。20世纪后期，几乎所有学龄儿童都具有读写能力，但成人仍有约1/5为文盲。联邦政府在高等教育中起了很大作用，半数以上的巴西高等学府归国家管理。

根据1988年宪法，巴西的新闻媒介免受新闻检查。该国的几份主要报纸在圣保罗和里约热内卢出版。巴西拥有南美洲地区最大的电视市场。其主要电视网之一"环球电视"，在世界最大的私营电视台中亦占有一席之地。

文化生活 巴西多种多样的种族和文化历史以及明显的地区差别均体现在该国的艺术之中。18世纪的建筑师兼雕刻家A.F.利斯博阿是穆拉托人，人称"小跛子"，在艺术上造诣很高。巴西最著名的现代画家C.波提那利是一名意大利移民的儿子，他的许多作品都以地方风光为主题。国际知名的当代作曲家H.维拉-洛博斯，在他的作品中融入了巴西黑人与印第安人音乐中的民间旋律，如《巴西的巴赫风格》和《乔罗思舞曲》。19世纪后期，马查多·德·阿西斯富有诗意和想象力的小说曾享誉国际。其他著名巴西作家还有J.亚马多、G.拉穆斯和所谓东北流派的R.德·克罗斯。

历史 有关葡萄牙人殖民巴西以前的记载很少。当地土著主要为图皮-瓜拉尼印第安人，他们并未如西面的印加人或西北面的阿兹特克人那样建立起帝国。其部落分散，生活方式以游牧为主。

欧洲人发现巴西应主要归功于葡萄牙海军指挥官P.A.卡布拉尔，1500年他在一次驶往印度的途中因航向偏西偶然发现巴西。起初，葡萄牙人对该地并不感兴趣，自从在那里发现一种被称作"巴西苏木"（巴西由此得名）的含有珍贵红色染料的木材，并同在该地的法国人加紧竞争，使葡萄牙人萌生建立殖民地的企图。1530年在索萨领导下开始殖民，1532年建成圣维森特。设立捐赠居民点的制度产生了具有很多封建特征的大土地所有者。印第安人成为大甘蔗种植园的劳工，后来又被非洲黑奴所取代。这一时期的耶稣会会士也很值得注意，他们在当地从事传教和教育印第安人的工作，通常还充当他们的保护人。向西扩张深入巴西内地的行动主要是由保利斯塔人，即"旗队"，从圣保罗开始的，他们组成了大规模的远征队四处捕捉印第安奴隶及寻找金矿和宝石。

早在1789年初期就发生过反对葡萄牙人统治的起义，但独立却出于一种不寻常的方式。1808年葡萄牙摄政王唐·若昂因惧怕拿破仑入侵而逃往巴西。他在当地实行了一些改革，并于1815年使巴西成为新成立的葡萄牙、巴西与阿尔加维联合王国的平等成员，并将政府所在地设于里约热内卢。

国内革命运动迫使业已成为国王若昂六世的若昂返回葡萄牙。葡萄牙国会要让巴西重新回到殖民地地位。巴西人被葡萄牙国会的行为所激怒，当时留在里约热内卢的摄政王唐·佩德罗于1822年9月7日宣布巴西独立。

经过最初20年的动荡不安之后，佩德罗二世（1840～1889）的长期统治为巴西王国带来了发展、繁荣和稳定。当1889年军事领导人发动政变时，佩德罗二世退位，共和国成立。

20世纪移民有所增加，制造业亦得到发展，同时军事政变和对公民自由权的践踏也时有发生。为促进该国内地的发展，60年代在巴西利亚建成一个新首都，此举不但增加了巴西的国债并使通货膨胀率越发恶化。1979年后，菲格雷多总统的军人政府开始逐渐恢复民主政治，1989年终于举行了29年中的首次总统普选，科洛尔当选为总统。1992年科洛尔卷入一桩贪污贿赂和权钱交易的丑闻。当年12月，弹劾程序开始不久科洛尔便辞去总统职务；由副总统佛朗哥继任总统。1994年原财政部长费尔南多·恩里克·卡多佐在全国大选中获胜，1995年1月1日就任巴西第38任总统。1998年再次在总统大选中获胜连任。他推动一些国有企业私营化，并进一步削弱军队的政治影响力。20世纪末国家经济发展缓慢导致其在2002年的大选中失利，竞选对手卢拉·达席尔瓦获胜，这是近40年来巴西历史上左翼政党首次赢得大选。达席尔瓦是第一位工人出身的总统。

Brazil Current 巴西洋流 大西洋南赤道洋流的分支。从巴西的圣罗克角沿南美东岸南流到约南纬30°～40°，在那里受向北流的福克兰洋流的阻挡而折向东。该洋流的特点是：海水温和，在19～27 °C之间，盐度高，平均为35‰～37‰。洋流较弱而浅，表面流速为每小时1～2海里，洋流深度为100～200米，流量约为每秒1 000万立方米。

Brazil nut 巴西果 又作para nut，butternut，cream nut，castanea。又称帕拉果、黄油果、奶油果。玉蕊科（Lecythidaceae）植物、高大的贝尔托莱氏木（*Bertholletia excelsa*）的可食种子。是世界上主要商业坚果和果仁类之一。该植物为高大乔木。产于南美，材可用，种子可食。蒴果球形，直径8～18厘米，似一个大椰子，果皮坚硬，内含种子8～24枚，分室排列，如柑橘。种子具三角形，种皮极为坚硬；含脂肪高，并富含蛋白质，味略似扁桃或椰子。植株野生于亚马孙河流域；生长成片，高可达45米以上。1～6月果实成熟，落于地上，可以采收，取出种子将其晒干，洗净，不取出种仁即出口。

贝尔托莱氏木的果实（*Bertholletia excelsa*）
美国不列颠百科全书公司供图

Brazilian Democratic Movement, Party of the (PMDB) 巴西民主运动党 葡萄牙语作 *Partido do Movimento Democrático Brasileiro*。1980年由巴西民主运动的成员成立。主张民主，还政于民。起初是温和的左翼政党，但不久即得到广泛支持，特别是在与中间偏右的人民党合并之后。在1985年巴西的第一次民选中，联合自由阵线党等团体支持T.de A.内维斯和J.萨尔内竞选正副总统。1986年成为巴西最大政党，在参众两院均占多数，并在23个州中赢得22个州长职位。后党内温和派和左派之间出现意见分歧，许多左派另立巴西社会民主党，但1990和1994年选举仍赢得两院多数，并在许多州的选举中获胜。在1994、1998和2002年的大选中都支持社会民主党的总统竞选人。民主运动党原先得到富庶地区和城市的支持，现在在农村和贫穷地区也是最强大的政党。

Brazilian Highlands 巴西利亚高原 葡萄牙语称中央高原。位于巴西东南部。大部在米纳斯吉拉斯州和圣保罗州境内。海拔1 000米。主要由低山、丘陵高地和平顶高原构成。地理上与北面的圭亚那高原相似。

Brazilian pine (tree) 巴西松 参阅**Paraná pine** 巴拉那松。

Brazilian Social Democratic Party (PSDP) 巴西社会民主党 葡萄牙语作Partido da Social Democracia Brasileira。巴西中间偏左的政党，1988年由巴西民主运动党的左派议员，与联合自由阵线党及巴西工党的一些议员组成。强调与巴西民主运动党的不同，着重支持土地改革、社会公正和环境保护。也赞成政治改革，号召公民投票将总统制改为议会制。在1989年总统选举中得票仅居第四位，1994年联合巴西民主运动党、自由阵线党和巴西工党，支持该党的H.卡多佐竞选总统，轻松取胜，1998年成功连任。20世纪90年代社会民主党在巴西各州的竞选中也相当成功。1994年赢得6个州，包括几个大州的州长。1998年成为众议院的第二大党，占有近1/5席位。但2002年选举排在第四，该党总统竞选也落败。

Brazilian tea 巴西茶 参阅 **maté** 马黛茶。

brazilwood 巴西苏木 又称巴西木。由具有鲜红和深紫色树汁的各种热带树木制成的致密坚实的染料木材。巴西苏木也用于制造家具。古代和中世纪由中东输入欧洲的巴西苏木是 *Caesalpinia braziliensis* 及云实科其他树种。由于巴西海岸生长的 *C. echinata* 在葡萄牙语中称为pau-brasil，所以把最初生长这种树木的国家称为巴西。

brazing 硬钎焊 兼用加热和加入一种填充金属而使两块金属结合的技术。这种熔点低于被焊接金属的填充金属可以预先加入，也可在焊件加热后再加入接口中。焊接接口间隙小的焊件时，填充金属能靠毛细作用流入接口。硬钎焊所用填充金属的熔点高于430℃。在与此有关的称为软钎焊的方法中，其填充金属的熔点则低于此温度。硬钎焊焊缝的强度通常高于软钎焊焊缝的强度。大多数金属可进行硬钎焊，随着新型合金和新的性能要求的出现，可用的硬钎焊合金品种日益增多。如果往接口加入适当助熔剂（焊剂），则用焊枪在空气中加热即可。其他加热形式包括感应加热、电阻、熔盐和熔化金属浴等。这些方法的广泛应用，导致特种炉和自动装置的发展，并特别重视准确控制温度和调节大气压。对浸渍钎焊，必须使用夹具和定位器。用机械或化学清洗法进行表面预处理，对于硬钎焊极为重要。广泛使用熔点低于650℃的银基硬钎焊合金，要求能开发一种在593℃时为流体的有效钎剂。通常联合使用硼酸盐、氟硼酸盐、氟化物、氯化物、硼砂和硼酸等作为焊剂。硬钎焊焊缝质量高度可靠，广泛用于火箭、喷气发动机或飞机零件的焊接。参阅 **welding**。

Brazos River 布拉索斯河 发源于美国新墨西哥州东部与得克萨斯州西部的河流，源头位于拉伯克市附近的埃斯塔卡多平原上。其上游的3条主要支流为达布尔芒廷河、索尔特河及克利尔河。由达布尔芒廷河与索尔特河汇合而成的布拉索斯河主流大体上流向东南到沿岸的最大城市之一韦科，由此穿过得克萨斯滨海平原，在流经约2 060千米后，于弗里波特注入墨西哥湾，在河口附近与海湾沿岸航道相连。该河主要支流有帕卢西河、利特尔河和纳瓦索塔河。流域总面积约118 103平方千米。上游的波森金登水坝（1940）和惠特尼水坝（1953）可为在主流河谷内种植棉花提供电力、防洪和灌溉。布拉索斯河谷是英裔美国人早期在得克萨斯定居的一个主要场所，沿布拉索斯的最早一批操英语的殖民地当中有一处是S. F. 奥斯汀于1822年在圣费利佩建立的。1836年得克萨斯人在布拉索斯河畔华盛顿居留地宣布脱离墨西哥而独立。布拉索斯河的西班牙文原名 Brazos de Dios，意为“上帝的手臂”。

Brazosport 布拉索斯波特 美国得克萨斯州东南布拉佐里亚县的一个工业综合体，包括弗里波特(**Freeport**)、莱克杰克逊、克卢特、莱克巴巴拉、布拉佐里亚、里奇伍德等城市及其他社区。地处海湾沿岸航道及布拉索斯河河口。有深水港设施。产品有塑料、机械、金属品及组合船等。渔业在经济上亦很重要。1961年该地区遭飓风袭击。1968年在莱克杰克逊建有布拉索斯波特学院。

Brazza (Croatia) **布拉扎** 参阅 **Brač 布拉奇**。

Brazza, Pierre-Paul-François-Camille Savorgnan de 布拉柴（1852-01-26，罗马附近[意大利]～1905-09-14，法属西非塞内加尔达喀尔[塞内加尔]） 意大利出生的法国探险家、

美国不列颠百科全书公司供图

殖民官员。创建了法属（中）刚果（今刚果共和国），后去加蓬探险，加蓬同刚果一样，成为法属赤道非洲的一部分。原为意大利伯爵。1874年入法国籍，任法国海军军官。1875年10月～1878年11月在赤道非洲勘测奥果韦河（奥戈韦河），从加蓬海岸深入内地，直到刚果河支流阿利马河。1880年受法国当局派遣再次溯奥戈韦河而上，在刚果斯坦利湖（今马莱博湖）附近签订条约，建立法国保护地（1891年成为法属刚果）。布拉柴于1882年6月回到法国，他所订立的条约获得政府批准。1884年重返刚果，建立布拉柴维尔城，并在官方资助下，建立殖民地。1886～1897年治理该地。1905年奉命去该殖民地进行调查，卒于归途中。

Brazzaville 布拉柴维尔 刚果共和国首都，刚果河北岸河港，前法属赤道非洲首都。与刚果民主共和国首都金沙萨隔河相望。1883年后由法国人建设成为欧洲式的行政和

布拉柴维尔市的大教堂
美国不列颠百科全书公司供图

住宅中心。20世纪60年代建起非洲式城区。水运能到达刚果河上游，铁路通394千米以西大西洋沿岸的黑角。第二次世界大战后港口经扩大，成为一工业和加工业地区的中心。航运业半数以上服务于其他中非国家的转口贸易。建有天主教大教堂、国立大学、专业学校和波托波托非洲艺术学校。设有世界卫生组织地区总部。建有国际机场。人口937 579（1992）。

Bré (Ireland) 参阅 **Bray 布雷**。

Brea 布雷亚 美国加利福尼亚州西南部奥兰治县城市。位于普恩特丘陵的山麓地带。早期居民在布雷亚峡谷挖取含油土作为燃料。1898年发现布雷亚和奥林达油田后，开始商业性开采。到20世纪40年代石油工业为经济支柱。后石油产量减少，城市发展为零售中心，建有多座商贸大厦。1917年设市。人口35 410（2000）。

bread 面包 以面粉加水糅和，有时经发酵然后焙烤而成的食品。史前即为主要食品。世界各地曾用不同的配料和方法制成各种形状。最早的面包出现在新石器时代，约在12 000年前，大概是用舂碎的谷物和水捏成面团，摊在烧热的石头上，并用热灰覆盖烤熟。埃及人发现面团发酵产生气体，可制成膨胀松软的面包。他们还发明了原始烤炉。最古老的小面包干现在仍在食用，尤其在大部分中东和亚、非地区，主要原料有玉米、大麦、小米、荞麦（这几种原料缺乏使产品膨松的面筋即弹性蛋白质）以及小麦和黑麦。印度人常吃小米面饼及全麦粉做的松脆饼，拉丁美洲普遍食用玉米粉制作的小圆薄饼，巴西用木薯粉做小饼。虽然远东人喜食大米饭，但20世纪后半叶，面包的消费量也在不断增加；第二次世界大战后，采用美国生产工艺的面包烤制业在日本迅速发展。用黑麦制作的发酵黑面包在德国、俄国和斯堪的纳维亚国家十分普遍，添加小麦面粉的黑麦面包在美国很受欢迎。包括精白面包在内的发酵小麦面包以筛过的面粉为原料，全麦面包则用未经筛过的面粉。面筋面包因除去了大部分淀粉，含糖分较少。维也纳及法国面包形状细长，外壳较硬。其他类型的发面面包有面包卷、小面包、化学发酵的快制面包及酵母发酵、含糖和起酥油较多的甜点心等。发面虽然起初依赖自然发酵，但用人工培养的酵母稳定性好，发酵快，并能经受高温，从而使产品质量均一。只有小麦粉和黑麦粉能产生使面包发酵所必需的面筋，而小麦面筋的发酵作用尤佳。其他配料有液体（如牛乳或水）、动物或植物起酥油、食盐和糖。面包制作技术革新还包括改善温度控制、工艺过程、燃料与冷冻设施。现代面包生产已高度机械化。面团混合有直接法、两段法和连续法之分。小面包厂常用直接法，即同时混合所有成分。两段法先混合一部分成分，发酵膨胀后再加进其他成分，切成适当大小放在烤盘上发酵，然后使烤盘通过传送盘式烤炉制成面包。连续混合法可以减少许多操作程序。

bread-crumb sponge (*Halichondria panicea*) **面包屑软海绵** 多孔动物门寻常海绵纲动物，因被触摸时碎成粉末，故名。在沿岸或潮下带浅水中常见其包附在硬物或海草外面。颜色从深绿到浅黄不等，常见于阴暗的缝隙中或悬垂物的下方。表面的特征是有许多圆锥形突起，每个突起的顶端有一小孔。体内壁的鞭毛有节律地击水，使水从体表小孔进入体内。从水中取得氧和食物粒后，水从圆锥形突起上的顶孔流出。

bread of the Presence (Judaism) 参阅 **shewbread 陈设饼**。

bread palm 面包棕榈 又作 kaffir bread。大苏铁属(*Encephalartos*)几种植物的统称。原产于非洲南部。其茎髓粉状,含淀粉,可制成面包样食物,故名。种子外皮肉质,亦能制同样食物。树高近20英尺(6米)。叶极硬而开展,羽状,长3～4英尺,先端卷曲。大苏铁属的几个种是美观的温室植物。

Breadalbane 布雷多尔本 苏格兰一个历史地区。现属格兰扁地区珀斯、金罗斯和斯特灵政务会辖区。面积1 020平方英里(2 642平方千米),包括泰湖和格兰扁山脉的劳尔斯山3 984英尺(1 214米)。居民中心为阿伯费尔迪、福廷格尔、肯莫尔和基林。主要为猎鹿场和游猎钓鱼区,少量耕地局限在峡谷和河谷内。布雷多尔本水力发电枢纽由7座发电站和水坝组成,集水面积500平方千米。

Breadalbane and Holland, John Campbell, 1st earl of 布雷多尔本和霍兰伯爵(第一)(约1635～1717-03-19) 苏格兰政治家。约翰·坎贝尔爵士之子。1654年参加格伦凯恩伯爵领导的保皇派起事,后来鼓动查理二世在1660年复辟。1677年查理封他为凯斯内斯伯爵和布雷多尔本子爵。但这一封赏在凯斯内斯激起仇恨,查理又改封他为布雷多尔本和霍兰伯爵(1681)。为了在1689年革命以后取得叛乱的高地人的支持,伦敦委托他去高地人的部族那里劝降,部分是通过贿赂。显然他把政府的金钱据为己有,而极力用恫吓和欺骗的手段争取叛乱的部族,甚至曾与之勾结。在格伦科惨案(1692-02-13)中,麦克唐纳部族有若干人被军队血腥残杀。他因传闻与惨案有关而受到指责,并被监禁,后威廉三世将他释放。1707年布雷多尔本没有投票赞成英格兰与苏格兰合并,但他是合并后的英国议会上院的议员(1713～1715)。他一直与詹姆斯党人保持联系,并给予资助。1715年詹姆斯党人起义失败后,他因年事已高得免于受惩处。

breadfruit 面包果 桑科两种近缘乔木的果实。其中一种面包果是 *Artocarpus communis*(又作 *A. incisa* 或 *A. altilis*),产于南太平洋地

面包果(*Artocarpus communis*)
美国不列颠百科全书公司供图

区,树高12～18米;叶大,广椭圆形,亮绿色,顶端3～9裂;花单性同株,雄花排列成密集的棒状花穗;雌花丛集成球形,花序具刺,着生于海绵质花托上;成熟果略圆,直径10～20厘米,淡绿色至褐绿色,果肉白色,质粗松,略似纤维质,为当地的主食。非洲特需屈尔木(非洲面包树,*Treculia africana*)原产于热带非洲,作为次要的粮食作物。面包果原产于马来群岛,自远古就有栽培,史前即传播整个南太平洋地区。J.库克船长在太平洋岛屿发现了面包果,并认为可充当西印度群岛的黑奴的粮食,他建议W.布莱将面包果带到西印度群岛。布莱指挥"邦蒂"号首次航行失败,第二次航行后,成功地将面包果栽种在牙买加。但黑奴爱吃香蕉和木薯,面包果始终未成为他们的主食。按一般水果的概念,面包果不算是水果,其淀粉含量高,很少生吃。一般需经烘烤、蒸煮、煎炒或晒干后磨成粉再供食用。在西印度群岛及中美洲(从墨西哥至巴西),面包果树栽培在门前庭院里,果实供市售。面包果树的无籽类型用根出条或根插条繁殖。在南太平洋岛屿栽培品种很多,但热带美洲则无。面包果树不耐霜冻,在佛罗里达最南部也不能栽培。在南太平洋地区,其纤维质的内层树皮用以织布,木材用以造独木舟和制作家具,树液则用做黏合剂。

breadnut 面包坚果 桑科饱食木属(*Brosimum*)几种热带美洲乔木。与面包果近缘。麦粉饱食木(*B. alicastrum*)及帕拉饱食木(*B. paraense*)的种子可烤干磨成粉或作为咖啡的代用品。其叶为家畜饲料。上述两种的木材坚硬,带白色,纹理细致,用制木器。

break 敞篷四轮大马车 兼指两种马车。一种是四轮重型马车,只有空车架,除车夫座位外,没有车身,座位后有一块助手的小踏板,供训练单马或二匹、四匹成组的马用。另一种是成组的马牵引的四轮重型敞篷车,直车身,通常不设车门,座位前也没有踏板,供6人以上旅游用。

breakbone fever(disease) **断骨热** 参阅 **dengue** 登革热。

breakfast cereal 早餐谷类食品 经过预先烹制或做成方便食品的谷类食物,在美国或其他地区,早餐时常与牛奶一起食用,也常用糖或糖浆、水果等佐食。早餐方便食品有4种基本形式:片状食品,由玉米、小麦或大米制成,首先去皮制成粗粉,再加入调料和糖浆煮熟,然后在两个冷却辊间压成片状。膨化食品,在压力容器内将加热了的小麦或大米爆裂,使颗粒膨胀到比原来大几倍即成为膨化食品。块状食品,小麦经加压煮熟后在重型辊间挤压,成条片状,再切成饼干块,晾干即成。粒状食品,由小麦粉和发芽大麦粉、盐、酵母加水调和成较硬的面团进行发酵、烘干,然后弄碎,再度烘烤之后,磨成粗颗粒状而成。上述各种制作法的最后一道工序,都要进行一种加工处理,以补偿因煮烤而失去的维生素,并常在表面加些甜味调料。20世纪50年代后期,通过生产的多样化和巧妙的推销活动,方便食品占领了早餐食品的市场。早餐谷类食品以娱乐性的包装和多种多样的口味瞄准儿童市场。与此同时,所谓健康食品运动促进了由"天然"纯粮和果实构成的谷类食品的发展。

Breakspear, Nicholas(pope) **布雷克斯皮尔** 参阅 **Adrian IV** 阿德里安四世。

breakwater 防波堤 在近海中建造的工程结构,用以保护港湾、锚泊地区或船坞码头等免受海浪冲击。它能截断沿岸流,防止海浪侵蚀海岸。但是,从长远看,防坡堤不能依靠阻挡海流和泥沙而有效地制止侵蚀和淤积过程。参阅 **jetty**。

bream(*Abramis brama*) **欧鳊** 鲤科动物,常见的欧洲食用鱼及游钓鱼,产于湖泊及缓流江河中。群游,以蠕虫、软体动物及其他小动物为食。体高,侧扁,头小,体为银白色,背

欧鳊(*Abramis brama*)
美国不列颠百科全书公司供图

部淡青或褐色。体长约30～50厘米,重达6千克。银欧鳊(*Blicca bjoorkna*)产于欧洲,是欧鳊的一个不很重要的相近种。其他称作bream的鱼类有金光鱼(一种米诺鱼)和鲷科的一些种类(称为海鲷[sea bream])。

Bream, Julian Alexander 布里姆(1933-07-15,伦敦～) 享有国际声誉的英国吉他演奏家和诗琴演奏家。他的演奏重新激起人们对文艺复兴时期诗琴音乐的兴趣。幼年随父学习,14岁起在当地演出。后人皇家音乐学院,并在课外从私人学吉他。深受A.塞戈维亚和19世纪杰出的西班牙吉他演奏家塔雷加风格的影响。1950年作为独奏家在伦敦首演后,又在英国各地音乐会中演出。50年代开始在全世界巡回演出。1950年开始弹奏诗琴。这一爱好导致他与英国男高音歌唱家P.皮尔斯合作演出道兰德及其他伊丽莎白时代作曲家的诗琴伴奏歌曲。1961年组织专演早期合奏音乐的器乐小组之一布里姆器乐组。该组包括小提琴、中音长笛、低音维奥尔琴、潘朵拉琴、西特琴和诗琴。为布里姆创作音乐的作曲家有B.布里顿、W.沃尔顿和M.阿诺德等人。对布里姆具有重大影响的另一人是比利时爵士乐吉他演奏家D.莱因哈特。布里姆以其节奏的准确和音调的精美抒情而著称,全世界仅少数吉他演奏家可在这些方面与他媲美。

breast cancer 乳腺癌 乳腺的恶性肿瘤。多见于女性,偶见于男性。女性乳腺癌多发生于临近绝经、绝经期或绝经期后。一般年纪愈老,愈易罹患。某些情况可促进乳腺癌的生长。机体受雌激素影响的时间过长(如初潮年龄早、停经年龄晚至50多岁)者易患乳腺癌。未经哺乳或有某些良性肿瘤的乳腺亦较易罹患。乳腺的损伤可能与癌的形成无关,但对已发生的肿瘤有刺激生长的作用。90%以上的乳腺癌发生于乳腺导管。位于乳房周边部的癌常扩散至淋巴结,而位于中心部位的癌常扩散至胸部。乳腺癌主要可分两类:第一类为单个、坚硬而不活动的包块;切开后肿瘤组织干燥坚韧,并为黄色及白色的组织条索所分隔;可扩散到脂肪组织并侵犯乳头。第二类呈不透明的白色或粉红色,质软,可有囊泡,有出血;体积常较大。乳腺癌的分类及命名是根据其外观、细胞成分、细胞发生来源及其活性而定。乳腺癌多为腺癌,腺癌发生于50岁左右,质硬,不能推动,发现时直径2～3厘米,皮肤呈橘皮样,乳头凹陷。另一类为髓样癌,多为囊性,部位深在,有完整被膜,可推动,包块可膨出皮肤,但不造成皮肤的橘皮样变化或溃疡;发现时肿瘤直径等于或大于5厘米,质软,有波动感,生长慢。粉刺状癌的特点是皮肤上有灰色小点,其中可挤出黄灰色丝带状黏稠物质;皮肤可溃烂,乳头可产生分泌物;肿瘤质软,生长缓慢。佩吉特氏病最先发生于乳头,伴有乳头灼痛、痒感或触痛;以后病损逐渐扩大,皲裂,渗出,形成硬皮,最后形成溃疡损及乳头。急性炎性癌发生于乳房呈悬垂状的年轻妇女;起病突然,乳房红肿压痛,以后颜色变紫,紫色范围渐扩大;皮肤发热、干燥,呈鳞片状;乳头有硬痂形成并逐渐凹陷。发现乳房有任何肿块都应作详细检查。癌性肿块的治疗为乳房切除,术后有时辅以X射线治疗、卵巢或肾上腺切除或用激素等化疗药物。参阅**mastectomy**。

breastbone (anatomy) 参阅 **sternum** 胸骨。

Breasted, James Henry 布雷斯特德(1865-08-27,美国伊利诺伊罗克福德～1935-12-02,纽约市) 美国考古学家、埃及学家、历史学家,曾促进对古埃及和古西亚文明的研究工

美国不列颠百科全书公司供图

作。早年为耶鲁大学和柏林大学的研究生。1894年开始在芝加哥大学教授埃及学,辑录埃及象形文字铭文,成5卷,附以译文,题名《古埃及铭文集》(1906)。1905～1907年,曾领导赴埃及、苏丹的考古工作队,拓印了许多以前无法获得或正逐渐消亡的铭文。其《埃及史》(1905)及高中教科书《古代历史》(1916)皆流畅易懂,享有盛誉。其《古埃及宗教与思想之发展》(1912)乃专门领域中的开拓性著作。1919年受J.D.洛克菲勒资助,筹建芝加哥大学东方研究所。在他指导下,该所曾进行多次重要考古发掘工作。

breath analyzer 呼吸分析器 又作breathalyzer。警察用来测定被怀疑饮酒过量者肌体内酒精含量的仪器。这种分析器能借助嫌疑者呼出的定量气体,通过重铬酸钾和硫酸溶液,测定饮酒量。溶液颜色变化与气样中酒精含量成一定比例,这种变化能直接反映出人体血液中的酒精含量。当每100毫升血液中酒精浓度超过80毫克时,司机的驾驶能力就会受到严重影响。

breathing 呼吸 使空气或水流过呼吸结构表面以进行呼吸作用的动作。呼吸结构有鳃、肺或书肺。参阅 **respiration**。

breathy voice(phonetics) **送气音** 参阅 **vocal fry** 低语音。

Brébeuf, Saint Jean de 布雷伯夫(1593-03-25,诺曼底维尔河畔孔代～1649-03-16,新法兰西圣伊尼亚斯) 天主教耶稣会传教士。多年在北美洲新法兰西地区活动。1617年加入耶稣会,1623年受神职为司铎,1625年到达新法兰西。他奉命到乔治亚湾和休伦湖之间地区向休伦族印第安人传教,冒着生命危险居留该地,1629年被英国人强迫返回法国。布雷伯夫于1634年重返休伦族地区,在原始环境中辛勤工作了15年。他经常访问该地区18个教会。当时,易洛魁人与休伦人在毛皮贸易中互相竞争,成为死敌。1647年法国人与易洛魁人媾和,易洛魁人决心消灭休伦部落联盟,不断向休伦人发动战争,在1648～1650年摧毁休伦人所有村庄和教会。他们俘获布雷伯夫及另一名传教士拉勒芒,在圣伊尼亚斯附近对二人施加酷刑致死。布雷伯夫著有休伦语语法,并将《教理问答》译为休伦语,这些著作对于史学家和人种学家都是第一手资料。

breccia 角砾岩 由大于2毫米的棱角状或次棱角状碎屑组成的已岩化的沉积岩,与由滚圆碎屑组成的砾岩不同。角砾岩有3种类型:沉积角砾岩、火山碎屑角砾岩或火成角砾岩、碎裂角砾岩或压碎角砾岩。碎屑的组成可以是一种岩性,如碎屑来自原地破碎的岩石;也可以具多种岩性,表明碎屑是先存岩石的再堆积。碎屑间的空隙可以为碳酸盐、二氧化硅、粉砂等胶结物充填。有一类角砾岩,其碎屑物质、角砾的形成和胶结三者在时间上是密切相关的。在典型条件下,这三者可以相继出现,首先由于沉积物的体积变化产生空隙,接着同样的沉积物再沉积,并充填空隙。几个这样的例子是:①白云岩化期间体积减小,引起自角砾化;②选择性溶解,如在石灰岩建造中,这可导致软弱部分的崩塌;③由于失水产生泥裂,而在下一个湿旋回中,泥裂被泥胶结。所有这些例子都产生同一种岩性的碎屑。另一类角砾岩,其碎屑与它们的胶结物无关,即碎屑不是在原地形成的。这样的例子有:①活动断层区的海底滑坡;②陆上滑坡、山麓堆积和泥流,它们各自常见于某些地区;③灰岩角砾岩,这种角砾岩是由波浪作用和礁翼的下向运动产生珊瑚和灰岩的碎屑而形成。这些例子的特点是,以重力作为侧向搬运的驱动力,碎屑可以是几种岩石类型的混合物。

Brechin 布里金 苏格兰安格斯政务会辖区和历史郡的皇家小自治市(1641)。在富饶的斯特拉思莫尔谷,滨南埃斯克河。苏格兰3座圆塔中的一座(10世纪)和12世纪大教堂相连。1296年把布里金割让给英国人后,该地居民于1303年曾勇敢反抗爱德华一世的英军。现有纺织业、工程业、食品加工业和机床制造业。人口7 655(1991)。

Brecht, Arnold 布雷赫特(1884-01-26,德国吕贝克～1977-09-11,德国奥伊廷) 流亡美国的德国政府官员,后成为著名政治学家,在阐述科学的政治理论方面有重要贡献。1906年在莱比锡大学获得法学学位。1910年被任命为吕贝克的法官,同年开始在柏林司法部任职,历时7年多。任职不久后,1918年10月成为经济部大臣帮办。1921～1927年任内务部政策法规司司长。1927年春因政治原因被革职后,被任命为普鲁士在联邦议院3位主要代表之一。1933年4月被希特勒政府逮捕,不久获释。同年11月逃亡美国,在纽约市社会研究新学院从事科学研究,成绩卓著,1954年退休。他在《政治理论》(1959)一书中,提出科学的与非科学的政治理论的界限。他在阐明标准价值相对论学说时,认为最终价值是不能由科学验证的,因为在了解特定的目标和宗旨与其他一些目标和宗旨的相互关系之前,是无法科学地确定该特定目标和宗旨的价值的。他还就联邦主义和极权主义的机构和法制问题,写了许多论文。

Brecht, Bertolt 布莱希特(1898-02-10,德国奥格斯堡～1956-08-14,东柏林) 德国诗人、剧作家和戏剧改革家,他的叙事剧告别了传统剧使人感到亲临其境的舞台幻景并使戏剧发展成为左翼分子的社会和意识形态讲坛。布莱希特生于巴伐利亚州,在该州生活到

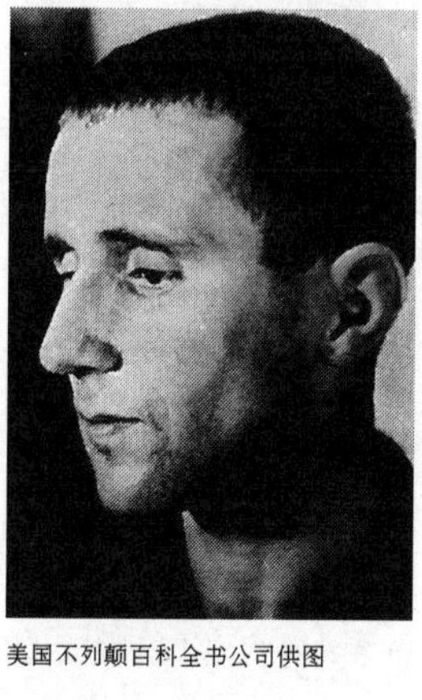

美国不列颠百科全书公司供图

1924年。1917～1921年在慕尼黑大学学医并应召入伍，在故乡的军事医院工作(1918)。在这时期他写了他的第一部剧本《巴尔》(1923年上演)和他第一部获得成功的作品《夜半鼓声》(1922，获克莱斯特奖)；收集在《家庭格言》(1927)中的诗和歌；第一次成功地改编和导演了《爱德华二世》(1924)；此时他景仰魏德金德、兰波、维永和吉卜林。同时他产生了激烈的反资产阶级态度，反映出他这一代人对第一次世界大战under轰然崩溃的文明的深刻失望。他的朋友中不乏达达主义派成员，他们的目的是通过冷嘲热讽摧毁被他们痛恨的资产阶级艺术的虚伪准则。20年代后期，布莱希特从K.考尔施那里学到马克思主义基本原理；考尔施为著名的马克思主义理论家，曾任国会中的共产党议员；1926年被德国共产党开除出党。

在柏林期间(1924～1933)他曾一度为导演赖因哈特和皮斯卡托尔工作，但主要和自己的一伙同人在一起。和作曲家韦尔合作成功地创作了讽刺轻歌剧《三分钱歌剧》(1928)和歌剧《马哈哥尼城的兴衰》(1930)。他还创作了他称为“教育剧”的作品——在正统剧院外上演的写得不太成功的教诲性作品，由韦尔、兴德米特、H.艾斯勒谱曲。在这几年中发展了他的叙事剧理论和不规则诗体的简洁形式。他也成了共产主义者。

1933年他流亡到斯堪的纳维亚(1933～1941)，主要在丹麦，后赴美国(1941～1947)并在好莱坞从事电影工作。在德国他的著作被焚毁，国籍被取消。他和德国戏剧界的联系被切断，但在1937至1941年间创作了他的大部分重要剧本、主要的理论文章和对话录以及《斯文堡诗集》(1939)中的许多诗。这时期创作的戏剧由作者本人或他人导演后均获得成功，其中主要是：《大胆妈妈和她的孩子们》(1941)，一部关于三十年战争的历史剧；《伽利略传》(1943)；以战前中国为背景的寓意剧《四川好人》(1943)；《阿图罗·魏的有限发迹》(1957)，一部以战前芝加哥为背景影射希特勒发迹攫取政权的寓意剧；《潘蒂拉老爷和他的男仆马狄》(1948)，通俗戏剧，剧中一个芬兰地主时而清醒，但粗暴残忍，时而烂醉如泥却幽默风趣；《高加索灰阑记》(1941年写成，1948年首次以英语上演，1949年以德语上演)，剧情是两个母亲(一个是抛弃孩子的贵妇人，一个是照料孩子的女仆)争夺那个孩子的故事。

1947年，在不得不向美国众议院非美活动委员会作证之后，布莱希特离开美国。在苏黎世住了一年，主要写他的《1948年安提戈尼模式》(据荷尔德林翻译的索福克勒斯原剧的德文译本改写，1948年演出)以及他最重要的理论著作《戏剧小工具篇》(1949)。他在本书中阐述的戏剧理论要旨是这一思想：真正的马克思主义戏剧必须抛开亚里士多德的前提，即必须使观众相信他们所见所闻正在此时此地发生。因为他认为，如果观众真的感到古代英雄——俄狄浦斯、李尔王或哈姆雷特——的情感可能同样是他们自己的情感，那末关于人性不是固定不变的，而是变化着的历史条件的产物这一马克思主义思想就站不住脚了。因此布莱希特提出，戏剧的目的不应是使观众把舞台上人物的表演信以为真——不应使观众与剧中人物认同，而应遵从叙事艺术的方法，即让观众认识到舞台上发生的事情只是过去事件的记录，观众应与之保持距离加以分析批判才对。因此“叙事”(叙述的、非戏剧性的)剧的基础是距离，即“陌生化效果”(间离效果)，这就是通过一系列的手法提醒旁观者，呈现在他眼前的是以科学精神演示的人的行为，不能产生幻觉以为那就是现实。简言之，戏剧只是一场戏而非世界本身。

1949年，布莱希特赴柏林帮助排演《大胆妈妈和她的孩子们》(他的妻子海伦娜演大胆妈妈)，地点在苏占区赖因哈特领导的旧德意志剧院。此举使他得以组成自己的剧团“柏林剧团”，并回到柏林定居。自此，布莱希特的时间首先用以指导该剧团排演他自己的剧本。在东欧常因其非正统美学理论而受到怀疑和诋毁，在西方则因其共产主义观点而遭抵制。但1955年在巴黎国家剧院获得巨大成功，同年在莫斯科获斯大林和平奖。次年因心脏病卒于东柏林。

布莱希特首先是优秀的诗人，熟练掌握多种体裁和情调。是工作十分勤奋的剧作家，不停地把各种想法，有时是别人的想法拼凑在一起(《三分钱歌剧》是根据J.盖依的《乞丐歌剧》，《爱德华二世》是根据马洛的剧本写成的)，是善于嘲讽的幽默大师，具有异常锐敏的音乐意识和视觉意识；但常不善于创造栩栩如生的人物形象或赋予其作品紧张和形式。作为导演他喜欢轻松、明快和环环紧扣的情节；追求完美，从而迫使德意志剧院违背本意而演出率不足。作为理论家他把自己的偏爱甚至缺点当作原则。

Breckenridge　布雷肯里奇　美国科罗拉多州中部城市，萨米特县县城(1862)。海拔2 926米，是科罗拉多州1859年最早的金矿开采地之一。城镇在金矿区周围兴起，10年内建起数家高级旅店和剧院。市区现仍保留原市中心特征，约有250幢建筑列入美国国家史迹名录。采矿业一直持续至20世纪40年代中期，其后人口大减。20世纪60年代附近的山脉成为广受欢迎的高山滑雪场，奥运运动员多来此训练，并由此发展起休闲产业。旅游业现为该市经济支柱。阿拉帕霍国家森林有几段在此附近。人口2 408(2000)。

Breckinridge, John　布雷肯里奇(1760-12-02，弗吉尼亚斯汤顿～1806-12-14，美国肯塔基列克星敦)　美国肯塔基政治家，提出T.杰斐逊主张联邦州权的《弗吉尼亚和肯塔基决议》。在弗吉尼亚边境长大，曾在威廉和玛丽学院就读两年。求学时代就由家乡地区选进弗吉尼亚议会。1792年放弃美国众议院席位，在列克星敦附近操律师业。1795年任州司法部长，1797年选入州议会。1798年提出杰斐逊总统的《弗吉尼亚和肯塔基决议》草案，并设法使之通过。该项决议案强调：联邦由有主权的各州通过契约产生。1801年选入美国参议院，任内(1801～1805)直言不讳地维护西部利益。1803年坚决支持购买路易斯安那。1805年辞去参议员职务，任美国司法部长。

Breckinridge, John C(abell)　布雷肯里奇(1821-01-21，美国肯塔基列克星敦附近～1875-05-17，列克星敦)　美国第14任副总统(1857～1861)，曾作为南方民主党总统候选人竞选失败，南北战争期间为南部邦联军官。原为律师，1849年为州议员。1851年当选美国众议员，属民主党。1856年当选副总统。1860年夏在全国代表大会上，民主党内部发生分裂，北方派提名S.A.道格拉斯为总统候选人，南方派则拥护布雷肯里奇。在11月的大选中，布雷肯里奇被共和党的A.林肯击败。1861年3月在肯塔基州当选为美国参议员。同年11月任南部邦联军的旅长，曾参加多次战役。在战争最后几个月任南部邦联的陆军部长。战争结束时逃往英国。3年后回国继续当律师，7年后去世。

Breckinridge, Madeline McDowell　布雷肯里奇(1872-05-20，美国肯塔基伍德莱克～1920-11-25，肯塔基列克星敦)　婚前名Madeline McDowell。美国社会改革家。毕生致力于维护儿童福利、社会保健和妇女权利。1890～1894年断断续续就读于肯塔基州立学院(现为大学)。1898年与D.布雷肯里奇结婚。1900年开始从事社会改革活动，推动在肯塔基州普罗克托贫困的乡镇附近建立社区服务中心，开办运动场、幼儿园，并要求建立少年法庭，限制使用童工以及强制儿童入学。她患有肺结核病，1905年开始积极参与当地和县、州的肺结核协会活动。1916年筹款成立列克星敦蓝草疗养院(后为朱利叶斯·马克斯疗养院)。1912～1915年和1919年至去世，两度担任肯塔基州平等权利协会主席，争取立法承认已婚妇女享有自己收入的权利、设立遗嘱权、对子女的同等监护权，以及限制妇女工作时间和在州精神病院配置女医生等。1913～1915年间她担任美国全国妇女选举权协会主席，并到各地进行演讲。1920年代表国际联盟和民主党作广泛的宣传旅行。

Breckinridge, Mary　布雷肯里奇(1881-02-17，美国田纳西孟菲斯～1965-05-16，美国肯塔基海登)　美国护理助产士。在她主持的美国婴幼儿保健系统中，母婴死亡率有大幅度的降低。父亲是阿肯色州议员，后出任美国驻俄国圣彼得堡公使。她先后在瑞士洛桑的私立学校和美国康涅狄格州斯坦福接受教育。1899年回国，1904年结婚，1906年夫亡。后进入纽约圣路加医院护士学校学习，1910年毕业，并取得注册护士资格。1912年与R.R.汤普森结婚，在一所女子中学教授法语和卫生学。1916和1918年，因新生女儿和4岁的儿子先后病死，她决心献身于婴幼儿保健事业。第一次世界大战后到法国，在美国援法委员会主持向儿童、哺乳期妈妈和妊娠女性提供食物和医疗服务的项目。为使理想变为现实，她先后到哥伦比亚大学师范学院和三所英国大学的助产士专业学习。1925年在肯塔基州莱斯利市用家庭遗产资助创办了一家弗朗彻护理服务队。她提出的“护理助产士"的概念使当地的母婴死亡率在成本合理的前提下远远低于全国的平均水平。1929年,美国护理助产士学会成立。除了直接的服务项目,她还编辑出版杂志,并以一名募捐者的身份周游全国。自传《广阔的天地——弗朗彻护理服务队的故事》于1952年出版。

Breckinridge, Sophonisba Preston 布雷肯里奇(1866-04-01,美国肯塔基列克星敦～1948-07-30,芝加哥) 福利工作者,曾领导美国社会工作教育运动。1888年获马萨诸塞州韦尔斯利学院文学士学位,1901年获芝加哥大学政治学哲学博士学位,成为获得该学位的第一位女性。1904年又获法律学位,留校教授家政学,直到1912年。1907年在一所训练社会工作者的学校——芝加哥公民慈善学校兼课。经过她的努力,该校并入芝加哥大学,于1920年组成社会服务行政管理研究院;1925年任教授。她认为国家应参与社会福利计划,并为此教学,著书。1927年她与人合创《社会服务评论》,1948年任主编。她还在全美妇女选举权协会、伊利诺伊消费者联盟、联邦儿童局、芝加哥移民保护联盟、全国有色人种促进协会和芝加哥赫尔大厦等机构的活动中作出过贡献。著有《少年犯罪与家庭》(1912,与E.艾博特合著)、《公共福利行政》(1927)、《20世纪的妇女》(1933)和《家庭与国家》(1934)等几部书。

Breckland 布雷克兰 英格兰诺福克行政、历史郡一区。占据该郡中西、中南大部分地区。在白垩和黏土层上覆盖着贫瘠的沙质土。有石南属丛林、小湖、池塘和林场。布雷克兰一词意为轮作地。中世纪实行轮作制,轮作期约为10年。第二次世界大战后采用农业新技术,出现大面积稳产的永久性农田,人造林的发展使石南属丛林大部消失。该区曾是燧石生产的重要中心,已发掘出一些新石器时代的燧石矿。面积1 305平方千米。人口约117 500(1998)。

Brecknock(town, Wales) **布雷克诺克** 参阅 **Brecon** 布雷肯。

Brecknock, John Jeffreys Pratt, 1st earl of 布雷克诺克伯爵(第一) 参阅 **Camden, John Jeffreys Pratt, 2nd Earl and 1st Marquess** 卡姆登侯爵(第一)。

Brecknockshire 布雷克诺克郡 威尔士中南部历史郡,因5世纪王子布赖坎(后称为布赖秦尼奥克)而得名。大部分地区属今波伊斯郡,南部小片地区属蒙茅斯郡及布莱奈格温特、梅瑟蒂德菲尔和朗达卡农塔夫几个郡级自治市。地势为山区及高沼地,间有河谷及起伏的农田。该郡有一半处在布雷肯比肯斯国家公园范围内;南部的高地有几座山峰,高度都在海拔700米以上,其中佩尼范峰886米为公园内最高峰。因该区地处威尔士南部边界地带,故历来是威尔士人与各种入侵者之间冲突的中心。罗马人在现布雷克诺克中部,距布雷肯城不远的地方建立了巨大的堡垒。诺曼人则在该区东部的布雷肯和瓦伊河畔海伊的海城修筑城堡。1282年威尔士人在北部的比尔斯韦尔斯为独立进行了最后的抵抗。布雷克诺克博物馆坐落在主教驻在的城市布雷肯。布雷肯亦为该历史郡首府。

Brecon 布雷肯 又称布雷克诺克(Brecknock),威尔士语作Aberhonddu。威尔士波伊斯郡首府,教区总教堂所在城镇。属布雷克诺克历史郡。濒阿斯克河。在洪都和塔雷尔支流汇合处。1092年建立诺曼式城堡,城镇环绕城堡发展。大约同时建造本笃会的圣约翰隐修院,1923年改为大教堂。16世纪初是威尔士最重要城镇之一,在伦敦到菲什加德主要道路上。1542年亨利八世设法院和税务机构,并将早期多明我会隐修院改为教堂和神学院。为布雷克诺克历史郡首府。现为商业和服务业中心。人口约7 532(1991)。

Brecon Beacons National Park 布雷肯比肯斯国家公园 威尔士语作Parc Cenedlaethol Bannau Brycheiniog。在威尔士南部。1957年定为国家公园。面积1 344平方千米,包括山地、荒原、森林、牧场、湖泊和宽阔的阿斯克山谷。佩尼范峰886米(2 906英尺),为园内最高点。风景秀丽,可进行各种体育活动,如山上散步,洞穴探察,骑小马旅游,驾驶帆船和钓鱼。

Breconian Stage 布雷肯阶 西欧泥盆系老红砂岩的地层单元(约开始于3.95亿年前,持续约5 000万年)。位于迪顿阶之上,法洛阶之下。因南威尔士的布雷肯比肯斯山的露头而得名。由经常含有植物化石的红色、灰色和绿色砂岩组成。欧洲的其他一些剖面由褐色砂岩、砾岩和角砾岩组成。

Breda 布雷达 荷兰西南部北布拉班特省城市。位于马克河与阿河汇合处。1252年建镇。拿骚伯爵亨利三世于1531～1536年间筑城建堡,直至19世纪始终为马克河畔的主要堡垒。此后西班牙与拿骚为争夺该城多次作战。1648年根据威斯特伐利亚和约归属荷兰。法国大革命时期法军占领该城直至1813年。工业有食品加工、机器制造、人造纤维和火柴。古建筑有基督教新教教堂,有巨大塔楼的中世纪哥特式教堂;市政厅(1766)和圣巴巴拉斯教堂(1869)等。有几个博物馆。人口:约124 794(1991);都会区约159 048(1990)。

Breda, Treaty of 《布雷达条约》(1667-07-31) 英国、荷兰、法国和丹麦4国签订的条约。它宣告第二次英荷战争(1665～1667)无结果而终。原本法国和丹麦支持荷兰,而且在战争中(主要是在海上作战)荷兰占有优势;但因路易十四侵入西属尼德兰,荷兰被迫迅速与英国缔和。英国航海条例作了有利于荷兰的改动,允许荷兰船只将莱茵河的货物运往英国。若干荷兰通商原则被接受,包括"违禁品"的定义仅限于武器。荷兰在世界贸易的地位并未动摇,而英国却未能接管部分香料贸易。但英国从荷兰获得新尼德兰(纽约、新泽西)和在非洲的几个据点,从法国收回了西印度群岛的安提瓜、蒙塞拉特岛和圣基茨。荷兰保留苏里南和东印度群岛的普洛龙。法国保留法属圭亚那,并从英国收回了阿卡迪亚。

Bredero, Gerbrand Adriaenszoon 布雷德罗(1585-03-16,荷兰阿姆斯特丹～1618-08-23,阿姆斯特丹) 荷兰诗人、剧作家。写过民歌、闹剧和荷兰都市生活喜剧。他经历了中

美国不列颠百科全书公司供图

世纪的阿姆斯特丹穷街陋巷有血有肉的生活和文艺复兴时期知识界老练世故间的矛盾,并最清晰地表现在他最初的诗作中,这些诗作后来结集出版。这些幽默的诗显示了他的观察能力,使色情的诗歌与虔诚愧悟的诗篇适成对照。有3部以西班牙传奇故事为蓝本的悲喜剧:《牛》(1612)、《磨坊主人的闹剧》(1613)和《苏蒂海伊德的闹剧》(1612或1613)。另有两部取材于阿姆斯特丹日常生活的喜剧《美好的事情》(1615)和以幽默风趣闻名的《西班牙的布拉邦人》(1617)。

Breeches Bible 《短裤圣经》 参阅 **Geneva Bible**《日内瓦圣经》。

breed association 育马协会 促进各种良种马的培育并登记各类马匹的组织。新近成立的育马协会不问马匹的父母是否经过登记,凡在品种、毛色和奔跑速度上符合一定条件的马匹,都予以承认,这种协会称为开放式育马协会。一般老式育马协会仅承认父母经过登记的马匹,称为关闭式育马协会。

breeder reactor 增殖反应堆 一种核反应堆,它所产生的可裂变物质多于它生产能量所消耗的可裂变物质。这种反应堆专为发电站提供大量核燃料而设计,普通的**核反应堆**(**nuclear reactor**)只能用容易裂变但稀有的铀235作燃料,增殖反应堆则用铀238或钍。它们的可用储量都相当大。例如铀238在所有天然铀的储量中占99%以上。在增殖反应堆中约有70%的这类同位素可用来产生动力。相反地,普通反应堆只能得到不足1%的能量。第一座实验增殖反应堆是由美国科学家于1951年在爱达荷州的国家反应堆实验站(现称爱达荷国家工程实验室)建立的,标号为EBR1。从那以后法国、英国、日本和苏联都建造了实验增殖反应堆。然而,还没有哪个国家建成适用于高容量商用增殖反应堆。最有希望的增殖反应堆类型是液态金属快中子增殖反应堆,它通过人工放射性

衰变把铀238转变成可裂变同位素钚239。然后用高速中子轰击钚239。当钚核吸收一个这样的自由中子时它就分裂成两个裂变碎片。这种裂变释放热量和中子；这些中子反过来又使其他的钚核分裂，释放更多的中子。这过程一再重复，即形成一种自持链式反应，产生热能为主的稳定能源，这些热通过液态钠冷却剂从反应堆堆芯传递给热交换器系统。这种系统利用热产生蒸汽供汽轮机驱动发电机。另一类实验增殖反应堆是热增殖反应堆，它用钍232作基本燃料或增殖材料；把钍232转变为可裂变的铀233；而铀233能产生链式反应。热增殖反应堆的工艺比液体金属快中子增殖反应堆简单得多，它用普通水作冷却剂把裂变反应所产生的热带走。

breeding, animal 参阅 **animal breeding** 动物育种。

breeze 微风 蒲福风级表中所用气流速度的某些等级的名称。微风比一般风（wind）弱，而一般风又比大风（gale）弱。微风也指各种地方性风（如海风、陆风、谷风、山风），这类风是由相邻地区地表面一天之中受热或冷却不均匀所引起的。在晴朗、干燥、温暖的天气条件下，日射最强，这时这类地方性风也最强。当气压系统过境时，会使这类地方性风加强或减弱。陆地的受热或冷却比水体快得多。所以在白天有冷而密度大的空气从水域吹向陆地（称做海风或湖风），而在夜间则有从陆地吹向水域的风（称做陆风）。在夏季白天这种水陆温差一般比较大，所以海风很强；有时海风能使狭长的沿岸地带的最高温度下降8 °C以上，它可以使局地的气候有很大的改变。同样，谷风是从山谷沿山坡向上吹的风，它是由于在谷底迅速增温并引起空气膨胀沿坡向上流动而造成的。这种上升气流有时会在山区促发雷暴。夜间，地表辐射使山坡冷却，造成较冷较密的空气流入谷地（山风）。当山风吹进一条狭窄的峡谷时，如果在这个峡谷中从更高的峡谷已经流入许多冷空气，这时原来是微弱的山风往往会变成猛烈的阵风。冰川风是由于空气同冰川接触而冷却所造成的小股冷气流，它沿冰川边缘下降，行程很短，很快便消失。

Bregendahl, Marie 布雷恩达尔（1867-11-06，丹麦弗吕～1940-07-22，哥本哈根） 丹麦乡土文学女作家。她怀着对乡村居民的同情心和对他们的社会问题的深刻理解描绘了他们的生活。其父为维堡地区农民，她一生大部分时间生活在维堡，她的作品即以该地区为社会背景。1893年与民谣诗人J.奥克亚结婚，后离异。她的第一部短篇小说集于1902年出版。最著名的长篇小说是《死亡之夜》（1912）。但《索达尔人民生活场景》（8卷，1914～1923）被公认为是她对丹麦文学的主要贡献。

Bregenz 布雷根茨 奥地利西部城镇，福拉尔贝格州首府。在康斯坦茨湖东岸，普芬德山脚下。史前就有居民。曾先后有凯尔特人、罗马人、日耳曼人居住。1206年成为蒙特福特伯爵领地。1451和1523年被哈布斯堡家族买下，1726年起为该家族主要驻地之一。当地的国立博物馆藏有凯尔特和罗马人遗

康斯坦茨湖畔的布雷根茨
美国不列颠百科全书公司供图

物。保存有13世纪城墙遗迹、中世纪马丁钟楼和圣马丁教堂（1362～1366）、哥特式堂区教堂（1097；1738年最后一次重建）和旧市政厅（1511）等古迹。作为旅游中心，有冬夏季运动设施。湖边有夏季艺术节场地，特设舞台宽110米，长300米，露天平台能容纳6 300人，为欧洲之最。生产纺织品、电器、化工品和机械。人口26 752（2001）。

Bregenzerwald 布雷根茨林山 英语作Bregenz Forest。奥地利西部福拉尔贝格州林木山地，为阿尔高阿尔卑斯山一部分。山麓

布雷根茨林山风光
美国不列颠百科全书公司供图

丘陵有畜牧和乳品业。山区内部为冬季运动中心和疗养地。当地经济以旅游业为主。

Bréguet, Abraham-Louis 布雷盖（1747-01-10，瑞士纳沙泰尔～1823-09-17，巴黎） 当时法国第一流的钟表制造家，以多种发明和制作精密而著名。1762年在凡尔赛跟一位表匠学艺，法国大革命时期到伦敦避难，返回法国时已成为帝国一名主要的钟表制造家。在他众多的发明和革新中，包括改进精密钟表中的游丝；并对摆轮进行改进，使之不因手表的位置改变而产生误差。1807年继F.贝尔图为国家指定的航海钟表师，1816年进入法国科学院，被认为是有史以来最伟大的制表工之一。一生享有世界声誉，用户遍及全世界，影响了整个欧洲的制表业。

Bréguet, Louis-Charles 布雷盖（1880-01-02，巴黎～1955-05-04，巴黎） 法国飞机制造家和法国航空公司创办人，制造了许多创世界纪录的飞机。1909年他制造的第一架飞机，在1911年创造了一项10千米航程的纪录，同年创办布雷盖飞机制造公司。1912年制造出第一架水上飞机，1917年设计一架自转旋翼机，试飞成功，这是直升飞机的前身。在第一次世界大战期间，他生产军用飞机，其中以布雷盖-19型飞机特别出色。1919年他创建空中运输公司，后来改称法国航空公司。1927年一架布雷盖飞机首次完成了跨越南大西洋的不着陆飞行，另一架布雷盖飞机则在1933年完成跨越大西洋4 500英里的飞行，这是当时最远的不着陆跨越大西洋的飞行。布雷盖公司在第二次世界大战期间仍然是一家重要的军用飞机制造厂，大战后还生产了多种四发动机的运输机。

Brehon laws 布里恩法律 指古爱尔兰法律。这些法律的文本是早在8世纪时用最古老的盖尔语写成的，内容难懂、不好翻译，以致官方的译文在某种程度上只能说是猜测。布里恩是一个公断人、仲裁人或法律的解释人，而不是近代意义上的法官。对现存的布里恩法律原稿的残余进行的分析，说明了古代爱尔兰的生活、社会和社会制度，这个社会的基础是氏族。和氏族的亲属关系乃是取得任何职位或财产的必要资格。亲属关系的规则大体上决定了身份以及与此有关的权利和义务。氏族的团结一致是它最重要的特征。氏族所占有的全部土地就是那个氏族共同的绝对的财产，尽管随着时间的推移，日益增加的大部分肥沃土地变成了有一定条件限制的私产。这样，可供同氏族人共同使用的可耕地面积就逐渐减少。古代爱尔兰的土地极少出卖，也不常出租。贵族和其他据有大面积土地的人是不肯将土地出租给同氏族人的，只是出租放牧牲畜权，有时甚至也出租牲畜。有两种不同的出租和租用方式：一是自由方式，另一种是非自由的方式。自由租用的方式主要是通过法律来解决，同氏族人在公道所允许的范围内仍有自由来终止这种关系，任何责任不能强加于同氏族人的大家族。另一方面，非自由的租用，不论是租用牲畜或放牧权，都要求有担保。承租人所属大家族的全体成员有责任从他们自己的财产中来补偿所欠下的债务。没有大家族的允许，任何有关土地的契约都是无效的。其他契约则必须有贵族或地方行政长官在场才能订立。订约的双方当事人都必须是成年的自由人，自愿订约，而且具有法定行为能力。在所有的情况下证人都很重要；在若干情况下就契约的效力来说，证人是必不可少的。刑法一概不赞成复仇、报复、以罪罚罪和死刑。赔偿则付给受害人的家族。

Breisach 布赖萨赫 全称作 Breisach Am Rhein。德国西南巴登-符腾堡州城市。隔莱茵河与法国的新布里萨克相望。原为塞夸尼凯尔特人要塞。公元369年建城堡。中世纪为日耳曼在莱茵河畔的主要要塞之一。1275年成为帝国自由城市。1648年被法国人占领。1697年归属奥地利。1805年划入巴登。第二次世界大战中遭严重破坏。战后按原貌重建。保存有两座中世纪城门和罗马-哥特风格的圣司提反大教堂(11～15世纪)。经营酒、农产品、纺织品、电器和纸张的贸易。人口约10 121(1989)。

布赖萨赫市的圣司提反大教堂
美国不列颠百科全书公司供图

Breisgau 布赖斯高 历史地区,在德国西南部莱茵河与黑森林之间,现属巴登-符腾堡州南巴登专区。罗马帝国时代为什一税边境区的一部分。约从260年起由日耳曼族阿勒曼尼人占领。中世纪初察林根家族被授予布赖斯高伯爵,1120年建弗赖堡为自由集市。14世纪,哈布斯堡王朝将其大部并入自己的版图。1457年建弗赖堡大学。三十年战争期间,布赖斯高一度为瑞典人占领。后又一度转归法国。1806年划归巴登。

Breitenfeld, Battle of 布赖滕费尔德战役 (1631-09-17) "三十年战争"中基督教新教徒的第一次重大胜利。瑞典国王古斯塔夫斯二世领导下的瑞典-萨克森联军击溃蒂利领导下的神圣罗马天主教哈布斯堡皇帝斐迪南二世和天主教联军。这标志瑞典作为强国兴起以及瑞典灵活的线性战术对古老的步兵方阵的胜利。是年9月初,神圣罗马帝国司令蒂利侵入萨克森,9月15日占领莱比锡后,陈兵布赖滕费尔德郊区,等候瑞典和萨克森联军的到来。在瑞典人左翼的萨克森人被蒂利最初的攻势所击退。但蒂利击溃联军整个左翼的企图没有成功,因为瑞典左翼司令霍恩在战斗最激烈时调动军队,在左翼建立新防线——这种做法,在近代战争史上还是第一次。同时瑞典的右翼部队挡住帝国骑兵进攻达7小时之久。瑞典-萨克森联军统帅、瑞典国王古斯塔夫斯亲自指挥,对蒂利左翼进行猛烈反攻,缴获枪炮,击毙帝国步兵方阵的大批士兵。帝国军队溃散逃窜,损失1.2万人。蒂利受重伤,和仅存的几千人一起逃走。第2天古斯塔夫斯进入莱比锡。

Breitinger, Johann Jakob 布赖丁格(1701-03-01,瑞士苏黎世～1776-12-13,苏黎世) 瑞士德语作家,18世纪最有影响的德语文学评论家之一。他研究神学并成为苏黎世卡尔学院教授,曾讲授希伯来语、希腊语、拉丁语、逻辑学和修辞学,同时鼓吹按照人道主义思想进行教育。1765～1775年在苏黎世进行教育改革。在英格兰艾迪生和斯梯尔的《旁观者》的激励下,他创办《每周论述》(1721～1723),并撰写了很多文章。最主要的著作是《评诗歌艺术》(1740),抨击有莱比锡"文学教皇"之称的J.C.戈特舍德狭隘的理性主义诗歌艺术。他强调幻想与奇妙在诗歌中的地位,激发德国公众对荷马的热情,并传播了J.洛克、沙夫茨伯里勋爵以及A.蒲柏的思想。歌德和其他名人曾访问过他,他的学生有诗人与随笔作家J.K.拉瓦特尔和作家兼教育家J.H.裴斯泰洛齐等。

美国不列颠百科全书公司供图

Breiz 参阅 **Brittany** 布列塔尼。

Bremen 不来梅 德国不来梅州的首府(包括不来梅及不来梅港两市)。德国最大港口之一和北欧主要工业城市之一。临威悉河,距北海70千米。不来梅州是德国人口最少、面积最小的州,但经济上至关重要。787年西罗马皇帝查理曼建立不来梅教区。1358年加入汉萨同盟后不久发展成为德国北部宗教、商业中心。1815年作为自治共和国加入德意志联邦。1871年成为德意志帝国之一部。1888年加入德国海关联盟,在国际贸易和船运方面名列前茅,通过扩充港口设备和发展制造业,经济地位愈加重要。现城市为中世纪和现代建筑混合体。市中心旧城有著名的商场、11世纪教堂、哥特式市政厅、罗兰塑像和现代式样的议会大厦。第二次世界大战中受到严重轰炸,69%房屋被毁,后陆续重建。距市中心约3英里,是1957～1962年建的卫星城镇新瓦尔。

土地 旧城位于河口湾的浅滩处,在一个沙丘上发展起来。由于北海潮汐的影响以及地下水位高,71英里的堤坝再加上复杂的排水系统对不来梅城市地区起重要作用。25英里长、2英里宽的沙丘决定性地影响该市向北、向南的扩张。本市土地有沼泽地,耕地,亦有小居住地。现有面积约324平方千米。

人民 不来梅属于德国最大12城市之一。一个半世纪前为只有3万居民的小城镇,至1880年增至16.2万,1920年至26.4万。第二次世界大战结束后,人口从42.4万(1939)降至36.2万,但随着广泛的重建工作的开展至20世纪末,人口又猛增。不来梅人口的主要特征是,年出生率低于2%。年龄结构可看出人口中的多数在15～65岁之间,其中一半以上有工作。绝大多数信奉基督教新教,少数信奉天主教。

经济 不来梅港货物吞吐量为两个港总和的1/4。不来梅的商船队有数百艘远洋轮船和许多驳船。不来梅港是德国最大渔船队的驻地。20世纪后经济逐渐多样化,除造船外,生产钢材、飞机、农业机械、船用和汽车发动机、工业电器设备、电视、收音机和电子材料。20世纪末,该区雇用成千上万工人,资本货物行业雇用工人中之一半人数,食品工业占1/5,消费品行业约占1/6,原材料行业约占1/5。

行政和社会情况 不来梅州面积156平方英里。不来梅港31平方英里,是由于威悉河下游的阻塞为不来梅建立的一个外港,于1947年并入不来梅州。州主要政党有社会民主党、自由民主党和基督教民主党。议会有80名议员来自不来梅,20名来自不来梅港。每4年选举一次。联邦上议院有州的3个席位。20世纪末,不来梅雇员中约有一半从事商业、运输及各种服务行业。不来梅有数家银行、保险公司、一家股票交易所以及棉花、烟草交易中心。约有30个国家的领事馆。电气化铁路及公路通国内各主要城市。除国内航线外,与伦敦、阿姆斯特丹之间有直飞航线。城市设有一所大学和数十所专业技术学校以及几百所中小学,还有一所师范学院。有一座广播电视转播台和几份日报和周报。

文化生活 有许多剧院、图书馆和档案馆,还有博物馆、美术馆为不来梅的丰富文化生活作出贡献。许多国际会议在此召开,有一座可容纳1万人的会议厅。有许多运动场、俱乐部。公园遍布全市,比格尔公园及杜鹃花花园最著名。人口:市约542 300;州约663 100(2000)。

Bremer, Fredrika 布雷默尔(1801-08-17,瑞典属芬兰奥布[今芬兰图尔库]～1865-12-31,斯德哥尔摩附近奥斯塔) 瑞典女作家、女权运动战士。她把家庭生活小说引进瑞典文学。出身富商家庭,3岁时随家定居瑞典。受过良好教育,父死,其财产足以使她投身于社会公益工作、写作及在欧洲广为旅游。所写恬静家庭生活小说,如《H家庭》(1831)、《邻居》(1837)和《家》(1839),在国内外颇受欢迎,

美国不列颠百科全书公司供图

有诗人 M.豪伊特的英译本。曾访问过美国，在新英格兰她因反对奴隶制而受到欢迎。曾会见爱默生、朗费罗和霍桑等著名作家，随后写了她的印象《新世界之家》(3 卷，1853 ～ 1854)。她后来的小说《赫塔》(1856)及《父与女》(1858)均以女权运动的社会影响为主题。

Bremer Beiträger　不来梅撰稿人　18世纪中叶一些德国作家组成的团体。J.E.施莱格尔即是其中一员，他对 1730 年由 J.C.戈特舍德定下的用以指导创作和评定"好"作品的新古典主义限制性原则提出异议。他们要求有发挥天才与灵感的余地，他们的机关报是《不来梅撰稿人》(1745 ～ 1748)。

Bremerhaven　不来梅港　德国北部不来梅州城市。在威悉河河口湾东侧，跨盖斯特河两岸。由不来梅港(1827 年设建制)、盖斯特明德镇(1845年设建制)和莱厄镇合并而成。

不来梅港的码头
Shostal 供图

1830 年"旧港"启用，后成为德国最大渔港。1857 年后成为该国最大客运港。现集装箱处理与汽车发动机进出口占重要经济地位。工业以水产加工和造船业为主。造船业兴盛。第二次世界大战中市中心夷为平地，但港口大部分完好。1971 年兴建哥伦布中心，恢复了市中心的商业。设有德国海洋博物馆和一所极地研究院。人口约 118 276(2003)。

Bremersdorp（Swaziland）　**布雷默斯多普**
参阅 **Manzini** *曼齐尼*。

Bremerton　布雷默顿　美国华盛顿州西部基特萨普县城市。临奥查德港湾。1891 年始建。1901年设市。美国太平洋舰队北方基地。有木材和乳品工业。设有奥林匹克社区工学院(1946)。"密苏里"号战舰(日本在 1945 年 9 月 2 日在舰上签署投降书)停泊在造船厂旁供人参观。海军北极星导弹太平洋基地亦设在该市。尽管 20 世纪 90 年代以来，该市经济逐渐呈多样化发展，但仍在很大程度上依赖军事开销。人口：市 37 259；布雷默顿主要都会统计区 231 969；西雅图-塔科马-布雷默顿联合都会统计区 3 554 760(2000)。

布雷默顿市的海军造船厂
美国不列颠百科全书公司供图

bremsstrahlung　轫致辐射　带电粒子(尤其是电子)通过物质时，在原子核的强电场附近突然减速或突然偏转而产生的电磁辐射。连续 X 射线谱产生的原因就是轫致辐射。X 射线管中射在金属靶上的某些电子，由于与原子核正碰而静止，从而将它们的全部动能立即转换成最大能量的辐射。同一入射束中的其他电子则经带正电的原子核多次偏转之后才静止，每次偏转产生一个电磁能脉冲(或光子)，其能量较最大能量为低。轫致辐射是宇宙线在地球的大气层中消耗部分能量的过程之一。太阳的 X 射线被认为是快速电子通过太阳的大气层(称为色球)中的物质时产生的轫致辐射。内轫致辐射发生于 β 衰变的放射性蜕变过程中，由不稳定的原子核产生和发射电子(或正电子)，或由原子核俘获自己的一个轨道电子，这些电子在它们的缔合核附近被偏转，同时发射出内轫致辐射。

Bren machine gun　布伦式轻机枪　英国仿制的一种捷克轻机枪。枪名源于捷克产地布尔诺和英国仿制地恩菲尔德两地名字首的缩略词。布伦枪采用气体传动，空气冷却，1937 年首次投入生产后，成为这类武器中使用最为广泛的一种型号。生产为英国使用的，口径为 0.303 英寸；为中国国民党军队使用的，口径为 7.92 毫米。布伦式轻机枪据称是第二次世界大战中最好的轻机枪之一，它有 4 种型号，区别主要在枪管的长度和全重方面。布伦 4 型全长 109 厘米，枪管长 56.5 厘米，射速为 520 发/分，重量为 9 千克，有效射程约为 600 米。该枪易于装弹、擦洗和操作，有一副长度可改变的两脚架和一个弧型弹匣。由于机枪枪管在过热情况下射击精度会降低，在持续射击时必须经常更换，所以该枪的枪管可以迅速更换。布伦轻机枪目前不再是英国陆军一线部队的装备，但是它仍然被许多国家的陆军所采用。

Brendan, Saint　布伦丹，圣(约484或486，特拉利，今爱尔兰凯里郡境内～ 578，戈尔韦郡安纳唐)　又拼 Brandon 或 Brandan。凯尔特基督教圣徒。他曾主持阿德费特隐修院，并在爱尔兰和苏格兰成立多处隐修院。布伦丹是著名的旅行家，据说曾航行到赫布里底群岛和苏格兰西部，可能还到过威尔士和布列塔尼。大约早在 8 世纪，就有人撰有航海冒险故事《布伦丹航游记》。这部爱尔兰史诗于 10 世纪初译成拉丁文散文，其中记载布伦丹和另几位修士航行大西洋到达"上帝应许给圣徒之地"，后人认为可能是指加那利群岛。

Brendel, Alfred　布伦德尔(1931-01-05，捷克维森堡～　)　奥地利钢琴家，通过其唱片和在各国举行的音乐会而享有国际声誉。师从 S.德泽里克、卢道维卡·封·卡恩、E.施托伊尔曼和 E.菲舍尔等人。1948 年在格拉茨首演，1949 年在博尔扎诺的国际布索尼比赛中获奖。在奥地利各地广泛演奏，1962 年在伦敦演奏贝多芬全套奏鸣曲，1963 年首次作北美巡回演出。他虽然主要以演奏贝多芬的作品而闻名，但曲目中亦突出介绍舒伯特、李斯特、莫扎特等作曲家。以分析性的音乐处理和注重装饰音的精确性著称，但对音响、音色亦极为敏感。论文集《音乐的思考与再思考》(1976)就贝多芬、舒伯特、李斯特、布索尼和菲舍尔等作曲家进行评说。

Brennan, Christopher (John)　布伦南(1870-11-01，澳大利亚悉尼～ 1932-10-05，悉尼)　澳大利亚诗人、学者。他的主要为个人吟诵的诗作从未受到澳大利亚公众的欢迎，但由于真实和生动却得到评论家的高度评价。曾就学于悉尼大学(1892 年获硕士学位)，是一位优秀的古典文学研究者。他的诗显示出希腊和拉丁诗人的影响。在获奖学金赴德国留学时，对象征派作家发生兴趣。回国后，任图书馆编目员及悉尼大学兼职教师，1920 年被聘为该校德语和比较文学副教授。1897 年出版《诗 21 首：向着源泉》(只发行 200 册)。继《诗集》(1914)之后，还出版了《挽歌》(1915)。

Brennan, Tim（American author）　**布伦南**
参阅 **Conroy, Jack** *康罗伊*。

Brennan, Walter　布伦南(1894-07-25，美国马萨诸塞林恩或斯旺普斯科特～ 1974-09-21，加利福尼亚奥克斯纳德)　美国性格演员，以塑造西部伙伴和可爱的或暴躁、古怪的老人而知名。可能在 11 岁时离家，也可能在高中毕业后离家。是否上过大学，尚无定论。很可能做过伐木工、挖沟工和银行信差。不过他确曾在第一次世界大战中服役。战后，卖掉了加利福尼亚的房产，从推销员改行做演员。1923 年开始做临时演员和特技演员。1930 年在环球影片公司的讽刺音乐剧《爵士之王》中有出色表演。其后开始扮演各种各样的小角色和有特性的人物。在 S.高德温的《洞房花烛》中塑造的马车夫形象给高德温留下了极佳印象，和他签订了长期合约。1936 年在《夺妻记》中扮演的瑞典伐木工人博斯特伦为他赢得了奥斯卡最佳男配角奖。两年后在《香妹宝岛》中饰演一位慈祥的马场主人为他赢得第二个奥斯卡奖。1940 年在《西部人》中扮演法官比恩为他赢得第三个奥斯卡奖。其他著名角色包括《约克军曹》中的牧师派尔，《逃亡》中饶舌的埃迪，《侠骨柔情》中冷血的歹徒首领克兰顿和《红河谷》中脾气暴躁的牛仔格罗特。他的演艺事业在 20 世纪 50 年代仍很活跃，拍摄了《黑岩喋血记》和《赤胆屠龙》等片。他还是一个电视明星，1957 年在情景喜剧《真实的麦科伊》中扮演一个顽固的农民麦科伊，该片播放长达 6 年之久。还在其他两部电视连续剧《大亨》和《威尔·桑尼特的枪》中担任主角。

Brennan，William J(oseph)，Jr. **布伦南**(1906-04-25，美国新泽西纽瓦克～1997-07-24，弗吉尼亚阿灵顿) 美国最高法院大法官(1956～1990)。曾在哈佛大学法学院就读，师从弗兰克福特，1931年毕业后参加纽瓦克市的一家法律事务所，专门从事劳动法方面的业务，一直执业到1949年被任命为新泽西高等法院法官。1950年任上诉法庭法官，1952年任州的最高法院法官。他在州法院的工作以其加速诉讼程序的管理才能和清理了一批拖延过久的候审案件而备受瞩目。1956年共和党总统艾森豪威尔任命他为美国最高法院大法官，尽管他本人属于民主党。布伦南主张对法律作自由派解释，并且是《权利法案》的强有力的捍卫者，但他能够通过对宪法问题作出狭义解释来使大法官们普遍地达成一致。人们记得他在一系列淫诲案件中所起的作用。这些案件中有很多扩大了对出版商的保护，但也表明了使个人自由与社会利益求得平衡的一种尝试。在"纽约时报公司诉沙利文案"(1964)中，布伦南代表最高法院所写的意见是：即使是涉及对政府官员的虚假的陈述，也有权受到宪法第1条和第14条修正案的保护，除非能够证明"确实出于恶意"。布伦南坚信司法独立的重要性以及程序对于实体权利所起的重要作用。这些想法形成了他在忠诚宣誓案件中的意见以及在"詹克斯诉美国案"(1957)中的意见，在后一案中，布伦南代表最高法院发表意见，确认被告人有权查阅政府方面证人提出的报告。在"克尔诉加利福尼亚案"和"洛佩兹诉美国案"(都在1963年)中布伦南发表不同意见时为宪法第4条修正案所默示的保守私人秘密权进行了辩护。在"贝克尔诉卡尔案"(1962)中他代表法院所做的裁定为国家立法权的重新划分提供了根据。许多最高法院的分析家认为布伦南的裁定属于最高法院历史上最有影响的裁定。因此，布伦南的退休标志着对法律的分析解释向着更保守、更狭义方向的转变。

Brenner，Sydney **布伦纳**(1927-01-13，南非杰米斯顿～　　) 南非出生的生物学家，和J.萨尔斯顿以及H.R.霍维茨共获2000年诺贝尔生理或医学奖，因为他们发现了基因如何通过一个称为"程序性细胞死亡"或"凋亡"的机制来调控组织和器官发育的。在牛津大学获得博士学位(1954)之后，开始在英国医学研究委员会工作。后来领导下属的分子生物学实验室(1979～1986)和分子遗传学小组(1986～1991)。1996年建立以美国加利福尼亚州为基地的分子科学研究所，并于2000年接受位于加利福尼亚州拉霍亚的索尔克生物科学研究所的杰出教授职位。60年代早期，把研究工作重点放在涉及大量细胞的高等动物器官发育及相关过程的研究上。他的研究表明化学合成物可以诱发蠕虫内的基因突变，这种突变会影响器官发育。他的工作奠定了"程序性细胞死亡"的研究基础。

Brenner Pass **布伦纳罗山口** 意大利语作Passo Del Brennero，德语作Brennerpass。在奥-意边界，是穿越阿尔卑斯山的最低(1 375米)最重要隘口之一。介于厄茨塔尔山和齐勒塔尔山之间。全年开放。自古以来即为意大利北部重要入口，德国和意大利之间的主要通道。自14世纪以来即为欧洲重要贸易路线之一。有公路和铁路自因斯布鲁克经该山口至维罗纳。20世纪70年代初建有一条现代化公路连接奥地利的库夫施泰因与意大利的摩德纳。

Brennus **布伦努斯**(活动时期公元前4世纪初) 高卢人的领袖。相传他在公元前390年左右率兵占领罗马，大肆掠夺，并围困卡皮托利尼山(罗马的山岗之一)达7个月之久。后来，他满载罗马人献出的财物而归。

Brennus **布伦努斯**(?～公元前279) 高卢首长。公元前279年，一批高卢人侵占马其顿，杀其国王。不久以后，布伦努斯就穿过马其顿，向希腊进军。在希腊中部、东海岸的险隘温泉关口，他猛攻未克，且伤亡惨重。最后，他找到一条绕过关口的小路。但是希腊军已从海上逃走。他向德尔斐推进，在战斗中负伤。高卢军向北退却时，很少生还。布伦努斯自尽，免于生俘。

Brent **布伦特** 英格兰伦敦外围自治市。属米德尔塞克斯历史郡。1965年由温布利和威尔斯登两地合并而成。得名于泰晤士河支流布伦特河。市内有维多利亚时期及之后建起的郊区住宅区、工业区和办公区。另有多条铁路线。两次世界大战之间发展成为住宅区。温布利体育场为不列颠帝国展览会(1924～1925)而建，可容纳10万名观众，常在此举行国际足球比赛和决赛，为1948年奥运会会场。2002年场地受到破坏，后开始重新修复为容纳9万观众的场地。威尔斯登工业区是伦敦主要工业区之一。布伦特水库可供帆船运动用，还有种类甚多的移栖野禽。南部有一大型爱尔兰社区。少数民族(以南亚、非洲和加勒比黑人为主)占人口总数的一半。面积43平方千米。人口263 464(2001)。

Brent，Margaret **布伦特**(约1600，英格兰格洛斯特郡～1669或1671，弗吉尼亚威斯特摩兰县[美国]) 英属北美殖民地实力雄厚的大地主，被称作北美的第一位女权运动家。1638年自英格兰移居切萨皮克湾地区，定居马里兰的圣玛丽斯。后获得70.5英亩土地的所有权，成为马里兰第一个女地主。到1657年，她成为当地最大的土地拥有者之一。在马里兰和弗吉尼亚的边界争端中，她组织志愿军支持总督L.卡尔弗特。后任女行政长官。1648年竞选马里兰议会议员失败，移居威斯特摩兰县度过余年。

brent goose 参阅 **brant** 黑雁。

Brentano，Bettina **布伦坦诺** 参阅**Arnim，Bettina von** 阿尔尼姆。

Brentano，Clemens **布伦坦诺**(1778-09-09，科布伦茨附近艾伦布赖特施泰因[德国]～1842-07-28，巴伐利亚阿沙芬堡) 德国诗人、小说家和剧作家。海德堡浪漫派的创立者之一，该派是德国浪漫主义的第二阶段，其着重点为德国民间文学和历史。布伦坦诺的母亲

美国不列颠百科全书公司供图

玛克西米妮是歌德的朋友(1772～1774)，妹妹贝蒂娜与歌德有书信之交。在耶拿上大学时，就已结识早期浪漫主义领袖施莱格尔和蒂克。后来他抛弃学业，在德国到处漫游。在海德堡暂住期间，认识阿尔尼姆，与之合作出版德国民歌集《男童的神奇号角》(1805～1808)，该书对于以后的德国抒情诗人有很大启发。他最成功的作品还有童话故事，以《哥克尔和亨克尔的童话》(1838)为最。名著《忠实的卡斯帕尔和美丽的安纳尔的故事》(1817)是短篇小说，写得很精彩，从德国民间文学中借用了一些题材来烘托故事的离奇气氛。其他主要作品包括戏剧《庞斯·德·莱昂》(1801)和《布拉格的建立》(1815)，以及小说《哥德维》(1801)，后者成为联系新、旧浪漫主义的重要环节。布伦坦诺以其想象力极为丰富和作品音韵极美而著称。他的个人生活也反映了德国浪漫派的气氛，感情飘忽不定，性格和情绪都易于走极端。他一生充满烦恼而不稳定。1817年，他极为消沉，于是转向天主教神秘主义，在隐修院里度过6年。

Brentano，Franz (Clemens) **布伦坦诺**(1838-01-16，黑森拿骚马林贝格[德国]～1917-03-17，瑞士苏黎世) 又称布伦塔诺。德国哲学家，公认的意动心理学(或称意向主义)的创始人。意向主义注重心理的活动而非心理的内容。他是诗人C.布伦坦诺的侄子。1864年任罗马天主教神父，1866年任维尔茨堡大学无薪讲师，1872年升任该校教授。1870年因开始怀疑罗马教皇是一贯正确的神话，而于1873年辞去神职。1874年发表了他的最著名、最有影响的著作之一《从经验的观点看心理学》，在这本书中他提出了一套堪称"灵魂科学"的心理学体系。他的意向主义中所谓的"精神过程"指的就是学院派哲学的所谓"意向存在"，他进一步深化了这个概念，称之为"内在的对象性"；认为在心理现象中存在一种"心理对客体的指向性"，例如当人看某物，被看的物体"进入了"看的动作之中，也就是具有"内在的对象性"。他认为，总的说来，物质变精神(或曰"精神的物质化倾向")的途径有3条：①知觉和观念作用(包括感觉和意象)；②判断(包括承认、反对和回忆)；③爱和恨(包括欲望、意向、希望和情感)。一个人心理过程所表达出的思想意识

可影响到周围的人，并可能成为他们合作的起点。布伦坦诺1874年任维也纳大学教授。1880年，他的结婚计划受阻，原因是奥地利当局拒绝他辞去神职的申请，并以他仍然是牧师为由不许他结婚，他被迫辞去教职，并携妻迁往莱比锡。第二年又获准回维也纳大学当他的无薪教授，一直到1895年。他在学生中享有盛誉。他的学生有心理学家S.弗洛伊德、C.斯通普夫，哲学家E.胡塞尔和现代捷克斯洛伐克的奠基者T.马萨里克。他的其他重要著作还有《感官心理学研究》(1907)和《论心理现象的分类》(1911)等。

Brentano, Heinrich von　布伦坦诺(1904-06-20，德国奥芬巴赫～1964-11-14，西德达姆施塔特)　德国政治家。基督教民主联盟创建人之一，并长期任该盟议会领袖，1955～1961年任德意志联邦共和国外交部长时奉行反共政策。1945年进入政界，参加建立黑森的基督教民主联盟，后当选为基督教民主联盟和基督教社会联盟全国组织委员会主席。曾参加起草新共和国宪法的临时大会。1949年8月选入第一届联邦议会(国会下院)。1952～1953年任6国舒曼计划委员会主席，为拟议中的欧洲联盟(未来的共同市场)草拟宪法。1955年6月任阿登纳政府的外交部长，奉行与法国合作反对苏联的政策。

Brentano, Lujo　布伦坦诺(1844-12-18，巴伐利亚阿沙芬堡～1931-09-09，慕尼黑)　德国经济学家。1867年在格丁根大学获经济学博士。1871～1931年先后在柏林、布雷斯劳、斯

美国不列颠百科全书公司供图

特拉斯堡、维也纳、莱比锡、慕尼黑等大学任政治理论教授。1868年对英国工会制度作了彻底研究，1871～1872年写成《现在的工人行会》，书中论证了现代工会是中世纪行会的继承与发展。该书很快成为工人现代社团的权威的史料。其他著作偏重于理论，主要涉及政治经济学。他多年是直言不讳的和平主义者，强烈反对德国军国主义。

Brentwood　布伦特伍德　英格兰埃塞克斯行政、历史郡一城镇和自治市。在大伦敦东北界外。面积153平方千米。主要为住宅区，有轻工业。布伦特伍德学校创建于1557年。人口：城镇约49 463(1991)；自治市约71 400(1998)。

Brenz, Johannes　布伦兹(1499-06-24，符腾堡魏尔～1570-09-11，斯图加特)　宗教改革运动领导人。他于1520年受神职为天主教司铎，约自1523年起发表赞同宗教改革的言论。他还发表著作支持路德关于基督的肉和血真实存在于圣餐上的饼与酒中的学说。

Bréquigny, Louis-Georges-Oudard-Feudrix de　布勒基尼(1714-02-23，法国盖恩斯维尔？～1794-07-02，巴黎)　法国学者，在英国编辑一部卷帙浩繁的法国编年史。1763年七

美国不列颠百科全书公司供图

年战争结束后奉派去英国查阅档案，曾带回7万份文件抄本，其中大多是关于中世纪受英国统治的法国西部各省的历史资料。这些文件装订成109卷，为巴黎国家图书馆收藏。1777年被选入法兰西学院。当时他正在搜集关于中国历史以及文学艺术的文件，汇编成册。但出版14卷后，因法国大革命爆发，汇编出版工作由此中断。

Brer Rabbit　兔子大哥　源于非洲民间传说的一个诡计多端的动物形象，由黑奴带到美洲，又获得美洲地道的类似的诡诈者的各种属性(参阅**trickster tale**)；兔子大哥因J.C.哈里斯(1848～1908)的作品而在美国家喻户晓。这个角色的冒险活动体现了一种被压迫

J.C.哈里斯作品中的兔子大哥插图
美国不列颠百科全书公司供图

民族普遍存有的想法——弱小无力但足智多谋者能够战胜强大有力但愚蠢无知者。兔子大哥连续智胜狐狸大哥、狼大哥和熊大哥这些大伙伴们。

Brera, Pinacoteca di　布雷拉绘画陈列馆　位于米兰的艺术博物馆。1809年由拿破仑一世创办，为意大利大型陈列馆之一，原展品系美术学院之藏品，其后续有增加，馆藏多为从15世纪意大利文艺复兴时期至18世纪洛可可时期的艺术品。尤富于从文艺复兴和巴罗克时期威尼斯和伦巴第画派的绘画。馆址原为18世纪所建的宫殿，由耶稣会学院使用，美术学院(1776)和布雷拉图书馆(1770)也同在一处。

Brescia　布雷西亚　拉丁语作Brixia。意大利北部亚平宁山麓城市。伦巴第区布雷西亚省省会。原为塞诺马尼的凯尔特人要塞。约公元前200年被古罗马人占领。11世纪时成为独立社区。1426年属威尼斯。16世纪为伦巴第最富有的城市之一。1797年为法国控制，1814年又转属奥地利。1859年归意大利。市内古罗马遗迹有部分街区、剧院和公元73年建造的卡皮托利诺神殿。神殿现为博物馆，藏有丰富的古罗马文物，包括1826年发现的青铜制艺术品“胜利女神”。著名世俗建筑有14世纪的城堡等。该市为主教教区，以其绘画陈列馆、中世纪博物馆及众多教堂中的艺术珍品闻名。15和16世纪布雷西亚派画家有大量代表作。著名教堂有8世纪的圣萨尔瓦多教堂，11和12世纪的老大教堂，有精美的哥特式回廊的圣方济各教堂(1255～1265)、新大教堂(1604)等。市内有70多个公共喷泉。现为交通、工业和农业中心，生产金属制品、机械、汽车、针织品和纺织品。人口：城市区约187 865(2001)。

Brescia, Girolamo　布雷西亚　参阅**Romanino, Il** 罗曼尼诺。

Brescia, Girolamo da　布雷西亚　参阅**Savoldo, Giovanni Girolamo** 萨沃尔多。

Bresdin, Rodolphe　布雷斯丹(1822，法国蒙特莱～1885-01-14，塞夫尔)　怪僻、富于幻想的法国雕刻师、石版及铜版蚀刻家，以细腻精湛的版画和素描著称。许多作品具有狂想的、异国情调的或阴森的成分。是石版画的先驱，创作了《死的喜剧》等不同凡响的作品，对其他石版画家颇有启发。作品很受同时代人，如雨果、戈蒂埃和波特莱尔的欣赏。其早年生活知者甚少。1848年革命爆发时，他住在巴黎，决心步行走遍全法国。1853～1857年住在图卢兹，1860～1861年在波尔多创作了最著名的石版画，《善良的撒马利亚人》。70年代初，他曾远游加拿大。1876年回到法国。终生离群索居，作品不属任何派别，被人误解，甚至不受欣赏。但是他的200多幅古怪版画对20世纪的象征派和超现实派有极大影响。

Breslau (Poland)　布雷斯劳　参阅**Wrocław** 弗罗茨瓦夫。

Bressanone　布雷萨诺内　德语作Brixen。意大利北部特伦蒂诺-上阿迪杰大区博尔扎诺省城镇。在里恩札河和伊萨尔科河汇合处。1803年后并入奥地利。1918年归意大利。居民大多说德语。著名建筑有巴罗克式大教堂、大主教宫(13世纪)、圆形圣米凯莱教堂和隐修院等。生产羊毛。经营果园与葡萄园。有水电站。旅游业繁荣。人口：城市区约16 836(1990)。

Bresse　布雷斯　法国东部自然区。范围包括安省和索恩-卢瓦尔省部分地区。南起栋

布地区，北达杜河，长 100 千米；东起侏罗山，西及索恩河，宽 32 千米。地势向西倾斜。作为中等繁荣农业区，以饲养家禽闻名。北部早为贵族占有。南部 1272 年后成为布雷斯省；后根据里昂条约（1601）归属法国。全区继而受法国勃艮第军政府管辖。现属罗纳-阿尔卑斯经济规划区。

Bresson, Robert　布雷松（1907-09-25，法国多姆山布罗-拉莫特 ～ 1999-12-18，多姆山布罗-拉莫特）　第二次世界大战后法国杰出的电影导演，他的影片在匀称、质朴的摄影风格中进行紧张的心理探索。他原是一位画家、

美国不列颠百科全书公司供图

摄影师。他的第一部电影《公共事务》（1934）和《罪恶的天使》（1943）为他奠定作为电影导演的地位。后者是关于一个在谦虚的外衣掩盖下的高傲自负的修女的故事。他那种简朴的、富于理性的风格非常适宜于进行心理探索。他后来的影片，如对白由富于创新精神的作家和导演 J. 科克托写的《布洛涅森林中的贵妇们》（1945），根据 G. 贝尔纳诺斯的小说改编的获奖影片《一个乡村牧师的日记》（1950），描述一位受良心责备将死的修士以及以一件越狱案为背景而进行心理分析的《死囚犯的越狱》（1956），都越来越着重于描绘个人的内心冲突。他还导演《扒手》（1959）、《贞德案件》（1961）、《巴尔塔扎尔》（1966）、《椭圆窗饰》（1966）、《甜女》（1969）、《梦幻者的四夜》（1971）、《　上朗斯洛》（1974）、《可能是魔鬼》（1977）以及《金钱》（1983）。

Brest　布雷斯特　法国西部布列塔尼大区菲尼斯泰尔省港口城市。建在庞菲尔河两岸两座山丘上。其 14 英里长锚地有克莱恩半岛作为屏障并经高勒特水道（1 ～ 2 英里宽）通海。约 1240 年为布列塔尼公爵占据。

布雷斯特市海军港口处的训练用舰船
美国不列颠百科全书公司供图

1342 ～1397 年被英国占领。1491 年归属法王室。1631 年枢机主教黎塞留下令在此修建海军基地。1830 年起为法国海军军官学校所在地。第二次世界大战中几乎全部被毁，战后重建。防波堤内为海军军港，一些设施建在峭壁洞穴中。与土伦同为法国主要海军基地。商业港有大型船体修配设施。20 世纪 60 年代建起 3 个工业区。与修造船有关的冶金工业仍占重要地位。其他工业项目有精密机械、煤气装瓶、电子设备、化肥、化工和造纸等。人口 147 956（1990）。

Brest　布列斯特　白俄罗斯西南一州。面积 32 300 平方千米。地处普里皮亚季河上游及其支流流域。1919 年起属波兰，1939 年设州，以布列斯特市为首府。除北部有白俄罗斯岭外，余皆平坦。多沼泽，有大面积芦苇及草丛、泥炭沼泽和死水。较高和较干燥地区，大部为森林覆盖。种植亚麻、大麻、马铃薯和甜菜。乳制品业、林业均重要。城镇主要从事农产品和木材加工。用泥炭发电。第聂伯-布格运河使普里皮亚季河、第聂伯河与布格河、维斯瓦河相连。莫斯科—华沙铁路和公路横贯州内。人口约 1 483 000（1991）。

Brest　布列斯特　旧称 Brest-Litovsk，波兰语作 Brześć。白俄罗斯西南部城市，布列斯特州首府。在布格河右岸。1019 年首见记载，1319 年归立陶宛，后归波兰，1795 年为俄国所得，但 1919 年至 1939 年复归波兰。1918 年德苏两国政府在此签订“布列斯特-立陶夫斯克和约”。是通往白俄罗斯和俄罗斯的重要火车站。河港，有轻工业。人口约 277 000（1991）。

Brest-Litovsk, treaties of　布列斯特-立陶夫斯克和约　德奥等同盟国与乌克兰共和国（1918-02-09）和苏维埃俄罗斯（1918-03-03）在布列斯特-立陶夫斯克（位于白俄罗斯）分别签订的和平条约，从而结束第一次世界大战期间上述国家之间的战争。苏维埃政府 1917 年 11 月 8 日要求举行和平谈判，同年 12 月 22 日谈判开始。但直到翌年 1 月 18 日双方仍未取得实质性进展，德国霍夫曼将军提出原属俄罗斯帝国的波兰和波罗的海地区以及乌克兰成立独立国家的强硬要求。1 月 9 日起担任苏方代表团团长的托洛茨基要求休会（1 月 18 ～ 30 日）。他回到彼得堡劝说布尔什维克人（包括列宁）采取“不战不和”的拖延政策。复会时苏方代表团又企图拖延，但在德奥和乌克兰民族主义分子的代表团单独媾和（2 月 9 日）后，托洛茨基乃宣布苏联新政策。2 月 23 日，德国人最后通牒：要求俄国人在两天内开始谈判，再以 3 天时间结束谈判。列宁鉴于新生的苏维埃国家太弱，如战争延续，将无法生存。他警告说，倘不同意德国条件，他就辞职。3 月 3 日苏维埃政府接受和平条约，俄国失去了乌克兰、芬兰及其在波兰和波罗的海沿岸的领土。1918 年 11 月 11 日的停战协定废除了乌克兰和俄罗斯这两个和约。1919 年苏联在内战期间收复了乌克兰。

Brest-Litovsk, Union of　布列斯特-立陶夫斯克联合协议　1596年达成的一项协议，根据这项协议，波兰所辖立陶宛境内数百万乌克兰和白俄罗斯正教徒与天主教会联合。1438 ～ 1439 年的佛罗伦萨会议意在使全部东方教会重新与罗马联合；根据这种精神，基辅都主教（管辖今乌克兰一带）拉戈萨开始与天主教教会人士和信奉天主教的波兰国王西格蒙德三世谈判。乌克兰正教会各级神长在布列斯特会议上宣布愿意归服罗马教廷。西格蒙德同意使乌克兰正教徒一方面享受天主教会的权利与优待，另一方面继续保持东派礼仪习俗。1595 年西格蒙德将这项保证公布。西格蒙德与教皇克雷芒八世所议定的条款于 1596 年由布列斯特正教会议予以承认。

Brezé, Pierre II de　参阅 **Brézé, Pierre II de 布雷泽**。

Bret Hanover　布雷特·汉诺弗（1962年出生）　美国标准种驾车赛马。1964 ～ 1966 年赛季中均被选为“当年优胜挽马”。1971 年被跑马厅命名为 20 世纪优秀溜蹄马。在 68 次比赛中获胜 62 次，其中连胜 35 次，共得奖金 922 616美元，创当时标准种马的新纪录。在 31 次 1 英里溜步赛中均以不到 2 分钟取胜，超出 50 多年前丹·帕奇所创世界纪录。1965 年赢得溜蹄马美国三王冠赛冠军。1966 年以 1 分 $53\frac{3}{5}$ 秒的成绩创造 1 英里溜步赛的世界纪录。

Bretagne　参阅 **Brittany 布列塔尼**。

bretenanwealda（Anglo-Saxon ruler）　参阅 **bretwalda 盎格鲁-撒克逊盟主**。

Breteuil, Gabrielle-Émilie Le Tonnelier de（French scientific writer）　**布勒特伊**　参阅 **Châtelet, Gabrielle-Émilie Le Tonnelier de Breteuil, marquise du 夏特莱侯爵夫人**。

Brethren　友爱会　基督教新教中的一派。1708 年源起于德意志黑森州的施瓦策瑙，当时 7 位人士在马克（1679 ～ 1735）的率领下开会，组成弟兄会，以《新约》所启示的耶稣基督的诫命为行为准则。最早的一批友爱会信徒在欧洲称为“新浸礼宗信徒”以区别于门诺宗信徒（**Mennonites**，门诺宗是再洗礼派的嫡传），又因其发祥地而称为施瓦策瑙浸礼宗信徒。继施瓦策瑙浸礼会而成立的规模最大的浸礼会在德意志境内比丁根附近的马林博恩地区。1715 年，马林博恩浸礼会被迫迁移到莱茵河下游的克雷菲尔德，1719 年其中大多数信徒又决定迁往北美洲宾夕法尼亚。同时，施瓦策瑙浸礼会也由于不见容于新继位的伯爵和农业歉收而外迁；1720 年由马克领导的一部分信徒迁到西弗里斯兰（今荷兰境内），1729 年他们到美洲与早期移民同胞会合。其余的人也在 18 世纪 30 年代离开欧洲，于是，除丹麦尚有一批人自称是施瓦策瑙浸礼会传人以外，欧洲大陆到 1750 年以后已再无友爱会。友爱会信徒最初以北美洲费城以北的日耳曼敦为据点，在周围宾夕法尼亚和新泽西一带定居垦殖，还有一些人迁入马里兰的南部各殖民地。宾夕法尼亚境内兰开

斯特县曾有厉行禁欲的埃弗拉塔公社(**Ephrata Community**),它就是北美洲殖民地时代友爱会的一个很值得注意的苗裔。美国独立之后,友爱会信徒也汇入了向西部拓荒的洪流,他们是最早定居于俄亥俄、印第安纳、伊利诺伊和其他几个草原州的若干地区的移民。友爱会信徒基本上都务农为生。1850年第一批友爱会信徒到达太平洋沿岸。横穿北美洲大陆的铁路通车以后,更多的友爱会信徒西迁,定居于南达科他州、北达科他州、西北太平洋海岸和加利福尼亚州。19世纪后半叶的文化演变破坏了友爱会信徒们的团结。青年而富有进步精神的一派主张采纳其他美国教派的新方式和新习俗,例如主日学、奋兴会、高等教育机构、领薪牧师、向海外传教和自由宗教出版物。改革问题在19世纪80年代初期使友爱会一分为三。保守派自称老德裔浸礼友爱会,表明决心坚持固有信仰;以霍尔辛格(1833～1905)为首的开明派自称友爱会;占多数的中间派继续称德裔浸礼友爱会,1908年正式改名为弟兄会。1939年,友爱会分为友爱会(俄亥俄州阿什兰)和全国友爱会团契(恩宠友爱会)。友爱会各派一般除承认《新约》外,不承认其他任何信经,强调顺服基督,生活简朴节制。信徒必须成长到能申明信仰时才可受浸礼,浸礼要在水中浸三次。每年举行两次圣餐礼,称"爱心筵",其内容有洗脚、会餐和为了肉体及灵性健康而涂油。友爱会是3个传统和平主义教会之一(其余两个是公谊会和门诺会),一贯坚持自觉反对任何战争的原则。在19世纪,友爱会信徒服饰简朴,近似阿曼门诺派,男子蓄须,戴大缘帽,女子着围裙,戴有带无边帽。目前,除老德裔浸礼友爱会和宾夕法尼亚州东部某些地区的弟兄会以外,这种老式服饰已不再穿用。至21世纪初全世界约有280万信徒。

Brethren in Christ　主内弟兄会　美国和加拿大基督教会。1750年左右由定居于美国宾夕法尼亚州萨斯奎汉纳河畔的欧洲人所建,基本上属于再洗礼派和虔信派。多年号称为河畔弟兄会,1863年以前并无正式组织。当美国北方政府征召青年入伍时,该派乃正式成立主内弟兄会,以取得因信仰原因不应征的合法权利。该教会认为《圣经》为上帝所启示,是在信仰和习俗问题上的终极权威;认为成人才能受浸礼,信徒都可参加圣餐,举行洗脚礼。该教会在国内国外都有传教活动。内部争执导致两个小派别的出现:一为老派弟兄会,又称约克弟兄会,成立于1843年;一为锡安归一会,成立于1855年。

Brethren of Purity(Islām)　参阅**Ikhwān aṣ-Ṣafā' 精诚兄弟会**。

Brethren of the Common Life　参阅**Common Life, Brethren of the 共同生活兄弟会**。

Břetislav I　布热季斯拉夫一世(1005?～1055-01-10)　波希米亚公爵(1034～1055),曾使摩拉维亚永久归附波希米亚。奥尔德日赫之子。继父位后,收复被波兰侵占的整个摩拉维亚、西里西亚和克拉科夫。另外还攻占了波兹南和格涅兹诺,企图建立一个大西斯拉夫国家。由于神圣罗马帝国皇帝亨利三世进行武装干涉,他只得撤出除西里西亚以外的所有波兰领土。他想从匈牙利人手中夺回斯洛伐克,也未成功。

Breton, André　勃勒东(1896-02-18,法国坦什布赖～1966-09-28,巴黎)　法国诗人、散文作家、评论家、编辑、超现实主义运动主要鼓吹者和创始人之一。学医,喜研究精神病。1921年,结识弗洛伊德并读他的书,开始接触潜意识概念。在精神病学和象征主义诗歌影响下,参加达达派。1919年与阿拉贡和苏波一同创办《文学》杂志。1920年与苏波在该杂志上联名发表《磁场》,成为超现实主义自动写作法的第一个样品。1924年发表《超现实主义宣言》,给超现实主义定义为"纯心理的自动作用,通过它表达……实在的思想,不受理智和任何美学或道德成见的控制。宣称超现实主义的目的是消除梦幻与现实、理性与疯狂、客观与主观之间的界线。他的小说《娜佳》(1928)把每天发生的日常琐事和心理失常揉在一起。与P.艾吕雅合作的《无玷始胎》(1930)试图传达出对不同类型精神失常的语言印象。《连通器》(1932)和《狂爱》(1937)企图探索梦幻与现实间的联系。勃勒东在理论和评论方面的著作有:《失步》(1924)、《合法的护卫》(1926)、《超现实主义与绘画》(1926)、《什么是超现实主义?》(1934)和《解脱之路》(1953)等。超现实主义运动后来在政治上卷入了20世纪30年代的动乱,勃勒东与几位同行参加了共产党。1930年发表《第二篇超现实主义宣言》,阐明了超现实主义的哲学观点。1935年,勃勒东与共产党决裂,但并未放弃马克思主义理想。1938年在墨西哥与托洛茨基创立"革命艺术独立联盟"。在法国被德国占领期间,他移居美国。1942年,在耶鲁大学举办超现实主义展览会并发表了另一篇超现实主义宣言。1946年回国,翌年举办超现实主义展览会。1948年在巴黎出版《诗集》,1969年在伦敦出版《诗选》。

Breton, Nicholas　布雷顿(1553?～1625?)　英国多产作家。写作宗教诗、田园诗、讽刺诗文、对话和随笔。一生主要在伦敦度过。其作品题赠给许多庇护人,包括詹姆斯一世及彭布罗克伯爵夫人。1598年,被评为最佳抒情诗人之一,但晚年失去声望。讽刺诗文不够辛辣,田园诗《热情的牧羊人》(1604)和散文《怪人》(1604?)写得比较成功。后者在某些方面模仿希腊作品《人物录》开写人物作品风气之先河。他自己创作的两部人物作品是《善与恶》(1616)和《人物小品》(1615)。后者还收有散文。

Bretón de los Herreros, Manuel　布雷东·德·洛斯·埃雷罗斯(1796-12-19,西班牙克尔～1873-11-08,马德里)　西班牙诗人和19世纪西班牙最重要和多产的喜剧作家。曾在马德里受教育,1812～1822年在军队服役,一生担任过多种政府职务。自1847年起任国立图书馆馆长。第一个剧本《到了老年出天花》于1824年上演,立刻获得成功。一生写出近180个剧本,其中包括法国和德国剧作的翻译本以及西班牙早期剧作家(如洛佩·德·维加)剧本的改编本。主要以其喜剧受到重视,这些喜剧大都以诗体写成,描写西班牙中产阶级的日常生活。

Breton language　布列塔尼语　属凯尔特诸语言不列颠语支。通行于法国西北部布列塔尼地区。公元5～6世纪时,盎格鲁-撒克逊人入侵英格兰南部,不列颠凯尔特难民被驱入法国西北部布列塔尼地区,因而引进此种语言。它与康沃尔语及威尔士语很相近,但曾受法语影响,而且可能也受该地区的大陆凯尔特语的影响。17世纪后,布列塔尼语有4种主要方言:即雷翁语、特列基耶语、科尔努伊语和瓦恩语。20世纪中叶,曾发展布列塔尼语两种规范形式,以促进其文学语言的形成,然而法国政府只鼓励使用法语,不用布列塔尼语,因而操布列塔尼语的人数日见减少。

Breton lay　布列塔尼籁歌　中世纪英语作lai Breton。诗的一种形式。据传与布列塔尼的职业说书人所背诵的诗歌相似,故得名。原诗歌现已无存。它是一种押韵的简短传奇故事,叙述一则恋爱故事,包括神奇的成分,杂以中世纪骑士故事色彩的神话以及凯尔特人心目中的仙境。这种诗歌源自12世纪后期法兰西的玛丽所作的法语籁歌,13世纪后期传入英国,随即风靡一时。仅存的英语布列塔尼籁歌有:《高塞爵士》(约1400),是关于魔鬼罗伯特的故事;14世纪初的《抑扼的籁歌》残篇;改编的神话故事《奥菲爵士》;14世纪的《洛法尔爵士》;14世纪末或15世纪初的《埃马尔爵士》等。乔叟《坎特伯雷故事》中有的取材于布列塔尼籁歌。参阅**lai**。

Breton literature　布列塔尼文学　用法国北方的布列塔尼语写成的各种作品的总称。布列塔尼语言和文学均可分为3个时期:古代,中古,近代。写成于8～11世纪的古布列塔尼语的残迹主要是文献中出现的名字及注释。用布列塔尼语写成的最早文本在15世纪,是亚瑟王与一位先知的对话。其他中古布列塔尼语时期(11～17世纪)的作品主要是宗教性的。近代布列塔尼语时期据说始于1659年,但无文学价值。有不少宗教散文及诗歌出版,但17和18世纪布列塔尼文学的主要部分是基督教的神秘剧及奇迹剧。19世纪初布列塔尼语言的复兴是对法国政府企图消灭此语种的反抗。到20世纪,在散文、诗歌及戏剧领域中,一些作者仍保持着布列塔尼文学旺盛的生命力。

Bretonneau, Pierre-Fidèle　布雷托诺(1778-04-03,法国图尔～1862-02-18,帕西)　法国流行病学家,1825年进行了第一次成功的气管切开术。曾作白喉的临床鉴别(白喉一词即系他所创),还鉴别了伤寒和斑疹伤寒。他创导的传染病特殊病原学说是巴斯德病菌学说的先声。

Bretscher, Willy **布雷切尔**(1897-10-26,瑞士温特图尔～1992-01-12,苏黎世) 瑞士新闻工作者,1933～1967年任苏黎世的《新苏黎世报》主编。任职期间发扬了该报自1780年创建以来所形成的一种谨慎和全面报道的传统。他培育了一支高质量的写作队伍,并率先录用大批有大学学位的新闻记者。20世纪30年代他以反对纳粹主义和其他形式的极权主义、尊重客观事实及勇敢而闻名。该报揭露了纳粹焚烧德国国会大厦的真相,希特勒政府遂于1934年禁止该报在纳粹德国发行。后来他反对共产主义和某些形式的社会主义。他曾在瑞士中学、商业学校和苏黎世大学求学。1914年参加《新温特图尔日报》开始新闻生涯,1917年转到《新苏黎世报》,1925～1929年任该报驻柏林记者。其著作有:《瑞士的社会主义运动史》(1924)、《战争结束时瑞士的政治形势》(1945)和《战后时期瑞士的对外政策》(1951)等书。

Bretton, Henry de 参阅 **Bracton, Henry de 布雷克顿**。

Bretton Woods Conference **布雷顿森林会议** 正式名称为联合国货币及金融会议。第二次世界大战期间在美国新罕布什尔州布雷顿森林召开会议(1944-07-01～22),预期将德国和日本击败后,就战后世界金融问题作出安排。会议由不承担义务的代表包括苏联在内的44个国家或政府的专家参加。会议拟出计划方案:①成立国际复兴开发银行,对于急需外援的国家提供长期贷款;②成立国际货币基金组织,提供短期贷款,调剂国际支付方面的不平衡现象,以稳定外汇汇率。各国政府批准布雷顿森林协议之后,国际复兴开发银行于1945年末组成,国际货币基金组织于1946年组成,并分别于两年之后正式开始工作。

bretwalda **盎格鲁-撒克逊盟主** 又拼brytenwalda, bretenanwealda。盎格鲁-撒克逊国王中的任何一个,据说对他们以外的王国拥有宗主权。此词见于《盎格鲁-撒克逊编年史》827年项下以及英格兰国王艾特尔斯坦的一道法令中,意思大概是"不列颠人的统治者"或"不列颠的统治者"。在《编年史》中,对韦塞克斯的埃格伯特(839卒)冠此称号,称"任盎格鲁-撒克逊盟主的第8代国王",并追溯很久以前的那7代称"盟主"的国王为:苏塞克斯的艾尔(活动时期5世纪末)、韦塞克斯的塞瓦林(593卒)、肯特的艾特尔伯赫特(616卒)、东英吉利的雷德沃尔德(616～627卒)、诺森布里亚的埃德温(632卒)、诺森布里亚的渥斯沃尔德(641卒)和诺森布里亚的奥斯威(670卒)。这7个名字录自圣比德的《基督教教会史》。据推断,这7位国王对英格兰的大部分地区行使一定的优越权,但是,如果当时存在这种优越权,那肯定是极端含糊不清的。另一种说法为:"盎格鲁-撒克逊盟主"指对亨伯河南的英格兰人的军事领导权或"帝权",与不列颠人或不列颠毫无关系。

Breuer, Josef **布罗伊尔**(1842-01-15,奥地利维也纳～1925-06-20,维也纳) 奥地利医师、生理学家。被S.弗洛伊德等人公认为精神分析的主要先驱。1880年,他发现癔病患者安娜·欧(B.帕彭海姆)经他引导,在催眠状态下回忆了不愉快的既往体验之后,癔病症

美国不列颠百科全书公司供图

状得以解除。他总结说,神经病症状来源于无意识过程,一旦这些过程成了意识过程,症状也就消失。他向弗洛伊德叙述了他的方法和结果,还向他介绍了患者。1895年与弗洛伊德合著《癔病的研究》,描述了他对癔病的疗法。后来,他与弗洛伊德在治疗的基本理论上发生争执并分裂。布罗伊尔的早期著作论述了呼吸周期,1868年他描述了赫林-布罗伊尔二氏反射,这是一种迷走神经反射,指的是在正常呼吸过程中对吸气呼气的感觉控制。1873年发现了内耳半规管的感觉功能及其与位置觉或平衡的关系。

Breuer, Marcel (Lajos) **布罗伊尔**(1902-05-21,匈牙利佩奇～1981-07-01,纽约市) 最有影响的国际风格建筑师之一。他悉心研究新形式和新用途,使之适应于新技术和新

美国不列颠百科全书公司供图

材料,以创立工业时代建筑艺术的表现形式。1920～1928年在包豪斯设计学校学习和执教。该学校将现代原理应用于工业和艺术设计,在W.格罗皮厄斯的领导下,运用标准构件,以创造工艺上简单而又适应复杂功能要求的整体。1925年,受自行车把的启发,发明了金属管椅子。1928年在柏林开设私人建筑事务所。在苏黎世为瑞士建筑历史学家S.吉弟昂设计了一座公寓(1934～1936)。与F.R.S.约克在伦敦合作的两年中,为伊索康公司设计了若干胶合板的家具,后来广为人仿效。1937年在哈佛大学任教。1938～1941年与格罗皮厄斯在马萨诸塞州剑桥合作,把包豪斯的国际风格与新英格兰地方特色融为一体,对美国各地的住宅建筑很有影响。1946年迁居纽约市后,承担了许多重要的设计任务,如纽约萨拉·劳伦斯学院剧场(1952)、巴黎的联合国教科文组织总部大厦(1953～1958)、鹿特丹的德比延考夫百货商店(1955～1957)、华盛顿城市与居住区规划总部(1963～1968)等。

Breuil, Henri-Édouard-Prosper **步日耶**(1877-02-28,法国莫尔坦～1961-08-14,利勒亚当) 法国考古学家,为史前欧洲、非洲洞穴壁画权威。1897年受神职,开始对旧石器时代艺术发生兴趣,此后大半生从事研究法国南部、西班牙北部所发现的作品,第二次世界大战期间及战后,又在非洲南部进行考察。

美国不列颠百科全书公司供图

1910年起,任巴黎人类古生物学院教授,1929～1947年任法兰西学院教授。著述600多种,其中载有其自摹壁画或雕刻者有《阿尔塔米拉洞穴》(1906,与É.卡泰拉克合著)、《枫·德·哥姆洞穴》(1910,与L.加比唐及D.佩隆尼合著)及《贡巴来尔洞穴》(1924,与加比唐、佩隆尼合著)。步日耶在《四万年的洞穴艺术》(1952)一书中,显示其在这个领域中活动范围之广;在《旧石器时代晚期之划分及其意义》一文中,提出分期体系,至今仍有价值。

brevet **名誉晋级** 美国和英国军队中过去委任军官的一种形式。根据这一制度,军官可以在其团队或军中得到晋升,名誉晋级授予军官高于所在部队的真实军衔。受到名誉晋级的军官,往往可以得到较高级别的薪饷、指挥权和制服。尤其是在美国,因战功卓著而奖以名誉晋级是很普遍的。美国内战期间这一制度引起很大混乱和争议。1865年后,名誉晋级所带来的实际好处逐渐被授予勋章取代。1922年宣布取消名誉晋级制度。其他国家的军队一直实行着具有名誉晋级性质的特别委任制度。

breviary **《日课经》** 天主教会的礼仪用书,内容为每日固定时间举行圣礼、祈祷等日课所用的诗篇、经课和赞美诗。1568年教皇庇护五世颁行修订本《日课经》,规定天主教会一律使用该经。此后,特别是在20世纪,曾进行小修改。第二次梵蒂冈会议(1962～1965)批准使用通俗译本,并建议全面修订。

Brewer, David J(osiah) **布鲁尔**(1837-06-20,土耳其士麦那～1910-03-28,华盛顿[哥伦比亚特区]) 美国最高法院法官(1889～

1910)。布鲁尔的父母是曾在土耳其工作的美国传教士，在他出生后返回美国。他在康涅狄格州长大，就学于耶鲁大学。1858 年取得律师资格后在堪萨斯的莱文沃思任公证人。1861 ～ 1870 年多次担任地方法官职务，1870 ～ 1884 年任堪萨斯最高法院法官，1884 ～ 1889 年任联邦巡回法院法官。1889 年，B.哈里森总统任命他为美国最高法院法官。在职 21 年期间，他通常是与保守人士一起抵制扩大联邦政府权力和责任的倾向。然而，在当时一个主要的强制禁止令案件“关于德布斯”案(1895)中，他代表大多数法官发言支持政府对非法罢工实行强制禁止。一次著名的脱离常轨的开明行动是他在“马勒诉俄勒冈”案(1908)中代表大多数法官所写的意见：支持一项州的法律，该项法律把工厂中的女雇员每天的工作时间限制在 10 小时以下。1895 ～ 1897 年间他担任国会任命的一个调查委内瑞拉与英属圭亚那之间的边界争端的委员会主席。

Brewer, Lucy　布鲁尔(18 世纪后期，美国马萨诸塞～ 19 世纪初期)笔名 Louisa Baker。自称是美国海军陆战队的第一个女兵。据传说，她原是马萨诸塞州一个农村女孩，为逃脱在波士顿的妓院当妓女，化装成男子到海军陆战队当兵。1815 ～ 1818 年间，发表了参加三次海战的详细记述，包括在桅楼上当射手的描绘。美国海军陆战队认为她的故事是假的，因为入伍的手续和生活环境都不容隐瞒其女性身份；她的描述可能是从军事报告和新闻报道中抄来的。据官方记载，O.M.约翰逊是第一个海军陆战队女兵。

Brewster, Sir David　布儒斯特(1781-12-11，苏格兰罗克斯堡郡杰德堡～ 1868-02-10，罗克斯堡郡梅尔罗斯阿勒比)　苏格兰物理学家，以在光学和偏振光方面的实验工作而著称。当光以一定角度(起偏振角)照射到反射物质表面时，反射光发生全偏振。他发现起偏振角与反射物质的折射率之间的简单数学关系，即布儒斯特定律。这个定律对确定不透明或只能取得少量样品的物质的折射率很有用。他曾在爱丁堡大学受牧师教育，因对科学感兴趣，没有当牧师。1799 年开始研究光，最重要的研究是偏振、金属反射和光吸收。1815 年当选为皇家学会会员，次年发明万花筒。1831 年受封为爵士。19 世纪 40 年代初利用透镜把双目镜中不相同的两个图像组合起来，产生三维效果，从而改进了体视镜。他促请英国政府把轻质菲涅耳平透镜用于灯塔。1838 年任圣安德鲁斯大学的圣萨尔瓦多和圣列昂纳德联合学院院长。1859 年任爱丁堡大学校长。他发表的大量著作中最重要的是《论光学》(1831)、《牛顿生平、著作和发现述略》(1855)。

Brewster, Kingman, Jr.　布鲁斯特(小)(1919-06-17，美国马萨诸塞朗梅多～ 1988-11-08，英国牛津郡牛津)　美国教育家和外交家。任耶鲁大学校长期间(1963 ～ 1977)曾以改善教职员状况、招生和入学政策而闻名。曾就学于波士顿私立学校及耶鲁大学。第二次世界大战后进哈佛大学法学院，1948 年获法律学士学位，1950 年在哈佛法律系任教。1960 年任耶鲁大学教务长，同时在该校法学院任教授。1963 年任耶鲁大学校长。他是 1900 年以来第一个没有哲学博士学位并兼任律师的耶鲁大学校长。在保持耶鲁人文学科崇高名望的同时，他又集中精力改善理科教育，实行开放招生政策，多招收一些黑人学生，1969 年开始招收女大学生。布鲁斯特因能巧妙处理学生抗议事件而闻名。尽管受到耶鲁校友的严厉批评，他公开反对美国卷入越南战争，同时谴责征兵不公正。他对抗议示威者的支持遭到进一步的反对，但在 70 年代初当其他许多大学受不同政见风暴的摧残时，耶鲁校园却相对地平静。1977 年卡特总统任命他为美国驻英大使，任职至 1981 年。后来加入私人法律公司。1986 年在牛津大学任教至去世。著有《反垄断和美国的国外商业》(1959；1981 再版)，并与人合著有《国际交易与关系法》(1960)。

Brewster, William　布鲁斯特(1567，英格兰～ 1644-04，马萨诸塞普利茅斯)　新英格兰普利茅斯殖民地首脑。早年住在诺丁汉郡的斯克鲁比。在剑桥大学彼得豪斯学院就学时接受“主张脱离国教者”的观点。1583 年给伊丽莎白女王外交代表 W.戴维森当私人秘书。1589 年因父病和厌倦外交和宫廷生活回到斯克鲁比。1606 年成为从英国国教分裂出来的清教派的领袖。1608 年率领清教徒移居阿姆斯特丹，后移往莱顿。在荷兰靠印刷清教派书籍再出口到英格兰为生。1620 年随首批英国清教徒乘坐“五月花”号移居美洲。他是普利茅斯唯一受过大学教育的人，因此成了宗教界的真正首脑，掌管一切宗教事务，并且在行政方面也发挥重要作用。

Brewster chair　布鲁斯特椅　17世纪中期新英格兰制造的一种椅子。以直线设计和车床制作的部件为特色，背杆高耸，顶有饰物，椅背和两侧置入多根装饰性的纺锤形立柱，

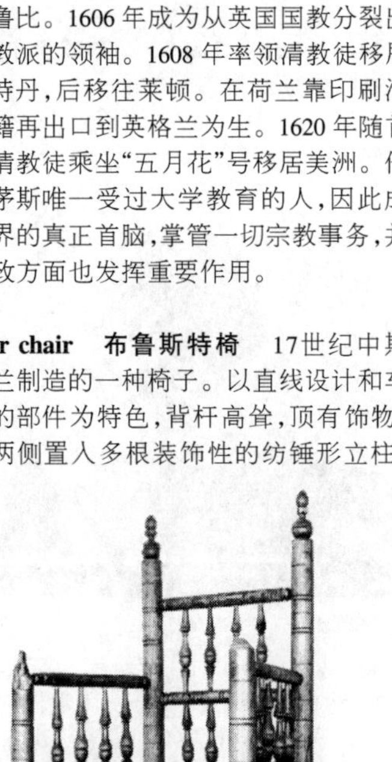

约 1660 ～ 1680 年的布鲁斯特椅
美国不列颠百科全书公司供图

座部由蒲草编织而成。以建立美洲普利茅斯殖民地的英国清教徒 W.布鲁斯特的姓氏命名。比类似的卡弗椅重而华丽。

Brewster's law　布儒斯特定律　描述光波的关系式，它指出当光线以折射线与反射线成 90°角入射到透明介质时，光线的偏振达到最大。这一定律由苏格兰物理学家 D.布儒斯特爵士于1811年首先提出。图显示已知

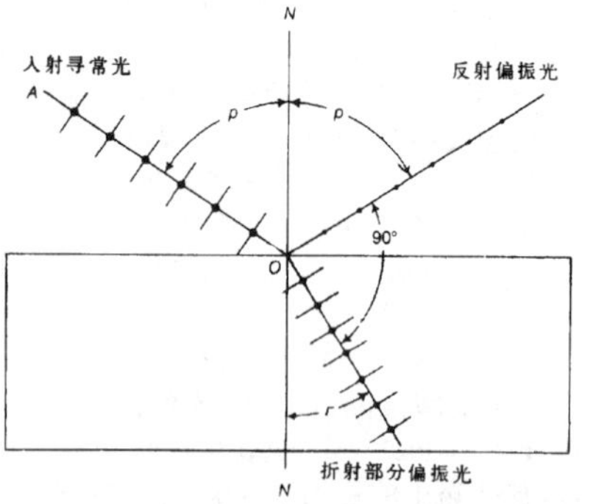

布儒斯特定律示意图

波长的寻常光线(非偏振的)入射到透明介质(水或玻璃)的反射面。沿书页平面振动的波用与射线相交的短线表示，与书页平面成直角振动的波用点线表示。入射面(AON)是包括入射线和法线(ON)的平面，它置于书页平面上。大多数入射光波将作为折射光穿过界面，与法线成 r 角，其余的波被反射。对于特定的入射角 p(起偏振角)，所有反射波都垂直于入射平面(即书页平面)振动，反射线与折射线成 90°角。布儒斯特定律还指明对于从一物质进入另一物质的光波，其起偏振角 p 的正切等于两接触介质的折射率 n_2 和 n_1 之比：$\mathrm{tg}p = n_2/n_1$。从空气($n_1 = 1.00$)进入玻璃($n_2 = 1.50$)的光波，其计算出的起偏振角 p 为 56°19′。

Breyer, Stephen　布雷耶(1938-08-15，美国加利福尼亚旧金山～　　)　全名斯蒂芬·杰拉德·布雷耶。自 1994 年起任美国最高法院大法官。布雷耶于 1959 年在斯坦福大学和 1961 年在牛津大学获学士学位，并于 1964 年毕业于哈佛大学法学院。1964 ～ 1965 年担任美国最高法院大法官 A.J.戈德堡的书记员。从 1967 年起执教于哈佛大学法学院，1978 ～ 1981 年任哈佛大学肯尼迪行政学院教授。布雷耶从 1974 ～ 1975 年担任美国参议院司法委员会特别顾问，并从 1979 ～ 1981 年成为该委员会的首席顾问。他在该委员会从事的工作项目有：起草一部联邦刑法典和取消对航线和卡车货运的限制等。1980 年他被任命为美国第一巡回上诉法院法官，1990 年任该院首席法官。1985 ～ 1989 年担任一个制定联邦判刑指导方针的委员会委员。1994 年克林顿总统提名由他填补退休大法官 H.布莱克门的空缺。作为一个为民主党人和共和党人都能接受的实用主义的稳健人士，他很容易地获得了参议院的批准。他的著作有：《打破恶性循环：走向有效的风险管制》(1993)，该书是对政府的环境保护和保健规定的分析。

Breytenbach, Breyten　布雷滕巴赫(1939-09-16，南非邦尼韦尔～　　)　原名 J.布罗姆。被放逐的南非杰出作家、诗人，种族隔绝政策的抨击者。他已入籍为法国公民。布雷

滕巴赫生于一个祖籍欧洲的开普省的南非人家庭。就读于使用英语的开普敦大学,20岁时离校去欧洲旅行。1961年定居巴黎。他的第一册诗集《这铁铸的母牛必须流汗》和一本散文集,《灾难》,于1964年出版,随后又陆续出版了几本诗集,在南非获得盛誉。1973年他获准和他的越南籍妻子(南非政府将她列为有色人种)去南非旅行。1975年,他回到南非,用假名旅行,被当作恐怖主义分子遭逮捕,并判7年监禁。在狱中,他继续写作《在天国度过的一季》于1976年出版。其他狱中所写文章于1983年结集出版,取名《莫罗瓦尔:一部小说的留在镜中的笔记》。1982年获释后被准许离开南非。《一个名不副实的恐怖主义者的真正的忏悔》(1984)记录了他被逮捕监禁的全过程,为他奠定了国际声誉。

Brézé, Pierre II de　布雷泽(1410?～1465-07-16,法国蒙莱里)　Brézé又拼Breszé。法国查理七世重用的军人和政治家。1433年他协同西西里皇后把查理七世的部长拉特雷穆瓦耶赶下台,在百年战争中名声鹊起。他在布拉格派叛乱中支持国王,反对太子路易和叛乱分子。1437年任安茹司法官,1441年任普瓦图司法官。1440～1442年在诺曼底和吉恩内与英军作战。后为查理七世侍从,操持朝政。他在收复诺曼底期间(1449～1451),特别是在福尔米尼战役中起过很大作用。1451年任诺曼底司法官。太子路易加冕为路易十一后,布雷泽失宠,一度被囚。他于1462年率兵2 000人护送安茹的玛格丽特前往苏格兰。1463年玛格丽特的计划失败,他又护送她回佛兰德。后在蒙莱里战役中阵亡。

Brezhnev, Leonid Ilich　勃列日涅夫(1906-12-19,俄罗斯帝国乌克兰卡缅斯科耶[今乌克兰第聂伯罗捷尔任斯克]～1982-11-10,莫斯科)　苏联政治家及共产党官员,实际担任

美国不列颠百科全书公司供图

苏联首脑达18年之久。勃列日涅夫在20世纪20年代是一名土地测量员,1931年加入苏联共产党,并就学于第聂伯罗捷尔任斯克冶金学院。1935年毕业后,曾任工程师和技术学校校长,并在地方担任各种党的职务。在斯大林制度下,他官运亨通,1939年任第聂伯罗彼得罗夫斯克地区党委书记。第二次世界大战期间,他在红军中任政治委员,官阶至少将(1943),并任乌克兰方面军政治部主任。战后,他又在乌克兰一些地区党的委员会担任领导职务,1950年成为摩尔达维亚共产党中央委员会第一书记。1952年成为苏共中央委员会委员、政治局候补委员。

1953年3月斯大林逝世后,勃列日涅夫失去他在中央委员会和政治局的职务,以中将军衔出任苏联国防部政治部副主任。1954年赫鲁晓夫上台后,任命他为哈萨克共产党第二书记,他积极执行赫鲁晓夫开垦哈萨克斯坦荒地的计划。1955年勃列日涅夫升任哈萨克共产党第一书记,并于1956年重新获得在苏共中央委员会和政治局的职位。一年后,因积极反对企图撤掉赫鲁晓夫的"反党集团"而成为苏共中央政治局委员。1960年,成为最高苏维埃主席团主席——苏联国家名义上的元首。1964年7月,他辞去该职,出任中央委员会第二书记,成为赫鲁晓夫的副手;3个月后,勃列日涅夫参加了逼迫赫鲁晓夫下台的联盟,并于1964年10月15日出任苏共第一书记(1966年后为总书记)。在短时间实行与柯西金总理的"集体领导"后,勃列日涅夫显然成为最有权威的人物。作为党的首脑,他将许多政务——如与非共产党国家的外交关系及国内经济发展——交给他的同事柯西金和主席波德戈尔内去处理,自己集中精力掌管外交事务和军事工作。当捷克斯洛伐克在杜布切克领导下试图对共产主义体制实行自由化时(1967～1968),勃列日涅夫提出了在西方被称之为勃列日涅夫主义的论点,即"当其他的社会主义国家的基本的共同利益受到一个社会主义国家的威胁时",苏联有权干涉。1968年苏联和华沙条约成员国入侵捷克斯洛伐克时,这个主义就成了入侵的理论根据。在20世纪70年代,勃列日涅夫力图推行所谓的缓和政策,即在西德与华沙条约之间实现关系正常化,并缓和与美国的紧张关系。同时,大力扩展军事工业并使之现代化。在他领导下,苏联在战略核武器方面达到与美国势均力敌的地步,在空间计划上却超过了美国。装备了一支庞大的海军,使苏联军队成为世界上最大的一支军队。此外,还通过向左翼运动和政府提供军事援助,在发展中国家支持"民族解放战争"。然而,勃列日涅夫不停地建设国防和空间工业却使经济的其他部分失去了资金;整个70年代和80年代初,苏联农业、消费品工业和保健服务的衰退导致生活用品短缺和生活标准下降。1976年勃列日涅夫被授予苏联元帅称号(这是除斯大林以外获得这一最高军衔的唯一党的领袖)。集体领导的体制随着他于1977年5月撤销波德戈尔内最高苏维埃主席团主席的职务而告终结。6月,勃列日涅夫当选这一职务,使他成为同时担任党和国家领袖的第一个人。1979年他与美国总统卡特达成苏美双边限制战略武器条约(SALT Ⅱ),但是美国参议院拒绝批准这一条约。不久,苏联入侵阿富汗(1979-12)。勃列日涅夫政府还帮助波兰的雅鲁泽尔斯基将军镇压波兰的团结工会(1981-12)。尽管他健康不佳,日益衰老,但他至死仍掌握着权力。他为苏联打下了一个可以生产大量最现代化武器的令人生畏的军事工业基础,但却没有改善苏联经济的其他部门。他死后,人们指责他应对生活标准逐渐下降、官僚体制腐败与任人唯亲泛滥以及70年代末和80年代初苏联生活普遍停滞与涣散承担责任。

Březina, Otakar　布热齐纳(1868-09-13,奥匈帝国波希米亚波恰特基[今在捷克共和国]～1929-03-25,捷克斯洛伐克雅罗梅里采)　原名瓦茨拉夫·耶巴夫。对20世纪捷克诗歌发展颇有影响的诗人。大半生在摩拉维亚当教师,与影响许多他同代人作品的政治和文学运动没有接触。他经久不衰的诗歌成就为5集抒情组诗:《神秘的远方》(1895)、《西方的黎明》(1896)、《极地之风》(1897)和《庙宇的建造者》(1899)、《双手》(1901)。他的形而上学的悲观主义后来转变为爱人类和承认生活的积极态度。

Brialmont, Henri-Alexis　布里亚尔蒙特(1821-05-25,荷兰芬洛～1903-06-21,比利时布鲁塞尔)　比利时军人,19世纪末期第一流的筑城工程师。他在布鲁塞尔军事学校受训,1843年参加比利时陆军,后晋升为少将(1874),任筑城总监(1875)。他的创新始于为安特卫普和其他比利时城市防御现代远射程大炮而修建筑城工事。他采取的防御体系是,利用位于平均距城6千米的环形堡垒群,就像他在列日所构筑的那12座堡垒一样。每座堡垒由钢筋水泥构筑,其大炮安装在隐蔽的钟形炮塔中免遭敌炮轰击。有些堡垒是五角形的,其余为三角形的,大多构筑在地面以上。布里亚尔蒙特所设计的环绕安特卫普、列日和那慕尔所构筑的环形堡垒群就是这样。法国工程师们在构筑面对德国的边界防御工事时,特别是在凡尔登和贝尔福的坚固的密集堡垒群时,仿效布里亚尔蒙特。第一次世界大战开头几天中,在德军重型大炮的轰击下,布里亚尔蒙特为比利时所构筑的堡垒很快就全部垮了。但是,在凡尔登的法国堡垒,由于使用新材料而构筑得更坚固,后来经受住了猛烈的炮击而成为血战最酣的焦点。

Brian　布赖恩(941,爱尔兰基拉卢附近～1014-04-23,都柏林附近克朗塔夫)　又称布赖恩·博罗。爱尔兰国王(1002～1014)。976年成为后来称作达尔凯斯的一个小邦君主与芒斯特国王。他先歼灭欧文纳赫特族,然后打败北欧人,将他们从香农赶走。在他的统治下,芒斯特成为统一的强大国家。983年侵犯奥索里,997年控制爱尔兰南半部,1002年取代梅尔塞克莱恩为国王。不久,各小邦统治者向他臣服。1013年伦斯特的封臣和都柏林的北欧人联合发动叛乱反对他,并得到外国的支援。1014年4月23日在都柏林附近的克朗塔夫进行决战。他因年岁过大不能参战,由儿子默查德取得胜利。后来,一股溃逃的北欧人把他杀死。他享有盛名,因而他后代的数位奥布赖恩亲王被视为国家的望族之一。

Brian, Havergal　布赖恩(1876-01-29,英国斯塔福德郡德累斯顿～1972-11-28,苏塞克斯肖勒姆)　英国音乐家,自学成才的作曲家。青年时期学过小提琴、管风琴、钢琴和大提琴,但主要兴趣在作曲。20至45岁写了100

余首歌曲、10 余首管弦乐曲、两部康塔塔以及讽刺战争的歌剧《虎群》(1916 年动笔)。第一、二次世界大战期间曾担任音乐记者。从 1922 年至 60 年代作品不常演出,60 年代以后听众逐渐增多。这时他已完成大型抒情剧《解放了的普罗米修斯》、两部协奏曲、4 部歌剧和 13 部交响曲。最著名作品《哥特交响曲》(1919 ～ 1927,1961 年首演)需用 200 人的管弦乐队和 400 ～ 600 人的合唱队。他 83 ～ 92 岁期间(1959 ～ 1968)又写了 20 部交响曲,共写了 33 部。

Brianchon, Charles-Julien　布利安生(1783-12-19,法国塞夫尔～1864-04-29,凡尔赛)　法国数学家,推导了在研究圆锥曲线(圆、椭圆、抛物线和双曲线)性质中颇为有用的一条几何定理(现称为布利安生定理),并创造了把对偶原理(互换性)用于几何学的方法。1804 年就读于巴黎综合工科学校,成为法国著名数学家 G.蒙日的学生。在学期间,布利安生发表了第一篇文章《关于二阶曲面研究》,文中指出了 B.帕斯卡的一个定理的射影性质,并且阐述了自己的著名定理:如果一个六边形外切于一条圆锥曲线,则它的相对顶点的 3 条连线交于一点。他毕业后曾在拿破仑的军队中任职,1818 年在万塞讷皇家近卫炮兵学校任教授。此后,他的兴趣逐渐转向别的方面。

Briançon　布里扬松　法国东南部普罗旺斯-阿尔卑斯-蓝岸大区上阿尔卑斯省一专区首府及城市。在迪朗斯和吉萨讷河汇流处。因当地跨阿尔卑斯山贸易的过境点,在历史上十分重要。现上城保存有 17 世纪要塞,下城沿迪朗斯河两岸而建。靠近意大利边境,与边防有关的军事活动长期以来对城市经济生活有首要影响。建有许多疗养院,为疗养胜地。人口 12 141(1990)。

Briand, Aristide　白里安(1862-03-28,法国南特～ 1932-03-07,巴黎)　法国政治家,当过 11 次法国总理,1906 ～ 1932 年担任内阁职务 26次。他为国际合作、国际联盟和世界和平

美国不列颠百科全书公司供图

所作的努力,使他获得 1926 年的诺贝尔和平奖。在大学学习法律时即参加左派活动,为《人民报》、《路灯报》和《小共和国报》等报刊撰稿。1904 年与让·饶勒斯一起创办《人道报》。1889、1893 和 1898 年 3 次竞选众议员失败。1901 年任社会党总书记。1902 年由卢瓦尔省选为众议员。此后,连任议员直至逝世。1905 年在起草政教分离法的委员会中发表题为《政教分离》的报告书。由于这一成就,1906 年 3 月被任命为公共教育与文化部长。在乔治·克列孟梭的第 1 届政府(1906 ～ 1909)中任教育部长,1909 年 7 月～ 1910 年 11 月任总理。1915 年 10 月勒内·维维亚尼内阁倒台后再任总理,兼掌外交。1916 年 12 月他组建他的第 6 届内阁,但由于巴尔干战役失败,被迫辞职(1917-03)。其后 3 年内很少参与公共事务,但为国际联盟及其集体安全概念辩护。1921 年 1 月复任总理,又因外交失败而于 1922 年 1 月 12 日辞职。1925 年 4 月在保罗·潘勒韦政府中任外交部长,此后 14 届政府中他连续担任此职,其中 4 届任总理。在此时期,他最引人注目的成就是签订《洛迦诺条约》(1925)和《凯洛格-白里安公约》(1928-08-27)。1930 年 12 月他公开主张成立欧洲联邦,这在当时是颇为大胆的举动。在竞选法兰西共和国总统失败后,最终于 1932 年 1 月退休,不久去世。

Briand-Kellogg Pact(1928)　参阅 **Kellogg-Briand Pact**《凯洛格-白里安公约》。

Brianka(Ukraine)　参阅 **Bryanka** 布良卡。

Briansk(Russia)　参阅 **Bryansk** 布良斯克。

briard　布里牧羊狗　法国牧羊狗的一种。12 世纪在法国已有记载,中世纪的法国挂毯中已见其形象。虽名为布里牧羊狗,但见于

布里牧羊狗
美国不列颠百科全书公司供图

法国各省。机灵,壮实,眉毛浓密,被毛长。体高 56 ～ 69 厘米,体重约 36 千克。黑色、灰色或茶色。也用作看门狗、警犬和军犬。

Briareus　布里亚柔斯　又称埃该翁。希腊神话中乌拉诺斯和该亚所生 3 个长有 100 只手、50 个头的儿子之一。据传,他和他的兄弟们成功地帮助主神宙斯抵御提坦巨神们的进攻。一说他反对宙斯,进攻过奥林波斯诸神,战败后被埋在埃特纳山底。一说,他是海中巨人,海神波塞冬的敌手和战船的发明者。这 3 兄弟可能代表如地震或汹涌的海浪等自然的巨大力量。

bribery　贿赂　指怀着腐化的目的,为了影响政府官员执行公务而许诺、给予、接受或同意接受金钱或其他某种有价物品的行为。当为了与一项腐化行为交换而已经给予或许诺给予金钱时,有关的官员不一定需要实际完成该项行为才能构成贿赂罪。贿赂罪通常是作为重罪惩罚的。贿赂罪最初是指向法官行贿,但后来扩大到包括从地方到全国各级各类政府官员们的行为,从而包括所有公共雇员的行为。此外,很多司法管辖区已经制定了一些关于惩罚贿赂投票者、陪审官、证人和诉讼程序中其他非专业参与者的特殊规定。有些法典还规定惩罚某些类别的私人的或商业的交往中的贿赂行为——例如雇主向工会官员行贿。关于给予或接受的金钱或好处的性质,主要的问题是把贿赂限于那些以金钱或财产作为诱饵的案件,还是把贿赂罪扩展到包括给予或许诺任何利益或方便的案件。大多数制定法属于后一种形式。对任何关于贿赂罪的指控的一个限制是,必须暗含或证实有某种"腐化的目的"的因素。因此,出于一般的友谊或感谢而向一位文职官员赠送礼物或赏金,但不带有影响他的公务行为的意图,就不能以贿赂罪论处,尽管可以用别的限制腐化行为的立法加以禁止。除违背法律和道德准则外,贿赂还引发许多经济发展和全球贸易方面的问题。

Bribie Island　布赖比岛　澳大利亚昆士兰州东南沿岸岛屿。面积 153 平方千米。有优美的海滩、垂钓场所和野生动物保护区。为度假胜地。布里斯班市的住宅区。主要城镇是邦加里。1963 年在填筑地上建成石油终点站及炼油厂。西南隅有大桥跨帕米塞斯通海峡与大陆相连。

Brice, Fanny　布赖斯(1891-10-29,纽约州纽约～ 1951-05-29,加利福尼亚洛杉矶)　原名范妮·博拉奇。美国受欢迎的喜剧歌唱女演员。因演出有关芭蕾舞演员、扇舞演员及"荡妇"式女演员的讽刺性短剧以及演唱感伤爱情歌曲《我的心上人》和电台连续播送《宝贝斯努克斯》而令人难忘。1910年,齐格飞在一

美国不列颠百科全书公司供图

家杂耍剧院聆听她的演唱后,她便成了那年齐格飞活报剧团的名角。此后,在一年一度的活报剧演出中,她几乎场场露面。她也表演歌舞杂耍剧,偶尔在电影中扮演角色,如 1936 年在影片《伟大的齐格飞》中扮演她自己。音乐剧《滑稽姑娘》(1964 年搬上百老汇舞台,1968 年拍成电影)就是根据她的生平创作的。

brick　砖　用黏土烧成的小块长方体建筑材料。用来砌筑房屋的基础、墙体、柱子、扶垛、拱等构件,还用于建造管道、烟道、炉衬和

烟囱等。把砖用砂浆黏结在一起，可砌成各种形状的结构，用以承受荷载和起隔断、围护或隔热作用。结构的尺寸可根据需要来决定。在历史上砖的尺寸有过很大的变化。现在，一般砖的尺寸大约长 20 ～ 22 厘米，宽 9～11 厘米，厚 5 ～ 7.5 厘米。19 世纪中叶出现了一种尺寸较大的空心砖可以认为是制砖技术的一个新发展，这种空心砖在欧、美普遍使用，以上两种砖都用黏土制成土坯，再在窑中焙烧，使之具有强度和硬度。适宜于制作普通砖的黏土，分布很广。这些天然黏土绝大多数是由一种或多种黏土矿物质（水合铝硅酸盐）和铁、钙等金属盐组成的复杂混合物。人们可能早在 6000 年前就已使用砖了。原始的砖是太阳晒干的土坯砖，但很早已发明砖窑，公元前 3000 年时建造的中东地区的庙宇和金字形神塔是用窑内焙烧的砖砌成的。太阳晒干的土坯砖只能在干燥少雨的条件下使用，即便如此，仍需采取措施，以防土坯砖剥落碎裂。古老的烧砖工艺似乎从巴比伦及其他此类中心，向西传布至埃及和地中海，向东传布至印度和中国。古代罗马人学到了此项知识后，又改进了砖及砂浆的耐久性，并将其与混凝土一起使用，建成了罗马人具有特色的拱券、拱顶和穹顶。罗马人把砌砖技术传授给拜占廷人，后者又传给土耳其人，并逐步推广至欧洲各地区。现代的制砖过程是，先采掘黏土，然后与水拌和制成稠浆。把稠浆压到模子里成型，或是把稠浆挤压成连续的长条，并用钢丝按需要的尺寸一块块地切成砖坯。砖坯半干后送进砖窑，在 950 ～1 200℃高温下焙烧大约 12 小时。常用的砖可分为三类：面砖，用在外观重要的部位；普通砖，由质量较低的黏土烧制，用在一般的工程中；耐火砖，可耐受极高的温度，用于砌筑熔炉和壁炉。墙体中的一层砖叫做一皮；长边露在外面的叫做顺砖，短边露在外面的叫作丁砖。砖砌体用砂浆结合在一起，砂浆是一种黏结材料，通常用水泥、石灰和砂子按不同比例拌制。

Brico, Antonia **布里科**（1902-06-26，荷兰鹿特丹～ 1989-08-03，美国科罗拉多丹佛） 荷兰出生的美国钢琴家，第一位世界级交响乐团女指挥。1908 年随父母从荷兰移居美国。1919 年高中毕业时已成为技艺纯熟的钢琴家，开始向指挥方向发展。1923 年加州大学伯克利分校毕业。1927 年入柏林国立音乐学院，1929 年毕业。1930 年 2 月首次登台指挥柏林交响乐团。后与各乐团合作，受到高度评价。1933 年作为客座指挥与音乐家交响乐团合作，在美国各地巡回演出。1934 年任妇女交响乐团（1939 年接纳男音乐家参加，更名为布里科交响乐团）的指挥至 1942 年。1938 年 7 月成为纽约爱乐乐团的第一位女指挥。1939 年指挥联邦交响乐团。1946 年作为指挥和钢琴家在欧洲巡回演出。1942 年定居丹佛，担任丹佛实业家交响乐团指挥（1968 年更名为布里科交响乐团）。1948 年担任丹佛半职业性社区乐团指挥（现为丹佛交响乐团）。1956 ～ 1958 年担任博伊西市民乐团客座指挥并与多个交响乐团合作在全球各地巡演。1974 年，介绍她生平的纪录片《安东尼娅：一个女人的画像》上演。

Briçonnet, Guillaume **布里松内**（约1472～1534-01-24，法国圣日耳曼-德普雷） 天主教改革家。他于 1489 年任洛代沃主教，1507 年任圣日耳曼-德普雷隐修院院长，1516年任

美国不列颠百科全书公司供图

莫城主教。据说他受到意大利圣爱奥拉托利会的影响，因而着手整顿莫城主教区。经常四出巡视，提倡崇奉圣体和圣母马利亚，利用讲道和自印小册子促进灵性奋兴。他还是莫城福音团契的领袖。该团契一方面鼓吹人文主义，另一方面主张恢复《圣经》研究，特别重视保罗书信。其成员对路德主义的态度不一，布里松内本人谴责路德主义，但他仍两次因异端嫌疑受巴黎议会审问。

Bricriu's Feast **布里克里乌的宴会** 盖尔语作 Fled Bricrenn。早期爱尔兰文学中有关厄尔斯特武士竞争的描述。写得滑稽而热闹。源出 8 世纪，保存在《牛皮书》（约 1100）里。骗子布里克里乌把他的宴会中留给英雄的那一份许给 3 个不同的武士：洛盖雷、科诺尔·塞尔纳奇和库·丘林。为了取得优先权，爆发了激烈的争吵，导致一系列冲突。某夜，一个巨人手执利斧来向厄尔斯特武士挑战，叫他们先砍他的头，然后再由他砍众武士的头。接连两晚，科诺尔和洛盖雷砍巨人的头，但每次他都把头重新装上走了，他回来要砍他们的头时，发现两位武士已离开，最后轮到库·丘林砍巨人的头，巨人回来时，库·丘林遵守商定条件，把头搁在木墩上让巨人砍。巨人其实就是术士库·罗依所乔装，他宣布库·丘林是厄尔斯特第一个英雄。

Bridalveil Fall **布里达尔维尔瀑布** 内华达山脉西坡的大瀑布，落差 189 米。在美国加利福尼亚州中东部的约塞米蒂国家公园境内。布里达尔维尔瀑布主要由融雪形成。为该公园胜景之一。

Bride of Ireland, Saint **布赖德（爱尔兰的），圣** 参阅 **Brigit of Ireland, Saint** 布里吉特（爱尔兰的），圣。

bride-price **彩礼** 参阅 **bridewealth** 聘礼。

Bridel, Philippe-Sirice **布里德尔**（1757-11-20，瑞士伯尼安～ 1845-05-20，蒙特勒） 瑞士文学家。以“长者布里德尔”著称，他鼓励瑞士本国文学的发展，并设法在各个思想领域

美国不列颠百科全书公司供图

中唤起一种民族意识。作为法语作家，曾帮助讲法语和德语的瑞士人在政治、文学和科学各方面团结起来。他在巴塞尔等地任牧师时，注意力主要集中在文学、语言学、自然科学和瑞士史方面的问题。语言学著作比诗歌作品重要，有《瑞士法语方言词典》（1866），以及两个杂俎集《瑞士的礼物》（1783 ～ 1787）和《瑞士保守者》（1813 ～ 1831）。

bridewealth **聘礼** 又称彩礼（bride-price）。由新郎或其亲属付给新娘亲属的财物，以使婚姻得到认可。这种做法在世界各地大体相同，而作为一种使婚姻合法的手段，聘礼在非洲得到高度发展。在许多非洲社会中，丈夫交付聘礼所规定的最少部分之前，对妻子在性关系、经济关系及生育关系上便不具备完全的权利。相应地，没有退还聘礼以示离异之前，婚姻关系也不能看作已经终止。付聘礼经常是社会性的、象征性的和经济性的互惠事件，是两亲家长期交往的一部分，而在双方尚无亲戚关系的情况下可以增进友好情谊。聘礼是妻子将受到婆家良好待遇的保证，在某种意义上，也是对她的损失的一种补偿。聘礼是一般财物或劳务，不过后者较为罕见；可以一次付清，也可在较长时间内定期分批偿付。交付的财物也大不一样，有一定数量的牲畜或戈、矛，也有布匹、饮料、食物、货币，乃至互换女婢。

bridge **桥** 跨越障碍（河流或斜坡）的结构，用作行人、汽车或火车运输的通道。最简单的桥为板梁桥，由架在跨距两端的刚性直梁组成。简单板梁桥的一种重大革新为拱桥。由于拱桥所承受的力同时向外和向下传递（这种力称作压力），所以这种桥可用砖石砌块建造，而且比木梁或石板架设的桥跨度更大。板梁桥的一种主要的改良形式为悬臂桥，可用以跨越更宽大的空间。在亚洲许多地方所见到的简单悬臂桥中，桥墩由坐在狭小基础上的纵横交叉架起的原木构成，而以一层层原木向上叠架时逐渐向四周挑出的方式，支撑桥面。现代的悬臂桥则仅在离河流两岸不远处，修建两个中间桥墩，作为支点；桥身从河岸至桥墩的一段起锚固作用，而从桥墩伸向河流的一段则为悬臂，桥身中央的一段架在两段悬臂上，把它们连接起来；桥身上部结构把锚固段同桥墩上部的桥塔连结在一起，而支承中央一段的悬臂则承受张力，垂直向下的压力由桥墩支承。悬索桥的重量也局部由上部建有高塔的中间桥墩支承，但并不采用悬臂桥的刚性上部结构，而是把平行

表1　世界最长的堤道*			
桥　　名	地　　点	完成年份	长度(米)
庞恰特雷恩湖2号桥	美国路易斯安那州梅泰里—刘易斯堡	1969	38 422
庞恰特雷恩湖1号桥	美国路易斯安那州梅泰里—刘易斯堡	1956	38 352
法赫德王堤道	巴林—沙特阿拉伯	1986	24 950
联邦大桥	加拿大新不伦瑞克省茹里曼海岬—爱德华王子岛博登-卡尔顿	1997	13000

* 此处堤道指水面以上的连接部分，包括整座悬臂桥和架桥，其中一些桥梁为可移动桥梁或有悬空结构可供船只通行。堤道不包括隧道、悬索和拱桥。

的粗大缆索(用上千条钢丝编制而成)，作为主要的吊拉构件。缆索的两端锚固于高塔顶部，而在桥中央弯曲下垂，桥面则由固定在粗缆索上的许多钢索吊拉。这样，桥身重量绝大部分转移到了桥两端固定缆索的锚桩上面。悬索桥的设计概念到20世纪时得到了最广泛的应用。悬索桥的一种变体是斜拉桥，即是用固定在垂直高塔上的许多钢索，直接吊拉水平的桥面。有时可在一座桥梁上混合采用以上三种类型的设计，但每种类型的形状大致都能辨认出来。桥梁通常以它的主跨距长度为特征，悬索桥的主跨距一般最长。

除设计问题外，以往修建永久性桥梁时最大的难题是建造方法和所用材料。罗马的工匠们有过两项重大的革新，即使用围堰和水泥。第三项重要的改革，即利用含铁金属构件，直至18世纪后期才得以实现。以上革新，加上其他的技术进步，产生了现代的大桥。罗马人用围堰解决了在河水中修筑桥墩的难题，他们用木制的临时箱框，插入河底，再以黏土封住缝隙，然后抽去围堰中的河水，进行基础的修建工程。此法长期沿用至19和20世纪，直至出现气压沉箱时，才得到了重大的改进。使用沉箱(插入河底的混凝土或钢制的庞大圆桶)时，先用压缩空气排出其中的水，接着施工人员通过气闸室进入沉箱，挖掘河底基岩上面的泥土。沉箱随着挖掘的加深而下沉。直至河底露出基岩为止，于是工人们把混凝土灌满沉箱而将其作为桥墩的基础。早期使用沉箱时，由于工人从空气加压室迅速转移到正常气压中，曾经发生沉箱病(减压病或称潜函病)工伤事故。沉箱也可以用机械方式压入河底，即利用强大的打桩机，把它锤压到河底的基岩上。最早的混凝土——用火山灰、石灰、砂子及水搅拌而成——是罗马的工匠们发明的，他们把它灌在围堰内。混凝土往往是现代桥梁的主要建筑材料。在混凝土内加入钢条以增强其力量的钢筋混凝土，则是19世纪发明的；它首次应用于1898年法国修建的一座拱桥中。后来工程师们学会了在浇灌混凝土之前，预先把钢筋拉紧，使之产生张力。这种预加应力的方法，可显著地节省建筑桥梁的材料。预应力钢筋混凝土桥往往比较轻巧美观，这是几何形状的钢铁桥所无法比拟的。许多世纪以来虽早已使用铁链作为悬索桥的缆索，但直至1779年才出现第一座用铁修建的悬索桥。嗣后，不少铸铁和熟铁的悬索桥相继问世，但到19世纪最后25年中，钢材取代铁而成为主要的建筑材料。钢材轻，可锻性强，而新的合金钢又大大增强了张力、韧性和抗疲劳及耐腐蚀性能，现代桥梁设计者在实现其日益先进和大胆的设计方案时，都把钢材视为理想的材料。

桥梁除了供交通之用外，往往还有其他

表2　世界最大跨距的桥梁			
桥　　名	地　　点	建成年份	主跨距(米)
钢悬索桥			
明石海峡桥	日本本州岛神户—淡路岛	1998	1 991
大贝尔特海峡桥(东桥)	丹麦西兰岛—菲英岛	1998	1 624
亨伯桥	英国亨伯赛德郡赫尔附近	1981	1 410
江阴大桥	中国江苏省江阴	1999	1 385
青马大桥	中国香港	1997	1 377
韦拉扎诺海峡桥	美国纽约市	1964	1 298
金门大桥	美国旧金山	1937	1 280
高海岸桥	瑞典克拉姆福斯	1997	1 210
麦基诺桥	美国密歇根州麦基诺水道	1957	1 158
南比桑-濑户桥	日本四国坂出	1988	1 110
博斯普鲁斯2号桥	土耳其伊斯坦布尔	1988	1 090
博斯普鲁斯1号桥	土耳其伊斯坦布尔	1973	1 074
乔治·华盛顿桥	美国纽约市	1931	1 067
来岛海峡大桥3号桥	日本四国岛—本州岛南线	1999	1 030
来岛海峡大桥2号桥	日本四国岛—本州岛南线	1999	1 020
四月二十五日吊桥	葡萄牙里斯本	1966	1 013
福斯公路大桥	苏格兰昆斯费里	1964	1 006
濑户大桥	日本本州岛儿岛—四国坂出	1988	990
瑟文桥	英格兰布里斯多尔附近	1966	988
宜昌长江大桥	中国湖北省	2001	960
钢索斜拉桥			
多多良大桥	日本四国岛—本州岛南线	1999	890
诺曼底桥	法国勒阿弗尔附近	1995	856
南京长江大桥	中国南京	2001	628
武汉白沙洲长江大桥	中国湖北省	2000	618
青洲大桥	中国福州	2001	605
杨浦大桥	中国上海	1993	602
徐浦大桥	中国上海	1997	590
名港中央大桥	日本名古屋港	1998	590
斯卡恩圣特桥	挪威特隆赫姆附近	1991	530
汕头长江大桥	中国汕头	1998	518
鹤见航道桥	日本横滨	1994	510
金沙江桥	中国湖北	2002	500
生口桥	日本四国岛—本州岛	1991	490
厄勒海峡大桥	瑞典哥本哈根—马尔默	2000	490
钢悬臂桥			
魁北克桥	加拿大魁北克市	1917	549
福斯(铁路)桥	苏格兰昆斯费里	1890	两跨，每跨521
南光桥	日本大阪—尼崎	1974	510
巴里船长桥	美国宾夕法尼亚州特拉华河	1974	501
新奥尔良大桥2号	美国路易斯安那州新奥尔良	1988	486
新奥尔良大桥1号	美国路易斯安那州新奥尔良	1958	480
豪拉桥	印度加尔各答	1943	457
钢拱桥			
卢浦大桥	中国上海	2003	550
新河峡谷桥	美国西弗吉尼亚州费耶特县	1977	518
贝永(基尔范克尔河)桥	美国新泽西州纽约市贝永	1931	504
悉尼港桥	澳大利亚悉尼	1932	503
弗里蒙特桥	美国俄勒冈州波特兰	1973	383
曼港	加拿大温哥华	1964	366
钢索斜拉预应力混凝土桥			
卡洛斯·费尔南德斯·卡萨多桥	西班牙巴里奥斯德卢纳	1983	440
埃洛恩桥	法国坎佩尔	1993	400

续表

桥　　名	地　　点	建成年份	主跨距（米）
达姆斯角桥	美国佛罗里达州杰克逊维尔	1988	396
桑夏恩高架公路桥	美国佛罗里达州坦帕湾	1987	367
钢筋混凝土拱桥			
万县长江公路大桥	中国四川省	1997	425
克尔克1号桥	克罗地亚萨格勒布附近	1980	390
江界河大桥	中国贵州省	1995	330
邕宁邕江大桥	中国广西壮族自治区	1996	312
钢桁架桥			
生月大桥	日本长崎	1991	400
阿斯托里亚桥	美国俄勒冈州哥伦比亚河	1966	375
弗朗西斯·斯科特低岛桥	美国马里兰州巴尔的摩	1977	366
大岛桥	日本柳井市-大岛	1976	325
天门桥	日本熊本	1966	295
钢板箱梁桥			
科斯塔-西瓦尔总统桥	巴西里约热内卢—尼泰罗伊	1974	300
内卡1号桥	德国维廷根	1978	263
萨瓦1号桥	塞尔维亚	1956	261
维多利亚3号桥	巴西圣埃斯皮里图州	1989	260
佐布吕克桥	德国科隆	1966	259
预应力混凝土悬臂桥			
布里斯班桥	澳大利亚昆士兰	1987	265
科罗尔-巴伯尔图阿普桥	太平洋岛屿托管地	1977	241
滨名桥	日本静冈	1976	240
彦岛桥	日本山口	1975	236
升降桥（活动）			
阿瑟基尔桥	美国新泽西州伊丽莎白	1959	170
科德角运河桥	美国马萨诸塞州科德角	1935	166
德莱尔桥	美国新泽西州德莱尔	1960	165
海洋通道纪念桥	美国纽约市	1937	165
旋开桥（活动）			
费丹桥	埃及苏伊士运河	2001	340
密西西比河桥	美国艾奥瓦州麦迪逊堡	1927	160
竖旋桥（活动）			
南国会街桥	美国华盛顿（哥伦比亚特区）	1949	118
苏圣玛丽桥	美国密歇根州—加拿大安大略省	1941	102
伊利大街桥	美国俄亥俄州洛雷恩	1940	101
田纳西河桥	美国田纳西州查塔努加	1917	94

许多功能，如作为防御工事和具有商业集中区的用途。13～19世纪的老伦敦桥，就是一条两旁布满店肆和住房的拥挤大道。桥梁原来的功能，有时会变化而改作新的用途。吊拉桥（开启桥）原先的目的是阻止外敌入侵，后来则变成可让船舶在桥下通过的设施。起先用绳索或铁链吊拉活动的桥面，后来则改用齿轮和平衡锤（竖旋桥）。有各种不同设计的开启桥，其中包括使活动桥面在铁轨上向两旁滑动的方案，用高塔上的钢索和平衡锤把整跨活动桥面向上垂直提升的办法（升降桥），以及桥面在中央转台上水平旋转的形式（旋开桥）。

美国佛罗里达州坦帕湾上的桑夏恩高架公路桥
美国不列颠百科全书公司供图

bridge　桥牌　从惠斯特演化而来，包括竞叫桥牌和定约桥牌在内的一种纸牌游戏。二者均保存了惠斯特的重要特点：4名牌手2对2分为两家。用52张一副的扑克牌玩，按顺时针方向发牌，每轮各家发一张牌，牌面朝下，发完为止。玩牌的目的是赢墩。打牌时，各牌手每一轮各出一张牌，构成一墩，牌手要尽可能出同花色的牌，牌序最高者赢墩，赢墩基数为6，得墩数超过6墩的一方为赢家，以超过基数的牌墩数计分。开始打牌前，可以指定一种花色为将牌花色，将牌能击败其他花色。打法与惠斯特基本相同，参阅 **whist**。

惠斯特和各式桥牌都起源于英格兰，是从几种其他牌戏，主要从凯旋牌戏逐渐演化而成的。惠斯特牌名大概始见于17世纪初期，至18世纪中叶惠斯特牌戏已在西欧与北美的上层社会盛行。惠斯特牌于19世纪90年代为桥牌所取代。桥牌在20世纪头10年里演化成竞叫桥牌，至20～30年代时发展成定约桥牌。

从18世纪初期起，惠斯特、惠斯特桥牌、竞叫桥牌和定约桥牌在所有的牌戏中曾作为最具有刺激性的智力游戏，而轮流风靡一时。这些牌戏不断改进，大大地增加了发挥牌手判断、推理、心理战术和协同作战能力的机会。

竞叫桥牌　在惠斯特中，将牌花色是由翻开一张牌任意确定的，而惠斯特桥牌的将牌花色则是由发牌人或其同伴来确定的。竞叫桥牌最重要的进步在于：将牌花色不是由发牌人或其同伴确定，而是通过竞叫来确定的，这样4名牌手中的任何一人都可能成为定约者（将牌确定人），即设法依靠其同伴明手摊出的牌完成定约。因此，当一名牌手叫“一个黑桃”，意为将用黑桃作将牌，确定将牌的一方须得到7墩牌（基数6墩外加1墩），而当一名牌手叫“派司”（pass），意指不想参加竞叫，而成为防守方。竞叫或叫牌的主要原则与定约桥牌的叫法一样。每次叫牌的水平必须比前一个叫牌至少高一级，即同花色时叫牌数要高一级以上，不同花色时，在同水平上要叫高一级的花色（无将最大，其次是黑桃、红桃、方块和草花）。牌手可对前一个人叫牌加倍，同样被加倍方对于加倍还可以再加倍。一个叫牌后，若三家不叫，叫牌即结束。最大叫牌数是7。定约人的同伴为明手，即把手中的牌明摊在桌上，如果定约方所赢牌墩数少于定约数称“宕了”，这时定约方不得分，而防守方得分，得分依所宕墩数计。

竞叫桥牌于20世纪初期问世后，很快就得到人们喜爱，这可能是因为玩牌的4个人都有可能争得将牌花色确定权而成为定约人。人们很快意识到把竞叫原则同新的记分办法相结合即可得出“最佳的定约”，任何一方如果超过这个限度叫下去，就有可能得不偿失。然而，只有当竞叫桥牌为定约桥牌所取代，这一道理才得到人们充分理解。

在竞叫桥牌中完全有可能由于一个低水平的定约而超额赢墩从而赢得一盘。不管叫牌水平如何，只要完成定约，每得一墩牌，无将10分、黑桃为将牌花色者9分、红桃8分、方块7分、草花6分。如果定约加倍，则分值也加倍；如果定约再加倍，分值就乘以4。这些墩得分写在分数线下方（指桥牌记分本子上，用一条线水平地分成上和下，成局分写在分数线下方，其他分写在分数线上方）。在惠斯特桥牌戏中，赢一局至少需得30分。在三局一盘的牌戏中，赢两局就算获胜，奖给250分，写在分数线上方。

分数线上奖给定约方的其他得分是：完成加倍定约奖50分；完成再加倍定约奖100分；加倍后的超额赢墩奖50分，再加倍的超额赢墩奖100分。如果定约方未完成定约，每宕一墩，防守方得50分，写在分数线上方（如加倍定约每墩为100分，再加倍为200分）。定约人赢得一个小满贯（得12墩牌）奖50分，写在分数线上方，获大满贯的（所有牌墩）奖100分。分数线上方还加记大牌分，将牌的A、K、Q、J、10，无将时只计A。大牌分按联手计。

一场长时间的竞叫桥牌戏可含两个或两个以上的规定胜局数的比赛。在两个总分之间，得总分较多的一方为胜方。

定约桥牌 1925～1926年间，纽约的H.S.范德比尔特把竞叫桥牌发展成定约桥牌。在使用竞争性的叫牌方面，竞叫桥牌大大优于它的前身，但是还有大大改进的余地，那就是只有定约的牌墩数或者叫出的牌墩数能算作成局分；多拿牌墩以及所有的奖分均写在分数线上方，而不计入成局分。由于这些改进，叫牌的精确度变得异常重要，这时的目标是，只要能做到就叫，而不是为了击败对方尽量叫低些。此外，打牌的目标更加明确，那就是要完成定约或者打败定约，而不单单为了尽量多拿牌墩。

范德比尔特也引进了新的复杂的局况概念，在一盘比赛中，赢得一局的一方即成为有局方，此时，该方面临着完成定约受重奖，完不成定约受重罚的局面。

范德比尔特在他称做定约桥牌这种新的牌戏中，大大地增加了所有牌墩的分值和奖分。完成定约的一方，如果草花或方块是将牌，每墩牌20分（而不是竞叫桥牌中的6分或7分）；如果红桃或黑桃是将牌，得30分；无将的第一墩是40分，从第二墩起每墩30分。那些属于定约中的墩数，其得分写在分数线下方，以计算成局分。如超额赢墩，把分写在线上方，不算在成局分内。如果定约加倍，线下方的牌墩分比正常分高一倍，超额赢墩无局时每墩为100分，有局时每墩200分，由防守方得分。范德比尔特还建议满贯奖分只在定约到时才能给。这样，叫牌时若做6墩牌定约（即12墩或一个小满贯），无局时500分，有局时750分。大满贯无局奖1 000分，有局奖1 500分。

任何一方在记分线下方总积分达到100或100以上，就赢得一局。然后，进行下一局。在三局两胜制的牌戏中，先赢两局的一方为胜方，如果输方一局也没赢，胜方得奖700分；如果输方赢了一局，胜方得奖500分。每一方的所有得分加起来即为总分，总分多的一方为胜方。

定约桥牌的真正乐趣在于叫牌，由此产生各种精心设计的叫牌方法。同伴间借此传递信息，以确定可以完成的定约。E.卡伯特森在20世纪20年代末和30年代制订出第一套综合的叫牌体制。他还开展了一场宣传运动，使得定约桥牌在大西洋两岸成为最受人喜爱的纸牌戏。1949年C.H.戈伦提出一种新的叫牌体制以及一种估算牌手手上牌的大牌点的新方法，通过该估算方法可判断出手上牌的长套花色和将牌的强弱以及大牌情况。此法立即取得成功，并迅速地为大多数牌手采用。戈伦的方法甚至使初学桥牌的新手也能做到比较现实的叫牌。在叫牌方面，一个水平的开叫一般说是中等牌，两个水平开叫可能是强牌。

桥牌中有许多战术，打牌以及叫牌都有不少奥秘之处。定约人要把两人手中的牌统一加以考虑。他叫牌成功与否，取决于对方手中见不到的牌的分布情况；同样，打牌过程也是基于对防守方的牌力分布的判断。防守方则必须完全依靠叫牌和首攻而获得信息。

定约桥牌分为两种。一种是非正式玩的盘式桥牌；另一种是复式桥牌，为所有正式比赛所采用。盘式桥牌经常为赌注而赛，一直要打到一方胜两局（即三局两胜赛）。在复式桥牌即竞技性桥牌中，有两桌或更多桌打同样的牌，每副牌分别记分，如能成局，得分即是墩分与奖分之和。通常在地区、全国或国际联盟的主办下，举行多种形式的双人赛和队式赛。个人排名根据参加比赛获得的大师分确定。

定约桥牌要比其他纸牌游戏难学些，但它最能引起竞争性兴趣。定约桥牌已普及到世界各地。在某些方面是历史上任何牌戏无可比拟的。有关桥牌的书籍已出版了5 000多种。20世纪后期全世界估计有一亿桥牌手。

bridge 电桥 测量电参量的仪表。英国数学家S.克里斯蒂发明，1843年C.惠斯通推广，将通过电桥一个支路的电流与通过另一支路的已知电流进行比较来测定电阻。惠斯通电桥有4个臂，它们主要是电阻性的。除电阻外，电桥还能测量其他电参量，视各臂中使用何种电路元件而定。将臂上的电感、电容适当地排列组合，就可测量电感、电容和频率。

Bridge, Frank 布里奇（1879-02-26，英国苏塞克斯布赖顿～1941-01-10，苏塞克斯伊斯特本） 英国作曲家、中提琴演奏家和指挥家。当时最有才艺的音乐家之一。尤以其室内乐和歌曲而闻名。曾在伦敦皇家音乐学院学习小提琴，后改学中提琴，并成为演奏大师。一度在约阿希姆四重奏团演奏（1906），后入英国弦乐四重奏团，直至1915年。他曾在多处担任指挥，既指挥歌剧又指挥交响乐。作品虽有多种体裁，但小型曲式最为成功，如钢琴与弦乐的《幻想四重奏》（1910）、四首弦乐四重奏、歌曲和钢琴小品。早期作品具有浪漫派风格，后转向无调性音乐，但从未放弃浪漫主义。作为教师受到普遍尊敬，布里顿是他的学生之一。

Bridge, The（artists） 参阅 **Brücke, Die 桥社**。

bridge whist 惠斯特式桥牌 一种纸牌游戏。历史上先有惠斯特牌戏，然后发展成为惠斯特式桥牌、竞叫桥牌和定约桥牌。惠斯特式桥牌是这一发展过程中的第二步。参阅 **Whist**。

Bridgend 布里真德 威尔士城镇、郡级自治市。属格兰摩根历史郡。临奥格莫尔河。在中世纪两个小村庄（奥尔德卡斯尔、纽卡斯尔）的遗址上发展起来。有12世纪城堡和15世纪客栈。历史上是西格拉摩根低地及其北部山谷的集镇。第二次世界大战后，成为大工业区。城东南有福特汽车公司汽车发动机厂。人口35 841（1991）。

Bridgeport 布里奇波特 美国康涅狄格州西南部费尔菲尔德县港口城市，范围与布里奇波特镇（镇区）等同。该州人口最多的城市。临长岛湾。1639年创建。拥有长岛湾的良港这一优越的地理位置促使该市经济由农业转向工商业，成为生产电气和运输设备、塑料制品、机床、汽车部件及各种消费品的中心。设有布里奇波特大学（1927）、布里奇波特工程学院（1924）、圣心大学（1963）、胡萨托尼克社区学院（1966）和巴纳姆展览馆。1821年设镇。1836年设市。人口：市139 529；布里奇波特-米尔福德主要都会统计区459 479（2000）。

Bridger, Jim 布里杰（1804-03-17，美国弗吉尼亚里士满～1881-07-17，密苏里堪萨斯城附近） 原名James Bridger。美国毛皮商、拓荒者、向导、优秀的"山里人"。父亲是勘测员和旅店店主。1812年举家迁往密苏里州圣路易斯附近的一家伊利诺伊农场。1822年，年轻的布里杰首次参加猎取毛皮的远征。以后的20年中，他的足迹一再出现在加拿大边界、密苏里河流域、科罗拉多-新墨西哥边界、爱达荷和犹他等广阔的地区，不断开拓新疆界。人们相信他是到过（1824）大盐湖的第一个白人，也是第一批探测黄石地区的天然喷泉及景色的人。1843年他在怀俄明的西南部建立布里杰堡，作为移民沿着俄勒冈道向西去的途中小站，以及毛皮贸易站。摩门教徒占领该堡后，布里杰转为政府工作，充当向导。曾为许多远征队当向导，其中包括1857～1858年间为A.S.约翰斯顿上校占领犹他州作向导，以及1861年为企图在丹佛和大盐湖间找到一条直接通道的贝尔图一伙人作向导。他对这片疆界和当地的印第安人非常熟悉（他先后有3个妻子都是印第安人），无人能比。为了表彰他的贡献，以他的名字命名的地名有布里杰山脉（蒙大拿州）、布里杰峰（南怀俄明）、布里杰山隘（南怀俄明）和布里杰国家森林（西怀俄明）。

Bridges, Calvin Blackman 布里奇斯（1889-01-11，美国纽约斯凯勒福尔斯～1938-12-27，

加利福尼亚洛杉矶） 美国遗传学家，帮助建立了遗传性和性别的染色体基础。1908年入哥伦比亚大学，一年后任T.H.摩尔根的实验助手。与摩尔根共同设计用果蝇做实验，证明果蝇的遗传性变化可以追踪到染色体的明显变化。这些实验的结果导致“基因图”，证实遗传的染色体学说。1925年与摩尔根、A.H.斯特蒂文特一起发表了这些结果。同年，他发表了《性别与染色体和基因的关系》一文，阐明果蝇的性别不单由“性染色体”（X和Y）决定，而是“染色体平衡”——雌性染色体数（X）与“无性”染色体（常染色体）数之比——的结果。1928年随摩尔根到帕萨迪纳，在加利福尼亚理工学院作成果蝇幼虫唾液腺细胞内巨染色体的基因详图。后发现由基因重复造成的果蝇突变体。

Bridges, Harry 布里奇斯（1901-07-28，澳大利亚维多利亚墨尔本附近肯辛顿～1990-03-30，美国加利福尼亚圣弗朗西斯科[旧金山]） 澳大利亚出生的美国劳工领袖，1937～1977年任以旧金山为基地的国际码头工人和仓库工人联合会主席。他在16岁时离家成为海员。1920年合法进入美国，当过海员和码头工人，并且很快参与罢工和鼓动劳工的工作。1922年定居旧金山，当码头装卸工，到20世纪30年代时已完全从事国际码头工人协会地方支会的工作，最终和联合会的成员、坚强左派“阿尔比安堂”站到一起。1934年，一次国际码头工人协会的罢工发展成旧金山工人的总罢工，布里奇斯是领导这次罢工的领袖之一。1937年6月，他和协会领导不和，他领导他的太平洋海岸支会退出该会，重组成国际码头工人和仓库工人联合会，隶属于工业组织会议。1945年成为美国公民。1939～1953年，他的进攻性劳工策略（1944～1946年他特别热衷于组织夏威夷制糖和凤梨工人）和他同共产党的关系以及他畅言反对冷战，导致保守派极力想驱逐他出境，这种努力最终为法院否决。但1950年工业组织会议在清洗所谓共产党控制的联盟的活动中，将他的联合会开除出会。在以后的年代中，布里奇斯的战斗性减弱。1960年，他和托运人商议订立《机械化和现代化协议》，该协议允许采用自动化，以换取工资和年金的保证。他于1977年退休。

Bridges, Robert (Seymour) 布里奇斯（1844-10-23，英国肯特沃尔默～1930-04-21，牛津公猪山） 一译布里吉斯。英国诗人，以精通韵律学和对他的朋友G.M.霍普金斯

美国不列颠百科全书公司供图

的诗作的资助闻名。地主家庭出身，牛津大学毕业。在牛津时，认识霍普金斯。他所编的霍普金斯的诗作出版于1916年，使其免遭被人遗忘。1869～1882年在伦敦的医院学医和当医师。1884年结婚，此后一直隐居，专写诗歌和研究韵律学。以收编在《短诗》（1890，1894）中的抒情诗闻名。在《新诗》（1925）中，他试验用音节而不是以重音为基础的韵律。他85岁生日时发表的哲理长诗《美的契约》即采取这种形式。从1913年至逝世他一直是桂冠诗人。

Bridget of Ireland, Saint 参阅 **Brigit of Ireland, Sanit 布里吉特（爱尔兰的），圣**。

Bridget of Sweden, Saint 布里吉特（瑞典的），圣（约1303，瑞典～1373-07-23，罗马[意大利]） Bridget又拼Birgit或Brigid。瑞典国的主保圣人，布里吉特修会创立人和神秘主义者。从幼时就常见异象，其中一次见到基督钉死在十字架上的形象。1344年布里吉特开始守寡，入韦特尔湖畔阿尔瓦斯特拉的西多会隐修院。她把自己所得到的启示转述给隐修院院长奥拉夫森，由他用拉丁文记录。她在逝世前不久根据这些启示之一建立布里吉特修女会，该会于1370年获得教廷承认。1350年她到罗马，以后除外出朝圣外，一直住在罗马。

Bridgeton 布里奇顿 美国新泽西州西南部城市，坎伯兰县县城（1749）。在宾夕法尼亚州费城南61千米处。濒科汉西溪。1686年建。食品加工、药品、纺织、塑料及玻璃制造为主要工业。县政府大楼有一口1763年铸造的“自由钟”，在庆祝宣告独立时敲响。1865年设市。人口：市22 771；瓦恩兰-米尔维尔-布里奇顿主要都会统计区146 438（2000）。

Bridgetown 布里奇敦 西印度群岛中岛国巴巴多斯的首都和唯一港口。1628年创建。是一个人口密集而风景如画的城市。古老的和新式的建筑物高低参差。曾屡遭火灾，

布里奇敦市的圣迈克尔安立甘宗大教堂
美国不列颠百科全书公司供图

1854年霍乱流行使2万人丧生。1962年，康斯蒂蒂尤申河和残存的沼泽都被填没，开凿了一条运河。城市西北部1.2千米处新建一个供商船使用的深水港，已于1961年启用。政府大楼为18世纪初期建筑。此外，还有用作各种比赛和集会场所的萨凡纳营地和生长着热带作物的王后公园等名胜。布里奇敦设有科德林顿学院。制糖、酿制朗姆酒，港务和日益发展的旅游业构成城市的经济支柱。人口约6 070（1999）。

Bridgettine 布里吉特修会 又拼Brigittine。天主教修会，又称至圣救主会。1344年由瑞典修女圣布里吉特创立。布里吉特自信受基督召唤成立戒规严格的修会，前往罗马争取教廷批准她的修会。1373年她死于罗马。她死后布里吉特修会不断发展，对斯堪的纳维亚地区和德国的文化贡献甚大。在宗教改革运动中该会几乎完全覆灭。现代的至圣救主会于1911年由修女哈塞尔布拉德成立于罗马，1942年教皇承认它为布里吉特修会的后继者。

Bridgewater, Francis Egerton, 3rd Duke of, Marquess of Brackley, Earl of Bridgewater, Viscount Brackley, Baron of Ellesmere 布里奇沃特（1736-05-21，英国兰开夏斯利～1803-03-08，伦敦） 英国内河航运事业的创始人。出身贵族，1748年承袭亡兄为公爵。他从自己在沃斯利的庄园到曼彻斯特开了一条运河，叫做布里奇沃特运河。他指示工程师J.布林德利开凿，以运输庄园里生产的煤。除了从默西河到圣海伦斯的桑基运河以外，这是现代英国开凿的第一条这类运河。议会还授权布里奇沃特（1762）在曼彻斯特和利物浦之间开一条运河。

Bridgewater Canal 布里奇沃特运河 从英国沃斯利至利物浦的水道。它是18世纪工程上的杰作，在布里奇沃特公爵的主持下由卓越的自学成名的机械师和工程师J.布林德利负责开凿。公爵需要一条运河，把他的沃斯利矿区的煤运到16千米外的曼彻斯特。原设想是一条有许多道船闸的常规运河。布林德利勘察路线后，说服公爵同意他修一条在拱形高架桥上穿越欧韦尔山谷的重力自流运河。这条十分成功的运河于1761年建成，深入煤田，使曼彻斯特的煤价降低一半。1776年运河又从曼彻斯特延长48千米到利物浦。

Bridgman, Laura Dewey 布里奇曼（1829-12-21，美国新罕布什尔汉诺威～1889-05-24，马萨诸塞波士顿） 最早成功地受到系统教育的聋哑盲人之一。两岁时患猩红热，完全

美国不列颠百科全书公司供图

丧失视力和听力，引起波士顿珀金斯盲人学校校长S.G.豪的注意，1837年10月进入该校。豪亲自用触摸法教她英语字母。先是将

有凸起字母的牌子贴在普通物品如钥匙、勺子、刀子等上面，让她学会物品的名称，然后教她一个个字母，学会整个字母表以及10个数目字。1842年1月狄更斯参观该校，后在《公开刊行访美笔记》中热情称道豪教育的成功。布里奇曼后来终生留校，协助教学和事务管理。

Bridgman, P(ercy) W(illiams)　布里奇曼（1882-04-21，美国马萨诸塞剑桥～1961-08-20，新罕布什尔伦道夫）　美国实验物理学家。以高温和高压下的物质研究而著称，为

美国不列颠百科全书公司供图

此被授予1946年诺贝尔物理学奖。新闻记者之子。1900年入哈佛大学，1905年获硕士学位，1908年获博士学位。同年开始作静高压实验研究。最初限于约6 500大气压，后逐渐提高到10万甚至40万大气压。在这个尚未开拓的领域里，他自己必须发明许多设备。他最重要的发明是一种特型密封装置，其中垫圈内的压强总是超过加压流体的压强，所以该封闭是自密封的，没有它，布里奇曼就不可能作超高压研究。稍后，他能充分利用各种新的钢和金属合金于耐热化合物，例如碳化钨钴高硬度合金（carboloy，用钴作黏结剂的碳化钨）。这项工作大部分涉及液体和固体压缩系数的测量，固体受压下相变的研究（包括发现高压形式的冰），以及固体的物理性质（例如电阻）的测定。当压强提高时，新的和意想不到的现象出现了；他发现在某一转变压强下，铯原子内的电子重新进行排列。虽然布里奇曼本人重复试验多次，没有合成钻石，但他的实验直接导致通用电气公司的科学家于1955年最终合成了钻石。后采纳并扩展他的技术，合成了许多其他矿石。在他的努力下，以高压和高温实验为基础，发展了地质学的一个新学派。1914年在他讲授高等电动力学课程时，对科学概念定义固有的含混不清和模棱两可深有感触。这导致他用"操作"的哲学观点（"operational" approach）来接近概念的科学含义，并在他的第一本哲学著作《现代物理学的逻辑》（1927，1960年再版）中加以论述。他依据涉及量度物理概念（例如长度）的物理和心理操作来定义这些概念。因为一切量度都相对于观察者的参考系，所以概念也是相对的。例如长度，用地面方法测量和用天文学方法测量是不同的概念。布里奇曼主张物理概念除非处在能被观测的范围内，否则对它们的阐释是无意义的。1919年，布里奇曼成为哈佛大学教授，1926年为霍利斯讲座教授，1950年为希金斯讲座教授。1961年，因癌症不治而自杀。布里奇曼发表了260多篇论文（只有两篇与他人合写）和13本书。他的科学论文汇集于《实验论文集》（7卷，1964）。他的许多著作中有《高压物理学》（1931）和《物理学家的反思》（1950）等书。

Bridgnorth　布里奇诺斯　英格兰什罗普行政、历史郡城镇和区。面积634平方千米。布里奇诺斯镇位于塞文河畔高高的红砂岩上。萨克森时代起为桥头镇。1101年建起城堡（城塔犹存）。现城分上、下两部分，有台阶相连，生产地毯和电器。1226年始有集市。人口：镇11 229（1991）；区约52 200（1998）。

Bridgwater　布里奇沃特　布里斯托尔海峡港口。在英格兰萨默塞特行政、历史郡塞奇莫尔区。位于匡托克丘陵东，大部在帕雷特河右岸。中世纪时经营葡萄酒和羊毛贸易。1841年新船坞的建设复兴了港口贸易，200吨以下的船只可抵布里奇沃特。14世纪建起教堂。现生产砖瓦、重型机械、酒、护目镜和电器等。人口34 610（1991）。

Bridie, James　布里迪（1888-01-03，苏格兰格拉斯哥～1951-01-29，爱丁堡）　苏格兰剧作家。他的通俗、风趣的喜剧对20世纪30年代苏格兰的戏剧复兴起过重要作用。毕业

美国不列颠百科全书公司供图

于格拉斯哥大学医学院。在两次世界大战中均担任随军医师。第一部剧本《日光奏鸣曲》（1928）以笔名玛丽·亨德森发表，由苏格兰国家剧团演出。3年后，在伦敦上演《解剖学家》（1931）获得成功。他的剧本还有《乔纳和鲸鱼》（1932）、《沉睡的牧师》（1933）、《结婚并非儿戏》（1934）、《沃瑟斯庞上校》（1934）、《虚无乡国王》（1938）、《一种生活方式》（1939）、《博尔弗里先生》（1943）、《安吉勒斯博士》（1947）和《皇后的喜剧》（1950）。这些作品情节曲折，发人深省，具有鲜明的苏格兰色彩。

Brie　布里　法国北部自然区。在塞纳和马恩两河谷之间，范围包括塞纳-马恩省大部和其毗邻省份部分地区。9世纪起由法兰西国王和香槟公爵分治。13世纪初被王室接管。区内有成片森林，沃土上种植小麦、甜菜和养牛。当地以栽培玫瑰和出产软白干酪闻名。

Brie　布里干酪　以法国东北部出产地命名的软质成熟牛奶干酪。刚凝聚的软质布里干酪在模中摊平如煎饼，直径约为23～38厘米，厚约2.5～3.8厘米。在凝乳凝固成形后，向表面喷洒青霉菌芽胞体，形成一层茸毛似的白色薄壳。经3～4周成熟，在初期，内部为象牙色糊状物，有一灰白色半固体中心部分，完全成熟后则里外全部变软，呈奶油状。短时间内极易腐败，在继续成熟过程中，产生氨味，开始失水变硬。布里干酪原产于巴黎附近，当地农村所产的未经杀菌的马克干酪及莫洛干酪均被视为佳品。现在多数布里干酪在工厂用消毒牛奶制作，这样可延长储存期，但味道不及原来的醇厚。目前很多产酪国家都仿制布里干酪。

Brie, Simon de（pope）　**布里的西蒙**　参阅 **Martin IV** *马丁四世*。

brief　案情摘要　又译答辩摘要。法律上常指一种概括或摘要形式的文件。这个术语主要是在普通法国家使用，但其确切含意却有差别。在美国，指答辩摘要，这是一种提交法庭以帮助它就案件涉及的法律问题作出结论的书面法律答辩。它主要用于上诉法院，特别是在不进行口头辩论时更显得重要；在初审法院不大常用。普通诉讼程序要求请求救济的一方将其简要的书面的论据送交对方，并呈交法庭，对方则提出答辩。通常情况下，原告律师有机会提出再答辩。在特殊场合下，特别是在违宪案件中，答辩摘要可能包括广泛的经济和社会方面的资料。这种答辩称为"布兰代斯答辩"，是根据美国最高法院大法官L.布兰代斯的名字命名的，他在担任律师时曾有效地运用这种答辩。法庭允许非案件当事人提出的答辩，一般称为"法庭之友的答辩"。在英国，案情摘要是初级律师为高级律师出庭辩护而准备的一种提示性文件。只有高级律师才能在高等法院出庭（参阅 **barrister；solicitor**），但是他只能根据初级律师的提示才可以为诉讼当事人代理诉讼。在案情摘要中，初级律师汇报可用的证据，其中包括供述、证人陈述或与此有关的摘要。

Brienne, Étienne-Charles de Loménie de　布里安　参阅 **Loménie de Brienne, Étienne-Charles de** *洛梅尼·德布里安*。

Brienza, Francesco Caracciolo, duca di（duke of）　**布里恩扎公爵**　参阅 **Caracciolo, Francesco** *卡拉乔洛*。

Brieux, Eugène　白里欧（1858-01-19，法国巴黎～1932-12-06，尼斯）　法国戏剧家，现实主义戏剧的主要代表人物之一。他微含训世意味的剧作抨击了当时的社会罪恶，为安托万著名的自由剧院轮演剧目的一部分，对传播新自然主义风格有远大影响。萧伯纳对他作出极高评价，说他是莫里哀之后法国最伟大的作家。但那时以后，他的声誉日渐下降。主要作品有描写一个农家女所受的教育超过她所处的社会地位的《布朗谢特》（1892）和抨击地方官吏的《红袍》（1900）。1901年，由于他的《损坏了的商品》以花柳病为题材而引出了一场丑闻。

brig　横帆双桅船　两根桅杆上都悬挂横帆的帆船。用于航海和经商。作为商船，大多

在沿海的贸易航线上行驶，但也经常作海洋航行；有些横帆双桅船甚至用于捕鲸和猎海豹。海军中的横帆双桅船在单层甲板上筑一炮台，有10～20门大炮。在18和19世纪庞

1858年建的横帆双桅船"圣母升天"号
美国不列颠百科全书公司供图

大的欧洲海军中，横帆双桅船为战斗舰队传递消息，有时又充当培训学员的训练船。在早期的美国海军中，横帆双桅船在1812年战争中功绩显著，在五大湖区参加过小型舰队的战斗，并在大西洋作为商船偷袭敌军。由于操纵横帆索具需要许多船员，因而横帆双桅船作为商船不太经济，在19世纪开始被斯库纳纵帆船和巴克帆船等装有纵帆的船只所取代。

Brigantes 布里甘特人 在古代英国，安东尼·庇护统治时代（约155）为罗马人征服的一个部落，居住在安东尼墙以南，东迄亨伯湾，西至默西河的地域。首府伊苏利姆，后迁至伊博拉科姆。在卡塔拉克托尼厄姆、奥利卡纳和韦诺维韦厄均有堡垒。布里甘特人曾两度为罗马人打败（约50年和约71），最后向安东尼屈服。在安东尼统治时期，又把更多的土地割让给罗马人。

Brigantia (Celtic goddess) **布里甘蒂亚** 参阅 **Brigit** 布里吉特。

brigantine 双桅帆船 前桅挂横帆，主桅挂纵帆的双桅帆船。此词源于也以桨为动力的双桅船，16世纪时海盗或海上匪徒乘这种船在地中海上从事恐怖活动。在欧洲的北部水

双桅帆船
美国不列颠百科全书公司供图

域，双桅帆船纯粹是帆船。其装有斜桁的主帆使该双桅帆船与完全装备横帆的横帆双桅船有所区别，不过这两个名称已逐渐互用。例如，在斜桁主帆上方装有中桅横帆的双桅帆船称为真正的双桅帆船，而主桅上根本不装横帆的双桅帆船则称作前桅挂横帆、主桅挂纵帆的双桅帆船。

Brigantinus, Lacus (Europe) **布里根蒂努斯湖** 参阅 **Constance, Lake** 康斯坦茨湖。

Brigate Rosse (terrorist group) 参阅 **Red Brigades** 红色旅。

Briggs, Emily Pomona Edson 布里格斯 (1830-09-14，美国俄亥俄伯顿～1910-07-03，华盛顿[哥伦比亚特区]) 婚前名 Emily Pomona Edson，笔名 Olivia（奥莉维亚）。美国记者，第一位在新闻界闻名全国的妇女。曾短期任教，约在1854年嫁给J.R.布里格斯。1881年，当其夫获得美国众议院助理书记员职务时，她发现自己开始对观察和评论政治场面感到兴趣。她给《华盛顿记事报》写信为妇女在政府任职声辩，引起该报老板的注意，雇用她撰写每日专栏。她用笔名奥莉维亚在《记事报》和《费城报》发表文章长达二十余年。作为当时的女记者，其专栏颇不寻常。在林肯总统任内，她是第一位直接由白宫发出报道的女记者，她与林肯全家的私人关系也很密切，后来成为第一批获准进入国会记者席的人员之一。1882年成立全国妇女新闻工作者协会时，当选为第一任主席。1906年，专栏作品汇集成《奥莉维亚书信》出版。

Briggs, Henry 布里格斯（1561-02，英格兰约克郡沃利伍德～1630-01-26，牛津郡牛津）英国数学家，发明常用对数，即布里格斯对数。全欧洲普遍接受对数，主要归功于他的著作。他的革新有助于减轻数学家、天文学家和其他科学工作者的大量繁杂计算。1596年任伦敦格雷沙姆学堂（后改为学院）的首任几何学教授，他建议把苏格兰数学家J.纳皮尔发明的对数改为以10为底，就更加有用。在同纳皮尔的讨论中，布里格斯的改进被接受。1617年，他出版了前1 000个数的常用对数表，1619年被任命为牛津大学萨维尔几何学教授。1624年发表了《对数算术》，书中有前3万个自然数的14位对数表，还有15位的正弦函数表以及10位的正切函数和正割函数表。1633年，这些表在伦敦以《不列颠三角学》为书名出版，一直流行到19世纪前期。

Brigham City 布里格姆城 美国犹他州北部博克斯埃尔德县城市。近大盐湖的贝尔河湾。1851年建摩门教徒居民点，多数移民来自丹麦。为农产品（水果、小麦和甜菜）转运和加工中心。亦有飞机零件制造和纺织业。20世纪50年代后城市发展迅速。每年举行桃节，庆贺丰收。设有印第安学生寄宿的山区学校（1950）。附近有比尔河候鸟保护区和金色道钉国家历史纪念地（纪念联合太平洋铁路和中太平洋铁路接轨）。1867年设市。人口17 411（2000）。

Brighella 布里盖拉 意大利即兴喜剧中的定型角色，是个淘气、机智、投机，有时好色而

布里盖拉
美国不列颠百科全书公司供图

残酷的人物。最初是喜剧中的一个滑稽男仆。他可以有各种身份，如士兵、绞刑吏的助手、刺客或容易被人收买的绅士仆从。然而，由于他在爱情上多愁善感，颇能得到年轻情人们的信任。布里盖拉的服饰造型是传奇流浪汉式的。16、17世纪时，这个角色逐渐退化为一个不可信赖的小厮。至18世纪，他已不过是一个身穿当时当地制服的仆役。

Bright, Sir Charles Tilston 布赖特（1832-06-08，英国埃塞克斯旺斯特德～1888-05-03，伦敦附近阿比伍德） 英国工程师，主持敷设第一条大西洋电报电缆。1852年他任磁性电

美国不列颠百科全书公司供图

报公司工程师，为该公司在英国敷设几千英里地下电报线，又敷设了第一条从苏格兰的波特帕特里克港到爱尔兰的多纳哈迪的海底电缆（1853）。1856年他和C.菲尔德、J.W.布雷特成立大西洋电报公司，目的是在爱尔兰和纽芬兰之间敷设第一条跨越大西洋的电缆。布赖特任总工程师。经过两次失败之后布赖特在1858年8月把在爱尔兰一端的电缆敷设到凯里郡瓦伦西亚。几天后在都柏林受封为爵士。虽然电缆在10月断裂，但成功地证明这项计划是可行的。1865和1866年他是第二条和第三条大西洋电缆的顾问工程师。以后他又监督敷设其他几个区域的海底电缆。他和J.L.克拉克一起，发明用于海底电缆的沥青混合绝缘物。1861

年他们在英国科学促进会宣读的关于电气标准的论文,促使建立一个联合委员会,该会制定的电气标准体系到目前仍在使用。1865～1868年布赖特被格林尼治市选入议会为自由党议员。

Bright, John　布赖特(1811-11-16,英国兰开夏罗奇代尔～1889-03-27,罗奇代尔)　英国改革政治家、演说家。维多利亚时代初期积极为争取自由贸易和降低谷物价格,以及为议会改革而斗争。纺织厂主之子。一直在公

美国不列颠百科全书公司供图

谊会学校读书。他一生爱读《圣经》和17世纪英国清教徒诗人(特别是J.弥尔顿)的作品。公谊会的信仰形成他的政治思想,这种思想主要是要求消灭个人之间和民族之间在社会、政治和宗教方面的不平等现象。20多岁时,在本地领导反对圣公会强迫征税的运动,获得成功。他是反谷物法联盟的创始人之一,与联盟领导人R.科布登一起,经常在全国各地发表演说,科布登提供有说服力的论证,而布赖特则集中抨击地主的政治特权地位。布赖特1843年代表达勒姆、1847年代表曼彻斯特两度当选为议员。19世纪50和60年代,他的演说曾风靡一时。在他的一系列演说中,最精彩的是反对英国参加克里米亚战争的演说。他极力从各个方面谴责这场战争不符合基督教教义,与国际自由贸易原则相违背,并有损于英国的利益。反战观点遭受挫折之后,他陷入严重的精神崩溃之中(1856～1858),并使他在曼彻斯特落选。但数月后,又在伯明翰当选为议员,并保持这一议席直至去世。1858年底,他在伯明翰发表演说,掀起议会改革运动。1866年下半年,布赖特成为改革派的主要发言人。在美国南北战争(1861～1865)中,他坚决支持北方,反对蓄奴的南方。在印度兵变(1857)的前后,他极力要求放宽对印度的独裁统治。1868年他参加W.格莱斯顿内阁,任贸易大臣,1870年被迫辞职。后又两次入阁(1873～1874,1880～1882),曾协助格莱斯顿制定1870和1881年的《爱尔兰土地改革法案》,但反对格莱斯顿1886年提出的《爱尔兰自治法案》。

Bright, Richard　布赖特(1789-09-28,英国格洛斯特郡布里斯托尔～1858-12-16,伦敦)英国医师。首次描述了布赖特氏病的临床表现。1813年毕业于爱丁堡大学。先

美国不列颠百科全书公司供图

后在欧洲大陆和英国伦敦的多家医院供职。布赖特注重临床病理对照研究。其研究成果首先发表于《内科病例报告》(1827);后来写的关于肾脏疾病的文章发表在报告的第二卷(1831)及1836年的《盖伊医院报告》第一卷。

bright-cut　刻花　一种用于金属制品,特别是银制工艺品的装饰性雕刻方法。图案是用经过磨亮的雕刻工具在金属上作一系列巧妙的切割而成,这就使外露的表面反射光线而

1790～1791年的刻花奶油罐

美国不列颠百科全书公司供图

产生光亮感。这一技艺在18世纪末到19世纪初流行于英国和受英国银匠工艺影响的国家。

Bright Eyes　布赖特·艾斯　参阅**La Flesche, Susette** 拉弗莱什。

brightness　亮度　物理学中,对于发自面光源或点光源的光强度(参阅**luminous intensity**)的主观视觉感受。

Brighton　布赖顿　英格兰布赖顿-霍夫单一政区的一个城镇。属萨塞克斯历史郡。在伦敦南82千米处。为英吉利海峡的海滨胜地。面积58平方千米,地处南唐斯丘南坡。西与霍夫自治市相连。原为小渔村,1754年R.拉塞尔在此试验海水疗法,从此兴起海水浴。1783～1827年间在乔治四世庇护之下,建起王宫等豪华建筑。皇家亭阁为印度风格,内部装饰则为奇异的中国式样。圆顶殿为早年御马厩,现用作音乐厅和会堂。1841年通铁路后发展迅速。1883年通英国第一条电气化铁路。沿海有11千米长海滩和海滨街区。建有皇家剧场、赛马场、水族

布赖顿市的皇家亭阁

美国不列颠百科全书公司供图

馆、高尔夫球场、运动场等。设有萨塞克斯大学(1961)和著名的罗迪安女子公学。工业区生产品种广泛的工业品。人口约124 851(1991)。

Brighton and Hove　布赖顿-霍夫　英格兰东南部萨塞克斯历史郡、东萨塞克斯地理郡单一政区,是萨塞克斯商业中心。位于伦敦以南82千米的英吉利海峡边,与伦敦有稠密的铁路和高速公路网。此单一政区拥有英格兰南部沿海最多的人口,包括布赖顿、霍夫以及邻近小区的海滨度假地。此单一政区范围从英吉利海峡沿岸延伸至北部南丘的陡坡。东邻东萨塞克斯郡,西界西萨塞克斯郡。萨塞克斯大学位于东北部。旅游与金融业是当地经济的主要支柱。面积85平方千米。人口255 800(1998)。

Bright's disease　布赖特氏病　又称肾小球肾炎、肾炎。肾小球及肾单位的炎症。病变累及肾小球、肾单位及肾单位间组织。本病愈后可能复发。急性肾小球肾炎时肾脏有严重的炎性变,肾功能不全,并出现躯体水肿、高血压及严重的腰痛。肾脏肿大,肾包膜撑涨、扩张,其表面光滑,呈灰色,常见多数毛细血管出血小点。肾小球及肾单位均见肿胀。急性肾炎发作后大多能完全恢复,但多次轻度肾外感染可继续破坏肾脏,病情继续发展成亚急性及慢性肾炎。亚急性肾小球肾炎不一定先有急性发作,若有,则多发生于数月或数年之前。病肾明显增大,由于肾脏表面的血流受阻,加之脂肪滴大量集聚,因此肾脏表面光滑苍白,而内部组织发暗。鲍曼氏囊内充满大量上皮细胞、红细胞及矿物质结晶。肾小管发生退行性变。由于肾组织的破坏,血浆蛋白从尿内大量丢失,红细胞滤入肾小球,受到挤压,发生变形,成为碎片,结果引起贫血。慢性肾小球肾炎多由急性和亚急性肾炎演变而成,少数患者既往无明显的肾病史。此时,肾组织多为瘢痕组织所取代,肾脏皱缩变小,表面呈颗粒状。因为血内废物不

能从肾脏滤出，血液内含氮物质积蓄而引起尿毒症。各期肾小球肾炎的治疗均为对症治疗。

Brigid OF SWEDEN, SAINT 参阅 **Bridget of Sweden, Saint** 布里吉特（瑞典的），圣。

Brigit 布里吉特 又作Brigantia。古代凯尔特宗教所崇奉的女神，司诗艺、工艺、预言和占卜。爱尔兰人认为共有3位女神名布里吉特，她们是爱尔兰火神达格达之女。另两位布里吉特分别司掌医治疾病和锻铁技艺。布里吉特后来为基督教传统所吸收，成为圣布里吉特，但仍与畜牧业有密切联系。布里吉特在现代苏格兰民间传说中也是重要人物，据说她是圣母马利亚的助产婆。

BrigitOF IRELAND, SAINT **布里吉特（爱尔兰的），圣**(?,爱尔兰劳斯郡邓多克附近福哈特?～约524～528,基尔代尔郡基尔代尔) Brigit又拼 Bridget；又称布赖德。基尔代尔的女隐修院院长。据传她父亲是贵族而母亲是奴隶，她随母亲被卖给巫师，此人受她的感化改信基督教。她获得自由后回到父亲身边，父亲打算把她嫁给北爱尔兰国王。国王有感于她的虔诚，允许她脱离父亲的控制。另说伦斯特国王将基尔代尔附近一块地赐给布里吉特。她在该地创办爱尔兰第一所女隐修院。此外她还建成女隐修院多处。另传有一修女名达拉，双目失明，布里吉特祈祷使她恢复视力。但达拉认为有肉眼反而使灵魂之目不能清楚见到上帝的形象，要求布里吉特再施神术，使她重享黑暗之美。

Brigittine(religious order) 参阅 **Bridgettine** 布里吉特修会。

Brikama 布里卡马 冈比亚西区市镇和行政中心，位于班珠尔至曼萨孔科的公路上。农产品贸易中心(花生和棕油、棕仁)，亦为林

布里卡马的妇女
美国不列颠百科全书公司供图

业（柚木和石梓）中心。有制冰厂和农业专科学校。人口42 480（1993）。

Brilessos(Greece) **布里莱索斯** 又拼 Brilettos。参阅**Pentelicus, Mount**彭特利库斯山。

Brill, Paul 布里尔(1554,安特卫普～1626-10-07,罗马) 佛兰德斯画家。16世纪后期和17世纪初期可能是罗马最受欢迎的风景画家。早年的森林风景画有风格主义色彩，但在1600年后，受德国画家A. 埃尔斯海默影响，趋于简练。后期作品表现出古典风

布里尔绘《河畔风景》
美国不列颠百科全书公司供图

格。一些湿壁画组画以及一些画板和画布油画作品至今尚幸存在梵蒂冈城和其他地方。其兄马修斯（1550～1583）也是一位有造诣的画家，但早逝。保罗画完许多其兄未完成的作品。

Brillat-Savarin, (Jean-)Anthelme 布里亚-萨瓦兰(1755-04-01,法国贝莱～1826-02-02,巴黎) 法国法学家、政治家和著作家。写过一部有名的关于烹饪的书《口味生理学》。律师家庭出身，他最初也以律师为业。在1789年的三级会议中，他是第三等级的一名代表。在恐怖统治时期，布里亚-萨瓦兰逃亡国外，前往瑞士和美国。1796年回国，在拿破仑执政时期任最高法院审判官。在烹调著作1825年问世之前，他出版了几部法律和政治经济学方面的著作。《口味生理学》主要不是讨论烹饪艺术，而是增进饭桌上乐趣的一些闲谈和轶事的情趣横溢的梗概。此书在19世纪多次再版，1884年被译为英语。

brilliant cut 多面形琢型 对钻石翻光面加工的方法，以充分利用宝石的光学性质，使宝石具有最强的闪光、最好的火彩；这是钻石翻光面最流行的式样。多面形琢型的宝

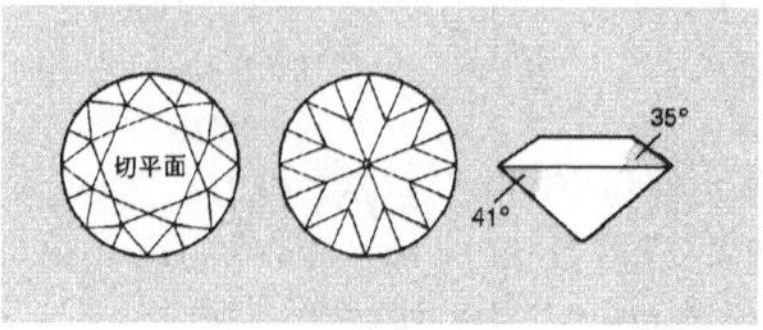

多面形琢型钻石的三视图：（左）顶视图；（中）底视图；（右）侧视图

石在平面图上是圆的，有58个翻光面，其中33个在腰棱（宝石最宽的部分）以上，25个在腰棱以下。顶侧（腰棱以上）各个翻光面与腰棱平面成35°角，底侧（腰棱以下）各个翻光面与腰棱平面成41°角，于是进入顶侧翻光面的最大量的光线将受底侧翻光面反射透过顶侧出来，因此具有最强的闪光和最好的火彩。这种加工方法自17世纪末由威尼斯的宝石琢刻家V. 佩鲁齐最先采用，一直至20世纪慢慢地演变成上述形式。多面形琢型也用于红宝石、蓝宝石、祖母绿和锆石等宝石上。

brilliant green 煌绿 又称翡翠绿或孔雀绿G。一种孔雀绿系列（参阅 **malachite green**）三苯基甲烷染料。细小带光泽的金色结晶，可溶于水或乙醇。其稀溶液用作局部防腐药，对格兰氏阳性细菌有效。也用以染丝绸和羊毛。

brimstone 硫磺 参阅 **sulfur** 硫。

Brindisi 布林迪西 古时称Brundisium(拉丁语)，意大利东南部城市。普利亚区布林迪西省省会。濒亚得里亚海，位于Y型海湾的两臂之间。该湾可泊远洋巨轮。公元前266年成为古罗马城镇。曾是抵御迦太基人入侵的基地。公元前40年屋大维和安东尼在此媾和。公元前19年诗人维吉尔死于此地。1071年被诺曼底人征服后地位日益重要，先后曾为多次十字军的登船港。因那不勒斯王国王位继承权的斗争和1456年的地震遭受破坏。19世纪城市复兴。苏伊士运河通航后商业更加繁荣。第一次世界大战时，布林迪西是意大利海军在亚得里亚海作战的指挥中心。1943年墨索里尼被处死后与盟军媾和宣布意大利退出战争的巴多格里奥政府设在这里。现有标志罗马军用大道终点的圆柱等古罗马遗迹。亦有中世纪建筑，如腓特烈二世城堡，11世纪的大教堂等。为大主教驻地。有省考古博物馆。通安科纳-莱切沿岸铁路干线，有铁路支线通塔兰托。市北面有机场。其港口与近东和远东之间贸易往来繁忙。为意大利与希腊之间日益发展的旅游交通的主要轮渡终点站。商业中心。有食品加工、化工和酿酒等工业。有一炼油厂。人口：都市区约92 531（1988）。

Brindley, James 布林德利(1716,英格兰德比郡巴克斯顿附近的坦斯特德～1772-09-30,

斯塔福德郡特恩赫斯特）　英国开凿运河的先驱，建造了英国第一条具有重大经济意义的运河。1752年他为克利夫顿煤矿设计制造一台排水发动机。1759年，他为布里奇沃特公爵建造一条16千米长的运河，将沃斯利的

美国不列颠百科全书公司供图

煤运到曼彻斯特纺织中心。他的设计是从运河口的驳船停泊港到煤矿挖一条地下渠道，并建造巴顿高架渠使运河跨越伊尔韦尔河。这条运河的成功，鼓舞了其他运河的开掘：经海尔卡斯尔隧道穿过英格兰中部高地的大运河、斯塔福德郡和伍斯特郡运河、考文垂运河、牛津运河、老伯明翰运河和切斯特菲尔德运河，这些运河除了一条以外都是他设计和开凿的。他负责开凿的运河网总共长约580千米。交通运输的改善，有助于加速产业革命。他是一个自学成才的工程师，他建筑各种工程无书面计算和图纸，除了工程本身以外，没有留下记录。

brine　卤水　即盐水，盐(氯化钠)的水溶液(尤指高浓度的)。天然卤水存在于地下、盐湖或海水，是食盐和其他盐类（如镁和钾的氯化物和硫酸盐）的重要来源。卤水可用作肉类装罐（如咸牛肉）和腌制的防腐剂。卤水有较低的凝固温度，在制冷和冷却系统中，用作热交换介质；由于卤水有较低的气压，也可用作蒸汽吸收剂。卤水还用作钢的淬火介质。

brine shrimp(genus *Artemia*)　**咸水虾**　又称卤虫。鳃足纲无甲目卤虫属小型甲壳动物，栖息在世界各地咸水池和其他高盐度的内陆水域中。咸水卤虫（*Artemia salina*）有重要商业价值，在美国犹他州的大盐湖内数量巨大。在水族馆中用其干卵孵出的幼体饲养鱼类或其他小动物。咸水虾体长可达15毫米。身体分为头部及躯干部（包括胸部和腹部）：头部有一只无节幼体眼和一对有柄的复眼，胸部有一列叶状附肢，腹部细长而无附肢。游泳时腹面朝上，足有节奏地击水。主要以绿藻为食，以附肢滤食。

Brinell, Johan August　布里涅耳(1849-11-21，瑞典布林耶托夫塔～1925-11-17，斯德哥尔摩）　瑞典冶金学家，发明用非破坏性方法，迅速测定金属硬度的布里涅耳硬度试验法。1882年任法耶尔斯塔钢铁厂总工程师，研究钢铁在冷却和加热时的内部成分，发明了硬度试验法，并在1900年的巴黎博览会上演示。其方法是：用一定的力将硬钢珠压入金属表面，然后测量留下的压痕。这种试验法经稍加改进现仍广泛应用。

Brink, André Philippus　布林克(1935-05-29，南非弗雷德～　　)　南非作家。以南非阿非利堪斯语写作，并译成英语。他在小说中常批评南非政府。布林克曾在南非及法国受教育，后任南非格雷厄姆斯敦罗得斯大学阿非利堪斯语及荷兰文学教授。他属于被称为"60年代人"(也叫60年代的作家)的新一代阿非利堪斯语作家。他们宣称的宗旨是"扩大阿非利堪斯语小说的地方局限性"，其实质是描写性和伦理道德，还检讨南非的政治制度，这迅速引起了传统的荷兰裔南非读者的反感。他的早期小说《生活的价值》(1962)和《一个外交家的档案》(1963)基本上是非政治的，但其以后的作品专写南非。他的小说展示了种族隔离制度下人类价值崩溃所带来的日益凄凉、痛苦的迹象。他的《眼望黑暗》(1973)、《降雨的谣传》(1978)和《风中的瞬间》(1975)都用一个黑人男子和一个白人妇女间的性关系来说明种族仇恨的破坏性。在《干燥的白色季节》(1979)中，描述了一个白人自由主义者调查一个黑人活动分子在被警察拘留期间死亡的事件。《一系列呼声》(1982)从许多角度叙述了发生在1825年的一次奴隶暴动。布林克的作品在国外受到好评，但是他的部分作品在国内却遭到查禁。

Brink, Bernhard ten　布林克(1841-01-12，荷兰阿姆斯特丹～1892-01-29，德国斯特拉斯堡[今在法国])　荷兰学者。他的研究使英国

美国不列颠百科全书公司供图

人和德国人复活了研究乔叟著作的兴趣。曾任马尔堡大学和斯特拉斯堡大学教授。除编订了《坎特伯雷故事集序言》的评注本外，还出版了《乔叟的创作发展过程及其著作年表的研究》(1870)和《乔叟的语言和格律》(1884)。其《贝奥武甫研究》(1888)是对盎格鲁-撒克逊研究的重要贡献。他的名著《英国文学史》(2卷，1877～1893)论述伊丽莎白时代之前的整个历史时期文学。

Brinkman, Johannes Andreas　布林克曼(1902-03-22，荷兰鹿特丹～1949-05-06，鹿特丹）　荷兰建筑师，以设计鹿特丹的范奈利烟厂闻名。该建筑是20世纪20年代最主要的工业建筑，也是荷兰最优秀的现代建筑之一。早年在代尔夫特工业大学学习，1925年入L.C.范德乌鲁格特建筑师事务所工作，设计了范奈利烟厂(1928～1930)，立面上采用连续不间断的大片玻璃窗，轻快明亮。还与W.范泰恩合作设计了鹿特丹的柏格朴尔德公寓(1933～1934)，是现代公寓设计杰作。1937年范德乌鲁格特去世后，布林克曼与J.H.范登布鲁克合作。

Brinon, Fernand de　布里农(1885-08-26，法国波尔多附近的利布尔讷～1947-04-15，蒙特鲁日）　法国新闻记者和政治家，在第二次世界大战期间极力主张通过维希政府同纳粹德

美国不列颠百科全书公司供图

国合作。1909年参加《辩论报》，1920～1932年任该报总编辑。第一次世界大战后，极力鼓吹法德和解。1939年任《新闻报》政治编辑。是第一个采访希特勒的法国记者，后成为法德委员会和有势力的政治-商业团体"彩旗俱乐部"的主要成员。1940年11月任维希政府驻法境德占区的代表，1942年4月任国务部长。1944年维希政府垮台后逃往德国。被盟军俘虏后，1947年以通敌罪被处决。他著有：《交战：一个证人的印象》(1915)和《法国—德国，1918～1934》(1934)。死后基于他本人资料编纂的《回忆录》于1949年出版。

Brinvilliers, Marie-Madeleine-Marguérite d'Aubray, marquise de　布兰维利耶侯爵夫人(约1630～1676-07-16，巴黎）　即M.-M.-M.de奥布雷。法国有名的毒药杀人犯。1651年与军官A.G.de布兰维利耶结婚。貌美，追求享乐。她成为丈夫的友人J.-B.G.德圣克罗瓦的情妇。1663年她的父亲设法把德圣克罗瓦关入巴士底狱。德圣克罗瓦获释后，与布兰维利耶侯爵夫人合谋，用从国王的一个药剂师那里得到的毒药害死她的父亲

美国不列颠百科全书公司供图

(1666)和两个兄弟(1670)。两人还企图毒死她的亲夫，没有成功。德圣克罗瓦1672年死后，罪行败露。她先是逃脱，后在列日被捕，1676年在巴黎被斩首。布兰维利耶侯爵夫

人在受审时说："有地位的人们中有一半参与这种事，如果我说出来，他们就毁了。"她未透露姓名的人是以后卷入在路易十四时代轰动一时的丑闻中的人。参阅 **Poisons, Affair of the**。

Brion, Philippe de Chabot, seigneur de（lord of） **布里永领主** 参阅 **Chabot, Philippe de** 夏博。

Brion, Simon de（pope） **布里翁的西蒙** 参阅 **Martin IV** 马丁四世。

Briosco, Andrea **布里奥斯科** 参阅 **Riccio, Andrea** 里乔。

Brisbane **布里斯班** 澳大利亚昆士兰州首府和港口。全国第三大城市。跨布里斯班河两岸，距河口19千米。1824年建为流放地。1834年设镇。1839年流放地被取消。1854

布里斯班市的女王公园
美国不列颠百科全书公司供图

年后成为主要港口。1859年成立自治市，同年成为新独立的昆士兰首府。1902年设市。20世纪20年代同南布里斯班合并成大布里斯班市。现为铁路和公路中心。东部高地、达令草地以至更远的广大农业区的产品均经此外运。港口可停泊3.4万吨级船只。输出羊毛、谷物、奶品、肉类、糖、腌制食品、矿砂等。都会区已实现工业化，生产能力占全州的1/2以上，有轻重型机械、食品加工、造船、炼油、锯木、橡胶制品、水泥、肥料、汽车等工业。有桥梁和轮渡连接两岸市区。设有昆士兰大学（1909）、格里菲斯大学、议会大厦、州立博物馆和美术馆。有圣公会大教堂和天主教大教堂。另有公园和花园。人口：市约898 480；布里斯班统计区约1 627 535（2001）。

Brisbane, Albert **布里斯班**（1809-08-22，美国纽约州巴达维亚～1890-05-01，弗吉尼亚里士满） 美国传播傅立叶学说的社会改革家。富有地主之子，早年受业于家庭教师。18岁去欧洲师从当代思想家学习社会改革。当他对基佐和黑格尔失望后，曾赴君士坦丁堡研究土耳其文明。1830年回到法国后发现C.傅立叶著作，遂师事傅立叶两年。1834年返美，创办傅立叶公社。1840年出版《人的社会命运》一书，曾引起广泛的注意。他在《纽约论坛报》的专栏中传播傅立叶的学说。虽然布里斯班从未放弃对傅立叶主义的信仰，但当公众对"合伙主义"失去兴趣后他也转向其他事情，如研究、旅行以及他的种种发明。

Brisbane, Arthur **布里斯班**（1864-12-12，美国纽约州布法罗～1936-12-25，纽约市） 美国报纸编辑和作家。以使用大字标题和耸人听闻的报道而闻名。是社会改革家A.布里

美国不列颠百科全书公司供图

斯班（1809～1890）之子。早年他支持其父的观点，后来则拒不接受。1883年在欧洲学习后回国，先后在达纳的纽约《太阳报》和普利策的《世界报》工作。1897年W.R.赫斯特请他担任《纽约日报》主编。其薪金随发行量而增加，因而他是当时报酬最高的报纸主编。他鼓吹美西战争。从1917年直到去世，所写社论专栏《今天》通过报业辛迪加在多家报纸上刊出，经常为头版特稿。

Brisbane, Sir Thomas Makdougall **布里斯班**（1773-07-23，苏格兰艾尔郡拉格斯附近的布里斯班～1860-01-27，布里斯班） 英国军人和天文观测者。澳大利亚的城市布里斯班

美国不列颠百科全书公司供图

就以他的姓氏命名。他主要是一位科学的赞助者，曾建造两座天文台。1789年，布里斯班入伍，服役于佛兰德、西印度、加拿大和西班牙。1795年首次渡洋往西印度，由于航行上的错误，船几遭沉没。从那时起，他下决心掌握天文学。1821年被任命为澳大利亚的新南威尔士总督。虽不善于管理，但把葡萄、甘蔗和烟草等植物引进了殖民地。1822年在帕拉马塔建造一座天文台。1826年回苏格兰后，又在马克斯通建造一座天文台。他从事天文工作直到1847年。1828年获皇家天文学会金质奖章，1833年当选为爱丁堡皇家学会会长。1836年受封从男爵，1841年晋升为将军。布里斯班的第二个姓氏是麦克杜格尔，这是他夫人的娘家姓，他于1826年将之加在布里斯班之前，成为复姓。

Brisbane box（*Tristania conferta*） **布里斯班红胶木** 又称密集红胶木。桃金娘科常绿乔木。原产于澳大利亚，在北美热带和亚热带地区广泛栽培作为绿荫树。高45米以

布里斯班红胶木（*Tristania conferta*）
美国不列颠百科全书公司供图

上。叶广椭圆形或披针形，长7～15厘米。花小，白色。布里斯班红胶木非常耐旱，木材坚硬耐用，可用于建筑及制造器物。

Brisbane River **布里斯班河** 在澳大利亚昆士兰州东南部。源出布里斯班-库亚尔山脉。流向东南，转向东北注入莫顿湾。全长344千米。接纳斯坦利和布雷默等河。布里斯班市以下河段可通航轮船。

Brisbane Water **布里斯班湾** 澳大利亚新南威尔士州海岸布罗肯湾的北部湾汊。新南威尔士州第一任总督A.菲利普船长于1788～1789年探测了此湾汊，并称之为东北湾汊。后来改用现名，以纪念第6任总督T.布里斯班爵士。该地区由于难以进入，所以直到横跨霍克斯伯里河的大桥于1889年完成之前，发展是缓慢的。早期的经济活动包括种植甘蔗和香蕉、焚烧贝壳（制石灰）、伐木和造船。目前该地区则主要从事渔业和旅游业，而且该地迅速增多的人口中有很大一部分每天都要到南面约40千米的悉尼市去上班。1974年启用的里普桥在沃伊沃伊镇附近，跨过布里斯班湾最窄处。布里斯班湾国家公园和布迪国家公园都在附近。该区人口主要集中地为戈斯福德镇和沃伊沃伊镇。

brisé **布里塞** 又作pas brisé。古典芭蕾舞中一种幅度很小带击打动作的舞步。特点为敏捷、轻快。舞蹈者将动作腿向侧面擦出，踢向空中，如阿桑一样；但在支撑腿跳起时，动作腿从前面或后面击打支撑腿，最后双脚落地，通常成五位半蹲。基本形式的布里塞又因速度、跳跃以及击打姿态的不同而有多种变化。

brise-soleil **遮阳板** 安装在窗外或扩大到整个建筑物立面上的遮蔽日光的挡板。有许多传统的方法可以减轻眩目的阳光，如花格、穿孔屏板、竹帘、挂在窗外的遮阳帘等。1933年法国建筑师科比西埃设计了一种坚固的遮阳板。4年后，他作为顾问建筑师，在里约热内卢新建的教育与卫生部多层办公大楼上采用了齿轮操纵的可调节角度的水平遮阳板。后来在南美洲、非洲和亚洲又出现许多其他

里约热内卢市教育与卫生部办公楼的遮阳板(左)及其特写镜头(右)
美国不列颠百科全书公司供图

类型的遮阳板,如固定式竖直遮阳板和覆盖建筑物整个立面的格状遮阳板等。

Brisson, Henri　布里松(1835-07-31,法国布尔日～1912-04-11,巴黎)　法国政治家,曾两度任法国总理(1885,1898),以其坚定的共和主义和强烈的反对教权观点而闻名。在巴黎

美国不列颠百科全书公司供图

获法学士学位后,加入反对拿破仑三世的行列。他经常为共和派的《未来报》和《时代报》撰稿。1870 年 9 月 4 日起任巴黎副市长。1871 年 2 月作为首都代表被选入国民议会。1876～1902 年为巴黎一个区的代表,1902～1912 年为罗讷河口省的代表。他在议会中很有威望,曾担任议长,19 世纪 70 年代末期任预算委员会主席。1885 年 3 月 J.费里政府倒台,他第一次组阁,仅任职到同年 12 月 29 日。他曾任调查巴拿马运河公司丑闻中议员受贿情况的委员会主席,1898 年 6 月 28 日～10 月 25 日又第二次主持内阁。1900 年当选为众议院议长(1906 和 1912 年再度当选),极力支持政教分离运动。

Brissot(de Warville), Jacques-Pierre　布里索(1754-01-15,法国沙特尔～1793-10-31,巴黎)　吉伦特派(通常称为布里索派)领袖(吉伦特派是法国大革命期间反对激进和民主的雅各宾派的温和资产阶级派别)。餐馆业主之子,曾在律师事务所中充当书记员。因散发反政府传单被关入巴士底狱,1784 年 9 月获释。受英国反奴隶运动的启示,1788 年 2 月创立黑人之友社。同年 5 月赴美。1789 年回国办报《法兰西爱国者》。后选入巴黎市政府,在巴士底狱被攻占时,接受巴士底狱的钥匙。1791 年 7 月 10 日向雅各宾派发表长篇演说,阐明他未来的外交政策的所有主要内容。在选入立法议会后,他立即加入外交委员会,一心搞外交工作。1792 年他在巴黎公社受到罗伯斯比尔的谴责,1792 年 10 月 12 日被雅各宾派逐出,又受到山岳派(极端革命派)的攻击,但他在外交委员会中仍很有影响,法国曾根据他的报告向英国和荷兰宣战(1793-02-01)。1793 年 4 月 3 日罗伯斯比尔指控他是叛将 C.-F.迪穆里埃的朋友,应对战争负主要责任。布里索在答辩时痛斥雅各宾派,要求解散巴黎市政府。1793 年 6 月 2 日罗伯斯比尔下令逮捕他,他虽然出逃,但在穆兰被捉,押回巴黎。同年 10 月 30 日经革命法庭判决,次日被送上断头台。

Brissotin(French Revolutionary)　**布里索派**
参阅**Girondin 吉伦特派**。

bristlecone pine(species *Pinus aristata*)　**刺果松**　又称芒果松。松科小乔木。株高5～13 米,原产于美国落基山脉,见于海拔2 300米以上。刺果松在已知针叶植物中寿命最长;内华达州东部惠勒峰有一个刺果松群落,其中几株寿命超过 3 000 岁,有一株被认为约 4 900 岁。

bristlehead(species *Psittrichas fulgidus*)　**鬃头鹦鹉**　又作 vulturine parrot。又称秃鹫形鹦鹉、彼斯凯氏鹦鹉。鹦形目彼斯凯氏鹦鹉亚科仅有的一种鸟类。栖于新几内亚北部的森林坡地。尾短,体大小如乌鸦,体长约 50 厘米。体黑色,腹部红色,腿灰色。头前部无羽毛,颈上的羽毛呈鬃毛状。雄鸟眼后方有显著红斑。吃果实和柔软植物。成对或小群飞行。鬃头鹦鹉飞行时比其他鹦鹉更多滑翔。不像其他鹦鹉那样从一个树枝攀到另一个树枝,而是从一个树枝跳到另一树枝。南美的一种鹦鹉(*Gypopsitta vulturina*)也俗称秃鹫形鹦鹉。

bristlemouth　钻光鱼　又作lightfish。巨口鱼目钻光鱼科(Gono-stomatidae)近 25 种海生鱼类的统称,分布于世界上各大洋的热带海洋。因其体侧具发光器官,故有时称光鱼。因其栖于极深海,故又称深海毛口鱼。其中圆罩鱼属(*Cyclothone*)由于数目与生物量均丰而特别出名。虽然各鱼种长仅 6 厘米,但许多鱼类学家认为此属无论在个体数量或生物量方面都凌驾世界上其他属鱼,即使鲱属(*Clupea*)也无法与之相比。

bristletail　缨尾虫　缨尾目(Thysanura)无翅的原始昆虫,约 350 种。完全成熟的缨尾虫个体一般 5～20 毫米长,腹部末端有 3 根细长的鬃状附器。复眼小,口器外在。有的体上覆鳞。幼体形似成体,而较小。2～3 年后性成熟。一生蜕皮多达 35 次,每年蜕 3～5次皮。有些种寿命可长达7年。缨尾虫以

衣鱼(*Lepisma saccharina*)
美国不列颠百科全书公司供图

富含淀粉的物质为食,常严重危害书籍和纸张等物。英语中 bristletail 一词亦指 Microcoryphia 目(今从缨尾目划出)昆虫。衣鱼(silverfish, *Lepisma saccharina*)体细扁、无翅,有 3 个尾鬃,外覆银色鳞,行动迅速。平常生活在室内,世界性分布。因为它以富含淀粉的物质(如浆糊、书籍装订物质、壁纸)为食,可为害书籍及织物。触须与尾鬃较身体为短。雌雄外形相似。与其他真正的昆虫类群不同,雄虫求偶行为以产出精包而告终,雌虫将精包放入阴道内,而不交配。卵灰白,椭圆形,产在缝隙或土壤落叶层中。几天后孵出幼体,无鳞,附肢短;隔数天蜕皮一次,渐变为成体。寿命 2 年或更长,一生不断蜕皮,即使在性成熟后亦如此。

缨尾虫可用毒饵或其他杀虫剂控制。家衣鱼(firebrat, *Thermobia domestica*)多为白色,有深浅不同的斑点。生活史和习性与衣鱼相同。常生活在面包房和壁炉等温暖的地方。可用氯丹喷雾剂或粉剂杀灭。已知最古老的昆虫化石(尚存头部及胸节)即是缨尾虫(古颚类),已有3.90亿年至3.92亿年的历

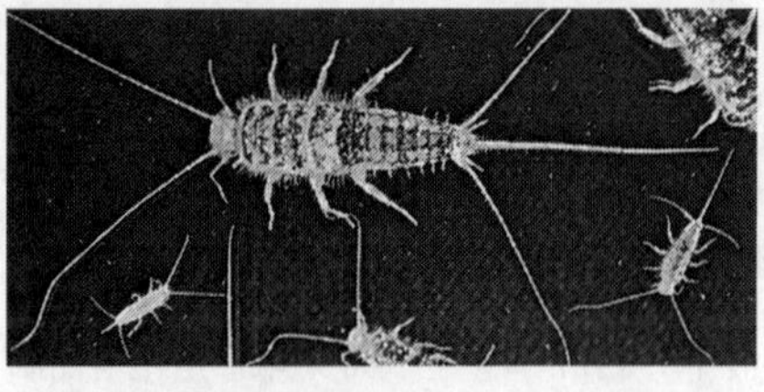

家衣鱼（*Thermobia domestica*）
美国不列颠百科全书公司供图

史，发现于加拿大魁北克省加斯佩湾北岸，在该昆虫生活的年代泥盆纪，这地点距赤道仅10°。

bristling（*Sprattus sprattus*）　**黍鲱**　又作brisling，sprat。鲱形目鲱科可食鱼类。海生，体银白色，成大群栖于欧洲西部海域。是世界各地渔业的捕捞对象。长不足15厘米，较大西洋鲱（*Clupea harengus*）小，故特别适合制沙丁鱼（鲱科若干小鱼的统称）罐头。可鲜食、油渍装罐、盐腌或制成熏鱼。

Bristol　布里斯托尔　英格兰西南城市、自治市。面积110平方千米。为中世纪城市。在下布里斯托尔埃文和弗罗姆两河汇流处。1155年设镇。爱德华三世在位期间为进口羊毛及出口毛料的贸易镇。内战中为保皇党据点之一，1645年被议会军攻占。17、18世纪因三角奴隶贸易而繁荣。19世纪，其贸易地位被利物浦取代。1838年，I.K.布律内尔制造的“大西”号——第二艘横渡大西洋的轮船——在此下水。1841年通铁路。港口扩建带来了贸易的复兴。现进口石油冶炼产品、饲料和林产品，输出西米德兰兹地区生产的汽车、拖拉机和机械等。市内和附近地区有制糖、可可粉和巧克力生产、瓶酒生产、玻璃、瓷器和陶瓷等行业。有飞机设计制造业。塞文桥和通南威尔士的4号公路的修建加强了该市作为西部大都市的地位。为教育中心。有建于16世纪的布里斯托尔文法学校，大教堂学校和伊丽莎白女王医院，还有科尔斯顿学校（1708）和克利夫顿学院（1862）。1909年建立布里斯托尔大学。保存有12世纪大教堂和18世纪皇家剧院等许多古建筑。人口380 615（2001）。

Bristol　布里斯托尔　美国康涅狄格州中部哈特福德县城市，其范围与布里斯托尔镇（镇区）等同。临佩夸巴克河。1727年创建。1785年设镇。1911年设市。以钟表制造业（1790）闻名。设有美国钟表博物馆、娱乐体育节目电视网和湖区游乐园等。工业产品主要有精确弹簧、滚珠轴承和电子产品。该市范围包括福雷斯特维尔工业村。人口60 062（2000）。

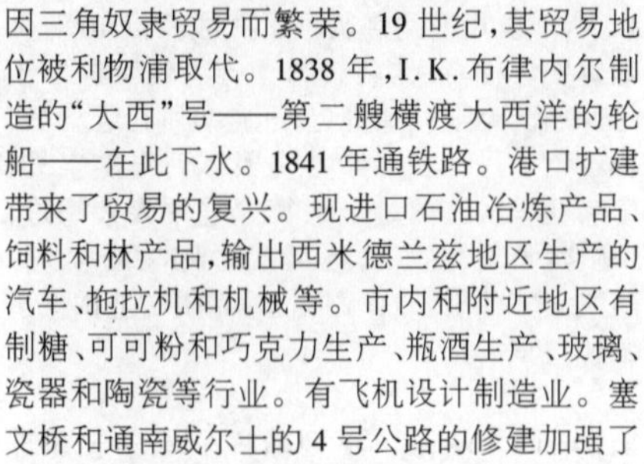

布里斯托尔市的美国钟表博物馆
美国不列颠百科全书公司供图

Bristol　布里斯托尔　美国宾夕法尼亚州东南部巴克斯县自治镇。临特拉华河，在费城东北。1697年初建时称白金汉。约1700年改称现名。巴斯克县城（1726年后迁往牛顿）随着与新泽西州伯林顿之间渡轮交通的开展和费城-莫里斯维尔公路的修建而发展起来。当地的巴斯泉使该镇成为费城市民喜爱的矿泉疗养地。特拉华运河的开凿（1832）和宾夕法尼亚铁路的修建（1834）曾使该镇出现短暂繁荣。19世纪70年代建立纺织厂，工业始有显著的发展，制毯、金属制品、化工、造纸等制造业相继建立。镇内有经过修复的殖民时代建筑。镇东北8千米处有州立彭斯伯里庄园公园。1720年设镇。人口9 923（2000）。

Bristol　布里斯托尔　美国罗得岛州布里斯托尔县城镇（镇区）及县城。在纳拉甘西特湾与芒特霍普湾之间的半岛上。有芒特霍普大桥南接罗得岛。1676年印第安战争后为英国占有。1681年设镇。1692年划入马萨诸塞殖民地。1746年并入罗得岛。独立战争期间两次（1775-10-07和1778-05-25）遭英军攻击。其港口是18世纪走私和三角贸易（酒、糖蜜和奴隶）的中心。现为普罗维登斯市东南郊居民区。有制铝、电器、聚四氟乙烯、塑料、纺织、机械和橡胶业。设有罗杰·威廉斯学院（1969）。保存有殖民地时期的建筑多座。哈芬雷弗人类学博物馆（1955）藏有美洲印第安人和爱斯基摩人工艺品。面积26平方千米。人口22 469（2000）。

Bristol　布里斯托尔　美国弗吉尼亚州（华盛顿县）与田纳西州（沙利文县）交界处的城镇。位于谢南多厄河谷的延伸地带。在自然地理、文化、经济上成为一体，但在政治上却包括两座独立城市。以前两者之间经常发生边界争执，直到1901年才在镇内主要通道“州大街”的正中划定分界线。工业有电子设备、金属产品、纺织品、商业机器等。设有布里斯托尔学院（1895）、弗吉尼亚山区学院（1884）、萨林斯学院（1870）和金学院（1867）。附近有布里斯托尔岩洞、南霍尔斯顿人工湖以及斯蒂尔克里克公园等名胜。20世纪20年代末，首张乡村音乐唱片即在此录制。1998年美国国会正式宣布该城为乡村音乐诞生地。人口：市（弗吉尼亚）17 367；市（田纳西）24 821；约翰逊城-金斯波特-布里斯托尔都会统计区480 091（2000）。

Bristol，EARLS OF　布里斯托尔伯爵　英格兰封爵贵族，属迪格比和赫维家族。按年代顺序分列于后，并各以●为标记。

● **Bristol，John Digby，1st earl of　布里斯托尔伯爵（第一）**（1580-02～1653-01-16，巴黎）　即J.迪格比。英格兰外交官，温和的保王派，内战（1642～1651）期间主张和解和改革。1611～1624年任驻西班牙大使。1622年受封为伯爵。1623年因将查理王子

美国不列颠百科全书公司供图

（后查理一世）在西班牙宫廷中所犯的错误报告国王詹姆斯一世而引起查理的刻骨仇恨。查理继位后于1626年将他下狱。两年后获释，任上院议员，他帮助通过了指责国王专横暴敛的《权利请愿书》。1641年任枢密官。尽管他希望能缓解国王和议会间日益紧张的关系，但为议会派所不信任，一度被关押在伦敦塔（1642）。内战爆发后，他谋求通过谈判达成和解。1646年在国王事业失败后流亡法国。

● **Bristol，George Digby，2nd earl of　布里斯托尔伯爵（第二）**（1611-02-22，马德里～1676-05-20?，伦敦）　即G.迪格比。英格兰保王派，鲁莽而反复无常的政治家，曾任查理

美国不列颠百科全书公司供图

一世和查理二世的顾问。第一代布里斯托尔伯爵约翰·迪格比之长子。1640年选入长期议会。1641年任国王顾问。1642年1月极力主张逮捕在议会里反对查理一世的首要分子。同年2月下院指控他有叛国罪行。他逃往欧洲大陆，在保王派和议会派之间的内战（1642～1651）爆发后回国。1643年任查理一世的国务大臣，1645年成为保王军北方军区司令。1645年10月在达勒姆郡舍伯恩战败。议会派搜出他的信件，暴露出查理一世与外国策划的阴谋。他逃往法国。1653年承袭伯爵爵位，1657年在流亡政府中任国务大臣。1658年皈依天主教后被迫辞职。王政复辟后返回英格兰。1663年因控告首席大臣克

拉伦登伯爵有叛国罪行而被逐出宫廷。1667年克拉伦登伯爵下台后,他重获国王宠爱。

● **Bristol, John Hervey, 1st earl of　布里斯托尔伯爵(第一)**(1665-08-27～1751-01-20)　即J.赫维。英国赫维家系的第一位布里斯托尔伯爵。T.赫维爵士(1694年卒)之子,查理二世王后凯瑟琳的司库J.赫维(1616～1679)的侄子。剑桥大学克莱尔学院毕业。1694年3月当选议会议员。1703年3月封伊克沃思的赫维男爵,1714年封布里斯托尔伯爵。第二次婚姻的长子约翰(1696～1743)是作家和政治家。参阅 **Hervey (of Ickworth), John Hervey, Baron**。

Bristol, Clifton and West of England Zoological Society's Gardens　布里斯托尔、克利夫顿及英国西部动物学会动物园　参阅 **Bristol Zoo** 布里斯托尔动物园。

Bristol Avon (river, England)　**布里斯托尔埃文河**　参阅 **Avon, River** 埃文河。

Bristol Bay　布里斯托尔湾　白令海一海湾。在美国阿拉斯加州西南沿岸。港湾凹进320千米。湾口北起努恩哈姆角,南至阿拉斯加半岛西南端,宽达430千米。湾内包括托贾克、努沙加克、克维查克和尤加希克4条河流的河口湾。水浅,仅小渔船可驶入。

Bristol Channel　布里斯托尔海峡　大西洋海湾。在英格兰西南部和威尔士南部之间。北岸近南威尔士煤田,为重工业区。南岸分属萨默塞特和德文两郡,主要为农业区。东端有塞文河口湾。海峡中兰迪岛为全国名胜古迹托管协会所有。通过海峡的船只在英格兰港口布里斯托尔和威尔士港口斯旺西及卡迪夫停泊。

Bristol-Myers Squibb Company　布里斯托尔-迈尔斯-斯奎布公司　美国公司,1989年成立,由1858和1887年创立的两家老公司合并而成。生产药品、维生素、医疗器械、美容和护理产品。总部设在纽约市。公司的前身——克林顿医药公司——是1887年由老布里斯托尔和迈尔斯在纽约州克林顿建立的。1900年注册为布里斯托尔-迈尔斯公司,后迁至锡拉丘兹,又迁至纽约州布鲁克林。公司初建时为内科医生制药;第一次世界大战后集中力量生产轻泻剂肝盐(Sal Hepatica)及其他非处方成药,并进入生产盥洗用品领域,以生产伊帕纳牌牙膏而著称。1929年布里斯托尔-迈尔斯公司被庞大的持股公司(药物公司)兼并,然而药物公司又在大萧条期间被解散。1933年布里斯托尔-迈尔斯公司转变成公众性(股票上市的)公司。1943年该公司重操旧业,从事制药生产;多年间又收购许多其他公司,实行生产多样化。这些公司中有1959年收购的一家护发与化妆用品公司,有1965年收购的一家家庭用品制造厂,有1967年收购的一家婴儿配方食品和营养品公司。1989年布里斯托尔-迈尔斯公司和斯奎布公司(一家1858年创立的公司的后继公司)合并,成为世界最大的医药公司之一。除阿司匹林止痛剂、美赞臣婴儿奶粉等非处方药和食品外,该公司还生产治疗癌症、糖尿病和高血压等疾病的处方药。

Bristol ware　布里斯托尔瓷器　英国科克斯赛德瓷器厂在1768～1781年间制造的硬质瓷产品。科克斯赛德瓷器厂是英格兰第一家生产硬质瓷的工厂,于1768年由W.库克沃西在普利茅斯创建。1770年迁往布里斯托尔,库克沃西继续沿用以前的方法所生产的陈设塑像,显示出普利茅斯瓷器丰富多彩、富丽堂皇和错综复杂的特征。1774年R.钱皮恩接办该企业后,把注意力集中在咖啡具和茶具上,花卉成为最受喜爱的彩饰。委托加工的制品通常保留新古典主义风格。软质瓷通常称为隆德布里斯托尔,于1748～1752年间在本杰明·隆德瓷器厂生产,此后该厂被伍斯特瓷器公司接收。

约1775年的布里斯托尔瓷瓶
美国不列颠百科全书公司供图

Bristol Zoo　布里斯托尔动物园　正式名称为布里斯托尔、克利夫顿及英国西部动物学会动物园(Bristol, Clifton and West of England Zoological Society's Gardens)。1836年建立。虽然只占地5公顷,却有种类繁多的花木,展览着大约200种的900多只动物。特别著名的是猴展和水族馆。动物中还包括一个黑犀繁殖种群和最大的一群獾加狓。

Bristow, Benjamin Helm　布里斯托(1832-06-20,美国肯塔基埃尔克顿～1896-06-22,纽约州纽约)　美国律师和政治家。1874～1876年任财政部长期间成功地起诉了西部制酒商"威士忌酒集团"的逃税活动。早年在父亲的事务所中学习法律,1853年取得律师资格。1864～1865年为肯塔基州参议员。1866～1870年任肯塔基地区的联邦检察官,努力保护黑人不受三K党的迫害。格兰特总统于1870年任命他为联邦首任司法部副部长,1874年任财政部长。"威士忌酒集团"成员进行报复,向格兰特总统诬告布里斯托以权谋私,他被迫辞职。后仍执律师业。

美国国会图书馆供图

Britain　不列颠　大不列颠之简称。欧洲西海岸外的岛屿,由英格兰(**England**)、苏格兰(**Scotland**)和威尔士(**Wales**)构成。与联合王国(**United Kingdom**)同义,唯联合王国尚包括北爱尔兰(**Northern Ireland**)及附近一些岛屿。从行政上说,不列颠包括怀特岛、锡利群岛、赫布里底、奥克尼和设得兰等群岛以及其他离岸的小岛,但不包括马恩岛和海峡群岛。

Britain, Battle of　不列颠战役(1940-06～1941-04)　第二次世界大战期间,德国空军对不列颠的连续猛烈轰炸。德军空袭原为进犯不列颠("海狮作战计划")做准备,开始时针对英国各港口,8月便指向英国皇家空军战斗机指挥部所属各项设施。9月德军空袭转向伦敦和其他城市。自9月7日起,伦敦连续57个夜晚遭到空袭。这次战役到10月份基本处于相峙状态,其时德国入侵英国本土的计划已无限期地推迟,而空袭则持续一冬,1941年2月一度平静,3月及4月再度空袭。皇家空军虽在数量上被德国空军大大超过,但以其高超的战术,包括雷达在内的先进的防空设施,以及破译德军密码,成功地拦阻了德国空军。

Britannia Bridge　不列颠桥　威尔士北部的铁路桥,跨班戈和安格尔西岛之间的梅奈海峡,由R.斯蒂芬森设计、建造。由于海军部门要求保证航船在海峡中畅通无阻,所以不能采用拱桥设计。斯蒂芬森用一对断面为矩形的全封闭铁管,中间用建于不列颠岛基岩上的桥墩支承。W.费尔贝恩进行了一系列冶金方面的试验。施工自1846年开始到1849年完成。铁管浮运到位后,用绞盘和液压装置提升架设。桥上敷设跨海峡的伦敦-霍利赫德铁路。桥身在1970年的火灾中严重损坏。修理时把铁管改为支承在钢拱上的两条混凝土桥面,分别通铁路和公路。

britannia metal　不列颠合金　一种大约由93%的锡、5%的锑和2%的铜组成的合金。用以制作各种用具,包括茶壶、罐、酒具、蜡台、瓮和官员的权杖。不列颠合金的颜色近似白镴,但比其他锡合金坚硬、强度高并且容易加工;它可由钣材进行加工,像银一样,也可在车床上进行切削。该合金于1769年第一次引起注意,称为"维克斯白色合金",但其优越性到19世纪才得到赏识。不列颠合金多用作银镀件的胎体。19世纪20年代,约克郡设菲尔德一家英国的柯克比·史密斯公司尝试将银片与不列颠合金一起熔化而镀银。此法证明既费钱,又不令人满意,不久就废弃不用。大约在1846年之后,经过英国伯明翰的埃尔金顿公司试验,大量的不列颠合金被用作电镀银器的胎体。该合金的导电性能和延展性良好,并且价格低廉,使其成为这种用途的理想合金。不列颠合金最著名的制造者可能是设菲尔德的J.狄克逊父子,在许多制品上发现有他们的名字、姓的开头字母或喇叭形标记。

Britannica International Encyclopædia 参阅 **Buritanika Kokusai Daihyakka-jiten**《不列颠国际大百科事典》。

British Airways PLC 英国航空公司 英国航空运输公司,1974年4月成立,由英国海外航空公司(BOAC,1939年创立)、英国欧洲航空公司(BEA,1946年创立)及与它们有关联的公司合并而成。公司开始为国营,1987年实行私有化。公司的航线通达各大洲,国际班机客运量居世界第一位。大的子公司为:①英国直升飞机航空公司,主要从事北海油气田的作业;②英国联合航空公司,经营当地和区域间的航空和旅馆业务;③国际航空无线电公司,为各国政府和航空公司提供电信和其他技术服务。总公司设在伦敦希思罗机场。1924年3月31日政府捐赠4家小航空公司,将其合并而组成帝国航空公司,它是洲际航空的先驱者之一。另一方面,1935年有3家小公司合并组成英国航空公司,经营国内和北欧的航空业务。1938年11月间英国政府决定合并这两家航空公司,并实行国有化,于是1939年11月24日便正式成立了英国海外航空公司。1946年8月1日原为一个分部的英国欧洲航空公司从英国海外航空公司分离出来,自行成为一家国营公司,主要负责不列颠群岛及欧洲大陆的航空业务。1952年5月2日,英国海外航空公司首先使用"哈维兰彗星"1号飞机创办纯喷气机定期航线,往来于伦敦和约翰内斯堡之间。1958年10月4日,又在伦敦和纽约之间开办了全世界第一条横渡大西洋的喷气机航线。1971年英国议会通过《民航法》,导致了1974年正式解散英国海外航空公司和英国欧洲航空公司,并成立新的英国航空公司以接管二公司的全部资产和债务。新公司成立初期的一项成就,便是联合法国航空公司,于1976年1月21日使用协和式客机首创全世界超音速客机的定期航线。英国航空公司首先在伦敦和巴林岛之间开航,1977年又在伦敦和纽约市之间开航;法国航空公司则在巴黎和里约热内卢之间开航。2003年10月由于费用高需求少,继法国航空公司之后英国航空公司宣布取消其超音速协和式航班。1987年初英国政府通过向公众抛售大量股票实现了公司的私有化。至21世纪初英国航空公司仍为世界最大的航空公司之一。

British Amateur Championship 英国业余锦标赛 英国每年举行的高尔夫球比赛,供享受让分2分以下的业余男选手参加。根据1957年开始实行的规定,经过预赛,选出256名选手,再经过淘汰,决出选手进入决赛。决赛采用36穴的穴数记分制,进穴数目最多者胜。首次正式英国业余锦标赛于1886年举行。地址原在圣安德鲁斯球场,后改在霍伊雷克和普列斯特维克以及其他不同场地举行。J.保尔曾8次获冠军;J.卡尔和M.博纳拉克曾分别3次和5次获冠军。英国女子业余高尔夫锦标赛每年在英国举行,供享受让分8分以下的业余女选手参加。经过预赛再举行决赛。决赛采用36穴的穴数记分制。首届锦标赛于1893年在兰开夏郡利瑟姆圣安斯俱乐部的9穴球场举行。翌年在肯特郡利特尔斯通举行,以后又在苏格兰圣安德鲁斯以及其他不同地方举行。M.斯科特、E.威尔逊曾连续3次获冠军,C.利奇和J.韦瑟德曾4次获冠军。参阅 **Sporting Record**:Golf。

British American Tobacco PLC 英美烟草公司 英国烟草企业集团,为世界上最大的烟草制造商之一。公司的国际总部设在伦敦。其最主要的美国子公司——布朗和威廉森烟草公司——的总部设在肯塔基州的路易斯维尔。英美烟草公司创建于1902年,由以美国为基础的美国烟草公司和以英国为基础的帝国烟草公司共同出资。新公司在英国销售美国烟草公司的产品,在美国销售帝国烟草公司的产品。起初美国烟草公司拥有大部分股权,1911年美国上诉法院宣判解散美国烟草公司托拉斯。随着第一次世界大战期间及以后卷烟使用者增加,公司迅速扩张,其卷烟行销至世界各地,特别是在中国,到20世纪20年代吸烟变得十分普遍。1927年,该公司由收购布朗和威廉森烟草公司而再次进入美国市场,之前这是一家小烟草公司,现已成长为美国最大的烟草生产商。1970年英美烟草取得了一家纸品制造商威金斯·蒂比有限公司中大部分的股权。1971年起又投资于美国的连锁百货店的业务,最终买下马歇尔·菲尔德公司和第五大街萨克斯公司。1976年公司重组为控股公司,更名为英美烟草工业公司。1989年通过买下保险公司法莫斯集团公司进入金融业。1990年又卖掉萨克斯公司和马歇尔·菲尔德公司。1997年公司将其金融业务并入瑞士金融公司中苏黎世集团,随着公司越来越将重点集中在烟草业务上,1998年再次改名为英美烟草(股票上市)公司。公司还收购了美国烟草公司(1994,卷烟品牌有波迈和好彩)、乐富门国际公司(1999,以登喜路和乐富门品牌闻名)和加拿大最大的卷烟公司帝国烟草公司(2000)。

British and Foreign Bible Society(BFBS) **英国国内外圣经协会** 第一个名副其实的圣经协会。1804年在T.查尔斯和创办伦敦圣教书会的克拉珀姆派倡议下成立。协会不属任何派别,由平信徒管理,各国教会派有代表驻在伦敦总部。该会宗旨是将《圣经》译为各国通用语言,并以低价向不同民族供应。

British Antarctic Territory 英属南极洲领地 在南美洲东南的英国领地。东西分别濒临大西洋和太平洋。北起南纬60°,南抵南极,东至西经20°,西至西经80°。面积542.5万平方千米。呈三角形,大部分为海洋。包括南纬60°以南的所有陆地,其中有南奥克尼群岛、南设得兰群岛、南极半岛及附近岛屿和延伸至南极点的南极洲大陆,陆地面积170万平方千米,大部分地区有冰覆盖。南极半岛多山。该领地于1962年设置,由驻在福克兰群岛的高级专员管辖。领地人口通常在50～100人之间。主要是在英国南极考察站工作的科学家和技术人员。阿根廷宣布对南纬60°、西经25°、西经74°之间南极地区拥有主权。智利对南纬60°,西经53°、西经90°之间的地区提出领土要求。对南纬60°以南地区提出的所有主权要求(包括英国的要求),均在1959年签署的《南极洲条约》中被搁置起来,时限30年。

British Anti-Lewisite(poison antidote) **英国抗路易斯毒气药剂** 参阅 **dimercaprol** 二巯基丙醇。

British army 英国军队 英国负责国防与履行国际间共同防御义务的军队。"诺曼征服"前的英格兰军队是由国王的御林军(即卫队)和所有武装的自由民(每年按民军制度服役两个月)组成。1066年后,诺曼人推行封建主义并建立骑兵部队(骑士)及其辅助部队、步兵以及工匠部队。百年战争(1337～1453)中曾使用雇佣军。在玫瑰战争(1455～1485)期间曾使雇佣军和民兵相结合。克雷西战役(1346)中,弓箭手占重要地位,长弓是当时主要的革新武器。英国最早的常备军是内战时期O.克伦威尔于1645年组成的,其中**新模范军**(**New Model Army**)为一支纪律严明、训练有素的军队。但它与克伦威尔共和政体的暴行有牵连,故1660年查理二世将它解散,只保留御林军(今寒流卫队)。该军后逐渐扩大,詹姆斯二世将它增至2万人。1688～1689年光荣革命排除王室独揽军权的制度,1689年《英国权利法》将军权交予议会,至今维持不变。18、19世纪时,英国正巩固其殖民帝国地位,军队遂扩大规模,并发展成强大的作战部队。英国军队在殖民地建立常备军,在拿破仑战争期间(1800～1815)有杰出的表现。19世纪晚期军队进行改革以改进编制和提高效能。1905～1912年间又成立本土自卫队(1921年后改称本土军)与特别后备部队。第一次世界大战期间因征兵而使英国军队人数大增,1919年取消征兵制后,人数减至最低限度,1939年7月再度实施征兵。1945年后,英国军队有了较大的变化。海外驻军因英属各殖民地独立而被调回本土。同时有一部分部队派驻欧洲,也有一部分部队并入英国国民军。1960年起不再采用征兵制,英国军队全部由志愿兵组成。随着采用核武器,本土军数量大为缩减。1964年设立国防部以管辖全国所有武装部队,1972年军队全部归英国地面部队司令部管辖。国防大臣对首相及内阁负责,国防参谋长向国防大臣提供咨询,参谋长则由三军首脑协助其工作。

British blues 英国布鲁斯 又译英国蓝调。20世纪60年代早期至中期的音乐运动,以伦敦的酒吧为活动中心,对后来的摇滚爆炸有重要影响。其创始者包括吉他手A.科尔纳和口琴手C.戴维斯,他们一同在"布鲁斯公司”乐队演奏，把M.沃特斯、咆哮野狼等芝加哥都市电子布鲁斯名人的影响力传给年轻一代乐手。其中某些乐队，特别是“滚石”和“新兵”很快在流行排行榜中窜红，但J.梅奥尔的“布鲁斯雄兵”和P.格林的弗利特伍德·麦克带头发起的下一波风潮，却为了取悦他们的听众而遵守一种较严谨的作风，模仿传奇性吉他手B.B.金、A.金、F.金（他们虽然姓氏相同但没有亲缘关系）的音乐。当J.亨德利克斯从美国到此而让当地乐手自知其本身拘谨作风的愚蠢可笑时，英国布鲁斯即告结束。不过，其遗风仍旧残存下来，并在成长中的国际重金属音乐运动中兴盛。

British Broadcasting Corporation（BBC）**英国广播公司** 凭皇家特许状经营的英国公立广播组织。公司总部设在伦敦。英国广播有限公司是在1922年作为私人企业成立的，只有真正的制造商才能持有股份。1925年根据议会的一个委员会的建议，该公司被解散，并在1927年由一公立公司，即英国广播公司取而代之。英国广播公司虽最终对议会负责，但实质上完全独立自主地推动业务活动。日常工作由英国君主任命的董事会管理。这家公司初期历史中的一位关键人物为J.里思（后为里思勋爵）。他从1922年起任总经理，1927～1938年任董事长。他发展了英伦三岛的无线电广播事业，开创了帝国的短波广播业务，并在1936年指导研制世界最早的经常性高分辨率电视广播。他对广播事业的观念在英国占统治地位并对许多其他国家的广播具有影响。英国电视业务在第二次世界大战期间中断，1946年恢复。英国广播公司于1967年开创欧洲第一个经常性的彩色电视节目。它对英国电视保持垄断地位，直至1954年独立电视管理局（后为独立广播管理局）开辟一个商业频道为止。它对无线电广播的垄断地位则由于20世纪70年代初政府决定允许地方进行商业广播而终止（1972）。1932年英国广播公司首次开设国际广播频道。至21世纪初已面向世界1.2亿听众使用40多种语言播音。1991年开通国际电视业务，1997年开设24小时新闻频道。英国广播公司的资金来源于电视机和收音机拥有者每年所付的收听/收视费。该公司提供4套无线电广播网，节目从流行音乐到新闻，并提供两个全国性电视频道。它也向全世界广播节目。根据公司的章程，它不能做广告或广播有人资助的节目。它不得对时事和公共政策广播自己的任何意见，对有争议的问题必须持不偏不倚的态度。

British Columbia 不列颠哥伦比亚 加拿大最西部一省。西临太平洋和美国阿拉斯加州，北接育空和西北地区，东连艾伯塔省，南邻美国西北部。南北长1 180千米，东西最宽1 020千米，面积947 800平方千米。省会维多利亚，位于西南部温哥华岛南端。

在同欧洲探险者最初接触时，境内约有8万印第安人。沿海地带为一些土著所控制，如沿海萨利什人、努特卡人、夸扣特尔人、贝拉库拉人、钦西安人和海达人等。海产品和巨大雪松是主要经济来源。早在欧洲人到来之前，此地贸易制度即已高度发达。

1774年西班牙船队首先到来，随后而来的是寻找西北通道的英国探险家J.科克船长。英美毛皮商首先到该地探察，因此温哥华岛归属权问题多年来争执不休。该岛最后被承认是英国领地，并于1849年被英国政府划为直辖殖民地。然而总督及以做毛皮生意为主的哈得孙湾公司推迟了该地的有组织移民，认为移民对他们益处不大。随着1858年淘金热兴起，首次到来大批移民，维多利亚堡（哈得孙湾公司西部总部）升格为城市，大陆对移民开放。结果，这个繁荣而活跃的地区同年被宣布为不列颠哥伦比亚殖民地。

到1865年，淘金热过后，永久定居者人数减少，他们成为开发该地区的核心，业已发达的交通及通信网得到改善，铁路延伸到温哥华，并开通了由温哥华到东部的班轮航线。

20世纪初，伴随资源行业（林业及采矿）的兴旺，经济复苏。1918年后，战后经济发生困难，原因在于东部劳工成了1923年通过的排外法的牺牲者，直到40年代才被赋予公民权。

刚复元的经济又被30年代世界性萧条所摧毁，直到1939年加拿大对德国宣战时才得恢复。繁荣局面一直持续到战后，同时带来政治变革。持不同政见的保守党和自由党组成社会信贷党，并于1952年当政，持续至1972年。后由改革派新民主党执政3年。社会信贷党1975年再度当政。

不列颠哥伦比亚幅员辽阔，内地几乎全是由大山脉或雁列山脉围绕。大山脉绵延于美洲西部边缘，有数百个沿海岛屿——最大的是温哥华岛和夏洛特皇后群岛，为沿海岸航行的船只提供保护。一半以上土地覆盖着森林，另有1/3为寸草不生的冻土带、雪地和冰川。境内3/4以上地区为900米以上的高地，大部分适于放牧。仅在雁列山外最北部的皮斯河地区有为数不多的土地适于大面积耕种。有数以千计的湖泊，大部分很小，但用来开发水力发电和鲑鱼繁殖作用显著。

20世纪后期，该省城市化程度居于全国之首，亦是种族成分最繁杂的省份之一。居民中英国人后裔占绝大多数，少数民族主要有德国人、中国人、法国人、荷兰人、瑞典人、挪威人、乌克兰人、意大利人、美国人及土著印第安人。近来移居此地的还有印度的锡克教徒、斐济人和越南人。因第二次世界大战后欧洲人大量流入，至70年代英裔居民人数占省内人口已不足一半。

20世纪后期，该省已有现代的和繁荣的经济，包括内地的林业和矿业生产，利用河流开发水力发电，以及在高原与河谷种植农作物。旅游业和航运业亦是经济支柱。温哥华是加拿大和北美西部的最大港口，为草原诸省及育空地区提供了航运便利。

省议会制政府形成于1856年，但目前的制度则确立于1871年该省加入加拿大联邦之时。政府包括：①立法会议。由全民普选，任期5年。②行政部门。有总理，为议会多数党领袖，他从议会中选任政府部门成员；有代理总督，由加拿大总督任命，代表王室。③法院。包括最高法院、上诉法院和郡级法院，法官均由总督任命；另有下级法庭，其法官和官员则由省首席检查官任命。

不列颠哥伦比亚综合医疗服务计划适用于省内所有居民，实行自愿参加，收费统一、低廉。居民亦可通过不列颠哥伦比亚医院保险服务得到费用低廉的医疗护理。省内大多数居民可以享受到这两项计划。穷人亦能得到有限的法定资助。

公立学校对7～15岁未成年人实行小学及中学免费义务教育，免费幼儿教育可自由选择。温哥华有为聋哑人、盲人及弱智人设立的专门学校。私立学校主要是教会学校，约占小学招生率的5%，由政府给予补贴。联邦政府为美洲印第安人开设学校。职业学校、不列颠哥伦比亚理工学院及社区学院为中学毕业生提供教育。位于温哥华的不列颠哥伦比亚大学设有门类广泛的高级课程，此外还有西蒙·弗雷泽大学和维多利亚大学。开放学院则以函授为主。省内文化活动大都反映该省的拓荒背景和以资源行业及户外作业为主的经济特点。一年一度的威廉斯湖牧童竞技会、基洛纳划船比赛都是具有浓厚的地方色彩的文化活动。大城市的文化活动正由边疆风格转向城市风格。博物馆、美术馆和综合戏剧中心均由本省企业家及捐赠机构赞助。温哥华学院和温哥华历史学会为学术活动提供资助。重要体育比赛则在几个大型室内运动场举行，包括加拿大第一个圆顶体育馆B.C.广场。人口3 446 000（1992）。

British Commonwealth Games 参阅**Commonwealth Games 英联邦运动会**。

British Commonwealth of Nations 英联邦 参阅**Commonwealth 联邦**。

British Council of Churches 英国基督教协进会 英国基督教跨会派合作组织。1942年由英国圣公会和其他教会组成，参加者有英国列岛的圣公会和新教各派以及基督教青年会、基督教女青年会等跨会派组织。希腊正教会于1965年参加协进会。协进会第一任主席是坎特伯雷大主教W.坦普尔，其后历任主席也由当时坎特伯雷大主教充任。

British Drama League 英国戏剧联合会 参阅**British Theatre Association 英国戏剧协会**。

British East Africa 英属东非 泛指以前英国控制的东非地区，包括肯尼亚、乌干达、桑给巴尔和坦噶尼喀（今坦桑尼亚）。19世纪末叶英国进入桑给巴尔。1890和1894年桑给巴尔苏丹国和布干达王国（乌干达）分别成为英国的保护地。1895年肯尼亚成为英国的保护国。1919年原德国占有的坦噶尼喀成为英国的委任统治地。这些地方都在20世纪60年代获得政治独立。1964年桑给巴尔与坦噶尼喀合并，称坦桑尼亚。

British Empire 大英帝国 大约3个世纪的时间中在大不列颠王室和英国政府宗主权管辖下遍布世界的属地系统，其中有殖民地、保护国和其他区域。由于帝国的范围十分辽阔,便产生了给予或承认属地有相当大的自治权的政策,由这种政策而发展成20世纪中的英联邦的概念。英联邦主要由自治的属地组成,这些属地承认日益成为象征性的英国宗主国地位。英联邦一词于1931年以成文法形式具体化。现今的联邦(**Commonwealth**)是由原来大英帝国各属地以主权国身份组成的一个自由联邦。

大不列颠于16世纪开始试探性地建立海外殖民地,由发展贸易的野心及与法国一决雌雄的愿望所驱使,海上扩张在17世纪时加快了步伐。至1670年,英国已得到新英格兰、弗吉尼亚和马里兰等北美殖民地和百慕大群岛、洪都拉斯、安提瓜岛、巴巴多斯岛和新斯科舍半岛等殖民地。1655年征服了牙买加;17世纪70年代哈得孙湾公司在加拿大西北部建立了大本营。1600年,东印度公司开始在印度设贸易站,随着公司活动的发展,英国获得了海峡殖民地(槟榔屿、新加坡、马六甲、拉布安)。非洲第一个殖民地冈比亚河的詹姆斯岛是1661年设置的。在塞拉利昂进行的奴隶贸易早就开始了,但将该地区占为殖民地则在1787年。1806年英国获得好望角(今南非),在英国人控制下布尔人和英国先驱者开发南非腹地。几乎所有的早期殖民活动都源于特许公司,王国政府只行使某些任命和监督权,殖民地基本自治,因而帝国的构成是一个基于零打碎敲的杂乱的进程。17～18世纪王国政府主要控制贸易和航运殖民地。1651年的《航海条例》使英国和其殖民地间建立起一个封闭的经济体系。一切殖民地的出口物必须由英国船只运往英国市场,而所有输入殖民地的商品必须来自英国。美洲殖民地的丧失及英国自由贸易运动的增长在19世纪上半叶缓慢地结束了这一封闭体系。奴隶贸易对美洲英国殖民地经济具有特殊的重要性,它对加勒比海殖民地和未来美国的南部地区的经济是必不可少的。但是奴隶贸易终于在1807年被禁止,1833年奴隶制本身也在英国的自治领废除。在R.克莱武、J.沃尔夫、E.库特的领导下,英国的陆海军为英帝国取得了两个最重要的部分:加拿大和印度。1763年的《巴黎条约》结束了七年战争(以北美法国-印第安人战争闻名),使英国拥有了加拿大。在印度,克莱武打败了法国人,18世纪50年代孟加拉统治者向英国人作出的大规模领土让予保证了英国在印度的未来优势。1776～1783年英国对北美13个殖民地的丧失由1788年取得澳大利亚殖民地而得以补偿。拿破仑战争又为英帝国增添了领地,缔结于1802年的《亚眠条约》使特立尼达和锡兰(今斯里兰卡)正式归属英国,1814年的《巴黎条约》又使法国割让多巴哥、毛里求斯、圣卢西亚和马耳他给英国。1795年马六甲并入英帝国,1819年又获得了新加坡。由于在加拿大建立了艾伯塔、马尼托巴和英属哥伦比亚等殖民地,英国势力及于太平洋;征服印度又使阿格拉和奥德联合省及中央省、东孟加拉和阿萨姆归属英国。19世纪是大英帝国的全盛期。殖民地的管理和政策在1个世纪期间发生了变化,由17～18世纪的任意安排转为殖民大臣J.张伯伦任期(1895～1900)内的精致体系。1801年设立的殖民部原是内政部和贸易部的附属机构,但到19世纪50年代它成为人员不断扩充,政策具有连续性的独立部门,它对殖民地政府严加管束、施加压力,这被认为是必要的行动。1840年新西兰归属英国,随后迅速殖民化。部分由于传教士的压力,英国的控制扩及斐济、巴布亚和太平洋的其他岛屿。1877年设置了管理西太平洋各岛的不列颠高级专员公署。印度骚乱(1857)之后,王国政府接管了东印度公司对印度的行政权力。1866年英国完成了对缅甸的征服。1849年征服旁遮普,1854～1876年征服俾路支。1859年苏伊士运河的开通给英国人一条通往印度的捷径。英国趁机扩展亚丁港,建立索马里兰保护国(今索马里),扩张对南阿拉伯半岛和波斯湾酋长国的影响。1878年占领塞浦路斯。还通过发展海峡殖民地,建立马来联邦和文莱、沙捞越等保护国,扩大在远东的影响。1841年夺取了香港并通过条约,一个"无形帝国"在中国港口和商业城市上海展开活动。19世纪英国在非洲的扩张达到高潮,1882年英国在埃及成为公认的统治者。1899年夺取了苏丹。19世纪下半叶皇家尼日尔公司在尼日利亚、黄金海岸(今加纳)扩展英国影响,冈比亚也归英国所有。英国东非公司在今肯尼亚和乌干达活动,而英国南非公司则在津巴布韦(原南罗得西亚)、赞比亚(原北罗得西亚)和马拉维活动。英国在南非战争(1899～1902)中的胜利使它兼并了德兰士瓦和奥兰治自由邦,1910年建立了南非联邦,从而实现了"从好望角到开罗"的非洲帝国的观念。到19世纪末英帝国包括了近1/4的全球陆地和1/4的全球人口。在某些英国殖民地建立有限自治政府的思想,1839年首先在加拿大获得承认。一个由加拿大人选择的部长内阁实施执行权力以取代英国政府任命的官员,内阁主要取决于殖民地立法会议的支持,但外交和防务决策仍由总督根据来自伦敦英国政府的命令作出。允许在宗主国任命的总督领导下管理自己事务的制度迅速推广开来。继加拿大之后,澳大利亚殖民地、新西兰以及南非的纳塔尔和开普殖民地也采用了这种制度。这些殖民地获得了完全处理自己事务的权利,1907年,它们获得新的自治领的地位。1910年由开普殖民地、纳塔尔和原布尔人共和国(德兰士瓦和奥兰治自由邦)组成的南非联邦也取得了自治领地位。

帝国内部这些有特殊地位的国家的居民基本上是欧洲人,长期以来其生活方式与习惯是英国式的。这些国家往往称为英联邦成员。第一次世界大战的要求与压力及其后果,使这些自治领的特殊地位得到更正式的承认。1914年英国作为整个帝国、自治领以及殖民地的代言人对德国宣战。但1918年第一次世界大战结束后,自治领以自己的名义签署和平条约并以与英国平等的独立国家的身份参加新建的国际联盟。1931年的《威斯敏斯特法》承认它们是"英帝国内"与联合王国具有"平等地位"的独立国家。当第二次世界大战爆发时(1939),自治领自行宣战。帝国的其余部分大都是殖民地和附属国,其土著居民与上述国家不同。对于这些国家采取不同的行政管理手段:从较为成熟的印度文官管理制度(在民法和行政管理上采用行之有效的本国习惯方式)到对非洲地区十分宽松和间接的监督。非洲地区的殖民者和商业利益事务大部分由他们自己处理,非洲土著人被隔离居住在"保留地"上。第一次世界大战后,尤其是第二次世界大战后,许多这些地区中的民族主义情绪迅速高涨,其结果是:1947年印度、巴基斯坦得到独立,随后是锡兰和缅甸(1948)。1957年黄金海岸成为撒哈拉以南非洲获得独立的第一个殖民地。非洲、亚洲和加勒比海地区的其他英国殖民地的自治运动1960年后在各种压力下迅速发展。至20世纪后期,帝国事实上已不复存在,联邦则成为一个相当松散但持久的组织。参阅**colonialism**。

British Empire, The Most Excellent Order of the 英帝国特等勋位 1917年英王乔治五世设立的一种爵士勋位,授予战时有功的文武职人员,现亦将此勋位授予和平时期对政府有特殊贡献者。1918年另设专门颁给军人的勋位。英帝国特等勋位包括文武职,平等颁授男女性。共分5等,由高到低依次为英帝国大十字最高级勋位男女爵士(G.B.E.)、英帝国高级勋位男女爵士(分别为K.B.E.和D.B.E.)、英帝国高级勋位获得者(C.B.E.)、英帝国勋位军官(O.B.E.)和英帝国勋位获得者(M.B.E.)。最高两等在授勋同时获得爵士地位。外籍人士可成为"荣誉受勋者"。自1969年起,受勋名额即有限制,但可依特殊法令追加。受勋者通常由英国国防大臣与外交和联邦事务国务大臣推荐。

授勋官员包括高级教士(伦敦主教)、纹章长官、注册长官、国务大臣、圣保罗大教堂司祭长和权杖官。授勋地点是伦敦圣保罗大教堂地下室的专用小教堂。勋章上有乔治五世与皇后玛丽的肖像,并刻有"为上帝与帝国"的题词。与此勋位有关的是乔治五世设置的英帝国奖章(B.E.M.),颁给有功劳、但不足以获得上述5种勋位的文武职人员。

British Empire and Commonwealth Games 英帝国和英联邦运动会 参阅 **Commonwealth Games** 英联邦运动会。

British Expeditionary Force (BEF) **英国远征军** 在英国历史上被派往海外(印度、埃及或其他附属国除外)服役的英国军队。克里米亚战争(1853～1856)后,英国曾依靠其海军保持大国地位,并使其地面部队不承诺在欧洲作战。1890～1906年间欧洲形势发生了变化:德国殖民地扩大并建立舰队与英国抗衡;法国同俄国结盟并同英国签订协约而取得和解;德国企图在摩洛哥牵制法国(1905年第一次摩洛哥危机或称丹吉尔事件),英国重新考虑其过去的这一政策。1908年,R.霍尔丹发起陆军改革,规定由后备队以至特别后备队加强的以本土为基地的常备军,应随时准备在紧急情况下被派往海外(本土自卫队留下保卫英伦三岛)。第一次世界大战爆发时(1914)派往法国的英国远征军遭受巨大损失,继之以若干个以数字命名的集团军；第二次世界大战(1939)初派往法国的英国远征军在法国陷落时(1940)撤回英国，英军仍用以数字命名的集团军在其他战场参加作战。

British Imperial System 英国法定度量衡制 1965年采用米制前，英国官方使用的传统度量衡制。美国习用度量衡制即源于此。英国度量衡单位现已法定为米制单位。

英国法定度量衡制系由中世纪盛行的罗马度量衡单位和惯用的、临时采用的单位混合发展而成。传统名称如磅、英尺和加仑曾广泛采用，但其定义值随时间、地点和各行各业而异。早期的官方标准的建立是为了加强一致性，取名“温切斯特”(英国古都)标准；10世纪时，萨克森王埃德加在那里定了官方蒲式耳量制。14世纪的法令规定，1码(可能原基于国王的腰围长度)为3英尺，1英尺为12英寸，1英寸为3巴利科恩(barleycorns)。容量和重量的单位也有明文规定，但直到19世纪，不同地区间仍小有差异。15世纪后期，亨利七世重新认定传统的容量与长度的标准，并将官方标准(认可单位的具体体现)推行到全国。约一个世纪后，在伊丽莎白一世统治时期，又重复了这一进程。16世纪时，单位竿(5.5码或16.5英尺)曾定义为16个男人排成一行从教堂走出，后人的左大脚趾抵住前人的左脚后跟所得长度的总和。17世纪时，惯例和法规已建立了与目前相同的英亩、竿、富而浪(furlong)(分别等于4 840平方码，16.5英尺和660英尺)的标准。常用的几种商用磅也减到只剩两种，一为金衡磅，主要用于贵重金属；另一为常衡磅，用于其他以重量来买卖的货物。

1824年与1878年的度量衡法令以选定的现存单位的精确定义为基础，建立了英国法定度量衡制。1824年法令中认定一个法定加仑的单位取代酒、啤酒、谷物等加仑，而成为一般使用的标准。新加仑的定义为温度62°F、气压表30英寸下重量为10常衡磅的蒸馏水的容积或277.274立方英寸(后改正为277.421立方英寸)。两种新的基本标准单位为法定标准码和金衡磅，金衡磅稍后限用于药、贵重金属和宝石的称重。1963年的法令取消了竿和查尔特隆(chaldron，等于36蒲式耳的煤容积单位)等古老计量单位，并重新分别定义标准码和标准磅为0.914 4米和0.453 592 37千克。加仑现在等于密度为0.998 859克/毫升的10磅蒸馏水的容积。

英国于19世纪改革度量衡时，美国却采用英国于1824年法令中所废弃的单位。标准的美制加仑是基于231立方英寸的安妮女王酒加仑，而比英制加仑约小17%。美制的蒲式耳为2 150.42立方英寸，源于英国废弃的温切斯特蒲式耳，比英制的约小3%。在英制中，干容积和液容积的单位是相同的，而美制中则不同。英制中的干品脱和液品脱均为0.568立方分米；美制中的液品脱为0.473立方分米，干品脱为0.551立方分米。英制和美制中的长度与重量的单位实质上是相同的，但英制中的英石(stone，等于14磅)，却是美制中所没有的。此外对英石的定义有分歧，英制为112磅，美制为100磅，因此产生两类不同的吨标准，美制短吨为2 000磅，英制长吨为2 240磅。1959年，主要的英语系国家采用英寸(2.54厘米)、码(0.914 4米)和磅(0.453 592 37千克)的通用米制定义。

英、美度量衡制(英尺-磅-秒，fps)

长　度

1法定英里＝5 280英尺＝1 760码＝320竿＝8富而浪
1海里＝6 076英尺＝1.151英里
1富而浪＝660英尺＝220码＝40竿＝1/8英里
1测链＝66英尺＝22码＝100链节＝4竿
1竿＝16.5英尺＝5.5码＝25链节
1英寻＝6英尺＝72英寸
1码＝3英尺＝36英寸
1英尺＝12英寸
1链节＝0.66英尺＝7.92英寸
1手＝4英寸
1英寸＝1英寸
1密尔＝0.001英寸

面　积

1平方英里＝640英亩＝102 400平方竿＝3 097 600平方码＝27 878 400平方英尺
1英亩＝10平方测链＝160平方竿＝4 840平方码＝43 560平方英尺
1平方英尺＝144平方英寸＝1/9平方码＝144平方英寸

体　积

1立方英尺＝1/27立方码＝12板尺＝1 728立方英寸
1立方英寸＝1/46 656立方码＝1/1 728立方英尺
1英亩·英尺＝43 560立方英尺＝1 613立方码
1板尺＝144立方英寸＝1/12立方英尺＝1平方英尺(木料)
1科德(美)＝128立方英尺

容　量

1立方英尺＝7.481美加仑＝6.229英加仑

液体计量(美式)

1桶＝42美加仑＝34.97英加仑
1加仑＝0.833英加仑＝4夸尔＝231.00立方英寸＝128液盎斯
1夸尔＝1/4加仑＝2品脱＝57.75立方英寸＝32液盎斯
1品脱＝1/8加仑＝1/2夸尔＝28.88立方英寸＝16液盎斯
1及耳＝1/32加仑＝1/4品脱＝7.22立方英寸＝4液盎斯
1液盎斯＝1/128加仑＝1/16品脱＝1.80立方英寸

干物计量(美式)

1蒲式耳＝0.97英蒲式耳＝4配克＝2 150.4立方英寸＝1.24立方英尺
1配克＝1/4蒲式耳＝8夸尔＝537.6立方英寸＝0.31立方英尺
1夸尔＝1/32蒲式耳＝2品脱＝67.2立方英寸＝1/8配克
1品脱＝1/64蒲式耳＝1/2夸尔＝33.6立方英寸

液体及干物计量(英式)

1蒲式耳＝1.03美蒲式耳＝8加仑＝4配克＝2 219.36立方英寸＝1 284立方英尺
1配克＝0.25蒲式耳＝2加仑＝8夸尔＝554.84立方英寸
1加仑＝1.20美加仑＝4夸尔＝277.42立方英寸
1夸尔＝0.30加仑＝2品脱＝1/8配克＝69.36立方英寸
1品脱＝4.80美及耳＝4及耳＝34.68立方英寸＝20液盎斯
1及耳＝1.20及耳＝8.67立方英寸＝5液盎斯
1液盎斯＝0.96美液盎斯＝1.73立方英寸

重　量

1短吨(美)＝0.89长吨＝2 000磅＝20短英担
1长吨(英)＝1.12短吨＝2 240磅＝22.4短英担
1短英担(美)＝0.05短吨＝100磅
1长英担(英)＝0.05长吨＝112磅
1英石＝0.14短英担＝14磅
1磅＝0.07英石
1常衡盎斯＝437.50格令＝1/16磅＝0.911金衡盎斯
1金衡盎斯＝480.00格令＝1/12磅＝1.097盎斯
1格令＝0.002 3盎斯＝0.002 1金衡盎斯

British Indian Ocean Territory 英属印度洋领地 印度洋中部英国殖民地。1965年11月8日将查戈斯群岛(前毛里求斯属地)与阿尔达布拉群岛、法夸尔和德罗什群岛(均购自塞舌尔)合并而设置。1976年6月28或29日自塞舌尔购得的领土交还新独立的塞舌尔共和国。仅剩有查戈斯群岛(包括迪戈加西亚岛),面积60平方千米散布在54 000平方千米海洋上。该殖民地的设置,是为了适应英美政府在印度洋修建防务和通信设施的需要。为此英美在迪戈加西亚岛建起重要防务设施。驱逐了当时种植椰树的工人。在1965～1973年有约1 200人移居,主要去毛里求斯。20世纪70年代末扩建时,曾遭到邻近各国反对。它们认为这一基地损害了印度洋地区非军事化的地位。在第一次海湾战争(1990～1991)、美国攻打阿富汗的战争(2001)和第二次海湾战争中,数次空袭均从迪戈加西亚岛发起。领地上无长期定居者。约有4000美国人。参阅 **Aldabra Islands; Chagos Archipelago; Diego Garcia**。

British Invasion 不列颠入侵 20世纪60年代中期的音乐运动,由英国摇滚乐队所引发,其流行趋势迅速扩及美国。1964年2月披头士乐队抵达纽约市,打开美国门户,带来大批英国的音乐人才。接下来堪称不列颠第二次入侵——这块历史上英国的殖民地再度心甘情愿地被征服了。50年代,英国年轻人像大西洋彼岸的年轻人一样,在美国摇滚乐狂热节拍和暗示性歌词中听到他们的未来。但最初依样画葫芦的尝试失败了,由于当地缺乏摇滚乐的基本元素(节奏与布鲁斯和乡村音乐),摇滚狂热者只学到皮毛,反成为"跛脚"的英国式端庄和拘谨。唯一有活力迹象的是50年代晚期的斯基弗尔音乐狂热,这是由苏格兰的L.多尼根带头传播开来的。受到斯基弗尔音乐人人可以演奏的平民主义思想激励,又从C.贝里、E.普雷斯利、小理查德、E.科克伦、B.霍利、J.布朗、M.沃特斯的音乐中自我学习,到1962年,有些英国少年已摸索出一种真正的摇滚乐风格。利物浦成为所谓的"摇滚热"的第一个温床。著名乐队有"披头士"、"探索者"、"顶尖四人"、"格里与带头者"、"B.J.克雷默与达科他人"等。摇滚乐横扫英国。到1964年,大伦敦地区有了"滚石"、"新兵"、"谁人"、"奇想"、"美差"等乐队;曼彻斯特有"霍利斯"、"弗雷迪与梦想家"、"赫尔曼的隐士";纽卡斯尔有"动物"乐队;伯明翰有"忧郁布鲁斯"。其他的还有"他们"(内有V.莫里森)、"还魂尸"、"小脸"、"移动"、"创世"、"多诺万"等。1964～1966年英国把一波波热门单曲送到大西洋彼岸。在披头士乐队征服全美国后,其他许多乐队也都在公告牌单曲排行榜上得过冠军。

British Isles 不列颠群岛 欧洲西部沿海的群岛,包括大不列颠和爱尔兰两个主要岛屿以及许多小岛。参阅 **England; Ireland; Northern Ireland; Scotland; United Kingdom; Wales**。

British Leyland Limited 英国利兰汽车公司 参阅 **BL Public Limited Company** BL公司。

British Library 不列颠图书馆 又译英国图书馆或大英图书馆。英国的国立图书馆。根据1972年颁布的《英国图书馆法》于1973年7月1日建立。它由前不列颠博物馆图书馆、国立中央图书馆、国立外借科技图书馆以及英国全国书目出版社等单位所组成。该馆的参考部收藏1 300多万册印刷本图书、12万册手抄本图书、10万件印玺及3 000余册纸莎草纸上的抄写本和其他资料。外借部约有图书450万册,现有期刊55 000种和缩微胶卷文件350万件。

不列颠博物馆图书馆以H.斯隆爵士的收藏品为基础成立于1753年。同时获得牛津伯爵E.哈利和R.哈利及R.科顿爵士等人的手稿(多盎格鲁-撒克逊和拉丁手抄本)。1757年乔治二世将英格兰国王(从爱德华四世到乔治二世)的皇家图书馆赠予该馆,使该馆有权免费获得全国所有出版书籍一份。1823年该馆从乔治四世手中购得第二个皇家图书馆(原属乔治三世)。不列颠博物馆图书馆有穹顶的主阅览室于1857年开放,马克思曾在那里从事他的工作。

不列颠博物馆图书馆收藏品中有丰富的各种宪章(包括盎格鲁-撒克逊诸王时期的宪章)和从公元前3世纪直至现代的各种文件以及各种典籍的抄本。该馆的东方图书与抄本部有C.J.里奇的藏书、钱伯斯收藏的梵文抄本以及专门收藏罕见的希伯来文手抄本的图书室。国立中央图书馆建于1916年,它是供学生使用的图书馆和全国馆际外借的中心。国立外借科技图书馆(1961年成立)归英国教育与科学部管理。它的书刊一般只借给联合王国境内的机关和其他图书馆。英国全国书目出版社建于1950年,它出版一种报道英国出版物的《英国全国书目》。

British Museum 不列颠博物馆 英国综合性的国立博物馆,在考古学和人种志方面有特别出色的收藏。位于伦敦卡姆登自治市的布卢姆斯伯里区。不列颠博物馆根据议会法令建于1753年,最初以H.斯隆爵士(1660～1753)、牛津伯爵(第一)R.哈利(1661～1724)和R.科顿爵士(1571～1631)三人的收藏为基础。收藏品(也包括一批重要的手稿和其他图书资料)陈列于大罗素街蒙塔古宅邸,1759年开放参观。今博物馆建筑由R.斯默克爵士设计,具新古典主义风格,1823～1852年期间建于蒙塔古宅邸旧址,后经数次增建和改建。1881年原自然史收藏品转移至南肯辛顿一栋新建筑,成为*自然历史博物馆*(**Natural History Museum**)。1973年不列颠博物馆的图书馆根据议会法令与其他几批藏品合并为不列颠图书馆。1970年以来,人种志收藏品一直陈列在威斯敏斯特伯灵顿花园的人类博物馆,直到图书馆移走而有空间可用为止。不列颠博物馆最出名的藏品是:埃尔金大理石雕塑品,主要是雅典帕台农神庙的建筑局部;哈利卡纳苏斯的摩索拉斯陵墓和以弗所的阿耳忒弥斯神庙的其他希腊雕刻;罗塞塔石碑,提供了阅读古埃及象形文字的要诀;卡拉(今尼姆鲁德)和尼尼微宫殿、神庙的纪念碑式的亚述浮雕;美索不达米亚古城吾珥出土的金、银、贝壳制品;所谓的波特兰花瓶,为罗马附近发现的公元1世纪宝石玻璃器皿;萨福克萨顿胡发现的7世纪船葬的珍宝;中国明朝和其他朝代制作的陶器。

British Museum (Natural History) 参阅 **Natural History Museum** *自然历史博物馆*。

British North America Act 《英属北美法》 英国议会的一项法令。根据该法,1867年英属北美的3个殖民地——新斯科舍、新不伦瑞克和加拿大联合成为加拿大自治领;加拿大可以接纳其他的英属北美殖民地和领土加入其版图;加拿大省分成魁北克和安大略两省,分别制定自己的宪法。《英属北美法》一直作为加拿大的"宪法"存在,直到1982年才被《加拿大法》所取代。《加拿大法》规定英国议会权力转移给独立的加拿大议会。依照《英属北美法》的精神,加拿大可制定"原则与英国宪法相似"的宪法,建立议会和受维多利亚女王及其继承人领导的内阁制政府;立法机构由参众两院组成,参议员为终身制,从加拿大各地区遴选,众议员按照人口代表制的原则从各省选出;刑法全联邦统一,民法由各省规定。加拿大建立一所最高法院,所有的大法官均由联邦政府任命;各省地方政府只能征收直接税,而联邦政府可征收各种赋税,因此拥有全面的和制约的权力。该法规定联邦政府有权将各省通过的任何法案在两年之内驳回,但帝国枢密院的司法委员会在司法过程中缩减了按该法制定的联邦宪法所规定的联邦政府权力,增加各省政府权力。此法的修改,只能由加拿大议会提出要求,在伦敦的帝国议会上作出。

British Open 英国公开赛 世界主要高尔夫球赛之一,自1860年起基本上每年在不列颠群岛上不同场地举行。职业和业余运动员均可参加,故名。1892年起以72穴计算击球次数(击数最少者胜)。及格者方可参加正式比赛的预赛,根据过去的成绩少数运动员可不参加预赛。参阅 **Sporting Record**: Golf: Individual events。

British Petroleum Company PLC, The (BP) **英国石油公司** 英国石油化工公司。1909年4月14日成立,注册名为英波(斯)石油公司,1935年改名为英伊(朗)石油公司,1954年又更名为英国石油有限公司,1982年采用今名。总部在伦敦。1901年波斯政府租让给一位英国投资商W.K.达西一处油田,1909年为接收该油田并为其融资成立了英波石油公司。公司在马斯吉德苏莱曼成功地打出第一批油井,用管道将原油输送至阿巴丹的炼油厂提炼,1912年3月从阿巴丹出口了第一批石油。其他伊朗油田和炼油厂也相继建成,到1938年阿巴丹已具有世界上最大的炼油厂。1933年该租让特许得以修订,经1951～1953年短期中止后,1953年又与其他几家石油公司签订一项国际性协议予以展期。自1955年1月1日起,英国石油公司改成持股公司。其子公司与联号总共有650家左右,从事石油和天然气的勘探、生产、提炼、运输和销售,以及化学品、塑料、合成纤维和动物饲料产品的制造。1914年英国政府成为主要股东,并在以后年代中经常是唯一的最大股东。自1977年开始,英国政府向公众抛售该公司的股票,减少其所有权;在80年代末期政府售出其剩余的股份,将该公司彻底转变成为私营企业,这就为该公司全盘收购布里托伊尔公司(Britoil PLC)清除了障碍,后者是在北海生产石油的独立的石油公司。在过去的多年间,英国石油公司在其他几个国家也开发了油田,建起了炼油厂。现在它在阿拉斯加的普拉多湾和北海的英国地区享有多数权益。在北海英国地区,该公司1965年首先发现具有商业开采价值的天然气,1970年首先发现一处重要油田。自1970年开始,英国石油公司将其在美国的资产和俄亥俄美孚石油公司(它购得此公司的控制股权)的资产进行合并。1987年,英国石油公司以几近80亿美元的巨款收购了美孚石油公司其余部分的股权,从而加强了其作为世界最大石油公司之一的地位。1998年与美国阿莫科公司合并后成为世界最大的石油公司。公司名称几经变化,1950～2000年名为The British Petroleum Company PLC,2000年收购大西洋富田公司和嘉实多公司后,更名为BP PLC。

British Railways　英国铁路　英国的铁路系统,根据《1947年运输法》创建。1825年英国在斯托克顿和达灵顿之间建成第一条铁路,使用G.斯蒂芬森所制造的蒸汽机车拖运矿石列车。1830年开通的利物浦—曼彻斯特铁路是第一条现代铁路。1870年英国已有铁路2.17万千米左右。1914年发展到最高峰时,铁路全长3.2万千米,由120家独立竞争的公司经营。1923年英国政府为便于实行经济考核将所有这些公司合并分成4个大组。1939年第二次世界大战开始时,英国铁路皆置于政府管理之下。《1947年运输法》实行铁路国有化。1948年铁路被英国运输委员会接管,该委员会按地理情况将全铁路系统分为6个(以后为5个)区域。1963年根据1962年的立法成立英国铁路局代替英国运输委员会。铁路局的管理部门强调主要铁路干线的批量运输,关闭亏损的支线和车站。1963～1975年间,铁路局将线路从2.8万千米减缩为1.7万千米,将职工从47.5万人裁减为25万人。作为铁路现代化的一部分,20世纪50年代蒸汽机车开始被柴油机车所代替,接着60年代又实现了电气化。1975年电子计算机应用于货运管理,伦敦所设中央计算机可监视20多万辆载货车厢的运输情况。1966～1967年伦敦至伯明翰、曼彻斯特、利物浦的西海岸线路实现了电气化,70年代初期电气化扩展到格拉斯哥。铁路的改建和高速列车的采用,缩短了英国各大城市间的运行时间。1994年成立了一个国有公司,即铁路轨道公司(Railtrack),它拥有并管理铁路系统的轨道、信号、土地和车站。2002年私有企业网络铁路有限公司取代铁路轨道公司接管英国铁路系统工作。而英国铁路自身却分解成25个列车运营单位,这些单位可以通过特许交给私营部门去经营。

British soldiers (*Cladonia cristatella*)　**红果石蕊**　一种地衣。其直立中空的分枝末端有独特的红色子实体,很像穿红色军装的英国兵,故得其英文名。在早春季节颜色较其

红果石蕊(*Cladonia cristatella*)
美国不列颠百科全书公司供图

他时候更绿。生长在地面或死树上,可作为瓶、碗中种植的小型观赏植物。

British South Africa Company　英国南非公司　1889年根据皇家特许状由C.罗得斯发起成立的一个商业公司,目的在于获取和执行中南非洲的商业和行政权利。总部设在伦敦。1900年,该公司统治南、北罗得西亚,并获得大量土地和采矿权。1923年将南罗得西亚(今津巴布韦)的行政交给白人移民的政府,1924年将北罗得西亚(今赞比亚)的行政移交英国殖民部。但是,该公司仍然保有商业资产,包括采矿权和铁路。在两次世界大战之间北罗得西亚采矿业发展之后,该公司在该地区的采矿权成为其财政收入的宝贵源泉。赞比亚独立前夕,该公司被迫以400万英镑将采矿权售给当地政府。1965年该公司与其他两公司一起并入联合特许公司(Charter Consolidated, Ltd.)。

British Steel Corporation PLC　英国钢铁公司　原英国公司,1999年与荷兰霍戈文公司合并成立康力斯集团。该集团是世界最大的钢铁公司之一,总部设在伦敦。遵照1967年3月22日的《钢铁法》而建立英国国营钢铁公司;其后又接收了英国14家大钢铁公司的产权,这些公司是:科尔维尔斯公司、康塞特制铁公司、多尔曼-朗公司、英格兰钢铁公司、G.K.N.钢铁公司、约翰·萨默斯父子公司、兰开夏钢铁公司、帕克·盖特钢铁公司、理查德·托马斯与鲍德温公司、圆橡树钢铁厂、南达勒姆钢铁公司、威尔士钢铁公司,斯图尔特和劳埃德公司以及联合钢铁公司。这些公司在英国、澳大利亚、新西兰、加拿大、非洲、南亚和南美拥有200家左右独资和合资子公司。在大萧条期间英国开始努力集中其钢铁工业。1934年创建了英国钢铁联合会(BISF),它是大钢铁企业的代表机构,可就定价、关税、配额及其他政策等问题同政府和外国竞争对手(卡特尔和公司)谈判。在第二次世界大战期间,英国钢铁联合会的职员几乎全部转变成为钢铁控制署的职员,该署是为指导战时生产而建立的供应部的下属机构。战争结束时,工党上台执政,决心要实行钢铁工业国有化。1949年通过了国有化法令,创立了大不列颠钢铁公司。可是到1951年保守党上台执政之前,国有化并没有给钢铁工业带来什么实质性的变化,两年后又实行钢铁工业非国有化。不过,根据1953年的法令却建立了钢铁委员会,以监督(虽不是控制)仍由英国钢铁联合会所代表的私营钢铁工业。由于工党再度执政,1967年根据《钢铁法》又实行第二次国有化,取消了英国钢铁联合会,建立起国营的英国钢铁公司。按照另一个1969年《钢铁法》,解散了公司的各个组成单位并将老的公司改组成普通钢、特殊钢、带轧钢机、钢管、建筑工程、化学品等6个分部。以后这些分部又重新改组成更加复杂的体制:有按地理划分的制造分部,有按产品类型划分的产品单位,有按产品和服务类型划分的利润中心。在撒切尔夫人的保守党政府期间,英国钢铁公司再一次有盈利并于1988年改为私营。

British Theatre Association　英国戏剧协会　英国戏剧联合会自1973年起使用的名称。该会是不仅为鼓励本身戏剧艺术事业、也为使社会各阶级享有高尚的娱乐方式而于1919年创建的组织,创建人G.惠特沃思是它的第一任干事、第一任理事和主席。协会的主要工作一开始就放在业余戏剧团体上,向他们提供劝告、咨询、辅导、借阅图书等帮助,以改善和提高其演出水平。多数剧团演的戏都是从协会借用演出脚本。协会图书馆以A.霍尼曼的赠书为开端,现已成为世界上收藏戏剧文献的主要图书馆之一。1919年7月起创办杂志《戏剧》。协会的活动不只局限于业余戏剧,其成员已促使它制定了一个适应于大众需要的全国性戏剧方针:在大学设立戏剧系,在学校课程里给戏剧以应有的地位,以及废除演员为电视台实况转播的娱乐税。协会通过年会形式确定其主要工作规划,第一届年会于1919年在埃文河畔斯特拉特福举行。1927年起开始组织每年一度的全国公共戏剧节。协会总部设在伦敦,1/3成员为个人会员,其余则是集体会员(包括业余社团、专业轮演剧团,英国广播公司和独立广播局)。

British thermal unit (BTU)　**英制热单位**　热能或其他形式能量的单位,1956年定义为等于1 055焦耳,或252克·卡。在1956年以前,1英制热单位定义为1磅水的温度升高1°F所需要的热。改掉这个定义是因为它依赖于水的初温。在煤气应用中,往往使用一种更大的单位,即煤气销售热量单位,定义为10^6 BTU,作为煤气消耗量的度量。

British Virgin Islands　英属维尔京群岛　正式名称Colony of the Virgin Islands。加勒比海东部的英国属地,大安的列斯群岛东北端统称维尔京群岛的岛链的一部分。波多黎各位于其西约80千米。维尔京群岛分属英、美两国。英属诸岛在美属诸岛的东面和北面,由4个较大的岛(托尔托拉、阿内加达、维尔京戈尔达和约斯特·范代克)及32个较小的岛和一些更小的岛组成。总面积153平方千米。最大的城镇和港口为托尔托拉岛上的罗德城。托尔托拉岛是最大岛,面积54平方千米,人口18 000(1993)。参阅**West Indies**。

土地　这些岛屿在地质上为波多黎各中央断块山系的延续部分,由褶皱沉积岩、变质

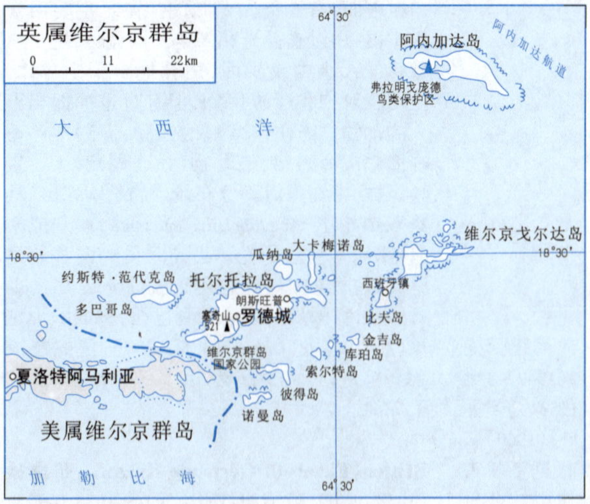

美国不列颠百科全书公司供图

岩和火成岩构成，有各种各样的地形，包括山脉、带珊瑚礁和滨外滩的潟湖，以及受陆地包围的港湾等。除阿内加达岛以外，各岛丘陵起伏。维尔京群岛上的最高点是托尔托拉岛上的贤哲山，海拔543米。狭长的维尔京戈尔达岛面积21平方千米，海拔约414米。约斯特·范代克岛崎岖不平，面积约8平方千米。英属殖民地最北部分的阿内加达岛是平坦的珊瑚岛，周围是危险的暗礁。各岛均无河流。群岛属亚热带气候，气候宜人，是旅游业发达的一个因素。昼夜平均温度冬季在22～28°C之间，夏季在26～31 °C之间。平均年降雨量1 300毫米，大部分降雨在9～12月。飓风不常见。原生的热带植被已被次生的灌木丛取代。各岛除砂和卵石外未发现可开采矿藏。

居民 英属维尔京群岛人绝大多数为黑人和黑白混血儿，即非洲奴隶的后裔。白人只占极少数，尽管自60年代起已显著增加。托尔托拉岛人口最多，约占总人口的3/4，其中约1/4住在罗德城。英语为官方语言，也是通用语言。居民说英语常夹带有“卡利普索”的方言。宗教信仰多属新教各派，其中卫理公会派最大。出生率低于该行政区的平均数，死亡率和婴儿死亡率较低。人口增长率与西印度群岛其他岛屿相仿。

经济 国民生产总值的增长较人口增长快，人均产值居西印度群岛首列。以旅游业为主，70年代以来发展迅速，约占涉外收入的一半。70年代前农业曾是经济的支柱，现以饲养业为主。主要作物为香蕉、甘蔗、柑橘、椰子、芒果及各种块根作物。有些水果蔬菜仍在出口，但多数供当地消费。天然条件好的沿海水域，渔业正在发展，鲜鱼也成为主要出口物。制造业地位次要，占总产值份额极小，产品有朗姆酒、油漆、建材等。家庭手工业为各种编织品以迎合游客的需要。开采业只是采掘砂和卵石。贸易对象主要为美国、美属维尔京群岛、波多黎各、荷属安的列斯群岛和英国。主要进口物资为建材、食品、机械、石化产品、汽车和饮料。各岛共有100多千米可通汽车的道路。托尔托拉岛和比夫岛有桥相连。比夫岛为主要空港所在地，直航班机通美属维尔京群岛、波多黎各和加勒比海东岸。托尔托拉岛的罗德港为深水港。

政体和社会状况 英属维尔京群岛为英国殖民地，按1977年生效的宪法实施行政管理，英国任命的总督为主要行政长官，由行政会议向总督提供咨询。立法会议设议长1名，普通议员9名，检察长1人依据职权为当然议员。岛上住房标准高于加勒比海一般地区。房屋通常由混凝土或石料建造。居民的一般健康状况良好，托尔托拉岛有内设50张病床的医院，各岛普遍有诊所。淡水供应困难，部分需进口。几乎无文盲，可享受义务教育至15岁。政府免费提供小学和中等教育，无高等学校，学生可到西印度群岛大学或海外其他大学学习。罗德城有一所公共图书馆。有一种周刊和一种双周刊报纸。托尔托拉岛有数家广播电台。有线电视用户可接收电视和调频立体声广播。

历史 最初岛民是美洲印第安人——阿拉瓦克人，当哥伦布于1493年抵此地时，他们已被好战的加勒比人逐出。1555年西班牙国王查理五世举兵侵占群岛，到1596年大部分加勒比人都已逃离或被杀死。群岛是海盗经常出没地区。托尔托拉岛直到1666年由英国殖民者接管前，一直为荷兰海盗盘据。1672年背风群岛并入英国管辖。1773年殖民者获准建文官政府，设民选的下院和部分民选的上院。19世纪上半叶因废除奴隶制使经济陷入困境。1867年撤销了代议制政府，直到20世纪中叶才重新恢复。1872年该群岛在行政上划归背风群岛殖民区的一部分，直至殖民区联邦于1956年解散前，一直保持这种地位。此后，英属维尔京群岛成为单独的殖民地，于1967年获准建立内阁式政府，1977年颁布新宪法后仍保持了这种体制。

British West Africa　英属西非　殖民时期英国在非洲西部治理的一些非常分散的领地，即塞拉利昂、冈比亚、尼日利亚(及英属喀麦隆)和黄金海岸(包括黄金海岸殖民地、阿散蒂、北部地方和英属多哥兰)。1787年一批原美洲黑奴从英格兰移居塞拉利昂。1792年从新斯科舍和1800年从牙买加又有几批黑人前来。1808年英国将塞拉利昂作为直辖殖民地。1816年英国又在冈比亚河口建立巴瑟斯特殖民地。19世纪后期，英国的统治扩及塞拉利昂和冈比亚内地。它们均成为由土著统治者治理的保护国。英国的间接统治政策是由F.J.D.卢加德在尼日利亚制订的。1861年英国强占拉各斯为直辖殖民地后，经过很长时间才征服北尼日利亚和南尼日利亚。在卢加德指导下，南、北尼日利亚于1914年合并。殖民地政府由总督和立法会议组成，地方的行政和司法管理仍沿袭传统制度，英国的驻扎专员充当土著统治者和殖民政权之间的联系人。卢加德的体制成为整个英属西非的治理模式。黄金海岸(今加纳)的几个部分分别由英国在不同时期占领。1874年英国在几内亚湾海岸建立黄金海岸直辖殖民地。1900～1901年又征服北方重要的阿散蒂王国，使之成为保护国。第一次世界大战后，前德属殖民地多哥兰和喀麦隆作为国联托管地被英法两国瓜分。1946年这两个地区又由联合国托管。1960年左右，英属西非宣告结束。一些受过西方教育的非洲人领导了争取独立的民族主义运动。1957年加纳(包括英属多哥兰)独立。尼日利亚、塞拉利昂、冈比亚分别于1960、1961和1965年获得独立。英属喀麦隆则分属尼日利亚和喀麦隆共和国。

Britomartis　布里托玛尔提斯　克里特女神(克里特语意为可爱的姑娘)。人们有时把她同希腊的阿耳忒弥斯等同起来。传说她是主神宙斯的女儿，住在克里特，是克里特的一位贞洁的女猎手。克里特国王弥诺斯爱上了她，追求她达9个月，致使她在绝望中从悬崖上跳入大海，但被渔夫用渔网打捞上来，拖到安全的地方。由于她的贞洁，阿耳忒弥斯使她长生不死。希腊人还把她同埃伊纳岛的原始地方女神阿准亚等同起来，那里为她建造的神殿以三角墙上的雕刻而闻名。

Briton　不列颠人　在始于6世纪的盎格鲁-撒克逊人入侵前居住在不列颠的民族。其中大多数可能是在公元前7或前6世纪开始来不列颠岛的凯尔特人。毫无疑问，他们已与不操印欧语言的土著混血。

Brittany　布列塔尼　法语拼作Bretagne，布列塔尼文拼作Breiz。法国西北大区，曾是古代省份和公爵领地，包括凯尔特人从英国移入以前被称为阿摩里卡的地方。由法国西北部的半岛构成，几乎相当于现今的菲尼斯泰尔、北滨海、莫尔比昂、伊勒-维莱讷、大西洋岸卢瓦尔等省。在英吉利海峡和大西洋之间的最宽长度为250千米，面积27 209平方千米。首府雷恩。布列塔尼由两个截然不同的地区组成，一个是滨海区，一个是内陆区。中部有两个高地，在两个高地之间的维莱讷河流域是唯一的盆地。到19世纪，由于修筑运河和铁路，布列塔尼脱离了孤立状态，农业发展起来。沼泽成为优良的牧场，肥沃的土地上种植谷物。最富庶的地区是沿海一带，通称阿摩尔。气候属海洋性，夏凉冬暖，可种早熟蔬菜。河口形成深入的喇叭口，渔港、军港和商港星罗棋布。罐头和冶金工业多集中在港口。布列塔尼人兼有冒险和守旧精神。许多人长于航海，充当海军。一般信奉天主教。在农村里，大家庭居多，尊重父权，乡绅很有势力。在莫尔比昂、菲尼斯泰尔部分地区和北海滨，通常讲*布列塔尼语*(**Breton language**)。

布列塔尼的历史发展主要是由其孤立状态决定的。凯尔特人为当地有史迹可考的最早居民。公元前56年被凯撒征服，成为罗马帝国的一部分。公元前52～前51年，这里曾发生过反对凯撒的起义。5～6世纪罗马人撤走后，凯尔特人从英格兰和爱尔兰大量移入。凯尔特人的布列塔尼分为许多小块的封建领地。墨洛温王朝和早期的加洛林王朝曾想统治这里，均未成功。9世纪时，凯尔特人民族英雄诺默诺埃发动起义，反对法国查理二世的管辖，并征服南特和雷恩，使布列塔尼的疆域最后得以确定，并使之成为凯尔特人和法兰克人共居之地。诺默诺埃的继承人曾把入侵的斯堪的纳维亚人赶走。10世纪，雷恩的科南在布列塔尼居于至高无上的地位，他的儿子杰弗里封为公爵。布列塔尼人曾帮助诺曼底的威廉在黑斯廷斯战役中取得胜利。12世纪，科南四世在反叛贵族的威胁下，向英国的亨利二世求援，并将女儿康斯坦斯嫁给亨利的儿子杰弗里，因此，杰弗里继承了这块公爵领地。后来，英国人支持的蒙福尔的约翰和法国腓力六世的侄子布卢瓦的查理都是布列塔尼的间接继承人，为了争夺布列塔尼，法国和英国再度发生战争。查理战败，死于奥雷(1364)，蒙福尔家取得公爵领地。百年战争中蒙福尔家族(约翰四世、约翰五世和彼得二世)试图在英法之间保持中立。里什蒙伯爵曾在反英斗争中为法国立下大功，1457年继承彼得二世的公爵爵位，称阿瑟三世。死后由其侄弗兰西斯二世(1458～1488)继承，其女安妮于1488年成为布列塔尼的女继承人。安妮先后嫁与法王查理八世和路易十二世，她的女儿克洛德是法王弗兰西斯一世的王后，通过这样的婚姻关系，布列塔尼终于归属法国王室。在宗教战争期间，有许多西班牙部队进驻布列塔尼。此后，布列塔尼享有长时期的和平。法国大革命之初，布列塔尼发生反对贵族的省议会制度的"联盟"运动。1792～1799年，布列塔尼的朱安党人起来反对第一共和国的反宗教运动。从19世纪末叶起，布列塔尼人倾向于保守的共和主义。20世纪后期虽偶而出现过分离主义，但很少暴力行动，大多数布列塔尼人满意于效忠法国。人口2 906 197(1999)。

Britten, Benjamin　布里顿(1913-11-22，英格兰萨福克洛斯托夫特～1976-12-04，萨福克奥尔德堡)　全名Edward Benjamin Britten, Baron Britten of Aldeburgh。20世纪中叶英国卓越的作曲家、钢琴家和指挥家，所作歌剧被认为是继17世纪H.普赛尔之后的最佳英国歌剧。幼年即作曲，12岁开始师从F.布里奇，长达数年，后入伦敦皇家音乐学院随J.艾尔兰与A.本杰明学习，创作合唱变奏套曲《一个男孩诞生》(1933，1958年修订)，其后为电台、剧院与电影作曲，并与诗人W.H.奥登过从甚密。1937年写弦乐曲《布里奇主题变奏曲》，获国际声誉。1939～1942年旅居美国，其第一部轻歌剧《保罗·班扬》于1941年上演(台本为奥登所作)；1945年应库塞维茨基基金会委约而作歌剧《彼得·格赖姆斯》(台本为M.斯莱特根据G.克雷布的故事诗《自治市》所作)，从此一跃而成为20世纪最重要

美国不列颠百科全书公司供图

歌剧作曲家。其后歌剧有：《卢克莱修受辱记》(1946)、喜剧《阿尔贝特·海令》(1947)、《比利·巴德》(1951)、《格洛丽安娜》(1953，为伊丽莎白二世加冕而作)，《仲夏夜之梦》(1960)和《威尼斯惨剧》(1973)等。1964年根据宗教寓言写成歌剧《杓鹬河》，开始在创作中结合日本能剧与英国中世纪宗教剧，还有后来的《炉火熊熊》(1966)和《浪子》(1968)。随着《卢克莱修受辱记》，"英国歌剧小组"诞生，由布里顿任艺术总监、作曲家和指挥。这一小组后又发展成奥尔德堡音乐节(1947)，成为英国最重要音乐节之一，是布里顿的音乐活动的中心。除戏剧作品外，其声乐套曲占首要位置，独唱组曲《米开朗琪罗的七首十四行诗》(1940)与《约翰·多恩十四行圣诗》(1945)奠定了其歌曲作家的地位。其最大型合唱作品为《战争安魂曲》(1962)，为纪念在第一次世界大战中牺牲的美国文学家W.欧文而作。重要器乐作品有：弦乐曲《纯朴交响乐》(1925)、弦乐四重奏3首(1941、1945、1976)、钢琴协奏曲、小提琴协奏曲、《青年人的乐队指南》(1945)和《为大提琴和乐队创作的D大调交响曲》(1963)。布里顿于1953年被封为荣誉侍从，1965年获功勋勋位。1976年6月受封终身贵族，是音乐家或作曲家中提升至贵族爵位的第一人。

brittle mica　脆云母　与绿脆云母(**clintonite**)有关的*硅酸盐矿物*(**silicate mineral**)中的任何一种。

brittle star　蛇尾　又作serpent star。棘皮动物门蛇尾纲海产无脊椎动物，约2 000种。体盘小。腕5个，与体盘区分明显，细而多棘，有的有分支，易脱落，但能再生。体盘小，

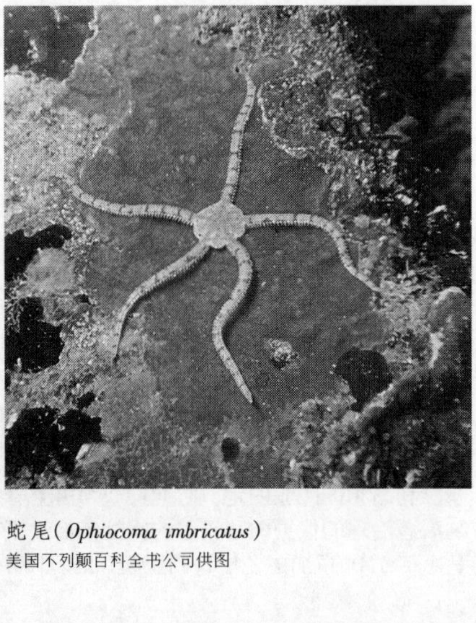

蛇尾(*Ophiocoma imbricatus*)
美国不列颠百科全书公司供图

口在腹面，有5齿。无肛门。管足主要用作感觉器，用以感受光和气味。取食时，用一或数腕伸入水中或泥面，用其他腕固定身体。主要食腐肉和浮游生物，但有时也捕捉相当大的动物。能作痉挛般的运动，但通常停留在海底或海绵、刺胞动物(如珊瑚)身上。生境多样，常在深海。分布最广的长腕蛇尾(具鳞双鳞蛇尾，*Amphiopholis squamata*)淡灰或淡蓝色，能发甚强的光。沿岸常见的两种蛇尾是：绿蛇尾(短刺皮蛇尾，*Ophioderma brevispina*)分布范围从马萨诸塞到巴西；普通欧洲蛇尾(腕刺蛇尾，*Ophiothrix fragilis*)。筐蛇尾或称蔓星鱼，其腕多分支，且多缠绕成团，多栖于深海。

Britton, Elizabeth Gertrude Knight　布里顿(1858-06-09，美国纽约州纽约～1934-02-25，纽约市)　母家姓Knight(奈特)。美国女植物学家，以其长期对苔藓植物的研究而闻名。1875年在纽约师范学院(后改为亨特学院)毕业后留校，在作物栽培系及植物系任教。1883年发表第一篇科学论文，论述植物白化病，同年开始研究苔藓，共发表科学论文300多篇，由是成名。1885年她与哥伦比亚学院植物学讲师N.L.布里顿结婚。布里顿夫人是最早提议在纽约建立一所规模宏大的植物园的人，1891年植物园建园后，她出任该园苔藓馆名誉馆长。1898年创办沙利文特苔藓学会，该学会于1949年改为美国苔藓植物学会。布里顿晚年关心野生花卉的保护工作，于1902年创建美国野生花卉保护学会，该组织促成保护濒危野生植物的立法，从而使美国野生的冬青树不再用作圣诞节装饰品。

Briusov, Valery Yakovlevich　参阅**Bryusov, Valery Yakovlevich** *勃留索夫*。

Brive-la-Gaillarde　布里夫-拉盖亚尔德　法国中南部利穆赞大区科雷兹省城镇。位于利摩日南面，临科雷兹河。附近岩石洞穴有史前人遗迹。其后定居者留下有石制遗物。城镇建于罗马时期。中世纪为下利穆赞首府。位于富庶地区并受益于公路、铁路干线交叉点的地理位置。布里夫盆地气候无极端变化，适于农-工经济发展。出产谷物、水果、纸张和猪肉，有轻、重工业，并成为一重要农产品贸易中心。人口49 127(1999)。

Brixen(Italy)　**布里克森**　参阅**Bressanone** *布雷萨诺内*。

Brixham　布里克瑟姆　英格兰托贝单一政区内城镇。属德文历史郡，临托尔湾。大部建于维多利亚时代。早以"西部大渔场"闻名。附近温德米尔山洞穴有史前至罗马时代遗迹。人口15 865(1991)。

Brno　布尔诺　德语作Brünn，故又称布吕恩。捷克共和国东南部南摩拉维亚州首府，在波希米亚-摩拉维亚高地东麓，斯夫拉特卡河和斯维塔瓦河汇合处。其北的摩拉维亚喀斯特地带以洞穴和峡谷闻名。考古证明

附近有尼安德特人及克罗马农人等史前人类遗迹。当地还有凯尔特人和其他部落以及5、6世纪以来斯拉夫人聚居点的遗迹。13世纪初为日耳曼殖民地,1243年建市。修道士

布尔诺城貌
美国不列颠百科全书公司供图

遗传学家G.孟德尔在此地隐修院研究遗传理论;作曲家雅那切克终生居住该市。虽屡遭战火,几易归属,但许多精美的古老建筑物至今犹存。第二次世界大战前居民以日耳曼人为主,现在以捷克人为主。为教育和工业中心。有马萨里克大学(1919)。国际贸易博览会很著名。制造业有纺织和冶金,曾研制出著名的ZB轻机枪,后称布尔诺机枪。人口约376 172(2001)。

bro　卓舞　中国藏族舞蹈的泛称。古代藏族在盟誓仪式上宣读誓文时,常以舞蹈表达感情,称为"卓"。后来发展为西藏地区(尤其是牧区)的群众性歌舞。在原西康地区(今西藏自治区东部和四川省西部)叫锅庄,是纯粹的歌舞。在西藏地区叫鼓舞,表演者一边敲击特制小鼓,一边歌舞。在牧区叫热巴舞,艺人腰间系有辫穗(热巴)。表演时手持有响铃的小鼓,以调节舞步节奏。

Broach(India)　参阅 **Bharūch** 布罗奇。

broaching machine　拉床　以推拉方式用拉刀对工件的全部表面进行加工的机床。拉床的拉刀上有许多切削刃,从切入端到切出端,刀齿按高度不同依次排成一排或多排。由于总拉削量被分配给所有的刀齿,每个刀齿只切掉百分之几毫米厚度。拉削加工特别适用于孔内表面和内齿轮的加工,但这种方法也能用于加工外齿轮和平面。拉床通常是液压驱动的。

Broad Church　宽和教会派　19世纪中英国基督教圣公会内部三派中的温和派。宽和派持宽和观点,既反对安立甘公教派(日后称高教会派)的狭隘教义,又反对反天主教的福音派(低教会派)。19世纪的宽和教会派是圣公会中开明派人士,他们注重学术而轻政治。19、20世纪之交他们是现代派的领袖。宽和教会派把英国基督教社会主义引进美国,使本来在社会问题上持保守态度的美国圣公会转变为社会福音运动的主要倡导者。

broad-horned antelope　宽角羚　参阅 **bongo** 紫羚羊。

broad jump(sport)　参阅 **long jump** 跳远。

Broad River　布罗德河　在美国北、南卡罗来纳州。源出蓝岭山脉东坡。东南流,进入南卡罗来纳州,向南穿过萨姆特国家森林至哥伦比亚,与萨卢达河汇合成康加里河。全长约350千米。帕尔肖尔斯和莱克鲁尔附近河段上建有水电站。

broad-shouldered water strider(insect)　**宽肩黾蝽**　参阅 **smaller water strider** 小黾。

broadbill　阔嘴鸟　雀形目阔嘴鸟亚目阔嘴鸟科的旧大陆热带鸟类,14种。为单配偶性。与其他所有雀形目鸟类的区别在于使趾弯曲的腿肌排列方式不同。体矮胖,长

小绿阔嘴鸟(*Calyptomena viridis*)
美国不列颠百科全书公司供图

12～28厘米。嘴短宽,基部有须或肉垂。生活在森林或沼泽中,但也有些在花园中逗留。鸣声响亮(有的似哨声,有的似呱呱叫声),有的飞行时振翅作呼呼声或将嘴猛地闭合作噼啪声。筑悬挂的梨形巢,通常在水面上方,近巢顶处有一个带门廊的侧面入口。大多数种类生活在马来西亚,有的分布在印度和菲律宾;2个属孤立地分布在非洲。亚洲的种类主要为绿色和蓝色;大多数非洲类型为淡褐或淡灰色,有红或黑的斑纹。主要类群喜群居,喧闹,食昆虫。长尾阔嘴鸟(*Psarisomus dalhousiae*)为其代表种;体长25厘米,从喜马拉雅分布到婆罗洲,体绿色,头黑黄色相间,尾渐细,蓝色。另一较小的类群喜安静、独居,吃果实。其代表种是马来西亚的小绿阔嘴鸟(*Calyptomena viridis*),长15厘米,绿色,尾粗短,嘴上有一团羽毛。

broadcasting　广播　利用电子技术向公众播送无线电或电视信号,但不包括为私人或军用的特殊接收机播送的信号。一般说,广播系统向广大听众和观众播送的内容相当广泛,包括教育、新闻和娱乐等节目。

1901年G.马可尼首先将莫尔斯电码用无线电广播横越大西洋,此后在大西洋两岸蓬勃地展开了关于实用无线电通讯的研究。美国的一些无线电业余爱好者首先进行了无线电广播,其中一人在1906年圣诞前夜播送了被公认为是第一个广播节目。1920年11月第一座商业电台美国匹兹堡的KDKA电台开始广播,到1922年11月,美国即有564家持有执照的广播电台。1926年,建立了第一个广播网,使无线电广播成为一种全国性行业。从广告收入和设备销售中所获得的利润,使广播系统成为一股强大的经济力量。由于这一行业在当时基本上不受控制,随着收音机制造厂商和某些广播公司之间建立有利的营业关系,逐渐形成垄断性的局面。针对这一情况,美国联邦政府于1927年颁布广播法,明确规定消费者与制造者的权利,并成立联邦通讯委员会(FCC)来监督广播事业。20世纪30和40年代是无线电广播的黄金时代。随着广播机构学会使用这一媒介,各种新形式的戏剧节目、轻松愉快的娱乐节目和专题报道节目应运而生;而传统的艺术形式(特别是舞台剧和音乐)的播出也获得了成功。

这一期间,经常性的电视广播开始在德国(1935)、英国(1936)和美国(1941)播出,第二次世界大战使这一新行业的发展严重受挫,但战后发展迅速,特别是在美国。电视台开办时多属于原有的广播网,有着共同的行政管理和节目制作方针,但不久这一新的事业很快地就超过了无线电,在各工业化国家中成为最有力和最具广泛性的交流方式。1954年起开始有彩色电视广播,但直到10年后,彩色电视机才得到普及。电视节目的卫星播送、录像带、视盘及收费电缆电视系统的发展,大大地扩大了私人家庭收看节目的选择余地。

无线电广播和电视系统一般可按两个标准分类:第一个标准是经营和所有人的法律地位和商业状况;第二个标准是提供给听众和观众的节目的性质和意图。所有的广播机构都在某种程度上受政府的控制,国营系统则由政府机构或部门直接控制。它们常作为播送官方新闻和节目的渠道。另一方面,一些公立公司虽由政府发给执照、予以特许和由政府拨款,以及向公众收取收看费,但它们在行政管理和节目制作方针上,行使完全的自主权,英国广播公司(BBC)被公认为是这方面的典型。意大利广播电视公司是政府与私人企业合办的例子。意大利政府拥有最大比例的股份,但对编辑部的决定并不直接控制,该公司由一个超党派委员会管理,委员会中有私人股东参加。经费来自广告收入与政府津贴。私人所有和私人经营的广播公司在美国居统治地位,世界各地亦有与此类似的公司。所有这些公司几乎全都是商业机构,以出售广告时间给广告客户来获取利润。公营公司通常对听众和观众的兴趣很敏感,可不从商业上考虑,能够提供具有挑战性和争论性的节目。商业广播机构必须吸引广大的听众和观众,以保证广告推销取得成功,对于不吸引人的节目他们很快地予以取消或更改。大多数电台(电视台)避免播送不怎么能

引起兴趣或易招致麻烦的节目,而致力于播送具有最广泛吸引力的冒险故事、戏剧、喜剧和体育等节目。

Broadland 布罗德兰 英格兰诺福克行政、历史郡一区。面积552平方千米。大部为肥沃的可耕地。境内有许多精致的教堂。旅游业发达。人口约118 500(1998)。

Broads, The 布罗兹区 英格兰诺福克郡的内陆水道系统。由布尔和耶尔两河连结的约40个浅湖组成。有的湖小如池塘,大者如希克林湖面积达120公顷。有16个湖可通航。湖沿沼泽有珍贵鸟类、植物、昆虫,现主要为娱乐和消夏地。

broadside ballad 单面大活页歌谣 单面印在大幅纸上的一种通俗诗体。出现在15世纪印刷术发明后不久,直到19世纪在欧洲的街头、集市和市场上仍有人叫卖。典型的单面大活页歌谣是文丐们以最近发生的犯罪、处决或灾祸作题材而写者。许多歌谣就起源于单面大活页,以后变为口头传诵。虽然对于较为古老的歌谣,人们常常加上华丽的、感伤的或说教的词句予以"美化",但是单面大活页歌谣还是将传统歌谣的不同文本保存了下来,否则这些歌词就会从民间传诵中消失。参阅 **good-night**。

Broadstairs and Saint Peter's 布罗德斯泰斯-圣彼得斯 英格兰东南肯特行政、历史郡萨尼特区的一个堂区和城镇。位于萨尼特岛东岸。5世纪,传说中英国最早期盎格鲁-撒克逊人的首领亨吉斯特和霍萨兄弟在附近登陆。19世纪40年代小说家狄更斯经常来此。人口22 116(1991)。

Broadway 百老汇 英格兰伍斯特行政、历史郡怀查冯区的一个村庄。位于科茨沃尔德陡崖脚下,陡崖顶上有1797年建造的瞭望塔。百老汇村以科茨沃尔德石材建成的都铎和詹姆斯时代的房屋吸引了许多游客。著名建筑物有诺曼教堂、一座14世纪修道院的庄园、百老汇法院门楼和一个17世纪的旅店。人口2 328(1991)。

百老汇的科茨沃尔德石材建筑
美国不列颠百科全书公司供图

Broadway 百老汇 纽约贯通曼哈顿区的一条大街,其中段附近剧院林立,很久以来一直为美国商业戏剧的最大娱乐中心。百老汇一词实际上一度成为美国戏剧活动的同义语。它于19世纪中期获得重要剧院中枢这个名称,它的中心位置和广为人知的名声吸引着剧团经理或主持人。百老汇剧院的数目、规模和豪华程度随着纽约的繁荣和实力而增长,至19世纪90年代,这条灯火辉煌的大街以"伟大的白色大道"著称。在美国财富增长与文化需求的推动下,因其他通俗娱乐形式无力竞争,百老汇的戏剧活动在20世纪20年代后期达到顶峰,此后就开始不断衰退。19世纪末至20世纪初,百老汇剧院数目约为20家,1925年高峰时达到80家,至1980年只剩下40家(并且这40家很少在百老汇大街上,而是在百老汇大街的东面或西面,大部分位于第41街和第53街之间)。1927～1928年创纪录的演出季节里,百老汇上演的新剧目达280个;在最近几十年里,演出剧目不断减少。90年代后,更多的人选择到第42街时代广场休闲娱乐。

Broadwood, John 布罗德伍德(1732-10,苏格兰贝里克郡科克本斯帕斯～1812,伦敦) 英国拨弦键琴和钢琴制造家。现存最古老钢琴制造公司的创办人。原为橱柜木工,1761年时在伦敦为著名拨弦键琴制造家B.舒迪做工。1769年与舒迪之女结婚,翌年与舒迪合伙经营,这一合作关系一直持续到1773年舒迪去世为止。其后又与妻舅合伙,至1782年全部接管该公司。其子詹姆斯·舒迪·布罗德伍德(1772～1851)于1795年入股,至今此公司仍由这一家族经营。布罗德伍德的第一架钢琴(1773)是以德国钢琴制造者J.楚姆佩所制钢琴为蓝本的一架方琴。楚姆佩一度曾在舒迪处做工,制造了最早一批方形钢琴。至1780年,布罗德伍德所制方形钢琴在设计上已有所创新。人们所知的第一架布罗德伍德三角钢琴制造于1781年,增加了制音器和弱音踏板,与现代三角琴相似;其后又作多项改进,并获专利权,其中包括采用分开的琴马(1788),使高、低弦分别振动音板。这一设计为后世大多数三角钢琴所采用。

Broca, Paul 白洛嘉(1824-06-28,法国大圣福瓦～1880-07-09,巴黎) 法国外科医生,法国现代体质人类学的发展与他密切相关。他对脑损伤的研究,对于了解失语症有重大贡献。曾创办巴黎高等研究学院的人类学实验室(1858)和巴黎人类学学会(1859)。其研究范围大部涉及人类各种族的颅骨,他应用新技术和方法研究史前人脑及颅骨各部分的形状、构造及其各部之间的关系。1861年宣布在大脑左前区发现了清晰言语区,该脑区后被命名为白洛嘉脑回(即左额下回)。他还提供了第一个人脑功能分布方面的解剖学证据。1872年创办《人类学评论》杂志,1876年筹建巴黎人类学学院并任院长。撰有《人类学研究报告书》(5卷,1871～1878)等论著。

brocade 织锦缎 又称锦缎。具有浮起的花卉或其他图案的织物,通常用提花装置织成。图案只显现在织物的正面,常用缎纹或斜纹组织,织物的底纹可以是斜纹、缎纹或平纹。这种华丽的厚织物经常用于夜礼服、帷幕及室内装潢。

约1730～1750年的意大利织锦缎
美国不列颠百科全书公司供图

broccoli (*Brassica oleracea*, Italica group) **花茎甘蓝** 十字花科植物甘蓝(**cabbage**)的一个类型。1年生,生长迅速,直立而多分枝,高60～90厘米,枝端簇生密集的绿色花芽。在英国,broccoli一词指花椰菜(**cauliflower**,即 *B. oleracea*, Botrytis 类群)。花茎甘蓝原产地中海东部和小亚细亚。在意大利,自古罗马时代即开始栽培,约1720年引入英国,大概在殖民时期传入美国。在温和及凉爽的气候下,花茎甘蓝生长旺盛,用种子直播或播在苗床上再行移植。根据不同的品种和气候条件,生长期60～150天。其味似甘蓝而较淡。新鲜花茎甘蓝深绿色,花茎结实,花芽紧密,烹调食用或生食。

花茎甘蓝(*Brassica oleracea variety italica*)
美国不列颠百科全书公司供图

Broch, Hermann 布罗赫(1886-11-01,维也纳～1951-05-30,美国康涅狄格纽黑文) 德语作家。他的"多向度小说"获国际好评。在这种小说中他出色地运用了革新的文学技巧来表达人类的广泛体验。布罗赫29岁那年,放弃财产继承权,卖掉他家的纺织厂,回到维也纳大学攻读物理、数学和哲学。第一本重要作品是三部曲《梦游者》(1931～1932),追述了1888～1913年之间欧洲社会的解体过程,描绘了现实主义者对于浪漫主义者和无政府主义者的胜利。1934～1936年写作《诱惑者》(1953),描写一个希特勒式的外来者对一个山村的控制,以举例说明他关于群众疯狂行动的理论。1935年,在纳粹监狱里度过了5个月,因国际友人和同行(如J.乔伊斯)的营救而获释。1940年移居美国。在《维吉尔之死》(1945)里,他阐述了自己对死亡的体验,描绘维吉尔临终前18个小时的情况,维吉尔生活在一个过渡时期里,布罗赫自认自己处境与他相似。后来致力于研究政治理论。除了许多短文、信件和评论外,其他作品还有《未知数》(1933)和《无罪的人们》(1950)以及许多短论、书信和评论。

brochantite 羟胆矾 一种硫酸铜矿物 $[Cu_4SO_4(OH)_6]$。一般产在铜矿床的氧化带中,与孔雀石、蓝铜矿和其他铜矿物伴生,在干燥地区尤其如此。产地包括德国的拿骚、西班牙的里奥廷托、冰岛的克里叙维克和美国西南部。羟胆矾还大量产于美国的亚利桑那州和智利。关于详细的物理特性,参阅**sulfate mineral**(表)。

Brock, Sir Isaac 布罗克(1769-10-06,海峡群岛根西岛圣彼得港～1812-10-13,上加拿大昆斯顿) 英国军人和加拿大的行政官员,在1812年对美战争中以"上加拿大英雄"闻名。

美国不列颠百科全书公司供图

1785年参加英军,1797年升中校。1802年派往加拿大,1805年升上校,1811年升少将。1810年任上加拿大(今在安大略)军队总司令,后又任临时省督。1812年英美两国在加拿大交战,他在上加拿大奋力抵御美国的入侵,并组织民团。1812年8月15日在力量悬殊的情况下,指挥英国和印第安人军队,从美军手中夺取底特律。因立此战功,获得巴思勋章骑士爵位。同年10月在昆斯顿高地战役中又挫败美军,但负重伤死亡。

Brock, Sir Thomas 布罗克(1847-03-01,英格兰伍斯特郡伍斯特～1922-08-22,伦敦) 英国雕刻家,最著名的作品是伦敦白金汉宫前的维多利亚女王纪念像。共作有7座维多利亚女王雕像。1897年发行的硬币上的女王肖像图案也为他所作。其他肖像雕刻有英国政治家W.格莱斯顿(1902)和美国诗人H.W.朗费罗(1884),均在威斯敏斯特教堂。所作J.科克船长雕像(1914)立于伦敦林荫大道。1911年被授予爵位。

Brockdorff-Rantzau, Ulrich, Graf von 布罗克多夫-伦佐(1869-05-29,普鲁士石勒苏益格-荷尔斯泰因[德国]～1928-09-08,柏林) 签订《凡尔赛和约》时期的德国外交部长,20世纪20年代德-苏和解的缔造者之一。1912～1918年任德国驻哥本哈根公使,支持丹麦的中立政策。在1919年巴黎和会上,他力争取得较好的和平条件,但未成功。因未能阻止政府批准《凡尔赛和约》,于1919年6月辞去外交部长职务。1922年任驻莫斯科大使,致力于巩固由《拉帕洛条约》开创的德苏和解。《德苏柏林条约》(1926-04)与1925年的《洛迦诺公约》相抗衡,后者使德国同西方国家建立过分密切的关系。

Brocken 布罗肯山 又拼Blocksberg。哈尔茨山脉最高点(1 142米)。在德国韦尔尼格罗德西南偏西13千米处。山体为一巨大花岗岩圆丘。有19千米长的有轨车道通山顶。峰顶视野开阔。太阳西斜,山影投射到下方云霭之上,人称此种现象为"布罗肯幽灵"或"布罗肯宝光"。过去每年4月30日沃尔珀吉斯之夜,或称恶魔的聚会在此举行传统仪式。歌德的《浮士德》描述过这座山峰。

Brocken bow 布罗肯宝光环 又称对华(anticorona)、彩光环(glory)、布罗肯宝光或山地宝光(mountain spectre)。在落日或朝晖中,山顶观察者在低于山顶的云层表面所见到的显然被远远扩大了的影像。这是因为观察者误认为云中近处的影像,同通过云罅所看到的远处的地面物体一样遥远所产生的光学幻觉。以德国哈尔茨山脉的最高峰布罗肯命名,由于阳光经云中水滴衍射,影像周围常有彩色光带或光圈环绕,在布罗肯峰上这种彩色光环有时候蔚为奇观。这一现象也可在云层上方阳光中飞行的飞机上看到。

Brockes, Barthold Heinrich 布罗克斯(1680-09-22,汉堡[德国]～1747-01-16,汉诺威里策比特尔) 德国诗人。他的诗属德国启蒙运动早期最受人欢迎并且最有影响的作品。他是贵族世家的后裔,曾广泛游历,后在故乡经商。1720年任汉堡市政委员,1735年,任里策比特尔的行政官。译过18世纪英国诗人J.汤姆森和A.蒲柏的作品。在他们的影响下,写过吟咏自然的诗,如《上帝安排的尘世之乐》(1721～1748),诗中对自然现象描写得很细致,把它看作是上帝安排有序的宇宙的某些面貌。他是把自然当作主要写作题材的近代首批德国诗人之一,也是以新的写诗态度去对待自然的先驱者之一。

brocket 墨西哥鹿 偶蹄目鹿科墨西哥鹿属(*Mazama*)几种小型动物的统称,分布在墨西哥到南美洲一带。胆小,吃草,生活在林地,独栖或成对。约有4种,包括棕墨西哥鹿(*M. gouazoubira*)和红墨西哥鹿(美洲墨西哥鹿,*M. americana*)。墨西哥鹿体结实,背弓形,尾短,肩高43～69厘米,毛褐色,深浅因种而异。雄体有不分叉的短角。

Brockhaus Enzyklopädie 《布罗克豪斯百科全书》 德国威斯巴登出版的德文百科全书,被公认为许多其他语言的百科全书的典范,其条目文字简短而内容充实。初版称《社交词典》(1796～1808),由19世纪百科全书界主要人物F.A.布罗克豪斯出版。布罗克豪斯主张百科全书选收最新资料,条文化繁为简和采用高度专业的条目。他的宗旨在使一切学科的已知信息都易为在校学生和非专业读者所理解。从编辑之初就注重通俗知识并坚持使用高质量的插图。在刊印第15版《大布罗克豪斯》(20卷和附录,1928～1935)之前,未使用布罗克豪斯的名字。第16版(1952～1963)为12卷和两卷附录,并有一地图集。经彻底修订和重排的第17版书名为《布罗克豪斯百科全书》,计21卷和4卷附录,于1966～1981年出齐。修订重排的第18版从1986年开始出版。

Brockhouse, Bertram N. 布罗克豪斯(1918-07-15,加拿大艾伯塔省莱斯布里奇～2003-10-13,安大略哈密尔顿) 加拿大物理学家,与美国物理学家G.C.沙尔共获1994年诺贝尔物理学奖,因为他们各自独立地同时发展了中子散射技术。这种技术是将一束中子射向一种靶材料,由中子的散射即可获得有关该材料原子结构的信息。布罗克豪斯所发展的技术称为非弹性中子散射,它通过测量被散射中子的相对能量而提供额外的数据。布罗克豪斯就读于不列颠哥伦比亚大学(1947年获文学士)和多伦多大学(1948年获文学硕士,1950年获哲学博士)。1950～1962年间,在加拿大原子能部属下的乔克里佛核实验室从事使他获奖的研究工作。应用非弹性中子衍射,他对声子作了先驱性的考察,声子是散射中子所花费的点阵振动能量的单位。他还研制了中子光谱仪,并且是固体声子频散曲线的最早测量者之一。1962年后一直在麦克马斯特大学(安大略省哈密尔顿)任教授,1984年退休。

Brockton 布罗克顿 美国马萨诸塞州东南部普利茅斯县城市,北距波士顿32千米。1649年始建。1881年设市。1750年建立制鞋工业,1865年成为制鞋工业中心,到20世纪50年代制鞋业下滑。现有服装、电子设备、机床、塑料及印染工业。为首批安装电气路灯(1884)的城市之一。1893年首先通行市内电车,并首建内陆城市处理污水的设施。设有马萨索伊特社区学院(1966)。经济主要依靠服务业。医院、政府和零售店提供了大量就业机会。人口:市约94 304;布罗克顿主要都会统计区约255 459(2000)。

Brockville 布罗克维尔 加拿大安大略省东南部城市,利兹与格伦维尔联合县的行政中心。在圣劳伦斯河畔，与美国纽约州莫里斯敦市隔河相望。初建于约1790年。1812年战争前曾名伊丽莎白镇、威廉斯镇及查尔斯镇，其后为纪念艾萨克·布罗克爵士更现名。1832年设村，1859年设镇，1962年设市。现为消夏胜地。有轻工业。人口21 582(1991)。

Brod, Max　布罗德（1884-05-27，奥匈帝国波希米亚布拉格[今在捷克共和国]～1968-12-20，以色列特拉维夫）　捷克出生的德语小说家和短论作家，因与作家卡夫卡为友并在后者死后编辑出版其主要作品而闻名。曾在布拉格大学学法律。1902年结识卡夫卡并成挚友。做过小公务员和剧评家。1912年起，成为积极的犹太复国主义者，1939年为躲避纳粹入侵捷克斯洛伐克，前往巴勒斯坦。他的小说混合着幻想、神秘和色情，以直率风格写作。最著名的作品是历史小说《第谷·布拉厄的赎罪之路》(1916)。其他小说，有《人们渴求的女子》(1927)和《爱的神奇国度》(1928)，敏锐地探讨了爱情问题。他的《弗朗茨·卡夫卡传》(1937)表现了一种高度发挥的个人观点。还编辑过卡夫卡的日记(1948～1949)和书简(1954和1958)。他的其他作品中有论文集《异教、基督教和犹太教》(1921)及《这一边和那一边》(1946～1947)，论文力图说明现代犹太复国主义知识分子的立场。

broderie　锦绣式花圃　法语又作parterre de broderie。16世纪后期法国的一种园林艺术。是将小路与花坛组成形同锦绣的图案，形状有飘带状、曲线形、叶状等多种形式，而

法国凡尔赛宫花园的锦绣式花圃
美国不列颠百科全书公司供图

由小路分隔成的不同花坛，则彼此呼应，组成一整块具有对称图案的花圃。英国汉普顿宫花园、法国凡尔赛宫花园的锦绣式花圃世界驰名。18世纪以来，由于自然式园林艺术的兴起，精雕细琢的花圃已变得过时。

broderie anglaise　英格兰刺绣品　雕空刺绣的一种形式。在物料（棉布之类）上挖出圆形或椭圆形孔，然后沿孔缘锁边。这些大大小小的孔眼预先按图案排列好，然后用简单的刺绣针法在孔的周围勾画成图案。这项技术起始于16世纪的欧洲。19世纪时广泛用

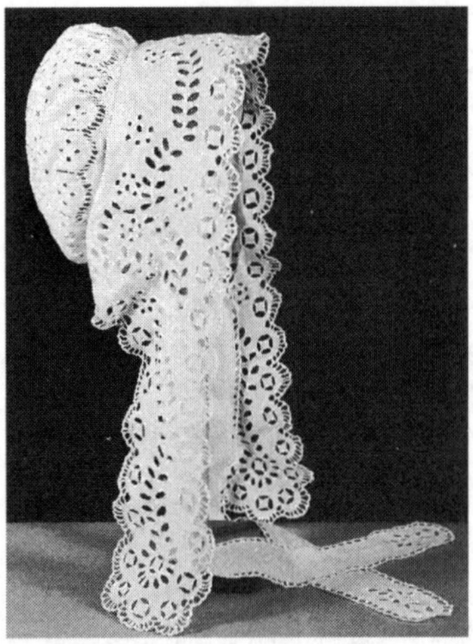

19世纪初的英格兰刺绣品
美国不列颠百科全书公司供图

于睡衣和内衣。现今英格兰刺绣品均用机制。

Brodovitch, Alexey　布罗多维奇（1898，俄国奥格利奇～1971-04-15，法国勒托尔）　美国杂志美术编辑、平面造型设计师和摄影师。第一次世界大战在俄国从军后，1920～1930年在巴黎从事平面造型设计工作。1930年赴纽约市。1934年，《哈珀市场》杂志主编C.斯诺雇用他用现代精神来活跃杂志，而布罗多维奇也在此留下了最宝贵的遗产。在《哈珀市场》杂志任职期间(1934～1958)，他使美国杂志设计发生了革命性的转变。他一反20世纪30年代编辑设计中风行的静态布局并摈弃传统的在摄影室摆弄姿势的照片，强调运用展开的双页作为场地，动态展现赏心悦目的照片，以轮廓分明的博多尼活字字体和雅致的白色空间组成一个综合体。他追求的是每月一期都充满如同音乐作品般的视觉流。他利用尺寸大小、复杂性、价值和色彩的变化，为读者提供一连串各种不同的经历，使页面显得生动而有活力。此外，他还为许多其他书籍和编辑工作订立新的优异设计标准。他的设计方法更通过讲课和研讨会，特别是通过他在纽约的设计实验室(1936～1959)传播，影响极大。他的自拍照也得到好评，尤其是他《芭蕾》(1945)一书中一些别具一格的照片。

Brodsky, Joseph　布罗茨基（1940-05-24，苏联俄罗斯列宁格勒[今圣彼得堡]～1996-01-28，美国纽约州纽约）　原名作Iosip Aleksandrovich Brodsky。俄罗斯出生的诗人，以其抒情与哀歌体诗作获1987年诺贝尔文学奖。15岁时辍学谋生，工余写诗。后在列宁格勒文坛赢得了声名，但由于其狂放不羁的天性，加以职业无定，于1964年被苏联当局以“社会寄生虫”罪名判处5年苦役。次年，一些苏联知名作家对此表示抗议，得以减刑。1972年离开苏联，在美国定居，1977年入美国籍。为1991～1992年的美国桂冠诗人。布罗茨基的诗作多抒发个人情怀、感受，以沉思冥想的方式表达对生、死以及生存意义等普遍关注的主题的见解，遒劲有力。他的早期以俄语写成的诗歌有《诗歌集》(1965)和《荒原小驻》(1970)。《悼约翰·多恩》一诗颇为诗坛瞩目。较为重要的作品有《词类之一》(1980)、《二十世纪史》(1986)、《致乌拉尼亚》(1988)及论文集《小于一》(1986)，其中有用英文写的，也有用俄文写的。

Broek, J. H. van den　范登布鲁克（1898-10-04，荷兰鹿特丹～1978-09-06，海牙）　全名Johannes Hendrik van den Broek。荷兰建筑师，与J.B.巴克马共同参加了第二次世界大战后鹿特丹的重建工作。1924年从代尔夫特工科大学毕业，1927年在鹿特丹开始从事建筑业务。1937年与J.A.布林克曼、1948年与巴克马合组事务所。早期的著名设计是鹿特丹的林朋购物中心(1953)。20世纪50年代的其他设计有：鹿特丹的几所百货店、布里勒的几座校舍(1948～1957)、鹿特丹的学校楼房(1958)、斯希丹和纳赫勒的教堂(1957和1959)、亨厄洛的大片住宅区(1957～1959)以及布鲁塞尔世界博览会的荷兰馆(1958)。他的晚期设计有代尔夫特高等工科学校校舍(1965)和西德马尔的市中心区(1960～1967)。

Brofeldt, Johannes（Finnish fiction writer）**布罗费尔特**　参阅**Aho, Juhani 阿霍**。

'Brog-mi　卓弥（992，吐蕃[今西藏]～1072）　佛教僧人，精密法者。卓弥曾在尼泊尔修习1年，在超岩寺（在今印度比哈尔）修习8年。印度佛僧阿底峡约于1042年到吐蕃，在阿底峡的影响下，卓弥领导吐蕃佛教的复兴。他创立一个很有势力的新教派，即著名的萨迦派。1073年，卓弥的弟子贡却杰布建立萨迦寺。

Brøgger, Waldemar Christofer　布罗格（1851-11-10，挪威克里斯蒂安尼亚[今奥斯陆]～1940-02-17，奥斯陆）　挪威地质学家和矿物学家，对奥斯陆地区二叠纪火成岩(2.86亿年前至2.45亿年前)的研究大大地发展了岩石学理论。1881年在斯德哥尔摩大学任地质学和矿物学教授，在该校建立了出色的矿物学研究所。9年后任奥斯陆大学教授，直至1917年，在该校研究了二叠纪岩石，并在岩浆分异的理论方面做了开拓性的工作，对挪威南部和奥斯陆地区的岩石在矿物学方面有大量的发现。1900～1906年，任挪威议会议员，并兼任奥斯陆大学校长。

Broglie, DUKES OF　布罗伊公爵　17世纪皮埃蒙特家族的法国贵族头衔，按年代顺序分列于后，并各以●为标记。

● Broglie, François-Marie, 1st Duke（1er Duc）**de　布罗伊公爵（第一）**（1671-01-11～1745-05-22）　路易十四和路易十五时代的法国元帅。在西班牙王位继承战争中服役，后又在意大利服役(1733～1735)，1734年晋升为法国元帅。1742年在奥地利皇位继承战争期间，奉命指挥德意志境内的法军，但他并无胆略。取得的唯一胜利是1742年5月24～25日在波希米亚萨哈伊的战斗，为此6月被

封为布罗伊公爵。

● **Broglie, Victor-François, 2nd Duke** (2^e **Duc**) **de　布罗伊公爵(第二)**(1718-10-19～1814-03-30,威斯特伐利亚明斯特[德国])路易十五和路易十六时代的法国元帅。法国大革命期间的流亡贵族之一。曾与其父、第一布罗伊公爵在意大利服役。奥地利皇位继承战争期间,他曾参加进攻布拉格的战役(1741)、莱茵河诸次战役(1744～1745)和荷兰战役(1747)。七年战争期间,布罗伊公爵(第二)于1759年在贝尔根(法兰克福附近)战胜不伦瑞克的费迪南,被路易十五升为法国元帅,被弗兰茨一世封为神圣罗马帝国亲王。1789年7月路易十六命他指挥集结在凡尔赛周围的部队,企图平息以后发展为大革命的骚乱,并任命他为陆军大臣。几天后事败,被迫逃亡国外。

● **Broglie, (Achille-Charles-Léonce-) Victor, 3e duc de　布罗伊公爵(第三)**(1785-11-28,巴黎～1870-01-25,巴黎)　法国政治家、外交家,总理(1835～1836)。他终生与反对力量作斗争。1809年入帝国行政法院工作,后拿破仑派他随外交官员出使各国。1814年6月第一次复辟时期,在路易十八的贵族院任议员。"百日"事件后,因勇敢捍卫内伊元帅而闻名。1830年7月革命后,历任教育大臣和外交大臣。布罗伊公爵(第三)主要致力于加强和英国的关系。1834年4月退职。次年3月出任总理。1836年2月辞去总理职务,后不参与政治。1847年5月出任驻伦敦大使。1849年5月由厄尔省选为议员。他参加保守派,竭力遏止社会主义的潮流。1851年12月3日政变后,他成为拿破仑三世政权的死敌之一。1855年起为法兰西学院院士。余生20年间主要从事哲学和文学的研究。著有《关于法国政府的管见》(1861)、《文稿与演说》(1863)、《自由贸易与赋税》(1879)和《回忆录》(1885～1888)。

● **Broglie, (Jacques-Victor-) Albert, 4^e duc de　布罗伊公爵(第四)**(1821-06-13,巴黎～1901-01-19,巴黎)　法国政治家、文学家。曾在马德里和罗马短期从事外交工作,1848年革命爆发后退出政界。1846年他翻译出版了莱布尼兹关于宗教体系的著作。1862年当选为法兰西学院院士,当时他的著作《四世纪的教会与罗马帝国》(6卷,1856～1866)尚未完成。1871年2月他作为厄尔省代表被选入国民议会。几天后出任驻伦敦大使。1872年3月因英法贸易和通商条约谈判受到严厉批评而辞职。

布罗伊公爵(第四)后任国民议会议员,成为反对共和国总统A.梯也尔的保守势力的领袖。当梯也尔被保守派麦克马洪元帅取代后,他出任国务会议主席(即总理)兼外交部长(1873-05),后又兼任内政部长(11-26)。他的内阁极为保守,招致共和党人的仇恨。内阁于1874年5月18日解散。1877年5月16日麦克马洪命他组织新内阁,但未能取得在议会中共和党多数派的信任。11月20日被迫辞职,从此脱离政治,专门研究历史。他的《回忆录》(2卷)于1938～1941年出版。

● **Broglie, (Louis-César-Victor-) Maurice, 6e duc de　德布罗意**(1875-04-27,巴黎～1960-07-14,法国讷伊)　法国物理学家,在研究X射线方面多有贡献。从海军学校毕业后,曾任军官9年。约1904年开始从事物理学研究,在巴黎寓所建立设备完善的个人实验室,与其他物理学家共同进行关于原子结构的实验。他采用旋转晶体法,提高X射线摄谱术的精度,用X射线技术测量不同电子团与原子核的结合力。1934年被选入法兰西学院,1946年成为英国皇家学会外籍会员,1942～1946年任法兰西学院教授。死后无嗣,公爵封号由其兄弟路易承袭。

● **Broglie, Louis-Victor(-Pierre-Raymond), 7^e duc de　德布罗意**(1892-08-15,法国迪耶普～1987-03-19,巴黎)　法国物理学家,以他对量子理论的研究和发现了电子的波动性质

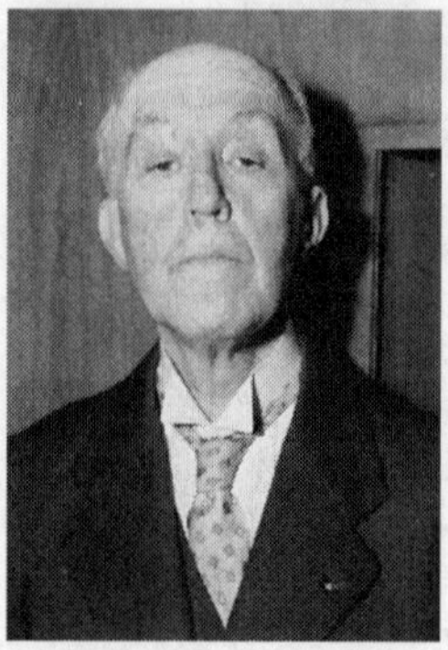

美国不列颠百科全书公司供图

而闻名,获1929年诺贝尔物理学奖。他贵族家族出身。自17世纪起,该家族中高级军官、政治家和外交家辈出。但他和他的哥哥,冲破家庭传统,选择科学研究为终生职业。他的哥哥M.德布罗意也是物理学家,在原子核物理学的实验研究中有过显著贡献。他18岁时在巴黎大学文理学院开始学习理论物理学,但同时也在修历史学学位(1909)。经过一段激烈的思想斗争之后,他拒绝了指定给他的法国史研究课题,而选择了物理学为博士论文主题。在该论文(1924)中,他发展了自己先前曾在科技期刊中发表过的有关电子波动的革命性理论。关于原子尺度的物质可能具有波动性的概念,其根源是爱因斯坦20年前提出的一种见解。爱因斯坦曾提出,在某些条件下观察时,短波长的光可能会表现得犹如由粒子组成的一样。这一想法于1923年得到证实。但是,当德布罗意把这一思想扩展到物质的二象性时,光的二象性才刚刚开始得到科学上的承认。他的这种扩展,解决了原子内的电子运动问题。他的"物质波"理论,得到爱因斯坦的热烈支持,后来奥地利物理学家E.薛定谔在他的理论基础上用数学形式表示,建立波动力学。直至1927年,美国的C.戴维孙和L.革末以及苏格兰的G.汤姆森才用实验证实电子的波动性。德布罗意取得博士学位后,留在巴黎大学文理学院工作。1928年起在当时新成立的庞加莱学院任理论物理学教授,直至1962年退休。1945年以后还曾任法国原子能委员会顾问。除获诺贝尔物理学奖外,还因著文向民众普及科学知识而于1952年获联合国经济及社会理事会颁发的卡林加奖。

德布罗意是法国科学院和法兰西学院院士,同时也是英国皇家学会外国会员。他对现代物理学作了许多哲学方面的论断,经过30多年的潜心研究,他认为作为原子物理学基础的统计理论,在实验技术所不能揭示的变量后面,隐藏着完全确定并可以弄清楚的实在。

broiling　炙　将食品直接置于辐射热中的烹调方法,一般在煤炉明火上或煤气燃烧器、电热线圈等热源下进行。炙与烤和焙略有不同,在加工过程中将食品翻转使得在同一时间只有一面加热,并且温度要高些。家用炉的温度通常调节在288 ℃左右,而大型商业用炉则在371～538 ℃之间。鱼、禽肉及许多野味均适于炙制。肉块通常是放在煤炉明火上炙制,也可放在长柄平底锅或炉中炙制。伦敦炙肉是选用后腹肉排或其他部位的肉,先拌以醋、油及蒜泥等佐料,再放在支架上用烤炉炙制而成。

Broken Bay　布罗肯湾　澳大利亚新南威尔士州中东部塔斯曼海(太平洋)小海湾。接纳霍克斯伯里河和皮特沃特河。入海口宽5千米。向内分为3个小湾:皮特沃特湾、考恩湾和布里斯班湾。沿岸是著名游览地,属悉尼郊区。沿湾的重要镇有戈斯福德和沃伊沃伊。湾畔有库灵盖狩猎地国家公园。

Broken Glass, Night of (Germany)　参阅 **Kristallnacht** 水晶之夜。

Broken Hill　布罗肯希尔　澳大利亚新南威尔士州中西部矿业城市。位于大屏障岭东麓,西距南澳大利州50千米。素有银城之称,拥有世界最丰富的银、铅、锌矿床之一。1883年建居民点。1885年创立布罗肯希尔持股公司(现为全国最大工业企业)。20世纪末澳大利亚铅出口居世界之冠,其中大部分产于布罗肯希尔。亦为西达令牧区的中心。设有新南威尔士大学分院和皇家飞行医疗队和广播电视学校的基地。航空和铁路通澳大利亚的大多数主要城市。亦为公路枢纽。市区周围大力发展再生林区,以防止矿坑流沙侵入。达令河畔的梅宁迪湖群现为游览区。人口约27 400(1983)。

Broken Hill (Zambia)　**布罗肯希尔**　参阅 **Kabwe** 卡布韦。

Broken Hill man　布罗肯山人　参阅 **Kabwe man** 卡布韦人。

Broken Hill Proprietary Company Limited (BHP)　**布罗肯希尔持股公司**　参阅 **BHP Billiton** 必和必拓集团。

broken rhyme　分割韵　押韵的两个成分之一由两个词组成的一种押韵方式(如"gutteral"与"sputter all"押韵)。分割韵也可能是

将一个词分割为两部分，将该词的前一部分放在一诗行末尾，使之与另一诗行的末尾押韵。G.M.霍普金斯在一首无题诗的第2诗节中将 lingering 一词分割，使 ling 和上一行的 sing 押韵。E.利尔在其《认识利尔先生有多么快乐》一诗的第6诗节中提供了又一实例。他分割了 nightgown 一词，使 night 与上一行的 white 押韵。

broken wind（animal disorder） 参阅 **heaves** 喘息症。

Brokopondo 布罗科蓬多 苏里南中部地区城镇。临苏里南河。在菲达和阿弗巴卡水电站之间。有铝土矿和炼铝业。有一小型机场。

'Brom-ston 仲敦巴（1005～1064） 中国西藏堆垅（今拉萨堆龙德庆）人。藏传佛教噶当派创始人。幼年从师学习藏文及梵文。1045年迎请印度佛学家阿底峡入藏传教，并师事阿底峡，但终生未出家。1056年仲敦巴应藏北达木（今当雄）地方之请，前往建立热振寺，即为噶当派建立之始。

Bromberg（Poland） **布龙贝格** 参阅 **Bydgoszcz** 比得哥什。

Brome, Richard 布罗姆（?～约1652） 英国剧作家，一般认为是詹姆斯一世时期的小剧作家中最引人注目者。原为本·琼森的仆人，可能是作为他的秘书，后结成朋友，人们

美国不列颠百科全书公司供图

对布罗姆个性的了解主要得自琼森写在布罗姆的成名作《北方少女》（1632）卷首的十四行诗。其喜剧充满对当时伦敦生活的描绘，富有历史价值和趣味。《一伙快活人》（1641）被认为是他的最佳作品。现尚存有15部喜剧作品。

bromegrass 雀麦草 早熟禾科雀麦属（*Bromus*）植物。近100种，一年或多年生杂草或饲草。生长在温暖和凉爽的地区。叶扁平而薄。花簇开展稀疏，直立或下垂。多数高30～100厘米。美国有40余种，约半数是原产种。扁穗雀麦（*B. catharticus*）是冬性一年生植物，从南美引入美国作为饲料和牧草。光滑雀麦草（无芒雀麦，*B. inermis*）多年生，原产欧亚，引入美国北部作为饲草和固土植物，有重要的经济价值。二雄蕊雀麦（裂肠草，

雀麦草（*Bromus*）
美国不列颠百科全书公司供图

B. diandrus）、狐尾雀麦（红色雀麦，*B. rubens*）和绒毛雀麦（旱雀麦，*B. tectorum*）的小穗和苞片上的刺能刺伤牧畜的眼、口和肠，导致感染，甚至死亡。黑麦样雀麦（*B. secalinus*）为常见的杂草，生于路边及禾谷地。

Bromeliales 凤梨目 显花植物的一目。仅含凤梨科一科，分3个亚科，约50属，2 600多种。除一种外，均原产于热带美洲和西印度群岛。此种植物有百合花般分成三部分的

一种凤梨目（*Bromelia pinguin*）植物
美国不列颠百科全书公司供图

花，但有对称的花萼和瓣。凤梨科的许多品种是短茎附生植物（生长在树枝上）。叶带状，坚韧，通常丛生，边缘常具刺或近基部颜色不同。有许多种具长穗状花序，苞片颜色鲜艳。大部分属果实为肉质，仅少数属为荚果。铁兰（*Tillandsia usneoides*）用作包扎材料。凤梨（*Ananas comosus*）果可食，是本科主要经济植物。*Bromelia pinguin* 花红色，叶剑状，长1.2～1.8米，可作树篱植物。秘鲁和玻利维亚的巨型 *Puya raimondii* 是最大的一种。长可至9米以上。有些属的种花和叶颜色鲜艳，供室内栽培观赏，如附生凤梨属（*Aechmea*）、红苞凤梨属（*Billbergia*）、无柄凤梨属（*Cryptanthus*）、狄克属（*Dyckia*）、果子曼属（*Guzmania*）、沙生凤梨属（*Hechtia*）、芦状凤梨属（*Neoglaziovia*）、杂色叶凤梨属（*Neoregelia*）、鸟巢凤梨属（*Nidularium*）、粗茎凤梨属（*Puya*）、铁兰属（*Tillandsia*）、花叶兰属（*Vriesea*）等。附生凤梨属、凤梨属、芦状凤梨属、粗茎凤梨属、*Bromelia* 属一些种的叶含纤维，可制绳索、网以及其他纤维制品。诸如 *Androlepis* 等许多属常置于温室供观赏。

Bromfield, Louis 布罗姆菲尔德（1896-12-27，美国俄亥俄曼斯菲尔德～1956-03-18，俄亥俄哥伦布） 美国小说家、随笔作家。生于农场主家庭。曾在哥伦比亚大学学习新闻。第一次世界大战爆发时，前往法国服兵役，荣获勋章。战后曾在纽约从事音乐评论工作数年。1923年结婚后，移居巴黎以北的一个村庄，集中精力从事写作。在侨居国外期间，他写出了一些受到高度赞扬的小说，其中包括《格林贝的树》（1924）、《占有》（1925）和《初秋》（1926）。《初秋》获1926年普利策奖。虽然这些作品是在法国写的，但它们以及他的最佳小说《一个善良的女人》（1927）都是以美国生活为主题的。第二次世界大战开始后，他返回美国，在俄亥俄州购置农场，并继续写作，写出《河流汹涌》（1941）、《破晓以前》（1942）、《帕金顿夫人》（1943）和《安娜·博尔顿的下场》（1944）。后期作品很少达到在法国所写小说的深度或质量。

bromine 溴（Br） 周期表ⅦA族卤族化学元素，深红色发烟液体。它是一种稀有元素，分散于整个地壳，仅以溴化物形式存在。溴富集于海水（按重量计，占65ppm）、死海海水（约5克/升）以及某些温泉和稀有的不溶性溴化银矿物中。溴的主要工业来源是海水，可用氯气通过化学置换法（氧化）从中提取溴。1826年，法国人A.-J.巴拉尔首次从地中海海水蒸发后所得的盐卤（盐水）中分离出溴，并确认其为元素。此后，就从主要的盐产品结晶后的盐卤中提取溴作为副产品。从1928年到1975年生产出来的溴大多用来制备二溴乙烯，即加到加铅汽油中的一种液体，可用以从内燃机汽缸中清除燃烧过程中产生的铅。二溴乙烯还用于消灭土壤中的线虫和其他害虫。溴还用来制备染料、四溴化乙炔和三溴甲烷（因比重大可用作压力计的液体）。钾、钠、钙、锶、锂和铵的溴化物，由于具有止痛作用而广泛用于医疗中。溴化银（AgBr）是照相胶片的重要组分，跟氯化银、碘化银一样，对光很敏感。在面粉中加入痕量溴酸钾（$KBrO_3$），可改善焙烤特性。溴的其他重要化合物有溴化氢（HBr），它是一种可用作还原剂和有机反应催化剂的无色气体。其水溶液叫做氢溴酸，是一种强酸，在跟金属、金属氧化物以及金属氢氧化物作用时其性质类似于盐酸。溴有刺鼻气味，对皮肤、眼睛和呼吸系统均有刺激作用。人在浓溴蒸气中即使短时间停留，也可能会造成死亡。在很宽的温度范围内，溴以双原子分子（Br_2）的形式存在。溴蒸气为琥珀色，而液体是红棕色的。

溴在水中的饱和溶液为橘红色，遇冷时则生成一种红色的结晶水合物（笼形包合物，其中溴分子包陷在水分子网的笼形空间中）。溴是强氧化剂，因而与磷、铝和钾等元素发生激烈反应，并发出光。在潮湿环境下，溴侵蚀许多金属并使之成为溴化物。溴最稳定氧化态为 -1 价，天然存在的溴均属 -1 价。另外已知还有 +1 氧化态（次溴酸根 BrO^-）、+3 氧化态（亚溴酸根 BrO_2^-）、+5 氧化态（溴酸根 BrO_3^-）和 +7 氧化态（过溴酸根 BrO_4^-）。溴能引入到大多数有机分子中，且比氯更容易被其他基团所置换。有机溴化合物跟相应的氯衍生物类似，但通常比重较大，挥发性、可燃性和稳定性较差。天然溴是两种稳定同位素的混合物，其中溴-79 占 50.54%、溴-81 占 49.46%。在溴的已知 17 种放射性同位素中，溴 77 寿命最长（半衰期为 57 小时）。溴原子序数 35。原子量 79.909。熔点 -7.2 °C。沸点 59 °C。比重 3.12（20 °C）。氧化态 -1、+1、+3、+5、+7。电子组态 2，8，18，7 或 $(Ar)3d^{10}4s^24p^5$。

Bromley 布罗姆利 英格兰大伦敦东南面外围城镇（自治区），面积 150 平方千米。主要为住宅区。1860 年后因与伦敦市中心有便利的铁路交通而发展迅速。该镇受益于镇内在海斯和奇斯尔赫斯特的开阔公用地及在佩特斯伍德的宜园林地带。昔日肯特集镇已成为重要购物和娱乐中心，有大片办公大楼。沿克雷河谷有轻工业。该自治区于 862 年建制。罗切斯特的主教是此采邑的领主，1845 年前一直居住在布罗姆利宫（现为城镇中心和市政厅）。都铎王朝的威克姆宫亦是一著名的历史建筑。镇西北角的玻璃水晶宫系为 1851 年海德公园伦敦博览会而建，1852 ～ 1854 年在锡德纳姆山重建，从南面俯瞰伦敦市，1936 年焚毁，旧址上建有国家娱乐中心和圆形音乐厅。奇斯尔赫斯特以其"石洞"著名，事实上，石洞是 18 和 19 世纪的白垩矿穴。第二次世界大战期间，这些石洞曾用作防空洞。人口约 295 532（2001）。

bromomethane 溴代甲烷 参阅 **methyl bromide** *甲基溴*。

Brompton Oratory 布朗普顿教堂 正式名称 London Oratory of St. Philip Neri。位于伦敦肯辛顿-切尔西自治市镇的天主教堂。在肯辛顿花园以南，维多利亚和阿尔伯特博物馆以东。这个巴罗克式的建筑由 H. 格里布设计，1884 年对外开放。内有巨大的耶稣基督使徒们的大理石雕像（运自意大利锡耶纳）。布朗普顿教堂由在俗司铎修会奥拉托利会维护。教堂装饰华丽的中殿为举行合唱和风琴表演的场所。

Bromsgrove 布罗姆斯格罗夫 英格兰伍斯特行政、历史郡的一个城镇和区。面积 217 平方千米。城镇有遗存的半木料房屋，包括霍普波尔客栈（1572）。文法学校部分建于 1533 年。大街上还有几座乔治风格的房屋。伯明翰与伍斯特之间主要为住宅区。农业亦重要，每周有畜产贸易集市。工业有炼铁、锻造、纽扣、铁钉等厂和铁路修配厂。人口：城镇 26 366（1991）；区约 85 200（1998）。

Bromsulphalein test 溴磺酞钠试验 又作 BSP test 或 Sulfobromophthalein clearance test。测定肝脏功能的一种化验方法。静脉注射规定量的溴磺酞钠（BSP，一种合成染料，正常情况下几乎全部被肝脏从血流清除，排入胆汁），30 ～ 45 分钟后从静脉抽取血样，测定其中的 BSP 含量。正常情况下，在 30 ～ 45 分钟内 96% 以上的 BSP 已从血流中清除掉。BSP 滞留于血液中常表明肝脏功能有损害，但亦见于充血性心力衰竭、门静脉血栓等造成的肝血流量变化及胆汁郁积。

bronc-riding 骑野马 参阅 **bareback bronc-riding** *骑无鞍野马*；**saddle bronc-riding** *骑有鞍野马*。

bronchiectasis 支气管扩张 肺内支气管因炎症或阻塞而产生异常的扩张。通常见于原有肺部疾患的患者。支气管阻塞可由肿瘤、黏液塞、异物（如硬币、食物、糖果等）或脓肿引起。阻塞又会导致分泌物的蓄积和郁滞，引起感染和造成支气管壁张力丧失。病期短的感染（如麻疹、百日咳、肺炎或流感）本身不会引起支气管扩张，但能使支气管壁产生溃疡或出现薄弱处。慢性感染时管壁的弹性纤维和肌肉纤维往往变性，从而导致管壁扩张。炎症又造成管壁麻痹不能蠕动，从而妨碍分泌物排出。支气管一旦扩张，分泌物就容易蓄积，感染也会扩散并不断加重。本病的临床表现为疲乏、呼吸费力、发绀、咳嗽、吐黏稠的脓痰，重症时痰多，且有恶臭。在儿童则导致发育迟缓。并发症有反复发作的肺炎、肺脓疡、肺出血及咯血。慢性支气管扩张可引起杵状指（趾）。本病的诊断一般要靠 X 射线检查。治疗包括确定受损肺段，然后每日给患段灌洗 2 ～ 3 次。即使症状改善后仍要继续灌洗较长一段时间。可短期使用抗生素，以消灭体内的致病微生物。若病变为局限性，则可将患部切除。病情不甚严重的病人，感染若能控制，其预期寿命同正常人。

bronchitis 支气管炎 发生于支气管树（支气管）全部或部分节段的炎症。这里是空气进入肺的通道。支气管内壁黏膜细胞有纤毛突出，用以驱除吸入空气中的微生物和其他异物。纤毛为毛状微小结构，能作波状运动，将异物驱向上方，移向气管和喉部。由于这种刺激支气管壁内的腺体产生浓稠的黏液和稀薄的浆液，有助于驱除异物。这样的物质和分泌的黏液刺激支气管壁的神经末梢并引起咳嗽反射。于是咳嗽最终将异物及分泌的黏液从支气管树驱除出去。所有这些因素常形成一个恶性循环，它们共同引致支气管的炎症——支气管炎。感染性、物理性或化学性因子突然、迅速地刺激支气管，则通常引起持续时间相对较短的疾病，称为急性支气管炎。持续、反复的刺激可导致持续时间长，常常是永久性的支气管黏膜损伤，称为慢性支气管炎。有些人将急性支气管炎定义为大量任何一种致病因子引起的一种症状，而非具体的疾病。急性支气管炎最常由导致上呼吸道感染的病毒引起，因此常为所谓普通感冒的疾病的一部分。也常是流行性感冒、百日咳、麻疹和化脓性细菌（如链球菌和葡萄球菌）感染常见的后果。各种物理、化学因子，如火灾受害者吸入的高温或有毒气体，战争毒气，强酸、氨水、有机溶剂挥发生成的烟气，以及含二氧化硅或铍的尘埃等亦可引起急性支气管炎。治疗必须包括对症治疗及特异治疗。蒸汽吸入、支气管扩张药和祛痰药通常可缓解症状；按致病微生物的敏感性选择适当的化学治疗，除去或离开有害的物理、化学因素，均可消除病因。病程通常较短，若特异治疗有效，则多为 2 ～ 4 天。未经治疗或治疗不彻底，则急性支气管炎可发展为慢性支气管炎。慢性支气管炎指支气管树迁延日久的炎症。支气管内壁受到持续的损伤，许多细胞被破坏，纤毛不复存在，防御异物入侵的机制缺失。病变处结痂，支气管变狭窄、僵硬，变形，并易发生慢性炎症，黏稠的黏膜分泌物分泌过多。主要症状为连续不断的强烈的多痰的咳嗽。咳嗽不易止住，事实上也不应予以抑制，因为此时产生的大量分泌物应当咯出，以避免经常存在的严重合并感染的危险。长期大量吸烟可为慢性支气管炎的原因之一，也肯定是最能加剧慢性支气管炎症状的因素之一。慢性心脏病可导致肺部充血。发炎的鼻窦内可隐藏着病原微生物，这些病原体可使肺部反复发生再感染。受到损伤的支气管是窝藏感染的理想场所，也容易积存过量的液体及分泌的黏液。温度的突然改变、寒冷和潮湿的气候、多尘的环境均加剧症状。慢性支气管炎患者易发生肺纤维化和肺气肿。因为呼吸道更易受病原微生物的侵犯，慢性支气管炎患者常发生急性支气管炎和肺炎。因为支气管树的损伤多为不可逆，治疗仅为对症治疗，包括祛痰药和支气管扩张药。偶尔需用药物抑制剂降咳，但此类药物不可多用，因为此类药物可致成瘾，而且祛痰是必需的。预防合并感染极为重要，措施为密切观察早期征象或预防性应用抗生素，因慢性支气管炎多不可逆，调整患者的生活和工作条件使之适应其病情，这也是治疗中的一个重要因素。

bronco（horse） **布朗科马** 参阅 **cayuse** *卡尤塞马*。

Brongniart, Adolphe-Théodore 布隆尼亚尔（1801-01-14，法国巴黎～1876-02-18，巴黎）法国植物学家。他的化石植物分类法在达尔文的生物进化原理出现之前就以惊人的准确性把已绝灭的植物与现存的植物联系起来，为此他赢得了现代古植物学奠基人的声誉。他在被子植物形态学，尤其是在说明花粉发育和花粉管的形成（1827）等方面亦作出了重要贡献。1831 年他成为法国国立自然博物馆植物学家勒内·德方丹的助手，两年后继任馆长，直至去世。自 1822 年始，发表了许多关于化石植物分类与分布的论文。1828 年著《化石植物志绪论》，随后又写成《化石植物志》2 卷（1828 ～ 1837）。在此期间，他系统地提出化石植物的分类体系，把从古到今所有陆生植物区分为四个连续的主要类型。虽然他相信种的基本稳定性,他把现有植物分成六大类,这已接近现代种系发生的观点。不幸的是,1843年他将博物馆的藏品按他修改的瑞士植物学家P.康多尔的分类体系加以分类时放弃了自己的分类体系。但他采用的新方法(如把裸子植物看成是一个独特的类群,把受精卵和种子区别开来等等)对后来的植物分类,尤其是被广泛采用的A.艾希勒和A.恩格勒的植物分类法具有重大价值。

Brongniart, Alexandre　布隆尼亚尔(1770-02-05,法国巴黎～1847-10-07,巴黎)　法国矿物学家、地质学家和博物学家。第一个按年代顺序排列第三纪(6640万年前至160万年前)地层并加以描述。1797年在巴

美国不列颠百科全书公司供图

黎四国中央学院任博物学教授,1800～1847年任塞夫尔瓷器厂厂长。研究改进法国的涂釉工艺,使塞夫尔瓷器厂成为欧洲这类厂的主要工厂。早期论文中有《论爬行动物的自然分类》(1800),将爬行纲分为4目:蛙目(现在是独立的两栖纲)、龟鳖目、蛇亚目和蜥蜴亚目。他最早系统地研究了三叶虫,三叶虫是节肢动物的一个绝灭的门类,并成为确定古生代(5～7亿年前至2.45亿年前)地层年代之重要者。1804年开始与法国博物学家G.居维叶合作研究巴黎盆地含化石的地层。把这次研究成果总结在他的《论巴黎附近矿物地理,附一幅地质图和若干地层剖面图》(1811)一书中时,帮助建立了通过鉴定每一地层中发现的不同的化石以确定地质时代的原理,并且指出巴黎盆地的各期地层是在交替的淡水和咸水环境中形成的。在巴黎国立自然历史博物馆任矿物学教授时(1822～1847),转而注意陶瓷工艺,最后一部巨著是《陶瓷艺术专论》(1844)。

Broniewski, Władysław　布罗涅夫斯基(1897-12-17,俄罗斯帝国波兰王国的普沃茨克[今在波兰]～1962-02-10,波兰华沙)　波兰诗人。才华横溢,影响很大。布罗涅夫斯基出身乡绅家庭,1915年4月参加毕苏斯基指挥的反沙皇波兰军团,但1917年俄国革命后,因拒绝在德国人指挥的波兰军队中服役曾被扣押。波兰恢复独立后,参加新国民军,在1919～1920年的俄波战争中与苏俄军队作战。后开始写革命诗歌,拥护工人阶级的事业。第一部诗集《风车》(1925)发表后,相继出版了《城上的烟雾》(1927)和《巴黎公社》(1929)。第二次世界大战爆发后逃往苏联,遭逮捕并遣送劳改营强制劳动。1941年夏德国入侵苏联后获释,参加安德尔斯将军指挥的波兰军队,1942年随军调往中东,在耶路撒冷度过战争末期。在那里出版诗集《刺刀插上枪》(1943)。1945年到伦敦,写成诗集《失望之树》。随后返回波兰,被共产党当局称为回头浪子。此后陆续问世的新诗集包括迫于那个时代特有的政治压力所写的《向斯大林宣誓》(1949)和他女儿去世后所写的《安卡》(1956)。

Bronowski, Jacob　布洛诺夫斯基(1908-01-18,波兰～1974-08-22,美国纽约东汉普顿)　出生于波兰的英国数学家和以有说服力地介绍科学的人文主义方面事例而闻名的作家。布洛诺夫斯基童年时就随家移居德国,后又移居英国,并入英国籍。他曾得奖学金上剑桥大学学数学。他不但在数学上享有盛誉,而且在诗文方面也受到评论界的赞扬。1933年获剑桥博士学位后,在赫尔大学学院教数学(1934～1942)。第二次世界大战期间,布洛诺夫斯基是现在称之为运筹学的数学领域的先驱者,研究如何提高同盟国的轰炸效率。战后他领导联合国教科文组织的规划部(1948)和全英煤炭委员会的研究工作(1950～1963)。1945年,布洛诺夫斯基作为科学代表团成员赴日考察原子弹的效力。当他看到长崎毁坏的原始景象时,决心放弃军事研究。此后他集中精力研究科学的伦理和技术方面的问题,把注意力从数学转向生命科学、人性的研究和文化的进化。他的著作有《科学的常识》(1951)和获得高度赞扬的《科学和人类的价值》(1956;1965年再版)。在这些书中布洛诺夫斯基用非专业语言考察了科学的各个方面并论证他的观点:以功能为目的的科学,需要社会和时代的精神气质。在《人的特性》(1965)一书中,他试图提出一种人性的统一哲学。他还写了《威廉·布莱克(1757～1827):一个没有伪装的人》(1943),后改题为《威廉·布莱克和革命年代》(1965)。还写过4个广播剧。从1964年起布洛诺夫斯基就是加利福尼亚州圣迭戈的索尔克生物科学研究所的常任研究员,直至逝世。他最后主要作英国广播公司电视系列片《人类的发展》(1973)的创作者和讲解人,对人类历史进程中科学、艺术和哲学进行通俗性的解释。

Bronsart von Schellendorf, Paul　布龙萨特·封·舍伦多夫(1832-01-25,普鲁士但泽[今波兰格但斯克]～1891-06-23,普鲁士布劳恩斯贝格附近[德国])　军人、军事作家、作战部

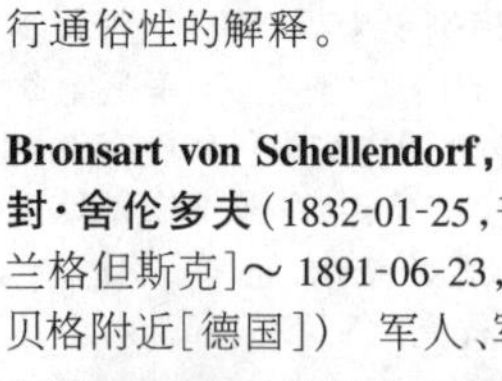

美国不列颠百科全书公司供图

长,在19世纪80年代帮助改革普鲁士军队。1849年入伍,成为普鲁士总参谋长毛奇的亲信。普法战争(1870～1871)期间他担任高级参谋,曾负责法军在色当投降的初步谈判。1883～1889年任作战部长,为军队的现代化而努力。著有《参谋部在平时与战时的职责》(1875)。

Brønsted, Johannes Nicolaus　布仑斯惕(1879-02-22,丹麦瓦德～1947-12-17,哥本哈根)　丹麦物理化学家,因提出广为应用的酸碱概念而闻名。他的理论和英国T.M.劳里的观点相同。两人同时各自独立地提出关于酸碱的定义(1923)。布仑斯惕还是酸碱的催

美国不列颠百科全书公司供图

化性质和酸碱强度方面的权威。他主要的兴趣在热力学研究方面,但在电解质溶液方面也做过重要的工作。他出身于土木工程师家庭,1899年在哥本哈根大学获化学工程师称号,1908年取得化学博士学位,同年任该校物理化学和无机化学教授直至逝世。1929年兼任耶鲁大学客座教授,1935年成为皇家学会会员。由于他在第二次世界大战期间坚定地反对纳粹主义,使他1947年当选为丹麦议会议员,但因病未能就职。

Brønsted-Lowry theory　布仑斯惕-劳里理论　又称酸碱质子理论。丹麦化学家J.N.布仑斯惕和英国化学家T.M.劳里于1923年各自独立提出:凡能把质子转移给其他化合物的化合物为酸,接受质子的化合物为碱。质子是带单位正电荷的核粒子,由于它构成氢原子的核,故可用符号H^+来表示。按照布仑斯惕-劳里的酸碱概念,一种物质只有在碱存在下才能起酸的作用;同样,一种物质只有在酸存在下才能起碱的作用。另外,酸性物质失掉质子时生成碱,称作该酸的共轭碱;同样,碱性物质得到质子就生成酸,称为该碱的共轭酸。因此酸与碱(如盐酸与氨)之间的反应可用下式表示:

$$HCl + NH_3 \rightleftharpoons NH_4^+ + Cl^-$$

方程式中铵离子(NH_4^+)就是碱性氨的共轭酸,而氯离子(Cl^-)是盐酸的共轭碱。布仑斯惕-劳里理论扩大了酸、碱化合物的范围,它们不仅包括中性分子(如硫酸、硝酸、醋酸和碱金属的氢氧化物),也包括带有正、负电荷的原子和分子(阳离子和阴离子)。铵离子、水合氢离子和某些水合金属阳离子可看做酸,而醋酸根、磷酸根、碳酸根、硫离子和卤离子等阴离子可看做碱。

Bronstein, Lev Davidovich (Russian leader) **布朗斯坦** 参阅 **Trotsky, Leon** 托洛茨基。

Bronte 布龙泰 意大利西西里岛东部卡塔尼亚省城镇，农业中心。著名的阿月浑子果产地。有17世纪天使传报教堂。1799年斐迪南四世将布龙泰公国授予英国海军英雄纳尔逊勋爵。人口：城市区约21 935(1981)。

Brontë, Anne 勃朗特（1820-01-17，英格兰约克郡桑顿～1849-05-28，约克郡斯卡伯勒）笔名阿克顿·贝尔。英国诗人及小说家。为小说《艾格尼丝·格雷》(1847)及《怀佛庄的房客》(1848)的作者，但一般认为她的小说不如其两位姊姊——夏洛蒂及爱米丽的小说富有文采。在霍沃思受家庭教育，主要受夏洛蒂的教育。1839年及1841～1845年在约克郡巴勒布里奇附近的索普格林任牧师鲁宾逊家的家庭教师。1846年她和夏洛蒂及爱米丽联合出版一部诗集《柯勒、艾利斯及阿克顿·贝

美国不列颠百科全书公司供图

尔诗集》，其中有她的21篇诗作。小说处女作《艾格尼丝·格雷》于1847年12月与爱米丽的《呼啸山庄》同时出版。由于夏洛蒂于同年10月出版的《简·爱》大受赞赏，她的第二部小说《怀佛庄的房客》得以顺利出版(1848)，销售不恶。1848年末肺结核病发，次年5月去世。安妮性情温和虔诚。在其朴素工整的诗作中，常根据道德和宗教信条来省察自己的思想感情。《艾格尼丝·格雷》以明快略带幽默的笔调记叙一个女家庭教师的生活。《怀佛庄的房客》描写一位青年的放荡堕落，反衬她本人与加尔文教派的宿命论相对立的阿明尼乌教派的信仰。她的直言不讳引起一些诋毁，夏洛蒂亦认为小说题旨带有病态性质，与安妮的天性不合。但小说写得酣畅有力，说明安妮感到在这部作品中自己不但尽了道义的责任，同时也获得了一个艺术上发展的机会。

Brontë, Charlotte 勃朗特（1816-04-21，英格兰约克郡桑顿～1855-03-31，约克郡霍沃思）婚后称 Mrs. Arthur Bell Nicholls，笔名 Currer Bell。英国小说家。以《简·爱》(1847)一书闻名于世。该书热情地塑造了一位与自己的天生欲望和社会地位发生冲突的妇女。这部作品给了维多利亚时代的小说以新的真实感。她后来写了《雪莉》(1849)和《维莱特》(1853)。

生平 其父帕特里克(1777～1861)是爱

美国不列颠百科全书公司供图

尔兰出生的英国国教牧师。因原姓布伦蒂太平常，故改为现姓。他在1820年携妻玛丽亚及6个幼小的子女前往约克郡荒野中的哈尔斯任教区长之职。不久，其妻及两个最大的孩子相继去世，留下3个女孩——夏洛蒂、爱米丽和安妮及一个男孩布兰韦尔。后来，孩子们的姨妈伊丽莎白·布兰韦尔从康沃尔郡来到哈尔斯，帮助抚养这几个孩子。

1824年，夏洛蒂和爱米丽赴兰开夏柯比朗斯代尔附近的科恩桥，进入牧师女子学校就读一年。该校收费低廉，伙食简陋，纪律严苛。多年后夏洛蒂在《简·爱》中谴责了该校（也许有些夸张），小说中将校名改为洛伍德。人们认为该校校长W.C.威尔逊牧师就是小说中的N.布罗克赫斯特先生。

1831年夏洛蒂又被送往哈德斯菲尔德附近鲁海德的伍勒小姐的学校就读一年，结识了几个终生好友。她与好友纳西的通信往来一直到她去世，今天人们对她生平的了解大多出自这些信件。1832年她回家教她的妹妹们，但在1835年又到鲁海德任教。她很想改善家庭的境况，而这是向她提供的施展才能的唯一机会。再者，弟弟布兰韦尔要开始其艺术生涯，所以需要增加家庭的收入。这份工作，由于其不可避免的限制，对她并不适宜。她健康受损，并患上忧郁症。1838年夏天她辞去了教席。

1839年夏洛蒂拒绝了好友纳西的哥哥亨利牧师的求婚，几个月后又拒绝了另一位年轻牧师的求婚。在这同时，为了充分展示自己的才能及偿付弟弟的债务，她在罗顿厄珀伍德园的怀特家当了几个月的家庭教师。布兰韦尔在写作和绘画方面的才华、古典文艺方面渊博的学识以及在社交方面的魅力，使人对他寄以厚望。但是他性情极不稳定，意志薄弱，又饮酒过度，他不断更换工作，借饮酒和抽鸦片以寻求解脱。

此时，他的姐妹们计划共同开办一所学校，姨妈也答应在经济上予以支持。1842年2月夏洛蒂及爱米丽赴布鲁塞尔以提高法文水平，并学习德文。两人出众的才华引起C.埃热的注意，这是一位优秀的教师，具有非凡的洞察力。姨妈去世、她们返家奔丧后不久，夏洛蒂复至布鲁塞尔当实习教师。1843年她留在布鲁塞尔，但很孤独、消沉。她的朋友们均已离开，而且埃热夫人似乎嫉妒她。夏洛蒂对埃热的感情的真相，以及她自己对这份感情认识到什么程度，曾有过不少讨论。她最感兴趣的是他那非凡的智力，他已觉察到并已唤起了她潜在的才华。埃热强烈而古怪的个性颇能投合夏洛蒂的幽默感和情感。她向他献出一片天真而热烈的爱，而他却设法抑制她的感情。夏洛蒂回家后写给埃热的信完全可以称作情书。但是当他提出他们容易受到误解时，她便停止写信，默默地全力控制自己的情感。不管埃热和夏洛蒂如何被人议论，夏洛蒂在布鲁塞尔的经历对她的发展来说是起着决定作用的。她接受了严格的文学训练，了解了自己的本性和才能，并为她的全部小说收集了各种不同形式的资料。

1844年夏洛蒂着手在家乡创办一所学校，这是她早就想办的，因为这时她父亲逐渐衰退的视力使他无法单独生活。但是，偏僻的哈尔斯对学生没有吸引力。

1846年出版了夏洛蒂、爱米丽和安妮三人的诗歌合集《柯勒、艾利斯及阿克顿·贝尔诗集》。为了保守秘密，以免受到评论家给予妇女的特殊待遇，诗集以笔名自费出版；但书评寥寥无几，书仅卖出两本。尽管如此，她们仍在设法出版已写好的3部小说。夏洛蒂的《教授》当时未能出版，但是《简·爱：自传》却被史密斯和埃尔德公司接受了，不到8周，《简·爱》问世(1847-10-16)，随即获得成功，成就远超过两个妹妹同年出版的书。

随后的几个月，不幸的事接踵而至。其弟布兰韦尔(1848-09)、爱米丽(1848-12)及安妮(1849-05)相继去世。夏洛蒂在空荡荡的教区长住宅里写完的《雪莉》于1849年10月问世。其后几年，她作为出版商的客人曾三访伦敦，与小说家萨克雷会晤，并由里奇蒙为她画像。1851年她住在作家马蒂诺家中，还赴曼彻斯特拜访准备为她写传记的作家盖斯凯尔夫人，又在哈尔斯作东款待她。《维莱特》于1853年1月问世。1851年，她拒绝了第3位求婚者史密斯-埃尔德公司的董事泰勒。第4位求婚者是父亲的助理牧师、爱尔兰人尼科尔斯(1817～1906)，经她父亲的同意，1854年6月29日他们在哈尔斯教堂举行婚礼。在爱尔兰度蜜月后又返回哈尔斯，尼科尔斯继续当她父亲的助理牧师，且不参与妻子的写作生涯；就她而言，丈夫的爱使她感到很幸福，她非常高兴地承担起妻子的职责。她开始写另一本小说——《艾玛》（现仅存几页）。她怀孕期间疾病缠身，耗尽了精力，于1855年去世。

评论 夏洛蒂的第一部小说《教授》是她去世后才出版的(1859)。此书以第一人称写作，是她对自己童年骄纵生活的朴实回忆。主人公是一位在布鲁塞尔工作的英国家庭教师，它以夏洛蒂在该地的经历为基础，不过性别和角色颠倒了。夏洛蒂天赋缺少的东西，在读了妹妹爱米丽写的《呼啸山庄》后得到了充实，缓和了这一受到限制的自我约束，而且，虽然在《简·爱》中有许多讽刺和干巴巴的直截了当的措词，但它的成功就在于它以炽热的信念表现了一个渴望爱情、有思想有感情的女性，却能在充满激情的自尊自重及道德的信念下放弃爱情。该书的叙述者及主要角色简·爱是个孤儿，为罗切斯特先生的被监护人担任家庭教师。她爱上了这位拜伦式的、神秘莫测的主人。罗切斯特也爱上了她。但在举行婚礼的当天早晨却得知罗切斯特已

婚,他那邪恶的妻子已疯,被他关在庄园的阁楼上。简·爱离他而去,历尽艰辛,后来当了一名乡村小学教师。可是,当她获悉罗切斯特在疯女人放火烧掉房子时为救她而烧瞎眼睛并身受重伤,他那疯妻也在大火中身亡时,简·爱找到了他,并和他结了婚。虽然故事中有不少感情夸张的天真话,有些段落的夸张修辞也不十分适合现代的口味,但是夏洛蒂还是抓住了读者的心。这部小说的副标题是《自传》,以第一人称写成。但是,除了简·爱对洛伍德的印象那部分外,这部自传实际并非夏洛蒂的自传。个人的经历中揉进了来自各个不同方面的联想,这灰姑娘的主题也很可能出自S.理查森所著的《帕美拉》。故事情节是精心设计的,那些看似偶发的部分,如简·爱重返盖茨黑德府这一段,对充分表达简·爱的性格,对于刻画爱情、独立和宽恕这三重道德主题,实际是必不可少的。

在小说《雪莉》中,夏洛蒂避免了戏剧夸张和巧合的情节,也开阔了她观察的范围。如果把埃奇沃思和司各特列为全国性的小说家,那末《雪莉》便是用英语写的第一本区域性小说,有许多描绘得十分准确的当地素材——约克郡人、英国国教教徒和非国教教徒、她父亲年轻时候的织布工和机器破坏者以及很有活力但颇被激怒的女权运动。

在《维莱特》中,她又把故事背景设在布鲁塞尔,又使用第一人称叙述,而她在《雪莉》中没有使用这些。书中的人物和事件大多是改头换面了的埃热寄宿学校的人和生活。在这个背景下,夏洛蒂设置了一颗热诚而失去了目标的心,这和那获得了幸福美满的爱情的女人形成了对比。

夏洛蒂小说的影响力远比爱米丽《呼啸山庄》的影响力来得直接。她的浪漫主义色彩和讽刺的现实主义相结合的风格,在一个世纪中成了几乎所有女性小说家的写作典范。她通过一个敏感的儿童或年轻妇女的观察来讲述故事,她的抒情风格,她从一个女人的立场来描绘爱情,这些便是夏洛蒂在文学创作中的成功的创新。

Brontë, Emily (Jane)　勃朗特(1818-07-30,英格兰约克郡桑顿～1848-12-19,约克郡霍沃思)　笔名 Ellis Bell。英国小说家及诗人。她只写了一部小说《呼啸山庄》(1847),这是以约克郡旷野为背景描绘激情和仇恨的具有高度想象力的小说。爱米丽也许是勃朗特三姐妹中最伟大的一位,但因她沉默、内向、未留下任何令人感兴趣的信件,因而关于她的生平的资料极少。她写的这唯一一本小说没有解决,而是更加深了她的精神生活的神秘性。

生平　其父帕特里克(1777～1861)是爱尔兰人,曾先后担任过几处副牧师职位,1820年起担任哈尔斯教区长,并在此终其余生。1821年其母去世后,爱米丽和弟弟姊妹们由姨妈伊丽莎白·布兰韦尔帮助照料。孩子们大部分时间是在读书和习作。他们早期都是在家受的教育,但夏洛蒂和爱米丽曾往兰开夏科恩桥的牧师女子学校接受过一年的学校教育。1835年夏洛蒂前往鲁海德的伍勒小姐的学校任教,爱米丽随同前去求学,但因严重

美国不列颠百科全书公司供图

的思乡病仅在该校念了3个月。1838年她赴哈利法克斯附近劳山帕奇特小姐的学校任教6个月,疲惫不堪,旋即辞职。

为了维持一家的生活,夏洛蒂准备在哈尔斯开办一所女子学校。1842年2月她和爱米丽去布鲁塞尔在埃热寄宿学校学习外国语和学校管理。尽管爱米丽渴望回家,回到那荒凉的沼地,但似乎很清楚的是:在布鲁塞尔,虽然她有些内向,却比夏洛蒂更受人赏识。她热情的性格比夏洛蒂端庄的气质更易为人所接受。同年10月,因姨妈去世,爱米丽返回哈尔斯,终生未再离开。

1845年夏洛蒂找到了爱米丽写的几首诗,接着她发现她们三姐妹——夏洛蒂、爱米丽和安妮——都写过诗。一年后她们以笔名合出了一本诗集——《柯勒、艾利斯及阿克顿·贝尔诗集》。其中有爱米丽的21首诗。后人的评论一致认为只有爱米丽的诗显示出真正的诗人的天赋。为出这本诗集,三姐妹共花了50英镑,可只售出两本。

1847年仲夏,爱米丽的《呼啸山庄》及安妮的《艾格尼丝·格雷》两部书稿已被伦敦的纽比接受,准备同时出版,但是一直等到夏洛蒂的《简·爱》交稿,这3卷书才出齐。《简·爱》一出版立即获得巨大成功。而《呼啸山庄》于1847年12月出版时反应并不好,评论界持反对态度,认为其内容太残暴,兽性太重,且结构笨拙。后来才终于被认为是最佳英语小说之一。

小说出版后不久,爱米丽的身体开始迅速衰弱。此前她已病了一段时间,但这时呼吸变得困难了,她遭受了极大的痛苦。1848年12月死于肺结核。

评论　爱米丽何时开始撰写《呼啸山庄》无法确定,这部感情强烈、纯属虚构的小说可能写了很久。该书不同于当时的其他小说之处,在于其戏剧化和诗体的运用,作者不用评论的手法,以及其不寻常的结构。该书以一个旁观者回顾的方式叙述(间或采用更简短的叙述)18世纪末在遥远的约克郡地区,一个流浪汉希斯克利夫对恩肖和林顿两个家族的影响。他被虐待辱骂所激怒,更由于他所爱的、和他具有同样激烈性格的姑娘凯瑟嫁给了温柔、富有的林顿,希斯克利夫计划对这两个家族进行报复,这报复竟延伸到第二代身上。凯瑟因难产而死,但这也没有能使他从对凯瑟爱恨交织的关系中解脱出来,复仇的思想一直萦绕在他心头,直至生命最后一刻。恩肖和林顿两家幸存的继承人的婚姻才恢复了宁静。

爱米丽虽也具有她姐妹们的生硬的幽默和夏洛蒂的强烈的想象力,但和她们不同之处在于她并不使用自己生活中的事件作为写作素材,也不专注于老处女的心境或家庭女教师的地位问题。像她的姐妹一样,她小说的背景狭窄,人物也很少。她以极度的和原始的爱与恨为基础,构成小说的情节,其发展简炼而且合乎逻辑,她不使用夏洛蒂所依赖的那种巧合,也不要求华丽的浪漫的明喻或修辞的格式,也不要求那极精彩的对话一定要与主题直接相关。该书阴沉的力量和人物的野蛮的特色使19世纪的某些舆论感到难堪。基于他兄弟布兰韦尔的朋友们在他死后很久写的回忆,该书被认为具有男性特质一点,被用来支持一项主张:布兰韦尔是该书的作者或合作者。虽然不可能澄清所有细小的疑点,但无论是所提供的外部证据或内部证据,都不足以推翻夏洛蒂的关于爱米丽是《呼啸山庄》作者这一直截了当的声明。

Brontosaurus　雷龙属　一个旧的古生物属名,即*谬龙属*(**Apatosaurus**)。1874年科学家O.C.马什在美国怀俄明州发掘出一些化石,并认为自己发现一个新属。后来证据表明这化石其实是已经发现并已命名的谬龙属动物化石。1974年雷龙属一名正式废弃。

brontothere　雷兽　巨大的有蹄类食草哺乳动物的绝灭属(雷兽属)的成员。化石见于北美的渐新世(3 660万年前至2 370万年前)地层。是巨大的奇蹄动物雷兽的代表,雷兽与

复原的雷兽(Brontotherium)骨骼
美国不列颠百科全书公司供图

马有同一祖先,实际上雷兽可能来源于一种很类似始马(*Hyracotherium*)的动物。雷兽站立时肩高至少2.5米。头骨虽然粗大又长,脑子却很小,可能智力很有限。一对大角位于头骨的前部,角的基部连在一起。牙齿大但原始,大概只能吃些软的植物。也很可能随着草原的扩展,雷兽不能对付大量咀嚼所必需的咬磨,它们因为具有错误的牙齿结构而趋于绝灭。

Bronx　布朗克斯　美国纽约州东南部纽约市5个行政区之一。范围等同于布朗克斯县(106平方千米,建于1912年)。哈勒姆河为该区与曼哈顿区界河,该区北界韦斯切斯特县,西界哈得孙河,南界伊斯特河,东界长岛

海峡。与曼哈顿有许多桥梁和隧道相通，与昆斯有三座桥梁相连。1639年荷属西印度公司自印第安人手中购得该地。1641年斯堪的纳维亚人J.布朗克曾在此购地200公顷。紧接着新教徒和新英格兰移民侵占了荷兰领地。该区1898年并入纽约市。全区以住宅为主，但海滨有长达130千米以上的地区用于航运、仓库及工业（纺织、食品、机械及纸制品）。设有福德姆大学（1841）、曼哈顿学院（1853）、纽约大学分校（1831）、耶希瓦大学艾伯特·爱因斯坦医学院等。区内有布朗克斯公园、布朗克斯动物园和扬基体育场。人口1 332 650（2000）。

Bronx Zoo 布朗克斯动物园 前称纽约动物园，世界上最出色的动物园之一，有动物700余种5000余只。1899年在纽约市北布朗克斯区建成，占地107公顷。有饲养大群动物的宽阔围场数座。1941年园内开辟占地1.6公顷、四周围有壕堑的"非洲平原"区，在自然环境中放养着大群动物。20世纪60年代进行了大规模改建，使栖息场所更接近自然状态。1969年，在一个专门设计的建筑物中举办了世界上第一次夜行动物的大型展出。1972年建成的"鸟类世界"是规模宏大，景色优美的室内自由飞翔展馆。其他发展了稀有动物区，在自然环境中展出几乎绝灭的物种；新儿童动物园；"亚洲原野"在16公顷的园地上收集亚洲的哺乳动物和鸟类；1985年建成"丛林世界"，在50英尺高的玻璃室内再现东南亚雨林。动物园还支持许多研究工作并监管设在佐治亚州圣凯瑟琳岛上的幸存野生动物中心。动物园的研究成果刊载在该园的普及读物《动物王国》和科技杂志上。动物园由纽约野生物保护协会管理，由协会和市府资助。

bronze 青铜 通常为铜和锡的合金。青铜具有特殊的历史意义，目前仍有广泛的用途。早在公元前3000年就已制造出青铜，但用于一般用途的人工制品要晚得多。青铜中铜和锡的比例，变化范围很大（从残存人工制品中测得，铜含量为67%～95%）；但欧洲在中世纪已经知道，不同的比例可以产生不同的效用。威尼斯圣马可教堂图书馆收藏的11世纪希腊手抄本中列举了1磅铜与2盎司锡的合金，即8∶1的比例，这与后来使用的炮青铜相近。某些现代的青铜完全不含锡，而含有其他金属，如铝、锰，甚至含锌。青铜由于是铜与锡或其他金属的合金而较铜坚硬。它的熔点较低（即较易熔化），从而较易铸造。青铜也较纯铁坚硬，也远比它耐腐蚀。约自公元前1000年起，在工具和武器中以铁代替青铜，并不是因为铁本身有任何特殊优点，而是由于铁较铜和锡丰富。钟铜的特性是受敲击时能发出宏亮的声音，它是一种含锡量较高（20%～25%）的青铜。塑像用青铜的含锡量低于10%，还加有锌和铅的混合物，从工艺上看是一种黄铜。青铜中加入少量的磷，能改善其硬度和强度；磷青铜铸锭的含磷量可达1%～2%，铸件只含微量；它的强度高，特别适用于做泵的柱塞、阀和套。在机械工业中也使用锰青铜，它含有少量锡或甚至不含锡，但含有大量锌和可达4.5%的锰。铝青铜含有高达16%的铝和少量其他金属如铁或镍，特别坚硬和耐腐蚀，可铸造或锻造成管件、泵、齿轮、船用螺旋桨和涡轮叶片。除惯常用于武器和工具外，青铜也广泛用于铸币，很多铜币实际上是用青铜铸造的，其典型成分是约4%的锡和1%的锌。参阅 **brass**；**bronze work**。

Bronze Age 青铜器时代 古代欧洲、亚洲和中东地区诸民族物质文化发展史上的第3阶段，紧接旧石器时代与新石器时代之后。青铜器时代一词也表示人类使用金属的第一个时代。青铜器时代开始的时间因地区而异，例如：在希腊和中国，青铜器时代开始于公元前3000年以前；而在不列颠，大约到公元前1900年青铜器时代才开始。青铜器时代伊始阶段，有时称作铜石并用时代，以表示纯铜金属开始用于工具制造，与先行的工具制造原料——石片、石块一并为人类所重视。起初铜的产量稀少，仅用于小型器物或贵重物品的制造。铜的用途约在公元前6500年即已在安纳托利亚东部地区为人类所熟悉，而且很快就广泛得到使用。公元前4千纪中叶，铜的冶炼技术迅速发展，再加上当时铸造的工具及武器，便成为美索不达米亚地区出现城市的一个因素。到公元前3000年之际，铜的使用已遍及中东，并已推广至其西面的地中海沿岸，而且开始渗透到欧洲的诸新石器文化中去。早期铜的使用阶段，一般都认为是青铜器时代的一部分，虽然真正的铜锡合金的那种青铜开始很少使用。公元前2千纪时，真正青铜的使用大量增加；英格兰康沃尔地区锡矿多被开采而用于当时大量生产的青铜器物之主要成分。青铜器时代还出现了越来越多的分工，并且发明了车轮及牛拉的耕犁。大约自公元前1000年开始，人类就能对另一种金属——铁——加热锻造，这就结束了青铜器时代而开始了铁器时代。

bronze diabetes 青铜色糖尿病 参阅 **hemochromatosis** *血色素沉着症*。

bronze drum 铜鼓 中国击奏体鸣乐器。用铜铸成，鼓腔中空，无底，体形凝重，制作精致。鼓面和鼓身饰有精致花纹，两侧有耳环。一般直径约50厘米，高约30厘米。铜鼓流行于中国西南地区的广西、广东、云南、贵州、四川、湖南等少数民族地区。古代铜鼓原为少数民族统治权力的象征，用作祭祀、赏赐、进贡的重器。后来成为民间乐器。至今壮族、苗族仍有击鼓为节，围鼓起舞的集体舞，称铜鼓舞。

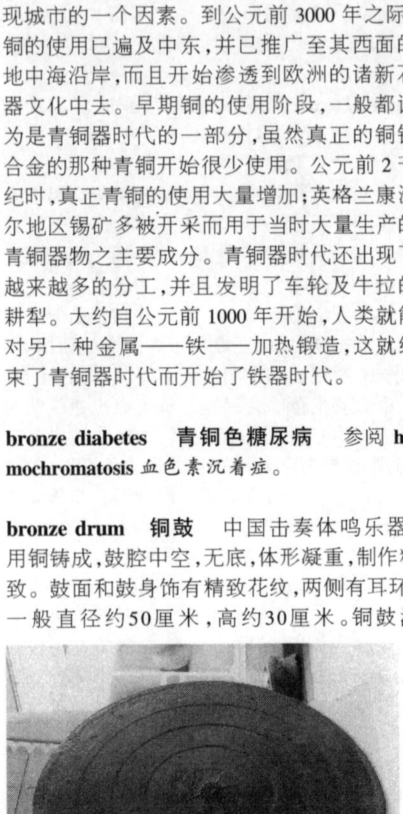

中国广西北流出土的目前世界上已知最大的铜鼓

中国大百科全书出版社供图

Bronze Inscription 金文 参阅 **Zhuanshu** *篆书*。

bronze work 青铜制品 用青铜制成的器具和艺术品。青铜是一种铜和锡的合金，有时含少量铅和其他金属。青铜在公元前3000年以前就开始使用，但是在发现大锡矿，开展大宗锡贸易之前，青铜是很少的。直到公元前约1000年铁出现以前，青铜广泛用于武器、盔甲、工具和其他器具的制造。现今，青铜仍用于制造某些机器的部件。青铜的延展性不如铜和银，也不适于锻造或雕塑，但具有优异的浇铸性质，仍然是浇铸雕塑品极好的原料。熔融的青铜硬化后膨胀，可真实地重现模具上的每一个细微部分。冷却后略有收缩，易于从模具中将雕塑品取出。因为青铜变暗后表面逐渐形成天然绿锈，所以青铜雕塑品很受珍视。薄而均匀的蓝绿色铜化合物的绿锈不仅美观，而且能保护下层金属。在中世纪，青铜广泛用于教堂，制成青铜门、青铜容器、烛台、圣物箱和其他宗教仪式用品。晚至19世纪，青铜还用于家庭，作盆、罐、烛台、枝形吊灯和家具的配件。青铜制品常通过雕刻、用其他材料镶嵌、上釉、镀金加以装饰。

Bronzes of China 中国青铜器 中国已知最早的青铜器是甘肃东乡林家出土的属马家窑文化晚期的青铜小刀，年代为公元前2740年。约公元前21世纪，中国进入青铜时代。商周时期青铜广泛地用于制作生产工具、武器、车马青铜构件、饰件及装饰品、礼器等。青铜礼器又称彝器，是奴隶主贵族用于祭祀、宴飨、朝聘、征伐及丧葬等礼仪活动的用器，用以代表使用者的身份等级和权力。青铜礼器种类繁多、数量巨大、工艺精美，分为食器、酒器、水器、乐器四大类。青铜武器的种类也很多，主要有钺、戈、矛、戟、刀、剑等。中国古代青铜器不仅造型庄重，且表面大多铸或刻有精美纹饰，具有极高的艺术价值。作为贵族宗庙宫室中的重器，青铜器往往成为一些重大事件的载体，其上的铭文保存了大量有关古代政治、军事、经济及文化的珍贵史料。战国时期青铜礼器开始衰落，青铜兵器也开始被铁兵器取代。但青铜货币及日用器如铜镜、带钩、玺印及灯等发展起来。其中青铜货币成为中国封建社会货币的主要种类。铜镜在汉代和唐代得到高度发展，直至清代才被玻璃镜代替。

bronzing 青铜化 木材、灰泥、黏土等材料经过涂覆使其具有青铜色泽的过程。荷兰合金含80%铜和20%锌，常用作青铜化涂料。把该合金制成薄箔后粉碎成金粉，然后直接把金粉撒在涂有醇溶性清漆胶料或贴金漆的物件表面，或将金粉与醋酸戊酯稀释的醇溶性清漆混合用刷子涂刷。用化学方法可得到多种色调,使用植物树脂龙血树脂着色的醇溶性清漆能加深荷兰合金的自然金色。

Bronzino, Il 布龙齐诺(1503-11-17,米兰公爵领地蒙蒂切利[意大利]~ 1572-11-23,佛罗伦萨) 原名阿尼奥洛·迪·科西莫。佛罗伦萨画家。其精美典雅的肖像画作品是风格主

布龙齐诺绘《青年男子肖像》
美国不列颠百科全书公司供图

义的典范。初期因袭其师 J. 达·蓬托莫画风,并在早期风格主义怪诞、主观表现的基础上发展了自己画面明亮,线描精确的特点,这也表现出受米开朗琪罗和拉斐尔晚期作品影响,形成自己的风格。其《托莱多的埃利诺及其子乔凡尼肖像》(佛罗伦萨乌菲齐美术馆)是风格主义肖像画的杰出范例。所作宗教画和寓意画如《奢侈的寓言》或《维纳斯、丘比特、罪恶与时间》(约 1546,伦敦国家画廊)为其代表作。

brooch 胸针 一种通常靠搭钩别在衣服上的饰针。胸针形状互异,各具特色。随着基督教的传播,出现了诸如悬胸式十字架一类的形式,这些形式有明显的加洛林王朝时期和拜占廷的影响。在整个中世纪,胸针一直被欧洲人普遍使用,常作环形。随着珠宝加工工艺的进步,胸针愈加五花八门。它们能和凯米奥浮雕宝石组合起来,并镶嵌一些用新技术切割的宝石。它们能做成飞禽、花朵、叶瓣、月牙、星斗、弓弩等等形状。到 19 世纪,胸针遂成为大众化商品。

brooding 伏窝 动物学术语,某些产卵动物,尤其是鸟类的一种行为型,其标志是停止产卵,并愿意伏在卵上孵之。孵育(**incubation**)是为发育中的卵维持恒定的热量和湿度的过程,卵上总有双亲一方或双方轮流卧伏。许多鸟出现孵卵斑(身体下面一块裸露无羽毛的区域),为孵育和伏窝作好准备。孵卵斑皮肤中的网状血管使这一部分的温度升高。孵化以后,亲鸟用翅膀伏抱幼雏,展开羽毛像伞一样,使幼雏能与成鸟皮肤接触,以保持温暖。"抱窝鸡"一词指的就是孵育和育雏的母鸡。无脊椎动物中,一些海葵(如 *Epiactis* 属)在体壁上形成孵卵袋,胚胎在袋内发育。新孵化的鞭蝎(鞭肛蝎属[*Mastigoproctus*])停留在母体腹部的孵卵腔里和周围,至少要到第一次蜕皮才离去。

Brook, Peter(Stephen Paul) 布鲁克(1925-03-21,伦敦~) 英国莎士比亚戏剧演出人兼导演。他大胆演出其他戏剧家的作品,为 20 世纪先锋派戏剧的发展做出重要贡献。早年就位居英国名导演前列,曾将科克托和萨特的戏剧(包括《恶心》和《没有影子的人》)介绍到英国。1947 ~ 1950 年任伦敦科文特加登皇家歌剧院院长。50 年代和 60 年代初重任戏剧导演,导演了莎士比亚的《一报还一报》、《泰特斯·安德洛尼克斯》、《冬天的故事》和《李尔王》(1962,皇家莎士比亚剧团)。1964 年导演魏斯激动人心的剧本《马拉/萨德》,其不同寻常的演出风格,在当时戏剧界引起很大震动,为他赢得了国际声誉。1968 年出版《空的空间》一书,提出了他的戏剧思想。他认为导演首先是戏剧的主要创造力。在波兰实验派戏剧导演格罗托夫斯基和美国生活剧团创立者、导演贝克的影响下,他在戏剧演出方面作了进一步的革新。1971 年起在他所创建的国际戏剧研究中心工作。1962 年起参加英国皇家莎士比亚剧院的工作,担任演出人和合作导演。后期的主要演出有《雅典的泰门》(1974,巴黎)、《安东尼与克莉奥佩特拉》(1979,斯特拉特福、伦敦)等。他在戏剧方面的影响也随之不断扩大。1998 年获封爵士。同年出版回忆录《穿梭人生》。

Brook Farm 布鲁克农场 正式名称为农业和教育社。1841 ~ 1847 年在美国马萨诸塞州西罗克斯伯里这个 175 英亩的农场进行了短期的乌托邦式公社生活的实验。组织者和实际指导者为 G. 里普利。他原是一位论派牧师,《日规》月刊主编,波士顿地区知识分子的非正式集会先验俱乐部领导人。他的妻子索菲亚给他当助手。农场的宗旨是使思想与劳动相结合,保证最大限度的心灵自由,试创一个由自由的和有文化的人组成的社会。这个农场由董事会管理。资金以出售股票筹集。认购一股者即自动成为社员。如有赢利,则根据劳动人日的总数分成若干份,每个社员完成一天的劳动即可得一份。布鲁克农场不仅吸引知识分子(教师始终占多数,有 70 ~ 80 人),而且吸引农民和手工艺者。每劳动一天付酬 1 美元,男女同酬。同时还按接近实际成本的价格向所有社员及其家属提供住房、衣服和食物。布鲁克农场以现代教育理论而闻名,其目的是在"师生之间建立完全自由的关系"。这个农场虽然奋斗了一个时期,但是后来逐渐垮台了,1849 年把土地和房屋卖掉。布鲁克农场是美国在 19 世纪前 50 年进行的许多公社实验之一。美国著名小说家 N. 霍桑的《福谷传奇》(1852)即以布鲁克农场为背景。

Brook Island (Pacific Ocean) **布鲁克岛** 参阅 **Jarvis Island** 贾维斯岛。

brook moss 溪藓 参阅 **water moss** 水藓。

brook trout (*Salvelinus fontinalis*) **溪鳟** 又作 speckled trout 或 squaretail。又称斑点鳟、方尾鳟。鲑科鱼类,红点鲑的一种,为受欢迎的淡水游钓鱼,其味香美,故深受人们喜爱。原产于美国东北部及加拿大,现已引入世界很多地区。生活于清冷的淡水中。背上具黑

溪鳟(*Salvelinus fontinalis*)
美国不列颠百科全书公司供图

色蠕虫状花纹,身上有红色和白色斑点,下部各鳍和尾鳍下叶的边缘呈白色。体重可达约 3 千克。一些个体可洄游入大湖或海中,体形较大,并更显银白色。

Brooke RAJ 布鲁克王朝(1841~1946) 统治沙捞越 100 年以上的英国白人罗阇王朝。1834 年詹姆斯·布鲁克爵士(1803-04-29,印度贝拿勒斯附近塞克罗尔~ 1868-06-11,英国德文巴拉托尔)初次访问东印度群岛。1838 年当他再度前来时,正当文莱苏丹国宰相穆达·哈西姆与相邻的沙捞越伊班族叛军作战。他帮助穆达·哈西姆镇压了这场叛乱,1841 年被授予沙捞越罗阇称号。此后 17 年,他经常带几个英国助手深入到沙捞越内地进行讨伐并成立政府。1863 年回英国,他的政权由侄子约翰逊·布鲁克代行。1868 年约翰逊·布鲁克(1829-06-03 ~ 1917-05-17)成为第 2 代罗阇。他一生中有许多时间与沙捞越的伊班人生活在一起,通晓他们的语言,尊重他们的信仰和风俗。约翰逊·布鲁克死后,由长子维诺继位。维诺·布鲁克(1874-09-26 ~ 1963-05-09)为第 3 代也是最后一代白人罗阇(1917 ~ 1946 在位)。第一次世界大战后,橡胶和石油业的兴旺进一步将沙捞越引向世界经济。因此,各机构逐步现代化,公共事业得以发展,并在 1924 年推行以英属印度的刑法典为样板的沙捞越刑法典,1941 年 9 月颁布沙捞越宪法。第二次世界大战后,维诺·布鲁克决定把沙捞越让给英国。1946 年 7 月 1 日,他正式结束了布鲁克王朝在沙捞越的统治。

Brooke, Alan Francis 布鲁克 参阅 **Alanbrooke** (**of Brookeborough**), **Alan Francis Brooke, 1st Viscount** 阿兰布鲁克子爵(第一)。

Brooke, Edward 布鲁克(1919-10-26,华盛顿[哥伦比亚特区]~) 美国律师,通过普选进入参议院的第一位黑人议员。1941 年毕业于哈佛大学。第二次世界大战期间任陆军军官。退役后在波士顿大学获两个法学学位并任该校法学杂志编辑。1948 年开始执律师业,很快成为波士顿名律师。1961 ~ 1962 年任波士顿财政委员会主席。1962 年以共和党员身份被选为马萨诸塞州司法部长。因大力揭露官员的贪污受贿,在 1964 年民主党获胜时仍以压倒多数重新当选。1966 年被选为参议员,获近 50 万张选票,是民权问题温和

派和共和党进步派领袖。1972 年又以压倒多数重新当选。1978 年因离婚和被控在财政上有不端行为，竞选第 3 任参议员失利。1979 年任全国低收入住房联盟主席。

Brooke, Fulke Greville, 1st Baron (Elizabethan writer) **布鲁克男爵(第一)** 参阅 **Greville, Fulke** 格雷维尔。

Brooke, Henry 布鲁克(约1703，爱尔兰卡文～1783-10-10，都柏林) 爱尔兰小说家和剧作家，以《上流傻瓜》最为人所知。该书是用英文写的情感小说杰出范例之一。就学于

美国不列颠百科全书公司供图

都柏林三一学院，1724 年去伦敦学习法律。在此与 A. 蒲柏成为朋友。1739 年创作著名剧本《古斯塔夫斯·瓦萨，他的祖国的解放者》，因有将首相 R. 沃波尔写成反面人物之嫌，未能上演。后用《爱国者》剧名在都柏林演出。小说《上流傻瓜》(1765～1770)行文支衍漫散，主要叙说理想的贵族应受何等教育。其道德启示受到基督教卫斯理公会创立人约翰·卫斯理的赏识。

Brooke, Rupert 布鲁克(1887-08-03，英格兰沃里克郡拉格比～1915-04-23，希腊斯基罗斯) 英国诗人。出身名门，天资聪颖，少年英俊，中学时代学习成绩优秀，又为板球和足球运动员。1906 年进入剑桥大学，成为费边社主要成员。以后留学德国，并前往意大利旅行。1911 年出版《诗集》。1913～1914 年游历美国、加拿大和南半球各地。第一次世界大战爆发后参加海军，在向达达尼尔海峡的航行途中，因败血病死去。他在战时写的十四行诗组诗《一九一四年》(1915)出版后，立即成名。最著名的十四行诗之一《士兵》是这样开始的："如果我死去，想到我时只需记住：在异乡的某个角落，有一块永远是英国的地方。"

美国不列颠百科全书公司供图

Brookfield 布鲁克菲尔德 美国伊利诺伊州东北部库克县村庄。临索尔特河。1892 年创建。1893 年设村。现为芝加哥西郊住宅区。为芝加哥动物园(1934)所在地。人口 19 085(2000)。

Brookfield Zoo 布鲁克菲尔德动物园 正式名称为芝加哥动物园。建于 1934 年，以其大规模的开放式场地出名。园址位于伊利诺伊州芝加哥西南郊的布鲁克菲尔德，属库克县森林保护区，由芝加哥动物学会管理。占地 87 公顷。园内有意大利式乡间建筑和整齐的林荫道。公园的海豚表演、儿童动物园以及"热带世界"(对世界 3 大主要雨林——非洲、亚洲、南美洲的动物进行大规模圈养的混合展出)特别受人欢迎。1937～1953 年间展出的 3 只大熊猫亦很有名。动物园在饲养多尔羊、獾加狓和白熊方面成果突出，还收有蹄类动物、袋鼠以及狒狒和其他非洲灵长目动物。动物园有动物约 500 多种，2 300 只。

Brookings 布鲁金斯 美国俄勒冈州柯里县城市，位于太平洋沿岸切特科河口，南距加利福尼亚州边界 10 千米。河口对岸为哈伯市。最早的居民是讲阿萨巴斯卡语的切特科印第安人。19 世纪中期有白人前来切特科河谷定居，广泛从事农耕和伐木业。1913 年伐木巨头 R. S. 布鲁金斯在港口建起锯木厂和贮木场，由此正式建起布鲁金斯市，成为布鲁金斯木材和包装箱公司的生活区。伐木业现在继续主导当地经济。因气候温和，被称为"俄勒冈的香蕉地带"，后发展成为小型休闲社区。市中心的州立哈里斯海滩公园面对大海。设于布莱克大厦(1857)的切特科河谷历史学会专门收集有关当地历史的文件和史前古器物。第二次世界大战期间日本两次袭击美国大陆，其中一次为 1942 年 9 月，一架日本海军水上飞机在该地附近的芒特埃米利投下燃烧弹，企图引起森林大火。1951 年设建制。人口5 447(2000)。

Brookings 布鲁金斯 美国南达科他州东部城市，布鲁金斯县县城，位于大苏河河谷。1879 年初建。1883 年设市。为一农业地区的中心。尤以杂交玉米及种子驰名。农业服务业有种子培育测试、饲料生产和粮食储存。制造业也是重要产业，生产塑料、运动场地器材、门、电子显示屏、工业鼓风机和医疗实验材料。先进的农业不断受益于南达科他州立大学(1881)的农业和园艺学院。南达科他纪念艺术中心藏有画家 H. 邓恩关于拓荒生活的作品。人口 18 504(2000)。

Brookings, Robert S(omers) 布鲁金斯(1850-01-22，美国马里兰塞西尔县～1932-11-15，华盛顿[哥伦比亚特区]) 美国商人、慈善家。曾帮助在首都华盛顿设立**布鲁金斯学会(Brookings Institution)**。17 岁时进入密苏里州圣路易斯一木器公司。4 年后与其兄弟自创木器公司，随后 25 年中业务扩大到房地产、木材、运输等业。1896 年退休，致力于发展圣路易斯的华盛顿大学。作为大学校务委员会的主席(1897～1928)，他为学校重选校址，劝导富裕公民捐助建筑校舍，同时帮助将医学院提升到学术优秀的地位。他是国际和平卡内基基金会早期理事之一，第一次世界大战中出任军事工业局价格委员会主席。战后任政治研究所首任所长，协助创立经济研究所和布鲁金斯经济和政治研究院。1927 年 3 机构合并为布鲁金斯学会，以表示对他的敬意。

Brookings Institution 布鲁金斯学会 美国非赢利性研究机构，设于华盛顿(哥伦比亚特区)。1927 年由商人、制造商和慈善家 R. S. 布鲁金斯(**Brookings, Robert S[omers]**)创立。该机构通过社会科学特别是经济学、政治学和外交政策方面的研究和教育项目，为公众服务。由政治研究所(1916 成立)、经济研究所(1922 成立)与布鲁金斯经济和政治研究院(1924 成立)合并组成。主要出版物有：《布鲁金斯公报》(季刊)、《布鲁金斯经济活动论文集》(一年 3 期)和《重印文辑》(不定期)。

brookite 板钛矿 由二氧化钛(TiO_2)组成的 3 种矿物之一(参阅 **rutile; anatase**)。呈褐色金属晶体，通常产于片麻岩和片岩里的矿脉中；也见于砂矿床，偶尔见于接触变质带中。在阿尔卑斯广泛分布于矿脉中；在北威尔士的弗朗诺伦，在辉绿岩裂隙壁上形成晶体。晶体属于斜方晶系。有关详细物理性质，参阅 **oxide mineral**(表)。

Brookline 布鲁克莱恩 美国马萨诸塞州东部城镇，诺福克县飞地，位于萨福克县与米德尔塞克斯县之间，几乎全在波士顿境内。包括布鲁克莱恩村、科蒂奇法姆斯、朗伍德、

布鲁克莱恩的肯尼迪总统故居
美国不列颠百科全书公司供图

比肯斯菲尔德和切斯纳特希尔(部分)。1638 年始建，为波士顿的一部分；1705 年设镇，1793 年成为诺福克县的一部分。早期为蔬菜产区，后发展成市郊住宅区，工业有家具制造、印刷和出版业。经济主要依靠服务业。为 J. F. 肯尼迪总统故乡，其故居已列为国家历史遗迹(1969)。设有希伯来学院(1921)和海伦尼克学院(1937)。面积 18 平方千米。人口约 57 107(2000)。

Brooklyn 布鲁克林 美国纽约州东南部纽约市的 5 个行政区之一，位于长岛西南部。

其面积相当于金斯县(184 平方千米)。与曼哈顿隔东河相望,西临上、下纽约湾,南临大西洋,东、北面邻昆斯。与曼哈顿有 3 座桥、1 条汽车隧道和几条地铁相通;和昆斯及长岛之间有林荫大道;和斯塔滕岛有韦拉扎诺海峡桥(主跨 1 298 米)相连。1636 年荷兰农民率先在此定居。独立战争中的长岛战役 1776 年 8 月 27 日在此进行。1816 年设村,1834 年设市。1898 年 1 月 1 日成为纽约市的行政区。布鲁克林既是住宅区又是工业区,而且经营大量远洋运输业务,是长岛铁路的西端终点。区内设有普拉特学院(1887)、纽约工业学院(1854)以及纽约市立大学、纽约州立大学和长岛大学三所大学的分校。有几所殖民地时代教堂(包括普利茅斯清教派教堂)、科尼岛游览区、植物园、布鲁克林博物馆及一个儿童博物馆。著名作曲家 G.格什温、抒情诗人 I.格什温、电影制片人 W.艾伦、作家 A.米勒和 N.梅勒均出生于此。人口 2 268 297(1999)。

Brooklyn Botanic Garden and Arboretum 布鲁克林植物园 位于纽约市的布鲁克林,1911 年建立。属市所有,但由布鲁克林艺术与科学研究所经营。该园有教育公众的全面规划,但其作用远不止于此。除位于布鲁克林的 20 公顷园区外,附近的韦斯特切斯特县还设有 90 公顷的野外工作站。1.2 万种植物中有各种玫瑰、仙人掌和兰花等。辟有盆景展览室、为盲人服务的香味花园、莎士比亚花园和野花花园。1988 ～ 1989 年该园曾进行重大的扩展和设备更新。该园出版有季刊《植物与园林》。

Brooklyn Bridge 布鲁克林桥 跨纽约市东河连接布鲁克林和曼哈顿岛的悬索桥。是最早使用钢索的悬索桥,也是造桥时首次在气压沉箱中使用炸药的工程。布鲁克林桥建于 1869 ～ 1883 年,是 J.A.罗布林的杰作。施工中遇到许多困难,在工程开始时,他就死于事故。由他的儿子 W.罗布林继任总工程师。1872 年小罗布林在建造桥墩基础时因得沉箱病致残,但他坚持继续指导作业。在家中用望远镜观察工地,由妻子传送信息。整个工程建设中至少有 20 名工人死亡,还有很多人身患减压病。1883 年 5 月 24 日该桥建成完工。桥的主跨长 486 米,在 1890 年苏格兰的弗思湾的悬索桥完工之前是世界上跨度最大的桥梁,桥面由 4 根钢索支承,为公路和行人交通兼用。该桥特点是设有比汽车路面

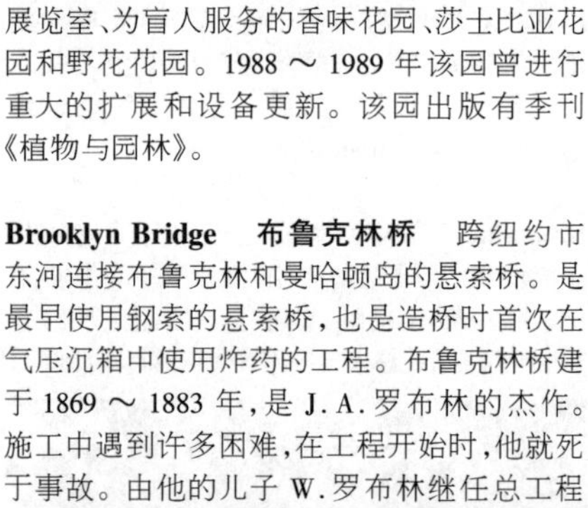

布鲁克林桥夜景

美国不列颠百科全书公司供图

高的宽阔人行道。J.A.罗布林曾准确预言,这个人行道"在拥挤的商业城市里将有不可估量的价值"。

Brooklyn Museum of Art 布鲁克林艺术博物馆 一座倡导公共艺术教育和为公众利益服务的艺术博物馆,位于纽约州布鲁克林。第一部分于 1897 年开放。随后不断扩建。1923 年成为美国第一个陈列非洲金属铸造物和其他实物的博物馆,这些实物都是作为艺术品而不是作为人种志的人工制品而陈列的。首期陈列室于 1929 年开放。1955 年博物馆的藏品中增加了 12 件亚述石膏浮雕像。到 20 世纪后期,收藏大量埃及艺术珍品,是世界上最好的同类博物馆之一。该馆还展出来自非洲、太平洋诸岛、美洲和亚洲的艺术品。各种专题展出有立体派作品、黑美洲艺术品、妇女艺术品和海地艺术品。

Brooks, Cleanth 布鲁克斯(1906-10-16,美国肯塔基默里～ 1994-05-10,康涅狄格纽黑文) 美国教师、评论家,他的著作对于"新批评派"的建立具有重要作用,强调认真阅读和对文学作品的结构分析。就学于田纳西州纳什维尔的范德比尔特和新奥尔良的图莱两大学。1932 年开始在路易斯安那州立大学(巴吞鲁日)任教前曾获罗得斯奖学金,前往牛津大学埃克塞特学院学习。1935 ～ 1942 年,曾与诗人、评论家 R.P.华伦合编了《南方评论》,该刊与他的评论集《现代诗及其传统》(1939)和《精制的茶壶》(1947)一样对"新批评"运动起了促进作用。他参与编写的大学教科书提高了"新批评派"的声望,它们包括:与华伦合编的《关于诗的理解》(1938)、《关于小说的理解》(1943)以及和 R.海尔曼合编的《关于戏剧的理解》(1945)。1947 年起在耶鲁大学任教,同时担任国会图书馆研究员(1951 ～ 1962)、美国驻伦敦大使馆文化专员(1964 ～ 1966)。后来的作品有与 W.K.温萨特(小)合著的《文学批评简史》(1957)和《W. 福克纳:约克纳帕塔法乡下》(1963)以及《W. 福克纳:走向并超过约克纳帕塔法》(1978)。

Brooks, Gwendolyn (Elizabeth) 布鲁克斯(1917-06-07,美国堪萨斯托皮卡～ 2000-12-03,伊利诺伊芝加哥) 美国女诗人,作品主要描写都市中黑人的日常生活。她是第一个获普利策奖的黑人诗人,1969 年被提名为伊利诺伊州桂冠诗人。在芝加哥黑人区长大,1936 年毕业于威尔逊初级学院。早期的诗作见于《芝加哥保护者报》,该报的读者对象主要为芝加哥黑人。她出版的第一个集子《布朗泽维尔的一条街》(1945)显示出她有才能把街坊们的平凡生活写得有声有色。《安妮·艾伦》(1949)是一组结构松散的诗篇,讲一个黑人姑娘在芝加哥成长的故事,曾获普利策奖。同一主题被用在她的小说《莫德·马萨》(1953)中。《食豆人》(1960)中收有一些她的最好诗作。她在出版《诗选》(1963)后,又于 1968 年出版《在麦加》,其中一半篇幅是一首描写麦加居民的叙事长诗。麦加是芝加哥南岸的一座建于 1891 年、但早已破落成为贫民窟的巨大的堡垒似的公寓住房。她还为儿童写过一本书《布朗泽维尔的男孩和女孩们》(1956)。《来自第一篇的报告》(1972)是一部自传性的集子,收有个人的回忆录、访问记和书信。后来的著作有《黑人初级读物》(1980)、《青年诗人初阶》(1981)和《离岸上船》(1981)。

Brooks, Louise 布鲁克斯(1906-11-14,美国堪萨斯切里韦尔～ 1985-08-08,纽约罗切斯特) 美国女影星,以在 20 世纪 20 年代的默片中轻松自如地扮演堕落放荡的角色而闻

美国不列颠百科全书公司供图

名。律师之女,少年时即参加舞蹈演出,1925 年在百老汇登台演出齐格飞的《活报剧》,同年第一次登上银幕,不久即主演好莱坞 H.霍克斯的《每个港口都有个姑娘》(1928)及 W.韦尔曼的《生活中的乞丐》(1928)。她的表演得到德国导演 G.W.帕布斯特的赏识,遂邀请她在《潘多拉的盒子》(1928)一片中扮演自甘堕落、没有道德观念和勾引人的女郎露露。她在该片中令人难以忘怀的演出,以及在帕布斯特的《流浪女的日记》(1929)中扮演被诱惑和被迫卖淫的 16 岁少女,使她的事业达到顶峰。而她的天真无邪的性感、娇弱而美丽的容貌,以及浅黑色短发,使她在 20 年代不仅成为影迷的偶像,而且成为当时表情傲慢、身着奇装异服和放荡不羁的少女的象征。1930 年布鲁克斯返回美国,但她的独立思考和直言不讳,使她同电影制片厂的主管们摩擦迭起。30 年代在几部好莱坞影片中扮演配角后,于 1938 年永远退出影坛。50 年代她撰写了不少论述电影的精辟文章。她一直怀才不遇,直到 80 年代初期,她在帕布斯特的影片中的精湛表演才获得评论界的赞扬。她的文笔优美和才气横溢的自传体文集《好莱坞的露露》于 1982 年出版。

Brooks, Maria Gowen 布鲁克斯(1794?,美国马萨诸塞梅德福～ 1845-11-11,古巴马坦萨斯) 原名 Abigail Gowen。婚后全名 Mary Abigail Gowen Brooks。别名 Maria del Occidente(西方玛丽亚)。美国诗人,其作品虽一时受人推崇,但因其代表一种绚丽而夸大的风格,后来即不太为人欣赏。生长于殷富家庭,1809 年丧父,由其已故姐姐的丈夫波士顿商人布鲁克斯监护,1810 年与大她 30 多岁的布鲁克斯结婚。因经济陷入困境,被迫举家由波士顿迁往波特兰。因不习惯波特兰的乡土气息和为割舍一度与加拿大军官的恋情,她深居简出转向诗歌写作。1820 年匿名出版一本小诗集《朱迪思、埃斯特及其他诗》。1823 年丈

夫去世后，投靠其在古巴马坦萨斯附近一个咖啡种植园的兄弟。不久即去加拿大，与那位军官订婚，后又与之疏远，并曾两度企图自杀。健康恢复后，返回由她继承的古巴种植园，开始根据《多比传》故事写作传奇诗《七个人的新娘》，于 1825 年在波士顿出版了其第一章，署名布鲁克斯夫人，全诗于 1829 年完成，1833 年于伦敦出版，署名西方玛丽亚。其时她已返美，并于 1834 年自行在波士顿出版。

Brooks, Phillips　布鲁克斯（1835-12-13，美国马萨诸塞波士顿～1893-01-23，波士顿）美国基督教圣公会牧师、著名布道家。他出身于新英格兰富裕的文人雅士家庭，求学于

美国不列颠百科全书公司供图

哈佛大学（1851～1855）。布鲁克斯一度在波士顿拉丁学校教书，后入弗吉尼亚州亚历山德里亚圣公会神学院，在该院受按立。在费城基督复临教堂开始工作，因感人的人格和口才而受许多人钦佩。3 年后任费城圣三一教堂牧师，连续在该堂工作 7 年，写成著名的抒情圣诞歌曲《小伯利恒歌》，由雷德纳谱曲。1869 年任美国圣公会的重要中心波士顿圣三一教堂牧师，直至 1891 年任马萨诸塞州主教。布鲁克斯在《关于布道的讲义》（1877 年在耶鲁大学发表）中指出，布道是"通过人格传播真理"，意思是说，要以乐观焕发的精神感染听道者，他提供了对布道工作影响至为深远的标准。他不仅长于雄辩，而且仪表堂堂。他的布道有超凡魅力，动人心弦，声誉甚隆。1880 年应邀在伦敦威斯敏斯特教堂和温莎宫皇家小教堂面对维多利亚女王布道。1890 年他在纽约圣三一教堂连续主领礼拜，倍受欢迎。

Brooks, Van Wyck　布鲁克斯（1886-02-16，美国新泽西普兰菲尔德～1963-05-02，康涅狄格布里奇沃特）　美国批评家、传记作家和文学史家。他的《发现者和缔造者》丛书以丰富

美国不列颠百科全书公司供图

多彩的传记性细节追溯了 1800～1915 年的美国文学历史。在普兰菲尔德城郊长大。1907 年从哈佛大学毕业后作为记者前往英国，发表第一部作品《清教徒之酒》（1908），将美国文化的缺点归咎于清教徒传统。在《美国的成长》（1915）中，他更透彻地探讨了这个论题。他认为：把精神和金钱分割开来的清教徒二重性，使现代美国文化相应地在"修养高"和"修养低"的公众之间造成分裂。二者对作家都没有帮助。此说曾产生强烈影响。《马克·吐温的磨难》（1920）试图通过心理分析说明，马克·吐温因所受的加尔文教派教育而抑制他天生的艺术倾向，使自己在感情上遭到削弱并扼杀了他的天才。在《亨利·詹姆斯的朝圣》（1925）中，他采取反对移居国外的立场，认为詹姆斯晚期作品之所以难解和质量较差，正是因为他和祖国分离的时间太长。布鲁克斯从 1927～1931 年一直患有精神病。《爱默生传》（1932）大部写于他病倒之前，由他朋友 L.芒福德编辑出版。布鲁克斯认为爱默生是一位成功地弥合了艺术和生活之间差距的美国作家。

Brooks, William Keith　布鲁克斯（1848-03-25，美国俄亥俄克利夫兰～1908-11-12，马里兰罗兰湖）　美国动物学家。以研究海洋动物，尤其是被囊动物、甲壳纲及软体动物的解剖学及胚胎学而著称。曾于哈佛大学师从 L.阿加西兹及 A.阿加西兹，1875年获该大学

美国约翰斯·霍普金斯大学供图

博士学位。他主张在自然生境研究海洋动物，也是最早接受达尔文进化论的形态学家。1876 年起，任教于巴尔的摩的约翰斯·霍普金斯大学，1894 年任该校生物系主任。1878 年建立切萨皮克动物实验室，又以马里兰州议会专员的身份支持建立切萨皮克湾牡蛎保护区。重要著作有《牡蛎》（1891）、一本论述纽鳃樽属的专著（1893）及《动物学基础》（1899）。

Brooks Range　布鲁克斯山脉　在美国阿拉斯加州北部，为落基山脉北端延伸部分。育空平原和台地以及波丘派恩河将其与阿拉斯加山脉（南）隔开。从楚科奇海至育空边界（加拿大），东西延伸 1 000 千米，宽 300 千米，横跨阿拉斯加。西部山峰平均海拔为 900～1 200 米，中东部山峰平均海拔达 1 500～1 800 米，最高点伊斯托山 2 761 米。为育空河流域和北冰洋流域的分水岭。中部的阿纳克图武克山口（670 米）是进入育空低地的主要通道。向东南延伸约 400 千米抵达加拿大皮尔河的不列颠山、理查森山，有时也被视为布鲁克斯山脉的一部分。全部山群均在北极圈内。北麓的普拉德霍贝石油资源丰富。阿拉斯加石油管道在阿蒂冈山口穿过山脉，通至南端终点站瓦尔德斯。

Brooks, Rodney Allen　布鲁克斯（1954-11-30，南澳大利亚阿德莱德市～　　）　计算机专家，人工智能科学家，自主式移动机器人的设计者。1975 年获阿德莱德市弗林德斯大学理论数学学士学位，1978 年获硕士学位。在校期间每个星期日有 12 个小时可以使用学校的主机计算机。这个经历使他进入美国加利福尼亚的斯坦福大学师从人工智能的开拓人物 J.麦卡锡。1981 年选择传统的人工智能课题作为攻读博士学位的研究方向，并出版《基于模型的计算机视觉》（1984）。1984 年获博士学位并进入麻省理工学院的移动机器人实验室时，他对人工智能领域自上而下的研究方法失去信心。他进行逆向思维，认为应该把研究焦点集中在自下而上的研究方法上，也就是基于行为而不是基于功能的研究方法。1997 年任麻省理工学院人工智能研究实验室主任，在那里继续推动人工智能向他所倡导的新方向发展。他这些有影响力的通俗易懂的论文收集在《寒武纪智能：新人工智能的早期历史》（1999）一书中。他的理论最初被传统的人工智能界认为是异端，但最终被视为权威理论并被应用于工业和军事领域。他和学生既设计出探索火星的机器人，又设计出能执行排雷等普通任务的机器人。此外他还进行"培育"机器人"孩子"科格（Cog）的研究。

Brooks, Romaine (Goddard)　布鲁克斯（1874-05-01，意大利罗马～1970-12-07，法国尼斯）原名 Beatrice Romaine Goddard。美国画家。双亲十分富裕，曾在意大利学习绘画。结束一段短暂的婚姻之后，她于 1905 年移居巴黎，并在此建立了她在文学、艺术以及同性恋圈中的地位。她的名声在 1925 年的几次展览中达到高峰。她偏灰色而隐蔽的画像，略施以不经意的色彩，将画中人物的性格净化到令人心神不宁的程度。《亚马孙女战士》是布鲁克斯为她的长期情人 N.C. 巴尔尼（1876～1972）所作的画像，也是她的最佳作品之一。

broom　金雀花　豆科金雀花属（*Cytisus*）几

金雀花（*Cytisus beanii*）
美国不列颠百科全书公司供图

种灌木和小乔木的统称。原产于欧洲和亚洲西部的温暖地区。花艳丽,其他地区亦引种栽培观赏。复叶,小叶3枚。花黄色、紫色或白色,单生或聚生成小花簇。荚果扁。扫帚金雀花(金雀花,*C. scoparius*)常见,灌木,近无叶,花鲜黄色,常在温暖地区栽培以保持水土;荚果成熟后裂散种子。百合科的具皮刺假叶树(*Ruscus aculeatus*)英文俗名 butcher's broom(意为屠户扫帚树);花小,发白色;浆果红色。

broom moss　帚藓　即帚状曲尾藓。一面风藓(wind-blown moss)类群中常见种。

broomcorn　扫帚高粱　禾本科(或早熟禾科)普通高粱(*Sorghum vulgare* [或称双色高粱,*S. bicolor* var. *technicum*])的一个品种,栽种以收其坚挺的茎。分枝长而挺直,种子生于其末端。收取种子后,茎枝经干燥捆扎做成扫帚或刷子。栽种于北美大平原。英语中 broomcorn 一词亦指粟草样黍(黍,*Panicum miliaceum*),为黍类(millet)的一种。

Broome　布鲁姆　澳大利亚西澳大利亚州北部港镇。位于罗巴克湾北岸。1883年近海发现珍珠母繁殖场,始有人居住,曾为繁荣的珍珠贸易中心。20世纪50年代随着塑料制品的出现而衰败。与珀斯通公路。为金伯利畜牧区服务。港口有825米长码头。近海石油和天然气开采为重要工业。该处为来自爪哇的海底电缆终端。人口8 906(1991)。

Broome, William　布鲁姆(1689-05-03,英格兰柴郡哈斯灵登～1745-11-16,萨默塞特巴斯)　英国学者、诗人。因与A.蒲柏及E.芬顿合译荷马的《奥德赛》而著称。他译了其中

美国不列颠百科全书公司供图

第2、6、8、11、12、16、18、23篇。他所著《感时感事诗》在1727年出版。

broomrape　列当　列当科(Orobanchaceae)列当属(*Orobanche*)植物,约140种。也泛指列当科植物(14个属约180种)。全为寄生草本,缺乏绿色组织,依靠吸根从其他植物的根上吸取营养物质。该科植物花不整齐;叶鳞片状;蒴果,一室,内含多数细小的种子。植株淡黄、淡褐、淡紫或白色。分布于北半球。

天蓝色列当(*Orobanchus coerulescens*)

Broonzy, Big Bill　布伦齐(1893-06-26,美国密西西比斯科特～1958-08-14,芝加哥)　原名 William Lee Conley Broonzy,别名大比尔。美国布鲁斯歌唱家和吉他演奏家,巡游式民间布鲁斯传统的代表人物。1920年赴芝加哥,6年后作为黑人布鲁斯歌唱家的吉他伴奏者首次录制唱片。后成为歌唱家。至1940年被公认为最畅销布鲁斯唱片录制艺术家之一。在纽约的首场音乐会于1938年在卡内基音乐厅举行。1951年访问欧洲,立即在整个欧洲大陆受到欢迎。1957年正享盛名之际因肺部手术使嗓音效果受到影响,翌年死于癌症。许多研究布鲁斯的学者都认为他的演唱无论就其纯音乐内容还是就其社会内涵而言,都同样引人入胜。其自传《大比尔的布鲁斯》于1955年出版。

Brophy, Brigid (Antonia)　布罗菲(1929-06-12,英格兰伦敦～1995-08-07,伦敦)　英国女作家。她的讽刺、诙谐小说探讨了性心理学。她的剧本和非小说作品反映了她对精神分析、艺术、歌剧以及性解放的兴趣。第一部小说《哈肯菲勒的笨汉》出版于1953年。她与其夫、艺术史家M.利维和作家、文艺批评家C.奥斯本合著的《我们可以无需的50部英美文学作品》(1967)是一部有争议的作品。它攻击了许多著名的作家并批评了《哈姆雷特》和《哈克贝里·费恩历险记》等作品。其他非小说著作有《剧作家莫扎特》(1964)、《黑与白:奥布里·比尔兹利》(1968)和报刊文章选《不要永远不忘》(1966)。对她的著作影响最大的二人是S.弗洛伊德和肖伯纳,她称他们是"20世纪的两大支柱"。她的非小说论文《驶向地狱的黑船》(1962),论述了人类毁灭与自我毁灭的本能,在很大程度上得益于她对精神分析的研究。《肉体》(1962)、《转变之中》(1969)、《超级动物猫头鹰》(1976)和其他小说描写现代关系的微妙。

Broqueville, Charles, comte de　布罗克维尔伯爵(1860-12-04,比利时莫尔附近的波斯特尔～1940-09-05,布鲁塞尔)　比利时政治家,第一次世界大战期间比利时流亡政府领导人。1911和1912年两度任首相。1912～1917年8月又任陆军大臣。1917年12月人们得知布罗克维尔未通知内阁而与奥匈帝国谈判

美国不列颠百科全书公司供图

媾和,他遂辞去首相职务。以后历任各种大臣职务。1932年10月再度任首相,直至1934年11月。

Brorson, Hans Adolf　布罗松(1694-06-20,丹麦兰讷鲁普～1764-06-03,里伯)　丹麦虔信派牧师,出色的赞美诗作家,又是将德国虔信派赞美诗译成丹麦文的译者。1732年当牧师时开始发表为日德兰南部的教区所作的赞

美国不列颠百科全书公司供图

美诗。主要作品《信德珍宝》(1739),包括许多译作以及自作的82首赞美诗。第二本赞美诗集《绝唱》在他死后(1765)出版。

Broschi, Carlo　布罗斯基　参阅 Farinelli 法里内利。

Brosse, Salomon de　布罗斯(1571,法国瓦兹河畔韦尔讷伊～1626-12-09,巴黎)　17世纪初法国最有影响的建筑师,他的作品为下一代设计的古典式别墅的发展铺平了道路。出身于一个信奉新教的建筑师家庭。曾从其父学习技术,后来很快依靠自己取得成功。1608年成为摄政太后玛丽·德·美第奇的建筑师,开始设计卢森堡宫(约1614～1630年建),因受意大利文艺复兴时期所建宫殿的影响,正面富有田园气息。这一作品和3座别墅——库罗姆密(1613)、蒙特科(1615年竣工)和布勒伦库(1619年前竣工),对后来的建筑师们,特别是在库罗姆密给布罗斯当助手的F.芒萨尔,产生了强烈的影响。他的两项最重要的公共工程是巴黎法院大厅的改建和

雷恩的布列塔尼大理院的修筑。1623年他重建了沙朗通的基督教新教教堂，但是，他的最有影响的教堂设计是圣热尔韦教堂新奇的正面(1616年始建)，它把巍峨的哥特式中堂与一个古典式前脸结合到一起。布罗斯作为设计师的重要性在于大胆和简单地处理正视图、立面图和平面图。要想详细了解他的成就是办不到的，因为他所设计的主要建筑物几乎完全毁坏或已彻底翻修。

Brotherhood of Theologians (Eastern Orthodoxy) **神学兄弟会** 参阅 **Zoe** 生活社。

Brothers of the Sword, Order of the 宝剑骑士团 拉丁语作 Fratres Militiae Christi，德语拼作 Schwertbrüderorden。英语别名为 Knights of the Sword 或 Livonian Order。1202～1237年征服利沃尼亚(今拉脱维亚和爱沙尼亚的大部分)并使之基督教化的十字军组织。12世纪中叶，德意志传教士进入德维纳河口地区。1202年利沃尼亚主教 A. von 布克斯赫夫登创立宝剑骑士团，经教皇允许为常设军事团体，捍卫教会的征服成果和强迫当地居民改信基督教。根据1204年制定的团规，团员必须出身贵族，并且立下绝欲、绝财、绝色的誓言。他们聚居在各地的城堡内，每个城堡都由宗教会议和军事长官管辖。骑士团大头领由骑士大会选出，为终身职。团员除骑士外，还包括士兵、工匠和教士。到1206年，他们在利沃尼亚人的土地上巩固了自己的统治地位。到1217年，他们已经征服德维纳河以北的拉脱维亚部落和爱沙尼亚南部。随后又开始征服德维纳河以南地区，但是遇到当地居民的猛烈抵抗。1236年9月被塞米加利亚人和萨摩吉提亚人的联军击败(索勒战役)，大头领沃尔金战死。1237年教皇下令解散宝剑骑士团，把它改编为条顿骑士团的一部分，称利沃尼亚骑士团。1561年宝剑骑士团完全解散。

brotula 须鳚 又作 brotulid。鼬鳚科约200～220种海鱼的统称。或另列为须鳚科。主要为深海鱼类，有些栖于浅海，也有少数生活于热带美洲淡水洞穴中，如盲须鳚属(*Lucifuga*)和穴鳚属(*Stygicola*)。对大部分须鳚所知甚少。体细长，尾尖，背、臀、尾鳍连为一长鳍。大小不等，从几厘米到最大的约90厘米。有些深海及洞穴种类，视觉功能几乎或完全退化。卵生或卵胎生。深海种类可见于约7 300米深处，是该深度水层中的数量最大的类群。

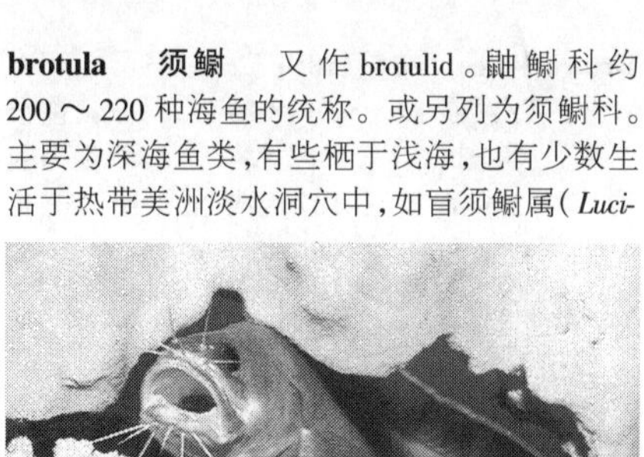

须鳚(*Brotula*)
美国不列颠百科全书公司供图

Broudy, Harry S(amuel) 布劳迪(1905-07-27，波兰菲利波瓦～1998-06-24，美国伊利诺伊厄巴纳) 波兰出生的美国教育哲学家，最著名的古典现实主义观点代言人。少时从波兰移居美国，曾先后就学于波士顿大学(文学学士，1929)及哈佛大学(文学硕士，1933；哲学博士，1935)。获哲学博士学位后任马萨诸塞州教育局督学。1937～1957年，在马萨诸塞州两所州立师范学院教授教育哲学和教育心理学。1957～1974年退休前一直是伊利诺伊大学的教育哲学教授。曾任《教育论坛》编辑(1964～1972)，著(或与人合著)有：《建立一种教育哲学》(1954)、《普通教育心理学》(1956)、《教育哲学》(1967)、《公立学校的实际领域》(1972)及《有见识的爱护》(1972)等书。

brougham 布鲁厄姆马车 英国大法官H. 布鲁厄姆约1838年设计的四轮单马马车。这种马车车厢较低，外观好像前部被切掉。车厢内有一排面向前方的双人座位，车前部设有车夫座位，车夫旁还可坐一名乘客。这个设计有许多变型，如乡间布鲁厄姆马车和仓库布鲁厄姆马车等。有一种车，车内有一个面向后方的儿童折叠座椅，叫做双座四轮轿式马车；另一种车身略长，装有全支架的前排座位，叫做克拉伦斯马车。在美国，后两种车也叫做前伸式布鲁厄姆马车。

1838年的布鲁厄姆马车
美国不列颠百科全书公司供图

Brougham, John 布鲁厄姆(1814-05-09，爱尔兰都柏林～1880-06-07，美国纽约州纽约) 爱尔兰出生的美国剧作家。著有75部在19世纪十分流行的剧本，同时兼任剧院经理和演员，特别擅长扮演滑稽古怪的角色。青年时代曾打算学习外科学，后来到伦敦，一个偶然的机会使他步入演员生涯，在《汤姆和杰里》一剧中担任6个角色。一年后，他写出自己的第一个滑稽剧，接着又写了几部，其中包括同爱尔兰出生的美国剧作家D. 鲍西考尔特合写的《伦敦保险公司》。1840年，他成为兰心剧院经理，写有《虚无飘渺的生活》、《爱情的外衣》、《热情》、《大拇哥第二》，又和M. 莱蒙合写了《魔鬼的礼物》。1842年去美国，在纽约任剧院经理并写有几部喜剧和话剧。1860年去伦敦。1865返回美国继续写作、演出，并任剧院经理直至去世。最后一次在舞台上露面是1879年10月25日出演鲍西考尔特的《被拯救者》。

美国不列颠百科全书公司供图

Brougham and Vaux, Henry Peter Brougham, 1st Baron 布鲁厄姆(1778-09-19，爱丁堡～1868-05-07，法国戛纳) 英国律师、辉格党政治家、改革家、英国大法官兼上院议长(1830～1834)；著名的演说家、才子、时髦人物和有怪癖的人。在任大法官以前及任期内，他主持多次重大的法律改革，并带头创办(1825～1828)伦敦大学——英国第一所非教派的高等教育机构。他在爱丁堡大学毕业。1800年开始在苏格兰执律师业。曾参加创办《爱丁堡评论》(1802)。他在早年的政治活动中和所著《欧洲列强的殖民政策》一书(1803)中抨击奴隶贸易。后来他与辉格党左翼发生关系。然而，由于对他的强烈的个人主义感到担忧，政党领导人一直到1810年才使他选入下院。1808年在英国执律师业并任卡罗琳公主(后为王后)的法律顾问。当卡罗琳的丈夫英王乔治四世拟将王后废黜而于1820年开始起诉时，他和T. 登曼(后为最高法院院长)成功地为她辩护。他曾提出1820年民众教育法案；继续发表反奴隶制的演说；提倡实行议会改革。他1828年2月7月的著名演说对19世纪民事诉讼程序改革起了指导作用。19世纪20年代，他不但参加创办伦敦大学，而且设立有益知识传播协会，其宗旨是使工人阶级能够买到廉价的书籍。后封为男爵。1830年11月22日至1834年11月11日，他加入第二代格雷伯爵和第二代梅尔本侯爵两位首相的内阁，任大法官兼上院议长。他主要负责建立伦敦中央刑事法庭和枢密院司法委员会。他大大地加快了衡平法诉讼程序，后来鼓励通过关于建立郡法院制度的立法；带头强使1832年的议会改革法案在上院获得通过。19世纪40年代，他力主废除谷物法(对谷物征进口税)。1848年在法国发生巨大变化期间，他企图取得法国公民资格和国民议会席位，均未成功。他在法国地中海沿岸的戛纳度过其一生最后30年的大半时光。他设计了第一辆只由一匹马拉的四轮马车。

美国不列颠百科全书公司供图

Broughton, Jack 布劳顿(约1704～1789-01-08，伦敦) 英格兰第三个最重量级拳击冠军。他制定了第一套拳击规则，发明的厚手套为现代拳击手套的前身。原为码头工人，因击败格雷廷和派普斯而被承认为冠军。1750年4月10日败于斯莱克。他在1743年所制定的拳击规则于1838年为“伦敦职业拳击规则”所取代。

Broughton (de Gyfford), John Cam Hobhouse, Baron **布劳顿男爵**(1786-06-27,英格兰格洛斯特雷德兰～1869-06-03,伦敦) 即J.C.霍布豪斯。英国政治家和文人,诗人拜伦的密友。他与拜伦在剑桥大学三一学院相识,1809～1810年和1816～1817年一同

美国不列颠百科全书公司供图

游历欧洲。19世纪20年代与拜伦同样热情地想使希腊摆脱奥斯曼土耳其而独立。曾因攻击拒不改革的下院而遭监禁(1819～1820)。1820年选入下院。1825年推动下院通过关于禁止工厂夜间雇佣童工的法令。但在1832年议会实行重大改革后,日趋保守。历任陆军驻议会秘书(1832～1833)、爱尔兰首席秘书(1833)、森林管理委员会主任(1834)、印度监督委员会主席(1835～1841,1846～1852)。1851年封男爵。著有《漫长一生的回忆》,1865年自费印刷,后由其女出版(6卷,1909～1911)。

Broun, Heywood (Campbell) **布龙**(1888-12-07,美国纽约州布鲁克林～1939-12-18,康涅狄格斯坦福) 美国新闻工作者,以在社会问题和政治问题上持开明意见而闻名。1906～1910年,在哈佛大学求学,但未毕业。曾为纽约《早晨电讯报》体育栏写棒球比赛报道,从此进入新闻界。1912年转为《论坛报》体育撰稿人,最后改任该报戏剧评论员。在《论坛报》时,开始写著名的“在我看来”专栏文章。1921年转入《世界报》,将此专栏带入该报。他几次离开该报,后又重新加入,1931年《世界报》与《电讯报》合并后,他为新报撰稿,直到1939年参加《邮报》。从1935年起直至去世为《新共和报》写专栏文章《倾力而为》。他热心于劳工和政治问题。1930年,以一名社会党人的身份竞选众议员失败。曾创办美国报业公会,一直担任主席。

Broussais, François-Joseph-Victor **布鲁塞**(1772-12-17,法国圣马洛～1838-11-17,巴黎) 法国医师。他提倡的放血、水蛭治疗及禁食疗法在19世纪早期盛行于巴黎的医学界。1816年他出版了《医学学说的检查》后,“生理医学”体系迅速成为巴黎最流行的医学哲学。他坚决认为所有疾病均发源于胃肠道的刺激,并“交感地”传到其他器官。他是历史上

美国不列颠百科全书公司供图

最声名狼藉的“放血者”之一,1832年巴黎霍乱流行时,他用放血疗法治疗患者,却使病情恶化,从此他的疗法遭人唾弃。

Brouwer, Adriaen **布劳尔**(1605或1606,佛兰德奥德纳尔德～1638-01,安特卫普) 佛兰德风俗画家,对佛兰德及荷兰艺术家都有影响。1621年左右到哈勒姆,师从哈尔斯学画,在荷兰赢得盛名。1631年回到尼德兰南部,被西班牙人当作间谍逮捕,监禁到1633

布劳尔绘《牌局上打架的农民》
美国不列颠百科全书公司供图

年,后定居安特卫普。除少数风景画外,其晚期作品几乎全部取材于日常生活:农民们在吸烟、喝酒或在小饭馆里吵闹;江湖医生为表情痛苦的病人施行手术等。多数画都很小,且画在油画板上,粗俗的主题与雅致的画风形成强烈对比。在其成熟时期这种风格在色调上的浓淡关系表现得异乎寻常地熟练。

Brouwer, Dirk **布劳威尔**(1902-09-01,鹿特丹～1966-01-31,美国康涅狄格纽黑文) 荷兰出生的美国天文学家和地球物理学家。以研究天体力学(计算天体的运动),尤其是率先在该领域中使用高速数字计算机而著称。他自1928年离开莱顿大学后就终生在耶鲁大学工作。自1941年起,兼任该校天文学教授和耶鲁天文台台长,他先是研究地球自转的变化,继而研究轨道问题。1937年,他与W.J.埃克特一起,提出一种改进轨道计算的方法,此法已被广泛采用。他又与埃克特和G.M.克莱门斯合作,于1951年首次使用数字计算机精确计算行星位置。他建议采用“历书时”,以排除地球自转变化的影响。布劳威尔于1951年当选为美国全国科学院院士,1955年,因在天体力学上的贡献获英国皇家天文学会金质奖章。

Brouwer, L(uitzen) E(gbertus) J(an) **布劳威尔**(1881-02-27,荷兰奥弗希～1966-12-02,布拉里克姆) 荷兰数学家,创立了数学中的近代直觉主义(一种认为作为思维构造的数学的本质是受不言自明的规律所支配的学说)。他的研究完全改造了拓扑学。1909～1951年在阿姆斯特丹大学任教,他对拓扑学的重要研究大部分是在1909～1913年完成的。在研究D.希尔伯特的著作中他发现了平面位移定理(刻画笛卡儿平面的拓扑映射的特性的定理)和他的第一个不动点定理(对建立微分方程和对策论等数学分支的基本原理非常重要)。1911年发表了拓扑不变性定理。此外他把G.康托尔发展的方法与位置分析(早期的拓扑学)方法结合起来。由于他的出色贡献,许多数学家认为他是拓扑学的奠基者。他在博士论文《论数学基础》(1907)中抨击了数学的逻辑基础,露出了直观学派的端倪。次年在《论逻辑原理的不可信》一文中他拒绝在数学证明中使用排中律,认为它是无效的,按照排中律,每个数学陈述不是正确的就是错误的,不允许有其他的可能。在他发表的集合论(1918)、测度论(1919)、函数论(1923)的论文中,都不用排中律。尽管他的观点未被公认,他仍继续研究直到1954年。第二次世界大战结束后,首先由于美国数学家S.C.克林的赞助,直观主义重新受到关注。

Browder, Earl (Russell) **白劳德**(1891-05-20,美国堪萨斯威奇托～1973-06-27,新泽西普林斯顿) 美国共产党领袖,任职近25年,直至第二次世界大战之后与党的正式纲领发生分歧。1919～1920年因反对美国参加第一次世界大战被监禁。1921年入党。1930～1944年任总书记。1936和1940年被提名为总统候选人。1944年,他倡导资本主义和社会主义可以和平共处,被免去总书记职务。1946年被开除出党。著有《人民阵线》(1938)、《同俄国战争还是和平?》(1947)、《马克思与美国》(1958)等。

Brown, Alice **布朗**(1856-12-05,美国新罕布什尔汉普顿福尔斯～1948-06-21,马萨诸塞波士顿) 美国小说家和传记作家,作为地方色彩作家而小有名气。1876年毕业于附近的鲁

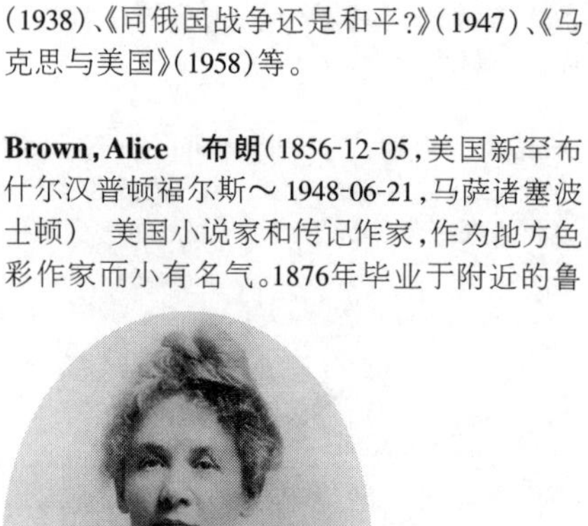

美国不列颠百科全书公司供图

宾逊学院,以后数年在任教的同时撰写短篇小说。因写作有成,她得以辞去教职,于1884年迁往波士顿,任职于《基督教纪事报》。1885年入《青年指南报》工作,历若干年。第一部小说《滨海斯特拉特福》于1884年出版。1895年与挚友L.I.圭内合著《史蒂文森研

究》。1896年出版旅英印象集《在橡树和荆棘旁边》和《沃伦生平》，接着不断有小说和故事集问世。

Brown, Alice Van Vechten 布朗（1862-06-07，美国新罕布什尔汉诺威～1949-10-16，新泽西米德尔敦） 美国女艺术教育家，以独创的教学大纲讲授美术史而闻名。1881～1885年在纽约市美术家联合会学习绘画，后转向教学，于1891年任康涅狄格州诺威奇美术学校副校长，使用实验教学法讲授美术史，让学生摹仿名作，以加强其观察力。1897年在马萨诸塞州韦尔斯利学院任职。改革美术课内容，运用实验教学法；到1900年该学院已成为美国第一个美术史教学中心。1911年开设博物馆员培训课。1927年首倡在美国设置现代艺术课。著有《意大利绘画简史》（1914，与W.兰金合著）等书。

Brown, Sir Arthur Whitten 布朗（1886-07-23，格拉斯哥～1948-10-04，威尔士格拉摩根斯旺西） 英国飞行员。曾作为工程师受训，第一次世界大战期间成为英国皇家空军飞行员。曾与J.W.阿尔科克一起完成第一次跨越大西洋的不着陆飞行。他在这次飞行中任领航员，使用维克斯公司维米型双发动机双翼机，平均速度约193千米/小时。1919年6月14日格林尼治平时下午4时13分从纽芬兰圣约翰机场起飞，16小时12分钟后在爱尔兰戈尔韦郡克利夫登附近的沼泽地中着陆。他们获得伦敦《每日邮报》的1万英镑奖金，两人都被封为骑士。布朗后来继续从事工程工作，并在斯旺西任大都会维克斯公司总经理。

美国不列颠百科全书公司供图

Brown, Capability 参阅 **Brown, Lancelot** 布朗。

Brown, Charles 布朗（1922-09-13，美国得克萨斯得克萨斯城～1999-01-21，加利福尼亚奥克兰） 美国40年代末50年代初布鲁斯歌手，以其旋律优美的歌曲而闻名。是当时最有影响的歌手之一，还是位高水平的古典钢琴家。其事业自1943年迁至洛杉矶以后开始。1946年所在乐队"三色夹克"以一首《流浪布鲁斯》成名。次年他的《孩子，圣诞快乐》成为节日的热门歌曲。1948年自建乐队。他的作品极受当时城市布鲁斯听众的喜爱。在这期间又推出了两首榜首歌曲：《麻烦布鲁斯》（1949）和《黑夜》（1951）。《请回家过圣诞》在1961年获得成功。之后隐退。80年代初又被布鲁斯迷重新发现，并从节奏与布鲁斯基金会得到资助。他赢得了一批新的听众，又出版了几张专辑，魅力不减。去世后于1999年入选摇滚乐名人堂。

Brown, Charles Brockden 布朗（1771-01-17，费城～1810-02-22，费城） 美国作家，被称为"美国小说之父"。据传美国早期最伟大的两位作家爱伦·坡和N.霍桑最先改写的就是他的以美国为背景的哥特式传奇故事。布朗称他自己为"讲故事的道德家"。虽然他的作品利用恐怖，但它们反映了一种经过深思熟虑的自由主义思想。出身贵格会教徒家庭，体弱多病，阅读广泛。1787年他给费城一个律师当助手，但对写作的强烈兴趣，使他与人合作创办一个文学团体，并在1793年放弃法律，在费城和纽约从事文学生涯。第一部小说《威兰》（1798）中的主人公是一个热心宗教的人，他被一个运用腹语术的恶棍改变为谋杀自己妻子和孩子的人。他的作品还有《奥蒙德》（1799）、《埃德加·亨特利》（1799）、《阿瑟·默文》（1799～1800）等。

Brown, Charlotte Emerson 布朗（1838-04-21，美国马萨诸塞安多弗～1895-02-05，新泽西东奥兰治） 婚前名Charlotte Emerson。美国俱乐部女活动家、妇女俱乐部总联合会创始人和首任主席。为牧师的女儿，R.W.爱默生的同姓亲戚，受过良好教育并有超常语言才华。在蒙特利尔执教一年后出国旅游，1858年随家人移居伊利诺伊州罗克福德，当过秘书，并在罗克福德神学院（今罗克福德学院）讲授现代语言，其后开始组建"欧忒耳珀"音乐俱乐部等几所俱乐部。1880年与教士W.B.布朗结婚。后在国外逗留3年，期间她继续学习语言和音乐。回国后定居新泽西州东奥兰治。不久担任当地妇女俱乐部主席。1889年在纽约妇女俱乐部召集的会议上成立妇女俱乐部总联合会。布朗为筹建委员会的7委员之一，并当选首任主席。在任期间联合会成员由约50个文化俱乐部迅速发展到数百个，所代表的会员多达数万，1892年从缅因州开始，迅速发展各州联合会。担任主席至1894年。

Brown, Claude 布朗（1937-02-23，美国纽约州纽约～2002-02-02，纽约） 美国作家，其名著《迦南的男孩》（1965）是美国黑人文学的划时代作品，记录了他在纽约哈勒姆区的贫困童年。少年时曾走向犯罪，最终被送进纽约北部地区管教所。管教所的一位教员对他发生兴趣，在布朗回到哈勒姆又参与犯罪活动时，鼓励他走正道。他终于完成了高中学业并考入华盛顿的霍华德大学。大学毕业那年出版了回忆录。该书颇得好评，成为畅销书，被认为不仅是他本人、而且是整个一代非洲裔美国青年的故事。后又出版了描写哈勒姆少年为摆脱海洛因瘾而挣扎的小说《蹩脚演员的孩子们》（1976）。

Brown, Earle 布朗（1926-12-26，美国马萨诸塞卢嫩堡～2002-07-02，纽约拉伊） 美国先锋派音乐主要作曲家之一。因发展图解记谱法与开放式作曲体系而知名。初学工程学与数学，后改学音乐理论与作曲。1952年创造图解记谱体系，运用非传统性记谱标志，横跨书写的谱面，使之类似于音乐穿越时间的流动。1953年又提出开放式作曲技巧，由指挥或演奏者决定音乐各组成部分的顺序。他的第一首开放式作品《25页》（1953）供1～25位演奏者表演，总谱共25页，可按演奏者选定的顺序排列。后来的作品中大多是图解记谱法与开放式二者并用。

Brown, Ernest William 布朗（1866-11-29，英国约克郡赫尔～1938-07-22，美国康涅狄格纽黑文） 英国出生的美国数学家和天文学家。因研究月球运动理论而闻名。布朗受教育于英国剑桥大学，开始按美国G.W.希尔提出的方法研究月球运动。希尔已经把他的方法发展到足以解决问题的地步，而布朗则完成了这一理论。经过30年的研究，他在1919年发表了《月球运动表》，取代了1857年以来各种天文年历所用的有关数据。他每年夏季虽必回剑桥，但他的职业生涯却在美国。1891年他接受宾夕法尼亚州哈弗福德学院的聘请，从1907至1932年退休为止，一直任耶鲁大学的数学教授。

Brown, Ford Madox 布朗（1821-04-16，法国加来～1893-10-06，伦敦） 英国画家，尽管从来不是拉斐尔前派的成员，但其作品在感情和技巧上却与之相似。1837～1839年在布鲁日随A.格雷戈里乌斯学画，后在安特卫普随男爵G.瓦珀斯学明暗技法。早期作品以阴暗的色彩和拜伦式的戏剧性情感为特征，大都是1840～1843年在巴黎完成的，包括：《曼弗雷迪在少女峰》、《入睡的帕里西那》等。为了真实地表现自然现象，作《锡隆囚徒》（1843）时，他曾到医院画过尸体素描。1845年访问意大利期间，风格有所改变，倾向于明亮、洁净的色彩和新中世纪精神。1848年收D.G.罗塞蒂为学生，并于1850年向拉斐尔前派的刊物《萌芽》投稿。和W.H.亨特一样，布朗曾在露天作画，以便更准确地再现场景。其名作《工作》（1852～1863）于1865年在伦敦回顾展上展出。他作为书籍插图画家曾与W.莫里斯一起工作过，也制作过彩色玻璃画。1879和1893年3月为曼彻斯特市政大厅完成了一组12幅的壁画，描写该城历史的发展过程。

Brown, George 布朗（1818-11-29，爱丁堡～1880-05-09，多伦多） 加拿大新闻记者和政治家，献身于联邦主义和努力削弱法国天主教教会在加拿大的势力。他是《环球报》（多伦多）的所有人，在加拿大西区（今安大略）有广泛的政治影响。1837年从英国来到纽约，1843年移居多伦多，创办《旗帜报》，支持新建的苏格兰自由教会。次年发行《环球报》，原为周刊，1853年改为日刊。1857年选入加拿大议会。他抨击天主教会的政治权力，赢得西区的支持，但在东区不受欢迎。他发动教会与国家分离运动获得一定成功，但使所有学校世俗化却失败了。他还极力主张加拿大西区和东区在议会中拥有比例代表权，重建

加拿大公共档案馆供图

加拿大西区自由党，翌年短期出任总理。他最早鼓吹成立英属北美联邦。1865 年 12 月因反对加美互惠条约辞去政府职务。1873 年入参议院，次年参加加美新互惠条约的谈判。此后专心办《环球报》。

Brown, George Douglas　布朗　参阅**Douglas, George 道格拉斯**。

Brown, Hallie Quinn　布朗（1850-03-10，美国宾夕法尼亚匹兹堡～1949-09-16，俄亥俄威尔伯福斯）　美国教育家及演说家，美国黑人妇女俱乐部运动的先驱者。前奴隶之女，1873 年获俄亥俄州威尔伯福斯大学理学士学位，后在密西西比州和南卡罗来纳州的中学任教。从肖托夸演说学校毕业后，在俄亥俄州的代顿和亚拉巴马教书，后回到威尔伯福斯教授演讲术。同时她以演说家和学校讲师身份在欧洲及美国广泛旅行，发表演说，讲述美洲黑人生活。她帮助组成第一个英国肖托夸教育组织。在英国她代表英国妇女禁酒协会讲演。在美国，她帮助建立最早的黑人妇女俱乐部。1905 ～ 1912 年任俄亥俄州有色人种妇女俱乐部联盟主席，并协助创办华盛顿（哥伦比亚特区）有色人种妇女联盟，该联盟即全国有色人种妇女联合会之前身。著有：《朗读文选拾零》（1880）、《演说初阶》（1920）和《列女传》（1926）等书。

Brown, Harrison (Scott)　布朗（1917-09-26，美国怀俄明谢里登～1986-12-08，新墨西哥阿尔伯克基）　美国地球化学家。以他在用于第一批原子弹的钚的分离中所起的作用和他有关陨石和地球起源的研究而闻名。布朗在伯克利加利福尼亚大学和巴尔的摩的约翰斯・霍普金斯大学学习化学（1941 年获博士学位）。1943 ～ 1946 年在田纳西州橡树岭的克林顿机械厂中任职，在那里他管理曼哈顿项目中钚的生产。与爱因斯坦及其他科学家一样，他对原子弹的发展起过作用。后来布朗呼吁反对进一步发展核武器。1946 ～ 1951 年他成为芝加哥大学原子核研究所的成员，在那里他开始分析陨石中痕量元素。1951 ～ 1977 年，他在帕萨迪纳的加利福尼亚理工学院任教，并在 1955 年被选入全国科学院。1977 ～ 1983 年他在檀香山资源系统研究所工作。自 1985 年起任《原子科学家通报》的主编，直至去世。除了从事地质年代学和行星科学的工作外，他还积极参与人口控制、武器控制和保护人类资源活动。他的著作有：《我们注定要毁灭吗？》（1946）、《人类未来的挑战》（1954）、《下一世纪》（1957，与 J. 邦纳和 J. 韦尔合著）、《仙后座事件》（1968，与 C. 泽维克合著）和《再谈人类未来》（1978）等。

Brown, Helen Gurley　布朗（1922-02-18，美国阿肯色格林福里斯特～2012-08-13，纽约）　婚前名 Helen Gurley 。美国作家和编辑。从 20 世纪中期开始写作一些积极向上、紧跟潮流的作品，以广大年轻妇女为读者，强调性和事业的独立性和冒险精神。1939 ～ 1941 年就读于得克萨斯女子学院（今得克萨斯女子大学），1942 年在伍德伯里商学院就读。1948 年成为广告公司广告撰稿人。1959 年与 D. 布朗结婚。1962 年第一本书《性与单身女郎》刚一出版即成为畅销书。她对年轻单身妇女的职业、时装、爱情和娱乐等方面都提出忠告，强调单身生活的好处，她认定性是单身生活的一个组成部分。另一本书《性与职业》（1964）讨论类似的问题。1965 年出任令人尊敬却又面临倒闭的《寰球》杂志主编。她迅速将杂志的读者定位于单身或已婚的年轻妇女——《性与单身女郎》的读者群。杂志在青年生活方式方面树立了新的风尚，并以新颖的编排形式受到目标读者的青睐。布朗任主编期间该杂志的销量持续超过所有其他妇女杂志。1996 年辞去主编职务，但仍担任该杂志国际版主编。其他著作有《H. G. 布朗的惊人见解》（1966）、《H. G. 布朗的单身女郎食谱》（1969）和《性与新型单身女郎》（1970）等 。她还在伊利诺伊州埃文斯顿的西北大学设置 H. G. 布朗研究奖学金。1988 年入选出版名人堂。

Brown, Helen Hayes (American actress)　**布朗**　参阅 **Hayes, Helen 海斯**。

Brown, Henry Billings　布朗（1836-03-02，美国马萨诸塞南利～1913-09-04，纽约布朗克斯维尔）　美国最高法院大法官（1890 ～ 1906）。1860 年在底特律获律师资格，次年任该市美国联邦法院副执行官。两年以后，任密歇根州东部地区的联邦助理检察官。他任该职直至 1868 年，然后在担任短时期的临时巡回法官后又私人开业当律师。到他于 1875 年被再任命为东部地区法官时，他已成为北美五大湖的水运法的主要权威。次年，他发表了从沿湖地区搜集来的一系列重要的海事案例报告。1890 年，哈里森总统任命布朗为最高法院大法官。他的最重要的决定是关于“普雷西诉弗格森”（1896）案的决定，它确认在设施是“隔离但平等”的情况下的种族隔离是合法的。这个标准支配着民权案件直至 1954 年被最高法院在“布朗诉托皮卡教育委员会”案中推翻。他的其他的著名意见有：在“波洛克诉农民贷款和信托公司”一案中提出的不同意见，在该案中，1894 年的所得税法被废弃；以及提出当时对“唐斯诉彼得韦尔”案（岛屿案件之一）有争论的意见，在该案中他宣称，被合并的领地上的居民无权享受宪法规定的权利和特权。

Brown, Herbert Charles　布朗（1912-05-22，伦敦～2004-12-19，美国印第安纳拉斐特）　原名 Herbert Brovarnik。美国化学家。因在无机和有机硼化合物方面的先驱研究，与 G. 威蒂希共获 1979 年诺贝尔化学奖。双亲生于乌克兰，1914 年将他带到美国。布朗在芝加哥长大，1936 年毕业于芝加哥大学。1938 年获博士学位，并留在芝加哥担任教职，直到 1943 年。1943 ～ 1947 年在底特律的州立韦恩大学任教，1947 年起在珀杜大学任教，1959 年成为韦瑟里尔杰出教授，1978 年成为荣誉教授。布朗对于氢硼化物的研究，导致了一组重要的新的无机试剂的发展。他对有机硼烷的发现，揭示出可供有机合成用的一系列有效而多用途的试剂。还以碳正离子等反应的研究而卓具声名。著有《硼氢化作用》（1962）与《有机合成与硼烷》（1975）。1957 年入选美国全国科学院。1969 年获美国国家科学奖。

Brown, James　布朗（1933-05-03，美国南卡罗来纳巴恩韦尔～2006-12-25，佐治亚亚特兰大）　美国节奏与布鲁斯声乐家和作曲家，自20世纪50年代后期至70年代红极一

波利多尔和加西亚供图

时。布朗于大萧条时期在贫困中长大，初在街头以卖唱鬻舞为生；后组成三重唱小组，演出于南方各地一些小型夜总会。他将布鲁斯和福音音乐传统中的要素与他本人激情洋溢而极具节奏性的表演方式（这种表演方式因他的强烈表演意识而更为突出）相结合，从而形成其高度个性化的风格。1956 年开始灌制唱片，以单曲唱片《请、请、请》而一炮打响。接着又是其他一系列销售百万张的单曲唱片，包括《我不能容忍自己》、《爸爸有了一只崭新的包》和《那是一个男人的、男人的世界》，这些唱片奠定了他在节奏与布鲁斯领域中无可怀疑的卓绝地位。他努力推动白人听众关注黑人流行音乐，在这方面起了开拓性作用。20 世纪 70 与 80 年代，布朗日益关心鼓励黑人青年接受教育、培养对他们的传统的自尊心，并有意识地以他本人的决心和苦干而取得成功的事例作为他们的楷模。

Brown, Jim　布朗（1936-02-17，美国佐治亚圣西蒙斯～　　）　美国杰出的职业橄榄球后卫。1957 ～ 1965 年为克利夫兰布朗队队员，除 1962 年外每年在全国橄榄球联赛中都在抱球冲破对方防线方面领先。到他橄榄球生涯结束为止，共获 126 次球触底线得分，其中 106 次为抱球跑取得；抱球跑共 2 359 次，前进 12 312 码，平均每次为 5.22 码。以上成绩均为全国橄榄球联盟纪录。获橄榄球和曲棍球两项运动的全美荣誉。很多人认为布朗

最擅长的运动是曲棍球。被列入橄榄球名人堂和曲棍球名人堂。退出橄榄球界后，任电影演员，拍摄动作片，并成为美国黑人争取更多参加工商业活动运动的领导人。

Brown, John 布朗（1735，苏格兰贝里克希尔班科～1788-10-17，伦敦） 英国医师。布朗氏"可激性"理论的倡议者（该理论认为：疾病可按其对身体的作用——刺激不足或刺激过度——而分类）。初在爱丁堡大学师从威廉·卡伦，但因学术观点与之分歧而被迫在圣安德鲁斯取得医学博士学位（1799）。在从卡伦学习时布朗即形成其理论：所有活组织均有"可激性"，生命可定义为外界刺激作用于机体所引起的反应。疾病可分为"亢进的"（起源于刺激过度）及"无力的"（起源于刺激不足）。他所推荐的治疗方法常包含酒或鸦片。1780年出版著名的《医学原理》，以拉丁文的纯正、所论述的原则的切实可行而为人称道，欧洲的医务界无不仔细阅读，并充分接受。同时爱丁堡大学内反对他的人日渐增多，他的业务受到影响，来听他讲课的人亦见减少。因在爱丁堡失势，又欠了债，布朗移家伦敦。18世纪末，布朗氏学说最为流行。1802年在布朗氏学说的大本营格丁根大学，该学说的支持者与反对者进行了两天的辩论。19世纪初德国科学家H.亥姆霍兹最后否定了布朗氏学说。

Brown, John 布朗（1800-05-09，美国康涅狄格托灵顿～1859-12-02，弗吉尼亚查尔斯敦） 美国废奴主义的斗士。1859年袭击哈珀斯费里的联邦军火库，而成为反奴隶制事业的殉

美国不列颠百科全书公司供图

难者，此事激化了地区仇恨情绪，导致美国南北战争（1861～1865）。早年在俄亥俄、宾夕法尼亚、马萨诸塞、纽约等地流浪，当过制革工、羊贩子、羊毛商、农民，但都不能养家糊口。他虽然是白人，1849年却举家定居纽约州北埃尔巴的黑人聚居区。他长期以来反对奴隶制度，无时无刻不想采取公开行动帮助黑奴获得正当的待遇。1855年带领5个儿子，驾着一辆满载枪支弹药的马车到奥萨沃托米定居，不久成为这一地区的反奴隶制游击队领袖。1856年5月21日，有一群拥护奴隶制的暴徒洗劫劳伦斯城。他认为自己负有为奴隶复仇的神圣使命，3日后即领导群众袭击波塔沃托米河上的一个拥护奴隶制的居民点。1858年春在安大略湖畔查塔姆召集黑人与白人大会，宣布他准备在马里兰和弗吉尼亚的山区建立一个收容逃亡奴隶的根据地。根据他的提议，会上通过"美国人民临时宪法"。他当选为这个空头政府的总指挥，得到一些著名的废奴主义者的道义上和财政上的支持。1859年夏，他同16名白人和5名黑人组成武装集团，在马里兰州的一个农舍中建立指挥部。这个农舍隔着波托马克河与联邦军火库所在地哈珀斯费里遥遥相望。10月16日夜，他们迅速占领军火库，并抓来60名地方显贵作为人质。第2天一直与当地的国民警卫队作战。第3天早晨，由于海军陆战队增援打败了他，被迫投降。后以叛国罪受审，处绞刑。虽然他未能在奴隶中间展开一个普遍的逃亡运动，但是他为奴隶而斗争的高尚品质，一方面使他本人名声不朽，另一方面也加速了导致解放的战争的到来。

Brown, Joseph Emerson 布朗（1821-04-15，美国南卡罗来纳皮肯斯县～1894-11-30，佐治亚亚特兰大） 美国南北战争时期南部邦联的佐治亚州州长。曾在佐治亚州坎顿城当律师，1849年作为民主党人进入州参议院，从而开始其政治生涯。1855年当选巡回法官。接连4届当选佐治亚州州长，每届任期2年（1857～1865）。南北战争以前和期间，他维护奴隶制度和州的主权。内战结束时他被关押，不久遇赦。后来他参加共和党，支持激进的重建计划。1868年竞选联邦参议员失败，同年出任州高等法院首席法官。1870年辞职，任经营州有铁路的西部和大西洋公司总经理，另外还经营亚特兰大的房地产，因而成为巨富。1881～1891年任联邦参议员。

Brown, Lancelot 布朗（1715，英格兰诺森伯兰柯克哈勒～1783-02-06，伦敦） 英国最著名的园林设计大师，其作品以天然的、不作人工规划的景观为特点。最初在诺森伯兰郡当见习园丁。1742年在白金汉郡斯托的一座名园中随园林建筑师W.肯特工作。肯特去世后，他晋升为园林设计师，到1753年已是英国主要的"大地改造者"。他最初的成就是在韦克菲尔德洛奇为格拉夫顿公爵设计的一个湖；由于非常成功，他被召请改建在伍德斯托克的著名布伦海姆宫的庭园。他在建筑师约翰·范布勒爵士所造的桥边开辟几个小巧的湖，几乎完全去掉了过去的几何形绿化布局。为了保证他的设计的统一性，实际工作把他引入了建筑艺术，他成为当时古典主义风格的一名出色的建筑师。他的设计得之于自然，既不用雕琢的石块，也不用建筑的形体，仅以布置草地和平静的水面、栽植种类很少的树（或孤立，或成丛，或排成松散的行列）、利用地势起伏构成简单和谐的图案，没有明显的对称。他在约1751～1757年间美化西萨塞克斯郡佩特沃思府邸的庭园和湖，便是上述几种要素的最好实例。布朗的风格往往被认为与设计法国凡尔赛宫豪华整齐的庭园的A.勒诺特尔的风格相左，因为布朗利用地面的自然状态，而勒诺特尔则把建筑图形强加到自然上面。尽管如此，他们对比例具有相同的慧眼，对尺寸大小具有一种卓越的敏感，而且两人都把他们的创造物与外部世界连结到一起。布朗的设计适应于喜好自然式园林的英国绅士们。布朗常说一个地方有"潜在能力"，这一说法后来成了他的绰号。他去世时名利双收，设计过的园林数量是空前的。

布朗设计的英国西萨塞克斯郡佩特沃思府邸公园
美国不列颠百科全书公司供图

Brown, Margaret Wise 布朗（1910-05-23，美国纽约布鲁克林～1952-11-13，法国尼斯） 美国儿童文学多产作家，其许多作品已成经典，吸引着一代又一代的儿童和家长。1932年在弗吉尼亚州劳诺克的霍林斯学院（今霍林斯大学）获文学士学位。在教育实验局的作家试验点作进一步的研究之后，在纽约市担任儿童读物编辑。受到出版商W.R.斯科特的鼓励，开始尝试写儿童读物。她的书非常成功，以致1941年离开斯科特公司，全职写作，有时一年出版5本或更多的儿童读物。除了用本名以外，还用过T.海、G.麦克唐纳和J.塞奇等笔名。出版书籍超过100种，有些已成为经典，如《逃走的松鼠》（1942）和《晚安月亮》（1947）等。

Brown, Martha McClellan 布朗（1838-04-16，美国马里兰巴尔的摩～1916-08-31，俄亥俄代顿） 婚前名Martha McClellan。美国禁酒倡导者。1858年与教士W.K.布朗结婚。婚后不久即入匹兹堡女子学院学习，1862年毕业。在美国南北战争后数年间成为著名的禁酒宣传家。1868年担任《联盟监督报》编辑至1876年。1869年为全国禁酒党的成立做了大量工作。1873～1874年禁酒祈祷运动横扫俄亥俄州，之后开始筹组基础更为广泛的禁酒组织。1874年2月在俄亥俄州哥伦布

市领导组建第一个州妇女禁酒协会。同年8月在纽约州肖托夸湖与他人共同筹建全国性协会,并随后召开会议,成立基督教妇女禁酒联合会。但因与共济会有联系而未能担任该联合会主席,遂退会。1876年因共济会拒绝接纳黑人成员而退出该组织。其后致力于禁酒党的工作,但1896年因该党不支持妇女参政而与之决裂。1882～1892年任俄亥俄州辛辛那提卫斯理公会女子学院副校长和艺术、文学与哲学教授。1881年、1891年和1911年三次赴英国讲学,晚年主要在辛辛那提从事慈善事业。

Brown, Michael S(tuart) **布朗**(1941-04-13,美国纽约州纽约～) 美国分子遗传学家。与J.L.戈尔茨坦因阐明人体胆固醇的代谢机理,而于1985年共获诺贝尔生理学或医学奖。1962年毕业于费城宾夕法尼亚大学,1966年获该校医学院医学博士学位。1966～1968年与戈尔茨坦同任波士顿马萨诸塞综合医院实习医师并成为好友。1968～1971年于美国国立卫生研究院从事研究,其后任得克萨斯州达拉斯西南医学院助理教授,并与戈尔茨坦再度同事。两人在此共同研究造成血中胆固醇浓度过高的遗传因素。比较了正常人和家族性高胆固醇血症(一种遗传性疾病,因血中胆固醇浓度过高而易罹患动脉硬化或其他循环系统疾病)患者的细胞,发现患者存在某种遗传缺陷,使低密度脂蛋白(LDL,负责运送胆固醇分子)受体缺少或不足。他们的研究证实,受体能将携带胆固醇的LDL颗粒拉入细胞内分解以降低血中胆固醇浓度。他们又发现当细胞捕获LDL后会抑制新的LDL受体产生。这也解释了为何摄取过量胆固醇会导致血胆固醇升高。他们后来合作研制降低血中胆固醇的新药,研究LDL受体的遗传密码。布朗自1977年起任达拉斯遗传疾病中心的主任兼教授。

Brown, Molly **布朗(夫人)**(1867-07,美国密苏里汉尼拔～1932-10-25,纽约州纽约) 又称玛吉·布朗(Maggie Brown),原名玛格丽特·布朗(Margaret Brown),母家姓托宾(Tobin)。美国一名普通妇女,因曾是1912年豪华客轮"泰坦尼克"号海难事件中的幸存者这一角色而名噪一时。她的故事曾在1960年被搬上舞台,剧名为《沉不没的茉莉·布朗》;1964年该剧又以同名搬上银幕。故事只是一种事实与虚构的杂糅之作。由于她曾大事宣扬,更令人有疑信参半之感。她是一个壕沟挖掘工的女儿,未曾受过正式教育,10岁左右,就得外出做工以求糊口。大约1884年前后,她跟着哥哥到了科罗拉多州的矿区城镇莱德维尔,认识了一个名叫詹姆斯·布朗(1849?～1922)的银矿经理。1886年两人结婚。1894年,詹姆斯经营金矿,获利颇丰,两人遂移居丹佛。在丹佛,茉莉很想跻身于上流社会,但因虽有华饰而举止鄙俗,终未能登大雅之堂。以后夫妻离异,生活上仍由其夫供养。她便开始到纽约和纽波特旅行参观,最后到达欧洲。她在欧洲社交界由于健谈而崭露头角,侧身于名门豪富之列。"泰坦尼克"号客轮沉没时,茉莉曾协助指挥一艘救生艇,时而操桨,时而指挥各桨手并进。登上前往救援的"喀尔巴阡"号轮之后,她又长时间护理一些患病的幸存者。美国报界称赞她为"沉不没的布朗太太"。茉莉的丈夫死后,她的经济状况在20世纪20年代逐渐趋于窘迫。1932年荣获法国军团荣誉,奖励她在"泰坦尼克"号客轮沉没过程中及事后的积极工作,在儿童事业、维护矿工权利方面的努力,以及在第一次世界大战中的志愿行动。1932年死于纽约巴比松俱乐部旅馆。

Brown, Olympia **布朗**(1835-01-05,美国密歇根普雷里龙德～1926-10-23,马里兰巴尔的摩) 牧师和社会改革家,积极从事妇女选举权运动。曾申请进入密歇根大学,但因性别

美国不列颠百科全书公司供图

被拒。改读霍利奥克学院,一年后转入安条克学院,1860年毕业。3年后,受女牧师布莱克韦尔的启发,就读于圣劳伦斯大学神学院。毕业后由普救派教会授予圣职,成为最早被正式教派授神职的美国女牧师之一。1864～1876年先后在韦茅斯和布里奇波特的教堂任职。1866年结识女权运动先驱安东尼,引发对妇女权利问题的关注,成为西部女权事业的主要倡导者。1867年在堪萨斯州争取普选权的活动未能成功。1873年结婚,但仍用婚前名。1887年辞去受任9年的牧师职务,致力于选举权工作。同年,到威斯康星州拉辛的投票站投票,遭到拒绝,提出反对选举法律的冗长诉讼,最后败诉。著有《时至今日,新旧之间改革者》(1911)一书。1893年丈夫死后接管他的报纸《拉辛时报》和印刷事业。1914年移居巴尔的摩,仍积极活动,直至去世。

Brown, Paul **布朗**(1908-09-07,美国俄亥俄诺沃克～1991-08-05,辛辛那提) 全名Paul Eugene Brown。美国橄榄球教练,以其理智的分析、新颖的方法、严格的规则和冷静的举止闻名。曾获俄亥俄州迈阿密大学教育学学士学位(1930),在校时是橄榄球队四分卫。毕业后在瑟弗恩预备学校执教,并任橄榄球教练,在两个赛季中16胜、1平、1负。1932～1940年到母校马西隆中学任教练,在几届州锦标赛中80胜、8平、2负。1941年成为俄亥俄州立大学队主教练,1942年赛季18胜、9平、1负,并获全国大学锦标赛冠军。1944～1945年任大湖区海军训练站队教练,成绩为15胜、5平、2负。后任克利夫兰职业队教练,鉴于布朗的声誉,该队以他的名字命名。在美国橄榄球联会的4个赛季中克利夫兰布朗队的总成绩是52胜、4平、3负。1950年,布朗队转到国家橄榄球联会,当年赢得冠军,并赢得1954～1955赛季冠军。尽管布朗队一直赢球,但1962年克利夫兰队的老板还是把他解雇。在隐退6年之后回到国家橄榄球联会,成立辛辛那提孟加拉虎队并任教练,第3年赢得区冠军。1975年从教练职位上退休,但仍任经理至去世。他一生的总纪录是222胜、102平、9负。

Brown, Robert **布朗**(1773-12-21,苏格兰安格斯蒙特罗斯～1858-06-10,伦敦) 苏格兰植物学家,以描述溶液中微小粒子自然的连续运动(后称布朗运动)而著名。此外,他认识到球果植物与近缘种类(其他裸子植物)以及与被子植物的区别;发现大部分植物细胞中都有一种固定的组分并将其命名为细胞核;又建立了一些新的科和属,从而改进了植物的自然分类体系。在植物形态学、胚胎学、地理学等方面亦作出重要贡献,特别表现在他关于澳大利亚植物区系的有创见的著作

美国不列颠百科全书公司供图

中。他是一位苏格兰圣公会牧师之子。曾在阿伯丁大学和爱丁堡大学学医。1795～1800年在爱尔兰的英国军队中担任少尉助理军医。1798年到伦敦访问,并引起皇家学会主席约瑟夫·班克斯爵士的注意。班克斯推荐他到英国海军部,在马修·弗林德斯指挥的"调查者"号考察船担任博物学家,对澳大利亚北部和南部沿岸进行考察航行。1801年7月,布朗随考察船出航。1801年12月,"调查者"号到达西澳大利亚的乔治王湾,该处植物区系非常丰富而且多种多样。考察船环绕澳大利亚航行直到1803年6月。布朗采集了大量植物样本,1805年10月回到伦敦后,他全力将所收集的约3 900种植物进行分类,几乎所有种类对科学界都是未知的。布朗澳大利亚之行的结果部分发表于1810年的《新荷兰植物区系》一书中,该书是系统植物学的经典和布朗的主要著作,他在书中奠定了澳大利亚植物学的基础,并改进了当时通行的植物分类体系。但该书出版后销路不佳,他大感失望,只将该书出版了一卷。他善于对微小而重要的细节进行细致的观察,这也反映在其著作《山龙眼科》中,他在书中阐明对花粉粒特征的研究有助于将植物归入新属。1810年班克斯任命布朗为他的图书管理员,

1820 年将他丰富的植物藏品和图书馆遗赠给布朗。1827 年不列颠博物馆新成立植物学部,布朗担任主任,他将这些终生权益转赠不列颠博物馆。1828 年他发表一本小册子《植物花粉的显微观察》,他在书中记录道,自从他观察到有运动的微粒悬浮于玲珑克拉克氏花(*Clarkia pulchella*)花粉粒内的液体中后,他研究了许多其他植物活的和死的花粉粒,观察到所有新鲜花粉粒内都有相似的运动。布朗将有机和无机物质磨成细末,并将其悬浮于水中,证明在此状态的物质均表现此特性。这种现象一直称为**布朗运动**(**Brownian motion**)。1831 年,他在研究兰科和萝藦科的受精现象时注意到兰花细胞中和许多其他植物的细胞中都存在一种构造,他称之为细胞的"核"。这些观察证明布朗开创性的显微研究已到达相当的广度和深度,他能够从孤立的资料或经选择的构造中推导出含义深远的结论。1810 年他被选为皇家学会会员。

Brown, Robert Hanbury　布朗(1916-08-31,印度阿鲁凡卡都～2002-01-16,英格兰汉普郡安多弗)　英国天文学家和作家。因设计、改进并使用强度干涉仪著称。1935 年毕业于伦敦大学。在第二次世界大战期间和战后,布朗先后同 R.A.沃森-瓦特和 E.G.鲍恩合作,研究雷达及其在空战中的应用。50 年代,他把研究雷达的经验运用于射电天文学,在焦德雷尔班克天文台研究射电望远镜技术并绘制射电源天图。这项工作促使他设计出能排除大气干扰所造成的图像失真而分辨出射电星的射电干涉仪(1952)。他同 R.Q.特威斯合作,运用射电干涉量度学的原理测量明亮的可见星的角度,从而发明强度干涉仪。两人在澳大利亚新南威尔士州纳拉布赖装设一台强度干涉仪以测量热星。1964～1981 年,布朗任悉尼大学的物理学和天文学教授。他的主要著作有:《用射电探测太空》(1957,与 A.C.B.洛弗尔合著)、《强度干涉仪》(1974)和《人和星》(1978)等书。1991 年出版自传。

Brown, Ron　布朗(1941-08-01,美国华盛顿[哥伦比亚特区]～1996-04-03,克罗地亚杜布罗夫尼科附近)　全名 Ronald Harmon Brown。美国政治人物,首位出任美国大党党首(1989～1993)和商务部长(1993～1996)的非洲裔美国人。曾获米德尔伯里学院学士学位(1962)。后入预备军官训练团,毕业后在国外军队担任多种职务。4 年后回国,在全国城市联盟从事社会工作,同时晚间在圣约翰大学法律学院学习,1970 年获法学博士学位。后到华盛顿城市联盟工作,并积极参加民主党活动。1979 年参与 E.肯尼迪的竞选总统,虽未成功,但显露政治才能,1982 年任民主党全国委员会副主席。1988 年 J.杰克逊竞选总统,他是主要策划人,并主持民主党全国代表大会。随后当选民主党全国委员会主席,他淡化种族色彩,表现出集资和策划的技巧。1992 年 B.克林顿当选总统,他被任命为商务部长,促进了美国在全世界的利益。1996 年 4 月 3 日,布朗乘坐的飞机在克罗地亚失事,机上人员全部遇难。

Brown, Ruth　布朗(1928-01-30,美国弗吉尼亚朴茨茅斯～　　)　原名 Ruth Weston。美国歌手、女演员。在 20 世纪 50 年代,其节奏与布鲁斯歌曲始终榜上有名,从而获得"节奏与布鲁斯小姐"的雅号。不到 20 岁就在弗吉尼亚州的俱乐部中演唱并随乐队巡演。1949 年推出首张唱片《再见》。在大西洋唱片公司的创办人 H.艾布拉姆森和歌曲作者 R.图姆斯的支持下成为 50 年代最受欢迎的节奏与布鲁斯女歌手。她推出一连串热门歌曲,其中包括《我眼中的泪珠》(1950)、《5-10-15 小时》(1952)和她的招牌曲目《妈妈,他对你的女儿很恶劣》(1953)。经过多年努力,她的专辑《幸运的嘴唇》(1957)和《这个小女孩去摇滚了》(1958)取得巨大成功,一跃位居白人歌手之上。自 60 年代开始,事业一路下滑。她 4 次婚姻失败,70 年代以开公共汽车和为别人打扫房间为生,同时还要抚养两个儿子。70 年代中期开始从事表演,先后在电视情景喜剧、电影和舞台剧中参加演出。1989 年以音乐剧《蓝与黑》获得托尼奖最佳女主角奖。1990 年获格莱美最佳爵士乐演唱奖。1993 年入选摇滚乐名人堂。

Brown, Thomas　布朗(1663,英格兰什罗普郡希夫纳尔～1704-06-16,伦敦)　英国讽刺诗人,以能即席译出拉丁语诗人马提雅尔的第 33 首讽刺短诗而闻名。定居伦敦,喜欢进行文学争论且生活放荡。译过拉丁文和法文作品,并写了许多讽刺短诗和文章。有 3 首用笔名写的诗讥嘲 J.德莱顿。散文作品《为伦敦盛世而安排的庄重和谐趣的娱乐》(1700)显示了一幅穷文人眼中的该城市及其居民的生动画面。这篇散文的历史价值高于文学价值。

Brown, Thomas　布朗(1778-01-09,苏格兰柯库布里基尔马布雷克～1820-04-02,伦敦附近布朗普顿)　英国玄学家。其作品标志着哲学常识学派历史上的转折点。1792～1803

美国不列颠百科全书公司供图

年,在爱丁堡大学学习哲学、法律和医学,结识哲学家 D.斯图尔特和创办《爱丁堡评论》的人们。短期行医后,为斯图尔特之副讲师(1808～1809)。1810 年与斯图尔特共同成为道德哲学教授。从斯图尔特(苏格兰常识哲学家 T.里德观点的主要阐述者)处接受了里德的足以表现这一学派特点的许多论据。对这一学派的论旨有所取舍,因而处于两派之间。他领导的集团倾向于感性知觉(感觉),并受到 J.S.穆勒(1806～1873)和 A.贝恩(1818～1903)的支持;以 W.汉密尔顿(1788～1856)为代表的另一集团则试图引入德国各唯心主义哲学家的观点,将人们的注意力从感觉引向思维过程。著作有:《有关伊拉兹马·达尔文动物生理学的论述》(1798)、《休谟先生关于原因和结果之间关系的学说之性质和倾向》(1804)、诗歌 8 卷(1820)和《人类悟性论讲稿》4 卷(1820)。

Brown, Trisha　布朗(1936-11-25,美国华盛顿阿伯丁～　　)　美国舞蹈家、编舞,其前卫作品和后现代主义作品在有或没有音乐伴奏及传统剧场的情况下对纯粹的动作进行了探索和实验。在米尔斯学院学习现代舞,1958 年获学士学位。1960 年遇到舞蹈指导 Y.雷纳后开始形成自己的风格。1962 年,他们共同成立了实验性的贾德森舞蹈剧院。1970～1976 年参与成立即兴表演的大联盟舞蹈团。1970 成立她自己的特丽莎·布朗舞蹈团,全部选用女性舞蹈演员,1979 年关闭。20 世纪 60、70 年代受前卫舞蹈的影响。其舞蹈虽仍以 M.格雷厄姆的技巧为基础,但与结构规范的古典芭蕾和现代古典舞的风格相反。前卫舞蹈者认为舞蹈能够和音乐分离,舞蹈可以没有主题、没有情节,而且舞蹈反映出舞者内在的节奏感。在此期间布朗创作出若干实验性作品。在《在墙上行走》(1970)中,舞者被绳子拉着,保持与墙垂直的姿势行走。《屋顶》(1973)中有 15 个舞者,每个人都站在不同的曼哈顿屋顶上,彼此的动作相互连贯,观众从另一个屋顶观看。四人舞《地点》(1975)是一个没有服装或灯光效果的作品。70 年代末和 80 年代,布朗开始将设计和音乐融汇到作品中,并将演出地点由室外转移到传统的剧院内。她被重新划分为后现代的舞蹈编导,创作了《格拉西亚·德戈》(1979)、《安排和调整》(1983)和《如果你看不到我》(1994)等作品。1991 年获麦克阿瑟奖。

Brown, William Hill　布朗(1765-11,波士顿～1793-09-02,美国北卡罗来纳默弗里斯伯勒)　美国小说家和戏剧家。他匿名发表的《同情的力量》(1789)被认为是美国第一部小说。这部书信体小说描写悲剧性的乱伦之爱,仿照 S.理查森的伤感风格写成。布朗的父亲是波士顿的一个钟表匠。布朗著有浪漫故事《哈里奥特:家人言归于好》(1789)和剧本《西点禁猎区》(1797),后者是一部悲剧,讲美国革命时一个侦探之死。布朗还写了一系列寓言诗、一部用西印度群岛风格写的喜剧《忠贞不渝》、一些散文和死后出版的第二本描写乱伦和诱奸的小说《艾拉和伊莎贝拉》(1807)。

Brown, Willie　布朗(1934-03-20,美国得克萨斯米尼奥拉～　　)　全名 Willie Lewis Brown, Jr.。美国政治人物,第一个出任加利福尼亚州议会议长(1980～1995)和旧金山市市长(1996～2004)的非洲裔美国人。生于得克萨斯州贫困农村家庭,高中毕业后前往旧金山。1955 年获旧金山州立大学学士学位,1958 年获加州大学黑斯廷斯法学院法律学位。毕业后开设律师事务所,并积极从事政治活动。1964年当选州议会议员。1969年成为民主党组织秘书。1974年竞选议长失败。1980年获共和党28票、民主党23票支持当选议长,连任3届。1995年当选旧金山市长,1999年再次当选。

brown algae 褐藻 褐藻门(Phaeophyta)成员,一群较高级的藻类,约1 500种,分布于大陆沿岸的冷水水体中,淡水种罕见。其颜色取决于褐色素(墨角藻黄素)与绿色素(叶绿

褐藻(*Ascophyllum nodosum*)
美国不列颠百科全书公司供图

素)的比例,从暗褐到橄榄绿。充气的气囊使原植体的光合部分浮于或接近水表。褐藻的形状和大小各异,从呈异丝体的附生藻(水云属[*Ectocarpus*])到复杂的巨大的长1～100米的大型褐藻(海带属[*Laminaria*]、巨藻属[*Macrocystis*]及*Nerocystis*属)。岩藻是褐藻的一个类型,浮生(马尾藻属[*Sargassum*])或附生于岩石海岸(墨角藻属[*Fucus*]、泡叶藻属[*Ascophyllum*])。褐藻行无性和有性生殖;动孢子和配子都有两根不等长的鞭毛。褐藻曾是碘和钾碱的主要来源,现仍是褐藻胶(一种凝胶,在食品烘烤和冰淇淋制造中作稳定剂)的重要来源。某些种用作肥料,有几种在东方作为蔬菜(昆布属[*kombu*])。海带目(Laminariales)的褐藻俗称大型褐藻(海带类)。

brown bat 棕蝠 蝙蝠科鼠耳蝠属(*Myotis*)和棕蝠属(*Eptesicus*)动物的统称。分布几遍及世界。鼠耳蝠属约80多种,其中有北美的小棕蝠(*M. lucifugus*)和欧洲的大鼠耳蝠(*M. myotis*)。该属的种类体长约3.5～8厘米,尾长4～6厘米,体重约5～45克。除人类外,棕蝠可能是分布最广的陆栖哺乳类。

小棕蝠(*M. lucifugus*)
美国不列颠百科全书公司供图

棕蝠属约30种,俗称大棕蝠;体长3.5～7.5厘米,尾长3.5～5.5厘米;飞行缓慢而笨重,常栖息在建筑物和树洞中。其代表种是大棕蝠(*E. fuscus*),是常见的北美种;迟季棕蝠(*E. serotinus*)是身体粗壮的欧亚大陆种。

brown bear(*Ursus arctos*) **棕熊** 熊科,毛蓬松、棕色的动物。有很多亚种原产于欧亚大陆和北美洲西北部(当地常称为灰熊)。很多这些动物(如在北美就有80多个已命名的类型),被认为是截然不同的种。欧亚大陆的棕熊类独居,善跑,善游泳,体长120～210厘米,体重135～250千克。西伯利亚棕熊(白令棕熊,*Ursus arctos beringianus*)体极大,接近北美灰熊,重达360千克。欧亚棕熊类以兽类、鱼、植物和蜂蜜为食;毛色变化很大,从

棕熊(*Ursus arctos*)
美国不列颠百科全书公司供图

浅灰白色经浅蓝或浅棕到近于黑色。欧亚棕熊类原先分布于欧洲和亚洲的大部分地区,现在分布范围和种群数量都已减少。常见于动物园中,能加以训练并变得温顺,从前常训练棕熊按音乐节律行动,这就是欧洲狂欢节及节日中的舞熊。北美的棕熊类,包括灰熊及阿拉斯加棕熊(科迪亚克棕熊等),参阅**grizzly bear**。原产美洲的黑熊(参阅**black bear**)的棕色型,有时也称棕熊。

Brown Bomber, The (boxer) **褐色轰炸机** 参阅**Louis, Joe** 路易斯。

brown coal 褐煤 按美国和加拿大的定义是存在于未胶结矿床中的亚烟煤。在英国一般与lignites是同义词。在欧洲大陆各国和澳大利亚,这个词兼指褐煤和亚烟煤。北美洲开采的褐煤,从黄色到深褐色,有暗淡的或泥土的色泽。它常有交替的富集植物质层和树脂性物质层。也可能存在黑褐煤的薄层。许多淡色的褐煤有纤维状组织,其中树根和其他可辨认的植物质仍然明显。表明它在泥煤阶段之后的煤化程度不大。

brown dwarf 棕矮星 一种理论上存在的介于行星和恒星之间的天体。棕矮星的质量小于0.08个太阳质量,其表面温度低于2 500K(红矮星的温度下限)。棕矮星往往被说成是还够不上是正常恒星的恒星,但确信它们的形成是按恒星形成的同样方式,即由星际云的碎片收缩成小而致密的星云后形成的。然而,棕矮星却没有恒星那么多的足以产生内部热的质量,而这种内部热在恒星内则能点燃氢,并建立起作为恒星能源的热核聚变反应。尽管棕矮星能产生一些热和一些光,它们也要迅速冷却和收缩。棕矮星在外观上和大质量行星相似,和行星的区别仅在于其形成机制。

brown lung 棕色肺 参阅**byssinosis** 棉屑肺。

brown mica 参阅**phlogopite** 金云母。

brown oak 褐栎 参阅**English oak** 英国栎。

brown pelican (*Pelecanus occidentalis*) **褐鹈鹕** 常见于美国南部海滨的一种鹈鹕。参阅**pelican**。

brown recluse 褐隐士蛛 一种有毒的褐蛛(**brown spider**)。

brown snake 褐蛇 体色主要是褐色的几种蛇的统称。新几内亚和澳大利亚东部的棕网澳蛇(*Demansia textilis*)身体细长,头小,属眼镜蛇科,是该地区仅有的一种产卵眼镜蛇。

北方褐蛇(*S. dekayi*)
美国不列颠百科全书公司供图

孵出的幼蛇身上有条纹,成蛇体色与其周围环境近似。体长达2.1米。性情凶暴,毒性强烈,能竖起身体反复冲击。新大陆的两种褐蛇有时称草蛇,属游蛇科斯托勒氏蛇属(*Storeria*)。见于加拿大东部至洪都拉斯一带。体小,大多长不及30厘米,无害。北方褐蛇(德凯氏斯托勒氏蛇,*S. dekayi*)是北美洲唯一大量幸存于人口稠密地区的种类。热带美洲称靛青蛇(**indigo snake**)为褐蛇。

brown spider 褐蛛 蜘蛛目褐蛛科节肢动

褐隐士蛛(*Loxosceles reclusa*)
美国不列颠百科全书公司供图

物。体色浅,体长约7毫米。在美国西部和南部很常见。6眼排成2行。少数种类对人有毒,如美国的褐隐士蛛(*Loxosceles reclusa*),分布到美国北部。肢展约2.5厘米,背部色浅,有形如小提琴的图案,中线上有一明显的沟纹,形成小提琴的"颈",故本种又称小提琴蛛。常在石下或屋内暗角落。褐蛛的毒素破坏被咬处的血管壁,有时引起直径数英寸的皮肤溃疡。偶可致命,伤处可能需数月方能愈合。

Brown Swiss 瑞士褐牛 在瑞士育成的乳牛品种,可能是现存的最古老的品种之一。在美国视为乳牛,但因躯体大于其他乳牛品种,肉亦较厚,在其他地方,经常视为乳肉兼用品种。毛色各异或浅或深,褐色或灰色。具持久产奶力,乳脂含量均衡。在意大利、奥地利、匈牙利、美国、墨西哥和南美洲各国极受欢迎。1869年首次引入美国。

brown trout(*Salmo trutta*) **褐鳟** 又作German brown trout(德国褐鳟)。欧洲名贵而机警的游钓鱼,餐桌上的美味。包括几个亚种,如英国的利文湖鳟。褐鳟现已引入世界

褐鳟(*Salmo trutta*)
美国不列颠百科全书公司供图

许多地区。体褐色,布有具淡色环的黑斑。因为较其他鳟鱼能在较暖的水中繁生,已被广泛移殖。体重可达约3.6千克。入海的个体称海鳟,体型大于淡水类型,与入大湖的类型同为良好的游钓鱼。

Brown University 布朗大学 美国罗得岛普罗维登斯一所男女同校的私立高等学府。1764年建校时取名罗得岛学院,是个只收男生的浸礼会教会学校。1804年改用现

布朗大学库普曼图书馆所藏大书和小书
美国不列颠百科全书公司供图

名。1827～1855年任校长的F.韦兰扩大课程范围,拓宽选修课程,增添现代语言课,并改善了实验室设备。1971年,该大学与彭布罗克学院合并,成为男女同校的大学。专业设置包括生物科学、计算机和信息科学、工程、艺术、外语、数学、文学、自然科学、心理学和社会科学。还设立了一些同科学文化领域有关的特别跨学科专业。约有注册学生7 600人。

Brown v. Board of Education of Topeka 布朗诉托皮卡教育局案 1954年5月17日美国最高法院的判例。它一致裁决:公立学校的种族隔离违反宪法第14次修正案。该案规定任何一州都无权在其管辖范围内无视每个人的平等法律保护。1954年的决定宣布:教育方面的隔离措施一开始就是不平等的。布朗诉托皮卡教育局案,根据1938～1950年间许多最高法院案例,推翻了最高法院的一项早期裁决,即1896年关于普莱西诉弗格森一案的裁决。那项裁决准许"隔离但平等"的公共设施。1954年的决定只限于公立学校,不过人们认为,该项决定也包含着在其他公共设施方面,隔离措施同样是不准许的。

brownbul 褐鹎 鹎科几种鸟类的统称。参阅 **bulbul**。

Browne, Charles Farrar(U.S. humorist) **布朗** 参阅 **Ward, Artemus 沃德**。

Browne, E(lliott) Martin 布朗(1900-01-29,英格兰威尔特郡泽尔斯～1980-04-27,伦敦) 英国戏剧导演兼演出人,对诗剧和宗教剧产生过重大影响。艾略特选定布朗导演他的剧作,25年不易其人。作为导演,他建议壮观的宗教剧《磐石》由艾略特执笔,从而使这位诗人得以初次尝试戏剧创作。随后,艾略特又创作了《大教堂谋杀案》(1935),该剧由布朗导演,参加了"坎特伯雷戏剧节"的演出。第二次世界大战期间,布朗组织了朝圣剧团。战后鼓励并协助恢复演出诗剧,曾在伦敦墨丘利剧院演出弗雷等新剧作家的作品。他在英国戏剧联合会任会长10年,力主上演莎士比亚剧作和重演中世纪神秘剧。他曾到美国广泛进行关于宗教剧的讲学,并在那里作为职业演员进行演出。

Browne, Hablot Knight 布朗(1815-06-15,伦敦附近兰贝斯～1882-07-08,英格兰东苏塞克斯布赖顿) 笔名菲兹。英国画家,狄更斯小说人物的杰出阐释者和插图画家。早年师事雕刻家W.芬登,19岁放弃雕刻两年后与狄更斯结识,继自杀的R.西摩之后为《匹克威克外传》画插图。用笔名"菲兹(Phiz)"跟狄更斯的"博兹(Boz)"相匹配。由于为狄更斯的作品(特别是《匹克威克外传》、《大卫·科波菲尔》、《董贝父子》、《马丁·朱述尔维特》和《荒凉山庄》)画插图而成名。还曾为C.利弗和H.安斯沃思最著名的小说初版画插图。出版界经常向他约稿,直到1867年瘫痪不能再工作为止。

Browne, Jackson 布朗(1948-10-09,德国海德堡～) 全名Clyde Jackson Browne。出生于德国的美国歌手、歌曲作者、钢琴家和吉他手。20世纪70年代是创作歌手运动的一分子。出身于音乐世家,对音乐的热爱使他参加了羽翼未丰的尼蒂-格里蒂-德蒂乐队。最初是歌曲作者,作品被T.拉什、飞鸟乐队和L.龙施塔特等歌手演唱并录制唱片。首张个人专辑于1972年发行,其中的单曲《医生,我的眼睛》登上排行榜前十名。一些音乐家把洛杉矶当作乡村摇滚的基地,布朗与他们共同为老鹰乐队创作了几首歌曲,其中最著名的是《轻松》。他的音乐深受B.迪伦和J.凯鲁亚克的影响,创造出追求爱情、理解和正义的主人公,这也是他个人理想的体现。前三张唱片使他获得了众多歌迷的拥戴,其中第三张《天空已故》尤受好评。《伪装者》(1976)和现场录音专辑《筋疲力尽》(1978)销量达上百万张。其音乐风格多样,从浪漫的民谣摇滚到快速摇滚和雷盖乐都有。80年代向政治上的激进主义转变,进入90年代重新转向对个人事物的关注。2004年入选摇滚乐名人堂。

Browne, Maximilian Ulysses, Reichsgraf 布朗(帝国伯爵)(1705-10-23,巴塞尔～1757-06-26,布拉格) 奥地利陆军元帅。在奥地利王位继承战争(1740～1748)和七年战争

美国不列颠百科全书公司供图

(1756～1763)期间,是奥地利最能干的指挥官之一,后被普鲁士腓特烈二世(大帝)击败。祖籍爱尔兰。1740年在西里西亚统率卫戍部队。同年,腓特烈大帝进攻并占领该省,奥地利军队撤退到波希米亚。1746年在意大利的皮亚琴察立下战功。1751年玛丽亚·特蕾西亚女皇任命他为驻波希米亚奥军总司令。七年战争开始时,他在洛博西茨战役(1756-10-01)中与腓特烈对阵。后在布拉格战役(1757-05-06)中负伤,不久死去。

Browne, Robert 布朗(约1550～1633-10,英格兰北安普敦郡北安普敦) 英格兰基督教清教派公理会领导人,抵制圣公会而主张政教分离的自由教会运动的倡导人之一。追随他的人被称为布朗派。他被捕入狱达32次,1582年被驱逐出境。返回英格兰后归从圣公会。

Browne, Sir Thomas 布朗(1605-10-19,伦敦～1682-10-19,英格兰诺福克诺里奇) 英国医生、作家。以沉思录《一个医生的宗教信仰》为人所知。该书是一部日记,主要谈论上帝、自然和人的奥秘,自称是"针对自己的私下练习"。它起初仅为手稿,在朋友之间传阅,1643年正式出版,在英国引起轰动。该书的拉丁文译本很快在欧洲广泛流传,并被译

美国不列颠百科全书公司供图

成荷兰文和法文。1633 年获医学博士学位。他始终是个保守党人,其名声使他于 1671 年受封为骑士。

Browne, Thomas (Alexander) (Australian novelist) **布朗** 参阅 **Boldrewood, Rolf** 博尔德雷伍德。

Browne, William **布朗**(1591?英格兰德文郡塔维斯托克～1645?) 英国诗人。曾在牛津大学读书。著有《不列颠田园诗》(1613～1616)及其他田园诗和各式各样的诗。该诗以 E.斯宾塞作品为楷模,叙事冗长散漫,间杂以歌谣。作者深爱他的祖国,特别是他的故乡德文郡,以史诗般庄严的田园诗赞美它们。

Browne, William George **布朗**(1768-07-25,伦敦～1813-06,伊朗) 英国的中非和中东旅行家。是报道达尔富尔(今苏丹一部分)的比拉德斯穆斯林苏丹王国的第一位欧洲人。著有游记《非洲、埃及和叙利亚的旅行》(1799)。1812 年开始了从英国出发去乌兹别克斯坦撒马尔罕城的旅行。后来在从大不里士去伊朗德黑兰的途中被强盗杀害。

Brownell, W(illiam) C(rary) **布劳内尔**(1851-08-30,美国纽约州纽约～1928-07-22,马萨诸塞威廉斯顿) 美国评论家,他试图像 M.阿诺德在英国所做的那样,扩大美国文学评论的视野。1871 年毕业于马萨诸塞州阿默斯特学院,旋即参加《纽约世界报》的编辑工作。1879～1881 年在《民族》周刊任职。1888 年任纽约查理斯·斯克里布纳父子出版公司的编辑和文学顾问,直至去世。最初发表的两本书:《法国的特点》(1889)和《法国的艺术》(1892),对美国评论家提出了新的更高的标准。他在以后的一系列作品,如《维多利亚时代的散文大师》(1901)、《美国散文大师》(1909)、《论批评》(1914)、《论标准》(1917)、《风格的特点》(1924)及《美国的民主特征》(1927)中维护了这一标准。

Brownian motion **布朗运动** 又作 Brownian movement。在各种物理现象中,一些量经常所作的小而无规则的涨落,以最早研究这种涨落(1827)的苏格兰植物学家 R.布朗的姓氏命名。若许多作布朗运动的粒子在一定介质中作无定向的无规振动,则经过一段时间后,粒子会均匀地散布在整个介质内。物质可从高浓度区稳定地扩展到较低浓度区的物理过程,称为扩散。因而扩散是微观层次的布朗运动的宏观表象。因此,通过模拟布朗粒子的运动和计算其平均性状,就可以研究扩散。通过布朗运动研究扩散过程的几个实例有:污染物质通过大气的扩散、空穴(电势为正的小区)在半导体中的扩散和钙在活生物体内通过骨组织的扩散。

"经典的布朗运动"系指液体或气体中悬浮微粒的无规运动。布朗在显微镜下观察到悬浮在水中花粉粒子的"快速振动"。起初,他认为这种运动是植物的雄性细胞所特有的,但是接着他惊异地观察到植物死后 100 年的花粉仍出现同样的运动,他称"这些'分子'在植物死后能如此长久地保留活力,是料想不到的事实"。进一步的研究发现,无论是观察有机物质的颗粒,还是玻璃及花岗石的碎屑或烟尘,都能发现这种运动。

早先人们认为流体中的热对流是布朗运动的起因。然而,当观察证明邻近的粒子显示出完全无关联的运动时,就摒弃了这种简单的解释。到 19 世纪 60 年代,理论物理学家对布朗运动发生兴趣,并对其各种特征(一定粒子可能向任一方向移动的机会均等,接着的运动似乎与过去的运动完全无关,而这种运动决不会停止)探索可信的解释。经历一年的密封在玻璃器皿中的悬浮物实验(1865)表明布朗运动仍未改变。1889 年更系统的研究确定,小的粒子尺寸和周围流体的低黏度导致较快的布朗运动。

因为较高的温度也可使布朗运动加剧,所以 1877 年人们认为"液体分子的热运动"是布朗运动的起因。液体或气体中的分子不断运动、相互碰撞和来回摆动的概念,是 19 世纪 50～70 年代物理学家 J.C.麦克斯韦、L.玻耳兹曼和 R.J.E.克劳修斯在阐明热现象时所提出的物质分子运动论的重要内容。按照这一理论,物质的温度正比于物质中分子运动或振动的平均动能。人们自然会推测,这一运动会以某种方式传给可在显微镜下观察到的较大粒子;果真如此,则这一首次直接观察到的效应就可以证明分子运动论的正确性。这一思路导致 A.爱因斯坦于 1905 年提出布朗运动的定量理论。几乎同时,M.斯莫卢霍夫斯基采用稍与爱因斯坦不同的方法,独立地对布朗运动作出类似的研究。爱因斯坦按照统计力学的推理指出由于分子碰撞,使作用在微粒相对两侧的压力之间产生无规差异,从而使粒子不停地来回摆动。较小的粒子、较低黏度的流体和较高的温度都会使观察到的运动程度加剧。经过一段时间后,粒子会离开起始点漂移。根据分子运动论,可以计算在某一时间间隔(t)内粒子沿介质任一方向移动某一距离(x)的概率(P,粒子移动的总距离大于 x);介质的扩散系数(D)已知,D 等于沿 x 方向位移平方的平均值之半。从这一概率密度公式,可绘出 P 与 x 的关系曲线,即众所周知的钟形高斯正态曲线。其关系式为 $P=\frac{e^{-x^2/4Dt}}{2\sqrt{\pi Dt}}$。

1903 年超高倍显微镜的引入,使人们能看到许多小的胶体微粒,它们具有较大的活动性,更易于测量,从而有助于定量研究。1905～1911 年间进行了几次重要的这种测量。在这期间,法国物理学家 J.-B.皮兰成功地验证了爱因斯坦的分析,并因此获得了 1926 年的诺贝尔物理学奖。他的工作创建了布朗运动的物理理论并结束了原子和分子作为实际物质存在的怀疑态度。

brownie **棕仙** 英格兰和苏格兰民间传说中勤劳的小妖或淘气的精灵,住在屋子里或谷仓里。他很少露面,在夜间常听到他打扫屋子,做家务,有时也恶作剧地弄乱房间。他会骑马去接助产婆,在康沃尔,他会让蜂群迅速安定下来。他吃奶油、面包、牛奶,不喜欢其他礼物。要是有人给他做件衣服,他会穿上,马上消失,再也不回来。约克郡的丑妖及苏格兰的恶鬼都是扰人的恶作剧精灵,与吵闹鬼属于一类。参阅 puck。

1887 年的棕仙故事插图
美国不列颠百科全书公司供图

Browning, Elizabeth Barrett **布朗宁**(1806-03-06,英格兰达勒姆附近～1861-06-29,意大利佛罗伦萨) 英国女诗人,以爱情诗《葡萄牙十四行诗》而闻名。她的丈夫是 R.布朗宁(**Browning, Robert**),早年住在伍斯特郡农村,生活十分快乐。15 岁时患重病。1836 年移居伦敦后,为一些杂志写稿。1838 年第一部诗集《天使及其他诗歌》出版。1844 年出版第二部诗集《E.巴雷特诗选》,受到热烈欢迎。1845 年 1 月收到诗人罗伯特·布朗宁的电报:"亲爱的巴雷特小姐,我衷心热爱您的诗。我爱您的诗集,也爱您。"两人在夏初见面。《葡萄牙十四行诗》(1850)记录了她不愿结婚的心情,但婚礼于 1846 年 9 月 12 日秘密举行。婚后 1 周他们同去比萨,她在那里写出《逃跑的奴隶》(1848),对美国的奴隶制度表示不满。此后布朗宁夫妇移居佛罗伦萨,他们生

美国不列颠百科全书公司供图

有一子。1855年访问伦敦时，她完成无韵长诗《奥罗拉·利》(1857)。晚年极为关心意大利政治，《圭迪公寓的窗子》(1851)表达了对佛罗伦萨独立运动的同情。《在大会以前写成的诗》(1860)被误认为攻击英国，实际上是对美国奴隶制度的谴责。

Browning, John Moses **勃朗宁**(1855-01-21,美国犹他奥格登～1926-11-26,比利时埃斯塔勒) 美国轻武器和自动武器设计师，因设计自动步枪而著名。13岁时他在父亲的枪械店制造了第一支枪，1879年获得单发步枪的专利。他以后设计的枪由科尔特、雷明顿、史蒂文斯和温切斯特等军械公司制造，在商业上都获得成功。1918年美国陆军采用了勃朗宁自动步枪，一直使用到50年代后期。约从1920年起直到50年代，美国武装部队几乎全部使用勃朗宁设计的自动武器。这些武器适用于空中、海上和陆地的不同型号的0.30和0.50口径的机枪，0.45口径自动手枪，以及飞机上的37毫米机关炮。他还设计了多种体育用的射击武器，如由比利时制造的双管猎枪。

Browning, Robert **布朗宁**(1812-05-07,伦敦～1889-12-12,威尼斯) 英国维多利亚时代的杰出诗人之一，突出表现在善于运用戏剧独白及对人物的心理描绘。父亲是银行职

美国不列颠百科全书公司供图

员，藏书丰富，遂满足了他对艺术和文学的兴趣，故少年时即博览群书，尤喜戏剧和历史学术著作。1826年拜读P.B.雪莱的抒情诗集，对他立即产生巨大影响，从而决定了他的生活道路。1832～1846年，他写下了早期的长诗和大部分戏剧作品。1833年匿名出版了第一部作品《波林：片断自白》，虽然形式上是戏剧性独白，但多处表现了他自己青春的激情与烦恼。后来遭到评论家J.S.穆勒的批评，说他暴露了自己"紧张和病态的自我意识"。也许由此决定了他以后绝不再在诗里暴露自己的感情，只作客观叙述。他后来的作品采取了角色戏剧化的方式来避免涉及自己的爱情，并反对人们把他的作品当作自传看待，强调他的诗虽时常是抒情性的，但总以"戏剧化为原则，是许多虚构人物的表白，而不是本人的"。1835年出版诗剧《帕拉塞尔萨斯》，1840年出版《索尔戴洛》，两者都描写才能出众的人为使自己的个性要求与社会要求相协调而作的努力。前者大受欢迎，后者则因要求读者具有极高的知识水准而被认为不易理解。但他的才华已为当时诗坛名人所承认。1837年出版诗剧《斯特拉福德》。1841～1846年以《铃铛和石榴》为题写了7部诗剧，其中有《皮帕走过了》(1841)、《纹章盾上的污点》(1843)和《卢雷亚》(1846)。1845年结识女诗人伊丽莎白·巴雷特，她曾在自己《诗集》(1844)中写诗赞颂他。因她的父亲反对，次年9月两人秘密结婚，并前往意大利定居。此后他写了不少以意大利为题材或背景的诗篇。布朗宁婚后写诗不多，1850年出版诗集《圣诞夜和复活节》，1855年发表《男人和女人》。1861年伊丽莎白逝世后，他迁回伦敦。1864年出版诗集《剧中人》。1868～1869年发表他最杰出的作品，长诗《指环和书》，故事基于1698年罗马对一起谋杀案的审判。这首两万行以上的无韵诗充分展现了作者的天才，铺陈都很高妙，每一角色从各自的角度叙述和解释了这一案件，描述了一系列角色，堪与巴尔扎克的小说媲美，因此受到热情欢迎而布朗宁也成为当时最重要的文人之一。他在晚年大多写以当代事件为题材的叙事长诗和诗剧。布朗宁不同于当代浪漫派诗人，对大自然不感兴趣，而公开宣称对人的兴趣更大。评论家多说他的诗艰涩难懂，其实他并非有意追求晦涩，而是对剖析人物心理采取严肃态度，竭力从不同人物的观点表现对各种问题的认真思考和看法。他技巧的成熟、诗篇内容和结构的丰富、想象力的持续性，以及叙述的引人入胜等优点都是应该肯定的。他可以列为英国的伟大诗人之一。死后葬于威斯敏斯特教堂。

Browning, Tod **布朗宁**(1880-07-12,美国肯塔基路易斯维尔～1962-10-06,加利福尼亚马里布) 原名Charles Albert Browning。美国电影导演，擅长执导离奇的恐怖片，其中许多影片一直有极大的轰动效应。16岁离家出走，在几家马戏团和狂欢节中担任小丑、柔术演员、魔术师助手等。后在一家歌舞杂耍剧团担任喜剧演员，饰演黑人，之后参加了长期上演的滑稽剧《欢乐的漩涡》。1913年与传记电影公司签约，拍摄了一系列喜剧片，后主演系列喜剧《办公室勤杂工比尔》。1915年首次执导默片《幸运的传递》。1915在一场车祸中受伤致使表演生涯告终，康复后任编剧和导演，第一部标准片长电影是《吉姆·布拉索》(1917)。后加入环球影片公司，导演了《斯坦布处女》(1920)和《法律之外》(1921)。1925年转到米高梅影片公司，创作并导演了一系列离奇古怪、超现实主义的情节剧，请多才多艺的L.钱尼担任主角。并以《第十三张椅子》(1929)一片完成向有声影片的过渡。后导演了电影版的《吸血鬼》(1931)，该片的成功使布朗宁的事业在20世纪30年代初期蓬勃发展，但他导演的《畸形人》(1932)一片遭到巨大失败。他在影片中利用侏儒、连体婴、人类骷髅、长胡子的女人和缺胳膊少腿的杂耍演员，发行之初就遭到一致恶评。英国电影审查机构将该片禁演长达30年。此片几乎断送了布朗宁的导演生涯，后来只导演了4部影片，其中包括《吸血鬼的标记》。1939年退休后一直隐居在马里布。

Browning automatic rifle(BAR) **勃朗宁自动步枪** 美国1918年开始生产的自动步枪，被许多国家用作轻机枪。是美国枪炮设计师J.M.勃朗宁(1855～1926)所设计的枪械之一，能装不同的子弹，最常用0.30～0.60口径的斯普林菲尔德弹。全长约120厘米，配有20发的弹匣，枪重8.8千克。射速可达650发/分，但也能单发、双发或三发点射，以提高其准确性。可肩射，也可支于枪架上射击。第一次世界大战、第二次世界大战和朝鲜战争中美国步兵都使用勃朗宁自动步枪。1957年退役。

Brownlee, J.E. **布朗利**(1884-08-27,加拿大安大略赖尔斯港～1961-07-15,艾伯塔卡尔加里) 加拿大政治家，艾伯塔省总理(1925～1934)。1912年取得律师资格，1921年成为皇家律师，任艾伯塔省检察长。不久当选议员。1925年任艾伯塔省总理，任职期间取得艾伯塔省对境内资源的控制权，把地方铁路售给全国铁路系统。1934年辞职，重操律师业。后任联合谷物种植者有限公司董事长和总经理。

Brownlow, William G. **布朗洛**(1805-08-29,美国弗吉尼亚威斯县～1877-04-29,田纳西诺克斯维尔) 美国南北战争前南方最后一家支持联邦的报纸主编，在战后重建初期任田纳西州州长。11岁时父母双亡，由亲属抚养成人，未受过正规学校教育。1826年任基督教循道会牧师。1838年开始办报，编辑过《田纳西辉格党报》(1838)、《琼斯伯勒辉格党和独立报》(1839～1849)和《诺克斯维尔辉格党报》(1849～1861,1875～1877)。他拥护联邦，反对分离主义。1861年《诺克斯维尔辉格党报》遭南部邦联政府查禁，他被驱逐到北方。他在北方旅行演讲，备受欢迎，同时写成《分离主义的兴起、发展和消亡》(1862)。1863年联邦军占领田纳西州东部，他回到故土参加恢复州政府的工作。1865年当选州长。他调动1 600名州卫队镇压了刚成立的三K党，后连任州长。第2届任期将满时当选为联邦参议员。1875年返回诺克斯维尔，继续主编《辉格党报》，直至去世。

Brownshirts(Nazi Germany) **褐衫队** 参阅SA冲锋队。

Brownson, Orestes Augustus **布朗森**(1803-09-16,美国佛蒙特斯托克布里奇～1876-04-17,密歇根底特律) 美国作家，所写题材主要为神学、哲学、科学和社会学。他靠自学成才，初为长老会信徒，后任牧师。1830～1870年这段时期一直从事写作，以加尔文主义、劳工和社会改革、先验主义、天主教、国家权利、民主、本土主义和解放为题材。他在哲学上是实证主义者A.孔德和系统折衷主义者V.库辛的温和追随者。他在改信天主教之前，赞同英国社会改革家R.欧文的观点。代表作品有《心灵的叩击者：我的自传》(1854)、《改变信仰者》(1857)和《美利坚合众国》(1865)等。在后一本书里，他认为伦理是政府的基础，宣称国家是一种合乎道德的，甚至神权政治的实体，不必依据人民的主权来取得存在的合法性。从1844至1875年(除

1865～1872)，出版《布朗森季评》以刊登他的个人观点。在他去世后，他的儿子 H. F. 布朗森收集出版了他的《著作集》(1882～1907)，共 20 卷。

Brownsville 布朗斯维尔 美国得克萨斯州最南端城市，卡梅伦县县城。临格兰德河，距河口 35 千米，与墨西哥的马塔莫罗斯隔河相对。与哈灵根和圣贝尼托合组成一工业-农业-港口综合体。1904 年标准轨铁路开通后，开始了现代化建设。其深水港(1936 年开放)为墨西哥湾沿海航线的西南终点。燃料油、矿石和谷物等大宗货物均在此装卸。同时也是捕虾船队的渔港。有石油化学、飞机修理和食品加工等工业。是国际航空、公路和铁路枢纽，下格兰德河谷灌区的最大城市，棉花、谷物、蔬菜、柑橘类水果和畜产品的集散中心。旅游业发达。整个 20 世纪城市面临尖锐的民族矛盾。市内有得克萨斯索斯莫斯特学院(1926)。其校园中有布朗要塞遗址。设有历史博物馆。1850 年设市。人口：市 139 722；布朗斯维尔-哈灵根都会统计区 335 227(2000)。

Brownsville Affair 布朗斯维尔事件(1906) 美国得克萨斯州布朗斯维尔市白人同附近的布朗堡黑人驻军间的种族偏见事件。1906 年 8 月 13～14 日午夜，布朗斯维尔街头发生枪击事件，白人一死一伤。布朗堡白人指挥官确信在枪击事件时，黑人士兵均在兵营中，无人外出。布朗斯维尔市长和一部分白人却断言他们目睹枪击事件，并出示弹壳为证。尽管有证据表明，弹壳是构陷的伪证，但调查组仍接受了市长的证词。西奥多·罗斯福总统不顾黑人士兵的申辩，下令将 167 名黑人士兵革除军籍。此举激起黑人的极大愤慨，一些白人也提出指责。1907～1908 年复查布朗斯维尔案的美国参议院委员会支持罗斯福的决定。此后，布朗斯维尔事件不断引起人们的争议。1970 年 J. D. 韦弗论证黑人士兵无罪的著作《布朗斯维尔夜袭》出版以后，美国陆军当局复审此案，1972 年宣布撤销 1906 年的命令。

browridge 眉嵴 又作 supraorbital ridge, supraorbital torus。又称眶上隆凸。眼窝上方的骨质嵴。大猩猩和黑猩猩眉嵴都粗壮，已经绝灭的人科成员眉嵴也很发达。男性眉嵴较女性的更明显些。眉嵴可能具有支撑作用，以抵消下颌骨肌群所产生的张力，也可能对眼睛有保护功能。现代人类的眉嵴已经大为退化。

Broxbourne 布罗克斯伯恩 英格兰赫特福德行政、历史郡一自治市。包括利河谷地和该河西岸公路、铁路沿线的居民区(南起切森特和沃尔瑟姆克罗斯，北至布罗克斯伯恩和霍兹登)。布罗克斯伯恩镇位于伦敦市中心以北 26 千米处，该自治市则在首都郊区居住区范围之内。行政中心在切森特。面积 52 平方千米。人口约 82 300(1998)。

Broxtowe 布罗克斯托 英格兰诺丁汉行政、历史郡一区。包括诺丁汉东米德兰市西郊的工业密集区和特伦特河谷。北端是诺丁汉煤田之一部分。行政中心所在地为比斯顿，位于诺丁汉西南。面积 81 平方千米。人口约 109 700(1998)。

布鲁贝克在其四重奏团中演奏钢琴
美国不列颠百科全书公司供图

Broz, Josip (Yugoslav president) **布罗兹** 参阅 **Tito, Josip Broz** 铁托。

Brú, Hedin 布鲁(1901-08-17，丹麦法罗群岛斯卡莱维格～1987-05-18，法罗群岛托尔斯港) 原名 Hans Jakob Jacobsen。法罗斯语(又译法罗语)作家。他为法罗斯语成为文学语言起到很大促进作用。20 世纪 20 年代在丹麦学习农业。1928 年起任法罗政府农业顾问。最初两部长篇小说是《海市蜃楼》(1930)和《紧握》(1937)，生动展现法罗人的生活在由农业转向渔业时的变化。他最出色的小说是《老人与他的儿子们》(1940)，其主题仍是新旧时期之间类似的对比。作为当地文学期刊的主编之一和法罗科学学会会员，他在法罗文化生活中起到核心作用，并开始赢得国际声誉。他还出版了《哈姆雷特》和《暴风雨》的法罗斯语译本，并撰有一卷回忆录。

bruang 布鲁昂熊 参阅 **sun bear** 太阳熊。

Bruant, Libéral 布卢盎(约1635～1697-11-22，法国巴黎) 法国建筑师，巴黎荣军院的设计者，其作品以稳重、庄严、简洁著称。从 16 世纪到 18 世纪，布卢盎一家出了许多活跃于法国的建筑师，其中以他最为著名。他是塞巴斯蒂安的儿子和雅克的兄弟，雅克曾设计过布匹贸易公司大厅，其立面现保存在卡纳瓦莱博物馆。1663 年继其父任皇家建筑师，1670 年其父死后又继任木工大师。布卢盎设计了萨尔佩特里埃尔医院的礼拜堂(1670)。礼拜堂内部分为若干部分，从卫生观点出发使职员和病人分开，但仍在一堂举行仪式。他由于为残废退伍军人之家设计的荣军院(约 1670～1677)而成名，其面向内院的双层拱廊特别优美，具有古罗马时代高架渠的严谨性。后来由 J. 阿杜安-芒萨尔所加的穹顶并非布卢盎原来的设计。其他作品还有英国约克郡里士满约克公爵府邸。

Brubeck, Dave 布鲁贝克(1920-12-06，美国加利福尼亚康科德～2012-12-05，康涅狄格诺沃克) 美国钢琴家和作曲家，将古典音乐的要素引进爵士乐。4 岁由母亲指导弹钢琴，9 岁开始学习大提琴。1933 年起在当地一些爵士乐小组中任钢琴演奏员，1941～1942 年在加利福尼亚州弗雷斯诺的太平洋学院专攻音乐，在该院组建并指挥一个有 12 件乐器的管弦乐队。曾在加利福尼亚州奥克兰的米尔斯学院随法国作曲家米约学习作曲，后在美国陆军服役后继续学习，师从 12 音作曲体系的创始人勋伯格。1946 年布鲁贝克组建一个实验性的八重奏团，其后又于 1949 年组建三重奏团、1951～1967 年间组建四重奏团。这个四重奏团以萨克斯管演奏家 P. 德斯蒙德的明快优美风格为特色，并在 60 年代试用 5/4 拍子等对当时的爵士乐来说属于玄奥节拍的拍子，成为世界上最知名的爵士乐团体。尽管他在广大群众中享有盛名，但爵士乐圈子却从未心悦诚服地承认他是一位钢琴大师。从 70 年代起他到处巡回演出并录音，随行人员主要是他的几个儿子。布鲁贝克是一位多产而且有独创风格的作曲家，最著名的曲子有《公爵》、《你那可爱的样子》和《土耳其风格蓝色回旋曲》等。

Bruce FAMILY **布鲁斯家族** Bruce 又拼 Bruis, Brin 或 Broase。法国诺曼人裔苏格兰古老家族，曾出过两位苏格兰国王。族名源于一诺曼人城堡。其开祖是随征服者威廉一世到达英格兰的诺曼人骑士罗伯特·德·布鲁斯(1094？卒)。他获得许多封地，主要在约克郡，并以斯克尔顿为首邑。他的儿子第 2 代罗伯特·德·布鲁斯(1078？～1141)得到苏格兰国王戴维一世赐给的安嫩代尔贵族领地。后来他在戴维一世面前失宠，因而放弃了安嫩代尔的领地。然而，这份领地后来又回到他的儿子第 3 代罗伯特(活动时期 1138～1189？)的手中。这个家族与王室的结合开始于第 4 代罗伯特(1191 前卒)，他与狮王威廉一世的私生女伊莎贝尔结婚，他的儿子第 5 代罗伯特(1245 卒)与威廉一世的侄女、亨廷登伯爵戴维的次女伊莎贝尔结婚。第 6 代罗伯特(1210～1295)是 1291 年 13 个要求继承苏格兰王位者之一。当英王爱德华一世决定由约翰·德·巴利奥尔继承时，罗伯特·德·布鲁斯便把安嫩代尔的领地交给他的儿子第 7 代罗伯特(1253～1304)。第 8 代罗伯特·德·布鲁斯(1274～1329)重新提出他的祖父的王位要求，并于 1306 年成为苏格兰国王罗伯特一世(参阅 **Robert** [Scotland]项下的 **Robert I**)。罗伯特一世创立了独立于英格兰的苏格兰，并被誉为苏格兰英雄。其兄爱德华于1318年在争夺爱尔兰王位的斗争中被害身亡。

Bruce, Blanche K(elso)　布鲁斯（1841-03-01，美国弗吉尼亚爱德华王子县～1898-03-17，华盛顿［哥伦比亚特区］）　美国重建时期由密西西比州选出的黑人参议员。白人种植园主和女奴之子，幼年受过良好教育。南北战争后，迁往密西西比州。1870年已在政界崭露头角。后成为种植园主。1874年由共和党控制的州议会选为美国参议员。在1875～1881年的任期内主张公正对待黑人和印第安人，反对排斥华人移民的政策，反对联邦选举中的营私舞弊行为。任期届满后，1881～1885年和1895～1898年任财政部注册员。后任哥伦比亚特区的契据登记官（1889～1895）和霍华德大学的董事。

Bruce, James　布鲁斯（1730-12-14，苏格兰斯特灵拉伯特～1794-04-27，拉伯特）　苏格兰探险家，去埃塞俄比亚旅行时到过当时认为是尼罗河主要发源地的青尼罗河源头。1790年出版《尼罗河源头探行记》，后来的旅行家们的报告证实了他的观察和叙述是准确的。1763年起任英国驻阿尔及尔领事。布鲁

美国不列颠百科全书公司供图

斯从他所见到的精美绘画中，研究了北非的许多古迹。1765年开始在地中海地区广泛旅行，著名的是叙利亚之行，以及1768年7月到达亚历山大。因决心要去尼罗河发源地，他从开罗出发，经历一次艰难的旅程，取道尼罗河、阿斯旺、红海和米齐瓦（埃塞俄比亚），终于1770年2月14日到达埃塞俄比亚首都贡德尔。同年11月14日到达青尼罗河发源地塔纳湖。回家的旅程也是极端艰巨，于1773年3月到达马赛，1774年回到伦敦。退休后开始撰写游记。他的游记被认为是非洲探险文学中的史诗性作品之一。

Bruce, James　布鲁斯　参阅 **Elgin, James Bruce, 8th earl of** 埃尔金伯爵（第八）。

Bruce, Robert VIII de　布鲁斯　参阅 **Robert**（Scotland）罗伯特（苏格兰）项下的 **Robert I** 罗伯特一世。

Bruce, Thomas　布鲁斯　参阅 **Elgin, Thomas Bruce, 7th earl of** 埃尔金伯爵（第七）。

Bruce（of Melbourne）, Stanley Melbourne Bruce, Viscount　布鲁斯（墨尔本的）（1883-04-15，墨尔本～1967-08-25，伦敦）　澳大利亚政治家、外交家，总理（1923～1929）。曾就学于剑桥大学，后在英国操律师业。第一次世界大战时在英军服役。1918年选入澳

美国不列颠百科全书公司供图

大利亚议会。1921年任澳大利亚驻国际联盟代表。1921～1923年任财政部长。1923～1929年任国民党和乡村党联合政府总理。他努力发展本国经济，鼓励公共卫生和应用科学的研究工作。1929年该政府倒台，他也在大选中失去议会席位。1932年任驻英公使。1933～1945年任驻英高级专员。1942～1945年任澳大利亚驻英国战时内阁代表。他反对英国首相丘吉尔要在战后宽大处理德国的意见。1947年任世界粮食理事会主席和英国工业金融公司董事长。1947年布鲁斯受封子爵，为澳大利亚获此荣誉的第一人。1952～1961年任堪培拉澳大利亚国立大学第一任校长。

Bruce Peninsula　布鲁斯半岛　又称索金半岛。加拿大安大略省东南部尼亚加拉陡崖的延伸部分。在休伦湖西北，突入湖内100千米。东岸陡立，高出湖面60～150米。西坡坡度徐缓，不宜农耕，但为著名游览地区。半岛主要城镇有欧文桑德和怀尔顿。

Bruce Series　布鲁斯统　北美前寒武纪（开始于大约46亿年前，即地壳形成之时，终止于5.7亿年前）的地层单元，在休伦湖地区东北部发育良好。该统是休伦系3个主要划分单元中最下的一个，位于先休伦系片岩之上，寇柏特统之下，由厚约1 500米的石英岩、砾岩、灰岩和粉砂岩组成。该统的底砾岩与先休伦系片岩间有一个明显的侵蚀面把它们分开，代表的时间长度不明。该统沉积物可能形成于浅海中局部沉陷的、几乎平坦的侵蚀面之上。该统上部岩层遭受不平整的剥蚀，在上覆的寇柏特统沉积以前，可能发生过隆起，但没有重要变形。该统含有重要的、有价值的沥青铀矿和铀云母类矿物，这些铀资源大部集中在石英卵石砾岩的米西萨吉组内。这些矿床的成矿模式有争论，许多地质学家认为是热液成因，其他学者提出矿床是属于沉积岩类，也有的学者认为铀的成矿作用与本区的花岗岩侵入体有关。该统的放射性测定年龄约为16.2亿年。

brucellosis　布鲁斯氏杆菌病　又称马耳他热、地中海热、波浪热。人和家畜的一种传染病。特征为隐袭发病，发热、寒战、多汗、虚弱和全身疼痛；全部症状于3～6月内消退。三种主要的布鲁斯氏杆菌均为人布鲁斯氏杆菌病的病原，且各有自己的家畜贮主。马耳他布鲁斯氏杆菌以山羊、绵羊为贮主，猪布鲁斯氏杆菌以猪为贮主，流产布鲁斯氏杆菌以牛为贮主。布鲁斯氏杆菌病不仅在严重危害公共卫生方面十分重要，而且家畜患病后可给牲畜所有主造成严重的经济损失。牛的布鲁斯氏杆菌病亦称邦氏病，可引起流产，造成牛存栏数下降和牛奶减产；但尽管母牛子宫组织受染，胎牛通常仍能发育到足月。但罹病母猪的子宫组织虽受严重感染，流产都较少见。布鲁斯氏杆菌侵袭力极强，故能在牲畜间迅速传播。健康家畜通过进食污染的饲料受染，病菌亦可通过皮肤擦伤或眼黏膜直接进入体内。公猪生殖器感染后会造成猪群内布鲁斯氏杆菌病的传播。牛、绵羊和山羊受染后，外表可能仍然健康，但可从奶汁内排出大量布鲁斯氏杆菌，时间长达数月乃至数年。人类通过直接或间接接触病畜而受染。儿童对本病的抵抗力较成人为强，原因不明。人与人之间的传播罕见。对动物布鲁斯氏杆菌病尚无可靠的或切实可行的药物治疗。为了建立无布鲁斯氏杆菌病的畜群，凡已感染的牲畜必须移走；对幼畜进行预防接种也是一种有用的措施。在人布鲁斯氏杆菌病的急性期，抗生素治疗有效。已证实磺胺药与链霉素联合应用，疗效甚佳，四环素族药物如金霉素、土霉素疗效亦称满意。

Bruch, Max　布鲁赫（1838-01-06，科隆～1920-10-02，柏林附近弗里顿绍）　德国作曲家，主要以其精湛小提琴协奏曲而知名。14岁时写了一部交响曲，因而获奖学金得以

美国不列颠百科全书公司供图

在科隆学习。第一部歌剧《戏谑、诡计和报复》（取材于歌德剧本）于1858年首演。曾在科布伦茨（1865）、柏林（1878）、利物浦（1880～1883）和布雷斯劳（1883～1890）等地指挥管弦乐队与合唱团。1891年起在柏林艺术学院指导大师班。布鲁赫是一位极有抱负的多产作曲家，一生中最大成就是他为合唱及管弦乐队而写的大量作品，如《美丽的埃伦》（1867）和《奥德赛》（1872），成为19世纪末德国合唱团体最喜爱演出的作品。由于缺乏大型作品的思想深度和独创性，尽管他具有精湛的技艺和生动的合唱写作技巧，这些作品未能流传。流传下来的少数几部都是小提琴或大提琴的精湛作品，主要有3部小提琴协奏曲、两首小提琴与管弦乐队的苏格兰幻想曲和大提琴与管弦乐队的《科尔尼德莱》。他的辉煌的G小调第一小提琴协奏曲在小

提琴曲目中占有永久的地位。

Bruchsal 布鲁赫萨尔 德国西南部巴登-符腾堡州城市。临萨勒河，在卡尔斯鲁厄东北面。1248年设建制。1803年归属巴登。市内洛可可式城堡（1722～1732）为该国最著名城堡之一，第二次世界大战中大部分被毁；其圣彼得教堂（1742～1749）和城堡公园保存至今。为重要通讯、铁路、批发、商业和工业中心。以电子工程为主（特别是电信产品和电子发动机），还生产交通工具和其他机械。带动高科技产业和服务业发展。1998年建私立国际大学，开设信息技术方向的商科课程。人口约42 690（2003）。

Brucioli, Antonio 布鲁乔利（1495，佛罗伦萨～1566，威尼斯） 意大利人文学家，曾因翻译《圣经》而三次受到异端裁判所审讯。在1532年把《圣经》译成意大利语时，《新约》部分根据荷兰文艺复兴时期人文学家伊拉斯谟的拉丁语译本，《旧约》部分根据意大利希伯来语学者帕尼努斯的拉丁语译本。他的译本经过校订后，被意大利新教会所采用。在译本的序言和《评注》（7卷，1542～1546）中，布鲁乔利宣传新教教义，从而受到异端裁判所的传讯。1548年首次起诉，被课以罚金并被放逐到费拉拉省。1555年第二次起诉，勒令他公开声明放弃自己信仰，表示悔罪并撤回著作。当他断然拒绝后，第三次起诉（1558～1559）判处他监禁。布鲁乔利还撰写一些哲学对话并翻译老普利尼的名著《自然史》。

brucite 水镁石 由氢氧化镁[$Mg(OH)_2$]组成的矿物。一般呈晶体、板状集合体或纤维状块体，质软，蜡状至玻璃状光泽，白色或浅绿色、灰色或蓝色。水镁石与其他镁矿物（如菱镁矿和白云石）伴生；往往出现于蛇纹石中，有时出现于千枚岩、结晶片岩及受变质镁质灰岩中。著名的矿床发现于瑞典的菲利普斯塔德、努德马克和雅各布斯贝里，俄罗斯的乌拉尔，意大利的特乌拉达，以及美国宾夕法尼亚州。有关详细物理性质，参阅 **oxide mineral**（表）。

Bruck 布鲁克 奥地利中部偏东南城镇。属施泰尔马克州，位于格拉茨以北，穆尔河和米尔茨河汇流处。860年记载中为萨尔茨堡大主教领地。1263年设市。名胜古迹有哥特式谷物磅房（1494～1505）、兰茨克龙城堡遗迹、哥特式的教区教堂等。为铁路枢纽。有冶金、电缆制造、造纸和木材加工业。人口约14 046（1991）。

Brücke, Die 桥社 表现主义画家团体，1905年在德国组成，创始者是德累斯顿技术学校4名学建筑的学生——为这个团体取名的K.施密特-罗特鲁夫、F.布莱尔、E.赫克尔以及E.L.基尔希纳。其他成员有M.佩希施泰因、O.弥勒、瑞士画家C.阿米埃、芬兰的象征主义画家A.加伦-卡莱拉以及荷兰野兽派画家K.凡·唐吉。所作油画和版画包括各种不同题材——人体、风景、肖像、静物——均以受原始主义影响的简朴风格画成，注重鲜

桥社画家E.L.基尔希纳绘《多多和她的哥哥》（约1908）
美国不列颠百科全书公司供图

明的轮廓线以及强烈的色块。桥社的艺术家除创作了感人至深的表现人类斗争及苦难的油画作品之外，对木刻的复兴也做出了重大贡献，使木刻成为20世纪的一种强有力的表现手段。

Brücke, Ernst Wilhelm von 布吕克（1819-06-06，柏林～1892-01-07，维也纳） 德国生理学家。曾将物理和化学方法引入医学研究，并提倡动物实验。研究过骨骼肌的结构、

美国不列颠百科全书公司供图

视觉及言语机制。他爱好艺术，曾著文论述视觉生理与绘画的关系。曾于柏林从J.米勒学医，主攻生理学。1849～1891年任维也纳大学生理学教授。布吕克属于包括E.杜布瓦-雷蒙、C.路德维希和H.von亥姆霍兹等的生理学派，该学派于1847年左右打算严格地以物理学和化学为基础建立崭新的生物学，虽然后来没有达到目的，但却对医学的研究和实践起了很大的影响。在布吕克的生理研究室工作的弗洛伊德主要从他那里接受了机械论的偏见（这可从他早期的“科学心理学研究计划”中看出）。

Bruckner, (Josef) Anton 布鲁克纳（1824-09-04，奥地利安斯费尔登～1896-10-11，维也纳） 奥地利作曲家，以所作9首交响曲、3首大弥撒曲、1首安魂曲和1首赞美颂最为知名。

创作影响 布鲁克纳的音乐天才很早即得到赏识，1835年春往赫尔兴从其教父学习管风琴，旋因父病而返回安斯费尔登，协助父亲从事乡村教师与管风琴师的工作。父故世后于1837年6月被圣弗洛里安隐修院院长收为唱诗班歌童。在隐修院的3年中，接受广博的普通教育，并着重接受音乐训练。为继承父业，于1840～1841年参加教师培训班，后在多处被任命为助理教师。1845～1855年在圣弗洛里安的第二次居留是他艺术生命中的关键时期。他在这一时期中逐渐从

美国不列颠百科全书公司供图

教师生涯转向音乐家和作曲家生涯，其契机可能就是在圣弗洛里安隐修院担任管风琴师（1851年正式任命）。不过，在50年代初，他还曾在林茨参加一个教师培训班，1855年更进一步完成了取得高中教师证书的必要考试，一些人的劝告和鼓励使他相信他的前途在音乐方面。1856年他终于在林茨觅得大教堂管风琴师的职位。此前几个月，他被著名的对位作品作曲家S.塞希特收为弟子，在1855～1861年间或是通过函授或是在他于假期内访问维也纳时接受强化的对位法教学。1861年作为曲式和管弦乐法课程的一部分，他对瓦格纳的歌剧《汤豪泽》进行了全面的研究，这是他初识这位作曲家的音乐。瓦格纳的范例完全搅乱了塞希特对他的对位训练，并引导他创作了最早的重要作品——3首大弥撒曲、《G小调序曲》、《D小调No.0交响曲》和《C小调第一交响曲》。

反对和最后的承认 1867年塞希特去世。布鲁克纳从精神失常状态康复后，申请填补维也纳宫廷教堂管风琴师的空缺，未获批准，但应聘担任维也纳音乐学院和声与对位教授。10多年后他才被任命为宫廷教堂正式成员，而多次努力想在维也纳大学觅一教席的愿望也是直到1875年才梦想成真。这一愿望之所以迟迟未能实现，主要是因为实力雄厚的维也纳评论家和该大学音乐系主任汉斯立克的作梗，他支持德国作曲家勃拉姆斯而对瓦格纳有反感。多年来布鲁克纳一直被错误地认为是后者的门徒。

布鲁克纳生命的最后28年是在维也纳度过的，在那里悉心创作了第二到第九交响曲（第九未完成）、《F大调弦乐四重奏》、《赞美颂》、《黑尔戈兰岛》以及几首小型宗教与世俗合唱曲。1869年以管风琴大师身份代表奥地利出访法国，1871年又出访英国。80年代和90年代初又曾到德国一些城镇去听他的交响曲和主要宗教作品的演出。在此期间他

不得不同群众的冷漠以及包括汉斯立克在内的许多评论家的敌视态度斗争。他的学生和另外一些赞成他的事业的人站在他一边，于是他逐渐赢得人们的承认。1891 年维也纳大学授予他荣誉博士学位，为这一承认盖上了官方的印章。

对布鲁克纳而言，音乐创作具有宗教礼拜艺术的意义。正是这种属灵的内容使他的音乐始终是许多人心目中的一本没有打开的书，虽说随着时光流逝，关于他的许多误解已经得到清除。虔诚是他的个性中的基本组成部分，他似乎总是极其敏锐地感到自己是上帝的工具。他的伟大在于他的生活和工作的完全利他主义的特性，没有被物质的价值观所亵渎。

Brückner, Eduard 勃吕克纳(1862-07-29，萨克森耶拿[德国]～1927-05-20，奥地利维也纳) 德国地理学家、气候学家。以研究阿尔卑斯山脉和更新世冰川作用及气候变化著名，特别着重研究冰期对地球表面特征的影响。1887 年提出勃吕克纳气候周期，即湿冷和干暖交替的 35 年周期。1888 ～ 1904 年任伯尔尼大学教授。1904 年任教于哈雷大学。1906 年出任维也纳大学教授。

Brudenell, James Thomas 布鲁德内尔 参阅 **Cardigan, James Thomas Brudenell, 7th Earl of 卡迪根伯爵(第七)**。

Bruegel, Jan, THE ELDER 勃鲁盖尔(大)(1568，布鲁塞尔[今在比利时]～1625-01-13，安特卫普) 佛兰德斯画家，以花卉、静物和风景画知名。老彼得·勃鲁盖尔之子，小彼得·勃鲁盖尔之弟。青年时期曾到意大利学画，1610 年成为奥地利哈布斯堡大公的宫廷画师。最初在安特卫普工作，是鲁本斯的朋友，有时两人合作，他画花卉、风景和动物，鲁本斯画人物，如《乐园中的亚当和夏娃》(海牙)。他的儿子 J. 勃鲁盖尔(第二)(1601 ～ 1678)也是画家，经常在主题和技巧上仿其作品。

勃鲁盖尔(大)绘《乐园中的亚当和夏娃》(1620)
美国不列颠百科全书公司供图

Bruegel, Pieter, THE ELDER 勃鲁盖尔(大)(约 1525，大概是布拉班特公爵领地布雷达[今在荷兰]～1569-09-05 或 09，布鲁塞尔[今在比利时]) 16 世纪最伟大的佛兰德斯画家。他通过农民形象情趣横溢地暴露人的弱点，描绘误入歧途的人。他对生活的熟悉几乎令人相信他自己就是一个农民。这使他获得了"农民勃鲁盖尔"的绰号。粗犷朴素的画风，有意识的夸张变形以及一些寓意性题材，使其画风具备了现代艺术的某些特征，这与当时的佛兰德斯画家是大不相同的。他对人类的看法是悲观的，认为大自然具有人类不可企及的崇高地位和永恒力量。风景画在他一生中占有很大比重，他突破了佛兰德斯风景画全景式构图的传统，开创了 17 世纪荷兰风景画的先声。

勃鲁盖尔(大)绘《婚礼舞会》(1566)
美国不列颠百科全书公司供图

关于他的生年和出生地一直没有定论，最近的材料提出他早年在科克的作坊学艺，后娶科克的女儿为妻。科克是具有人文主义思想的艺术家，他最早把意大利文艺复兴的思想介绍到低地国家。勃鲁盖尔在艺术思想和形式上都受到他很大影响。1551 ～ 1552 年勃鲁盖尔到意大利旅行，1553 年来到罗马。他最早的作品是风景画，主要是在意大利南部旅行时画的阿尔卑斯山的壮丽景色。从 1556 年起，开始独立创作。主要是讽刺性道德说教题材，受 H. 博斯梦幻、怪诞风格的影响，和其他模仿博斯风格的画家的不同之处在于他将人物置于佛兰芒市镇乡村风景之中，画面上经常是俯视的人物群。到 1564 年以后，在意大利艺术，特别是拉斐尔绘画的影响下，他减弱了戏剧性人物，在《农民的婚礼》中对角线的空间处理使人回想起威尼斯画派的构图；《农民和巢鸟》中的人物则具有米开朗琪罗的宏伟气魄。

在稍后的作品中，表现出两种倾向，一方面是纪念碑性质与简洁的人物结合起来；另一方面是探索如何用风景画来表现不同情绪。前者在《雪中猎人》(1565)中很明显，后者能在白炽的、充满阳光气氛的《绞刑架下的舞蹈》(1568)和恐怖、阴沉的《海上风暴》(1559)中看到。他注意研究画面的运动感，把运动赋予没有生命的物体。他以科学的精确性创作了《巴别塔》(1563)，看起来塔好像在旋转；而在《绞刑架下的舞蹈》中，绞刑架似乎在和农民一起舞蹈。他还以极大的兴趣画了一些佛兰芒农民旋风般舞蹈的场面。作品题材广泛，并在表面的意义之后还有更深刻的含义。《尼德兰谚语》(1559)和铜版画《邪恶》(1556 ～ 1557)和《德行》(1559 ～ 1560)等作品虽然具有宗教的特征，但包含了对社会的尖刻讽刺。《屠杀婴儿》(1566)则抗议了西班牙公爵的恐怖统治。

晚年创作的《盲人的寓言》看来是被一个新的问题所吸引，他研究和描绘了跌倒的一连串步骤，在形式、内容和表现力的完美结合上使这幅画成为欧洲艺术的一件杰作。他的两个儿子都是画家。

Bruegel, Pieter, II, THE YOUNGER 勃鲁盖尔(小)(1564，布鲁塞尔[今在比利时]～1638，安特卫普) 佛兰德斯画家，描绘农村风景、宗教活动以及地狱或冥国的幻像。老勃鲁盖尔的长子。少年时代先从祖母细密画家 M. 维尔胡斯特习画，后又去安特卫普求学。他主要采用其父的技法，甚至临摹父亲的许多作品。他的一些临摹与其他一些人所作的临摹无法区分。勃鲁盖尔的著名作品有《劫走普洛塞庇娜》、《伯利恒的人口调查》、《攻打雪封的村庄》、《耶稣被钉死在十字架上》和《地狱中的埃涅阿斯》。弟子有自己的儿子 P. 勃鲁盖尔(第三)以及 F. 斯尼德斯和 G. 科克斯等人。

Bruges（Belgium） **布鲁日** 参阅**Brugge**布吕赫。

Brugge **布吕赫** 法语作Bruges（布鲁日）。比利时西北部西佛兰德省省会，位于北海港口泽布吕赫以南16千米处。最初为茨文河口湾的埠头。15世纪由于茨文河口湾发生

布吕赫市运河河畔的旧市场钟楼
美国不列颠百科全书公司供图

淤塞，该城商业衰落，但仍为勃艮第公爵宫廷所在地和佛兰德斯画派的艺术中心。兴建泽布吕赫港及与其连接的运河（1907年通航）后，成为铁路和运河的连接点，复兴了贸易，促进了工业与旅游事业的发展。在两次世界大战中，该地被德军占领。1918年泽布吕赫港曾遭英军袭击，并在运河中沉下封锁船，以阻止德国潜艇使用港口。北部有一新兴工业区，生产船只、电子设备、冲模、酵母和工业玻璃。纺纱织布和编织饰带是传统行业。中世纪的遗迹包括旧市场会议厅（13～15世纪）和市政厅（1376～1420）。圣血教堂（14～16世纪）内的圣巴西勒教堂中有一个据说盛有几滴1150年从圣地带来的基督的血的金匣。著名的梅姆灵博物馆、格罗埃宁治博物馆和格鲁特胡斯博物馆中珍藏许多佛兰德斯艺术品和历史文物。布吕赫的中世纪气氛，有助于其举行壮丽庆典。著名例子为耶稣升天节的圣血游行。人口117 025（2004）。

Brugge-Zeebrugge Canal **布吕赫-泽布吕赫运河** 1896～1907年建造的连接比利时布吕赫和北海的水道，以便恢复布吕赫古代作为海港的地位。运河长12千米、深7米、最窄处20米、最宽处110米，有一道船闸。

Brugière, Amable-Guillaume-Prosper **布吕吉耶尔** 参阅**Barante, Amable-Guillaume-Prosper Brugière, baron de**巴朗特男爵。

Brugmann,（Friedrich）Karl **勃鲁格曼**（1849-03-16，拿骚威斯巴登［德国］～1919-06-29，德国莱比锡） 德国语言学家，因其对比较印欧语言学所作的综合的权威性研究，而在19世纪末和20世纪初的本学科中占有突出地位。青年时代即支持青年语法学派（又称新语法学派），这个学派摈弃教条主义的语言学研究方法，遵循严谨的方法论，坚持不改动语音学定律。他本人于1876年发表关于鼻音研究的论文，为确立新语法学派的优势地位作出了贡献。在勃鲁格曼参与主编的杂志《形态学研究》第一卷（1878）中就载有他对新语法学派观点的论述之作。1891年他和W.施特赖特贝格共同创办《印度日耳曼语研究》杂志。勃鲁格曼任莱比锡大学的梵语和比较语言学教授，度过其大部分教书生涯（1887～1919）。其研究富有成果，见解精辟，治学谨严，为当时语法学家之集大成者。平生著述400余种，五卷本《印度日耳曼语比较法纲要》（1886～1893）中他所撰论语音和形式两卷为杰作；另三卷论句法，出自德尔布吕克手笔。第二版曾作很大增订，于1897～1916年间刊行。该书不仅为语法著作之权威，而且是关于印欧语言知识的伟大总汇之一。

Brugnon, Jacques **布鲁农**（1895-06-11，法国巴黎～1978-03-20，巴黎） 法国网球冠军，世界上最优秀的双打选手之一，与博罗特拉、科歇、拉科斯特共称"四火枪手"。1921年获法国单打冠军，但主要以双打闻名。4次赢得温布尔登双打冠军（1926、1928、1932、1933），其中2次与科歇合作，2次与博罗特拉合作；5次获法国双打冠军（1927、1928、1930、1932、1934），其中2次与科歇合作，3次与博罗特拉合作。1928年与博罗特拉共获澳大利亚锦标赛双打冠军。1921～1926年与女运动员朗格朗一起获法国混合双打冠军。1976年与另3名"火枪手"一起入选网球名人堂。

Brühl **布吕尔** 德国西北部北莱茵-威斯特伐利亚州城市。濒临莱茵河左岸。其巴罗克式奥古斯图斯堡城堡（1725）有极大的花园和诺伊曼所设计的著名楼梯，为科隆选侯的夏日别墅。1984年该城堡被联合国教科文组织列为世界遗产。1945年后，联邦政府将城堡拨作官用。作为科隆市民的游览地和褐煤开采业中心。生产糖、煤砖和汽车。人口约44 115（2003）。

Brühl, Heinrich, Graf von **布吕尔伯爵**（1700-08-13，图林根冈罗夫索默尔恩［德国］～1763-10-28，萨克森德累斯顿） 萨克森选侯国首相和实际统治者。布吕尔企图使波兰王位世袭并获得一条连接波兰与萨克森的陆地走廊以加强萨克森势力，未成。在波兰

美国不列颠百科全书公司供图

国王强者奥古斯特二世时期地位迅速上升，在萨克森选侯腓特烈·奥古斯特二世（波兰国王奥古斯特三世）属下担任多种要职。1746年任萨克森首相。他使萨克森卷入一系列的战争，把国力消耗殆尽。在奥地利皇位继承战争（1740～1748）爆发时，萨克森支持普鲁士反对奥地利。腓特烈大帝获胜，亲自兼并西里西亚（1742），布吕尔认识到只有打败普鲁士他的政策才能成功，遂与奥地利和法国和解，结果又引起七年战争（1756～1763）。萨克森战败，布吕尔和其君王被迫逃亡华沙，1763年返回德累斯顿。

Bruhn, Erik **布鲁恩**（1928-10-03，丹麦哥本哈根～1986-04-01，加拿大魁北克多伦多） 芭蕾舞蹈家。以其出色的古典技巧著名，主要作为客座演员参加美国和欧洲的一些芭蕾舞团。1937年入丹麦皇家芭蕾舞团学校，1947年参加该舞团，1949年升为独舞演员。为了丰富演出剧目，曾于1949～1958年请假到美国芭蕾舞剧院参加演出。在放弃丹麦皇家芭蕾舞团终身演员地位之后，又再次到美国芭蕾舞剧院演出（1955～1958；1960～1961；1968～1969），如《仙女》（1976）。还在诸如纽约市芭蕾舞团、英国皇家芭蕾舞团，澳大利亚芭蕾舞团、瑞典皇家芭蕾舞团和巴黎歌剧院芭蕾舞团这样一些剧团中演出过。在诸如《仙女》、《吉赛尔》和《天鹅湖》这样一些19世纪浪漫主义舞剧中表演优美出色，因而知名。在《朱莉小姐》中扮演吉恩，在歌剧《卡门》中饰演唐·霍塞，在美国电视上表演也受到赞扬。还曾为《小协奏曲》（1953，M.古尔德

美国不列颠百科全书公司供图

作曲)和《节日》(1957)编舞,为罗马歌剧院芭蕾舞团和加拿大国家芭蕾舞团上演舞剧。1967年被任命为瑞典皇家歌剧院芭蕾舞团团长,直到1972年。此后,主要与加拿大国家芭蕾舞团合作,担任过该团的副团长(1973～1981),1983年任团长直至去世。

bruise 青肿 在皮肤无破裂情况下由皮下组织深层血管破裂造成的皮下青紫色斑片。常因打击或挤压造成,但在老人也可自发出现。在愈合过程中,因局部形成胆色素以及血液的分解和逐渐吸收,颜色逐渐淡化为黄色。在未治疗的血友病患者,几乎永远可见皮肤和软组织的青肿。

Brûlé, Étienne 布律莱(约1592,法国马恩河畔尚皮尼～1633-06,新法兰西[加拿大])法国出生的加拿大探险家。1608年移居加拿大,为今安大略省最早见于历史记载的欧洲人。为了学习语言,曾在印第安人阿尔衮琴部落生活一年(1610～1611),后成为法国人与印第安人各部落之间的翻译。他与探险家S.钱普伦共同发现安大略湖(1615),并可能到过苏必利尔湖(1622)。他的死因不明,根据某些记述,他是被收留他的部落的休伦人杀死和吃掉的。

Brum, Baltasar 布鲁姆(1883-06-18,乌拉圭萨尔托～1933-03-31,蒙得维的亚) 乌拉圭政治家,以改革教育和福利制度并倡议建立美洲国家联盟闻名。他矢忠民主事业,以至用自杀来抗议加夫列尔·特拉总统中止乌拉

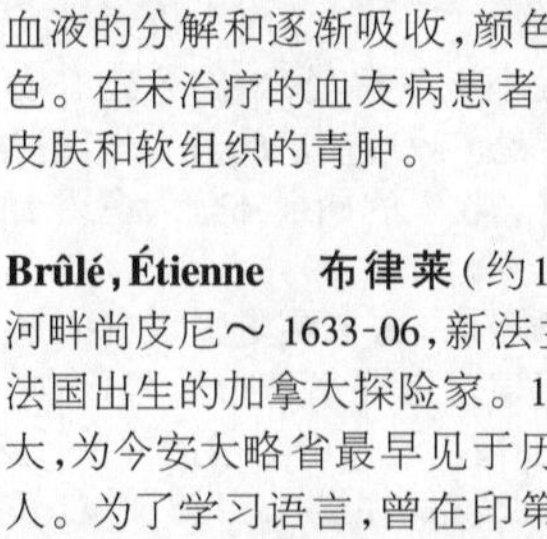

美国不列颠百科全书公司供图

圭宪法和实行独裁统治。1913～1915年任公共教育部长,1914～1915年任外交部长,1917年4～6月参加宪法修改委员会。他是新宪法颁布后的第一任总统(1919-03-19～1923-03-19)。1923～1929年任著名的《日报》报社社长,1929～1931年任全国行政委员会主席。著有《绝对仲裁论》(1915)、《美洲的和平》(1923)和《妇女权力》(1923)等许多著作。他在从政时期,实行免费和义务初等教育,建立公共图书馆,向失业者和赤贫的人免费发放食品,并不断提高乌拉圭在对外关系中的声誉。

Brumaire, Coup of 18～19 雾月18～19日政变(1799-11-09～10) 推翻法国督政府所实行的政治制度,代之以执政府,为拿破仑·波拿巴的专制开辟道路的政变,实际上结束了法国大革命。在督政府最后几天中,西哀士神父和塔列朗在波拿巴将军的援助下筹划发动政变。西哀士在巴黎于共和八年雾月18日(1799-11-09)主持元老院通过决议,由元老院议员和下议院(即五百人院)于次日聚集在圣克卢宫开会。次日,即雾月19日,两院正开会时,波拿巴在元老院讲错了话,在五百人院的会场上受到一阵詈骂。该院议员听到谣言,发现到处有军队,开始认识到真正的阴谋在酝酿中。波拿巴逃离大厅,但是西哀士、吕西安·波拿巴和缪拉最后召来宪兵,解散五百人院,强令元老院下令结束督政府,建立以第一执政波拿巴为首、由执政西哀士和杜克洛协助的新执政府。11月14日,波拿巴在卢森堡宫接受委任。

Brumel, Valery (Nikolayevich) 布鲁梅尔(1942-05-14,苏联俄罗斯拉兹维德基～2003-01-26,莫斯科) 苏联跳高运动员,1961～1971年世界跳高纪录保持者。1967年毕业于中央体育学院(莫斯科)。1961年首次创跳高世界纪录,成绩为2.23米。1960年初出茅庐参加罗马奥运会获银牌,成绩超过美国世界纪录保持者托马斯。后来多次打破本人纪录,最好成绩达2.28米。1964年在东京奥运会上获得金牌。

Brummell, Beau 布鲁梅尔(1778-06-07,伦敦～1840-03-30,法国卡昂) George Bryan Brummell的别名。英国纨袴子弟,因与威尔士亲王乔治(1811年起任摄政王,后为英王乔治四世)友善出名。被认为是19世纪初伦敦名流领袖。布鲁梅尔的祖父是伦敦圣詹姆斯堂区一个小商人,出租公寓给上流人士居住;父亲在1770～1782年间担任诺思勋爵的私人秘书,后任伯克郡郡长。布鲁梅尔年轻时就非常注意衣着。1790年他就读于伊顿公学,在学校就深受同学欢迎,被称为“花花公子布鲁梅尔”。在牛津大学,他仍以服饰讲究知名,同时又以才子见称。他在伊顿公学时结识威尔士亲王,回伦敦后,亲王委派他在自己指挥的团队里当军官(1794)。布鲁梅尔很快就与自己的恩主关系密切起来,1798年升至上尉,后来离开军队。1799年他继承父亲遗产约3万英镑,在梅费尔区建立一所“单身汉公寓”。由于与威尔士亲王的朋友关系以及他本人对衣着的讲究,他成了公认的时装评论家,经常出入各种社交场所,一时颇有影响。后由于赌博和挥霍,终于将财产耗尽,而他对其皇室恩主又未免言谈过苛,导致

美国不列颠百科全书公司供图

1812年与亲王争吵失和。布鲁梅尔虽然并未立即失去其社会地位,但因债台高筑,于1816年为躲避债主而逃往加来,挣扎生活了14年。1830～1832年任英国驻卡昂领事。1835年因债务入狱,但他的朋友又来营救他,并为他提供一笔少量收入以维持生活。此后不久,他完全丧失对服装的兴趣,衣著不整且肮脏,开始追怀往事,陷入幻觉之中。患两次麻痹症后,他于1837年进入卡昂的救济院,在那里度过余年。

Brun, Charles Le (French painter) **布朗** 参阅 **Le Brun, Charles 勒布朗**。

Brun, Johan Nordahl 布伦(1745-03-21,挪威比内塞特～1816-07-26,卑尔根) 挪威诗人、戏剧家、主教、政治家。在挪威脱离丹麦获得独立以前,他一直致力于唤起挪威人的民族意识。他作了第一首挪威国歌《为了挪威,英雄们的国土》(1771),在1814年挪威独立前这首歌一直遭到禁止。1772年写成的剧本《萨里纳》标志着他文学生涯的开端与高峰。他的志趣主要在于教会,担任主教后抱负得酬,写过许多赞美诗。

Brun, Rudolf 布龙(约1300～1360-09-17,苏黎世) 瑞士政治家。旧贵族出身。他在1336年领导骑士和工匠废弃旧宪法,制定新宪法,改组市政机构,成为苏黎世的终身市长。为消除旧秩序的所有支持者,他反对拉珀斯维尔伯爵,并与哈布斯堡王朝统治下的奥地利发生战争(1350年9月)。为寻求支持,1351年5月使苏黎世加入瑞士邦联。战争结束(1355)后,他又想与哈布斯堡王朝修好。

Brundage, Avery 布伦戴奇(1887-09-28,底特律～1975-05-08,西德加米施-帕滕基兴) 美国体育组织者,国际奥委会主席。曾于1912年在斯德哥尔摩奥运会上参加五项全能和十项全能比赛。1914、1916和1918年获美国业余全能冠军,同时经营建筑公司而成为千万富翁。1928～1933和1935年任美国业余体育联合会主席。1929～1953年任美国奥林匹克协会和奥林匹克委员会主席。1936

年选入国际奥委会,1945 ～ 1952 年任副主席,1952 ～ 1972 年任主席。他坚决主张保持奥林匹克运动会的业余性质,运动员对他所规定的严格规章稍有违犯即予以警告或制裁。他不止一次把重大政治事件说成与奥运会比赛无关,因而引起激愤。本着这种精神,他拒绝抵制在纳粹德国举行的 1936 年奥运会。1972 年慕尼黑奥运会期间,11 名以色列运动员被巴勒斯坦游击队杀害。事后,他置强烈批评于不顾,坚持继续比赛。任国际奥委会主席期间奥林匹克运动规模不断扩大,并且随着广播电视对于赛事的转播和报道,奥运会开始带有商业色彩。

Brundtland, Gro Harlem　布伦特兰(1939-04-20,挪威奥斯陆～　　)　原名 Gro Harlem。挪威政治家,第一位女总理(1981,1986～1989,1990 ～ 1996)。受训为医师,曾在政府卫生部门中任多种职务。1974 ～ 1979 年出任环境部长,1977 ～ 1997 年任挪威国会议员。身为议会工党领袖,曾 3 次出任总理。1987 年任联合国世界环境与发展委员会主席,1998 年被选为世界卫生组织总干事。2003 年卸任。

Brune, Guillaume(-Marie-Anne)　布律纳(1763-03-13,法国布里夫拉盖亚尔德～ 1815-08-02,阿维尼翁)　拿破仑麾下唯一与法国大革命恐怖统治有关的元帅。他是杰出的骑兵司令,以捍卫荷兰反抗英俄联军著名。早年爱好文学。在巴黎与革命领袖 G.丹东结识,曾为丹东写过一本论述军事问题的小册子。他被委任为清洗北方军的特派员,与恐怖分子官员一同前往波尔多。督政府时期,他在巴黎与 P.巴拉斯和拿破仑一起工作。1797 年升任少将。巴拉斯派他去威逼赫尔维蒂、阿尔卑斯山南和巴达维亚诸共和国屈从法国。1799 年他在荷兰击溃英俄联军。1800 年 12 月拿破仑派他去结束意大利战役。1804 年他被封为元帅,后任驻君士坦丁堡大使。在百日统治期间(1815),拿破仑派他去普罗旺斯抵御保皇党。战事结束时,在阿维尼翁被一群乱民杀害。

Bruneau, Alfred　布律诺(1857-03-03,法国巴黎～ 1934-06-15,巴黎)　全名 Louis-Charles-Bonaventure-Alfred Bruneau。法国作曲家,在法国歌剧追求现实主义的运动中具有重大影响。曾在巴黎音乐学院师从法国歌剧作曲家 J.马斯内,后又担任出版商 G.哈特曼的抄写员。早期作品包括 3 部合唱交响曲和歌剧《凯兰姆》(1887)。1888 年与小说家左拉结识,二人成为至交,左拉的作品为 8 部歌剧提供了台本。第一部歌剧《梦幻》(1891)被认为过于瓦格纳化,而《穑月》(1897)和《暴风雨》(1901)则显示出布律诺独特的戏剧才华。在取材于左拉《梅塘之夜》的《偷袭磨坊》(1893)和为左拉的《穆勒神父之过》(1907)所作戏剧配乐中,实现了他的"音乐既要现实主义又要象征主义"这一目标。《小皇帝》(1905)和《纳伊斯·米库兰》(1907)的失败是因为布律诺在德雷福斯案件所引发的冲突中曾支持左拉。1902 年左拉去世后,布律诺又创作芭蕾舞剧《酒神女祭司》(1912)和《多情的劝告》(1913),以及歌剧《昂热洛》(1928)和《维吉妮》(1931)等作品。他还曾为《吉尔·布拉斯报》、《费加罗报》和《晨报》撰写音乐评论,并发表数部论著,评述当代法、俄音乐。所作乐曲在其生前得到广泛演出。其音乐以戏剧倾向性著称;为了求得戏剧效果,他频繁采用不符合传统的不协和音。作品还有《安魂曲》(1896)一首及歌曲若干。

Brunechildis(Frankish queen)　参阅 **Brunhild 布伦希尔特**。

Brunei　文莱　全称文莱达鲁萨兰国。独立的伊斯兰苏丹国,位于婆罗洲岛西北海岸一块飞地。北临中国南海,其他三面为沙捞越(东马来西亚一邦)。沙捞越并向北突出,将文莱分成互不连接的东西两部分,西部面积较大。首都斯里巴加湾市。面积 5 765 平方千米,人口约 344 000(2003)。

土地　北部的狭长沿海平原沿一珊瑚沙滩绵延达 90 千米,南部则山峦起伏。西部由白拉奕河、都东河和文莱河 3 条北流入海河流的河谷构成。大部分地势起伏,海拔在500

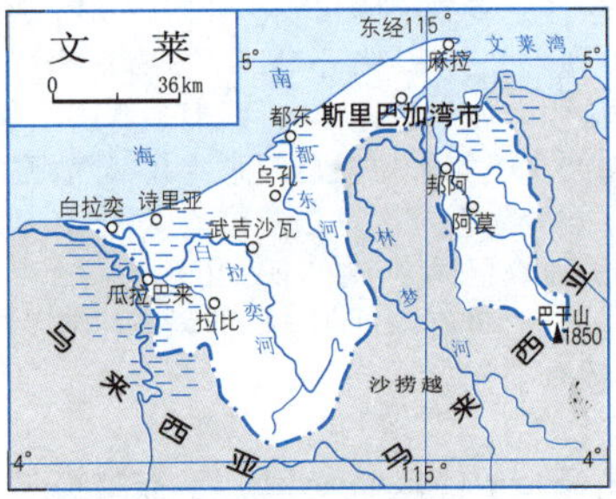

美国不列颠百科全书公司供图

米以上。东部有潘达鲁安河和淡布伦河流域,两河都发源于多山地区,穿过林区后汇入大海。国内最高峰为巴干峰(1 850 米),位于东部最南端。

气候为热带型。各地全年气温 24 ～ 30°C,空气湿度大(67% ～ 97%)。沿海地区年平均降雨量为 2 500 毫米,内地部分地区可超过 3 800 毫米。12 月至翌年 3 月的降雨来自东北季风,5 ～ 10 月的降雨则来自西南季风。约 3/5 的国土为茂密的热带雨林所覆盖,以各种硬木树种为主。沿海沙土生长木麻黄属硬质乔木,而在排水不充分的白拉奕河及都东河上游沿岸和西部东北角的麻拉镇周围则是广阔的泥炭和红树沼泽。全国可耕地不足 2%。动物种类繁多,包括狮、虎、各种猿猴和各种鸟类、蜥蜴及蛇类。文莱有大型油田和天然气田等自然资源。

人民　文莱人是东南亚各种族集团的混合体。约 2/3 人口为马来人,近 1/5 为华人,其他为土著和印度人。人口中近 2/3 为穆斯林,12%为佛教徒,9%为基督教徒,偏僻内陆地区还有少数泛灵论信徒。马来语是文莱的官方语言,很多人懂英语。城市人口约占 60%。大部分人口居住在斯里巴加湾市或油田附近的诗里亚和白拉奕。土著民族稀疏地分布于内陆地区,他们开垦林地用于暂时耕种或轮种。

经济　文莱属发展中的市场经济,以石油和天然气的开采为基础。较少的人口和增长迅猛的经济相结合,特别是在 70 年代期间,使文莱成为亚洲地区人均收入最高的国家之一。

农业产值约占国内生产总值的 2%,占用不到 4%的劳动力。橡胶生产一度为主要出口收入来源,但自从发现石油后即日益被忽视,现已放弃种植。所需粮食约 4/5 依靠进口,包括主食稻米。胡椒种植散布全国各地。其他农作物——水稻、西米、椰子、木薯和当地各种水果——种植规模都很小。农村家庭现只用部分时间从事农田耕作,这主要是因为他们可以找到支付薪金的工作。

工业(矿业和制造业)部门约占国内生产总值的一半。但仅使用不到 1/10 的劳动力,主要从事石油及天然气生产。英荷壳牌石油公司与文莱政府合营的文莱壳牌石油公司,是国内主要的石油公司。石油主要产自斯里巴加湾与白拉奕之间的近海油井,部分石油就地提炼,但多数通过诗里亚附近的近海油码头出口。20 世纪 70 年代对天然气资源的大力开发,以及卢穆特液化天然气工厂的建成,使天然气出口迅速增长。

为吸引新兴工业,文莱政府对工业投资实行可观的税收减免,可是本地劳动力人数很少,成为发展经济的主要障碍。工业和基础设施建设须依靠外国工人,其人数占劳动力总数的 1/3 左右。服务业和金融业占国内生产总值 1/3 以上,使用近劳动力总数的一半。

文莱不征收个人所得税,大部分政府岁入来自各种间接税。政府支出的最大份额拨给经济发展项目。收入的剩余部分大多用于海外长期证券投资。

文莱外贸顺差大,这主要是由于有大量石油及天然气出口。主要出口市场为日本、泰国、韩国和新加坡。进口产品包括机械、运输设备、制成品和食品,主要来自新加坡、马来西亚、欧共体和美国。

公路交通不发达,在内陆许多地方河运仍然是主要的运输手段。1974 年成立的文莱皇家航空公司提供国际航班服务。1973 年麻拉深水港投入运营。

政体与社会状况　根据 1959 年宪法(1962 年以后,许多条款已暂停使用),文莱是受英国保护的伊斯兰苏丹国。设有枢密院(为苏丹提供咨询)、大臣会议、由选举产生的 20 人立法议会和一名苏丹任命的议长。当 1984 年文莱宣布独立时,苏丹解散枢密院,并将大臣会议重新组建为内阁,他本人担任总理。立法议会和其他机构得到保留,但其成员由苏丹任命而不再由选举产生。司法部门(包括一个最高法院)设有上诉法院和高级法院,也对苏丹负责。

文莱为一福利国家,社会公益设施发达。政府实施广泛的养老金计划。居民可在数所医院、院外诊所和巡回诊所享受医疗服务。一个飞行医疗组为乡村地区所有村庄提供服务。疟疾已经根除。

初等教育已经普及并对所有文莱公民免费。教学用语为马来语、英语或汉语(普通话)。建于 1985 年的文莱达鲁萨兰大学可提供高等教育。广播电台和电视台由政府控制。国内有数家报社。

语言文学局鼓励各种文化活动，并出版杂志、儿童读物以及其他翻译作品。一部收有文莱各地方言的词典是其主要出版物之一。文莱博物馆内设有一个图书馆和一个艺术及手工艺品中心。

历史 文莱在6世纪即与中国通商。13～15世纪由于臣事爪哇麻喏巴歇王国，而受到印度教影响。15世纪初期，麻喏巴歇王国衰落，人民普遍皈依伊斯兰教，文莱成为一个独立的苏丹国。

1521年，葡萄牙探险家F.麦哲伦的船只在文莱停泊时，文莱第五世苏丹博尔基亚几乎统治着全部婆罗洲及其邻近岛屿及苏禄群岛。然而到16世纪末，葡萄牙人与荷兰人在此地区的活动以及苏禄族人的征服（苏禄人后来控制了文莱以前所拥有的婆罗洲北海岸许多地区），削弱了文莱的势力。在17世纪初期，荷兰人在婆罗洲南部建立起殖民地。1700年，荷兰人在东印度群岛的势力达到顶盛时期，但英国的影响日益增长很快就使之有所削弱。

到19世纪，文莱苏丹国领土仅包括沙捞越、现在的文莱和北婆罗洲的一部分（今沙巴）。1841年，文莱发生了一次反对苏丹的叛乱，英国军人J.布鲁克协助平定叛乱。此后布鲁克被任命为沙捞越总督。1847年文莱苏丹与英国签订条约，以促进商务关系和共同敉平海盗。1877年文莱将所辖北婆罗洲部分租给一群英国商人，数年后，管理权落入英国北婆罗洲公司之手。1888年，文莱成为英国保护国。苏丹同意由英国政府处理本国的外交关系。1906年，文莱苏丹接受了英国的一名常驻代表，来指导国家事务。

1941年日本占领文莱，1945年澳大利亚军队解放了文莱。1979年苏丹与英国谈判签订一项新条约。1984年1月1日文莱正式独立，获得全部主权。此时，由于该国丰富的石油资源（1929年发现）及天然气资源（1965年发现），文莱已跻身为世界人均富裕程度最高的国家之一。文莱苏丹以其巨大财富，为自己在首都斯里巴加湾市建造了一座耗资4亿美元的世界最大宫殿，占地20公顷，拥有1 788个房间。1990年苏丹政府推行马来伊斯兰君主制。尽管受到20世纪90年代末期亚洲金融危机的影响，整体上20世纪末期国家政治经济稳定，人民生活水平居世界前列。但经济过分依靠石油和天然气这类不可再生资源。对此政府亦采取措施试图实现经济发展多样化。

Brunei Town（city，Brunei） **文莱市** 参阅 **Bandar Seri Begawan 斯里巴加湾市**。

Brunel, Isambard Kingdom 布律内尔（1806-04-09，英格兰汉普郡朴次茅斯～1859-09-15，伦敦威斯敏斯特） 英国富有独创性的土木工程师和机械工程师，设计了第一艘横渡大西洋的轮船。1825年泰晤士河隧道工程开工时，他任工地工程师。1828年因工地洪水泛滥而受重伤，隧道工程停工。在休养期间设计了埃文峡吊桥的建筑方案，他的方案击败著名的苏格兰工程师T.特尔福德的设计被优先采纳。1831年他设计了芒克韦尔茅斯船坞，后来又设计了布伦特福德、布里顿费里、米尔福德港和普利茅斯等船坞。1833年任大西铁路总工程师，首先采用宽轨铁路（轨距2米），引起著名的"轨距大战"。火车在宽轨上可高速行驶，大大促进了铁路的发展。他在米德兰平原、南威尔士和爱尔兰等英国西部地区负责建设1 600千米以上的铁路，在意大

美国不列颠百科全书公司供图

利建设两条铁路线，并担任澳大利亚维多利亚铁路和印度东孟加拉铁路建设的顾问。他在英国早期的著名铁路工程有博克斯隧道和梅登黑德大桥，后期的工程有切普斯托和索尔塔什大桥。其中梅登黑德大桥砖拱的弧度是世界上最小的。他用气压沉箱来建筑桥墩基础，使空气压缩技术在地下和水下建筑工程中得到应用。他特别在造船工程方面做出了杰出的贡献。他造的木制明轮船"大西方"号（1837）是第一艘横渡大西洋的班轮；铁壳轮船"大不列颠"号（1843）是用螺旋桨推进的第一艘大船；同时用明轮和螺旋桨推进的"大东方"号（1858）是第一艘双层铁壳体的轮船，其体积在40年内居世界首位，它作为客轮并不成功，但因敷设横跨大西洋的第一条电缆而著名。这3艘船在下水时都是世界上最大的。布律内尔还致力于改进大炮的性能；为了在1854年的克里米亚战争中进攻喀琅施塔得，设计了一艘装有浮筒的装甲驳船；他还设计一座完全由预制构件建成的医院，1855年将构件由船分散运往克里米亚。

Brunel, Sir Marc Isambard 布律内尔（1769-04-25，法国阿克维尔～1849-12-12，英国伦敦） 法国出生的工程师和发明家，解决了历史上未解决的在水下挖掘隧道的问题。在海军服役6年后于1793年回到法国，正值法国革命。他因忠于波旁王朝，几个月后被迫离开法国，逃到美国。在纽约担任总工程师，修建了许多建筑物，改进了斯塔腾岛和长岛之间海峡的防御设施，建筑了一座兵工厂和一座铸炮厂。在华盛顿新国会大厦的设计

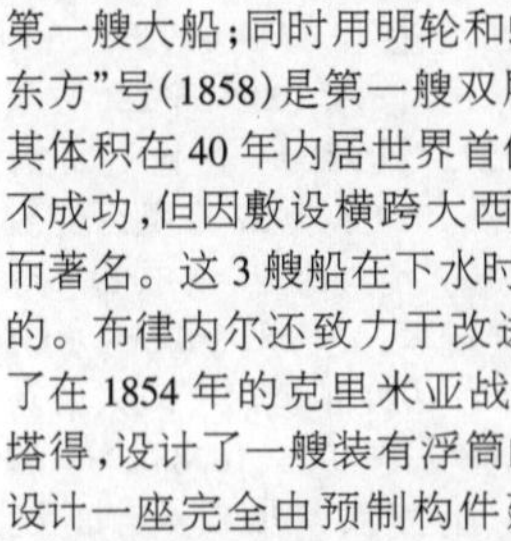

美国不列颠百科全书公司供图

竞争中，他的设计方案获胜，但由于经济原因而未被采用。他改进了制造船舶滑轮的方法，用机械代替手工。1799年，去英国把他的计划提交英国政府，获得采纳，由他负责在朴次茅斯造船厂安装他的机器。这个由43台机器组成、10人操作的生产系统安装完毕以后，生产的滑轮在质量和统一规格方面比以前由100多人用手工生产的滑轮好，产量也比过去高得多。朴次茅斯造船厂安装这些机器是全面机械化生产的最早的例子之一。他是一位有很多发明创造的发明家，设计了锯木机、弯木机、制靴机、织袜机和印刷机。他还从事土木工程师业务，设计了波旁岛索桥和利物浦第一个浮动登陆码头等工程。1818年，他设计了可以在含水地层安全作业的隧道掘进铠框，并获得专利。1825年，由他设计的罗瑟希斯和沃平之间泰晤士河隧道动工。这项史无前例的工程由于缺乏资金曾中断7年，在克服了物资和财政上的巨大困难后，于1842年完成。1841年因工程上的成就被封为爵士。

Brunel, Olivier 布鲁奈尔（约1540，布拉班特卢万[今在比利时]～1585，俄罗斯东北伯朝拉河） 佛兰芒商人和探险家。曾到俄国北海岸探险，建立了低地国家与俄国之间的贸易。为寻找通往中国和东印度群岛的东北航线，于1565年绕拉普兰地区航行，是最早到达北冰洋的佛兰芒航海家。在北德维纳河口（今俄罗斯阿尔汉格尔斯克）建贸易站后，遭俄国政府监禁。经俄罗斯富商斯特罗加诺夫家族的调停，于1566(?)年释放。他成了这个富商家族的代理人，于1570年在俄国与荷兰之间建立定期贸易。1578年荷兰商业势力范围扩大到整个白海地区，在今阿尔汉格尔斯克地址建立一处荷兰人定居点。为继续探寻东北路线，布鲁奈尔于1576年成为沿陆路经莫斯科到西伯利亚鄂毕河的第一位西欧人。1581年用一只船到北冰洋探险，企图驶过尤戈尔海峡进入喀拉海，船在伯朝拉湾损毁。1584年再次企图找到一条东北航线时，在伯朝拉河翻船遇难。

Brunelleschi, Filippo 布鲁内莱斯基（1377，佛罗伦萨[意大利]～1446-04-15，佛罗伦萨） 建筑师及工程师，是意大利早期文艺复兴建筑的先驱。其主要作品佛罗伦萨大教堂的穹顶是用施工机械建造的，这种机械是他为该工程特制的。幼年学习金匠工艺与雕塑。1401年参加佛罗伦萨洗礼堂铜门浮雕竞赛，与雕塑家L.吉贝尔蒂等相抗衡，虽未中选，但所做试样达到了他的雕塑技艺的顶峰。其优点是能表现故事情节中最富戏剧性的一刹那，描绘人物的生动姿态和表情。后来虽未放弃雕塑，但以其主要精力转攻建筑。从事建筑的初期（约1410～1415）即重新发现为古希腊、罗马人所知而在中世纪被湮没的透视学原理。这一成就使当时的艺术家能在平面上正确地表现立体形象，作出写实的描绘。早期建筑作品有佛罗伦萨的育婴院，后来在施工中虽经他人修改，但按原设计建造的拱廊被认为是文艺复兴式建筑的最早实例。拱廊虽沿用意大利罗马式和晚期哥特式的体

形，但根据他对古典建筑构图规律的理解进行革新，采用古典细部（例如科林斯柱头、壁柱、圆形浮雕、檐壁），以精致处理的墙面、合乎模数的构造、几何比例和对称的构图，呈现了古典主义的气氛，在佛罗伦萨的建筑中出现一种新面貌，和以往的中世纪建筑迥然不同。他的另一方面的成就是解决了工程和力学上的复杂问题，并在施工机械上有所创造。其最大的成就表现在佛罗伦萨大教堂的穹顶上。大教堂于1296年开始建造，14世纪中完成了中堂，并开始建造东墙的复杂的八角形体。直到1418年，还没有解决如何在这庞大的八角形体上建造穹顶的技术问题，他成功地解决了建造穹顶的方法，创造了施工所需要的机械设备，并设计了穹顶小亭。穹顶于1420年开始建造，1436年完成（穹顶小亭不在内）。15世纪20年代初他成为佛罗伦萨最杰出的建筑师，当时受梅迪契家族的委托设计了圣洛伦佐教堂及其中的老圣器室。教堂在平面上沿用传统的中堂、侧堂和后堂的形

布鲁内莱斯基于1436年开始设计的佛罗伦萨市的圣斯皮里托教堂之内部
美国不列颠百科全书公司供图

式，但在处理上对古典建筑部件作了新的运用，并在各部分的协调上形成统一和谐的整体，成为文艺复兴初期建筑风格的代表作。1429年他受佛罗伦萨帕齐家族之托设计帕齐礼拜堂，在平面和立面的设计上如圣洛伦佐教堂一样，采用数学模数和几何公式，但在空间处理上更为复杂精致。他的作品的清晰、宁静、优雅的风格可在这座教堂中窥见一斑。1434～1437年设计了佛罗伦萨卡马尔多利会修道院的圣马利亚教堂，其平面中央为一八角形，外周十六边。这是他最富于创新的设计，着重墙体的凹凸和结构构件与装饰构件的可塑性。因此许多评论家认为这座教堂代表了他的作品开始进入成熟阶段，其特点是以立体几何代替平面几何，以及采用类似雕塑的手法塑造空间，与早期风格有明显的区别。

Bruner, Jerome S(eymour) 布鲁纳（1915-10-01，美国纽约州纽约～　　）　美国心理学家、教育家。研究过幼儿知觉、学习、记忆等，同J.皮亚杰一样对美国的教育系统产生过影响。曾就读于北卡罗来纳州达勒姆的杜克大学（1937年获文学士），后进哈佛大学，1941年在哈佛获心理学博士学位。第二次世界大战期间任驻法国的美国陆军的心理战专家。1945年回到哈佛大学。1952年任心理学教授，1960～1972年主持该大学的认知研究中心。1972年离开哈佛任牛津大学实验心理学教授，直至1980年。后在纽约市社会研究新学院兼任教授，并在纽约大学纽约人文研究所任研究员。

他的研究将皮亚杰的认知发展阶段概念引入课堂。1960年出版并被译成多种语言的《教育过程》是一部关于课程改革的有影响的著作。在这部书中，他提出如果用恰当的方法使用教材，那么任何课题都能教给任何发育阶段的任何儿童。他认为，一切儿童都有着天然的好奇心和求知欲，然而，当给予他们的任务太困难时，儿童便会产生厌烦情绪。因此教师必须在一个适当的水平上布置作业，以便对儿童当前的发育阶段提出较高的要求和刺激。他还研究过儿童的知觉，断定儿童个人价值观念对他们的知觉有重要影响。他的著作甚多，主要有《人民的托付》（1944）、《思维的研究》（与J.J.古德诺和G.A.奥斯汀合著，1956）、《论认识：关于左手的随感》（1962）、《通向教学的学说》（1966）、《认知发展过程：婴儿期》（1968）、《恰当的教育》（1971）、《语言交流》（1982）、《儿童的言语》（1983）和《现实的思想，可能的世界》（1986）。

Brunet, Andrée and Pierre 布吕奈夫妇（安德烈 1901-09-16，法国巴黎～1993-03-30，美国密歇根博因城；皮埃尔 1902-06-28，法国勒克内～1991-07-27，博因城）　法国花样滑冰运动员，连续赢得1928和1932年奥运会金牌。二人以前都是单人滑选手，皮埃尔1924～1930年一直是全国冠军，安德烈1921～1931年是法国女子冠军。1924年奥运会双人滑获得铜牌之后，接连获得1926、1928、1930和1932年世界冠军（他们只参加双数年的比赛）。1928年奥运会以微弱优势夺得金牌。1929年二人结婚。1932年奥运会成功卫冕。他们以优美、精确和新颖的表演享誉国际。1936年因反对德国纳粹政府，拒不参加柏林奥运会。代之以在欧洲和加拿大做职业巡回表演。1940年移居美国，在纽约滑冰俱乐部任指导和教练，并与加拿大、法国、美国的运动员合作共事，后在纽约、伊利诺伊和密歇根担任教练，直到1979年退休。他们为花样滑冰带来流畅而精确的风格，为双人滑创造出新的旋转、跳跃和托举。

Brunet, Jacques-Charles 布律内（1780-11-02，法国巴黎～1867-11-14，巴黎）　法国主要的目录学家。出身于书商家庭。早年即对目录学有兴趣。1810年为此前几年出版的《善本书目录词典》出版一部补遗，同年出版《卖书人和爱书人手册》第一版，很快成为标准的法国目录学词典。其他著作有《新目录学研究》（1834）及拉伯雷著作早期版本研究的论文等。

Brunfels, Otto 布隆费尔斯（约1488，德国美因茨～1534-11-23，瑞士伯尔尼）　德国植物学家，被C.林奈誉为现代植物学的奠基人之一。1514年进入斯特拉斯堡的加尔都西会隐修院，成为一名司铎，直到1521年结识了一批人文主义者之后，他才逃离隐修院。他在施泰瑙任牧师3年。1524年在斯特拉斯堡开设一所学校。1532年在伯尔尼当医生，直至去世。著作包括两卷本的《药用植物图说》（1530～1540）。该书收集了古来对植物的评注，除记录下一些陈旧的医疗效果外，没有多少持久的科学价值。但书中插图详细、准确、逼真。该书使植物学摆脱了中世纪偏重草药的倾向，也摒弃了以民间传说为依据的传统，向现代科学迈进了一步。以后的植物绘图者受到他的影响，努力提高绘图的准确性。

Brunhild 布伦希尔特　又拼 Brunhilda，Brynhild。古代日耳曼英雄文学里的一个美貌而有男子气概的公主，由北欧传说（"埃达"诗和《沃尔松格萨迦》），以及德文的《尼贝龙根之歌》中得知。在埃达各诗中为主角，在《尼贝龙根之歌》中，由于情节重点转移，她的突出地位大大降低了。在北欧和日耳曼传说中，布伦希尔特均被独特地设想为如下故事的中心人物：她发誓只嫁给不仅力气胜过自己而且具有最优秀品德的男子。一个名叫齐格弗里德的符合这个条件，向她求爱并赢得她。但是，他这样做只是为了别人。布伦希尔特发觉这一骗局后，决心报复，遂导致齐格弗里德之死。

Brunhild 布隆希尔德（约534～613，勃艮第勒内韦[今在法国]）　又拼 Brunechildis 或 Brunehaut。法国中世纪法兰克的奥斯特拉西亚国王的妻子，墨洛温王朝最有力的人物之一。她是西哥特国王阿塔纳吉尔德之女。567年与奥斯特拉西亚国王西吉贝尔特一世结婚，皈依天主教。同年，她的妹妹加尔斯温特嫁给西吉贝尔特的异母兄弟希尔佩里克一世。希尔佩里克在567或568年杀害了加尔斯温特。在布隆希尔德的怂恿下，西吉贝尔特向希尔佩里克强行索取加尔斯温特结婚时陪嫁的领地（波尔多、利摩日、凯尔西、贝阿恩和比戈尔）。于是双方之间发生战争（573）。575年西吉贝尔特被暗杀，布隆希尔德被囚于鲁昂。后获准前往奥斯特拉西亚的梅斯。此后30年间，她在奥斯特拉西亚的权贵面前作威作福。权贵们对她的专横忍无可忍，终于求助纽斯特里亚国王克洛塔尔二世来消灭她。她逃往勃艮第，但被引渡给克洛塔尔二世。她受3天拷打后，被绑在骆驼上任凭士兵嘲弄，最后被捆在马尼上拖死（613）。

Bruni, Leonardo 布鲁尼（约1370，佛罗伦萨阿雷佐[意大利]～1444-03-09，佛罗伦萨）　又称L.阿雷蒂诺。意大利文艺复兴时期人文主义者。1405年起任主教法官法庭的书记，后为佛罗伦萨司法官（1427～1444）。所著《十二卷本佛罗伦萨人民史》（1610），是第一部以经过校勘的史料为基础的佛罗伦萨史。他用典雅的西塞罗文体的拉丁语翻译了许多希腊古典著作，其中包括柏拉图、亚里士多德和普鲁塔克的作品，这一工作促进了西方对希腊文学的研究。他用意大利语写的但

丁、彼特拉克和薄伽丘的传记,使人文主义运动中人们对意大利诗歌的欣赏日益加深。

Bruniaceae 布龙氏树科 虎耳草目的常绿灌木科,12 属,原产非洲南部。许多种类的习性似帚石南。该科植物细枝和叶丛簇生。*Brunia stokoei* 株高 1～5 米,花红色和白色相间,具毛。*Brunia* 属及 *Berzelia* 属的种类栽培供观赏。

Brüning, Heinrich 布吕宁(1885-11-26,德国明斯特～1970-03-30,美国佛蒙特诺威奇) 德国保守政治家,在希特勒上台前,任总理和外交部长(1930～1932)。由于不能解决德国的经济问题,他置帝国议会于不顾,靠总统法令统治。加速走向右派独裁。工业家之子,1915 年在波恩大学获得博士学位,在第一次世界大战中升任机枪连连长。1920～1930 年任德意志工会联盟业务经理。天主教徒,天主教中央党党员,1924 年起在国会(下院)代表布雷斯劳(今波兰弗罗茨瓦夫)。在国会中,他以金融专家著称。1929 年成为天主教中央党在国会的领袖。1930 年组成保守内阁。由于国会拒绝批准他的施政纲领,他援用魏玛宪法第 48 条执行总统紧急法令,把国会解散。1931 年 10 月兼任外交部长,1932 年辞职。1934 年离开德国,1937～1952 年在哈佛大学教授政治学。

Brünn(Czech Republic) **布吕恩** 参阅**Brno 布尔诺**。

Brunner, Emil 布隆内尔(1889-12-23,瑞士温特图尔～1966-04-06,苏黎世) 瑞士基督教新教正统派神学家。1916～1924 年任瑞士归正会奥布斯塔尔登牧师。1924年任苏黎

美国不列颠百科全书公司供图

世大学系统和实用神学教授。曾往美国和亚洲各地讲学。从 20 世纪 30 年代起关心普世教会运动,1948 年参加世界基督教协进会阿姆斯特丹会议。退休后,1953～1955 年任东京国际基督教大学基督教哲学教授。布隆内尔是新正统派神学的倡导者之一,该派是危机神学针对第一次世界大战后的绝望感而产生的。他提倡 16 世纪宗教改革运动的中心思想,用以抵制自由主义神学。他主张不断调谐神学与人文文化,并认为理想主义、唯科学主义、进化论和自由主义表现了人类的傲慢自大和自我神化,而这些正是现代世界各种弊端的根源。布隆内尔认为要想使非信徒认可基督教必须找出存在于人类理性或自然神学中的普遍基础。

Bruno OF QUERFURT, SAINT **布鲁诺(奎尔富特的),圣**(约974,萨克森奎尔富特[德国]～1009-03-14,普鲁士布劳恩斯贝格附近) 又称奎尔富特的圣卜尼法斯。基督教传教士。曾在萨克森境内马格德堡大教堂学校学习。997 年随神圣罗马帝国皇帝奥托三世赴罗马。当年布拉格主教圣阿达尔伯特殉教,消息传到罗马,布鲁诺参加隐修院,改名卜尼法斯。1001 年奥托三世在拉韦纳附近佩里乌姆地方为布鲁诺建立隐修院,布鲁诺继承阿达尔伯特向普鲁士人传播基督教的遗志,他先派遣小型传教团赴波兰,这批人在途中遇害。布鲁诺为他们作传。教皇西尔维斯特二世任命他为大主教后,他先后谒见日耳曼、匈牙利和乌克兰的君主,请求他们支援传教事业。1004 年他在匈牙利期间为阿达尔伯特撰写传记,该传记是现存阿达尔伯特三种传记中最佳者。他在顿河与多瑙河之间地区的传教活动卓有成效,大批佩切涅格人改信基督教。布鲁诺与另外 18 名传教士前往普鲁士传教,被异教徒杀害。

Bruno THE CARTHUSIAN, SAINT **布鲁诺,圣**(约 1030,科隆～1101-10-06,卡拉布里亚拉托雷隐修院) 天主教加尔都西会创立人。1057 年他蒙大主教杰维斯召唤到法兰西境内兰斯主持大教堂学校兼管主教区内其他学校。后来,由于抗议新任大主教举措不当,布鲁诺被剥夺一切职务,并被迫出走(1076)。该大主教被废黜(1080)后,兰斯城教会向教皇推荐他任大主教,他辞而不就。在格勒诺布尔城主教圣于格引导下,他和其他 6 人到格勒诺布尔附近山中沙特勒斯建隐修院,1084 年创立加尔都西修会。布鲁诺以本笃会规章为基础,加以改动而成该会规章。

Bruno THE GREAT, SAINT **布鲁诺(伟大的),圣**(925,科隆～965-10-11,香槟兰斯) 科隆大主教、神圣罗马帝国共同摄政者之一。他是日耳曼国王亨利一世的幼子,神圣罗马帝国皇帝奥托一世的弟弟。精通拉丁文和希腊文,赞助学术研究。953 年任科隆大主教,不久任洛林公爵。在动荡不安的洛林,布鲁诺发挥其老练的政治才干,恢复和平,设计新的行政机构,同时与法兰西保持融洽关系。962 年奥托一世前往意大利加冕,布鲁诺署理帝国日常政务并照料太子。

Bruno, Giordano 布鲁诺(1548,那不勒斯附近诺拉～1600-02-17,罗马) 16 世纪哲学家、数学家、天文学家。主张无限宇宙与多种世界理论,摒弃传统的地心学说,并超越了哥白尼的太阳中心学说。1562 年他到那不勒斯学习古典文学、逻辑和雄辩术,1565 年进隐修院学习。由于其非正统观点,不久即被怀疑为异教徒。1572 年任教士,同年回隐修院继续从事神学研究。因阅读异教书籍并谈论否认基督神性的阿里乌派(异端),地方教士要对他审判。1576 年他逃亡到罗马,1578 年到日内瓦,以校对为生。正式信奉加尔文派,后来发现基督教新教与天主教一样,是不容异说的。他曾被拘捕,并开除教籍,后又撤销处分,最后允其离开日内瓦。1581 年到巴黎,从事教学。当时正是天主教与胡格诺派斗争时期,亨利三世任他为皇室神学教师。1582 年发表 3 部研究记忆法的著作,还发表一部用方言写的喜剧《制烛者》,生动地揭发了当时社会的腐朽。1583 年春,他携法王亨利三世致其驻英大使介绍信到伦敦,当年夏在牛津大学发表一系列演讲,阐述哥白尼学说。次年开始写意大利文的对话体著作,这是第一次系统地阐述其哲学思想的书。1584 年发表《圣灰星期三晚餐》不仅重申了日心说理论的真实性,还提出宇宙是无限的,是由无数像太阳系所包括的那样的世界组成的。《关于原因、原则和一》(1584)阐述了一种物理学说,即"物质"和"形式"密切地结合起来,构成"一",其宇宙观即以这种学说为基础。因此他将亚里士多德的二元论演绎成一元论。《论无限的宇宙和诸世界》(1584)发展了宇宙论学说,系统地批判了亚里士多德物理学。同时在哲学与宗教的关系方面,系统阐述了阿威罗伊学派观点。认为:宗教是统治无知者的手段,而哲学是统治别人的特权集团的一门学科。《驱逐趾高气扬的野兽》(1584)是他 3 组论道德篇的第一篇对话,讽刺当时的迷信和罪恶,强烈地批判了基督教的道德学,特别批判了加尔文教有关仅因信即可称义的学说。1585 年写出《柏伽索斯飞马通神术》等著作。1585 年 10 月回巴黎,此时政治气氛已变。与天主教徒展开论战,继而公开攻击亚里士多德,被迫离开巴黎,到德国讲学。1588 年出版《160 个题目的对话集》,阐述其宗教思想——所有宗教在互相了解和自由辩论基础上和平共存。1591 年 8 月回到意大利。1592 年 5 月因宣扬异端学说而被捕受审,1593 年 1 月被引渡到罗马监狱。最后教皇克莱芒八世下令对他按顽固异端分子判处。1600 年 2 月 17 日被处死刑。作为哲学家,布鲁诺的理论影响了 17 世纪的科学和哲学思想。自 18 世纪以来,许多近代哲学家吸收了他的学说。作为思想自由的象征,他鼓舞了 19 世纪欧洲的自由运动,成为西方思想史上重要人物之一,也是现代文化的先驱者。

Brunonia 蓝针插属 蓝针插科(Brunoniaceae)唯一的属。仅南方蓝针插(蓝针插,*B. australis*)一种,原产澳大利亚和塔斯马尼亚。为多年生草本植物。株高 30 厘米。头状花序,花蓝色,花冠 5 裂。叶铲形,基生成丛。坚果,含一粒种子。

Brunschvicg, Léon 布兰斯维克(1869-11-10,巴黎～1944-02-02,法国艾克斯莱班) 唯心主义哲学家。认为数学的判断是人类思想的最高形式。参加创办《形而上学和道德评论》(1893)和法国哲学学会(1901)之后,于 1909 年任巴黎大学普通哲学教授,直到 1940 年(1914～1918 年战争年代除外)。在其颇具盛名的博士论文《判断的形态》(1897,巴黎大学)中,基本论点是知识创造了我们所知道的这唯一的世界。认为除判断之外不可能有哲学,判断是精神的第一个活动,它综合概念的形式和内容。哲学必须是思想本身的一种批判性评价,因为只有具有理解力的思想才能接受知识。思想的主要对象是精神本身的

活动而不是概念。其批判的唯心主义研究表现在数学史、科学史和哲学史之中的精神活动。这种看法使他的方法有别于康德的演绎法。通过帮助人们进行进步的自我理解，科学净化人们的良心，因而呈现道德的或精神的面貌。他认为历史是良心的进步，它既意味着良心，又意味着觉悟。其影响在法国及整个欧洲均甚深远。

Brunswick（Germany）　参阅 **Braunschweig** 不伦瑞克。

Brunswick　不伦瑞克　美国佐治亚州东南部城市，格林县县城（1777）。滨临圣西蒙斯海峡和大西洋沿岸水道。1771 年始建，1856 年设市。是一座商业性渔港，水产加工工业发达。海军补给品、纸浆和木材产品等制造业以及以附近戈尔登岛为基础的旅游业，均在经济中占重要地位。设有不伦瑞克初级学院（1961）和格林学院（1778）。北郊的格林科设有联邦执法训练中心。人口 15 600（2000）。

Brunswick　不伦瑞克　美国缅因州西南部坎伯兰县城镇。位于波特兰市东北 42 千米，在安德罗斯科金河瀑布处。1628 年建为商站。1739 年设镇。安德罗斯科金河瀑布为当地伐木、棉纺、造纸、纺织等工业提供动力。但随着 1955 年最后一家纺织厂关闭，结束了纺织时代。现在产品有鞋、儿童服装、美术用品和纸张。1794 年建立鲍登学院，作家 H. W. 朗费罗和 N. 霍桑、总统 F. 皮尔斯均从该校毕业。校园内有纪念探险家 R. 皮里和 D. 麦克米伦的北极博物馆。镇上有 H. B. 斯托故居，她在这里写了《汤姆叔叔的小屋》。附近有冬夏娱乐活动场所。第二次世界大战期间建立的海军航空站，1951 年重新启用。面积 121 平方千米。人口 21 172（2000）。

Brunswick, Ruth Jane Mack　布伦瑞克（1897-02-17，美国伊利诺伊芝加哥～1946-01-24，纽约州纽约）　婚前名 Ruth Jane Mack。美国心理分析学家。S. 弗洛伊德的学生，她深入研究并扩展了弗洛伊德的理论。1918 年毕业于马萨诸塞州剑桥的拉德克利夫学院，因性别原因被哈佛医学院拒绝录取，1922 年从马萨诸塞州梅德福的塔夫茨医学院毕业。后前往维也纳师从弗洛伊德，1925 年开办心理分析诊所。她是维也纳心理分析学会成员并成为心理分析研究所的讲师。其早期最著名的论文之一是关于 1926 至 1927 年间她对弗洛伊德最著名的案例之一"狼人"的不间断治疗。人们普遍认为她是一位出色的，工作方法缜密和有效的临床医师。1928 年 3 月与美国作曲家 M. 布伦瑞克结婚。1938 年夫妻二人离开纳粹占领的维也纳，定居纽约市，她加入了纽约心理学会，教授心理分析技巧以及释梦课程。

Brunswick black　布仑司维克黑　快干黑漆。用于金属特别是铁、火炉、围栏及室内设施表面。由于含有沥青，所以防腐性能良好，漆面美观，漆膜耐久。将预熔沥青或天然沥青溶解在具有适当沸点的溶剂（石油溶剂或松节油）中。添加普通松香将改善漆膜光泽，但要求注意控制加入量，否则漆膜质量将因老化而龟裂或受热变软。添加熟炼亚麻籽油可获得更坚韧的漆膜。作为外部保护漆要求较考究的配方。

Brunton, Sir Thomas Lauder, 1st Baronet　布伦顿（1844-03-14，苏格兰罗克斯堡希尔顿西尔～1916-09-16，伦敦）　英国医师。在使药理学成为一门严谨的科学方面起过重要作用。以发现亚硝酸异戊酯能缓解心绞痛而著名。最重要的著作是《药理学、治疗学及药剂学教材》（1885），这是第一部详尽的药理学论著和课本。

美国不列颠百科全书公司供图

Bruny Island　布鲁尼岛　塔斯曼海中岛屿。与澳大利亚塔斯马尼亚州东南岸相隔有当特尔卡斯托海峡（西）和斯托姆湾（东北）。面积 362 平方千米。分南北两部分，中间有一狭窄地峡相连。1804 年为捕鲸基地。有公路从南至北贯穿全岛，连接辛普森斯湾、阿德文彻湾和阿隆纳以及卢纳瓦纳等居民点。生产水果、谷物、花卉、乳制品。亦有旅游业。接待经凯特林轮渡来自霍巴特的游人。人口 366（1981）。

Brus family（of Scotland）　参阅 **Bruce family** 布鲁斯家族。

Brusa（Turkey）　**布鲁萨**　参阅 **Bursa** 布尔萨。

Brusewitz, Axel (Karl Adolf)　布吕塞维茨（1881-06-09，芬兰维希蒂斯～1950-09-30，瑞典乌普萨拉）　瑞典主要的政治学家，以研究瑞典宪政史和瑞士民主制度的权威著称。随瑞典籍的父母一起从芬兰重新回到瑞典定居。在乌普萨拉大学学习后，于 1913 年任政治学讲师，1906～1920 年在乌普萨拉任省档案馆助理，1919～1923 年任大学教师，1923～1947 年在乌普萨拉任许特安斯克修辞学和政治学教授。他是政府任命的普选委员会成员，并任议会主要委员会助理。他的博士论文《论瑞典 1809～1810 年届议会议员的产生》（1913）和另一著作《论 1809 年宪政危机》（1917）最为著名。在这两部著作中，他革新了瑞典宪政史的研究。他指出：外国政治理论特别是法国思想家孟德斯鸠的理论，对瑞典宪法的起草人产生了影响；瑞典宪法并不是全民一致的反映，而是尖锐对立的各派相互妥协的产物。他还著有《普选制与瑞士民主》（1923）一书，是他为普选委员会所作的研究报告，现被认为是关于这一论题的最佳著作。对瑞典政府和议会在拟订对外政策方面的相对作用以及对英国议会史和瑞典刑法等问题，布吕塞维茨也是权威。

brush　毛刷　把天然纤维或合成纤维装在柄上，用来进行清刷、修饰、擦光、书写或绘画的器具。人类早在旧石器时代（始于约 250 万年前）即已用毛刷绘画，如西班牙阿尔塔米拉和法国佩里格尔的穴居人壁画。早期的埃及人用毛刷创作优美精致的墓画，而古代的中国人则用毛笔书写复杂难懂的汉字，至今仍在东方各国使用。毛刷的用料和制法根据用途而定。猪鬃早已用来制造画笔，其他动物如马、牛、松鼠、獾的毛，则用于某些家庭用的刷子上。植物纤维也用于这些方面，其中最重要的是巴西、非洲和斯里兰卡的棕榈树的纤维，经过浸泡、捣碎和干燥之后，成为制造毛刷的材料。棉花纤维也可制造毛刷，但须经过醋酸处理后，与丙酮中的乙酰渗滤，所合成的溶液通过喷丝头的小孔喷射成丝。制造毛刷的合成纤维，常用尼龙和聚乙烯，但为了适应某种用途，也有用乙烯基和钢丝的。尼龙纤维可制造画笔、发刷和牙刷等。聚乙烯纤维较短，可以做按摩用的刷子。毛刷可根据其用途，分别接合在塑料、金属或木制的手柄上或底托上。画笔一般装在按所需笔形制成的金属包头内。笔毛经修剪捆扎，装入灌有胶泥或胶液的金属包头；胶黏剂凝固时，笔杆和金属包头就结合在一起了。家庭用的刷子是在底托上钻成许多洞孔，把纤维成簇插在里面。

Brush, Charles Francis　布拉什（1849-03-17，美国俄亥俄欧几里德～1929-06-15，克利夫兰）　美国发明家和工业家。发明了电弧灯和具有受负载控制的可改变电压使电流恒定不变的发电机。1878 年他发明的灯装在费城沃纳梅克百货商店，次年在克利夫兰安装了布拉什路灯系统，1880 年纽约市也装了该系统。布拉什电弧灯远胜过俄国帕维尔·雅勃洛奇科夫的蜡烛，因为它的寿命比后者长一倍。布拉什建立了布拉什电气公司，也是林德空气产品公司的创办人和第一任董事长。1899 年因为他在照明上的成就，美国艺术和科学学会授予他朗福德奖章。

brush drawing　毛笔画　视觉艺术技法，指用圆而尖的画笔，蘸墨汁或水彩作画的方法。但也有画家（如德加）采用多量松节油稀释的油画颜料作画。画笔用兽毛制成，一般是西伯利亚水貂毛和松鼠毛，从前也有用雪鼬毛制笔的。毛笔画的起源至少可追溯到约公元前 3 万年，当时，用羽毛画笔、鬃毛画笔或树叶画笔勾划出大致的形状，如西班牙北部的阿尔塔米拉等地的遗址上，尚保存着用毛笔绘成的图画。自文艺复兴以来，在丁托列托、伦勃朗和德拉克洛瓦等大师的作品中，毛笔画已呈现出构图松散和印象主义的倾向。20 世纪中，许多画家仍用毛笔作画，著名的有毕加索、马蒂斯等。历来毛笔画达到最高水平的是中国人、朝鲜人和日本人。在中国这种技法至少可追溯到公元前3世纪。在东亚则是竹杆画笔与松烟墨或水彩颜料结合使用。

brush fire 灌丛火灾 发生在低于1.8米的植被上的火灾。这类植物有禾草、谷物、灌木和幼树等。参阅 **wildland fire**。

brush-footed butterfly 蛱蝶 又作 four-footed butterfly。鳞翅目蛱蝶科昆虫,全球分布。特征为前足退化(似毛刷),用中后足步行,故亦称四足蝶。多数种类翅展37～90

副王蛱蝶(*Basilarchia archippus* 或 *Limenitis archippus*)
美国不列颠百科全书公司供图

毫米。翅白、黄或褐色,有鲜明的斑纹。翅下面常有暗淡的保护色。多数幼虫色泽鲜艳,有瘤状突起、角或分枝的刺。蛹裸露,头朝下倒挂。常见的种类包括角翅蛱蝶、豹纹蛱蝶、丧服蛱蝶、蓟蛱蝶、副王蛱蝶。角翅蛱蝶成虫常有季节性二态现象:秋季世代多毛、色浅及雌雄性的变异。黄绿蛱蝶(*Nymphalis antionpa*)以成虫越冬;幼虫群栖,主要食榆、柳、杨树叶。蓟蛱蝶属(赤蛱蝶属,*Vanessa*)因幼虫主要食蓟叶得名。有些种,如豹纹蛱蝶包括几个属的种类。*Speyeria* 属的种类称为大豹纹蛱蝶或银斑蛱蝶,翅的下表面有银色斑。*Boloria* 属的种类形较小,幼虫夜出活动,以堇、菜叶为食。丧服蛱蝶(*Nymphalis antiopa*)在英格兰称为坎伯韦尔美人蝶,以成虫越冬;幼虫常称多刺榆毛虫,群聚而生,主要为害榆树、柳树及杨树叶。有些种也有雌雄二态现象,雌性颜色不及雄性鲜艳。多数种类后翅下表面有银色斑点。幼虫多刺,为害

丧服蛱蝶(*Nymphalis antiopa*)
美国不列颠百科全书公司供图

榆树、桦木、忽布、荨麻。斑赤蛱蝶(*Vanessa cardui*)的成虫集群迁移,分布全球。副王蛱蝶(*Basilarchia archippus* 或 *Limenitis archippus*),因形似王蝶(**monarch butterfly**)而得名。副王蛱蝶实际上可食,因形似味道不好、捕食者不爱吃的王蝶而免遭捕食。其体形小于王蝶,后翅上有黑色条纹;幼虫取食柳、欧山杨和杨树叶。

brush-tailed possum 帚尾袋貂 一种有袋哺乳动物,结趾鼩(**phalanger**)的一种。

brush wolf 薮狼 参阅 **coyote** 丛林狼。

brushite 透磷钙石 稀有矿物,是一种含水的钙磷酸盐($CaHPO_4 \cdot 2H_2O$)。呈盐霜或细小晶体,无色至淡黄色,透明至半透明。少量产于磷酸盐矿床中,尤其是古代骨骼上的皮壳及鸟粪(海鸟粪)的分解产物。易于脱水生成三斜磷钙石。有关详细物理性质,参阅 **phosphate mineral**(表)。

Brusilov, Aleksey Alekseyevich 勃鲁西洛夫 (1853-08-31[旧历 08-19],俄罗斯梯弗里斯～1926-03-17,莫斯科) 俄国将军。早年以骑兵军官身份在高加索服役,1877～1878年的俄土战争中崭露头角,1906年升任将军。在

美国不列颠百科全书公司供图

第一次世界大战期间,曾率第8军在加利西亚战役(1914秋)中取得光辉业绩。后俄国4个集团军向奥匈军队发动大规模的进攻,以在东方战线胜利地实施"勃鲁西洛夫突破"而享有盛名,并以此在关键时刻支援了西方盟国。到1916年8月,俘虏奥军37.5万名。主要由于这一胜利,罗马尼亚决定加入协约国;奥地利不得不放弃对意大利北部的攻击;德国被迫把确保在凡尔登战役中击败英法的部队调到东方战线。然而,勃鲁西洛夫的进攻并未在东方战线产生决定性的后果。1917年6月4日至8月1日他任俄军总司令。1920～1924年在布尔什维克政府中任军事顾问和骑兵总监。1924年退休。著有第一次世界大战回忆录《一个军人的笔记,1914～1918年》。

Brusque 布鲁斯基 巴西南部圣卡塔琳娜州东部城市。地处伊塔雅伊-米林河谷,在州首府弗洛里亚诺波利斯西北约65千米处。1860年由德国移民建立,现为农业市场中心,还有少量轻工业。出产棉花、蚕丝和纺织品。在20世纪80年代后期,只能通二级公路。人口约53 438(1991)。

Brussels 布鲁塞尔 佛兰芒语作 Brussel,法语作 Bruxelles。比利时王国首都,也是比利时布拉班特省首府。居民约有100万人。布鲁塞尔市分为19个社区,每个社区都有较大的行政自治权。虽然一般外人不会意识到该市的权力分散于各地方政府,但认识到这种情况,正是了解该市当前在都市问题上所遇到困难的关键。例如,自1830年以来,它妨碍表现为居民增多的城市地区扩大得以协调地发展;同时交通问题尤难得到妥善的解决。

更大的问题因该市地理位置而产生。该市位于一条无形的"语言疆界"以北仅数英里处,这条语言疆界将比利时北部使用佛兰芒语的佛兰德地区同南部使用法语的瓦隆地区分隔开。因此,布鲁塞尔是一座在佛兰芒地区包围之中、历史上主要使用佛兰芒语的城市,但目前该市聚居的居民大多数使用法语。作为比利时首都,布鲁塞尔使用的语言由官方严格规定是双语种,在一切公众活动领域,佛兰芒语和法语同时通行。但在20世纪中,布鲁塞尔日益成为佛兰芒人和瓦隆人发生政治冲突的主要地点。部分由于有这些冲突,比利时议会将该国重新划分为佛兰德、瓦隆和布鲁塞尔3个地区。

但布鲁塞尔是比利时的行政、商业和金融中心,所有全国性的重要业务与机构皆以此为基地。此外,布鲁塞尔又是欧洲一个主要的旅游胜地和文化城,同时起着地区都市、国家首都和国际活动中心的作用。自从由欧洲经济共同体(EEC,或称共同市场)、欧洲煤钢共同体和欧洲原子能共同体组成的欧洲共同体以及北大西洋公约组织(NATO)在该市设立总部后,这里作为国际活动中心的作用就更为重要了。

自然地理与人文地理

景观 布鲁塞尔位于比利时中央高原,在斯海尔德(法语作 Escaut)河一条小支流塞讷(佛兰芒语作 Zenne)河的河谷中。因地近北海,所以气候温和,夏季气温通常在20～25 °C之间,冬季气温很少低于0 °C。

从空中俯瞰,布鲁塞尔内城旧镇呈五边形,为现代都市的中央区。但原有城墙已拆除,19世纪中期,即比利时成为独立王国的前后,原城墙所在地建成一圈环城大道。自此,布鲁塞尔的旧镇和周围社区的面貌发生了变化。

各城门外的郊区迅速发展,至19世纪末,由最初建成的社区围成的若干地带,已全部或几乎全部建成居民住宅。城市向各个方向的扩展直到20世纪仍在进行。

除极少数外,昔日池沼塘洼均已填平或围起;河流被覆盖,成为下水道;小树林伐净;田地、牧场和果、菜园都改作开发之用;人行小径不复存在。塞纳河成为主要地下排水道,上面是宽阔笔直的布鲁塞尔内城中央大道,将南、北火车站(分别于1869和1841年建成)连接起来。

自19世纪始,布鲁塞尔居民聚居的地界一再改变。但在20世纪的最后1/3世纪中,因语言和社区的冲突,由法律规定该市范围严格限制在19个法定的市政区之内。

布鲁塞尔内城分为商业区和行政区两部分,主要的政府机关在行政区内。商业区有称为格兰德广场的中古式市场。广场在旧城

镇的中央，有装饰精美的17世纪的市政厅。广场南侧是雄伟的市政大楼，北面是豪华的国王宫，即杜罗伊大厦（1873～1895年几乎全部重建），内辟有历史博物馆。

行政区是内城遗留下的东部地区。有一条横贯西南和东北的主要大道，路旁有皇宫和国家宫。国家宫是1779～1783年由奥地利总督所建，独立后为参、众两院所在地。

人民 1755年布鲁塞尔初次进行人口普查时居民为5.7万人，后来稳步增长，1830年为10.4万人，1900年62.6万人，1930年为89.2万人。1970年其人口达到最高峰，稍多于100万人，但后来又减少至略少于100万人。直至1890年前后，内城居民人数的增加与全城居民增加同步，当时稳定在16万的数字上，20世纪初年，内城居民人数猛减，1910年为14.1万人，1947年为8.4万人，60年代约6万人。2000年，城区约133 859人。1999年，布鲁塞尔首都区1 121 000人。

移民入境一直对该市的人口动向和语言演变有重要影响。19世纪中，入境移民通常来自佛兰德和瓦隆地区，但也有大量的法国移民和较少的德国人。布鲁塞尔原本是一佛兰芒城市，直到19世纪仍然如此，居民中使用法语的仅约1/3。但新来的佛兰芒移民从整体上说属于较低的社会阶层（佣仆与劳工），而瓦隆移民的大多数则属于中等阶级如雇员与公务员。大部分由于社会压力和法国人的声誉，到20世纪中叶，布鲁塞尔人当中的很大一部分人使用法语。据估计，目前布鲁塞尔居民中，至少有3/4主要使用法语。

一般地说，该市西北部分地区居民的佛兰芒语文化生活较为明显，东南部分地区则法语文化较明显。近年来出现了一批新的佛兰芒要人，使比利时首都的佛兰芒语地位有希望改善。

自20世纪60年代中期以来，欧洲经济共同体的西欧移民和来自地中海各国大量的体力劳动者及其家属大大改变了布鲁塞尔的人口构成。1961年，居民中外国人占7%弱，而到了1985年，居民中的外国人已多于25%。布鲁塞尔中央区的移民大部分来自地中海：最初是西班牙、意大利和希腊，后来也有摩洛哥和土耳其人。总的说，这些移民保留其文化特点，例如斯哈尔贝克市政区便有18座清真寺供该区外国居民之用。

经济 19世纪30年代国家独立之初，旧城镇中的食物由邻近乡村供应。后来这些乡村都市化，工业生产、商业和服务业活动取代了农业活动。

主要工业有食品加工与机器制造及电气产品、化工产品和纺织品生产。但白领工人远较蓝领工人为多。布鲁塞尔市内的金融业与服务业雇用的人员占雇员总数2/3以上。

自1822年实力强大的控股公司比利时通用公司成立以来，首都布鲁塞尔便成为比利时的财政中心与主要贸易中心，国内外的银行和保险公司如雨后春笋。因多数比利时大工、商企业在此有注册的办事处，该市成为经济和财务的决策中心。欧洲共同市场在此成立后，许多跨国公司将其地区协调办事处设在市内。布鲁塞尔因有一家大证券交易所及每年举行的交易会而发展成一国际经济中心。

布鲁塞尔居民中有职业的人几近一半，这是因为许多妇女参加工作而提高了就业率。生活水准和消费水准都较高。

布鲁塞尔人口占全国总人口10%，但市内提供的工作职位，占全国参加经济工作的人口的17%，由此可见该市在全国经济上的重要性。布鲁塞尔的劳动力中，有1/3住在郊区；其中2/3以上来自佛兰德，多数人来自讲佛兰芒语的布拉班特省。为缓和愈来愈严重的交通问题以及解决在聚居地区公共交通的困难，该市在1965年开始建筑综合的地下铁道网。第一条线路于1976年启用，现有5条地铁线路延伸到大布鲁塞尔全境。

大布鲁塞尔四周有环市现代化公路，呈辐射状的高速公路与比利时各大城市相连，使本市成为一公路网中心。布鲁塞尔也是比利时铁路系统的枢纽，比利时的铁路是全世界最密集的铁路系统之一。该市的中央车站只有6条地下铁轨，在交通高峰时间，每小时通过车站的列车达100车次。

该市因交通方便，地理上处于西欧中央，故有利于旅游业发展。许多游览欧洲的海外游人都以布鲁塞尔为方便的旅游基地或起点。

行政与社会状况 *政府* 布鲁塞尔是历史上布拉班特公国的首都；比利时独立后，为布拉班特省首府，省议会和省长行政署设在此处。自15世纪以来，布鲁塞尔一直是事实上的国都，1830年成为比利时王国法律上的国都。国王的王宫在市内，位于国家宫对面，国家宫是参、众两院所在地。

比利时宪法规定只同个别社区有关的事务根据特定的原则由地方议会解决。1836年，议会通过社区"基本"法，规定各社区有自治权。因此大布鲁塞尔长期以来由19个独立的社区当局而不是由统一的市政当局管理。

1970～1971年，议会修改宪法，对3个地区（使用佛兰芒语的佛兰德区、使用法语的瓦隆区及使用两种语言的布鲁塞尔区）和社区联合体予以承认。但布鲁塞尔19个社区仍然各有其社区议会、社区行政机构、区长和副区长。各社区的议会是协商性质的，议员由普选产生。副区长由议员在议员中选举产生，区长通常由国王在社区议员中任命。区长是国家元首在社区中的代表，负责检查各种法律和规章的执行情况。他同时是地方负责治安的首长，有权在紧急情况下采取必要措施，以维护并恢复公共秩序。布鲁塞尔的区长在政治上具有举足轻重的作用。

1970～1971年宪法修改案同时还规定成立一个布鲁塞尔聚居区的议会，由直接选举产生，设主席与行政机构。议会被授予特定的权力，如解决都市规划、经济发展、环境问题、消防和救护服务等事宜。由于比利时国家进一步改革计划即将实行，原定1976年的议会选举无限期推迟。国家改革于1980年实施，但由于授予布鲁塞尔地区权限的法律定义被无限期地搁置，都市暂时隶属一个

布鲁塞尔格兰德广场上的市政厅，建于1402～1454年

美国不列颠百科全书公司供图

行政委员会管理,委员会由政府大臣组成,只向国家议会负责。但1980年的立法已决定将布鲁塞尔的文化工作以及保健与福利工作按居民使用之语言,分别置于佛兰芒语区议会和法语语区议会的管辖之下。

公共服务 1830年后随着城市人口的增长和流动性加强,布鲁塞尔的社会服务急剧增加。已有行政部门的扩大,加上新设许多部门(如水、气与电力管理机构,青年与体育部门,老人服务部门,殡葬服务部门,教育与美术部门等),使工作范围扩大、工作效率提高。社区的若干工业管理机构由社区际的合作组织(水、气及电力)所替代。

教育 约半数小学学龄儿童进入所谓免费(即国家津贴、天主教教会兴办的)学校。"国立"学校由地方社区、布拉班特省或比利时国家管理。各家庭可自由选择送其子女人佛兰芒语或法语学校。20世纪50年代,有些社区政府不愿为用佛兰芒语教学的中、小学提供方便,在佛兰芒人中引起不满;甚至到了80年代中期,19个社区中仍有7个不设公立佛兰芒语学校。布鲁塞尔内城在设置学术机构上起了示范作用,最显著的是为1834年布鲁塞尔自由大学的创办及其发展提供了巨额赠款。

文化生活 布鲁塞尔是一个艺术和旅游中心,有各种各样的文化活动。皇家科学院、医学院、法国语言文学院、佛兰芒语言文学院以及许多高等学术机构都设于此,包括国家档案馆最大的分馆、阿尔贝特一世皇家图书馆,以及许多重要的全国性及地区性博物馆。

美术宫是视觉艺术、电影、音乐、文学与戏剧的文化中心。一年一度的比利时伊丽莎白王后国际音乐竞赛享有国际声誉。市内多数社区皆以美术宫为模式在区内设有文化中心,组织展览会、舞台演出和音乐会。

布鲁塞尔的文化史有两个明显的时期,即在勃艮第统治下艺术繁荣的中世纪晚期和19世纪末至20世纪初。城中多数哥特式教堂建于中世纪晚期;19世纪末至20世纪初布鲁塞尔则是文学、戏剧、建筑(费尔德和奥太)和绘画(超现实主义者德尔沃和马格里特)的创作中心。当代的文化生活是世界都市型的,但法国气息最为浓重。最大的剧院有使用法语的国家剧院和国家歌剧院。布鲁塞尔市的佛兰芒语文化居次要地位,但很有生气。

在离市中心不远的苏瓦尼森林和衍生的坎布雷树林美丽的山毛榉丛林中,有许多风景如画的小径。

历史

早期居民点及其发展 *起源* 史籍有关布鲁塞尔的记载最早见于7世纪,当时称为布鲁奥塞拉,意为"沼泽地居民点"。顾名思义,可知该市在6世纪初建时是塞讷河一小岛上的设防碉堡。塞讷河自南向北流向一东西向的贸易通道;这条道路将莱茵地区的城镇如科隆与布吕赫、伊普尔及其他佛兰德郡城镇相沟通。在河流与道路交汇之处,有一在布拉班特公爵保护下的集市和商品交易站。至12世纪,该居民点周围筑起有塔楼和设防城门的城墙。

在12、13、14世纪期间,布鲁塞尔逐渐发展成布拉班特公国的重镇之一。其经济支柱是制造向巴黎、威尼斯和法国出产香槟的地区等交易会出口的贵重编织品。编织物贸易使几个经营商业的家族致富,后发展成7个统治家族,在布拉班特公爵的帮助下得到政治上完全的控制权。这些统治家族不但有权支配商业和市政,而且执行司法长官的权力,在居民发生纠纷时给予裁决,且起到邻近地区上诉法院的作用。当时通行的制度事实上具有强烈的富豪统治的性质。

滥用这种权力产生的弊端引起了在1280、1303、1360和1421年多次猛烈的人民起义。最后一次起义的结果,产生了一个较为公正的行政体制。但是少数显贵人物又逐渐取得政治控制权;到了1719年,还有一次人民起义,起义失败,其领袖安纳森被当众处决。

被占领的数世纪 14世纪最重要的事件是佛兰德伯爵军队对布拉班特公国的入侵、短时间占领布鲁塞尔以及该城解放后立即构筑起有防御工事的巨大城墙(1357～1379)。此城墙一直保存到19世纪上半世纪。

1430～1477年公国被并入勃艮第公爵的领地,在此期间,政治昌明,艺术繁荣。布鲁塞尔成为低地国公爵领地中央行政机构的所在地,又是艺术和文化发达的中心。

于是布鲁塞尔开始美化城市:在市场附近建成市政大楼(1402～1454)以及多座哥特式教堂、天主教堂和库顿堡公爵府。除豪华的建筑物外,还有面积广阔的花园。

15世纪末,发生了一场未遂的、反对当时未登位的神圣罗马皇帝马克西米连一世的叛乱,随后是长期的政治危机。1519～1559年查理五世当政时,布鲁塞尔重新成为首府。成立了3个永久性的政府机构:国家会议、枢密院和财政会议。至16世纪中叶,该市人口增长至近5万人。1561年,开通布鲁塞尔至维勒布鲁克的运河,于是由布鲁塞尔可直接经鲁珀尔河和斯海尔德河到达安特卫普港及北海。维勒布鲁克运河代替了河身窄小而沙泥淤积的塞讷河成为重要的贸易通道。

宗教改革运动也触动了布鲁塞尔。1523年,两位信义宗教派的传教士在此死于火刑柱上,他们是低地国家中最早的新教徒殉教者;后来有更多的信义宗教徒、再洗礼派教徒和加尔文教派教徒受迫害致死。在荷兰叛乱发生期间,从1578～1585年,布鲁塞尔在加尔文教派统治下。其时低地国南方各省(包括今比利时)与北方各省(指今荷兰王国)分裂,向西班牙的哈布斯堡王朝投降,重新信仰天主教。

反对宗教改革时期及阿尔贝特大公与伊莎贝拉的统治(1598～1633)在该市周围留下的政绩是建造了一系列精美的、意大利-佛兰芒巴罗克风格的教堂。17世纪后半期,法国的路易十四多次入侵。1695年,路易十四的军队对布鲁塞尔轰击,大火摧毁了数百座建筑物,包括各种手工艺品的总店在内。在这场灾难性的破坏后,建筑起新市政厅,成为现今格兰德广场旁有历史意义的建筑物。

1746～1748年,布鲁塞尔被法军短期占领,但损失惨重;不过在18世纪后半期,布鲁塞尔作为奥属尼德兰的一部分,得益于该地区普遍性的经济复苏,成为一个金融中心并兴建起新的工业部门。城镇的行政区开展了大规模的都市建设规划,建成皇家广场和布鲁塞尔公园。

1788～1790年发生了反对奥地利皇帝约瑟夫二世政府的班布拉特起义,随后法兰西共和国军队入侵,比利时各诸侯国被法国吞并。拿破仑统治期间,布鲁塞尔的地位下降为法国迪勒省的主要城镇,而且失去对其周围乡村的控制权。

拿破仑在滑铁卢之役失败的结果之一是成立尼德兰联合王国。16世纪南、北各省分裂,这次重新统一持续了15年(1815～1830)。在此期间布鲁塞尔与海牙同为首都。其外貌也有明显的变化,最主要是因为城墙被拆去(1810～1840),修建成条条林荫大道,又挖通布鲁塞尔-沙勒罗瓦运河。

1830年发生革命,比利时取得独立。在国民议会通过的宪法中,在反对荷兰起义时起主要作用的布鲁塞尔被定为比利时首都和政府所在地。该城因政治与行政作用的不断加强而成为重要的经济、金融中心。1846年,人口超过12.3万人,成为比利时公路与铁路的枢纽。其基本设施因有现代化的下水道和供水系统(1854～1855)、发展公共交通运输以及开发新的住宅区而得到很大改善。然而分散的地方行政机构,仅仅由于郊区并入聚居地区而部分地、逐渐地得到调整。但在整个19世纪,布鲁塞尔的显要人物在比利时的全国政治上始终占支配地位。

20世纪 第一次世界大战中,德国从1914年8月至1918年11月占领比利时,当时有许多社会救济活动。布鲁塞尔市市长马克斯以抵抗德国占领者的滥施暴政而闻名。1918年11月18日,比利时军克复首都,4日后国王阿尔贝特一世和王后伊丽莎白重返布鲁塞尔。始于19世纪的布鲁塞尔都市行政机构的扩大,战后继续进行。社区从1878年的9个增至1932年的16个及1954年的19个。

第二次世界大战中,1940年5月18日,布鲁塞尔陷入侵略者德军之手。该市在物质上虽未受到重大破坏,但占领的条件异常严酷。为了便于控制,比利时的德国军管机构首脑里德将军决定按照纳粹建立大都市区的政策合并各社区。他解散所有社区的议会,将领导反抗活动的布鲁塞尔市市长默勒勃罗克撤职,以镇压反对此项措施的激烈行动。然后里德又指定一个以亲纳粹的佛兰芒民族主义分子格劳尔为首的治理委员会。德国人和在第一次世界大战中一样,企图以支持倾向于佛兰芒自治的人的手段分裂国家。虽然真正通敌的佛兰芒人为数无几,但在布鲁塞尔都市中反佛兰芒的情绪高涨起来。1944年9月3日,英军解放了该市。5日后,比利时合法政府从伦敦返回首都。

自第二次世界大战以来,因欧洲经济共同体委员会和理事会办公地点设在布鲁塞尔内城(1958),而北大西洋公约组织总部又从巴黎迁至本市东北面的埃弗尔社区(1967),布鲁塞尔更明显地成为一国际都市。1958

年，该市又成功地举办了一次国际交易会。

然而国内形势却不能尽如人意。因佛兰芒人一直强烈要求在布鲁塞尔市市内的公共事业中使用两种语言，同时反对将主要使用法语的都市区再扩大至邻近的佛兰芒人居住地区，所以该市屡屡成为比利时的佛兰芒人和瓦隆人社区之间发生紧张关系的中心地点。1961 和 1962 年，布鲁塞尔的大街上举行过反对“法国化和领土侵并”的大规模示威活动。为解决此问题，1963 年议会通过一项法律，将首都限制在法定用双语的 19 个社区内，但在 6 个郊区县中为少数使用法语的人提供语言上的方便。使用法语的人亦作出相反的动员，反对所谓的佛兰芒人干涉市政，于 1964 年成立以布鲁塞尔为基地的法语民主阵线。佛兰芒人固然希望阻止使用法语的人扩大影响，而布鲁塞尔操法语的居民也对强加给该市的法律“桎梏”(carcan)感到不满。由于发展迅速，法语民主阵线在 20 世纪 70 年代后期牢固地掌握了政权，但在 80 年代初又同样迅速地衰落下去，因日益加深的国内与国际上的经济危机转移了人们对语言冲突的注意力。步履蹒跚的经济情况亦暂时地使 1962 年开始的、将中央政府权力转移给社区和地区的改革措施趋于停顿。于是关于佛兰芒人和瓦隆人在首都的确切地位问题仍未能解决。80 年代末到 90 年代进行的宪法和行政改革使其与弗兰芒和瓦隆一道成为三大自治区。随着 20 世纪最后十年中欧洲经济共同体(后称欧盟)的不断扩大，布鲁塞尔发展成为“新欧洲”的首都，许多欧盟机构设在该市，包括欧洲议会、欧盟委员会、欧洲联盟理事会、欧洲经济和社会委员会。布鲁塞尔这一名字开始被反对欧洲一体化的人们用于表示贬义，他们为欧盟成员国赋予欧盟机构的权力而感到悲愤。随着欧洲经济和货币的统一，欧洲独立货币欧元的诞生及 90 年代北大西洋公约组织的扩大，布鲁塞尔作为欧洲事务中心必将扮演越来越重要的角色。

Brussels-Capital Region　布鲁塞尔首都区　法语作 Région Bruxelles-Capitale，佛兰芒语作 Brusselse Hoofdstedelijke Gewest。比利时中北部一区，范围与大布鲁塞尔(包括首都布鲁塞尔市在内的都会区)相同。该区是 1995 年根据种族-语言界线所划分的 3 个自治区之一：操法语的瓦隆尼亚(瓦隆区)、操佛兰芒语的佛兰德(佛兰芒区)，以及两种语言都通行的布鲁塞尔首都区。布鲁塞尔首都区设有经选举产生的区议会，在行政上则由 19 个自治社区(市)组成。面积 161 平方千米。人口约 959 318(2000)。

Brussels Classification (library science)　**布鲁塞尔分类法**　参阅 **Universal Decimal Classification**《通用十进分类法》。

Brussels griffon　布鲁塞尔狗　19世纪末叶在比利时由猴㹴(**affenpinscher**)和普通街头狗培育成的一种玩赏狗。体结实，聪明温顺。体高约 18 ～ 20 厘米，体重 4 ～ 5 千克。头半球形，眼大而色深，扁脸、鼻孔向上。红棕色、黑色或红棕色与黑色相间。被毛分两种类型：一种粗而卷曲；一种平滑，称布拉邦松狗。

Brussels lace　布鲁塞尔花边　从17世纪后半叶在布鲁塞尔生产的花边；当时英国商人秘密进口大量这种花边，冒充英国花边(**Angleterre**)出售。这种线轴编织花边(棒槌花

18 世纪下半叶的布鲁塞尔花边
美国不列颠百科全书公司供图

约 1745 年的布鲁塞尔花边
美国不列颠百科全书公司供图

边)具有独特的六边形网眼，其中有 4 边是搓捻合股的，另有 2 边各为 4 个辫花。有时其图案用条状或带状，或条状网状混合的衬底连结起来。所用的线为布拉班特产的优质亚麻线。布鲁塞尔花边以其百花争艳、草木葱茏的图案形成蜿蜒弯曲的宽幅花边著称，用于装饰衣服，是一种在宫廷大量使用的昂贵花边。

Brussels sprouts　汤菜　又称抱子甘蓝。十字花科的一种小甘蓝，即 *Brassica oleracea* var. *gemmifera*，广泛栽培于欧洲和美国。实生苗和幼株似普通甘蓝，其后，主茎可高到60 ～90 厘米，腋芽也发展为小头，形似甘蓝头，但直径仅 2.5 ～ 4 厘米。汤菜可能早在 1 200 年就在比利时栽培，但最早的记载见于1587

小甘蓝(*Brassica oleracea* var. *gemmifera*)
美国不列颠百科全书公司供图

年。喜温和、凉爽的气候，在炎热的气候中会受伤害。味浓，烹调用作配菜。好的汤菜鲜绿色，叶包拢紧密，幼株味更美。富含维生素 A 和 C。

Brustolon, Andrea　布鲁斯托隆(1662-07-20，威尼斯共和国贝卢诺[今在意大利]～1732-10-25)　意大利木器雕刻师，以制作威尼斯巴罗克式家具闻名。所做家具以曲线过多和装饰过分华丽为特色。1677 年到威尼斯学艺，1678 年移居罗马。1680 年回威尼斯，曾为几座教堂雕刻内部装修。后创制出使他成名的家具。1685 年回故乡贝卢诺，嗣后专为教堂作雕刻，作品通常为木雕，偶尔为牙雕。

Brut　布鲁特　中世纪不列颠编年史的统称，追述始于神话中布鲁特时代的英国历史和传说。盎格鲁-诺曼语作家瓦斯的《布鲁特传奇》(1155)即此类编年史之一。最重要的故事改编本可能是莱亚门用中古英语撰写的《布鲁特》(1200)。其著述使故事明显带有日耳曼语味道和英雄色彩，同时标志着英国文学自 1066 年诺曼征服后的复兴。

Brutalism (architecture)　**朴野主义**　参阅 **New Brutalism** 新朴野主义。

Bruton, John　布鲁顿(1947-05-18，爱尔兰都柏林～　)　全名约翰·杰勒德·布鲁顿。爱尔兰总理(1994-12 ～ 1997-05)。曾在都柏林大学学院攻读经济学(1968 年获学士学位)和在国王律师学院学习法律，1970 年成为高级律师。他于 1965 年加入中间派的政党爱尔兰统一党，并于 1969 年被选入爱尔兰议会。除了政治活动以外，他还从事农场主的事业。当 G.菲茨杰拉德于 1981 年领导爱尔兰统一党和工党的联合政府执政时，布鲁顿被任命为财政部长。他还担任过工业和能源部长(1982 ～ 1983)，工业、贸易、商业和旅游部长(1983 ～ 1986)，并再度出任财政部长(1986 ～1987)。他于 1987 年提出的一个有争议的预算案，是导致菲茨杰拉德政府下台的一个重要因素。1990 年布鲁顿被任命为爱尔兰统一党领导人。1994 年他通过与工党和民主左翼党组成联合政府而使他的党重新执政。其联合政府(1994 ～ 1997)参加了 1997 年选举，但选举未果。布鲁顿继续任职总理，

直至众议院选出共和党与进步民主党组成联合政府执政。

Brutus, Dennis (Vincent) **布鲁特斯**（1924-11-28，南罗得西亚索尔兹伯里［今津巴布韦哈拉雷］～2009-12-26，南非开普敦） 诗人。其作品大多以本人及其黑人同胞在南非的苦难遭遇为中心。在南非从事英语和阿非利堪斯语教育达14年。因直言抗议种族歧视（隔离）而被判处18个月监禁，并被剥夺任教、写作、出版以及参加社交或政治集会的权利，同时也被迫中断威特沃特斯兰德大学学业。1966年离开南非，定居英国，后任教于美国丹佛大学。1971年任伊利诺伊州西北大学非洲文学教授。1983年，在经过持久合法斗争之后，获得以政治难民的身份居留美国的权利。第一部诗集《警笛、铁拳、靴子》（1962）出版于尼日利亚。虽然他的作品多属"抗议"诗，但也体现了他的成熟和克制精神，并非自我怜悯之作。《自南非狱中寄玛尔扎的信和其他诗篇》（1969）记述了他身为政治囚徒时的孤寂和悲惨遭遇，甚至在这样的作品中，也表现了他的自制力，善于将愤懑与温情融为一体。后来的作品还有《一个简单的欲望》（1973）、《中国诗抄》（1975）以及《执拗的希望》（1978）等。

Brutus, Lucius Junius **布鲁图**（活动时期公元前6世纪末） 古代历史中的传说人物。据说公元前509年他把埃特鲁斯坎暴君卢西乌斯·塔奎尼乌斯逐出罗马，然后建立罗马共和国。同年当选为第一任执政官。他的几个儿子参与塔奎尼乌斯复辟的阴谋，他将他们处死。后在与埃特鲁斯坎人作战时，他与塔奎尼乌斯之子决斗而死。

Brutus, Marcus Junius **布鲁图**（公元前85～前42，马其顿菲利皮附近［今在希腊］） 公元前44年3月刺死罗马独裁者尤利乌斯·凯撒的密谋集团领袖。公元前49年罗马发生内战时，他加入庞培的军队。次年庞培败死，凯撒宽恕了他，先后任命他担任山南

美国不列颠百科全书公司供图

高卢总督（前46）和市行政长官（前44）。然而，他仍旧反对凯撒的独裁统治，企图恢复共和政体，因而参加刺杀凯撒的密谋。行刺5个月后，在凯撒派司令官安东尼的逼迫下，他和卡修斯逃往马其顿，在那里招兵买马，与安东尼相抗衡。公元前43年2月，元老院授予他和卡修斯以东方最高司令官的职权。在菲利皮战役的第一次交锋中，他们击败屋大维指挥的凯撒派军队。但3星期后的第二次战斗中（公元前42-10-23），他们的军队却被安东尼和屋大维的联军彻底击溃。布鲁图见大势已去，终于自杀。他是一个斯多葛派学者，写过许多哲学论文和文学作品，但这些著述均已佚失。只有他同著名演说家西塞罗相互通信的9卷本《书信集》中的2卷留存至今。

Brutus Albinus, Decimus Junius **布鲁图·阿尔比努斯**（？～公元前43） 罗马将军。曾参与刺杀独裁者尤利乌斯·凯撒。最初，他随凯撒在高卢任军职，后奉命统率凯撒的舰队。公元前49年在凯撒与庞培相争的内战期间，他率领舰队围攻马西利亚（今法国马赛）。公元前48年凯撒任命他为山外高卢总督，并且指定他为候补继承人之一。公元前44年3月参与刺杀凯撒后，他离开罗马，为共和派去占领山南高卢，被安东尼围困在穆蒂纳。公元前43年4月元老院的军队为他解围。接着，元老院命他指挥与安东尼作战的全部军队。他将安东尼一直追到纳尔榜南西斯高卢境内。但由于士兵倒戈，全军溃散。他企图逃往马其顿，但在中途被哥特人首领擒获，后由安东尼下令处死。

Bruun, Malte Conrad (geographer) **布戎** 参阅 **Malte-Brun, Conrad 马尔特-布戎**。

Brüx (Czech Republic) **布吕克斯** 参阅 **Most 莫斯特**。

Bruxelles (Belgium) 参阅 **Brussels 布鲁塞尔**。

Bruyère, Jean de la **布吕耶尔** 参阅 **La Bruyère, Jean de 拉布吕耶尔**。

Bry, Theodor de (German) **布里**（1528，列日［今在比利时］～1598-03-27，美因河畔法兰克福［德国］） 佛兰芒出生的德国雕版家及编辑。布里为了逃避西班牙人对佛兰芒新教徒的迫害，自1570～1578年在斯特拉斯堡定居，后迁至美因河畔的法兰克福，设立了一个雕版及出版坊。他曾两次访问伦敦，并在那里为《嘉德骑士团的行进队伍》制作插图12张，为《菲利浦·悉尼爵士的葬礼》制图34张。他结识了英国地理学家R.哈克卢特，在后者的协助下，为航海旅行集《东印度群岛与西印度群岛游记》（1590～1634）的精美插图搜集资料，后由他的两个儿子J. T.德·布里（1561～1623）和J. I.德·布里（约卒于1611年）继续工作，但仍未完成，直到1634年由老梅里安续成。老布里的雕版作品中还有一套为哈里奥特所著《弗吉尼亚新发现地区简明而真实的报告》（1595）镌刻的插图。

Bryan **布赖恩** 美国得克萨斯州中东部城市，布拉索斯县县城（1843），位于休斯敦西北159千米处。19世纪20年代始有人定居，1855年正式建为城市。经济以植棉、乳制品业和饲养家禽为主。20世纪80年代经济发展多样化，是高科技产业和国防相关制造业中心。市内有得克萨斯农业机械大学（1876）和农业实验站。拥有日益扩大的工业基础。得克萨斯国际高速公路经过该市东郊。人口：市约67 774（2003）；布赖恩-科利奇站都会统计区约152 415（2000）。

Bryan, Kirk **布赖恩**（1888-07-22，美国新墨西哥阿尔伯克基～1950-08-22，怀俄明科迪） 美国地质学家和地貌学家，创见性地解释了干旱气候带中现代地形的形成因素。1912～1926年任职美国地质勘探局时，研究了干旱和半干旱地区的水资源问题。1926年起在哈佛大学任教，1932年协助引进研究古老地层中花粉的方法，用以恢复北美更新世（160万年前至1万年前）的气候。这一技术在当时北美还是鲜为人知的。他还提出，霜冻和冰冻对土壤和岩石建造顶部的作用应当揭示出关于气候的很多信息，并且创造了概括寒冷气候对土壤影响的专门术语——冻土学。

Bryan, William Jennings **布赖恩**（1860-03-19，美国伊利诺伊塞勒姆～1925-07-26，田纳西代顿） 美国民主党和平民党领袖，颇有吸引力的演说家，3次竞选总统均未成功

美国国会图书馆供图

（1896，1900，1908）。尽管布赖恩的敌人把他看成是一个野心勃勃、蛊惑人心的政客，他的支持者却认为他是毕生为自由主义事业奋斗的战士。他在促使美国终于采纳普选参议员、征收所得税、成立劳工部、禁酒以及妇女选举权等改革中起了作用。在他整个经历中，他的中西部的渊源，使他明显地支持农民的利益，而反对东部城市的利益。1883～1887年在杰克逊维尔开业当律师，后迁往内布拉斯加的林肯城。1890年他在内布拉斯加被选入美国国会。他反对高额关税，被人认为是领导自由铸造银币运动（复本位制）的全国领袖；这个运动反对主张金本位的东部银行家和实业家的"硬通货"政策。1894年竞选美国参议员失败，其后两年他担任《奥马哈世界先驱报》的编辑。布赖恩一生经历的顶峰无疑是

1896年的总统竞选运动。在芝加哥的民主党全国代表大会上，他发表的著名的“黄金十字架”演说（1896-07-08），使他在36岁时即被提名为总统候选人。他提出的医治1893年大恐慌后出现的经济萧条的万灵药方，就是实行“低利贷款”政策，这个政策的基础是按白银与黄金16:1的比率无限量地铸造银币。根据这个纲领，他也接受了平民党和全国白银党的提名。在紧接而来的总统竞选运动中，他行程1.8万英里以上。经过27个州，吸引了人数众多而又热情的追随者。但是，资财雄厚的共和党竞选机构为W.麦金利赢得了271张选票，而布赖恩只有176张。布赖恩1900年又再次败于麦金利，1908年又败于W.H.塔夫脱。为了报答布赖恩在为W.威尔逊取得民主党提名中所起的作用，1913年他被任命为国务卿，尽管他在外交方面缺乏经验，但他支持通过仲裁避免战争。有31个国家在原则上同意他提出的一年“冷却”期的建议，以便让一个国际委员会来研究争端。具有讽刺意味的是，在这期间，第一次世界大战爆发。布赖恩公开宣称自己是一个和平主义者，最后终于因威尔逊向德国发出第2个照会（1915-06-08）以抗议击沉“卢西坦尼亚”号而辞职。但在美国最终宣战时，他却强烈地要求人们忠诚地支持战争。结束他一生的最后一个插曲是1925年7月的斯科普斯审判案。布赖恩坚决主张对《圣经》做字面上的解释，因此他前往田纳西州的代顿城协助审理对一位教师的控诉案。这位教师被指控讲授达尔文主义或人的进化起源，而不讲上帝造人。C.达罗是首席辩护律师，于是这场基要派和现代派神学之间戏剧性决斗的审讯吸引了全世界公众的注意。J.T.斯科普斯被裁决有罪并被罚款（后被驳回）。布赖恩在这场法庭论战中过分疲劳和激动，在审理后不久即病逝。

Bryan-Chamorro Treaty　《布赖恩-查莫罗条约》（1914-08-05）　美国同尼加拉瓜签订的条约。条约规定：美国享有开凿尼加拉瓜运河的权利、在丰塞卡湾建立海军基地的自由，以及长期租借加勒比海科恩群岛的权利。尼加拉瓜诸邻国抗议条约危及它们的安全，中美洲法院支持抗议；而美国和尼加拉瓜却不予理睬，条约继续有效。但美国仅在科恩群岛上建造了一座灯塔。

Bryanka　布良卡　又拼Brianka。乌克兰东部卢甘斯克州城市。位于顿涅茨盆地卢甘河支流洛佐瓦亚河畔。1889年初建时原为一矿工村。1962年设市。现仍有众多煤矿，并有钻探设备和钢筋混凝土预制件厂。设有几所专业学校。人口约65 000（1994）。

Bryansk　布良斯克　又拼Br'ansk或Briansk。俄罗斯西部一州。面积3.49万平方千米。位于杰斯纳河流域。北部和东部为混叶林覆盖的丘陵地带。其他绝大部分土地均已开垦。农业高度发达，盛产粮食作物和经济作物。除首府布良斯克外。均为一些小城镇，主要从事农产品加工和机械制造业。境内开采铁矿。人口约1 464 000（1991）。

Bryansk　布良斯克　俄罗斯西部布良斯克州首府。在杰斯纳河同博尔瓦河交汇处的下游。1146年首见记载。扼莫斯科与乌克兰商道要冲，战略地位和地理位置重要。16世纪曾为俄罗斯南部边界要塞。现为主要工业中心，有多种大型机械制造、建筑材料、水泥和日用消费品工业。是通往莫斯科、维亚济马、斯摩棱斯克、戈梅利、基辅和奥廖尔等6条铁路线的枢纽站。沿线有工业卫星城镇。人口约458 900（1991）。

Bryant, Sir Arthur (Wynne Morgan)　布赖恩特（1899-02-18，英格兰诺福克德辛厄姆～1985-01-02，威尔特郡索尔兹伯里）　英国历史学家、传记作家，尤以所著3卷本《塞缪尔·佩皮斯传》著称（1933、1935、1938）。第一次世界大战时18岁即成为空军飞行员。牛津大学毕业。1923～1925年任剑桥工艺学校校长。1925～1936年在牛津大学业余补习班教授历史。初期著作有《查理二世传》（1931）和《麦考莱传》（1932）。在第二次世界大战期间开始写英国史：《忍耐的年代，1793～1802》（1942）、《胜利的年代，1802～1812》（1944）、《体面的时代，1812～1822》（1950）。他对美国历史很有兴趣，著有《美国的理想》（1936）。另外还写过《乔治五世传》（1936）、《纳尔逊传》（1970）等。1954年封为爵士。

Bryant, Bear　布赖恩特（1913-09-11，美国阿肯色金斯兰～1983-01-26，亚拉巴马塔斯卡卢萨）　美国大学橄榄球教练。1936～1940年在亚拉巴马大学、1940～1941年在范德比尔特大学任副教练；第二次世界大战期间在海军服役后，于1945年任马里兰大学主任教练。1946～1953年在肯塔基大学任教练，所训练的队胜60场负23场平5场。第二次世界大战后橄榄球季后邀请赛日益流行，成为布赖恩特教练生涯的重要部分，他一共指挥了29场这种比赛。1954年任得克萨斯农业及机械大学教练，第1年该校队十战九败，但其后3个赛季中仅4次失利，并获西南联赛冠军。1958年返回亚拉巴马大学后，共训练出6个全国第一流的球队。该校队在常规赛季比赛中共胜323场负85场平17场，打破了A.A.斯塔格保持多年的教练纪录。

Bryant, William Cullen　布赖恩特（1794-11-03，美国马萨诸塞卡明顿～1878-06-12，纽约市）　美国山水诗人。早期清教徒移民的后代。16岁进入威廉斯学院二年级。因经济问题和想进耶鲁大学中途辍学。后未能进入耶鲁大学，在私人指导下学习法律，21岁时获准开业，当律师近10年，该职业为他终身所厌。26岁时结婚，夫妇幸福地生活了近半个世纪。1825年迁居纽约，任《纽约评论》编辑。1827年起任《晚邮报》编辑；1829年成为总编辑和股东之一，并一直担任该职直到去世。17岁时写成《死亡观》，1817年发表在《北美评论》上。在这一使他成名的诗作中，他抛弃清教派教义而主张自然神论。此后，他成为唯一神教派信徒。他同时脱离联邦党而加入民主党并将《晚邮报》变成自由贸易、劳工权利、言论自由和废奴运动的喉舌。曾

美国不列颠百科全书公司供图

参加自由土壤党，后成为共和党的创始人之一。作为一个文人，布赖恩特在27岁发表《诗集》（1821）而为自己确立了地位。晚年用大量时间从事翻译。他因在《死亡观》和《致水鸟》中歌颂了他的家乡伯克希尔的山水而为人们所怀念。

Bryce (of Dechmont), James Bryce, Viscount　布赖斯（1838-05-10，爱尔兰贝尔法斯特～1922-01-22，英格兰德文锡德茅斯）　英国政治家、外交家和历史学家。牛津大学三一学

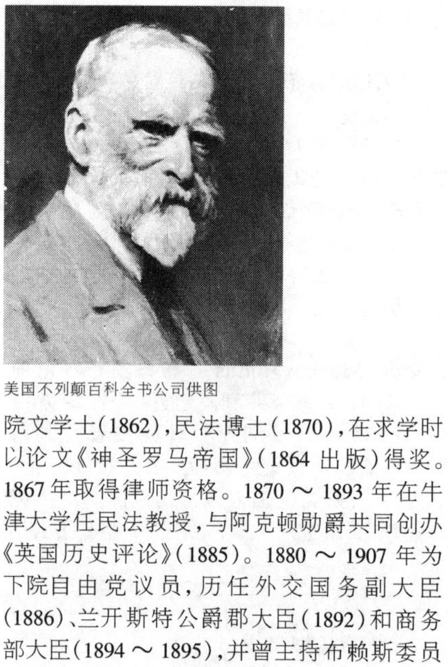

美国不列颠百科全书公司供图

院文学士（1862），民法博士（1870），在求学时以论文《神圣罗马帝国》（1864出版）得奖。1867年取得律师资格。1870～1893年在牛津大学任民法教授，与阿克顿勋爵共同创办《英国历史评论》（1885）。1880～1907年为下院自由党议员，历任外交国务副大臣（1886）、兰开斯特公爵郡大臣（1892）和商务部大臣（1894～1895），并曾主持布赖斯委员会，提出设立教育部的建议。1905年任爱尔兰事务大臣。1870年初次访美，1907～1913年任驻美大使。他在美国政界、教育界和文学界交结许多朋友，以《美利坚共和国》（3卷，1888）一书受到美国群众的欢迎。作为大使，他努力改善美国和加拿大的关系，同时也改善了英国和加拿大的关系，使加拿大接受了1908年4月4日的美英仲裁协议。1914年封子爵。同年任海牙国际法院法官。第一次世界大战期间，负责调查德国在比利时和法国所犯下的罪行。主张建立国际联盟。

Bryce Canyon National Park　布赖斯峡谷国家公园　在美国犹他州南部。其实不是峡谷，而是一系列冰斗。内有侵蚀成的白色和橙黄色石灰岩和砂岩石柱和石壁。部分地区原为国家自然保护区。1928年设为国家公园。边缘地带有森林、草地和北美艾灌丛。

布赖斯峡谷国家公园
美国不列颠百科全书公司供图

较低地区主要有矮松和犹他桧。禁猎区多哺乳动物和飞禽。

Brydges, James　布里奇斯　参阅**Chandos, James Brydges, 1st duke of 钱多斯公爵（第一）**。

Brydges, Sir Samuel Egerton, 1st Baronet 布里奇斯（1762-11-30，英格兰肯特伍顿～1837-09-08，日内瓦）　英国作家和系谱学家，以编印伊丽莎白时代和17世纪的善本书闻名，其中较著名的有：E.菲利普斯的《诗人园地》（1800）和R.格林的《小有才气的格林》（1813），前者为一文艺批评杂著，后者为一自传体小册子。还编辑过A.科林斯的《英国贵族》一书。1814年受封从男爵。

Bryennios, Philotheos　布里恩尼奥斯（1833，伊斯坦布尔～1914，伊斯坦布尔）东正教神学家、都主教。1873年在伊斯坦布尔发现一批手稿，其中包括基督教早期重要文件《十二使徒遗训》、罗马的圣克雷芒致哥林多教会的两封信等重要经籍。《十二使徒遗训》共16章，主要论道德和教会礼法，早期教会著作中曾提及此书，原以为早已失传。

Bryennius, Nicephorus　布里恩尼乌斯（1062，拜占廷帝国阿德里安堡～1137，君士坦丁堡）　拜占廷军人、政治家、历史家，著有康尼努斯皇族史。他是阿历克塞一世·康尼努斯皇帝的亲信。他给阿历克塞一世"恺撒"这一头衔，同时还辅佐阿历克塞挫败由布永的戈弗雷率领的第一次十字军对君士坦丁堡的进攻（1097）。1108年代表阿历克塞同安条克大公博希蒙德进行和谈。1116年打败伊科尼乌姆的塞尔柱苏丹马里克沙。在其岳母伊林娜皇后的建议下，他曾撰写11世纪特别是1070～1076年的康尼努斯家族编年史（《历史资料》）。布里恩尼乌斯这一史作，博采其父辈等的轶闻、官方档案以及M.普塞洛斯、J.西里泽和M.阿塔雷阿提斯等人的著作，风格明快，文笔简洁；所持观点则深受皇族影响，而他与皇族的密切关系，也正好为他提供了非同寻常的获取资料的方便之门。

Bryggman, Erik　布吕格曼（1891-07-02，芬兰图尔库～1955-12-21，图尔库）　芬兰建筑师，以将现代功能主义建筑思潮介绍到芬兰而闻名。早年在图尔库艺术协会的设计学校学习。1916年毕业于赫尔辛基工业学院。随即参加若干重要的设计，如赫尔辛基战争纪念馆。1929年他与芬兰建筑师A.阿尔托组织一个庆祝图尔库城建城700周年纪念的展览会，被认为是芬兰现代建筑的开端。30年代设计的建筑主要有：维耶鲁迈基体育俱乐部（1930～1936）、图尔库学院图书馆（1935），以上两者均以不加装饰的光洁外表面而引人注目；他最重要的作品为图尔库公墓礼拜堂（1938～1941），该建筑利用功能主义的手法，尤其把投入室内的光线作为建筑的一个组成部分，创造出了一种激动人心的强烈感染力。后期作品在运用地方材料和传统形式上表现

布吕格曼设计的图尔库公墓礼拜堂
美国不列颠百科全书公司供图

出浪漫主义的色彩，如图尔库学院的化学实验室和学生俱乐部（1948～1950）、里希迈基的水塔（1951～1952）等。

Brygos　布赖格斯　又拼Brygus。在公元前6世纪末或前5世纪初制作的几件红绘陶杯和陶瓶上发现有此署名。因不知是陶工还是画师的名字，故常称作陶工布赖格斯或画师布赖格斯。以现藏巴黎罗浮宫的基里克斯陶杯（通称"布赖格斯酒杯"）而享盛名。杯上画有《特洛伊的浩劫》，约为公元前490年的作品。据认为由画师布赖格斯绘饰的器皿还有一只基里克斯陶杯，画有"持双柄无脚碗的青年"；一只杯子，画有"狄俄尼索斯与一群酒女和萨堤罗斯"；另一只杯子，画有"萨堤罗斯进攻伊里斯和赫拉"。画师布赖格斯以绘画酒会场景和较正式的神话场景而闻名，人物神态自然，服饰飘逸，同古希腊的古典时代早期风格一致。

布赖格斯酒杯上画的《特洛伊的浩劫》（细部）
美国不列颠百科全书公司供图

Bryher　布赖尔（1894-09-02，英国肯特马盖特～1983-01-28，瑞士沃韦）　原名安妮·威尼弗雷德·埃勒曼。英国女小说家、诗人、评论家，以所著历史题材的小说而闻名。她同时还是无声电影的权威杂志《特写》的共同创始人和编辑之一。其父约翰·埃勒曼是英国船王。她与父母游遍欧洲、中东及地中海各地。因不愿以其显赫家姓影响出版商和批评家，故以她喜爱的锡利群岛的小岛布赖尔为笔名发表作品。虽然布赖尔写有一些诗歌和非小说类作品，其中包括《苏俄电影问题》（1929），但主要是她的历史小说使她受到评论界的欢迎。它们包括《贝奥武甫》（1948）、《十月十四日》（1952）、《演员的情人》（1953）、《鲁安》（1960），均以英国各历史时期为背景；而《罗马墙》（1954）和《迦太基的铸币》（1964）以罗马帝国为背景。布赖尔因以生动的艺术手法准确地再现了处于各个变动、混乱和冲突时期的古代文化而著称。

Brynner, Yul　布里纳（1920-07-11？俄罗斯苏维埃联邦社会主义共和国萨哈林岛～1985-10-10，美国纽约州纽约）　原名Taidje Khan。美国舞台演员和电影演员，主要以在《国王与我》中扮演暹罗国王而闻名。蒙古采

矿工程师和罗马尼亚吉普赛女郎之子，13岁当夜总会民谣歌手，后在法国一马戏团任杂技演员。一次事故使他中断了空中飞人的表演事业。20世纪40年代初期参加巡回演出团，开始其演戏生涯。1946年开始在百老汇舞台饰《诗琴歌声》中的东方王子，崭露头角。从1948年起任电视导演，直至1951年在罗杰斯和哈默斯坦的音乐喜剧《国王与我》中扮演暹罗国王一角为止。他的演出立刻博得了观众的赞赏，从1951～1954年他在百老汇连演暹罗国王达1 246场。1956年《国王与我》搬上银幕，片中的国王仍由他扮演，他因演这一角色而荣获奥斯卡最佳男演员奖。他继续演暹罗国王，总共演了4 625场，直到1985年才向观众作了最后一次谢幕。他还主演了电影巨片《十诫》和《阿纳斯塔西娅》(两片均于1956年完成)，《卡拉马佐夫兄弟》(1958)和《七条好汉》(1960)等。

bryony 泻根 葫芦科泻根属(*Bryonia*)植物的统称，大多是草本或攀缘藤本，原产欧亚大陆。白泻根(克里特泻根或雌雄异株泻根[*B. cretica*或*B. dioica*])的根肉质，白色粗

白泻根(*B. cretica*)
美国不列颠百科全书公司供图

壮；叶大，分裂；花淡黄色，成穗着生于叶腋；浆果小，红色。在北美，白泻根一词指*B. alba*，它与克里特泻根的区别是雌花和雄花同株以及浆果黑色。克里特泻根曾用作泻药及利尿药，含有毒生物碱——泻根苷。

bryophyte 苔藓植物 苔藓植物门(Bryophyta)的绿色无种子的陆生植物，至少18 000种，可分为3纲：藓纲(Bryopsida或Musci)、苔纲(Hepatopsida或Hepaticae)和角苔纲(Anthotopsida或Anthocerotae)。大部分苔藓植物高2～5厘米，但少数种高达30厘米。苔藓植物广布世界各地，从极地到热带均可见。在潮湿的环境中最为繁茂，但并无海生者。苔藓植物对长期干燥和冰冻的条件均极能耐受。泥炭藓属(*Sphagnum*)的种类对人类有重要的经济价值，可用于农业、园艺业，也是能源。某些苔藓植物用作观赏植物，如在苔藓植物园内。

在大自然中，苔藓植物在贫瘠的地形启动土壤的形成，保持土壤的湿度，并使营养物质在森林植被中反复循环。苔藓植物可见于岩石上、原木上和森林的枯枝落叶层上，其生长形式与可获得的湿度和阳光等条件有关。苔藓植物与微管植物不同之处是每个孢子体只产生一个孢蒴(而微管植物的孢子体可产生多个孢子囊)。与微管植物相反，苔藓植物的配子体发达，而孢子体退化。苔藓植物生活史中，成熟的配子体阶段常具有叶状的器官。在某些苔类和角苔类，成熟的配子体形稍扁平或甚为扁平(原植体)，常紧贴在基质上。大部分苔藓植物的配子体常以丝状的假根固定在基质上；假根主要是固着器官，兼有吸收作用。孢子体通常为一年生，在不同程度上依附于配子体以吸收营养和水分。孢子体的茎状结构上有孢蒴，孢子从孢蒴中散出。孢子萌发后形成配子体——片状的叶状体或有茎叶分化的茎叶体，孢子体在配子体上发育。苔藓植物也能通过配子体的片段或能像孢子一样出芽萌发的特化细胞进行营养繁殖。疑为最早期苔藓植物的化石发现于晚泥盆纪(3.74亿年前至3.60亿年前)，形似苔纲叉苔目(Metzgeriales)植物。

bryozoan 苔藓虫 参阅**moss animal** *苔藓动物*。

brytenwalda(Anglo-Saxon ruler) 参阅**bretwalda** *盎格鲁-撒克逊盟主*。

Brythonic languages 布里索尼诸语言 现代凯尔特语的两个语支之一；另一支为戈伊迪利语。布里索尼诸语言(源自威尔士语brython"布立吞语")现在和过去都通行于大不列颠岛上，包括威尔士语、康沃尔语以及布列塔尼语。布里索尼语支与戈伊迪利语支的区别在于：凡是戈伊迪利语使用k音(拼写作c，更早些时为q)的地方，布里索尼语就出现p音，两者都是从印欧母语*k^w衍生而来的(星号表示一个语音的假想及构拟形式)。因此，布里索尼诸语言有时也被称作P-凯尔特语。

Bryullov, Karl Pavlovich 勃留洛夫(1799-12-12，俄罗斯圣彼得堡～1852-06-11，教皇国罗马附近的马尔夏诺[意大利]) 原名Charles Bruleau。俄国画家。他把精湛的技巧、学院派的古典主义教育与浪漫主义的奔放气质结合到一起，创作出一些代表当时俄国艺术的杰出作品。他出身于法国胡格诺教派家庭，父亲为雕刻家，1821年改为俄国姓。1809～1821年勃留洛夫在圣彼得堡美术学院受教育，1823年赴意大利进修，在那里绘出他最著名的巨幅画《庞贝城的末日》(1830～1833)，这幅作品使他驰誉全球。他虽然画了其他一些大型历史题材的油画，但皆不如《庞贝城的末日》成功。他一直盛名不衰，主要是由于画了一些颇为精彩的人物肖像，以及水彩画和旅途素描。

Bryusov, Valery Yakovlevich 勃留索夫(1873-12-13[旧历12-01]，俄罗斯莫斯科～1924-10-09，俄罗斯苏维埃联邦社会主义共和国莫斯科) Bryusov又拼Briusov。诗人、小说家、剧作家、翻译家和俄国现代派先驱。出身于富商家庭，19世纪90年代对法国象征派诗

美国不列颠百科全书公司供图

歌发生兴趣。他出版的《俄国象征派》(1894～1895)包括俄国象征派作家创作的诗和译诗(魏尔兰、兰波、马拉梅)，首次获得评论界的承认。这部著作是俄国现代派运动一个重要的里程碑，此后他成为俄国象征派公认的领袖，并编辑该派的主要杂志《天平》(1904～1909)。他创作的10卷诗歌集中最重要的作品发表在1895～1921年间，如《第三班值勤》(1900)、《致城市和世界》(1903)及《花环》(1906)。他在其关于历史和神话的隐秘的情诗中，显示了一个诗人的高超技巧和学识。然而他的绚丽多彩、充满理智的诗歌，也表露出了冷漠、超然和人为的痕迹，在创作的后期尤为明显。他的散文体小说有长篇小说《愤怒的天使》(1908)和《胜利的祭坛》(1913)。1910年他同象征派运动决裂后，从事文学教学工作；俄国革命后，他在教育和出版岗位上工作，直至去世。他以一位曾提高了俄国诗歌地位的翻译家、评论家和散文作家的名声而为人们铭记。

Brzozowski, Stanisław (Leopold) 布若佐夫斯基(1878-06-28，俄罗斯帝国波兰海乌姆附近的马济阿尔尼亚[今在波兰]～1911-04-30，意大利佛罗伦萨) 波兰评论家、小说家和剧作家，被认为是20世纪波兰文学的主要人物。第一部小说《火焰》(1908)描写与秘密组织"土地与自由"密切相关的俄国革命运动。他的《独处众人中》(1911)是一系列企图将"欧洲的哲学意识和政治意识相互转化"的实验性作品的第一卷。第三部小说未完成即逝世。他的哲学信念最好地表达在他的评论著作《青年波兰的传说》(1909)中。

Brzozowski, Tadeusz 布若佐夫斯基(1749-10-21，波兰马尔堡～1820-02-05，俄罗斯帝国波兰普沃茨克) 天主教耶稣会恢复后的第一任总会长。他于1765年加入耶稣会。俄国吞并波兰后，波兰和俄国境内耶稣会继续存在，他于1805年被选为两地耶稣会分会会长。1814年教皇庇护七世宣布在世界各地恢复耶稣会，任命他为第19任总会长。他任职期间，1815年耶稣会被俄国政府取缔，但在世界其他许多地方获得迅速发展。

BSP test 参阅**Bromsulphalein test** *溴磺酞钠试验*。

Bstan-'gyur 《丹珠尔》 又拼Tangyur。藏语，意为对佛语的论述，注释。藏文大藏经的三部分之一，即论藏。内收书3 600种，225

卷，是藏经的续编。丛书约1/6(但几乎占卷数的2/3)是大乘教经典的论著；其余大部分是有关密宗金刚乘中仪轨和静修的著述。除对经文本身的论述、注疏外，还有关于文法、逻辑、医药、星相学之类的著述和高僧大德的传记。1995年中国藏学研究中心出版了《中华大藏经·丹珠尔》(藏文)对勘本第一部。

BT Tower　英国电信塔　原称邮政塔和伦敦电信塔。位于伦敦卡姆登自治市布卢姆斯伯里区，是一座标志性建筑。建于1961～1965年，建筑师E.贝德福德设计，连同天线杆(高12米)塔高189米。用于英国电信的无线电通讯和广播。原为著名旅游景点，在1971年一次由恐怖分子实施的爆炸后，该建筑停止对外开放。

BTU　参阅 **British thermal unit** 英制热单位。

Bū Saʻīd DYNASTY　参阅 **Āl Bū Saʻīd dynasty** 布·赛义德王朝。

Buache, Philippe　布阿什(1700-02-07，法国巴黎～1773-01-27，巴黎)　法国地理学家和制图学家。对自然地理学理论做出过贡献。1729年成为王室地理学家，次年被选入科学院。他认为地球表面被陆上和海下山脉"骨架"分隔成4个盆地，并特别以这一理论解释北美和太平洋的地理现象。他根据俄国人在白令海峡的发现，推论出阿拉斯加和阿留申地区的存在。他是最早以等高线在地图上表示地形的先驱者之一。

Buākhar(Sudanese army)　**布哈里**　参阅 **ʻAbīd al-Bukhārī** 阿比德·布哈里。

Bubastis　布巴斯提斯　今塔勒拜斯泰。埃及尼罗河三角洲古城。第19王朝(公元前1292～前1190)自底比斯迁都至尼罗河三角洲，该城成为重要城市。在法老示撒一世(公元前945～前924在位)即位时，达到鼎盛时期。随着埃及的衰落该城终成废墟。

Bubastite DYNASTY　**布巴斯提斯王朝**　即古埃及第22王朝(约公元前945～约前730)由利比亚人统治。埃及军队长期以来雇佣利比亚人当兵。利比亚人的高级军官住在埃及的大城市中，他们的财富和权势与日俱增。埃及第22王朝的统治者显然是利比亚人。王朝开创者示撒一世大概在三角洲的布巴斯提斯驻跸。约公元前930年他洗劫耶路撒冷并掠走巨额财富。其子奥索康从他手中继承一个繁荣昌盛的王国，但未能使其继续发展。第23王朝(约公元前823～约前732)与第22王朝的结束是同时的，由布巴斯提斯王朝的另一支统治。第22和第23王朝的国王都控制不了他们手下的王子，这些王子纷争不断，浪费国家财富。

bubble chamber　气泡室　一种辐射探测器，1952年由美国核物理学家D.A.格拉泽创制，使用过热液体作为探测介质，沿着亚原子粒子的径迹有离子形成，这过热液体即围绕这些离子沸腾而成为小气泡。气泡室所用液体(常用的液体是液态氢或液态氖)的密度比充满蒸气的云室(**cloud chamber**)中的蒸气的密度高，因此能更细致地观察许多核反应。

bubble shell　泡螺　腹足纲后鳃亚纲头楯目海产贝类。特征为壳薄而脆，球形，并或多或少嵌入体内。许多种为活跃的掠食者，以其他腹足类、双壳类和多毛纲环虫为食，将猎物整个吞入，再用石灰质的咀嚼板碾碎。有些较大的类型，如枣螺属(*Bulla*)、葡萄螺属(*Haminoea*)和无角螺属(*Akera*)等则为植食性，主要以绿藻为食。雌雄同体，卵多产在泥或海草上，裹在胶状索中。分布于各地海洋。在热带浅海的海草中枣螺属的一些种尤为常见。

Bubenberg, Adrian von　布本贝格(1431?，瑞士施皮茨～1479-08，伯尔尼)　瑞士军人和政治家。在任伯尔尼州长时，(1468～1469，1473～1474，1477～1479)，支持封建贵族对新兴伯尔尼资产阶级的斗争，反对瑞士邦联与法国结成反勃艮第联盟，力图与勃艮第的大胆查理和平相处。1474年10月勃艮第战争爆发后，他率伯尔尼军队保卫莫拉(1476-06-22)。这次战役结束了与勃艮第的战争，并使瑞士军队声名大振，被称为欧洲最好的部队。由于在莫拉战役中所作贡献，他成为瑞士历史上受到爱戴的人物。

Buber, Martin　布贝尔(1878-02-08，维也纳～1965-06-13，耶路撒冷)　德国犹太宗教哲学家、《圣经》翻译家和诠释家、德语散文大师。布贝尔哲学的核心是人与其他存在体的

美国不列颠百科全书公司供图

交往，特别是人与其他人的交往，但最终是人与上帝的关系。这种思想反映在他的《我与您》(1923)中所用的措辞。他曾在维也纳、柏林、莱比锡和苏黎世等地大学攻读哲学和艺术。尼采的哲学思想对他成为犹太复国主义者具有极大影响。1901年任犹太复国主义周刊《世界报》编辑。1916年创办有影响的月刊《犹太人》，并任主编，直到1924年。该刊成为几乎所有懂德文的犹太知识分子的中心论坛。他在刊物中提出犹太-阿拉伯合作，在巴勒斯坦建立一个两民族联合的国家，但这一主张不受欢迎。布贝尔自1901年以后研究哈西德主义；他认为，在大转向时代动摇了人的三大关系，即人与上帝的关系、人与人的关系、人与大自然的关系。哈西德主义这种虔修运动可以医治犹太教乃至全人类的病痛。布贝尔在《走向乌托邦之路》(1949)中提出，农业合作组织吉布兹是"犹太人的果敢事业"，是有效的"空想"社会主义之一例；但是他并不肯定他最终成功，他的教育事业在纳粹掌权的新条件下达到了顶峰。1933年11月，他任美因河畔法兰克福新开办的犹太成人学校校长。1934年他担任负责犹太成人教育和在纳粹统治下再教育犹太教师的全面机构的首脑。他是精神反抗运动的勇敢发言人。纳粹秘密警察禁止他公开讲学，后来又完全禁止他的教学活动，他乃于60岁时迁居巴勒斯坦。他担任耶路撒冷希伯来大学社会哲学教授，一直到1951年。他还是以色列科学艺术院第一任院长，以色列国建立后，原居留在伊斯兰教国家的犹太人纷纷迁来，于是布贝尔发起在耶路撒冷成立成人教育师范学院，担任该院院长(1949)。布贝尔的多方面活动是由于他的交感哲学(人和其他生物的关系)所激励的。早期作品《但以理》(1913)用5组"对话"论述了人类对待世界的两种基本态度，即"意向"和"实践"。布贝尔的名著《我与您》(1923)说明了他的成熟思想。他认为，上帝是伟大的"您"，他使得人能够在人与其他存在体之间结成"我与您"的关系。这种关系的相互性因存在体的层次而异。在无机物和植物层次上，几乎是零；在动物水平上微乎其微；在人与人关系这个层次上，它总是可能的，有时实际上存在。从人的经验这方面讲，人与上帝的真正关系必须是"我与您"，在这种关系中，人应当面对上帝，同上帝讲话，而不是仅仅思想上帝和表现上帝。布贝尔晚年针对吉布兹成员所提出的问题，撰写《第七日》(1970)。

Būbiyān　布比延　科威特的一个岛屿。在波斯湾的顶端。为伊拉克与伊朗分界处的阿拉伯河口西南八个岛屿中最大的一个。岛上无居民。西与科威特大陆部分以狭窄的阿斯萨比耶海峡相隔。岛长40千米，宽24千米，面积863平方千米。岛上地势低平。沿海岸几乎全有盐沼。西北海岸为锯齿状的沼泽地。中部有少数间断旱谷。1902年奥斯曼土耳其人在此建有仓库，后被放弃。伊拉克因其乌姆盖斯尔港口位于附近的祖拜尔海峡，遂在20世纪70年代提出对该岛一半拥有主权，未果。

Bubnov, Andrey Sergeyevich　布勃诺夫(1883-04-04[旧历03-23]，俄罗斯伊万诺沃-沃兹涅先斯克～1940-01-12)　布尔什维克革命家、苏联党政官员。早年就学于莫斯科农学院，因从事革命活动被学校开除，1903年加入俄国社会民主工党。1905～1917年执行过各种组织任务和党的任务。曾多次被捕。1917年二月革命后升为布尔什维克中央委员会委员。十月革命时负责控制彼得格勒(圣彼得堡)的火车站。布尔什维克夺取政权后，他担任党和政府的高级职务，尽管他曾短暂地参加过左派共产主义者(1918)和民主集中派(20年代初)反对布尔什维克的统

治。1924年后,他是斯大林的坚定支持者。1929～1937年任教育人民委员,积极改革教育制度,强调学生必须学习工业技术。20世纪30年代后期被捕和处决,后得平反,恢复名誉。

Bucaramanga 布卡拉曼加 哥伦比亚中北部城市。在安第斯山脉东科迪勒拉山东北坡上。海拔959米。建于1622年,很早在商业上就居重要地位。位于一咖啡和烟草产区。有雪茄、卷烟、纺织品、草帽和铁器工业。1947年布卡拉曼加成立了桑坦德工业大学。有铁路通维尔切斯港,有公路通东部各大城市。有班机通波哥大和加勒比海沿岸各城市。人口337 979(1985)。

Bucareli y Ursúa, Antonio María 布卡雷利-乌苏亚(1717-01-24,西班牙塞维利亚～1779-04-09,墨西哥墨西哥城) 西班牙军人、政治家。原在西班牙驻意大利军队中服役,后晋升中将。1760年任驻古巴总督。1771～1779年任新西班牙(墨西哥)总督时,以杰出的行政管理工作而闻名。他的主要活动包括平定北方的印第安部落,消灭各地匪帮,在阿卡普尔科、佩罗特和阿科达达修筑要塞,修建墨西哥谷地的排水工程,改革税制,改进铸币技术并确定硬币重量,鼓励西班牙人向加利福尼亚移民,兴建圣弗朗西斯科港。他在圣伊波利托角修建精神病院,在墨西哥城为穷人建造医院,还努力促进艺术和科学的发展。在他统治下,新西班牙比其他西属美洲大部地区繁荣安定。

buccaneer 海盗 17世纪下半叶在加勒比海地区和南美洲太平洋沿海一带劫掠西班牙人定居地和船舶的英国、法国或荷兰的海盗。当时通称私掠船员。最早的海盗是17世纪初期伊斯帕尼奥拉岛(海地)的猎人,后发展到托尔图加岛。牙买加1655年被英国占领后,也成为他们活动的基地。早期的海盗通常是来自坎佩切沿海地区(今墨西哥南部)的一些逃亡奴仆、退伍士兵和伐木工人。他们内部实行民主纪律,选举队长,放逐反叛者,公平分配掠夺物品,为伤者作周密的保险安排。他们吸引了一些著名人物,如:W.丹皮尔、L.魏弗尔、B.林格罗斯等,这些人物为海盗的冒险活动写了一些生动的报道。海盗的历史重要性在于他们对在达连建立苏格兰殖民地,对巴拿马地峡(1698)以及对南海公司的成立均产生过影响。同时,关于他们的著作广为流传,既鼓舞了以后在太平洋上的探险航海,也影响了一些重要作家,如J.斯威夫特、D.笛福、R.L.斯蒂文生等。自从产生卓越的领袖H.摩根之后,他们就组成了强大的帮,于1668年占领波托韦洛,1671年占领巴拿马。摩根后来被英国封为爵士,任牙买加副总督。他同他的上级企图镇压海盗活动,但没有强大的海上巡逻队,这一任务是不可能的。最后一次大的海盗活动约在1685年,由E.戴维斯、J.伊顿、C.斯旺等人率领的一支约3 000人的军队对巴拿马的不成功的袭击。1689年大同盟战争爆发,这些海盗成为合法的武装民船船员,为自己的国家服务,海盗活动随即告终。参阅 **privateer**。

bucchero ware 布克凯洛陶器 主要指约公元前7世纪～前5世纪初期在前罗马时期意大利流行的埃特鲁斯坎陶器。这种陶器的特征为黑色,有时为灰色,通常是擦光发亮的。这种颜色是在含有一氧化碳而缺氧的气氛中烧成的。这叫做还原烧成,它使由于氧化铁的存在而呈红色的黏土转变成典型的布克凯洛色。虽然关于布克凯洛陶器某些特征出现的确切时间看法各异,但是对布克凯洛陶器的整个发展过程仍有统一的学术见解。最精美的产品——布克凯洛轻质薄壁陶器是在公元前7世纪和前6世纪初期制造的。这些产品的制作工艺优良,造型趋向于精练,装饰服从于造型,以刻饰或浮雕为尚。公元前7世纪中、晚期的造型和图式在很大程度上导源于东方模式,特别是从腓尼基和塞浦路斯进口的金属制品。至公元前6世纪,希腊人的影响开始出现并引起了一些变化:生产了长形细颈罐、双耳罐、巨爵、双柄高脚酒杯等,其上饰有雕刻、模塑或贴花的鸟兽形象,或为装饰带,或与几何图案并用。有时所用的装饰仅限于连续条带状的叙事图浮雕,与希腊绘画器物上的图案相像,是在软黏土上滚动带有凹雕图案的圆柱制成的。最后又开始使用希腊的黑色颜料。使用黑、红和白色描绘程式化的人物和兽类形象,并熟练地再现了黑色图案的风格。自公元前6世纪中叶以后,器壁厚重的布克凯洛陶器取代了轻质薄壁布克凯洛陶器,由于其造型过分复杂而浮雕装饰流于浮夸,使这种陶器的技艺衰落。

Buccleuch, James Scott, duke of 巴克勒奇公爵 参阅 **Monmouth, James Scott, duke of** *蒙茅斯公爵*。

Bucegi Massif 布切吉山 为断块山,是构成罗马尼亚中南部特兰西瓦尼亚山脉(南喀尔巴阡山脉)的四个山体之一,该山脉中的奥穆山高达2 507米。这组山体包括莱奥塔山和皮亚特拉-克拉尤林山,二者在构造上为布切吉山的一部分,但它们与布切吉山之间又隔有布兰山口,并常被认为是*弗格拉什山脉* (**Făgăraş Mountains**)的东延部分。莱奥塔山为结晶岩构成,外形浑圆;而布切吉山和皮亚特拉-克拉尤林山被石灰质的砾岩所覆盖,地形轮廓较分明。这些地方现成为开展徒步旅行、登山和冬季运动的中心。

Bucentaur 礼舟 意大利语拼作Bucintoro。威尼斯共和国的装饰华丽的大帆船,供古代威尼斯首领(执政官)在国庆大典时、尤其是在每年的耶稣升天节举行的"海婚"典礼中使用。此典礼始于公元1000年左右,象征着威尼斯的海上霸权。船队庄严肃穆列队出海,由首领所乘的华舟(1311年起改为礼舟)领航。当驶达海上时,首领将奉献海神的戒指抛入水中,口中念道:"海啊,我们迎娶你!"最后一只礼舟造于1729年,因有黄金装饰,1798年为法国人所毁,其残骸保存在威尼斯市的博物馆中。

Bucer, Martin 布塞尔(1491-11-11,阿尔萨斯施莱茨塔特～1551-02-28,英格兰) Bucer又拼Butzer。宗教改革家、礼仪学者。1506年人天主教多明我会,被派赴海德堡大学学习,

1543年大纪念章上的布塞尔像
美国不列颠百科全书公司供图

受著名人文学者伊拉斯谟及宗教改革家路德影响,退出多明我会,在神圣罗马帝国选帝侯莱茵伯爵宫廷供职,次年任兰施图尔教堂牧师,与一个原为修女的女子结婚。1523年被天主教会处以绝罚,前往斯特拉斯堡,因父母为当地公民,得以安全居住。布塞尔希望根据人文主义观点使人和社会得以重生,认为只要宣传真正的福音,只要根据《圣经》教导,遵循上帝的旨意生活,就可以实现这种重生。1551年他向英格兰国王爱德华六世提出在英国改革宗教的庞大计划。布塞尔的第二故乡斯特拉斯堡处在茨温利派控制地区(日耳曼南部和瑞士)与路德派控制地区(日耳曼北部)之间。从1524年起,路德与茨温利在圣餐问题上发生争执。在1529年的马尔堡会议上,路德坚持传统观点,认为基督真正存在于圣餐礼的饼与酒中,茨温利则抱有人文学者所共有的灵性解释法。布塞尔相信可以取得和解,但当茨温利和布塞尔向路德建议互相友好时,遭到路德拒绝。在新教与天主教之间、在路德派与瑞士加尔文派之间无法求得一致时,布塞尔往往主张使用空泛语言以期达成模棱两可的结论。黑森伯爵腓力对路德、布塞尔等新教领袖支持甚多。伯爵闹婚变,但又不便将元配休弃。布塞尔帮助腓力说服路德、梅兰希顿等人,以《旧约》时代实行多妻制为根据,准许他秘密重婚。1541年,神圣罗马帝国皇帝查理五世担心土耳其人侵中欧,不惜一切代价恢复德意志诸侯联合,于是召集天主教人士和新教人士在雷根斯堡开会。查理五世选派新旧教神学家各三人(包括布塞尔在内)讨论《雷根斯堡书》所提出新旧教归一的步骤,结果为双方所拒绝。查理五世遂提出他自己的折衷方案即1548年《奥格斯堡和约》。布塞尔坚决反对斯特拉斯堡方面接受此项和约。后查理五世使用武力,于是斯特拉斯堡方面撤换布塞尔和其他新教教士。这些人士应坎特伯雷大主教克兰麦之邀到达英格兰。布塞尔支持克兰麦和里得雷代表官方所倡导的温和改革,反对茨温利派胡珀和苏格兰改革派诺克斯所鼓吹的较为激进的改革。

Bucerotidae(bird family) **犀鸟科** 参阅 **hornbill** *犀鸟*。

Buch,（Christian）Leopold, Freiherr von（baron of）　**布赫**（1774-04-26，普鲁士昂格明德～1853-03-04，柏林）　德国地质学家和地理学家。他广泛的漫游经历和观点鲜明的

美国不列颠百科全书公司供图

文章对19世纪地质学的发展起了不可估量的影响。1790～1793年在弗赖堡矿业学校师从著名德国地质学者A.G.维尔纳。1797年开始考察阿尔卑斯山。翌年去意大利，考察了维苏威火山，使他注意到维尔纳的岩石水成论（认为所有岩石都由沉积作用形成）可能存在的缺陷。1802年，布赫又考察奥弗涅山脉，使他更进一步转向火成论（认为花岗岩和许多其他岩石都由火山作用形成）。他没有找到维尔纳强调火山活动必须有的可燃物质（如煤之类）。他发现火山坐落在坚固的花岗岩上，这意味着火山是在原始岩石下面产生的，使维尔纳的理论受到了最后一击。1806年，布赫考察了斯堪的纳维亚，证实那里是德国北部平原上许多岩石的源地。他还首先注意到瑞典从弗雷德里克斯哈尔德到奥布正在缓慢升出海面。这次考察成果见于《穿越挪威和拉普兰旅行记》（德文本，1810；英译本，1813）。1815年，他又考察了加那利群岛复杂的火山系列，随后步行穿过赫布里底群岛，并沿苏格兰和爱尔兰海岸考察了玄武岩层。他回德国后，继续研究阿尔卑斯山构造，最后得出结论是：阿尔卑斯山是由地壳的巨大隆起形成的。1826年，布赫不具名地出版了宏伟的《德国地质图》（共42幅），在同类地质图中是首创。

Buchalter, Louis　布查尔特（1897，美国纽约州纽约～1944-03-04，奥西宁）　美国犯罪辛迪加首脑，“暗杀公司”的创立人。生于纽约市东低地，从小扒窃和夜盗，到1919年刚刚22岁时已两次系狱。20世纪20年代，他与一批犹太人、爱尔兰人及意大利人中的匪徒结帮进行敲诈勒索。1932～1934年伙同“幸运儿”卢西亚诺组成全国性的犯罪辛迪加。1933年前后，他把一伙挑选出来的杀手-打手纠集起来，由A.阿纳斯塔西亚及A.雷勒斯（绰号“走回头路的小家伙”）等枪手指挥，组成一个团体，专门从事暗杀——或殴打或毁伤——辛迪加以外的任何人，并以此索取报酬与其帮伙的敲榨勒索活动同步进行。正如一个匪徒所述说的那样：“莱普就喜欢杀人。”这个组织就是后来人们所熟悉的那个“暗杀公司”。1937年美国联邦及纽约司法部门开始派人搜捕布查尔特，他藏匿起来，一直未曾露面；1939年8月24日他被诱向联邦调查局自首，以参与毒品贩运罪被判刑14年，囚于联邦监狱。次年根据A.雷勒斯及另一同伙的口供，布查尔特被控杀人罪在纽约受审，后与两名副手M.魏斯和L.卡彭被判处死刑。1944年在辛辛监狱用电椅执行。

Buchan（Scotland）　**巴肯**　参阅**Banff and Buchan 班夫-巴肯**。

Buchan, Alexander　巴肯（1829-04-11，苏格兰金罗斯金尼斯伍德～1907-05-13，爱丁堡）著名的英国气象学家，首先注意到巴肯天气现象——在一定的季节内偏离正常气温的现象。现在还有气象学家认为，这种现象或多或少带有偶然性。1868年描绘出横越北美洲和大西洋进入北欧的风暴路径，因此，被誉为天气图的创制人。1860年12月被任命为苏格兰气象学会秘书，编辑学会刊物并大量撰稿，从而获得国际声望。1887年成为气象理事会成员。1898年当选为皇家学会会员。1902年作为最杰出的英国气象学家获得一级西蒙斯勋章。在1883年建立本尼维斯山观象台过程中以及在该台1904年关闭以前的观测资料讨论中多有贡献。1867年出版《气象学手册》。1869年，在爱丁堡皇家学会发表的论文《各月和全年全球大气平均气压和盛行风》，使他在气象学家中地位突出。

Buchan, John, 1st Baron Tweedsmuir　巴肯（1875-08-26，苏格兰珀斯郡珀斯～1940-02-11，蒙特利尔）　苏格兰政治家和作家。牧师家庭出身，在格拉斯哥大学和牛津大学求学时就开始发表小说和历史著作。1901～1903年在南非英国高级专员公署工作。回伦敦后，任纳尔逊出版公司董事。1910年出版他的最佳冒险小说《普雷斯特·约翰》，对非洲一次暴动作了文笔生动的预言性描述。第一次世界大战期间任参谋，1917年任英国政府新闻部官员。他写过一系列描写特工的惊险小说，《三十九级台阶》（1915）是其中最受欢迎的一部，主人公为理查德·汉内。该小说由希契科克于1935年拍成电影，常被盛赞为惊险电影的杰作。战后，他任路透社副社长，1927～1935年为代表苏格兰各大学的下院议员。1935年被封为贵族，任加拿大总督。长篇小说《心病河》（1941）以加拿大为背景。1940年出版自传《临终回忆录》。传记作品有《蒙特罗斯传》（1928）和《司各特传》（1932）。

Buchanan　布坎南　又称大巴萨。西非利比里亚中部城镇和大西洋港口。1835年建于圣约翰河口。港口（1963）输出铁矿石、橡胶、棕榈油和棕榈仁。利比里亚的美国-瑞典矿业公司修建了一条从内地的宁巴山脉矿区通向港口的铁路，长266千米。1968年在布坎南港建成非洲第一座铁矿砂的洗矿和制粒厂。人口25 000（1985）。

Buchanan, Franklin　布坎南（1800-09-17，巴尔的摩～1874-05-11，美国马里兰托尔伯特县）　马里兰州安纳波利斯美国海军学院院长（1845～1847），美国南北战争时期南方联盟的海军高级军官。1815年入海军军官学校。毕业后在海军中服役。1845年建议在安纳波利斯创建国家海军学院。同年学院成立后任院长。1847～1848年参加墨西哥战争。1852～1854年随海军准将M.C.佩里远征日本。1861年参加南方联盟海军。1862年晋升海军上将。

Buchanan, George　布坎南（1506-02，苏格兰斯特灵郡基利恩～1582-09-29，爱丁堡）　苏格兰人文主义者、教育家和作家。在苏格兰宗教改革时期，他对教会和国家的腐败无能

美国不列颠百科全书公司供图

进行了有说服力的抨击。在全欧还以学者和拉丁文诗人著称。在巴黎大学和圣安德鲁斯大学学习之后，在巴黎圣巴尔贝学院任教。因为发表两篇文章对方济各会进行猛烈攻击，被当作异端投入监狱。逃脱后，受聘在法国波尔多吉耶讷学院任教。曾把欧里庇得斯的《美狄亚》和《阿尔克提斯》译成拉丁文。又写攻击暴政的剧本《浸礼派》（1534）和《杰普西斯》（1578），他从翻译与创作中找到乐趣。1547年在葡萄牙任教时，受控散布异端邪说，被监禁在一所隐修院里接受教育。1552年获释，允许离开葡萄牙。被监禁时，他意译了《圣经》中的《诗篇》。在法国当家庭教师期间，为法国王太子写了《论苍穹》（1555，5卷拉丁文长诗）和《喜歌》（1558，有关苏格兰女王玛丽的婚事）。1561年回到苏格兰。起初，他是玛丽的支持者；1567年她的第二个丈夫达恩利勋爵被谋杀后，他变成她的死敌。他帮助为控告玛丽准备材料。该案上报伊丽莎白一世，终于导致玛丽被处死刑。在相继数任摄政时期，曾任幼主詹姆斯六世，即后来的英王詹姆斯一世的教师和其他官职。以对话形式写成的最重要的政治作品《论苏格兰人的王权》（1579），是一篇坚决主张限制君权的文章。

Buchanan, James　布坎南（1791-04-23，美国宾夕法尼亚默瑟斯堡附近～1868-06-01，宾夕法尼亚兰开斯特附近）　美国第15任总统（1857～1861），稳健的民主党领袖。他为寻求一项和解方案，以解决南方与北方之间的冲突所作的努力未能制止南北战争（1861～1865）的爆发。作为一个拥护联邦制的律师，他曾在宾夕法尼亚州议会（1814～1816）和美国众议院（1821～1831）中工作。曾任美国驻圣彼得堡公使（1831～1833）、美国参议员

美国国会图书馆供图

(1834～1845)、J.K.波尔克总统政府的国务卿(1845～1849)。1853年任驻英国公使。虽然他感到奴隶制在道义上是错误的，却竭力使南方党派的领袖们认识到，他尊重宪法对于蓄奴习惯的保障。因此，1846年，他反对禁止将奴隶制扩展到美国领地的《威尔莫特但书》，而支持《1850年妥协方案》。这个方案企图使实行奴隶制和奉行自由主义的州在参议院中的席位数保持平衡。在欧洲时，他在起草《奥斯坦德宣言》(1854-10-18)方面起了重大作用。这个宣言是一份外交报告，建议美国从西班牙手中夺取古巴，以防止那里发生奴隶起义。当时人们担心这种起义很可能对美国的奴隶们产生煽动的作用。布坎南巩固了他在南方的地位后，1856年被提名为总统候选人并且当选。布坎南富有法律知识和行政经验，却缺少明智的判断和道义上的勇气，因而未能有效地处理奴隶制引起的危机。他为保全联邦所定的战略是防止北方发生反奴隶制的鼓动和执行《逃亡奴隶法案》(1850)。他卷入爆炸性的堪萨斯斗争(1854～1859)，企图劝说堪萨斯选民们接受不得人心的《莱康普顿宪法》，这个宪法准许在当地实行奴隶制。1857年的经济恐慌和废奴主义者J.布朗对弗吉尼亚的哈珀斯费里的军火库进行的袭击(1859)使全国更加骚动不安。由于民主党内发生分裂，布坎南的地位进一步削弱，因而给共和党的A.林肯于1860年当选为总统铺平了道路。他离职后(1861-03-04)退隐到在兰开斯特附近的家乡，一直积极支持联邦的事业直到逝世。

Buchanan, James M.　布坎南(1919-10-02，美国田纳西默弗里斯伯勒～2013-01-09，弗吉尼亚布莱克斯堡)　美国经济学家和教育工作者，1986年因发展了一种分析经济和政治决策因素的独特方法——公众选择理论——而获诺贝尔经济学奖。布坎南1940年在中田纳西州立学院获理学士学位，1941年在田纳西大学获硕士学位；在海军服役5年后，入芝加哥大学深造，1948年获博士学位。1950～1969年在多所大学任教。1969～1983年为弗吉尼亚工业学院杰出的经济学教授；1983年后在乔治·梅森大学继续任经济学教授。布坎南的重要著作甚多，最负盛名的是与G.塔洛克合著的《同意的计算——民主宪政的逻辑基础》(1962)。在此书及其他著作中，布坎南讨论了政治家个人利益及其他影响政府经济政策的社会的(即非经济的)力量。其他著作尚有《公共消费品的供求》(1968)；与R.D.托利森合著的《公众选择理论——经济学的政治应用》(1972)；与R.E.瓦格纳合著的《赤字中的民主——凯恩斯勋爵的政治遗产》(1977)；以及与G.布伦南合著的《征税的权力》(1980)等。1969年他参加创建公众选择研究中心，并任该中心的主任。

Buchanan, Patrick J.　布坎南(1938-11-02，美国华盛顿[哥伦比亚特区]～2013-01-09，弗吉尼亚布莱克斯堡)　全名Patrick Joseph Buchanan。保守的美国新闻记者，曾在三任美国总统的政府中任职，并三次寻求成为美国总统的候选人。1961年获华盛顿乔治敦大学英语学士学位。1962年获纽约市哥伦比亚大学新闻学院理科硕士学位。同年晚些时候开始其新闻记者生涯，加入《圣路易斯环球民主党人报》。1966年，担任准备第二次竞选总统的R.M.尼克松的助理和演讲稿撰写人。1968年尼克松当选后，布坎南任总统特别助理。1972年被任命为尼克松特别顾问，1974年8月总统辞职，他暂在福特总统政府留任。1975年开办辛迪加报纸专栏，并开始自己的广播电视评论员事业。1985年成为R.里根总统的联络主任。他严厉批评G.布什总统，1992年当布什竞选连任时，他寻求共和党提名。初选结果，他的得票率为22.6%。1996年他再次竞选失利，1999年宣布第三次争取提名。由于日益不满于共和党主流立场，布坎南1999年10月退出该党。次年赢得革新党的总统提名。在2000年总统选举中，他只得到约445 000张选票。布坎南在多本书中阐述了他的信念。1973年在非公开出版的《新大多数》中提出了有影响力的观点，认为所谓"美国中产阶级"的观点，而不是传媒的观点，才代表了大多数美国公民的想法。其他著作中还有《大背叛》(1998)和《是共和国，而不是帝国》(1999)。

Buchara (Uzbekistan)　参阅**Bukhara布哈拉**。

Bucharest　布加勒斯特　罗马尼亚语作București。罗马尼亚城市，经济、行政和文化中心。位于罗马尼亚平原上，在多瑙河北岸小支流登博维察河两岸。

虽然考古发掘表明史前有人居住，但布加勒斯特一名1459年首见于瓦拉几亚的统治者弗拉德三世的文件记载。他修筑了布加勒斯特要塞，这是为数众多的要塞中的第一个，目的是阻止土耳其人对瓦拉几亚国家的威胁。布加勒斯特最终被置于奥斯曼宗主权之下，并迅速发展成为瓦拉几亚的主要经济中心，1659年成为都城。一些街道的名称——乌利察布拉纳里洛尔(皮市巷)、乌利察谢拉里洛尔(马具师巷)、乌利察谢普卡里洛尔(帽匠巷)——证明当时出现了行会组织。在布伦科韦亚努亲王在位时期(1688～1714)修筑了许多通衢大道。到18世纪，政权不再掌握在当地的王公手中，而是由法纳尔人(即原为君士坦丁堡法纳尔区的希腊人)控制。1821年由瓦拉几亚民族英雄弗拉迪米雷斯库领导的一次民众起义结束了法纳尔人的统治。1859年又一次民众骚乱迫使瓦拉几亚和摩尔多瓦合并。继而于1862年宣布布加勒斯特为罗马尼亚首都。这些事件和1864年的土地改革以及1877～1878年战争最终完成的国家独立，强烈地刺激了这个国家及其首都的经济发展。第一次世界大战后，布加勒斯特加强了其作为这个大大扩展了的国家中最为重要的城市的地位。第二次世界大战后得到进一步发展。1948年土地国有化后，这种发展的特点是城建规模更加扩大，但建筑式样单一。

布加勒斯特市中心的农贸市场
中国大百科全书出版社供图

现代城市的特色是拥有许多广场，及其由广场向各方伸延的街道和林荫道。两条主要街道大致平行穿过市中心，一条是伯尔切斯库大街，另一条是乌尼维大街。乌尼维大街曾称为"社会主义胜利大街"。20世纪80年代在齐奥塞斯库的统治下大大扩展，矗立着宏伟壮丽的大理石人民会堂等建筑。为建造新的宫殿和大道清除了旧布加勒斯特约10 000公顷的地面。共和国广场有宏伟的大会堂和历史上有名的克雷楚列斯库教堂(1722)，是市内最美丽壮观的广场之一。与其相接的宫殿广场周围有一些庄严的行政、政治和文化建筑，包括以正面的圆柱而闻名的、宏伟壮观的罗马尼亚雅典娜神庙。布加勒斯特有许多教堂，多为拜占廷风格的小教堂。除了库尔泰亚韦凯(老宫廷)教堂之外，安蒂姆修道院(1715)、斯塔夫罗波莱奥斯教堂(1724)和斯皮里东教堂都在建筑学上具有重要意义。最重要的高等教育中心是布加勒斯特技术学院(1819)和布加勒斯特大学(1694)。此外，还有一些文、理科学院及许多研究所。布加勒斯特有3座中心图书馆(罗马尼亚科学院图书馆、国立中央图书馆和中央大学图书馆)，还有许多公共图书馆。布加勒斯特有许多历史悠久的剧院，如"卡拉迦列"国家剧院、罗马尼亚歌剧和芭蕾舞剧院，国家交响乐团亦设在此地。有许多博物馆，其中有布加勒斯特城市历史博物馆、罗马尼亚艺术博物馆，后者有大量罗马尼亚、欧洲及东方艺术的收藏。乡村博物馆(1936)由从全国各地移来的农舍构成。

制造业包括工程技术产品，著名的有机床和农业机械，以及电气和自动化设备、公共汽车、无轨电车和各种其他类型的产品，包括消费品。在奥托佩尼有国际机场，还有一个较小的伯尼亚萨机场。人口：市约2 027 512；城市区约2 304 934(1997)。

Bucharest, Treaty of　《布加勒斯特条约》(1918-05-07)　罗马尼亚在第一次世界大战中败于同盟国后被迫接受的条约。按照条约规定，罗马尼亚把南多布罗加归还保加利亚，给予奥匈帝国控制喀尔巴阡山诸山口的权利,向德国出租油田,为期90年。1918年11月同盟国垮台后,此条约立即废除。

Buchenwald 布痕瓦尔德 纳粹德国所设置的最早和最大的集中营之一,初设在魏玛西北7千米的山林中,后设在图林根。1937年建立。它与北面的萨克森豪森和南面的达豪集中营联成一体。布痕瓦尔德在第二次世界大战期间关押约2万人。这里虽然没有毒气室,但每月都有成百人死于疾病、毒打、营养不良,以及被处决。集中营内设有斑疹伤寒和病毒研究所,医生和技术人员利用犯人试验病毒的传染和疫苗的效果。1939～1945年间,党卫军司令官之妻伊尔萨·科赫因在这里残害犯人,以性虐待狂而臭名昭著。

Bucher, (Adolf) Lothar 布赫尔(1817-10-25,波美拉尼亚地区新斯德丁[今波兰什切齐内克]～1892-10-10,瑞士格利永) 德国国际法专家,俾斯麦最信赖的助手之一,曾参加撰

美国不列颠百科全书公司供图

写俾斯麦的回忆录《思考与回忆》(1898)。他是普鲁士国民议会议员(1848)、普鲁士众议院议员(1849),在议会中属于极左派。1850年因组织抗税运动被判监禁15个月,但他逃往伦敦,为《国民日报》撰稿(1850～1861)。回到柏林后,他继续为该报写文章,并与社会主义者斐迪南·拉萨尔合作。1864年,布赫尔进入普鲁士外交部,很快赢得俾斯麦的完全信任。他起草了北德意志联邦宪法(1867),为霍亨索伦家族成员继承西班牙王位秘密出使西班牙(1870),协助俾斯麦进行结束普法战争的《法兰克福和约》的最后谈判(1871),担任柏林议会的档案秘书(1878)。布赫尔还负责俾斯麦的新闻工作和公共关系,但是,这一职务却引起了某些非常有势力的普鲁士贵族的仇恨,终于被迫于1886年辞职。除了参加俾斯麦回忆录的撰写工作外,布赫尔还出版了其他一些著作,包括《外国情况》(2卷,1862)在内。

Buchholz (Germany) **布赫霍尔茨** 参阅 **Annaberg-Buchholz** *安娜贝格-布赫霍尔茨*。

Buchis 比奇斯 古埃及宗教传说中的带有黑斑的白公牛。战神蒙特往往以这种形象出现,此牛双角之间有太阳张翼的徽号和两根长羽,遍身有斑纹。上埃及的赫尔门斯(今艾尔曼特)是蒙特神的特别崇拜中心,该地选出一头公牛,以它为比奇斯而奉祀。此牛死后要加以防腐处理,以石棺隆重安葬。生这种牛的母牛也受类似的崇拜和葬礼。

Buchmanism (religious movement) **布克曼运动** 参阅 **Moral Re-Armament** *道德重建运动*。

Buchner, Eduard 毕希纳(1860-05-20,巴伐利亚慕尼黑[德国]～1917-08-13,罗马尼亚福克沙尼) 德国生物化学家。由于证明了使碳水化合物发酵的是酵母所含各种酶而不是酵母细胞本身,获得1907年诺贝尔化学奖。还证明酿酶可从酵母细胞提取,这种酶能使糖分解为二氧化碳和醇。曾师从于A.冯·拜耳。1888年得博士学位。曾任基尔、蒂宾根、柏林、布雷斯劳和维尔茨堡大学的教授职位。尽管无人赞助,他还是坚持研究发酵过程,并于1896和1897年取得巨大进展。他在柏林大学的农学教授职位(1898),使他能够继续研究生物化学。曾为德国陆军少校,死于第一次世界大战。

Büchner, Georg 毕希纳(1813-10-17,黑森-达姆施塔特戈德劳[德国]～1837-02-19,瑞士苏黎世) 德国剧作家,20世纪初期戏剧创作中表现派的主要先驱者。军医之子,曾先后在斯特拉斯堡和吉森学医学。卷入了受1830年巴黎起义影响而兴起的革命运动,1834年在吉森发表小册子,要求实行经济、政

美国不列颠百科全书公司供图

治革命,并创立激进团体。他为免遭逮捕逃往斯特拉斯堡,1836年在苏黎世大学任自然科学讲师。次年因患伤寒在苏黎世病故。他的3个剧本在风格上明显地受莎士比亚和德国浪漫主义狂飚突进运动的影响。就内容和形式而论,它们远远走在时代的前面。第一个剧本《丹东之死》(1835)是一出关于法国大革命的戏剧,充满了深沉的悲观情绪。主要人物——革命者丹东,因曾帮助发动屠杀而心神异常不安。《莱翁采和莱娜》(1836)是对于迷雾般的浪漫主义思想的一个讽刺,表明曾受A.缪塞和C.布伦坦诺的影响。最后一部作品《沃伊采克》(1836)是未完成稿,由于对穷苦人和受压迫者表示同情,这部作品成了19世纪90年代社会戏剧的先声。除了1902年才上演的《丹东之死》及未完成的小说《伦茨》外,他的作品都是在死后发表的。对19世纪90年代流行的自然主义戏剧以及第一次世界大战后的表现主义都有显著影响。他现在被公认为德国杰出的戏剧家之一。

Buchner, Hans 毕希纳(1850-12-16,巴伐利亚慕尼黑[德国]～1902-04-05,德国慕尼黑) 又译布希纳。德国细菌学家。诺贝尔奖金获得者、化学家E.毕希纳之兄。1886～1890年广泛研究了免疫学,发现血清中所固有的天然杀菌物质——补体。19世纪70年代任巴伐利亚军队的医生,1880年后在慕尼黑大学任教至去世。1894年任卫生学教授及卫生学研究所所长。他是最早发现血清中有一种可杀灭细菌的物质的人之一。他将这种物质称为防御素(今称为补体,并知其主要成分为γ-球蛋白)。著有《结核病的病原学,治疗与预防》(1883)及一本关于免疫学的著作(1892)。

Büchner, Ludwig 毕希纳(1824-03-29,黑森-达姆施塔特,达姆施塔特[德国]～1899-04-30,德国达姆施塔特) 又译布希纳。德国医生和哲学家。著名剧作家G.毕希纳之弟。对宇宙的唯物主义解释引起轩然大波。他否认上帝、创世说、宗教和自由意志,并把精神和意识解释成头脑中运动着的物质所造成的物理现象。其名著《力量与物质》(1855)曾多次再版,并使他不得不辞去蒂宾根大学医学讲师之职。把决定论应用于社会和政治事件,为罪犯的行为辩护。不断为无神论和原子论辩护,并否认精神和物质之间的区别(《自然与精神》,1857)。这些作法甚受自由思想家欢迎。但辩证唯物主义者却因他接受了竞争的资本主义而予以谴责。他认为竞争的资本主义是达尔文的"生存竞争"的一个范例。

Bucintoro (galley) 参阅 **Bucentaur** *礼舟*。

Buck, Pearl 赛珍珠(1892-06-26,美国西弗吉尼亚希尔斯伯勒～1973-03-06,佛蒙特丹比) 美国女作家。因描写中国生活的小说著名,1938年获诺贝尔文学奖。她在中国度

美国不列颠百科全书公司供图

过青年时代,父母都是在中国的长老会的传教士。曾在上海接受早期教育;1914年从弗吉尼亚州伦道夫-梅康女子学院毕业后回到中国,后在南京任大学教师。她关于中国生活的文章和小说最初于1923年在美国杂志上发表,但直到1931年她才因长篇小说《大地》而出名。这部小说同情地描写了一个中国农民和他的奴隶般的妻子为争取土地和地位而进行的斗争。这本书被译成许多种语言。继《大地》之后她又出版了《儿子们》

(1932)、《分家》(1935),这三部曲后以《大地的房子》(1935)为名出版。1917 年同传教士 L.巴克结婚,1934 年离异。1935 年又嫁给纽约出版家 R.沃尔什,此后住在美国。第二次世界大战后,她提议救助美国军人在亚洲各国的非婚生儿童,创立赛珍珠基金,1967 年她把自己的大部分收入——700 多万美元移交给基金会。其他作品有描写她父亲 A.赛登斯特里克的传记《奋斗的天使》(1936)和她母亲卡罗琳的传记《流亡者》(1936)。晚期作品有长篇小说《龙种》(1942)、《威严的女人》(1956);短篇小说《第一个妻子和其他故事》(1933)、《四面八方》(1947)和《善行》(1969);写她发育迟缓的女儿的《永远长不大的孩子》(1950);自传《我的几个世界》(1954)。她还用笔名约翰·塞奇斯出版了 5 部不同于她的其他作品的小说。

Buck, Sir Peter　巴克(1880-12-15,新西兰乌雷米～1951-12-01,美国夏威夷檀香山)　原名特·兰吉·希罗厄,新西兰毛利族人类学家、内科医生、政治家。曾对毛利人的公共卫生事业做出重大贡献,成为全世界研究波利尼西亚人的主要学者之一。巴克曾任新西兰卫生部负责毛利人卫生工作的医务官员(1905～1908)。1905～1914 年间,巴克与其青年毛利党同僚莫伊·波马雷爵士共同发起一场改进毛利人医疗保健事业的运动,获得成功。1909～1914 年间巴克代表北方毛利人选区参加议会,并在 1912～1914 年间担任毛利民族部部长。第一次世界大战期间在新西兰医疗团任职,战后任新西兰卫生部毛利人卫生处处长。1922～1927 年发表了一系列有关毛利人生活的科学论文。1927 年任檀香山 B.P.毕晓普博物馆波利尼西亚人种学研究员,此后从事波利尼西亚本地文化的研究和著述凡 25 年,担任过毕晓普博物馆馆长和耶鲁大学人类学客座教授(1932～1934,1936,1939)。1946 年被封为爵士。著有《东方海盗》(1938)和《毛利人的到来》(1947)等书,前者探讨波利尼西亚各部落的生活状况;后者是他晚年研究毛利人的论述。

buckbean　睡菜　龙胆目莕菜科(睡菜科,Menyanthaceae)显花植物。5 属 33 种。水生或沼生匍匐草本。原产世界温暖地区。单叶互生或 3 小叶组成复叶,后者叶柄有鞘。睡菜(三叶睡菜,*Menyanthes trifoliata*)是药用植物,生于潮湿土壤,花白色或粉红色;叶味苦;

三叶睡菜(*Menyanthes trifoliata*)
美国不列颠百科全书公司供图

种子坚硬、浅棕色。流苏睡莲、金银莲花和浮心草(莕菜属[*Nymphoides*]植物)均为沉水植物,根状茎埋在泥中,叶浮于水面,花黄色或白色。

buckboard　弹性板四轮马车　平底敞篷四轮马车,装有固定在轮轴上的弹性板,用以辅助或代替普通弹簧。如加装弹簧,则装在弹

弹性板四轮马车
美国不列颠百科全书公司供图

性板与车座之间,而不固定在车轴上。通常装有 1～3 排双人座位。

bucket orchid　水桶兰　兰科胄花兰属(*Coryanthes*)植物,约 15 种,原产热带美洲。有一独特的传粉机制。假鳞茎高大,其基部生一下垂的茎,其上着生1～3朵花。特殊的

水桶兰(*Coryanthes*)
美国不列颠百科全书公司供图

分泌腺集中在桶形的唇瓣里,有一喷嘴状开口正好位于花粉囊下面,唇瓣上半部肉质,发出强烈香气,昆虫受到吸引就进入唇瓣桶中,而唇瓣的喷嘴状开口是昆虫离开时必经之路,花粉便被昆虫携带,传到下一朵的柱头上。

buckeye　鹿眼树　七叶树科(Hippocastanaceae)七叶树属(*Aesculus*)13 种乔木或灌木的俗称。原产于北美、东南欧及东亚。种子在红底上有一白斑,似鹿眼,故得名。鹿眼树与近缘的七叶树科植物均有美观的大分枝烛台状的花簇,为受珍视的观赏树。蒴果具坚硬的革质外壳,光滑而柔软的刺,入秋变成褐色。果实成熟后裂成 3 部分,释出 1～3 枚褐色、有光泽的不可食坚果仁。幼嫩的叶及坚果仁均有毒。最著名的是俄亥俄鹿眼树(*A. glabra*),即光滑七叶树,又称臭鹿眼树、美洲马栗树;乔木,高可达 21 米;小枝和叶揉碎时产生一种难闻的气味;5～7 片小叶组成掌状复叶,秋天变成橙色至黄色。甜鹿眼

光滑七叶树(*A. glabra*)
美国不列颠百科全书公司供图

树(*A. flava* 或 *A. octandra*)又称黄鹿眼树、八雄蕊七叶树,是最大的鹿眼树,高可达 27 米;大量自然生长于大雾山国家公园;花黄色。红鹿眼树(*A. pavia*)花红色;为美观的小乔木,高可达 7.6 米,罕有更高者。瓶刷鹿眼树(*A. parviflora*)即小花七叶树;产于佐治亚至阿拉巴马一带,为美观的灌木,高可达 3.5 米;花白色,生于长约 30 厘米的直立花序上。多色鹿眼树(*A. sylvatica*)又称佐治亚鹿眼树,即森林生七叶树,为树冠圆形的灌木或小乔木,高可达 7.6 米;花色多种,黄色至淡红色,生于花穗上。

Buckhaven　巴克黑文　苏格兰法夫政务会辖区小市和港口。属法夫历史郡。位于福斯湾北岸。范围包括前巴克黑文、梅西希尔和梅西尔等地。梅西尔原为煤港,后为北海海上石油钻井台生产地。20 世纪末期药品制造业在该城兴起。人口 17 069(1991)。

Buckingham, EARLS, MARQUESSES, AND DUKES OF　白金汉伯爵、侯爵和公爵　数次受封的,特别是斯塔福德家族、维利尔斯家族和格伦维尔家族中的拥有爵位的英格兰贵族。按年代顺序分列于后,并各以 ● 为标记。

● **Buckingham, Humphrey Stafford, 1st Duke of　白金汉公爵(第一)**(1402-08-15～1460-07-10,英格兰北安普敦郡北安普敦)　英法百年战争和英格兰玫瑰战争中兰开斯特王朝的重要人物。父亲阵亡时,他年仅 1 岁,即成为第 6 代斯塔福德伯爵。1421 年由亨利五世封为骑士。此后,在亨利六世统治时期,曾去法国数年,历任军事、行政和密使等不同职务。1431 年封(诺曼底的)佩尔什伯爵。1438 年承袭母亲的白金汉伯爵领地。1444 年封白金汉公爵。他是兰开斯特王朝的狂热分子,本来就拥有大片田产,再加上把约克王朝成员赶走后占有的土地,大概变成了全英格兰最大的地主。在北安普敦战役中,他被

约克王朝的军队杀死。由于长子已在前一战役中阵亡,他的头衔由4岁的孙子继承。

● **Buckingham, Henry Stafford, 2nd Duke of 白金汉公爵(第二)**(约1454～1483-11-02,英格兰威尔特郡索尔兹伯里) 即H.斯特福德。英格兰贵族。理查三世的主要支持者,后又成为其反对者。兰开斯特家族爱德华三世的后裔。1460年继承祖父成为白金汉公爵,6年后与约克家族出身的国王爱德华四世的亲戚凯瑟林·伍德维尔结婚。由于他是兰开斯特族贵族,在爱德华四世时代几乎被排除在一切国事活动之外。1483年爱德华死后,他帮助格洛斯特公爵理查篡夺王位(7月6日加冕成为理查三世),从而获得荣誉和地位。然而不到两个月,他就参与推翻理查的阴谋,拥戴被流放的兰开斯特家族的里奇蒙伯爵亨利·都铎为国王,但他的最终目的在于自己夺取王位。10月中旬,他率兵开进赫里福德郡,由于洪水挡住向伦敦进军的道路,他的军队很快就溃散,他本人被捉获后斩首。

● **Buckingham, Edward Stafford, 3rd Duke of 白金汉公爵(第三)**(1478-02-03,威尔士布雷克诺克郡布雷肯的布雷克诺克城堡～1521-05-17,伦敦) 即E.斯特福德。英格兰贵族。第二代白金汉公爵亨利·斯塔福德之子。1485年继承爵位。亨利八世即位后开始在政界起重要作用。1509年任英格兰警察总监,在国王加冕典礼时手捧王冠。同年11月任枢密官。他成为当时最有权势的人,曾不止一次被认为可能继承王位,从而引起亨利八世的疑忌,1521年以所谓的叛逆罪被处决。

● **Buckingham, George Villiers, 1st Duke of 白金汉公爵(第一)**(1592-08-28,英格兰莱斯特郡布鲁克斯比～1628-08-23,汉普郡朴次茅斯) 即G.维利尔斯,或称沃登男爵。英格兰政治家,詹姆斯一世在位后期和查理一世

美国不列颠百科全书公司供图

在位初期英格兰的实际统治者。1614年成为詹姆斯一世的宠臣。1616年任侍从长。次年封伯爵。1619年任海军大臣。1623年随查理王子(后查理一世)去马德里商谈查理与西班牙公主缔姻的问题。但由于他态度傲慢,这桩婚事没有成功。回伦敦后迫使詹姆斯与西班牙开战。1625年3月查理继承王位后,白金汉引起一系列的麻烦。首先由于安排查理与法国公主亨里埃塔·玛丽亚的婚事而激怒议会。其次,他在1625年10月派去攻打西班牙加的斯港的远征军组织和装备极差,未待开战就已土崩瓦解。1626年议会提出弹劾白金汉案。1627年6月他率兵8 000名前去解救遭到法军进攻的拉罗谢尔港,奋战4个月溃不成军,被迫撤退。1628年8月他被海军军官J.费尔顿刺死,伦敦市民听到这一消息无不额手称庆。

● **Buckingham, George Villiers, 2nd Duke of 白金汉公爵(第二)**(1628-01-30,伦敦～1687-04-16,英格兰约克郡柯比穆尔赛德) 即G.维利尔斯。英格兰政治家。英王查理一世最亲密的顾问和朋友。第1代白金汉公爵之子。1628年父亲被暗杀后,他进入查理的宫廷,与王子查理亲王成为形影不离的伙伴。1649年查理一世被议会处死后,查理王子自立为国王,称查理二世。白金汉公爵拥护他的事业,1651年9月两人在伍斯特为夺取王位而并肩战斗。事败,分别逃亡国外。1657年白金汉公爵非法回国,被共和国政府关押到1659年2月。1660年查理二世复位后,他任枢密官。不久领导反对大法官克拉伦登伯爵的一派,因玩弄阴谋于1667年短时期被监禁。后获释,促成克拉伦登倒台。在五人内阁中,他起初对国王颇有影响,但后来被阿林顿伯爵排挤掉。1674年议会以所谓同情天主教的罪名,撤销他的一切职务。他于1681年退隐在约克郡的庄园。他的讽刺剧《排演》于1671年首次演出获得成功。

● **Buckingham, George Nugent Temple Grenville, 1st Marquess of 白金汉侯爵(第一)**(1753-06-17～1813-02-11,英格兰白金汉郡斯托豪斯) 又称坦普尔伯爵(第二)。英格兰政界人士。乔治·格伦维尔的次子。曾在伊顿公学和牛津大学就学。1774～1779年为议会议员,在下院对诺思勋爵的美洲政策提出尖锐的批评。1782年任枢密官和爱尔兰代理总督。1783年2月创立圣巴特里克会,自任会长。他受到乔治三世的信任,受命挫败福克斯的东印度法案。小皮特于1783年12月组阁时,他被任命为国务大臣,但两天后即辞职。1784年封白金汉侯爵。1787年11月又任爱尔兰代理总督,但这一次不像初任那样顺利,曾受到爱尔兰议会两院的非难。1789年9月辞职。

Buckingham and Normanby, John Sheffield, 1st duke of 白金汉和诺曼比公爵(第一)(1648-04-07,伦敦～1721-02-24,伦敦) 即J.设菲尔德。英格兰政治家,诗人约翰·德莱顿的保护人,曾用对句体写论诗的文章。马尔格雷夫第2代伯爵爱德蒙之子。1658年父亲死后继承伯爵称号。他一直是查理二世的宠臣,但到1682年,他由于向安妮公主求爱而引起查理的不悦,把他赶出宫廷。不出两年他重邀圣眷,詹姆斯二世继位后对他倍加恩宠,先任他为枢密官,后又任他为宫内大臣。1702年安妮即位后,任他为掌玺大臣,封白金汉和诺曼比公爵。1704～1710年辉格党掌权期间,被迫辞去一切官职。1710～1714年托利党当政期间,他曾数次位居要津,包括首席枢密官等要职。1714年乔治一世即位后,他的政治生活遂告结束。作为诗人,他主要以写《诗论》(1682)和《论讽刺诗》出名。他的散文作品《革命记事》尽管涉及他个人时不完全可信,但仍有历史价值。

Buckingham Canal(India) **白金汉运河** 参阅 **Kommamur Canal 科马穆尔运河**。

Buckingham Palace 白金汉宫 英国君主在伦敦的王宫。建在威斯敏斯特城内。由18世纪为白金汉公爵建造的房屋而得名。1762年被乔治三世为其妻买下,称"女王

白金汉宫东立面及其前的维多利亚女王纪念碑

美国不列颠百科全书公司供图

宫"。1825年重建。维多利亚女王是居住在这里的第一位君主。宫中的女王画廊展示皇家艺术收藏品。定期举行骑警卫士的换班仪式(一般从4月到8月初的每天早晨和其他月份里的隔日早晨),但只有当君主住在宫中时才举行皇家标准的仪式。白金汉宫在传统上一直较接近民众,20世纪90年代中期,为了修复1992年遭遇火灾的温莎城堡,在夏季开放白金汉宫供人参观,以筹措经费。

Buckinghamshire 白金汉郡 英格兰南部行政、地理和历史郡。南濒泰晤士河,东南达伦敦外围,北接大乌斯河谷地。行政、地理和历史郡所辖范围略有不同。行政郡包括艾尔斯伯里谷、奇尔特恩、南巴克斯和威科姆四个区;地理郡还包括米尔顿凯恩斯自治市;历史郡包括整个地理郡辖地、斯劳自治市、温莎梅登黑德自治市泰晤士河以北的地区和林斯莱德(属贝德福德行政郡)。原为一片乡野。后随公路、铁路的通达,南端丘陵谷及郡首府艾尔斯伯里和海威科姆发展为伦敦最富有的郊区。第二次世界大战后艾尔斯伯里有印刷和轻型制造业,海威科姆生产家具,沃尔弗顿有铁路修配厂。艾尔斯伯里的斯托克曼德维尔医院在治疗脊椎损伤方面享有国际盛誉。地理郡南部地区郊区住宅区继续发展。近年郡北端地区出现新城镇米尔顿凯恩斯,有工业和研究机构。面积1 876平方千米。人口:行政郡478 700;地理郡681 900(1998)。

Buckinghamshire lace 白金汉郡花边 约1665或更早至20世纪前25年在英国白金汉郡制造的花边。衬底上有称为"里尔"的六角形网眼,花卉的式样令人联想起梅克林花边和里尔花边。在各种花样中玫瑰花和郁金香图案代表着白金汉郡花边的特色。

Buckland, William 巴克兰(1784-03-12,英格兰德文郡阿克斯明斯特～1856-08-15,伦敦) 英国早期地质学家和牧师,力图使地质发现与圣经及反进化论相调和而知名。他否

认河流作用过程的理论,而认为圣经上说的大洪水才是地球上一切侵蚀和沉积作用的动力。研究过很多含古生物(化石)的地层,是英国最早注意到冰川作用证据的人。著有《大洪水遗迹》(1823)和《地质学和矿物学的自然神学论》(1836)(是作为《桥水丛书》之一而出版的)。1808 年任圣公会牧师。1813 年任牛津大学矿物学教授。1845 ～ 1856 年任威斯敏斯特教长。

buckle 扣形饰品 用来扣住带子两端的褡钩或扣子,或扣紧靴鞋的扣状饰物。过去流行于希腊、罗马,图饰华丽复杂。20 世纪以来,妇女时装用宝石装饰或装饰华美的扣形饰物仍相当流行,但价值昂贵的宝石已很少使用。

Buckley, William F., Jr. 巴克利 (1925-11-24,美国纽约州纽约～2008-02-27,康涅狄格斯坦福) 博学多才的编辑、作家。他保守,直言不讳,在美国保守政界里是一个有重大舆论影响的人物。1955 年创办保守的《全国评论》,他作为总编辑,把这个月刊作为宣传保守思想和观点的论坛。他的政治评论专栏《站在右边》,自 1962 年起通过报业辛迪加经常在 200 多家报纸上同时发表。从 1966 年开始,主持每周一次的电视采访节目《火线》,讨论政治和公众事务。他曾进纽约州的一个大学预备学校,在墨西哥大学肄业一年,第二次世界大战期间服役 3 年,后进耶鲁大学。他在耶鲁教西班牙语,长于辩论,任《耶鲁日报》社长。后来他参加《美国信使》月刊,任编辑。1969 ～ 1972 年在美国新闻署咨询委员会供职。1973 年任美国出席联合国大会代表。著有《耶鲁的神和人》(1951)、《从自由主义上升》(1959)、《来自左右的喧闹》(1963)。他还与人合著《麦卡锡和他的敌人》(1954)。70 年代后期他尝试写间谍小说,其中有《拯救王后》(1976)、《彩色玻璃》(1978)和《做一个马可·波罗,如果你办得到》(1982)和《再见,爵士乐迷》(1985)等书。

Buckner, Simon Bolivar 巴克纳 (1823-04-01,美国肯塔基曼福德德维尔附近～1914-01-08,曼德福德维尔附近) 美国南北战争(1861 ～1865)期间南部邦联的将军、肯塔基州州长。西点军校毕业,曾参加墨西哥战争(1846 ～ 1848)。此后在不同的军事单位服役,直到 1855 年辞职,回芝加哥掌管家产。南北战争爆发后,他建立肯塔基州护卫队,确保该州的中立。但最后他支持南部邦联,任准将。他奉命增援田纳西州的多纳尔森堡时,发现战局已不可挽回,遂向 U. S. 格兰特将军无条件投降(1862-02-16)。他在南部邦联曾任许多要职,战争结束时已晋升为中将。1868 年返回肯塔基,一度任《路易斯维尔信使报》主编,而后收回了他在芝加哥的房地产。经商数年后又步入政坛,作为民主党人,于 1887 ～ 1891 年任肯塔基州州长。1896 年竞选副总统未成。

Buckner, Simon Bolivar, Jr. 巴克纳(小) (1886-07-18,美国肯塔基曼德福德维尔～19450618,冲绳) 第二次世界大战时期的

美国陆军部供图

美国陆军将领,他指挥进攻琉球群岛的成功使他 41 年的军事生涯达到顶峰。1908 年毕业于西点军校。1940 ～ 1944 年任阿拉斯加防区司令,后任第 10 军团司令,授中将衔。1945 年 4 ～ 6 月,他指挥太平洋战争中最后一次大规模登陆战冲绳战役,获大捷。他在视察前沿时阵亡。

buckthorn 鼠李 鼠李科鼠李属(*Rhamnus*)约 100 种灌木或乔木的统称。原产北半球温带地区。美鼠李(药鼠李,*R. purshiana*)可剥取美鼠李皮(cascara sagrada)作泻药。泻鼠李(普通鼠李、欧洲鼠李、西洋鼠李,*R. cathartica*)原产欧亚大陆,现已归化各地;树高约 3.5 米,树皮深色且常带刺;叶深绿色,呈广椭圆形;树皮可提黄色染料;黑色的小果实可制泻药。光滑鼠李(桤木鼠李、药炭鼠

鼠李属(*Rhamnus*)植物
美国不列颠百科全书公司供图

李,*R. frangula*)株高可达 6 米,供观赏。高篱鼠李(*R. frangula*"Columnaris")为其变种,可形成一高 4.5 米、宽逾 1 米的窄篱。卡罗来纳鼠李(*R. caroliniana*)又称印第安樱桃,于纽约州至佛罗里达州和得克萨斯州一带形成矮树林。意大利鼠李(*R. alaternus*)与其若干栽培变种,则于温暖地区栽作观赏树。岩鼠李(*R. saxatilis*)高约 1 米,为多刺矮灌木。

buckwheat 荞麦 两种草本植物普通荞麦(甜荞麦,*Fagopyrum esculentum*[或 *F. sagittatum*])及其亲缘种苦荞麦(鞑靼荞麦,*F. tataricum*)的通称,尤指前者。其种子亦称荞麦。原产于亚洲。种子三角形,种皮坚韧,深褐或灰色。花白色,由蜂等昆虫传粉。虽然其种子用作谷物,但荞麦并非谷类禾草。荞麦在肥沃土壤上较其他粮食作物产量低,但特别适应于干旱丘陵和凉爽的气候。荞麦成熟快,故可作晚季作物种植,并能作为窒息作物使杂草死亡而为其他作物的栽培改善条件。亦可用作绿肥犁入田中以改良土壤,又可作蜜源作物。荞麦是乌克兰、白俄罗斯和波兰的主要粮食作物之一。法国、加拿大和美国也是重要生产国。荞麦碳水化合物含量

荞麦(*Fagopyrum esculentum*)

高,蛋白质含量约 11%,脂肪 2%,并含少量维生素 B_1 和 B_2。除人类食用外,也常用作家禽和其他牲畜的饲料,英国人认为荞麦特别适于用作雉的饲料。在东欧,人们将荞麦去壳,如稻米一般煮食,称之为荞麦饭,在法国则称为 sayraisin。荞麦粉不宜于做面包,但在美国及加拿大,荞麦粉单独或与小麦粉混合用制烤饼,称荞麦饼。

buckwheat-note hymnal (music notation) 参阅 **shape-note hymnal** 图形音符记谱赞美诗集。

buckwheat tree (*Cliftonia monophylla*) **荞麦树** 又作 titi 或 black titi。又称单叶克利夫顿氏树。奇里洛氏木科(Cyrillaceae)常绿灌木或小乔木。原产于北美南部。株高约 15 米。叶片长圆形或披针形,长约 4 ～ 5 厘米。花小,白色或淡粉红色,花径约 1 厘米,芳香,蜜蜂喜飞临采蜜。

bucranium 牛头饰 以牛头为主题的一种建筑装饰。起源于一种宗教仪式。后来用雕刻表现于多立斯神庙柱子上方的檐壁上。公元前 5000 年伊拉克的彩陶上就已绘有这种题材,后来传入克里特岛,牛头上饰以月桂叶环。在古罗马和文艺复兴建筑中也采用这种装饰。

Bucuresti (Romania) 参阅 **Bucharest** 布加勒斯特。

Buda (Hungary) **布达** 参阅 **Budapest** 布达佩斯。

Budaeus, Guglielmus (French classicist) 参阅 **Budé, Guillaume** 比代。

Budapest 布达佩斯 匈牙利首都,曾被称为"多瑙河女王",一直是全国瞩目的焦点和

活跃的文化中心。该市横跨多瑙河两岸，位于匈牙利西部丘陵与伸向东部和南部的平原交汇处的美丽自然背景中。由多瑙河两岸的布达与佩斯两部分组成，两者之间由许多桥梁相连。

第一次世界大战后匈牙利版图缩小，但这并没有影响布达佩斯成为中欧仅次于柏林的第二大城市。现在每5个匈牙利人中就有1人住在首都。作为政府所在地和工业、交通中心，它控制着国家生活的各个方面。

自然地理和人文地理

景观 城市位置 布达佩斯的地理位置具有战略意义，它位于喀尔巴阡盆地的中心，在一条连接外多瑙丘陵和匈牙利大平原的古道上。宽阔的多瑙河在此处有几个岛屿，故常常可涉水而过。该市两部分地貌明显不同：布达建在西岸台地和山坡上，而比布达大得多的佩斯却沿河对岸平坦无特色的沙原伸展。

气候 年平均气温为11 °C。7月平均气温22 °C，1月平均气温 - 1 °C。平均年降水量600毫米。冬季可能下大雪，气温可下降到 - 15 °C以下，但在夏季，热浪加上潮湿，使空气闷热。多瑙河已被严重污染，佩斯的大部分地区已为空气污染所苦。

城市布局 ①布达。布达是中世纪的移民中心。用鹅卵石铺成的街道及城堡式市镇的哥特式房屋保存了城市的古老布局。到18世纪后期，佩斯仍是一块极小的孤立点，但后来人口剧增，把布达远远抛在后面。20世纪后半叶，两地发展分布得更为均衡。目前布达佩斯面积525平方千米（203平方英里），其中约一半有建筑物。布达树木葱茏的山顶、多瑙河的3座山丘两侧、河上的桥梁、莫尔吉特岛以及佩斯河畔均为该市显著的景色特征。

市中心是城堡山，海拔168千米（551英尺）。山顶上是重建的布达城堡（通常称作皇宫）。为13世纪要塞的旧址。匈牙利女王玛丽亚·特雷西亚在位期间（1740～1780），在要塞原址上修建了一座很大的巴罗克式宫殿。若干世纪以来屡遭破坏，又一再重建，最近一次是在第二次世界大战期间被夷为平地。重建工作完成于70年代中期，现为国立塞切尼图书馆、布达佩斯历史博物馆（通常称作城堡博物馆）和匈牙利国家画廊的所在地。中世纪哥特式的圣马利亚教堂——通常叫做马提亚教堂——的尖顶在城堡山上高耸入云，前有19世纪修建的渔人棱堡，旁边是一家现代的旅馆。

城堡山的南侧矗立着比它还高的盖勒特山（771英尺），其陡峭的石灰石悬崖俯瞰着多瑙河，站在悬崖上，整个城市尽收眼底。山顶上有一座护城碉堡，这是奥地利军队为了监视这座城市而在19世纪中期修建的，今天成了旅馆和饭店。靠近护城碉堡有解放塑像，用以纪念苏军于1945年打败德军的胜利。靠近多瑙河的第三座山是玫瑰山，位于城堡山之北。它是布达佩斯最豪华的地区，匈牙利的上层人士在此建有住宅。和玫瑰山相对的莫尔吉特岛是一所公园，长一英里，内有旅馆和游泳池。在佩斯一侧和该岛相对的是匈牙利社会党（1989年前为匈牙利社会主义工人党）的总部，这是一幢并不引人注意的现代建筑物，隔壁便是装饰华丽的议会大厦。议会大厦为新哥特式风格，并受到英国伦敦的议会两院建筑风格的影响，于1902年竣工，第二次世界大战结束以来便很少使用。沿河岸再往前走，便是匈牙利科学院大楼（为新文艺复兴时期建筑风格，建于1862～1864年）、市音乐厅（为一座浪漫派建筑风格的大厅，建于1859～1864年）和两座显眼的现代化旅馆。

②佩斯。佩斯市中心为内城，内有政府各部门、洛兰德·厄缶大学的部分校舍和商店。商店街这条狭窄的由街道改成的人行道是布达佩斯最时髦的购物中心。市政厅是一幢巴罗克式建筑物，建于1724～1747年，位于佩斯县政厅隔壁的内城东北角。内城教区教堂是佩斯最古老的建筑物，是中世纪佩斯给人印象最深的教堂。匈牙利国家博物馆是一座新古典主义风格的大厦，就在内城的外面，馆内陈列有象征匈牙利国家的圣司提反王冠。佩斯的主要干道在内城周围形成同心半圆。大干道沿多瑙河的一条干涸的支流河床延伸。新罗马风格的圣司提反大教堂、意大利新文艺复兴式国家歌剧院、国立剧院以及李斯特音乐学院的音乐厅都建于19世纪。这些用灰泥粉刷的建筑物是各种建筑风格的荟萃，尚未受严重侵蚀。

布达佩斯最好的街道是人民民主大街，旧称安德拉希大街，从佩斯中心笔直通向市公园。美术馆、其他博物馆、布达佩斯动物园、著名的市马戏场、还有一游乐场（一度称作“英国公园”）都在这大街附近。

人民 首都比匈牙利第二大城市大10余倍。人口增长惊人：如在19世纪40年代，人口约为10万，到1918年便增至100万，增长速度远远超过同期伦敦人口增长速度。人口自然增长从来不是人口剧增的因素，相反，城市死亡人数多于城市出生人数；其人口增长是人们不断从农村和城镇移居首都的结果。到20世纪后期，人口增长速度下降，人口开始从中心地区向边缘地区转移。2000年的人口估计为1 811 552。

布达佩斯一直是社会差别明显的城市，在城市中心修建宫殿的贵族老爷们和居住在贫民区和城市周边散乱的临时棚户区的贫民们在生活方式上曾显示出深刻的反差。第二次世界大战后的斯大林时期，这些差别大部分消失了，但是严重的住房紧缺问题一直存在。大多数居民依旧住在较小的公寓房。20世纪60年代后期起实施的经济改革创造了新财富，而这些新财富反过来又加剧了新中产阶级和工人的生活方式之间的差距。有特权的新中产阶级能够在布达山区和巴拉顿湖

多瑙河畔的布达佩斯

美国不列颠百科全书公司供图

畔修建别墅，而工人则居住在城边土褐色的居民区一大片式样雷同无法区别的住房里。

除了大量的外国游客外，首都的居民现在都讲匈牙利语；过去则并非如此。布达佩斯人口的明显不同的民族背景一直是该市最大的力量来源之一。过去的布达由日耳曼人统治，后来又由日耳曼和匈牙利享有特权的人统治。在19世纪初期，佩斯政府掌握在日耳曼享有特权的人手中，航运由塞尔维亚人控制，而商人则大多是"希腊人"(即希腊和巴尔干半岛其他各族人民)。讲德语的工业工人从西方招入，而大量犹太人则从东方移入。到1900年，布达佩斯的居民中将近有1/4是犹太人，但在第二次世界大战期间，犹太社会被严重摧毁。战后的布达佩斯变成同属纯一文化的城市。

经济 该市从早期便发展为国家真正的经济中心，其食品生产原本能自给自足，现在则由匈牙利全国各地供应。布达山区的果园、菜园、苗圃和牛奶场只供应一小部分。

从城堡山上的渔人棱堡看布达佩斯

美国不列颠百科全书公司供图

商业和工业 过去，所有道路都由四面八方向布达汇集，其市场一直名闻遐迩。然而到19世纪，商业已转移到佩斯；富商们控制了匈牙利的农业市场，银行(到1900年有100多家)控制了全国60%的银行资本。商业仍集中在佩斯的内城，包括各大银行、大部分外国贸易公司、国家旅行社和最好的商店。为了有助于缓和在为消费者服务中出现的越来越不均衡的现象，在老布达、拉吉玛尼约什、新佩斯、祖格洛及其他地区建立了大型购物中心。1968年所实施的国家经济改革已在零售和服务行业建立了私营成分。国营部门和私营部门都受益于日益重要的旅游业。

在19世纪最后25年中，这座在当地既没有任何原材料，甚至也没有技术工人(只得从奥地利和摩拉维亚进口技术工人)的城市从一座商业基地转变成全国重要的工业中心。除了几个机械工厂以外，其制造业最初只限于加工原材料，特别是加工食品，在多瑙河畔建有大型谷类加工厂。不久又建起金属冶炼厂和机器制造厂(尤其是农业机器和船舶制造厂)以及军需工厂和电子设备厂。1905年起就有了汽车制造工业，但轻工业只是在第一次世界大战后才迅速发展起来。由于控制了全国大部分工业生产，并且到1938年已拥有全国约3/5的产业工人，布达佩斯影响了匈牙利所有其他城镇的经济发展。1918年匈牙利丧失了2/3领土，1945年到80年代后期中央计划经济的指导作用，这两者加剧了布达佩斯相对于全国其他地区而言的过度膨胀，尽管到1969年首都的产业工人在全国所占比重已下降到约1/2。布达佩斯的一半以上的产业工人从事重工业生产，其他工人则分别从事轻工业和食品加工工业生产。

运输 运输一直是布达佩斯迅速发展的关键。从过去作为各条公路汇集的一处著名的多瑙河渡口，它已成为从首都向全国辐射的各条卡车运输线和主要铁路线的中心。它还发展为匈牙利最大的公共汽车终点站，并修建了匈牙利唯一的商用飞机场——费里海吉国际机场。首都8座桥中，最古老、最著名的桥是19世纪40年代建造的、以19世纪匈牙利改革家塞切尼的姓氏命名的塞切尼链索桥。

1866年引入马拉的轨道车；1887年建成第一批电车轨道后，很快便扩展成一个大型电车路线网。有轨电车和1915年引进的公共汽车在20世纪40年代前满足了当地交通需要，但不能适应第二次世界大战后迅速发展的交通。尽管由于大量使用私人汽车并减少有轨电车的数量曾造成交通拥塞，但现在的城市运输又一次变得效率很高。令人印象深刻的地下铁道系统建于20世纪70年代，有3条线路运行，其中一条穿过河底连结布达和佩斯。

布达的山上有着怡人的林间小道。从市里前去的交通很方便，有一条旧的爬坡火车道，还有公共汽车，升降椅则可将游客送上海拔527米的布达佩斯最高点亚诺什山。

行政与社会状况 *政府* 布达佩斯是匈牙利政府所在地，也是佩斯县和布达区的所在地。全市划为22个行政区——6个区在布达，15个在佩斯，加上切佩尔岛——每个行政区选出一名议员。全市的管辖正式归于布达佩斯市议会(由全体成年人选出的区议员选举)，管理委员会向市议会负责。

公用事业 该市有良好的公用事业的传统，至少在市中心是如此(1856年为消费者供应煤气，1893年供电)，这点可由公共运输的改进和20世纪70年代对电话系统进行更新等加以证明。犯罪、卖淫和麻醉剂(非酒精)的使用等问题并不严重。医疗和其他各项社会服务情况良好。在布达佩斯，自杀人数多得惊人。

文化生活 布达佩斯在匈牙利文化上的支配地位加重了它在经济上的过度膨胀问题。无线电和电视广播以及电影业为首都独家占有，出版和报刊几乎也是如此。传统上全神贯注于农村生活和农民的作家和诗人也被吸引到了布达佩斯，匈牙利的作曲家也如此：厄克尔、多赫纳尼、巴尔托克和科达伊都住在首都。重点初等学校都集中在布达佩斯，高等院校吸引着国内大部分最优秀的学生。此外，匈牙利科学院及其绝大部分研究所也都在布达佩斯。

该市还拥有匈牙利最好的图书馆、博物馆、美术馆、管弦乐团、体育设施及剧院。还有众多含镭及其他矿物质的地下温泉。从罗马帝国时代以来，沐浴者就找到了这些据说具有医疗性质的温泉。

历史

早期移民及中世纪布达的出现 从地理学角度看，布达佩斯是一处最佳的居住地点，有充分证据证明，自新石器时代起，多瑙河西岸便有人类居住。城堡山以北2英里处，在后来叫做老布达的地区，塞尔特族的埃拉维斯奇人建立了名叫"水源充沛"的一个居民点。公元1世纪末，罗马人在此设立军营及平民城镇时称阿昆库姆。约公元106年成为下潘诺尼亚省的首府，124年又取得市的地位，最后成了一个完全的移民地(194)，阿昆库姆逐渐发展成有两座圆形剧场的繁荣市中心。5世纪初，罗马当局在潘诺尼亚垮台后，一些大型建筑物住进了匈奴人，后来又住进西哥特人和阿瓦尔人，他们在此都统治了一段时间。

9世纪末，马扎尔部落首长库尔三很可能居住在前罗马总督的府邸里。11世纪初期，匈牙利王斯蒂芬一世建立基督教王国一段时间后，这个居民点南移到城堡山。布达——该居民点便是以他的名字命名的——很可能便是建在城堡山上的新要塞的第一任总管，其北面的旧址则称为老布达。河对岸已有一个斯拉夫人居民点佩斯(意思是"石灰窑"，这也是受布达的日耳曼名称 Ofen 的启发)。

中世纪时的布达及其庇护人匈牙利宫廷一起繁荣和衰落。1244年，贝洛四世根据王家特许状建布达市。因佩斯镇在1241年遭到蒙古人的劫掠，所以贝洛四世授予佩斯公民在这个设防城堡的居住权，并享有充分的权利。佩斯镇的政府在1439年改组前，根据日耳曼的法律由日耳曼公民进行统治。1439年，匈牙利人被赋予市政府内的平等地位。马提亚一世重建了宫殿。1490年他去世，这标志着王家势力和该镇同时衰落。1541～1686年土耳其人占据布达。在一场毁坏性的围攻后，神圣罗马帝国皇帝利奥波德一世组织的基督教军队解放了布达。到18世纪几乎已见不到马提亚时期的布达。

布达、老布达和佩斯 1703年，利奥波德一世承认布达和佩斯都是王家的自由镇，而老布达则是村庄，隶属于佩斯县——由当地匈牙利贵族掌管的一个自治县。1720年，布达和老布达共有人口约9 600，而佩斯只有2 600；但到了1799年，布达有约24 300居民，而佩斯的居民却有29 870。说明这两个城镇的规模均衡已发生变化。

佩斯是日耳曼人在匈牙利的一个商业中心，在当时是奥地利哈布斯堡帝国疆土的一部分，在18世纪后期已开始发展。布达在18世纪初期只允许日耳曼天主教徒来定居，仍然是帝国部队的驻防城市，在统治者的关注下又一次得到发展。18世纪60年代，在玛丽亚·特蕾西亚统治时期，修建了一座新王宫。1783年，约瑟夫二世将布达改成国家的行政中心；同年，高级法院迁入布达，大学迁到佩斯。几个世纪中，洪水一直是个严重的问题。1838年的洪水中伤亡特别惨重：佩斯有一半以上房屋被毁，布达也遭受损失。

在哈布斯堡王朝统治下的布达仍保持贵族的特点，并且明显是外国的。佩斯在绅士和知识分子迁入后，就致力于国家事业。佩斯是统一的象征。佩斯镇仍有部分归德国人治理，但佩斯县的贵族领导了这场争取由匈牙利本国管辖的运动。1848年3月，在佩斯爆发革命后，匈牙利一个向议会负责的执政内阁自波若尼(今斯洛伐克的布拉迪斯拉发)迁来。在接着发生的国内战争中，布达被爱国者科苏特率领的革命军队所包围。镇压接踵而至，直到1867年。第二年成立奥匈帝国，匈牙利被置于二元君主制领导下。在维也纳和佩斯分别建立各自的政府。

现代城市 “布达-佩斯”建于1872年，布达、佩斯和老布达联合成一个单一的自治市，下设10个区。但是不到一年，新首都名称中的连字符就消失了，甚至在官方文件中也没有了。1873年，法律宣布这个联合生效。从这时起，一直到第二次世界大战后共产党接管政权为止，布达佩斯享有自治权。

市议会为其治理机构，由各区选出的400名议员组成。财富的支配作用受到法律保证，法律上有一条款(起源于普鲁士法)，规定一半议员应从首都纳税最多的1 200名纳税人(即所谓的virilists)中选出，其余一半则在一个狭小的选举权基础上从剩下的选民中选出。

布达佩斯领导了国家政治活动。内城便是二元君主制的创造者戴阿克的选举区。

该市统一后便认真地开始了惊人发展。巴罗克风格和新古典主义风格的佩斯便毫无保留地献给了市议会议员们着迷的建房热。同时，布达佩斯的特征因高速工业化而经历了一个很大的变化。在二元君主制度下不可能引入保护性关税制，国家支持工业的想法只是在19世纪80年代后期才取得进展，但结果是发展失控，出现了一个劳动大军生活在骇人听闻条件之下的工业城市。

爆炸的城市和工业的发展引起了社会的紧张和第一次世界大战前工人运动的出现。1918年秋季奥匈帝国解体后，卡罗伊伯爵领导的、并由反战激进分子和社会主义者支持的革命团体民族委员会在布达佩斯夺了权。第二年3月卡罗伊政权垮台，共产主义者在首都夺了权，并掌权4个月，同时还控制了全国的中心地区。罗马尼亚军队占领并洗劫了布达佩斯。1919年11月开进这座“罪恶之城”的一支反革命军队恢复了旧的社会秩序。

1920年签订《特里亚农条约》后，作为独立的匈牙利的首都，布达佩斯与全国其他城市相比大得太不相称。两次战争之间的年月里，社会状况恶化。国家摄政霍尔蒂于1920年后所居住的布达城堡在第二次世界大战中起了重大作用。匈牙利在这场战争中是德国的卫星国，但在1944年3月初被德军占领。10月，霍尔蒂提出要求单独媾和，并退出与德国的联盟，但这次政变失败。从12月末到1945年2月中旬这段时期中，德军对苏联的进攻进行了凶猛的抵抗，这期间的战斗使城堡山变成一大片高低不平的废墟；市内1/4以上的建筑物和工厂被摧毁或遭到破坏，所有的桥梁都被炸毁。花了多年时间才从这场浩劫中恢复元气，但作为计划经济体制的中心，布达佩斯在战后的年月里重新有了迅速的发展。

1950年，该市面积扩大了很多，新增加了7个卫星城和16个郊区村庄，后来划分成现在的22个行政区。第二次世界大战后该城最重大的事件之一便是发生在1956年10月的暴动。它一开始是学生们在布达佩斯街头的游行示威。一个共产党的政府首次被人民推翻，“震撼克里姆林宫的七天”终以悲剧告终：苏联军队重又占领布达佩斯，该城再一次遭到破坏，全国被迫回到共产主义模式。在付出血的代价后，该市致力于成为“土豆烧牛肉”(即市场)式的社会主义和展示给西方的橱窗。作为东欧受西方影响最深的国家的首都，布达佩斯享受一定程度的自由经营和获得西方的投资资本，即使在冷战年代也是如此。80年代后期，匈牙利领导了东欧打破共产主义垄断政权并导入有可能实施多党政治的改革运动，布达佩斯再一次成为国家政治戏剧性事件的焦点。尽管它比较繁荣，并有管理私营企业的经验，它还是不能不受到匈牙利向更加西方式的经济过渡以及苏联和苏联集团解体后经济的重点转移和改组所造成的混乱的影响。90年代布达佩斯逐渐由封闭型社会向开放型社会转变，城市发生了巨变。重新开放了关闭已久的股票市场。震撼人心的建筑与文化丰碑更是使其成为倍受欢迎的旅游胜地。匈牙利政府还实施私有化工程，将大多数工商业由国有转为私有，并且引进了大量外资。尽管长期处于共产党统治之下，但在进入21世纪后，布达佩斯已跻身于欧洲最具活力城市之列。

Budaun 布道恩 印度北部北方邦中北部城市。靠近恒河支流索德河。始建于905年。地处主要公路和铁路线上，为农产品贸易中心。有一些小型工业。有一座1223年修建的大清真寺和一处城堡的遗址。周围地区出产稻米、小麦、大麦、黍稷和鹰嘴豆。人口约148 138(2001)。

Buddh Gayā(India) 参阅**Bodh Gayā菩提伽耶**。

Buddha 佛陀(活动时期约公元前6～前4世纪，生于[印度]科萨拉王国释迦公国迦毗罗卫，卒于[印度]摩揭陀王国末罗公国库辛纳拉) 佛教创始人。姓乔答摩，名悉达多。佛陀简称佛，意为“觉悟者”，是他的称号。佛陀出生于释迦族公国(现在尼泊尔与印度接壤的边境地区)，故又号释迦牟尼。其父为净饭王，母摩耶夫人，属刹帝利种姓。青年悉达多养尊处优，16岁与同年表妹耶输陀罗结婚，但他不满足于世俗奢侈生活。29岁时四次出城游玩，分别遇见一老人、一病人、一具死尸和一婆罗门教出家人，因此而感人生苦恼，决心出家探索解脱人生痛苦之道。他弃家外出，受业于阿罗逻·迦罗摩和乌陀迦·罗摩子等修行者，但他不满足于他们的教法，继续旅行，到达郁卢吠罗附近的舍那尼村，在林中遇见5名苦行者，和他们结伴修行。乔答摩在郁卢吠罗居住6年，实行各种极端严峻的苦修，以致身体羸弱，濒于死亡。他感觉苦修不能获得真理，因而改变生活，重新进食，恢复体力。此时5名同伴弃他而去。一日清晨，乔答摩坐在榕树下，接受牧女赠送的乳糜，然后在婆罗树林中度过一日。傍晚，他盘腿坐在菩提树下深思，在黎明前顿悟“四谛”与“八正道”之理。他说：“我心已解脱，无明清除尽，光明破黑暗，智慧已生起。”此事发生时乔答摩年35岁。佛陀成道后在郁卢吠罗停留数周，思考已领悟的法，特别是最重要的缘起法。经过一番犹豫，他决定宣讲此法。佛陀到鹿野苑找到舍他而去的5名同伴，向他们说法。此为佛陀首次说法，称为“初转法轮”，所说内容，后人题名为《转法轮经》。佛陀在鹿野苑为5人说法后，接纳他们为比丘，成为僧团的第一批成员。然后他又接纳富室青年耶舍及50个友人为比丘，另有佛陀的父母和妻子。至此，僧团共有成员60名。佛陀吩咐他们各走一方，弘传教法。他本人则先往郁卢吠罗，然后到摩揭陀国首都王舍城，接受频毗婆罗王所赠竹林精舍园，为建寺场所。在此期间，他的弟子日益增多。他曾返回家乡探视父亲妻儿。释迦族许多人成为他的信徒，他的异母弟难陀和罗睺罗均出家为比丘。净饭王为此深感悲伤，要求佛陀订立规则，凡未得父母许可者，不得出家为僧。佛教僧团至今遵守这条规则。憍萨罗国有富商名给孤独，在首都舍卫城营造祇园精舍，供佛陀居住。恒河流域各大城市均有人建寺供他和弟子们居住。各阶层信徒人数迅速增长。佛教的比丘尼团体，是在佛陀的堂弟和侍从弟子阿难陀的请求下成立的。佛陀的姨母及众女伴带头参加比丘尼团体。

佛陀80岁时，率领比丘从王舍城出发，向北方作最后一次旅行。在波伐住在信徒金匠纯陀的园中，应邀到他家中用餐。席上有食物名苏迦罗·摩达伐(可能是猪肉)。饭后，佛陀感觉作呕，腹部剧痛，但他继续前进。傍晚到达库辛纳拉，在末罗族人的优婆多纳园内，两株娑罗树之间一卧榻上，向右而卧，心识宁静，神态安详。最后，佛陀对众比丘说：“诸有为法，悉皆无常，精勤行道，慎勿放逸。"语毕而逝。一周后,末罗族人将佛陀遗体火化,骨灰分为八份,分赠各族信徒建塔供奉。

Buddhacarita 《佛所行赞》 又称《佛本行经》,梵文诗人马鸣以诗歌体裁撰写的释迦牟尼传记。马鸣公元1～2世纪时生活于印度北部。从此书内容可以看出,马鸣十分了解印度神话和佛教以前的各派哲学,注意爱情、战争和国策等题材。《佛所行赞》梵文原本仅存前半部,5世纪汉文译本和后来的藏文译本保存全部28品。

Buddhaghosa 佛音(活动时期5世纪初)又称"觉音"、"佛陀瞿沙"。印度佛教学者,以所撰《清净道论》闻名于世,此著是当时流行的各种佛教教义的提要。学者们对佛音的出生地意见不一,但已知他曾赴斯里兰卡的阿努拉德普勒,在那里发现许多僧伽罗文对佛教经典的注释。他把这些注释译成巴利文,并传送给本国人。

Buddhism 佛教 广泛流行于亚洲的宗教和哲学。它对东方世界的宗教、文化、社会生活发挥重要作用。佛教于公元前6世纪末至公元前4世纪初期创立于印度北部。

佛陀的生平与教义 佛教创始人为乔答摩·悉达多。他出身于今尼泊尔南部边境武士氏族释迦族,故称释迦牟尼。他发觉社会生活徒劳无益,浩瀚的哲学著作使人无所适从,终于舍弃家室妻儿,向当时最有名望的精神导师学习瑜伽,刻苦修炼。直到发现如无健康即亦不能进行修炼时为止。35岁时,他在菩提伽耶一株菩提树下彻悟成佛。

佛陀的指示都是由弟子口传。因此很难断定一段论述是否原话。他死后几个世纪内,佛教举行数次结集大会,确定教义。佛陀认为一切无常,无论是外在事物或个人的身心总体,都不断变化。佛陀不承认事物之中有必然的或根本的实在。他认为阿怛摩(我体)并不存在,认为一切事物没有不变的我体;人处在生死轮回之中,而生存必有痛苦。根据无常、无我、苦这三种基本实际,佛陀总结出四谛:苦谛谓世俗世界的一切,本性都是苦;集谛谓贪为苦因;灭谛谓苦因可灭;道谛即灭苦之道。佛陀根据四谛提出十二因缘,谓"无明"(无智)缘"行"(善恶行业);"行"缘"识"(心识);"识"缘"名色"(名称与物质);"名色"缘"六处"(五感官与意识);"六处"缘"触"(感官与事物的接触);"触"缘"受"(由接触而产生的感受);"受"缘"爱"(贪爱);"爱"缘"取"(求取);"取"缘"有"(有生存);"有"缘"生";"生"缘"老死"。为了摆脱上述生死轮回之苦,佛陀提出八正道,即正见、正思维、正语、正业、正命、正精进、正念和正定。人经过八正道,即可证得涅槃,即无业力无生死轮回的境界。佛教接纳一切人,不分种姓,佛陀不承认人与人之间有任何本质差异。

佛教可分为三大部派,即古代部派、大乘佛教和密教。各大部派之下又有若干支派。在佛教兴起后的300年中,共有18部派(实际上不止此数)。部派不限于某一地区。

古代部派 上座部是古代佛教的主流。这一派不着重探讨形而上学问题,而强调研究人的精神与物质的组成因素,认为人只有了解这些因素的相互关系、组合形式和作用,以及培育某些因素和抑制另外一些因素的方法,才能达到阿罗汉的解脱境界。在阿育王(卒于公元前238)时期从上座部分出一切有部。上座部注重三藏中的《经藏》。一切有部则重视《论藏》,认为一切事物实有,但不承认人是永恒不变的存在物。根本说一切有部是一切有部的支派。4、5世纪世亲所著佛教哲学典籍《阿毗达磨俱舍论》就是根据一切有部的论藏所撰。此论是中国佛教教理的主要根据。经量部重视三藏中的《经藏》,认为业力因素(行)非实在体,瞬息即逝,消逝以后,立即再现,产生新力。人凭借连续不断的运动过程,从一种状态进入另一种状态。此派认为过去和未来,就直接意义而言,都不存在。此派教义是唯识宗的先驱。佛教于公元前483年在王舍城召开第一次结集大会,会上在戒律问题上发生分歧,产生弥沙塞部。此派不承认有经历生死轮回的生命。法藏部于公元前2世纪末或公元前1世纪初脱离弥沙塞部而成。此派在三藏经典之外,增加《菩萨藏》和《陀罗尼藏》二藏,并认为人纯粹是有名无实之物,因为人除了心物成分以外再无他物。正量部是从成立于公元前3世纪的犊子部分裂出来的一个部派,认为人是与其组成因素并不完全相同的本体。律宗奉三藏经典中的《律藏》立宗,强调遵守清规戒律,7世纪兴起于中国。8世纪中国僧人鉴真将此宗传入日本。

过渡部派 大众部是一部分信徒于公元前3世纪从佛教主体分裂而成。此派主张戒律宽和,不重视佛陀在世言行,而强调佛陀超然于万物之上。这些观点后来由大乘佛教进一步加以发展。说出世部源出于大众部。该派认为,一切事物皆无实体,佛陀完全超出世间,他的历史事迹都是幻象。犊子部成立于公元前3世纪初。此派认为人真实存在,经历轮回生死,从一生到另一生,而其他万物无此特性。成实宗以《成实论》为依据,兴起于中国,传到日本。此宗主张一切事物只有名称,而无实体,过去已不存在,未来尚未兴起,现在瞬息即逝,因此,事物的连续性仅存在于幻觉之中。

大乘佛教 大乘佛教兴起于印度,传到中亚、中国、日本、爪哇、苏门答腊甚至斯里兰卡。大乘佛教倡导"人法二空",不以阿罗汉而以具有成佛本性的菩萨为理想表率,重视对众生的慈爱。菩萨甘愿把自己的善行功德转施与人,令他人受益。大乘佛教认为静止修炼可以使人达到空无所想的境界,由空入空,结果般若即智慧本身也归于徒然。大乘佛教认为佛有三身,即化身、报身和法身。大乘佛教的主要宗派有中观派、瑜伽派(或称唯识宗)、华严宗、一乘法门(天台宗)、净土宗和禅宗。中观派(三论宗,空宗)是公元2或3世纪印度论理学家龙树所创立。龙树和弟子圣天在"有"与"空"、肯定与否定两个极端之间采取中间观点。5世纪,龙树的《大智度论》、《中论》和《十二门论》以及圣天的《百论》自梵文译为汉文。后三部著作是中国和日本中观派三论宗的基本典籍。此派于625年从中国传入日本。中观派教义从未在民众中广泛流传,仅为学者研究论理学和哲学的依据。据传瑜伽派(唯识宗、法相宗)是由5世纪世亲兄弟二人所创,6世纪的安慧也曾起奠基作用。该派认为,只有"识"才是真实的,思想与心识是究竟实体。心识以外的一切外在事物都不存在。人通过瑜伽修炼,即可消除谬见而获得彻悟。瑜伽派的基本教义由6世纪僧人真谛传入中国,发展成为法相宗。7世纪由日本僧人道昭传入日本。华严宗强调万物同一,相信绝对真实的存在以及现象与本源的同一。此宗于7世纪兴起于中国,对11世纪新儒学思潮有重大影响。此宗在725～740年期间传入日本。法华宗(天台宗)以《妙法莲华经》为中心典籍。该宗于5世纪兴起于中国,9世纪由日本僧人最澄传入日本。天台宗的中心教义为"三谛"之说,即一切事物空无实体(空谛),一切事物皆为假名(假谛),一切事物空假不二,名为中道(中谛)。净土宗奉《阿弥陀经》,宣传个人解脱不靠自己努力或集聚功德,而在于信仰阿弥陀佛,称念佛名,依靠佛力往生西方极乐世界。此宗教义于3世纪传入中国。日本僧人源空在日本创净土宗的念佛法门,其弟子亲鸾创更为激进的净土真宗。该宗允许僧人结婚,鼓吹无须过寺院生活,只需信仰阿弥陀佛,即可往生极乐世界。日莲宗于13世纪在日本兴起,奉《妙法莲华经》。创始人僧人日莲认为《法华经》是佛教教义的精华,主张以佛教安邦定国。日莲死后不久,弟子日兴另立新派,名日莲正宗。1925年灵友会兴起于日莲宗内部。1938年从灵友会中分裂出立正佼成会。日莲正宗另一组织创价学会创立于1930年。相传禅宗由南印度僧人菩提达摩于520年左右传入中国,其基本经典为《入楞伽经》。此宗认为一切众生皆有佛性,悟得此理谓之"开悟"。这种悟境非文字语言所能表达,必须亲身体验。禅宗于7世纪传入日本,12世纪大盛,对日本文化如武术、能乐、诗歌、花道、茶道等均有影响。

密教 真言宗密教以大日如来为主要崇拜对象,鼓吹通过身、语、意三密相应而即身成佛。密教与后期大乘佛教的曼荼罗乘有密切关系,7～8世纪由善无畏、金刚智和不空金刚从印度传入中国。9世纪初,日本僧人空海将此宗自中国传入日本。

Buddhist Association of China 中国佛教协会 中国佛教徒的联合组织。1953年成立于北京。该会的宗旨是:协助政府贯彻宗教信仰自由政策,团结全国各民族佛教徒,发扬佛教优良传统,积极参加社会主义现代化建设,促进祖国统一,维护世界和平事业。中国佛教协会成立以来,协助政府贯彻落实宗教信仰自由政策,保护、恢复和开放重点寺庙。对中国佛教四大名山(五台山、峨嵋山、普陀山、九华山)进行保护和修缮;各地还修复了大批寺院,其中有北京的雍和宫、法源寺,上海的玉佛寺、龙华寺,江苏苏州的灵岩寺、南京的栖霞寺、扬州的大明寺,浙江杭州的灵隐寺、天台的国清寺,广东的南华寺,河南洛阳的白马寺、登封的少林寺,福建鼓山的涌泉寺,以及西藏的大昭寺、甘丹寺、哲蚌寺、色拉

北京广济寺内的中国佛教协会

中国大百科全书出版社供图

寺,甘肃甘南的拉卜楞寺,青海湟中的塔尔寺等。1956年在北京创办了中国佛学院,1966年停办,1980年恢复,并开办了灵岩山分院和栖霞山分院。1987年在北京创办了中国藏语系高级佛学院,上海、福建、四川、甘肃、西藏等地也先后创办了各自的佛学院。此外,还成立中国佛教文化研究所,开办中国佛教图书文物馆,恢复南京金陵刻经处。编译撰写佛学著作,收集保护佛教文物,出版流通经像书刊等,并组织人员完成了《房山石经》的全部调查、发掘、拓印、整理和研究。协会会刊为《法音》,向国内外发行。

Buddhist council 佛教结集大会 佛陀死后几百年内为诵读已经通过的经籍并调解教义争论而召开的几次大会。第一次结集大会据说是在佛陀死后第一个雨季在王舍城召开的。优婆离长老在大会上提出律藏经籍,阿难陀提出经藏典籍,然后由500名阿罗汉诵读通过。约100年后,在吠舍离举行第二次结集大会。据斯里兰卡上座部传说,在这次大会上代表东部僧众的4名僧人和代表西部僧众的4名僧人组成委员会,向出席大会的700名反对吠舍离僧众之作法的僧人提出报告,处于劣势的僧众遂退出大会,另立大众部。关于引起争论的问题其说不一,但显然包括:蓄盐,在规定时间过后用餐或募化,援导师的行为为自己开脱,接受金银布施等。阿育王在公元前247年前后于华氏城召开的第三次结集大会,可能仅有上座部僧众参加。凡不能声明自己属于分别说部的僧众,可能即被排斥而退出大会。说一切有部的史籍不提这次大会。他们以迦腻色迦王在贾朗达尔召开的大会为第三次结集大会,其时间可能是在公元100年前后,上座部史籍却不载此次大会。近现代最著名的佛教集结大会为第六次大会,即为纪念乔答摩佛陀逝世2 500周年,于1954年5月至1956年5月在缅甸仰光召开的会议。来自缅甸、印度、斯里兰卡、尼泊尔、柬埔寨、泰国、老挝和巴基斯坦的僧人,在大会中温习和朗读上座部的全部巴利文典籍。

Buddhist Hybrid Sanskrit language 佛教混合梵语 中期印度-雅利安文学语言,是渗进大量梵语的一种普拉克里特方言,北传佛教经典即以这种语言写成。佛教混合梵语在公元前即已发展起来;因大乘佛教徒使用梵语写作,故深受梵语之影响。

Buddhist meditation 禅定 佛教修习方式,指集中精神凝思,经过若干阶段而修成涅槃凝思的对象可因人而异。有一部巴利文著作提出40种凝思对象,包括设置物(如颜色或光),令人生厌的事物(如尸体),追忆中的人物(如佛陀)和德行(如友谊)。禅定分为4个阶段:①初禅,脱离外界,感受到喜与乐;②二禅,"寻"、"伺"皆已断灭,达到"内等净";③三禅,舍去二禅之喜乐,达到"行舍"境地;④四禅,舍去三禅的妙乐,唯念修养功德,达到"念清净"。四禅之后还有四"等持",达到:①空无边处;②识无边处;③无所有处;④非想非非想处。佛家的禅定在许多方面与印度教的修习法相近。佛教各部派都重视禅定,但互有不同。在中国和日本,禅定甚受重视,形成了禅宗。

budding 发芽 一种无性繁殖形式,新个体从亲本生物体有繁殖能力的解剖点发育形成。有些物种可以在机体任一部位发芽,但更多的是限于特化的部位。首先细胞质或细胞增殖,向外凸出形成芽,然后发育成与亲本完全相同的生物体。新的个体可以与亲本分开而营独立生活,芽亦可以附生亲本本上而成聚生或集群生长。发芽是一些单细胞生物所特有的(如某些细菌、酵母、原生动物),但一些后生动物(如某些刺孢动物)亦常通过发芽进行繁殖。budding一词在园艺学上指芽接,是植物繁殖的一种方式,即所要繁殖的植物芽被嫁接到另一植物的茎上。

budding bacterium 芽生细菌 借发芽方式繁殖的一组细菌。细菌细胞先进行不等生长,然后进行分裂。母细胞依然存在,又形成一个新的子细胞。(二分裂见于大部分细菌,母细胞单系生长、分裂,形成两个相等的子细胞)。发芽方式是细胞壁从细胞的一极生长(极性生长),而非贯穿细胞生长;这就使更为复杂的结构和过程得以发育。大多数芽生细菌产生细胞质突起,如柄(见于柄杆菌属[*Caulobacter*])、菌丝(见于丝微菌属[*Hyphomicrobium*])及附器(见于[*Stella*]属)。芽生细菌最常见者为水生,可借其柄附着于表面。另一些则为自由漂浮。

Budé, Guillaume 比代(1467-01-26,法国巴黎~1540-08-20,巴黎) 拉丁语作Guglielmus Budaeus。法国学者、外交家和皇家图书馆馆长。研究希腊文化,使古典研究在法国复兴。在巴黎创建法兰西学院。曾在巴黎及奥尔良受教育,特别精通希腊文,亦学哲学、法律、神学和医学。两次以法国大使身份去罗马教廷。后任皇家图书馆馆长,将王室珍藏的手稿都收集在枫丹白露宫中。其所建图书馆成为今天法国国家图书馆的核心。他建议国王建立法兰西学院以研究希腊文、拉丁文和希伯来文。学院建于1530年,成为法国高等学术研究的一个中心,重新唤醒了人们对古典语言文学的兴趣。其著作甚多,《希腊语言评注》(1529)一书有助于古典研究的复兴。参阅 **France, Collège de**。

Budenny, Semyon Mikhaylovich 布琼尼(1883-04-25,俄罗斯顿河畔罗斯托夫附近的科久林~1973-10-17,莫斯科) 红军军官,在俄国内战(1918～1920)中起过重要作用,后为苏联元帅。贫农出身。1903年在远东参加沙俄军队。后参加推翻沙皇政府的革命,任高加索区士兵苏维埃主席,曾组织骑兵在北高加索同白军作战。1919年加入共产党。1919～1924年任骑兵第一军团司令,在击败邓尼金和弗兰格尔以及对波兰作战中起过重大作用。1922年成为北高加索军区司令。1924～1937年任红军骑兵总监,1937～1940年任莫斯科军区司令。1932年在伏龙芝军事学院毕业后,晋升苏联元帅。1938年当选最高苏维埃主席团委员。1939年当选苏共中央委员。1940年任苏联国防人民委员部第一副人民委员。1941年德国进攻苏联时,他任西南战线总司令,但因几次重大失败而被撤职。1953年重任骑兵总监。1958年被授予"苏联英雄"称号。但1961年又被降为中央候补委员。

Buderim 布德里姆 澳大利亚昆士兰州东南部一城镇。位于桑夏恩海岸上,布里斯班以北约100千米(沿布鲁斯公路)。1869年设镇。其地名来源于土著人表示忍冬属的一个词。该地区土质为红色火山灰,适于生产鳄梨、柑橘类水果、蔬菜和生姜。布德里姆生姜厂是世界最大的生姜生产厂,后移至附近城镇扬迪纳。旅游业为主要经济来源。人口24 213(1996)。

Budge, Don 巴奇(1915-06-13,美国加利福尼亚奥克兰～2000-01-26,宾夕法尼亚斯克兰顿) 美国业余草地网球运动员。破天荒地在一年(1938)内囊括澳大利亚、法国、英国和美国4大锦标赛的单打冠军。他4次(1935～1938)代表美国参加戴维斯杯赛,29场比赛胜25场;1937年使美国队取得1926年以来的首次胜利。1937和1938年在温布尔登取得男子单打、男子双打(同麦科合作)和混合双打(同马布尔合作)的胜利。1937年巴奇作为美国当年最佳业余运动员获得沙利文奖,是获得此项奖的第一个网球运动员。1939年起成为职业运动员。1964年人选全国草地网球协会名人堂。

Budge, Sir (Ernest Alfred Thompson) Wallis 巴奇(1857-07-27,英格兰康沃尔～1934-11-23,伦敦) 英国东方学家,伦敦不列颠博物

馆埃及和亚述古物部主任(1894～1924)。曾收集大量楔形文字泥板、埃及纸草纸文稿以及希腊语、科普特语、阿拉伯语、古叙利亚语和埃塞俄比亚语手稿。曾多次到美索不达米亚、埃及和苏丹去从事考古发掘。有许多著作出版,其中包括古代文献译文。1920 年受封爵士。

Budge Budge　巴奇巴奇　又拼 Baj Baj。印度东北部西孟加拉邦东南部市镇。位于胡格利河东南岸。与阿里布尔和加尔各答通公路和铁路。黄麻纺与棉纺织中心。1900 年设市。人口约 72 951(1991)。

Budgell, Eustace　巴杰尔(1686-08-19,英格兰埃克塞特附近的圣托马斯～1737-05-04,伦敦)　英国作家,《旁观者》的主要撰稿人之一。他的表兄艾迪生,当时任爱尔兰总督的

美国不列颠百科全书公司供图

秘书,给了他一个文书职位,此后任过多种职务。其间为《旁观者》撰稿。1718 年博尔顿公爵成为爱尔兰总督,巴杰尔与他发生争吵,被撤职。他在反政府刊物《手艺人》上写文诽谤沃波尔爵士。1733～1735 年创办自己的周刊《蜜蜂》,发行了 100 期,有许多期充满浮夸的自我辩护之词。许多人对他不满,A.蒲柏曾在《致阿巴斯诺特博士书》和《群愚史诗》中批评他。晚年一直为一份可能是他伪造的、使他成为受益人的遗嘱打官司。最后,他身揣石头沉河自杀。

budgerigar　虎皮鹦鹉　又作 shell parakeet。一种受人喜爱的*长尾鹦鹉*(**parakeet**)。

budget, government　参阅 **government budget** *政府预算*。

Budi Utomo　至善社　印度尼西亚第一个民族主义团体。成立于 1908 年 5 月 20 日,这一天后来被印度尼西亚政府确定为民族觉醒日。至善社的宗旨在于促进提高爪哇人的文化和经济地位。截至 1909 年底,它拥有 40 个分会,共 1 万名会员,其中多数为文职人员。该团体于 1918 年参加人民议会,开始政治活动。1935 年解散。

Budweis(Czech Republic)　**布德韦斯**　参阅 **České Budějovice** *捷克布杰约维采*。

Buea　布埃亚　又拼 Bouea。喀麦隆西南部城市。在喀麦隆山东南城,海拔 900 米。

布埃亚市的总理府
美国不列颠百科全书公司供图

1884～1919 年为德属喀麦隆首府。保存有殖民时代建筑。现为行政和商业中心。有纺织、建筑和木材加工等行业。附近有喀麦隆发展公司拥有的油棕和橡胶种植园。旅游业重要。通公路。建有飞机场、医院和雅温得大学艺术分校。人口约 39 064(1987)。

Buell, Don Carlos　比尔(1818-03-23,美国俄亥俄玛丽埃塔附近～1898-11-19,肯塔基罗克波特)　美国南北战争期间联邦军将领。1841 年在西点军校毕业。南北战争爆发时任陆军中校。1862 年成为义勇军少将。他曾参加组织波托马克军,1861 年 11 月前往肯塔基组织和训练俄亥俄军。1862 年春追击 S.约翰斯顿将军所率的南军,同年秋在肯塔基指挥对 B.布雷格将军的进攻战。由于反对华盛顿当局下达的作战计划,被撤去指挥职务。战后定居肯塔基,经营矿业。

Buen Retiro ware　布恩雷蒂罗瓷器　从 1760～约 1808 年由卡波迪蒙特的陶工在马德里城外布恩雷蒂罗王室居住地制作的瓷器。当那不勒斯的查理三世(他在 1743 年兴建卡波迪蒙特城)继承西班牙王位时,将自己的陶工、模型甚至原料都迁到布恩雷蒂罗,以便保证那不勒斯工厂的继续发展。由于沿用了波旁家族的百合花饰作为标记,所以要对后来的意大利瓷器与早期的西班牙瓷器加以区分是困难的。该工厂的两项早期的任务是在朱塞佩·格里齐的指导下以浩繁的开支去装备阿兰胡埃斯和马德里两处宫殿里的洛可可瓷室。瓷室中著名的产品有:顶盖上有塑像的瓷钟和盛满瓷花的高达 1.8 米以上的花瓶。布恩雷蒂罗的其他大型产品有天花板和镜子。这些瓷器并不艳丽,但其明快柔和的色彩,加上运用得当的点彩和镀金,增添了制品的特色,使之具有很大的魅力。属西班牙式路易十六风格。直至 1788 年查理三世去世前不久,布恩雷蒂罗瓷器都是专供西班牙宫廷使用的。巴特洛米·苏列达在 1803 年用质量较差的硬黏土坯代替了旧的软质瓷;在他的管理下,开始较大量地制造实用瓷器。在半岛战争期间,法国人在 1808 年把该工厂改成了一座堡垒,于 1812 年被英国人摧毁。但是该工厂于 1817 年又在拉蒙克洛瓦恢复了生产,并持续到1850 年。

Buena Park　比尤纳帕克　美国加利福尼亚州南部奥兰治县城市。1887 年始建。1953 年设市。原为乳品业中心。后发展成住宅区。是旅游胜地。另有食品加工和航空工业作为重要经济补充。与洛杉矶通高速公路。市内有大型游乐中心和多座博物馆。人口约 78 282(2000)。

Buena Vista, Battle of　布埃纳维斯塔战役(1847-02-22～23)　又称安戈斯图拉战役。1846～1848 年美国和墨西哥之间的墨西哥战争期间,在蒙特雷附近进行的一次战役。美国 Z.泰勒将军率 5 000 人攻入墨西哥,占领蒙特雷和萨尔蒂略。墨西哥的 A.洛佩斯·德·圣安纳将军集结约 1.4 万人,从圣路易斯波托西向北行进,抗击入侵者。2 月 23 日墨西哥军开始总攻,但被美军的强大炮火击退,死伤约 1 500 人。泰勒的胜利提高了他在全国的声望,使他在 1848 年美国总统竞选中获胜。

Buenaventura　布埃纳文图拉　哥伦比亚西部考卡山谷省港口。位于卡斯卡哈尔岛上。虽建于 1540 年,但因气候湿热、交通不便,一直未居重要地位。20 世纪 30 年代,改进了岛内交通联络、建设了现代港口和机场。现已是哥伦比亚在太平洋的主要港口。运输物资包括考卡河上游的富饶谷地出产的蔗糖、咖啡、棉花和从哥伦比亚西南部沿海林地来的木材,以及北部乔科区产的大多数黄金和白金。主要渔港,输出冻虾。从贝里奥港输出的一条输油管的终点。人口 263 137(1999)。

Bueno, Maria Ester Audion　布埃诺(约 1939,巴西圣保罗～　)　巴西女子业余网球运动员。1958 年在温布尔登同 A.吉布森合作夺得女子双打冠军。1959 年在温布尔登和福雷斯特希尔斯获单打冠军。1960 年蝉联温布尔登单打冠军,并同 D.哈德配合夺得温布尔登和美国双打冠军。1962 年病后重返赛场同哈德配合夺得美国双打冠军。1963 年获美国单打冠军,并再次同哈德共享温布尔登双打冠军荣誉。1964 年在温布尔登和福雷斯特希尔斯单打比赛中获全胜。1965年同 B.J.莫菲特(后改名为金)配合赢得温布尔登双打冠军。1966 年第 4 次获美国单打冠军,同 N.里奇(后改名为甘特)配合夺得温布尔登和福雷斯特希尔斯双打冠军。1968 年与 M.S.考特配合夺得福雷斯特希尔斯首次职业与业余运动员均可参加的公开赛女子双打冠军。在布鲁克莱恩举行的 1968 年美国业余网球比赛中与考特配合获双打金牌。在长期因伤退役后,于 1975 年复出,参加当年的职业网球巡回赛。1976 年和 1977 年在温布尔登参加比赛。布埃诺姿势优美,善于控制击球线路的长短。

Buenos Aires　布宜诺斯艾利斯　阿根廷东部省份。面积 307 571 平方千米。全国最大、人口最多的省。阿根廷的文化和经济中心。有萨拉多河流贯。南部的两条较低山脉(坦迪尔山脉及本塔纳山脉)从海岸向西北方延伸。1862 年建省。在 19 世纪末和 20 世纪初养牛业发展,种植小麦、玉米及苜蓿供应本地和欧洲市场。全省牲畜存栏数量和质量居全

国首位。约有1/2土地用于放牧。农作物播种面积不断扩大。畜牧业集中在沿海地区，向内陆延伸约150英里，南至马德普拉塔。有一条贯穿全省南北的宽阔小麦种植带。北方种植玉米。联邦区周围(半径为50英里)广种蔬菜和水果，以供应城镇居民需要。工业及交通运输系统集中在省会布宜诺斯艾利斯及其郊区。布兰卡港、马德普拉塔和拉普拉塔(La Plate)亦为重要工业和交通中心。人口约14 047 483(1999)。

Buenos Aires 布宜诺斯艾利斯 布宜诺斯艾利斯为阿根廷的联邦首都，是全世界人口最多的城市之一。城市本身即联邦区，在拉普拉塔河西岸，面积200平方千米(77平方英

布宜诺斯艾利斯街景
中国大百科全书出版社供图

里);都会区总面积约1 500平方英里。据传16世纪西班牙水手以其主保圣人圣玛丽亚·布宜艾利(Santa María del Buen Aire)之名称当地港口。该城市是全国商业、工业、政治和文化中心。城市居民称作"港民"。

自然地理和人文地理

景观 城市位置 布宜诺斯艾利斯市位于阿根廷腹地平坦的潘帕平原的东北边缘。地处巴拉那河宽阔的三角州与拉普拉塔河汇合处。拉普拉塔河形成都会区的东部和北部边界。城市中心位于俯视拉普拉塔河的一面绝壁上，南面为里亚丘埃洛河，河岸为该城市的另一片高地，城市其他地区位于几条河流经过的河漫滩上。

气候 气候温和，这是拉普拉塔河沿岸平原气候的特征。夏季12月～2月炎热潮湿，平均气温28 °C。冬季6月～8月气候温和而潮湿，平均气温11 °C。5～9月有霜降，降雪极少。

城市布局 都会区分为1880年成立的联邦区和周围的郊区。联邦区人口占都会区人口的1/3弱，郊区不断吸引工业界人士和居民，因而这一比例有所下降。市下分区，区大体相当于旧的居民区或地方行政区。市中心建于原有的殖民地基础之上。街道狭窄，成90°角，呈方格状。现代城市从有历史意义的五月广场向外扩展，两侧有18世纪建造的市政厅和通常称为玫瑰庄园的政府大厦。玫瑰庄园面朝西，在直接通往国会广场和国民议会大楼的宽阔的五月大街上。殖民时期的另一纪念性建筑物——都会区大教堂也在五月广场。殖民时期的布宜诺斯艾利斯的其余遗迹多在广场以南的圣特尔莫，这些遗迹已修复和重建。

人民 布宜诺斯艾利斯通常称作拉丁美洲中欧洲人最多的城市。居民基本上是19世纪末或20世纪初来到阿根廷的西班牙和意大利移民的后裔，也有人数众多的其他民族，如日耳曼人、英国人、来自中欧和东欧的犹太人，以及中东诸国人民。罗马天主教是主要的宗教。自从20世纪30年代以来，这一城市的大多数移民来自阿根廷北部，那里的人口主要是梅斯蒂索人(印第安和欧洲混血种)。今日，梅斯蒂索人占都会区人口的1/4～1/3。多住在城市中最贫穷的地区、贫民区和远郊区。人口:市区约2 904 192;都会区约12 423 000(1999)。

经济 布宜诺斯艾利斯为国家主要港口，对阿根廷经济有十分重要的意义，因为该国过分依赖农产品的生产和出口。布宜诺斯艾利斯是国家主要的消费、加工和航运中心。布宜诺斯艾利斯港是南美洲最大的港口，来自世界各地的船只驶入此港，卸下机械及耐用的消费品，运走谷物或诸如食油等农业副产品。

工业 布宜诺斯艾利斯都会区的重工业发展比阿根廷其他地方快得多，国家1/3以上的工业能力在布宜诺斯艾利斯都会区，制造业半数左右的就业机会在这里。主要工业包括食品加工(肉、鱼和谷物)、金属品制造、汽车装配、炼油、印刷和出版，以及纺织品、饮料、纸张和化学物品制造。服务业占都会区就业的20%以上，这一地区的电和天然气能源的消耗量占全国生产量一半以上。在城市内，大的工业和制造业企业多在巴拉卡斯区，但现在越来越集中在南郊。

金融和商业 该市实际上垄断了这个国家的金融活动。布宜诺斯艾利斯的各家银行拥有该国银行存款的最大份额，其中大部分为外国投资商所有。阿根廷共和国中央银行控制联邦的金融系统。布宜诺斯艾利斯设有股票交易所和肉、牛、水果及谷物专门市场，为国家最主要的股票和商品贸易中心。金融区集中在五月广场正北面。

运输 布宜诺斯艾利斯的城市运输系统属全世界优良之列，偶尔也发展独特的小型公共汽车。外出者在一个街区很少找不到公共汽车，往往还有几路公共汽车可供选择。地下铁路系统是为20世纪40年代的布宜诺斯艾利斯设计的;已越来越不能满足现代城市的需求。

公路系统包括几条高速公路，从市中心向四面八方伸展，同环绕该城市大部分地区的帕斯将军大街相连，形成轮辐状。其他主要大街连接市中心的五月广场和周围的居民区。该市为境内各条主要铁路的终点。还有郊区电车使该市与蒂格雷镇和莫雷诺镇相连。埃塞萨国际机场位于市外的埃斯特万·埃切维里亚郊区。

行政与社会状况 政府 市政府由总统任命的市长和选举产生的市议会领导。然而市议会和市长的立法权力和行政权力是有限的。城市实际上由共和国总统控制，国民议会最终负责制定与城市有关的法律。

城市区域划分为行政区，有的行政区大体上相当于传统的地方行政区。每个行政区有一个居民区会议，或称委员会，处理居民区事宜。

公用事业 几乎所有公用事业设施均由全国性政府机构控制，这些政府机构是独立于市政府的。市政府只负责修筑和维修公路、人行道和公园。由于人口增长，房屋建筑没有控制，公用事业十分紧张。

卫生设施——自来水供应、排水、下水道——由国家卫生工程总局负责，总局为大布宜诺斯艾利斯的大部分地区服务。电力、天然气和电话等公用事业也由政府部门提供。

教育 阿根廷属世界人民教育水平最高之列，"港民"可进入国家最好的学府。小学和中学以居民区为基础，政府管理国家重点高中，作为大学的预备学校。这些高中及其他高中，包括罗马天主教教会或其他宗教教派管理的许多学校的学生的目的都是进布宜诺斯艾利斯大学(1821)。此外，城市内还设有贝尔格拉诺大学、莫龙大学、阿根廷公教大学和萨尔瓦多大学。

文化生活 布宜诺斯艾利斯在全国各种活动中独领风骚，其中最明显的是首都的文化生活。造型艺术很活跃，在圣菲大街不远的卡尔佛罗里达一带和附近，或在圣特尔莫区经过改建的雅致的殖民时期建筑中有数十个陈列馆。布宜诺斯艾利斯是拉丁美洲主要的出版中心之一，有各种各样的报纸，包括几种外文报纸。

表演艺术 城市中最重要的剧院是科隆剧院，它既是歌剧院，又是国家芭蕾舞团和国家交响乐团总部的所在地。圣马丁市剧院有3座可同时利用的舞台和一个艺术陈列馆;阿尔维亚尔总统剧院几乎天天有戏上演。另一个著名剧院是塞万提斯国家剧院。业余剧团很活跃，拉博卡有一个露天剧场。民间歌舞很流行。

博物馆和图书馆 该市的博物馆——其中几家博物馆由市政府管理——有各种各样的收藏品。阿根廷贝尔纳迪诺·里瓦达维亚自然科学博物馆收藏了品种繁多的化石，并设有一个科学研究所。国立美术博物馆收藏了世界大师和阿根廷画家和雕塑家的作品，国立装饰艺术博物馆收集了许多缀锦制品和古玩。市立伊萨克·费尔南德斯·布兰科西班牙-美洲艺术博物馆在一个复制的殖民时期房屋中陈列了古代银器。国立图书馆设在北区的一所现代大厦中，为该市最大的图书馆。

娱乐 该市四周有绿地环绕，其中有广场、公园和林荫大道。在开垦的河漫滩上修建了两个大公园——里亚丘埃洛谷地的阿尔米兰特·布朗公园和拉普拉塔河畔的特雷斯德费布雷洛公园。帕莱尔莫公园是历史最久的。

骑术运动十分流行，特别是马球已成为全国性的运动。在马背上进行的另一种人们喜爱的运动是"帕托"，其来源可追溯到在南美大草原游牧的印第安人。最流行的全队配合的体育运动是足球，市内各处的公园和空地中均可见有人踢足球。体育设施包括市的汽车赛车道、动物园和植物园、大学校园、公共浴室和各种航海俱乐部和体育俱乐部。

历史

早期 布宜诺斯艾利斯市最初是1536

布宜诺斯艾利斯五月广场上的玫瑰庄园
美国不列颠百科全书公司供图

年由西班牙人门多萨率领的一支远征队发现的，门多萨遂任拉普拉塔河区第一任总督。此居民点不久即成为当地印第安人的牺牲品，供应缺乏，幸存者们沿河岸退到有防御工事的居民点亚松森。将近50年后，加拉伊率领一支人数更多的远征队又回到这一地区，他在里亚丘埃洛河口处于1580年重建了圣玛丽亚·布宜艾利。城市四周的大片土地分给远征队队员，他们立即饲养适于畜牧的牲畜，这些牲畜自从被原来主人留下后已经成倍地繁衍了。

在将近200年中，布宜诺斯艾利斯发展并不快。这是一个相当好的港口，但受到西班牙在美洲的王国的严格控制，仅指定几个港口可用于贸易。整个拉普拉塔河地区成为秘鲁总督辖区的一部分，由利马管理。在总督辖区内，只有利马附近的卡亚俄港获准同西班牙商人贸易。实际上布宜诺斯艾利斯已沦为穷乡僻壤。

布宜诺斯艾利斯同总督辖区中其他人口集中地相距甚远，因而只同王室的行政当局有零星的接触。该市逐渐以广泛的放牧和违法贸易为基础发展了自己的生活方式，而总督辖区的其他地方则或多或少把注意力集中在称作上秘鲁(现玻利维亚)的安第斯地区采矿业。

“港民”没有被冷落，反而十分繁盛。在17世纪后25年和18世纪的前50年，居民点沿巴拉那河向西北方向扩展，这一地区土壤肥沃，有许多大小河流经过，可作灌溉用；走私者驾驶的小船可以方便地在这些河流中行驶，达到河畔的许多农场和牧场。到18世纪初，阿根廷输出数以千吨计的粮食、数以万张计的牛皮和以吨计的干牛肉去巴西北部和加勒比海岛上的种植园。英国人是这种违法贸易的资金和运输工具的主要来源。

到18世纪中期，布宜诺斯艾利斯是一个兴旺——虽然仍是适度的——商业集散地，居民近2万人。从里亚丘埃洛河向北有狭窄的泥土街道，街道旁建有房屋。原先的港口已为淤泥堵塞，现在停靠该港的较大船只当时只能在岸外下锚。但是这一地区的经济成就是不容置疑的，在1776年，布宜诺斯艾利斯成为拉普拉塔河新总督辖区的首府。当时布宜诺斯艾利斯和外界贸易是合法的，虽然王室仍试图控制其发展及模式。由于上秘鲁的一些主要采矿城镇现在划在总督辖区内，银为最贵重的出口货物。正式的贸易反映布宜诺斯艾利斯的地位已是总督辖区的行政中心。西班牙成为该地区主要的贸易伙伴。

独立的首都 在1806和1807年，当地民兵击退英军的两次进攻，标志着阿根廷历史上民族主义的初期阶段，该市的独立精神发扬光大。1808年，拿破仑入侵西班牙，使其兄波拿巴在马德里任国王，许多“港民”如同王国各地的人民一样，重新考虑他们同王室的关系。市议会1810年5月与西班牙和总督政府断绝关系，于5月25日宣布效忠新的统治集团。

下一个10年中的突出事件是该市同这一地区其他地方发生分裂。内地几乎没有人愿意仿效布宜诺斯艾利斯，直至1816年，在图库曼召开的一次大会上，其他省宣布独立，成立了一个临时政府，布宜诺斯艾利斯成为拉普拉塔河联合省首府。在将近30年中，这些省在不稳定的停火中联合起来，实行联邦制，布宜诺斯艾利斯市及其后方地区在其中行使了中央当局在新国家中所有的权力；内地省份可以自行其是。

矛盾的是，由于这一安排而备受折磨的正是这些内地省份，它们在1851年结成联盟，企图用武力改变力量均势。它们成功地驱逐了“港民”领袖罗萨斯，但是未能有效地改组国家。10年以后，“港民”在军事领袖米特雷领导下，通过设在布宜诺斯艾利斯的一个强有力的政府，把他们的愿望强加于内地。当该市1880年成为联邦首府时，这一事态发展得到正式承认。

1850年后，由于利害关系更大了，“港民”和内地之间的政治斗争更为紧张。工业化和向资本主义的转变，以及技术方面的巨大进步使欧洲市场发生巨大变化，因而开垦阿根廷的肥沃平原是很有经济效益的。所需要的只是有劳力来种地和有资本来支付把产品运到港口的费用，资本大多来自英国。劳力大多来自西班牙和意大利。在一代人稍多一点的期间，土地得到改造。到第一次世界大战开始时，阿根廷已成为世界农产品主要出口国之一。

乡村的经济变化使城市的特性出现了3个基本变化。第一，人口有了改变。以前被吸引到该国来的移民原本希望在这一土地上定居，现在却发现不可能买到土地，遂迁回城市，到港口和城市郊区的屠宰场去找工作。

城市中的第二个明显变化是巨额财富落入个人手中和归于国家。以前建造的大厦都是以法国城堡为模型的。今天在这些大厦中居住的是政府部长或外国政府的大使。这时，他们是巨额财富的国际象征。

第三个重大变化是城市的具体布局。为了筹备1910年5月庆祝第一次宣布独立一百周年纪念，市议会决定完全仿效拿破仑三世强加于巴黎的城市改革，修建一个地下铁路系统，和一个从市中心辐射出去的宽阔大道的交通网络。计划规定，每隔4条街修建一条东西走向的大道，每隔10条街修建一条南北走向的大道，而且规定按照香榭丽大街的模式，修建全世界最宽阔的大道。相当一个街区宽的长长的街道依正式的国家独立日取名七月九日大道，于20世纪30年代穿过这一城市，1937年10月正式通车。

在第一次世界大战以前的年代建造的基础设施一直用到现在。城市中心的宽阔大道多是在20年代和30年代修建的，继续承受着车辆交通的重担，5条地下铁路中只有一条是在第二次世界大战结束以后修建的。虽然城市的基础设施十分紧张，但城市结构仍是依循19世纪出生的一代领导人设想的模式。

现代城市 20世纪中期以来，有3个重大的事态发展影响了城市的特征。第一个事态发展是国际移民在1930年后实际上停止了。此后，都会区对劳力的需求基本上靠来自内地的移民——梅斯蒂索人血统的阿根廷人，他们的存在引起了同“港民”们的冲突。这些人来自阿根廷西北部，或邻近的国家乌拉圭、巴拉圭和玻利维亚。

第二个事态发展起因于梅斯蒂索人的移动，他们发现内城的贫民窟太拥挤了，遂在制造业附近郊区无人占领的土地上定居，制造业可提供许多就业机会。这些梅斯蒂索人建立起第一批贫民区。该市新移民的种族差别加剧了20世纪30、40和50年代都会区工业资本主义发展中特有的社会冲突。许多新移民后来成为人民主义领袖庇隆的坚定的追随者，庇隆在1943年一次军事政变中执政，从1946～1955年任总统，又从1973年再次任总统，至1974年去世。

这一世纪后50年的第三个重要的事态发展是汽车和小型公共汽车取代了电车和火车，成为城市中主要的交通工具。布宜诺斯艾利斯同许多其他西方大城市不同，尚未有环行高速公路网。到20世纪末，现有的街道网已达到车辆交通的饱和状态，由于交通拥挤和道路堵塞加剧了现代布宜诺斯艾利斯的一些日益严重的问题，改进其他交通方式已势在必行。1979年修建了都会区铁路，以解决首都的交通问题，取得一些进展。在后几年，城市和郊区当局合作，实施了扩建铁路和使用电气化火车的计划。

Buerger, Martin Julian　伯格（1903-04-08，密歇根底特律～1986-02-25）　美国晶体学家。创造或改进了现代晶体结构分析的许多标准方法、技术和仪器。1929年在麻省理工学院取得哲学博士学位后，即在该校任教。1956年任学院教授，1968年任荣誉教授，1968～1973年任康涅狄格大学教授。最重要的创新有X射线衍射分析的旋进法（观测X射线通过晶体时所产生的散射图样，以确定晶体中原子的空间排列），为两种最通用的记录衍射强度的方法之一。

Buerger's disease　伯格氏病　又称血栓闭塞性脉管炎。原发于周围动脉的炎症，主要发生于青少年到中年的男性。病因不明，可能为过敏，特别是对烟叶过敏。患者常常烟瘾极大。本病可致间歇性跛行及休息时足趾疼痛表现似周围动脉硬化症，最后可阻塞动脉而引起坏疽。或将该病归入动脉硬化症。

Buero Vallejo, Antonio　布埃罗·巴列霍（1916-09-29，西班牙瓜达拉哈拉～2000-04-29，马德里）　第二次世界大战后西班牙最重要的剧作家之一。1934～1936年，在马德里和瓜达拉哈拉求学。内战期间（1936～1939），在西班牙共和军中任护理员，战后，被判死刑，后减刑，被囚狱中6年余。在弗朗西斯·佛朗哥政权的高压统治下，40～50年代的西班牙被称为“沉默年代”，而布埃罗·巴列霍却向被压迫的人民发出了声音。1949年，以剧本《楼梯的故事》成名，获“洛佩·德·维加”文学奖，描写马德里贫民区一幢单元房子里的居民所受的挫折。同年上演独幕剧《沙中之字》又获金特罗斯文学奖。他后来的多部剧作获西班牙文学奖。大型话剧《在炽热的黑暗中》（1951）以一所盲人之家隐喻社会。《编织梦的人》（1952）以神话为题材。他的基本主题是人类对幸福的渴望，以及使追求幸福失败的阻碍。在《今天是节日》（1957）中，他又重写马德里贫民区这个讽刺和现实的题材。他的现实主义近似阿瑟·米勒的风格。后期作品显示出他所翻译的布莱希特的作品的影响。他写的历史剧都经过精心推敲，包括《为人民的梦想家》（1958），写查理三世使西班牙现代化的失败；《侍女》（1960），写宫廷画家委拉斯开兹的事迹；《圣奥维迪奥音乐会》（1963），写法国大革命时的巴黎；《天窗》（1967），写西班牙内战。1971年，他被选入西班牙学院。

Buffalo　布法罗　美国纽约州西北部港市，伊利县县城（1821）。在伊利湖东端。为纽约州第二大城市，一个大型都市联合体的中心市，包括尼亚加拉瀑布城、北托纳旺达、洛克

布法罗市的A.威尔科克斯宅第
美国不列颠百科全书公司供图

波特、拉卡万纳和托纳旺达等城市，以及阿默斯特、汉堡、奇克托瓦加、兰开斯特及西塞尼卡等镇。早期有法国皮毛商和传教士来此。塞尼卡印第安人1780年在此定居。1803年设镇。1825年伊利运河竣工，经济大为繁荣。1832年设市时人口已达1万。多条铁路汇聚本市。造船、钢铁、车辆、肉类加工和面粉工业迅速发展。19世纪90年代尼亚加拉水力开发后，促使门类繁多的工业更加兴旺。布法罗已成圣劳伦斯航道主要港口之一，也是纽约州巴奇运河的终点和重要铁路运输中心及公路交叉点，装运的货物包括大量谷物、石灰石、煤炭、铁矿、木材、石油及汽车等；该市系美国通向加拿大安大略省多伦多-哈密尔顿工业区的主要门户，在美加贸易中占有很大份额。1927年建成通往安大略省伊利堡的和平大桥，纪念美加和平100年。布法罗是美国总统M.菲尔莫尔和G.克利夫兰的故乡，W.麦金利总统（1901）在此遇刺。1966年A.威尔科克斯宅第被辟为国家古迹。尼亚加拉广场为该市的中心，立有麦金利纪念碑，建有市政厅（1932）及一些联邦机构大厦。设有纽约州立大学（1846）、州立布法罗大学学院（1867）、卡尼修斯学院（1870）、迪尤维尔学院（1908）、梅达尔学院（1937）、戴门学院（1947）、戴蒙学院（1948）、维拉·马利亚学院（1960）、特罗开尔学院（1958）及伊利社区学院（1946）等。是核、航空航天及医学研究中心。有奥尔布赖特-诺克斯艺术馆、历史博物馆、科学博物馆、克莱因汉斯音乐厅、斯图迪欧·阿伦纳剧院。里奇体育场是“勇士纪念堂”队（篮球）及“骑兵”队（冰球）等球队的活动场地。人口：市292 648；布法罗-尼亚加拉瀑布城联合都会统计区1 170 111（2000）。

Buffalo　布法罗　美国怀俄明州中北部城市，约翰逊县县城。临克利尔河，在比格霍恩山和比格霍恩国家森林东面。初建于1879年。1884年设市。现为牲畜和木材发运站。附近出产谷物和甜菜，有油井。迪斯梅特湖在其北11千米处。人口3 900（2000）。

buffalo　水牛　偶蹄目牛科几种反刍哺乳动物的统称。此英文名亦常指北美的美洲野牛（bison）。印度水牛（*Bubalus bubalis*）是一种体型粗大的牛形动物，为亚洲东南部野生动物，在旧大陆的整个温暖地区作为家畜饲养，是东南亚种稻地区的主要挽畜。全身为暗黑色，毛稀疏，角大、其横断面呈三角形。肩高1.5米或更高，重800千克。两只角一起可能超过1.2米长，向外向后弯曲。雌印度水牛的角较雄体者细长。野生的印度水牛成群栖息在沼泽地区和多草的密林中。胆大，凶猛，常袭击侵入其领域者。夏季繁殖，妊娠期10个月，每产1或2仔。驯化的印度水牛用作挽畜，其奶、牛油和皮亦可用。好望角水牛（*Syncerus caffer*）又称非洲水牛，亦身躯粗大，毛稀，黑色，肩高1.5米。雄体重约900千克。角粗大，向下弯曲，然后向上再向内，角基部形成若干大型瘤节。好望角水牛有一个亚种栖息在稠密的西非森林中，体型较小，浅红褐色，角较短。好望角水牛以前分布在整个非洲撒哈拉以南地区，后由于疾病和狩猎，

好望角水牛（*Syncerus caffer*）
美国不列颠百科全书公司供图

数量大为减少。在开阔的或灌木覆盖的平原和开阔林地群居。妊娠期约11个月，每产1仔。受伤的好望角水牛被视为最危险的动物之一。好望角水牛从未被驯化过。西里伯斯水牛（*Anoa depressicornis*）是西里伯斯岛浓密森林中的一种小型深褐色水牛，胆小，栖于该岛内地，肩高0.75～1米，角直而尖。常被猎杀以取其肉、皮和角。比它稍大的小水牛（*Anoa mindorensis*）与之近缘，栖息在菲律宾的民都洛岛；极为胆小难驯，现已所剩无几。它和西里伯斯水牛的几个亚种在《红皮书》中已列为濒于绝灭的动物。好望角水牛、小水牛和西里伯斯水牛有时与印度水牛归于同一个水牛属（*Bubalus*）。

buffalo berry（*Shepherdia argentea*）　**水牛果**　又称银白色水牛果、兔果（rabbit berry）、内布拉斯加茶藨子（Nebraska curant）。胡颓子科灌木，高2～6米。枝白色，有少许刺。叶小，

水牛果（*Shepherdia argentea*）
美国不列颠百科全书公司供图

银色，椭圆形。耐寒，在北美大平原沿溪边广泛生长。由于能在干燥多石的土壤上生长，耐大风，所以是有价值的观赏和绿篱植物。8～9月间大量结果，浆果猩红或金黄色，形似茶藨子，味酸，可调味肉类及制果冻。雌雄异株，在果园中一株雄株与4～6株雌株间隔栽种。加拿大水牛果（*S. canadensis*）类似水牛果，但较矮小，高2.5米，叶广椭圆形，仅背面为银白色。从纽芬兰、纽约州到阿拉斯加和俄勒冈，往南沿落基山脉到新墨西哥有林木的河岸与山坡都有分布。果实可吃，但价值不高。

Buffalo Bill　野牛比尔　参阅 **Cody, William F(rederick)** 科迪。

buffalo bur（*Solanum rostratum*）　**刺萼茄**　又作 beaked nightshade 或 prickly potato。茄科茄属植物。原产落基山脉东部高原（北达科他州至墨西哥）。5～9月开黄色小花。浆果被具刺苞片，故英文名意为水牛刺果。刺萼茄是科罗拉多马铃薯甲虫的原始寄主。现在许多地方成为一种侵害性较强的杂草。

buffalo gnat　水牛蚋　参阅 **black fly** 蚋。

buffalo grass（*Buchloe dactyloides*）　**水牛草**　又称野牛草。早熟禾科野牛草属（*Buchloe*）的唯一种。原产北美西部。多年生。高不到20厘米。叶灰绿色，卷曲。匍匐茎广泛延伸，结成厚密的草皮，早期的移民用以构筑住所。水牛草是重要的全年生长的饲草植物。

水牛草（*Buchloe dactyloides*）
美国不列颠百科全书公司供图

Buffalo Indian　布法罗印第安人　参阅 **Plains Indian** 大平原印第安人。

Buffalo Range（Malaysia）　**布法罗山**　参阅 **Main Range** 中央山脉。

buffalo weaver　牛织布鸟　又称牛文鸟。织布鸟科（文鸟科）牛文鸟亚科（Bubalornithinae）鸟类，2种。分布于非洲。分布较广的是黑牛织布鸟（黑牛文鸟，*Bubalornis albirostris*），亦称牛鸟，黑色，翅上有白色。白头牛织布鸟（白头牛文鸟，*Dinemellia dinemelli*）局限于东非，体色褐白相间，腰和臀红色。两者均体粗壮，20～25厘米长，嘴厚实。雄鸟的嘴在生殖季节变白，嘴基膨大。牛织布鸟生活在干燥区域，成小群嘈杂地在地上寻食，杂食性，通常尾随野牛群。巢是一堆多刺的枝条，分几部分，可供2对以上的鸟合用。同一棵树上可有几个巢。

白头牛织布鸟（*Dinemellia dinemelli*）
美国不列颠百科全书公司供图

buffer　缓冲溶液　化学术语。通常指含有酸、碱或盐并能维持氢离子浓度基本恒定的溶液。原子或分子失去或得到一个或多个电子形成离子。常见的缓冲溶液的是醋酸（CH_3COOH）和醋酸钠组成的溶液。在水溶液中，醋酸钠完全离解成钠离子（Na^+）和醋酸根离子（CH_3COO^-）。缓冲溶液的氢离子浓度用下式表示：

$$[H^+] = K_a \frac{[CH_3COOH]}{[CH_3COO^-]},$$

式中 K_a 是醋酸的电离常数，括弧项表示相应物质的浓度。缓冲溶液中氢离子浓度取决于存在的醋酸和醋酸根离子（或醋酸钠）的相对含量，即缓冲比。加入酸或碱使醋酸和醋酸根离子的浓度发生相应的改变，但只要加入物质的浓度小于单个缓冲组分的浓度，则新的氢离子浓度仍接近原有数值。改变缓冲比和选择强度适当的酸，可制得氢离子浓度不同的缓冲溶液。一般常用的缓冲溶液有磷酸、柠檬酸或硼酸以及它们的盐。由于酸和碱能影响许多化学反应，所以利用缓冲溶液，使溶液保持一定的酸碱度，对许多化学和生物实验十分重要。许多生物化学过程只能在人体内部存在的天然缓冲溶液所维持的特定 pH 值下进行。

Buffett, Warren Edward　巴菲特（1930-08-30，美国内布拉斯加奥马哈～　）　美国企业家。被认为是20世纪最成功的投资者。积聚了超过300亿美元的个人财富，人称"奥马哈的圣人"。美国国会众议员H.H.巴菲特（来自内布拉斯加州）之子，1950年毕业于内布拉斯加大学，获理科学士学位，后入哥伦比亚大学工商管理学院，师从B.雷厄姆，1951年获理科硕士学位。1956年回到奥马哈。1965年取得伯克希尔·哈瑟维纺织厂大部分股权，将其作为主要投资工具。20世纪60～90年代，主要股票平均每年升值约11%，该工厂公开上市交易股票则每年获利达28%左右。

Buffier, Claude　比菲埃（1661-05-25，华沙～1737-05-17，巴黎）　法兰西哲学家、历史学家、语言学家和教育家，反对教会的法国思想家伏尔泰认为他是"唯一提出合理哲学学说的耶稣会会员"。曾在里昂教授哲学和神学，并在巴黎耶稣会学院教授文学。1696年由于反对巴黎大主教支持詹森派而被判流放5年。他最著名的著作《论原始真理与人的判断的来源》（1724），探索人类知识最终原理。他从自我存在意识入手，采取笛卡儿的研究方法，但扬弃笛卡儿的先验的即演绎的推理方法。他依靠人的常识，相信不同的人可以根据常识得出相似的结论。他用这种方法证实笛卡儿的结论，即人心之外的事物确实是独立存在的。他的学说为苏格兰常识派所接受，并对19世纪法国哲学产生影响。

bufflehead（*Bucephala albeola*）　**巨头鹊鸭**　鸭科飞行迅速的小型鸟类。繁殖于自阿拉斯加和加利福尼亚北部向东到安大略的林地池塘和沼泽。沿北美两岸海滨越冬。体长约33～39厘米。雄鸟黑白色相间，头的后侧有白色羽毛构成一个楔形区域；雄鸟眼下和眼后有一道白色条纹。两岁时开始繁殖，每窝平均产卵9枚，卵呈白色。在靠近水边扑动翅鸟放弃的树洞里产卵。以水生无脊椎动物为食，冬天亦食一些鱼类。不畏惧猎人，被惊飞后常在附近盘旋并降落到原来的地方。

Buffon, Georges-Louis Leclerc, Count (Comte) de　布丰伯爵（1707-09-07，法国蒙巴尔～1788-04-16，巴黎）　即G.-L.勒克莱尔。法国博物学家，以关于自然史的著作闻名，并以"风格即人"的理论传世。1773年受封伯爵。勃艮第官吏家庭出身，母亲颇有教养。布丰最初就学于第戎的戈德兰学院，喜爱数学。1723年从父命学习法律。1728年前往昂热攻读医学、植物学和数学。后去英国，当选为皇家学会会员。母死后，他回家乡钻研概率，并对植物生理学极感兴趣。1735年翻译S.黑尔斯的《植物志》（1749～1804），1740年翻译I.牛顿的《流数论》，同时探讨牛顿和莱布尼茨发现微积分的历史。他在皇家博物馆工作时编成巨著《自然史》，全书原计划50卷，生前仅出版36卷。1753年被选入法兰西学院，发表《风格论》，提出"风格即人"的论点。他每年到巴黎短期旅行，成为文学和哲学沙龙的常客。他在蒙巴尔经营自己的产业，有动物园、养鸟场和实验室。他是对地

美国不列颠百科全书公司供图

质史划分时期的第一个人。他曾提出物种绝迹说，推动古生物学的发展。他首次提出太阳与彗星碰撞因而产生行星的理论。

bufotenine　蟾蜍色胺　弱致幻药，静脉注射给药。又有强大的血管收缩作用。化学结构为吲哚类，分子中的吲哚环可阻滞5-羟色胺(吲哚胺类神经介质，存在于正常的脑组织及蟾毒中)的作用。曾由某些天然产物中分离出，今已能化学合成。1934年首次从蟾毒(蟾蜍背部皮肤上一种腺体分泌的有毒乳白色液体)中分离成功。又可提自毒蝇鹅膏和*Piptadenia peregrina*(特立尼达岛及奥利诺科平原产的一种树木)，印第安人用其种子制作能致幻觉的鼻烟——柯合巴。在现代医学上，本品仅用于精神病学的实验研究。

bufotoxin　蟾毒素　一种具中度毒性的物质，为许多无尾两栖类，特别是典型蟾蜍(*Bufo*属)的皮肤所分泌。为乳白色液体，其所含成分有蟾蜍精(对心脏的效应与洋地黄相似)、蟾毒色胺(致幻药)、5-羟色胺(血管收缩药)等。毒素的组成因蟾蜍的种类而异。蟾蜍为其他动物吞食后，毒素亦被摄入并引起严重的、甚至是致命的反应，但某些动物(如北美产的一种无毒猪鼻蛇)不受影响。正常情况下蟾毒素不影响人的皮肤，但能刺激眼及黏膜。

bug　小虫　泛指所有的昆虫，昆虫学中则指异翅目昆虫(如麦长蝽、臭虫)。当bug一词为异翅目昆虫俗名的一部分时，该词与前面的词分开写，仅bedbug(臭虫)与stinkbug(蝽)两词为例外；当bug一词用在非异翅目昆虫的名称中时，常与前面的词相连，如鞘翅目的ladybug(瓢虫)、同翅目的mealybug(粉蚧)、脉翅目的doodlebug(蚁狮，蚁蛉的幼虫)及甲壳类的sowbug(土鳖)等，但仍有许多例外。在不列颠群岛，bug一词单指异翅目的温带臭虫(*Cimex lectularius*)。

bug-on-a-stick　烟杆藓　真藓目烟杆藓属(*Buxbaumia*)植物，约5种，分布于北半球。有4种原产于北美，不常见。生长在土壤或朽木上。雌雄异株。雄株有一蚌壳形叶状结构以保护性器官。雌株蒴柄基部有少数拟叶体，在虫状的孢蒴成熟前脱落。其无性世代植株比有性世代植株大得多，这点与其他藓类不同。

Bug River　布格河　乌克兰语拉丁字母转写作Zakhidnyy Buh("西布格")。斯图拉河支流。发源于乌克兰西部利沃夫州沃伦-波多尔斯克高原山坡。全长830千米，流域面积73 470平方千米。除最上游河段，穿行于森林和农田夹杂的平原上。1945年起，200千米长的河段构成波兰与乌克兰及白俄罗斯的边界。在布列斯特附近折向西流入波兰境内与纳雷夫河汇合，在华沙下游37千米处流入维斯图拉河。有运河连结华沙，疏通布格-纳雷夫河汇合处宣泄不畅的水流。经运河与涅曼及第聂伯河水系连接。与纳雷夫河汇流处以上的314千米河段可通航。

Buga　布加　哥伦比亚西部考卡山谷省城市。建于1650年。位于泛美公路线上，咖啡和棉花产区的农业中心，亦养牛和种稻、烟草和甘蔗。市内一长方形教堂中有布加基督神殿。每年均有人来朝圣。设有一所国立农业学校。人口86 513(1985)。

Būga, Kazimieras　布加(1879-11-06，俄罗斯帝国立陶宛巴吉热～1924-01-01，立陶宛考纳斯)　立陶宛语言学家。肇始编纂立陶宛语详解词典，对语言学的广博兴趣对后代的波罗的-斯拉夫语言学者有持久的影响。1902年前后开始语源学研究，他的语言学专业兴趣大部集中于此。约1910年进而研究立陶宛的人名和地名，他确定：在6～9世纪，立陶宛及其他波罗的海沿岸各民族的家园是在乌克兰北部普里皮亚季河流域。另外，他还研究波罗的语言中斯拉夫语借词的年代顺序。1916年起他在俄国任教，1920年回立陶宛，立即准备编写《立陶宛语大辞典》，这是一部综合性巨著，包括释文、词源、词汇史及词汇之地理分布情况等。但自1922年起他在新成立的考纳斯大学任教，工作繁重。到他逝世时，他仅完成这部卷帙浩繁的辞书编纂工作的小部分。不过编纂进程始终未断，全书计划将包括17卷。

Bugaev, Boris Nikolayevich　布加耶夫　参阅 **Bely, Andrey** 别雷。

bugaku　舞乐　日本宫廷舞蹈，源于中国、朝鲜、印度和东南亚传入的传统舞蹈形式。这种舞蹈包括两种基本类型，即由唐乐(主要来源于中国式的音乐)伴奏的"左舞"和基本

14世纪的日本舞乐面具
美国不列颠百科全书公司供图

上由高丽乐(从朝鲜传入的音乐)伴奏的"右舞"。两种类型还以舞蹈者的富丽绣花衣服的颜色来区别，"左舞"衣红，"右舞"衣蓝或绿。舞乐有4种体裁：平民舞蹈(又称平稳或平坦舞蹈)、武士舞蹈、快速舞蹈和儿童舞蹈。一切舞乐均由高度程式化的动作构成，以击鼓提示。臂、手和脚的姿势均有严格规范，总的编排设计由简单几何图形组成。该舞一个重要成分是舞蹈者所戴的面具。舞乐面具有时有活动部分，并将耳目口鼻缩小，以表达所代表的虚构人物的特征。佛教雕刻师所雕刻的名为"十二神"的面具(1486；京都东寺收藏)是最古老和最著名的范例之一。一个舞乐节目照例由"左舞"和"右舞"的领舞者演出的精彩选段开始，接着交替演出两种乐曲的舞蹈。

Buganda　布干达　19世纪强大的东非王国，在今乌干达中南部的维多利亚湖北岸。19世纪干达人的首领已对他的领地实施强有力的集权统治，称之为布干达。这时，尤其在穆特萨一世统治期间(1856～1884)，布干达王国开始受到外国的影响。穆特萨一世死后，王国四分五裂。1894年布干达王国成为英国的势力范围，1900年正式成为英国的保护地。1962年乌干达独立后，布干达成为国内的一个联邦。但因与中央政府之间关系恶化曾引起过战争。20世纪60年代晚期最终废除布干达王国。

Bugatti, Ettore Arco Isidoro　布加蒂(1881-09-15，意大利米兰～1947-08-21，法国巴黎)　赛车和高级轿车制造商。1909年在阿尔萨斯的莫尔塞姆建立汽车制造厂，不久为勒芒市一年一度的汽车竞赛制造了很成功的小功率赛车。他的22型和35型赛车也很出色，20年代制造的41型汽车(金色布加蒂车或皇家车)也许是所有汽车中制造最精、价格最贵的一种，这种汽车只生产了6～8辆。他的公司在他死后不久关闭。

Bugayev, Boris Nikolayevich　布加耶夫　参阅 **Bely, Andrey** 别雷。

bugbane　驱虫草　又作rattletop。或称响穗草。毛茛科升麻属(*Cimicifuga*)植物。约15种，为高大的多年生草本。原产于北温带林地。北美洲的美洲驱虫草(美洲升麻，*C. americana*)高约120厘米，黑蛇根草(总状升麻，*C. racemosa*)高约180厘米，两个种的根可作药用。臭升麻(升麻，*C. foetida*)原产于欧洲和西伯利亚，在中国供药用。据说该属植

总状升麻(*C. racemosa*)
美国不列颠百科全书公司供图

物的干燥种穗发出的沙沙声能驱走臭虫。该属植物叶大，分裂；花序有分枝，花白色；有时栽于多荫的林地庭园。

Bugeaud, Thomas-Robert, MARQUIS DE LA PICONNERIE, DUC (duke) D'ISLY **比若**（1784-10-15，法国利摩日～1849-06-10，巴黎） 法国元帅、皮科内里侯爵，法国征服阿尔及利亚时他起了重要作用。最初参加拿破仑的帝国近卫军，后在半岛战争中以殊勋晋升上校。他支持第一次复辟(1814)，但在百日统治期间(1815)，所部官兵强迫他拥护拿破仑。1836年前往阿尔及利亚，在锡卡击败穆阿斯凯尔酋长和阿拉伯抗敌英雄阿卜杜卡迪尔。1841年任阿尔及利亚总督，他采取一些新策略，极力收揽阿尔及利亚的人心。1843年任法国元帅。在1844年的伊斯利战役中，他击溃阿卜杜卡迪尔的摩洛哥盟军，从而获得伊斯利公爵称号。1847年9月因抗议法国政府不批准他的屯兵计划而辞去阿尔及利亚总督职务。1848年巴黎革命爆发，他指挥路易-菲力普的军队作战，但未能挽救君主制。第二共和国时代，出任阿尔卑斯法军司令。他的军事论文集于1883年出版，后来成为殖民战争的圭臬。

Bugembe 布根贝 乌干达东南部城镇。在首都坎帕拉东北约77千米处。为周围农业区所产棉花、甘蔗、玉米、花生的贸易和加工中心，有纺织、肥皂、食品、烟草、饮料、五金、鞋靴、木材和木制品等工业。为历史上的布干达王国的一部分。

Bugge, (Elseus) Sophus 巴格（1833-01-05，挪威卢尔维克～1907-07-08，克里斯蒂安尼亚） 挪威语文学家，收集、研究挪威民歌的先驱。曾收集了大量挪威古代铭文，并为13世纪冰岛的史诗和神话诗集《诗体埃达》编订了最好和最重要的评注本。他的《古北欧民歌》于1858年出版。

buggy 轻便马车 19～20世纪初的一种带活动车篷的两轮或四轮马车，通常用一匹马牵引。18世纪后期在英国，它通常是一种单座两轮马车。19世纪中叶传到美国，改为可

1900年的轻便马车
美国不列颠百科全书公司供图

乘两人的四轮车，成为美国的通用车辆。车的形式多种多样，其中以方车厢轻便马车享有盛誉。无篷的轻便马车通常叫轻便货车，如果有固定车篷就叫简妮·林德马车。

Buginese 布吉人 又作Bugis。印度尼西亚苏拉威西岛的民族。语言属澳斯特罗尼西亚(马来-波利尼西亚)语系。为该岛文化上占优势的种族集团，与亲缘关系最近的望加锡人常常相提并论。20世纪末约有331万人。布吉人的农村经济以水稻为主，他们也是航海民族并从事岛屿间贸易活动。布吉人起源于苏拉威西岛西南角的望加锡，以勇于冒险和航海技巧著称。1667年前后，望加锡被荷兰东印度公司占领，布吉人自苏拉威西向马来群岛尚无西方势力的地方迁移。17世纪时，他们在克朗河及雪兰莪河一带定居，1710年前后就在雪兰莪建立一个布吉人国家，1772年左右又在廖内确立其统治。到18世纪70年代时，雪兰莪与廖内联合攻打马六甲的荷兰人。布吉人的土王哈吉亲率战船到马来半岛，1784年6月战死。此后荷兰人控制了廖内，到18世纪末英国人进行干涉，在那里扶植了一名马来人苏丹，荷兰军撤走。布吉土王阿里夺权后赶走马来苏丹，因之在马来世界造成多年纠纷。结果两败俱伤，1800年后布吉人的势力遂消亡。布吉人是早期皈依佛教的马来人之一。他们接受了许多印度人的习俗，包括从土王、地区官员及王侯直至农村头目这类等级社会制度。随之而来的是印度文字，并且保留下了丰富的文献材料。17世纪初叶，望加锡人和布吉人改信伊斯兰教。

bugle 军号 由紧靠杯形号嘴的唇振动而发音的管乐器。自1750年左右汉诺威轻步兵使用以来，成为现代军队的传令乐器。英国的轻步兵也采用了这种军号。早期的半圆

19世纪的西班牙骑兵军号
美国不列颠百科全书公司供图

形军号为C调或D调，常常因接一个变音管而降低到B调。从约1800年起此号呈小号状，盘绕一圈。英国设计的盘绕两圈细管体的军号，1858年定为正式军号。军号的号声只需要自然泛音列的第2～6个音，记谱为$c'-g'-c''-e''-g''$（c' = 中央C），但发音低一个全音。号声分团号、战场号、日常号。有些最熟悉的号声，包括起床号和熄灯号，实际上从1815年起始终未变。其他的号声，特别是战场号，原先采用中央C下方的C(泛音列中第1音，即基音)。18世纪末军号盛行一时，出版了许多由军乐队演奏的军号进行曲，轻歌剧中也突出采用这一乐器。1810年J.哈利戴取得有键军号的专利权，在盘绕一圈的军号上装配6个黄铜键(5个关闭键，1个竖式开放键)，使军号发出完整的自然音阶(7声)。它在被短号代替以前，是军乐队中的主要独奏乐器。19世纪20年代，这种盘绕一圈的军号上安装了阀键，定为$B^{\flat}$调，$E^{\flat}$调的高音和中音变种乐器有时同它一起使用。现代军号的管体比早期的细得多。

bugleweed 筋骨草 唇形科筋骨草属(*Ajuga*)植物。约40种，原产于欧亚大陆。该属植物的花冠无作为本科特征之一的上唇。一些匍匐种被广泛引种作为地被植物。

地毯筋骨草(*A. reptans*)
美国不列颠百科全书公司供图

地毯筋骨草(匍匐筋骨草、普通筋骨草，*A. reptans*)叶广椭圆形，深绿色，丛生在潮湿草甸或林地；短穗状花序，长30厘米，花蓝色，稀粉红色或白色。地松(*A. chamaepitys*)花黄色；叶三深裂，裂片针形，有松香味。

bugloss 牛舌草 紫草科狼紫草属(*Lycopsis*)和蓝蓟属(*Echium*)植物的俗称。为一年生草本，生长快，高40厘米，被刚毛；叶缘细

蝰蛇牛舌草(*E. vulgare*)
美国不列颠百科全书公司供图

齿裂;花小,鲜蓝色,管状,口部裂开,喉部具白毛,花呈小簇状,似花冠筒中部弯曲的、半闭的勿忘我花。遍布欧洲,见于田野和沙质地上,已在北美东部归化。蝰蛇牛舌草(普通蓝蓟,*E. vulgare*)亦称蓝鬼草、蓝杂草,高 90 厘米,被粗毛,花鲜蓝色,分布在欧洲,已在北美归化。紫色蝰蛇牛舌草(地中海蓝蓟[*E. lycopsis*]或称车前状蓝蓟[*E. plantagineum*])产于地中海地区,近似上述种,但花较大而短,毛较柔软,是一种庭园花卉。

Bugti Hills　布格蒂丘陵　巴基斯坦境内的丘陵区,为称作布格蒂乡的部族区。系苏莱曼山的西延,直抵奎达,土地贫瘠。住有布格蒂部族游牧民。*苏伊*(**Sūi**)天然气的发现为该区带来了新的经济生活。该丘陵地区的山谷和高地正逐渐开垦。

Bugulma　布古利马　俄罗斯西部韃靼斯坦共和国城市。在布古利马河同斯捷普诺伊扎伊河汇合处的布古利马-别列别伊高地上。建于 1736 年。为石油开采中心。另有机械制造、农产品加工和建筑业。有一所石油技术学院。人口约 91 100(1991)。

Buguruslan　布古鲁斯兰　俄罗斯中西部乌拉尔山南部奥伦堡州城市。濒大基涅利河。建于 1748 年。1781 年设市。为伏尔加-乌拉尔石油产区的一个重要石油生产中心。另有锯木工业,并生产汽车配件。人口约 54 100(1991)。

Buha River　布哈河　中国青海省内陆河流。发源于疏勒南山,东南流入青海湖。布哈河全长约有 300 多千米,流域面积达 1.6 万多平方千米,入湖河口多年平均流量 29.5 米^3/秒,是汇入青海湖的各河流中水量最大、流程最长的一条。布哈河河口在湖盆内形成长达 13 千米的三角洲。

Buhari, Muhammad　布哈里(1942-12-17,尼日利亚道拉～　　)　尼日利亚军事领袖、国家元首(1985)。在卡杜纳以及英国、印度和美国接受过军事训练。1975 年参与推翻 Y.戈翁的政变,出任东北州(今博尔诺州)军区司令。1976 年被任命为联邦石油资源专员。1977 年任最高军事司令部军事秘书。1979 年 9 月回到部队,指挥驻扎在卡杜纳的一个师。1979 年尼日利亚恢复民选政府,但军方认为政治腐败,1984 年 12 月 31 日再次发动政变;布哈里选为国家元首。布哈里政权难以解决油价暴跌、外债高筑等经济问题;采取严厉措施,致使老百姓生活艰难。加之腐败日甚,政府高官携带千百万公款逃往国外。为压制不同政见,布哈里对报纸、政治自由和工会施加限制。到 1985 年 8 月军方也已不堪忍受,巴班吉达控制了政府。布哈里被拘禁,1988 年末获释。2003 年竞选总统,被现任总统 O.奥巴桑乔击败。

Buḥayrah, al-　布海拉　又拼 Beheira。下埃及尼罗河三角洲一省份。包括罗塞塔支流以西的整个三角洲,南面有相当大一部分属沙漠区。总面积 10 130 平方千米。省会*达曼胡尔*(**Damanhūr**)。布海拉省的经济以农业为主。盛产长绒棉。种植水稻、谷物、马铃薯、甜菜、洋葱、花生、番茄和芝麻。亚历山大附近有葡萄园。沿该省西部努巴里耶渠的一片没有收益的土地盖拉卡拜尔努吉洼地和奈特伦洼地沙漠区盛产碳酸钠。亚历山大东南的道瓦尔村建有玻璃纸厂和纺织厂。20 世纪 70 年代中期在阿布吉尔湾近海区发现天然气后,在布海拉省北部和亚历山大建立动力工业。有两条苏伊士到地中海的输油管通过该省。沿北部海岸的一条铁路连接亚历山大和罗塞塔。开罗—亚历山大公路及一条与之平行的铁路横贯该省。人口约 3 602 000(1990)。

Buhl, André-Charles　　参阅 **Boulle, André-Charles** *布尔*。

Buhl, Vilhelm　布尔(1881-10-16,丹麦腓特烈西亚～ 1954-12-18,哥本哈根)　两度出任丹麦首相(1942,1945)。他是一名活跃的社会民主党党员,1937 年选入议会,同年在社会民主党首届政府中任财政大臣。第二次世界大战德国占领丹麦时期,他坚决反对丹麦被迫加入延期的《反共产国际协定》。1942 年 5 月任首相,11 月在德国的威逼下去职。第二次世界大战后,他于 1945 年又任首相。1947 ～1950 年任经济协调大臣。1950 年 3 ～ 9 月兼任司法大臣。

Bühler, Karl　比勒(1879-05-27,德国巴登梅克斯海姆～ 1963-10-24,美国加利福尼亚洛杉矶)　德国精神病学家、心理学家,主要以研究思维过程而著名。曾在斯特拉斯堡大学、柏林大学和波恩大学学习医学和心理学。1907 年发表《论思维》一文,对符兹堡无表象思维学派作出重要贡献;他认为心理能够进行纯抽象思维而无需借助表象或既往的观察去构想一种观念。他让受试者阅读尼采著作的章节或向他们提出问题并记录回答时间,从而使受试者进行思维,然后要他们叙述感受。他称这种实验技术为"补充询问法"。第一次世界大战期间在德军中服役,1922 年任维也纳大学精神病学教授。1939 年被迫逃亡美国,在那里一直居留到逝世。在美国期间,他根据自己 1907 年的论文写成了《思维过程心理学的事实和问题》一书。

Bühren, Ernst Johann, Reichsgraf von (Imperial count of)　参阅 **Biron, Ernst Johann, Reichsgraf von** *比龙*。

Buḥturī, al-　布赫图里(821,叙利亚门比季～ 897,门比季)　全名艾布·欧贝德·瓦利德·伊本·欧贝德·安拉·布赫图里。阿拔斯王朝(750 ～ 1258)最杰出的诗人之一。曾把 16 ～19 岁写的早期诗歌献给自己的泰伊部族。约 840 年后,他的才华引起著名诗人艾布·泰马姆的注意,艾布·泰马姆鼓励他写颂诗,并把他带到哈里发的首都巴格达。布赫图里在那里几乎一无所成,遂于 844 年返回叙利亚。约 848 年,他再访巴格达时被引见给哈里发穆泰瓦基勒,从此布赫图里便开始了他的宫廷生涯。这种生涯虽然以投机和贪婪而声名狼藉,却得到了历任哈里发的保护。892 年,他前往埃及出任宫廷诗人,最后返回自己的出生地,897 年在该地去世。布赫图里的诗主要是颂诗,因其立意美妙、描写细腻、音调铿锵而著称。早期作品因暗示当时的社会事件而具有历史价值。

Buick, David Dunbar　别克(1854-09-17,苏格兰阿布罗斯～ 1929-03-06,美国密歇根底特律)　美国汽车制造业的先驱,别克系列汽车就是以他的姓氏命名的。1856 年从苏格兰被带到美国。1884 年首次创办一家独立的制造水暖设备的企业。大约 1899 年他对农用和船用汽油发动机发生兴趣;1902 年为制造汽车用发动机,他组织别克制造公司。别克于 1903 年初制成他的第一辆汽车。他是能干的发明家,创造了顶置气门发动机和汽车挡风玻璃。然而他的公司很快负债。1903 年末,两位曾给该公司提供资金的底特律制造商将其与燧石货车厂合并,成立别克汽车公司。在 J.惠廷的管理下,W.C.杜兰特(1904 年进公司)发挥了才能,改组后的别克公司很快扩大了生产(1908 年制造出小汽车 8 000 余辆)。1904 年 11 月杜兰特接管该公司。别克于 1906 年脱离该公司,另行经营一些与汽车制造无关的企业,但效益不佳。

building construction　房屋建造　装配及修建主要供遮挡风雨用建筑物的技术与工业。早期人类使用芦苇、茅草、树木、兽皮、石块和泥土搭盖隐蔽所。随着建造方法的演变,有两种基本材料——木材和石料——使用最多。在出产木材的欧洲和其他地区,原木被锯成板材和柱材,用以架设屋顶及将室内空间分隔为多种单元或房间。石料砌成的建筑物,可上溯至公元前 3000 ～前 4000 年,埃及人当时曾用石灰岩修建宫殿、神庙及陵墓。留存至今的金字塔,证明这些石料建筑工程具有精确与持久的性能。古埃及人修建房屋时,将石块精巧地拼成整体,有时还用泥土将石块粘在一起。他们后来发明了砂浆,而到公元前 2 世纪时,又将砂浆与石子拌和,制成了混凝土。用黏土烧制的砖,由于尺寸较小,且大小相等,使用时比石块方便,从罗马时代起,被用以砌筑欧洲盛行的拱、拱顶及圆顶。18 世纪工业革命以来,铁在房屋建造中开创了新的纪元。建屋时可用铁件铆接成的刚性骨架,支承房屋重量。20 世纪初期,铁很快被钢取代,此项进步加上 19 世纪 70 年代现代混凝土的问世,使象征现代化房屋建造的多层建筑物拔地而起。第二次世界大战结束后,住房毁于轰炸而需求殷切,由于劳动力不足,以及政府参与住房建设等原因,导致了房屋预制装配建造体系的广泛发展。这样,就有可能由一家单一的专业公司,对组成房屋的部件进行设计、制作、运输及现场装配,并利用能互换的部件拼装修建许多不同种类的房屋。

大多数房屋修建之前,先得明确其用途、选定其地理位置、编制造价预算以及由建筑师绘制包括草图在内的设计图纸。先是绘出设计方案草图显示建筑物大致的外观和形式；接着提供较细的初步设计，包括建筑物的平面、立面、剖面和透视图；最后编制施工图和说明书。这些是承包施工的契约文件，标明房屋各部分的设计、位置、尺寸，并规定建造房屋时所用材料的质量和施工要求。

在大多数房屋的具体施工中，第一步是勘定和标明基础的位置。基础本身（房屋坐落在土壤中或岩石上的部分）的大小，视房屋重量及土壤承载力而异。以上两者必须相互平衡，才能使基础保持完整牢固，并避免房屋出现过度的或不均匀的下沉。住宅之类的小型房屋，通常使用砖石与混凝土基础，它包括一整块水平的混凝土板，其外缘为一圈凸起的混凝土连续梁，房屋的砖石墙基就砌在该圈梁上。较大和较重的建筑物则用插入混凝土基础的钢柱支撑。上述基础本身还可能坐落在深插土层中的钢或混凝土的基桩之上，以求特佳的稳固性。

房屋结构骨架有木、钢及混凝土三种主要类型。木构架轻便、价廉和简单，它由许多相互连结的垂直和水平的木筋组成。钢构架由垂直构件（钢柱）和水平构件（钢梁），以铆接、栓接或焊接方式连结在一起。混凝土构架具有比钢构架便宜的优点，但通常必须加入钢筋才能承受重量。制作钢筋混凝土时，先把钢筋安放在木制或钢制的模板内，然后浇灌混凝土，待混凝土凝固后，再将模板拆掉。有一种称作预加应力的方法，是将高强度的钢筋拉紧后，再浇灌混凝土，使之在拉紧的钢筋四周凝固；用此种方法可制作跨度达30米的预应力钢筋混凝土构件。放在建筑物内的所有荷载，都须由楼板支承，楼板须把它的负荷传递到结构骨架上。建筑物的顶部则视结构骨架类型、负荷大小、防火要求及房屋总的性质，而采取平屋顶或坡屋顶的形式。用相互连接的三角形杆件组成的称作桁架的结构构件，可用以支撑大跨度的屋顶。

建筑物应配备许多必需的辅助设施，其中包括：①绝缘层，通常在楼板或墙体的空隙中填充耐火的隔热材料；②通风设施，由复杂的送风管道或由窗户使空气流通；③电力管线，电线敷设在墙下或墙内；④上下水管道（供应清洁用水和排除污水），室内敷设铸铁管，室外地下则埋设陶瓦管；⑤采暖和空调设备，可采用蒸汽锅炉系统以及电力、煤气或其他能源，如日光等。

Builth Wells　比尔斯韦尔斯　威尔士波维斯郡集镇。属布雷克诺克历史郡。在上怀河谷。曾是从威尔士贩运牲畜到英格兰的一个集散地。现为游乐胜地。人口 2 474(1991)。

Buir Nur　贝尔湖　中国内蒙古自治区与蒙古人民共和国交界地带的淡水湖，大部分属蒙古。湖呈椭圆形，长约 33 千米，宽 20 千米，面积 600 多平方千米。平均水深约 8 米。东南有源于中国大兴安岭特尔莫山的哈拉哈河注入，西北角有乌尔逊河与呼伦湖相通。湖中盛产鲤鱼。

buisine　长筒号　中世纪的一种长而直的喇叭，用于军队和仪式，后亦用于音乐演奏。约有两米长，同一种比较短的军用直喇叭“筒号”相似。最后产生了 S 型盘绕成圈的小号。原文 buisine 一词源自拉丁文 buccina，这是一种罗马牧号，后亦用于军队，最初用动物角、后用金属制造，后来的长筒号用黄铜、紫铜或银制作。

Buisson, Ferdinand-Édouard　比松(1841-12-20，法国巴黎～1932-02-16，蒂约卢瓦-圣安托万)　法国教育家，改组了法国初等学校制度，1927 年与德国和平主义者 L.克维德共获诺贝尔和平奖。1866 ～ 1870 年因拒绝作忠于拿破仑三世之法兰西第二帝国的教师誓言，出走瑞士，在纳沙泰尔教哲学。1867 年参加第一次日内瓦和平会议，倡议建立欧洲合众国。1870 ～ 1871 年法德战争中巴黎失陷，为战争孤儿开办收容所。1871 年在法兰西第三共和国体制下，受任巴黎公共学校总督学，因建议取消宗教教育，被迫辞职。1879 ～ 1896 年任全国初等教育总监，协助总理 J.费里起草法规，使公共学校摆脱教会控制(1881,1886)，使初等教育成为免费义务教育(1882)。1896 ～ 1902 年在巴黎大学任教，其后任下院议员(1902 ～ 1914；1919 ～ 1923)。1898 年参与创建人权同盟。1913 ～ 1926 年，包括第一次世界大战期间，他在任同盟主席时多方面谋求和平与战后法德和好，使他获得诺贝尔奖。

Buitenzorg(Indonesia)　**伯伊滕佐尔格**　参阅 **Bogor** 茂物。

Bujah(people)　参阅 **Beja** 贝贾人。

Bujalance　布哈兰塞　西班牙南部安达卢西亚自治区科尔多瓦省城市，位于科尔多瓦市东 39 千米处。早期罗马人曾占领该地，公元 935 年阿拉伯穆斯林伍麦叶王朝第一位哈里发阿卜杜勒·拉赫曼三世曾建七塔式城堡，其废墟仍在该城内。1227 年卡斯蒂利亚和莱昂的统治者费迪南德三世自穆瓦希德人手中取得本地，归并在科尔多瓦城的管辖之下。1584 年该地脱离科尔多瓦统辖，1639 年成为一城市，现该城为农产品贸易中心，主要有面粉及橄榄油加工业。人口 8 156(1999)。

Bujumbura　布琼布拉　布隆迪西部城市。布琼布拉市为该国首都和最大城市。有纺织、制革、造纸、化工、农产品加工等行业。坦噶尼喀湖滨的该国主要港口，经运外贸物资之大部。城西北有国际机场。公路通刚果

布琼布拉市的议会大厦
美国不列颠百科全书公司供图

（金）和卢旺达。布隆迪大学(1960 年建立)和布隆迪文明中心为该城两个主要文化机构。周围地区农产有香蕉、木薯、豆类、玉米、小麦和棉花。在 20 世纪 90 年代到 21 世纪初爆发的种族主义内战中成为战争中心。人口约 300 000(1994)。

Buka Island　布卡岛　所罗门群岛北部火山岛，属巴布亚新几内亚。在太平洋西南部，西北以布卡深海峡(宽 8 千米)与布干维尔群岛相隔。长 56 千米，宽 14 千米，陆地面积 492 平方千米。西南山地海拔 498 米。内地森林茂密。年降雨量逾 2 500 毫米。该岛的西、南岸外有珊瑚礁。1885 年属德国。1920 年成为澳大利亚托管地。1942 ～ 1945 年被日军侵占。第二次世界大战后属联合国新几内亚托管地。1975 年归巴布亚新几内亚。20 世纪 90 年代初爆发政府军与主张独立的反对派势力的武装冲突。2001 年达成和平协议。2005 年布干维尔、布卡和附近岛屿正式组成一个自治区，布卡成为区行政中心。人口：布卡岛与附近小岛约 40 000(1984)。

Bukavu　布卡武　1966年以前称科斯特曼斯维尔。刚果（金）东部城市。地处伸入基伍湖的一个半岛上。为工商业中心、湖港和旅游城镇。公路通基桑加尼、开赛、卢本巴希、加丹加和东非。航空线通其他刚果城市和布隆迪。该地素以农产品（咖啡、茶、烟草、奎宁、草莓）、牲畜和锡、金矿著称。建有社会研究学校、师范学院和科学研究所。工业包括酿酒、印刷和水力发电。布卡武为刚果（金）人口最稠密地区之一。在 20 世纪 70 年代到 90 年代，接纳了来自布隆迪和卢旺达的数以千计的政治难民。在 20 世纪末 21 世纪初刚果东部爆发的内战中成为战争中心。人口 201 569(1994)。

Bukhara　布哈拉　又拼 Buchara 或 Bokhara。乌兹别克斯坦中部一州。面积3.94万平方千米。1938 年建州，但 1982 年北部和东部大部地区划归新成立的纳沃伊州。境内主要为基米雷库姆沙漠，西南部为泽拉夫尚河下游。属大陆性气候，冬季寒冷，夏季长而干热。年降水量仅 125 ～ 175 毫米。沙漠中饲有卡拉库尔绵羊。南部的天然气，是 20 世纪 50 年代发现的，经管道输送至乌拉尔、俄罗斯中欧地区和中亚细亚其他共和国。城市有布哈拉（州首府）、卡甘、吉日杜万。居民中 70%以上为乌兹别克人。城市人口约占全州人口的 1/3。人口约 1 262 000(1993)。

Bukhara　布哈拉　又拼 Buchara 或 Bokhara。乌兹别克布哈拉州的城市和行政中心。临泽拉夫尚河三角洲上的沙赫库德运河，在布哈拉绿洲中央。建于 1 世纪以前。709 年阿拉伯人占领该城时，它已经是一个重要的贸易和手工艺中心。9 ～ 10 世纪时为萨曼王朝国都。1220 年为成吉思汗占领，1370 年又落入帖木儿之手，在此以前，布哈拉一直由喀喇汗王朝和黑契丹人所控制。1506 年布哈拉被乌兹别克的谢巴尼德人征服，自 16 世纪中叶起，谢巴尼德人建都于此，史称

布哈拉汗国。16世纪末,谢巴尼德人的属地包括现今中亚的大部分以及波斯北部和阿富汗,布哈拉具有非常重要的地位。18世纪中叶,埃米尔穆罕默德·拉希姆摆脱了依附波斯

布哈拉市的恰尔米纳清真寺和神学院
美国不列颠百科全书公司供图

的地位,建立曼吉特王朝。1868年该汗国成为俄国保护国。1920年埃米尔被红军推翻,布哈拉仍是取代汗国的布哈拉人民苏维埃共和国首府。1924年该共和国并入乌兹别克苏维埃社会主义共和国。乌兹别克1991年独立时,布哈拉仍是首都。20世纪50年代附近发现天然气后,城市发展迅速。旧城仍保留大部分过去的面貌,有清真寺、伊斯兰教神学院、砖坯平顶房和带篷盖的集市遗址等。主要建筑有伊斯梅尔·萨曼陵墓(9～10世纪);卡里安尖塔(1127)和清真寺;阿布杜拉齐斯商栈(1652)、米里-阿拉伯神学院(1536)和古城堡(布哈拉最古老的建筑)等。经济以一些食品工业和轻工业企业为基础,有一家加工卡拉库尔羊毛的大工厂。该市作为天然气产区的最大城市,地位日趋重要。仍有一些金绣和金属制品等传统工艺。文化设施有师范学院、剧院和博物馆。人口约238 000(1996)。

Bukhara rug　布哈拉地毯　Bukhara又拼Bokhara,乌兹别克语拼作Bukharo。土库曼各民族制作的地毯,但并不十分确切。中世纪初,乌兹别克斯坦的布哈拉城因成为伊斯兰的学术中心而闻名于世。20世纪上半叶,布哈拉地毯泛指土库曼各部族制作的地毯,但布哈拉周围几乎没有土库曼人居住。布哈拉的人口构成为乌兹别克人和塔吉克人。有些土库曼地毯,尤其是埃尔萨里人的地毯可能已通过布哈拉进入西方市场。在布哈拉城中编织的这些著名地毯实为乌兹别克人的刺绣织锦挂毯。

Bukhārī, al-　布哈里(810-07-19,中亚布哈拉[今在乌兹别克斯坦]～870-08-31,撒马尔罕附近的哈尔坦克)　全名艾布·阿卜杜拉·穆罕默德·伊本·伊斯梅尔·布哈里。最杰出的穆斯林圣训(先知穆罕默德的言行录)学者之一。他的主要著作被逊尼派穆斯林视为仅次于《古兰经》,为宗教立法的依据。童年时已开始背诵先知的遗训。16岁即去麦加朝圣,在旅途中开始收集先知的言行。后去埃及,又从开罗到中亚的梅尔夫,寻找能提供资料的人,历时16年。布哈里收集圣训极为慎重,他在圣训集中表现出极大鉴别才能和权威性。从收集到的大约60万条圣训中筛选出他确信绝对可靠的7 275条,收入《圣训实录》。晚年,他被卷入发生在内沙布尔的一场神学上的论战,后离开该城前往布哈拉,由于拒绝给布哈拉总督及其子女专门授课,被迫流亡到撒马尔罕附近一个名为哈尔坦克的村庄。

Bukharin, Nikolay Ivanovich　布哈林(1888-10-09,莫斯科～1938-03-14,莫斯科)　布尔什维克,马克思主义理论家和经济学家,共产国际的重要领导人。布哈林于1906年加入

美国不列颠百科全书公司供图

俄国社会民主工党,1908年成为该党布尔什维克派莫斯科委员会委员。1911年被捕并流放到奥涅加(距白海很近的一个地区)。但是他逃往西欧,在克拉科夫会见布尔什维克的领袖列宁(1912),协助列宁主编《真理报》。1916年10月去纽约,主编列宁派的报纸《新世界》。1917年"二月革命"以后,布哈林返回俄国,8月当选为党中央委员会委员。布尔什维克掌握政权后,他成为《真理报》主编。1918年当列宁坚决主张同德国签订《布列斯特-立陶夫斯克和约》并使俄国退出第一次世界大战时,布哈林一度辞去他在《真理报》的职务,领导一个反对集团"左派共产主义者",这个集团反对签约而主张使战争转成一场全欧洲的共产主义革命。1919年3月,他成为共产国际执行委员会委员。在此后几年间,他出版了几部经济学理论著作,包括《过渡时期的经济》(1920)、《共产主义ABC》(1921)和《历史唯物主义理论》(1921)。1924年列宁逝世后,布哈林成为政治局委员,仍是列宁新经济政策的主要支持者,主张逐步地发展经济,反对迅速工业化和农业集体化政策。布哈林一度与斯大林结盟,后者利用他打击主要对手托洛斯基、季诺维也夫和加米涅夫。1926年布哈林继季诺维也夫为共产国际执行委员会主席。但1928年斯大林谴责布哈林反对其强制集体化的纲领,他于1929年4月失去在共产国际的职位,同年11月被开除出党的政治局。在压力下他修改了自己的观点,斯大林也帮助他部分地恢复党内的地位。1934年任《消息报》主编,并参与起草1936年的宪法,但未能恢复他早期的影响和权力。1937年1月被秘密逮捕,并被开除出党。1938年3月被指控进行反革命活动和间谍活动,定罪处死。1988年被恢复党籍。

Bukit Fraser　花沙山　旧称福隆港。马来西亚西部中央山脉的游览胜地。在吉隆坡以北65千米处,海拔1 305米。在七座山上设有旅行站(1919年规划,由马来联邦建立)。经新古毛和蜿蜒曲折的"沟"路可到达该地。

Bukittinggi　武吉丁宜　原名科克堡。印度尼西亚西苏门答腊省城市。位于阿甘高原,海拔900米。是印度尼西亚景色最优美的地方之一。武吉丁宜具地方特色的屋顶呈马鞍形,两头作牛角状向上翘起。现已成为重要的商业中心,有公路通往苏门答腊其他城市,有铁路与巴东、巴当班让和沙哇伦多相连。城内有一博物馆坐落在植物园中,有荷兰人建于1825年的一个古堡。建有一机场。人口72 093(1990)。

Bükk Mountains　比克山　匈牙利东北部喀尔巴阡山脉向南突出的山嘴。为一森林覆盖的高原地区,西从陶尔瑙河、东至绍约河延伸约50千米,南北距离32千米。最高海拔在伊斯塔洛斯科山,高959米。中心部分为20千米×7千米的石灰岩台地(人称巨人台),周围有一圈白色的悬崖傲视着邻近低矮的群山。比克山大部由连绵不断的林木覆盖,为匈牙利最崎岖不平的地区之一。是受人喜爱的游览胜地。夏季人们喜爱钓鱼(鲑鱼)和徒步旅行,冬天有长时间(120天)积雪,可进行冬季运动。整个山区各地皆有史前期居民点的遗迹。

Bukovina　布科维纳　东欧一地区,包括喀尔巴阡山东北部和毗邻的平原。1947年以后,这一地区分属罗马尼亚和苏联。居民有乌克兰人(罗塞尼亚人)和罗马尼亚人(摩尔多瓦人)。14世纪时为摩尔多瓦公国一部分。从14世纪末期至16世纪中叶,南部的苏恰瓦为公国首都。1775年由控制摩尔多瓦的土耳其人割与奥地利,始称布科维纳。奥地利将其主要城市切尔诺夫策(切尔诺维茨、切尔劳蒂)发展成为重要的教育和商业中心。布科维纳北部几乎全为乌克兰人,南部几乎全为罗马尼亚人,而城镇之中也有许多德意志人、波兰人,其中许多是犹太人。奥地利统治时保持各民族群体的平衡。1918年奥匈帝国解体后,罗马尼亚控制整个布科维纳,并在那里推行罗马尼亚化的政策。1940年6月苏联占领北布科维纳;而1941年德国侵入苏联后,罗马尼亚与德国结盟故又临时占据布科维纳。1944年苏军重新夺取其北部各地区。根据1947年的和平条约,北布科维纳归属乌克兰苏维埃社会主义共和国,古摩尔多瓦首都苏恰瓦及其附近地区划归罗马尼亚人民共和国。

Bukuru　布库鲁　尼日利亚高原州城镇。在乔斯高原的最高处,海拔1 200米。与乔斯镇通铁路。为锡和铌矿主要开采中心。亦产高岭土。最早的居民为比罗姆人。当地矿业资源吸引大批豪萨、伊博、约鲁巴人及欧洲人涌入。附近地区主要出产高粱、黍类和一种

当地称为阿恰(饿稻)的作物。亦产马铃薯、薯蓣、玉米、蔬菜以供应该城和乔斯镇。镇内有国家政策和策略研究所及商学院。有产院和诊疗所。人口 8 450(最新统计)。

Bulandshahr 布伦德舍赫尔 印度北部北方邦西部城镇。位于德里东南约 64 千米处,坐落在喀利河边的高地上。该名意即“高城”。与德里和其他城市通公路和铁路。为农产品贸易中心。其周围地区地处恒河与亚穆纳河之间的平原上,依靠管井与恒河灌渠网灌溉,产谷物、棉花和甘蔗。人口:城镇 127 201(1991)。

Bulawayo 布拉瓦约 津巴布韦第二大城市和马塔贝莱兰省主要城市。濒马特舍姆洛佩河,海拔 1 341 米。位于起伏的稀树草原上。1894 年建居民点。1943 年设市。工业中心。主要生产汽车、轮胎、建筑材料、收音机、电视机、纺织品、家具和食品。全国铁路枢纽站。市容现代化。设有师范学院、工学院和国家博物馆。旅游名胜包括城南的罗得斯墓和城西的卡米废墟。人口约 676 787(2002)。

bulb 鳞茎 某些种子植物,尤其是多年生单子叶植物的处于休眠阶段的变态茎。鳞茎包括相对较大、通常为球形的地下芽和伸出地面的短茎,膜质或肉质的叶互相重叠,从短

洋葱的鳞茎

茎上生出。洋葱即为熟知的鳞茎。鳞茎的肉质叶用以储存养分,可使植株于缺水时(如冬季或干旱时)休眠,当条件有利时又恢复生机。某些植物鳞茎上的肉质叶实为扩大的叶基。鳞茎主要有两个类型:一个类型以洋葱为代表,肉质叶外覆以纸样的薄膜以资保护;另一个类型见于典型的百合科植物,贮藏叶裸露,无纸样薄膜覆盖,外观似由许多有棱角的鳞片构成。鳞茎大小各异,小的如豌豆,大者如文珠兰的鳞茎,可重达 7 千克。许多普通庭园花卉,如水仙、郁金香、风信子,具有鳞茎,故能于早春具备有利的生长条件时迅速开花(几乎表现为早熟)。另一些具鳞茎的植物,如百合,在夏天开花。而少数具鳞茎的植物,如草甸番红花,则在秋天开花。百合科和石蒜科尤多具鳞茎的种类。有几种具鳞茎的植物因其肉质叶味佳或营养丰富,对人类有重要的经济价值,例如洋葱及与其有亲缘关系的青葱、蒜、韭葱等。某些鳞茎含有毒化合物,如海葱属(*Urginea*)植物的鳞茎可提取高效毒鼠药。英语中,bulb 一词在园艺上常不准确地用来指许多亦具相似贮存养分功能的植物器官,如番红花属多种植物和唐菖蒲的实心的球茎及某些鸢尾的长形根状茎。

bulb rot 鳞茎腐烂病 由多种真菌及少数细菌引致的感染所有花卉及作物鳞茎的植物疾病。嫩茎不能抽出或叶生长受阻,变黄色至红色或紫色,后枯萎并死亡。腐烂常于鳞茎基部开始并向上向外发展。真菌性腐烂常呈干性至海绵状或粉霉状或霉状;细菌性腐烂常湿软和粥糜状并恶臭难闻。在潮湿温暖的条件下存储鳞茎时腐烂病常迅速发展。防治法为应用无病鳞茎,合理种植,小心掘取,贮藏前鳞茎需经迅速而彻底的处理,种植抗病品种,避免水肥过多和植株过密,与非鳞茎植物轮作。销售前用热的杀真菌剂溶液浸渍法处理鳞茎。

bulbil 珠芽 又作 bulbel,bulblet。某些植物的叶腋或开花的部位形成的次生微小鳞茎。长大后称短匍茎,掉落或人工采摘栽种后,能长出新株。在洋葱和百合等植物中特别普遍。

bulbocavernosus muscle 球海绵体肌 又作 bulbospongiosus。位于会阴的肌肉。男性围绕尿道海绵体球,收缩时能将最后几滴尿液或精液驱出。女性分为两部分,从阴蒂后方延伸至会阴中央腱,功能为收缩阴道。

Bulbophyllum 石豆兰属 兰科最大的属,1 000 余种,原产亚洲和非洲。具匍匐根状茎和圆形假鳞茎,多数种的假鳞茎顶端有一枚单叶。花萼色彩鲜艳,较花瓣大。许多种的花小,气味难闻。

bulbourethral gland 尿道球腺 又称考珀氏腺。男性前列腺下方、尿道球上方的两个豌豆形腺体。射精(**ejaculation**)过程中分泌液体参与精液的构成。直径 1 厘米,有管开口于尿道。由排列成网状的小管及囊状结构组成;管间有肌肉纤维、弹力组织以为支架。构成小管及囊的细胞内含黏液滴,其分泌液清亮、黏稠,起润滑作用;或认为可于射精前冲洗尿道;还能增加精液的黏稠度,为精子提供合适的生存环境。参阅 **prostate gland; seminal vesicle**。

bulbul 鹎 雀形目鹎科的非洲和亚洲鸟类,约 119 种,包括几种称为绿鹎和褐鹎者。体长 14～28 厘米。活跃,鸣声嘈杂,羽色单调。有时危害果园。羽须鹎属(*Pycnonotus*)47 种,代表种为非洲羽须鹎(*P. barbatus*,包括 *P. xanthopygos* 和 *P. tricolor*),体长 18 厘米,褐灰色。红须鹎(*P. jocosus* 或 *Otocompsa jocosa*)是印度到中国南部的本地种。黑喉红臀鹎(*P. cafer* 或归入 *Molpastes* 属)产于巴基斯坦到爪哇(原产地),已引入斐济群岛。旋叶鹎属(*Phyllastrephus*)22 种,常见于热带非洲。鹦嘴鹎属(*Spizixos*)产于东南亚。白喉髭冠鹎(*Criniger flaveolus*)分布自喜马拉雅到巴厘。

黑顶非洲羽须鹎(*P. xanthopygos*)
美国不列颠百科全书公司供图

黑鹎(马达加斯加短脚鹎,*Hypsipetes madagascariensis* 或归入 *Microscelis* 属)是体型最大的种之一,体长 25 厘米,分布在马达加斯加、印度洋岛屿和亚洲南部,东到中国台湾省,有灰色和黑白相间的亚种。

Buldāna 布尔达纳 印度西部马哈拉施特拉邦北部城市。临本根加河。位于布尔达纳-耶奥德马尔高原上。海拔 646 米。其气候比贝拉尔地区大多数其他城市要冷得多。是地区行政中心,几乎没有工业。设有那格浦尔大学的几所学院。其周围地区基本上为农业区,出产棉花、小麦、花生。人口:市约 52 738(1991)。

Buldur(Turkey) 参阅 **Burdur 布尔杜尔**。

Bulfinch, Charles 布尔芬奇(1763-08-08,马萨诸塞波士顿～1844-04-04,波士顿) 美国最早的开业建筑师,以设计政府行政建筑闻名。1778～1781 年在哈佛大学求学,后至欧洲旅游(1785～1787)。在巴黎遇 T.杰斐逊。经杰斐逊的建议,参观了法国和意大利的许多主要建筑物。他在伦敦熟悉了建筑师 R.亚当的新古典主义建筑,把亚当的建筑风格引入美国。其大部分作品都采用古典柱式,显示出精熟的比例处理手法。作品有:波士顿的马萨诸塞州大厦(1787～1788 设计,建于 1795～1798,20 世纪 70 年代犹存,但经过很大改动),哈特福德的康涅狄格州大厦(1792～1796,现为市政厅),以及奥古斯塔的缅因州议会大厦(1828～1831)等。他是首都华盛顿国会大厦的第 4 任建筑师(1817～1830),两翼仍采用前任建筑师 B.拉特罗布的方案,但重新设计了圆厅。1791～1795 年、1799～1817 年两度任波士顿市行政管理委员会委员,领导改善当地的道路系统、公有地及周围环境的工程。

Bulgakov, Macarius 布尔加科夫(1816,俄罗斯库尔斯克～1882,莫斯科) 原名米海尔·彼德罗维奇·布尔加科夫。俄罗斯正教莫斯科都主教,国际知名神学家和历史学家。他曾受教育于基辅教会学院,毕业后留校教授历史。1842 年调圣彼得堡学院讲授神学,1850 年任院长,1854 年进入俄罗斯科学院。1851 年受神职,1879 年被任命为莫斯科都主教。他在任职期间扩充神学院、从事写作并帮

助他人，竭力促进历史与神学的研读。他的著作很多，主要的是《正教教义学》(6卷，1847～1853)。他受G. 佩罗内以及其他19世纪的天主教著作家的实证主义神学或历史神学的影响。他在方法论上严格遵循拉丁典范，在有争议的问题上坚持正教传统的教义。1857～1882年间，他写成13卷《俄罗斯教会史》。

Bulgakov, Mikhail Afanasyevich 布尔加科夫(1891-05-15，俄罗斯帝国乌克兰基辅～1940-03-10，莫斯科) 苏联剧作家、小说家和短篇小说家。以其幽默和辛辣的讽刺著称。

美国不列颠百科全书公司供图

成年后初为医生，后弃医从文。第一部重要作品是长篇小说《白卫军》，曾在1925年连载发表，但从未成书出版。小说以写实和同情的笔调描述了一群反布尔什维克的白卫军官在内战时期的思想行为，因其没有塑造一个共产党员主人公而受到官方的猛烈批判。后他将小说改编成剧本《土尔宾一家的命运》，于1926年上演，获得巨大成功，但随之遭禁演。1925年出版讽刺幻想故事集《魔法》，含蓄批评苏联的共产主义社会。这部作品也受到官方谴责。同年还写有《狗心》，对伪科学作了尖刻而诙谐的讽刺。

他的作品因其现实主义和幽默而享有盛名，但它们对苏联社会阴暗面的尖锐批评日益为当局所不容。到1930年，他实际上已被禁止发表作品。他请求移居国外，但遭斯大林拒绝。在此之后直至他去世，他被文学界所排斥，其间他创作了几部杰作。1932年，在担任莫斯科艺术剧院编剧部门的文学顾问时，写了一部关于莫里哀之死的悲剧《莫里哀》，经改写后终于在1936年得以上演。但因对斯大林和共产党的攻击比较露骨，在连续演出7晚后被禁演。

在20世纪30年代，他还写有两部杰作。第一部是未完成的自传性质的《剧院小说》，原名《死亡者札记》，对斯坦尼斯拉夫斯基和莫斯科艺术剧院的后台生活进行了无情的讽刺。第二部是令人眼花缭乱的果戈理式的幻想小说《大师和玛格丽特》，其语言风趣而粗俗，同时又包含深刻的哲理。小说对深奥而永恒的问题善与恶作了深刻的思考，它设置了两个并列的情节平面——一个设在现代的莫斯科，另一个设在彼拉多的犹地亚。中心人物是装扮成沃兰德教授的魔鬼。他降临莫斯科，用使人污肚的恶作剧揭露了文化界名流的堕落和虚伪。与其相对的人物是“大师”，一个为了写耶稣的故事而进了精神病房的受压制的小说家。作品中交替出现一些荒诞粗俗、尖刻讽刺的幽默场面和强烈感人、哀婉悲惨的时刻。这部小说直到1966～1967年才在苏联出版，但经书报审查后，已被删改得面目全非。

布尔加科夫的作品较迟受益于斯大林死后苏联文学环境特有的有限“解冻”。他死后，迟至20世纪50年代末才开始为他恢复名誉。从1962年开始，他的几部作品，包括剧本、长篇和短篇小说以及莫里哀的传记陆续出版。但这位艺术家最杰出的3部作品，在他生前始终未能在苏联出版。

Bulgakov, Sergey Nikolayevich 布尔加科夫(1871-06-16，俄罗斯利夫内～1944-07-12，法国巴黎) 经济学家和俄罗斯正教神学家。他使称为智慧论的哲学体系得到充分发展。智慧论以创造世界的问题为中心，强调万物统一。曾在俄国奥廖尔神学院学习，但受马克思主义影响与教会决裂而改修政治经济学。先后在莫斯科、柏林、巴黎和伦敦学习，1901～1906年在基辅大学执教，1906～1918年在莫斯科大学执教。后来对马克思主义哲学失望，与曾经信奉马克思主义的哲学家N. 别尔佳耶夫等人重新加入教会。1918年受祝圣为司祭，1923年被逐出苏联。在布拉格停留两年后，任巴黎俄罗斯正教神学院神学教授兼院长，直至死亡。布尔加科夫53岁以后创智慧论，谓智慧是维系造物主上帝与受造世界的纽带。其学说于1935年遭到南斯拉夫卡尔洛维奇宗教会议和莫斯科牧首谢尔盖的谴责。

Bulganin, Nikolay Aleksandrovich 布尔加宁(1895-05-30[新历06-11]，俄罗斯下诺夫哥罗德～1975-02-24，莫斯科) 政治家、工业和经济官员，苏联部长会议主席(1955～1958)。1918年进入全俄肃反委员会工作。后任莫斯科最大的电气器材厂厂长。1931年任莫斯科市苏维埃主席。此后历任俄罗斯联邦共和国人民委员会主席(1937～1938)、苏联国家银行行长(1938～1941)、苏联人民委员会副主席(1938～1941)，1939年起为联共(布)中央委员会委员。1944年任苏联国防委员会委员。1947年任苏联部长会议副主席，同年任武装力量部部长，升为苏联元帅。1948年任联共(布)中央政治局委员。1953年斯大林逝世后，任苏联部长会议第一副主席兼国防部长。在马林科夫和赫鲁晓夫的权力斗争中，支持后者。1955年2月，取代马林科夫任苏联部长会议主席。布尔加宁经常以政府发言人身份在公众场合出现，他同赫鲁晓夫关系密切，曾与赫鲁晓夫一起到世界各地进行多次国事访问。1957年6月，他参与试图废黜赫鲁晓夫党的领袖地位的“反党”集团，失败后其领导成员被清洗，他仍保持部长会议主席(至1958-03-27)和最高苏维埃主席团成员(至1958-09-05)职务。1958年底，正式宣布他与“反党”集团有联系，被剥夺元帅军衔，在党内几乎没有地位。1961年失去中央委员的资格。

Bulgar 保加利亚人 又作Bulgarian。中世纪即见诸东欧史籍的一个民族，其一个亚支为现今保加利亚人的祖先。

可能原为中亚突厥部落，约在370年与匈奴人一同抵达伏尔加河西部欧洲干草原，后又同匈奴人撤退。约在460年定居在亚速海北部与东部的一个弧形地带。保加利亚人在480年受雇于拜占廷帝国，对奥斯曼人作战，后来他们也对帝国财富垂涎三尺。6世纪时，保加利亚人不断攻击拜占廷帝国的多瑙河各省。6世纪60年代，他们却受到当时从亚洲进入欧洲中部的阿瓦尔人的威胁。阿瓦尔人消灭了一个保加利亚部落，其他部落为了免于被消灭，降服了另一个新来的突厥游牧部落约20年之久。此后大多数新来的突厥人退回亚洲。

保加利亚人在库尔特或库布拉特(约605～约665在位)的统治下，建立统一的强大汗国，拜占廷人称之为大保加利亚，以库班河为其南部边界。库尔特死后，其5子分成5个游牧部落。一个部落留在亚速海沿岸，为哈扎尔帝国所并；另一支移向欧洲中部，与阿瓦尔人混为一部；第三支效忠于意大利的伦巴底王国。这5支中的另两支延续时间较长。

库尔特的儿子贝兹米尔，或巴特-巴扬，为躲避哈扎尔人，引其部落远徙北方，终于在靠近伏尔加河和卡马河合流处占据了一块地盘。他们分为3个居民集团(与土著居民或其他移民混合)，其后繁荣兴旺达600年之久。这些伏尔加保加利亚人并非形成国家而只是构成一个半游牧性质的部落联盟，但发展起两座城市，即保加尔城和苏瓦尔城。两者因地处皮毛贸易交通要道而受益甚多，贸易是在北方的乌戈尔人及俄罗斯人与南方的拜占廷、巴格达穆斯林哈里发国及土耳其斯坦之间进行的。这些伏尔加保加利亚人约在922年改信伊斯兰教。1237年臣属蒙古金帐汗国。虽然以后保加尔城曾经长期繁荣，但其居民则逐渐失去原有特点，与俄罗斯人混合。大保加利亚分裂的第五个产物是由库尔特的儿子阿斯帕鲁克领导的一支，他们西渡德涅斯特河，然后南下跨过多瑙河，在多瑙河与巴尔干山脉之间的平原地带建立了所谓第一保加利亚帝国的核心部分。现在的保加利亚民族即源于帝国之名。7世纪时多瑙河地区名义上仍由拜占廷帝国管辖，居民为现代罗马尼亚人的祖先，还有新到该地的斯拉夫人。胜利的保加利亚人建国之后很快就与弗拉其人、斯拉夫人混合。同时他们的征服活动也正好使他们进一步深入拜占廷基督教的影响范围之内。克鲁姆(803～814在位为汗)及普雷西安(836～852)在位期间，保加利亚人把疆土拓展到塞尔维亚和马其顿，接着在鲍里斯一世统治下，保加利亚人正式改信基督教。新的教堂礼拜仪式采用斯拉夫语言，这种语言当时是保加利亚人的马其顿属地上通行的语言，现在称为古教会斯拉夫语。在保加利亚人及斯拉夫人中间创造一种共同文化的年代里，事实证明它是一种强大的媒介。到保加利亚在11世纪早期被并入拜占廷帝国时，保加利亚人与斯拉夫人已融为一个操斯拉夫语、基督教化的民族，基本上已与今天的保加利亚人无甚区别。

鲍里斯一世之子西美昂一世，曾被承认为保加利亚人的沙皇。他统治期间第一帝国臻于极盛，成为巴尔干强国；不过他也不得不把多瑙河以北土地让给由欧亚大草原新来的入侵诸部落。由于来自北方的民族其后400多年不断向巴尔干半岛入侵，突厥人的成分在保加利亚种族结构中与斯拉夫族大体抗衡；这些突厥民族中有佩切涅革人、钦察人、库曼人等。

西美昂死后，第一保加利亚帝国由于内部纷争，外有马扎尔人、佩切涅革人、罗斯人及拜占廷人的入侵，于是覆亡。1018年，保加利亚再度并入拜占廷帝国。1185年巴尔干各民族反拜占廷的起义，产生了第二保加利亚帝国。到1241年阿森家族（1185～1280）诸沙皇权势极盛，影响到自多瑙河至爱琴海，自亚得里亚海到黑海这一范围的大部地区。但是蒙古人自北进攻，塞尔维亚人由西入侵，以及内部斗争，摧毁了第二帝国。1396年，帝国领土落入奥斯曼土耳其人手中，土耳其人此次是由南向北席卷巴尔干地区的。

保加利亚人在漫长的奥斯曼土耳其人直接统治过程（1396～1878）中，由于坚信基督教，没有完全与穆斯林土耳其人融为一体；另外，他们一直使用斯拉夫语言，也使他们未被希腊人所同化，当时希腊人在奥斯曼帝国所承认的东正教会中占有优越地位。1878年，保加利亚建立自治公国，以奥斯曼帝国为宗主国。1908年宣布独立，成为王国。

Bulgar（Russia） 参阅 **Bolgary 博尔加尔**。

Bulgaria 保加利亚 全称保加利亚共和国。巴尔干半岛国家，位于东南欧黑海之滨。北部边界主要与罗马尼亚以多瑙河为界，东临黑海，南与希腊和土耳其接壤，西与塞尔维亚和马其顿为邻。首都索非亚。面积110 994平方千米。人口约7 786 000（2003）。

土地 保加利亚的地形由北到南呈3个主要自然地理区。最北端的多瑙河平原，是一片肥沃低地，间有一些起伏的丘陵，约占国土面积的1/3。平原有2/3地区海拔在210米以下，其整个地区无一处高度超过600米。紧接多瑙河平原南部为巴尔干山脉（"老山山脉"），平均海拔722米。保加利亚的第3个主要地理区，里拉-罗多彼山区，与巴尔干山脉之间隔有色雷斯平原（鲁梅利亚盆地）。里拉-罗多彼山区地形一般高于北部山脉，亦较为崎岖，有全国最高山穆萨拉峰（高2 925米），以及南欧一些景色最美丽的乡村。除3大地理区外，面积较小的黑海沿岸有滨海沙滩，以及瓦尔纳和布尔加斯两个港口，为欧洲著名休闲胜地。

保加利亚有两大水系。注入黑海的径流量占全国一半以上，主要来自北方多瑙河各支流（伊斯克尔河、扬特拉河）及东部其他直接入海的河川。其余径流量向南流入爱琴海，主要来自西南方的斯特鲁马河、梅斯塔河以及南方的登萨河、马里查河和阿尔达河。

气候属典型的巴尔干半岛气候：北部及西北部属温和的大陆性气候（冬季较冷），东南部及梅斯塔与斯特鲁马河谷属地中海型气候（夏季干旱）。中部山区及黑海沿岸属过渡性气候。冬季平均气温为 -1 °C，夏季约为21 °C。除高地地区平均降水量可高达1 200毫米外，全国其他地区平均降雨量均在530～685毫米之间。

保加利亚的土地有近2/5为可耕地，其中有1/4得到灌溉。国土有1/5为牧草地，1/3为林地。

人民 就种族而言，该国人口相当单一，保加利亚人约占总人口的85%。土耳其人为最大的少数民族，居住在东北部的一些地区和东部的罗多彼山区。吉普赛人和马其顿人为另外两个人数较多的少数民族。此外，还有数千亚美尼亚人、俄罗斯人和希腊人（多数居住在城镇）以及罗马尼亚人和鞑靼人（多数居住在乡村）。

保加利亚语以及塞尔维亚-克罗地亚语、斯洛文尼亚语和马其顿语同属南部斯拉夫语族。在通用的保加利亚语中有若干地区方言。

大多数信奉宗教的保加利亚人为东正教徒，另有一些人数较少的天主教徒及基督教新教徒。人口中有约7%为穆斯林，其中大多数为土耳其族，但也有些是保加利亚族的穆斯林，称波马克。

由于第二次世界大战后的几十年中国家实行免费医疗以及工作条件的改善，保加利亚的人口死亡率，特别是婴儿死亡率大大下降，出生率也有所降低。至90年代，保加利亚出现了人口自然负增长。

第二次世界大战以来的移民出境潮主要影响到非保加利亚人。约50万土耳其人已离开保加利亚，其中有15.5万人是在1949～1951年被驱逐出境的，另有25万人为躲避政府的强制归化于1989年逃离。在保加利亚国内，人口的流动一直是从乡村迁往城镇。到20世纪末，保加利亚已有近70%的人口居住在城市。

经济 1946～1989年间，保加利亚实行的是中央计划经济，主要以制造业和农业为基础。保加利亚的经济采用苏联的经济模式，农业经营全部归合作社或集体企业，而所有其他经济部门则为国家所有并负责经营。经济发展是通过制订的5年计划进行组织，强调工业化。不过1991年上台的非共产党联合政府也曾采取措施，在保加利亚的某些经济部门推行私有化。保加利亚的人均国民生产总值虽然较低，但与某些发达国家相似。

农业约占国内生产总值的1/8，雇用了1/5的劳动力。作物以粮食为主，主要是小麦、玉米和大麦，占总播种面积的3/5。经济作物占重要地位，尤其是烟草和向日葵。1991年，保加利亚国民议会进行投票表决，决定将集体农场归还给农场工人和从前的地主，使农场成为私人所有。主要牲畜为绵羊、猪和小牛。

工业（包括矿业和建筑业）约占国内生产总值的一半，雇用了1/3以上的劳动力。生产的主要矿物和燃料产品有煤、铁矿石、铜、铅、锌和原油及天然气。保加利亚的制造业门类繁多，除精炼石油产品外，还有水泥、轧制钢材半成品、生铁、纯碱、硫酸、纸浆及纸、香烟和棉织物。该国电力约有2/3来自热电厂，其余大部分依靠核电站。

旅游业集中于黑海沿岸的海滨沙滩和休闲地，为保加利亚提供了重要外汇来源。游客大多来自东欧和土耳其，但政府正设法吸引更多的西欧游客。

保加利亚的主要出口产品有机械及设备、消费品、食品及饮料、燃料、矿石和各类金属制品。主要进口产品有石油、天然气、煤、机械、运输设备和食品及消费品。俄罗斯、德国、意大利和奥地利是保加利亚的主要贸易伙伴。

政体与社会状况 1946～1990年，保加利亚为一人民共和国，宪法属苏联模式。保加利亚共产党是唯一的合法政党，负有将保加利亚改造成共产主义社会的首要任务。国家一切重要决策均出自党内的政治局，国民议会成员由该党挑选，在没有竞争对手的情况下选出。政府中所有重要职务均由共产党员担任，但在1989年后，随着东欧地区各共产党政权开始放弃对权力的垄断，这种集权体制也被废弃。

按照1991年宪法，保加利亚是一个民主共和国，总统由直接选举产生，任期5年。一院制的国民议会有议员240人，议员由选举产生，任期4年。各政党可自由竞争选票；这些政党包括中间派的民主力量联盟、左派的社会党（前共产党）和一个代表穆斯林少数民族的运动。

美国不列颠百科全书公司供图

工人享有病假、产假和退休等社会保险福利。住院和就医均很方便。人民健康状况良好,多数传染病已得到控制或被根除。平均预期寿命男性68岁,女性75岁。与其他东欧国家一样,保加利亚的城市住房短缺。

各级教育均实行免费制,6～16岁未成年人须接受义务教育。儿童先在普通学校接受初等教育,毕业后再入普通中学或职业中学。保加利亚的高等教育包括各种专科学院和大学。

历史 有资料显示,在旧石器时代中期保加利亚就有人类居住,新石器时代已有农民村落。史料记载色雷斯人是当地最早的居民。他们在公元前3500年左右就生活在保加利亚,当时有半游牧民族的牧民由欧洲草原地带向西南迁移,来到巴尔干半岛定居。已知的第一个色雷斯国家建于公元前5世纪中叶。色雷斯王国在与马其顿人和波斯人的冲突中遭到削弱,经过150年斗争进入基督纪元初期之后,终于被罗马人吞并。在罗马人统治下,保加利亚分属莫西亚和色雷斯两个行省,横跨由西方到中东的主要陆路通道。

公元3世纪初,巴尔干半岛地区先后遭到哥特人、匈奴人、保加利亚人和阿瓦尔人侵犯,土地荒芜。从6世纪中叶起,斯拉夫农民的到来使许多地方重又有人居住。7世纪期间,保加利亚人奋起反抗阿瓦尔人,越过多瑙河,降服了南部的斯拉夫人。681年,拜占廷帝国在一次与保加利亚人的战争中败北后,承认保加利亚人在巴尔干半岛与多瑙河之间地区的统治。一般认为这是保加利亚国家的肇始。国王鲍里斯一世于864年皈依东正教。对这一新宗教的接受使保加利亚人与人数众多的斯拉夫居民关系更加融洽。虽然"保加利亚"这一名称依然存在,但保加利亚的语言和风俗却早已消失,仅在讲斯拉夫语的人口中留下一些遗迹。

第一个保加利亚帝国在沙皇西美昂(893～927在位)的统治下繁荣昌盛,但到1018年又被迫接受拜占廷的统治。一次由阿森兄弟领导的起义成功后,保加利亚于1185年重获独立。第二个保加利亚帝国定都特尔诺沃,在尚未败于内部纷争和外族侵略之前,一直统治着巴尔干半岛的大部分土地。14世纪下半叶,保加利亚遭到奥斯曼土耳其人的入侵,1396年完全失去独立。在奥斯曼统治下的5个世纪中(1396～1878),保加利亚贵族被消灭,农民则沦为土耳其主人的奴隶。然而,土耳其人并未想根除基督教或保加利亚的语言。

保加利亚的独立运动晚于其邻邦塞尔维亚和希腊,但到俄土战争(1877～1878)时,已有一个名为"民族复兴"的运动激起广泛的保加利亚人的共识。俄国强加给土耳其的《圣斯特凡诺条约》创立了实际上是独立的保加利亚,领土几乎包括巴尔干半岛的3/5。这个条约不为其他列强所接受,1878年的柏林会议只准许建立一个很小的自治公国,范围仅限于巴尔干半岛与多瑙河之间的核心地区。俄罗斯皇帝之侄,巴滕贝格家族的亚历山大被立为大公。1885年,亚历山大兼并了南方位于巴尔干半岛与罗多彼山脉之间的东鲁梅利亚。1908年,他的后嗣斐迪南宣布成立保加利亚王国。后来,斐迪南联合希腊、塞尔维亚和黑山结成巴尔干同盟。1912～1913年的第一次巴尔干战争中,同盟从土耳其手中夺取了马其顿和色雷斯。斐迪南对只得到马其顿的一小部分作为战利品心怀不满,又挑起了第二次巴尔干战争(1913-06～08)来反对土耳其、罗马尼亚及他自己以前的盟友。保加利亚在这次战争中失利,并且丧失了在第一次冲突中所得到的大部土地。这就在实际上终止了保加利亚这个国家的扩张,尽管斐迪南在第一次世界大战中加入同盟国一边,试图收复马其顿,但也于事无补。1918年保加利亚战败,斐迪南被迫退位,其子鲍里斯即位。

在两次世界大战之间的岁月中,经济危机与政治极端主义的行径和暴力冲突时有发生。鲍里斯最终建立起王室独裁,并在第二次世界大战中与德国为伍,试图再次向西扩张但未获成功。

1944年9月9日,为配合苏联红军的入侵,一个由共产党发起的联盟攫取了政权。1946年,公民投票废除了君主制度,成立了人民共和国,并从此由保加利亚共产党进行统治。该国的所有工业都由国家从原有的所有者没收归公,农民则被强迫组成集体农庄。在共产党领导人季米特洛夫、契尔文科夫和日夫科夫的相继统治下,保加利亚被改造成为一个以城市和工业为主的社会,仍然坚定地与苏联及苏联集团结盟。

1989年,保加利亚也加入了席卷东欧的民主化浪潮,日夫科夫辞去职务,由年纪较轻、富于改革思想的领导人取代。保加利亚共产党也和东欧苏联集团的其他共产党一样,放弃了它在宪法中的垄断权力,使非共产党的反对派得以自由参加多党议会选举。共产党改名为社会党,在1990年6月的议会选举中赢得多数席位。但在1991年10月的选举中,反对党民主力量联盟取得胜利,进而组成保加利亚自1946年以来的第一个非共产党政府。

Bulgarian 参阅 **Bulgar** 保加利亚人。

Bulgarian Agrarian National Union 保加利亚农民国家联盟 又称农民党。保加利亚政党。1899年建立时称保加利亚农民联盟。1919～1923年该党执政,提出进行广泛的土地改革。初为一专业组织,到1901年已成为农民政党。第一次世界大战后威望提高,在1919年8月议会选举中获31%的选票。党的领袖A.斯塔姆博利伊斯基出任总理(1919-10-06)。他提出改革纲领,包括把土地重新分给贫苦农民,改革税收结构和司法体制,建立义务劳动服务制,调整对外政策。该党政策得到广泛支持,在1923年选举中获52%选票,但是使其他政治团体和军事领导人疏远了他们。1923年6月发生政变,该党政府被推翻,斯塔姆博利伊斯基和其他领导人遇害。尽管受内部派别活动的困扰,但该党仍恢复了活动,并从1931年起参加人民联合政府,一直到1934年发生王室军事政变。第二次世界大战后,农民联盟成了反对共产主义化的核心力量。1947年其领导人N.彼得柯夫被处死刑后,这场斗争便告失败,新领导将该党改为共产主义者的忠实的伙伴。这种安排使农民联盟这一团体能继续存在,也使共产党能宣称有伙伴与其共同管理国家。1989年共产主义解体后,农民联盟试图重建为独立政党。该党纲领要求在保加利亚转向市场经济过程中保护私有农场主。

Bulgarian Catholic Church 保加利亚公教会 采用拜占廷礼仪的东方天主教会之一,自1859年起与罗马教廷保持联系。保加利亚人于864年接受基督教,11世纪被拜占廷帝国征服,君士坦丁堡教会与罗马教会决裂时,保加利亚人也脱离天主教会。1767年许多保加利亚人决定摆脱希腊教会控制而与罗马教廷恢复关系。1859年索科尔斯基就任保加利亚公教会首任主教,信徒曾增至8万人。1872年6万信徒重归正教,到20世纪末天主教徒仅有数千人。

Bulgarian Horrors 保加利亚惨案 奥斯曼帝国军队镇压1876年保加利亚起义的暴行。英国政治家W.E.格莱斯顿使得这一名称广泛流行。由于公开揭露暴行,特别是格莱斯顿的小册子《保加利亚惨案与东方问题》(1876)中的陈述,引起欧洲群众对企图从奥斯曼帝国统治下取得独立的保加利亚人和其他南方斯拉夫人表示同情。保加利亚起义是1875～1878年东方危机的一个组成部分,而东方危机则是标志着东方问题的许多危机之一。所谓东方问题,就是随着在19世纪大部分时间占据欧洲一些地区和国家的奥斯曼帝国的衰微而出现权力真空的问题。在民族主义运动兴起几十年之后,1875年波斯尼亚和黑塞哥维那举行起义,翌年春斗争的烽火波及保加利亚。起义遭到土耳其人、特别是称为巴什波祖克的纪律极坏的非正规部队的残酷镇压。据说在菲利普波利(今普罗夫迪夫)约有1.5万人被屠杀,许多村庄和一些隐修院遭破坏。各山区的单独起义者也同样惨遭毁灭。格莱斯顿当时属在野党,正打算辞去自由党领袖职务,关于土耳其人暴行的报导促使他写出小册子,坚决反对保守党首相B.迪斯累利主张支持奥斯曼帝国以与俄国抗衡的外交政策。虽然各国人民普遍义愤填膺,欧洲列强很少有缓和局势的举动,而在1877年俄国进攻土耳其之后,舆论的趋势也改变了方向。1878年的*柏林会议*(**Berlin, Congress of**)结束了这场危机,建立一个小的保加利亚自治公国,仍受奥斯曼帝国统治,疆土限于巴尔干山脉以北地区。

Bulgarian language 保加利亚语 保加利亚语作Bulgarski ezik。用西里尔字母书写的斯拉夫诸语言南部语支语言。通行于保加利亚以及希腊、罗马尼亚、摩尔达维亚和乌克兰的部分地区。它和马其顿语关系密切,而与其他斯拉夫语截然不同,几乎完全消失名词"格"的变化,使用属于其他语系的巴尔干诸语言的某些语法成分。例如定冠词置于名词后(如masa"桌子",masata"这个桌子"),这和阿尔巴尼亚语和罗马尼亚语相像;用小句替换动词不定式,这又和现代希腊语、阿尔巴尼亚语和罗马尼亚语相似。文学语言已失去以前的音高重音(即声调),而用自由重音(非重读元音随之减弱)。保加利亚语言史分为3个阶段:① 9～11世纪的古保加利亚语;②12～16世纪的中古保加利亚语;③ 16世纪～迄今的现代保加利亚语。古保加利亚语是10～11世纪时马其顿斯拉夫人的语言,是第一个斯拉夫文学语言。保加利亚被拜占廷帝国征服,开始了中古保加利亚语时期,失去了名词的"格"及其他许多语言的变化。现代保加利亚书面语起源于16世纪广泛流传的历书,但并未充分建立起来,到19世纪才完全定型。第一、二次世界大战期间曾开展过纯化语言运动,想用保加利亚民族语词汇代替其他语言的借词,但仍含有大量俄语和教会斯拉夫语借词。

Bulgarian language, Old 古保加利亚语 参阅 **Old Church Slavonic language** 古教会斯拉夫语。

Bulgarian literature 保加利亚文学 用保加利亚文写作的文学作品。9世纪时鲍里斯一世决定接受东正教,从此,基督教在斯拉夫人中间开始传播。这一政治决定加之地理位置靠近拜占廷,使得第一种斯拉夫书写文字保加利亚文在巴尔干的发展中起了决定性的作用。这时,希腊传教士西里尔与美多迪乌斯建立了第一个斯拉夫文经院,翻译希腊文经书,从此产生了斯拉夫文字。古代保加利亚文学主要是指用古斯拉夫文书写的教会经书。

现代保加利亚文学始于民族意识觉醒的19世纪中叶。其先驱当推帕伊西的《斯拉夫-保加利亚史》(1762),它对历史的浪漫描写及对民族自尊心的呼唤,激起了保加利亚的文艺复兴,出现了首批有才能的作家。当时的具体环境使这些作家认识到文学应当服务于社会和民族的需要。他们是D.沃伊尼科夫、I.布鲁斯科夫以及作为保加利亚现代现实主义奠基人的L.卡拉维洛夫和V.德鲁麦夫;后二人的小说和戏剧均取材于乡村和小镇的生活。H.波特夫写下了歌颂自由和祖国的热情洋溢的革命诗歌。P.斯拉韦伊科夫是民歌诗人。还有典型的"复兴派人物"G.拉科夫斯基,他以其多才多艺的文笔对保存至今的丰富民谣进行了加工。

1878年保加利亚的解放为文学的发展创造了过去500年土耳其统治时期从未有过的良好条件。I.伐佐夫是唯一一位连接解放前后两个时代的作家,从19世纪70年代初到1921年,他写下了大量反映保加利亚人民过去和当时各方面生活的作品,并获得了"民族诗人"的头衔;《被遗忘者的史诗》(1881～1884)讴歌了为争取独立而斗争的众多英雄;中篇小说《叔叔伯伯们》(1895)真实地描写了土耳其统治时期保加利亚外省显贵们的种种面貌。伐佐夫创作才能的最高峰是保加利亚的"民族小说"《轭下》(1893),它生动地描写了保加利亚人民反抗土耳其人的斗争;他的短篇小说以及他对保加利亚乡村和历史的描写均受到读者的欢迎;他的最受欢迎的戏剧《被流放的人们》(1894)描写解放前流亡在罗马尼亚的人们所受的磨难,它同他写的关于中世纪保加利亚的戏剧一直是索非亚国家剧院(建于1907)的保留剧目。与伐佐夫有相同理想的是诗人K.韦里奇科夫,写有十四行诗和回忆录。另一位著名作家是Z.斯托扬诺夫,他的《保加利亚历次起义札记》是目击者对当时历史的最直率记录。

国家独立后,作家们并没有沉湎于对过去历史的描写,而是以批判的目光对着当前社会中更为消极的层面。S.米哈伊洛夫斯基以讽刺诗、寓言等形式,冷酷无情地抨击了社会生活中的腐败现象,他的最有名的讽刺作品是以伦理哲学寓言形式写成的《一本有关保加利亚人民的书》(1897)。A.康斯坦丁诺夫在《巴伊·甘纽》(1895,副标题为"一个当代保加利亚人[在欧洲旅行和在家中]的不可思议的故事")中,塑造了一个保加利亚农民悲剧性的滑稽典型。

19世纪90年代,老一代作家开始受到一批年轻作家的挑战,后者决心使艺术摆脱地方观念和社会政治斗争。领导这一行动的是K.克雷斯特夫创办的《思想》杂志(1892～1908)。他是保加利亚第一位强调美学良心的重要性的评论家。《思想》杂志集团成员之一的P.斯拉韦伊科夫扩大了保加利亚诗歌的浪漫派传统,并协助创造了一种综合的诗歌语言;他受尼采的影响,赞扬精神完美的英雄主义,并写下了《叙事歌集》(1896～1898),歌颂他尊崇的人类精神巨人——但丁、贝多芬、雪莱和莱奥帕尔迪;他的文章及他的由虚构的诗人的"伪"诗构成的自传性文集《在福岛上》(1910),均反映了他的思想;他的最著名作品是描写保加利亚历史和命运的未完成的叙事长诗《血之歌》(1913)。P.托多罗夫是保加利亚浪漫派短篇小说的创始人,他的散文诗《牧歌》(1908)及根据巴尔干神话写成的几个剧本,如《石匠》(1906),均显示了他的杰出才能。

20世纪初,先锋派文学潮流鼓舞了与西欧诗歌中象征派运动有关的"现代派"。K.赫里斯托夫的《黎明赞》(1911)表现了诗人的阿那克里翁诗风和抒情力量。《思想》杂志集团成员之一的亚沃罗夫这时主要用诗歌发挥保加利亚文字的音乐性和鼓动性潜力,尽管他的剧作颇有前途,但主要成就是抒情诗。D.德贝梁诺夫优美悦耳的诗行中有着亚沃罗夫的声音,后者在第一次世界大战期间的死使其成为知识分子遭受悲惨挫折的象征。象征主义还深深地影响着N.利利耶夫和T.特拉扬诺夫战后写的诗歌。

同时,A.斯特拉希米罗夫和G.斯塔马托夫在作品中继续坚持现实主义传统,他们那些冷嘲热讽的小说矛头指向索非亚社会。斯特拉希米罗夫是社会的敏锐观察者,《密恰洛沃的争吵》(1895)是一篇描写农民生活的优秀作品,他还写有长篇小说《秋天的日子》(1902)、《十字路口》(1904)和《会见》(1908)以及剧本《吸血鬼》(1902)、《岳母》(1906)。他的同时代人E.彼林在其《短篇小说集》(1904,1911)、中篇小说《格拉克一家》(1911)和《土地》(1928)中,以妙语和人情味描绘了他的农村家乡。小说家和剧作家Y.约夫科夫在早期的主要作品《庄稼汉》(1915)中对战争的后果作了出色描绘,他的短篇小说《斯塔罗普拉宁斯克的传说》(1927)和《安提莫沃旅馆的夜晚》(1928)显示了他洞察保加利亚人民的内心及驾驭叙事散文的高超能力。

在第一次世界大战后,文学界左派中的一些诗人不幸过早地去世。他们是转向革命马克思主义的G.米列夫和K.斯米尔宁斯基,后来还有在反纳粹的抵抗运动中殉难的年轻天才诗人N.瓦普察洛夫。他未能活到他在《马达之歌》(1940)和其他诗中所欢呼的社会主义黎明和机器时代。1944年建立的共产主义政权只鼓励由苏维埃美学理论确立的"社会主义现实主义"的作品。虽然D.迪莫夫和D.塔列夫的小说(尤其是后者关于19世纪马其顿的作品)受到普遍的称赞,但这种单一的标准很难对许多作家的作品进行评价。此外,由于许多有才能的年轻作家的出现,预计将会有一个良好的未来。

Bulgarian Orthodox Church 保加利亚正教会 东正教的国家教会之一。864年国王鲍里斯一世把基督教引进保加利亚,君士坦丁堡教会任命大主教一名掌握教会。鲍里斯一世之子西美昂继王位后宣布保加利亚大主教升格为牧首,但直到927年以后即西美昂死后,君士坦丁堡教会才承认保加利亚为牧首区。在巴西尔二世统治下,保加利亚教会改为大主教区,属希腊正教会。1235年国王伊凡·阿森二世恢复保加利亚牧首区,牧首驻特尔诺沃。1393年特尔诺沃沦陷于土耳其,牧首区即不复存在。保加利亚受土耳其统治将近500年,其间保加利亚教会由君士坦丁牧首通过希腊籍教士管辖。从18世纪末起,保加利亚教会努力争取独立,终于在1870年成立保加利亚都主教区。1872年君士坦丁堡牧首宣布它为分裂派组织,直至1945年才予以承认。1953年恢复牧首区。1949年保加利亚政府单方面颁行宗教法,规定教会只能在政府严密控制下进行有限的活动。在政府支持下"进步"司铎组织起来,与各主教对抗。但保加利亚正教会仍有765万信徒,分属12个教区,由2 000多名司铎领导。索非亚有神学院,另在他处设有较小的神学校。保加利亚教会出版《教会信使》周报和《灵修》月刊。

Bulgarian rhythm (music) **保加利亚节奏** 参阅 **aksak** 偏跛节奏。

Bulgaris, Eugenius 巴尔加里斯(1716-08-10或11,希腊科孚～1806-06-10?,俄罗斯圣彼得堡) 希腊正教神学家、文科学者,他在东正教地区传播西方思想,并对现代希腊语言和现代希腊文学的发展起了促进作用。巴尔加里斯在意大利境内希腊文化中心帕多瓦大学学习哲学和神学,后在约阿尼纳一学院教书。1749年在希腊正教隐修事业中心圣山的瓦托皮迪翁隐修院当修士,其后恢复教书生涯,先在隐修院学校,后在君士坦丁堡牧首座学院。他在教义问题上和教学方法上有所创新,因而被免职,遂到德国莱比锡。普鲁士国王腓特烈大帝赏识巴尔加里斯的学问,将他介绍给俄国女皇叶卡捷琳娜二世。巴尔加里斯被任命为藏书馆管理员和圣彼得堡常驻学者,受圣职,后于1776年任乌克兰境内赫尔松主教。为了进行文学工作,他决定于1779年放弃教牧职务,退隐于诺夫哥罗德附近的圣亚历山大·涅夫斯基隐修院。巴尔加里斯因将古典文学作品译成现代希腊文并加以校订而受到尊敬,他还撰写许多希腊文论文,内容涉及哲学、各门科学和神学。他的《教义神学》(约1800)是自14世纪以来第一部希腊文哲理神学概要。他的《论宽容》也甚为闻名,此文在1768年写于莱比锡,先是俄国教会和行政当局声称有权强迫大多信奉天主教的波兰人遵奉俄罗斯正教,此文即是为驳斥这种说法而写。但是,巴尔加里斯在他的《正教信纲》(1767)和《第1世纪基督教会史》(1805)两部著作中表示不同意天主教和新教的教义。他的其他著作有关于逻辑学、形而上学和天文学的小册子。巴尔加里斯编辑了希腊正教人士J. 布里恩尼奥斯15世纪所写的许多有影响的反天主教小册子,这是他的一大历史贡献。

Bŭlgariya 参阅 **Bulgaria** 保加利亚。

Bulgarus 布尔加鲁斯(1100以前~1167-01-01或以前,意大利博洛尼亚) 法学家,是博洛尼亚大学法律学院著名"四博士"中最有声望的一位。该学院在中世纪时代对拜占廷查士丁尼一世皇帝指示编纂(6世纪)的罗马法进行的研究达到了登峰造极的程度。根据流行的传说,这4位博士(布尔加鲁斯、马丁努斯、雨果和雅各)都是第一个伟大的博洛尼亚法律注释家伊尔内留斯的学生。布尔加鲁斯和四博士之一的马丁努斯是博洛尼亚的对立派别的首领,马丁努斯使法律符合如其论敌所说的"钱袋的公平",而布尔加鲁斯更拘守于法律的字面意义。他和追随者,包括J.巴西亚努斯、阿佐内以及F.阿库修斯最终取得优胜,布尔加鲁斯本人担任了神圣罗马皇帝腓特烈一世(红胡子)的顾问。他的最重要著作《论法律准则》是博洛尼亚学派现存的最早的法律注释著作。

Bulge, Battle of the 楔入战役 又称阿登战役。第二次世界大战中德国在西线的最后一次攻势,企图使盟军从德国本土撤出,但未成功。1944年6月盟军攻入诺曼底之后,迅速穿越法国北部,进入比利时,但入秋后,攻势减弱。12月中旬,部署于北海至瑞士之间一条约1 000千米战线上的盟军司令艾森豪威尔将军所部48个师在比利时南部阿登森林高地突遭德军反击。当盟军飞机受阻于恶劣气候之际,德国将军G. von伦德施泰特指挥的第五及第六装甲军团发动两线进攻,企图重占安特卫普港。第五军团在H. von曼陀菲尔将军指挥下,绕过巴斯托尼(由美国第101空降师占领),于12月24日进抵距默兹河畔6千米处。默兹河为德军进击的最远点,圣诞节前,由于德军补给不足及盟军抵抗,德军终于被阻于此。26日,巴顿将军所部第三军团援救巴斯托尼,1月3日,美军第一军团开始反攻。1月8~16日德军有秩序地撤退。德军为了再度取得西线的主动权,孤注一掷,消耗了超过他们所能负担的物资。

bulging 鼓胀 在地质学上,谷壁上出露的软岩层受到重压而引起的岩石整体运动。这种物质被挤出,并变形,像一种塑性流动,其扰动范围可下延数十米。在岩石物质处于受压力状态的坡脚,可以形成褶皱和小断层。

Bulgya, Aleksandr Aleksandrovich 布尔吉亚 参阅 **Fadeyev, Aleksandr Aleksandrovich** 法捷耶夫。

Buli style 布利式样 又称布利长面式样。刚果(金)卢巴人制作的非洲木雕。由于布利村(位于加丹加省)制作的这些雕刻品几乎完全相同,并有别于其他卢巴人的雕刻,其

卢巴人的布利式男女雕像木凳
美国不列颠百科全书公司供图

制作人一直被认为是一位艺术家"布利大师"。后经确认,这些雕刻品是出自一个木雕作坊。布利式样有明显特色:长面、尖颚、阔嘴、薄唇、窄鼻、鼻翼轮廓鲜明,额高而圆,在凸出的拱骨下双眼半闭,其下颧骨突出。头发交互编结向后梳。四肢较细,但手足宽而匀称。男女胸部狭而凸出,男胸较女胸扁平。这种雕像多见于木凳,用头和指尖支撑凳面,手指分开,掌面向前。

bulimia 善饥 以间发性大吃大喝为特征的一种精神障碍。发作时于1小时内可摄入数千卡的热量,继之引起吐泻。反复发作可引起严重的并发症,如龋、胃破裂、脱水,甚至引起死亡。本病多见于受过良好教育、患有抑郁症、焦虑症和自尊心不强的年轻中产阶级或上流社会妇女。善饥病的患者体重多为正常。治疗要求患者与医师合作,还可能需要心理上的治疗。神经性厌食症与本病不同,表现为从情绪上或心理上对食物产生反感,导致极端消瘦。

bulk modulus 体积弹性模量 描述固体或液体各个表面都处于压力下的弹性特征的常数。物质受压时,体积缩小,压力去掉后,又回复原有体积。当各侧面受压时物质抵抗体积变化的能力的量度就是体积弹性模量,有时称为不可压缩率。它等于所加压强除以相对形变。相对形变等于体积的变化除以原有体积,通常称为应变。如果在加上压强 p 时,材料由原有体积 V_0 变为新体积 V_n,则应变等于体积的变化 $V_0 - V_n$ 除以原有体积,即 $(V_0 - V_n)/V_0$。根据定义,体积弹性模量就是压强除以应变,可以用数学公式表述为:

$$\text{体积弹性模量} = \frac{\text{压强}}{\text{应变}} = \frac{p}{(V_0 - V_n)/V_0}$$

这是关于弹性的胡克定律的一种特殊形式。由于分母应变是个没有量纲的比值,所以体积弹性模量的量纲也就是压强的量纲:力除以面积。它用牛顿/米^{2}作单位。钢的体积弹性模量约为 1.6×10^{11} 牛顿/米^2,是玻璃的3倍。因此,把大小相同的玻璃球与钢球缩减同样体积时,玻璃球所需的压强只有钢球的1/3。压缩率定义为体积弹性模量的倒数。难以压缩的物质的体积弹性模量大而压缩率小,容易压缩的物质压缩率大而体积弹性模量小。

Bulkeley, Richard 巴尔克利(1717-12-26,都柏林~1800-12-07,新斯科舍哈利法克斯) 英国军人和政治家,加拿大新斯科舍省政治领袖。1727年参加英国龙骑禁卫军,1741年晋升上尉。1742~1747年任国王的传令官。1749年随总督爱德华·康沃利斯去加拿大。1757年任新斯科舍省秘书,任此职历13任总督之久。1758年任《皇家公报》主编。次年任执行委员会委员。1775年起任海事法院法官25年。曾任省民团旅长。1791年11月~1792年5月任新斯科舍省代理总督。

bull 公牛 畜牧业术语,未阉割的成年家牛(cattle)的雄体。

bull 教皇诏书 天主教内由罗马教廷发布的一种正式文件。自12世纪起,教皇诏书盖有使徒彼得和保罗头像的印记。15世纪后出现宗座简函,于是教皇诏书仅就重大问题发布。

Bull, John (English symbol) **布尔** 参阅 **John Bull** 约翰·布尔。

Bull, John 布尔(约1562,英国萨默塞特~1628-03-12或13,安特卫普) 技艺超群的英国作曲家,键盘乐演奏大师。曾在皇家教堂接受唱诗班歌手训练。1582~1585年在赫里福德大教堂任管风琴手,后返回皇家教堂,

美国不列颠百科全书公司供图

1591年继布里斯曼任该教堂管风琴手。其后,在牛津与剑桥两大学获音乐博士学位。1596年女王伊丽莎白一世任命他为新建立的伦敦格雷沙姆学院音乐教授。1601年到法、德、荷旅行。其精湛的键盘乐演奏备受推崇。

返英后继续为王室效劳,1607年因结婚而辞去教授,但在宫中显然仍受到高度敬重,1612年被提名为国王音乐博士。翌年离开英国去布鲁塞尔任职于阿尔贝特大公爵府。1616年任安特卫普大教堂管风琴师。所作声乐大多佚失,主要因创作大量维金纳琴与管风琴乐曲而享有盛名(现存约150首),这些乐曲刊登在《不列颠乐曲集》(1951)中。其音乐不以感情深度或令人耳目一新的创新见长,而以无穷无尽的键盘乐音型设计取胜。他的观点基本上是保守的,但同时又喜欢进行技术上的试验和解决一些不寻常的问题,如等音转调及不对称节奏音型等。

Bull, Olaf (Jacob Martin Luther)　布尔（1883-11-10,克里斯蒂安尼亚[今奥斯陆]～1933-06-23,奥斯陆）　当时挪威最伟大的诗人之一,常被称为挪威的济慈。他的第一部《诗集》(1909)出版后,立即受到重视。他受法国象征派及柏格森哲学的影响。后期诗集《百年间》(1928)及《伊格尼丝·阿登》,文笔不像以前那么隐晦,而更多地是干预社会生活。

Bull, Ole Bornemann　布尔(1810-02-05,挪威卑尔根～1880-08-17,卑尔根附近吕瑟恩)　挪威小提琴家、作曲家,艺术上的民族主义者。受卑尔根和声演奏团及乡间提琴手影响,5岁开始拉琴。1819年首次作独奏演出。1828年任音乐演出团指挥。此后14年在欧美旅行,从事演出及作曲。其精湛技巧使他与李斯特、舒曼、门德尔松等著名音乐家齐名。他利用其威望在国内外致力于宣传,鼓励挪威文化艺术的发展与保存活动。1849年协助建立卑尔根挪威剧院。1852年试图在宾夕法尼亚州组建挪威移民区。1859年协助创立"挪威促进艺术与文学作品中民族因素发展协会"。对戏剧家易卜生、比昂松和作曲家格里格有重大影响。也得到乔治桑、萨克雷和马克·吐温等作家的赞赏。

bull cult　公牛崇拜　史前宗教活动,起源于爱琴海东部地区,扩展至从巴基斯坦的印度河流域到欧洲东部的多瑙河地区。公牛神的象征是男性生殖器,东方神话往往以公牛为伟大生殖女神的伴侣,代表男性之元和常胜之力。公牛崇拜一直延续到有史时期,在印度河流域和克里特岛尤为重要,供奉牛角是重要的宗教象征。

bull market　多头市场　又称牛市。有价证券和商品交易中行市不断上涨的市场。多头是认为价格将要上涨的投资者,他根据这种设想而买进有价证券或商品,希望随后重新卖出时能获得利润。参阅 **bear market**。

Bull Moose Party　公麋党　美国一个持不同政见的政治派别,正式名称为进步党。1911年威斯康星州参议员R.M.拉福莱特组织全国共和党进步同盟,以与W.H.塔夫脱总统控制下顽固保守的共和党相抗衡,次年易名进步党,提名T.罗斯福为总统候选人,并要求修改提名制度,实行新的立法纲领。进步党在大选中获25%左右选票。共和党人由于内部分裂,在大选中败北。4年后公麋党解散,共和党复归统一。

bull riding　骑牛　骑马牧者竞技项目,要求牧者不用镫、勒、鞍而靠单手揪住系在牛腰上的绳索骑在暴跳的牛背上。比赛时限为8秒钟,如果不握绳的手触碰牛身,使用锐利靴

骑牛
美国不列颠百科全书公司供图

刺,或被摔下,即被淘汰。根据骑牛者的技术和牛难以驾驭的程度打分,两项分数相结合,最终获分最多者胜。

bull-roarer　牛吼器　非正式乐器。通常是一个约几英寸至一英尺长的扁木片,一端系在一根弦上。当它在空气中用弦旋转时,产生声波,从而发出类似动物或鬼怪的呼啸

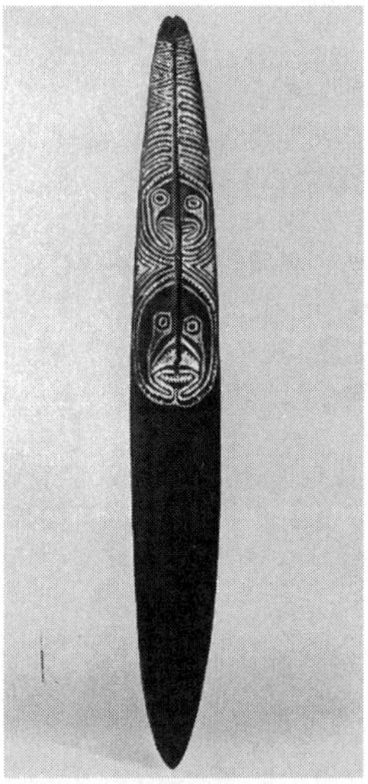

新几内亚的木雕牛吼器
美国不列颠百科全书公司供图

声。由于它的声波在开敞的空气中产生(同管内的空气柱的情况相反),所以把它划入自由气鸣乐器一类。它的音高由旋转速度决定。虽然现在在欧洲当做玩具使用,但它在许多古代或原始民族中有极高的神秘和宗教意义。在澳大利亚、北美和南美等有原始社会继续存在的地区,至今有人奉行这一习俗。

Bull Run, battles of　布尔溪战役　又称马纳萨斯战役。美国南北战争中,1861和1862两年夏季在弗吉尼亚州北部马纳萨斯附近布尔溪进行的两次战役。马纳萨斯是重要铁路枢纽,具有战略意义。第一次布尔溪战役是在1861年7月21日打响的。这一天,北军向南军发动进攻,打得难解难分,后来南军得到增援,才使北军溃退。在这次战役中,北军3.7万人中伤亡3000人;南军3.5万人中伤亡或失踪1700～2000人。第二次布尔溪战役是在1862年8月29～30日进行的。南军5.6万人,由R.E.李将军指挥;北军7万人,由J.波普少将指挥。双方展开激战。最后,波普引败军撤回国会大厦的防御工事。是役北军伤亡1.5万人,南军伤亡9000人。

bull shark　牛鲨　又称白真鲨。属真鲨科的一个种。参阅 **carcharhinid**。

bull snake (*Pituophis melanoleucus*)　**牛蛇**　又称黑唇牛蛇。游蛇科动物。缢缩蛇的一种。产于北美洲。在大部分布地区称为牛蛇,但西部地区的亚种称沙龟蛇,东部和南部地区则称松蛇。躯体粗壮,头小,体长可达

牛蛇(*Pituophis melanoleucus*)
美国不列颠百科全书公司供图

1.5米。典型体色为棕黄色或奶油色,带黑色斑纹。鼻鳞大以利挖掘。见于多沙的旷野和生长松树的沙质土地,捕食在地上巢居的鸟类和洞穴哺乳动物。防卫时翻来翻去,并发出强大的嘶嘶声,其尾猛烈地颤动,故常被误认为响尾蛇。可能咬人,但无毒。

bull terrier　斗牛㹴狗　19世纪在英国育成的狗品种,从斗牛狗和今已不存在的白色英格兰㹴狗育成。后又引入西班牙短毛大猎狗的血统,以增大其体型。斗牛㹴狗被育成大胆的斗狗,但不很善于将牛激怒。肌肉发达。被毛短。尾基部较尾尖粗。耳直立。眼小,三角形,深陷。站高48～56厘米。标准体重20～22千克。一般对人友善。从体重考虑为最健壮的狗。有两种类型:花斗牛

斗牛㹴狗
美国不列颠百科全书公司供图

㹴狗(除白色外的任何颜色)和白斗牛㹴狗(白色或白色而头部有深色斑纹)。关于斗兽场斗牛㹴狗,参阅 **Staffordshire terrier**。

bulla 颈饰 伊特鲁里亚特有的装饰性垂饰。它的典型形状为圆或椭圆，做成狮子头像或半人半兽怪物的头像，中间空心，边缘常饰以金属丝细工或粗面细工，并有可装卸的搭环，垂饰即悬于搭环之上。据认为搭环的作用是做垂饰的塞子，以防内装液体（也许是香料）外溢。“bulla”一词现指教皇正式文书上的圆形铅印。

Bullant, Jean 比朗（约1520，法国埃库昂～1578，埃库昂） 宗教战争（1562～1598）时期法国的主要建筑师。他的作品是文艺复兴盛期式向风格主义式过渡的代表。早年留学意大利，古代建筑对他以后的作品有深刻的影响。约1540年回到法国，在埃库昂为蒙莫朗西家族的总管建造别墅，此建筑明显地表现出罗马万神庙的影响。他在费尔昂塔德努瓦修建了一座桥梁（1552～1562），上有柱廊，下跨峡谷，具有罗马高架渠的效果。约1560年，为蒙莫朗西家族在尚蒂伊建造了一座小别墅，同样反映了风格主义的特点。1570年，任卡特琳·德·美第奇的建筑师。曾为瓦卢瓦小教堂的建造做出贡献，并添建土伊勒里宫的一翼。所著的《五柱式建筑准则》（1564）成为学习法国建筑的教课书。

Bullard, Sir Edward (Crisp) 布拉德（1907-09-21，英国诺福克诺里奇～1980-04-03，美国加利福尼亚拉霍亚） 英国地球物理学家，以研究地磁学著名。1964年任剑桥大学地球物理学教授和大地测量与地球物理系系主任。在探索地壳构造和地球内部组成过程中，对地球内放射热的产生以及对地球的热能历史进行了有价值的研究。根据地核内的对流运动得出的地磁发电机原理，是他对地磁研究做出的最重要的贡献之一。他于1953年被封为爵士。

bullbaiting 逗牛 参阅 **bearbaiting** 逗熊。

bullbat 小美洲夜鹰 又作common nighthawk。又称普通美洲夜鹰。美洲常见的一种美洲夜鹰（**nighthawk**）。

bulldog 斗牛狗 又作English bulldog。又称英国斗牛狗。数世纪前为了逗引牛而在大不列颠培育成的狗品种。强壮有力，勇敢，凶猛，能耐疼痛。1835年斗狗被宣布为非法后，本品种几乎消失。但斗牛狗育种家使这品种保存下来并通过育种使之不那么凶狠。斗牛狗外号“酸酒杯”，体粗壮，行走时身体摇摆。头大，耳折叠，嘴扁，下颌突出。皮肤松弛，头、脸部有皱褶。被毛短而细，棕褐色、有斑纹或色彩斑驳。体高34～38厘米，体重18～23千克。多性温驯、可信赖。美国养狗俱乐部将它归入非运动狗一类。参阅 **Frenchbulldog**。

斗牛狗
美国不列颠百科全书公司供图

bulldog bat 斗牛狗蝠 又称兔唇蝠、大驯犬蝠。小蝙蝠亚目兔唇蝠科兔唇蝠属（*Noctilio*）的热带中美洲和南美洲蝙蝠的统称。淡红或棕色，翼窄而长，唇似兔，耳长而尖。小斗牛狗蝠（小兔唇蝠，*N. albiventris*，前作 *N. labialis*）体长约7厘米，体重约20克；大斗牛狗蝠（大兔唇蝠，*N. leporinus*）又名渔蝠，体长10～13厘米，体重30～70克。斗牛狗蝠群栖，捕食昆虫。大斗牛狗蝠是仅在捕鱼为食中特化的几种类型蝙蝠之一。捕鱼方式是掠过水面时利用回声定位探测正在水下游动的鱼所造成的微小扰动。确定猎物位置后，用后足上的长爪捕捉小鱼。斗牛狗蝠一词亦指犬吻蝠科动物，参阅 **free-tailed bat**。

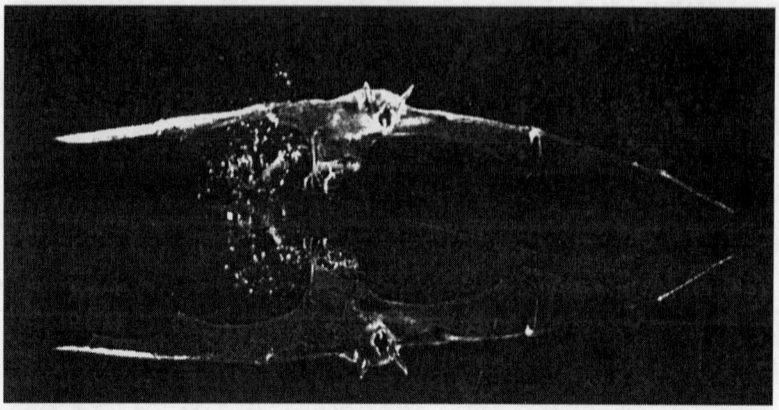

用长爪捕鱼的大斗牛狗蝠（*N. leporinus*）
美国不列颠百科全书公司供图

bulldogging (rodeo) 参阅 **steer wrestling** 搏牛。

bulldozer 推土机 又作dozer。推土或岩石的大马力机械，用于筑路、农业、建筑和拆除房屋。由拖拉机和装于其前部的厚重宽阔的推土钢板构成，有时为轮式拖拉机，但通常为履带式。推土铲用液压装置提升或下压。随着拖拉机向前开动，铲土时，推土铲压入地面；推土时，推土铲贴近地面；平整时，推土铲控制在距地面适当的位置上。推土机可用于开挖浅层土及浅沟、材料短途运输、平整卡车倾卸的土堆、初步平整场地、铲除树木（树桩）和石块以及清理平整装载设备周围的场地。推土机可从独自完成多种挖土工作，并且可与其他机械合作，可在大部分土方工程中发挥其作用。

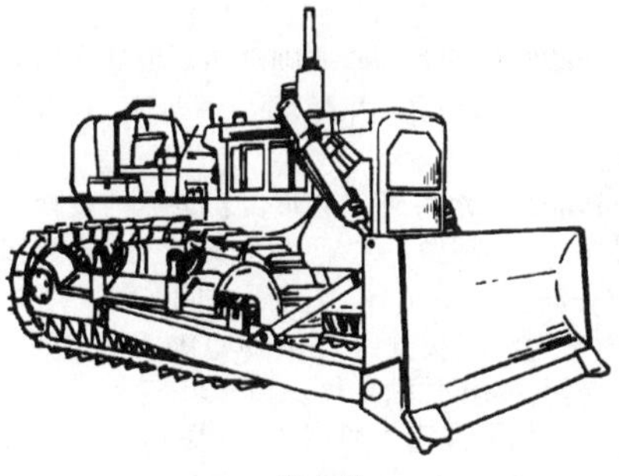

推土机
美国不列颠百科全书公司供图

Bullen, Anne (queen of England) **博林** 参阅 **Anne Boleyn** 安妮。

Buller River 布勒河 在新西兰南岛西北部。为该岛西岸主要河流。上游特拉弗斯河源出中部圣阿诺岭，流经罗托伊蒂湖和罗托罗阿湖后折向西流，在韦斯特波特注入塔斯曼海。全长177千米。峡谷一带风景秀丽，尤以伊南阿瓦章克申最美，为著名旅游胜地。流域经济还有采煤（集中在韦斯特波特周围）和乳品业等。沿河有多条铁路和公路。

罗托伊蒂湖以下布勒河段的急流
美国不列颠百科全书公司供图

Bullet (Navajo chief) **子弹** 参阅 **Manuelito** 曼纽利托。

bullet 子弹 手枪、步枪及其他轻武器发射的金属弹丸。常以其直径度量表示枪管的内部直径或膛径（**bore**）。用于枪膛内带有来复线的轻武器中的现代子弹是19世纪发展起来的。来复线是刻在枪膛内部表面上的螺旋形槽，可以迫使子弹在通过时旋转，以保持飞行子弹尖头向前的姿态。同时，带有尖头的长形子弹从空气动力学上看优于圆形子弹，因为前者在飞行中远比后者更能保持其速度，从而得到更大的命中精确度和射程。大多数手枪的子弹用软金属制作；步、机枪的子弹在软金属子弹外面覆以硬金属被甲；穿甲子弹为硬质钢芯。能扩大伤口并增加弹着冲击力的爆裂子弹在军事上早已禁止使用，而只能用于狩猎。参阅 **ammunition**。

Bulletin, The 《时报》 1847～1982年在费城出版的报纸，多年来被认为是美国最有影响的报纸之一，也是费城受欢迎的第一份晚报。亚历山大·卡明斯创立这家报纸时称《卡明斯电讯晚报》，1856年名《每日晚报》，1870年改称《晚报》，是美国最早用电报传递消息的报纸之一。1895年，《晚报》几经易手后由威廉·麦克莱恩收买，10年后销售量达20万份，居费城报纸首位。《时报》的星期日版于1947年创刊，销量达50万份。1980年麦克莱恩家族将报纸出手。1982年1月，《时报》在经历了一次长时间的罢工后停刊。

bulletproof vest 防弹背心 保护躯体不受枪弹袭击的防护衣。16和17世纪，盔甲被淘汰，部分原因在于它不能有效地防御枪弹。第一次世界大战中，作为保护躯体免受弹片袭击的手段，出现了现代的盔甲，但是在设计上与它提供的保护相比显得过于笨重。第二次世界大战刺激了轻型防护衣的发展，这种防护衣由缝在尼龙衣内的搭接的钢板、铝板或黏合玻璃纤维板组成，衣服能盖住使用者的前胸和后背。这些“防弹衣”是柔性的，使穿着者活动比较自如，并能有效地防护火枪、迫击炮和高射炮弹片的袭击，但却不能抵御穿甲弹的袭击。20世纪60年代研制成功了新型防弹背心，其防护片由钢或非常硬的陶瓷、碳化硼复合层制成。人们发现多层尼龙纤维也能吸收弹丸的能量，这使现代防护衣发生革命性变化。钢或硬塑料装甲层的作用是防止弹丸贯穿，陶瓷装甲的作用是依靠陶瓷的硬度迅速降低弹丸的速度，并在弹丸击毁弹着点装甲时吸收其能量，所以陶瓷防弹背心一旦阻挡过弹丸袭击，其陶瓷片就应当更换。纺织纤维防弹背心使弹丸变形，并吸收其能量，用防弹背心的多层织物缠住弹丸。纺织纤维防弹背心是16到24层紧织尼龙衣，各层像被子样缝合在一起。任何手枪或冲锋枪的普通子弹击中最外层时弹丸就会马上变平；弹丸撞击挤压防弹背心其余各层时，蘑菇状弹丸的能量就会散失，因而无法穿透重叠的粗孔网布层。穿这种防弹背心的人在遭射击时通常会受伤，但不会产生严重伤害。16层纺织纤维的防弹背心能抵御一般手枪和机枪子弹的袭击；24层纺织纤维防弹背心则可抵御相同武器威力更大的大号子弹的袭击。除上述军事用途外，20世纪后半叶因恐怖主义猖獗，警察和反恐怖部队也越来越多地使用防弹背心。参阅 **armour**。

bullfighting 斗牛 西班牙语作 corrida de toros，葡萄牙语作 corrida de touros，法语作 combats de taureaux。斗牛运动流行于西班牙、葡萄牙、法国南部和拉丁美洲。古代西班牙山区人熟悉生活在森林中的野牛性格，在长期围猎野牛过程中逐渐发展斗牛运动。安达卢西亚人斗牛时以熟练的技巧用斧或矛杀死近于疯狂的野牛。专业斗牛人员包括斗牛士及其助手(投镖手和执矛手)。前者徒步，舞动斗篷，投掷带反刺的镖；后者骑马，手执长矛。每次斗牛要斗死6头牛。斗牛士各率2～3名投镖手和执矛手。斗牛仪仗由1～2名身着16世纪服装的警官骑马引进场内，自斗牛场的一端走到另一端，然后市长或其他官员自台上向场内扔下牛栅大门的钥匙。牛进场时，一名工作人员把丝制的玫瑰花饰物系在牛背上。一名斗牛士助手用单手挥舞披风逗牛，试探牛的特性。接着斗牛士进场表演。牛向他冲来时，他两脚不动，以优美的动作摆动披风使之慢慢地与牛分开。这时一声号响，骑马的助手们进场，开始分三阶段进行斗牛：用矛刺牛、用标枪戳牛、杀牛。把牛杀死后，斗牛士和他的助手们在观众喝采声中绕场一周。如表演得好，斗牛士可得一牛耳作为奖赏。如表演精彩则可获双牛耳。如表演特别成功则另加牛尾。

马诺莱特的斗牛场面
美国不列颠百科全书公司供图

bullfinch 水牛雀 雀形目雀科数种矮胖的嘴坚实的鸣禽。欧亚大陆有红腹灰雀属(*Pyrrhula*)的6个种，都有醒目的斑纹。水牛雀(普通红腹灰雀，*P. pyrrhula*)体长15厘米，体色黑白相间，雄鸟体下侧浅红黄色。常见于常绿树丛或灌木树篱，鸣声柔和婉转，是人们喜爱的笼鸟。号手水牛雀(沙雀，*Rhodopechys githaginea*)是带粉红色的灰白色鸟，栖于加那利群岛到印度的干旱地区，鸣声响而刺耳。

水牛雀（*P. pyrrhula*）
美国不列颠百科全书公司供图

bullfrog（*Rana catesbeiana*） **牛蛙** 蛙科动物，独居的水栖蛙，因其叫声大而得名，为北美最大的蛙类。原产于美国东部数州，后被引进西部各州和其他国家。其他一些大型蛙类亦称牛蛙，如非洲的非洲牛疣蛙(或非洲牛箱头蛙[*R.*，或 *Pyxicephalas*, *adspersa*])，印度的虎纹蛙(*R. tigrina*)以及南美的细趾蟾科(**Leptodactylidae**)一些种类。牛蛙体绿或棕色，腹部白色至淡黄色，四肢有黑色条纹。体长约20厘米，后肢长达25厘米。成体大者体重超过0.5千克。常生活于静水中或其附近。春季繁殖，卵产于水中。蝌蚪呈绿褐色，带有深色斑点。蝌蚪阶段持续1～3年，决定于气候条件。许多牛蛙可供食用或用作实验材料。

牛蛙(*Rana Catesbeiana*)
美国不列颠百科全书公司供图

bullhead 牛头鮰 又作 horned pout。几种鮰科鮰属(*Ictalurus*，或归入 *Ameiurus* 属)北美淡水鲇类鱼的统称。与斑鮰(海峡猫鱼，*I. punctatus*)及其他北美大型种近缘，但尾鳍方而不分叉，体长不超过30厘米。黑牛头鮰(*I. melas*)产于密西西比河流域，黄牛头鮰(*I. natalis*)和褐牛头鮰(*I. nebulosus*)产于落基山脉以东，扁牛头鮰(*I. platycephalus*)产于北卡罗来纳州及佛罗里达州之间的沿岸溪流。英语中 bullhead 一词有时亦指杜父鱼及海盗鱼。

bullhead shark 虎鲨 虎鲨目虎鲨科虎鲨属(*Heterodontus*)约10种鲨鱼的统称。均为海产，仅见于太平洋与印度洋的热带海区；在东太平洋，分布于加利福尼亚至加拉帕戈斯群岛。以软体动物、螃蟹和海胆为食，牙齿主要适于压碎和研磨，不是贪婪的掠食者，更不是食人鲨。澳大利亚太平洋水域的杰克逊港虎鲨(*H. portusjacksoni*)长可达1.5米。

Bullinger, Heinrich　布林格(1504-07-18，瑞士布雷姆加滕～1575-09-17，苏黎世)　瑞士基督教人士。原为天主教徒，在科隆大学学习时逐渐转变信仰，同情宗教改革。1523年

美国不列颠百科全书公司供图

结识宗教改革人士H. 茨温利(1484～1531)，其后接受他的神学观点，1528年在伯尔尼会议的神学辩论中支持茨温利。1531年茨温利死，布林格继任苏黎世教会牧师。他与各国君主频繁通信，扩大影响。为弥合他们同路德在圣餐礼问题上的分歧以维护教会统一，布林格参与起草1536年第一份《瑞士信纲》，但统一未能实现。1549年他又与宗教改革家J. 加尔文签署蒂古里诺协议，1566年另与其他福音派和归正宗教会达成协议，拟订第二份《瑞士信纲》。

bullionism　重金主义　重商主义(mercantilism)的货币政策，主张由国家管制外汇和贵重金属块的交易，以维持本国的贸易顺差。与这种货币政策最有密切关系的国家是西班牙。它在16～17世纪期间的长时间内非常成功地从新世界攫取了大量金银，建立了殖民帝国。因此，主张贸易顺差会增加金银货币供应量的理论和实践得以发展。西班牙刮光了殖民地的金银，向他国大量购买货物和劳务，终于耗尽财富而不曾发展本国的工业，使西班牙从一个最富有的国家变成欧洲最贫穷的国家之一。

Bullitt, William C(hristian)　布利特(1891-01-25，费城～1967-02-15，法国讷伊)　美国外交家、首任驻苏联大使。早在1919年，W. 威尔逊总统派布利特前往莫斯科调查布尔什维克政府是否稳定，他回国后即建议美国承认苏联。威尔逊拒绝了他的建议，他愤而辞职，继而在美国参议院作证，并极力反对批准《凡尔赛条约》。1933年美国承认了苏联，F.D. 罗斯福总统将在政治上引退的布利特召回，派他出使苏联(1934～1936)。1936年他又被任命为驻法大使，直至1940年法国被纳粹德国占领为止。他在戴高乐将军领导下的自由法国军队服务直至战争结束。

Bullock, Wynn　布洛克(1902-04-18，芝加哥～1975-11-16，加利福尼亚蒙特雷)　美国摄影家，其现实主义照片在刻画心理的真实性方面很有影响。早期作品大多是经过中途曝光的，上面的形象部分是负像，部分是正像，深受莫霍伊-纳吉(1895～1946)的影响。

布洛克和他的模特

美国不列颠百科全书公司供图

1948年与摄影家韦斯顿结识，受其影响，认为真实性和色调美是摄影最宝贵的财富。其许多作品与E. 韦斯顿的极其相似。不过，他的真实形象，常常是富有“双重意义”的，所拍摄的形象，具有暗喻的作用。其作品所暗喻的，一般是时间的流逝和死的不可避免。这种主题偶然也用超现实主义手法来处理，如《森林里的孩子》(1954)。这幅照片是布洛克在“人类大家庭”影展中展出的两幅作品之一。

bullous pemphigoid　大疱性类天疱疮　又称良性天疱疮(benign pemphigus)。一种慢性、以浆液性水疱为特征的全身性皮肤病。水疱位于表皮下，其壁由伸展的上皮细胞所组成。本病病因未明，好发于老年人。罹患后体质衰弱，但不致引起死亡。皮质类固醇激素治疗有良效。

bull's-eye window　参阅 **oeil-de-boeuf window** 牛眼窗。

Bulnes, Manuel　布尔内斯(1799，智利康塞普西翁～1866，圣地亚哥)　智利总统(1841～1851)。他的政府在发展经济和文化事业方面成绩显著。他在1839年取得的反对玻利维亚-秘鲁邦联的军事胜利使他当选总统。他虽是保守的寡头统治集团的代表，但有许多自由主义分子在他的政府中任职。社会和政治稳定使智利成为自其他独裁国家逃出的许多知识分子的避难地。然而，智利青年一代的知识分子公开反对他所代表的寡头统治。他面对日益增长的不满情绪，提名M. 蒙特为继承人，并使蒙特当选为总统。在蒙特地位稳固之前，他不得不采取军事行动，以平息一次暂短而激烈的内战。

Bülow, Adam Heinrich Dietrich, Freiherr von (baron of)　**比洛**(1757，普鲁士法尔肯堡～1808，俄罗斯帝国拉脱维亚里加)　普鲁士军人、军事理论家，主张推广法国革命初期法军的作战样式，对法国将军和著名的军事评论家约米尼有一定的影响。1773年加入普鲁士军队，1790年退役。曾经广泛旅行，多次公开表示对法国大革命的同情，1799年发表《新战争体系的精神实质》一书，主张采用法国步兵战术，强调纵队和散兵的运用。他的战略思想体系以精确数学原理为基础，企图把战争变成严密的科学，但在当时影响很小。普鲁士政府以精神错乱为由将其监禁，后移交俄国管制，死于里加监狱。

Bülow, Bernhard (Heinrich Martin Karl), Fürst von (prince of)　**比洛亲王**(1849-05-08，德国阿尔托纳附近小弗洛特贝克～1929-10-28，罗马)　德意志帝国首相和普鲁士总理(1900-10-17～1909-07-14)。与威廉二世皇帝合作，在第一次世界大战前的年代里奉行德意志扩张政策。俾斯麦的外交国务秘书之子。曾在洛桑、柏林和莱比锡攻读法律。

美国不列颠百科全书公司供图

1874年进入德意志外交部，1893年任德意志驻罗马大使。1897年6月威廉二世任命他为外交国务秘书，3年后任首相。在任外交国务秘书期间，他攫取中国胶州湾、加罗林群岛和萨摩亚。他积极推动修筑巴格达铁路，扩展德国在中东的势力。他还迫使欧洲各国接受奥匈帝国吞并波斯尼亚-黑塞哥维那的事实。在阻止英法俄三国联合反对德国方面，他不太成功。1898和1901年两次拟与英国结盟，皆未成。1905年与俄国缔结《比约克条约》，但未能阻止俄国加入英法协约(1907)。他在摩洛哥问题上与法英两国对抗，加剧了国际紧张局势。在普鲁士和帝国的内部事务方面，比洛依靠保守党、中央党以及民族自由党的支持。为取得国会合作，他从1905年起倾向自由立宪主义。1909年辞职。他的回忆录于死后出版。

Bülow, Hans(Guido), Freiherr von(baron of)　**比洛**(1830-01-08，萨克森德累斯顿～1894-02-12，开罗)　德国钢琴家和指挥家。其准确、敏感而深刻的音乐表演(特别是对瓦格纳)使他成为后来一代指挥大师的样板。又是一位犀利而风趣的音乐评论家。幼时曾从C. 舒曼之父维克学钢琴。后赴莱比锡大学学习法律。再后又去柏林，积极参加民主政

治小组活动，并传播瓦格纳的德国民族音乐运动理论。1850年随瓦格纳学习指挥，1851年在李斯特门下学钢琴，1853年以音乐会钢琴家身份巡回演出，1855～1864年在柏林任斯特恩音乐学院钢琴系主任。据说他的曲目基本上包括当时所有重大作品。1857年与李斯特之女科西玛结婚。1864年任慕尼黑宫廷音乐总监，指挥了《特里斯丹和绮瑟》和《名歌手》的首演。1870年科西玛弃他而嫁给瓦格纳后，他仍继续宣传瓦格纳的音乐。1877～1880年在汉诺威、1880～1885年在迈宁根担任指挥，他的管弦乐队成为欧洲最优秀乐队之一。比洛是最早表演勃拉姆斯和R.施特劳斯作品的指挥家之一，也是最早凭记忆指挥的指挥家之一。他的表演以其完整性和感情力度著称。曾出版贝多芬和克拉默作品的批评分析版，以及《特里斯丹和绮瑟》等重要作品的钢琴改编曲和一些管弦乐曲。1893年因健康恶化而去开罗。

Bulsār（India） **巴尔萨** 参阅 **Valsād** 瓦尔萨德。

Bultmann, Rudolf (Karl) **布尔特曼**（1884-08-20，德国维弗尔施泰德～1976-07-30，德国马尔堡） 20世纪重要《新约》学者，主张对《新约》进行"非神话化"。他认为《新约》以彼

美国不列颠百科全书公司供图

时彼地的神话词汇表达其实质信息，应把这些神话用存在主义哲学的说法加以解释。布尔特曼还说，基督教教理不注重作为历史人物的耶稣，而着眼于超物质的基督，而且也应当如此。布尔特曼出身于信义会牧师家庭。19岁入蒂宾根大学研究神学，1912年在马尔堡大学任讲师，后又在布雷斯劳（1916）和吉森（1920）大学任教。1921年返回马尔堡大学任神学教授，直到1951年。在希特勒统治德国时期，布尔特曼拒绝改变观点以适应纳粹思想。他支持德国宣信会反对纳粹宗教政策，但他没有直接反对纳粹政权。战后德国各大学与外界恢复联系，他成为国际学术界要人。他允许门人独立思考，因此，"布尔特曼派"又分化为两派。1954年E.克泽曼提出要研究作为历史人物的耶稣在基督教教义中的意义。后来又有两位门人提出着重研究人类语言模式以解释《新约》的方法。

Bulu **布卢人** 居住在丘陵起伏、森林茂密的喀麦隆中南部及赤道几内亚大陆和加蓬北部等地区，是该地区在语言、文化和历史上有关联的诸部族中的一支，统称为芳人（**Fang**）。"布卢人"泛指芳人3个主要分支之一，约为喀麦隆芳人的1/3。布卢人的起源不详，可能他们因为受到北方富拉尼军队的压力，同其他芳人一起从现在乍得的东南部向南迁徙来的。他们南迁也受到同南面的欧洲殖民者进行贸易的机会所引诱。19世纪末，布卢人向沿海地带南移的活动受到德国殖民势力的阻挠，而向今天加蓬北部的迁徙，大约也在同时为法国人所阻。布卢人居住在赤道森林地区，除种木薯和玉米外，还辅以种类繁多的植物叶、大蕉、棕榈油（及棕榈酒）、野蘑菇、昆虫以及其他采集物。狩猎一直是重要的活动。居住在喀麦隆最富庶的可可产区的人们收入普遍较高。布卢人的氏族是父系制，而各种宗教会社和年龄等级的划分，又形成了跨越村落的社会组合与认同方式。殖民时代后期成立了一个正式的部落联盟，每个氏族都有代表。各族间通力合作，推行社会福利。美国新教传教士对布卢人影响很大，雕塑和其他艺术从前只为宗教服务，现已面向繁荣的旅游市场。由得自可可豆的利润和早年传教士所创办的学校这两方面来看，都可以说明：长期以来布卢人在喀麦隆的经济、政治、文教事业的发展中一直起着积极作用。20世纪末，喀麦隆境内的布卢人约为66万。

Bulwer, (William) Henry Lytton (Earle), Baron Dalling and Bulwer of Dalling **布尔沃**（1801-02-13，伦敦～1872-05-23，那不勒斯） 即达林和布尔沃男爵。英国外交家。剑桥大学毕业后参加英国陆军。1829年进入外交界。1838年与土耳其签订《庞森比条约》，使英国在奥斯曼帝国的贸易获得重大利益。1843年任驻西班牙大使，因同情西班牙的宪政事业，1848年被独裁者R.纳瓦埃斯驱逐出境。他在担任驻美大使时（1849～1852）声望很高，1850年4月19日与美国国务卿J.M.克莱顿签订了引起争论的《克莱顿-布尔沃条约》。该条约在一定程度上与开凿一条横穿中美洲的运河有关，并意在解决（实际上加剧了）英美在拉丁美洲的各种争端。它虽经两国批准，但因对英国作出让步，在美国不得人心。1856年在克里米亚战争之后举行的谈判中起过重大作用。1858～1865年任驻君士坦丁堡大使。1871年封为贵族。

Bulwer-Lytton, Edward George Earle **布尔沃-李顿** 参阅 **Lytton (of Knebworth), Edward George Earle Bulwer-Lytton, 1st Baron** 李顿（克内伯沃斯的）。

Bulwer-Lytton, (Edward) Robert **布尔沃-李顿** 参阅 **Lytton, (Edward) Robert Bulwer-Lytton, 1st earl of** 李顿伯爵（第一）。

Bulwer-Lytton, Victor Alexander George Robert **布尔沃-李顿** 参阅 **Lytton, Victor Alexander George Robert Bulwer-Lytton, 2nd earl of** 李顿伯爵（第二）。

Bumastus **大头虫** 三叶虫（一种灭绝的节肢动物）的属。化石见于欧洲和北美的奥陶纪到志留纪（5亿年前至3.95亿年前）地层

采自纽约州洛克波特的大头虫化石

美国不列颠百科全书公司供图

中。形态很特殊，头部和尾部光滑又很大，分节联成一片。椭圆躯体的底部平坦，背部和侧部呈强烈的拱凸状，为底栖类型。

bumblebee **熊蜂** 又作humble-bee。膜翅目蜜蜂科熊蜂族昆虫。分布世界大部地区，在温带最常见。非洲大部地区及印度的低洼地无熊蜂，澳大利亚和新西兰的熊蜂非本地产，系引入以帮助有花植物传粉。多将熊蜂分为二属：熊蜂属（*Bombus*），能筑巢；拟熊蜂属（*Psithyrus*），有寄生性。有一些种另归入*Bombias*属。英国有熊蜂属昆虫19种，拟熊蜂属昆虫6种；北美的熊蜂属及拟熊蜂属各有约50种。熊蜂体粗壮多毛，一般长1.5～2.5厘米。多为黑色，并带黄或橙色宽带。在地下筑巢，或找废弃鸟巢或鼠洞栖身。熊蜂属的种类营社会性生活，每巢有一只蜂后、多只雄蜂和工蜂。拟熊蜂属的种类为非社会

熊蜂（*Bombus*）

美国不列颠百科全书公司供图

性昆虫，但将卵产在熊蜂属种类的巢内，由其工蜂照看。由于两者形态极为相似，英国的*P. vestalis*种有时把熊蜂属的蜂后螫死，这样就不再产生熊蜂属的幼虫，工蜂就专门照料拟熊蜂属的幼虫。熊蜂属的蜂后在冬眠后产卵，第一窝一般发育成4～8只工蜂，它们羽化不久就替代蜂后去采花粉和照看蜂房。蜂后于是专门产卵。在一段时间内只产生工蜂后代，群体逐渐发展到包含50～600个个体。在夏末，有大量工蜂采取

丰富的食物，此时产生雄蜂及新的蜂后。有些雄蜂虽系蜂后所产的未受精卵发育而成，但大部分系由工蜂产的卵孵化而来。初秋时蜂后停止产卵，包括蜂后在内的群体逐渐消亡，此时某些蛾和甲虫的幼虫取食残留的卵和幼虫。产得较迟的卵发育为下一个季度的蜂后。未来的蜂后长成后飞离，交配，并寻一隐蔽处越冬。次年春季孤独的蜂后开始建新巢。

Bumelia 美洲山榄属 山榄科（Sapotaceae）的一属。约 25 种，乔木或灌木，原产南北美洲温暖地区。一般具有胶状或乳状树液，木材坚硬，枝条通常多刺。叶互生，全缘。多绵毛美洲山榄（*B. lanuginosa*）高约 15 米；叶长 3.75 ～ 10 厘米，上表面浓绿色，背面锈色，秋末始落叶；花小，白色，密生成穗；果黑色，椭圆形，约长 1 厘米。可栽培以供观赏。

bun ochra（plant） 参阅 **urena 梵天花**。

Bunau-Varilla, Philippe-Jean 比诺-瓦里亚（1859-07-26，巴黎～ 1940-05-18，巴黎） 法国工程师，在巴拿马地峡开凿运河的早期鼓吹者。1884 年在法国巴拿马运河公司任职，1889 年公司倒闭，他受美国政府委托与哥伦比亚谈判（当时巴拿马是哥伦比亚的一部分）。当谈判失败后参与鼓动革命，使巴拿马独立。巴拿马临时政府任命他为全权公使，与美国国务卿海约翰签订了条约，保证在美国控制下开凿运河（1903）。

Bunbury 班伯里 澳大利亚西澳大利亚州西南部港镇。位于珀斯和弗里曼特尔以南，临莱彻诺湾。始建于 1843 年。出口木材、小麦、羊毛、乳制品、水果、煤、钛铁矿石和其

班伯里城貌
Black Star 供图

他重金属矿石。有化肥厂和建筑公司。20 世纪 70 年代发展起酿酒和炼铝业。1976 年建成新内港。水上运动设施使其成为闻名的海滨胜地。人口 45 299（2001）。

bunch pink（plant） 参阅 **sweet William 美国石竹**。

bunchberry（*Cornus canadensis*） **御膳橘** 又作 dwarf cornel。又称加拿大梾木、矮梾木。山茱萸科多年生匍匐草本植物。花小，淡黄色，头状花序，花序周围有 4 枚白色（稍带粉红色）醒目的苞片。果红色，簇生。产于亚洲，以及从格陵兰至阿拉斯加，南到马里兰、新墨西哥和加利福尼亚的地区。生长于酸性

御膳橘（*Cornus canadensis*）
美国不列颠百科全书公司供图

土、沼泽地和高地斜坡。

Bunche, Ralph（Johnson） 本奇（1904-08-07，底特律～ 1971-12-09，纽约市） 美国外交家，联合国 20 多年中的一位重要成员，因 1949 年促使阿以在巴勒斯坦停战谈判获得

美国不列颠百科全书公司供图

成功而成为 1950 年诺贝尔和平奖获得者。1928 和 1934 年，在哈佛大学分别获政治与国际关系学位，然后在华盛顿（哥伦比亚特区）霍华德大学任教。与此同时，获罗森沃德研究生实地奖学金，去法属西非全境旅行，研究托管区法属多哥兰和殖民地达荷美的行政管理。之后在伊利诺伊州埃文斯顿西北大学和伦敦经济学院作博士后研究工作，接着重返非洲对殖民地政策作进一步研究。第二次世界大战期间，先后在美国陆军部、战略情报局和国务院工作。积极参加 1945 年旧金山会议对联合国的初步设计工作，1947 年进入纽约联合国常设秘书处，任托管部主任。受秘书长 T. 赖伊委派，协助联合国特别委员会谋求谈判解决交战中的巴勒斯坦阿拉伯人和以色列人的问题，在首席调停人 F. 贝纳多特遭暗杀（1948）后，他在谋求谈判中起主要作用，终于谈成于 1949 年 2 ～ 5 月实行停战。1955 年被提升为副秘书长，两年后任负责特别政治事务的副秘书长，成为秘书长哈马舍尔德主要的解决麻烦问题的能手。1956 年英、法、以军入侵苏伊士运河区后，监督在该地区部署 6 000 名联合国中立部队。1960 年负责进驻刚果的联合国维持和平部队的工作。1964 年指挥 6 000 名联合国中立部队，以调停塞浦路斯希腊族和土耳其族之间的冲突。50 ～ 60 年代受到指责，认为他似乎忽视国内黑人独立运动，他也因此站出来直指美国的种族歧视问题。此外，虽身体欠佳，坚持参加在塞尔马和蒙哥马利的民权运动（1965）。任美国有色人种促进会委员 22 年。

Bund 崩得 又称犹太人崩得。正式名称为立陶宛、波兰和俄罗斯犹太工人总联盟。1897 年由沙俄犹太区的一小群工人和知识分子在维尔纽斯建立，呼吁取消对犹太人的歧视，主张俄国实行联邦制。俄国社会民主工党成立时（1898），崩得是俄国最强大的社会主义组织。崩得坚持自身为犹太族工人的唯一代表，与列宁关于建立一元化的党的计划发生矛盾；1903 年犹太族领导人退出俄国社会民主党第二次代表大会。1906 年重新入党，但他们经常支持孟什维克。1920 年 4 月崩得分为两派：多数派同俄共合并；少数派坚持其独立性，后被布尔什维克镇压。在两次世界大战之间的时期，崩得在波兰进行活动。

Bundaberg 班达伯格 澳大利亚昆士兰州港口城市。临伯内特河。19 世纪 70 年代起即为大型甘蔗种植园的中心。有制糖、朗姆酒等工厂。亦生产乳品、农业机械等。并有锯木和造船业。输出糖、糖浆和木材。1881 年设镇；1913 年建市。人口 32 560（1981）。

Bundahishn 《元始经》 琐罗亚斯德教的经典，记述世界的创始、其历史和极限、人类的起源和宇宙的性质。它用钵罗钵语写成，成书时间在 9 世纪，但以《阿维斯陀》（《波斯古经》）散佚部分中的古老材料为依据，保留琐罗亚斯德教创立前的某些素材。

Bundelā 本德拉人 印度拉杰普特氏族，印度中部地名本德尔汗德即由这一族名演变而来。出现于 14 世纪，来源不明。1545 年，舍尔王朝皇帝舍尔沙包围本德拉人的羯陵伽堡垒，遭到抵抗，最后阵亡，由此本德拉人声势大振。本德拉奥恰土邦的首领比尔·辛格与皇帝阿克巴之子萨利姆亲王（后为贾汗季皇帝）发生冲突，在 1602 年一次伏击中，杀死了莫卧儿皇帝的亲信大臣艾布勒·法德尔。本德拉人所居地区为从德干到朱木拿河与恒河的河间地区的通商孔道。但其地多山而遥远，难以控制。莫卧儿王朝曾平定多次叛乱，到 1729 年，本德拉人引来了马拉塔人，共同对抗莫卧儿人。几经变迁，这条商道于 19 世纪初归英国人控制。1812 年，羯陵伽堡垒亦归英人所占。

Bundelkhand 本德尔汗德 印度中部的历史地区。现为中央邦北部，包括崎岖的温迪亚山地与东北部平原。本纳（**Panna**）附近曾发现优质金刚石。小麦、高粱和棉花为主要农作物。历史上，本德尔汗德也包括今日划归北方邦的赫米尔布尔、贾劳恩、占西、勒利德布尔、班达等县。但 1947 年以前本德尔汗德一称在政治上仅指本德尔汗德土邦专区（1802 建）。1948 年本德尔汗德并入温迪亚邦，温迪亚邦又于 1956 年并入中央邦。

Bundesrat 联邦参议院 德意志联邦共和国两院制议会的上院。自从政权归全国普选产生的联邦议院后，主要以顾问资格行使职权，但许多法律、法规以及宪法的修改均须征得它的同意。联邦参议院由州政府成员组成，各州代表人数依其人口多少而定。奥地利也设有类似的联邦参议院。此词也指德意志帝国（1871 ～ 1918）的联邦院。

Bundestag 联邦议院 德意志联邦共和国两院制议会的下院。它代表整个国家，议员由直接普选产生，任期4年。联邦议院选举政府首脑——总理。此词也指德意志邦联（1815～1866）的邦联议会。

Bundesverfassungsgericht（Germany） 参阅 **Federal Constitutional Court 联邦宪法法院**。

Būndi 本迪 印度西北部拉贾斯坦邦东南部城市。位于峡谷中。周围群山森林茂密，上有几座宫殿和堡垒。是13世纪本迪土邦首府，其宫殿以"本迪风格"的壁画而驰名。为农产品市场。设有拉贾斯坦大学分校。根据1818年的一项条约原来的本迪土邦归英国管辖。1948年成为拉贾斯坦邦一部分。人口65 047（1991）。

Būndi painting 本迪绘画 17～19世纪末印度细密画拉贾斯坦风格的重要画派，发展于本迪邦及其邻邦科塔（现均在拉贾斯坦邦），受到莫卧儿王朝艺术的强烈影响。擅长

18世纪晚期的本迪绘画——姑娘与羚羊
美国不列颠百科全书公司供图

描绘丰茂的植物、变幻的夜空。画出的流水中有明亮的漩涡，呈现在阴暗的背景上。还擅描绘王族在深山丛林猎虎的场面和帝王生活。

Bundy, McGeorge 邦迪（1919-03-30，美国马萨诸塞波士顿～1996-09-16，波士顿） 美国政府官员、教育家，肯尼迪总统政府和约翰逊总统政府对外政策的主要设计师之一。出身于新英格兰名门望族，父亲H.H.邦迪任胡佛总统政府史汀生国务卿下面的助理国务卿。1940年获耶鲁大学文学士学位；1941年为哈佛大学初级研究生。第二次世界大战期间任情报官员，参与制订进攻西欧的计划。战后密切协助史汀生撰写回忆录《在和平与战争中服役》（1948）。1949年进入哈佛大学政治系，1953年任文理学院院长。支持肯尼迪于1960年竞选总统，成为肯尼迪政府的国家安全事务特别助理，在约翰逊政府中他一直担任此职。他对1965年决定派遣美军进入多米尼加共和国起了主要作用，并专心从事制订美国对越政策，极力主张1965年轰炸北越。1966年初辞职，任福特基金会主席，直至1979年。1979～1989年任纽约大学历史学教授（此后任荣誉教授）。主编《责任心的典范》（1952）。他的许多讲话和文章汇集成册，并著有《政府的力量》（1968）、《危险与生存：关于第一个50年核弹的选择》（1988）等。

Bundy, Ted 邦迪（1946-11-02，美国佛蒙特伯灵顿～1989-01-24，佛罗里达斯塔克） 全名Theodore Robert Bundy。系列强奸杀人犯，20世纪晚期美国最臭名昭著的罪犯之一。为非婚生子，童年境遇很差，和继父的关系不好，而且由于胆小经常受欺侮。但即便如此，他的智力和社交能力使他接受了良好的大学教育，并且和女人发生过一系列看上去正常的感情关系。但尽管表面正常，1974～1978年他在华盛顿、俄勒冈、科罗拉多、犹他和佛罗里达各州，连续强奸并杀害了许多妇女。虽然他最后承认了28桩谋杀，但有些人则认为他在数百件死亡事件中负有罪责。在公众极为关注的审讯之后，1979年因杀害两名大学生被判处死刑；次年又因奸杀一个12岁幼女再次被判死刑。1989年坐在电椅上被执行死刑。尽管罪行残忍可怕，他却成了名人。他的案件促使了一批专门描写系列杀人的畅销小说和卖座电影的出版和拍摄，一些女权主义犯罪学家因此感到愤懑。

bungalow 平房 周围常建有游廊的单层坡顶住宅。此词来源于印度词，意指"孟加拉风格的房屋"。印度成为英殖民地时此词传入英国，由于这种住房建造简陋，各地流行，因而其名称在英国成为嘲笑的对象。但20世纪20年代这种形式的小住宅在美国的一些小城镇中甚为流行。一般的特点是门窗大，室内天花板高，有深檐或游廊，特别适宜于炎热地区。现在在加利福尼亚州南部等温暖地区仍作为夏季别墅和小住宅的一种形式。

Bunge, Nikolay Khristyanovich 本格（1823-11-11［新历11-23］，俄罗斯帝国乌克兰基辅［今在乌克兰］～1895-06-03［新历06-15］，圣彼得堡附近的皇村） 俄国自由主义经济学家、政治家。作为财政大臣（1881～1887），他推行了许多旨在使俄罗斯经济现代化的改革，最著名的改革是制定了估计把农民的赋税重担减少1/4的课税法。他作为政治经济学教授，曾在一些学术机关任职，1859年任基辅大学校长。因所著论述农奴制和财政的著作引起政府重视，本格从1859年起担任政府官职。1878年任主管贸易的副财政大臣。在财政大臣任内，大力发展俄国铁路，曾收买几条私营铁路，促进铁路新干线的建设；由于全国铁路车辆实现标准化，运输费用和行车调度都更加合理化。本格在担任国家银行行长时，曾采取加强俄国银行制度的措施，为了鼓励农民购买土地，他于1883年创办农民土地银行。本格还制定过劳工法，限制使用童工。他反对马克思主义，苏联史学家认为他是资产阶级改革家。

Bungorō 文五郎 参阅 **Tani Bunchō 谷文晁**。

Bungu（people） 参阅 **Bongo 邦戈人**。

Bunin, Ivan Alekseyevich 布宁（1870-10-10［新历10-22］，俄罗斯沃罗涅日～1953-11-08，法国巴黎） 诗人和小说家，第一个获得诺贝尔文学奖（1933）的俄国人和最优秀的俄国文

美国不列颠百科全书公司供图

体家之一。第一部诗集出版于1891年。他因翻译朗费罗的《海华沙之歌》而于1903年获得俄国科学院授予的普希金奖，并于1909年被选为名誉院士。他还翻译了拜伦的《曼弗雷德》和《该隐》。他的诗歌带有帕尔纳斯派的色彩，不喜欢现代先锋派的倾向。因《旧金山来的绅士》（1916）等杰作而享有短篇小说家的盛名。最后一部短篇小说《暗径》出版于1943年。篇辐较大的作品有中篇小说《乡村》（1910）、《米佳的爱情》（1925）、《阿尔谢尼耶夫的一生》，一部自传体小说（1930）和它的续篇《里卡》（1939），以及两部回忆录《该死的日子》（1935）、《回忆录》（1950）。

bunion 拇囊肿 大趾基节处与鞋帮摩擦部位出现的囊状膨出。局部隆起，为黏液囊肿胀所致。症状为疼痛，局部压痛，运动受限，并致永久性畸形，将大趾压向小趾方向。

Bunka-Bunsei period 文化文政时代 又称大御所时代。日本历史上以城市文化繁荣为特征的一个时代（1804～1829）。18世纪末期，德川幕府曾经颁布严格的改革法和节约法。但第11代将军德川家齐上台后，挥霍浪费，一时成风。商人们寻欢作乐，文士们舞文弄墨，城市文化极为繁荣。幕府和各藩经济日益困窘，灾荒和农民起义时有发生。对于西方列强欲同日本建交的企图，德川家齐持坚决反对的立场。

Bunker Hill, Battle of 邦克山战役（1775-06-17） 美国独立战争初期，大陆军围攻波士顿的战役之一。在列克星敦-康科德战役（1775-04-19）之后，1.5万名大陆军围攻波士顿，在城北制高点布里德山（今与相邻的邦克

山通称邦克山)加固工事,对波士顿城构成明显的威胁。英军少将 W.豪率兵 2 300 人,经过激战夺取了山头的美军棱堡,英军死伤近千人,大陆军死伤约 450 人。但英军没有乘胜进攻波士顿城南多切斯特高地,铸成大错。1776 年 3 月,G.华盛顿将军以雄厚的兵力攻占多切斯特高地,迫使英军从波士顿和海港撤离。这一胜利以及英军在邦克山遭受的重大损失,都增强了北美殖民地人民对自身战斗能力的信心。

Bunker Island(Pacific Ocean) **邦克岛** 参阅 **Jarvis Island** 贾维斯岛。

Bunnag, Chuang **汶那格** 参阅 **Si Suriyawong, Somdet Chao Phraya** 西·素里亚旺。

Bunner, Henry Cuyler **邦纳**(1855-08-03,美国纽约奥斯威戈～1896-05-11,新泽西纳特利) 美国诗人、小说家和编辑。其作品主要描写纽约的景象和居民。在纽约受教育,后任职《阿卡狄亚人》杂志。22 岁时当助理编辑,后来担任《帕克》杂志编辑,直至去世。他把《帕克》从滑稽周刊发展成为一份有影响的社会和政治性刊物。邦纳的小说,尤其是他的《法国制造:美国味的法国故事》(1893),反映出莫泊桑和其他法国作家对他的影响。邦纳发表过几部长篇小说,但它们被认为不如他的短篇小说和随笔。作为剧作家,他主要因《巴别塔》(1883)而闻名。他的诗集,因其技巧娴熟,内容幽默,结尾干净利落而受到称誉。其中包括《阿卡狄和别处吹来的轻风》(1884)、《罗恩》(1892)和《诗集》(1896)。

bunraku **文乐** 日本传统木偶剧。用几乎与真人一般大小的玩偶演出以日本三弦伴奏的说唱曲艺,称为"净琉璃"。"文乐"一词来源于 19 世纪初木偶大师植村文乐轩所组织的剧团名。在日语中,木偶一词的术语为"操",木偶剧的更正确说法是"操净琉璃"。木偶是在 11 世纪左右随着傀儡师(木偶操作者)一起出现的。傀儡师们类似吉普赛人到处流浪,他们的技艺可能来自中亚细亚。迄 17 世纪末,木偶还是很原始的,既没有手也没有脚。18 世纪以前,木偶操作者一直隐藏在后边,从那个时期以后,他们露面公开操作。目前玩偶的身高 0.3～1.2 米不等,它们有木制的头、手和腿(女性玩偶无腿或脚,因为被近代以前的衣服所掩盖)。玩偶无躯体,而精心穿上衣服。主要玩偶需要 3 名操作者。主操作人身穿 18 世纪的服装,操纵头部和右手,使眼睛、眉毛、嘴唇和手指活动。两个助手穿黑衣服,包黑头巾,不使观众看见,他们操纵左手、两腿和脚;如为女性玩偶,则操纵和服的摆动。木偶师的技艺需要长期训练,要达到操作的完全同步,使玩偶的行动与真人一模一样,并生动地表达玩偶的感情。18 世纪,木偶剧以演出近松门左卫门的剧本而达到顶峰,后来由于缺乏优秀的净琉璃作家而日渐衰微。1963 年两个互相竞争的小剧团联合起来,成立文乐协会,以大阪传统的文乐剧院朝日座(原称文乐座)为据点。另外,也在附近的国立文乐剧场(1984 年举行揭幕典礼)以及东京进行演出。参阅 **jōruri**。

Bunsei **文清**(活动时期15世纪中叶,日本)禅宗画家。现有五幅杰出作品有其印记,可以确证出于他的手笔。其中两幅藏京都大德寺,一为《养叟宗颐像》,一为《杨岐像》,约作于 1450 年。其他三幅画中一幅《山水图》(藏波士顿美术博物馆);一幅水墨画《维摩像》(1457,藏奈良大和文华馆);另一幅水墨画构图是根据佛教故事《虎豁三笑》,画三个传说中的和尚。现在普遍认为,文清是大德寺僧,也是 15 世纪名僧兼画家天章周文的弟子。

文清绘《维摩像》(1457)
美国不列颠百科全书公司供图

Bunsen, Christian Karl Josias, Freiherr von (baron of) **本生**(1791-08-25,瓦尔德克科尔巴赫[德意志]～1860-11-28,普鲁士波恩)开明派普鲁士外交官、学者、神学家,支持德意志立宪运动,在当时的教会政治中负有盛名。曾在德意志各大学攻读多种语言、神学和法律。1824 年任普鲁士驻梵蒂冈公使,在罗马创建考古学会。1838 年因冒犯教皇而被召回。1839～1841 年任驻瑞士公使,后任驻英国公使。在伦敦期间,他努力缓和两国的紧张状态,使英普两国更密切地合作。1854 年去职。他出版过许多重要的科学和宗教著作,其中最著名的是《时代的标志》(2 卷,1855)。

美国不列颠百科全书公司供图

Bunsen, Robert Wilhelm **本生**(1811-03-31,德国威斯特伐利亚格丁根～1899-08-16,巴登海德堡) 德国化学家,与 G.基尔霍夫一起观察到每种元素都放射出具特征波长的光(约1859)。这些研究开辟了光谱分析领域。这种光谱分析法后来对太阳和恒星研究极为重要。本生应用光谱分析法还几乎同时发现了铯和铷两种碱金属元素。本生在格丁根取得化学博士学位(1830)后,先后在马尔堡和布雷斯劳等地的大学任教。1852～1899 年,他在海德堡任教授期间,建立起一个极出色的化学学派。他终身未婚,在教学和实验室里度过了一生,为实验和分析工作付出了全部精力。1834 年,他发现刚刚沉淀出来的水合氧化铁是砷中毒的解毒剂。1837 年,他开始他唯一的一次有机化学领域的探索,研究高毒性的含砷化合物四甲基二胂。在研究的 6 年过程中,一次因爆炸而失去一只眼,还因砷中毒而几乎丧生。他的探索使他的学生 E.弗兰克兰在有机金属化合物方面做了有益的研究。最后,本生停止了在他实验室的有机化学研究。本生关于高炉废气成分的研究表明:50%～80%或更多的热被浪费掉了。通过这项研究,他在自己唯一的著作《气体定量法》(1857)中详尽阐明了测量气体体积的方法。1841 年他发明了被称为本生电池的碳锌电池。为了测量这种电池所产生的光,他研制出油斑光度计(1844)。他是制得金属镁并对它的物理和化学性质进行研究的第一个人。演示出镁在空气中燃烧时火焰的亮度和反应(光化作用)的性质。本生还发明了过滤泵(1868)、冰量热计(1870)和蒸汽量热器(1887)。虽然他常被誉为本生灯的发明人,但看来他对本生灯的发明只做了些次要的贡献。

美国不列颠百科全书公司供图

Bunsen burner **本生灯** 可燃气体燃烧装置。燃烧时可控制空气进气量,可产生比煤气单独在空气中燃烧时温度更高的火焰。德

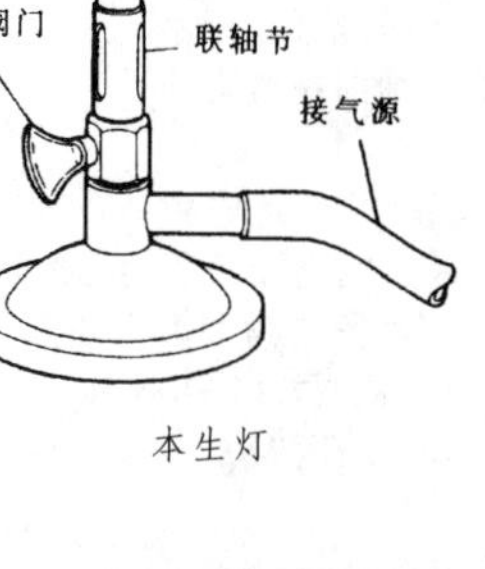

本生灯

国化学家 R.本生于 1855 年首先引入此灯(他参照 P.迪斯德甘或 M.法拉第的设计),因而以他的姓氏命名。本生灯是煤气取暖炉和工业煤气炉的先导。本生灯由装在底座上的一根金属管组成,其下端有进气口,金属管装有调节阀,利用套管调节管子四周开口的大小以控制需要进入的空气量。依靠煤气的压力,把空气与煤气的混合物(最佳比例为 3:1)送至金属管的顶端,用火柴在此处点燃。火焰呈淡蓝色,主焰在内部,形如小圆锥体,副焰在主焰外面,呈较大的圆锥形,几乎无色,它由剩余的煤气被周围空气完全氧化燃烧而形成。本生灯火焰的最热部分位于主焰顶部,其温度可达 1 500 °C。空气量过少时,气体混合物燃烧不完全,生成细小碳粒,并被加热到白热而使火焰发光。空气过量时,火焰就会在灯管内部燃烧,产生回火。梅克尔灯和费希尔灯是本生灯的变型,灯管顶部装有金属栅格,以增加混合气的湍动,并使火焰保持在该处。费希尔灯使用压缩空气。由于这些改进,输入足够的空气使燃烧完全,这就消除了靠周围空气燃烧的副焰,且增加了主焰的热量。

Bunshaft, Gordon　邦沙夫特(1909-05-09,美国纽约布法罗～1990-08-06,纽约)　美国建筑师,设计的利华大厦(1952,纽约市)对美国建筑有很大影响。早年在麻省理工学院学习,曾赴欧洲和北非研究建筑。1937 年邦沙夫特参加 SOM 建筑设计事务所工作,在那里度过了 42 年(1979 年退休)。他设计的利华大厦,受密斯·范·德·罗厄的影响,采用幕墙结构和露明骨架的构思。1957 年设计的布卢姆菲尔德人寿保险公司总部大厦也采用类似的形式。后期作品如耶鲁大学拜内克珍本及手稿图书馆(1963)、德克萨斯大学的图书馆和实验大楼(1971),采用低平的石面建筑,表现出摆脱了密斯的设计思想。他设计了赫什霍恩博物馆和雕塑公园(1974,华盛顿[哥伦比亚特区])。邦沙夫特在国外还设计过布鲁塞尔的兰伯特银行(1965)和吉达国际机场(1981,沙特阿拉伯吉达)的朝圣航空终点站和辅助综合建筑。

bunt　腥黑粉病　又称腥黑穗病。小麦、黑麦及其他禾草的一种病害,病原为腥黑粉菌属 *Tilletia* 真菌。小麦腥黑粉病有两种类型:由网腥黑粉菌 *T. caries* 引致的矮化腥黑粉病,麦株高度为正常麦株的 1/4 或一半;光腥黑粉菌 *T. foetida* 引致的普通腥黑粉病仅使麦株减缩几厘米。收获时黑粉菌瘿碎裂散出污染健康麦粒,黑粉菌孢子可在干燥土壤中存活几年。麦粒在寒冷及干燥土壤中萌发后孢子很快即侵染幼苗。在成熟时,黑粉菌孢子团代替整个麦粒,其内含大量棕黑色的孢子,且有死鱼一般的恶臭。必须应用抗病品种的经杀真菌剂处理的种子。

bunting　鹀　旧大陆鹀属(*Emberiza*)约37种以种子为食的鸟以及其他几种外形相似的鸟的统称。大多数属于新大陆燕雀科(有时另建鹀科)的鹀亚科(Emberizinae)。例如黍鹀(*E. calandra*)和芦鹀(*E. schoeniclus*)两种一般都在欧亚大陆温暖地区繁殖。黑纹鹀(*E. striolata*)最为驯顺,分布从北非(在当地称家鹀)到印度。鹀属的多数种类可从其强壮的头部模样辨认出来。在北极附近繁殖的雪鹀

丽色彩鹀(*P. ciris*)
美国不列颠百科全书公司供图

(*Plectrophenax nivalis*)和美国大平原的鹨鹀(*Calamospiza melanocorys*)也是鹀亚科的种类。在美国,bunting 一词还指近缘的红衣主教雀亚科(Cardinalinae)彩鹀属(*Passerina*)的种,如小靛蓝彩鹀(*P. cyanea*)和丽色彩鹀(*P. ciris*),后一种的雄鸟色彩炫丽,红、绿、蓝相间,在美国繁殖。参阅 **ortolan; yellowhammer**。

Buntline, Ned　邦特莱因　参阅 **Judson, E(dward) Z(ane) C(arroll)** 贾德森。

Buñuel, Luis　布努埃尔(1900-02-22,西班牙卡兰达～1983-07-29,墨西哥城)　西班牙电影导演,以其早期的超现实主义影片和后来在墨西哥商业电影中的创作而闻名。他的影片风格独特,内容充满社会压迫、宗教狂想、弱肉强食和声色犬马,引起强烈的批评和争论。17 岁进马德里大学,结识画家 S.达利和诗人 G.洛尔卡。1925 年去巴黎从影;1928 年与达利协作导演第一部影片《一条安达鲁狗》,这部超现实主义的先驱作品立即引起轰动。随后又导演《黄金年代》(1930)和《无粮的土地》(1932),前者以反教会反资产阶级为

美国不列颠百科全书公司供图

主题,后者记录西班牙一个特别贫瘠地区的情况,表明他把梦境、幻觉和本能看作创作的源泉,并表明他对社会问题的激进态度和对传统逻辑的轻蔑。1936 年内战爆发,他在巴黎参加共和政府。1938 年为好莱坞拍摄的两部关于西班牙共和国的影片当技术顾问。后流亡美国,曾短期为纽约现代艺术博物馆工作。1947 年全家移居墨西哥后,他导演追求票房价值的影片,在这些影片中插入按他个人意愿创作的片断。他用《伟大的流氓》(1949)赚的钱拍摄一部体现个人思想和风格的《被遗忘的人们》(1950),热情为少年罪犯辩护,这部影片重新确立了他作为国际知名导演的地位。1960 年西班牙当局允许他回国拍摄《维里迪安娜》,后发现有反教会的内容,准备下令禁止,但是该片还是被偷偷送出国外,参加戛纳电影节,获大奖。1962 年在墨西哥他又拍制一部反教会的重要作品《毁灭天使》。这时他的世界声望使他又有可能自由地拍摄他愿意拍摄的影片。《女仆日记》(1964)是他最公开的政治影片,借上世纪末法国颓废贵族的故事影射法西斯主义的滋生。《沙漠的西蒙》(1965)与《银河》(1969)是对教会的尖刻攻击。此外,还有以理性与幻想毁灭为题材的《白日美人》(1966)。他晚期最著名的影片有《特里斯塔纳》(1970)、《资产阶级的审慎的魅力》(1973)和《欲望的不可捉摸的对象》(1977)。

Bunun　布嫩族　中国台湾现存土著民族之一。系第四大土著种族。主要分布于埔里以南的中央山地及知本主山以北的山区。语言属南岛语系印度尼西亚语族台湾语支。人口

布嫩族妇女
台湾中华书局供图

约 37 900(1993)。其传统农耕方式为山田烧垦。亦种水稻,并从事狩猎、渔捞及饲养家畜。农产有旱稻、水稻、粟、黍、甘薯、花生、蔬菜、水果等,亦产简易手工艺品(编织品、陶器)与机织布料。布嫩族以血缘为基础,结合具有共同祖先者形成氏族团体,并依其血缘性的浓淡、结合性的强弱、共同性的多寡而分为小氏族、中氏族、大氏族。大氏族略等于一个社(番社),为外婚单位(同氏族男女不能通婚)。与高山族一样崇尚自然,信仰祖灵;但自西方传教士进入山区传教后,多已改信天主、基督等西方宗教。有首祭、狩猎祭、成人祭及收获祭等祭典,由酋长任祭司,巫师则系女性专职。

Bunun language　布嫩语　中国台湾省高山族语言之一。属南岛语系印度尼西亚语族台湾语支。主要分布在南投、花莲、高雄、台东等县的部分地区。使用人口约 3.8 万。分北部、中部、南部 3 个方言。布嫩语(高雄县三民)的语音特点是:有 14 个辅音音位,均可出现在词首、词中和词末;浊塞音 b、d 都带前喉塞,无塞擦音和送气音;有 i、a、u 3 个元音和 ia、iu、ai、au、ua、ui 6 个复元音;有重音,一般落在多音节词的倒数第二个音节上。词汇主要由多音节词组成,有丰富的构词前缀、中缀和

后缀,词干重叠也是构词的重要方式。词类有名词、代词、数词、动词、形容词、副词、连词、介词、助词等9类。名词和代词有"格"语法范畴,分主格、属格和宾格。指示代词有近指、中指和远指之分。动词有"体"、"时"、"态"、"式"等语法范畴。体分常行、进行、完成3种,时有现在、过去、将来、过去进行、过去完成、将来完成等形式,态分主动和被动,式有直陈和命令形式。助词有格助词、疑问助词、语气助词、感叹助词4类,有较强的句法功能。基本语序是谓语在前,主语和宾语在后;由于主语和宾语都有格标记,因此次序比较灵活;领有关系的定语一般在中心词前,修饰关系的定语一般在中心词前后均可。

bunya pine (species *Araucaria bidwillii*) **本亚松** 又作 bunya bunya pine。又称披针叶南美杉或比德维尔氏南洋杉。南美杉科一种高大常绿针叶乔木。原产于澳大利亚昆士兰州东南部潮湿地区。幼树在许多地区作为一种室内盆栽植物。株高可达30米以上。枝条对称,树冠巨大,半球形。种子大,味甜,土著人取来烤食。树皮厚,含树脂。木材奶油色,可用制胶合板、三合板和箱子。

Bunyan, John 班扬(1628-11,英格兰贝德福德郡埃尔斯托~1688-08-31,伦敦) 英国清教徒牧师和传道士,著名的清教主义著作《天路历程》一书的作者。家境贫寒,父亲是个串乡补锅匠。他在本地的一所中学读书,但可能很早即辍学,承袭父业。童年生活经历对他的思想影响很大,后来的作品则深受民间传说故事的感染和启发。对英国清教徒的各种民间文学也十分熟悉。但最重要的还是他致力学习英文《圣经》。1644年母亲和妹妹相继去世,父亲再娶,这一连串的不幸迫使他离家进入社会。同年内战爆发,他被召参加国会军,接触了克伦威尔军队中左翼教派沸腾的宗教生活,对清教徒的主导思想开始熟悉起来。1647年离开军队。1650~1655年,他逐渐改变了宗教信仰。在法定信奉国教的初期,他按时去教堂,逐渐勉强放弃了自己喜爱的娱乐活动,专心一致地进行内省。痛苦的幻想导致他精神上的绝望,折磨了他好几年。17世纪实行长老制的加尔文派神学理论把他从精神分裂的状态中拯救出来。与贝德福主张脱离国教的教派相结合,有助于他身心的恢复。1655年左右,他完全为这个教派所同化,很快就表现出作世俗牧师的天才。1655~1660年他的主要活动是与早期基督教公谊会信徒进行论战。他的热烈信仰常表现为正统的和客观的神学学说,在天国与人之间划有一条清晰的界线。1660年查理二世的复辟,结束了分离主义教派20年来享有的信仰自由。1660年12月班扬被控不按英国国教的仪式做礼拜。他拒绝作出以后不再重犯的保证,1661年1月被判入狱,被监禁达12年之久。他在狱中撰写并出版了描写他的灵魂的自传《罪人受恩记》(1666),力求以极度的精确和绝对的诚实来回忆和叙述他的灵魂所处的状态,这是一部分析主观意识的卓越散文集。接着写了梦境寓言式的名著《天路历程》。1672年3月出狱。贝德福教区早在1月就已选他为本堂牧师。1676年底迫害重新开始后,他又因非法传教而再度入狱,半年后被保释出狱。1678年2月《天路历程》出版,该书第一部叙述一个基督徒生死存亡的惊险故事,他把他个人的遭遇演绎成各种活人和精灵鬼怪。所有这些艺术创造都是他对生活进行尖锐客观观察的结果。书出版后立刻受到各阶级的欢迎。1680年出版《恶人先生的生平与死亡》。这是一部现实主义小说,揭示清教徒在迫害的时代过去之后定居下来,并作为城市中产阶级开始发挥社会作用时的金钱与婚姻问题,把各种罪恶揭露得淋漓尽致。第二部寓言小说《神圣战争》(1682)具有精心设计的宏大结构,明确地叙述了查理二世时对非国教徒的迫害。1684年出版了《天路历程》第二部,叙述基督徒的妻子克里斯蒂安娜在孩子陪同下去天国途中的故事,对基督徒生活提供了一幅较上部更富有社会意义和更为幽默的图景。在最后10年中他出版了大量的宣传教义但引起争议的作品,他还撰写技巧精湛的宗教布道诗。后期最饶有兴趣的作品之一是诗画相配的儿童读物《为男孩和女孩们写的书》。

美国不列颠百科全书公司供图

Bunyan, Paul 班扬 伐木巨人,美国伐木区神话的主人公,巨大、强壮和活力的象征。构成保罗·班扬传说的许多故事和轶事,纯属美国边地典型的夸张故事。保罗和他的同伴,蓝牛娃娃和笔杆子约翰尼,不为数月连绵阴雨、巨蚊或不利地形所动摇。故事描述随意安排河山的保罗如何创造出皮尤吉特湾、大峡谷和布莱克丘陵。故事赞美伐木者异乎寻常的大胃口,保罗的营地火炉占地一英亩,他的烤饼盘之大,要几个人用咸肉当冰鞋在上面溜冰才能涂上油。一些口头传说的轶闻,说明早在詹姆斯·麦吉利夫雷于1910年发表班扬故事以前,班扬之名已流传于宾夕法尼亚、威斯康星及西北部各地伐木工人之中。经专业作家推广,15年之间,班扬由伐木工人中的传说人物一变而成为全国性的传奇人物,成为美国诗人R.弗罗斯特、C.桑德堡等人的诗,W.H.奥登的小歌剧和英国作曲家B.布里顿的乐曲的主题。

画家R.肯特笔下的保罗·班扬,1924年
美国不列颠百科全书公司供图

bunyip 本耶普 澳大利亚土著居民的民间传说中的怪兽。它栖息于澳大利亚内陆的芦苇丛生的沼泽湖泊地区。有关这两栖动物的形状传说不一,有的形容它有圆颅,细长颈项,躯体似牛、河马或海牛;有的则赋予它以人形。据说,本耶普吼声如雷,嗜食生人,尤喜食妇女儿童。本耶普的传说,可能与河流上游偶有流散的海豹出现相关;至于怪兽的叫声也许是沼泽中麻鳽类禽鸟发出的。

Bunyoro 布尼奥罗 东非的一个王国,在今乌干达的维多利亚湖西岸。16~19世纪为兴盛时期。由北方的入侵者所建。这些放牧为生的人组成特权阶层,统治当地讲班图语的农民。王国版图不断扩大。但到1800年左右,却遭邻国布干达蚕食。1894年最后一代国王卡巴雷加被英国人废黜。1896年王国成为英国保护地的一部分。

Buol-Schauenstein, Karl Ferdinand, Graf von (count of) **布奥尔-绍恩施泰因伯爵**(1797-05-17,德国雷根斯堡~1865-10-28,奥地利维也纳) 哈布斯堡奥地利帝国外交大臣(1852~1859),他的政策导致疏远俄罗斯,并使保守的神圣同盟解体。1816年进入外交界,历任驻巴登(1828)、符滕堡(1838)、皮埃蒙特(1844)、俄国(1848)和英国(1851)的公使、大使。1852年4月首相施瓦岑贝格侯爵死后,他出任外交大臣兼帝国大臣会议主席。梅特涅认为他"敏锐却不广博精深"。布奥尔不甚理解普鲁士的崛起威胁到奥地利在德意志邦联中的霸权。他决心同普鲁士和俄国断绝"不自然的"神圣同盟的纽带,而试图同西方两个强国(法国和英国)达成谅解。在克里米亚战争期间(1853~1856),他成功地实现了奥地利对多瑙河公国摩尔多瓦和瓦拉几亚(传统上为俄国的势力范围)的军事占领,但他未能说服皇帝参加反对俄国的战争,只好满足于官方的中立政策。1859年5月,在奥匈帝国与皮埃蒙特和法国开始那场灾难性的战争不久,他被迫辞职。

Buon Me Thuot 邦美蜀 又拼 Ban Me Thuot,旧称乐交。越南中西部中央高原最大城市。海拔536米。地处多乐高原南端。位于大叻市西北89千米。有教师进修学校、职业学校、医院和一个机场。周围地区出产咖啡、茶和橡胶,以西的克龙河流域种植水稻。当地居民以讲占语的拉德人为主。该市与中部高原北部的波来古及沿海的芽庄通公路。人口约 139 900(2004)。

Buonaparte FAMILY 参阅 **Bonaparte family** 波拿巴家族。

Buonaparte, Carlo Maria 波拿巴(1746-03-29,科西嘉阿雅克肖～1785-02-24,法国蒙彼利埃) Buonaparte 又拼 Bonaparte。拿破仑一世之父。曾获法学士学位。1769 年任阿雅克肖皇家法院陪审推事。他生性好动且又不满现状,致使他强求或阴谋获得其他职位,并从事冒险性的商业活动。1764 年与莱蒂齐亚·拉莫利诺结婚。

Buonaparte, (Maria) Letizia 波拿巴(1750-08-24,科西嘉阿雅克肖～1836-02-02,意大利罗马) 拿破仑一世之母。1764 年与拿破仑之父卡洛·马里亚·波拿巴结婚。生性简朴,尽管拿破仑得势时冠以"皇太后"的称号,她仍隐居科西嘉岛,勤俭度日。1814 年在厄尔巴岛与拿破仑团聚。1815 年百日统治期间,随拿破仑去巴黎。滑铁卢战役后定居罗马,受教皇庇护七世的保护。1818 年致函艾克斯拉沙佩勒会议,请求释放拿破仑,情意哀婉,文词恳挚,她说拿破仑已患不治之症,再也不能威胁世界和平。但会议未予答复。儿子拿破仑以及女儿波利娜和埃利莎等人死后,她备感悲戚,杜门不出。

Buononcini, Giovanni 参阅 **Bononcini, Giovanni** 博农奇尼。

Buontalenti, Bernardo 波翁塔伦蒂(1536?意大利佛罗伦萨～1608-06-25 或 26,佛罗伦萨) 意大利佛罗伦萨舞台设计师和剧院建筑师。从青年时期起终生为梅迪契家族服务。他在佛罗伦萨的乌菲齐宫建筑了一座大型舞台,1585～1586 年指导那里举行了盛大的节日活动。为了梅迪契家族的豪华演出,他为寓言人物如仙女、行星、神、龙、天使设计了服装,精心制作增强舞台效果的装置,安排壮观的焰火表演,还设计了宫殿、花园、堡垒和别墅以及军事演习工程。对舞台布景史有重要意义的是现存的 1589 年为幕间演出而制作的绘画和雕刻品。波翁塔伦蒂是巴罗克式戏剧艺术和装饰艺术的最早革新者之一。

buoy 浮标 锚泊在固定地点的漂浮体,用以引导或警告海员、标明水下物体的位置或用以系泊船只取代锚。有两种国际浮标体系用于标明航道和水下危险物体,两种体系均采用标准颜色和形状的浮标指明安全航道。另有专门浮标用于各种不同目的,包括海底电缆浮标、船锚浮标和竞赛用浮标等。系泊浮标与浮标不同之处在于它不是导航设备,只是船只系泊之处。用粗链条把浮筒固定在一组永久锚上,浮筒即成为船与锚的连接物。在拥挤的港口,使用系泊浮筒可节省码头泊位,因系泊的船只不像锚泊船只那样随风浪漂动而需较大空间。

buoyancy, law of (physics) **浮力定律** 参阅 **Archimedes' principle** 阿基米德原理。

Buqayq (Saudi Arabia) 参阅 **Abqaiq** 布盖格。

bur cucumber 刺黄瓜 葫芦科刺黄瓜属(*Sicyos*)几种热带攀缘植物的统称。叶裂片明显,卷须分叉;花穗生于叶腋,有长梗,花白色,五瓣,簇生梗端;果卵形,有刺,含种子一粒。*S. angulatus* 种俗称星黄瓜,原产于北美。

刺黄瓜(*Sicyos*)
美国不列颠百科全书公司供图

bur oak (*Quercus macrocarpa*) **刺果栎** 又拼 burr oak。又作 mossy cup oak。又称大果栎。北美产的材用树,属山毛榉科栎属白栎组,多分布于美国中部。树高 25 米,亦可达 50 米。叶长约 25 厘米,上面深绿色而有光泽,下面较暗而带苍白色;叶的宽的上半部由两个深弯缺与窄的下半部相分离。刺果栎能抗昆虫和真菌侵袭,耐旱和空气污染,故为城市地区广为种植的观赏树和遮荫树。其果为壳斗杯形,表面流苏状,故又称苔杯栎。

Būr Saʿīd (Egypt) 参阅 **Port Said** 塞得港。

Būr Sūdān (The Sudan) 参阅 **Port Sudan** 苏丹港。

burakumin 部落民 又称"秽多"。被剥夺社会地位的或"不可接触"的日本少数群体,处于传统的日本社会制度之底层。"秽多"是极度的蔑称。"部落民"本来是不具褒贬意义的名称,但偏见使其变为贬义。1871 年,根据明治时期整顿身份法令,正式取消秽多,改列为平民,但是日本各地仍有大批部落民继续在类似隔离区的村社里生活,许多人仍被迫从事报酬极低的非技术性行业。部落民身份暴露后,往往足以破坏婚约或契约,或无法在非部落民的行业里就业。部落民人口无官方统计数字,但是,据多方面估计,在大约 6 000 个隔离区中,总人数约在 100～300 万之间。一些奇怪的族源理论曾一度流传,说他们的祖先是"外来人"。学术界目前一致认为其祖先不过是那些沦为乞丐或从事卑贱行业的日本贫民,特别是指从事正统的神道教和佛教所禁忌的诸如屠宰、鞣革及其他杀生行业的日本贫民。

始于 1603 年的德川时代(江户时代)曾颁布封建法令,正式把部落民划入隔离区及某些行业,到 18 世纪初,就迫使部落民穿着特种服装,留有特种发型,作为其低下社会地位的标记;不许他们进入他人家宅;要遵守宵禁纪律;对社会地位比他们高的人们要俯身致敬。部落民虽在 1871 年获得"解放",但几乎没有什么措施使他们真正获得自由(大概不比美国内战后为解放黑奴所采取的措施要好多少)。到 20 世纪,一些部落民团体才开始组织起来,1922 年成立了全国性组织"水平社",曾参加各种罢课、抗税及其他抗议活动,直至 1941 年该组织解散。第二次世界大战后于 1946 年成立战斗性更强、政治上更活跃的"部落解放全国委员会",1955 年改名为"部落解放同盟"。然而由于左倾方针使较保守的领导人退出该组织,1960 年成立与"同盟"对立的全国性组织"同和会",由自由民主党的政治家领导,其中有人已被选进议会。1976 年又组成"全国部落解放运动",它是部落民的第三个全国性组织。

buran 布冷风 参阅 **blizzard** 大风雪。

Buranello, Il (composer) **布拉内洛** 参阅 **Galuppi, Baldassare** 加卢皮。

Burano 布拉诺 意大利东北部威尼斯省威尼斯市的东北郊区。由威尼斯潟湖的 4 个小岛组成。可能建于 5 世纪。16 世纪发展了花边编织手工业。尤以布拉诺针绣花边最为著名,该行业一直延续到 19 世纪初。1872 年建立了花边编织学校,该行业复兴。现为花边编织手工业历史最久的中心之一。渔业亦重要。人口 4 299(1991)。

Burano lace 布拉诺花边 威尼斯附近布拉诺岛上所制的花边。这种仿照 18 世纪法国式样的花边工业一直延续到 19 世纪初,到 19世纪中期基本绝迹。1872年一次严冬灾害之后,在试图恢复花边工业以救济受灾岛民的过程中,寻访到了一位尚能记得这项技术的年老居民。在此基础上经大力资助扶植,兴起了一个享有盛名的花边流派并成功地复制了这一古代产品,并在威尼斯大量销售、出口。

约 1790～1800 年的布拉诺花边
美国不列颠百科全书公司供图

Burāq 天马 伊斯兰教传说中先知穆罕默德升霄所乘之兽。据说半骡半驴而色白，两肋生翼。天马最初见于穆罕默德夜间自麦加前往耶路撒冷的故事，以说明何以一夜之间

穆罕默德乘天马
美国不列颠百科全书公司供图

完成这样长的旅程。又根据一些传说，此兽如马，头如妇人，尾如孔雀。后来穆罕默德连夜赶路的故事与他的升霄联系起来，天马就取代天梯而成为他登上天园的工具。

Buraydah 布赖代 沙特阿拉伯中北部内志（中部）地区盖西姆省城镇和省会。曾一度控制阿拉伯马的出口和阿拉伯骆驼商队贸易。现为主要绿洲和农业中心，有大面积枣椰林、柠檬园、柑橘园，并种植其他水果。在大实验农场中饲养牛羊。人口 248 636（1992）。

Burbage, Richard 伯比奇（约1567，伦敦～1619-03-09 或 13，伦敦） 英国演员，莎士比亚戏剧中理查三世、罗密欧、亨利五世、哈姆雷特、麦克白、奥瑟罗和李尔王等主要角色的最早扮演者。其父詹姆斯是演员、剧院经理和老板。他本人 20 岁就已获很高声誉。曾是莱斯特伯爵剧团的成员，环球剧院和黑衣修士剧院的主要股东。他善于饰演悲剧角色，当时曾受到广泛欢迎。曾在 T. 基德、B. 琼森、J. 韦伯斯特以及莎士比亚的剧作中扮演角色，是位令人难忘的人物。当时的散文、诗歌和剧本中都对他有许多赞扬。他还是位画家，伦敦达利奇学院内一幅妇女像油画无疑是他的作品；人们有时还认为莎士比亚的钱多斯肖像画也是他所作。莎士比亚在其伦敦的艺术生涯中同他交往密切，并在遗嘱中给他留下了一个纪念品。

Burbank 伯班克 美国加利福尼亚州洛杉矶县城市。在圣费尔南多谷地。1887 年始建。1911 年设市。原为卡车制造和电影业中心。20 世纪 40 年代随洛杉矶都市区的扩展和洛克希德航空、航天工业的兴建而迅速发展。有多家著名电影、广播和电视公司在此建立制片厂和广播室。人口 100 316（2000）。

Burbank, Luther 伯班克（1849-03-07，美国马萨诸塞兰开斯特～1926-04-11，加利福尼亚圣罗莎） 美国植物育种家。所育出多种有用果实、花卉、蔬菜、谷类和草的产量极高，这促使植物育种发展成为现代科学，对遗传学研究提供了宝贵的帮助。他生长在农场，几乎只受过中等教育，但 C. 达尔文的著作，特别是《动植物在驯化中的变异》，对他影响很深。他 21 岁时在马萨诸塞州的卢嫩堡附近购地 7 公顷，开始了 55 年的植物育种生涯，很快育出了伯班克马铃薯。他出售了栽种这种马铃薯的权利，获得去加利福尼亚的旅费，在圣罗莎定居下来。在那里建立了一

美国不列颠百科全书公司供图

个苗圃、一个温室和若干个实验农场，这些设置后来闻名于全世界。他的育种方法是使外来的和当地的品系在有利的环境下进行杂交，将得到的幼苗嫁接在充分发育的植株上，以较快地鉴定杂种的特性。伯班克具有特别敏锐的观察能力，能立即辨认出他所需要的特性，选出有用的品种。他把自己在植物培育中所用的"模制效果"作为他相信获得性遗传的依据，在 1901 年 G. 孟德尔的遗传原理发表及遗传科学创立之后，他的信念仍是如此。他育出 800 多个新的植物品系和品种，包括 113 个李属的品种，其中 20 个至今仍有重要的商业价值，尤其在加利福尼亚和南非；另外还包括 10 个商品浆果品种和 50 多个百合品种。他的著作有：《卢瑟·伯班克——他的方法、发现与实际应用》（12 卷，1914～1915）、《如何培育植物供人类使用》（8 卷，1921），以及描述性的编目丛书《新的创造物》（1893～1901）。他还和 W. 霍尔合写了自传《多年的收获》（1927）。

Burbidge, (Eleanor) Margaret 伯比奇（1919-08-12，英国柴郡达文波特～　　） 美国天文学家。格林尼治天文台第一位女台长。她对类星体和恒星深处如何通过核聚变形成元素的理论都做出了卓著的贡献。1948～1950 年，她在伦敦大学天文台任台长助理，1950～1951 年任代理台长。1955 年，她的丈夫 G. 伯比奇成为加利福尼亚州帕萨迪纳附近威尔逊山天文台的卡内基天文研究会会员，由于妇女无权享受这种荣任，她被迫只好接受加利福尼亚理工学院的一个较低的研究职务。1957 年她成为雪莉·法尔成员，后任叶凯士天文台副教授。1962～1964 年，专门从事天文研究，其后任圣地亚哥加利福尼亚大学的天文学教授，1972～1973 年曾请假出任格林尼治天文台台长。她完成了作为 B^2FH 理论基础的恒星光谱研究，B^2FH 是伯比奇夫妇、福勒和霍伊尔 4 人姓氏的缩写。这一理论用全新的观点解释元素的起源。在她出版的书中有一本是和 G. 伯比奇合著的，名为《类星体》（1967）。1964 年被选为伦敦皇家学会会员。曾任美国天文学会会长（1976～1978）和美国科学促进会会长（1983）。

burbot（*Lota lota*） **江鳕** 鳕科仅有的淡水鱼，体长，生活于欧、亚及北美的冷水江河及湖泊中。底栖，可下潜 210 米。体色淡绿或褐色，具斑纹。体长可达约 1.1 米。鳞小，嵌入皮下；具一条颏须，一长臀鳍和二背鳍，在一些地区是颇受重视的食用鱼。

Burchfield, Charles (Ephraim) 伯奇菲尔德（1893-04-09，美国俄亥俄阿什塔比拉港～1967-01-10，纽约加登维尔） 美国画家。以现实主义的美国风景水彩画和神秘主义的诗意风景画闻名。1912～1916 年在克利夫兰艺术学校学习。最初业余作画，1929 年后把全部时间用于作画。20世纪20年代与30

伯奇菲尔德绘《四月的色调》（1946～1955）
美国不列颠百科全书公司供图

年代，着重描绘美国小城镇的孤寂和艰辛生活，代表作有《十一月的黄昏》（1931～1934，纽约大都会艺术博物馆藏）。1940 年后画风有所变化，以自己对大自然的解释为内容，创作风景画。《人面狮身像与银河》（1946，纽约州芒森-威廉斯-普罗克特学院藏）是他后期的代表作。

Burckhardt, Jacob (Christopher) 布尔克哈特（1818-05-25，瑞士巴塞尔～1897-08-08，巴塞尔） 杰出的文化和艺术史家之一。青年时期受过人文主义教育，先在当地上大学，学希腊文。学过神学，但无明确的宗教信仰，在其历史研究中表现出对人类命运的深刻关注。1839～1843 年在柏林大学学习，师事库格勒教授学习艺术史，通过对绘画和建筑艺术的研究注意到意大利文艺复兴。同时又师

事兰克教授学习历史。后在巴塞尔大学获博士学位,编辑过《巴塞尔报》。1855 年离开巴塞尔到苏黎世联邦工艺学院教授艺术史,1858 年返回巴塞尔大学专讲艺术史。其讲课范围包括从古希腊到法国革命的整个欧洲文化史。《君士坦丁大帝时代》(1853)一书肯定了基督教的兴起和过渡到中世纪的文化发展。1855 年的《向导》一书全面研究了意大利艺术。1860 年出版的《文艺复兴时期的意大利文化》一书是其声誉卓著的主要著作。该书分析了当时的生活情况、政治气候以及显要人物的思想。1867 年的《意大利文艺复兴史》一书是其专门研究建筑风格的著作。逝世后,友人为他编辑出版了 4 部未及完成的有关希腊文化的著作,其中 1905 年版的《世界史观》和 1929 年版的《历史片断》两书,概述了其历史哲学思想。

Burckhardt, Johann Ludwig　布尔克哈特　(1784-11-24,瑞士洛桑～1817-10-15,开罗)　瑞士旅行家。近代考察皮特拉古城并到达阿布辛拜勒(现在的阿布松布尔)埃及大寺庙的

瑞士国立图书馆供图

第一个欧洲人。1806 年赴英国,在伦敦和剑桥大学学习。1809 年访问叙利亚,学习阿拉伯语。后去撒哈拉沙漠以南地区旅行。1812 年在今约旦境内的皮特拉发现重要考古遗址。当他溯尼罗河旅行时,在阿布辛拜勒发现庄严的大石寺。著有《努比亚游记》(1819)、《叙利亚和圣地游记》(1822)和《阿拉伯半岛游记》(1829)。

Burdekin River　伯德金河　在澳大利亚昆士兰州东部沿岸。源出于距太平洋 45 英里(72 千米)的锡维尤岭西坡。先向东南,后转北流,在阿普斯塔特湾注入太平洋。全长 440 英里,流域面积 50 400 平方英里。上游流域以养牛为主。下游灌区以种植甘蔗为主。主要支流为萨托河、斯塔河及鲍恩河。

Burdett, Sir Francis, 5th Baronet　伯德特　(1770-01-25,英国威尔特郡～1844-01-23,伦敦)　英国政治家,热心而又大胆鼓吹改革,不止一次因发表激进言论而遭监禁。因与富家女子结婚,1796 年购得下院席位。他受法国大革命思潮的影响,谴责英国的对法战争,反对废止人身保护法。1806 年因在选举问题上与他人发生争执而失去下院议席,但翌年又被威斯敏斯特区选入议会。1810 年他反对下院监禁另一位激进分子而作的演说在激进刊物《每周纪事》上发表,他因而被监禁。1820 年因谴责政府在曼彻斯特矿区的大屠杀(彼得卢惨案)而被科以巨额罚金并再度入狱。他失去了改革热情,后来在下院靠拢保守党。

Burdett-Coutts, Angela Georgina Burdett-Coutts, Baroness　伯德特-库茨女男爵　(1814-04-21,伦敦～1906-12-30,伦敦)　原名 Angela Georgina Burdett。英国女慈善家。在狄更斯的影响下,她将所继承的一大笔财产花费在为穷人办教育并建造住房方面。她父亲是激进政治家弗朗西斯·伯德特爵士,她是父母最小的女儿。1837 年她继承了外公银行家托马斯·库茨的遗产,故取外公之姓与父亲之姓合为复姓形式。除社会福利活动外,她还创办教堂和教会学校,并且向开普敦、阿德莱德(1847)和不列颠哥伦比亚(1857)的主教管区赠款。1871 年以她个人的善行义举而受旌表,被封为女贵族。她因婚姻之故被迫放弃很多财产,使慈善事业的开展受到限制,但她的乐善好施永远不会被忘记。她死后葬在威斯敏斯特教堂。

Burdigalian Stage　布尔迪加尔阶　中新统的(自下而上)6 个阶中的第 2 个,代表布尔迪加尔期(2 180 万年前至 1 660 万年前)沉积的、全世界性分布的所有岩层。它与下伏的阿基坦阶一起构成下中新统。在法国,布尔迪加尔阶为这样一些岩石所代表,特别是为横穿波尔多(古代的布尔迪加拉)地区低地的海侵所产生的贝壳层所代表。这个阶的名字来源于含化石的"波尔多介壳泥灰岩"的法国西南部阿基坦盆地(Aquitaine Basin)。这些化石层发现于莱奥尼昂附近的勒科吉拉,它们被视作这个阶岩层的传统地区。布尔迪加尔阶还没有被国际地层委员会确定的全球性层型剖面与层型点(GSSP)。但是,有孔虫 *Catapsydrax dissimilis*、*C. stainforthi* 以及 *Globigerinatella insueta* 这些化石带被认为能细分这个阶的时代。布尔迪加尔阶上面为兰海阶所覆盖。

Burdur　布尔杜尔　又作 Buldur。土耳其西南部城市,布尔杜尔省省会。位于布尔杜尔湖东岸。12 世纪被塞尔柱土耳其人占领,15 世纪归奥斯曼帝国统治。第二次世界大战后,城区扩大,经济发展,生产纺织品、玫瑰油和铜器等。安塔利亚至阿菲永卡拉希萨尔的公路线经此,并有铁路通至阿菲永卡拉希萨尔和埃斯基谢希尔。城内考古博物馆珍藏附近出土文物。布尔杜尔省地处地中海和安纳托利亚高原中部之间,南部属托罗斯山脉。面积 7 461 平方千米。农产品在灌溉地区有蔬菜、水果和葡萄,旱地有小麦、大麦和马铃薯。人口约 56 095(1990)。

Burdwān　布德万　又称巴达曼(Bardhamān)　印度东北部西孟加拉邦中部城市。跨班加河。交通中心。工业主要有碾米、榨油、针织、刀具和工具制造等。古迹有大君的宫殿和花园、几座穆斯林古墓及 108 座湿婆像。1960 年在大君宫殿和花园中开设布德万大学。市以东为平原,人口密集,多沼泽。西部为西孟加拉邦重要工业区。有丰富的煤、耐火黏土和铁矿资源。达莫德尔河富灌溉和水电之利。主要农产品有稻米、玉米、豆类和油菜籽。人口:市约 244 789(1991)。

bureau　写字台　在美国指五屉柜,在欧洲指一种装有书写用的折叠板的家具。当它合上板时,有一个倾斜的角度;打开时,露出一排文件架和小抽屉,有时里面还有一个小橱。

约 1720～1730 年的英国写字台
美国不列颠百科全书公司供图

最早于 17 世纪初在法国制成,当时不过是一种平面的桌子,桌面下是抽屉,称为平面写字台。路易十四时期使用一种可容纳膝部的写字台:两边各为一摞抽屉,中间是一个单独的抽屉,下面为容纳膝部的空间。在英国,直到查理二世之后才出现写字台。到 1803 年,托马斯·谢拉顿才在《家具辞典》中写道:"写字台一般指普通的书桌,桌面下装有抽屉。"18 世纪初期的一种写字台,在倾斜的作书写用的折叠板下面是一排抽屉,整个桌身由弯脚支撑。这一时期以及在这之前,许多写字台上面装有一个书橱。书橱装有一扇或两扇橱门,有时则配上玻璃。约在 1730 年,在帕拉第奥式建筑的影响下,大的写字台-书橱的中间一个隔间向外凸出,两边的隔间形成翼式。托马斯·奇彭代尔在《绅士与家具木工指南》(1754)一书中,对过于华丽的洛可可式和中国式的写字台-书橱作了图解:上部分的装饰华丽的框架上配有玻璃。有两种写字台是专门放在卧室内使用的。一种是将一个五屉柜摞在另一个五屉柜上,把一个抽屉拉开,把抽屉前板放下,作为书写的桌面;另一种是写字-梳妆台,顶上装有一面镜子。参阅 **secretary**。

bureaucracy　官僚机构　职业官员团体,按金字塔式的等级制度组成,并按非个人的、千篇一律的规章制度办事。该词在社会科学中

并无一般用法上的贬意。其特点最早由德国社会学家 M. 韦伯(1864～1920)有系统地加以说明,其中包括:①机构内部的分工;②职权结构;③各个成员的职位及任务;④规定机构内成员之间关系的各类规则。其最基本的特征之一是高度发展的分工和任务的专门化。它通过对每一职务和办事部门的职责作出精确和详细的规定来实现。按照规定的权限固定原则,分配各办事部门一定数量的任务。官僚机构以对上下级关系作出"合理的"和非个人的规定为其另一特点。在传统的行政体系(封建制和承袭制)中,上下级关系是一种个人关系,权力的合法性基于对传统之神圣不可侵犯性的信仰。而在官僚机构中,权力的合法化则出于对行政法规制定过程之正确性的信仰。官员的忠诚是向着非个人的命令,向着上一级的职务,而不是向着拥有该职务的具体个人。官僚机构招收新成员时,重视个人的正式资历(如文凭、学位),以此判断其胜任职责之能力,并不考虑其家庭背景或政治忠诚。一旦被录用,其职务成为他唯一的或至少是主要的职业。这不是名誉上的或短期的职业;它具有长期性和延续性,是一种"终生的工作"。此外,通常并制订有详细的以年资及成绩作为准则的晋升制度。官员的薪金主要视职位而非工作表现而定。官员不能出售其官职,也不能传给其后代。官员生活中的私人部分与公务部分截然分开。私人财产则与"行政财产"严格加以区分。官僚机构最重要和最具渗透力(在某种程度上影响其他方面)的特点在于其具有基于理性法则的管理制度,即以专业化知识规划和管理整个机构,以获得最高效率。这些是韦伯理想化的官僚机构之主要特点的简要叙述。

德国社会学家 R. 米歇尔斯(1876～1936)为最先有系统地将现代社会日趋官僚化与寡头政治趋势结合起来的理论家之一。他的著名的论点"寡头政治的铁的法则"认为,随着现代组织机构之日益复杂和官僚化,一切权力集中于最上层人士之手,他们按独裁的方式进行统治。事实上,现代机构之日益庞大及其所处理的问题之日益错综复杂,使得机构内的一般成员在技术上无法参与决策。此外,随着由此造成的成员们的越来越冷漠,以及传播工具越来越集中于最上层,该机构领导人的权力地位也就变得更加巩固。该领导人不仅能够操纵舆论及使用传播工具反对任何可能的敌手,而且随着行使他的职权,他获得了专门的知识和政治技巧,成为该机构几乎无法替换的人物。这样,统治者和被统治者的地位结构导致形成一种政治制度,使掌权者得以长久保持其领导地位,而一般成员则与政治程序日益疏远。根据米歇尔斯的学说,这类组织机构的寡头统治者最主要的目标是巩固其个人的权力。而当这一目标与一般成员的一般目标发生冲突时,统治者则牺牲后者而不危及其特权。米歇尔斯认为,组织机构上的寡头统治将导致社会的寡头统治。一旦工会和政党的政治体制不能民主地进行工作,则整个社会的民主体制将从根本上逐渐腐化。由大批寡头机构统治的社会最终将演变成为寡头政权统治。各机构上层人士与其他社会上层人士在保持现状方面有着共同的利益,他们一起组成强有力的集团,决心反对来自人民群众的任何变革要求。另外,自由主义的德国经济学家冯·米泽斯和冯·海克对国家官僚机构的规模及其对经济界日益增长的干预感到不安。在他们看来,政府的"拉平"的趋向,它的永不满足的扩张欲望,将逐渐摧毁自由企业,并破坏民主制的基础。

虽然列宁和其他苏联作家并不承认官僚政治在苏联政体中占有持久而"有机的"位置,但其他马克思主义者认为这正是它的核心和这个政权的本质。他们认为,官僚机构不仅是一个拥有特权的进行压迫的团体,而且成为一个新的剥削阶级,这个阶级以既非社会主义又非资本主义的一种新型的寡头统治为其特点。这种统治正在东、西方迅速蔓延。意大利马克思主义者里齐在其所著《世界的官僚主义化》(1939)一书中认为,苏联的官僚政治造成一个新的统治阶级,这个阶级与过去的资本家一样剥削无产阶级。它与资本主义不同之点仅在于这一新型的统治不是基于生产资料的私有制,而是基于公有制。事实上,在苏联的制度中,生产资料所代表的并不是"社会主义",而是"国家主义"。它们不属于整个集体,而是属于国家和控制国家的官僚们。说到底,正是这些官僚们——在党和国家机构中担任重要职务的技术人员、领导人员和专家们——剥削无产者和窃取劳动剩余价值。里齐称这一新型政权为官僚集体主义。在他看来,这种新型政权并不仅限于苏联,同样的趋势也可在法西斯国家甚至资本主义民主国家的"福利国家"类型中见到。据美国哲学家兼评论家伯纳姆提出的"管理者的革命"的理论,技术进步和巨型的经济及政治官僚机构的出现,剥夺了旧的资产阶级对生产资料的控制。对经济和政治权力的有效控制权转到了企业经理和国家官僚机构的官员手中。

关于官僚机构的缺点,美国社会学家默顿强调指出其为繁文缛节和缺乏效率。如果说,按照韦伯的设想,占支配地位的理性法规及对一切行动的严格约束有助于官员行为的可靠性和预知性,那么这同样会造成官员缺乏灵活性和将方法作为目的。强调服从和严格遵守各种规章制度,促使人们极力加以适应,以致往往舍弃简易的方法,而以满足程序中的法规为其目的。这样,官僚机构就更为注重形式,而不是实质内容。

另有一些理论家提出了冲突论。他们驳斥功效论的观点,力辩各个机构应被视为由敌对的团体所组成,这些团体旨在通过各种策略以促进其互相冲突的利益。美国社会学家多尔顿在其所著《管理者》(1959)一书中,以派系斗争及其为获得更大的权力和从机构内获得更多的报酬而进行无休止斗争的观点,描绘组织结构情况。据法国社会学家克罗齐耶在其著作《官僚政治的现象》(1963)中的分析,社会结构包括许多高度结合的职业团体,这些团体利用法规疏漏之处,从机构内获得更大的权力和更多的报酬。多尔顿与克罗齐耶的论述揭示机构内政治结构的重要性,从而为分析官僚政治开辟了新的前景。

burette 滴定管 又称量管。一种实验室仪器,在化学定量分析中主要用于测量液体或气体的体积。是一根在一端装有一个活栓(旋塞或桶栓)的带有刻度的玻璃管。测量液体的滴定管,旋塞位于底端,放出的液体体积可通过读取放液前、后玻璃管内液面所在处的刻度来精确地确定。测量气体用的量管,旋塞位于顶端,量管的细管部分装入液体,如水、油或水银,细管的底端与液体贮瓶相连接。借排出量管中的液体来收集气体,并根据所排出的液体的体积来测量气体的量。

Burford 伯福德 英格兰牛津行政、历史郡西牛津区的堂区城镇。在科兹沃尔德的温德拉什河滨。早为伯爵领地。1088 年建立集市,成立英格兰最早的商人行会。1621 年建立隐修院(后为长期议会议长 W. 伦梭尔买下;现为英国圣公会女隐修院)。其他古建筑有 1571 年建的拉丁语法学校、14～15 世纪施洗者圣约翰教堂尖塔和 13 世纪圣马利亚教堂等。人口 1 171(1991)。

Burg, Yosef 布尔格(1909-01-31,德国德累斯顿～1999-10-15,耶路撒冷) 又拼 Josef Burg。德国出生的犹太教拉比和以色列政治人物。自第一届以色列议会(1949)起任议员直至 1986 年退休。是任职时间最长的议员。曾在柏林大学学习,1933 年获莱比锡大学哲学博士学位。24 岁任拉比,参加犹太复国主义青年运动,1939 年移居巴勒斯坦,在特拉维夫的中学任教。第二次世界大战后任一个救助大屠杀幸存者组织的主管。1949 年回到以色列,当选新成立的议会议员。1956 年成立温和的全国宗教党;该党后来日益右倾,布尔格因未能坚持温和路线而受到批评。曾在 8 位以色列总理的内阁中担任部长。以力求弥合教会和世俗犹太人之间的分歧而闻名。

burga 布加风 参阅 blizzard 大风雪。

burgage 区内租佃制 英格兰和苏格兰的古代租佃方式,适用于区界内的不动产。在英格兰,使用区界内的土地或不动产时,要向国王或领主交租,交租条件因区而异,一般要从事农业或经济方面的劳务。在苏格兰,土地始终属于国王,租地使用者必须到区卫队中服兵役。

Burgas 布尔加斯 保加利亚东南部港口和城镇,濒临黑海的布尔加斯湾。17 世纪为渔村;1878 年保加利亚解放后,随着索非亚的铁路修通(1890)和港口改建(1904)后,而得

布尔加斯城市海滨
中国大百科全书出版社供图

以发展。它与北方的瓦尔纳并列为保加利亚的主要港口。保加利亚鱼的捕获量也大多产自布尔加斯及其邻近的小港索佐波尔。除海上贸易,还有食品(面粉、糖和鱼)加工、机械工程和炼油;当地还开采铜、褐煤和盐。人口约 193 316(2001)。

burgauté (lacquer ware) **螺钿漆器** 参阅 **laque burgauté** 螺钿漆器工艺。

Burgenland 布尔根兰 奥地利东部州。东与匈牙利接壤,西北邻下奥地利州,西南接施泰尔马克州。面积 3 965 平方千米。1921 年设置。北部为潘诺尼亚盆地区,主要有新锡德尔湖。罗萨林山为北部与中部多山地区的分界。南部为丘陵地,有一些河流流经。从史前起一直有人居住。铁器时代,西南部属于凯尔特人的诺里库姆王国。后为罗马帝国潘诺尼亚省之一部。公元 8 世纪,日耳曼人到此定居,但主权属匈牙利。1529 年起依附哈布斯堡王朝帝国。第一次世界大战后并入奥地利。但 1921 年经公民投票后,匈牙利保留对肖普朗区域的控制。居民多为日耳曼人,有少数克罗地亚人和马扎尔人。人口约 85%信奉天主教。经济以农业为主。由于土地占有极为零散、生活水平低下、就业不充分以及季节性移民等原因,该州多年来人口流失,前往奥地利其他地区、德国和海外。第二次世界大战后工业有所发展,但仍少城镇;仅艾森施塔特人口超过 10 000。土地近 3/5 为可耕地,约 1/3 有森林覆盖。出产谷物、块根作物,有葡萄、水果、蔬菜、烟草、大麻。畜牧业发达。新锡德尔湖岸出产木材和芦苇。莱塔山区产石灰岩和筑路石料。施托普附近产瓷土和黏土。开采锑、褐煤、白垩和蛇纹石矿。工业主要为小工厂,有榨糖、食品加工、纺织、锯木和家具制造等。公路、铁路交通不完善。南北地区之间因被匈牙利领土阻隔不通铁路。人口 277 569(2001)。

Burger, Die 《公民报》 南非开普敦出版的日报,是该国最大的南非荷兰语版报纸,以通常支持南非政府政策而闻名。除星期日外每天上午出版。20 世纪 80 年代初该报平日销售量超过 6.9 万份,周末版约 8.4 万份。

Bürger, Gottfried August 毕尔格(1747-12-31,勃兰登堡哈尔伯施塔德附近莫尔美尔斯温德~1794-06-08,汉诺威格丁根) 德国浪漫主义歌谣文学的奠基人之一;他的文风反映了对于 18 世纪末德国和在欧洲各地兴起的民歌和人民语言所重新表示的兴趣。毕尔格曾在哈雷大学攻读神学。在格丁根大学攻读法律时,同一群格丁根林苑派的狂飚突进诗人首次发生接触,他们从民间歌谣汲取灵感。1773 年,出版稀奇古怪的歌谣《莱诺勒》,这是一个鬼怪的风流韵事,讲一个骑马的鬼,伪装成莱诺勒的已故情人,在一个阴森可怖、电光闪烁的夜晚,带着她骑马穿过一片令人惊恐的景物。它的高潮是揭示骑马者就是死神——一个携带着大镰刀和沙漏钟的骷髅。诗中的叠句,简朴和天真的语言,以及耸人听闻的题材,对于欧洲各地后来浪漫主义的发展具有深远影响。毕尔格的喜怒无常的性格和家境中落,使他根本得不到长久的幸福生活。1789 年,被聘任为格丁根大学的临时教授,又无薪水,使他余生陷于穷愁潦倒的境地。他的十四行诗对后世诗人起过重要作用,而其翻译作品也颇为著名,尤其是翻译英格兰和苏格兰的传统民谣最为脍炙人口。

Burger, Warren E(arl) 伯格(1907-09-17,美国明尼苏达圣保罗~1995-06-25,华盛顿[哥伦比亚特区]) 美国第 15 任最高法院首席大法官(1969~1986)。1931 年在圣保罗(现名威廉·米切尔)法律学院毕业后加入当地一个著名的律师事务所并逐渐积极参与共和党的政治活动。1953 年他被任命为美国助理司法部长,1955 年被艾森豪威尔总统任命为哥伦比亚特区的美国上诉法院法官。他在美国这个第二个最高级的法院任职 13 年(1956~1969)期间所持的一般是保守的态度,这使他被尼克松总统看中而于 1969 年提名他继厄尔·沃伦任最高法院首席大法官。他很快获得批准并于 1969 年 6 月宣誓就职。与某些普遍的预料相反,伯格和他的三位由尼克松任命的大法官同事并没有试图扭转沃伦主持下的最高法院遗留下来的在民权问题和刑法上作出积极的决定的倾向。以伯格为首的最高法院坚持 1966 年的米兰达决定,这个决定要求向被捕的犯罪嫌疑人告知他享有的权利,还坚持用校车接送学生是公立学校废除种族隔离的可行的方法,以及坚持按种族份额向少数民族分配联邦的津贴和合同。在伯格的领导下,最高法院的确削弱了沃伦任期内几个次要的关于保护刑事被告人权利的决定,但几乎没有触动沃伦法院在这个领域或别的领域内的判例的核心。伯格与多数大法官一起投票赞成最高法院 1973 年一个里程碑式的决定("罗诉韦德"案),确认妇女有宪法赋予的堕胎权利。伯格本人在对待有争议的立法问题上采取一种实用主义的和调和的立场。他的意见既不富于思想上的一贯性,也不善于综合地和系统地运用法律原则。他深入到他的行政任务中,致力于改善整个司法系统,包括州的和联邦的法院的效率。他多次建议增加一级上诉法院以减轻最高法院沉重的案件负担,但未能得到重大的支持。

bürgermeister 参阅 **burgomaster** 市镇长官。

Burgers, Thomas François 伯格斯(1834-04-15,开普殖民地赫拉夫-里内特附近~1881-12-09,德兰士瓦里士满) 神学家,德兰士瓦有争议的总统,1877 年允许英国人吞并共和国。获乌得勒支大学神学博士后,1859 年返回开普殖民地,在汉诺威荷兰归正会当牧师。他曾对《圣经》的真实性持有异议,由于离经叛道的观点被开普宗教会议停职(1862)。高级法庭推翻了这一决定,而英国枢密院则支持法庭的裁定(1867)。1871 年 M.W.比勒陀利乌斯总统辞职,那些寻找继承人的德兰士瓦权贵看中了伯格斯的口才和文化水平。他以绝大多数票当选,1872 年 7 月就职。但是为时不久,他那些有关行政、教育和宗教的方案便遭到布尔人的反对。为了推行修筑德兰士瓦至印度洋德拉瓜湾的铁路计划,他于 1875 年去欧洲筹募资金。这时已经民怨沸腾,他回国后与佩迪人酋长塞胡胡奈开展一场灾难性的战争,因为预定的铁路线横穿酋长的地界。英国政府急欲搞南非联邦,即将陷于破产和混乱边缘的德兰士瓦吞并。伯格斯闻风丧胆,略示抗议后便将共和国献给代表英王的托马斯·谢普斯通爵士及其兼并武力 25 名警察。此后隐退。

Burges, William 伯吉斯(1827-12-02,伦敦~1881-04-20,伦敦) 英国仿哥特式著名建筑师兼评论家。早年赴欧洲大陆研究中世纪建筑。1856 年在法国里尔大教堂国际设计竞赛中获一等奖。1859、1862 年先后设计澳大利亚的布里斯班大教堂和科克的爱尔兰圣公会的圣芬巴大教堂。1865 年对加的夫堡进行了修复和扩建。10 年后又对附近的考煦堡做修复工作。他是英国皇家建筑师学会会员、皇家学会准会员。1870 年出版建筑论文集和画集。

Burgess, Anthony 伯吉斯(1917-02-25,英国曼彻斯特~1993-11-25,伦敦) 又称约瑟夫·凯尔。原名约翰·安东尼·伯吉斯·威尔逊。英国小说家、批评家和文学家。他的小说探讨了现代社会的困境,措词谐趣横生,道义上严肃认真,并有一种古怪的暗示。学的是英国文学和英语语音学。1946~1950 年在伯明翰大学校外部任教,1948~1950 年在教育部工作,1950~1954 年在班伯里文法学校任英语教师。1954~1959 年在马来亚和婆罗洲当教育官员时,写有 3 部以马来亚为背景的长篇小说。回国后,成为多产的职业作家。用笔名 A.伯吉斯写了对人口过剩的世界持反乌托邦观点的《不合格的种子》(1962),和《给熊吃的蜂蜜》(1963)。用笔名 J.凯尔写了《孤掌难鸣》(1961)和《恩德比先生的内心》(1963)。《装有发条的橘子》(1962,1971 年摄制成电影)使他被誉为有喜剧和讽刺天才的小说家。小说用伯吉斯发明的青少年的黑话写成,有英国俚语、美国俚语、俄语以及其他原始资料。对于社会企图从心理上感化一个不可救药的狂暴的少年犯并使其自新这一不成功的尝试进行审视。其他长篇小说包括《圣维纳斯之夜》(1964)和《恩德比的外貌》(1968),后者属一系列幽默小说,集中描写了抒情诗人恩德比。许多批评家以为恩德比即伯吉斯本人的替身。后期作品有《人间幽灵》(1980)、《国际新闻的结局》(1983)、《邪恶者的王国》(1985)、《随便什么老铁》(1989)和《德特福德的死者》(1993)。作品的特色是用词富有创造性、学问渊博、对社会讽刺尖锐。虽然他对现代社会的观点是悲观的,但他的小说一般具有喜剧特点。伯吉斯著有 50 多部作品。除了写长、短篇小说,他还以文学批评的著作闻名,其中包括《都来读:为普通读者写的乔伊斯作品导论》(1965)。此外,还撰写电视节目脚本,翻译戏剧作品,并著有莎士比亚、劳伦斯和海明威的传记。还谱写许多乐曲,包括合唱曲和管弦乐曲。

Burgess, Ernest Watson 伯吉斯(1886-05-16,加拿大安大略蒂尔堡~1966-12-27,芝加

哥） 美国社会学家，以其对家庭作为社会单元而进行的研究著称。1908年获俄克拉何马州金菲舍学院文学士学位，1913年获芝加哥大学博士学位。曾任教于托莱多大学、堪萨斯大学及俄亥俄州立大学。自1916年起任教于芝加哥大学，1951年成为该校名誉教授。他对家庭性质问题的研究使他对婚姻稳定情况进行调查，并对婚姻的成败进行预报之可能性进行研究。他提出的理论是，夫妻之间相互适应与配合的质量高低，要视他们处理和对待问题时逐渐形成的态度一致以及他们的社交能力的特点而定。由此他制作出美满婚姻表，作为预报婚姻稳定性的参考。根据研究成果发表的著作甚多，有《婚姻关系成败预报》（与L.科特雷尔合著，1939）及《家庭：从建立到伙伴关系》（与别人合著，1945；1960年再版）等。他后来转入老年问题的研究。1960年主编《西方社会中的老龄化问题》，探讨退休生活的影响并检查政府对老年人的现行安置措施，评价其得失。最重要的著作之一是《社会学导论》（与R.帕克合著，1921；1929年再版），该书指出了社会学的新方向，已成为经典著作。

Burgess, Guy; and Maclean, Donald (Duart) 伯吉斯和麦克莱恩（伯吉斯1911，英国汉普郡德文波特～1963-08-30，莫斯科；麦克莱恩1913-05-25，伦敦～1983-03-11，莫斯科） 均为英国外交官，第二次世界大战期间和冷战初期曾为苏联进行间谍活动。20世纪30年代两人在剑桥大学时，同是生活放荡、行为不检的纨绔子弟。后被苏联特工人员收罗，利用职务之便提供大量情报。伯吉斯是英国广播公司记者，1939～1941年为军情6处成员，1944年入外交部；麦克莱恩1934年入外交部。麦克莱恩的工作具有更大的破坏性，因为作为英国驻华盛顿大使馆一等秘书和后来的档案室主任，他谋得发展原子能联合政策委员会秘书的职位，了解这个领域核心机密；他还向苏联提供有关成立北大西洋公约组织的密件。1950年作为外交部美国司司长，他参与制订英美关于朝鲜战争的政策。1951年伯吉斯任华盛顿大使馆二等秘书时被召回，并由于生活越来越不检点而被迫辞职，1951年5月有人警告他们，英美反情报机构已盯上麦克莱恩，他们遂逃离英国，神秘地失踪了。1956年他们在莫斯科露面，并宣称他们早就信仰共产主义。1963年，他们在剑桥大学和外交部的同伙"金"·菲尔比脱离苏联间谍网，承认1951年是他本人向伯吉斯和麦克莱恩告警。1979年，发觉间谍网中的"第4个人"是他们在剑桥大学的另一名同伙安东尼·布伦特爵士，一位受人尊敬的艺术史家、王室成员，就是他与苏联间谍接触，安排伯吉斯和麦克莱恩逃离英国。

Burgess, Hugh 伯吉斯（约1825，英国伯克郡雷丁～1892-02-23，美国新泽西大西洋城） 发明家，与C.瓦特一起发明了碱法木浆造纸法。对其早年的情况所知很少。1851年他与瓦特发明一种方法，把制浆木材切成小片，在密闭容器中，于高温高压下，在苛性钠溶液中煮沸，然后水洗，需要时漂白。发明者用这种纸浆在赫特福德郡博克斯穆尔的一家工厂制造出白纸；并把《伦敦周报》的部分版面用这种纸印刷，从而证明了它的实用性。当时他们的这项发明在英国几乎没有引起注意。两人移居美国，在费城附近的斯库尔基尔河畔建厂。碱法在1854年取得了美国专利。后来用草、玉米秆、竹、甘蔗实验，证明木材是最好的基本造纸材料。为使人接受他的方法，经过一番努力之后，他和M.L.基恩于1863年在宾夕法尼亚州罗耶斯福德建立了美国木材造纸公司，他本人任该公司经理直到逝世。

Burgesses, House of 移民议会 弗吉尼亚殖民地的代表会议，为英国海外属地中第一个选任的行政实体。它是1619年7月30日驻詹姆斯敦的G.耶德利总督所建立的立法机构的一部分，另一部分包括殖民地领主（弗吉尼亚公司）所任命的总督本人和一个参议会。议会成员最初为22人，由弗吉尼亚的每个移民点选举两个移民（代表）所组成。

Burgh FAMILY 伯格家族 Burgh又拼Bourke，Burgo，Burke。盎格鲁-爱尔兰的著名家族。创始人伯格的威廉出身于英格兰东部的骑士家庭。他和他的后代在12世纪晚期获得康诺特的大部分地区。他的孙子沃尔特获得北爱尔兰。沃尔特的曾孙威廉无男嗣，由亲属继承大片的土地，并采用爱尔兰姓氏。其两大支系分别获得克兰里长德伯爵领地和梅奥子爵领地。

Burgh, Hubert de 伯格（？～1243，英格兰萨里班斯特德） 英王亨利三世（1216～1272在位）的首席政法官，在一次贵族大暴乱后恢复了王权。1197年任约翰国王（1199～1216在位）的侍从，1215年任首席政法官。1215年一些贵族起来反抗约翰时，他为保卫王室打过几次胜仗。1217年（亨利三世即位的次年）平定叛乱。1219年摄政彭布罗克伯爵去世，伯格遂成为政府中举足轻重的人物。1228年他被封为终身首席政法官。亨利于1232年7月将伯格撤职，并以叛国罪名下狱。1234年赦免。

Burgh, Richard de 伯格 参阅 **Ulster, Richard de Burgh, 2nd earl of** 阿尔斯特伯爵（第二）。

Burgh, Ulick de 伯格 参阅 **Clanricarde, Ulick de Burgh, marquess and 5th earl of** 克兰里卡德侯爵和伯爵（第五）。

Burghley, William Cecil, 1st Baron 伯利男爵（第一） 参阅 **Cecil, William** 塞西尔。

Bürgi, Joost 比尔吉（1552-02-28，瑞士利希滕施泰格～1632-01-31，黑森-卡塞尔的卡塞尔） 瑞士数学家，独立于同时代的苏格兰数学家J.纳皮尔发明了对数。1579～1592年是黑森-卡塞尔的威廉公爵的宫廷钟表匠，并在卡塞尔皇家观象台工作，研制了多种几何和天文仪器。约于1603年，到布拉格出任神圣罗马帝国的帝国钟表师，嗣后当德国天文学家J.开普勒的助手。他是发展十进分数和指数记号的主要促成者，但其最著名的贡献是于1620年出版的反对数表。或许他早在1588年就有了对数的概念，但他肯定在到布拉格前已编制了反对数表，这比纳皮尔发表对数表（1614）早10年以上。

Burgkmair, Hans, THE ELDER 布克迈尔（大）（1473，德国奥格斯堡～约1531） 油画家兼木刻家，最早体现意大利文艺复兴影响的德国美术家之一。他是画家之子，1490年在斯特拉斯堡以及1498年在奥格斯堡成为该地的画家行会会员。据说有近700幅木刻，其中包括庆祝马克西米连一世胜利的135幅木刻组画。曾与其子小布克迈尔（约1500～1559）合作一部有52幅插图的《比武书》。他在奥格斯堡为商人J.富格尔的住宅作了一幅杰出的湿壁画，使其成为德国第一座意大利文艺复兴式的豪华住宅。

布克迈尔（大）的木刻自画像《马克西米连皇帝在画家的画室中》（约1515）
美国不列颠百科全书公司供图

burglary 夜入私宅罪 在刑法上，指怀着犯重罪的意图，破门闯入他人住宅的行为。属于盗窃（**theft**）总类中的特定罪行之一。

Burgo FAMILY 参阅 **Burgh Family** 伯格家族。

burgomaster 市镇长官 德语作bürgermeister。德国的镇、市或农村村社的市长或首席行政长官。比利时和荷兰等国亦使用这一名称。德国的大多数市都设一位市长，但是较大的市可设若干位市长，其中包括一位首席市长。市镇长官由选民或市镇议会选举产生，其权力因地而异。市长可以是市议会的主席，或者可以主持一个由市议会选举产生的行政委员会，或者主持市议会，但仅拥有有限的权力。除市职务外，市长还是州的官员。他协助州检察官工作，并可担任州内尚未分配给别的官员做的其他工作。今天市镇长官常常是受过训练的公共行政官员，很像美国的城市经理。

Burgos 布尔戈斯 西班牙中北部卡斯蒂莱-莱昂自治区一省。1833年设制，面积14 309平方千米（包括特雷维尼奥飞地）。省

布尔戈斯市的圣埃斯特班拱门
美国国会图书馆供图

会布尔戈斯。有埃布罗和杜罗两河流经。森林面积12万多公顷，为该国森林面积最大省份之一。开阔的高地区为放牧场。农业主要种植小麦和其他谷类植物。中、南部为该国最大粮仓。杜罗和阿尔兰萨河谷出产酒。经济以农业为主，工业不发达。古代的毛织品、亚麻织品和大麻纤维织品制造业仅残存于小工厂或家庭手工业中。矿产有烟煤、云母、瓷土、盐等。布尔戈斯市西北的阿约伦戈有油田。1971年在卡罗纳建立大型核电站。人口约366 148(1986)。

Burgos　布尔戈斯　西班牙北部卡斯蒂莱-莱昂自治区布尔戈斯省省会。位于阿尔兰松河畔海拔约800米的小山低坡上。884年建立时为阿斯图里亚斯王国东部边境村。后成为卡斯蒂利亚王国都城。1560年其政治地位

布尔戈斯市的大教堂
中国大百科全书出版社供图

被马德里取代。1813年被英军攻占。1936年成为佛朗哥民族主义政府的驻地。该城为总主教辖区，包括莱昂、圣多明各和桑坦德主教辖区。现为农业中心，出产酒、面粉、毛织品、革制品、化肥、巧克力和纸张等。旅游业发达。名胜古迹有哥特式大教堂(1221)和原为卡斯蒂利亚国王夏宫的隐修院等。并建有西班牙首批公共野营场地之一和宽阔的运动中心。人口约166 732(1995)。

Burgos, José　布尔戈斯(1837-02-09，菲律宾维甘～1872-02-17，马尼拉)　菲律宾天主教司铎。马尼拉圣托马斯大学毕业，获哲学博士学位。由于学识丰富、才能出众，他在菲律宾教会中很快步入青云。但是，当他见到一些反动教士拥护西班牙的残暴统治时，就立即感到失望与惊恐。1871年在《致西班牙人民》的公开信中，呼吁进行改革和给菲律宾人以更多的自决权。当马尼拉湾对面的甲米地镇有200名菲律宾士兵和工人哗变时，尽管他与此事毫无关系，西班牙当局却将他逮捕入狱。1872年2月17日，他与另外两名司铎(M.戈梅斯和J.萨莫拉)在马尼拉被当众处死。他的就义唤醒了千千万万的菲律宾人，使他们觉悟到西班牙人的罪恶统治绝对不能容忍，从而掀起一场运动，终于在24年之后把西班牙人从菲律宾赶出去。伟大的改革家和小说家J.黎刹以其杰作《起义者》(1891)奉献给他。

Burgoyne, John　伯戈因(1722，英国贝德福郡萨顿～1792-06-04，伦敦)　英国将军。因在美国独立战争期间的萨拉托加战役(1777)中败给占优势的美军而闻名。他在七年战争

美国不列颠百科全书公司供图

(1756～1763)中战功卓著，1761年当选为下院议员，1768年再度当选。1776年以少将身份被派往加拿大，参与英军对新英格兰的攻击。英军分北(伯戈因的部队)、南、西三路夹击，以切断新英格兰与其他反叛的殖民地的联系，三路军队预定于奥尔巴尼会师。1777年7月6日伯戈因的部队攻陷纽约州的泰孔德罗加要塞，但在抵达哈得孙河后，遭到先后由P.斯凯勒将军和H.盖茨将军统率的军队的狙击，这支军队人数远远超过伯戈因的军队，而且有B.阿诺德准将率兵大力援助，于是战况陷入胶着状态。在弹尽粮绝且得不到另外两路军队支援的情况下，伯戈因不得不于1777年10月17日在萨拉托加温泉以北向盖茨投降。他与部下宣誓获释后，返回英国。1782～1783年任驻爱尔兰司令官。写过几部剧本，以《女继承人》(1786)最成功。

burgrave　世袭城主　在中世纪德意志指被任命治理城堡并拥有伯爵称号的人。后来成为世袭并与一领地相联系。

Burgred　伯格雷德(？～约874或875)　麦西亚国王(852始)。852或853年他请求韦塞克斯的艾特尔伍尔夫帮助他征服北威尔士人。后他与艾特尔伍尔夫之女艾特尔斯威思结婚，双方的同盟得以巩固。868年他吁请艾特尔雷德和阿尔弗烈德给予援助，以抗击已占领诺丁汉的丹麦人。但军队作战不力，874年丹麦人从林赛向雷普顿挺进，将他逐出王国。他退隐并死于罗马。

Burgundian Romanesque style　勃艮第罗马式风格　建筑与雕刻风格(约1075～1125)，出现于法国东部的勃艮第公国，体现了罗马式艺术(Romanesque art)的一些最高成就。勃艮第学派的建筑艺术肇始于克吕尼隐修院大礼拜堂(在该地基上建造的第三座隐修院礼拜堂)，该堂从1088年开始兴修，约1130年

法国韦兹莱圣马德莱娜教堂的勃艮第罗马式风格中堂(约1104)
美国不列颠百科全书公司供图

竣工，为欧洲中世纪期间最大的礼拜堂，表明早期基督教长方形礼拜堂平面构图的极度精美。勃艮第的其他几座克吕尼式大教堂，如韦兹莱(约1104)、帕赖勒莫尼亚勒(约1109)、索略(约1119)、博讷(约1120～1140)和欧坦(约1130～1140)的圣马德莱娜教堂，均以它的图样为蓝本。西班牙圣地亚哥-德孔波斯特拉的几座罗马式朝圣大礼拜堂也都改头换面地采用了它的平面图。克吕尼教堂以及勃艮第其他几座教堂(特别是韦兹莱教堂)显现出一些特点，如比例很高，在筒形拱顶中不用罗马式特有的圆拱而使用尖拱，墩集合成组，拱顶肋和拱扶垛采取最初期的形式，这些特点构成哥特式建筑的若干基本结构因素，但没有哥特式的美感。然而，这些教堂的设计显示对高度的表现力的一定关心，而此点日后则成为哥特式建筑的主要成分。勃艮第学派的雕刻完全是在克吕尼修会的指导下制作的。主要见于柱头和诸教堂西大门山花壁面的高浮雕，乃是艺术史上最精美的雕刻之一。主题是典型的罗马式，如最后审判、启示录以及其他高度抽象的题目。勃艮第雕刻的显著特点是肃穆庄严，通过极度拉长形体并使之棱角毕露、极端的平面化处理、按照教阶规定形体大小比例以及采用无尽的平衣褶的涡旋形线条烘托出来。

Burgundian school　勃艮第乐派　15世纪长期占优势的欧洲音乐乐派。15世纪，有钱有势的公爵们，尤其是善良的菲利普和大胆的查理都是艺术的热情保护者。他们资助大批教堂音乐家，其中有作曲家、歌手和器乐家，如格勒农、维德、班舒瓦、方泰、莫尔通、吉

泽厄姆和比斯努瓦。虽然最杰出的勃艮第作曲家迪费(**Dufay, Guillaume**)似乎从来不是教堂正式成员,但他作为音乐家和牧师曾出人第戎的公爵府邸。尽管迪费把弥撒曲发展成音乐的一个品种,但勃艮第乐派最独特的表现方式是复调法国式歌谣或世俗歌曲。其清晰的音乐结构基于以法国诗歌传统混合形式写成的谣曲、回旋曲和维尔莱节律模式。15世纪初,作曲家们将其注意力从复杂冗长的谣曲转向简洁的回旋曲。这一转变影响了总的倾向,使勃艮第的法国式歌谣向着更简洁自然的方向发展。

Burgundy 勃艮第 法语作 Bourgogne。法国规划区。范围包括法国中部的科多尔、索恩-罗瓦尔、涅夫勒和约讷省,相当于法国大革命前的勃艮第省。首府第戎。面积31 582平方千米。北面与塞纳-马恩、奥布和上马恩省交界,东面与上索恩汝拉和安省交界,南面与罗讷、罗瓦尔和阿列省交界,西面与谢尔和卢瓦雷省交界。

地理 西北部有巴黎盆地延入,南面为中央高原。境内人口稀少。19世纪和20世纪初法国农村人口减少,在勃艮第尤为突出。1872～1946年间,人口几乎减少了1/4。与法国其他山区一样,人口增长率远远低于全国平均水平。人口外流巴黎、罗讷-阿尔卑斯地区和弗朗什孔泰地区,使劳动力减少。乡村人口迁出导致土地合并,因此其农场规模大于全国平均规模。索恩-罗瓦尔省的布雷斯平原人口保持稠密。

科多尔省和约讷省以及罗瓦尔河沿岸地区广泛栽培葡萄。中央高原饲养肉用牛。林业为重要行业。工业集中在索恩-罗瓦尔省和科多尔省。前者的布朗济产煤,使附近克勒佐的重工业得以发展。第戎、马孔和索恩河畔沙隆制造机械设备。这是该地区的主要制造业。

历史 勃艮第人为斯堪的纳维亚民族的一支,原居波罗的海南岸。该地区的博恩霍尔姆岛(欧洲中世纪时称为勃艮达霍尔姆),仍沿用他们的名字。公元1世纪前后迁入维斯图拉河下游山谷。但是,他们在那里无法抵御格庇德人,因此西迁至罗马帝国边界地区,并成为罗马军队的外国辅助队,建立起一个强大的王国。到5世纪初,这个王国的领地已经扩展至莱茵河西岸,以后,又以日内瓦湖附近的萨伏依为中心。

5世纪下半叶,罗马对其西帝国的统治日益衰弱,勃艮第人逐渐将其对该地区的控制扩大到萨瓦北部和西部,后又扩大到整个罗纳河和索恩河流域。这第二个勃艮第王国在立法者和基督教国王冈都巴德(474～516)统治下臻于极盛。冈都巴德颁布了法典《冈都巴德法典》和《勃艮第罗马法典》。这个王国一直独立至534年,后被法兰克人占据,冈都巴德王朝灭亡。

561年,随着法兰克国王克洛塔尔一世去世,法兰克王国被墨洛温王朝的成员瓜分。克洛塔尔的一个儿子贡特拉姆获得勃艮第王国,不仅包括勃艮第人以前所有的土地,而且包括普罗旺斯的阿尔主教管区和阿尔卑斯山以东的奥斯塔河谷,甚至还包括法国中北部的大片土地。直至8世纪初,勃艮第一直是独立的墨洛温王国,此后被查理曼的祖父查理·马特尔征服,并入法兰克的奥斯特拉西亚。

加洛林人将勃艮第分成几部分,以后在879年维埃诺的君主博索自称为从欧坦至地中海的全勃艮第国王。法兰西加洛林人后来从博索手中收复索恩河以西和里昂以北地区,德意志的加洛林人收复汝拉勃艮第或上勃艮第(即汝拉山外勃艮第或汝拉山脉和阿尔卑斯山脉之间地区,加上汝拉山内勃艮第或称弗朗什孔泰)。但是,直到约933年,博索及其继承人一直占有普罗旺斯王国,或称下勃艮第。

888年德意志韦尔夫家族的鲁道夫一世(卒于912年)被承认为包括今瑞士大部分领土的上勃艮第国王。其子及继承人鲁道夫二世在约931年与博索之子瞎子路易的继承人普罗旺斯的于格签订条约,并将其统治扩展到除索恩河以西地区之外的全部勃艮第王国。1032年德意志国王和皇帝康拉德二世继承了上下勃艮第联邦,13世纪改称阿尔勒王国——勃艮第这个名称越来越多地用于指勃艮第伯爵领地(即汝拉山内勃艮第)和勃艮第公爵领地。

勃艮第公爵领地指勃艮第王国索恩河以西地区,由法兰西加洛林人从博索手中收复,并仍为法兰西王国的一部分。博索的弟弟理查德即奥坦伯爵,将更大一部分领土置于他自己的权力之下。921年其子鲁道夫继承爵位,并于923年被选为法兰西国王。936年鲁道夫去世时,加洛林国王路易四世和法兰克公爵(伟大的于格)将桑斯、特鲁瓦及朗格勒(暂时地)从勃艮第分离出来。

这样构成的公爵领地虽然比其10世纪的前身要小,但却更为强大,1361年前一直在卡佩家族手中。对外,卡佩公爵们坚持忠于他们的表兄弟法兰西国王的政策;对内则扩张权力,强迫臣民服从。勃艮第被承认为法兰西王国的第一贵族。

勃艮第公爵领地和汝拉山内勃艮第(勃艮第伯爵领地)在这一时期都很繁荣。城镇兴旺发达,第戎成为重要的贸易城镇。朝圣者成群结队涌向韦兹莱和欧坦。1146年,在欧坦的圣拉扎尔墓附近建起了一座宏伟的教堂。勃艮第的修道院非常出名:克吕尼修道院(建于910年)成为从英格兰到西班牙的一个僧侣团的中心;1098年,锡托(又译西多)修道院建成,随之出现了一个新的宗教团体即西多教团。

1335年两个勃艮第开始合并,1361年合并完成,法兰西国王好人约翰二世将公爵领地并入国王领地,而汝拉山内勃艮第(弗朗什孔泰)归独立的佛兰德伯爵所有,在好人约翰二世统治下,勃艮第伯爵领地的历史开始了一个新时期。1363年,约翰二世之子腓力,即后来的大胆的腓力二世,被授予勃艮第公爵领地。1369年,腓力与伯爵领地的女继承人佛兰德的玛格丽特结婚。1384年腓力的岳父去世,他便继承了弗朗什孔泰,还继承了讷韦尔、雷特尔、阿图瓦和佛兰德。两个勃艮第构成了一个邦国的南方部分。这个邦国的北方部分延伸至尼德兰、默兹河谷和阿登地区。北方还在继续扩张(埃诺,1428;布拉班特,1430;卢森堡,1443),但是,南方越来越失去重要性。1404年,讷韦尔再次被分离出去。然而1390年,住在勃艮第的大胆的腓力二世却买下了南方的沙罗莱。

1404年无畏的约翰继承腓力二世,他致力于同对手奥尔良公爵路易和路易支持者的斗争。1412～1435年间,路易的支持者在阿马尼亚克伯爵领导下劫掠勃艮第南部边界地区。1419年约翰遭暗杀,其子好人腓力三世继续与阿马尼亚克人进行斗争,并在百年战争中支持英国人。《阿拉斯条约》(1435)使勃艮第和法兰西国王查理七世之间实现了和平,并极大地扩展了勃艮第的领地。即使如此,1445年以前,雇佣兵队伍一直在勃艮第进行劫掠,此后直至1467年腓力三世去世,勃艮第公爵领地一直太平无事。

下一位公爵是大胆的查理,他不断与法兰西国王路易十一发生冲突。查理的目的是并吞洛林以便将王国的南北两部分统一起来。他要求神圣罗马帝国封他为勃艮第国王。由于路易十一的坚决反对,查理的这些努力受挫。路易十一发动了几次反对查理的战役,并对勃艮第实行经济封锁。

1348年的鼠疫流行使两个勃艮第遭到破坏。百年战争中又受到雇佣军队的破坏,人口锐减,对15世纪时的生产造成很大压力。有利可图的谷物、酒类和羊毛贸易受到威胁,交易市场也失去了以往的重要性。但是大体来说,在14～15世纪中,两个勃艮第比欧洲其他许多地方要安定得多。

1477年大胆的查理去世后,其继承人勃艮第的玛丽嫁给奥地利哈布斯堡王朝的马克西米连大公(后为神圣罗马帝国皇帝)。这使法国想让她与路易十一之子查理(即法国未来的查理八世)结婚的希望破灭。但是,《阿拉斯条约》(1482)规定,在查理与奥地利的玛丽的女儿玛格丽特订婚时将弗朗什孔泰转归查理。查理解除婚约后,不得不根据1493年的《桑利条约》将该地归还奥地利。

此后185年中,弗朗什孔泰属哈布斯堡王朝所有。根据与法国签订的《圣让-德洛斯内条约》(1522),在哈布斯堡与瓦卢瓦家族的最后一位法国国王的战争中,弗朗什孔泰的中立地位得以保证,其繁荣持续了很长时间,而且由于工业的发展得到加强。这点可从其城镇辉煌的文艺复兴时期的建筑上反映出来。但是,当新教团体从德意志和瑞士进入主要为罗马天主教的伯爵领地之后,宗教改革引起了民间的骚乱。1556年查理五世皇帝分割其领土时,弗朗什孔泰归西班牙的哈布斯堡家族所有。在西班牙腓力二世统治下,新教教徒遭到严厉镇压,法国的亨利四世在与腓力的战争中破坏了弗朗什孔泰的中立。1598～1635年间太平无事,但是由于法国害怕哈布斯堡的包围,所以路易十三企图兼并这块伯爵领地。1636～1639年间,他每年都侵犯和劫掠这个地区。但是,《威斯特伐利亚和约》(1648)进一步确认了哈布斯堡王朝对该地区的控制。

1668年在权力转移战争中,伟大的孔代曾占领弗朗什孔泰,但根据《艾克斯拉沙佩勒和约》(1668-05-02),又归还西班牙。弗朗什孔泰最终在所谓的最后一次荷兰战争中被孔代夺取而归法国所有。1678年《奈梅亨和约》承认法国兼并弗朗什孔泰。路易十四将这个新省的首府移至前帝国城市贝桑松。1790年,弗朗什孔泰也和法国其他地方一样被分解为不同的省份——汝拉、杜省和上索恩省。

大胆的查理去世之后(1477),勃艮第公爵领地被法国王室兼并。16世纪由于宗教战争而遭到破坏。城镇都修筑要塞,雇佣兵在乡间游荡。在三十年战争和伟大的孔代领导的投石党(1648～1653)贵族造反中,这个公爵领地再次遭到破坏。直到1678年法国兼并了弗朗什孔泰以后才恢复和平和稳定。1631～1789年,勃艮第公国由孔代亲王统治。法国大革命后,勃艮第省建制取消,这一地区划分为科多尔、索恩-罗瓦尔和约讷省。人口约1 610 067(1999)。

Burgundy wine　勃艮第葡萄酒　法国中东部勃艮第地区所产的各种葡萄酒的总称。这一地区的葡萄园从沙布利地区开始,包括第戎正南的科特德尼伊、博讷和马孔周围地区,直至里昂正北的博若莱的所有葡萄园。勃艮第是产各种葡萄酒的一个地区,而不是一种类型。其白葡萄酒通常为不甜的酒,红葡萄酒则甘醇浓郁。意大利、西班牙、智利等其他国家和美国加利福尼亚州制作的勃艮第式葡萄酒在不同程度上成功地仿制了勃艮第地区的某些葡萄酒。最好的勃艮第葡萄酒标明以产地命名的产品名。用地区、联社、村庄和个人葡萄园的名字命名受到严格控制。个人葡萄园生产的葡萄酒最好,在他们自己土地上装瓶的酒称作庄园瓶装酒,与波尔多的大面积葡萄种植园瓶装酒齐名。勃艮第的产酒地规模很小。直到20世纪葡萄种植主都愿将所产葡萄酒交给运输者自己去装瓶。

约讷省:这一地区主要生产白葡萄酒。著名的沙布利酒是一种不甜的白葡萄酒,低酒度,有一种淡雅的香味;只有约讷省限定地区产的酒方可以沙布利命名。

科多尔省:这一地区分为两部分,第戎正南的科特德尼伊和再向南的科特博讷。科特德尼伊几乎只生产红葡萄酒。科特博讷生产红葡萄酒和白葡萄酒,包括大部分最好的白勃艮第酒。

索恩-罗瓦尔省:这一地区有一些产量高但不太著名的葡萄园。梅库雷和日夫里产珍贵的红葡萄酒。在马孔周围生产优质白葡萄酒,特别是吕利酒、蒙塔尼酒和普伊-富伊塞酒,后者是一种不甜、有酒香味的烈性白葡萄酒。

罗讷省:味醇可口的博若莱酒很著名。这是用加梅葡萄制作的,在其他地区这种葡萄产量高但质量差。新酿时饮用。

Burhan Budai Shan　布尔汗布达山　中国青海省山脉。在柴达木盆地南侧,为昆仑山的东延山地。西连祁漫塔格山,东与阿尼马卿山(积石山)相接。东西走向,海拔4 000～5 000米,是中国夏季风的西界,也是外流河与内陆河流的分界线。格尔木河发源于山地南坡,切穿山地西段,北流进入柴达木盆地。青藏公路沿此谷地南至昆仑山口,北达柴达木盆地重要交通中心格尔木,格尔木铁路已通达西宁和拉萨。

Burhānpur　布尔汉布　印度中部中央邦西南部城镇。建于公元1399年。1601年被莫卧儿帝国吞并。四周有城墙并有巨大的城门。1636年以前为莫卧儿人在德干地区的军事总部。1803年被英国人占领。1861年让与英国人。古建筑有城堡、宫室遗迹和大清真寺等。早年发展起的薄纱、锦缎和花边生产现仍在小规模进行。为铁路枢纽,也是棉纺织和商业中心。设有索戈尔大学的几所学院。人口约172 809(1991)。

burhead　刺果泽泻　刺果泽泻属(*Echinodorus*)植物。一年生或多年生草本。果圆形,具刚毛,故名。多分布于温暖地区,见于浅塘和沼泽。茎细,高度不足25厘米。叶矛形或卵圆形。心形叶刺果泽泻(*E. cordifolius*)具匍匐茎,叶大,卵形,分布于北美南部。细刺果泽泻(*E. tenellus*)叶矛形,长约5厘米,分布西印度群岛、南美及北美东部和西南部,若干种栽培于水族馆。

刺果泽泻(*Echinodorus grandiflorus*)
美国不列颠百科全书公司供图

burial　安葬　对人类尸体的处理方式。或埋于地下,敷土为墓;或投于水中;或曝露于光天化日之下,任其风吹雨淋;或由鸟兽啄食之。地理、宗教及社会制度均对葬俗有所影响。气候及地形决定是否要把尸体埋于地下,投入水中,焚烧或曝露于大气之中。宗教及社会习俗决定埋葬方式繁简程度。阶级地位会决定是否把尸体置于浅坑简单埋葬或者置于巨大宏伟的地下墓室;是否把尸体投入湖河海洋或以木筏或船舶载运尸体抛于水中;是否把尸体置于户外举火或火葬柴堆之上以焚其皮肉而烧其骨成灰(参阅 **cremation**);是否将尸体放置地上,由鸟兽啄食之或由太阳风雨蚀毁之,还是悬于架上或高塔以进行这种天葬方式。

土葬　在地上挖一浅坑将尸体葬于土中,或以土石掩盖尸体之上,此一风习可上溯至旧石器时代中期。土葬是最普遍的尸体处理方式,也是最古老的处理方式之一,有些动物多用此法。土葬形式多样,繁简不一。有的爱斯基摩人用一堆石块覆盖尸体或如缺少石块时就用一具小型圆顶冰舍安葬死者;古诺尔斯人所筑土石冢墓,有时极其高大。北美洲的巨大古冢是公元前1000年至公元700年之间东部印第安诸文化的一种特征。根据考古发掘,古代乌尔王国(约公元前3000年)的王陵中,王者位于陵的中心一室,其旁为若干侍臣,周围诸室则为仆役、大臣、女伶、车夫、车辆、动物以及其他殉葬人物。迈锡尼曾发现青铜器时代的英雄万人冢。近年在秘鲁巴拉卡所发现的诸墓室,凿石而成,深达5米,能埋葬尸体达400具之多,并有大量器物随葬,以供死者冥府之需。但按一般习俗,墓葬多为单个死者所设。古希伯来人利用天然洞窟,凿其石壁以为内室,用以贮藏尸体,此法促使人们营造陵寝。这类场所最初视为圣地,但后来则视为不洁之地,公元初涂以石灰以资辨认而免误人,此即隐喻"伪君子"(whited sepulchres)的词源。但对此类洞窟墓地很多民族仍视为圣地并予礼拜,在印度西部及斯里兰卡此种石庙数以千计,往往建造精工,饰以雕刻。在埃及,石造神庙有时附有外部露天建筑;最著名的是阿布辛贝尔的神庙,凿石成庙,掘进达55米之多。不论石窟,还是土墓,都带动其他葬俗的出现:使用棺木、寿衣及随葬品。

甚至尸体摆放位置也逐渐获得某种重要意义,这主要出于宗教上的考虑,但也杂有其他原因。尸体多作直肢姿式,置于棺内或棺外,一如睡眠。穆斯林之死者必令右侧朝向圣地麦加;佛教徒则头部北指;古埃及人面西,大概是表示冥府的重要性。但直肢葬并非见于所有民族。古时掩埋的尸体多为屈肢或蹲伏状态,例如:巴比伦和苏美尔人中直肢葬仅限于高贵身份,殉葬奴仆只能屈肢埋葬,一如待命供奉内廷。美洲印第安人死者土葬时踡伏作胎儿状,有时置于筐篮或泥瓮之中,双膝紧接颏下,尸体整齐地以包扎物裹好。若干民族采取立葬,尤以武士为然。

水葬　许多文化均有水与不朽相关联的神话,神话主题往往描写一名成神的英雄,死后乘船离开其人民并许诺将再度返来,因此领袖人物及英雄多行水葬,置于精致葬仪船中随波漂流。古诺尔斯人即使是埋葬尸体时,也要用一种船形棺材,此种葬俗7、8世纪时流行于冰岛到英格兰一带。英格兰萨福克郡萨顿胡所发掘的葬仪船遗迹最为著名,那是在一处单一的土丘中考古家们发掘出的一条木船的遗存,船长26米,可容纳38名水手;此船曾由河中拉曳上岸,经过约1千米之遥,再埋入地下的。水葬在其他文化中一直也很普遍。在南太平洋地区,人们常把尸体置于独木舟中,再将船下水。但水葬并非皆附船只,所罗门群岛的居民常将死者置于礁石上以供鲨鱼吞噬;也有地方将尸体包裹并系以石块后沉至水底。在西藏,贫民、乞丐、麻风病人、婴儿尸体常被投入水中。在某些地方,水葬并不作任何安排;另一些地方,是把尸体系以重物抛入水中;更有若干地区在尸体入水前先予肢解。西方习俗则为在海上死亡者行海葬。近年火葬后骨灰撒入水中之风气渐盛,尤其是在亚洲,此风更盛。在老挝,人们常把骨灰撒入海中。印度实行抛骨仪式,死者停置1年后投入恒河圣水;或亦将尸体抛入其他河中,希望最终流入恒河。

天葬 将尸体弃置于旷野以供鸟兽啄噬或自然风化之俗，为多种民族所奉行。认为此种处置方式，对于灵魂和肉体均最相宜。琐罗亚斯德教徒多行天葬，因为他们认为尸体不洁，无论土葬，抑或火焚，均会使土、火、水等"纯洁元素"遭到污染。此俗自公元前6世纪已盛行。孟买的帕西人（波斯人流亡印度者之后裔）有所谓"寂塔"，为高大的圆形结构，死者被抬至塔顶，由侍者将此结构置于环绕深坑之石台上，以使秃鹫啄噬尸体，数小时后，仅剩骨架，侍者拾骨抛入深坑。有些民族利用树木或平台（即所谓树葬）来实行天葬，例如原始的巴厘人、印度那加人、澳大利亚中部土人及若干北美印第安人如苏族。苏族人通常将尸体盛妆放入鹿皮或水牛皮袋缝合，置于平台上（台高约2.5米），并把各种随葬品及礼品置于其上，期年之后再将尸体取下进行土葬。

二次葬 许多原始文化认为死者自人世通往冥府，中间须历经若干过程，因此往往随尸体之腐烂而有两次殡葬的风习。这种风习的来源是由原始人对死亡的概念不同而产生的。现代人认为死亡是自然现象；许多无文字社会并不这样理解，而认为死亡要涉及一段缓慢的变化，在尸体腐烂过程中有时待若生人，须供饮食，留置家中，由家属陪侍。印尼人则对尸体之分解抱有神秘感，把腐尸流出之血水收集之后仔细处理，有时还以稻米与血水混合，然后食用。某些文化则在两次殡葬之间把尸体制为木乃伊，或暂行土葬，或曝于空旷地方，最后进行第二次安葬。巴厘岛人认为死者灵魂要经过42天才会完全离家，因此先将尸体干化或掩埋，最后火化。

20世纪的西方葬礼业已相当标准化，遗体置于简单装饰的有布衬里的棺柩内，经追悼仪式及遗体告别后，埋入2米深的土坑内，再以泥土覆盖。19世纪以来，葬礼已多转往公墓（**cemetery**）举行。

burial mound 古冢 覆盖于死者遗体之上的人造土石小丘。在英格兰，对应此词的是barrow，原义为"土丘"；在苏格兰是cairn，义为锥状石堆；在欧洲及其他地区，其对应形式通常是tumulus，与barrow同义。在西欧及英伦三岛，古冢最初出现于新石器时代和青铜器时代早期（公元前4000～公元600）之间。英格兰的墓室，很少是在土丘之下挖掘的，而是围于土丘之内，与地中海地区类似古冢结构不尽相同（参阅 **barrow**）。古冢是日本早期一大显著特征，公元3～6世纪即取名古坟时代（**Tumulus period**）。日本古冢有些颇为巍峨壮观，土丘状如键孔，周围有壕，为皇族及权贵的墓地。最大古坟之一是4世纪仁德天皇的陵寝，位于大阪附近的堺城之郊，墓长486米，高35米。古冢是大约公元前1000～公元700年间北美洲中东部印第安诸文化的特征之一。数量最多、气势最雄伟的古冢在密西西比河及俄亥俄河两河谷之内，为巨型锥状或椭圆形墓丘，周围筑有高大土堤。修筑这类冢墓的早期居民，一度曾被认为是一个不寻常的先民群体，即所谓筑堤人，在文化发展阶段上要比有史时期的印第安诸部落更为先进，然而这些古冢现在都被划为霍普韦尔文化（**Hopewell culture**）和阿登纳文化（**Adena culture**）。在密西西比河上游及大湖区一带，有些晚期的印第安古冢都筑成动物形状和其他外形。参阅 **effigy mound**。

Burian, Emil František 布里昂（1904-06-11，奥匈帝国波希米亚比尔森[今在捷克共和国]～1959-08-09 捷克布拉格） 捷克作家、作曲家、剧作家和戏剧、电影导演。以博采众长的戏剧演出（运用多种艺术形式和技术以取得效果）而闻名国外。学生时代就完成了他6部歌剧中的第一部，即根据梅特林克戏剧而作的《阿拉丁与巴洛米德斯》（1923）。曾在布拉格音乐学院从J.弗尔斯特学习作曲。1927年参加一些标新立异的歌舞表演与音乐小组。在此期间对当代俄国音乐、爵士乐及美国黑人舞蹈节奏产生兴趣。1933年在布拉格开办D34剧院（这一名称随年份而年年改变），因而蜚声世界。该剧院上演当代捷克与欧洲作品，亦演出许多经典剧作的改编本，运用了舞蹈、电影、歌唱、乐器演奏、戏剧表演、幻灯放映、广告牌、唱片、合唱式朗诵及舞台机械等多种表演形式和技术。1941～1945年在纳粹集中营中健康受损，但战后返回布拉格，重新开放D46剧院并将其活动扩大到新闻写作及政治方面，1948年当选国会议员。1951年，D51易名为"军事艺术剧院"，布里昂被任命为上校。1954年被宣布为捷克斯洛伐克国家艺术家。除写有大量歌曲和诗篇及一本小说外，还作有几本关于戏剧理论和音乐的论著。D34为捷克戏剧实践所开创的传统后来在斯沃博达的剧作中得到了体现。

Buriat (people) 参阅 **Buryat** 布里亚特人。

Buriat Republic (Russia) **布里亚特共和国** 参阅 **Buryatiya** 布里亚蒂亚。

Buridan, Jean 比里当（1300，可能法国贝蒂讷～1358） 亚里士多德学派哲学家、逻辑学家和光学与力学方面的科学理论家。曾在巴黎大学随唯名论思想家奥康姆研究哲学，随后被任命为该校哲学教授。1328年及1340年先后任大学校长。1340年还谴责了奥康姆的观点，人们认为这一行动是神学怀疑主义的第一粒种子。其著作受谴责，从1474～1481年被奥康姆派列入《禁书目录》。拥护因果论的比里当提出了一种对传统的道德决定论的修正说法。他宣称，人们必须追求更大之善，但是通过对动机的价值进行更加彻底的探索，意志可以自由推迟理性的判断。在两个显然是相同的事物之间作一种特殊的道德上的选择，往往出现窘境。人们对此常用著名的"比里当的驴子"的讽喻来说明，尽管比里当对亚里士多德《论天》所作注释中提到的动物是狗而非驴。其论述集中于一只狗对摆在它面前的两份同等数量的食物之间进行选择时所用的方法。已知两件事物情况相同，选择机会也相等，他得出结论说，狗一定随意选择，这一结果导致人们研究概率论。比里当力学方面的成就之一是他修正了亚里士多德关于运动的理论（这一理论认为一个物体由于它周围的空气而保持运动状态）。他提出一种原动力理论。根据这一理论，动者把一种与速度和质量成比例的力量传给被动者，使之保持运动。此外，他还正确地推论：空气的阻力累进地减少动力，而重量则可以提高或降低速度。他对光学映像的研究预示了现代影片制作技术的发展。

burin 雕线刀 又称刻刀。一种雕刻工具，具有一金属杆，其头端被斜向下削成或磨成菱形刀尖。雕线刀刀尖的角度决定雕线的宽度和深度。刀杆固定在扁平把手上，可握住

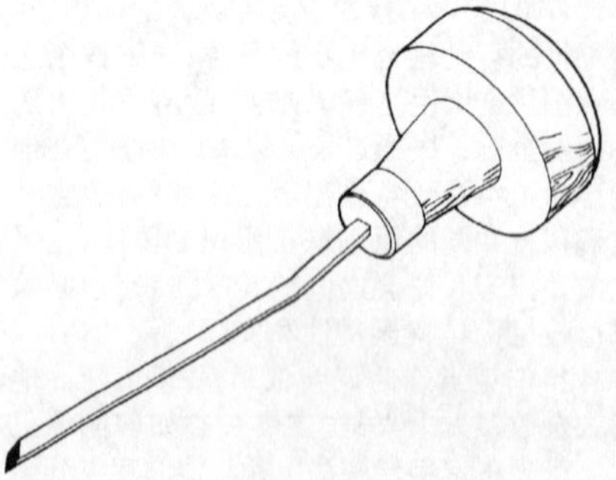

雕线刀

它使刀尖移近被雕物体的表面；把手底部为圆形，较宽，可抵住手掌。刀尖靠拇指和食指操纵。

Buritanika Kokusai Daihyakka-jiten 《不列颠国际大百科事典》 英文名称Britannica International Encyclopædia，是第一部用日文撰写的主要国际性百科全书，共28卷，于1972年6月出版，1975年再版。整套书的组成如下：20卷是详尽的词条，6卷是参考指南（以简明的形式向读者提供必不可少的细节），一卷是综合的总索引，另一卷是《读者指导》，其内容为按主题和选读目录排列的各种书目，以便帮助和指导个别研究。它充分利用《不列颠百科全书》中的资料，并补充了一些日本人特别关心的词条。

Burke FAMILY 参阅 **Burgh Family** 伯格家族。

Burke, Edmund 伯克（1729-01-12？[旧历01-01]，爱尔兰都柏林～1797-07-09，英国白金汉郡比肯斯菲尔德） 英国政治家和政治思想家。律师之子。1744年进入都柏林三一学院，1750年移居伦敦，入中殿律师学院进修。此后一度游历英国和法国。1757年发表

美国不列颠百科全书公司供图

美学论文《关于崇高美和秀丽美概念起源的哲学探讨》。他开始在英国有点名气,在国外受到D.狄德罗、I.康德、G.E.莱辛等人的注意。他创办《纪事年鉴》,1758年编印第1卷。1765年进入下院,给辉格党议会领袖罗金厄姆侯爵当秘书。他努力团结罗金厄姆集团,取得一定成功,该集团后来成为他在议会中运用的工具。伯克积极参加乔治三世时代的宪法争论。在18世纪,英国政治中的关键问题是:究竟是由国王还是由议会控制行政部门?伯克以小册子《关于目前不满情绪的根源》(1770)表达了他的主要意见。他指出:乔治三世的行动违背宪法的精神;国王按个人的意图挑选大臣是任人唯亲,政府主要人选必须由全国人民通过议会来决定。伯克在他的小册子中对政党作出著名的解释:政党是人们根据共同的原则联合组织的团体;它可以成为国王和议会之间的宪政纽带,但必须以行政机构具有连贯性和实际力量为条件。1774年伯克当选为议会议员,任期6年。他对议会改革无大兴趣,主要关心如何削弱王权。管理王室年俸的法案是与他的意见分不开的。关于美洲殖民地问题,伯克在议会发表两篇著名的演说:《论美洲的赋税》(1774),《论与殖民地的和解》(1775),以及一封《关于美洲事务写给布里斯托尔郡长们的信》(1777)。他指出,英国的政策是轻率的和前后矛盾的。当时,爱尔兰在信奉新教的拥有大量土地的盎格鲁-爱尔兰人的支配之下,广大农村贫困不堪。伯克始终关怀如何减轻爱尔兰的沉重负担,极力主张英国放宽对爱尔兰的经济控制和允许爱尔兰在立法上的独立。关于印度问题,伯克反对英国政府干涉东印度公司的事务,认为这是对特许权的侵犯。他曾起草1783年东印度法案,法案被否决后,他迁怒于孟加拉总督W.黑斯廷斯,使其受到弹劾。1789年法国大革命爆发后,伯克怀有敌意,发表《关于法国革命的感想》(1790)。他论述法国大革命的实际进程和革命领导者的策略,着重分析了大革命的人权思想。伯克生前一直反对法国大革命,要求对法国的新政权发动战争。他不但引起英国许多人士的批判,就连他的同党福克斯也与他决裂。1794年对黑斯廷斯的弹劾宣告结束,伯克退出议会。晚年继续写作,坚决反对承认法国政府。伯克虽然发表过不少著作,但是从来没有系统地表述过他的基本思想,只是在讨论具体问题时作一些阐述而已。他认为参加政治必须永远反对谋求私利,只允许追求同整体利益相一致的合理的自身利益。伯克不希望实现法国革命所提出的自由和平等,而是主张调和社会生活中的多种组成部分。

Burke, James 伯克(1809-12-08,英国伦敦圣贾尔斯~1845-01-08,伦敦) 别名the Deaf Un。英国不戴手套的拳击运动员,1833~1839年为英国重量级冠军。自幼听力受损,在泰晤士河上当水手。1828年开始职业拳击,1833年在冠军赛中击败S.伯恩,伯恩严重受伤,3天后死亡。伯克被捕,后无罪释放,并以此赛获重量级冠军,但前冠军J.沃德拒绝交出金腰带。此后伯克在英国参加表演赛,并到美国参加巡回赛。1839年返回英国,接受本迪戈挑战,在第10回合被击败。1843年退役,教授拳击。两年后患肺结核病故。1966年入选《拳坛》杂志拳击名人堂。

Burke, Kenneth (Duva) 伯克(1897-05-05,美国宾夕法尼亚匹兹堡~1993-11-19,新泽西安多弗) 美国文学批评家。以心理分析闻名。他从心理学角度分析知识的性质,视文学为"象征的行动",即作家用这一象征的手段表演自己心灵的冲突和紧张状态。伯克曾短期在俄亥俄州立大学(哥伦布,1916~1917)和哥伦比亚大学(纽约市,1917~1918)学习,但未取得学位。他写过一些诗、一部长篇小说和一些短篇小说,并将许多德国作家的作品翻译成英文。他负责过《日晷》(1927~1929)杂志和《民族报》(1934~1936)的音乐评论。此后,他转向文学评论,并在芝加哥大学(1938;1949~1950)作过这个题目的演讲。从1943至1961年,他在本宁顿大学学院(佛蒙特)讲课,并在美国各地其他学校担任客座教授和作演讲。伯克作为文学批评家,主要目标是运用社会学、心理学以及人类学的概念,将人类所有的知识和经验合并成一种可资使用的系统。他的作品有:《抗辩书》(1931;1968年修订版);《文学形式的哲学》(1941;1974年第3版);《恒久与变动:目的的剖析》(1935;1959年修订版);《对历史的态度》(2卷,1937;1959年修订版);《动机的文法学》(1945);《动机的修辞学》(1950);《作为象征的行动的语言》(1966)。由于伯克的观点在变化,所以他不断地修订自己先前的著作。他的批评思想被认为是复杂的和难以捉摸的,而且由于他试图将科学和哲学概念同他对文学和语义学的观点结合起来而变得更加难懂。伯克影响了许多评论家以及诗人和小说家,特别是他对语言的观点。

Burke, Robert O'Hara 伯克(1820或1821-05-06?,爱尔兰戈尔韦郡圣克莱拉~1861-06-28?,澳大利亚) 澳大利亚探险家,率探险队首次从南向北穿越澳大利亚。1860年8月从墨尔本出发,队员共18人。原计划沿途建立

美国不列颠百科全书公司供图

基地,挺进队为供应队开道。行至中途,他急于求成,决定只带副队长W.J.威尔斯以及C.格雷和J.金继续前进。1861年2月到达澳大利亚北部,但是无法穿过他们与卡奔塔利亚湾之间的沼泽丛林地带。在回程中,格雷体力不支死去。伯克返抵巴库河营地后,发现营地已荒废。后队人员奉命在营地停留3个月,在等待了4个多月后,就在伯克、威尔斯和金抵达的那天早晨离去。在标明的地点留有够他们到达最近城镇所用的食品,但伯克和金贸然决定前往南海岸的阿德莱德。两天后,伯克也精疲力竭而死。金回到营地,发现威尔斯也已死,最后只有他一人被搜索队救出。墨尔本市竖有纪念伯克和金的雕像。威尔斯随身的日记中有关于这次探险的记载。

Burke, Solomon 伯克(1936,美国宾夕法尼亚费城~) 美国歌手,20世纪60年代初成功地将美国黑人教堂的福音音乐和节奏与布鲁斯结合起来,引领了爵士灵歌时代的到来。伯克家有自己的教堂,他到12岁时既是一位传教士,又是一个福音广播节目的主持人。1955年开始推出唱片,但直到1961年才凭借一首节奏与布鲁斯乡村民谣《无法得到》一炮走红。其唱片大多数在纽约市创作,融合了福音歌曲的演唱技巧——呼喊感叹词、告诫词、装饰音和高音品。他成为大西洋唱片公司最早被称为灵魂艺人的节奏与布鲁斯歌手之一,成功之作有《对我哭泣》(1962)、《如果你需要我》(1963)、《再见宝贝》(1964)、《把你赶出我心田》(1965)《今宵不可错过》(1965)。60年代中期以后继续推出唱片,但不如以前成功。但80、90年代仍深受欢迎,积极参与布鲁斯音乐节和巡回演出。2001年入选摇滚乐名人堂。

Burke, Ulick de 伯格 参阅**Clanricarde, Ulick de Burgh, Marquess and 5th Earl of 克兰里卡德侯爵和伯爵(第五)**。

Burke, William; and Hare, William 伯克和黑尔(伯克1792,爱尔兰奥雷里~1829-01-28,苏格兰爱丁堡;黑尔生于爱尔兰伦敦德里,活动时期19世纪20年代) 英国杀人图利的两名凶手。黑尔从爱尔兰移居苏格兰后,干过几种职业,后在爱丁堡坦纳街罗格公寓做管理员。1827年另一名爱尔兰人W.伯克也到该地。11月29日公寓内一领取养老金的老人死亡,两人未将其尸体埋葬,而以7英镑10先令卖给外科医师R.诺克斯。后连续数月引诱了至少15名路过的人投宿,将他们灌醉、闷死(为了不留下犯罪痕迹),然后将尸体卖给诺克斯的学校供解剖用。1828年10月31日他们谋害一名当地妇女时事发。黑尔揭发同案犯罪行后获释,从此销声匿迹。伯克以杀人罪受审后被处绞刑。伯克在供词中为诺克斯开脱,证明对此毫无所知,但诺克斯经过若干年后才不受公众及新闻对他的谴责。

Burke's Peerage 《伯克氏系谱》 大不列颠和爱尔兰的贵族系谱。该书最早于1826年由约翰·伯克在伦敦刊行,是目前仍在出版并能提供全部世系的两部贵族系谱之一。内容除新颁或修订的纹章外,还有王室、王族世系、王室授权证书持有者和圣职人员(主教、大主教)的传记、骑士名录、位次一览表及废除的称号等;另有论及英格兰贵族世系、爱尔兰贵族和上议院的起源、继承权未定和为世

袭贵族辩护的专文。

Burkhardt, Georg　布克哈特　参阅 Spalatin, Georg 斯帕拉丁。

Burkina Faso　布基纳法索　别名布基纳。旧称上沃尔特共和国。西非内陆国家，位于撒哈拉（沙漠）以南。西和北与马里交界，南与科特迪瓦、加纳和多哥接壤，东与贝宁和尼日尔为邻。首都瓦加杜古。面积274 400平方千米。人口约11 946 000（2000）。

土地　全境为有砖红壤岩层覆盖的广阔高原。西部有砂岩高原，其边缘为邦福拉陡崖，陡升至海拔约150米。北部和东北部有岩丘隆起在连绵的沙地上。高原向南徐缓倾斜，被境内主要河流黑、白、红沃尔特河河谷穿切；北部有主要支流苏鲁河汇入；诸河向南流入加纳而汇聚成沃尔特河。

气候一般干热而多日照。北部半干旱，有3～5个月无规律的降雨；向南渐为热带干湿气候。年降雨量分布不均，北部在250毫米以下，南部为1 000毫米。11月中旬至2月中旬为干爽季节；2月中旬至6月为热季，气温高达40 ℃（背荫处）；6～9月为雨季。北部地区在雨季主要成为热带稀树草原草地，在哈麦丹风（东北酷热风）期，则成为半沙漠区。北部有多刺灌丛，南部有森林散布。野生动物有水牛、羚羊、狮子、河马、大象、各种猿猴和鳄鱼。传播昏睡病的舌蝇和传播河盲症（蟠尾丝虫病）的蚋蝇繁殖甚广，因而减少了沃尔特诸河沿岸的可居住地区。可耕地仅约占土地总面积的1/8，牧场约占1/3。

人民　境内有两个主要种族集团，分别使用沃尔特诸语言和曼德语系语言。莫西人（约占总人口的一半）使用的莫瑞语（沃尔特语的一个分支）为使用人口最多的语言，迪尤拉语为商业语言。法语为官方语言。传统宗教信徒和穆斯林各约占总人口的2/5，基督徒（其中主要为天主教徒）约占1/8。

农村人口占90%以上。该国人口十分年轻，15岁以下人口几乎占一半。人口出生率按世界标准偏高，但仅相当于非洲地区的平均水平，死亡率无论是按世界标准还是按非洲标准都偏高。年人口增长率稍低于非洲平均水平。

经济　布基纳法索实行的是发展中的混合型经济，主要以农业为基础。连续不断的严重干旱和资源不足造成经济发展停滞。就业机会不能与人口同步增长，每年有大批人口移居科特迪瓦和加纳。人均国民生产总值属世界最低之列。

农业几乎占国内生产总值的一半，占用90%的劳动力。生产的粮食作物大部分用作口粮，剩余部分作为商品粮销售。政府大力投资以增加原棉（几乎占国家出口收入的一半）、糖和花生的出口，但由于水源缺少和土壤贫瘠，发展受到限制。主要粮食作物有高粱、粟、玉米、水稻、木薯和甘薯。畜牧业只占出口收入的一小部分，主要饲养牛、绵羊和山羊。

工业仅约占国内生产总值的1/7，占用极小部分劳动力。制造业以农业加工为主，但发展十分缓慢。普拉开采含金石英矿。电力生产几乎完全依靠进口石油。服务业约占国内生产总值的2/5，雇用约5%的劳动力。

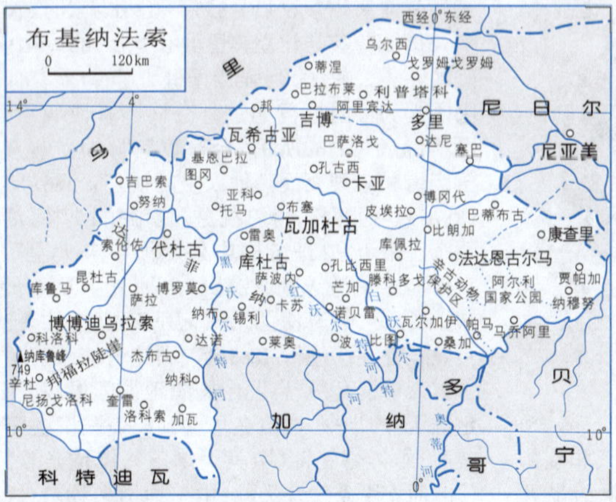

美国不列颠百科全书公司供图

国内交通不发达，道路改建几乎完全依靠欧洲开发基金资助。

外贸连年存在巨额逆差。牲畜和农作物出口往往因遭旱灾而受到严重打击，而粮食、消费品、机械设备和燃料的进口量仍然很大。法国是主要贸易伙伴。海外移民的汇款使局面稍有缓和，但仍需大量依靠外援以保持收支平衡。

政体与社会状况　该国获得独立后主要由军人政府统治。1991年军人统治者通过新宪法，建立一院制立法机构国民议会；议员由直接选举产生。总统也由直接选举产生，任期7年，并任命总理。

医疗卫生条件较差，儿童普遍营养不良。许多人患蟠尾丝蚋虫病、麻风病、脑膜炎、沙眼、血吸虫病。医生很少，许多病人几乎根本得不到医疗。婴儿死亡率极高，但正在下降。平均预期寿命男性仅48岁，女性51岁。

官方实行义务教育制，但小学学龄儿童入学率仅约占1/3，属非洲大陆最低之列。唯一的高等学府是瓦加杜古大学（1969年创办）。新闻媒体受到政府严格控制。

历史　今布基纳法索最早的居民为博博人、洛比人和古龙西人。公元14世纪左右，莫西人和古尔马人在今布基纳法索中部和东部定居；莫西人的亚滕加和瓦加杜古王国到20世纪初期尚尤存在。1895和1897年亚滕加和古尔马地区先后成为法国保护地，博博人和洛比人的土地也被兼并，但装备有毒箭的洛比人直到1903年才被征服。法国将该国划分为若干行政区，但各族酋长仍保有其传统地位。1947年建成上沃尔特，为法兰西联邦的海外领地。

1957年上沃尔特议会获权选举领地政府行政委员会，1958年成为法兰西共同体内的自治共和国。1960年获得独立，并制定出新宪法。M.亚梅奥果为首任总统，1966年被S.拉米札纳中校（后为总统）发动的军事政变推翻，1970年通过新宪法。1976年拉米札纳终于解散军政府，并组成文官占多数的新内阁。1977年通过新宪法，1978年举行多党自由选举，并恢复议会民主政治。拉米札纳再次当选，但1980年在S.泽博上校发动的一场不流血政变中被推翻。1982年另一次政变又推翻了泽博的军政府，成立拯救人民临时委员会。1983年8月T.桑卡拉上尉（当年初任总理）发动政变成功，建立全国革命委员会，自任主席。1984年桑卡拉政府改国名为布基纳法索。1987年10月，孔波雷上尉发动政变后将桑卡拉这位受欢迎、有朝气的领袖处死。1991年由孔波雷倡议制订新宪法，恢复多党统治，并为全民投票选举总统和立法机构作准备。孔波雷在1991年底总统选举中获胜；在1992年立法选举中，他领导的党击败分裂的政治反对派而获胜。进入21世纪后，孔波雷继续执政，不过其政权时常受到反对。政治经济发展的不利，以及一位著名记者的可疑身亡（该记者曾指责孔波雷政府执政不力），造成20世纪90年代到21世纪初整个国家的社会动荡和政局不稳。

Burkitt's lymphoma　伯基特氏淋巴瘤　又作 Burkitt lymphoma。一种非霍奇金氏淋巴瘤。在热带非洲和新几内亚岛上3～16岁儿童间多发。在这些地区伯基特氏淋巴瘤常同爱泼斯坦-巴尔二氏病毒密切相关。它也见于（但极少见）世界其他地区，但与爱泼斯坦-巴尔二氏病毒无关。好发部位在男孩是颌骨，在女孩是卵巢。限局性肿瘤对化学疗法及放射疗法均反应良好。但侵犯中枢神经系统时，约80%的患者在两年内死亡。

Burle Marx, Roberto　布尔莱马克斯（1909-08-04，巴西圣保罗～1994-06-04，里约热内卢附近）　巴西园林建筑师。他那些超凡绝俗的花园，与许多重要的现代建筑物配合在一

美国不列颠百科全书公司供图

起，对巴西的观赏环境做出了巨大贡献。1928年赴德国学习美术，因对花木特感兴趣，到达勒姆植物园进行研究。巴西植物给他留下特别深刻的印象。1930年回国后，入里约热内卢的国立美术学院学习绘画。他设计的第一座花园是供L.科斯塔正在营造的一所住宅使用，后来，科斯塔是里约热内卢的教育和卫生部大楼(1937～1943)的建筑师之一。布尔莱马克斯为这座大楼设计了屋顶和地面花园，专用巴西的植物。随后受委托设计许多重要的花园，最著名的是里约热内卢附近蒙特罗府的花园，他把远山景色显著地与花园结合为一个整体。他设计了1958年布鲁塞尔国际博览会巴西馆的花园。1959年开始设计委内瑞拉首都加拉加斯的埃斯特公园。1962年为沿里约热内卢水域大片填海造田制定总体规划。曾为巴黎的联合国教科文组织大楼(1963)、巴西利亚的美国大使馆(1967、1972)、巴西利亚的伊朗大使馆(1971)和里约热内卢的国际机场(1978)设计庭园。他还是一位活跃的画家，珠宝、织物和舞台布景的设计师。

Burleigh, Harry Thacker　伯利(1866-12-02，美国宾夕法尼亚伊利～1949-09-12，康涅狄格斯坦福)　美国男中音歌唱家和作曲家，以改编黑人灵歌著名。曾在纽约市国立音乐学院师从A.德沃夏克，并通过他的歌唱而使老师熟悉美国黑人歌曲。在纽约市圣乔治教堂(1894～1946)和伊曼纽尔神庙(1900～1925)担任独唱。作有200余首歌曲。因《河水深深》等改编曲而闻名遐迩。

Burleigh, William Cecil, 1st Baron　伯利男爵(第一)　参阅 **Cecil, William, 1st Baron Burghley** 塞西尔。

burlesque　诙谐作品　文学上依靠主题及其处理之间的极度不协调而对严肃的文学或艺术形式所作的喜剧性的模仿。在诙谐作品中，严肃的东西被轻松地处理，而委琐无意义的东西却被严肃认真地对待。真正的情绪被感伤化，而无足轻重的情绪却被视为高尚情操。诙谐作品与讽刺性模仿有密切关系。诙谐体有悠久的历史，古希腊早期就有荷马的一篇不具名的作品《蛙鼠之战》和阿里斯托芬(公元前5～前4世纪)的喜剧。14世纪乔叟的"托波斯爵士的故事"讽刺了冗长的中世纪骑士故事；L.浦尔契的长诗《摩尔干提》讽刺了查理大帝的故事和整个以骑士制度为主题的作品。15世纪意大利的诙谐作品先于塞万提斯的《堂吉诃德》对骑士制度这种垂死的缺少常情的贵族观念进行了攻击，但后者在篇幅和严肃性上均超过了诙谐作品。在路易十四时期的法国，诙谐作品曾被"现代派"和"古典派"用于互相攻讦。P.斯卡龙的《乔装打扮的维吉尔》(1648～1653)是许多最著名的诙谐作品之一。英国的诙谐作品主要是戏剧。著名的例外是S.勃特勒控诉清教徒伪善的讽刺诗《休第勃拉斯》(1663～1678)，德莱顿和蒲柏的模拟英雄体的讽刺偶句，以及斯威夫特和菲尔丁的诙谐散文。到19世纪末，诙谐作品在英国已顺应民意让位于音乐喜剧，而在美国则几乎完全与杂耍等滑稽表演等同起来。

burlesque show　低级歌舞表演　一种舞台文娱节目，发展于美国。完全为男性顾客设计，表演内容包括粗鲁的滑稽短剧、下流笑话、合唱节目以及"大胆"或"激发情欲"的裸体独舞。1868年由英国莉迪亚·汤普森合唱团歌舞女演员带入美国，19世纪的演出仿效当时流行的黑脸歌唱团的演出形式。20世纪初，两次全国性的巡回演出和在纽约的固定演出都非常兴旺。许多著名喜剧演员都出身于这种剧团。后来增加脱衣舞，造就了一

L.汤普森和她的剧团在查灵克罗斯剧院演出《蓝胡子》

美国不列颠百科全书公司供图

批像科里奥那样的明星。当局的审查和整顿政策以及新出现的电影的竞争，使低级歌舞表演逐渐衰退。到60年代早期，低级歌舞表演的场所已所剩无几。70年代，当裸体男女舞蹈演员出现在酒吧间时，美国的低级歌舞表演就此告终。

Burlin, Natalie Curtis　伯林(1875-04-26，美国纽约州纽约～1921-10-23，法国巴黎)　婚前名Natalie Curtis。美国民族音乐学家。对美国印第安人音乐和美国黑人音乐的兴趣使她不仅记录下这些音乐，而且积极提倡。曾在美国国家音乐学院学习，并到柏林、巴黎、波恩和拜罗伊特学习钢琴。1900年访问亚利桑那时被当地印第安人的风俗和传说，尤其是音乐所打动。她寻访了祖尼人、霍皮人等印第安部落，利用留声机和纸笔记录下他们的歌曲、诗歌和民间故事。经她请求，T.罗斯福总统取消了演奏印第安音乐的禁令，而且她的热情使印第安人允许她参加他们的仪式。1905年发表了《古代美洲之歌》，其中包括3首印第安人磨玉米的歌曲，然而她在这一领域的最重要的著作则是《印第安人的书》(1907)，书中的知识和音乐取自18个印第安部落，成为学者研究这一课题的重要资料。1911年帮助D.曼内斯在纽约市成立有色人种音乐学校。1914年3月协助筹备在卡内基音乐厅举办的第一届美国黑人音乐会。1917年7月与画家P.伯林结婚。1918～1919年出版4卷系列丛书《黑人民歌》，将黑人民歌原原本本地记录下来，具有极高的音乐价值。《黑色大陆上的歌曲和故事》(1920)转录了两名汉普顿的黑人学生的录音。1921在巴黎遇车祸身亡。

Burlingame, Anson　蒲安臣(1820-11-14，美国纽约新柏林～1870-02-23，俄罗斯圣彼得堡)　美国外交官、驻中国清政府公使。毕业于哈佛大学法学院。初为律师，1853年任美

美国国会图书馆供图

国马萨诸塞州参议员，1855～1861年为众议院议员。曾参与建立美国共和党。1861年任美国驻华公使，为列强诸国驻北京的外交使团团长。任内推行通过外交谈判解决纠纷，而不诉诸武力的所谓"合作政策"，颇受恭亲王奕䜣和总理衙门其他大臣的信任。1867年(同治六年)卸任，得总税务司赫德的支持，清政府任命为"办理各国中外交涉事务大臣"。次年偕海关道志刚、礼部郎中孙家谷及随员30人组成"中国使团"，代表清政府出访美、英、法、普、俄等国。1868年7月违背清政府关于重大事情必须"咨明中国总理衙门候议，再定准否"的训令，擅自在华盛顿与美国国务卿威廉·西华德签订《中美天津条约续增条款》(即《蒲安臣条约》，又称《中美续增条约》)，规定了最惠国条款，而不排除禁止华人加入美籍的禁令。该条约还规定"两国侨民不得因宗教信仰的不同而受到歧视"。这一规定为清政府承担镇压中国人民反洋教斗争的义务，以扩大美国在华传教。后在俄国圣彼得堡病故。

Burlington　伯灵顿　加拿大安大略省东南部城市。属霍尔顿自治区。在安大略湖西端，隔伯灵顿湾与哈密尔顿相望。约1810年有人定居。1950年前为游览地和果树种植中心。1950年后随多伦多都市区的扩展而发展起来。现为湖滨居民点。生产金属管材、毛刷和化工品等。1958年建成长近6.5千米的收费桥，即伯灵顿湾高架公路，通哈密尔顿。1873年建村，1914年建镇，1974年设市。人口129 575(1991)。

Burlington　伯灵顿　美国艾奥瓦州东南部城市，得梅因县县城(1838)，在达文波特西南偏南126千米，为密西西比河港口。1833年设殖民点。1836年设市。1856年通铁路后成为繁忙的铁路运输中心。早期伐木业经济为制造业取代，主要生产军需品、汽车部件和烤制食品。1997年开办游轮赌场。设有东南社区学院。每年6月举行"伯灵顿汽船日"和迪克西兰爵士音乐节。西郊有乔德州立公园。人口约26 839(2000)。

Burlington　伯灵顿　美国新泽西州西部伯灵顿县城市。濒特拉华河，与布里斯托尔隔河相对。1677年建居民点。1681年为西泽西

殖民地的主要居民点。1733 年设市。1702～1790 年间曾与珀斯安博伊交替为西泽西和东泽西的首府。1776 年在此召开地方代表大会并通过了州宪法。建港(1788)和修建铁路(1834)后,成为贸易及航运中心,并建立了多种工业(纺织、食品、化学药品、电器、电脑及金属产品)。人口约 9 736(2000)。

Burlington 伯灵顿 美国北卡罗来纳州中北部阿拉曼斯县城市。1855 年建铁路工厂。1866 年设镇。1893 年设市。1896 年铁路工厂迁往斯潘塞时,形成经济危机,但小型制造业工厂的设立带来复兴。现经济以纺织为基础,并有电子设备、塑料、机械及化学制品等业。附近有阿拉芒斯战场州立公园及埃隆学院(1889)。人口约 44 917(2000)。

Burlington 伯灵顿 美国佛蒙特州城市,奇坦登县县城(1787)。在尚普兰湖边的山坡上,西邻阿迪朗达克山,东为格林山脉。为该州最大城市和进口港,与南伯灵顿、威努斯基镇以及埃塞克斯章克欣村构成都会区。1773 年始建,有锯木厂和造船厂。为军事要地。1865 年设市。今以落日胜景著名。有飞机、兵器、计算机部件、商业机器、建筑钢材、混凝土制品、高温金属线、烘箱、家具和槭树糖浆等工厂。设有佛蒙特大学(1791)、尚普兰初级学院(1878)及三一学院(1925)。谢尔本博物馆(1947)位于南郊,占地 18 公顷,展出美国早期生活图景。有独立战争英雄 E.艾伦的故居和坟墓。上帝一位论派教堂(1816)藏有一口爱国者 P.里维尔铸造的钟。人口:市约 38 889;伯灵顿都会统计区 169 391(2000)。

Burlington, Richard Boyle, 3rd Earl of 伯林顿伯爵(第三)(1694-04-25,英国伦敦～1753-12-03,伦敦) 英国建筑师,18 世纪新帕拉弟奥式风格的创始人之一。1717 年开始学习建筑,悉心研究 I.琼斯和 A.帕拉弟奥的作品。1719 年从意大利维琴察回到伦敦,从事建筑业务。他提倡恢复帕拉弟奥和琼斯所阐述的古典主义设计原则,并组织收集他们的建筑图纸。这批收藏品非常丰富,现存于伦敦英国皇家建筑师学会。他的设计多数都是从这些图纸中发展出来的。伯林顿在 1721 年已成为英国知名建筑师,他设计的奇西克(现伦敦豪恩斯洛区)别墅是英国最具影响的新帕拉弟奥式建筑。约克郡带有埃及厅的议会堂(1731～1732)被认为是其最佳作品。

Burlington Northern Santa Fe Corporation 伯灵顿北方圣菲公司 美国铁路公司,1995 年伯灵顿北方公司收购圣菲太平洋公司时合并而组成。后一铁路公司在历史上曾以*艾奇逊-托皮卡-圣菲铁路公司*(**Atchison, Topeka and Santa Fe Railway Company**)的名义经营过。伯灵顿北方公司系 1970 年由*大北铁路公司*(**Great Northern Railway Company**)、*北太平洋铁路公司*(**Northern Pacific Railway Company**)和*芝加哥-伯灵顿-昆西铁路公司*(**Chicago, Burlington and Quincy Railroad Company**)合并而成。1980 年圣路易斯-旧金山铁路公司与伯灵顿北方公司合并。这一合并使伯灵顿北方公司的铁路系统成为美国最大的铁路系统,铁路从芝加哥向南延伸至墨西哥湾、向西延伸至太平洋西北岸。伯灵顿北方公司收购圣菲太平洋公司后,又增添了美国中部偏南和西南部的铁道里程。伯灵顿北方圣菲公司的总部设在得克萨斯州沃思堡。

Burma 参阅 **Myanmar** *缅甸*。

Burma Road 缅甸公路 又称滇缅公路。连接缅甸东部腊戌和中国云南省昆明的公路,全程 1 154 千米。1939 年建成。此后 3 年缅甸公路是从国外通往中国内地的重要供应线,作战物资海运到仰光,然后经铁路输送到腊戌。1942 年 4 月,日军征服缅甸并占领腊戌,切断供应物资的来源。1944 年同盟国军队进入缅甸北部,从印度莱多开始修建供应公路,最后与缅甸公路连接。这条公路又称莱多或*史迪威公路*(**Stilwell Road**),1945 年 1 月通车。第二次世界大战后,由于缅甸孤立主义的增长,缅甸公路的重要性减小,但仍是仰光至中国重庆总长 3 400 千米的公路系统的一部分。

曼德勒附近的缅甸公路
美国不列颠百科全书公司供图

Burmese 缅甸猫 家猫的一个品种,可能原产亚洲。体结实,头小而圆,眼裂大,眼圆,黄色或金色。毛短,美观,有光泽,幼时呈牛奶巧克力色,长大后转变为光泽的黑棕色。身体下侧面毛色较浅。耳、面、腿、尾部毛色较深。尾尖稍细,直或弯曲。

Burmese language 缅甸语 又作 Myanmar。缅甸官方语言,为缅甸的民族语,也是该国操其他语言的居民的第二语言。缅甸语和与之关系密切的罗罗语方言,以及缅甸和其邻国境内的克钦语和库基语均属汉藏语系藏缅语族。现代标准缅甸语与古缅甸语已有很大差别,其变化较之绝大多数方言更大。现存缅甸语最早文献可以追溯到 11 世纪中叶,用一种源于印度和斯里兰卡的巴利文字母书写。有这些文献的古缅甸语不像与之有谱系关系的古代藏语那么保守。

Burmese literature 缅甸文学 指以缅甸语写成的作品。最古老的形式为石刻铭文;迄今尚存的最早样本可溯至 1113 年。在随后的 250 年间,500 多篇样式相似但风格多有发展的题献铭文被雕刻在石头上。从 14 世纪到 19 世纪,通过把富有想象力的文学作品用铁笔写在棕榈叶上或用石笔写在书写纸和折叠纸上代代相传。作者为佛教僧侣、寺院培训的朝臣及少数宫廷女诗人。这种文学最显著的特点是佛教徒的虔诚和典雅的宫廷语言。印刷术传入下缅甸导致缅甸文学走向的变化。从 1875 年起,在英国人的统治之下,印刷业主开始出版舞台剧本一类的流行作品。1904 年首批缅文长篇小说问世。1920 年仰光大学的创立给予缅甸文学注入了新的活力。1948 年缅甸联邦的成立激发了人们对民族文化的兴趣,缅甸语开始取代英语,成为官方语言和教学语言。

burn 烧伤 接触火焰、炽热物件、某些化学物质、辐射(阳光、X 射线或放射物质放出的电离辐射)或电力所造成的身体损伤。接触火焰、热水、蒸汽、腐蚀性物质或电力造成的后果很快就显示出来。但阳光或紫外线烧伤的后果要几小时之后才能充分显现,而电离辐射的后果甚至要隔 10～30 天之后。烧伤的严重性大部分决定于受破坏组织的深度以及体表受伤的面积。其他因素,包括病人的年龄、既往的健康状态、烧伤的部位以及同时受伤部分的严重性等,也可影响烧伤的康复。为理解烧伤深度和广度对严重性的影响,应对皮肤的解剖和生理有所认识。人类皮肤分为两层:外层称表皮,内层称真皮。作为身体最大的器官,皮肤还有一系列重要功能。它的首要功能是将身体内部同外界环境隔开。表皮的外面是死的角质化的细胞,可以防止感染性微生物和其他有害环境因子进入体内。真皮则大不相同,它由富含纤维的结缔组织组成,可防止体液的蒸发丢失。真皮内还有汗腺,向外开口于皮肤表面。它们分泌汗液,汗液的蒸发有助调节体温。汗液中还含有少量氯化钠、胆固醇、铝及尿素等;因此它还起调节体液组成的作用。真皮中还含有皮肤内的全部血管和神经,其中包括感受触、压、热、冷及疼痛等刺激的感觉神经末梢。所以皮肤还是一个感觉器官,使人能适应多变的环境情况。皮肤最后还有合成维生素 D 的功能,后者为身体,特别是骨头的生长和维持所必需。阳光作用于真皮内的某些胆固醇化合物可形成维生素 D。广泛而深层的皮肤烧伤可以破坏这一切功能,使伤者出现严重并发症。

医生传统上根据皮肤损坏的深度将烧伤分为一度、二度和三度。一度烧伤只伤及表皮。出现发红和疼痛;但无水疱,伤处组织的水肿(因液体潴留而造成的肿胀)也极轻微。一度烧伤的典型事例如中度的晒伤。

二度烧伤造成的损害则包括整个表皮层及一部分真皮。其特征是发红和水疱。烧伤越深,水疱越常见,而且在伤后几小时内逐渐增大。和一度的一样,二度烧伤也可极痛。并发症的出现以及愈合的期限视真皮受损的情况而定。若无感染,则在 10～14 天内大多数浅表的二度烧伤可愈合而不出现并发症和瘢痕。

三度烧伤,或称全厚烧伤,则破坏了整层皮肤。伤面呈皮革样,色可为棕、黑褐、黑、白或红色。无痛,因痛觉感受器已随真皮全被破坏。血管、汗腺、皮脂腺和毛囊也全被破坏。伴随这些损坏发生的体液丢失和代谢紊乱也很严重。

偶尔可出现深于全皮层的烧伤,如身体的一部分陷于火中而未能及时脱身。电烧伤也常是深部烧伤。这些深部烧伤常波及皮下组织,有时甚至进入肌肉、筋膜和骨头。这类烧伤属于四度,也称为黑色(这是此类烧伤的典型颜色)烧伤。四度烧伤预后严重,特别是如受伤面积不是很小时。深部烧伤中的毒性物质可释入血流。如果四度烧伤只涉及身体的一小部分,就应切除烧伤部分直至健康组织。如果一个肢体受到四度烧伤,则必须截肢。

外科医生测量烧伤面积时按它占全身皮肤面积的百分比来计算。每个臂和头、颈的皮肤各占全身的9%。每个腿各占18%,躯干的前后也各占18%。受伤皮肤的比例影响生存率。大部分有70%的皮肤经受二度烧伤的人都可生存下来,但很少有人能有50%的皮肤经受三度烧伤而还能活下来。如果烧伤面积低至20%,则大部分伤者都能救活,不过老人和小儿可能连15%的烧伤面积都经受不了。

严重烧伤可立即导致神经性休克。伤者面色苍白,神情迷惘、焦虑或因痛而表现惊恐,可晕厥。但几小时之后发生的继发性休克更为危险。其主要特征为血压骤降导致四肢苍白厥冷,最终可致衰竭。这种继发性休克是因循环系统中体液丢失造成;液体不仅流入受伤组织,而且液体还经缺乏皮肤保护的表面向外界丢失。

烧伤致死不仅仅是因破坏组织,而且还因液体和盐分的丧失。如果循环中血量丢失超过1/5,回心血量就不足以维持血压。而盐分的丢失,特别是钠和钾的丢失,不仅要影响它们在体内的平衡,而且还会改变血和体液的渗透压。这些生理改变的意义在1905年人们就理解了,但直到30年代医生才能利用输血或输血浆的方法来矫正这些情况。

对烧伤的治疗当然要看伤势的严重程度。一般说,一度烧伤可以靠适当的急救措施得到充分治疗。二度烧伤,如果在成人超过体表面积的15%或在儿童超过10%或烧到面部或手足,则应立即得到医疗处理。而一切三度烧伤,不论面积大小,也应如此。

急救 发生一度或小面积的二度烧伤之后,最好的急救方法就是将伤面迅速浸泡于冷自来水中。这可以立即终止烧伤过程并将伤处的热能排出。伤面然后再用软性肥皂和水清洗,轻轻吸干。清洁后,如果伤面不大并且常加清洗就可以任其暴露。如果伤面大,则应使用大块干燥无菌敷料包覆其外以减轻疼痛和减少对外的暴露。家备药物如黄油或石油膏不应使用,因为它们可将热能截留在伤处而加重损伤。防腐药或其他刺激物质也应避免敷用;一个很好的经验之法就是不要用任何你怕往自己眼睛里放的东西。

三度烧伤是真正的急症,伤者应尽快得到专业治疗。这种伤口不要浸泡,冷水会加重三度烧伤所有的循环休克。伤口应用大块无菌敷料或新洗的床单包敷。粘在伤口上的衣服不要去掉,也不要使用油膏、药膏、喷洒药物等等。烧伤的腿脚应抬高,手受烧伤时也要抬高在心脏水平之上。应密切观察伤者的呼吸;如呼吸停止,应进行人工呼吸。

门诊治疗 大部分至医院急诊的烧伤患者都转至烧伤门诊处理。和急诊处理一样,小伤口如常加清洗可予暴露;较大伤口则用大块干燥敷料包敷。去敷料前先用温水浸湿可减轻疼痛,或根本就使用不黏附的敷料例如用温和乳剂浸渍过的纱布。

住院治疗 一切严重烧伤的病人都应住院。治疗烧伤病的第一件事就是要保证呼吸道的通畅。烧伤伴有烟雾吸入损伤极为常见,特别是伤者是在一间密闭的房间或建筑中被烧时。甚至在开阔地区受伤的人也可能被烟雾损伤。上身或面部被烧伤的病人以及咳出带炭素物质或烟尘的病人,受烟雾损伤的风险最大。如果吸入性损伤可能存在,就应由麻醉师或外科医生经病人的口或鼻向气管内放置一个管子。可通过这种气管内插管供应高浓度的氧气并可使用呼吸机。

第二件事就是要治疗并发的烧伤休克。这需要在静脉内放置管道以便输液;还要放入特殊的管道以监控急救的进度。膀胱中也要放入导尿管以测量尿输出量,这是指示液体补充情况的一个指标。大多数烧伤中心在头24小时之内都是用平衡盐溶液(林格氏溶液)静脉内输注;这可补偿进入伤口和自伤口丢失到体外的液体。通常不需要输血,因为大多数烧伤病例中失血极少而发生溶血的血液不足10%。不过溶血可造成严重的继发性损伤,特别是对于肾脏;严重时甚至可造成肾功能衰竭。迅速恢复体液和使用甘露醇等利尿剂可减少此种危险。还要仔细问取病历并应用破伤风类毒素。

在一开始处理通气问题和纠正烧伤休克之后就必须决定下一步对病人的处置。如果是在一个烧伤中心,病人通常要放在一个特制浴缸中,用温和皂液清洗,随后包敷伤处。磺胺的衍生物(特别是磺胺米隆)以及其他抗生素用于预防烧伤感染及细菌播散至血液和组织(脓毒症)现已取得极大成功。

随即又有其他问题要求烧伤医生必须解决。病人的液体平衡要随时监测和调节,营养要维持,疼痛要加以控制,而烧伤本身还要处理。在部分烧伤或深二度烧伤病人,疼痛最成为问题,而且时常的换敷料和物理疗法也要加重疼痛。此外,疼痛还加剧儿茶酚胺的释放,这又会增加患者的营养需要和热能消耗。烧伤中心采取了一些新的措施来止痛,包括静脉给吗啡、更换敷料时使用不全麻醉,以及清创时使用全身麻醉。

营养可成为极令人头痛的问题,因为热量需要常大于病人一般的进食量。因此在治疗严重烧伤时常通过静脉或胃管额外供食。在治疗危重烧伤病人方面的一个重大进展就是静脉高营养疗法,这是通过深置在大中央静脉的导管提供完全营养。

处理烧伤病变的目的是预防感染、防止进一步的损伤和尽速封闭伤口。对于伤口有三种主要治疗方法:暴露、封闭包敷和一期切除。

对于容易暴露的部位如面部应予暴露治疗。伤面经清洁后令其干燥。二度烧伤形成的痂皮在2～3周后脱落,下面露出的皮肤很少结疤。三度烧伤不会形成痂皮,因为上面有一层死的皮肤,即焦痂。这时暴露的目的是为了软化焦痂并将其去除。暴露可使焦痂干燥。待干燥以后,上面覆以生理盐水浸泡的纱布进行软化并加速它和下面组织的自然分离。暴露疗法的好处是病人不会被大量敷料弄得动不了。这种方法对于烧伤面积少于体表20%的烧伤特别适用。主要的缺点是伤口得不到无菌敷料的保护,难以抵御感染。此外,在暴露治疗中,疼痛及体热散失加重。暴露治疗通常合并使用抗菌乳膏。

封闭包敷通常也合并局部使用抗菌药物,它更常用于治疗大面积烧伤。抗菌油膏或乳膏可直接敷于患者体上或敷于纱布上。封闭的敷料提供一个无菌屏障可防止空气传播的感染;敷料还可减少体热散失及疼痛。但另一方面,敷料不仅要能封闭还要能吸收,因此体积要大,也必然要限制活动;再者,敷料要8小时更换一次,以避免细菌在覆盖创面的温暖潮湿环境下孳生。上面曾指出,这种频繁更换敷料增加了疼痛及对麻醉药的需要。

在上述两种伤面处理方式中,常将伤者浸泡在一特制水缸中,这可将剩余的敷料及乳膏洗掉,而松动的组织也可清除。鼓励伤者活动,以减少瘢痕的形成和因关节挛缩而造成畸形残疾(瘢痕、肌肉及肌腱的永久性收缩)。

一期切除——在受伤后24～48小时内手术切除坏死组织——用于治疗三度烧伤以便尽早进行植皮。死皮肤切除后,医生的主要目标就是用自体皮尽快将伤面覆盖——即用患者未受伤部分的皮肤。常常在可利用的皮肤和需要之间存在差距。这个差距的解决可利用取自尸体的异体皮肤来覆盖切除或清创的伤面,也可用异种皮肤(猪皮)或抗生素溶液或特制塑料敷料来处理伤面。不过后面这些方法只是暂时的,要覆盖三度烧伤最后还需要自体移植。大多数自体移植是用中厚皮片(包括表皮及部分真皮的薄层皮片),是用植皮刀取自未烧伤皮肤。移植时,面、颈和关节周围是首选部位。所植皮要常换敷料和观察,以确保皮已植好。

并发症 局部抗菌剂的使用已减少烧伤后感染的发病率,但感染仍是烧伤的最严重并发症之一。烧伤外科医生常取伤面分泌物以及其他分泌液作培养,借以检查有无感染。早期查出和及时使用抗生素或清创术控制感染可减轻后果。急性胃肠道溃疡是另一种常见烧伤并发症;溃疡常表现为胃或十二指肠黏膜上小而局限性的病损。这些溃疡可用内腔镜查出再用抗酸药及减少酸分泌的药物治疗。

烧伤后抽搐发作是儿童特有的并发症。可因电解质不平衡、血氧过低、感染或药物引起。有1/3的病例病因不清。烧伤后高血压也主要为儿童所有,可能同儿茶酚胺及其他应激激素的释放有关。

深层真皮烧伤和皮肤移植的一个常见并发症是形成瘢痕组织的纤维包块,称瘢痕疙瘩。这种并发症特别常见于棕色皮肤的种族。这种发红的炎性组织,其生物机能很活跃;其供血很丰富,能迅速制造胶原蛋白,胶原蛋白是主要的愈创蛋白，也是瘢痕的主要成分。直接压迫发炎组织可减少其供血和胶原蛋白含量，从而减少瘢痕疙瘩的形成。这种压力可通过夹板、袖套、袜套、紧身衣套等来提供。在特殊情况下可能还需要骨牵引。

呼吸道并发症是烧伤病人的主要死因。可能致死的呼吸道并发症包括：吸入性损伤，昏迷病人吸入液体，细菌性肺炎，肺水肿，肺动脉阻塞，以及创伤后肺功能衰竭。直接吸入性损伤特别常见，而且它还可导致其他呼吸道并发症。直接吸入性损伤有三个基本类型：吸入干热及烟尘，一氧化碳中毒以及烟雾吸入。

任何可能遭受吸入性损伤的人都应接受支气管镜检查。检查可看出呼吸道损伤的程度，可帮助规划治疗方案。为了提供所需的呼吸道治疗，常需要经常的专人护理。大多数情况下要放置一个气管镜并将病人置于呼吸机中。呼吸机用恒定的压力通气可保持肺处于膨胀状态；这有助于防止肺不张。呼吸机还可用于使塌陷的肺复张。此外，通过呼吸机还可供应各种浓度的氧气和水汽。吸入烟雾的病人要吸入高浓度富含湿度的氧。一氧化碳中毒者则应吸 100%的氧直到血中的碳氧血红蛋白降至 20%以下。

康复 大面积烧伤最常见的后果就是影响躯体功能和外观美容的瘢痕。这常需要附加的整形外科手术（常在最初植皮之后多年）以解除关节处的挛缩和改善外观。现实地讲，手术结果永远也不会有受伤前那样好。大多数烧伤瘢痕很不好看，虽然病人只是很现实地希望有所改进，但完全复原通常是不可能的。

烧伤瘢痕需要特殊照顾。病人应避免阳光照射到瘢痕上。常暴露于阳光的部位如手和面部的瘢痕应该用屏蔽紫外线的药物来保护。因为三度烧伤可破坏汗腺、皮脂腺和毛囊，因此可能需要在瘢痕上施用羊毛脂或其他润滑性乳膏或洗剂，以防止局部干裂并减少搔痒。

许多严重烧伤患者要接受多年痛苦的物理疗法，因为他们要经常锻炼以恢复受伤关节的活动功能。在心理上适应烧伤造成的毁容更是个大事，而许多病人要接受不断的咨询才能面对这容貌上的改变和躯体上的残疾。但在同情体贴的家人、朋友以及专业人员的帮助下，甚至重伤员也可作到成功适应并重新开始有益的生活。

Burnaby 伯纳比 加拿大不列颠哥伦比亚省西南部自治区，在温哥华东郊，位于巴拉德湾与弗雷泽河北湾之间，东北与东南分别和穆迪港与新威斯敏斯特接壤。19 世纪后期与温哥华同时发展。若干铁路干线和公路穿过此地，为来自艾伯塔的油、气管道的西端，是本省一个重要的工、商业中心。有重要的卡车运输业、货栈、石油分运设施和森林工业。还有钢铁构件、电子、电气和运输装备等工业部门。市内有西蒙·弗雷泽大学（1963）。1892 年设建制。人口 193 954（2001）。

Burne-Jones, Sir Edward Coley, 1st Baronet 伯恩-琼斯（1833-08-28，英国伯明翰～1898-06-17，伦敦富勒姆） 英国 19 世纪后期画家和工艺设计家，其绘画仿中世纪浪漫主义作品，明显地体现了拉斐尔前派后期的风格。作为复兴“美术-工艺设计”思想的先驱，他对

美国国会图书馆供图

20 世纪工业设计产生了广泛的影响和推动作用。伯恩-琼斯曾在牛津大学埃克塞特学院就读，1856 年与画家 D.G.罗赛蒂的结识成为其一生的转折点。不久定居伦敦，在罗赛蒂的指导下工作。从《考费杜阿王和乞丐女》（1884）和《墨林和尼莫》（1858 ～ 1859）中可以看到，其作品在风格上受罗赛蒂的影响，但其独特的梦的境界，充满浪漫主义的神秘情绪，则是受意大利 15 世纪画家 F.利比和 S.波提切利的忧郁和脆弱的人物形象的启发。早期成功之作是 1877 年展出的油画《创世》、《墨林的诱惑》（1872 ～ 1877）和《维纳斯的镜子》（1867 ～ 1877）。1894 年获从男爵爵位。伯恩-琼斯身后的影响，在装饰设计（特别是基督教堂彩色玻璃画设计）方面远大于绘画。他设计过金属、瓷砖和石膏等各种浮雕，设计过钢琴和风琴的装饰，还设计过挂毯的图案。他为几本小说作过插图，还为 1896 年出版的乔叟著作创作过 87 幅素描插图。

Burnes, Sir Alexander 伯恩斯（1805-05-16，苏格兰福弗尔希尔蒙特罗斯～1841-11-02，阿富汗喀布尔） 英国探险家、外交家，以对今巴基斯坦、阿富汗、土库曼斯坦、乌兹别克斯

美国不列颠百科全书公司供图

坦和伊朗进行探险而闻名。为此，他于 1839 年被封为爵士。1823 ～ 1829 年在西北印度的卡奇邦任军官，对阿富汗和中亚的地理产生兴趣。1831 年从信德（巴基斯坦）溯印度河而上，沿路进行勘察，最后到达旁遮普的拉合尔城。次年开始旅行，穿过阿富汗、兴都库什山、土耳其斯坦，到达布哈拉城。他在波斯到达过麦什德、德黑兰、布什尔。1833 年返回伦敦。他得到过许多荣誉，其中包括英王威廉四世的亲自接见。1834 年出版《中亚地图集》和《布哈拉旅行记》。1836 年，他衔政治使命赴喀布尔，敦促英属印度政府支持多斯特·穆罕默德汗，但政府却支持不得人心的沙阿·苏查。伯恩斯不得不帮助他恢复王位。伯恩斯在以后的冲突中被刺身亡。

burnet 地榆 蔷薇科地榆属（*Sanguisorba* 或 *Poterium*）多年生草本植物。已知约 35 种，适应能力强，全部产于北温带，栽培不广泛。花小，无花瓣，聚生成头状或穗状花序。叶互生，羽状复叶，干叶可制茶。有些种，如小地榆（*S. minor*）的叶可做沙拉或法式香辛蔬菜。

Burnet, Sir (Frank) Macfarlane 伯内特（1899-09-03，澳大利亚特拉拉尔根～1985-08-31，墨尔本） 澳大利亚医师、病毒学家。由于发现对组织移植的获得性免疫耐受性，与 P.梅达沃共获 1960 年诺贝尔生理学或医学奖。1923 年获墨尔本大学医学学位，1926 ～ 1927 年在伦敦利斯特预防医学研究所从事研究。1928 年任皇家墨尔本医院沃尔特和伊莱札·霍尔医学研究所助理所长，1944 ～ 1965 年任所长及墨尔本大学实验医学教授。1951 年被封为爵士。他研究过人类器官移植，发现用噬菌体鉴定细菌的方法，发明了在活的鸡胚中培养病毒的方法（该法现已成为标准的实验室操作法），深入了解了流感病毒的感染途径，并提高了对多发性黏液瘤病、墨累河谷热及 Q 热等疾病的疗效。曾分离出 Q 热的病原体——伯内特氏立克次氏体（*Rickettsia burneti*，即伯内特氏科克斯氏体［*Coxiella burneti*］）。著有《病毒与人》（1953）、《动物病毒学原理》（1955）及《获得性免疫的无性细胞株选择理论》（1959）等。

Burnett, Charles 伯内特（1944-04-13，美国密西西比维克斯堡～ ） 美国电影制片人。对美国黑人家庭的描绘真实而亲切，深受好评。虽受到评论界的推崇，但很少取得商业上的成功。1990 年他拍摄的《杀羊人》（1977）入选美国国会图书馆的国家电影登记簿。该片是他在加利福尼亚大学学习时拍摄，1973 年完成，但直到 1977 年才公映。影片由洛杉矶一个贫穷黑人家庭的生活片段汇集而成，1980 年获古根海姆研究基金奖。1983 年开始拍摄第二部故事片《我兄弟的婚礼》。1988 年获麦克阿瑟奖，使他有资金拍摄《带怒而眠》（1990）。该片描述一个美国黑人家庭过去和现在为生活挣扎的故事，使伯内特首次在商业上取得微小成功。《特警雄心》讲述一个黑人警察与一个种族歧视的警察局合作的故事，使伯内特第一次得到较大的商

业收入。后来转向电视和纪录片，1996年拍摄了受到高度赞扬的故事片《晚上的约翰》，讲述一个美国奴隶自学成才的故事。

Burnett, Chester Arthur 伯内特（1910-06-20，美国密西西比西点～1976-01-10，伊利诺伊海恩斯） 别名霍林的狼（Howlin' Wolf）。美国布鲁斯歌手，作曲家，芝加哥城市布鲁斯风格主要倡导者之一。他在棉花种植园长大，所接触的音乐即当地传统曲调。青年时期即为职业歌手，20世纪20、30年代在整个密西西比地区演唱，其演唱风格受B.L.杰斐逊、S.B.威廉森和C.巴顿等人影响。40年代前往布鲁斯传统盛行的阿肯色，组建他自己的演唱小组，其中包括J.科顿和小帕克等著名布鲁斯歌手。伯内特以吉他和口琴为自己伴奏，但他的主要乐器是他那粗嘎而动情的嗓音。他的第一张唱片《午夜的哀叹》（1951）一炮打响。后移居芝加哥，与M.沃特斯一起将密西西比三角洲布鲁斯风格转换为电声扩音风格供城市听众欣赏，并使该城成为这一转换的中心。伯内特以其忧思的歌词和粗俗而洒脱不拘的台风著称。

Burnett, Frances Eliza 伯内特（1849-11-24，曼彻斯特～1924-10-29，美国纽约普兰多姆） 母家姓Hodgson（霍奇森）。美国女剧作家和流行小说《方特勒罗伊小爵爷》的作者。1865年迁居田纳西州的诺克斯维尔。1873年与S.M.伯内特结婚，1898年离异。她因描写兰开夏煤矿工人的作品《劳里的那个情人》首次得到赞赏。小说《通过一个行政机关》（1883）以首都华盛顿的腐败为题材。《方特勒罗伊小爵爷》（1886）讲一个美国男孩成为一位英国伯爵继承人的故事。这篇作品作为小说和剧本都十分成功。《萨拉·克鲁》（1888）改编成剧本后取名《小公主》（1905），这篇作品和《秘密花园》（1909）都是为儿童而写。《贵妇》（1896）被认为是她所写的其他剧本中最佳的一部。这些剧本像她的40多部小说一样，侧重感伤和浪漫的题材。

Burnett, James, LORD MONBODDO 伯内特 参阅 **Monboddo, James Burnett, Lord** 蒙博杜勋爵。

Burnett, Leo 伯内特（1891-10-21，美国密歇根圣约翰斯～1971-06-07，伊利诺伊苏黎世湖） 美国最早的广告业务经理，他创立的一所国际性广告公司是最大的广告公司之一。毕业于密歇根大学新闻系。初任《伊利诺伊州皮奥里亚新闻报》记者，后为汽车制造厂和广告公司撰写广告。1935年创办利奥·伯内特公司。1948年该公司营业额达1 000万美元，1958年达9 000万美元。他是"芝加哥广告学派"的倡始人之一，该学派力求找出产品本身的特点，而不是使用巧妙动人的口号。他厌恶那些源出纽约的花言巧语的广告和来自西海岸的投机取巧的广告。正因如此，他往往聘用外表普通的人做模特，而不聘用电影明星。他在1954年成功地设计了以粗犷的牛仔为标志的万宝路香烟广告。伯内特还曾担任广告业委员会理事长和主席。

Burnett River 伯内特河 澳大利亚昆士兰州东南部河流。源出伯内特山脉西坡。先向西南流，转东，再折向东北流，注入太平洋。全长435千米。流域面积32 220平方千米。上游为牧区，下游以产甘蔗和乳品为主。仅限于班达伯格以下16千米可通航。

Burney, Charles 勃尔尼（1726-04-07，英国什罗普郡什鲁斯伯里～1814-04-12，米德尔塞克斯切尔西） 管风琴家、作曲家、当时英国最主要的音乐史家。1744年到伦敦特鲁里街

美国不列颠百科全书公司供图

剧院学音乐。1764年被选入皇家艺术学会，1769年获牛津大学音乐博士学位，1773年成为皇家学会会员。1770年游历法、意两国，为一本计划中的音乐史搜集材料，1772年又访问荷兰、德国和奥地利。发表旅游日记《法国及意大利音乐现况》（1771）和《德国、荷兰和英国殖民地音乐现况》（1773），一举成名。回国后，教学之余全力编写《音乐通史》，于1776～1789年分4卷出版。他最后的任命是从1783年起在切尔西慈善学校任管风琴师。1796年所著《梅塔斯塔齐奥生平与著作》问世。1805年基本退隐，1806年获国王颁发的养老金。1810年成为法兰西研究院通讯院士。亦是一位业余天文学家。《音乐通史》一书使他成为英国公认的第一流音乐史作家。这不是一本古文物研究者所写的音乐史，而是一本既满足专业工作者需要又投业余爱好者所好的可读性很强的作品。

Burney, Fanny 伯尼（1752-06-13，英国诺福克金斯林～1840-01-06，伦敦） 又译勃尔尼。英国女小说家兼书信体作品作家。音乐家C.伯尼之女，风俗小说发展史上的里程碑

美国不列颠百科全书公司供图

《埃维莉娜》的作者。她的文艺习作受父亲的朋友、失意作家S.克里斯普的影响。她的第一篇日记体书信就是写给这位克里斯普"爹爹"的。她生动地叙述了欧洲演奏名流在她伦敦家中为招待加里克、约翰逊博士、E.伯克、R.谢里丹等人而举行的多次非正式音乐晚会。她对上流社会的观察和记录，导致《埃维莉娜》（又名《一个少女进入社会的经过》）的问世。描写一个少女的成长：她在社会上感到没有自信心，常怕失礼和待人接物有差错。该书于1778年出版后轰动了伦敦。因未署名没有人猜想到作者就是只有26岁的羞怯的F.伯尼。秘密公开后，她通过思罗尔夫人的帮助，初次参加文艺社交活动。这位少女一旦克服了羞怯之情，她的机智竟能赶得上约翰逊博士。1779～1783年两人对思罗尔一家作长时间访问时，这位伟大人物对她一直很慈爱。从此，她的日记体作品一直受到重视，原因在于它简洁地描写了当时的实况和名人以及她自己成名时的喜悦。第二本小说《塞西莉亚》（又名《一个女继承人的回忆》）共5卷（1782），虽然不及《埃维莉娜》文笔流畅和富有新意，同样很受欢迎。1785年被引见给夏洛特皇后和国王乔治三世，1786年应召入宫照管御用礼服，但5年都不如意，结果，连健康都受到影响。1791年获准辞职。这个时期，她的日记克制不谈王室内部的流言蜚语和国王疯癫（1788～1789）的详情，而只记述有趣的大事。1796年，为了维持生活，写了《卡米拉》（又名《一个青年的写照》）。1802年，偕家人访问法国，因拿破仑战争再度爆发，被迫留法10年，滑铁卢战役（1815）后，全家回英，住在巴思。后隐居伦敦。

Burnham, Daniel H(udson) 伯纳姆（1846-09-04，美国纽约亨德森～1912-06-01，德国海德堡） 美国建筑师和城市规划师，与其合伙人J.W.鲁特同为采用钢框架结构的芝加哥商业建筑的先驱，后被认为支持学院派的折衷主义建筑形式。9岁时，全家迁居芝加哥。中学毕业后，在芝加哥的卡特、德雷克和怀特建筑事务所当见习生。与鲁特相识后于1873年在业务上合作。1962年有三栋他们设计的大楼被定为芝加哥的标志，即鲁克雷大厦（1886）、信任大厦（1890）和16层的莫纳德诺克大厦（1891），前二栋为钢架结构，后一栋是美国最后一座最高的砖石结构摩天楼。他擅长组织管理工作，是一家事务所的实业家，而鲁特则是设计人。他曾任1893年芝加哥世界哥伦布博览会全部工程的负责人，鲁特为顾问总建筑师。1891年鲁特逝世，伯纳姆兼任此职。他挑选美国东部从事学院派折衷主义建筑设计的事务所担任主要的设计，而这些人的设计风格同商业建筑的新芝加哥学派是对立的。结果，设计成的称为"白城"的博览会场，包括林荫大道、花园和古典式样的建筑在美国各地产生了一定的影响。后将其业务转向美国东部，设计了纽约的弗拉泰朗大厦（1901）、波士顿的法林商店（1912）、华盛顿（哥伦比亚特区）的联邦火车站（1909）和伦敦的塞尔弗里奇商店（1909）。1894年任美国建筑师学会主席，应邀为若干城市制订规划，其中有克利夫兰、旧金山和巴尔的摩。1905年，

芝加哥市的鲁克雷大厦
美国不列颠百科全书公司供图

应美国政府聘请，为菲律宾的一些城市作规划，包括马尼拉。1907～1909年与H.贝内特合作制订芝加哥城市规划，一般称之为伯纳姆规划，是美国城市规划中的一个古典范例。该规划颇具远见，在城市周围和湖滨保留一圈森林地带，多年来一直是芝加哥城市规划的基础。

Burnham, (of Hall Barn, Beaconsfield), Edward Levy-Lawson, 1st Baron 伯纳姆男爵(第一)(1833-12-28，伦敦～1916-01-09，伦敦) 原名爱德华·利维，又称爱德华·利维-劳森爵士(1892～1903)。英国报业主，《伦敦每日电讯报》实际创办人。曾求学于大学学院。其父约瑟夫·摩西·利维(Joseph Moses Levy)于1855年斯莱上校创办《每日电讯与信使报》仅数月后即将该报收买，在他协助下迅速使该报跃升至领先地位，成为伦敦售价1便士报纸之先驱。他最初担任《每日电讯报》主编，其父去世后继任该报业主、总经理兼主计。1903年受封男爵后，将全部职务交给其子。他多年来为英国新闻界杰出人物。在活跃报纸内容，革除呆板、严肃的记事文体，树立清新易读、悦人心目的文风方面所作贡献最为突出。1861年废除最后一项新闻捐税(他本人曾积极参预活动)使中层阶级的读者大量增加，他们欢迎新的新闻工作中的大众化特色。劳森主张，大众化报纸应是一面忠实反映时代的镜子，并能唤起读者的强烈共鸣。在他指导下，《每日电讯报》不断筹集巨额资金，赞助民族的、爱国的及慈善的事业；向中非洲和其他地区派遣探险队；并增辟特辑专栏，其中有关当代话题的人民通信栏目已为后世报业普遍采纳。《每日电讯报》多年来采取积极支持自由党的立场，但坚决反对格莱斯顿首相的反土耳其政策，并由于格莱斯顿奉行爱尔兰自治的政策最终与之决裂。爱德华·利维-劳森坚决支持不列颠帝国的概念。爱德华七世无论在王储时期或为英王之后，经常亲临他家造访。劳森曾任新闻记者学会会长(1892～1893)，新闻出版基金会主席(1908～1916)，1909年在伦敦主持第一次帝国记者招待会。

Burnham, (Linden) Forbes (Sampson) 伯纳姆(1923-02-20，英属圭亚那基蒂～1985-08-06，圭亚那乔治敦) 1964～1980年任圭亚那(1966年前为英属圭亚那)总理，1980～1985年任总统。1947年在伦敦大学获法律学学位。1949年回国，次年与左派劳工领袖契迪·贾根共同创建人民进步党。1955年与贾根分裂，组织比较温和的人民全国大会党。1964年英国人修改宪法，为他同一个小的右翼政党组织联合政府开辟道路。1966年5月圭亚那成为独立国家，他出任政府首脑。迄1970年，他一直采取稳健路线，寻求外国投资，而与古巴和社会主义国家疏远关系。但在1970年，他急剧左转，宣布圭亚那为“合作共和国”，与古巴和苏联建交，并在第三世界国家中寻求领导地位。1971～1976年对加拿大和美国拥有的铝矾土矿和英国在圭亚那的甘蔗种植园和炼糖厂实行国有化。迄1979年，私营成分在经济中的比重缩小到10%。1980年修改宪法，设更有权势的总统职位以取代总理。伯纳姆在1980年总统选举中获胜。他在20世纪80年代奉行的政策导致经济停滞，无法出口足够的蔗糖、铝矾土和稻米换取外汇，以进口必要的物资。伯纳姆在乔治敦医院做喉部手术时去世。

Burnham-on-Crouch 克劳奇河畔伯纳姆 英格兰埃塞克斯郡莫尔登区堂区和城镇。位于克劳奇河左岸，离北海8千米。为英国最著名的划艇运动中心之一。生产船和船帆，有牡蛎养殖业。有壳水生动物研究实验室建于1953年。有建于14世纪的圣母教堂。人口7 067(1991)。

Burnie 伯尼 澳大利亚塔斯马尼亚北部港口城镇。临伊谬湾伊谬河口。位于巴斯公路上，为西部铁路干线和西岸铁路交叉点。塔斯马尼亚西北部的商业中心。其深水港营运集装箱货物，铜、铅、锌和锡等精矿，谷物、马铃薯和牲畜等。生产纸浆和纸张。有冷冻厂和罐头厂。每年元旦举办的体育运动狂欢节，为澳大利亚最盛大的狂欢活动之一。1829年始建居民点。1866年建镇。1908年设市。人口19 971(1996)。

burning bush 火丛 数种花色鲜艳，秋叶绚丽，或可释出挥发性易燃气体(参阅 **gas plant**)的植物的统称。因秋叶绚丽而广为栽植的一种火丛紫果卫矛(*Euonymus atropurpureus*)又称箭木，为灌木或小乔木，高可达8米；原产美国东部与中北部；开紫色小花，结猩红色果实。西方火丛(西方卫矛，*E. occidentalis*)高5.5米，生于美国西海岸。翅卫矛(具翅纺锤树、具翅锭子树，*E. alata*)为高2.5米的灌木，常称火丛；其若干人工栽培变种，包括一个矮生、密枝型者，常用为景观植物。扫帚菜(三叶扫帚地肤、火树，*Kochia scoparia trichophylla*，参阅 **Kochia**)与小叶风车子(*Combretum microphyllum*)亦有火丛之称；后者为产于莫桑比克的攀缘灌木，花穗色猩红，多毛。

Burnley 伯恩利 英格兰兰开夏行政、历史郡的一个城镇和自治市(区)。在大曼彻斯特北面，伯恩和科尔德两河汇流处。面积111平方千米。18世纪末起随棉纺织业迅速发展起来。至19世纪初，棉纺已成为主要行业，现经济多样化，以轻型机械制造业重要。17世纪建造的陶纳利厅是自治市的美术馆和博物馆。人口：城镇74 661(1991)；自治市约91 000(1998)。

Burns 彭斯 美国俄勒冈州中东部城市，哈尼县县城。濒临锡尔维斯河。居民点建于旧畜牧场上，1899年设市。1934年前为公有牧场的行政管理总部。现为周围牧场的贸易中心。设有俄勒冈州立大学实验站。附近马卢尔和奥乔科国家森林以及马卢尔湖和哈尼湖有各种娱乐设施。南部马卢尔国家野生动物保护区，内有320多种候鸟。人口约3 064(2000)。

Burns, Eveline M. 伯恩斯(1900-03-16，英国伦敦～1985-09-02，美国宾夕法尼亚牛顿) 全名Eveline Mabel Burns。婚前名Eveline Mabel Richardson。英国出生的美国经济学家和教育家，以其在创立美国社会保障政策中所起的作用和在提高公众对政策的认识方面所作的努力闻名。在伦敦经济学院学习时，供职于英国劳工部，任行政助理。1922年与其同事经济专家A.R.伯恩斯结婚。1926年获博士学位，并因出色的经济研究获得亚当斯密奖章。同年夫妇二人获奖学金赴美，1928年接受纽约市哥伦比亚大学教职，1937年加入美国籍。在英国劳工部的工作经历和在社会保险领域的专长，使她成为T.罗斯福总统经济保障委员会的人选，而她也在起草1935年《社会保障法》的工作中起到关键作用。1936年，出版为普通人解释该法的《迈向社会保障》一书。在阐述复杂的经济问题方面的才能更使她成为教科书作者。她的杰出教科书《社会保障和公共政策》(1956)用比较分析的方法研究了经济决策涉及的各种因素。在一生的事业中，除教书和著书外，还为专业报刊撰写大量文章，并担任若干联邦政府机构的顾问。在哥伦比亚大学任教授直至1967年。

Burns, George; and Allen, Gracie 伯恩斯和艾伦(伯恩斯1896-01-20，美国纽约州纽约～1996-03-09，加利福尼亚贝弗利希尔斯；艾伦1902-07-26，美国加利福尼亚圣弗朗西斯科[旧金山]～1964-08-27，好莱坞) 原名内森·伯恩鲍姆和格雷斯·埃塞尔·塞西尔·罗莎莉·艾伦。一对受人欢迎的美国喜剧演员搭档。他们在轻歌舞剧、广播、电影和电视演出中活跃30余年。他们两人合演了13部影片，并在电视中播出G.伯恩斯和G.艾伦节目(1950～1958)，这是关于一对演员夫妇私生活的情境喜剧。伯恩斯在妻子死后一度息影，后重返银幕，出演《阳光少年》(1975)并因此片获奥斯卡最佳男配角奖。随后他主演《哦，上帝!》、《开始流行》等影片，他息影前的最后一部影片是《雷达场谋杀案》(1994)。他撰有多卷本回忆录。

Burns, John Elliot 伯恩斯（1858-10-20，伦敦～1943-01-24，伦敦） 英国劳工领袖、社会主义者，是出身工人阶级而进入英国内阁的第一个人。10岁开始做工，进入夜校后博览群书。1883年加入社会民主联盟。1885年竞选议员未成功。1886年以煽动罪受审。1888年因参加1887年11月伦敦特拉法尔加广场的“血腥的星期天”暴乱而被监禁。在1889年8～9月伦敦船坞大罢工中，他是一位举足轻重的人物。1892年他被选为职工代表大会主席和社会党的下院议员。1905年12月10日进入坎贝尔-班纳曼的自由党内阁，任地方政府事务大臣。在1911年的伦敦船坞和运输工人罢工中，他是主要的调停者。1914年2月11日调任贸易大臣。8月辞职，以抗议英国参加第一次世界大战。1918年离开议会，此后再未参加政治活动。

Burns, Lucy 伯恩斯（1879-07-28，美国纽约布鲁克林～1966-12-22，布鲁克林） 美国女权主义者。1902年毕业于瓦瑟学院，其后的7年间，除一度在布鲁克林的公立中学教英

美国不列颠百科全书公司供图

语外，先后在耶鲁大学、柏林大学和牛津大学研究语言学。在英国时开始关注争取妇女选举权，不久离校，全力参加活动。几次被捕，在监狱进行绝食斗争，成为潘克赫斯特母女的亲密同事，并获得妇女和政治联盟的特别奖章。1912年返回美国，和A.保尔一起为通过确保妇女选举权的宪法修正案奋斗。1913年共同成立国会女权联盟，3年后改为全国妇女党。她帮助组织政治斗争，编辑《女权主义者》杂志，并常被关进监狱。尽管其演讲给人以不屈不挠的坚强印象，但斗争使她精疲力竭。1920年美国第19宪法修正案通过后，退出政治活动，回到布鲁克林和两个未婚的姐妹一起生活，抚养她最小的妹妹的遗孤。后皈依天主教，1966年病故。

Burns, Robert 彭斯（1759-01-25，苏格兰艾尔郡阿洛韦～1796-07-21，邓弗里斯郡邓弗里斯） 杰出的苏格兰民族诗人。他用苏格兰方言写抒情诗和歌词，所写诗作强调表达瞬间的经历和人的感情，摒除一切理念化和概念化的虚饰。在苏格兰每年都为其举行纪念活动。出身于艾尔郡一个农民家庭，从小就在田间劳动。父亲辛勤劳动一生，最后精疲力尽而死，家境也因之濒于破产。由于目睹父亲被彻底击垮，使他对当时社会极为不满，并对纵容和维护不人道行为的各种形式的宗教和政治思想予以辛辣的讽刺。平生仅受过很少正规教育，但却能博览群书，无论是天文

美国不列颠百科全书公司供图

地理，还是各国文学，无所不知。幼时即喜爱口头流传的苏格兰民歌和民间故事，并开始模仿性习作。1786年他在基马尔诺克镇出版了第一部诗集《主要用苏格兰方言写的诗集》，引起轰动，遂即应邀去爱丁堡，成为名公贵妇的座上客。这本诗集收有第一流的苏格兰语诗歌《两只狗》、《致小鼠》、《致山中雏菊》、《致虱子》等借物起兴之作，还有泼辣讽刺的《圣节集市》和描写高尚恬静的农民以及大自然美的《农民的星期六夜晚》等诗篇。在爱丁堡他结识了苏格兰歌谣收集者J.约翰逊，实际上是他替约翰逊编辑了《苏格兰音乐总汇》（1787～1803），为G.汤姆森编辑了《苏格兰原始歌曲选集》（1793～1818）。这两部书收进彭斯为苏格兰曲调填写的大部分歌词。他的后半生主要从事收集歌曲和作词，把这看作是他对苏格兰的义务贡献，不取任何报酬。1789年谋到一个小税务官的职位，生活依然贫寒，1791年移居邓弗里斯城，直到逝世。在那里他写了不少评论当时政治和其他事件的诗。法国革命爆发后，他心情十分激动，写了一些表示同情的诗，并几乎为此失去职务。后期主要诗作是以民间传说为基础的叙事诗《汤姆·奥桑特》。他的诗才似乎表现在他的讽刺诗中，但使他蜚声世界的却是他为许多著名的曲调编写的歌词。他无疑是大不列颠最伟大的歌词作者。

Burns, Tommy 伯恩斯（1881-06-17，加拿大安大略汉诺威～1955-05-10，不列颠哥伦比亚温哥华） 加拿大拳击运动员。1906年2月23日在洛杉矶经过20个回合胜哈特获最重量级拳击世界冠军。1908年12月26日在悉尼经过14个回合负于约翰逊。1900～1920年共参加60场比赛，胜45场，其中35场直接击倒对方取胜。1948年被授予牧师职。

Burnside, Ambrose Everett 伯恩赛德（1824-05-23，美国印第安纳利伯蒂～1881-09-13，罗得岛布里斯托尔） 美国南北战争时期的联邦军将领，美国流行的络腮胡子（后称大鬓角）式样的首创者。西点军校毕业。1853年以后在罗得岛的布里斯托尔制造兵器，曾发明一种后膛卡宾枪。南北战争爆发后任联

美国不列颠百科全书公司供图

邦军队的旅长，在北卡罗来纳沿海地带作战。1862年晋升少将，调到弗吉尼亚战场。同年11月任波托马克军指挥官。12月在弗雷德里克斯堡战役中惨败。1863年调到俄亥俄，曾攻占诺克斯维尔，并坚守该地抵挡南部邦联军的围攻。1864年返回东部战场，参加莽原战役。战后任罗得岛州州长（1866～1869）。1875～1881年为美国参议员。

Burpee, W(ashington) Atlee 伯比（1858-04-05，加拿大新不伦瑞克设菲尔德～1915-11-26，美国宾夕法尼亚多伊尔斯敦） 美国种子商。建立了成为世界上最大的一家邮购种子公司。完成了在宾夕法尼亚大学的两年课程后，于1876年与两个合伙人一起开始经营种子。两年后独自建立用他的名字命名的华盛顿·阿特利·伯比公司。他邮售种子，生意兴隆，于是在宾夕法尼亚州巴克斯县、新泽西州格洛斯特县、加利福尼亚州圣巴巴拉县建立了3个种子农场。由于他培育花卉和蔬菜的新杂交种和品系，他的公司获得成功。

Burr, Aaron 伯尔（1756-02-06，新泽西纽瓦克～1836-09-14，美国纽约里士满港） 美国第3任副总统（1801～1805），在决斗（1804）中杀死政敌A.汉密尔顿，其政治生涯以1807

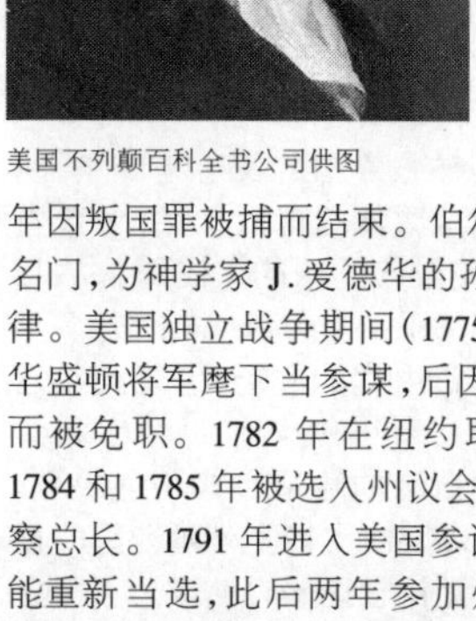

美国不列颠百科全书公司供图

年因叛国罪被捕而结束。伯尔出身于新泽西名门，为神学家J.爱德华的孙子。曾学习法律。美国独立战争期间（1775～1783）在G.华盛顿将军麾下当参谋，后因与华盛顿对抗而被免职。1782年在纽约取得律师资格。1784和1785年被选入州议会，1789年任州检察总长。1791年进入美国参议院。1797年未能重新当选，此后两年参加州的政治活动。1800年与T.杰斐逊一同代表共和党竞选总统获胜。根据当时的选举制度，两候选人在选举前不分正副，须待共同当选后再互相竞

争，决定谁为总统，谁为副总统。由于汉密尔顿坚决反对伯尔，遂使杰斐逊当选为总统，伯尔屈居副总统之位。1804 年 2 月，他在纽约立法会议的朋友提名他竞选州长。汉密尔顿和他的一派又使伯尔遭到失败，不久，G.克林顿又代替他成为共和党的总统候选人。伯尔觉得自己是汉密尔顿的仇恨的政治牺牲品，于 1804 年 7 月 11 日与汉密尔顿决斗，并将汉密尔顿杀死。伯尔听说有两个州要逮捕他，就逃往费城，在那里与西班牙秘密收买的美国军官 J.威尔金森将军接触。威尔金森和伯尔期望美西两国因边界纠纷而发生战争，他们策划侵入墨西哥，在那里成立一个独立的政府。他们可能还商讨过在西部煽起脱离运动的计划，使美国西部与墨西哥合并，建立一个拿破仑式的帝国。后来，威尔金森向杰斐逊总统告密，出卖了伯尔。伯尔被捕，解回里士满受审（1807-05），后被宣告无罪。不久，他离开美国前往欧洲。他企图毛遂自荐协助拿破仑征服佛罗里达，没有成功。1812 年返回纽约，操律师业直至去世。

Burragorang, Lake　伯拉戈兰湖　澳大利亚新南威尔士州中东部人工湖。为向悉尼市供水的主要水库。由沃勒甘巴水坝在伯拉戈兰山谷蓄水而成。面积 88 平方千米，平均水深 23 米，储水量 20.92 亿立方米。该湖还用以发电和蓄洪。沃勒甘巴水坝在彭里斯上游 15 英里，距悉尼 20 英里。

Burrard Inlet　巴拉德湾　乔治亚海峡东部一湾汊，向东延伸 37 千米（23 英里）进入加拿大不列颠哥伦比亚省东南部。宽度 1～4 英里不等，形成温哥华港，为北美洲太平洋沿岸最佳天然港口之一。温哥华市位于湾汊南岸，北温哥华市位于其北岸，穆迪港和艾奥科在其东端附近。1792 年英国航海家 G.温哥华发现了此湾汊，并定名为巴拉德湾，以纪念 1785 年在西印度群岛和他一同服役的哈里·巴拉德爵士。

Burri, Alberto　布里（1915-03-12，意大利卡斯泰洛城～1995-02-13，法国尼斯）　意大利美术家，因大胆使用新的创作材料而具有影响。1944年他在战俘营开始习画。1945年回到罗马专门从事绘画。早期作品的题材来自当军医的亲身经历。最早的一组画（约 1953）是画在缝在一起的粗布上的。1956 年后，开始用烧焦的薄木片和烫出孔眼的多层的聚乙烯进行创作。1959 年以后用金属材料创作。

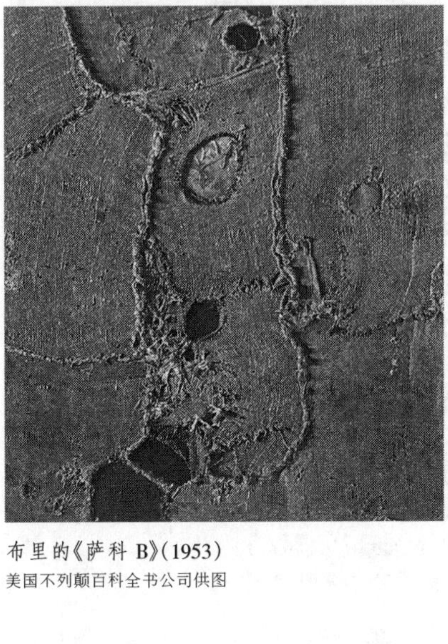

布里的《萨科 B》(1953)
美国不列颠百科全书公司供图

Burritt, Elihu　伯里特（1810-12-08，美国康涅狄格新不列颠～1879-03-06，新不列颠）　美国和平运动的参加者和国际法法典的鼓吹者。由于他早期的职业，伯里特被称作“有学问的铁匠”。他在 30 岁时学会了 50 种语言，获得了一种比较语言学或者叫语言的相互依存关系的意识，在一定程度上鼓舞了他对于各国人民互相依赖以及战争的非理性的信念。他支持过美国和平协会（1828）的创始人 W.莱德的计划，召开一次国际大会，制定国际法并建立国际法院来解释该国际法。自 1848 年以来，他在布鲁塞尔、巴黎、法兰克福、伦敦以及其他城市组织过和平大会。有几年，他撰写称作《橄榄树叶》的专栏连载文章登载在欧洲的报纸上，提出和平主义的论点并强调编纂一部国际法法典。

burro　参阅 donkey 驴。

burro-fat（species *Cleome isomeris*）　**囊泡果**　又作 bladderbush。又称同基数白花菜。山柑科灌木或小乔木，高约 3 米，原产于北美西南部。叶灰绿色，三深裂，气味难闻。花穗美观；花瓣长，四片，黄色；萼片短，绿色。蒴果膨大，灰绿色。开花和结果均从花穗底部到穗端。在拉丁美洲有与之类似的木本种。

Burroughs, Edgar Rice　巴勒斯（1875-09-01，美国伊利诺伊芝加哥～1950-03-19，加利福尼亚恩西诺）　美国小说家。他的泰山故事塑造了一个世界闻名的民间英雄。他是一位富商之子，曾先后在芝加哥的几所私立学校和马萨诸塞州安多弗市很有名望的菲利普斯专科学校（他被学校开除），以及密歇根陆军军官学校就读，后来曾在该军官学校短期执教。1897～1911 年间他在芝加哥和爱达荷两地从事过许多工作，也曾经经商，但都不成功。后携妻和 3 个孩子定居芝加哥，开始写广告文字材料，后转向写小说。1911 年发表第一篇作品《火星的月亮下》，刊登在惊险杂志《故事集锦》上。作品非常成功，于是巴勒斯转为专门写作。第一篇泰山故事发表于 1912 年，1914 年接着发表《人猿泰山》，它是 25 部此类小说中最早的一部，讲一个在婴孩时期就被丢弃在非洲丛林中的英国贵族之子由类人猿哺养长大的故事。巴勒斯塑造的“泰山”这一形象，以及他写的许多火星上的故事，立即获得广大读者的喜爱。“泰山”故事被译成 56 种以上的语言，并在连环画、电影、电视和广播剧中流行。1919 年，为了靠近拍摄“泰山”电影的场地，巴勒斯在好莱坞附近购置了一处房地产（该地后以泰山命名）。他继续写小说，最后一共发表了约 68 本小说。第二次世界大战期间，他是《洛杉矶时报》的随军记者。当时他已 66 岁，是南太平洋战区年龄最大的随军记者。（参阅 **Tarzan**）。

Burroughs, John　巴勒斯（1837-04-03，美国纽约罗克斯伯里附近～1921-03-29，加利福尼亚至纽约途中）　美国散文家和博物学家。他按照 H.D.梭罗的方式生活和写作，研究和赞美大自然。早年当过教师、记者和农民，并在财政部当过 9 年职员。1871 年出版第一本有关花鸟和农村景色的书《延龄草》。两年后搬到哈得孙河谷的一个农场，在乡村幽静的住所就自然题材写了半个世纪。后期作品显得更富有哲理，更倾向于文学性或沉思冥想式的引喻，主要著作除《延龄草》外，尚有《鸟与诗人》（1877）、《蝗虫与野蜜》（1879）、《标志与季节》（1886）和《自然之路》（1905）。他还写有一本诗集：《鸟儿与树枝》（1906）。《冬天的阳光》（1875）和《清新的田野》（1884）是他去英国和法国旅行时写下的素描。他的《惠特曼研究》于 1896 年发表。其他散文集有：《时间与变化》（1912）、《年代的顶峰》（1913）、《生命的呼吸》（1915）、《苹果树下》（1916）和《田野与研究》（1919）。约翰·巴勒斯协会是为纪念他而设立的，鼓励以自然科学为题材的创作。

Burroughs, William Seward　巴勒斯（1855-01-28，美国纽约奥本～1898-09-15，亚拉巴马锡特罗内尔）　第一台有记载的加法机的发明家和加法机制造业的先驱者。巴勒斯童年上学时间不多，15 岁便开始自谋生计。1881 年开始在他父亲的作坊里做工，制作铸造模型和从事新发明。当时他决定制造解算术题的机器。1885 年在熟人 T.B.梅特卡夫的经济帮助下完成了第一台计算器，但这台计算器证明在商业上是不实用的。他在 1886 年和梅特卡夫及另外两个圣路易斯商人组织美国四则运算器公司，经过反复试验和失败，于 1892 年获得了实用机型的专利。这台机器在商业上是成功的，并因此获得富兰克林学会的斯科特奖章。但还没赚多少钱他就去世了。1905 年，在密歇根州组建了巴勒斯加法机公司，作为美国四则运算器公司的继承。

Burroughs, William S(eward)　巴勒斯（1914-02-05，美国密苏里圣路易斯～1997-08-02，堪萨斯劳伦斯）　美国实验小说家。这种小说在故意渲染的色情文字中唤起一种噩梦般、有时粗野幽默的世界。他对性生活毫不掩饰的描述（他曾是一个狂热而公开的同性恋者）和坦率地讲述自己作为一个吸毒成瘾者的体验使他赢得“避世运动”（**Beat movement**）作家们的钦佩。他是巴勒斯加法机发明者的孙子，在圣路易斯一个舒适环境中长大。1936 年毕业于哈佛大学，在那里继续从事考古学和文化人类学的研究，后来因对学院环境感到厌倦，而去从事各种各样的工作。第二次世界大战期间在美军短期服役。1944 年在纽约吸毒成瘾，和他第二个妻子移居墨西哥，在一次悲惨的偶然事件中开枪打死了她。他在南美亚马孙地区游荡，继续吸毒。这段经历在 1953 年与诗人和朋友 A.金斯堡的通信《耶奇书信集》中有详细记载，此书至 1963 年才出版。游荡间歇，他曾在伦敦、巴黎、丹吉尔群岛和纽约居住，1981 年定居堪萨斯州的劳伦斯。他在描写吸毒生活的书《琼基:一个未能戒瘾的吸毒者自白》(1953,1977年再版)中使用了笔名 W.李。《裸体午餐》(巴黎 1959,纽约 1962,1991 年拍为电影)是在他进行戒瘾之后完成的作品。巴勒斯认为各种形式的吸毒对写作都是有害无益的,他吸毒 15 年唯一的收获是积累了有关吸毒者异乎寻常的狂欢幻觉的知识。他在《裸体午餐》中大量描写同性恋和警察迫害。后来所写的著名小说包括:《柔软的汽车》(1961)、《爆炸的车票》(1962)、《新星快车》(1964)、《野孩子》(1971)、《扑灭者!》(1973)、《荷兰人舒尔茨的遗言》(1975)、《红夜城》(1981)、《死路之地》(1983)、《同性恋男子》(1985)、《西部土地》(1987)、《我的教育:一本关于梦的书》(1995)。此后巴勒斯进一步试验小说的结构。制片人 H.布鲁克纳制作的《巴勒斯》(1983)是一部关于这位艺术家一生的记录影片。

burrower bug　土蝽　异翅目土蝽科昆虫,约 600 种。长 7 毫米或更小,躯体呈卵圆形,褐或黑色,胫节上有刺。穴居于草丛旁地下,沙地上或落叶层下。有时甲土蝽亚科被提升为科——甲土蝽科。其种类稍小于土蝽亚科者,常称为黑土蝽,见于植被、花、果上,尤其是悬钩子上;多为黑色有光泽,但有的种类带绿或蓝色色调,发出难闻的气味。白纹甲土蝽(*Thyreocoris pulicarius*)为害芹菜,长 3 毫米,躯体两侧有白纹。

burrowing　掘穴　在水生及陆生动物均可见到的一种行动方式。有些掘地动物挖掘浅穴以便常住,有些则不停地挖掘长坑道。在土壤等较柔软的基质内的掘穴动物多无四肢(如蜥蜴、蛇),或具强壮的前肢(如鼹鼠、獾、蝼蛄)。以上两类动物的体表常较光滑;掘穴的蜥蜴与蛇特具细鳞,鼹鼠具天鹅绒般的短毛。掘穴动物的眼往往退化或消失,无外耳。

burrowing owl(species *Speotyto cunicularia*) **穴鸮**　鸮形目鸱鸮科的小型鸟类。栖息于西半球的新大陆北部草原,由加拿大西南部到火地岛。住在其他动物废弃的洞里。主要吃

穴鸮(*Speotyto cunicularia*)
美国不列颠百科全书公司供图

昆虫和小型啮齿类。身体纤瘦,腿颇长,体长仅 20 厘米。体呈褐色,具小白色斑点,脸和眉白色,眼黄色。白天站立在洞穴周围或树桩上。当有人接近时便身体上下摆动似打招呼,然后飞到不远的地方。

Burrows, Ronald Montagu　伯罗斯(1867-08-16,英国沃里克郡拉格比～1920-05-14,伦敦)　英国考古学家,1895～1896 年间曾在希腊西部的派罗斯及其附近的斯法克蒂里亚岛进行考古发掘工作,为修昔底德的历史著作提供了实物证明。1898～1908 年期间,任威尔士加的夫大学学院希腊语教授,继续从事希腊发掘工作,其成果有助于古代彼奥提亚地区考古学体系的建立。所著《克里特的发现》(1907)一书,是针对阿瑟·伊文斯爵士所发现的米诺斯文明的第一本综合性著述。1908～1913 年任曼彻斯特大学教授,1913～1920 年任伦敦国王学院院长。

Burrus, Sextus Afranius　布鲁斯(?～62)禁卫军长官(51～62),罗马皇帝尼禄(54～68 在位)的主要顾问。纳尔榜南西斯高卢人。51 年任禁卫军长官,成为帝国政务的负责人,直至 62 年去世。自古即有传言,称他被尼禄毒死,但既无法证实,也无法证伪。

Bursa　布尔萨　旧称布鲁萨,原名普鲁萨。土耳其西北部城市。位于乌卢山(古代米西亚国奥林波斯山)北麓。可能为公元前 3 世纪时比希尼亚国王所建。拜占廷时代颇繁

布尔萨市的耶希尔陵墓,苏丹穆罕默德一世 1421 年建
美国不列颠百科全书公司供图

华。1204 年君士坦丁堡为十字军攻陷后,该城是拜占廷的抵抗中心。14 世纪 20 年代奥斯曼人夺取该城,建为最早的国都。1402 年该城遭帖木儿劫掠,奥斯曼人收复领土后,先后迁都于埃迪尔内(1413)和君士坦丁堡(1458)。在奥斯曼人统治下,该城得到扩展和繁荣。现城郊果树繁茂,有源源不绝的山泉灌溉,市内房屋色彩鲜艳,街道曲折,且点缀着喷泉,至今犹有奥斯曼风貌。现市内仍保留有几座典型的奥斯曼建筑,其中大清真寺(1421)为一组有 20 个圆顶的庞大建筑;耶希尔清真寺(1421)标志着纯粹土耳其式建筑的早期阶段,附近耶希尔陵为苏丹穆罕默德一世陵墓。穆拉迪耶清真寺(15 世纪)周围有苏丹及王族的陵墓。俯瞰全城的台地上有奥斯曼王朝的缔造者奥斯曼一世及其子奥尔汗的陵墓。15 世纪的一座神学院内设有考古博物馆。市内有罗马时代即已驰名的温泉浴场多处。15 世纪起即为丝绸贸易中心,17 世纪时丝织品驰名欧亚,迄今仍有生产。其他工业有棉纺、毛纺、罐头食品、乳制品和机械制造等。城内有布尔萨大学(1975)。空中航线通至伊斯坦布尔。布尔萨长期为著名旅游中心。人口 1 066 559(1997)。

bursa　黏液囊　哺乳动物体内,位于肌腱间、肌肉间、骨隆凸和皮肤之间(此处皮肤易受摩擦和压力)的小囊状结构。可分为 3 类:①偶发性黏液囊,见于软组织,尤于骨隆突部上方,为反复受切应力作用的结果。②皮下黏液囊,为皮下及深筋膜交接处分界不清的裂隙,或归入偶发性黏液囊。③滑液囊,为腱、肌肉、骨之间的薄壁囊,内壁覆以滑膜,内充滑液,有润滑作用。在人体,绝大部分滑液囊位于四肢大关节附近。拇(趾)囊肿是拇趾基节内侧的偶发性黏液囊,常伴存于拇外翻。主要病因是穿挤脚的尖头皮鞋。轻者只需换上松大的鞋即可恢复,而重者常需手术解决。黏液囊炎指黏液囊的各类炎症,病因多为局部的机械刺激,但风湿性关节炎和痛风常可累及相关的黏液囊。家畜亦可患此病。

Burschenschaft　青年协会　德意志大学中的学生组织,为拿破仑之后在欧洲盛行的新民族主义的产物。1815 年在耶拿大学创始,随即在德意志各地纷纷成立。早期的团体主张人人平等,思想开明,并支持德意志政治统一。由于学生在 1817 年 10 月瓦尔特堡节举行联合大示威,德意志作家奥古斯特·冯·科策布在 1819 年 3 月被青年协会的成员卡尔·赞德刺杀,德意志政府遂通过《卡尔斯巴德决议》(**Carlsbad Decrees**)(1819),规定官方镇压青年协会。因此,青年协会转入地下活动。1848 年青年协会积极参加了德国革命。1871 年德国统一后,青年协会实行新的更富侵略性的民族主义,使不少成员支持反犹主义和泛日耳曼主义。在希特勒时代遭迫害。第二次世界大战以后,青年协会在西德恢复起来,但在政治上已不再发挥重大作用。

Burseraceae　橄榄科　芸香目的一科,约 20 属,乔木或灌木。原产热带美洲,少数产于非洲和亚洲。叶互生,复叶。花单生或簇生,果

裂榄(*Bursera simaruba*)
美国不列颠百科全书公司供图

肉质。乔木种含树脂。裂榄(香树、苦木样布尔塞氏树, *Bursera simaruba*)木质轻,红棕色,可制钓鱼用浮子;树脂芳香,可制薰香。乳香属(*Boswellia*)一些种所分泌的油胶树脂称为乳香,《圣经》时代用于宗教仪式,又可供药用及用于尸体防腐。没药为没药属(*Commiphora*)植物所产树脂。有些种(如 *Aucomea klaineana*)可供材用。

bursitis 黏液囊炎 专指滑液囊的炎症。病因为感染、外伤、肌腱或关节处钙质沉积、反复的轻微刺激等,亦可继发于关节炎或痛风。常见的类型有:"女仆膝"(髌前囊炎)、"士兵踵"(跟腱前黏液囊炎)、网球肘(肱桡骨黏液囊炎)及"织工臀"(骨盆底部的黏液囊炎)。肩部的黏液囊炎十分常见,病因为上臂回旋肌腱的钙质沉积及炎症,炎症可蔓延至肩关节上方的黏液囊;本病多见于体力活动少的人,尤其是中年女性;可有剧痛,以致抬臂困难。黏液囊炎的治疗包括休息、热疗、减轻活动、用药物以缓解炎症及消除钙质沉积。

Burt, Sir Cyril (Lodowic) 伯特 (1883-03-03,英国沃里克郡埃文河畔斯特拉特福～1971-10-10,伦敦) 英国心理学家,以其对心理测验中因素分析理论发展所做的贡献和研究遗传对智力和行为的影响而著名。曾就读于牛津大学和维尔茨堡大学。1913年,不列颠政府有关当局任命他为英国历史上第一位教育心理学家;他以此身份出面筹组了英国第一座儿童指导所。1924年在伦敦大学任教;1931年任伦敦大学学院的心理学教授,直到1950年退休。退休后他继续从事研究工作。1946年被封为爵士,成为英国历史上第一位获此殊荣的心理学家。1909年伯特发表了他的对一般智力进行实验性测验的研究结果。在这篇研究报告中,他用因素分析的方法确定了心理测验中的各种因素类型。他于1940年发表的《心理因素》一书对他的因素分析方法作了全面阐述。伯特认为,人类的智力主要是由遗传决定的,社会和环境因素只起到第二位的作用。40年代以后,他对很多大的群体进行测试,结果显示:人的智力水平和他们的职业层次有关,而且这种智力可以遗传给他们的子女。他的测验资料似乎表明:人的职业层次,或曰社会阶级归属,是命中注定的,是被遗传性智力水平所左右的东西。但在1971年他谢世后,人们发现他的测验资料中存在明显的矛盾之处。经认真核对后确认:为了确立其"人的智力水平和社会阶级归属是由遗传因素决定的"这一理论观点,他曾大量涂改和伪造实验证据。这使得他的声誉大打折扣,尽管人们并没有否认他的前期工作和他的"英国教育心理学先驱"的身份。

Burton, Harold H(itz) 伯顿(1888-06-22,美国马萨诸塞杰梅卡普莱恩～1964-10-28,华盛顿[哥伦比亚特区]) 美国最高法院大法官(1945～1958)。曾在克利夫兰市几个主要的法律事务所当律师,直至1929年当选为俄亥俄州议会议员为止。他还积极从事城市规划和政治活动,并于1935年以一个改革的政纲当选为克利夫兰市长,连任三届。他的许多改革有助于他赢得1940年的选举而进入美国参议院。他在参议院提出关于建立一个国际仲裁和维持和平组织的立法。1945年,他被杜鲁门总统任命为最高法院大法官。伯顿是主张严格解释法律的人,有时在经济和商业问题上反对行政部门。尽管他在50年代有关公民权的问题上通常是同自由派的多数派大法官一起投票,但在其他的争论问题上,他越来越经常地持不同的意见。

Burton, Richard 伯顿(1925-11-10,威尔士庞特里文～1984-08-05,瑞士日内瓦) 原名小理查德·沃尔特·詹金斯,英国戏剧和电影演员。于1943年首次登台表演,后在英国皇家空军服役。1949年,在伦敦演出《不能烧这个女人》大获成功。他在好莱坞拍的头一部影片是《雷切尔表姐》(1952)。他擅长扮演历史人物,曾主演《亚历山大大帝》(1959)。《克娄巴特拉》(1963,旧译《埃及艳后》)使他一跃成为超级影星。他是首批要求一部影片付聘金100万美元以上的演员之一。他后来主演的影片有:《贝克特》(1964)、《谁害怕弗吉尼亚·沃尔夫?》(1966)和《驯悍记》(1967)等。曾两度与女演员伊丽莎白·泰勒结婚(1964～1974,1975～1976)。

Burton, Sir Richard (Francis) 伯顿(1821-03-19,英国德文郡托基～1890-10-20,奥匈帝国的里雅斯特[今在意大利]) 英国杰出的学者探险家及东方学家。第一位发现非洲坦

美国不列颠百科全书公司供图

噶尼喀湖的欧洲人,考察索马里兰穆斯林的禁城哈勒尔和穿过不开放的麦加和麦地那城。多才多艺。在语言和文学上造诣尤深,出版探险游记43卷,译作近30卷,包括全套16卷的《天方夜谭》。伯顿的祖先有英格兰人、爱尔兰人、可能还有法兰西人。出身于德文郡军人家庭,在欧洲大陆成长。年轻时即表现出惊人的语言天才,在1840年入读牛津大学三一学院之前即能流畅地讲法语、意大利语、希腊语和拉丁语还有贝阿恩(法)及奈阿波利斯(希)两地方言。以后到世界各地旅行,又掌握了阿拉伯语、印地语、马拉塔语、信德语、旁遮普语、泰卢固语、普什图语和木尔坦语。总计一生中学会25种语言,加上各地方言共达40种之多。1842年因违犯校规被牛津大学开除,去印度任低级军官,参加了英国对信德的战争。在印度住了8年后回国。他29～32岁时,住在法国布洛涅,写了4本论述印度的书,其中《信德和印度河流域的人种》(1851)是一本人种学的光辉著作。1853年装扮阿富汗穆斯林去开罗、苏伊士和麦地那,然后到圣地麦加。冒着极大危险去测量和速写清真寺和天房。所著《麦地那和麦加朝觐记》(1855～1856),不仅是部杰出的冒险记事,也是对穆斯林生活、礼仪等的经典论述。1854年组织新的探险队潜入东非禁城哈勒尔。写成《东非的第一批足迹》(1856)。1855年组成探险队探索白尼罗河河源,穿过索马里兰时遭土人袭击,受伤返英。1855年7月志愿参加对俄国的克里米亚战争。战后于1857～1858年再次去非洲勘探尼罗河。历尽艰辛,终于发现坦噶尼喀湖。1860年前往美国,访问摩门教都城盐湖城,写成《圣者城》一书(1861)。

以后进入英国外交界,任驻西属西非海岸外费尔南多波岛领事3年,经常考察西非的风俗人情,收集了详尽资料,受到后世人类学家的景仰。1864年后历任驻巴西的桑托斯、叙利亚的大马士革和的里雅斯特的领事。于1872年离任后,集中精力著书,内容广泛。关于冰岛、博洛尼亚、信德、黄金海岸、米迪延金矿等均有著述。除著作外还从事翻译。其中以1885～1888年翻译出版的《天方夜谭》最为杰出,译文忠实、文笔流畅。1886年2月,维多利亚女王为表彰伯顿对英帝国服务功绩,赐予他圣米格尔及圣乔治二等爵士勋位。4年后伯顿逝世。

Burton, Robert 伯顿(1577-02-08,英格兰莱斯特郡林德利～1640-01-25,牛津) 英国学者、作家、圣公会牧师。所著《忧郁的剖析》是讲究风格的杰作、奇闻的宝库,也是对当时哲学和心理学思想的有价值的索引。曾在牛津大学受教育,1614年获神学学位,1616年任圣托马斯教堂牧师。由于长期过着一种"安静孤独的案牍生活",他能冷眼观察人生,而不抱学者的出世态度。他对当时的娱乐和古人的思想都能娓娓而谈,既热心推荐合理的饮食,又能把人的功能失调同他的基督教宇宙观相联系。第一部著作是拉丁文喜剧《假哲学家》(1606),于1618年上演。《忧郁的剖析》发表于1621年,在17世纪广泛流传,后一度无闻,18世纪时,该书受到S.约翰逊博士的赞赏,并因L.斯特恩对它的引用而闻名。19世纪由于C.兰姆的热心,该书获浪漫派好评。

Burton, Virginia Lee 伯顿(1909-08-30,美国马萨诸塞牛顿森特～1968-10-15,马萨诸塞波士顿) 美国儿童读物作家和插图画家,有些图书已成经典,许多图书至今仍受大众喜欢。高中毕业后学习舞蹈和绘画,后在波士顿博物馆学校学艺术课程。1929年为《波士顿抄本》画素描画。1937年出版第一本儿童读物《火车》,该书的文字、设计和插图均由她一人完成。1942年出版的《小房子》获得考尔德考特最佳儿童插图年度金质奖。还著有《凯蒂与大雪》(1943) 和《生活故事》(1962)。其书极受欢迎,有许多书至今仍在重印出版。还曾为民谣歌集《罗宾汉之歌》(1947)和安徒生的《皇帝的新装》(1949)新版画插图。20世纪40年代讲授过平面造型设计。

Burton, William Merriam 伯顿（1865-11-17，美国俄亥俄克利夫兰～1954-12-29，佛罗里达迈阿密） 美国化学家。发明了从原油提高汽油比例的热裂法。1890年，他开始作为化学家在印第安纳美孚石油公司设在印第安纳州怀廷的炼油厂工作，很快升任为经理（1918～1927）。原油是各种烃的混合物，可利用物理方法，通常是蒸馏法把原油分离为几个馏分。他于1913年取得专利权的热裂法，是利用化学方法把许多挥发性较小的成分转变成汽油，使汽油的产量成倍增加。虽然此后已发展了其他的炼制技术，伯顿法依然广泛使用。

Burton upon Trent 特伦特河畔伯顿 英格兰斯塔福德行政郡东斯塔福德区的城镇。主要在特伦特河左岸和大特朗克（特伦特和默西河）运河滨。1002年建本笃会隐修院。

特伦特河畔伯顿的酿酒厂
美国不列颠百科全书公司供图

获准每年举行一次商品交易会和每周两次集市，以牛、马交易最为闻名。伯顿隐修院修士所发明的酿酒法是该镇的古老行业。至1801年全镇有9个酿酒厂，至今仍很重要。18世纪交通发达，尤其在18世纪60年代建造了大特朗克运河，全镇开始朝现代化发展。除酿酒业外还有铸造和制造业。隐修院现在只遗留下一个门楼、部分墙和小门道。在此原址上建有15世纪的半木建筑。跨特伦特河的大桥约建于12世纪。圣莫德温教堂建于18世纪，是一座旧式建筑。人口60 525（1991）。

Buru 布鲁 印度尼西亚摩鹿加群岛中的一个岛屿。属马鲁古省中马鲁古县。位于塞兰岛以西68千米，隔马尼帕海峡相望。面积9 505平方千米。岛上多山，森林密布。东北海岸的楠勒阿是主要城镇，有狭窄的海滨平原，并有良港和机场。岛的四周有珊瑚礁围绕，岛上最高峰2 428米。该岛曾被荷兰人占领（1652～1658）。出产林产品和西谷。1969～1980年印度尼西亚政府将本岛作为囚禁1965年9月30日事件政治犯的集中营，约有1万人，大部分已在1979～1980年释放。自1999年起该岛频频发生穆斯林与基督徒暴力冲突事件。

Burūjird（Iran） 参阅 **Borūjerd 博鲁杰尔德**。

Burundi 布隆迪 全称布隆迪共和国。非洲中东部（赤道以南）内陆共和国。面积27 816平方千米。首都布琼布拉。北与卢旺达接壤，东和南与坦桑尼亚为邻，西南濒坦噶尼喀湖，西与刚果（金）交界。南北仅长约345千米，东西宽265千米。人口约6 055 000（2000）。每平方千米230人以上，为非洲人口密度最高的国家之一。

土地 布隆迪全境位于高原之上，西部多山，跨尼罗河与刚果河的分水岭。分水岭最高点达2 760米（9 055英尺），南北走向，向东逐渐倾斜，形成广大高原区，其东部边界则下斜至1 525～2 000米。高原上有鲁武布

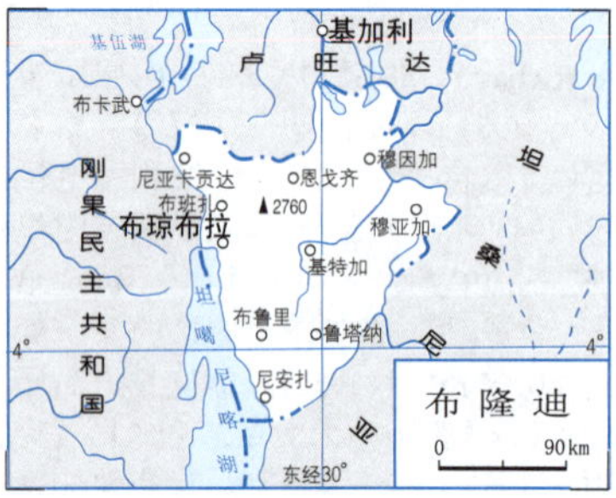

美国不列颠百科全书公司供图

河流域，为尼罗河流域延伸至最南端的部分。在西部，鲁济济河沿东非大裂谷的槽地流淌104千米，构成该国西部边界1/3的北段，并将北部的基伍湖（海拔4 790英尺）与南部的坦噶尼喀湖（海拔2 540英尺）连接起来。纵贯整个东非（北起红海，南至莫桑比克）的大裂谷在地质上仍然相当活跃，故境内地颤和地震时有发生。

该国属热带气候，但因海拔较高而显得温和。布琼布拉年平均气温为23 ℃；高原地区约为21 ℃；较凉爽的山坡约为16 ℃。年平均降雨量高地与高原区均为1 500毫米（60英寸）以上，鲁济济河谷与坦噶尼喀湖沿岸仅约40英寸。气温普遍较高。山坡地为该国最茂密的林区。海拔较高的高原，以热带多树草原为主，往东随高度下降而逐渐变为更加开阔的热带稀树草原。全国土地约有一半为可耕地；另有1/3用作牧场。境内野生动物种类繁多，有象、河马、鳄鱼、水牛、疣猪、狒狒及羚羊等。

金属矿藏位于东南部，据估计，该地区有全世界储量约3%的镍矿及较小量的铜矿、钴矿和钒矿。具商业开采价值的锡及钨矿位于东北部卢旺达边界。据地质评估表明，鲁济济河谷和坦噶尼喀湖底东北部下面储藏有较多的石油。

人民 人口主要是由胡图和图西两个种族组成。胡图族占全国人口的4/5，讲班图语，据信最初来自西非乍德-尼日尔地区，多为农人。图西族来自尼罗河流域或埃塞俄比亚，与东非的加拉人有亲缘关系，为牧牛者。仅约占全国人口1%的特瓦俾格米人为该国最早的居民。据信他们是从刚果河流域进入布隆迪的。官方语言为隆迪语（即基隆迪语）和法语，但也讲斯瓦希里语，有些学校也教英语。人们多信奉基督教（主要是天主教）和当地传统宗教。布隆迪的人口出生率和死亡率按世界标准均非常高。年人口增长率和非洲的总体水平差不多，致使境内因人口密度本来就高而引起的各种社会问题更加严重。这些问题促使该国政府全力推行调整人口分布和解决粮食短缺的计划。

经济 布隆迪属发展中的自由企业经济，在结构上为部分国营、部分私营，主要以农业为基础。其国民生产总值属世界最低之列。

农业约占国内生产总值的1/2，使用9/10以上的劳动力。境内土地很少得到灌溉，仅因博平原和莫苏地区实施了灌溉计划，可以种植水稻和棉花。咖啡、茶叶和棉花为主要经济作物。家庭作物包括木薯、香蕉、甘薯及大豆、玉米、高粱、花生和粟。主要牲畜有牛、山羊和绵羊。牛皮为重要输出品。

1960～1980年期间，林区面积减少了一半（覆盖地面不足3%），但20世纪80年代实施了重新造林计划。砍伐木材主要用作燃料。坦噶尼喀湖为商业渔场。矿产有瓷土、黄金、石灰和泥炭。

工业包括建筑业和制造业，约占国内生产总值1/7，雇用的劳动力仅为2%。因远离海港，以出口为主的工业发展受到阻碍。主要产品有啤酒及其他饮料、香烟、毯子和鞋类。电力几乎全部从刚果（金）的布卡武水电站输入。鲁武布河基特加和穆盖雷河布班扎附近的水坝和水电站也提供一些电力。

采矿业、重工业和棉纺织业均为政府所有。工业发展按5年计划进行。由于其国际贸易收支差额不稳定，布隆迪需要外国和国际机构的援助。1976年布隆迪、卢旺达和刚果三国组成了大湖国家经济共同体以使其经济一体化。

政府岁入主要靠关税、货物税、所得税和财产税。支出主要用于商品、服务、补助金和移民费以及贷款。布隆迪共和国银行为中央银行，负责调节本国和外国银行的运作。

公路网中只有少部分已铺设路面。坦噶尼喀湖滨的布琼布拉、鲁蒙盖和尼亚比辛杜诸港是重要的国内、国际航运港。该国贸易的主要问题是进出口产品转运困难。对非洲以外的贸易实际上全部都要经大湖从坦桑尼亚及刚果（金）运输或经公路从肯尼亚的蒙巴萨运输；而前两个国家均缺乏足够的运输和港口设备。布琼布拉建有一国际机场。

80年代和90年代期间，布隆迪外贸出现的巨额逆差，主要靠比利时、法国和德国的援助得以抵消。出口商品包括咖啡（占总量的4/5）、茶叶、棉花和兽皮。进口商品多为机械、交通设备、粮食和食品和石油产品。主要贸易伙伴有比利时、卢森堡、法国、德国、美国和日本。

政体与社会状况 布隆迪王国建于16世纪，由少数民族图西人统治，在比利时殖民统治时期尤为巩固。1962年成为独立国家。1962年和1965年举行立法选举，由图西人控制的民族进步统一党获胜。1966年君主制度被推翻后，军人政府宣布民族进步统一党为唯一合法政党。1974年和1981年通过的宪法继续认定其合法地位。1987年军事政变后，1981年宪法被中止，成立一个临时过渡政府。

1992年3月新宪法颁布，规定实行多党制（这部宪法在1996军事政变后被中止）。根据该宪法，行政权属总统，由直接选举产生，任期5年，可连任一次。总统任命总理，并与其共同行使法定权力。国民议会行使立

法权，议员由选举产生，任期5年。由最高法院及其以下多级法院行使司法权力。

布隆迪军队主要是由图西人组成。独立后军队的任务主要是确保图西人在政府中永掌大权。

布隆迪的医疗卫生条件极差，特别是在穷人中，麻疹、痢疾、疟疾、艾滋病和流感甚为普遍。医生缺乏，婴儿死亡率极高。平均预期寿命在世界属最短的国家之列，男性仅约44岁，女性约47岁。社会福利制度只惠及就业人员，而对全国医疗卫生条件的改善极少作为。

各级教育均实行免费制，但据估计小学学龄儿童实际入学率仅约占1/2。小学教学使用隆迪语，中学使用法语。15岁以上的人口识字率仅约1/3。

文化生活 民族文化的传播均靠口传，而无文字记载。有大量口述文学，包括故事、传说和寓言，也有诗歌和歌曲。乐器有竖琴、单弦小提琴和一种口琴。其民族舞蹈，尤其是图西族的舞蹈，举世闻名。

历史 现今仅占全国人口极少部分的特瓦族可能是该国最早的居民。他们是俾格米人，从很早的时候起便从事狩猎和制陶活动。该国最大的种族集团为胡图族，他们向布隆迪的迁徙历时数百年，很可能直到公元11世纪才告结束。约300或400年之后，图西族开始出现。虽然他们在人口中所占比例从未超过15%，但通过精心策划的土地和牲畜契约却成功地制服了在数量上占优势的胡图族。

以国王和类似封建领主诸侯为中心的政治制度得到发展。胡图族和特瓦族成为社会地位低的种族。17世纪，国王恩塔尔将其统治从中部的恩科马地区扩展到邻近的布图齐、基利米罗和布延齐地区。后来恩塔尔(约1795～1852在位)继续进行征服，占领今卢旺达南部和坦桑尼亚西部的一些地区。王国的体制采分权制，各地诸侯享有半自治权，他们经常因争夺王位继承权而发生冲突。19世纪末这种冲突日趋激烈，到1900年，恩塔尔二世的继承人基萨博只能控制半个王国。

1879年第一个基督教(天主教)传教团体在布隆迪建立。1885年柏林的德国国会将布隆迪划为德国的势力范围，然而德国首任驻扎官直到1906年后才到达布隆迪。1916年比利时接管布隆迪，1923年国际联盟委任比利时统治布隆迪和卢旺达，当时称卢旺达-乌隆迪。第二次世界大战后改由联合国托管。

殖民地时期的情况加深了各部族之间的敌意。到独立即将实现之际，国内部族之间的敌对状态成为布隆迪的严重问题。

1962年作为图西族统治下的君主国，布隆迪获得独立。1965年，胡图族发动叛乱，但遭残酷镇压。一年以后，米孔贝罗发动军事政变成立共和国，决心进一步消除政府和军队中的胡图人。1970～1971年一些图西人亦遭清洗，但一场内战爆发致使10～15万胡图人丧生，另有10万人无家可归。

1976年巴加扎发动政变，成立最高革命委员会，建立了一党制国家，1977年巴加扎当选总统后结束。1987年9月P.布约亚少校发动政变推翻了巴加扎，并自任总统。1988年8月发生种族骚乱，约2万胡图人惨遭屠杀，但布约亚为民族和解所作的努力开始取得进展。他十分小心地挑选图西和胡图两个部族的代表组成内阁，其政府还制定出新宪法，并在1992年举行的公民投票中以压倒多数通过。

1993年6月，M.恩达达耶当选总统，成为布隆迪胡图族出身的首任国家元首。同年10月在一次政变中M.恩达达耶和另外几位著名胡图族政治家被害。国民议会迅速恢复对政府的控制，但已无法制止随后发生的种族爆乱：1993年10月和11月有多达15万胡图人和图西人丧生，有80万人逃离该国。部族暴乱持续到90年代晚期。

1994年1月，国民议会选定胡图人C.恩塔里亚米拉为该国总统。1994年4月6日，恩塔里亚米拉和卢旺达总统J.哈比亚里马纳在一次可疑的飞机失事中遇难。S.恩蒂班通冈亚成为布隆迪总统。1996年7月图西人发动军事政变将布隆迪政权推翻，此后皮埃尔·布约亚出任总统。

Burushaski language 布鲁肖语 克什米尔西北部吉尔吉特地区布鲁肖人所使用的语言。这种“孤立语言”与世界其他语言的关系尚不清楚。其语言特点是名词有4个范畴或4个性：①男性，②女性，③雌雄动物及某些无生命物，④其余的无生命物；另一些特征是名词与形容词的复数后缀，指示代词与形容词的复数后缀，动词第三人称的词尾，所有这些都依性而变化；还有一组代词前缀；一种千位以下的大数目以20或40的倍数增加的数字系统。操布鲁肖语者约40 000人，无文字。稍有歧异的韦尔希克瓦尔语是布鲁肖语的方言，通用于克什米尔的亚辛河谷地。

Burutu 布鲁图 尼日利亚德尔塔州城镇和港口。建于尼日尔河三角洲福卡多斯水道两岸，距贝宁湾32千米。19世纪末皇家尼日尔公司在此建基地后，成为连接内河与海上运输的枢纽。现出口周围地区的棕仁、棕油、橡胶和木材；北方和乍得的花生和棉花；东部的棕榈产品和木材；贝努埃和高原两州的芝麻和花生。1964年在布鲁图近海发现石油。翌年该州第一批石油出口(在海上装船)。该港亦以造船和修船业著称，亦是伊乔人农产品贸易中心。有一所医院。人口约8 360(最新估计)。

Bury 贝里 英格兰大曼彻斯特郡都会区的城镇和都会自治市。属兰开夏历史郡。面积99平方千米。有欧韦尔河流经。地当公路干线交会点。14世纪开始有羊毛工业。18世纪发展起棉纺织业，其重要性超过了羊毛业。19世纪工业突飞猛进。有造纸、造纸机械制造、金属加工和多种轻工业。区内主要有住宅区和一些村庄。人口：镇62 633；都会自治市182 000(1998)。

Bury, J(ohn) B(agnell) 伯里(1861-10-16，爱尔兰莫纳亨郡～1927-06-01，罗马) 英国古典学者和历史学家，其著作被视为拜占廷研究复兴之最佳代表。伯里是爱尔兰最杰出牧师之子，曾受其博学父母之教育，后被送往伦敦德里福伊尔学院就读。1878年入都柏林三一学院，1882年以优异成绩毕业。1885年被选为大学评议员，8年后获该学院现代史教授职位。1902年任剑桥大学现代史钦定讲座教授，直至去世。对古典作品和语言学造诣极深，19世纪80年代开始对历史发生兴趣。1890年出版《品达尔的奈迈阿赛会颂歌》。两年后完成另一部著作《品达尔的科林斯地峡运动会颂歌》，同时任学术杂志《科达博斯》的编辑。在学习俄文和匈牙利文之后，写出两卷论述罗马帝国的重要著作：《自阿卡狄乌斯至伊林娜期间的后期罗马帝国史》(2卷，1889)和《罗马帝国自建立至马可·奥勒利乌斯逝世期间的历史》(1893)。1896～1900年将吉朋所著《罗马帝国衰亡史》加上证明自己新的研究成果的注释和附录出版新版。他还写有《亚历山大大帝逝世前的希腊史》(1900)。1898～1904年编辑《拜占廷史》。1908年在哈佛大学发表了一系列演说，一年后集印成册，即《古希腊历史学家》。1912年又编撰另一部罗马史著作：《自伊林娜垮台至巴西尔一世即位期间的东罗马帝国史》。他的兴趣扩大到有关思想史方面的更为概括的研究，后来他写下了《思想自由史》(1914)和《进步的概念》(1920)。他的最后著作是又一部有关罗马的历史：《自狄奥多西一世逝世至查士丁尼逝世期间的后期罗马帝国史》(1923)。两部于他死后出版的演讲稿为：《野蛮人对欧洲的入侵》(1928)和《19世纪(1864～1878)罗马教廷史》(1930)。除其他出版物外，他还编辑了《剑桥古代史》，并为《剑桥中世纪史》制订了大纲。伯里把历史看作是一门讲究方法论的科学，尽管也引入一些足以阻碍推断一般规律或教诲的偶然因素。不过，他的怀疑论是有限度的；一般而言，他代表了维多利亚时代及其对理性增长的最终信念，以及其阐明欧洲的过去和使现在易于理解的能力。他的《思想自由史》大概最有力地说明了他的历史观，他认为历史就是人类理性的奋斗和进步的记录。他不仅提供了优秀学术著作的高标准，还是参预拜占廷复兴运动的研究的第一批英国历史学家之一，他们的研究包括其哲学、艺术、文化和建筑，认为这是文明史的令人信服的代表。

Bury, Richard de 伯里(1287，英格兰萨福克贝里圣埃德蒙兹～1345，英格兰) 原名理查德·昂格维尔。英格兰学者、外交家、达勒姆主教、著名藏书家。早年即对书籍感兴趣。为英格兰王爱德华三世出使欧洲期间，曾从隐修院的缮写室、图书馆和书商等处搜集书籍。1333年任达勒姆主教，因而更有搜集书籍的机会。颂扬书籍的论文《爱书说》于1344年写成，1473年首次印行，后来有多种译本和版本。曾计划在牛津大学设立学院，并拟捐赠其拥有1 500多册藏书的图书馆。然而，由于他死时负债累累，其藏书只得出卖。

Bury Saint Edmunds 贝里圣埃德蒙兹 英格兰萨福克行政、历史郡圣埃德蒙兹伯里一城镇，地处拉克河畔的伊普斯威奇西北面。1020年建立本笃会隐修院。1606年获特许

贝里圣埃德蒙兹的11世纪本笃会隐修院遗址
美国不列颠百科全书公司供图

状建制。现为谷物产区东安哥利亚的重要农业贸易集市和服务中心。工业有农机制造、酿酒和榨糖业。名胜古迹有圣詹姆斯大教堂、圣马利亚教堂、诺曼人建的莫伊塞斯厅和市政厅等。人口31 237(1991)。

Buryat　布里亚特人　又拼Buriat。最北部的主要蒙古民族,住在贝加尔湖以南和以西地区。根据1689年的《尼布楚条约》,该地由清政府割给俄罗斯帝国。在语言、历史、生境和经济形式上,布里亚特人同外蒙古的喀尔喀蒙古人、中国内蒙古和东北各省的蒙古人和卡尔梅克人(卫拉特人)族源关系密切,共同构成主要的蒙古各民族。布里亚特人是其中较小的一族;20世纪80年代末,该族在苏联总数约有39万人。布里亚特人的确切来源不详。一说13和14世纪时,不同成分的居民在他们现今的土地上共同构成一个种族单元,这就是布里亚特族。根据传统来看,他们历来是游牧民族,饲养牛、马、绵羊、山羊以及少数骆驼。传统的社会组织分贵族和平民两个阶层,还有少数奴隶。按父系传代,从父居,组成家族村落、氏族和氏族联盟。永久性氏族联盟由一些王朝统治。布里亚特人的宗教生活是萨满教和佛教的混合形式,东布里亚特人因受喀尔喀蒙古人的影响较深,多信奉佛教。沙皇时期,有些人成为东正教徒。自俄国革命以来,布里亚特人原始的天然放牧为集体农庄的饲养业所代替。由于试验人工饲养黑貂,他们已扩大了在大松林地带的狩猎和诱捕的范围。木材经营是重要行业,渔业也已兴起。在俄罗斯共有35万布里亚特人,其中许多人居住在布里亚蒂亚。此外,还有人居住在伊尔库茨克州和赤塔州的两个民族自治区。在蒙古国约有4.2万人。

Buryatiya　布里亚蒂亚　又拼Buriatiya。俄罗斯一共和国。位于东西伯利亚。西邻贝加尔湖,南同蒙古接壤。面积35.13万平方千米。境内多山,萨彦岭高达3 000米。主要河流为色楞格河(可通航,注入贝加尔湖)及勒拿河支流维季姆河。森林覆盖率为70%(几乎全为针叶林)。大陆性气候。冬季漫长,夏季炎热。大部地区年降水量不足500毫米。居民中布里亚特人仅占1/4,其余多为俄罗斯人。城市人口约占总人口的60%,最大城市为首府乌兰乌德(**Ulan-Ude**),位于人口密集的色楞格河谷。有金、钨、钼、镍、铝、铁、锰和煤等矿藏。工业有采矿、冶金、机械制造、木材加工和建材(水泥、玻璃和石棉)以及皮革、纺织、食品和鱼类加工。农业以畜牧为主;种植业分布在色楞格河流域,种植春小麦、马铃薯、蔬菜和甜菜。毛皮动物养殖业亦占重要地位。从乌兰乌德有铁路通往蒙古乌兰巴托。另有贝加尔—阿穆尔干线于1989年开通,部分穿越布里亚蒂亚。有公路联接乌兰乌德与蒙古乌兰巴托及俄罗斯伊尔库茨克。色楞格河沿岸及贝加尔湖水运发达。人口约1 038 000(1999)。

bus　公共汽车　又作omnibus。一种自动推进的、通常用来在规定路线上运送乘客的大型车辆。1830年在英国出现了一辆用蒸汽机驱动的客车,这可能是世界上第一辆公共汽车。1895年德国制造了第一辆用汽油发动机驱动的8人座公共汽车。直到20世纪20年代,公共汽车是将车厢装在货车底盘上。美国加利福尼亚州奥克兰的法乔尔安全汽车公司于1921年制造了第一辆真正的公共汽车,这种汽车具有低车架、超长轮距、宽胎面轮胎和前置发动机。4年后该公司又制造了第一辆整体车架的公共汽车,车顶、侧壁和地板都作为构件,与底盘结合成整体;两台发动机安装在地板下面。1928年美国首先开展横越大陆的公共汽车业务,10年后公共汽车已在美国公路上络绎不绝。1931年柴油发动机开始取代汽油发动机成为主要的动力,并采用后置发动机。1953年空气悬架第一次用于公共汽车上,不久便被普遍采用,其主要优点是能对不同的载重自动进行调整;常规的螺旋形弹簧或钢板弹簧不具有这种优点。1954年在长途路线上出现的"风景游览车"是公共汽车旅行的重大发展之一。这种汽车装有空气悬架和6个车轮(前轮为单轮,后轮为双轮),使载重均匀地分布在每只车轮上。整体式车身分为上下两层。双层公共汽车的机动性较好,根据能运载的乘客人数,它所占的地面面积相对较小,因此在欧洲许多城市里相继出现。在大城市里,用挠性接头牵引拖车的铰接式公共汽车很普遍。市内无轨电车也很受欢迎,车上的电动机由架空电线供给能源。现代公共汽车主要有4种类型:市内公共汽车、市郊公共汽车、长途公共汽车和学校公共汽车。市内公共汽车是一种特殊设计的车辆,最大速度很低,在车厢的一侧有前后两扇车门,车内可供许多乘客站立,座椅的靠背低,没有行李架。市郊公共汽车没有固定的班次,主要在交通拥挤的城市之间短程行驶,只有一扇前车门,能存放少许行李。长途公共汽车注重乘客的舒适,车内没有站立的地方,能存放大量行李。大多数学校公共汽车的车厢装在货车底盘上。

Busbecq, Augier Ghislain de　比斯贝克(1522,佛兰德科米讷[今比-法边境]～1592-10-28,法国鲁昂附近圣日耳曼)　佛兰德外交家和文人,作为驻君士坦丁堡(今伊斯坦布尔)大使,曾用文字介绍土耳其人的生活,令人增长见闻。原为比斯贝克领主的私生子,后被立嫡。他进入奥地利的斐迪南一世(神圣罗马帝国皇帝查理五世的弟兄)的政府部门供职。1554和1556年两度被派往君士坦丁堡,充当斐迪南派驻奥斯曼苏丹苏莱曼一世宫廷的大使,苏莱曼不同意斐迪南对匈牙利王位的权利要求。比斯贝克第2次出使时遭到苏丹软禁,但是他终于制订了和平条款,于1562年返回维也纳后得到批准。1558年斐迪南成为皇帝后,比斯贝克在他的宫廷中历任各种要职。晚年在法国宫廷中度过,曾任奥地利的伊丽莎白(1570年与法国的查理九世结婚)的财务总管和神圣罗马帝国皇帝马克西米连二世之子鲁道夫二世的驻法大使。比斯贝克用拉丁文从君士坦丁堡的苏莱曼宫廷写给斐迪南的书信是研究奥斯曼帝国当时的历史和礼仪的宝贵资料。他的书信还以其文笔优美长期受人欣赏,后来的大使们将其作为学习的楷模。比斯贝克是一个兴趣广泛的人,他搜集希腊手抄本,后来并入奥地利的国家收藏品。他曾发现安卡拉铭文,这一铭文系公元14年左右刻在古安西拉(今土耳其安卡拉)一座神庙的墙壁上的,记述罗马皇帝奥古斯都的文治武功、政府机构和公共福利,很有价值。他在君士坦丁堡与两位来自克里米亚的大使会见之后,选取当时该地区仍在使用的一种哥特语的单词,制成第一个词表,并附在他的一封书信中。他还把黎凡特的几种土生动植物引入欧洲,主要有丁香、郁金香和安哥拉山羊。

Busby, Sir Matt　巴斯比(1909-05-26,苏格兰拉纳克郡奥比斯登～1994-05-26,英格兰曼彻斯特)　英国足球运动员,曼彻斯特联队队员、领队,1971年起担任主任,1980年起担任主席。在任曼彻斯特联队教练期间,使该队获英格兰联赛第一组冠军(1952、1956～1957、1965、1967)并赢得2次足球协会优胜杯决赛(1948、1963)和1次欧洲杯决赛(1968)。1945～1969年任曼彻斯特领队期间成功地实施一套以一名十分活跃的中锋为核心的进攻方法。他还以招募了许多天才的青年球员而著称。1958年2月6日曼彻斯特联队乘坐的飞机在慕尼黑附近坠毁,8名主力队员身亡。巴斯比幸存,带新组成的队参加足球协会优胜杯决赛,以0:2负于博尔顿流浪者队。1968年被封为爵士。

Busch, Adolphus　布希(1839-07-10,黑森美因茨附近[德国]～1913-10-10,德国朗根施瓦尔巴赫附近)　德国出生的美国啤酒商人,与E.安霍伊塞共同创办后来称为安霍伊塞-布希公司的美国最大的酿酒企业。他是富有的酒类和酿造供应品商人U.布希21个子女中最小的一个。1857年他移居美国密苏里州圣路易。他利用遗产开办一家酿造供应公司。1866年与其岳父安霍伊塞合伙进入酿酒业。1873年他发明一种可使啤酒不受温度变化影响的啤酒杀菌法,使该公司的啤酒能在全国经销。到1901年,安霍伊塞-布希公司(1879年已用此名称)每年销售啤酒100万桶以上,极大地超过其竞争对手帕布斯特公司,从此成为美国最大的酿酒商。布希是精于市场销售的人;他与圣路易餐馆老板C.康拉德合作研制成一种叫作"布德韦瑟"的淡色啤酒,他们相信它一定比当时流行的黑啤酒更受消费者欢迎。此后,"布德韦瑟"成为世界上销路最佳的啤酒。他去世时,公司由其长子奥古斯特继承。时至今日,奥古斯特的后裔仍然保持着可观的利润。

Busch, Wilhelm　布施(1832-04-15,汉诺威维登萨赫尔[德国]～1908-01-09,德国西森附近梅希特斯豪森)　德国画家、诗人,以配有机敏讽刺诗的漫画而著称,堪称报刊连环漫画的先驱。曾在杜塞尔多夫、安特卫普、慕尼黑等地学习。1859年开始给德国的主要连环画周刊《快报》投稿;作过一系列带有简短诗句的叙事体连环画,其中有《马克斯和莫里兹》、《圣徒安东尼斯·冯·帕杜阿》、《虔诚的海伦》、《吹牛大王汉斯》、《咚德隆咚!》、《克谱普先生和太太》等。基于对下层社会和资产阶级间普遍存在你死我活的斗争以及儿童恶作剧本能的锐利观察,以"虐待为乐"为题创作的作品销数可观,被译成多种文字,至今仍受欢迎。他的文字在德语国家广为引用。风格为许多艺术家所仿效。简洁达到极致。寥寥数笔便将复杂的变形和瞬间动作表现得活灵活现。

Büsching, Anton Friedrich　比兴(1724-09-27,绍恩堡施塔特哈根[今属德国]～1793-05-28,普鲁士柏林[今属德国])　德国地理学家和教育家,曾协助建立研究地理的科学理论基础,着重统计学而不注重文字描述。1766～1793年任柏林格劳恩隐修院大学预科校长期间,对德国教育贡献卓著。在他所发表的100多种著作中,最重要的是多卷的《新地理学》,此书于1760年开始陆续出版。他去世时,只出版了有关欧洲及一部分亚洲的章节。该书前几部的英译本《地理学新体系》(*A New System of Geography*)共6卷,于1762年出版。

Busenbaum, Hermann　布森鲍姆(1600,威斯特伐利亚诺图尔恩[德国]～1668-01-31,明斯特明斯特[德国])　天主教耶稣会道德神学家。1619年加入耶稣会,后曾任希尔德斯海姆学院和明斯特学院院长。其名著《道德神学的核心》(1650)收集名家著作,1776年前即已印行200版,被许多神学院用作教材。

Bush, George　布什(1924-06-12,美国马萨诸塞米尔顿～　　)　美国政治家和商人,1981～1989年任美国副总统,1989～1993年任美国第41任总统。投资银行家和代表康涅狄格州的美国参议员普雷斯科德·谢尔登·

美国不列颠百科全书公司供图

布什之子。少年时在康涅狄格州格林尼治长大,在那里和马萨诸塞州安多弗的私立学校上学。第二次世界大战期间,在安多弗的菲利普斯学院毕业后,立即参加美国海军预备队,在太平洋的航空母舰上任鱼雷轰炸机飞行员(1942～1944),获得"卓越飞行十字勋章"。后进耶鲁大学,于1948年毕业。不愿在父亲的公司里任职,遂迁往得克萨斯州,当一名油田设备推销员。1953年与人合伙创办萨帕塔石油公司和萨帕塔近海石油公司(1954)。

1959年成为休斯敦共和党的一名活跃分子。1964年竞选美国参议员失败后,1966年当选为共和党在美国众议院中有把握取胜的议员。1970年退出众议院,再度竞选参议员未获成功。尼克松总统遴选他担任美国驻联合国大使(1971～1972)。1973年水门丑闻爆发时,任共和党全国委员会主席。他在任职期间于1974年8月要求尼克松辞职前,一直支持尼克松总统。同年晚些时候,福特总统任命他为美国驻北京联络处主任。他担任此职务直至奉召回国任中央情报局局长(1976～1977)。1980年参加竞选共和党总统候选人提名,5月退出竞选,转而支持里根,里根则选中他作为竞选搭档。在1980年总统选举中,里根击败了民主党候选人。作为副总统,布什赢得了里根的信任,两人于1984年连选连任。作为副总统,布什是1988年共和党总统提名中最早也是最主要的候选人。他赢得了提名,并在1988年11月总统选举中击败民主党候选人杜卡基斯。

布什是位温和的保守派,作为总统,虽然避免采取其前任与民主党控制的国会对抗的做法,但对里根的政策未作剧烈改变。1989年12月下令对巴拿马进行短暂的军事入侵,推翻巴拿马领导人诺列加将军,诺列加并因贩毒罪在美国受到起诉。1990年8月,伊拉克入侵和占领科威特,布什领导了由联合国批准的全世界对伊拉克的禁运,以迫使伊拉克撤出。他还派遣一支美国部队前往沙特阿拉伯,支持该国对抗伊拉克的压力和恫吓。他巧妙地建立起西欧国家和阿拉伯国家反对伊拉克的联盟,并克服那些主张延长禁运使之发挥作用的国家的反对,在几个月内将美国在波斯湾的军队增加至约50万人。在伊拉克拒不从科威特撤出后,布什乃授权于1991年1月16～17日开始发动由美国领导的空中进攻。随之发生的波斯湾战争以2月底盟军的地面进攻而告结束,这场进攻摧毁了伊拉克的大部分军队,使科威特恢复独立。

布什虽同国会达成协议,制订一项计划,采取增税和减少开支的办法来控制联邦政府长期巨额赤字,但对国内事务却较少采取主动行动。布什在波斯湾战争期间的领导受到赞誉,但是1990年后期持续至1992年的经济衰退使他的声望大为下降。1992年总统选举中布什败给民主党候选人比尔·克林顿。卸任后回到休斯敦。其长子G.W.布什于2000年当选美国总统,并于2005年成功连任。次子杰布于1998年当选佛罗里达州州长。

Bush, George W.　布什(1946-07-06,美国康涅狄格州纽黑文～　　)　全名George Walker Bush。美国第43任总统(2001～　　)。美国第41任总统(1989～1993)G.布什的长子。童年在得克萨斯州的米德兰和休斯敦度过。1968年获得耶鲁大学历史系学士学位。是耶鲁大学秘密社团骷髅会的一员,学习成绩平平,体育方面也不突出。大学毕业前夕成为飞行学员,因而未被征召到越南前线作战。从军纪录显示他在1972年5月到1973年5月之间,在亚拉巴马州或得克萨斯州,至少

美国不列颠百科全书公司供图

少服了8个月的兵役。这段不光彩经历在2000年和2004年竞选总统时都再次浮上台面,成为总统选战的议题。1975年取得哈佛大学硕士学位。之后开办石油天然气公司。1977年与当时担任教师和图书馆员的劳拉·莱恩·韦尔奇结婚。1978年进军国会失败,转而向商界发展。1986年公司被哈肯能源公司并购。此后,布什在华盛顿待了18个月,担任他父

亲竞选总统活动的顾问和讲稿撰写人。竞选之后因兼任一棒球队的经理而在媒体大量曝光，赢得成功商人名声。1994 年竞选得克萨斯州州长，成为第一位当选州长的美国总统子女。在任期间，他增加了州对中小学教育的投入；还兑现对青少年罪犯施以严厉刑罚的竞选承诺；相较于其他州，布什以更快的方式处理死刑，使他在任期内受到国际瞩目；还签署数份侵权改革法案。1998 年成功连任，成为第一个连任的得克萨斯州州长。1999 年 6 月 12 日正式宣布角逐共和党美国总统提名。他形容自己的政治哲学是“悲天悯人的保守主义”，关心弱势群体。大选中与对手 A. 戈尔的民调差距缩小到美国 40 年选举以来最接近的一次。投票当天佛罗里达州的 25 张选举团票是决胜关键。最终美国最高法院以 5:4 作出具有争议的裁决使布什成为总统。布什赢了佛罗里达州，以只比所需的 270 张多一张选举团票（271:266）险胜戈尔。布什就职，成为第二位担任国家最高公职职位的总统之子。是自 20 世纪 50 年代的艾森豪威尔总统以来，第一个在国会参众两院均占多数的共和党总统，有更多机会致力推动其内政和外交政策。在外交方面，布什政府宣布美国在降低产生温室效应的气体排放上，不会遵守《京都议定书》（美国在克林顿总统执政的最后几天签订此议定书），还退出 1972 年制定的《限制反弹道导弹系统条约》，并试图取得各国政府不将美国公民引渡给新的国际刑事法庭的承诺。从许多美国国内和国际间对布什的批评看来，以上举动显示美国在外交政策上的单边主义令人担忧。2001 年 2 月，英美两国为维护 1991 年海湾战争后所建立的伊拉克南北部的禁飞区，以战机轰炸巴格达。2001 年 9 月 11 日，布什政府面临首次重大挑战，4 架美国商用客机被伊斯兰恐怖分子劫持并撞机。这是美国本土有史以来所发生的最惨重的一次伤亡事件，约有 3 000 人死亡，此事促使世人向恐怖主义全面宣战。美国境内安全和反恐怖主义战争随后成为布什各级政府的优先目标。9·11 事件发生后不久，布什政府要求并由国会通过的《爱国法案》，大幅扩大联邦调查局等执法机关搜查与监视的权力，并成立国土安全部。布什指控本·拉登及其基地组织该为 9·11 事件负责，并指责阿富汗塔利班政府窝藏拉登及其手下。布什建立了一个国际反恐联盟，下令从 2001 年 10 月 7 日起对阿富汗境内的恐怖分子和塔利班成员聚集地进行大规模轰炸。2002 年 9 月布什政府宣布一项新的美国国家安全策略。其中最著名的是美国可能会在必要时运用军事力量“先发制人”，即用武力阻挡或遏阻恐怖分子，或拥有生化、核武器等所谓大规模杀伤性武器的“流氓国家”。同时又将全球注意力撰向伊拉克总统萨达姆·侯赛因，质疑伊拉克违反联合国安理会决议，曾试图研制大规模杀伤性武器。后向伊拉克宣战，所谓“伊拉克自由行动”自伊拉克时间 2003 年 3 月 20 日开始。战争期间逃匿的萨达姆于 2003 年 12 月被美军逮捕。在内政方面，2001 年起美国经济持续衰退。由于对战争和恐怖主义的恐惧，财务危机接连不断，一些美国历史上最大的企业宣布破产，旅游业在 9·11 事件后一片愁云惨雾，以及自 90 年代晚期的“泡沫经济”的最后冲击都使得消费者信心不足，金融市场持续萧条。2004 年共和党支持布什竞选连任，最终以微弱多数战胜对手 J. 克里。

Bush，Laura Welch　布什（1946-11-04，美国得克萨斯米德兰～　）　婚前名 Laura Lane Welch（劳拉·莱恩·韦尔奇）。美国第一夫人（2001～　），第 43 任总统 G. W. 布什之妻。1968 年获南循道宗大学基础教育学士学位。毕业后在公立学校教书。1973 年获得克萨斯大学图书馆学硕士学位，在奥斯汀当图书馆员。1977 年 11 月与布什结婚，1981 年生双胞胎姐妹。1994 年布什当选得克萨斯州州长后她致力于扫除文盲和为公共图书馆筹集资金。发起得克萨斯图书节，4 年间为公共图书馆筹集资金近 90 万美元。1999 年布什竞选总统，媒体问她如果当上第一夫人，将会采取希拉里式的积极做法还是芭芭拉式的传统做法，她迟不作答，意思是要有自己的风格。作为第一夫人，她在电台上发言支持阿富汗人民，并同意在参议院教育委员会作证。此外还组织展示美国作家的全国图书展览会，成立劳拉·布什基金会为图书馆筹集资金，并慰问 9·11 事件受害者。

美国不列颠百科全书公司供图

Bush，Vannevar　布什（1890-03-11，美国马萨诸塞埃弗里特～1974-06-28，马萨诸塞贝尔蒙特）　美国电气工程师兼任政府官员。研制出微分分析仪，即第一台电子模拟计算机。1914～1917 年在马萨诸塞州梅德福的塔夫茨大学任教。在为美国海军进行潜艇探测研究之后，1919 年在剑桥的麻省理工学院（MIT）任教。20 世纪 20 年代末他发明网络分析器以模拟大电网的性能。1930 年他和一个小组在 MIT 为解微分方程而制造微分分析器，该机能处理多达 18 个自变量，这预示着第二次世界大战后发展的电子计算机。1940 年被委任为国防研究委员会主席，次年成为新建立的科学研究与发展办公室主任，该室为第二次世界大战协调国家的武器开发研究工作，在科学研究和发展方面向政府提出建议。战后（1946～1947）是联合研究发展委员会主席，还任过卡内基学院院长（1939～1955）。

bush baby　灌丛婴猴　树栖的小灵长类，婴猴（**galago**）的一种。

bush bear（African primate）　**薮熊**　参阅 **potto** 树熊猴。

bush dog（species *Speothos venaticus*）**薮狗**　又作 savannah dog。又称稀树草原狗。犬科一种粗短的小型食肉动物，栖于中美和南美的森林和稀树草原；为罕见种，由于自然生境的毁坏而日益减少。腿短，毛长。肩高约 30 厘米，体长 58～75 厘米，尾长 13～15 厘米。体重约 5～7 千克。毛棕色，前半身带浅红或灰白色，后半身包括尾在内色深。习性不详，据报道这种狗在夜间活动，成群捕食，主要以啮齿动物为食。

薮狗（*S. venaticus*）
美国不列颠百科全书公司供图

bush honeysuckle　灌木忍冬　忍冬科迪尔维尔氏树属（*Diervilla*）3 种低矮灌木的统称。均原产于北美东部。常与鞑靼忍冬（*Lonicera tartarica*）相混淆，后者的英文俗名常为 honeysuckle bush（参阅 **honeysuckle**）。灌木忍冬的叶长椭圆形。花管状，簇生于枝端。灌木忍冬借地下的根蔓延，在干燥、多岩石的地区生长成小片。初夏开花。花黄色或浅红黄色。花谢后结细长、具喙的果实。北方灌木忍冬包括洛尼策氏灌木忍冬（*D. lonicera*）及溪岸迪尔维尔氏树（*D. rivularis*）两者十分相似，仅前者植株较小，叶更尖。南方灌木忍冬即无柄叶迪尔维尔氏树（*D. sessilifolia*）叶无柄，枝条有棱角。

bush pig（species *Potamochoerus porcus*）　**薮猪**　又称非洲野猪。偶蹄目猪科的非洲种类。似猪但毛长，耳上也有缨状长毛。一般4～

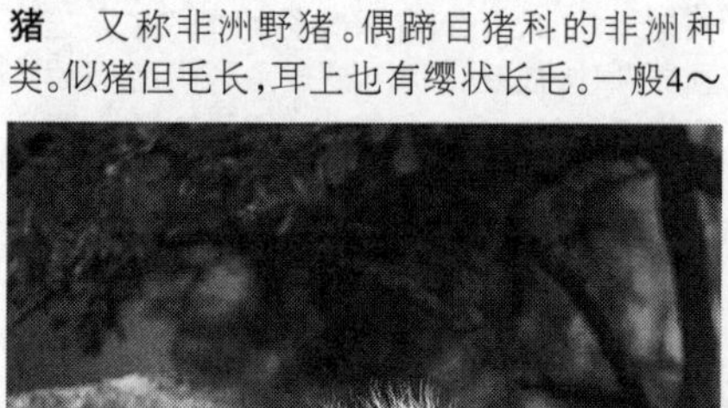
薮猪（*Potamochoerus porcus*）
美国不列颠百科全书公司供图

20只为一群，栖息在撒哈拉以南的森林和灌丛地区。杂食性，用鼻拱土寻食。成年者肩高64～74厘米。毛色从浅红褐至灰黑色。脸部有黑色和白色斑纹，背部有白鬃。有几个亚种，浅红褐色者称为红河猪（*P. porcus porcus*）。

bush poppy（*Dendromecon rigida*） **灌木罂粟** 又作tree poppy。又称树罂粟。罂粟科灌木或小乔木，原产于加利福尼亚南部和墨西哥西北部的浓密常绿阔叶灌丛。高0.5～

灌木罂粟（*Dendromecon rigida*）
美国不列颠百科全书公司供图

3米。花径4～5厘米，花瓣4枚，奶油黄色。叶常绿，形狭长，长2.5～10厘米，带蜡质，灰绿色。树皮的裂纹似破布条状，黄灰色。加利福尼亚南部沿岸岛屿的一个变种——海岛树罂粟（*D. rigida harfordii*），高达6米。灌木罂粟耐寒，在冬天温暖的地区作为观赏植物。

bush-shrike **非洲丛伯劳** 非洲伯劳的某些种的统称。参阅**shrike**。

Būshahr（Iran） 参阅**Bandar-e Būshehr**布什尔港。

bushbuck（species *Tragelaphus scriptus*） **薮羚** 又作harnessed antelope。又称套羚。偶蹄目牛科非洲动物。羚的一种。栖息在撒哈拉以南的森林和灌丛地带。胆小，夜间活动，常

薮羚（*Tragelaphus scriptus*）
美国不列颠百科全书公司供图

独栖。肩高约1米。毛色因亚种而异，从浅红褐色至近乎黑色。斑纹各异，但颈和喉部都有白斑，体两侧有竖列斑纹或成排的斑点。雄体有角，角直立，具螺旋形盘曲。

Būshehr **布什尔** 伊朗西南部区域。西濒波斯湾，东南和东部界霍尔木兹甘地区和法尔斯地区，西北部接胡齐斯坦地区。为扎格罗斯山脉的一部分。由高原内分散的手指状高地组成。有沙布尔河流过，是从波斯湾沿海通到内地的一条水道。雨量稀少。大多数居民务农。作物有小麦、大麦、椰枣、芒果和柑橘类水果。工业有织布、碾米、磨面、建筑材料和加工食品等。公路几乎全部与波斯湾平行。有一些油气田和煤气管道。20世纪70年代在以前主要用于放牧的土地上建立了新农业村落。

Būshehr（city, Iran） 参阅**Bandar-e Būshehr**布什尔港。

bushel **蒲式耳** 美国习用的和英国法定的度量衡制中的容量单位。英制中此单位用于液体与干物类，容量相同；并自1824年规定1蒲式耳等于8英国标准加仑，或36 375.31立方厘米（2 219.36立方英寸）。在美国，蒲式耳仅用于干物类容量，1美制蒲式耳等于35 245.38立方厘米（2 150.42立方英寸），相当于1温切斯特蒲式耳（英国从15世纪到1824年使用的容积单位），或4配克，或32干物夸脱。2蒲式耳为1斯揣克。1912年美国海关法庭规定计量苹果的"堆积蒲式耳"相当于45 035.04立方厘米（2 747.715立方英寸）。多种称为蒲式耳的单位已使用逾600年，其起源则众说纷纭。

Bushidō **武士道** 日本武士阶级的行动准则。19世纪中叶日本整个社会伦理教育的基础。主要提倡效忠天皇和尚武精神，并极为重视节俭、仁爱、诚信和孝顺等美德。"武士道"一词16世纪开始使用。德川时代（1603～1867）在武士道思想中增添儒家伦常观念，成为强调责任义务的综合思想体系。

Bushman, Francis X. **布什曼**（1883-01-10，美国马里兰巴尔的摩～1966-08-23，加利福尼亚太平洋帕利塞兹） 全名Francis Xavier Bushman。美国演员，全盛时期被誉为"世界最英俊的男人"。从小热爱表演，曾在巴尔的摩的一些演艺公司跑龙套。1903年在当地的健美比赛中夺冠，之后几年一直为雕塑家当模特。在马里兰大学上学时开始职业表演，1908年首次在百老汇演出。1911年在芝加哥表演时，受埃塞尼影片公司邀请拍摄电影，迅速走红。1915年与米特罗电影公司签约时，是当时片酬最高的电影演员之一，生活奢华。米特罗公司投资25万美元的《罗密欧与朱丽叶》是布什曼职业生涯的顶峰。1918年，妻子起诉离婚，同时起诉饰演朱丽叶的B.贝恩为共同被告。布什曼离婚后，与贝恩结婚，1919年两人离开了米特罗电影公司，电影生涯突然中止。之后，他们共同参加舞台剧演出，并创办了自己的电影公司，拍摄了几部影片。1925年在米高梅影片公司的巨作《宾虚》中饰演梅萨拉，名声重振，但由于得罪了米高梅的高层L.B.梅尔，两年内被打入冷宫。1928年，布什曼与贝恩离婚后，在几家小电影公司演出，直到默片时代结束。布什曼的600万财产在1929年的华尔街股市崩溃中丧失殆尽。于是重返舞台，在电影中饰演一些小角色，并在2500个广播节目中表演。后在二十世纪福克斯公司的《威尔逊总统传》（1944）和《大卫王与贵妃》（1951）中有出色表演，受到影迷的追捧。晚年出演了几部电视连续剧，并短期经营一家好莱坞纪念品商店。

Bushman languages **布须曼诸语言** 参阅**San languages**桑语诸语言。

Bushmanland（Namibia） 参阅**Boesmanland**布须曼兰。

bushmaster（species *Lachesis muta*） **巨蝮** 蝰科蝮亚科（Crotalinae）有毒蛇类。见于哥斯达黎加至亚马孙河平原一带的灌木丛和森林。眼与鼻孔之间有一司感觉的颊窝，为新

巨蝮（*Lachesis muta*）
美国不列颠百科全书公司供图

大陆最长的毒蛇，一般体长可达1.8米，据报道还有体长达3.6米者。粉红色或棕黄色杂有大块的黑色钻石形斑纹。毒液可致命，故虽很少遇到，但却是危险的蛇类。是美国的颊窝蝰蛇中唯一的产卵者而非胎生。

Bushmen **布须曼人** 参阅**San**桑人。

bushmen's carnival **林区居民联欢大会** 澳大利亚的牧人竞技会。自从澳大利亚有畜牧业以来就有这种活动，形式互有不同。第二次世界大战期间和战后大为流行，并且越

林区居民联欢大会中的伐木比赛
美国不列颠百科全书公司供图

来越接近美国的骑马牧者竞技会。比赛项目除骑劣马、骑牛、搏牛、给不驯服的牛挤奶外，还有许多土著项目，如从牛群中领出一头公牛来并牵着它沿着划定路线跑。

Bushnell, David　布什内尔（1742，康涅狄格塞布鲁克～1824，美国佐治亚沃伦顿）　美国发明家，被誉为潜艇之父。1775年毕业于耶鲁大学，美国革命爆发时，他在塞布鲁克建造了一艘独特的龟形船，由一名乘员用手转动螺旋桨，推动它在水下前进，船上装有水雷或鱼雷。该船虽然能潜入水下，但几次攻击英国军舰都没有奏效，部分原因是他体质较弱，不可能亲自去完成许多复杂的战斗动作。后来G.华盛顿将军任命他在工兵部队工作。后晋升为上尉，指挥驻扎在西点的美国陆军工兵部队。晚年研究医学，并在沃伦顿行医。

Bushnell, Horace　布什内尔（1802-04-14，美国康涅狄格班特姆～1876-02-17，康涅狄格哈特福德）　美国基督教公理宗牧师，有争议的神学家，有时被人称为“美国宗教自由主义之父”。他于1821年入公理会，1823年入耶鲁大学。但1827年毕业后曾短期任教师和《纽约商报》副编辑，并在耶鲁大学进修法律。直到1831年，也就是他取得开业为律师的资格之后，他才摆脱了宗教疑念，毅然开始受神学教育。他进入耶鲁神学院，1833年受按立，任哈特福德公理会北堂牧师，在该堂任职20多年。布什内尔是美国文化史上一个重要人物，他的立场介乎新英格兰正统清教派与以爱默生、柯尔律治，特别是施莱艾尔马赫为代表的新浪漫主义思潮之间。他的第一部重要著作《基督徒的教义》（1847），彻底批判当时奋兴派掀起的强调悔改之风。他后来有一段神秘灵性经历，使他对福音有所彻悟，遂于当年撰写《在基督里面的上帝》（1849），对传统上的代为赎罪观点（即谓基督代人类受惩罚而死）提出责难，并从语言上进行探讨。他指出，在有关宗教信仰及上帝神秘等问题上，语言具有社会性、象征性和启迪性。《神学中的基督》（1851）进一步阐述并解释他本人对神学语言的看法，特别论述隐喻性的语言和有关上帝三位一体论的工具主义观点。在《自然与超自然》（1858）中，他指出，自然与超自然合而形成单一的“上帝系统”，并且针对怀疑派的抨击解释基督教在罪恶、神迹、道成肉身、启示和基督之神性等问题上的立场。布什内尔的种种观点遭到激烈抨击，1852年，哈特福德公理会北堂将他从地方联合会中撤出，意在使他避免在教会的异端法庭上受审，尽管受到抨击，他有能力提出种种根据，使自己的学说贯彻一致，自圆其说，因而他对基督教教义所提出的解释依然有影响力。在他的浩瀚的著作中还有《代死牺牲》（1866）、《赦罪与律法》（1874）以及6卷论文和布道讲稿。关于《科学与宗教》的一篇论文（1868），表明他反对达尔文的进化论。他在社会问题上持有温和审慎的观点，可见之于《论蓄奴问题》（1839）、《人口普查与蓄奴制》（1860）和《妇女参政：违反自然的改革》（1869）。

bushranger　绿林好汉　澳大利亚丛林或内地的土匪。18世纪末～19世纪曾骚扰移民、矿工和土著居民。在澳大利亚历史和民间传说中有对他们行为的描述。他们有的单独行动，有的三五成群，专门抢劫公共马车、银行和小居民点。从J.凯撒（绰号“黑凯撒”）逃

N.凯利和他的匪帮袭击公共马车
美国不列颠百科全书公司供图

入山泽的1789年起直到19世纪50年代，绿林好汉几乎清一色是英国的逃犯。此后到1880年绝迹，大部分绿林好汉则是犯法的自由移民。最后也是最著名的一位大绿林好汉是N.凯利（1855～1880）。

bushtit　丛山雀　北美洲西部的灰色鸣禽，属雀形目长尾山雀科或山雀科。普通丛山雀（*Psaltriparus minimus*）体长11厘米，分布自加拿大的不列颠哥伦比亚到危地马拉。其

普通丛山雀（*Psaltriparus minimus*）
美国不列颠百科全书公司供图

“黑耳”类型曾被称为黑耳丛山雀（*P. melanotis*），但这种做法可能根据不足。丛山雀常集群在旱地灌木丛觅食昆虫，营袋状巢。

Bushveld　灌木草原　阿非利堪斯语作Bosveld，非洲南部的自然地理区。海拔约800～1 200米。以南非北部为中心，范围扩及夸祖鲁/纳塔尔北部、斯威士兰、莫桑比克、津巴布韦和博茨瓦纳。以生长着金合欢属植物、猴面包树、荆棘丛和高草为特色。当地不甚干旱，年降雨量380～640毫米。放牧是主要经济活动。仅灌溉区有大规模种植业。

Busignies, Henri-Gaston　比西尼（1905-12-29，法国索镇～1981-06-20，昂蒂布）　法国出生的美国电子工程师，他发明的高频测向器，使美国海军在第二次世界大战期间得以探测敌方发出的信号。它与雷达和声呐的应用，对大西洋作战（1939～1943）取得胜利起了一定的作用。1926年比西尼在巴黎大学取得电子工程师学位，并以发明可为飞机精确导航的航空无线电罗盘开始了自己的事业。1928年，他参加国际电话电报公司（ITT）并继续改进原始的无线电罗盘和无线电测向器。1940年，他和ITT其他科学家离法赴美。1941年，他为美国海军研制成了高频测向系统，在战争期间，该系统在全世界普遍使用。其改进型继续在美国飞机、船舶和军舰上使用。战后他发明了活动目标指示雷达，这是一种利用运动目标回波信号的多普勒频移来消除固定目标（障碍物）回波的干扰而使在大型障碍物背后的运动目标得以显示的脉冲雷达系统。1975年，比西尼作为高级副总裁从ITT退休。

business cycle　经济周期　经济活动比率（按就业、价格和生产的水平计量）周期性的波动。由于这些运动并不像“周期”一词所提示的那样有规律或可以预报，有些作者宁可弃而不用该词。

关于经济周期，简述如下：全世界经济发达国家，长期以来就面临以证券市场崩溃、银行倒闭、公司和个人破产以及严重失业为特征的有规律的经济危机。过去，将经济增长和繁荣视作健康的正常状况，人们常常认为这些危机时期相当于经济上的疾病。19世纪中叶法国内科医生朱格拉或许是首先提出周期性变化是正常状况的人。其他观测者发展了他的研究成果，证实了每8～10年为一个周期，每个周期有繁荣、危机和清算3个阶段。

人们发现大的朱格拉周期之内还有小的周期，如约40个月的商业库存水平变动周期。农业商品因供求关系也有周期性的变化，例如生猪周期3～4年，棉花周期2年。有人还提出比朱格拉周期还长的周期，非常有名的是俄国经济学家康德拉季耶夫提出的：市场经济有50年的大周期，每个周期都有扩张与收缩。

有人打算对经济数据进行缜密的统计分析，然而由于数据本身特别复杂，由于战争、革命、自然灾害之类事件时有发生，由于技术进步、经济组织变革等情况发展没有周期，分析工作繁杂难以进行。为通过研究过去的周期而创造出典型的经济周期模型，人们已做了大量工作。经济计量学——以精心设计的统计模型为基础而研究经济活动——已经证实有各个系列的领先和滞后指标，它们分别是先行和落后于经济活动的统计数字系列，

例如股票价格和建筑许可证就是领先指标。

不过描绘经济周期并不能阐明经济周期之所以然。除了偶然的冲击(战争、灾害、技术变化等等)之外,两项影响经济活动水平的主要因素是投资和消费。增加投资,譬如建造工厂,除原有开支本身之外还要创造其他的收入,因为建厂的工人们还得用掉他们的工资。相反地,如果消费需求增加了,为了满足需求最终还得建造新的工厂。这些微波反应——分别称作投资乘数和消费加速因素——相互促进与增强,直至经济达到其全部能量允许时为止。这时候很少自由资本,没有新的需求,因此既没有新投资的必要又没有新投资的来源。然后,程序又颠倒过来,结果产生了收缩。人们提出了许多学说来解释在投资或消费方面这些变化的起因。最古老的学说是建立在农业市场变化之上的;农业市场变化受气象及其他自然周期的影响,同时扩展到整个经济领域。心理学学者认为,由于个人总是相互模仿,有一种"模仿带头人"的心态在影响经济活动,特别是金融市场周期性的高涨和崩溃。战争、技术变化和人口迁移对工商业状况有重要而明显的影响,不过这类事件并没有严格的周期性,而且它们本身实际上也是经济压力造成的。

除了这些本质上属外部因素之外,许多分析家强调经济周期内部因素的重要性。消费不足学说认为,生产增加得太快、消费者不能购买全部制成品,于是高涨之后就不可避免地会有崩溃。货币论者认为,货币供应(现金和银行信贷)的变化是经济活动的主要决定因素:宽松的信贷、低利率和现金充足可刺激经济增长,紧缩信贷、高利率和现金短缺可促使经济萧条。有些经济学家认为:投资的资本供应是经济活动的关键;所有可动用资本皆已投入之日也就是经济高涨结束之时。

自第二次世界大战以来,政府关于开支、税收和货币供应的政策对经济有重大的影响。这类政策的目的是在经济呆滞时期起刺激作用,在经济扩张时期起抑制作用,以便防止过度通货膨胀和不景气。很多这类名之为反周期性政策都是近乎自动性的。在衰退时期,税收降低,福利开支增加,这样便限制个人收入过度减少、防止灾难性的滑坡;在扩张时期,税收提高得比一般繁荣时期快些,以便冷却有潜在危险性的高涨。尽管自20世纪70年代以来历次衰退较20世纪50年代和60年代的衰退都要严重,但自第二次世界大战以后,经济周期的确已使经济极端现象得到缓和。

过去有人声称,因为中央计划经济没有自由市场,而且制订经济计划的机构还控制着计划的长期执行,中央计划经济——如以前苏联的经济——是没有周期性波动的。不过情况并非总是这样。部分原因是,社会主义国家同西方在贸易和金融上的联系使其要承受市场经济的波动。还有,社会主义计划人员可能投资过多,造成类似上面讲过的消费不足危机。自然灾害和政治风波也可能挫败计划人员的打算。很可能,无论是资本主义还是社会主义经济,周期性波动是经济增长的代价。

business finance 企业财务 指企业组织资金的筹集与调度。这类活动对于任何商号的成功与否至关重要。尽管财务活动的一些日常工作可由低级职员实施,但这类活动却是高级管理部门甚为关注的。由于非财务的决策也可能影响到公司未来筹集资金的能力,财务官员在业务领导和确定战略目标方面还发挥重要作用。财务管理部门运用各种不同的方法来检测公司的业绩和需要。比率分析是断定公司现时健康状况的重要方法。例如,流动资产与流动负债的比率(流动比率或流动性比率)就是公司偿还短期债务能力的指数。杠杆比率是衡量公司债务在公司财产和股东本金之和中所占的份量。活动比率在测量存货和应收账款这类财产的周转情况的同时,可表明公司利用资产的强度如何。利润比率可表明公司投资的收益是否良好。财务预测对制订公司未来发展计划甚为重要。一般由管理部门提出长期计划,决定公司将要生产的产品种类和数量或者将要开发的重点市场;然后再由财务人员按此计划草拟短期预算。公司的长期计划可能是稳定可靠的,不过没有充分的现金流动,它也是不能实现的。因此,现金预算——逐日和逐月反映资金余缺——是必不可少的财务工具。如果公司有多余的现金,可将其投资于短期证券,作为偿还未来债务的储备金。负现金流动可能要迫使公司向银行借贷以偿付即时的开支。公司还应管理应收款和存货。公司常将其作为一种扩大销售的方式向客户提供信贷;如果要向新客户赊销,就必须冒不付款的风险。为了保证向客户供货稳定并利用规模经济的好处,公司还必须保持一定的存货;不过保持存货是在不销售的情况下要付出生产费和仓储费,耗资很昂贵。财务官员在判断向客户提供信贷的风险和决定最佳存货水平方面,都发挥重大作用。短期融资一般须在不到1年期间内偿还,中期债务在1至15年内偿还,长期债务在15年以上偿还。上述这类短期考虑时常引起短期融资的必要。短期融资最常见的方式有:银行贷款、供货人提供的贸易信贷和商业票据。通常中期财务安排有银行的定期贷款、购置机械的分期付款销货合同或租用机械的租约。租赁昂贵而实行折旧的设备,对公司特别有利。积攒长期资金的方式可用发行债券或股票。债券是期票,需要举债的公司按固定的间隔时间付给持有人利息,不影响公司利润的多少得失;而另一方面,股东(股票的持有人)却有权分享公司的利润。因此,在选择长期融资战略上,公司财务官员应权衡发行债券还是发行股票比较有利。分配给股东作为股息的利润金额是公司非常关注的重要事情。年轻而迅速成长中的公司可能要提留收益作为再投资;而较为成熟的公司,或者由于发展的机会有限、或者由于资金的需要较易满足,可能分配的股息要大些。还有利用公司财产促进成长的其他战略。如两家企业有互补性,可合并成为一家大公司。一家大公司也可收购一家小公司作为子公司,子公司仍保留其法定独立性和经营自主权。还有为了寻求规模经济,合并许多单独而互不相关的企业而组成跨行业的联合大企业。当公司面临破产时,管理部门要对公司进行清算或改组。清算时,公司就是售出财产、偿还债务而已。改组时,公司还想延缓或减少其债务付款,改变或缩小企业战略,而且或许要取得雇员或供货人的让步。这样的改组通常是在法院监督下的复杂的过程,需要管理部门、股东和债权人之间相互合作。

business law 商业法 指通过公约、协议、国内或国际立法规定的调整商业事务中人际关系的法规总称。商业法有两个确定的领域:①通过公司法、合伙法、代理法和破产法调整商业实体;②通过合同法和有关的法律调整商业交易。整个公司法有两个基本的概念:法人资格的概念和有限责任理论。商业法人实体有多种形式:①单独的交易者,他们独自承担经营商业的风险和责任,独自获取利润,但不组成任何法律意义上的联合,从而不受某些法规的约束;②承担有限责任的注册公司;③跨国公司。在合伙关系中,成员们"联合"起来组成一个集体,全都参与管理和分享利润,承担公司的债务责任,在与公司的契约或侵权行为有关时可被提起共同诉讼或单独诉讼。代理人是被雇用来使其委托人与第3方建立合同关系的人,法律规定有多种形式的代理:一种是总代理,即代理人被指定处理其委托人的一切事务;一种是一般代理,即代理人有权代表其委托人处理某一种类的全部事务;还有一种是特殊代理,即代理人被指定处理某一特定的事务,而且只被授予有限的权力。随着有关商业企业的法律的发展,出现了一系列关于破产的法规:当一个人或一个公司无力偿债(即到期不能支付债款)时,他或债权人可以请求法院接管其财产并在债权人当中进行分配。这里有3个原则:①将实有的财产在债权人当中进行公正和平等的分配;②解除债务人的债务;③调查他无力偿债的理由。商业法通过每项合同交易的履行而接触日常生活。合同通常是以商业协议的形式涉及以某种价格交换商品或服务,它是由两个或两个以上的人订立的具有法律约束力的协议,可由法院强制执行。作为所有商业交易的基础的合同关系,导致在商业法领域内发展了一些专门的法律来调整:①商品的销售,即默示的条款和条件,执行合同的效果,以及违反此类合同时各方可能得到的救济;②商品的运输,包括国内和国际的有关保险、提单、租船合同和仲裁的规则;③分期付款销售协议;④劳资关系和工会章程,前者决定雇主和雇员之间的合同权利和义务。国内和国际范围的商业法正在继续发展,在有关保护消费者权益、竞争和计算机等方面出现了一些新的法律领域。

Būṣīrī, al- 蒲绥里(约1212,埃及阿布西尔或迪拉斯～约1295,亚历山大) 柏柏尔裔阿拉伯诗人,以诗篇《斗篷颂》(1893)成名,他在诗中声称已将生命献给诗歌。曾做过抄写员,以擅长书法著称。据说他曾梦见先知在自己眼前显现,将斗篷披裹在他身上,所患的偏瘫症霍然而愈,于是,他就写出著名诗篇《斗篷颂》,赞颂先知穆罕默德。诗篇深受穆斯林崇敬,诗句被用作护身符和悼词。

Busiris 布西里斯 希腊神话中的埃及国王，海神波塞东和吕西亚那撒（传说中的埃及国王厄帕福斯的女儿）的儿子。埃及遭受9年饥馑后，塞浦路斯先知弗拉西厄斯来到埃及，宣称只有按规定每年向宙斯祭献一位异邦人作牺牲，饥馑才能中止。后来赫拉克勒斯从利比亚来到埃及，人们把他捉住，并带上祭坛。但赫拉克勒斯挣断了束缚，杀死布西里斯和他的儿子安菲达玛斯。某些希腊作家把布西里斯说成是一位埃及国王和美尼斯（传说此人是统一埃及的第一位君主）的继任者，但比较了解埃及情况的人却根本否认这样一个人。布西里斯这个名字也许是埃及神乌西列的不甚准确的一个希腊称呼，但比俄赛里斯要早一些。俄赛里斯的所有神殿都叫普西里（布西里斯），但是这一名字的主要城市是在三角洲的中心、下埃及第九（布西里特）区的首都。

Busken Huet, Conrad 比斯肯·许埃特（1826-12-28?，海牙～1886-06-01，巴黎） 19世纪荷兰最伟大也是行文最活泼的文艺评论家之一。法国新教徒家庭的后裔。在莱顿大

美国不列颠百科全书公司供图

学学神学后任牧师，由于持有现代派神学观点，乃辞职，改而从事文学评论工作。1862～1865年任文学杂志《向导》编辑。后因对现实不满，离开荷兰前往荷属东印度群岛[今印度尼西亚]当新闻记者。晚年旅居巴黎。做为评论家，他师法圣伯夫和布兰代斯，努力使荷兰文学同欧洲其他各国的文化保持密切接触。他对荷兰的经典作品和一些次要诗人，以及其他国家的古典和现代文学，都有精辟论述。他严厉批评当时的一些眼界狭隘、死气沉沉的荷兰作家。他把自己所写的最重要的文学评论编成25卷，题为《文学的幻想与批评》（1868～1888），文体优美，见解犀利，至今仍脍炙人口。所著17世纪荷兰文化史《伦勃朗的国家》（1882～1884），是经典性著作。

Buskerud 布斯克吕 挪威中南部一郡。从奥斯陆峡湾向西北伸延209千米抵达哈当厄高原和哈灵山。面积约14 927平方千米。西部为高原，有多林木的山谷和高地牧场；东部为低地盆地，湖泊溪流棋布可提供水力发电。大部分人口居住在东部的灵厄里克地区。赫讷福斯是工商业中心，德拉姆河沿岸有造纸和纸浆工厂。低地产水果、蔬菜和谷物。孔斯贝格自17世纪起产银，但1957年以后停产。首府德拉门。人口约221 384（1987）。

buskin 长筒厚底靴 一种古希腊悲剧演员穿的厚底高靴，因此该词也指悲剧。与之相反的是喜剧演员穿的短袜。该词可能由中世纪法语 brouzequin（意为一种脚的遮盖物）一词演变而来。

Busnois, Antoine 比斯努瓦（约1430，可能出生于法国贝蒂讷或其附近～1492-11-06，布鲁日[今在比利时]） 又名安托万·德·比斯内。法国作曲家，以所作具有15世纪后半叶典型勃艮第风格的法国尚松最为闻名。1467年前不久任大胆查理（后为勃艮第公爵）府第的歌手；查理1477年去世后，他留在公爵府教堂继续为其继承人勃艮第的玛丽服务，直至1482年她去世为止。这一时期以后的活动不详，仅知他去世前，在布鲁日圣索弗尔教堂任首席神父之职。晚年作为作曲家在同时代人中声誉仅次于欧克赫姆。所作尚松传世者约60首，旋律优美，节奏复杂、和声多彩、结构明晰，因而备受赞赏。除3或4个声部的尚松外，尚作有弥撒曲2首、经文歌8首、赞美诗2首、尊主颂1首、信经1首。

Buson 蕪村（1716，日本摄津～1784-01-17，京都） 日本著名画家，但他在俳坛更出名，是日本杰出的俳句诗人之一。原姓谷口，后改姓与谢。1751年成为职业画家，定居京都，后半生大部时间在那里度过。其间，在丹后地区景色幽美的与谢海滨居住过3年（1754～1757）。他在那里勤奋地工作，潜心

蕪村绘《秋行图》
美国不列颠百科全书公司供图

钻研俳句和绘画技巧。1772年以后，蕪村在俳坛上声名大振。他倡导复兴其伟大先辈松尾芭蕉的传统，然而始终未能赶上芭蕉在了解人性方面所达到的崇高境界。

Busoni, Ferruccio (Benvenuto) 布索尼（1866-04-01，托斯卡纳恩波利[今在意大利]～1924-07-27，柏林） 钢琴家、作曲家，作为钢琴家以辉煌技巧与智力闻名。幼年随母学习钢琴，是一位神童，在维也纳和莱比锡完成学业。1889年在赫尔辛基任钢琴教授。后移居莫斯科与美国。1894～1914年及1920年后直至去世定居柏林，多次指挥管弦乐音乐会，内容包括同时代人的音乐，并赴各国巡回演出。曲目以巴赫、贝多芬和李斯特作品为主。第一次世界大战期间，由于对意大利和德国的忠诚互相抵触，他退隐苏黎世。这

中国大百科全书出版社供图

一矛盾也影响他的作曲：他的音乐中既有严峻理智所控制的浪漫主义激情，又有拉丁文化的光辉与明晰。最雄心勃勃的作品是未完成的歌剧《浮士德博士》，该剧不是取材于歌德，而是以浮士德传说的早期版本为依据，由学生P.雅尔纳赫完成，于1925年在德累斯顿演出。另有短歌剧《丑角》、《图兰多特》作于苏黎世，旨在以现代形式复兴意大利的即兴喜剧。钢琴作品有：带有合唱终曲的大型协奏曲、6首小奏鸣曲（它们蕴涵了他的音乐思想的精髓）；根据巴赫未完成的一首赋格曲创作的大型《复调幻想曲》（这是他毕生体验巴赫音乐的总结）；巴赫管风琴作品钢琴改编曲，并为李斯特钢琴作品如《钟》、《狩猎》等增添复调声部。

Buṣrā ash-Shām（ancient Syria） **布斯拉沙姆** 参阅 **Bostra 波斯拉**。

Buss, Frances (Mary) 巴斯（1827-08-16，伦敦～1894-12-24，伦敦） 英国女教育家、妇女教育先驱，北伦敦女士专科学校（今北伦敦女子专科学校）创立者之一。就学于伦敦，从14岁起与母亲一道任教。18岁时与母亲一道在伦敦肯蒂什镇开办一所学校（后迁往卡姆登）。巴斯在任教的同时，开始在晚上到女王学院就读。1864年，她到学校调查委员会为建立女子中等学校的必要性作证。1871年，她得以开办卡姆登初等学校，同年北伦敦女子专科学校被承认为女子公学。巴斯支持在大学建立女子学院和改进师资培训。她于1874年建立女校长协会并成为首任会长（1874～1894）。她的同事D.比尔（1831～1906）也是一位妇女教育先驱，在她之后继任该职。她们一心一意献身女性教育事业名闻遐迩。J.卡姆著《与我们迥然不同：巴斯小姐与比尔小姐合传》出版于1958年。

Bussa Rapids 布萨急流 尼日尔河上的一处急流。在尼日利亚耶卢瓦以南，位于尼日尔和索科托两河汇流处下游。为河流切入古老基岩的露头而形成的急流，延伸至杰巴，长80千米。1969年修建卡因吉水坝和水库以前，曾为航行障碍。卡因吉水坝的水力发电量为960兆瓦。

Busselton 巴瑟尔顿 澳大利亚西澳大利亚州西南部城镇。位于乔格拉非湾的南岸，班伯里西南。1832年始有人定居。1871年以此为起点建成本州第一条铁路。出产乳品、

马铃薯、羔羊和猪，有养蜂和伐木业。与珀斯通公路。市内有铸造、水泥板、轧钢等工厂。海滨和温和气候使之成为日益发展的游览胜地。人口 17 490(1996)。

Bussum 比瑟姆 荷兰中西部北荷兰省一自治市，位于艾瑟尔湖附近。原为纳尔登古堡镇之乡区，今为阿姆斯特丹市东南部之郊外住宅区，又因霍伊兰德区的湖泊和树林而成一游乐胜地。荷兰电视演播室位于此地。经济活动包括树木育苗，可可、巧克力(自 1840 年起)、药物、化学制品、电子装备等生产。人口约 31 012(1999)。

Bussy-Rabutin, Roger de 比西-拉比旦(1618-04-13，法国埃皮里～1693-04-09，欧坦) 法国浪子。用轻快的古典散文笔调撰写耸人听闻的故事取悦贵族，是著名书信作家塞维尼侯爵夫人的表兄和密友。在"投石党"(反对马萨林政府的起义运动)内战期间，先为叛乱者效力，后转向政府一边。尽管其放荡行径遭人非议，1653 年仍获准捐得轻骑兵中将头衔，并于 1665 年当选为法兰西学院院士。同年，因非法出版《高卢人艳史》一书，声名骤落。此书现已成其最著名的作品，内有 4 篇有关宫廷贵妇的风流故事，写得生动有趣。13 个月的监禁之后，他被逐出巴黎回家乡勃艮第。在他的敌人以《高卢人艳史》增编之名，抛出许多诽谤性的小册子之后，他的名声愈加低落。但在放逐期间，他写了大量书信，早在塞维尼夫人的著名书信发表之前即博得高度评价。

Bustam(Iran) 参阅 **Basṭām** 巴斯塔姆。

Bustamante y Sirvén, Antonio Sánchez de 布斯塔曼特-西尔文(1865-04-13，哈瓦那～1951-08-24，哈瓦那) 古巴律师、教育家、政治家、国际法学家，起草了国际私法的布斯塔曼特法典。这部法典经第 6 届泛美会议(1928，哈瓦那)通过，会议选举他为主席。6 个拉丁美洲国家无保留地批准他起草的法典，另外 9 个国家则部分地批准。1884 年当他 19 岁的时候，他在一次竞争哈瓦那大学国际法教授职位的公开考试中获胜。从 1902 年(古巴共和国成立)直至 1918 年，他任古巴参议员。他代表古巴出席第二次海牙国际会议(1907)和第一次世界大战后的巴黎和会(1919)。1908 年他被任命为海牙常设仲裁法院法官，并于 1921 年任国际联盟新设立的常设国际法院法官。他写了不少书，包括《国际私法专论》(1896)、《世界法院》(1925)和《国际公法》(5 卷，1933～1938)。

Bustānī, Butrus al- 布斯塔尼(1819，阿杜比亚～1883-05-01，贝鲁特) 黎巴嫩学者，以所著阿拉伯语词典和阿拉伯百科全书的前六卷而著称，在复兴当时阿拉伯文化上曾发挥主要作用。他的极重要的活动在文学方面。因深感阿拉伯人应学习西方科学文明，所以编写百科全书，做出令人难忘的贡献；但他深信西方文化的引进，只有使阿拉伯语能有效地表达现代思想概念时才能完成，所以编纂词典，以达到这个目的。1870 年布斯塔尼出版政治、文学评论刊物《盾牌杂志》，表明其振兴文化的观点。他作为一个基督徒在叙利亚各种不同的宗教团体中，传布宽恕和相互信任的精神。他把尚未作为一个政治实体而存在的叙利亚视为他的祖国，从而表达了超越其所居住的黎巴嫩范围之外的文化统一思想。

bustard 鸨 鸨科中型和大型狩猎鸟类，与鹤形目的鹤和秧鸡有亲缘关系。约 23 种，仅分布于非洲、南欧、亚洲、澳大利亚和新几内亚部分地区。腿长，适于奔跑。仅有 3 趾，缺后趾。体结实，保持水平姿势，颈直立，位于腿的前方，与其他大型走禽姿态相同。大鸨(*Otis tarda*)是最著名的一个种，为欧洲陆栖鸟类之最大者。雄鸟重达 14 千克，体长 120 厘米，翅展 240 厘米。分布自中欧、南欧到中亚和中国东北谷地和草原。两性羽色相似，上体淡灰色，具黑色和褐色横斑；下体发白。雄鸟较壮，嘴基部有淡白色嘴须。性谨慎，难以接近，遇到危险即迅速奔逃。步履矫健，飞行缓慢但能持久。春天举行求偶仪式：雄鸟将头弯向背面，几乎碰到翘起的尾巴，同时喉囊鼓胀。在低矮植物下的地面低洼处产 2 或 3 枚卵，卵橄榄色带褐斑。小鸨(*O. tetrax*)分布自西欧、摩洛哥至阿富汗。南非的灰颈鹭鸨(*Ardeotis kori*)是南非所产鸨中最大的一种。阿拉伯鹭鸨(*A. arabs*)与许多其他属的种类一道分布于摩洛哥和撒哈拉以南的热带非洲北部地区。在澳大利亚，一种鸨(*Choriotis anstralis*)俗称为吐绶鸡。

灰颈鹭鸨(*Ardeotis kori*)
美国不列颠百科全书公司供图

bustard quail(bird) 参阅 **button quail** 三趾鹑。

Bustelli, Franz Anton 布斯泰利(1723-04-12，瑞士洛迦诺～1763-04-18，慕尼黑) 瓷雕刻家。其作品以富有光泽、非对称和装饰夸张的洛可可风格而闻名。布斯泰利早年生活和教育情况现无记载。仅知他自 1754 年直到去世，一直受雇于慕尼黑附近的宁芬堡瓷器厂。其作品的特点是线条优美，色彩丰富且运用得当。作品题材有：即兴喜剧、中国人物、爱神美童以及"茶会"一类的群像等。他在宁芬堡瓷器厂工作时制作的人像十分珍奇，价值连城。该工厂至今仍复制这些作品，不过打上了现代底款。

布斯泰利约 1755～1760 年制作的即兴喜剧人物瓷雕
美国不列颠百科全书公司供图

bustle 裙撑 女装用品，用以撑开背后齐腰以下的裙褶。此名始于 19 世纪。随着衬架裙(**crinoline**)的过时而在 1865～1876 年和 19 世纪 80 年代两度兴起的图尔尼尔裙撑先只是把腰背后的衣料扎束凸出而已，后变成用金属丝骨架缝在衬裙上，往后撑出像个架

(上)1885 年的法国裙撑；
(下)1884 年的英国裙撑
美国不列颠百科全书公司供图

子,以支撑衣料。19 世纪 60 年代和 70 年代再度流行的一种小鞍状腰背衬垫,起源于 18 世纪 80 年代法国。而臀部用的卷垫,在 16 和 17 世纪叫作“臀卷”或“座卷”,18 世纪叫作“软木臀”,最后在维多利亚女王时代名为“美衣衬”。

Busto Arsizio　布斯托阿西齐奥　意大利北部伦巴第区瓦雷泽省城市。位于米兰西北,奥洛纳河滨。市内有文艺复兴时期的圣玛利亚广场教堂(1515～1523)。重要的纺织业中心。亦有多种制造业。人口:城市区约77 237(1993)。

Büsum　比苏姆　德国北部石勒苏益格-荷尔斯泰因州城镇。濒临北海,在海德西南。1140 年起有人居住。14～16 世纪该城多次遭受洪水袭击。16 世纪建起防洪大堤。该城镇是迪特马申(意为堤围沼泽地)的主要渔港,特产海蟹。它还是海滨游乐胜地,有船通往黑尔戈兰岛。建有国家海洋公园。人口约 4 692(1999)。

būṭā　布塔　būṭā 为印地-乌尔都文:“花”,莫卧儿艺术品中最重要的一种装饰花纹 。由小枝花饰组成,应用在建筑、绘画、织

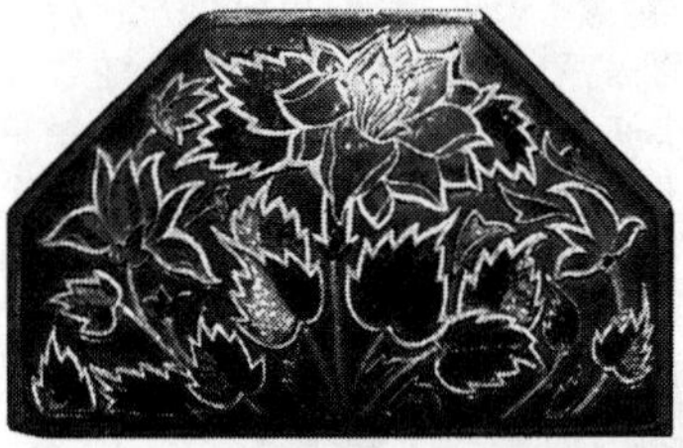

19 世纪一印度银箱上的布塔装饰
美国不列颠百科全书公司供图

物、搪瓷器皿和其他装饰艺术品中。盛行于贾汗季(1605～1627)王朝时期,历久不衰。

Butades OF SICYON　布泰德斯(西希昂的)(活动时期约公元前 600)　又称狄布泰德斯。古希腊陶工,根据罗马著作家老普林尼所述,他是第一位用泥土造型的人。传说他和女儿住在科林斯,女儿爱上了一个青年,在墙上画出那位小伙子的轮廓。她的父亲则根据这个轮廓,用泥塑造青年的面庞,随瓦坯一起焙烧(烧瓦是他的职业)。据说这个模型保存在科林斯,直到公元前 146 年穆米乌斯洗劫该城时。由于这件偶然发生的事情,布泰德斯开始用人的面形作为瓦当。又传说他曾经发明一种泥土与红色颜料的混合制品,或者是首先采用一种特殊的红土。

butadiene　丁二烯　化学式为C_4H_6的两种脂肪族有机化合物的总称。通常指其中比较重要的一个化合物 1,3-丁二烯。它是许多合成橡胶的主要成分,最早于第一次世界大战期间在德国从乙炔制造。在第二次世界大战中,以石油和天然气出发的丁烯作原料的占美国丁二烯生产的 60%;其余用乙醇作原料。在汽车轮胎的生产中,现在丁二烯橡胶已完全取代天然橡胶。几乎所有的丁二烯都是用丁烷或丁烯类脱氢或石油馏分高温裂解(大分子的分裂)而制得的。1,3-丁二烯是具有 C═C—C═C 结构的(式中 C 是碳原子)共轭双烯系列中最简单的一个。这个体系所特有的许多化学反应,使丁二烯在化学合成中具有重要价值。在催化剂的作用下,丁二烯分子相互化合或与丙烯腈或苯乙烯等其他活泼分子化合形成类似橡胶的弹性物质。在非催化反应中,丁二烯与顺丁烯二酸酐等不饱和活泼化合物能发生狄尔斯-阿尔德反应,生成环己烯衍生物。大多数能够与普通烯烃发生反应的物质,也能与丁二烯发生化学反应,但常常两个双键都参加反应(如氯加成而得到的 3,4-二氯-1-丁烯和 1,4-二氯-2-丁烯)。常压下,1,3-丁二烯为无色气体,当被冷却到 -4.4°C或在 25 °C时加压至 2.8 大气压便成为液体。

butane　丁烷　烷烃系列中的两种无色、无嗅的气体烃类(碳和氢的化合物)。化学式为C_4H_{10}。分子中碳原子连成直链的称为正丁烷,英文名 *n*-butane;形成支链的称为异丁烷。这两种化合物存在于天然气和原油中,并在石油炼制生产汽油时大量生成。天然气中的丁烷可用轻油吸收法由其沸点较低的大量气体成分(如甲烷和乙烷)中分离出来。这样得到的丁烷可与丙烷一起从吸收剂中解吸出来,作为液化石油气(LPG)销售,或者将它们从丙烷中分离出来,然后用分馏法相互分离:正丁烷在 -0.5°C 沸腾,异丁烷在 -11.7°C沸腾。在催化裂化及其他炼制方法中生成的丁烷也用轻油吸收法进行回收。在工业上,可将正丁烷加入汽油中以增加其挥发性。正丁烷在炼制(异构化)过程中转变为异丁烷后可与某些其他烃类(如丁烯)反应生成汽油的高辛烷值的重要组分。

Butare　布塔雷　卢旺达南部教育中心。1962 年卢旺达独立前,称阿斯特里达。是卢旺达第三大城市,有恩戈马和马特亚佐传统住宅区,殖民者的居住区,新商业区及简易机场。设有卢旺达国立大学(1963 年建立)、国立博物馆、师范学院、全国性科研机构和农业学校。人口 28 645(1991)。

Butaritari Atoll　布塔里塔里环礁　又名马金环礁,旧称皮特岛。太平洋中西部吉尔伯特群岛的一个环礁。环抱 18 千米宽的潟湖。面积 13.5 平方千米。为一有三个通公海的通道的深水锚地。1941～1943 年被日军侵占。第二次世界大战最后两年间为美国海、空军基地。现属基里巴斯。出口椰干。主要村庄和港口位于布塔里塔里岛上。人口3 786(1990)。

Butcher, Susan　布彻(1954-12-26,美国马萨诸塞波士顿～　　)　全名 Susan Howlet Butcher。美国雪橇狗驯狗师和狗拉雪橇参赛者,在狗拉雪橇这项运动中居领先地位达 10 年以上。她 16 岁时就开始驯狗。1972 年移居科罗拉多州,在柯林斯堡的科罗拉多州立大学学习。1975 年迁往阿拉斯加,开始自己养狗,从此成为一个热衷于狗拉雪橇的运动员。1978 年第一次参加艾迪塔罗德小道狗拉雪橇赛跑。该运动始于 1973 年,赛程全长约 1 770 千米,是所有狗拉雪橇中距离最长,最考验体力的赛事。1988 年成为该赛历史上唯一连续 3 年获得第一的选手。1990 年第 4 次赢得第一。参加 1993 年的比赛之后,便退出比赛,常年从事驯狗工作。

Butcher of Lyon(Nazi leader)　**里昂屠夫**　参阅 **Barbie, Klaus** 巴比。

butcherbird　屠夫鸟　将其捕获物(小型脊椎动物或大型昆虫)刺穿在树刺上,或楔入于裂缝、树杈上,以便撕裂或贮藏的鸟。如伯劳科伯劳属(*Lanius*)的各种鸟(参阅**shrike**)和

灰钟鹊(*C. torquatus*)
美国不列颠百科全书公司供图

澳大利亚钟鹊属(*Cracticus*)的 4～7 种鸟(雀形目钟鹊科中羽色对比明显的种类,通常为黑、灰、白三色)。钟鹊属的种类,体粗短,长约 28 厘米,足大,嘴厚实,末端钩曲。整年成对地守卫其领域,甚至会攻击人,鸣声如动听的二重唱。灰钟鹊(*C. torquatus*)是常见的一个种。

butcher's broom　假叶树　俗称屠户扫帚树。天门冬科(Asparagaceae)假叶树属(*Ruscus*)植物。原产于欧亚大陆。深绿色灌木。无叶,而小枝扁平呈叶状。花成小簇生于叶

具皮刺假叶树(*R. aculeatus*)
美国不列颠百科全书公司供图

状小枝中央或一侧。浆果红色。具皮刺假叶树(*R. aculeatus*)有栽培,于冬季将其叶状小枝染色以供装饰,植物幼时可食,老枝可扎扫帚。

Bute　比特岛　苏格兰岛屿。属比特历史郡阿盖尔-比特政务会辖区。大西洋克莱德湾内岛群中最重要的岛屿。长 24 千米,面积

122平方千米,最高点为北部的温迪山,海拔278米。北部为丘陵,南部较平坦肥沃。岛上大部为良田。已发展成为靠近苏格兰中部的居民区和度假地。罗斯西为主要港口和游览胜地。人口7 354(1991)。

bute (hill) 参阅 **butte** 地垛。

Bute, John Stuart, 3rd Earl of, Viscount Kingarth, Lord Mount Stuart, Cumrae, and Inchmarnock **比特伯爵(第三)**(1713-05-25,苏格兰爱丁堡～1792-03-10,伦敦) 即J.斯图尔特。英王乔治三世的苏格兰人宠臣,作为首相(1762～1763)曾与法国谈判签订结束七年战争的和约。1723年继承伯爵爵位。1747年与英王乔治二世之子威尔士亲王相识,并赢得其欢心。1751年成为威尔士亲王王储乔治的伙伴和心腹。1761年乔治即位后,为打破辉格党人对权力的垄断并实现对法和平,任命他为国务大臣。作为苏格兰人,他在英格兰原已不被喜爱,他将威廉·皮特排挤出内阁更引起敌视。1762年5月他取代纽卡斯尔公爵出任财政大臣(实际是首相)。1763年签订《巴黎和约》又不得人心,1763年4月辞职。

Butenandt, Adolf **布特南特**(1903-03-24,德国不来梅港-莱厄～1995-01-18,慕尼黑) 德国生物化学家。因对性激素的研究,与L.卢奇卡共获1939年诺贝尔化学奖,但为德国政府所迫而拒绝接受,1949年方得领取。布特南特1927年获格丁根大学哲学博士学位,后在格丁根大学和波兰但泽的工业大学任教。1936～1960年,任威廉皇家学院(后改名为马克斯·普朗克学院)院长。1960～1972年,当选为马克斯·普朗克科学促进会主席。1929年,他几乎与美国的E.A.多伊西同时分离出雌(甾)酮(一种雌激素)。1931年分离、鉴定出雄(甾)酮,1934年分离、鉴定出孕酮(对女性的生殖周期起重要作用)。现在已经清楚,性激素与甾族化合物有密切关系,卢齐卡证明了胆甾醇可转变为雄(甾)酮后,与布特南特能合成孕酮和雄激素睾丸甾酮。布特南特的研究使可的松及其他甾族化合物的最终合成成为可能。40年代,布特南特关于昆虫眼睛颜色缺陷的研究证明,在各种代谢过程中特有的基因控制了所需酶的合成,并且这些基因中的突变可导致代谢缺陷。他和同事们研究了20年后,于1959年分离出桑蚕(*Bombyx mori*)蛾的性诱引剂,后来证明是一类重要物质——信息素的第一个著名的例子。

butene **丁烯** 又作butylene。化学式为C_4H_8的烯烃,系4种异构化合物的总称。这些异构体是:1-丁烯、顺2-丁烯、反2-丁烯和异丁烯。在室温常压下4种丁烯都是气体。石油裂解(大分子的降解)制取汽油时形成丁烯。工业上可由丁烷催化脱氢(从分子内去掉氢原子)制取。丁烯多用于生产汽油的重要组分辛烷。辛烷是用两种方法生产的:即丁烯与异丁烷反应,或使丁烯二聚(同一化合物的两分子结合)成辛烯,再加氢(分子内加成氢原子)。在催化剂存在下,用水处理丁烯可得工业溶剂仲丁醇和叔丁醇。正丁烯脱氢生成合成橡胶的主要原料丁二烯。

buteo **鵟类** 鵟属(*Buteo*)几种猛禽,包括多种称为鵟或鹰的种类。参阅 **buzzard**; **hawk**。

Buteshire **比特郡** 苏格兰西部历史郡,包括克莱德湾内的比特、阿兰、坎布雷斯、霍利、普拉达和因奇马诺克诸岛。比特和因奇马诺克诸岛属阿盖尔-比特区,阿兰、坎布雷斯、霍兰和普拉达属北艾尔夏区。诸岛上的出土文物证明,从新石器时代起这里就有人类居住,在达纳戈伊尔和比特还有铁器时代的杰出玻璃化城堡。还有许多早期基督教时代的礼拜堂遗迹。

Buthelezi, Mangosuthu G. **布特莱齐**(1928-08-27,南非纳塔尔马赫拉巴蒂尼～) 祖鲁人酋长,非独立的黑人国家夸祖鲁首领(1972～1994),因卡塔自由党领袖。布特莱齐是祖鲁人王室传奇式国王塞奇瓦约的后裔。就读于非洲土著人学院(今黑尔堡大学),是非洲人国民大会青年联盟成员。曾获得纳塔尔大学历史和班图行政管理学学位。1953年成为布特莱齐部落世袭酋长,这一职位4年后为白人当局所承认。布特莱齐虽然最初反对建立黑人家园(当时称班图斯坦),但却在1972年赢得选举,成为夸祖鲁首席部长。因不同意非洲人国民大会为结束种族隔离政策而拥护暴力和经济制裁,1975年布特莱齐与非国大决裂,重组因卡塔运动,这是他祖父迪尼祖鲁国王于1924年作为祖鲁人文化运动而创立的。布特莱齐拒绝夸祖鲁的完全独立,继续为在白人确立的体制内结束种族隔离而工作。1990年南非政府撤销对非洲人国民大会的禁令并发出愿取消种族隔离制度的信号后,布特莱齐开始了与非洲人国民大会及其盟友争夺政治领导权和争取南非黑人效忠的激烈斗争。结果,1990～1994年,在纳塔尔的因卡塔与非洲人国民大会支持者的冲突中有数千人丧生。为了参加1994年南非首次多种族议会选举的竞争,布特莱齐使他的文化运动转变成一个政党——因卡塔自由党。该党获得了约10%的选票,布特莱齐也被任命为由南非首届黑人总统、非洲人国民大会领袖N.曼德拉组织的联合政府的内政部长。1999年曼德拉卸任后,布特莱齐继续在新总统塔博·姆贝基政府任职,直至2004年。

Butkus, Dick **巴特库斯**(1942-12-09,美国伊利诺伊芝加哥～) 美国全国橄榄球联合会芝加哥熊队的中卫线队员。1965年入队,第1年就拦截5个传球。1970年全国橄榄球联合会的众教练选举他为联合会所属各队最受欢迎的队员。在其职业生涯中共有1020次擒抱,22次截球和25次抢漏。因多次受伤而于1978年退役,后活跃在电视和电影界。1979年入选橄榄球名人堂。1985年奥兰多市区运动俱乐部授予其年度大学最佳后卫荣誉。

Butler, Alban **巴特勒**(1710-10-24,英格兰北安普敦郡北安普敦～1773-05-15,法兰西圣奥梅尔) 天主教司铎、教育家。就学于法国杜埃英格兰学院,1734年受神职,其后在该学院先后任哲学和神学教授。1749年返回英格兰,后来任圣奥梅尔的英格兰学院院长。巴特勒著有《教父、殉教士和其他主要圣徒列传》四卷,被认为是部可靠、公正的权威著作。

美国不列颠百科全书公司供图

Butler, Benjamin F(ranklin) **巴特勒**(1818-11-05,美国新罕布什尔迪尔菲尔德～1893-01-11,华盛顿[哥伦比亚特区]) 美国政治家和陆军军官,南北战争期间为争取工人和黑人权利而奋斗的战士。他是马萨诸塞州洛厄尔的著名律师。两次任州议员(1853,1859)。以大力支持工人和归化民的事业而闻名。南北战争爆发后竭力支持联邦,后为联邦军官,1861年5月晋升少将。在防守弗吉尼亚州的门罗堡时,拒绝将逃亡的奴隶遣返南方邦联。1861年8月攻占北卡罗来纳哈特勒斯港要塞。1862年初指挥地面部队参加攻打新奥尔良。新奥尔良陷落后,他在那里实行铁腕政治,曾处决一名撕毁美国国旗的公民,没收同情南方邦联分子的财产。1864年任詹姆斯河军司令,作战屡次失利。1865年1月被解除司令职务。战后为美国众议员,属共和党激进派。1878年因同情绿背纸币运动而与共和党决裂,加入民主党。1882年当选马萨诸塞州长。两年后成为总统候选人。巴特勒在竞选时主张实行8小时工作日和由国家控制州际贸易,但连1张选票也没有得到。

美国国会图书馆供图

Butler, (Frederick) Guy **巴特勒**(1918-01-21,南非开普省克拉多克～2001-04-26,开普

省格雷厄姆斯敦） 南非诗人，剧作家。他的许多诗都有一种独特的敏感和精辟的比喻。1940～1945年在北非和欧洲服役期间开始写作。他在牛津大学学习后回到南非，在南非格雷厄姆斯敦的罗得斯大学任教。研究并编辑垦殖者的日记，主编有影响的当代诗歌报《新作》，也大量从事戏剧写作。第一部剧本《堤岸》(1953)获范·里贝克戏剧节奖。以后的诗剧尚有《鸽子回来了》(1954)、《不生根就死》(1966)、《查拉德角》(1967)。诗集《欧洲的陌生人》(1952)中有一些他最优秀的作品。1975年出版《诗选》。两部自传《卡鲁的早晨》(1977)和《过于膨胀的世界》(1983)记述他对幼年自己家庭直到服军役年代的回忆。

Butler, Henry Montagu 巴特勒(1833-07-02，英格兰北安普顿郡盖顿～1918-01-14，剑桥郡剑桥） 英国哈罗公学校长(1859～1885)。改革该校课程，使之现代化。父亲G.巴特勒在他之前曾任哈罗校长。巴特勒在哈罗及剑桥大学三一学院受教育，当选哈罗校长时年仅26岁。他能应付老派教职员的反对，机敏坚定；对当时的科学思潮，深为同情。任职期间，科学被正式承认为一门课程。还创建(1869)一个现代学科部，但规定只收古典语文成绩良好的男生。他喜爱音乐，并以热情的礼拜日讲道和拉丁语诗而闻名。1886～1918年任三一学院院长，在各种宗教派别之间建立沟通渠道，并对工人学习班表现极大兴趣。1912年被任命为国王的常任牧师。出版著作主要是讲道词，及自传《漫长一生中的悠闲时刻》(1914)。

Butler, James 巴特勒 参阅 **Ormonde, James Butler, 12th Earl and 1st Duke of** *奥蒙德伯爵(第十二)和公爵(第一)*；**Ormonde, James Butler, 2nd Duke of** *奥蒙德公爵(第二)*。

Butler, Joseph 巴特勒(1692-05-18，英格兰伯克郡旺蒂奇～1752-06-16，萨莫塞特巴斯） 英国圣公会主教、伦理学家。1718年任伦敦罗尔斯教堂牧师，后任教区牧师，1736年任英王乔治二世王后卡罗琳的宫廷首席牧师，发表《把自然宗教和启示宗教与大自然的构造和发展过程进行对比》一书，反对自然神论者通过研究自然用推理方法认识上帝而不是信仰上帝启示的教义。1737年王后去世，次年巴特勒任布里斯托尔教会主教。1746年重回宫廷任职。1750年任达勒姆主教。

Butler, Nicholas Murray 巴特勒(1862-04-02，美国新泽西伊丽莎白～1947-12-07，纽约州纽约） 美国教育家、政治家、政治人物、诺贝尔奖获得者、哥伦比亚大学校长(1901～1945)。早年受教育于哥伦比亚学院。1882年大学本科毕业，1884年获哲学博士学位。1885年在哥伦比亚大学任哲学助教，1890年升为哲学及教育学教授，1901年起任校长，直至1945年退休。在他领导下，哥伦比亚大学从一个地方学院发展成世界闻名的大学。青年时代曾强烈批评当时的教育方法。作为工业教育协会创建人和主席(1886～1891)，他

美国不列颠百科全书公司供图

在建立纽约师范学院的工作中起主要作用。该学院后来成为哥伦比亚大学的组成部分。但后来又批评教育改革本身，坚决捍卫教育中人文主义的“伟大传统”，猛烈攻击教育中的职业主义和心理学中的行为主义，称当时的这些倾向为“新野蛮主义”。巴特勒努力促进国际相互了解，协助建立卡内基国际和平基金会，任理事，后又任主席(1925～1945)。1931年和J.亚当斯共得诺贝尔和平奖。他在共和党的各种会议上活跃达半个多世纪，多次参加全国大会。曾任美国艺术和文学学会主席(1928～1941)。

Butler, Pierce 巴特勒(1866-03-17，美国明尼苏达诺思菲尔德附近～1939-11-16，华盛顿[哥伦比亚特区]） 美国最高法院大法官(1923～1939)。1888年获明尼苏达州律师资格，在圣保罗先后担任县副检察官和县检察官之后，他组织了一个法律事务所，在25年的时间里成为西北部地区最杰出的铁路律师。在此期间的后期，他有时被找去代替塔夫脱总统的司法部长威克沙姆对反托拉斯案件提起诉讼。另外有一次，在针对西部铁路的估价诉讼中使加拿大政府少花了很多钱。1922年，巴特勒被哈定总统任命为最高法院大法官。巴特勒是主张严格按字面解释宪法的人，在很多问题上跟随保守集团的大法官范德万特、麦克雷诺兹和萨瑟兰一起投票。他反对政府对企业的控制，经常投票反对州和联邦的某些税收，并与多数派大法官一起投票反对两项重要的新政计划——成立农业调整署和国家复兴署。

Butler, Piers 巴特勒 参阅 **Ormonde, Piers Butler, 8th Earl of** *奥蒙德伯爵(第八)*。

Butler, R(ichard) A(usten), BARON BUTLER OF SAFFRON WALDEN **巴特勒**(1902-12-09，印度阿托克塞赖～1982-03-08，英格兰埃塞克斯大耶尔达姆） 英国政治家。在剑桥大学受教育(1921～1925)，后在该校讲授法国史。1929年当选为保守党议员。20世纪30年代因支持1938年的《慕尼黑协定》而受到指责。第二次世界大战期间任教育大臣。1951年任财政大臣。1955年任掌玺大臣。在1956年苏伊士危机中大力支持A.艾登。1957～1962年任内政大臣。1962～1963年任副首相。1965年封终身贵族、萨弗伦沃尔登的巴特勒男爵。1971年被授予嘉德勋位。有自传《可能的艺术》(1971)。

Butler, Reg 巴特勒(1913-04-28，英格兰赫特福德郡文丁福特～1981-10-23，赫特福德郡伯克姆斯特德） 英国雕刻家，其作品以线条刚健有力著称。曾在伦敦建筑协会学校学习并讲学(1937～1939)，做过铁匠。1949年首次在伦敦举办个人作品展览，1952和1954年在威尼斯双年展举办展览。1953年为《无名的政治犯》纪念碑雕刻的模型，在伦敦当代艺术学院主持的国际竞赛中获胜。自20世纪50年代中期起，巴特勒的青铜壳雕刻越发注重体积和结构，不过继续坚持运用线条的表现方法，从而赋予这一时期自然主义裸体雕像以特殊的力量。其后期作品有时接近巴罗克风格。

Butler, Samuel 勃特勒(1612-02-08受洗，英格兰伍斯特郡斯特伦沙姆～1680-09-25，伦敦） 英国诗人兼讽刺文作家，以所写《休迪布拉斯》著称。这是第一部针对思想，而不是针对人的英语讽刺诗，锋芒指向清教徒的狂热、自负、迂腐和伪善。出身农家，在伍斯特皇家学校受教育。曾受雇于肯特伯爵夫人家，后改为卢克爵士效劳。两处的服务使他获益匪浅，既能博览群书又有机会直接研究清教徒队伍中的怪人、狂徒和恶棍。他们的奇异、滑稽行为，形成他那著名诗篇的题材。王政复辟时期，诗人任卡伯里伯爵R.沃恩的秘书。1661年任拉德洛城堡的管事。《休迪布拉斯》第一部显然于1662年底面世，但匿名出版的第1版日期标明为1663年。出版后一举成功，年内有人伪造作品第二部出版。真作第二部到1664年方与世人见面。1677年查理二世下令保护勃特勒的版权，不准盗印。1678年，第三部出版。《休迪布拉斯》中的主角是一个长老会骑士，率领他的侍从拉尔福四出“游侠”。他们经常争论宗教问题，并在一系列荒诞的历险中，表现出无知、顽固、怯懦和不诚实。故事轮廓显然是从M.de塞万提斯著作中得到启示，又从P.斯卡龙那里学会讽刺手法。但他处理8音节韵律的卓越手法、他的机智、铿锵的韵脚，对冷僻词和深奥学问的爱好，以及他巨大的热情和活力，都产生了十分独特的效果。书中对下层生活的描写，在英诗里最值得注意。其他著作有《月亮里的大象》(1676)，嘲弄新成立的皇家学会的夸张仪式；《小猫和发情的大猫之间的巧妙问答》讥笑押韵英雄悲剧的荒谬。《塞缪尔·勃特勒的诗文真作补遗》共2卷(1759)，由R.赛尔编辑，内有模仿泰奥弗拉斯托斯的100多个出色的散文“人物”，还有对白金汉公爵的讽刺性分析。

Butler, Samuel 勃特勒(1835-12-04，英格兰诺丁汉郡兰加尔～1902-06-18，伦敦） 英国小说家、随笔作家和批评家，维多利亚时代确信无疑的事情在他的笔下遇到了挑战。他的《埃瑞洪》(Erewhon, 1872)意为乌托邦，即nowhere一词的倒拼，预示对永恒进步所抱幻想的破灭，而他的最佳作品《众生之路》(1903年出版)则有助于扭转潮流，反对过分的家长统治和宗教的过分严峻。勃特勒出生

美国不列颠百科全书公司供图

在诺丁汉郡兰加尔的一个牧师家庭，1858 年毕业于剑桥大学圣约翰学院。父亲希望他成为牧师，他却回到剑桥继续学习音乐和绘画，在与父亲争吵之后，遂离家出走，移民到新西兰创办牧羊场。不久，拜读了达尔文的《物种起源》(1859)，成为“达尔文先生众多的热烈仰慕者之一”，后又宣称他已完全放弃基督教信仰。事实上，在此后 25 年里，他把注意力主要集中在宗教和进化论问题上。最初他欢迎达尔文主义，因为它使他摆脱上帝(或确切地说，摆脱他父亲的上帝)，但后来他却既反对教会，也反对正统的达尔文主义者，成为一个他自己所称的被遗弃的圣经中人物“以实马利”。他在新西兰将其资本扩大一倍之后，于 1864 年回到英国，定居伦敦。在希瑟利美术学校学了几年绘画，偶而在皇家艺术院举行画展。所作油画《希瑟利先生的假日》(1874)现存伦敦的塔特陈列馆，另一幅作品《家庭祷告》存剑桥大学圣约翰学院。后又从事音乐创作，出版了《加伏特舞曲、小步舞曲、赋格曲及其他钢琴短曲》(1885)和滑稽大合唱《那喀索斯》(1888)等。在音乐和文学方面他的特点是，运用他的天赋，向着各种公认的巨擘投掷致命的小石块。他攻击正统达尔文主义和正统基督教的核心部分；他企图证明《奥德赛》是一位妇女在西西里写的(《〈奥德赛〉的女作者》，1897)；他对莎士比亚的十四行诗作了新的解释(《再论莎士比亚的十四行诗及部分重组》，1899)。他的《埃瑞洪》使他获得盛誉，被许多人认为是继《格列佛游记》之后最好的一部幻想游记小说，通过描述在一个幻想的国度里的游历，对当时的生活和思想进行讽刺。勃特勒在一生中总觉得受到欺骗：他的父母亲欺骗他，宗教欺骗他，他的朋友也欺骗他。他在写《生命与习惯》(1878)一文时，甚至怀疑达尔文是不是也在欺骗他。随后他写了一系列仇恨进化论的书。在他死后一年出版的《众生之路》是一部自传体讽刺小说，叙述他从令人在精神上感到窒息的家庭气氛中出走的故事。这部小说在反维多利亚思潮初期具有很大影响。萧伯纳盛赞他为“19 世纪后半叶最伟大的英国作家”。

Butler, Thomas　巴特勒　参阅 **Ormonde, Thomas Butler, 10th Earl of** 奥蒙德伯爵(第十)。

Butlerov, Aleksandr　布特列洛夫(1828-09-06，俄国奇斯托波尔～1886-08-17，布特列洛夫卡)　俄国化学家，对于推进化学中的结构理论，尤其是关于结构相似化合物之间容易相互转变的特性——互变异构的发展有贡献。1849 年，进喀山大学任教师，吸收法国化学家 A.洛朗和 C.热拉尔的新理论，从事了已知化合物新的合成方法及全新的合成产品

美国不列颠百科全书公司供图

的研究。1861 年，布特列洛夫明确提出化学结构的基本概念：分子的化学本性不但由原子的数量和类型决定，而且也由它们的排列所决定。布特列洛夫预见并验证了异构体(由相同原子组成但空间排列不同的分子)的存在，如丁烷有 2 种、戊烷有 3 种。1866 年合成了异丁烷。两年后又发现不饱和有机化合物含有多重键。

Buto　布托　又称乌托、埃乔或瓦杰特。古埃及宗教所信奉的女蛇神。其像为盘绕在纸莎草秆上的眼镜蛇，是下埃及的佑护女神。布托和上埃及的秃鹫女神奈赫贝特都佑护国王，两神之合像往往见于王冠，象征国王统治埃及南北两部。根据神话，布托是何露斯神婴儿时的保姆，在何露斯之母伊希斯避难于尼罗河三角洲沼泽时帮助伊希斯保护他，不使他受邪恶狡诈的叔父塞特之害。

Buton (Indonesia)　参阅 **Butung** 布通。

Butor, Michel　比托尔(1926～09～14，法国蒙桑巴勒尔～　)　法国小说家、散文家。为 20 世纪 50 年代出现的法国小说的先锋派“新小说”的领导人物之一。曾入巴黎大学，1951～1953 年任曼彻斯特大学讲师，以后在塞萨洛尼基(1954～1955)和日内瓦(1956～1957 和 1975～1991)及美国和法国的多座城市任教。1954 年发表第一部实验小说《米兰的小巷》，未获重视。《作息时间表》(1956)是一部复杂的回忆性作品，追忆在曼彻斯特度过的阴郁的时光，获得评论界赞扬。当第三部小说《变》(1957)出版时，他的实验技巧渐趋完善，被认为已达到创作力的顶峰。这部作品获得雷诺多大奖。认为小说是哲学与诗歌的综合，受 J.乔伊斯影响颇深。他的小说作品的共同特点之一是讲求结构的严整。如《米兰的小巷》仅写了一所公寓中的一日，《变》则写巴黎至罗马的特快列车上一节车厢内的旅程。《程度》是他的第四部小说(1960)，情节的发展严格按照时间顺序，有如中学的作息时间表。《动体》(1962)在他的非小说类作品中独树一帜，是一部狂想诗式的散文作品，旨在抓住美国的精神实质。后期作品有《一个似小猴子的艺术家的画像》(1967)、《飞镖》(1978)。还出版了几部诗集。

butsudan　佛坛　日本家庭中的佛教家族祭坛。从历史上讲，先有神道的“神棚”，后来加设了佛坛。佛坛通常有已故祖先的牌位，所供佛像因派别而异。在平日的简单礼拜时，敬佛的人点线香和蜡烛，献鲜花；在一定时期，全家在佛坛前纪念祖先。公元 655 年皇宫内建立一个小礼拜堂，这可能是家庭佛坛的正式先例。天皇命令每所住宅设同样的圣所。但是，佛坛在 17 世纪以前并没有普及起来。到 17 世纪，政府作为取缔基督教的措施之一，命令佛僧检查各家各户是否正式设有佛坛。在现代日本，许多人家取消神道的“神棚”而保留了佛坛，或者用佛坛代替了神棚，不过仪式一般来说已经从简。

Butt, Dame Clara (Ellen)　巴特(1872-02-01，英国苏塞克斯索斯威克～1936-01-23，牛津郡北斯托克)　英国女低音歌唱家，以演唱谣曲和清唱剧著称。在皇家音乐学院学习

美国不列颠百科全书公司供图

后，1892 年首次登台，在 A.沙利文的康塔塔《金色的传奇》中饰演乌尔苏拉一角。具有浑厚有力的女低音歌喉和盛气凌人的个性，尤以演唱韩德尔和门德尔松的清唱剧而令人叹绝。演唱谣曲亦极受欢迎。E.埃尔加爵士的歌曲套曲《海景》(1899)即为她而作，其清唱剧《杰隆修斯之梦》中的天使一角也是受她的启示。1900 年巴特与男中音歌唱家拉姆福德结婚，二人一起举行演唱会。演唱歌剧不多，其中包括在格鲁克的《奥菲欧与尤丽狄西》中饰奥菲欧一角。1920 年受封为大英帝国二等女爵士勋位。

Butt, Isaac　巴特(1813-09-06，爱尔兰多尼戈尔郡格伦芬～1879-05-05，都柏林郡邓德拉姆附近)　爱尔兰律师、民族主义领袖。他即使不是“自治”一词的首创者，也是首先使之成为有效的政治口号的人。自治协会的创建人(1870)和第一任会长，大不列颠自治同盟主席(1873～1877)。1836～1841 年任都柏林三一学院政治经济学教授。1838 年取得爱尔兰的律师资格，1859 年又取得英国的律师资格。1848 年为被控以叛国罪的青年爱尔兰领袖们进行辩护。1865～1869 年是被监禁的芬尼亚派(爱尔兰共和或革命兄弟会)的领袖们的主要辩护律师。1852 年起曾连续当选为 1 个英格兰、2 个爱尔兰选区的下院议员。1869 年 11 月他鼓吹成立一个能够团结所有爱尔兰民族主义团体的政党。1870 年 5 月他

主张成立附属于帝国议会的爱尔兰议会。同年晚些时候创立自治协会。1871 年起,他在下院极力进行爱尔兰民族主义的宣传。

butte　地垛　又拼 bute。法语作 butte,意为"小丘"、"高地"。顶部平坦、四周为向平原倾斜的陡崖的小山,从陡崖底到平原之间为缓

美国亚利桑那州莫纽门特谷地的地垛
美国不列颠百科全书公司供图

坡。这个术语有时用于比丘陵高,而比山岳低的高地。具有坚硬岩石平顶的地垛是美国西部干旱高原的代表性地形。参阅 **mesa**。

Butte-Silver Bow　比尤特锡尔弗博市　简称 Butte(比尤特)。美国蒙大拿州西南部城市,锡尔弗博县县城(1881)。在大陆分水岭西坡。1879 年设建制。1886 年规划城市布局。丰富的矿藏吸引人们前往定居。1864 年发现砂金,1875 年首次开采白银。19 世纪 80 年代通铁路后,经济发展。1882 年开始产铜,1900 年铜产量已占全国产量的一半。还找到大量的锌、铅和锰。有一些轻工业和牲畜贸易。设有蒙大拿矿业科技学院(1893)。旅游业是当地经济收入的又一来源。人口 33 892(2000)。

butter　奶油　又称黄油。通过搅动从牛奶中提取的稀奶油而制成的一种黄至白色的固态乳浊物,由脂肪球、水和无机盐组成。长期被用作涂抹食用和烹调用油脂。在北欧、北美和其他以牛为主要产奶动物的地方,奶油是一种重要的食用油脂。世界奶产量约 1/3 用于制作奶油。奶油是一种高能量食品,每 100 克约含 715 卡热量。它的乳脂含量高(至少 80%),而蛋白质含量低。奶油含丰富的维生素 A,少量的钙、磷和维生素 D。它的颜色系因油脂中的胡萝卜素和其他脂溶性色素所致。在美国,商品奶油中可加入蔬菜颜色以改进其黄色。泡沫奶油是将空气或氮气搅打入软奶油中制成,旨在使之在冷藏温度下更易于涂布。奶油的起源未详,或许可以上溯到史前时期的畜牧业。19 世纪后期,随着稀奶油分离器的出现,奶油制造业从农庄移向工场。第二次世界大战之后实现了奶油的连续性生产,使奶油制造业的效率和产量均有提高。奶油的连续性制造方法有两种:一种是快速搅动通常的稀奶油;另一种是使用经过再分离的高脂稀奶油。制作良好的奶油应当均匀挺脱,呈腊状,并易于切片和涂布。

buttercup　毛茛　又作 crowfoot。毛茛科毛茛属(*Ranunculus*)显花植物,约250种,草本。

水生毛茛(*R. flabellaris*)
美国不列颠百科全书公司供图

陆生毛茛(*R. glaberrimus*)
美国不列颠百科全书公司供图

分布于全世界,北温带的树林和田野中尤为普遍。多具有块茎或须根。花单生或聚生成稀疏的花簇;萼片 5 枚,绿色;花瓣 5 枚,黄色或白色,有光泽;雄蕊和雌蕊多数。波斯毛茛(亚洲毛茛、头中毛茛,*R. asiaticus*)是商品花卉,其重瓣花型 *R. asiaticus* Superbissimus 为冬季花卉。野生的毛茛种类甚多,其中欧亚大陆原产的高大草甸毛茛(*R. acris*)已被各地广泛引种。池生毛茛(*R. peltatus*)和普通水生毛茛(*R. aquatilis*)在同一植株上有宽阔的漂浮叶和极细裂的沉水叶。原产于北美东部湿地的沼泽毛茛(北方毛茛,*R. septentrionalis*)和原产于欧亚大陆的匍匐毛茛(*R. repens*)已在美洲广为归化。

butterfat　乳脂肪　又作 milkfat。牛奶的天然脂肪成分和黄油的主要成分。黄油融化后,澄清的乳脂肪浮在表面,可以撇取,剩下容易滋生致腐微生物的蛋白凝乳和水分,因此乳脂肪不易酸败,不经冷藏也可以保存数个月。乳脂肪可用于烹调及作为特种菜肴的组分。在印度,乳脂肪被称为 ghī(ghee),大量生产,常与水牛乳脂肪混合,用作许多印度地方菜肴的烹调油,并用于医药和印度教宗教仪式。埃及称乳脂肪为 samna,亦大量生产,常与绵羊和山羊乳脂肪混合使用。乳脂肪主要是甘油酯的混合物,尤其是水溶性的丁、己、辛、癸等脂肪酸衍生物。测量脂肪酸含量的赖克特-迈斯尔值在乳脂肪的分析中很重要。

Butterfield, William　巴特菲尔德(1814-09-07,伦敦～1900-02-23,伦敦)　英国著名的仿哥特式风格的建筑师。倡导建筑的现实主义,即表现材料质感和色彩的效果。曾在威斯敏斯特一营造商处学徒,后随伍斯特的一位建筑师学习了三年,而对哥特式建筑风格发生兴趣。他设计了近百座教堂,多用砖、木建造,毫无虚饰。材料质感和色彩对比变化是他作品的特色,室内墙面、地面铺设大理石和面砖,使色彩更为绚丽。他的"彩饰结构"成为维多利亚晚期建筑的风尚。他设计的最华丽的教堂是伦敦万圣教堂(1849～1859)、圣马提亚教堂(1851～1853)、圣阿尔班教堂(1859～1863)等。还设计了牛津大学基布尔学院。

butterfish　鲳　鲈形目鲳科一些体薄而高且略呈卵圆形的银白色鱼类的统称。分布于暖水和温带海域。其特征为口小、尾鳍叉形、背鳍 1 个。同近缘的长鲳科和双鳍鲳科一样,食管有独特的具齿的侧囊(某些分类系统将长鲳科与双鳍鲳科并入鲳科)。某些鲳类,如金元鱼(*Poronotus triacanthus*),以幼鱼能藏身于水母的触手之间而闻名。金元鱼和几种其他鲳类鱼通常供食用。其中有大西洋的光鲳(*Peprilus alepidotus*),一般长约 20 厘米;太平洋的似光鲳(*P. simillimus*),产于加利福尼亚,银色;及东方产的具黑斑的银鲳(*Pampus argenteus*)。锦鳚科的岩锦鳚,英语中有时也叫 butterfish(参阅 **gunnel**)。

butterfly　蝴蝶　凤蝶超科约6个科几千种昆虫的总称。与蛾和弄蝶构成鳞翅目。几乎分布全世界。与蛾相似之点是在翅、体和足上均覆以一触即落的尘状鳞片。相异处是蝴蝶色鲜艳、白天活动,二者最显著的区别是蝴蝶的触角呈棒状,休止时翅折叠与背垂直。生活周期与鳞翅目其他种类相似,分 4 个阶段:卵、幼虫(蠋、毛虫)、蛹和成虫。多数种类的幼虫和成虫以植物为食。真蝶(凤蝶超科)分下列各科:粉蝶科(Pieridae),如白粉蝶或黄粉蝶,以群集迁飞著名;凤蝶科(Papilionidae),如凤蝶和绢蝶(绢蝶可单划为绢蝶科[Parnassiidae]);灰蝶科(Lycaenidae),包括蓝蝶、铜色蝶、毛纹蝶和纱翅蝶;蚬蝶科(Riodinidae),如多见于热带美洲的蚬蝶;喙蝶科(Libytheidae),如喙蝶;蛱蝶科(Nymphalidae),最大而种类最多的一科,包括受人喜爱的蝶类,如海军上将蛱蝶、豹纹蛱蝶、王蝶、斑马蝶和斑赤蛱蝶。参阅 **lepidopteran**。

butterfly bush　醉鱼草　醉鱼草属(*Buddleia*)100 余种植物的统称。原产世界热带和亚热带地区。该属以前属于龙胆目马钱科,现划入玄参目醉鱼草科。该科约 10 属、150 余种。醉鱼草属大部分种的叶具有茸毛或糠秕状物,花簇生,紫色、白色、黄色或橙色。有

醉鱼草(*Buddleia davidi*)
美国不列颠百科全书公司供图

几个种栽培为庭园观赏植物。

butterfly fish **蝴蝶鱼** 鲈形目蝴蝶鱼科约115种在世界热带珊瑚礁中游动迅速的小型海水鱼的统称。印度洋-太平洋地区最多。体较高，侧扁而薄；一个背鳍；口小，牙刺毛状。两颌有时延展为相当长的吻部，如印度洋-太平洋的长鼻蝴蝶鱼（钻嘴鱼，*Chelmon rostratus*）和大西洋的长吻蝴蝶鱼（*Prognathodes aculeatus*）。多数种类背鳍前部具强健突出的棘。体型均小，长度很少超过约20厘米。游动姿态如蝶，色彩极为鲜艳，故名。以黑与黄色调为主，有暗色条带及一个或多个大斑（眼状斑），位于背部或体后部，可用以迷惑掠食者。通常栖于近海浅水水域，以各种甲壳类及水螅型珊瑚虫为食。共10个属，蝴蝶属

一种蝴蝶鱼属(*Chaetodon*)鱼类
美国不列颠百科全书公司供图

（*Chaetodon*）有近90种，包括：四眼蝴蝶鱼（*Chaetodon capistratus*），为西印度群岛常见种，近尾处有一个具白环的黑眼状斑；斑鳍蝴蝶鱼（*C. ocellatus*），为西大西洋种，鳍黄色，背鳍基有一黑斑；旗鳍珊瑚鱼（羽鳍牛鱼、马夫鱼，*Heniochus acuminatus*），印度洋-太平洋种，具黑白二色条纹，背鳍有一极长的鳍棘。刺盖鱼科的神仙鱼与蝴蝶鱼近缘，有时归入蝴蝶鱼科刺盖鱼亚科（Pomacanthidae）。

butterfly orchid **蝴蝶兰** 兰科舌唇兰属（*Platanthera*）或玉凤花属（*Habenaria*）植物的俗称，约100种。原产欧亚、北非、北美和中美。有两个很有名的种：二叶舌唇兰（*P. bifolia*）开白花，植株较小；绿花舌唇兰（*P. chlorantha*）花大，绿白色，株形也较大。二者均有5～15朵花，芳香，簇生成穗状花序。英语中butterfly orchid一词又是金蝶兰属（**Oncidium**）一种植物的俗称。

butterfly ray **蝴蝶魟** 刺魟（**stingray**）中若干种类的通称。

butterfly weed（*Asclepias tuberosa*） **蝴蝶草** 又作orangeroot，orange milkweed，pleurisy root。又称橙花马利筋或胸膜炎根。萝藦科多年生植物。原产于北美。植株粗壮，被糙毛，具水平根。茎多叶，直立，疏分枝，高约0.3～0.9

蝴蝶草(*Asclepias tuberosa*)
美国不列颠百科全书公司供图

米。仲夏前后开花，花密集簇生，鲜橙色。与大多数马利筋不同，该植物乳汁较少。原产于干燥野地，常植于野生植物园，或用作沿边花卉。

Butterick, Ebenezer **巴特里克**（1826-05-29，美国马萨诸塞斯特灵～1903-03-31，纽约布鲁克林） 美国制造商，被认为是1863年在美国斯特灵首次出售的标准化服装纸样（1859）的发明者。同年他在马萨诸塞州的菲奇堡建立纸样工厂，1869年迁往纽约州布鲁克林。1869年创办时装杂志《大都市人》来推销他的纸样。

buttermilk **酪乳** 把稀奶油中的脂肪固形物提炼成黄油并取走以后剩下的营养液体。主要成分为水（约90%）、乳糖（约5%）、干酪素（约3%）、少量乳脂肪和乳酸，因此略带酸味。酪乳有益于健康，是流行饮料。人工培养的酪乳是在奶中添加某种微生物发酵制成，较天然酪乳黏稠，其他性质差不多。

butternut（*Juglans cinerea*） **灰胡桃** 胡桃科落叶乔木，原产北美东部，高15～18米，直径30～60厘米。树皮灰色，具深沟。叶长约45～75厘米，具11～17枚黄绿色、下面

灰胡桃(*Juglans cinerea*)
美国不列颠百科全书公司供图

被毛的小叶。巧克力色的间隔物将枝条的髓部分隔成多室。果卵形，具胶黏的绿褐色外果皮。坚硬木质的核果具许多脊，种子甜而含油。木材淡褐色，在产地用制器物。但重要经济用途是食用其核果和从外果壳制取黄色或橙色染料。还可从根的内皮提取某些药物。

butternut **黄油果** 参阅**Brazil nut**巴西果。

butterscotch **奶油硬糖** 用红糖、奶油或淀粉糖浆加水调和熬煮而成的一种硬糖果。奶油硬糖与奶糖不同之处在于配料中不含牛奶或代乳品。奶油硬糖硬时呈半透明的鲜艳黄色，制成球状或圆片形，用玻璃纸包装出售。奶油硬糖的碎屑像巧克力的碎屑一样成袋出售，主要供制作甜点。用红糖和奶油相配合是制作各种曲奇饼、布丁、糕点糖衣、法奇软糖和调味汁的基本原料。

Butterworth **北海** 又译巴特沃思。西马来西亚西北海岸城镇。位于西北沿海平原，临新路头河河口湾，西距槟榔屿岛上的乔治镇港3千米，隔槟榔屿海峡相望。为马来半岛上的物资转运点和铁路终点站。可与乔治镇通轮渡，与半岛主要城镇通公路。橡胶种植区中心，还建有石油进口设施、现代化锡厂和钢厂以及马克曼丁工业区。人口：大都会区99 227（2000）。

Butterworth **巴特沃思** 南非东开普省城镇。位于东伦敦北面。特兰斯凯区内最古老的白人居民区之一。由1827年建立的卫斯理会传教站发展起来。1904年设市。包括郊区齐图莱和伊贝卡在内构成巴特沃思的主要工业基地。有食品加工、饮料、烟草制品、纺织品、服装、皮革制品、木材及木制品、化学制品以及橡胶与塑料制品业。乌姆塔塔—东伦敦铁路线经此。最近港口为东伦敦。附近有巴特沃思河小瀑布群（总落差85米）和巴瓦瀑布（落差110米）。人口：城市区约33 003（1996）。

button **纽扣** 通常为有孔眼或轴柄的质地坚实圆片，缝在衣服的一边，圆片穿过衣服另一边的环圈或纽孔，用来将衣服扣紧。纯装饰性的纽扣也经常用于服装上。古希腊与埃特鲁斯坎人在肩部用纽扣与环圈将束腰外衣扣紧。13世纪发明纽孔后，纽扣在欧洲逐渐普遍。14世纪时，衣服从肘部到腕部和从颈部到腰部都缝有装饰性或实用性的纽扣。佩带金、银和象牙纽扣是财富与等级的象征。昂贵的纽扣也有用铜及其合金制成的，常嵌入象牙、龟壳、珠宝等作为装饰。普通纽扣是骨质和木质的。18世纪，绣花纽扣用在特殊设计的服装上虽很流行，但昂贵的金属与象牙纽扣大量取代了布纽。锡合金是当时常用的金属，用来制造大众化的纽扣。具有装饰或特殊图案的铜纽在军装与平民服装上也很流行。18世纪中叶，英国采用光亮、昂贵的琢钢纽扣，在钢坯上雕琢出多个光亮的小平面。在法国，琢钢纽扣的小平面上有精心雕刻的透孔花纹。在19世纪初期的25年中，一种不太贵的压制钢纽上饰有透孔花纹。黄铜纽经过浸入汞与金的混合物镀成金色很受欢迎。到1830年，布包纽扣开始用机器制造。同时，用动物的角与蹄经加热塑化后切割、染色和模压，制成纽扣。纽扣也有用陶瓷与玻璃制造的。陶瓷纽扣是法国的特产，饰

有手工绘画或用印花纸转印彩色图案。波希米亚生产大部分制造纽扣用的有色玻璃。日本制造了手工描绘传统花纹的陶瓷纽扣。在朱红漆层上刻有复杂花纹的木质纽扣是中国的特产。贝雕纽扣随着生产的机械化而逐渐增多。贝壳通过硝酸溶液处理，分解成薄层，用管状锯切割为坯料，然后用机械雕刻修饰。19世纪中叶，开始出现用南美棕榈树果制造的象牙色纽扣，将果肉切成厚片在窑内烘焙，然后像贝雕纽扣那样进行加工。20世纪，纽扣以实用为主，在很多方面由**拉链**(**zipper**)所取代。新式纽扣由塑料如纤维素、聚苯乙烯、聚乙烯树脂等制成，机器生产时用塑料粉末经模压制成或用喷射法把塑料液通过小开口喷入各模中制成。古老的纽扣售价正在上涨，由于它们的艺术和工艺而被人收藏。通常在其背面标明地点、时期以及制作者的姓名。

Button, Dick　巴顿(1929-07-18，美国新泽西恩格尔伍德～　)　美国花样滑冰运动员，是唯一囊括奥运会及世界、欧洲、北美洲和全美锦标赛冠军的运动员。1948年竟同时占有这几项冠军称号。16岁获美国男子成年花样滑冰锦标赛冠军，是获得此项荣誉的最年轻的运动员。1946～1952年连年夺魁，平了特纳1928～1934年连年夺魁的纪录。1947、1949和1951年获北美洲冠军。1948～1952年蝉联5届世界锦标赛冠军。1948和1952年两届冬季奥运会上均获男子花样滑冰金牌。1959年创办自己的制片公司，担任体育节目制片人和滑冰转播解说员。

Button, Stephen Decatur　巴顿(1803，美国康涅狄格普雷斯顿～1897-01-17，费城)　美国建筑师。他对后来的高层建筑设计和对L.沙利文的影响，直到20世纪中叶才为建筑历史学家所承认。他不用砖石承重墙结构，而似乎喜欢采用类似金属框架结构的设计，这种结构方法在30年后才开始用于高层建筑。他设计了两座五层楼房：费城切斯纳特街241号(1852)和利兰大楼(1855)，都有方形大窗，凹入的窗下墙，建筑外貌犹如拼在一起的一个个玻璃盒子。两座建筑都靠近弗内斯和休伊特费城建筑师事务所。19世纪70年代沙利文曾在这里任绘图员。

Button, Sir Thomas　巴顿(？～1634-04)　英国航海家、海军军官，早期的加拿大探险者。1588或1589年参加海军。1601年西班牙舰队入侵爱尔兰时，他任"月亮"号舰长。翌年在西印度群岛指挥私掠船"怀洛比"号。1612年加入西北公司，率"坚定"号和"发现"号去北美洲探险，搜索和援救乘一叶小舟在大海上漂流的亨利·哈得孙。他的另一任务是继续进行西北水道的探险。1613年春和整个夏季，巴顿一行继续探险活动，8月返航回国。1616年封爵士。后升任海军少将。

button quail　三趾鹑　又作 bustard quail。鹤形目三趾鹑科15种体圆的小型鸟类的统称。分布都限于旧大陆温暖地区多灌丛的草原。羽色暗淡，体长13～19厘米，翅短而圆。蹲伏迂回地窜过草地，飞行力弱，飞行时呼呼作响。常单个或成对行动，可能和真正的鹑类会合成群。雌鸟较雄鸟大且色型较鲜明，由雌鸟进行求偶表演和营巢。雄鸟很少

普通三趾鹑(*T. suscitator*)
美国不列颠百科全书公司供图

鸣叫，负担抱卵和育雏。在一个繁殖季节里，雌鸟与几只雄鸟交尾，产卵后马上离去。孵化期12～13天，是所有早成鸟中孵化期最短者。幼雏出壳两周内即能独立生活，这期间两次换羽，6～7周龄即达成体大小，不到3月龄就可繁殖。安达卢西亚半足鹑(林三趾鹑，*Turnix sylvatica*)分布最广，产于西班牙南部、非洲、东南亚到菲律宾；体长15厘米，有条纹，上体浅红灰色，下体色淡，具橙色胸部块斑，两胁有黑点。雌雄相似。红背三趾鹑(*T. maculosa*)与之近似，分布于澳大利亚-巴布亚地区。普通三趾鹑(条纹三趾鹑、棕三趾鹑，*T. suscitator*)分布于印度和印度以东，繁殖期的雌鸟喉部变黑。最北方的种(分布自印度到中国东北)是黄脚三趾鹑(*T. tanki*)，也叫印度三趾鹑或中国三趾鹑。非洲干旱平原的百灵三趾鹑(极乐三趾鹑，*Ortyxelos meiffrenii*)外形更像百灵而不像鹑，翅膀比三趾鹑长，飞行力较强，体长约13厘米。

button spider　纽扣蛛　南非对**黑寡妇**(**black widow**)的称呼。

buttonbush　风箱树　又作 button willow，honeyballs。**茜草科**(**Rubiaceae**)风箱树属(*Cephalanthus*)植物，灌木或小乔木，不少于6种。花球形，乳白色，花径约2.5厘米，芳香。原产于非洲、亚洲和北美洲。西方风箱树(*C. occidentalis*)最常见，高约6米。

buttress　扶垛　又称扶壁柱。建筑中自墙面凸出的砖石砌体，用以加固墙身或抵抗由拱或屋顶所产生的横向推力，除结构功能外，尚可在其上加雕饰而起装饰作用。虽在各种建筑形式中都采用扶垛，但在哥特式建筑中特别重要，由简单的砖石支承体发展为拱式扶垛(飞扶拱)，即砌体和墙有一定的距离，以拱或跨与墙相连。这种设计增加了扶垛的支承力，使得哥特式教堂能够形成厚墙高顶棚的特有风格。其他形式的扶垛还有按一定间距附在墙上的柱形或塔形扶垛，柱礅和墙隔开以**托臂**(**corbel**)与墙相连的悬挑扶垛，以及墙角上支撑相交墙的各种形式的角扶垛等。

Butua　布图阿　非洲一个古王国，在今津巴布韦西南部。1512年始见于葡萄牙文献。原由托格瓦王朝统治。1683年被强大的罗兹维王国的统治者征服和吞并。布图阿盛产黄金，为阿拉伯和葡萄牙商人所熟知。

Butuan　武端　菲律宾棉兰老岛北部北阿古桑省省会和直辖市。位于武端湾畔，靠近阿古桑河河口。现已发展为阿古桑流域的主要商业中心，在麦哲伦有其外港。为公路枢纽，有航空港。有锯木工业。是地区的石油储存点。1950年设市。人口267 279(2000)。

Butung　布通　又拼 Buton，Boeton，Boetoeng。印度尼西亚东南苏拉威西省的一个岛屿。系穆纳、沃沃尼和卡巴那岛群中的岛屿之一。布通西南岸的巴务巴务是主要城市、行政中心和港口。该岛面积4 200平方千米。森林稠密，岛的中轴是一座石灰岩山丘，高达1 190米。布通出产大量天然沥青和造船用柚木，还产椰子，并有珍珠采集业。贸易经营椰干、鱼干以及糖、烟草、西谷粉和咖啡。布通沿海居民大都是布吉人，从事纺织和铜器制作，主要是海上贸易和捕鱼。人口394 484(1990)。

butyl alcohol　丁醇　分子式同为C_4H_9OH而结构不同的4种有机化合物的总称。包括正丁醇、仲丁醇、异丁醇和叔丁醇，均有多种工业用途。正丁醇是漆、树脂和其他涂料的溶剂，也是液压制动器用液体的组分；大量正丁醇被转化成酯，醋酸丁酯是漆的溶剂，邻苯二甲酸丁酯是增塑剂。仲丁醇主要用于制取一种有效溶剂甲乙酮。异丁醇在许多应用上可与正丁醇互相替代。自20世纪50年代初期开始大规模生产以来，价格更为便宜。重要性最差的是叔丁醇，用于制取精细化学品，以及用作乙醇变性剂。工业正丁醇由玉米或糖浆发酵制得，或由乙醛经一系列反应制取。仲丁醇是用硫酸吸收丁烯，再水解而制得。用同样方法可从异丁烯制备叔丁醇。异丁醇可由异丁醛还原而得。

butylene (chemistry)　参阅 **butene** 丁烯。

butyric acid　丁酸($CH_3CH_2CH_2CO_2H$)　又作 butanoic acid。一种脂肪酸，以酯的形式存在于动物脂肪和植物油中。作为甘油酯，在奶油中约占3%～4%。酸败奶油的恶臭气味就是这种甘油酯水解产生丁酸的味。丁酸是制取低级醇酯相当重要的原料。低级醇酯用作调味香料。丁酸酐用于制取一种很有用的塑料——乙酸丁酸纤维。丁酸由丁醛经空气氧化而制得，为无色液体，溶于水并能与普通有机溶剂混溶。丁酸－4.26 ℃凝固，沸点163.53℃。异丁酸$(CH_3)_2CHCO_2H$，或2-甲基丙酸是丁酸的异构体，以游离态或乙酯形式存在于少数植物油中，在工业上，异丁酸没有丁酸那么重要，总的来说与丁酸相似。异丁

酸-46.1°C凝固,沸点153.2°C。

Butzer, Martin (Protestant Reformer)　参阅 **Bucer, Martin** 布塞尔。

Buwayhid DYNASTY　参阅　**Būyid dynasty** 白益王朝。

Buxaceae　黄杨科　大戟目的一科,7属,乔木、灌木或草本。原产于北美、欧洲、北非及亚洲。花单性,雌雄同株,无花瓣。单叶,革质,常绿,互生。蒴果或核果,含种子1或2粒。该科有很多著名的观赏种和材用树种。黄杨属(*Buxus*)的普通黄杨(英国黄杨、常熟黄杨、锦熟黄杨,*B. sempervirens*)、日本黄杨(小叶黄杨,*B. microphylla*)和高大黄杨(西班牙黄杨、巴利阿里黄杨,*B. balearica*)广泛栽培以供材用。参阅 **boxwood**。

Buxar　布克萨尔　又拼Baksar。印度东北部比哈尔邦波杰布尔县历史市镇。位于恒河南岸。1764年布克萨尔战役英国获得了南孟加拉。据信该地为吠陀的发源地,是重要圣地,许多吠陀颂歌的作者居住于此,且与印度教神灵罗摩的早期生平有关。人口55 753(1991)。

Buxar, Battle of　参阅 **Baksar, Battle of** 布克萨尔战役。

Buxtehude, Dietrich　柏格兹特胡德(1637,可能于荷尔斯泰因奥德斯洛～1707-05-09,吕贝克)　丹麦管风琴家及教堂音乐作曲家。当时最有威望和影响的作曲家之一。出生地及早期生平不详。1688年在吕贝克定居,任圣马利亚教堂管风琴师。由于他在作曲上的盛名,德国北部音乐家把该城视为"朝圣"之地。1703年,青年韩德尔访问了柏格兹特胡德。1705年青年巴赫曾徒步200英里去拜访他。两个年轻人都希望继任大师在吕贝克的位置,但由于继任的条件之一是与他的一个女儿结婚,二人都认为无法接受。除了担任教堂管风琴师外,还为吕贝克公众的节日和为当地富商家庭婚丧大事谱写音乐,为后人留下大量声乐和器乐作品,其中很大一部分直到20世纪才重新被发现。所作器乐简朴欢快,虽结构严谨但不大追求辉煌艰深技巧。作曲以管风琴曲最有影响,其中包括托卡塔、前奏曲、赋格曲、恰空舞曲,根据众赞歌作的一些小品,以及一首帕萨卡里亚。前奏曲一般较短小,除一首外,其余都不像巴赫前奏曲那样与后随的赋格曲有主题上的联系。大部分拨弦键琴音乐已佚失。声乐作品主要包括各种形式的教堂康塔塔,现存100多部。歌词主要取自圣经、赞美诗和当时创作的一些圣诗,全都充满虔诚纯朴之情,与其后继的巴赫等人的刻意精雕细琢手法形成强烈对比。有些作品可能是为在圣马利亚教堂举行的"黄昏音乐节"而写的。即在圣诞节前5个星期日的黄昏演出一系列声乐和器乐曲。自1673年起,在他主持下的这些演出,成了吕贝克地方的骄傲,这个传统一直持续到19世纪。

Buxton　巴克斯顿　英格兰德比行政、历史郡海皮克自治市的一城镇。四周为皮克区国家公园。海拔305～335米,是英格兰最高集镇。当地矿泉水久负盛名,曾为罗马人利用。矿泉浴池一度被忽视,16世纪予以重建。现有少量轻工业。在其附近可开采石灰石。人口约19 854(1991)。

Buxton, Sir Thomas Fowell, 1st BARONET　**巴克斯顿**(1786-04-01,英格兰埃塞克斯赫丁厄姆堡～1845-02-19,诺福克克罗默附近)　英国慈善家、政治家。1822年在下院成为主张

美国不列颠百科全书公司供图

废除英国殖民地蓄奴制运动的领袖。1818年他视察伦敦纽盖特监狱后发表了《监狱纪律调查》。1823年他与W.威尔伯福斯等人组织英国和外国反蓄奴协会。著有《非洲奴隶贸易及其纠正办法》(1839)。1840年封准男爵。

Buyantu　普颜笃　参阅 **Yuan——**:元朝帝王序列下 **Yuanrenzong Ayurparibhadra** 元仁宗爱育黎拔力八达。

Buyei　布依族　中国少数民族。旧称仲家。分布在贵州南部,人口2 971 460(2000)。语言属汉藏语系壮侗语族壮傣语支。大多通汉语,使用汉文。1956年设计了拉丁字母的文

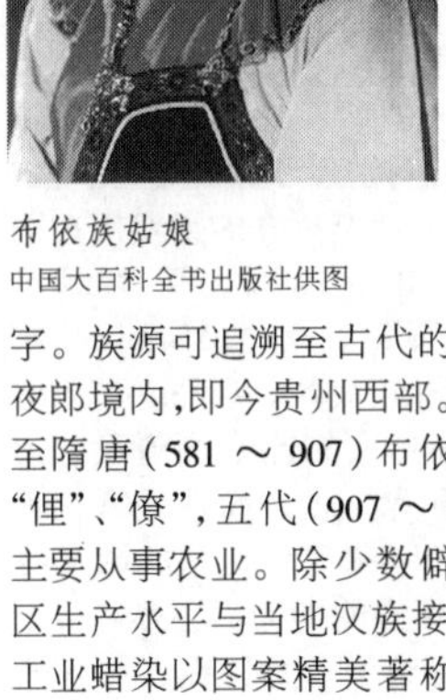

布依族姑娘
中国大百科全书出版社供图

字。族源可追溯至古代的百越,当时分布在夜郎境内,即今贵州西部。魏晋(220～420)至隋唐(581～907)布依族的先世泛称为"俚"、"僚",五代(907～960)后称"仲家"。主要从事农业。除少数僻远山区外,大部地区生产水平与当地汉族接近。历史悠久的手工业蜡染以图案精美著称,现在安顺有工厂大量生产。传统建筑形式为干栏。多依坡修筑,前半部为楼,后半部落地。各村寨均有铜鼓,用作节庆时乐器。男子穿对襟上衣、长裤、包头帕。女子多穿右衽上衣、长裤或褶裙。以一夫一妻制家庭为主,也有三四代同堂的。近亲不婚,但流行姑舅表婚。死后实行土葬。信仰多种神灵和"摩教",崇拜祖先。也有信仰佛教、道教和天主教的。节日除春节、端午节、中秋节外,还有"四月八"、"六月六"。1956年和1982年分别建立了黔南布依族苗族自治州和黔西南布依族苗族自治州,并与其他民族先后建立了3个自治县。

Buyei language　布依语　中国布依族语言。属汉藏语系壮侗语族壮傣语支。主要分布在中国贵州省西南部红水河和南盘江以北地区。使用人口约180万。内部没有方言差别,只有黔南、黔中、黔西3个土语。布依语(龙里)语音特点:有27个声母;其中包括双唇、舌尖中、舌根和喉门4个清塞音;舌尖前塞擦音1个;唇齿、舌尖前、舌面前、舌根擦音7个;双唇、舌尖中、舌面前、舌根鼻音各1个;边音1个;带前喉塞的浊塞音、浊擦音、半元音共4个;此外还有双唇腭化和舌根园唇化音各2个。有84个韵母:其中包括7个单元音韵母,14个复元音韵母,62个带辅音韵尾的韵母;其中带鼻音韵尾和带塞音韵尾的各半。有10个声调:6个舒声调:高升(1)、低平(2)、低升(3)、低降(4)、中平(5)、高降(6);4个促声调:中平(7长)、高升(7短)、高降(8长)、低平(8短)。布依语以虚词和词序表示句子成分的语法关系;名词前常冠以表示事物类别的量词;有些单音动词重叠后再加否定式动词或形容词表示动作多次重复而无结果;动词形容词后大部分都可加两个重叠的后附音节,表示动作情态或程度的加深;以名词为中心的修饰词组,除数量词位置在前(但修饰量词的"一"在最后)外,修饰语一般在后。句子主语在谓语前,宾语和补语在动词后。

Būyid DYNASTY　**白益王朝**(945～1055)　又作Buwayhid dynasty。在阿拉伯征服时代和突厥人征服时代之间,曾统治伊朗西部和伊拉克的伊朗伊斯兰教什叶派王朝。德莱木人血统。由白益的3个儿子阿里、哈桑和艾哈迈德创立。约930年阿里任卡拉季总督,占领伊斯法罕和法尔斯。935～936年哈桑与艾

10世纪的白益王朝银盆
美国不列颠百科全书公司供图

哈迈德夺得吉巴勒、胡齐斯坦和克尔曼。945年底艾哈迈德占领阿拔斯王朝首都巴格达，遂即建立白益王朝。阿杜德·道拉在位期间（949～983）克服了家族内争和地方割据，并夺取了阿曼、泰伯里斯坦、卓章，使白益王朝的国家达到鼎盛时期。它兴建公共设施、医院和库尔河上的水坝。其主要文化中心为伊朗的赖城和奈欣以及伊拉克的巴格达。白益艺术的波斯特色，足以使塞尔柱人和13世纪入侵的蒙古人倾倒。白益人喜爱金属制品，特别是精致的银器。他们的陶器大多饰以红底白条。阿杜德·道拉死后，王朝日趋衰败。1055年，白益王朝的最后一代统治者被塞尔柱人废黜。

Buys, Paulus **伯于斯**（1531，荷兰乌得勒支省阿默斯福特～1594-05-04，艾瑟尔斯泰恩） 荷兰政治家，曾任荷兰省议会议长（1572～1585）。在阿尔瓦公爵时代（1567～1573）参加反对西班牙统治的活动。他与奥兰治亲王威廉一世密切合作，策划举行起义。1573年任威廉的顾问委员会委员。1585年辞职，但仍参加关于缔结《威斯敏斯特条约》的谈判（1585-08）。1586年7月因反对总督莱斯特侯爵，被基督教加尔文宗的民主派逮捕，囚禁6个月。获释后未再恢复原有权位。

Buys Ballot, Christophorus H(enricus) D(idericus) **白贝罗**（1817-10-10，荷兰克卢廷厄～1890-02-03，乌得勒支） 荷兰气象学家。因1857年观测到风的流向与气压梯度成直角而闻名。虽然不是他第一个发现，但仍以他的姓氏命名，称作白贝罗定律（**Buys Ballot's law**）。曾任乌得勒支大学教授和荷兰皇家气象研究所所长。

Buys Ballot's law **白贝罗定律** 以荷兰气象学家C.H.D.白贝罗姓氏命名的风向定律。他于1857年根据经验得出这条定律。当时美国气象学家W.费雷尔已经从理论上导出这条定律。该定律说明：如果在北半球背风向而立，则高压区在右，低压区在左；在南半球则相反。理论上，这一定律说明风与气压梯度的交角为直角。在自由大气中基本准确，但在近地面则不然，因空气与地面的摩擦，使交角通常小于90°。由于科里奥利力（由地球自转产生）的作用在赤道地区很弱，这一定律在赤道不适用。

Buysse, Cyriel **伯伊斯**（1859-09-21，根特附近的内弗勒～1932-07-26，比利时德尔勒） 比利时小说家和剧作家，佛兰芒语自然主义文学的杰出代表。他曾受适合于佛兰芒人富家子弟的一般法语教育，但却毅然决心致力于用佛兰芒语写作。第一本重要小说《最强者的权利》（1893）显示了他在继承左拉和莫泊桑的传统方面表现出来的写实才能。稍后的一些作品，如《我心向着上帝》（1894），含有明显的社会主义信息。他是1893年创办的影响广泛的文学杂志《今日与明日》的创办人之一。也写过许多佛兰芒语剧本。在某些剧本中，如《帕梅尔一家》（1893），刻画了受压迫农民所进行的种种斗争。他在情调比较轻松的剧作方面，如喜剧《法官替身》（1895）中，也取得很大成功。

Büyük Menderes Nehri（Turkey） **大门德雷斯河** 参阅 **Menderes River** 门德雷斯河。

Buzău **布泽乌** 罗马尼亚东南部一县，面积6 072平方千米。西部有布泽乌山脉，为东喀尔巴阡山脉和外喀尔巴阡山脉的一部分，居民区散布于山间谷地和低地。布泽乌河及其支流向东流。县城布泽乌（**Buzău**）市自15世纪以来一向是与布加勒斯特和布拉索夫有联系的经济中心。制造业有金属、机械和化学品。勒姆尼库瑟拉特有炼油厂及生产纺织品、葡萄酒和卷烟的工厂。油田位于瑟拉塔-蒙泰奥鲁、贝尔卡和阿尔班尼西等处。珀特尔拉杰莱有建材业。农业活动有家畜饲养和小麦栽培。斯特凡大公于1473和1481年在勒姆尼库瑟拉特两次打败土耳其人，该地一所17世纪所建教堂中有壁画，镇内有一所罗马尼亚当代美术馆。默古拉有1650年修建的一所隐修院。其他城镇有波瓜内莱、贝切尼、温蒂勒大公乡和乌尔梅尼。有铁路和公路线经过县城。人口508 492（1997）。

Buzău **布泽乌** 罗马尼亚东南部城市，布泽乌县县城。在布加勒斯特东北约100千米处，临布泽乌河。地处多瑙平原尽头东喀尔巴阡山脉山麓附近，有利于发展成为集市贸易中心。有东正教大教堂（约1500年建，1650年改建）。周围盛产水果、蔬菜和葡萄。城内有冶金和塑料工业。人口约209 689（1997）。

Buzău Pass **布泽乌山口** 罗马尼亚东南部的山口，越过东喀尔巴阡山脉中的布泽乌山，连接布拉索夫与布泽乌两地。其走向大部分沿布泽乌河河谷。有一条公路穿过山口，还有来自布拉索夫和布泽乌的短距离的、不相连通的铁路支线。

buzkashī **马背叼羊** 波斯语，意为"拖羊"。阿富汗北方突厥人骑在马背上抢夺牛、羊犊尸体的狂野比赛。主要形式有两种，一种是传统的民间比赛，另一种是政府主办的比赛。两种赛事选手均骑在马背上，抢夺重达20～50千克的、被去除头、蹄和内脏的牛、羊犊尸体。无正式比赛规则，但通常禁止骑手抓对方的头发、拉对方坐骑的缰绳或使用武器。传统民间比赛无正式参赛队伍，比赛场地也无明确边界。参赛者多为专业骑手。参赛者常多达数百人，均有权争抢。民间比赛开始时一片混战，其中一位骑手从中夺得牛、羊犊并躲开其他对手的追抢。比赛常发生争执，并演变成暴力争斗。政府举办的比赛规定明确。两队骑手多在10～12人之间，场地竖有边旗和目标终点圆圈。政局稳定时，喀布尔的比赛常由军官担任裁判。参与者可能以此赛事为乐，但两种形式的比赛均暗藏政治背景。主办者（在阿富汗北方通常是掌权人物——汗）借助该赛事在不断更迭的政局中显示并提高其控制事态的能力。主办者自己饲养马匹，雇用专业骑手参赛。在各种仪式集会中各等骑手齐聚，进行一日或多日的骑马夺羊比赛。这些集会是展示地位的场所，以此公开检验主持比赛的汗或政府所拥有的社会、经济和政治资源。如果主办人资源充足，有能力控制场面，避免暴力争斗，则集会大获成功，主办人的地位也因此跃升；不然则颜面扫地。骑马叼羊源于突厥游牧民族。10～15世纪由中国和蒙古传入西方，在阿富汗最为流行，但在阿富汗以北的穆斯林国家以及中国的西北也保留有此种文化遗风。阿富汗北方的其他民族近年来也举行骑马叼羊比赛。喀布尔中央政府于20世纪50年代初开始举办全国比赛。首次比赛在国王查希尔的寿诞之日举行，其后则挑选对当权政府有利的日期进行。1977年以前比赛完全由政府掌控。1982年后比赛停办。其后伊斯兰游击队司令开始在农村自行举行比赛。阿富汗难民有时也在巴基斯坦举行比赛。

buzuki（musical instrument） 参阅 **bouzouki** 布祖基琴。

Buzuluk **布祖卢克** 俄罗斯中西部乌拉尔山脉南部奥伦堡州城市。在伏尔加河支流萨马拉河畔，与布祖卢克河汇流处附近。1736年建为要塞。1781年设制。有重型冶金机械和农机制造业。设有4所技术学院。人口约86 700（2000）。

Buzurg ʿAlavī **伯祖尔格·阿拉维**（1904，伊朗德黑兰～1997-02-18，德国柏林） 20世纪波斯文坛主要散文作家之一。先在伊朗上学，1922年被送往柏林，在那里学习德语，并将一些德语作品译成波斯语。返回伊朗后，在德黑兰工业学院执教，并卷入一个伊朗社会主义者团体的活动。他和这些人一起被捕入狱（1937～1941），在狱中写了《五十三人》，刻划了社会主义小组成员们的面貌和所遭受的折磨。还写了短篇小说集《狱中札记》。第二次世界大战后，他成为伊苏友协会员，访问乌兹别克苏维埃社会主义共和国后写了一篇《乌兹别克人》的报道。他创立了伊朗"人民党"。1953年参加世界和平理事会，获该会所颁金质奖章。1954年，伊朗首相穆罕默德·摩萨台倒台后，他离开伊朗，担任东德洪堡大学客座教授。阿拉维最著名的作品是短篇小说集《旅行皮箱》和长篇小说《她的眼睛》。他还用德文写了不少作品，如《伊朗的斗争》（1955）、《现代波斯文学发展史》（1964）。1979年伊朗革命后返国，不久又重返东德任教。

buzz bomb **嗡嗡弹** 参阅 **V-1 missile** V-1导弹。

buzzard **鵟** 鵟属（*Buteo*）几种猛禽的统称。但在北美，亦指属于新域鹫科的各种新大陆鹫类，尤指红头美洲鹫（*Cathartes aura*）。同样，在澳大利亚钩嘴鸢属（*Hamirostra*）的一种大型鹰类称为黑胸鵟，在北美，鵟属的种类称为鵟类、鵟鹰类或就称为鹰类。真正的鵟属于鹰科鵟亚科（Buteoninae）。飞行时缓慢有力地拍打着翅膀，优美地翱翔。飞行时，可从其宽阔的翅膀和张开的圆尾将它与其他猛禽区别开。大多数种类上体褐，下体白色或褐色有斑点，尾和翅下羽毛通常有横斑。然而甚至一个种的不同个体之间亦有着很大颜色变化。捕食昆虫和小哺乳动物，偶尔袭击鸟类。在树上或悬崖上营巢。巢坚实，由树枝构成，内垫以柔软材料。每窝产卵2～5枚，卵呈白色，具褐色块斑。最知名的普通鵟（*B. buteo*）分布自斯堪的纳维亚半岛向南到地中海。其他种类见于北美、欧亚大陆和北非的绝大部分地区。参阅 **hawk**。

Buzzards Bay　巴泽兹湾　大西洋小海湾，嵌入美国马萨诸塞州东南海岸。长30英里（48千米），宽5～10英里。东北伸向科德角半岛根部，经科德角运河与科德角湾相通。

巴泽兹湾入口处的灯塔
美国不列颠百科全书公司供图

东南为伊丽莎白群岛。岛岸曲折，多渔村。是避暑胜地。有游艇俱乐部。巴泽兹湾灯塔高出低潮水面52米，是美国建在开阔水面上的第一座。巴泽兹湾村属伯恩镇，有运河穿过，是科德角运河管理处和马萨诸塞海洋学院所在地。人口：村3 426（2000）。

Buzzati, Dino　布扎蒂（1906-10-16，意大利贝卢诺～1972-01-28，罗马）　意大利新闻记者、戏剧家、小说家。其小说和戏剧国际闻名。1928年在米兰《晚邮报》任记者。用传统写实主义风格写了两部小说《群山中的巴尔纳博》（1933）和《古树林的秘密》（1935）。最优秀的作品《鞑靼人的草原》（1940），是一部有关前线驻军的很有力度的讽刺故事。他的剧作《临床病例》（1953年首演）最为脍炙人口，描写一个医学专家和机器如何毁掉一个完全健康人的恐怖故事。尽管受到卡夫卡影响，但其作品仍极具个性，其冷幽默的特点尤为突出。多部作品被译成英文出版。

BWA　参阅 **Baptist World Alliance 世界浸礼会联盟**。

By, John　拜（1781，伦敦～1836-02-01，英国萨塞克斯谢伦福德帕克）　英国军事工程师，他开凿连接渥太华河和安大略湖的运河（1832），大大促进了渥太华市社会经济的发展。1799年任皇家工程兵少尉，1802～1811年到加拿大工作，在魁北克修筑工事，并负责在圣劳伦斯的莱塞德雷开凿一条运河。1826年提升为中校后，再次被派往加拿大，设计并开凿渥太华河和安大略湖畔的金斯顿之间的里多运河。他把渥太华河和里多河汇合处附近作为运河的起点，一个以他的姓氏命名的居民点——拜镇在这里发展起来，1850年这个居民点扩建为一个城镇，1855年改名渥太华，后来成为联邦的首都。他在1832年返回英国。

Byblos　比布鲁斯　今名朱拜勒（Jubayl或Jebeil）。黎巴嫩古代海港，位于地中海岸，在今贝鲁特市北约32千米处。比布鲁斯为世界上最古老的连续有人居住的城镇之一。出土文物表明，比布鲁斯新石器时代即有人居住。后成为向埃及输出雪松等贵重木材的主要港口和贸易中心。该城在古埃及语中被称为库布纳，在亚述的阿卡德语中被称为古布拉。当地发现的埃及纪念碑和碑文，证实公元前2千纪后半期比布鲁斯与尼罗河流域的密切联系。埃及第十二王朝时该城为其附

比布鲁斯的方尖碑神庙
美国不列颠百科全书公司供图

庸，城内主要女神巴拉特及其神庙亦受埃及人膜拜。公元前11世纪埃及新王国灭亡后，成为腓尼基人重镇。该城在罗马时代以后衰落。1103年比布鲁斯被十字军攻占。1189年为萨拉丁占领。有十字军的防御土墙及城门、罗马时代的柱廊和剧场、腓尼基人的壁垒、神殿和墓地等古迹。

Bydgoszcz　比得哥什　德语作Bromberg（布龙贝格）。波兰中部偏西北一省。1975年设省，面积10 349平方千米。周围与之交界的各省有：西北面的斯武普斯克，北面的格但斯

比得哥什市比得哥什运河河畔一博物馆
美国不列颠百科全书公司供图

克，东面的托伦和弗沃茨瓦韦克，南面的波兹南和科宁，西面的皮瓦。最大的河流是维斯图拉河，其他有布尔达河、弗达河和诺泰奇河。工业发达，北部有食品加工和造纸，中部有电机制造和化工，南部有建材制造工业。盐、黏土和石灰岩的蕴藏量丰富。省会比得哥什（**Bydgoszcz**）市位于布尔达河口，老城有保存完好的15世纪的哥特式建筑。人口约1 090 400（1987）。

Bydgoszcz　比得哥什　德语作Bromberg（布龙贝格）。波兰北部城市，库亚瓦滨海省两个省会城市之一。靠近布尔达河和维斯图拉河汇合处。原为边境要塞，13世纪为条顿骑士团所占领，1346年建镇。原为繁荣的谷物、木材中心，在17世纪瑞典战争期间被毁；18世纪由于建成比得哥什运河又显重要。因1939年顽强抵抗纳粹入侵，该市在1946年庆祝建城600周年大会上被授予古瓦尔德十字勋章。现为重要水运和铁路枢纽。有林产品加工、纺织、冶金、化工、机械、电子和印刷工业。有多个博物馆、剧院和音乐厅。设有农学院、医学院、音乐学院和工学院。人口约373 804（2002）。

Bydgoszcz Canal　比得哥什运河　波兰中北部比得哥什省的运河。全长27千米，西起纳克沃，东至内河港口比得哥什，位于诺泰奇河和布尔达河之间，将维斯图拉河流域与奥得河流域联系起来。这条20米宽的运河是腓特烈二世统治时期在1774年建成的。

Byelarus　参阅 **Belarus 白俄罗斯**。

Byelorussian language　参阅 **Belorussian language 白俄罗斯语**。

Bykovsky, Valery　彼科夫斯基（1934-08-02，俄罗斯苏维埃社会主义联邦共和国巴甫洛夫斯基-波萨德～　　）　苏联航天员，1963年6月14～19日乘“东方”5号航天飞船绕地球

美国不列颠百科全书公司供图

81 圈。16 岁开始学飞行,1952 年参军,1959 年任喷气战斗机飞行员,60 年代初期在茹科夫斯基军事工程学院受航天员训练。1963 年 6 月 16 日,在他进入轨道后两天,苏联发射了载着第一名女航天员 V.捷列什科娃的"东方"6 号。两艘飞船保持平行轨道,并在一点上互相靠近,相距不到 5 千米,但是没有会合。两艘飞船间隔 3 小时返回地面。6 月 18 日在轨道飞行中加入苏联共产党。他回到地面后被授予国家最高荣誉——苏联英雄的称号。可能因为一次边界事件中的空战,他还在和平时期接受了苏联最高战斗勋章——红星勋章。他是 1975 年 7 月进行的"阿波罗-联盟"号试验计划的航天员训练组组长,也是 1976 年 9 月 15 日开始进行的 190 小时飞行的"联盟"22 号的指令长。

bylina　壮士歌　口头传述的俄罗斯英雄叙事诗。最古老的壮士歌属于记述 10 ～ 12 世纪基辅罗斯的黄金时代的一组诗,集中描述了大公弗拉基米尔一世和他的宫廷的业绩。最受人们欢迎的英雄之一是具有独立精神的哥萨克伊里亚(穆罗梅茨),他保卫基辅罗斯,使之免受蒙古人的侵犯。虽然基辅近郊的农民已不再知道这些诗歌,但是到 19 世纪,人们在居住于俄国欧洲部分西北部边远地区奥涅加湖周围农民的表演节目里发现了它们。住在西伯利亚东北部边远前哨地区的人们也知道这些诗歌。记述乌克兰和俄国历史各个时代的其他壮士歌在全国范围内也都被收集起来。它们可能记述伊凡雷帝或彼得大帝统治时期的事件,也可能记述哥萨克起义者拉辛和普加乔夫。20 世纪的壮士歌《列宁的传说》把俄国革命的主要事件用公式化的英雄故事记述下来。所有的壮士歌加到一起就构成了俄国的一部民间历史。这部民间历史的事实和观点往往同正史有所出入。壮士歌可能起源于职业宫廷歌手,但现在农民和普通人民也在传播和创作壮士歌。随着读书识字的人越来越多,编唱壮士歌的这门艺术逐步消失。

Byng, John　宾(1704,英格兰贝德福德郡索希尔～ 1757-03-14,汉普郡朴次茅斯港)　英国海军将官,因未能救援被法军围困的地中海西部英国海军基地梅诺卡而被处决。纽卡斯尔公爵(第一)佩勒姆-霍利斯首相的政府向宾提出法律起诉,希望转移公众对政府失职的注意力,但纽卡斯尔却未能免于在 1756 年 11 月辞职。其父托灵顿子爵乔治·宾为著名海军将领。1718 年宾进入皇家海军。1745 年为海军少将。在七年战争(1756 ～ 1763)爆发前夕的 1755 年,英国人惧怕梅诺卡基地受到法国袭击,遂于战争爆发前3个月派遣宾

美国不列颠百科全书公司供图

率领兵力不足的军队前往守卫此岛屿。但同年 5 月宾到达该地之时,由黎塞留公爵率领的一支法军已登陆并包围了圣菲利普要塞。交战后宾无心与拉加利索尼埃侯爵率领的法国舰队恋战,在其后举行的一次军事会议上,他判定他的兵力不足以再度发起攻击及援救要塞,因此回师直布罗陀海峡,使梅诺卡陷于敌手。此次失利在英国激起公愤,纽卡斯尔作出许诺"立刻对宾进行审判,即行绞杀"。宾在朴次茅斯港他自己的旗舰上举行的军事法庭接受审判,以玩忽职守罪被行刑队枪决。此事被法国作家伏尔泰在《老实人》中加以讽刺:英国人发现"为了鼓励他人",时时有必要枪毙一名海军将官。

Byng of Vimy (of Thorpe-le-Soken), Julian Hedworth George Byng, Viscount　宾(1862-09-11,英国米德尔塞克斯鲁特姆帕克～ 1935-06-06,埃塞克斯索普霍尔)　英国陆军元帅、第一次世界大战中的指挥官。1883 年入伍,1909 年升任少将。他在担任加拿大驻法国军团司令官时,攻克阿拉斯以北的维米里奇(1917-04-09),是世界大战中加拿大军队获得的最著名的胜利之一。在担任英国第 3 军军长时,进行有史以来第一次大规模的坦克进攻(1917-11-20,在康布雷)。他的军队于 1918 年 9 月 27 日攻破德国的兴登堡防线。他于 1917 年升为上将,1932 年升为陆军元帅。第一次世界大战后任加拿大总督(1921 ～ 1926)和伦敦警察局长(1928 ～ 1931)。1919 年封男爵,1928 年受封子爵。

Bynkershoek, Cornelis van　宾凯尔斯胡克(1673-05-29,荷兰泽兰米德尔堡～ 1743-04-16,海牙)　荷兰法学家,他在沿着实证主义路线发展国际法方面作出了贡献。他在弗兰内卡尔研习过法律并在海牙被接受为律师协会会员。1703 年任荷兰和泽兰最高法院的法官,1724 年任该院院长。他虽然致力于烦冗的司法专业,但仍抽空写了大量的各种法学著作。他的主要国际法著作有:《论海上管辖权》(1703)、《论使者法庭》(1721)以及《公法问题》(1737)。他对诸如海上主权、使节的地位、战时的私有财产、捕获、中立、禁运和封锁等问题的见解受到高度评价,并有很大影响。在确定国际法的性质时,他比他的先辈更强调实际的惯例而不是强调推论出来的箴规。

Byoir, Carl　拜奥尔(1888-06-24,美国艾奥瓦得梅因～ 1957-02-03,纽约州纽约)　美国顾问,努力促使公共关系成为一种公认的职业。毕业于艾奥瓦大学,曾为赫斯特创办的杂志工作。第一次世界大战期间被召赴华盛顿,担任公众宣传委员会副主席,帮助领导战时美国政府的宣传工作。战后,因健康问题前往古巴。为了促进美国对古巴的旅游业,他与古巴独裁者 G.马查多签署合同,并于 1930 年在纽约创办卡尔·拜奥尔及其合伙人公司。1938 年,他与食品杂货商联号大西洋与太平洋茶叶公司策划,由他领导一场公共关系运动,终于在国会挫败一项征税法案。这项胜利引起得克萨斯众议员、强有力的"反托拉斯"战士 W.帕特曼的敌意,致使他在 1946 年被定罪为违犯《谢尔曼反托拉斯法案》。当他开始从事公共关系工作时,这个行业刚从新闻代理业中分离出来。在他的公共关系生涯中,他强调组织、计划和有效的行动,致使公共关系成为一个日益扩展的行业。

bypass, coronary　参阅 **coronary bypass** *冠状动脉搭桥术*。

Bŷr, Ynys (Wales)　参阅 **Caldey Island** *科尔迪岛*。

Byrd, Richard E(velyn)　伯德(1888-10-25,美国弗吉尼亚温切斯特～ 1957-03-11,波士顿)　美国海军少将,20 世纪航空先驱者和极地探险家,尤以南极探险而著名。在美国

美国不列颠百科全书公司供图

弗吉尼亚大学和海军学院学习后到佛罗里达美国海军航空站学习飞行,学成后在海军服役直到第一次世界大战结束,成绩卓著。战后,他关心开发飞行器的航行装备,设计过 NC 飞船首次横渡大西洋的飞行计划,并协助制造横渡大西洋的飞行器。1924 年开始极地探险生涯,参加麦克米伦北极探险队,指挥一个海军航空分队到格陵兰西部进行探察。1926 年 5 月作为领航员与驾驶员贝内特一起飞越北极成功,根据他的纪录,从斯匹次卑尔根的国王湾回程只飞 15.5 小时。获国会荣誉勋章。以后帮助美国飞行家林白进行飞行训练,利用特别延长的跑道让林白于 1927 年 5 月单人飞越大西洋。1927 年 6 月他用了 42 小时自西而东飞越大西洋,克服恶劣气候,在法国布列塔尼海岸着陆。这次成功使他信誉

更著,法国荣誉军团聘请他担任指挥官,纽约市授予英勇勋章。1928年宣布从空中考察南极的计划。由于E.福特及J.D.洛克菲勒等这样的美国富豪给予巨大的财政支援,伯德的声望也能激起美国公众慷慨捐献,筹集了估计所需的40万美元探险费用。同年10月组织空前庞大及装备最完善的南极探险队,先在罗斯冰架上建立称为"小亚美利加"的基地,在南极大陆多次飞行,发现一连串高山和一大片陆地。命名丛山为洛克菲勒山脉,陆地为玛丽·伯德陆地(以其妻名命名)。1929年11月用19个小时从"小亚美利加"飞往南极极地后飞还。1933年第二次伯德远征队到达"小亚美利加",目的是绘制地图并提出美国对南极极地附近的主权要求。1934年冬单独在称为"博林前进基地"气象站的一栋小屋里过了5个月,有一次被冰层埋在里面,经受零下50～60℃的严寒,被冻伤,中了一氧化碳之毒,救出时已奄奄一息。此后又率领过三次探险队,伯德皆任美国政府派遣的探险队队长,在每次短暂的探险期间,伯德仍然积极活跃于考察工作。还发现瑟斯顿岛,从而大大缩短了南极大陆未探测的海岸线长度。第二次世界大战时任海军作战处参谋。战后负责著名的"跳高行动计划",据称已发现和绘制1 390 000平方千米的南极土地。1955年任美国政府负责南极事务的官员。1956年1月又一次飞越南极极地。其主要成就在于使用飞机、无线电及其他现代技术装备进行极地探险。

Byrd, William　伯德(1543,英国林肯郡林肯?～1623-07-04,埃塞克斯斯通敦马塞)　莎士比亚时代英国管风琴家和作曲家,以开发英国牧歌最为闻名,亦作有维金纳琴和管风琴音乐,改进了英国键盘音乐风格。

生平　伯德的出身和早年生活鲜为人知。他是管风琴家兼作曲家T.塔里斯的学生和被保护人。他的第一个经过证实的任命是在林肯大教堂担任管风琴师(1563)。1572年移居伦敦接受皇家教堂堂士职位,并与塔里斯共司管风琴师之职。两人之间的私人关系和职业交往产生了重要的音乐上的后果。1575年,伊丽莎白一世授予他们进口、印刷、出版和销售乐谱以及印刷谱纸的联合专利权。由他们承印的第一部作品、奉献给女皇的《圣歌集》于同年问世;在34首经文歌中,16首为塔里斯所作,18首出自伯德手笔。1577年伯德移居米德尔塞克斯郡哈林顿,与家人一起在那里寓居15年之久。作为一个虔诚的天主教徒,他可能宁愿要伦敦以外的不受干扰的生活。但是尽管他与另外一些天主教徒交往密切,而其中又不乏卷入叛国活动的人,他对政府的忠贞却从未受到怀疑。1585年塔里斯去世。其后3年伯德出版了4册自己的音乐集:《诗篇、十四行诗和哀伤虔诚之歌》(1588)、《各种性质的歌》(1589)以及又两本《圣歌集》(1589和1591)。1592或1593年,伯德率全家迁移至埃塞克斯郡斯通敦马塞,此后一直住在那里。詹姆斯一世登基后天主教徒们似乎暂时看到了希望。这可能推动伯德又出版了3本曲集。在一集3首弥撒曲以及两本《升阶经》(1605和1607)中他试图单枪匹马配备一套基本的仪礼曲目,包括所有主要节期用的常规弥撒和专用弥撒音乐。意味深长的是,两本《升阶经》的被题献人均为詹姆斯在位最初几年中封为贵族的著名天主教徒。伯德出版的另一本曲集《诗篇、歌曲与十四行诗》(1611)收有英国宗教和世俗音乐。

评价　对伯德的音乐成就怎么估价都不会过高。他为当时可能弄到的乐器(除诗琴外)大量写作。所作维金纳琴和管风琴音乐将英国键盘风格提到新的高度,并带动布尔、法纳比、吉本斯和汤姆金斯等其他英国作曲家取得成绩。在维奥尔琴康索特的音乐中他也起了极为重要的作用,发展了自由创作的幻想曲形式。他虽然赞赏意大利牧歌,并且将它们出版并引入英国,但他自己的世俗声乐却显然是保守的,其中很多采用独唱加维奥尔康索特伴奏的旧手法,这种手法后来被以莫利(伯德的学生)为首的英国牧歌作曲家们所摒弃。伯德有时给这些歌曲的复调伴奏加歌词,实质上使它们成为牧歌。伯德的宗教信仰没有妨碍他创作了大量为英语歌词配曲的教会音乐;这些音乐总的说来质量都很高,但不可否认伯德在他的拉丁文宗教音乐中始终保持着最高水平。1589和1591年的两套《圣歌》的艺术激情在英国是无与伦比的,而其气势之宏大则在整个欧洲大陆是闻所未闻的。《升阶经》固然必定更加精炼,更近似他所熟悉的帕莱斯特里纳和维多利亚的作品,但若仔细加以审听,就会发现它们具有真正的个性和始终如一的灵感水平。

Byrd, William, of Westover　伯德(1674-03-28,弗吉尼亚殖民地～1744-08-26,弗吉尼亚韦斯托弗)　弗吉尼亚种植园主,讽刺作家和日记体作品作者。出生在他父亲的种植园里。父亲为奴隶贩子。他曾在伦敦中殿律师学院学习法律。1695年获准从事律师业务后,回到弗吉尼亚。两年后作为殖民地的代理人又去伦敦,青年时代几乎都在英国度过,成为皇家学会会员。1705年其父死后,伯德回到弗吉尼亚管理一个大农庄,通过姻亲关系,与弗吉尼亚一些最有权势的家族结为一体,担任他父亲曾担任过的县收税官和民兵上校。1709年任皇家顾问,并终生保有这个职位。1715～1726年(除1720～1721年返美一次)在英国度过,其中部分时间担任殖民地的代理人。他是大种植园主反对A.斯波茨伍德总督的代言人。他的日记阐述了大种植园的家庭经济。他的《分界线的历史》是一部诙谐的讽刺性记述,描述1728年勘测北卡罗来纳-弗吉尼亚边区的情况,是殖民地时代文学中最早的作品。这部作品和其他描写开拓生活的《伊甸园旅行记》与《向矿山前进》一同发表在《韦斯托弗手稿》中(1841)。《秘密日记(1709～1712)》(1941)收入他用速写所记的文学意义不大但更为重要的日记。

Byrds, the　飞鸟乐队　20世纪60年代传播民歌摇滚乐的美国乐队,尤其是B.迪伦的歌曲。乐队成员的更替营造了一个主要乡村摇滚乐队和流行音乐超级摇滚乐队的繁茂族谱。其主要成员有R.麦克吉恩、G.克拉克、D.克罗斯比、C.希尔曼、G.帕森斯和C.怀特,首支单曲是迪伦的《手鼓先生》,登上1965年排行榜第一位。他们将迪伦的歌曲介绍给年轻一代流行乐听众,在这一过程中,把洛杉矶打造成为一张独具特色的美国新型摇滚乐温床。飞鸟乐队的标志声音是由12弦电吉他和夹杂着小曲味道的咏唱和声,将阿巴拉契亚山区的民歌传统、甲壳虫乐队富于节奏的活力以及加州南部充满阳光的欢乐主义融合在一起。飞鸟乐队对民间歌曲和流行歌曲产生了巨大的影响。克罗斯比对现代爵士乐和印度传统曲调拉加的兴趣使乐队的风格向迷幻乐方向发展,代表作品是《八英里高》(1966)。希尔曼对把摇滚和乡村音乐结合起来起到重要作用。麦克吉恩将音乐和形象与太空时代的乐观主义相融合,其代表作是《太空人先生》和《第五维》,他还是最早使用电子音乐合成器的流行音乐家之一。因乐队内部意见相左,克拉克、克罗斯比、帕森斯和希尔曼相继离开。

60年代末70年代初,飞鸟乐队名气很大。他们将民谣、乡村音乐和迷幻乐混合在一起的做法被水牛春田乐团、老鹰乐队等采纳。为了抵制朋克的虚无主义和滥用电子合成器的流行音乐,80年代,飞鸟乐队的传统得以复兴。90年代,飞鸟乐队对乡村摇滚孜孜以求,引发了另类乡村摇滚运动。乐队在成员更替后继续走红,直到1973年麦克吉恩离开。怀特在飞鸟乐队后来的专辑中融入了源于摇滚吉他的欢快、简练风格。70年代,乐队最初的成员定期聚会,并在1973年推出一张四人专辑。1990年的《飞鸟乐队》合辑中有麦克吉恩、克罗斯比、希尔曼的四张新专辑。1991年入选摇滚乐名人堂。

Byrne, (Francis) Barry　伯恩(1883-12-19,美国芝加哥～1967-12-17,伊利诺伊埃文斯顿)　美国建筑师。属于受建筑师F.L.赖特影响的草原建筑学派,而具有个人独特的风格,尤其表现在他所设计的天主教建筑中。1901～1907年,在伊利诺伊州赖特的设计室学习建筑。1907～1910及1914～1917年先后在芝加哥的W.B.格里芬和M.马奥尼的事务所工作。1930～1945年在芝加哥和纽约自行开业。后来则在芝加哥郊区的埃文斯顿设立事务所。他所设计的方正而优美的约翰·瓦伦丁住宅(1917)被维也纳先锋派建筑师J.霍夫曼誉为最佳的当代建筑。20年代的设计多为教堂之类的教会建筑,如圣巴特里克教堂(1923)和圣王基督教堂(1926),风格为非常简洁的新哥特式。建于爱尔兰科克的教堂,以狭长的缝隙采光,和一般大窗的效果截然不同;与混凝土结构结合为一体的雕像,起到装饰作用。第二次世界大战后的作品有:密苏里州堪萨斯城的圣方济各·沙勿略教堂(1948)和堪萨斯州艾奇逊城的圣本笃大教堂(1955年始建)。

Byrnes, James F.　贝尔纳斯(1879-05-02,美国南卡罗来纳查尔斯顿～1972-04-09,南卡罗来纳哥伦比亚)　美国民主党政治家和行政官员,第二次世界大战期间担任战争动员署署长(1943～1945),因处事干练而被公众称为"国内事务总统助理"。在充满挑战的战后时期,他担任国务卿(1945～1947),工作富有成效。早年自学成为律师,1908年任南卡罗来纳州检察官。1911～1925年任众议员,1931～1941年任参议员。他是F.D.罗斯福总统智囊团的成员。1942年任经济稳定署署长,后任战争动员署署长。1945年2月随罗斯福参加雅尔塔会议后辞职。H.S.杜鲁门任总统时,起用他为国务卿,同年参加波茨坦会议。他在与苏联打交道、特别是在德国重新统一问题上的经验,使他从友好合作的立场转变成冷战中的强硬派。他呼吁美国在西欧保留军事设施,以防止苏联的扩张。1947年,他因与杜鲁门意见分歧而辞职。1951～1955年任南卡罗来纳州州长。

Byron, George Gordon Byron, 6th Baron 拜伦(1788-01-22,英国伦敦～1824-04-19,希腊迈索隆吉翁) 英国诗人。他的名字既是最深刻的浪漫主义忧郁的象征,又是追求政治

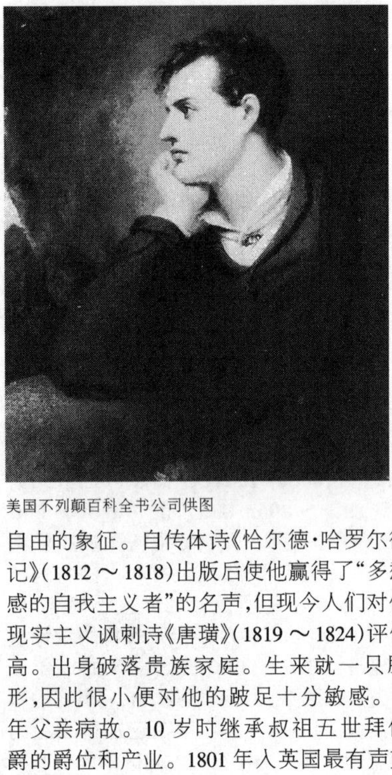

美国不列颠百科全书公司供图

自由的象征。自传体诗《恰尔德·哈罗尔德游记》(1812～1818)出版后使他赢得了"多愁善感的自我主义者"的名声,但现今人们对他的现实主义讽刺诗《唐璜》(1819～1824)评价更高。出身破落贵族家庭。生来就一只脚畸形,因此很小便对他的跛足十分敏感。1791年父亲病故。10岁时继承叔祖五世拜伦男爵的爵位和产业。1801年入英国最有声望的哈罗公学,1805年入剑桥大学三一学院学习。生活放荡,债台高筑。1806年将其早期诗作自费刊印,题为《即兴诗集》。1807年出版第1部诗集《闲暇的时刻》。1809年就任上议院议员,同年发表匿名讽刺诗《英国诗人和苏格兰评论家》,旋即与好友霍布豪斯出国旅行。两人游历了葡萄牙、西班牙、阿尔巴尼亚、希腊、土耳其等国,1811年7月回到伦敦。在希腊时开始写《恰尔德·哈罗尔德游记》。沿途所见均写在其中。1812年3月,该诗前两章问世,轰动伦敦。它不仅提供了富有诗意的异国他乡见闻和风土人情,而且还吐露了一代人的悲郁心情与对法国大革命后和拿破仑时代的幻想破灭。该诗还直率表述了浪漫主义理想和现实世界之间的悬殊,为当时文学界前所未有的论点。

诗人私生活浪漫放荡,恋爱事件层出不穷。在《异教徒》(1813)、《阿比多斯的新娘》(1813)、《海盗》(1814)、《莱拉》(1814)等诗中均有所反映。1815年结婚后,其妻因谣传拜伦另有所欢,在生下孩子后于1816年1月离开拜伦回父母家居住。两人获准分居后,拜伦于1816年4月出国,此后没有回过英国。在凭吊滑铁卢战场后沿莱茵河上溯抵瑞士,在日内瓦附近与P.B.雪莱相逢并成挚友。滑铁卢战场又激起其创作灵感,分别于1816年和1818年发表《恰尔德·哈罗尔德游记》第三章、第四章。1819年发表《唐璜》第一、二两章,《唐璜》是一部传奇式流浪冒险的讽刺诗,有很多是自己的经历。《唐璜》没有写完,在他生病和去世之前已完成16章并开始写第17章。诗人摆脱了《恰尔德·哈罗尔德》中过度的悲郁及与这些浪漫气氛同时出现的矫揉造作的风格,表现了他品质和个性中的其他方面,如讽刺的机智,以及对实际和表象、欲望和实现间更具喜剧性的矛盾都发表了自己独特的见解。1818年结识特雷萨伯爵夫人改变了他的生活道路。拜伦不但钟情于她,还赢得她的父亲及兄弟的友谊,他们介绍他参加秘密革命团体烧炭党。在拉文纳拜伦更多地接触了意大利人民的生活。他把武器送给烧炭党,把财物施舍给贫民。这是拜伦一生中最幸福最多产的时期,创作并于1821年出版了《但丁的预言》、《唐璜》的第三、四、五章,诗剧《马林诺·法里埃罗》、《福斯卡里父子》、《撒丹纳巴勒斯》、《该隐》,还写有讽刺骚塞的诗《审判的幻景》。不久,又完成了《唐璜》的6～16章。

1823年4月,任支援希腊人反抗土耳其人、争取独立的斗争的伦敦委员会代理人。7月16日乘船抵希腊的克法洛尼亚岛,各派都竞相争取他,他解囊捐助4 000英镑,帮助建立希腊舰队,并努力使各派团结一致。1824年2月病重,4月19日与世长辞,希腊举国哀悼。他成为无私的爱国主义象征和希腊民族英雄。死后遗体运回英国,但没有获准葬在威斯敏斯特教堂而被葬在纽斯特德附近的家族墓地。具有讽刺意味的是,他死后145年,即1969年,拜伦的纪念碑终于竖立在威斯敏斯特教堂的土地上。

Byron, John 拜伦(1723-11-08～1786-04-10,英国) 英国海军上将。著名诗人拜伦的祖父。1741年乔治·安森乘"韦杰"号船作环球旅行时,他当海军见习军官。该船在智利海岸失事,他历经千辛万苦,最后落入西班牙人的监狱,并于1745年被遣送回国。1764年指挥护卫舰"海豚"号驶往太平洋,企图发现设想的南部大陆,结果是作了一次历时22个月的环球航行徒劳而返。1769年任纽芬兰总督。1775年晋升海军将级军衔,1778年成为海军中将。

Byron, John Byron, 1st Baron 拜伦男爵(第一)(约1600～1652-08-23,法国巴黎) 英格兰骑士和内战中的保王党人。约翰·拜伦爵士之子。17世纪30年代成为议会成员。1641年任伦敦塔守护官,1642年辞职。他在埃奇希尔战役和朗德韦草原战役中指挥骑兵团。在兰开夏和北威尔士作战后撤至切斯特,固守约20周后,于1646年2月投降。1648年,他成为议会决不宽赦的7人之一,但当时他已随王族旅居国外。

Byron Bay 拜伦贝 澳大利亚新南威尔士州东北部城镇。地处澳大利亚大陆最东端屏蔽拜伦贝的拜伦岬上。建于1860年。1896年设镇。20世纪50年代为捕鲸港。现主要为锚地。地区商业中心。当地出产肉牛、乳牛、水果和玉米。有沙滩采矿业(金红石、锆石)。建有黄油和熏肉厂、冲浪板厂、鱼类加工和水产冷藏库。人口5 001(1991)。

byssinosis 棉屑肺 又作brown lung, brown lung disease。又称棕色肺、棕色肺病、棉尘性气喘、棉纺厂热。因吸入棉尘或其他纤维(如亚麻、大麻纤维)的尘埃而引起的一种肺尘埃沉着病。常见于纺织工人。吸入棉尘等后,组织胺释放,引起气道痉挛而致呼吸困难。久之,肺部沉积棉尘,呈现一种特殊的颜色,故俗名棕色肺。本病于17世纪首次发现,19世纪初在欧洲大陆及英国,人们对本病已有充分认识。棉屑肺形成前需接触棉尘数年。轻症患者在离开工厂或远居到棉尘较少的地区后,常可完全康复。患者有一种"星期一感",即周末或假日后第一天上班时有胸闷及呼吸短促的感觉,若继续接触棉尘,这种感觉便整周持续不退。本病晚期可形成慢性、不可逆的阻塞性肺病变。

byte 字节 计算机存储和处理信息的基本单位。字节由8位二进制数字(其中每位为"0"或"1")组成,这一串8位数字在计算机中是作为一个单位来处理的;同时,字节也是计算机技术中最小的可操作的存储单位。字节既可以代表单个字符(如字母B、逗号、百分号等),又可以代表由0到255的数字。因为字节包含的信息很少,所以计算机硬件的容量通常用千字节(1 024字节)或兆字节(1 048 576字节)来表示。更大的容量则用吉字节(约10亿字节)或太字节(万亿字节)表示。

Bytom 贝托姆 波兰南部卡托维兹省城市,是上西里西亚煤矿区最古老和最大的工业城市之一。始建于11世纪,12世纪铅、银矿为其最初的经济基础,当时属西里西亚,嗣后数世纪归属不同的中欧列强。18世纪中叶转归德国统治,第二次世界大战时为波兰人地下活动中心。战后成为重工业中心和煤、锌、铅、银等采掘业中心,拥有钢铁联合企业。20世纪末重工业逐渐衰落。拥有上西里西亚博物馆和西里西亚剧院。铁路交通便利。人口约193 546(2002)。

Byzacium (Tunisia) 参阅**Sāḥil, As-萨赫勒**。

Byzantine art 拜占廷艺术 中世纪拜占廷帝国(以君士坦丁堡为中心)以及受其影响的诸地区的建筑、绘画以及其他视觉艺术。具有拜占廷艺术特征的绘画与建筑风格最早形成于6世纪,这种风格始终保持着高度的一致性,直到1453年土耳其人攻占君士坦丁堡,帝国最终瓦解时才告终止。拜占廷艺术

几乎全部与宗教有关。其建筑与绘画形式，都旨在表现宗教信仰。它始终如一，并无个性特征，它严格遵守刻板的传统，不随个人的兴趣而有所变化，结果产生了一种西方艺术很少能与之类比的精致风格和超尘脱俗的表现手法。最早的拜占廷建筑虽以意大利长方形教堂的平面设计为蓝本，但喜欢大量采用巨大的圆顶和拱顶。然而在结构或视觉效果上，圆顶同其下的纵列墙壁之间存在着不协调。因此，在10世纪，大部分地区的建筑均已改用辐射状的设计，包括四座相同的有拱顶的臂状结构，由覆盖有圆顶的交叉处向外延伸。这类有中心的、辐射式的设计非常符合东方教会教阶组织的宇宙观。这种宇宙观可明显地见于教堂的圣像装饰设计、壁画或镶嵌画中。它们覆盖了教堂内部的圆顶、墙壁和拱顶，使建筑与绘画的表达语言充分地融为一体。成熟的拜占廷风格从早期基督教艺术后期古典形式的风格化和标准化演变而来；以生动的线条及平涂色彩为主，而不讲究形体。人物的个性形象受到限制，取而代之的是标准化的脸型，体型是平面化的，衣褶被简化为卷曲的线条图案。整个画面予人以灵魂超脱肉体的感觉；人物的三维空间表现已为精神力量所取代，这种精神力量借线条的力量和色彩的明度而表现出来。其人物形象取严格的正面姿势和拜占廷脸型、巨大的眼睛和锐利的眼神，以及典型的金色背景。这类背景在孤立人物的画面上，使形象宛若悬浮于墙壁与观众之间的空间某处。拜占廷帝国很少制作雕刻。最多见的小型象牙浮雕用于书籍封面、圣物箱之类。在君士坦丁堡的上层社会中，其他各种小型艺术品、刺绣品、金器以及彩釉制品也很盛行。手抄本装饰画则虽未达到巨型绘画和镶嵌画那样深刻动人的效果，但对在欧洲传播拜占廷风格和圣像画亦曾起过重要作用。拜占廷艺术通过贸易和征服扩散到了意大利和西西里，而于12世纪，以改动了的形式在那里留存下来，并曾对意大利的文艺复兴艺术产生影响；它还通过东正教的传布而流传至东方国家，特别是俄罗斯，而在那里保持原有的样子，虽然在17世纪，它也有具有地方色彩的改变。

Byzantine Chant 拜占廷圣咏 自拜占廷帝国(330～1453)直至16世纪在希腊东正教会中采用的单声部或齐唱仪礼圣咏。在现代希腊，这一术语指任何时期的宗教音乐。虽然拜占廷音乐与东罗马帝国希腊语区中基督教的传播有关，但它多半可能源自希伯来与早期叙利亚基督教礼拜仪式(参阅 **Syrian chant**)。有几种赞美诗比较重要，包括特罗帕里翁(**troparion**)、康塔基昂(**kontakion**)和正颂(**kanōn**)。它们的音乐与古希腊和拜占廷音乐无关。采用拜占廷纽姆记谱法的文献始见于10世纪。更早的一种"仿语音记谱法"以来自埃及亚历山大省的希腊文语法学家的重音记号为依据，只大致指出嗓音向上或向下移动的方向。早期拜占廷纽姆记谱法(约10～12世纪)比"仿语音记谱法"更具体明确，但所记节奏与音程不够精确。在拜占廷中期的记谱法(12世纪末)中，这种不精确得到补救，其原则在希腊沿用至今。它包含一些被称作"纽姆符"的符号，它们不像西欧纽姆符那样标出音高，而是指出与前一音相隔的音程，16世纪至19世纪初的手稿中所用记谱法通常称为"新拜占廷记谱法"，因为它具有那一时期音乐的某些风格特征。至19世纪初，传统记谱法被认为过于复杂，于是大主教克里桑多斯推出一种简化形式，它通过印刷术而得到普及，至今用于所有希腊东正教仪礼音乐集。旋律是公式化的：作曲家通常在传统旋律上填词，并根据唱词的需要将旋律加以修改。有些旋律公式只用于圣咏开始处，有的只用于结束处，还有一些则两处均可应用。也有一些过渡性段落，有传统性的，也有显然只是个别作曲家采用的。有些旋律公式采用一个基本音，构成调式的框架，称为ēchos(拜占廷旋律型)。每一旋律型各有自己的公式，但有些公式在不止一个旋律型中出现。最早的作曲者很可能同时也是词作者。圣罗马诺斯·梅洛多斯(活动时期6世纪初)作为歌手和"康塔基昂"的发明人受到崇敬。大马士革的约翰(约645～749)作有一些"正颂"，传说"8旋律型"的分类即由他创始，虽然这一体系在一个世纪以前已在叙利亚的文献中得到引证。

Byzantine Empire 拜占廷帝国 其名源于古代希腊在博斯普鲁斯海峡西岸的一个殖民地名称。它是地中海和黑海、欧洲和小亚细亚之间的交通要冲，公元330年罗马皇帝君士坦丁建"新罗马"于此，易名为君士坦丁堡。6世纪上半叶以前，罗马帝国东部诸省通称东罗马，7世纪以后，帝国东部在国家和社会发展上已与早期罗马帝国大大不同，史称拜占廷帝国。拜占廷是一个多民族的国家，其文明对欧、亚两洲一些"蛮族"的影响很大，外族的影响、干扰、入侵亦始终贯穿于拜占廷的全部历史。10世纪以后，拜占廷日益衰落，在外族的打击下终于灭亡。

公元867年以前的拜占廷帝国　晚期的罗马帝国混杂着统一与差异的因素，各地的经济发展有很大差别。戴克里先(284～305)援引罗马先例实行4帝共治后，君士坦丁(324～337)又实行皇位继承的世袭原则，全国设四大行政区，军政分治，承认了基督教，又进行货币改革，建设新首都，帝国渐趋稳定。395年，狄奥多西一世死去，帝国由他的两个儿子东西分治，帝国从此分裂。5世纪时的帝国东西两部状况已不相同。西部贵族势力雄厚，皇权衰落，最后一个皇帝罗慕路斯于476年为异族所废，领土分裂为一些异族国家，西罗马帝国遂亡。东部人口稠密，商业繁荣，其贵族势力比西部贵族远为弱小，不得不依附于皇帝，造成东部皇权的巩固和扩大，能充分利用其丰富的黄金和人力资源，辅以种种外交手段，竭力维持同蛮族的和平关系，国家的统一得以维持。但在5～6世纪，由于东方教会支持基督一性论，引起与罗马教会的基督二性论(神性和人性)之间在教义上的长期论争。查士丁尼一世(527～565)掌权后，正式接受基督教会正统教义，恢复罗马教会与东方教会(除埃及外)的交往，镇压了首都的尼卡起义，稳定了帝国政权，并于529年完成了《查士丁尼法典》的编纂工作。查士丁尼的对外政策：在东面，向波斯的萨珊王朝纳贡求和，调整贸易关系，拜占廷商人从中国走私蚕丝，建立了制丝业，摆脱了对波斯生丝贸易的依赖；在西面，查士丁尼出兵北非，消灭汪达尔王国，收复意大利，消灭东哥特王国，还远征西班牙，但其统治并不稳定，游牧民族时时进犯，特别是6世纪40年代广泛流行的鼠疫对帝国的危害极为深远。到6世纪末，东罗马已处在5世纪西罗马灭亡时的同样境地，内乱不已，外患频仍，但基督教文化却成了维护拜占廷的有力工具。希拉克略(610～641)即位后，实行军政合一制度，给予他的将领以所占领地区(后称"军管区")的军政大权，给士兵授予土地，同时在教会支持下同波斯进行圣战，622年收复了波斯侵占的小亚细亚，并于627年彻底打败了波斯人和阿瓦尔人。与此同时，穆罕默德创建的伊斯兰国家已在阿拉伯半岛崛起，并向外扩张。阿拉伯人征服巴勒斯坦、叙利亚、埃及，消灭波斯的萨珊王朝，并多次围攻君士坦丁堡，对拜占廷造成巨大威胁。利奥三世(717～741)和君士坦丁五世(741～775)屡次遏制阿拉伯人和保加利亚人的进犯。拜占廷确立了军管区制度、士兵的财产制度，服军役成了世袭；并在巴尔干授给外族以土地，于是农业和商业开始恢复发展，农业技术比同时期的西欧远为先进。717～867年是破坏圣像运动的时期：崇拜圣像者和反对崇拜圣像者的争论由来已久，但由于利奥三世和君士坦丁五世都下令禁止崇拜圣像，旨在对教会寺院展开斗争，加强代表上帝的皇帝的作用，从而形成破坏圣像运动，与罗马教会的崇拜圣像传统相对抗。罗马教皇于800年为丕平三世之子查理曼加冕为罗马皇帝后，东西方教会之间的冲突愈加激烈，867年各自把对方的总主教开除教籍。

从867年起到1453年亡于奥斯曼帝国　巴西尔一世(867～886)至巴西尔二世(963～1025)的马其顿王朝，是拜占廷历史上的黄金时代。拜占廷军力复兴，对阿拉伯人的长期战争转为攻势：961年收复克里特岛，消灭了横行于爱琴海150年的阿拉伯海军，恢复了拜占廷在东地中海的优势；到975年，几乎整个叙利亚、巴勒斯坦以及美索不达米亚的大部都划入了拜占廷的版图。亚美尼亚和格鲁吉亚也为拜占廷所吞并。在巴尔干和希腊，拜占廷则开展传教活动，斯拉夫人和保加利亚人皈依了基督教，从而纳入了拜占廷的轨道。989年俄罗斯正式接受基督教，自此俄国教会隶属于君士坦丁堡总主教。拜占廷经过20年战争，1018年兼并了保加利亚王国，一些斯拉夫人公国也成为拜占廷的附庸。马其顿王朝努力恢复希腊的文化传统，重建君士坦丁堡大学；基本行政单位是军管区，到10世纪已有30多个，各军管区的总督握有军政大权，直接对皇帝负责。马其顿王朝晚期的土地兼并加剧，连年征战的高税使农民破产，拜占廷经济进一步恶化，也就大大削弱了拜占廷的军事力量。巴西尔二世1025年死后，拜占廷进入衰落时期，原已腐败的统治阶级内部分裂，地方的军事贵族和君士坦丁堡的官僚贵族之间的矛盾日益激化。1054年，罗马教会和君士坦丁堡教会的分裂是东西方关系的转折点，对后来的历史至关重要。拜占廷的衰微已抵挡不住敌人的三面进攻：北面的佩彻涅格人越过多瑙河不断骚扰色雷斯和马其顿；东面的塞尔柱突厥人1071年占领了亚美尼亚，势力达到小亚细亚中部；西面的诺曼人1071年占领了拜占廷在意大利最后一个据点，切断了它同意大利的最后联系，从此造成拜占廷的希腊世界和西部的拉丁世界不仅在地理和政治上而且在宗教和文化上的永久分离。拜占廷已从一个统治世界的国家降到一个偏于希腊一角并为其生存而苦斗的小国。阿历克塞一世(1081～1118)的康尼努斯王朝开始后，于1091年消灭了佩彻涅格人。西方第1次十字军东侵期间(1096～1099)，拜占廷为之提供向导、护送、给养以换取十字军从塞尔柱突厥人手中夺得的失地；但十字军获胜后，只归还了尼凯亚而将安条克占为己有，建立了安条克公国，以后又建立了耶路撒冷王国、埃德萨伯国、特里波利伯国。阿历克塞采取颁田方法为其提供劳力和军役，这种体制有利于军事贵族和国家，但也加速了帝国的封建分裂而削弱中央集权的政府。此后，拜占廷一度收复巴尔干西北部，臣服保加利亚人和塞尔维亚人，又引起西方敌意。1176年，拜占廷被塞尔柱突厥人打败，转而与热那亚结盟，侵犯了威尼斯的商业利益，于是威尼斯处心积虑将拜占廷置于西方控制之下。拜占廷实行亲拉丁人政策受到国内人民不满，匈牙利、塞尔维亚、保加利亚、塞浦路斯先后离异。拜占廷分裂日深，西方认识到征服君士坦丁堡的时机已经到来，这不仅有利于商业还有利于十字军和教会的未来。教皇英诺森三世乘机发动旨在征服拜占廷的第4次十字军东侵，由威尼斯提供舰队，1204年攻陷君士坦丁堡，建立拉丁帝国(1204～1261)，并在其他地方建立一些拉丁公国，但遭到拜占廷国内——特别是尼凯亚的拉斯卡里斯王朝——的有力反抗。尼凯亚的迈克尔八世终于在1261年赶走拉丁人，恢复了拜占廷帝国。拜占廷复国后，领土大为缩小，国内分裂更深。迈克尔八世(1261～1282)的帕里奥洛加斯王朝着力修复同西方的关系，而东面的土耳其人又在小亚细亚西部崛起，其首领奥斯曼一世击溃拜占廷的雇佣军后，即进犯拜占廷的欧洲领土。皇室内部纷争时有发生。在帖撒罗尼卡又爆发了“狂热派”的革命，一度掌握政权。国内统治极度不稳，财政枯竭，甚至连皇冠上的珠宝都抵押给威尼斯。1373年拜占廷皇帝向土耳其人称臣纳贡，为其提供军援。到14世纪末，除南部希腊外，拜占廷在欧洲的其他领土均落于土耳其手中。土耳其人1393年围攻君士坦丁堡，多年不克，迄至1402年由于蒙古人在安卡拉大败土耳其人而解围。但土耳其人1422年再次侵入，1430年占领帖撒罗尼卡。拜占廷皇帝指望取得西方援助，于1439年建议召开东西方教会联合的佛罗伦萨会议。1453年4月土耳其人对君士坦丁堡发动最后的攻势，5月29日城破。此后，希腊南部的莫里亚公国于1460年投降，希腊人最后一块领地——小亚细亚东北部的特拉布宗帝国也于1461年投降。至此，奥斯曼帝国取代拜占廷帝国的过程最后完成。

拜占廷皇帝*

芝诺	474～491
阿纳斯塔修斯一世	491～518
查士丁一世	518～527
查士丁尼一世	527～565
查士丁二世	565～578
提比略二世·君士坦丁	578～582
莫里斯·提比略	582～602
福卡斯	602～610
希拉克略	610～641
希拉克略·君士坦丁	641
赫拉克洛纳斯(或希拉克略)	641
君士坦斯二世(君士坦丁·波戈纳图斯)	641～668
君士坦丁四世	668～685
查士丁尼二世·莱诺特美图斯	685～695
莱昂提乌斯	695～698
提比略三世	698～705
查士丁尼二世·莱诺特美图斯(复位)	705～711
腓力比库斯	711～713
阿纳斯塔修斯二世	713～715
狄奥多西三世	715～717
利奥三世	717～741
君士坦丁五世·科普罗尼姆斯	741～775
利奥四世	775～780
君丁坦丁六世	780～797
伊林娜(女皇)	797～802
尼斯福鲁斯一世	802～811
施陶拉修斯	811
迈克尔一世·兰伽柏	811～813
利奥五世	813～820
迈克尔二世·巴尔布斯	820～829
狄奥斐卢斯	829～842
迈克尔三世	842～867
巴西尔一世	867～886
利奥六世	886～912
亚历山大	912～913
君士坦丁七世·波菲罗格尼图斯	913～959
罗曼努斯一世·莱卡佩努斯	920～944
罗曼努斯二世	959～963
尼斯福鲁斯二世·福卡斯	963～969
约翰一世·齐米斯西斯	969～976
巴西尔二世·保加洛克托努斯	976～1025
君士坦丁八世	1025～1028
罗曼努斯三世·阿尔吉鲁斯	1028～1034
迈克尔四世	1034～1041
迈克尔五世·卡拉法提斯	1041～1042
佐伊(女皇)	1042～1056
君士坦丁九世·莫诺马库斯	1042～1055
狄奥多拉(女皇)	1055～1056
迈克尔六世·斯特拉提奥提卡斯	1056～1057
伊萨克一世·康尼努斯	1057～1059
君士坦丁十世·杜卡斯	1059～1067
罗曼努斯四世·第欧根尼	1067～1071
迈克尔七世·杜卡斯	1071～1078
尼斯福鲁斯三世·波坦尼亚特斯	1078～1081
阿历克塞一世·康尼努斯	1081～1118
约翰二世·康尼努斯	1118～1143
马努埃尔一世·康尼努斯	1143～1180
阿历克塞二世·康尼努斯	1180～1183
安德罗尼卡一世·康尼努斯	1183～1185
伊萨克二世·安基卢斯	1185～1195
阿历克塞三世·安基卢斯	1195～1203
伊萨克二世·安基卢斯(复位)和阿历克塞四世·安基卢斯(共治)	1203～1204
阿历克塞五世·杜卡斯·穆泽弗卢斯	1204
拉丁皇帝	
鲍德温一世	1204～1206
亨利	1206～1216
彼得	1217
约兰德(女皇)	1217～1219
罗伯特	1219～1228
鲍德温二世	1228～1261
约翰	1231～1237
尼西亚皇帝	
君士坦丁(十一世)拉斯卡里斯	1204～1205?
狄奥多一世·拉斯卡里斯	1205?～1222
约翰三世·杜卡斯·瓦塔特泽斯	1222～1254
狄奥多二世·拉斯卡里斯	1254～1258
约翰四世·拉斯卡里斯	1258～1261
希腊复位皇帝	
迈克尔八世·帕里奥洛加斯	1261～1282
安德罗尼卡二世·帕里奥洛加斯	1282～1328
安德罗尼卡三世·帕里奥洛加斯	1328～1341
约翰五世·帕里奥洛加斯	1341～1376
约翰六世·坎塔库泽努斯	1347～1354
安德罗尼卡四世·帕里奥洛加斯	1376～1379
约翰五世·帕里奥洛加斯(复位)	1379～1390
约翰七世·帕里奥洛加斯	1390
约翰五世·帕里奥洛加斯(复位)	1390～1391
曼努埃尔二世·帕里奥洛加斯	1391～1425
约翰八世·帕里奥洛加斯	1421～1448
君士坦丁十一世·帕里奥洛加斯	1449～1453

* 罗马衰亡以前在君士坦丁堡的东罗马帝国历代皇帝，参阅 **Roman Republic and Empire**。

Byzantine Greek language　拜占廷希腊语 古希腊语形式之一。1453年君士坦丁堡陷入土耳其人手中之前，一直是拜占廷帝国或东罗马帝国行政及多数书面文献所用语言。拜占廷时代其口语继续发展，并无书面语的古老化倾向。拜占廷希腊语仍是希腊正教的宗教仪式语言。

Byzantine rite　拜占廷式礼仪 东正教会以及与罗马教廷保持联系的大多数东仪天主教会所采用的礼仪。拜占廷式礼仪起源于希腊安提阿而充实完善于拜占廷。所用语言因国而异。采用拜占廷礼仪的美国各教会一般沿用各本源教会的语言。

Byzantium　拜占廷 后称君士坦丁堡，今称伊斯坦布尔。古希腊城市，在博斯普鲁斯海峡岸边，也是拜占廷帝国的别名，拜占廷帝国首都在君士坦丁堡。参阅 **Istanbul**。

C

C-47 (U.S. aircraft)　参阅 **DC-3**　DC-3 飞机。

Ca, River　**大河**　又称蓝江。源出老挝利山,向东南流,进入越南义静省,在省会荣市附近注入北部湾。全长 612 千米。沿岸河边低地的地形特征和红河低地相似;有广阔平坦冲积带,地势起伏很小。三角洲一带人口稠密,荣市附近尤甚。

Ca'da Mosto, Alvise　**卡达·莫斯托**(1432,威尼斯～1488-07-18,威尼斯)　Ca' da Mosto 又拼 Cadamosto。威尼斯的探险家和商人,写过关于西非的最早著作之一。卡达·莫斯托于 1455 年 3 月 22 日出发航行,到达马德拉群岛和卡那利群岛,沿非洲海岸航行,经塞内加尔河口,溯冈比亚河而上,发现当地居民怀有敌意,折回葡萄牙。卡达·莫斯托可能是到达佛得角群岛的第一个欧洲人,并考察了其中 2 个岛屿(1456),发现岛上无居民。并从冈比亚地区到达今几内亚比绍海岸。

Ca Mau Peninsula　**金瓯半岛**　越南最南端。东临南海,西濒泰国湾。该半岛地势平坦,呈三角形,长 180～210 千米,平均海拔 2 米。主要由湄公河沉积泥沙形成。属热带季风气候,终年降雨,只冬季有 2～3 个月的短暂旱季。北缘有丐伦河,东部为湄公河三角洲。半岛包括后江、建江两省的一部分和明海省全省。有水网纵横的平原和茂密的红树林沼地。出产鱼、稻米、蜂蜜、蜡、席子和木炭等。第二次世界大战后才修建公路。

Caacupé　**卡库佩**　巴拉圭中部城市。建于 1770 年。加工内地出产的柑橘、烟草和甘蔗,制造瓦。主要以旅游和朝圣中心闻名。每年 12 月 8 日,巴西人、阿根廷人和巴拉圭人庆祝行神迹的蓝色圣母节,市中心广场建有她的圣堂。1943 年成立的全国农业研究所有一大型实验农场。有公路通亚松森。人口约 12 382(1992)。

Caaguazú　**卡瓜苏**　巴拉圭中东部省份。东部有卡瓜苏山。巴拉圭河和巴拉那河的支流流经该省。面积 12 298 平方千米。北部林区人烟稀少,出产木材和茶叶。西南部为热带稀树草原。经济以烟草、柑橘、甘蔗种植和畜牧业为主。省会奥维多上校镇(**Coronel Oviedo**)有公路通亚松森。人口约 442 161(1997)。

caa'ing whale　参阅 **pilot whale** 巨头鲸。

Caazapá　**卡萨帕**　巴拉圭南部省份。面积 9 496 平方千米。地形多样。有林业、农业和养牛业,出产稻米、茶叶、甘蔗、皮革和木材。该国主要铁路干线(亚松森至恩卡纳西翁)经过低地区,一铁路支线通林区。省会卡萨帕(**Caazapá**)有公路通比亚里卡。人口约 141 559(1997)。

Caazapá　**卡萨帕**　巴拉圭南部城镇。1607 年由 F.博拉诺斯创建。位于巴西利亚高原西部延伸部分的边缘。现为伐木业和农业中心。有制革厂,设地区医院和数所高等学院(包括一所农学院)。建有博拉诺斯纪念碑。有公路和铁路通亚松森。人口约 3 805(1992)。

Cabaiguán　**卡瓦伊古安**　古巴中部圣斯皮里图斯省北部城市。周围农牧业区(产甘蔗、烟草、水果、牛)的制造业和商业中心。主要工业是榨糖。在中央公路和铁路干线上。人口约 36 544(1981)。

cabal　**卡巴尔**　指策划阴谋的秘密组织或派别,也指这种阴谋本身。17 世纪,在英格兰这个词原来指对希伯来经文的神秘的解释,后又用以指国王手下秘密的或不受法律制约的顾问班子,特别是枢密院的外交委员会。其由来是英王查理二世于 1667 年挑选 5 个大臣克利福德、阿林顿、白金汉、阿什利-库珀(即后来的沙夫茨伯里伯爵)和劳德戴尔组成小集团,5 人姓氏的第一个字母组合正好是 cabal。

Cabala (Judaism)　参阅 **Kabbala** 喀巴拉。

cabaletta　**卡巴莱塔**　原是一种节奏简单而活泼的歌剧咏叹调,后为歌剧咏叹调的快速结束部分,通常在一幕结束时演唱。格鲁克《帕里德与爱莱娜》(1770)一剧中的“美丽的影像”是早期类型的一例。卡巴莱塔在 19 世纪的意大利歌剧中可指含有反复段落的、快速的短咏叹调(如罗西尼歌剧中所见),亦可指咏叹调中的辉煌结束部分,如威尔地《茶花女》中薇奥莱塔的“永远自由”。斯特拉文斯基《浪子的历程》(1951)中安妮的卡巴莱塔采用了老式的快速短小咏叹调形式。

Caballé, Montserrat　**卡伐勒**(1933-04-12,巴塞罗那～　)　西班牙歌剧女高音歌唱家。以其多才多艺、分句处理及美声唱法风格受人赞赏。童年就读于巴塞罗那的李西奥音乐学院,师从 E.肯尼,后来投于 N.安诺瓦齐和 C.巴迪亚门下继续深造。1956 年加入巴塞尔歌剧院,下半年首次担任主角,饰演 G.普契尼《波希米亚人》中的咪咪。1959 年成为不来梅歌剧院的主要歌手。她的剧目很快就包括了 46 个意大利、德国和法国的角色。1964 年首次在墨西哥市演出 J.马斯内的《曼侬》,引起轰动。翌年以音乐会形式在纽约市卡内基音乐厅演唱 G.唐尼采蒂的《路克雷齐亚·波契亚》,获极大成功。又在东苏塞克斯的格林德包恩音乐节演唱莫扎特《费加罗婚礼》中的伯爵夫人和 R.施特劳斯《蔷薇骑士》中的元帅夫人,并以古诺《浮士德》中的玛格丽特初次登上纽约市大都会歌剧院舞台。自此演出于世界各地的第一流歌剧院,并多次举行独唱音乐会,以西班牙歌曲音乐会最为著名。

Caballero, Fernán　**卡瓦列罗**(1796-12-24,瑞士莫尔日～1877-04-07,西班牙塞维利亚)　塞西利亚·伯尔·德·法韦尔的笔名。西班牙女小说家,以维护西班牙天主教的、保皇的、

美国不列颠百科全书公司供图

伦理的、农村的传统道德观念,反对 19 世纪新兴的自由主义思想而闻名。她最著名的小说《海鸥》(1849),被认为是 19 世纪西班牙现实主义小说的先驱,也是最早受风俗主义影响的小说的范例。

Caballero, Francisco Largo　**卡瓦列罗**　参阅 **Largo Caballero, Francisco** 拉尔戈·卡瓦列罗。

Cabañas　**卡瓦尼亚斯**　萨尔瓦多中北部省份,东和北以伦帕河谷为界。面积 1 104 平方千米。1873 年建立。19 世纪以生产靛青为主,现已减产。种植谷类、甘蔗、水稻、豆类,饲养牲畜,生产乳品。有优质黏土蕴藏,以出产陶器著名。省会为森孙特佩克(**Sensuntepeque**)。人口约 138 426(1992)。

Cabanatuan　**甲万那端**　菲律宾吕宋岛中部新怡诗夏省城市。濒临邦板牙河。曾是省会,现为吕宋中部平原东部稻米产区的商业中心。为重要公路交叉点,也是一铁路支线的终点站。第二次世界大战期间在巴丹和科雷希多岛被日军俘虏的美军与菲军士兵就被关押在附近卡布镇的战俘营。有中吕宋工学院。1950 年设市。人口 201 033(1995)。

Cabanilles, Juan Bautista José　**卡瓦尼列斯**(1644-09-04,西班牙巴伦西亚阿尔赫梅西～1712-04-29,巴伦西亚)　卓越的西班牙管风

琴家和管风琴曲作曲家。1665 年起在巴伦西亚大教堂任管风琴手。1668 年被授以牧师职。他极少旅行,但曾到法国演奏,因而名声远扬。现存作品有大量的管风琴曲及其他键盘乐器作品:蒂恩托、托卡塔、维尔索、帕萨卡列、加拉尔达。他的作品风格随乐曲形式而异,从托卡塔的辉煌音型到蒂恩托的不协和音,范围甚广,其中含有文艺复兴与巴罗克时期的风格因素。

Cabanis, Pierre-Jean-Georges　卡巴尼斯(1757-06-05,法国科什罗～1808-05-05,吕埃-马迈松)　法国哲学家和生理学家。以《人的肉体方面与道德方面之间的关系》(1802)一书而知名,此书用机械唯物主义解释现实的一切,其中包括人的精神、心理和道德等方面。早年对诗歌和医学颇感兴趣,并曾一度从事政治活动。最后因从事哲学研究而放弃这些爱好。他同狄德罗、达朗伯、孔多塞、孔狄亚克和霍尔巴赫有交往。当美国的本杰明·富兰克林和托马斯·杰弗逊旅居巴黎时,他曾和他们结识。在他看来,生命不过是物质力量的一种组织形式;思想是头脑的一种"分泌物",有如肝脏分泌胆汁。行为依赖于自然元素的适当安排。既然意识只是机械过程的作用,而作为智力来源的感觉又是神经系统的特征,则灵魂就是多余的了。晚年时他把自我看成是非物质的和不朽的,并认为这种观点同他先前的学说并无不相容之处。

cabaret　卡巴莱　一种餐馆,供应酒,有伴舞的音乐为顾客跳舞之用,还有各种表演。大概起源于 19 世纪 80 年代的法国。在当时的小俱乐部里,观众围在戏台周围,观看由业

1891 年的法国卡巴莱招贴画
美国不列颠百科全书公司供图

余爱好者连续演出的一段段节目,其粗俗的幽默常常影射资产阶级社会的习俗。卡巴莱约在 1900 年从法国传入德国,其第一个有歌舞表演的餐馆由 E. von 沃尔措根创办于柏林,保留了法国卡巴莱的气氛和性质,但也发展了德国人所独有的面临大难时的幽默。20 世纪 20 年代后期,德国卡巴莱中的表演逐渐以迎合中产阶级的靡靡之音为主,但也有嘲讽政治和社会的讽刺节目。艺术家、文学家、政治革命者和知识分子光顾的德国卡巴莱,通常设在旧式的地下室里。这些人是反对德国国社党(纳粹党)的左派核心。由于他们批评政府,常常受到纳粹分子的报复。19 世纪末期,卡巴莱在英国风行一时,常被称为音乐杂耍剧场。在美国,卡巴莱一般称为夜总会。其中表演者一般是喜剧演员、歌手或乐师,他们与观众之间关系密切,气氛和谐。第二次世界大战后,几个表演者因尖刻地讽刺政治和社会而大获成功。但是,为了利润,夜总会多依赖戏剧名角吸引大量顾客。到 20 世纪 80 年代大多数夜总会消失,由备有大量座位的戏剧餐厅和演出中心取代。

Cabarrus, François, conde de(count of)　**卡瓦鲁斯**(1752,法国巴约讷～1810-04-27,塞维利亚)　财政家、经济学家,西班牙国王查理三世的顾问。最初在马德里定居,制造肥皂。不久以后,在一批开明改革家中崭露头角。他参与建立银行,创办对菲律宾的贸易公司,从事币制和税收改革。1788 年,反动的查理四世继承了改革家查理三世的王位。如同其他立志改革的顾问们一样,卡瓦鲁斯也遭到政府的迫害。1790 年以贪污受控而被监禁。两年后获释,重又得宠,封伯爵。他被任命为西班牙驻巴黎大使,但由于他出生于法国,法国督政府未予批准。他没有参与 J. 波拿巴夺取王位的阴谋。但由于他出生于法国而且熟悉西班牙的事务,被人举荐给 J. 波拿巴,受到赏识。他在新政府中任财政部长,直到逝世。

Cabasilas, Nicholas　卡巴西拉斯(约 1320,拜占廷帝国塞萨洛尼卡～约 1390)　希腊正教在俗神学家和礼仪制定人、拜占廷神学的突出代表。他著述甚多,论静修派的神秘主义和从神学角度论基督教徒的生活和崇拜。约翰五世(1341 ～ 1391)与约翰六世(1347 ～ 1354)争夺拜占廷帝位而进行内战期间,卡巴西拉斯拥护后者的比较保守的政策,多次出使外国。他还拥护后者支持神学家帕拉马斯(1296 ～ 1359)。

Cabasilas, Nilus　卡巴西拉斯(约1298,拜占廷帝国塞萨洛尼卡～约1363,君士坦丁堡)　希腊正教都主教、神学家、学者。著有批判中世纪西方教会神学的论文多篇,为拜占廷教会的正教教义辩护。他支持希腊教会的隐修制度,加强东正教的苦修传统。卡巴西拉斯的主要著作是长篇论文《论圣灵的发生》,阐述希腊正教思辨神学对三位一体的看法,强调圣灵仅发自圣父。该文驳斥托马斯·阿奎那所提出罗马教会观点,成为东正教标准的教义论文。

cabbage　甘蓝　二年生蔬菜和饲料植物,类型甚多,均被认为是见于英国及欧洲大陆海岸的野生甘蓝(海甘蓝,*Brassica oleracea*)经长期种植而驯化的品系。甘蓝的普通园艺类型主要按食用部位分为:①叶型,叶疏松而开展(如羽衣甘蓝[**kale**]和宽叶羽衣甘蓝[**collard**]

结球甘蓝卷心菜(*Brassica oleracea* var. *capitata*)
美国不列颠百科全书公司供图

等)或紧密包合呈头状(如有大型顶生叶球的普通甘蓝和皱叶甘蓝[即萨沃伊甘蓝],以及具小型腋生小叶球的汤菜[**Brussels sprouts**])。②花和粗花茎型,花苔和花序柄稍畸变或无畸变(嫩茎花椰菜)及花苔和花序柄变粗而畸变(如花椰菜[**cauliflower**]和大头花茎甘蓝)。③茎型,茎明显扩展成鳞茎状(如球茎甘蓝[**kohlrabi**],即苤蓝)。

所有这些类型均具无毛的肉质叶,外被蜡质,常使叶表面呈灰绿色或蓝绿色。甘蓝在温和至凉爽气候下生长最好,耐霜冻,有些能在一定的生长期忍耐严重冰冻。炎热的气候抑制所有类型的生长并使其质量下降。甘蓝产生的热量不高,但富含维生素 C 以及矿物质,并提供必要的营养。结球甘蓝卷心菜(*Brassica oleracea* var. *capitata*)是最重要的类型,平常所说的甘蓝或洋白菜即此类型。

硬叶球(硬头)甘蓝是欧洲中世纪在北欧育成的新品种,据信软叶球(软头)甘蓝在南欧育成更早。卷心菜是温带大多数国家的主要蔬菜之一。卷心菜沙拉由切碎的甘蓝制成,源出荷兰,在美国极为流行。卷心菜汤是见于全欧洲的一种传统民间菜。

卷心菜各园艺品种的叶球形状有尖有扁或球状;包卷有松有紧;具绿、灰绿和紫红等色泽;重量从不足 1 千克至 3 千克以上。用途各异。通常包卷松散的品种采收后立即食用或做泡菜,卷得紧且迟熟的丹麦类型适宜冬季贮藏。

cabbage looper　粉纹夜蛾　又称甘蓝尺蠖。鳞翅目夜蛾科昆虫粉纹夜蛾(*Trichoplusia ni*)的幼虫。亮绿色带白色条纹。与夜蛾科其他种类的幼虫一样,体中部下面缺少普通鳞翅目幼虫常有的足,因此头部不动而尾部前移时,身体弯成环状。是甘蓝及其亲缘作物的害虫,在美国及欧洲为害尤烈。成虫迁徙颇远。前翅呈斑驳的褐色,并有 Y 型花纹;成蛾的标准翅展宽约 25 毫米。

Cabbala(Judaism)　参阅 **Kabbala 喀巴拉**。

Cabeçon, Antonio de　(Spanish composer)　参阅 **Cabezón, Antonio de 卡韦松**。

Cabedelo 卡贝德卢 巴西东北部帕拉伊巴州东部城市。濒大西洋,位于帕拉伊巴河河口,州首府若昂佩索阿的港口。港口设备先进,装运棉花、龙舌兰纤维、蔗糖和各种矿产。亦有食品加工厂。有水上飞机基地。人口:城市区约21 633(1985)。

Cabeiri 卡比里 又拼Cabiri。古代小亚细亚大部分地区和附近群岛以及马其顿、希腊北部和希腊中部等地所崇拜的群神。他们增长生育能力,保佑海员。最初数目不定,古希腊时期似乎共有两男两女。公元前323年亚历山大一世死,其后一段时期里对这几位神的崇拜达到极盛期。

Cabell, James Branch 卡贝尔(1879-04-14,美国弗吉尼亚里士满～1958-05-05,里士满) 美国作家。主要以其长篇小说《朱根》(1919)知名。生于一个古老的弗吉尼亚望族。在20世纪初开始写小说,但只是在就《朱根》的寓意问题发生争论之后,才受到赞扬。他受到连续十多年的盛赞,特别是因为他在《朱根》中所讲的一个充满性象征主义的故事里对美国正统观念和习俗进行了攻击。20世纪30年代,他的矫饰造作的文体、人生哲学和艺术不再受人欢迎。18卷著作(1927～1930)中除《朱根》外,还包括《妙语》(1917)、《生活之外》(1919)、《大地的形象》(1921)和《高地》(1923)。他虚构的古老的波伊克特斯姆省是他的许多小说的故事背景,这种背景并没有掩盖他对人类经验所持的怀疑观点。20世纪40年代,出版了3部以佛罗里达为背景的小说,一部关于弗吉尼亚的小品集《让我躺下》(1947),一部自传体小品集《请安静》(1952)。

caber, tossing the 抛木杆 苏格兰运动项目。方法是将一根约5米长的木杆(已剥去树皮)抛起来,使其在空中翻转,并在坠落下地时,其细头指向投掷者。参阅 **Highland Games**。

Cabet, Étienne 卡贝(1788-01-01,法国第戎～1856-11-08,美国密苏里圣路易斯) 法国社会主义者、伊利诺伊州诺伍公社的创建者。当过教师和律师,经历了革命者和政治流亡者的生活。在他的小说《伊加利亚旅行记》(1840)中,卡贝论述了他的理想社会。为了实现理想,他同几百名追随者于1848和1849年到了美国的新奥尔良。他买下诺伍的旧的摩门移民区,并带领280名移民者建立了伊加利亚公社。1856年公社内部发生内讧,他带领180人移居圣路易斯,不久卒于该地。参阅**Nauvoo**。

Cabeza de Vaca, Álvar Núñez (Spanish explorer) **卡韦萨·德巴卡** 参阅**Núñez Cabeza de Vaca, Álvar** 努涅斯·卡韦萨·德巴卡。

Cabezón, Antonio de 卡韦松(约1510,西班牙布尔戈斯附近卡斯特里略·德玛塔胡迪奥斯～1566-03-26,马德里) Cabezón 又拼Cabeçon。西班牙早期重要的键盘乐作曲家。其庄严高雅的复调音乐受人喜爱,并使16世纪早期的键盘乐风格与中叶出现的国际风格相联系。卡韦松自幼失明,曾在帕伦西亚学管风琴。1526年成为查理五世的皇后伊莎贝尔的管风琴师与击弦键琴师。1548年开始为未来的腓力二世服务。在皇宫中,卡韦松得与著名理论家、作曲家托马斯·德·圣马利亚及比尤埃拉琴演奏家纳瓦埃斯相识。他曾随皇家唱诗班去意、德、荷(1548～1551)旅行,1554～1556年又去英、荷两国。他的风格影响了英国维金纳琴曲的作曲乐派和以J. P. 斯韦林克为代表的低地国家的管风琴曲风格。卡韦松的大部分传世作品刊登在埃内斯特罗萨编的《新记谱法乐曲集》(1557),及他去世后由其子出版的《卡韦松乐曲集》(1578)中。作品有:蒂恩托(即"利车卡尔",其中往往采用旋律模仿),为弥撒和教会中每日的功课而作的短小素歌配乐,舞曲及根据欧洲名作曲家的尚颂与经文歌而写的变奏曲,用流行旋律写的变奏曲,并有少量声乐作品。其器乐曲是为键盘乐器构思的,在一个器乐风格由声乐承袭而得的时代中,这是很不寻常的。他是最早使用"主题与变奏"曲式的作曲家,尤以《牧童之歌》变奏曲与《守卫牛群》的3套变奏曲最为著名。

cabezone 大头杜父鱼 产于太平洋海域内的杜父鱼(**sculpin**)类。

Cabhán, An (Ireland) 参阅 **Cavan** 卡文郡。

cabildo 市政厅 西属美洲殖民地地方政府的基本机构。根据罗马人的传统,西班牙人认为城市是非常重要的,四周的郊区由城市直接管辖。在西属美洲,每个城市的地方事务都由其市政厅管辖。其成员包括市议员、行政官员和国王指派的地方法官,享有相当大的权威。这种机构规模不一,但一般都很小。重要城市的市政厅,如利马和墨西哥,约有12名成员。市政厅管理各种日常市政,如治安、卫生、税收、房屋建筑的监督、物价和工资的规定,以及司法等。市议员委任各种官吏协助他们履行职责,如收税员、度量衡及市场的检查员以及治安官员。市政厅往往是腐败而贪婪的。到16世纪中期为止,市政厅成员一般由西班牙国王任命。这类职位可出售,有时变为世袭职。城市的有产阶级间或可以选举若干市议员。克里奥尔人(西裔美洲人)不能担任大多数高级职务,但可以成为市政厅成员。当需要宣布重大事件时,市民有时被通知参加公开市政会议。这类会议对19世纪初西属美洲的独立运动起了相当大的作用。1810年,在布宜诺斯艾利斯举行的公开市政会议就成为南美洲南部独立战争的开端。

Cabimas 卡维马斯 委内瑞拉西北部苏利亚州东北部城市。濒临马拉开波湖东北岸。为安布罗西乌油田重要中心。城南有拉萨利纳炼油厂,从拉古尼亚斯到此铺有输油管。与湖岸其他石油中心有公路相通。经过乌尔达内塔将军桥可通州首府马拉开波。人口约165 755(1990)。

Cabinda 卡宾达 又拼Kabinda。安哥拉北部飞地,在非洲西海岸,刚果河口以北。北和东北部同刚果(布)接壤,南和东南部与刚果(金)相邻。海岸线长90千米,最大宽度113千米,面积7 270平方千米。因近海不断发现石油,原油成为主要出口物资。其他贸易有木材、棕油、棕仁、可可、咖啡、橡胶、水果和象牙。出产黄金,有锰和磷酸盐矿。主要城镇卡宾达在贝莱河右岸,为一油港。20世纪70年代以来,该地区卡宾达飞地解放阵残频频组织游击战,试图从安哥拉独立。人口约199 000(1996)。

cabinet 内阁 由君主的主要大臣们组成或由行政首脑的顾问们组成的机构。在立法权赋予议会的地方,内阁变得很重要,但其形式在各国有显著的不同。在英国,内阁是由在议会拥有席位的各部大臣组成的一个委员会,由首相领导。尽管以前君主有权挑选阁员,但现在仅仅限于在形式上邀请议会中的多数党领袖担任首相和组阁。传统上在其他许多欧洲国家,特别是在意大利和法国,通常有几个政党互相竞争,没有一个政党能够在议会中保持稳定的多数,因而常常是联合组阁。政府的稳定往往是一党执政的标志。当法国于1958年在戴高乐领导下建立第五共和国时,保留了议会制,但加大了总统的权力。这是一个寻求某种形式的行政权力的例子,这种形式的行政权力能够克服由于内阁要依赖议会的批准行事而常常暴露出来的弱点。美国的内阁完全不同。它是由总统挑选并经参议院同意的一些行政部门首脑组成,其成员不在国会中拥有席位。至21世纪初美国内阁由15个部门首脑组成。乔治·华盛顿创立了经常召开内阁会议的惯例,但这不是宪法所要求的。总统们在利用其内阁的程度上大不相同。参加美国内阁会议的人并不完全限于阁员级的部门首脑。内阁通常不进行投票表决。

cabinet 橱柜 原指陈列贵重物件的小房间,后指由一套小抽屉组成的家具。一般用两扇橱门关闭,最初于文艺复兴末期在意大

17世纪晚期的英国胡桃木镶嵌细工橱柜

美国不列颠百科全书公司供图

利使用。在欧洲许多地区，橱柜成为一种十分豪华的家具，上面有镶嵌和雕刻，并漆金。由于这种橱柜往往是一种工艺品，而不是实用的家具，因此人们普遍用来贮存收藏的瓷器、钱币、贝壳等物品。法国和英国使用橱柜始于16世纪初。法国式橱柜以建筑线条为基础，通常用胡桃木制成，并常以浅浮雕、牙雕和各式镶嵌精心地加以装饰。英国最早的那种放在架子上的小型橱柜，到17世纪时已为富人们大量拥有。王政复辟(1660)后，橱柜被用作装饰品。许多中国和日本的油漆橱柜是在查理二世统治时期输入英国的，这些橱柜放在满是雕刻的漆金或漆银的架子上。18世纪及以后，许多橱柜配上玻璃格架，陈列瓷器。镶花橱柜是17世纪中期安特卫普和德国南部的一种特产。其中最著名的"兰格尔橱柜"，于1566年在奥格斯堡制成，以黄杨木雕刻和凸出的图画镶嵌作为装饰。在三十年战争中为瑞典的卡尔·古斯塔夫·弗兰格尔伯爵作为战利品缴获。

Cabiri (deities)　参阅 **Cabeiri** 卡比里。

cable　缆绳　工程中，为增加强度而将3股或更多的绳索绞在一起的组合绳，或将数条金属线绞合而成的绳索。本文仅涉及金属缆绳。有关用合成的和天然的有机纤维制作的绳索，参阅 **rope**。最早获得成功的绞合铁索是在1831～1834年由萨克森地区哈茨山脉克劳斯塔尔的一位矿业官员W.阿尔贝特所发明，在他的矿山首次把这种缆绳试用于牵引和提升时，立即证明它比麻绳成本低而耐久性好，故迅速在欧洲的矿业中普及。这种绞合金属线绳是把数条金属线先围绕一根作为芯索的麻绳拧成一股，然后再用6股逆向拧在一根更粗的作为芯索的麻绳上而成。在此之前，已经有人制作过束环缆绳形式的金属线绳，它是把一束长金属线彼此平行地铺展开，捆扎在一起并用涂沥青的细麻绳缠裹而成。用高强度钢丝制缆始于19世纪80年代。现在钢已成为金属线绳用的首选金属。金属线绳制造过程基本上和制造其他天然纤维或人造纤维绳索相似。先将金属线拧成股，再将6股围绕一根芯索绞合成缆绳。芯索是用钢丝，剑麻、马尼拉麻、赫纳昆剑麻、黄麻、大麻纤维或聚丙烯单根粗丝做成的绳索结构。它能起一个稳固衬垫的作用，使每股中的金属线就位，以保持一种牢固的缆索结构；在遇到弯曲应力时，它还可以提供内部润滑。大部分金属缆绳均用于提升和拖曳作业，并用于起重机、挖土机、电梯、矿山卷扬机等机械装置中。在多数这类用途中，都要求有柔顺的绳索结构，以适应其快速运动和弯曲应力。在用作船桅支索等其他用途时，这方面的性能就不那么重要了。由平行的金属线组成的束环缆绳特别适于作悬索桥(**suspension bridge**)的主缆绳。航海用缆绳则用于悬吊、碇泊和拖曳。

cable　电缆　电气或电子系统中的一根或一组导线，用以将电力或电信信号从一地传输到另一地。通信电缆经过电信号将声音信息、计算机数据和可视图像传输给电话机、有线载波通信站、计算机、电传打字机、传真机和电视机。纤维光缆由柔软的玻璃纤维和塑料纤维制成，用它可以将电信号转换为光脉冲，借以传输声、像和计算机数据。电线和电缆之间并无明确的区别。一般地讲电线是指有绝缘或无绝缘的单股硬金属导线；而电缆是指多股绞合导线或者是绝缘导线的组合。

电力电缆　在电线杆或钢塔之间高架的电力电缆是最普通的一种。这种架空电缆是用若干金属导线(通常是铜或铝)按同心层方式绞合而成。选择铜或铝是由于它们的高电导率；而绞合则可使电缆具有柔顺性。因为

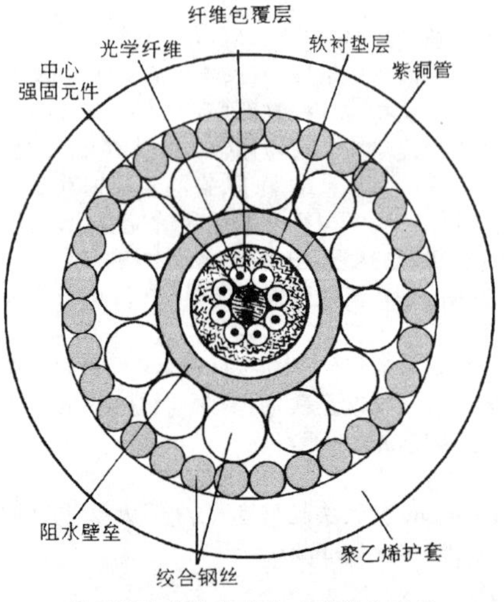

用于深海的海底纤维光缆横截面图

高架电缆常常要经受很大的环境应力，所以有时使用铜或铝的合金以提高电缆的机械强度，但却使电导率有所降低。更为普遍的解决办法是在铜或铝电缆的绞合组织中加入一定数量的高强度不锈蚀钢丝。许多高架电缆，特别是高压电缆，都是裸线(无绝缘的)。在较低电压下工作的电缆常常用沥青浸渍的棉织物、聚乙烯或其他绝缘材料包覆。这些包覆可在一定程度上防止短路和电击事故。

另一种电力电缆是敷设在地下管道中的。这类电缆广泛应用于空间较小或者出于安全的考虑而不宜使用高架电线的城市中。与高架电缆不同的是，地下电缆全都采用商业纯铜或纯铝(地下敷设，机械强度不成问题)，并且绞合的导线往往经过轧制，以使其体积最小而电导率最大。

从发电机到用户，高架和地下电力电缆在整个线路中占了很大比例。但是为了保持电路(有时是整个电路)的平衡，可能需用专业化电缆。常见的专业化电缆有用于钢厂和锅炉房的电缆(耐高温)、移动式设备用电缆(耐振动并特别柔顺)、化工厂用电缆(耐腐蚀)、潜水和矿用电缆(耐机械磨损)、多用途便携电缆(耐反复弯折)、靠近核反应堆的电缆(耐高辐射)，以及人造卫星用的电缆(耐超高压和超低压)。

电信电缆　用于传输信息的电缆无论在功能上和设计上都与电力电缆有很大的不同。电力电缆的设计是用于高电压和大电流负载的；但在通信电缆中无论电压和电流都是小的。电力电缆用于直流电或低频交流电；通信电缆则在较高频率下工作。电力电缆通常不超过三根导线，每根导线的直径可能有2.5厘米或更粗些；而一根电话电缆可以有数千根导线，每根导线的直径都不超过0.125厘米。

通信电缆的保护包覆与电力电缆类似，一般是使用铝或铅合金管，或者使用金属带和热塑材料的组合。电话电缆的绝缘几乎全都是用干燥纤维素(可以是包在导线周围的纸带或敷在导线上的纸浆)或聚乙烯。绝缘厚度只有百分之几英寸或更小。在第二次世界大战中得到广泛应用的同轴电缆是一种双导体电缆。其中的一个导体是管状的；而另一个导体(较小，但截面也是圆形)是用尽可能少的固体绝缘物固定在管的正中心。几个这样的同轴单元可以组装在同一个套管或铠装之中。

电话或电报用的远程海底电缆的构造与前面讲过的有所不同。1858年首先建成一条跨大西洋的电报电缆，1956年建成一条跨大西洋的电话电缆，1988年又建成一条跨大西洋的纤维光缆。参阅 **undersea cable**。

电信纤维光缆　20世纪70年代中期，由光学纤维制成的电缆首次投入运行。在纤维光缆中，细的塑料纤维或玻璃纤维凭借内反射作用传输来自光发射二极管或半导体激光器的光信号。纤维光缆胜于常规同轴电缆的优越之处有：材料成本低，传输容量大，信号衰减小，资料保密性强，化学稳定性好和能抗电磁干扰。

如同其他类型的电缆一样，纤维光缆也是按照陆上、地下、架空和水下等不同应用而分别设计和绝缘的。这种电缆通常由一根缆芯和裹在它外面的一系列保护层组成。缆芯中含有一个单根实心的或多股绞合的中心强固元件和围在其四周的光学纤维，它们可以松散地排在刚性缆芯管中，也可以紧密地包扎在一个加有软衬垫的可弯曲套管中。

缆芯周围保护层的层数和类型视光缆的用途而定。一般情况下，缆芯外面要包一层紫铜以改善其长距离传导性，随后再加一层材料(例如铝箔)以阻塞水进入纤维的通道。加入铜丝或绞合线以提高抗拉强度。然后把整个电缆裹缠在聚乙烯铠装或套管中，以增加其稳定性。参阅 **fibre optics**。

Cable, George W(ashington)　凯布尔(1844-10-12，美国路易斯安那新奥尔良～1925-01-31，佛罗里达圣彼得斯堡)　美国作家、改革家。以描写新奥尔良生活的小说知名。最初的作品短篇小说集《克里奥尔人的往昔》(1879)和长篇小说《格兰迪西姆斯家族》(1880)均以克里奥尔人的新奥尔良作为自己

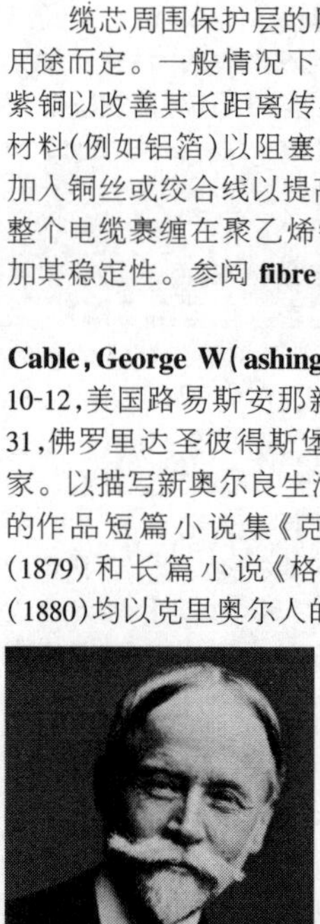

美国不列颠百科全书公司供图

的文学领域来描述。这两部著作受到广泛的赞扬。在这些作品中,他试图再现这个法国人和西班牙人聚居的古老城市中如画的景色和生活气氛,但他采用了南方小说从未用过的现实主义手法。虽然凯布尔是奴隶主的儿子,曾在南方联军骑兵中参加作战,但他却认为奴隶制度和企图不让获得自由的奴隶得到充分公共权利的做法,是道德上的错误。因此他的早期小说,无论是在奴隶解放以前还是以后写的,都含有从道义上谴责等级和阶级制度,以及被允许的压迫的意味。尽管南方报刊对他粗暴辱骂,他仍利用文章和公开演讲来促进争取黑人权利的事业,并出版了两本社会杂文集《寂静的南方》(1885)和《黑人问题》(1888)。当种族歧视在南方牢固树立之后,他才放弃自己的努力。

cable, marine 参阅**undersea cable**海底电缆。

Cable News Network (CNN) **有线电视新闻网** 全称有线电视新闻网公司。特纳广播系统公司的子公司,从事24小时新闻实况广播。总部设在佐治亚州亚特兰大。由特纳广播系统的创始人T.特纳(**Turner, Ted**)于1980年6月创建。他在美国各大城市和全世界的一些城市建立记者站,通过卫星向全世界持续不断传送新闻实况报道,具有迅速直接的优越性。CNN在1991年对海湾危机作昼夜24小时的报道,其中许多是从伊拉克播出的,从而赢得了全世界的注意。该公司还经营"头条新闻和CNN国际新闻"的新闻频道。

cable television **有线电视** 通常指通过同轴电缆或光缆发送电视信号的系统。此外,它也包括仅通过卫星发送电视信号的系统。有线电视20世纪50年代初起源于美国。当时是用来作为改善边远地区和山区接收商业电视节目的手段。到60年代,许多大城市也开始使用有线电视,因为在这些城市里,电视节目的接收质量受到高层建筑对电视信号反射的影响。有线电视也称共用天线电视。它在四周开阔的高处架设共用天线,接收电视广播信号,然后通过同轴电缆输给当地的用户。从70年代中期起,越来越多的有线电视系统提供各种特别服务。它们除了使用正常的电视广播频道外,还用非电视广播频率传送电视信号,使用的频道可多达50个以上。用户只需将一个频率转换器接到接收机上即可收到这些电视信号,从有线电视中收看远方城市的电视节目、体育比赛、天气预报、股市信息和文化动态报道等。越来越多的有线电视公司还提供另外一种服务,叫双向频道。用户通过双向频道可以同公司的节目制作部门或资料中心联系,参加民意测验或者查阅各种文字和图表资料。将来可望通过双向频道把用户的家庭电子计算机同计算机网联系起来。这样,用户不仅能够通过电视使用数据库的资料,而且用户之间也能相互联系。

Caboche, Simon **卡博什**(活动时期15世纪初) 绰号刀匠西蒙。法国蛊惑人心的政客,他煽动起的叛乱导致一场流产的行政改革。皮革商,1407年成为对当局不满的一些商会的领导人,1413年4月曾率领群众围攻并占领巴士底城堡。5月,国王查理六世发布一项重要的行政改革敕令,通常以他的名字称"卡博什敕令",规定法国枢密院、高等法院和审计院由选举产生。但屠宰商和小商人继续作乱,使巴黎的中产阶级作出不利于他们的反应,允许奥尔良公爵镇压叛乱者。查理终于撤销改革敕令,叛乱者被赶走。卡博什嗣后始终未再恢复原有权势,但1418年返回巴黎。

cabochon cut **凸圆形雕刻** 把宝石圆的一面抛光,而在凸面雕刻的一种方法。不透明的宝石、星状红宝石、彩虹色或乳光色宝石或夏特瓦杨宝石(在黑暗中闪现出像猫眼一样柔和的光泽)通常都刻在凸面。凸面雕刻宝石的背面一般是平的,但也可以挖空以使颜色透亮。宝石中的石榴石、碧玉、带血点的绿宝石、猫眼宝石、星状红宝石和蓝宝石都是用这种办法加工出来的宝石。

Caboolture **卡布尔彻** 澳大利亚昆士兰州东南部城镇,濒卡布尔彻河。原为一牲畜站。其名称来自土语cabul-tur("地毯蛇")。为了缓解19世纪60年代美国南北战争带来的物品短缺,后成为植棉中心。如今还种植柑橘、烟草和蔬菜,饲养乳牛、种牛和菜牛。木材在城镇内加工。城镇位于通往南42千米布里斯班的主要北部铁路线和公路线上。人口12 716(1991)。

Cabora Bassa **卡布拉巴萨** 莫桑比克西部赞比西河上的拱形水坝和水电设施。位于太特省省会太特城西北约80英里(125千米)。坝高560英尺(171米),顶宽994英尺,体积5.1亿立方米。拦截成的卡布拉巴萨湖长150英里,最宽处19英里,一直延伸到赞比亚-莫桑比克边界,容水量640亿立方米。水电工程第一期工程(1977年完成)安装5台发电机,总发电量2 000兆瓦。第二期工程(部分于1981年完成)为一座地下发电站。整个工程的最大设计发电量为3 600兆瓦。主要通过长870英里、功率为530千瓦的复式输电线向南非输送电力,并向马普托省、太特省及太特城附近的莫阿蒂泽煤矿供电。由于莫桑比克全国抵抗运动的破坏,向南非的输电中断。葡萄牙人拥有的卡布拉巴萨水力发电公司持续至1992年。

Cabot FAMILY **卡伯特家族** 自约翰·卡伯特于1700年移居马萨诸塞的塞勒姆起便享有盛名的美国家族。卡伯特家族长期具有富甲一方、乐善好施和人才辈出的传统。约翰和约瑟夫父子以贩卖酒类、买卖奴隶和经营私掠船队致富。孙子乔治积资更多,尤以从政出名,曾领导过联邦党、埃塞克斯派和哈特福德大会。后卡伯特家从塞勒姆移居贝弗利,再迁波士顿,与该地豪门大户联姻,形成一个紧密结合的社会贵族。卡伯特后裔中的名人有:F.C.洛威尔(**Lowell, Francis Cabot**)、A.T.卡伯特、R.C.卡伯特、E.C.卡伯特、G.L.卡伯特、H.C.洛奇(**Lodge, Henry Cabot**)和H.C.洛奇(**Lodge, Henry Cabot**)(小)。该家族驰名于医药界、建筑界、政界和慈善界。马萨诸塞总医院、波士顿交响乐队和哈佛大学仅为接受该家族赠款的团体中的一部分。

Cabot, George **卡伯特**(1752-01-16,马萨诸塞塞勒姆~1823-04-18,波士顿) 美国联邦党强有力的领袖,在新英格兰尤具影响。曾就读于哈佛大学。后为船主,经营商业很有成就。1794年弃商从政,历任马萨诸塞制宪会议代表(1779~1780)、州参议院议员(1783)、马萨诸塞州批准联邦宪法会议代表(1788)。1791~1796年为美国参议院议员。他是财政部长A.汉密尔顿的财政政策的重要支持者,1793年出任美国银行经理。他还是哈特福德会议(1814-12)主席,这个秘密会议表达了联邦党反对1812年战争,并攻击麦迪逊政府。

Cabot, John **卡伯特**(约1450,热那亚?[意大利]~约1499) 航海家和探险家。他1497和1498年的航行为后来英国对加拿大提出领土要求打下了基础。其生平及其航行的详情迄今仍在历史学家及制图学家中有争议。1461年或更早些卡伯特迁至威尼斯,1476年成为该城公民,不久受雇于一家威尼斯商行,到地中海东岸旅行,并访问过东西方商业中心麦加。他逐渐学会航海技术,似乎不受哥伦布的影响独自预见向西航行有到达亚洲的可能。卡伯特在15世纪80年代中期至90年代中期的行踪和活动尚不能确定,但据说他在1495年底携家属来到英国,定居布里斯托尔。1496年3月5日英王亨利七世为卡伯特及其儿子颁发特许证书,授权他们航行探索尚未发现的土地,把商品经布里斯托尔港运回,并享有这些地方的商业垄断权。哥伦布为西班牙发现土地激起英国采取行动,并使卡伯特赢得布里斯托尔商人的支持。1496年曾驾驶一只船从布里斯托尔出航,但因食品短缺、天气险恶、与船员们争执而返回。1497年5月他从布里斯托尔出发,绕爱尔兰前进,然后向北、往西航行,6月24日首次见到陆地。据说是在纽芬兰拉布拉多南部或布雷顿角岛上岸,发现有人居住的迹象,但没看到人,则宣布为英王领地,同时升起英国和威尼斯旗。又沿海岸线进行探索,给一些地方命名为发现角、圣约翰岛、圣乔治角、特里尼蒂群岛及英格兰角,这些地方可能就是今卡伯特海峡内的北角、圣保罗岛、雷角、圣皮埃尔岛与密克隆岛以及雷斯角等地。卡伯特于1497年8月6日回到布里斯托尔,错误地以为已到达亚洲东北海岸。他报告说,那里土地极佳,气候温和,海中有大量的鱼,足够促使英国不再仰赖冰岛的鱼。在一片热烈欢迎声中,他宣布将回到登陆地点,并计划从那里向西航行,直到有名的香料和宝石产地日本。1498年2月3日又获第二次探险特许证书。有某些迹象表明他在第二次探险中再次到达美洲,但当时至少有一条消息说他的探险队在大海中消失。

Cabot, Sebastian **卡伯特**(约1476,英格兰格洛斯特郡布里斯托尔或威尼斯~1557,伦敦) 英国航海家、探险家和制图学家。曾为英国和西班牙王室服务。可能同其父J.卡伯特进行从英国到北美的第一次航行(1497)，他们发现了纽芬兰的拉布拉多海岸(当时误认为是中国海岸)。卡伯特早期生活情况不详，但他确在1512年任过国王亨利八世的制图员，并随英军援助阿拉贡国王斐迪南二世反对法国人的战争。因他具有北美洲东北海岸的知识，被授予西班牙海军上校军衔，1518年参加西班牙新印度群岛委员会，任领航长和领航员审查官。1520年回英国后被任命为海军军官。1525年率西班牙探险队去开发对东方的贸易，但因获悉南美拉普拉塔河地区有巨大财富而改变了探险的原来目的。经约3年的徒劳探险后回西班牙。被判对此次探险的失败负责，流放到非洲，两年后获赦，恢复领航长旧职。他的一张非常著名的世界地图(1544)现收藏在巴黎国立图书馆。1548年接受英国海军职务，组织寻找从欧洲到东方的东北航线探险队。虽未达目的，又发生几次海难，却促进了与俄国的贸易。

Cabot Strait　卡伯特海峡　在加拿大东部，新斯科舍省的布雷顿角岛与纽芬兰岛之间，宽97千米。连接圣劳伦斯湾和大西洋，为重要国际航道。以意大利航海家J.卡伯特姓氏命名。卡伯特于15世纪末受命英王亨利七世开发此地区。

Cabra　卡夫拉　西班牙南部安达卢西亚自治区科尔多瓦省城市。地处科尔多瓦市东南，卡尔瓦山和蒙蒂利亚之间。城中有摩尔式古堡遗迹，其教区礼拜堂原为一清真寺。罗马人和西哥特人统治时期为重要的主教教座。曾被摩尔人占据。15世纪并入西班牙。现生产砖、陶器和纺织品。人口约20 306(1991)。

Cabral, Amílcar　卡布拉尔(1921，葡属几内亚巴法塔～1973-01-20，几内亚科纳克里)　农学家和民族主义政治家，几内亚和佛得角非洲独立党的建立者(1956)和总书记，和A.内图同为安哥拉解放运动发起人(1956)。曾在里斯本受教育，1948年参加创办非洲留学生中心。自1962年起，领导自己的党投入争取葡属几内亚独立的武装斗争。20世纪60年代后期，他是葡属几内亚葡军占区以外各地的实际统治者。1972年建立几内亚人民国民大会(总部设在科纳克里)，作为走向独立的一步。翌年，在科纳克里住所外遇刺身亡。

Cabral, Pedro Álvares　卡布拉尔(1467或1468，葡萄牙贝尔蒙蒂～1520，圣塔伦?)　葡萄牙航海家。普遍认为巴西是他发现的(1500-04-22)。出身在一个世代为葡萄牙国王效劳的贵族家庭。1500年被国王曼努埃尔一世任命为第二次印度远征队司令。3月9日自里斯本率13艘舰只出航，循着伽马先前的航线，去加强商业联系，扩展他的前辈们已经开启的征服活动。4月22日发现一处陆地，为之命名"真十字岛"，后来被葡王重新命名为"神圣十字"，最后才以"巴西"为名，因在当地发现一种染料木称为"包-巴西"。他正式占据这片土地后，派一条船回报国王。从此，这块地方在地图上成为葡萄牙领地及从欧洲到好望角和印度洋的中途站。在巴西住

16世纪大纪念章上的卡布拉尔像
美国不列颠百科全书公司供图

了10天后，继续驶向印度。航程中迭遭不幸，5月29日经好望角时，4条船失事，船员全部罹难，1488年发现好望角的葡萄牙人迪亚斯也在这场灾难中丧生。9月抵印度卡利卡特，得到穆斯林统治者友好接待，允许建立一座设防的商站。不久和穆斯林商人发生争执。12月大队穆斯林攻击商站，大批葡萄牙人被杀。他炮轰城市，劫掠船只，杀死船员作为报复，然后率领6条船驶往南部科钦。在那里买进大批香料又在卡兰戈洛斯及卡那诺尔港口停泊，完成装货任务。1501年1月返航。中途又有两条船沉没，6月到达葡萄牙时剩下4条船。虽然国王嘉奖他发现新属地的劳绩，但此后未再委任他任何要职。卡布拉尔引退后住在葡萄牙下贝拉省自己的庄园里度其余生。1848年巴西历史学家F.A.瓦恩哈根在圣塔伦认出他的坟墓。1968年他诞生500周年时，巴西和葡萄牙联合举行隆重纪念活动，里约热内卢及里斯本皆建立了他的纪念碑。

Cabral de Melo Neto, João　卡布拉尔·德梅卢·内图(1920-01-06，巴西累西腓～1999-10-09，里约热内卢)　诗人、外交官。在同辈巴西诗人居领先地位。作为外交官，从1954年起曾任西班牙、英国、法国、瑞士等国的领事。他的文学生涯始于1942年出版的诗集《石枕》。1945年出版的《工程师》使约于同时开始文学生涯的诗人和其他作家获得"45年一代"的称号。这些诗人和作家使巴西诗歌风格日趋严肃。著有30多本诗集，包括《没有丛毛的狗》(1950)、《河岔》(1955，内有诗人最著名的诗篇《维达·塞维丽娜之死》)、《一刀全刃》(1956)、《向磐石学习》(1966)、《修道士之路》(1984)和以前未曾出版的早期诗集《诗歌精选》(1990)。据说他早期诗歌有超现实主义的和立体派的特性，但后来他放弃了这些特点，转为明确清楚易懂的表达、"枯燥的"形象化的描述，这是受到巴西遭受干旱的东北地区的启发。曾多次获奖和获得荣誉称号，包括1992年诺伊施塔特国际文学奖。

Cabrera, Manuel Estrada　卡夫雷拉　参阅 **Estrada Cabrera, Manuel** 埃斯特拉达·卡夫雷拉。

Cabrera(y Griñó), Ramón　卡夫雷拉(1806-12-27，西班牙托尔托萨～1877-05-24，伦敦)　西班牙王室正统派的将领。1833年费迪南德七世逝世后，反对费迪南德之女伊莎贝拉二世继位而拥护唐·卡洛斯继承王位的人们起来造反。卡夫雷拉是主要造反头目，以残酷无情著称。1836年自由派把他的母亲枪杀以后，他所采取的恐怖手段达到了顶点。他在几次著名战役中获得胜利，因而被封为莫雷拉伯爵。他拒不承认1839年结束巴斯克省内战争的《贝尔加拉协定》。但在1840年，他同1万名军队被赶入法国境内。他最初在法国过流亡生活，后来又去英格兰。1845

美国不列颠百科全书公司供图

年，他反对卡洛斯把王位让给他的儿子蒙特莫林伯爵。1846～1849年，他又指挥在加泰罗尼亚的王室正统派队伍。1860年与英格兰新教徒M.C.理查兹结婚，定居英格兰。由于倡议和平、不采用军事手段的观点，1870年被王室正统派在瑞士韦沃召开的会议上宣布除名，1875年他承认合法的西班牙国王阿方索十二世。

Cabrera Infante, Guillermo　卡夫雷拉·因凡特(1929-04-22，古巴希瓦拉～2005-02-21，英国伦敦)　古巴电影评论家、小说家、外交家。著有优秀小说《三只可怜的老虎》(1967)。1947年开始与古巴的重要群众性刊物《波希米亚》合作。翌年，他自编《新一代》杂志，兼任《波希米亚》文学编辑。他是古巴电影制片厂(1951)的创建人之一，并于1955年赴纽约，与"现代艺术博物馆"签署电影交流协定。1958年支持卡斯特罗领导的革命，曾任古巴文化部长，并撰写大量反对巴蒂斯塔政权的文章。他还创办《革命报》的文学副刊《星期一》。1960年发表短篇小说集《平时和战时一个样》，随着卡斯特罗转向社会主义和马克思主义，他开始对革命感到失望。为了争取艺术创作自由，1961年他散发了一份由200多名作家共同签署的请愿书。结果《星期一》周刊被查禁。卡夫雷拉还发表过影评集《20世纪的一项任务》(1962)，后因该书序言有所谓"煽动性"，被逐出古巴，后侨居伦敦。小说《热带黎明景色》发表于1974年，这是一部描写从发现新大陆至今的古巴历史的短文汇编。1975年出版小品散文集《啊》，对当代生活的各个方面进行了揶揄嘲讽，其中包括流行音乐、选美会等。他的另一部影评

集《世外桃源的每个夜晚》发表于1978年。

Cabrillo, Juan Rodríguez 卡夫里略（？～1543-01-03?，加利福尼亚北部海岸外） 在西班牙军队服役的军人和探险家，主要以发现加利福尼亚闻名。卡夫里略可能出生在葡萄牙，但他的早年生活已无法考证。青年时期，他似乎曾参加西班牙军人纳瓦埃斯（1520）讨伐科尔特斯（曾征服墨西哥阿兹特克人）的未成功的远征。许多证据表明，卡夫里略是包括今危地马拉、萨尔瓦多和尼加拉瓜地区的征服者之一。可能还一度担任过危地马拉总督。有人认为，卡夫里略于1542年6月从墨西哥的纳维达港乘船出发，考察了今加利福尼亚州的大部分海岸，进入了圣迭戈湾和蒙特雷湾，并且在加利福尼亚海岸附近几个岛屿登陆。卡夫里略因一次登陆时摔断腿后患并发症致死。

Cabrini, Saint Frances Xavier 卡布里尼（1850-07-15，意大利伦巴第圣安杰洛-洛迪贾诺～1917-12-22，美国芝加哥） 美国天主教圣心传教女修会创始人、第一位追谥为圣徒的美国公民。卡布里尼于1880年在意大利创建圣心传教女修会。她曾计划前往中国成立隐修院。但教皇利奥十三世指示她西去，遂与另外几名修女于1889年到达美国。她主要在意大利移民中进行传教。卡布里尼此后多次到南北美洲和欧洲内地工作，1909年加入美国籍。

cabriole 卡勃里奥尔 芭蕾舞的跳跃动作。过去只有男子才做，舞者在空中以两小腿互相碰击，动作像剪刀状。可以向前、向旁或向后做，腿与躯体成45°或90°。舞者可以单脚

美国纽约市芭蕾舞团J.昂布瓦斯（左）做的卡勃里奥尔
美国不列颠百科全书公司供图

着地，然后另一只脚落下收成五位（闭合的卡勃里奥尔）或者另一条腿停在空中形成舞姿（敞开的卡勃里奥尔）。

cabriole leg 弯脚 家具的一种腿型，有两个弯曲处，上半部凸出，下半部凹进。这种腿型模仿某种四脚动物的腿脚。弯脚曾为古代中国人和希腊人所采用，17世纪末与英国人、荷兰人和法国人所采用的更为弯曲的式

1760～1775年的美国弯脚无扶手椅
美国不列颠百科全书公司供图

样融合，又在欧洲流行。早期再度流行的弯脚式样配有横档，以后横档也做成弯曲状；但是这些弯脚的式样均被弃之不用，因为它们既影响家具腿的外形，也无益于其所需的强度。在18世纪后半叶，新古典主义时期的直脚家具取代了弯脚家具。

cabriolet 单马双轮篷车 18世纪在法国使用的无门、有篷、单马双轮马车。后来改为

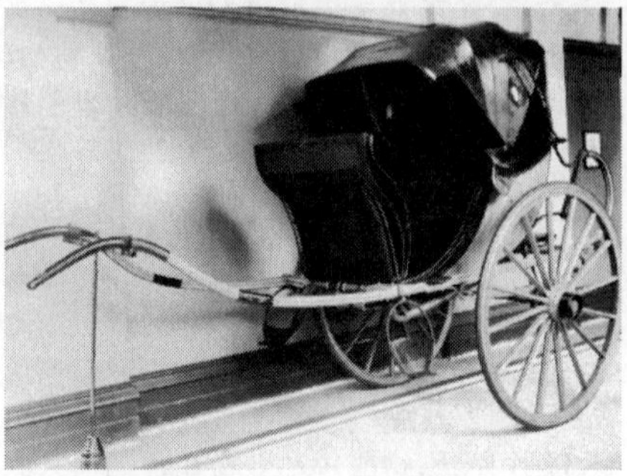

1830年的单马双轮篷车
美国不列颠百科全书公司供图

四轮式，用于出租时，常为车夫设有活动座或边座。

Cabrol, Fernand 卡布罗尔（1855-12-11，马赛～1937-06-04，英格兰汉普郡法恩伯勒） 天主教本笃会隐修士，以研究基督教教仪史著称。其主要作品是《古代公众祈祷文》（1900）。《古代基督教和礼仪词典》于1903年开始编纂，第一卷（1907）由卡布罗尔完成。

Caca（Roman deity） **卡凯** 参阅**Cacus and Caca** *卡科斯与卡凯*。

cacao（*Theobroma cacao*） **可可** 又作cocoa。原产热带美洲的梧桐科乔木，其果实经发酵及烘焙后可制*可可粉*（**cocoa**）及*巧克力*（**chocolate**）。早在哥伦布发现美洲前，热带中美洲居民，尤其是马雅人及阿兹特克人，已知可可豆的用途，不但将可可豆做成饮料，更用它作交易媒介。16世纪可可豆传入欧洲，精制成可可粉及巧克力；还提炼出*可可脂*（**cocoa butter**）。可可树遍布热带潮湿的低地，常见于高树的树荫处。树干坚实，高可至12米，叶椭圆形，革质，长至30厘米，枝叶伸展如伞盖。花粉红色，小而有臭味，直接生在枝干上。蓇葖果长可达35厘米，直径12厘米，呈卵形，表面有10条脊，黄棕色到紫色，可可果含种子（可可豆）20～40粒。豆长约2.5厘米，包于粉红色有黏性的果肉中。可可树栽培4年后，每年每株产豆荚60～70枚。采收后，豆自荚中取出，发酵若干天，经一系列之加工程序，包括干燥、除尘、烘焙及研磨后成为浆状，称巧克力浆。将浆再压榨可制可可脂和可可粉，或另加可可脂及其他配料，制成各种巧克力。

caccia 卡恰 又译猎歌。14世纪意大利主要音乐体裁之一。由以下几个部分组成：两个声部作同度的严格卡农进行（换言之，同一音高上的严格旋律模仿），常在其下方有一个非卡农性的第3声部，用长时值音符写成，后接里托奈罗（过门）。卡恰的歌词通常描写现实的、生气勃勃的场景，如狩猎或市场；而号声、鸟鸣、叫喊和对话往往使音乐背景显得更加生动。卡恰这一术语与14世纪法国的chace（狩猎曲，这是一种以三声部卡农为歌词谱曲的体裁）有关。17世纪英国的一种轮唱歌称为catch（追唱曲），其名称可能即源自caccia一词。

Caccianemici, Gherardo（pope） **卡西亚内米西** 参阅**Lucius II** *卢西乌斯二世*。

Caccini, Giulio 卡契尼（约1550，罗马～葬于1618-12-10，佛罗伦萨） 又名卡契尼·罗马诺或朱利奥·罗马诺。意大利歌唱家和作曲家，所作歌曲对于在1600年前后意大利兴起的单旋律音乐的巩固和传播起过很大作用。在这种音乐中，一个富有表现力的旋律由形象性和弦伴奏，恰与传统复调风格中几条旋律线交错缠结的手法相反。早年在罗马的生活鲜为人知，1574年前不久随其庇护人梅迪契去佛罗伦萨前，他曾师从G.安尼穆契亚。16世纪最后20年中，他和巴尔第伯爵的演出最早一批歌剧的卡梅拉塔会社关系密切。卡契尼在其《新音乐》（1602）曲集中展示他关于歌曲的新见解，而在演奏和演唱宫廷假面剧时又使这些见解更趋完善。《新音乐》曲集主要由独唱牧歌和咏叹调组成，有一篇重要的说明性序言。牧歌最清楚地表明他的新风格：优美柔顺的声乐线条紧随歌词的抑扬顿挫而变化，由于情感性装饰而变得更为鲜明，在按照新发明的通奏低音方式而即兴奏出的自然音和声的柔和和弦伴奏的映衬下显得十分夺目。在其后30年中，许多其他意大利作曲家采用单旋律歌曲的样式；卡契尼又发表了两个曲集。1600年他根据J.佩里的《尤丽狄西》所用台本而写作一部歌剧，1602年在佛罗伦萨上演。

Cáceres 卡塞雷斯 西班牙西部埃斯特雷马杜拉自治区省份。西与葡萄牙交界。塔古斯河流经全省。面积19 945平方千米。1229年由阿方索九世从摩尔人手中夺回；后并入莱昂王国。1833年设省。该省主要为农、牧业区，出产谷物、橄榄、棉花、烟草、胡椒等作物及猪、羊等。大片森林尚待开发。工业集

中在省会卡塞雷斯。南、北部山区辟有自然保护公园。塔古斯河和阿拉贡河为肥沃的平原提供灌溉和水利之便。该省的拉斯乌尔德斯山谷为西班牙历史上最贫穷落后的地区，现已改观，人口约 433 700(1992)。

Cáceres 卡塞雷斯 西班牙西部卡塞雷斯省省会。坐落在塔古斯河南岸低山上，位于巴达霍斯东北约 80 千米处。初由罗马人创建，9 世纪起被摩尔人占据，1229 年被莱昂国王阿方索九世收复。旧城区为带角楼的厚实城墙环绕，有几处中世纪宫殿，如 16 世纪所建哥特式圣马特奥教堂高塔、圣马利亚-拉马约尔教堂(15 世纪)等。新城区有法院、市政厅及科里亚主教官殿。现生产软木、革制品、陶器和布匹，输出谷物、水果、食油、牲畜、羊毛、香肠和磷酸盐矿石，所产火腿著名。人口约 75 134(1992)。

cachalot 参阅 **sperm whale** 抹香鲸。

cache memory 超高速缓冲存储器 简称超高速缓存。计算机主存的附加部分，用于临时存放频繁使用的指令和数据，以便提高计算机中央处理器的处理速度。超高速缓存增大了计算机的主存，是主存的扩展。主存和超高速缓存都是内部的随机存取存储器，都由半导体晶体管电路组成。但超高速缓存中只存放着保存在主存中的信息和程序代码中的最常用部分的副本。由于超高速缓冲容量较小，所以在其中查找数据和把数据提供给计算机进行处理所需的时间较短。计算机中央处理器访问内部存储器时，首先查看它所需要的信息是否在超高速缓存中，如果在，则由超高速缓存中取得数据；如果不在，再到主存去找。磁盘超高速缓存与此类似，但磁盘超高速缓存是用于保存最近写到磁盘(或其他外部存储设备)或最近由磁盘(或其他外部存储设备)取出的数据。

cachet, lettre de 密札 法语，意为"有国王封印的信"。指由国王签署和一位国务大臣副署、主要用于授权逮捕某人入狱的信函。这是法国旧制度下一种重要的行政手段。17 和 18 世纪期间，滥用密札已达到满天飞的程度，在向 1789 年三级会议告状的冤案目录中有许多是申诉这方面的案情。

国家密札由政府发出，目的是保障社会利益，或者为了维持公共秩序，或者为了确保政府机构的正常运转。在第一种情况，政府当局(如巴黎警察总监)可以请求国王下令对某人拘留一定时间；或者，一个公共检察官可以要求发给密札，以便逮捕被指控的人受审。在第二种情况，国王可以用密札召集政治团体(如三级会议)，命令他们讨论一件特殊事情；或者不准某个或某些被认为是不良分子的人参加会议。密札也可用来逮捕涉嫌的外国人或间谍。对一些私人也曾授与密札，允许他们向另外的个人采取行动。密札的措词非常短，简单扼要，只是指示受信人执行其中所写的命令，不得迟误，没有任何详细说明的语句。

在大革命期间，制宪会议于 1790 年 3 月废止使用密札。

Cacheu 卡谢乌 几内亚比绍西北部城镇。位于卡谢乌河入海口南岸。17 和 18 世纪时为奴隶贸易中心，因而经济地位重要。19 世纪初，其地位随西非奴隶贸易衰落而降低。现为一小海港和周围沿海低地出产的椰子、棕榈油和稻米的集市贸易中心。也种植栗、玉米和高粱。放牧牛羊。20 世纪 70 年代后期，附近发现有磷酸盐矿。人口：城市区 15 194(1979)。

Cachoeira, do Sul 南卡舒埃拉 巴西南里奥格兰德州中部城市和河港。临雅库伊河。海拔 60 米。建于 1819 年，1859 年建市。巴西主要产稻区的中心。加工并运销稻米、羊毛、小麦和水果。通铁路、公路和航空线。人口约 89 058(1991)。

Cachoeiro de Itapemirim 卡舒埃鲁-迪-伊塔佩米林 巴西圣埃斯皮里图州南部城市。临伊塔佩米林河。海拔 29 米，距大西洋岸约 48 千米。1889 年建市。制造业中心和附近牧区服务中心。在维多利亚—坎普斯公路和铁路干线上。人口约 143 763(1991)。

cacique 酋长鸟 雀形目拟黄鹂科约12种美洲热带鸟的统称。与近缘的拟椋鸟相似，惟较小，嘴不那么强有力，无额盾。体色鲜艳，黑黄相间或黑红相间。营悬挂巢。全黑的黄嘴酋长鸟(*Cacicus* [或 *Amblycercus*] *holosericeus*)长约 20 厘米，分布于墨西哥南部到玻利维亚。

caciquism 酋长统治 在拉丁美洲和西班牙政治事务中，地方首领(即酋长)的统治。作为一个阶级，这些领袖人物在他们国家的政治结构中往往起关键性作用。酋长一词源于印第安语，西班牙征服者用来称呼印第安部落的首领或比较发展的印第安人地区的管辖者。西班牙人保留了这些酋长，作为印第安人的世袭首领，让他们担任较低级的法官，负责分配劳力，征收贡赋。在墨西哥殖民地，强制劳工的首领也称为酋长。西班牙以后沿用此词，但其政治首领的含意更为明显。

CACM 参阅 **Central American Common Market** 中美洲共同市场。

cacomistle 蓬尾浣熊 又拼 cacomixl。与浣熊(浣熊科[Procyonidae])有亲缘关系的两种大眼、长尾的蓬尾浣熊属(*Bassariscus*)食肉动物的统称。浅灰褐色，腹部色浅，眼圈为白色。全长约 60～100 厘米(其中约一半是具黑白圆环的蓬松的毛尾)。重约 1 千克。面小，耳长，吻部尖。树栖，夜间活动，以各种小动物、果实和植物为食。每窝产 1～5 仔，通常 3～4 仔。灵巧蓬尾浣熊(*B. astutus*)通称矿工猫、环尾猫；栖息在美国西南部到墨西哥南部的岩石地区；敏捷灵活；耳圆，爪能缩进

灵巧蓬尾浣熊(*B. astutus*)
美国不列颠百科全书公司供图

一半，善捕鼠，常为人豢养为玩赏动物。美洲蓬尾浣熊(*B.* [前作 *Jentinkia*] *Sumichrasti*)分布在美国至秘鲁的森林中；体大，毛色深，更喜树栖，耳尖，爪不能缩进。

Caconda 卡孔达 安哥拉中西部威拉省北部城镇。位于距大西洋 225 千米的威拉高原上。海拔约 1 650 米。约 1680 年建立了一个葡萄牙军事哨所，以促进奴隶贸易。18 世纪末建立欧洲居民点。1948 年在该城附近为安哥拉的非洲黑人成立了第一个农业公社。在农艺学家的协助下，种植玉米、棉花等作物和饲养家畜。1975 年安哥拉独立前，葡萄牙技术人员和其他欧洲居民撤离，故经济遭到破坏。80 年代初期又开始放养牲畜和种植粮食作物。人口 38 185(最新统计)。

cacophony 非谐音 参阅 **euphony and cacophony** 谐音与非谐音。

Cacops 巨头螈属 两栖动物的一个绝灭属。化石见于北美的下二叠统(二叠纪始于 28 000 万年前，持续 5 500 万年)。身长约 40 厘米。头骨构造笨重，耳部的凹口(位于头骨后部)极大，后面靠骨质隔板关闭，这表明它

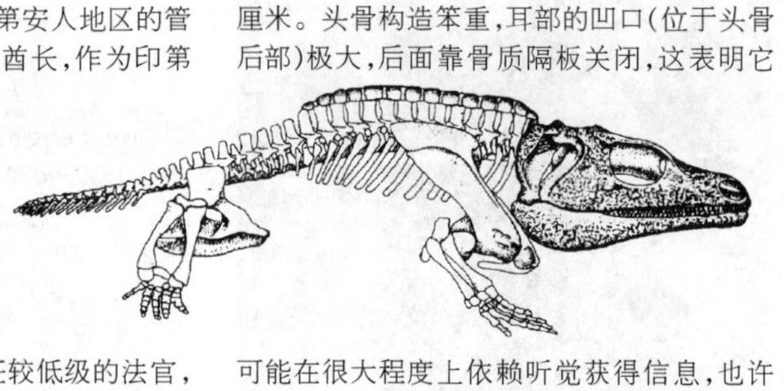

巨头螈骨骼图

可能在很大程度上依赖听觉获得信息，也许是夜间活动的动物。由于腿和肢带发育强壮，在陆上能很好地行走。尾较小，背上具厚骨质甲胄。很可能在陆地上度过的时间比化石记录中已知的任何两栖动物都长。

Cactales 仙人掌目 显花植物的一目，仅含仙人掌科(Cactaceae)一科。参阅 **cactus**。

cactus 仙人掌 双子叶显花植物的一类。属石竹目仙人掌科。(某些权威将仙人掌类单独列为仅具一科的目——仙人掌目[Cactales])。估计有 130 属，约 1 650 种。仙人掌科原产于北美和南美从不列颠哥伦比亚和艾伯塔省向南的大部分地区，其南界达到智利

(左)金虹仙人掌(*Echinocereus dasyacanthus*);(右)圣诞仙人掌(*Schlumbergera bridgesii*)
美国不列颠百科全书公司供图

和阿根廷。墨西哥的仙人掌种类最多。仅仙人棒属(*Rhipsalis*)可能原产于旧大陆,分布于东非、马达加斯加及斯里兰卡。但许多学者认为本属系从世界其他地方引入这些地区。

仙人掌为肉质多年生植物。虽然少数种类生长于热带或亚热带地区,但多数生长并适应于干燥地区。仙人掌的茎通常肥厚,含叶绿素,草质或木质。多数种类的叶或消失或极度退化,从而减少水分所由丢失的表面积,而光合作用由茎代行。仅热带的虎刺掌属(*Pereskia*)和 *Pereskopsis* 属具明显的有功能的叶。根系通常纤细,纤维状,浅而分布范围广,用以吸收土壤表层的水分。

仙人掌类植株的大小及外形千差万别,小者如钮扣状的佩奥特掌(冠毛掌属[*Lophophora*])、矮小团块状的刺梨(仙人果,仙人掌属[*Opuntia*])和刺猬掌(鹿角掌属[*Echinocereus*]),大者如高柱状的圆桶掌(猛仙人掌属[*Ferocactus*]和仙人球属[*Echinocactus*])及高大乔木状的萨爪罗掌(巨山影掌[*Cereus giganteus*]或巨卡内基代掌[*Carnegia gigantea*])。多数仙人掌类生长于土中,但几个热带种类,包括仙人棒属、昙花属(*Epiphyllum*)和蟹爪兰属(*Schlumbergera*)的种类为附生;另一些种类则生长于坚硬的表面,如岩石上。附生的种类往往具薄而扁平的茎。植株的表面形态亦各异,或为平滑,或有突出的结节、嵴或有凹沟。

仙人掌与其他肉质植物不同之处为茎上具垫状的构造——小区。几乎所有种类的小区内生长棘刺或钩毛,花、枝和叶(如果有叶的话)亦由此生出。

仙人掌茎的内部构造与其他双子叶植物一致,在内方的木质部与外方的韧皮部之间有形成层。但茎的大部分由薄壁的贮藏细胞组成,细胞内含黏液性物质,可保护植株避免水分的丢失。仙人掌的茎是主要的制造养分和贮藏养分的器官。

少数仙人掌种类能在贴地面处生出小植株,从而进行无性繁殖。各种仙人掌的组织颇为一致,故一种仙人掌植株的末端部分可以嫁接到另一个种植株的顶部。

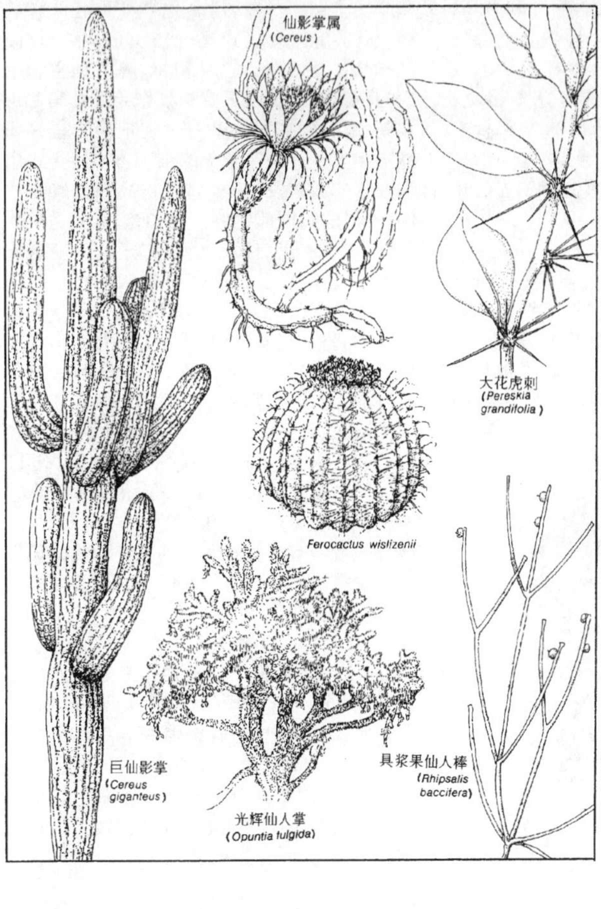

仙人掌目代表植物

但仙人掌主要通过种子繁殖。仙人掌的花通常形大而艳丽,多为单生。所有各属均有花管(由花被片组成,花萼与花瓣有明显区别或不易区别),子房下位,一室。子房上生一花柱,花柱顶端有多个用以接受花粉的柱头。传粉、受精后胚珠发育成种子(种子多枚),子房发育成果实(通常为浆果)。花粉借风力或鸟类传播。受粉后花管不久便从子房顶部脱离,留下一个明显的疤痕。

仙人掌类广泛栽作观赏植物。此外,刺梨(仙人果)和乔利亚掌(均属仙人掌属)亦栽培用作食物。在南美,仙人掌属和山影掌属以及其他一些种类用作活篱笆,在某些荒漠地区木质的柱状仙人掌类用作燃料。圆桶掌在紧急情况下是水的来源。威廉斯氏冠毛掌(*Lophophora williamsii*,一种佩奥特掌)有致幻觉的作用,从哥伦布到达美洲前起就一直用于某些仪式。

Cacus and Caca 卡科斯与卡凯 古罗马宗教所信奉的兄妹两神。据罗马诗人维吉尔描写,卡科斯是火神伏尔甘之子,生性邪恶,吞烟吐火。他从英雄赫丘利斯那里偷去巨人革律翁的牛群藏于阿万丁山他所居穴中,一母牛鸣叫,泄露他的所在,赫丘利斯闯进来将他杀死。

Cadalo 卡代罗 参阅**Honorius(II)**洪诺留(二世)。

Cadalso y Vázquez, José de 卡达尔索-巴斯克斯(1741-10-08,西班牙加的斯~1782-02-27,直布罗陀) 西班牙作家,以所著《摩洛哥信札》(1793)而闻名。书中写一个摩尔旅行家到了西班牙,对西班牙生活进行透彻的评论。曾在马德里受教育,遍游国内各地。尽管他反对战争,但是在七年战争中仍从军与葡萄牙人作战。他的讽刺散文《不学无术的学者》(1772)是他最流行的作品,针对冒充有学问的假学者加以嘲笑。又因著有《阴沉的夜晚》(1789~1790)而被认为是西班牙浪漫主义先驱。

Cadamosto, Alvise (Venetian explorer) 参阅 **Ca' da Mosto, Alvise** 卡达·莫斯托。

Cadbury, George 凯德伯里(1839-09-19,英格兰沃里克郡伯明翰~1922-10-24,伯明翰) 英国商人和社会改革家。与其兄理查德共同接收其父处于衰败状况的企业(1861-04),并将它建成为高度兴隆的凯德伯里(又译吉百利)兄弟可可和巧克力制造公司。乔治因在改善劳动条件以及试验住房和城市规划等方面的成绩而显得更为重要。1879年,凯德伯里兄弟将其商业迁往距工业区伯明翰约4英里的一个农村地点,他们称之为博恩维利镇(当时属伍斯特郡,今为伯明翰之一部)。在那里,他们采用一套私人社会保障计划,改善劳动环境,均为超前性措施。1893年,乔治·凯德伯里在附近购地120英亩。他在为工人办的伯明翰"成人学校"任教的长期经验使其深信:恶劣的住房条件是许多社会罪恶的根源。1894年起,他和建筑师W.A.哈维建造了一批工人住宅,其特点是有宽广的花园及其他舒适设备。1900年,凯德伯里放弃了其房地产所有权,建立博恩维利乡村托拉斯,为各个社会阶级提供住房313幢。到了1960年,这家托拉斯已拥有1 000余英亩的地产,建有房屋3 500幢。博恩维利乡村托拉斯在经济上自给自足,与凯德伯里公司无关;对于非公司雇员,也允许居住,所以不成其为公司城。它已经是其他"花园城市"和"花园郊区"的雏形。1899年理查德·凯德伯里死,乔治继其兄任公司董事长。乔治·凯德伯里热心宣扬教友会福音。1901年开始,他和他的家族愿意宣传自由党观点,就买下伦敦的《每日新闻》报(后改名为《新闻记事报》)以及其他几家报纸。

caddisfly 石蛾 毛翅目(Trichoptera)约7 000种中的一种昆虫,形似蛾,水栖。通常呈晦暗的浅褐色,见于淡水环境,常停留于水体边缘的植物体上。特征为具翅上被毛,如

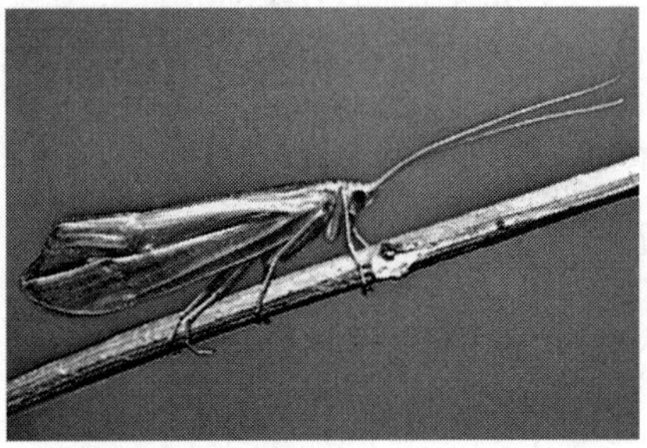

石蛾(*Psychoglypha*)
美国不列颠百科全书公司供图

屋脊状折叠于腹部之上;触角长。分布于全世界的淡水生境,少数种类见于咸淡水和潮区。早侏罗世(约1.85亿年前)以来的地层中保存着丰富的化石。身体分为头、胸和腹3部分。头部有口、触角和眼。口器适于舐吸液体食物,通常大颚不发达,有舌。触角长至极长(长度常大于翅展),分节。眼相对较小。胸具步行足,翅两对。但飞行力弱且不稳定。大部分石蛾夜间飞行,又如蛾类一样为光亮所吸引。日间飞行的种类常成群飞行。大部分以植物汁液和花蜜为食,但少数种为掠食型。雌体将卵产于水中,或产于水面上或水面下的岩石和植物上。数日后幼虫——石蚕——孵出,均生活于淡水中,以藻类、植物或其他昆虫为食,食性依种而异。多数幼虫自行以沙粒、贝壳碎片或植物碎片筑成可拖带移动的巢壳。唇腺分泌丝质物质,用以将这些材料黏结成壳。巢壳通常管状,两端开口;覆盖幼虫的腹部,而其被甲的头部和胸部突出于巢壳之外。许多幼虫经过一个发育阶段后,将巢壳黏附于固体物质上,将其两端封闭,在其内部化蛹;另一些种类则单另建一个茧。蛹发育成熟后将巢壳或茧切穿或咬穿,游到水面完成变态,变为成虫。石蛾是淡水生态系统的重要组成部分。因能食去动物或植物的碎屑而有助于清洁水体。其幼虫及成虫又是许多淡水河溪湖泊鱼类的重要食物,特别是鳟鱼喜食石蛾,因此钓鱼者用作鱼饵的假蝇常做成石蛾的形状。

Caddo 卡多人 北美印第安部落联盟中一员,所操语言构成卡多语系。正统卡多人原住红河下游地区,相当于现在的路易斯安那州和阿肯色州。17世纪末,约有8 000人,村

路易斯安那卡多人的素烧红陶猫形碗
美国不列颠百科全书公司供图

落分布于红河及其支流两岸。这些地方也是卡多考古遗址的所在地,已发现大批引人注目的印第安工艺品。考古研究表明,卡多人的租佃制出现很早。18世纪期间法国和西班牙争夺卡多地区。起初这个部落与法国人友善,到18世纪末,白人移民已给卡多人带来种种压力,使其部落生活解体,许多人在自己土地上流浪。美国买下路易斯安那后,白人移民日增,卡多人被迫向南部迁移。1835年,卡多人与美国签订条约,将全部土地让给美国人。路易斯安那卡多人迁往西南与得克萨斯卡多人联合,一度生活平静,但在1859年因遭到白人屠杀的威胁,卡多人又逃往俄克拉何马,被安置在沃希河两岸的居留地。当首次为白人发现时,卡多人是半定居农民。住房圆锥形,木柱之上覆以茅草,环绕一中央高地上的神庙修建,神庙是举行典礼的中心。卡多人长于制陶、编筐。衣着以植物纤维织成,特殊场合还披斗篷,饰以羽毛。戴鼻环,文身。按照母系传代,有一个世袭的上层集团,其成员采用头部变形和其他权位标志以示与众不同,并指导各项政治和宗教活动。有一些零散报告,谈到卡多人有人祭和食人习惯。这些特点及其他一些特点,说明卡多人同墨西哥和尤卡坦高度发展的印第安文化中心颇有联系。

caddy 茶叶罐 存放茶叶的器具。caddy一词系马来语kati(意为一磅多重)的误写。最初指从中国输入英国的装茶叶的瓷罐。18世纪时制造了许多用银、铜、黄铜、锡镴和其他装饰性材料(例如龟板或嵌有象牙的木板)

1767～1768年的英国银制茶叶罐
美国不列颠百科全书公司供图

制成的茶叶罐。当18世纪80年代茶叶价格大幅度下跌时,出现了一种较大的茶叶容器,常用木料制作。木质茶叶罐为盒形,带铰链盖和扣钩,内装有盖的放茶隔格以及一两个盛糖和配茶用的玻璃钵。

Cade, Jack 凯德(?,爱尔兰～1450-07-12,英格兰苏塞克斯希恩菲尔德) 反对英格兰国王亨利六世统治的大叛乱(1450)的首领。叛乱虽遭镇压,但促使王权衰落,从而导致在约克与兰开斯特两大家族之间进行的玫瑰战争(1455～1485)。1449年被控谋杀一名妇女,逃往法国。1450年回国,定居肯特,化名J.艾尔默医生。1450年6月,肯特不胜高税和高价之苦的小业主发动叛乱,他成为他们的首领。他假装是流亡在爱尔兰的与亨利六世作对的约克公爵理查家族的人,化名为J.莫蒂默,发表宣言,要求撤掉国王的几名主要大臣,并召回理查。6月18日,他的队伍在肯特郡塞文欧克斯击败国王的军队。7月3日进入伦敦,处决财政大臣J.法因斯。但凯德的无法无天为伦敦人所不满,7月5～6日凯德被赶出城外。7月12日,他在苏塞克斯郡刘易斯附近负伤被俘,在押往伦敦的途中死去。

cadence 终止式 在音乐中,表示整首作品、乐段、乐句或半句结束的程式。终止式概念包含广泛认可的习惯,尤其是和声性习惯,给人以相对结束的感觉,相当于文学上的标点符号。随着17世纪功能和声的出现,终止式获得了以前从未想到的结构意义,尤其主调音乐,可以说是从一个终止式移到另一个终止式。从单纯和声角度看,终止式有3种基本类型:完全(最后)终止式、半终止式和假终止式。完全终止式又可分为正格终止(以属和弦作为倒数第二个和弦,解决到主和弦上)及变格终止(以下属和弦作为倒数第二个和弦,解决到主和弦上);只有正格完全终止能产生真正有决定意义的结束。半终止式出现在乐句或乐段的一半处,它只完成终止式的一半任务;因为它停在属和弦,而不是主和弦上,它不能使前面产生的和声紧张度全部松弛。实际上,正是原来主音和半终止间保有的紧张度为余下的乐句或乐段进一步提供了动力,直至它安顿在最后的主调终止式上。假终止式和半终止式相像,也是过渡性的;不过,假终止式中,属和弦之后用别的和弦来代替主和弦,最典型的是六和弦,亦称下中音和弦。其结果是,这种"欺骗"只是加强了要赶快返回主音的要求和用完全终止来加以肯定的愿望。在单声部音乐(如素歌)中,某些旋律公式就含有终止式。一种文化的旋律风格常常规定旋律所应有的最后一音以及如何到达它。

cadenza 华彩段 出现在乐章末尾处或接近末尾处的无伴奏华美段落。由演奏(唱)家充分发挥其技艺,形成辉煌的高潮。这在炫耀技巧的独奏协奏曲中最为突出。直到19世纪中,这种插入的乐段都由作曲家有意安排在适当时机让表演者即兴演出,不仅是炫耀表演技巧,而且也或多或少地展示其自发

的创造力与想象力。现代演奏家则用已写好的华彩段演奏，即使演奏古典的协奏曲也是如此，而现代协奏曲中的华彩段通常都由作曲家自己写出。参阅 **improvisation**。

cadi（Muslim judge） 参阅 **qadi** 卡迪。

Cadillac 卡迪拉克 美国下密歇根州西北部城市，韦克斯福德县县城（1869）。位于大急流城以北 156 千米处，濒临卡迪拉克和米切尔两湖。19 世纪 60 年代伐木工来此定居。1877 年设市。为休伦和马尼斯蒂国有森林总部所在地，是全年旅游胜地，以划船、捕鱼和冬季运动著称。现经济以轻工业、旅游业和农业为主。人口 10 104（1990）。

Cadillac, Antoine Laumet de La Mothe 卡迪亚克（1658-03-05，法国莱洛姆～1730-10-15，卡斯特尔萨拉桑） 法国军人、探险家、法属北美的行政官员、底特律城创建者（1701）、路易斯安那总督（1710～1716 或 1717）。1683 年前往加拿大。曾与易洛魁印第安人交战，任边防要塞麦基诺的司令官（1694～1697）。经法国国王路易十四批准，他建立了五大湖地区毛皮贸易站以及庞恰特雷恩堡（后称底特律）。1710 年调到新建法属殖民地路易斯安那。后被召回国，曾短期被关进巴士底狱。晚年隐居朗格多克。他的姓氏在美国通常读作卡迪拉克，美国密歇根州的卡迪拉克城、缅因州的卡迪拉克山，以及卡迪拉克牌轿车，皆以他的姓氏命名。

Cadiz 加的斯 菲律宾内格罗斯岛北部的直辖市和港口。北临米沙鄢海。为该岛五个直辖市之一及主要港口之一。全国大部分食糖在此生产并加工。有公路通岛上最大城市巴科洛德和其他沿海城市。1967 年设市。人口约 140 278（1989）。

Cádiz 加的斯 西班牙西南部安达卢西亚自治区省份。东南濒地中海，西临大西洋。1833 年设置。面积 7 385 平方千米（不包括摩洛哥沿岸的休达）。东部有佩尼贝蒂科山系的山嘴。中西部是瓜达莱特河和巴尔瓦特河及其支流流经的平原。沿海是汉达潟湖及许多盐池，成为该省重要工业基础之一。并有直布罗陀海峡和加的斯湾。伸入直布罗陀海峡的塔里法角（马罗基角）为欧洲大陆最南端海岬。该省由于气候温和、土壤肥沃，主要出产水果、葡萄、橄榄、雪利酒、软木、腌鱼和食盐。重要城市有加的斯（省会）、阿尔赫西拉斯、塔里法、赫雷斯-德拉弗龙特拉和罗塔等。铁路交通西部有塞维利亚至加的斯干线及桑卢卡尔-德巴拉梅达至赫雷斯和圣玛丽亚港支线。东部有塞维利亚至阿尔赫西拉斯干线。人口约 1 105 762（1996）。

Cádiz 加的斯 西班牙西南部安达卢西亚自治区加的斯省省会和主要海港。坐落在伸入加的斯湾的狭长半岛上。城围 9.5～11 千米，被海水包围，筑有城墙防卫。该城陆上出口只有一处。公元前 1100 年由腓尼基人创建。约公元前 501 年被迦太基人占据。第二次布匿战争后臣服罗马，城市不断繁荣起来，现仍有西班牙最古老且保存最完整的罗马歌剧院。5 世纪时该城被西哥特人焚毁。711 年后成为摩尔人的港口。1262 年被卡斯

加的斯市城貌，背景右侧为大教堂
美国不列颠百科全书公司供图

蒂利亚国王阿方索十世收复并重建。1492 年发现新大陆后，成为赴美洲船队的基地。1812 年 3 月西班牙议会在此颁布宪法。西属美洲殖民地的丧失使该市对外贸易一蹶不振。1898 年美西战争失利以及港口设备的陈旧更加速其衰落。1936～1939 年西班牙内战期间，被佛朗哥军队控制。1947 年一海军武器仓库爆炸，城市严重受损。现主要为商业港口，出口葡萄酒、盐、橄榄等。进口煤、铁、机械、木材等。工业发展有限。生产军舰和商船。近海有金枪鱼渔场。附近有一军用机场及西班牙—美国空军基地。著名建筑有阿方索十世 1252～1284 年所建大教堂（1596 重建）、巴罗克式教堂（1722～1838 年建，葬有著名作曲家 M. de 法里雅）、几座城堡、博物馆及一座信号塔。人口约 133 363（2001）。

Cádiz, Bay of 加的斯湾 北大西洋加的斯湾内的小海湾，位于西班牙西南部加的斯省海岸，长 11 千米，宽 8 千米。接纳瓜达莱特河。湾内有莱昂岛，加的斯港即位于此岛。其他重要海港有圣弗尔南多港、雷亚尔港、圣玛丽亚港和罗塔港。湾内港口都是商业中心，远洋轮船大都停靠加的斯港。从近海捕来的鱼类，用当地所产的海盐腌制后出口。罗塔港是西班牙—美国的空军和海军基地，圣费尔南多港是海军兵站，拉卡拉卡有军用船坞。

Cádiz, Gulf of 加的斯湾 西班牙语及葡萄牙语为 Golfo de Cadiz。伊比利亚半岛西南大西洋沿岸宽阔的海湾，长约 320 千米，从葡萄牙的圣维森特角延伸至直布罗陀海峡。加的斯湾在葡萄牙的一段为朝南面向港湾的阿尔加维地区，此处海湾沿岸有险峻的地岬和高耸的悬崖，其间有海滩、小河河口和无数村落。西班牙海岸，最常见的地形是岸边沙丘后面的大片沼泽地，有的延伸至内陆达 50 千米。沼泽地中有潮汐水道，最大的是瓜迪亚纳、廷托-奥迭尔、瓜达尔基维尔和瓜达莱特诸河流。这一带有许多盐场和少数居民点，其中包括加的斯市。该市濒临加的斯小海湾，此小海湾流入加的斯湾。再向南，从特拉法尔加角到直布罗陀海峡之间沿海一带地形是岩石与沙滩交错。

Cadman, Charles Wakefield 卡德曼（1881-12-24，美国宾夕法尼亚约翰斯顿～1946-12-30，加利福尼亚洛杉矶） 美国最早对印第安音乐与民间传说发生兴趣的作曲家之一。13 岁时已在学习钢琴和管风琴。约 19 岁结识 N.R. 埃伯哈特，他的歌曲的歌词和歌剧台本大多出自埃伯哈特笔下。20 来岁时曾担任过多种职务，并竭尽全力学习音乐。1908～1910 年任《匹兹堡消息报》音乐评论员。一次对奥马哈印第安人居留地的访问加强了他早年对印第安音乐的兴趣。他为印第安音乐作了录音，1909～1923 年间与印第安歌唱家 T. 雷德费瑟联袂在欧、美两洲举行讲学演唱会。1917 年起定居加利福尼亚，1924 年获南加利福尼亚大学音乐博士学位。所作歌曲《黎明时刻》（1906）和《来自天蓝色水域之乡》（1908）风靡一时。1918 年创作的歌剧《沙内威丝》（又称《罗宾妇女》）是第一部在纽约市大都会歌剧院连演两季的美国歌剧。其他作品还有歌剧康塔塔《夕阳余辉》（1925），歌剧《塞勒姆的女巫》（1926）和《柳树》（1931，这是美国第一部广播歌剧），弦乐曲《美国组曲》，钢琴曲《雷鸟组曲》，以及康塔塔《郎佛尔爵士的幽灵》。

cadmium 镉（Cd） 化学元素，周期表Ⅱb 族锌族的金属。银白色，可高度抛光，几乎和锡一样软，弯曲时和锡一样发出响声，并可滚轧成薄片。镉的熔点和沸点均较低，蒸气呈深黄色，为单原子气体。镉在干燥空气中可经久不变，而在潮湿空气中则形成氧化物覆盖层，加热时燃烧发出红色火焰，易溶于无机酸中。人体吸入镉蒸气或粉尘会中毒。1817 年德国化学家 F. 施特罗迈尔在碳酸锌试样中发现了镉。同年 K.S.L. 赫尔曼和 J.C.H. 洛罗夫在氧化锌样品中也发现了镉。当时人们怀疑这两种作为医药用的锌的化合物的纯

度,因而进行分析检验。镉为稀有元素(在地壳的每吨物质中约含 0.2 克镉),存在于少数矿物中并少量存在于其他矿石特别是锌矿石中。镉是作为副产品从这些矿石中生产的。大部分镉是从烧结锌精矿时排出的烟气中、铅鼓风炉排出的灰尘中以及锌电解精炼时产生的各种废渣中回收的。生产的镉大部分被电镀在钢、铁、铜、黄铜及其他合金上,以保护这些金属免受腐蚀,镉镀层很耐碱腐蚀。有些镉用作可充电蓄电池的阳极材料,而镍或银的氧化物用作阴极材料。镉可与许多重金属结合形成合金,其中最重要的有轴承合金和用于软钎焊及硬钎焊的低熔点合金。由于镉能有效地吸收热中子,已用于某些核反应堆的控制棒中。天然镉是 8 种同位素的混合物:镉 106(1.2%)、镉 108(0.9%)、镉 110(12.4%)、镉 111(12.8%)、镉 112(24.0%)、镉 113(12.3%)、镉 114(28.8%)和镉 116(7.6%)。在化合物中,镉几乎只呈 +2氧化态。Cd^{2+} 离子能形成若干稳定的络离子,特别是卤络合物。将金属镉溶于熔融的卤化镉(Ⅱ)中,可制得一些 +1价氧化态的化合物。生成的双原子镉(Ⅰ)离子 Cd_2^{2+} 在水中不稳定,立即歧化为金属镉和 Cd^{2+}。镉的最重要的化合物是氧化镉(CdO)。镉蒸气在空气中燃烧时生成棕色粉末状氧化镉。氧化镉是生产大多数其他镉盐的一种很方便的原料。硫化镉(CdS)是具有某些经济价值的另一化合物。通常由一可溶性的硫化物处理镉盐溶液而制得,它是一种叫做镉黄的亮黄色颜料,由于它颜色稳定,又能抗硫耐氧化,因而用作高级油漆和绘画颜料。另一值得注意的化合物是硒化镉,通常可由硒化氢或碱性硒化物从镉盐溶液中沉淀出来。改变沉淀条件可以产生从黄到亮红的各种稳定的颜色。硒化镉本身或与硫化镉的混合物均已广泛地用作高级黄色和红色颜料。镉原子序数 48。原子量 112.40。熔点 321 °C。沸点 765 °C。比重8.65(20°C)。化合价 +2。电子组态 2,8,18,18,2 或(Kr)$4d^{10}5s^2$。

cadmium poisoning 镉中毒 镉或其化合物对身体组织或功能产生毒性效应的现象。食用在镀镉器皿中烹调的酸性食物或饮料(如盛在镀镉罐头中的柠檬汁)可导致镉中毒。通常在进食后 15 分钟内出现恶心、呕吐、腹泻和虚脱,24 小时内消退。工业生产中吸入镉烟尘气可引起十分严重的、致命的急性肺部炎症。吸入性慢性中毒可致失嗅、咳嗽、呼吸困难、体重减轻及肝、肾的损伤。治疗方法通常是口服依地酸钙。

Cadmus 卡德摩斯 希腊神话中福尼克斯或阿革诺耳(腓尼基国王)的儿子、欧罗巴的兄弟。诸神之王宙斯劫走欧罗巴后,卡德摩斯奉命外出寻找未果。后来在德尔斐神庙奉神谕放弃搜寻,跟随一头母牛,并在它卧倒之地建立一座城。母牛把他带到比奥蒂亚(母牛之地),他便在这里建立了第比斯城。后来卡德摩斯把他杀死的一头龙的牙齿种到地里,产生出一批凶悍的武士,叫斯巴提(意为播种出来的人)。其中 5 个人帮助他建立了第比斯的卡德美亚,即城堡,于是成为这一城

卡德摩斯

纽约市立图书馆供图

市最显贵家族的始祖。卡德摩斯后来娶哈耳摩尼亚(阿瑞斯和阿佛洛狄忒的女儿)为妻,生子波吕多洛斯和 4 个女儿伊诺、奥托诺耶、阿加维和塞墨勒。卡德摩斯和哈耳摩尼亚最后退隐于伊利里亚。但当伊利里亚人触怒诸神并受到惩罚时,卡德摩斯和哈耳摩尼亚却得救了,他们被宙斯变成黑色的毒蛇并被送到福岛上去。据传说,字母是由他传入希腊的。

Cadogan, William Cadogan, 1st Earl 卡多根(1672,爱尔兰米斯郡利斯卡顿~1726-07-17,伦敦附近肯辛顿) 英国军人,杰出的参谋军官。第一代马尔伯勒公爵的朋友和可靠同事,因而在政治上颇有影响。律师之子。1690 年开始戎马生涯。1702 年在 1701 ~ 1714 年的西班牙王位继承战争中的反法联军司令马尔伯勒麾下当军需总监。在巴伐利亚

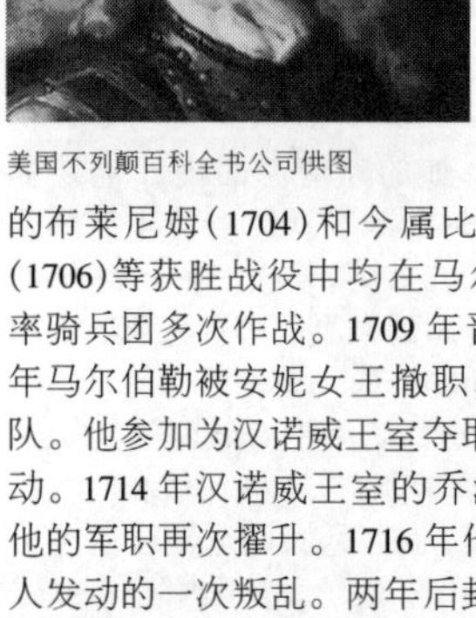

美国不列颠百科全书公司供图

的布莱尼姆(1704)和今属比利时的拉米伊(1706)等获胜战役中均在马尔伯勒左右,并率骑兵团多次作战。1709 年晋升中将。1711 年马尔伯勒被安妮女王撤职,卡多根退出军队。他参加为汉诺威王室夺取王位的阴谋活动。1714 年汉诺威王室的乔治一世即位后,他的军职再次擢升。1716 年他粉碎詹姆斯党人发动的一次叛乱。两年后封伯爵。后由于遭到反对派的攻击而失势。

Cadore, Jean-Baptiste Nompère de Champagny, duc de (duke of) **卡多尔公爵** 参阅 **Champagny, Jean-Baptiste Nompère de** 尚帕尼。

Cadorna, Luigi 卡多尔纳(1850-09-04,撒丁王国皮埃蒙特帕兰扎[意大利]~ 1928-12-21,意大利博尔迪盖雷) 意大利将军,在第一次世界大战最初 30 个月任总参谋长。他的军事生涯既有光辉的胜利也有惨重的失败。1916 年春在特伦蒂诺战役中挫败奥地利的进攻,1916 年 8 月攻占戈里齐亚,1917 年在巴恩塞札取得胜利。他因意军在卡波雷托的败绩而被撤去总参谋长的职务,但仍于 1924 年晋升陆军元帅。

caduceus 节杖 特指希腊神话中诸神的使者赫耳墨斯所持象征和平的短杖。后来希腊人和罗马人以此杖为使者的标志,以示他们不可侵犯。它最初可能是末梢分为两叉的橄

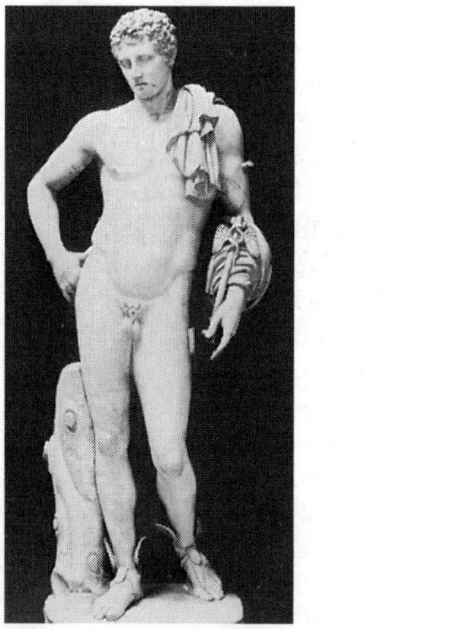

持节杖的赫耳墨斯,约公元 1 世纪的罗马复制品

美国不列颠百科全书公司供图

榄枝,饰以花环或缎带。后来人们解释说,花环代表两蛇相背而缠且互相面对;蛇上方还附加两个翅膀,象征赫耳墨斯的速度。

Cadwalader (early Welsh and West Saxon kings) 参阅 **Cadwallon** 卡德沃朗;**Caedwalla** 卡德沃拉。

Cadwallon 卡德沃朗(?~ 633) 又拼 Caedwalla 或 Cadwalader。圭内斯(在今北威尔士)的不列颠国王。曾同麦西亚国王彭达于 632 年入侵诺森布里亚,在作战中杀死该国国王埃德温,并大肆劫掠。一年后被渥斯沃尔德战败,并被杀死,后者成为诺森布里亚国王。

caecilian 蚓螈 裸蛇目(蚓螈目[Gymnophiona],前作无足目[Apoda])约 150 种两栖动物的统称。穴居或于水中游泳,常隐伏,分布于西半球(从墨西哥至阿根廷北部)以及非洲、东南亚和塞舌尔群岛。体长,四肢及腰带已退化。特征为全身体表有许多体环,体长 10~150厘米,直径最大为5厘米。颜色从

蚓螈
美国不列颠百科全书公司供图

浅黑到粉红棕色不等。眼小,隐于皮下乃至骨下。眼与鼻孔之间有一化学感受触须。雌雄外观相似,雄性具可插入雌性体内进行体内授精的交配器。较原始的种类产卵后由雌性护卵,幼体孵出后能自由生活。其他种类亦产卵,但非直接发育。许多种类为胎生,母体输卵管向胚胎供应营养,小蚓螈发育成熟后出生。蚓螈生活在地下,以蠕虫和昆虫为食,而蛇又常以它们为食。

Caecilius OF CALACTE **凯基利乌斯(卡拉克特的)**(活动时期1世纪,生于西西里卡拉克特) 希腊修辞学家,奥古斯都时期最主要的文献校勘家和修辞学家之一。现仅存凯基利乌斯的作品的片段,其中可提及的是:《论十位演说家的风格》、《论崇高》(本文曾受到所谓朗吉努斯的更为有名的同名作品的抨击)、《奴隶战争史》(或西西里的奴隶起义史)、《论修辞和修辞手段》、《按字母顺序排列的短语选》(本书为阿提卡语词典)、《反对弗里吉亚派》(这可能是对亚洲修辞学派华丽的文体的抨击)。

Caecilius, Statius 凯基利乌斯(约公元前219～前166,罗马) 罗马喜剧诗人。文学评论家V.塞狄吉图斯把他列为所有罗马喜剧作家之首。生平不详,只知诗人贺拉斯曾称颂过他,说他是一位具有巨大道德力量的作家,他赞美并模仿过希腊剧作家米南德。他的著作不及他的前辈普劳图斯的作品那样生动,也不如他同时代的青年泰伦提乌斯的作品那样精雕细琢。他的喜剧作品仅存42个剧名和280行诗。

Caecina Alienus, Aulus 凯基纳·阿列安努斯(?,威尼斯维塞蒂亚～公元79) 罗马将军。公元69年内战期间,他在拥立维特利乌斯和韦斯巴芗为帝国统治者的活动中起过决定性作用。公元68年,作为西班牙地区的度支官,他支持近西班牙总督加尔巴举兵反叛尼禄皇帝。在加尔巴被拥立为罗马皇帝(公元68-06～公元69-01在位)后,凯基纳出任上日耳曼地区副总督,直到加尔巴以贪污公款罪谴责他。为此,他去投奔已被上日耳曼和下日耳曼地区的军队宣布为皇帝的维特利乌斯。加尔巴被效忠奥托的军队杀死,奥托遂成为罗马皇帝。但是凯基纳于4月16日在克雷莫纳附近击溃了奥托的军队,结束了奥托的统治。维特利乌斯成为唯一的皇帝后,任命凯基纳为执政官,可是凯基纳很快就出卖了他。公元69年10月维特利乌斯在克雷莫纳败北。两个月后,韦斯巴芗称帝。皇帝授予凯基纳许多荣誉,但是并不重用他。公元79年,韦斯巴芗之子提图斯以叛逆罪将凯基纳处决。

caecum (anatomy) 参阅 **cecum** 盲肠。

Caecus, Appius Claudius 参阅**Claudius Caecus, Appius** 克劳狄(失明的)。

Caedmon 凯德蒙(活动时期658～680) 第一个古英语基督教诗人,所作有关创世的颂歌的残稿,是运用盎格鲁-撒克逊贵族英雄诗的传统去表述基督教主题的代表作。他的事迹见比德所著《英国人民宗教史》一书。该书叙说凯德蒙原系不识字的牧人;一夜参加宴会,因主人要求每个客人唱歌,他未能应命,感到羞愧而退席。入睡后,梦一陌生人,命他咏唱《万物之始》,牧人随即唱出"他从未听到过的歌词"。凯德蒙醒后将梦景报告农场管家,管家把他带到斯特利内沙奇(今惠特比)的隐修院。女院长圣希尔达相信凯德蒙系得自天授,为试其才力,便叫他把修士们所讲述的圣史的一部分演为诗歌。翌晨,他即完成任务。女院长将他留在隐修院。在此后的岁月中,学识渊博的教友口授《圣经》,他便将所闻编为方言诗篇。他的全部诗作都以宗教为主题,旨在劝人弃恶从善。但除9行仅具史料价值而无真正诗意的梦中颂歌可认为出于凯德蒙之口外,其余诗句可能全系托名之作。其诗现存17种手抄本,其中一些是用诗人家乡的诺森伯里亚方言、另一些则是用其他古英格兰方言写成,它们确立了几乎整个盎格鲁-撒克逊诗歌技巧的形式。

Caedmon manuscript 《凯德蒙手稿》 又称《朱尼厄斯手稿》。古英语《圣经》释义,约抄于1000年,1651年由大主教阿马的厄谢尔交给学者朱尼厄斯,现藏于牛津大学的博德利图书馆。该手稿包括《创世记》、《出埃及记》、《但以理书》,以及《基督与撒旦》等诗篇。它们原先被认为是凯德蒙(**Caedmon**)所作,因为题材与比德在《英国人民宗教史》中认为由凯德蒙译成方言诗的作品大致相符。全部作品称为"凯德蒙释义",于1655年首次出版。后来的研究认为把它归属于凯德蒙十分可疑,因为这些诗篇似乎写于不同时期,作者也不只一人。《创世记》一诗包含2 936行。前234行写天使的堕落和创世的部分故事;第235～851行继续写天使的堕落及人的堕落。《出埃及记》是一首590行的不完整的诗,被认为早于《创世记》和《但以理书》,写以色列人的出逃。《但以理书》是一首764行的不完整的诗,是一本紧扣拉丁文本《但以理书》的学术著作,远不如《出埃及记》的诗优美。《基督与撒旦》729行,包含堕落的天使的悲哀,写地狱的折磨和撒旦对基督的诱惑。该手稿中还有图画。

Caedwalla (Welsh king) 参阅 **Cadwallon** 卡德沃朗。

Caedwalla 卡德沃拉(约659～689-04-20) 又拼 Cadwalader。西撒克逊(或韦塞克斯)国王(685年起)。塞瓦林国王的曾孙。青年时代被赶出韦塞克斯,过着亡命生活,685年开始袭击苏塞克斯。同年获得韦塞克斯王位,又入侵苏塞克斯,然后进攻肯特与怀特岛。689年逊位,前往罗马接受洗礼(689-04-10),死后葬在圣彼得教堂。

Caelius Aurelianus 塞利乌斯·奥雷利安努斯(活动时期5世纪,努米底亚沃内里亚锡卡[今在阿尔及利亚]) 西罗马帝国最后一位医学作家。常被认为是加伦以后最伟大的希腊-罗马医师,是仅次于塞尔苏斯的拉丁医学作家。可能曾在罗马开业及授徒。其最著名的作品《关于急性及慢性疾病》对经典医学知识作了透彻的解说。虽然他的著作大都继承了公元2世纪方法医学派领导人以弗所的索拉努斯的学术思想,但在古代医学作家中他的诊断最清楚最准确。他的学说强调用饮食、物理及卫生的方法治疗疾病。

Caelius Rufus, Marcus 凯利乌斯·鲁富斯(公元前82-05,坎帕尼亚普特奥利[意大利]～前48,布鲁蒂乌姆图里) 罗马政治家,西塞罗的密友。在西塞罗和克拉苏的指导下接受教育。公元前52年任保民官。公元前49年内战期间,支持凯撒反对庞培,先后在意大利西北部和西班牙作战。公元前48年,被授予"涉外诉讼审判官"的职位。但是,由于与城市执政官盖约·特雷博尼乌斯发生激烈争吵,以及采取等于全部取消债务的措施,元老院解除了他的职务。他离开罗马参加米洛反对凯撒的暴动,结果他和米洛两人都被杀死。

Caemgen, SAINT 参阅 **Kevin, Saint** 凯文,圣。

Caen 卡昂 法国西北部下诺曼底大区卡尔瓦多斯省城市和省会。位于勒阿弗尔西南,临奥恩河,距离英吉利海峡14千米。10～11世纪在诺曼公爵统治下地位重要起来,是征服者威廉在位时期的下诺曼底都城。1685年南特敕令废除后衰落。法国大革命期间是吉伦特党人的活动中心。1944年盟军在诺曼底

卡昂市的圣皮埃尔教堂
美国国会图书馆供图

登陆后，德国人把此地作为阻止英国一加拿大军进军的防线。战后经重建，奥恩河和河港运河之间建起工业区。市西南为圣吉尔大草原。市中心有公共花园。1432 年英王亨利六世所建的大学于 1957 年重觅校址重新开学。名胜古迹有圣艾蒂安和三一教堂（11 世纪 60 年代），均为诺曼罗马式建筑，未遭到战争破坏；17 世纪重修的隐修院现为市政办公室；诗人 F.马莱伯 1555 年出生的故居在圣皮埃尔路。19 世纪通运河以来，一直是一重要港口。主要进口焦炭，出口钢。当地钢铁工业靠奥恩河谷铁矿提供原料。工业发展迅速，建有汽车厂、电器设备厂和电子器件厂。卡昂位于粮食产区的中心，是整个西诺曼底地区的主要服务中心。人口 113 987（1999）。

Caeneus　凯涅厄斯　希腊神话中拉庇泰人以拉图斯的儿子。拉庇泰人的国王庇里托俄斯结婚时，参加婚礼的半人半马怪们恣意妄为，侮辱新娘和其他妇女。凯涅厄斯参加了随即发生的恶战。由于凯涅厄斯的身体刀枪不入，他杀死了五个半人半马怪。剩下的半人半马怪联合起来与凯涅厄斯厮打，把巨大的松树堆到他身上，直到那越堆越多的松树把他压入地下，他再也没有上来。这场惨烈的战斗成为希腊艺术作品中受人喜爱的题材。后来的一个故事解释说，凯涅厄斯原来是一个女孩子，名叫开尼斯，她屈从于海神波塞冬，而作为回报，她取得了男性和刀枪不入的本领。

Caerdydd（Wales）　参阅 **Cardiff** 加的夫。

Caere　塞雷　今称切尔韦泰里。伊特鲁里亚的古城，位于罗马城西北约 50 千米。英语 ceremony（意为“典礼”）一词即源出于拉丁文 caeremonium（意为“塞雷礼仪法”）。这反映出

塞雷出土的公元前 7 世纪的金质扣衣针
美国不列颠百科全书公司供图

伊特拉斯坎人崇信占卜的习俗。塞雷有皮尔港口，从而成为伊特拉斯坎人的重要贸易中心。公元前 253 年塞雷与罗马交战失败，部分土地并入罗马国，但公民有选举权（史称塞雷人的权利）。

Caerffili（Wales）　参阅 **Caerphilly** 卡菲利。

Caerfyrddin（Wales）　参阅 **Carmarthen** 卡马森。

Caergybi（Wales）　参阅 **Holyhead** 霍利里德。

Caerleon　卡利恩　威尔士纽波特郡级市城镇、考古场地和市郊居民区。属蒙茅思历史郡。濒阿斯克河。是纽波特的郊区住宅区。原为罗马的伊斯卡要塞，曾是罗马军团在英国驻扎地。要塞建于公元 74 ～ 75 年。据说是传说中的亚瑟国王驻地。“诺曼征服”（1066）前，是威尔士公国的首都。中世纪为自治市，沿海贸易繁荣，后来纽波特港取代该城成为沿海贸易中心。人口 8 931（1991）。

Caernarvon　卡那封　又拼 Carnarvon 或 Caernarfon。威尔士圭内斯郡城镇。属卡那封历史郡。靠近梅奈海峡西端，与安格尔西岛隔海相望。约于公元75年罗马人建立的塞

卡那封城堡
美国不列颠百科全书公司供图

冈蒂翁要塞，在现城镇东南的矮山上。约 5 世纪时，建立凯尔特人教堂。1282 ～ 1283 年英国国王爱德华一世征服威尔士后，在此建大堡垒、城墙和街道。1284 年爱德华一世授特许状定该城为北威尔士首府。同年，其子威尔士亲王，即爱德华二世出生于此。古堡和城墙都保存良好，吸引众多游客。现城市范围已扩大到城墙以外的广大地区。19 世纪时曾是重要的石板外运小港。为圭内斯郡行政中心和卡那封历史郡首府。人口 9 695（1991）。

Caernarvonshire　卡那封郡　又拼 Carnarvonshire，又作 Caernarvon 或 Carnarvon，威尔士语作 Caernarfon。威尔士西北部一历史郡。北临爱尔兰海，东接登比郡，南连梅里昂尼德郡和卡迪根湾，西以卡那封湾和梅奈海峡为界。梅奈海峡将卡那封郡与安格尔西岛分隔开。郡总面积为1 473平方千米。1974 年重新划分行政区域时，卡那封郡并入新建的大郡圭内斯，位于该郡北部。卡那封郡地区最早有人类居住是在新石器时代（约公元前 2000 年）。在公元前 1500 年前后，宽口陶器人进入该地区。有些遗迹表明，青铜器时代，地中海、爱尔兰和北欧之间的贸易要道经由此地。约公元前 500 ～前 300 年间，凯尔特的商人和移民来到；在罗马人入侵时期（约公元 61 年），凯尔特人的一支（奥陶人）居住于此。

罗马人完全征服该地区是在公元 71 ～ 78 年，当时在康韦附近的卡诺维乌姆（即卡尔胡恩）和塞贡蒂乌姆（即卡那封）筑造了附属于德瓦（即切斯特）的要塞。该地区还有许多 6 世纪前后的基督教遗址。中世纪早期，此地分为 3 个区，即阿莱奇维德、阿丰和利恩，内有 100 个城镇，城镇下又分为许多村社。这几个区后来成为由阿伯弗劳亲王和斯诺登勋爵统治的圭内斯封邑的一部分，这个封邑的西面有斯诺登山岭作天然屏障。英格兰的爱德华一世于 1282 ～ 1283 年征服威尔士后，并吞了圭内斯末代诸侯卢埃林的公国，将其归入英格兰的版图，并将此公国划分为 3 个郡，卡那封便是其中之一。爱德华一世在卡那封和康韦构筑碉堡，并设置一些英格兰自治市，授与在克里基厄斯的威尔士古堡附近的本地居民点以自治市的地位。1400 ～ 1415 年由欧文·格伦道尔率领的起义对该地发生了重大影响。拥有土地的家族（多数为威尔士人）的兴起从根本上改变了该郡的经济面貌，15 世纪末达到了顶点。这些家族在卡那封郡处于统治地位，直到 19 世纪中叶。18 世纪末和 19 世纪，是宗教复兴和工业革命时期。拥有出产石板和花岗岩的土地的人们开办了采石场，于是以采石为业的村庄纷纷出现，各处港口繁荣起来。同时，特别是 1848 年从班戈到切斯特的铁路开通后，该郡成为著名的旅游区。北部沿海建了许多海滨游乐场，兰迪德诺最为闻名。还在贝图瑟科伊德、兰贝斯里和贝德盖勒特等内陆城镇设立了旅游点。许多世纪以来，该郡居民大都沿用威尔士语言文字，处在离交通路线和旅游地点较远地区的居民尤其如此。

Caerphilly　卡菲利　威尔士语作 Caerffili。威尔士卡菲利郡级市要塞。属格拉摩根历史郡。1270 年尚未完工的城堡被威尔士王子卢埃林所毁，1271 年开始重建，14 世纪扩建。城堡占地 12 公顷，规模仅次于温莎宫，是英国第二大城堡。城堡有护城河环绕。英国内

卡菲利城堡
美国不列颠百科全书公司供图

战时，被英国议会军所破坏，现仅残留一塔。1949 年比特侯爵将古堡遗址捐赠给王室。19 世纪卡菲利成为一矿区镇，又是当地奶酪业（现已停业）的中心。1945 年后城市新建了一些轻工业。现为活跃的购物中心，是加的夫市的郊外住宅区。人口 28 481（1991）。

Caesalpiniaceae　云实科　又译苏木科或皂荚科。豆目的一科，乔木、灌木，稀为草本，有

很多热带种。其中决明属(*Cassia*)最大,500种以上,以西半球最丰富。1～2回羽状复叶。荚果。

Caesalpinus, Andreas (Italian scientist) 参阅 **Cesalpino, Andrea** 切萨尔皮诺。

Caesar, Crispus 凯撒 参阅**Crispus Caesar** 克里斯普斯·凯撒。

Caesar, Drusus 凯撒 参阅**Drusus Caesar** 德鲁苏斯·凯撒。

Caesar, Gaius 凯撒(公元前20～公元4-02-21) 罗马皇帝奥古斯都(公元前27～公元14在位)的外孙。他是奥古斯都最亲密的僚属阿格里帕和奥古斯都的女儿尤莉娅的长子。公元前17年,他被奥古斯都收为义子。公元前1年,他以总督衔前往亚美尼亚,处理遭到安息人入侵的该地区的事务。他扶植起一个亲罗马的亚美尼亚国王,但公元2年在试图平息该地区的一次叛乱时受了重伤,最终死于返回意大利的途中。盖尤斯·凯撒的夭折迫使奥古斯都不得不立提比略为义子,并宣布提比略为自己的继承人。

Caesar, Germanicus 凯撒 参阅**Germanicus Caesar** 格马尼库斯·凯撒。

Caesar, Julius 凯撒(公元前100-07-12或13?,罗马[意大利]～前44-03-15,罗马) 全名盖尤斯·尤利乌斯·凯撒。罗马将军、独裁者、政治家,他决定性地、无可逆转地改变了

美国不列颠百科全书公司供图

希腊-罗马世界的历史进程。希腊-罗马社会久已消亡,因此它的许多伟大人物的名字对于一般受过教育的现代人来说没有多大意义。但是凯撒的名字如同亚历山大的名字一样,仍在基督教和伊斯兰教世界的人民中流传。甚至对于凯撒作为一个历史人物毫无所知的人们也知道,他的姓是代表一个在某种意义上唯一至高无上或凌驾一切的统治者的称号——如德语中的Kaiser,斯拉夫语中的tsar和伊斯兰教世界诸语言中的qayṣar。凯撒的族姓尤利乌斯在基督教世界中也是人们熟知的:因为凯撒在世时,为向他表示敬意,他出生的那个罗马月Quintilis,改名为July。这个名称如同凯撒对历法的改革一样,一直存在下来。旧的罗马历法不精确,而且是为了政治目的而安排的。凯撒的历法(儒略历)在信奉基督教东正教的国家中至今犹部分使用;而今天在西方使用的格雷果里历就是经过教皇格列高利十三世稍加修改的儒略历。

家庭背景和事业 凯撒的尤利乌斯家族是罗马最早的贵族。它于公元前4世纪和一些主要的平民家族联合,组成了一个贵族阶层,从此成为罗马的统治阶级。到了凯撒时期,幸存的贵族家族已寥寥无几,而在尤利乌斯家族中,凯撒家似乎是唯一幸存的家族。虽然有些最有权势的贵族家庭是罗马贵族,但贵族血统在政治上已不再是有利条件。实际上,它是一种障碍,因为一个贵族不得担任起宪法作用但却有权势的保民官职务。尤利乌斯·凯撒家族的世系可以追溯到维纳斯女神,但这个家族并不势利,思想也不保守。而且它也不富有,没有势力,甚至也不出名。

一个罗马贵族要想为自己和家族赢得荣誉,必须通过选举担任一系列公职,最终担任执政官,接着可能担任监察官。这个职务甚至对于最干练、最有天赋的贵族来说,也是一项艰巨的任务,除非他有雄厚的家族财富和权势作为后盾。在第二次布匿战争(公元前218～前201)中,罗马战胜了迦太基,使它成为地中海地区的不可匹敌的强国;一个有权势的罗马贵族家庭的受庇护者(作为报答,他们给其庇护者以政治支持)除了众多的个人外,还可能包括国王,甚至整个民族。在凯撒时期,一桩罗马政治事业的需求和费用是很高的,竞争是激烈的;但是可能获得的利益则是特别巨大的。担任地方长官和执政官的特权所得之一就是对一个行省的统治,这提供了进行掠夺的充分机会。事实上,整个地中海世界都在罗马贵族和一个新兴的罗马商人阶层的控制之下。后者是有特权的骑士阶级,他们依靠军事合同和承包税收致富。

军事上的人力资源是由罗马农民提供的。这个阶级在第二次布匿战争造成的破坏随即引起的一场经济革命中遭到了部分剥夺,因此罗马统治阶级在国内外遭到痛恨,威信扫地。从公元前133年起,一系列革命的与反革命的爆发性事变交替发生。事实很明显,罗马贵族对罗马国家和希腊-罗马世界的统治失误不应无限期地持续下去。显而易见,最可能的代替方案是实行军事独裁,由已转为长期服兵役的被剥夺土地的意大利农民给予支持。因此,罗马贵族成员之间为了官职和官职的好处进行的传统竞争可能变成一场为夺取专制权力而进行的激烈竞争。凯撒家族似乎没有参加竞争。塞克斯图斯·凯撒(可能是独裁者的叔父)曾是公元前91年的执政官之一。曾任公元前90年的执政官之一的卢西乌斯·凯撒是远房亲戚,他的儿子和同名者曾在公元前64年任执政官。在公元前90年,罗马的意大利同盟者们已经退出罗马,因为罗马政府顽固地拒绝给予他们罗马公民身份。卢西乌斯·凯撒作为执政官通过紧急立法,给予所有未曾拿起武器进行反叛或重新表示效忠的意大利结盟各国的公民们以罗马公民身份。

不论谁在这危急的一年担任执政官,也不论他的个人政治偏爱如何,都必须提出这种立法。然而有证据表明,凯撒家族虽是古罗马贵族,却已表明他们一心效忠于反贵族的党派。这个未来的独裁者的一位姑母和盖尤斯·马里乌斯结了婚。后者是靠个人奋斗而成功的人,他靠自己的军事才能努力达到最高阶层并且实行了从被剥夺土地的农民中召募军队的重大改革措施。

独裁者凯撒的诞生日长期引起争论。出生日是7月12或13日,传统的(也许最可能的)出生年是公元前100年。但如果这个日期是正确的,那么凯撒必然在他达到法定最低年龄前两年担任他的各项职务。他的父亲盖尤斯·凯撒在凯撒只有16岁时去世,他的母亲奥莱莉娅是一个著名的女人,看来他肯定深受她的影响。

尽管凯撒的家境并不富裕,但他似乎把投身政治当做理所当然的事情。从一开始,他也许以赢得官职作为自己的目标,但不只是为了荣誉,而且是为了取得权力,以便按照他自己的理想使治理不善的罗马国家和希腊-罗马世界建立更好的统治秩序。凯撒直到他于公元前49年横渡鲁比孔河以后不可能有意寻求君主权力,虽然他有足够权力来强制执行自己的意愿如他决心要做的那样,证明这就意味着君主权力。

公元前84年,凯撒和科尔涅莉娅结婚,公然表明自己决心站在激进派方面。科尔涅莉娅是卢西乌斯·L.C.秦那的女儿。秦那是贵族,在革命中和马里乌斯结成伙伴。公元前83年,卢西乌斯·苏拉从东方回到意大利,领导了公元前83～前82年取得胜利的反革命行动。苏拉于是命令凯撒和科尔涅莉娅离婚。凯撒予以拒绝,事情发展到几乎不但要失去他现有的财产(事实也是如此)而且还要丧命的地步。他感到最好的办法是自己离开意大利去担任军职,先在亚洲行省,然后在西利西亚。

公元前78年苏拉死后,他回到罗马。按照常规,开始了他的政治生涯。担任检察官——就他的情况而言,当然是反对著名的苏拉反革命派成员。他的第一个目标是格纳厄斯·多拉贝拉,他由当时最著名的律师昆图斯·霍滕修斯为之辩护,后被完全由元老们组成的勒索罪法庭的陪审团无罪开释。

凯撒后到罗得岛向一位著名的教授莫隆学习演讲术。途中,他被海盗擒获(罗马贵族听任地中海世界陷于无政府状态的征状之一)。凯撒筹措了赎金,召集了一支海军部队,捉拿了他的捕获者,并将他们钉死在十字架上——所有这些都是作为一个不担任任何公职的个人采取的行动。公元前74年,本都国王米特拉达梯六世重新对罗马开战,凯撒征募了一支私人军队前往迎战。在离开罗马期间,他当选为最高祭司团成员。还师罗马后,他又被选为军事保民官。凯撒这时和格纳厄斯·庞培合作,共同努力废除苏拉的宪法。庞培在其事业开始时任苏拉的副手,但从苏拉死后便改变了立场。公元前69或前68年,凯撒当选为度支官(这是罗马政治官阶的第一级)。同年,他的妻子科尔涅莉娅和他的姑母,马里乌斯的遗孀朱莉亚先后去世。

他在葬礼上公开发表的悼念演说中，借机颂扬秦那和马里乌斯。凯撒后来和庞培的一个远亲庞培娅结婚，出任外西班牙行省（今安达卢西亚和葡萄牙）的度支官。

公元前65年，凯撒当选为大民政官。他为了庆祝自己的任职，以借款来大肆挥霍。公元前63年，他用政治手腕当选为最高祭司。此时，他已成为一个有争议的政治人物。公元前63年在平定喀提林的阴谋活动后，凯撒和百万富翁马库斯·克拉苏被控与之合谋。看来他们中任何一人都不可能对喀提林效忠，但凯撒在元老院中提议通过一项更宽大的处理方案，以代替执政官西塞罗要求对被捕的阴谋活动者施加的死刑。在元老院的喧哗声中，凯撒的提案被否决。

公元前62年，凯撒当选为掌握军权的执政官。当他的执政官任期将结束时，普布利乌斯·克洛狄乌斯在凯撒家里庆祝只限于妇女的善德女神礼拜式中制造了丑闻。因此，凯撒和庞培娅离婚了。公元前61～前60年，他出任外西班牙行省总督。他的债权人不让他离开罗马，直到克拉苏为他的1/4债务做担保人。在行省西北边境外的一次军事远征使凯撒及其士兵获得了战利品，并有余额交纳国库。由于财力部分得到恢复，他于公元前60年返回罗马后能够参加公元前59年执政官的竞选。

前三头同盟和对高卢的征服 执政官职位的价值在于它通常导致有利可图的行省总督职位。在公元前59年执政官竞选前夕，元老院企图将看管意大利的森林和牧牛山道等无利可图的事项作为地方总督管辖事务拨给公元前59年任职的两名未来的执政官。元老院还接受大量的贿赂使反凯撒的马尔库斯·比布卢斯当选。但是，他们无法阻止凯撒当选为另一名执政官。

凯撒现在成功地组织了一个由政治首脑们组成的不可抗拒的联盟。庞培异常成功地完成了整顿东方秩序的任务。但是在他于公元前62年回到意大利，遣散了自己的军队后，元老院对他作梗，特别是阻止他为他的老兵们获得土地分配。凯撒一直努力培养和庞培的友谊，现在和他订立了秘密协定。凯撒的巧妙手腕是劝说克拉苏参加这种合作关系，即所谓前三头同盟。克拉苏和庞培一样，以前也是苏拉的副手，迄今一直是最积极反对庞培的人之一。只有凯撒和双方都有友好关系，能够在他们中间进行调解。公元前59年初，庞培和凯撒的唯一女儿朱莉亚结婚，从而加固了他和凯撒的同盟。凯撒和公元前58年任执政官的卢西乌斯·皮索的女儿卡尔珀莉亚结了婚。

在担任执政官期间，凯撒提出了分配意大利境内罗马公地的议案，首先是给庞培的士兵提供土地。这个议案被3名平民护民官否决。凯撒的同僚比布卢斯每当公民大会召开时使宣称他观察天空有不吉祥征兆，企图阻止议案获得通过。于是，凯撒使用庞培的一些老兵进行暴乱，将反对派压服，土地分配得以完成。庞培对东方的解决方案同凯撒的代理人、平民保民官普布利乌斯·瓦蒂尼乌斯协商后全部予以通过。凯撒本人也提出了一项旨在惩办行省总督的不端行为的无争议而又十分必需的议案。

由瓦蒂尼乌斯谈判的另一项议案使凯撒获得了山南高卢（阿尔卑斯山、亚平宁半岛和亚得里亚海之间的地区）和伊利库姆。他的任期一直延续到公元前54年2月28日。当山外高卢新任总督暴卒，在庞培的建议下，这个行省也归凯撒统辖。山南高卢使凯撒有了一个募兵基地，山外高卢则使他得到了征服罗马西北边境以外地区的跳板。

公元前58～前50年，凯撒征服了高卢的其余部分，直抵莱茵河左岸。他对这个地区的征服十分彻底，以致在公元前49～前31年罗马内战期间，这个地区始终臣服于罗马，鉴于罗马人在军事装备上并不比欧洲北方的蛮族占有多大的优势，这一成就更加引人瞩目。事实上，就骑兵对骑兵而言，高卢的骑兵部队也许比罗马的更胜一筹。罗马的军事优越性在于它在战略、战术、纪律、军事工程方面占有优势。在高卢，罗马还有一个有利条件，即能够分别对待几十个比较小的、独自的、不合作的邦。凯撒将它们逐个地征服。公元前52年，一些邦为摆脱罗马的控制，做出了共同努力，但为时太晚。

这一成就虽然重大，但它在凯撒的事业和罗马的历史方面的相对重要性在西方的传统中却被估计过高了（如同他对不列颠的短暂袭击）。在凯撒心中，他完成对高卢的征服也许只是作为达到他的最后目的的一个手段。他正在取得他所需的军事人力、财力和威信，以便能自由地完成重新组织罗马国家和希腊-罗马世界其余部分的任务。凯撒这一最后成就，在世界历史的比较宽广的背景而不只是在西方的希腊-罗马文明所遗传下来的现存文明的背景下来予以观察，要比他对高卢的征服重大得多。

公元前58年，罗马于公元前125年建立的西北边界从阿尔卑斯山脉，沿上罗纳河左岸直达比利牛斯山脉，绕过塞文山脉东南山麓，包括加龙河上游流域而未到达高卢的大西洋海岸。公元前58年，凯撒越过这条边界线进行干预，首先将西迁的赫尔维蒂人赶回他们在今瑞士中部的老家。接着，他击溃了一个来自莱茵河对岸名叫阿里奥维图斯的日耳曼冒险家。公元前57年，凯撒制服了北方高卢民族中遥远的好战的比利其部族，他的副将克拉苏平定了相当于今诺曼底和布列塔尼的地区。

公元前56年，在今布列塔尼南部地区的维内蒂人在西北举行了一次反抗，这得到了多佛尔海峡高卢海岸仍未被征服的莫里尼人和沿下莱茵河南岸的梅纳皮人的支持。凯撒经过相当困难重新征服了维内蒂人，残暴地对待他们。他在公元前56年的出征季节结束以前，不能完成对莫里尼人和梅纳皮人的征服。公元前56～前55年冬季，梅纳皮人被两个从境外移入的日耳曼民族尤西皮特斯人和坦克特利人暂时赶出了家乡。这些民族于公元前55年被凯撒消灭。同年，他渡过科布伦茨以下的莱茵河去袭击河对岸的日耳曼，然后渡过海峡去袭击不列颠。公元前54年，他重又袭击不列颠，讨平了高卢东北部的一次严重的叛乱。公元前53年，他平定了高卢更多的叛乱，并重渡莱茵河进行第2次袭击。

凯撒的高卢战争的危机在公元前52年发生。高卢中心地区的各部落找到了阿维尼安·韦辛格托里克斯这个全民族的领袖。他们计划切断罗马军队和正在阿尔卑斯山脉那边过冬的凯撒之间的联系。他们甚至企图入侵老罗马省山外高卢的西端。韦辛格托里克斯想要避免激烈的战斗和围攻，以切断罗马人的供应线——部分采用骑兵袭击、部分实行焦土政策——来击败他们，但是他不能说服他的同胞们全心全意地采纳这种痛苦的政策。

比图里吉人坚持在他们的城镇阿瓦里库姆（布尔日）顶住围攻。韦辛格托里克斯无法使它避免在一个月内在猛攻下被占领。接着，凯撒在现在的克莱蒙费朗附近的热尔戈维围攻韦辛格托里克斯。罗马军队试图猛攻热尔戈维，被击退，结果损失惨重——这是凯撒在高卢遭受的第一次惨败。后来，凯撒击败了对正在行进中的罗马军队的一次进攻，因此能在第戎西北面的阿莱西亚围攻韦辛格托里克斯。阿莱西亚和热尔戈维一样，是一个具有巨大天然优势的地点，同时，一支庞大的高卢军队前来解救，但这支军队被凯撒击败和驱散。韦辛格托里克斯被迫投降。

公元前52～前51年的整个冬季和前51年的作战季节，凯撒粉碎了一些零星分散的进一步叛乱。这些叛乱部落中，以居住在博韦附近、塞纳河和索姆河之间的贝洛瓦西人最为坚决。另一支叛乱部队在南方阿克塞洛邓纳姆（也许是多尔多涅上的皮德伊索吕）天然堡垒抵抗围攻直到水源枯竭。凯撒命令砍掉幸存者的双手。公元前50年他忙于治理新征服的领土。此后，他准备和他的国内对手们算账。

公元前49～前45年的内战的前因后果 在征服高卢期间，凯撒也同样忙于保全和改进他在国内的地位。他使用他从高卢掠得的日益增长的财富中的一部分在罗马雇用政治代理人。

与此同时，三头同盟的团结经受了严峻的考验。庞培不久对待他的获得惊人成就的盟友凯撒变得态度倔强，如同克拉苏对待他的宿敌庞培那样。公元前56年4月，就在位于凯撒的山南高卢行省以内的卢卡举行的会议上，三头同盟的关系得到了弥补。会议商定庞培和克拉苏担任公元前55年的执政官并宣布法令，将凯撒在行省的指挥权再延长5年，批准克拉苏在叙利亚的任期为5年，庞培在西班牙的任期亦为5年。这些法令正式获得通过。克拉苏后来在公元前53年和安息人的交战中遭到歼灭性的失败而遇害。庞培和凯撒间的联姻关系在公元前54年由于朱莉亚去世而告破裂。此后，庞培犹豫不决地改变态度，离开凯撒越来越远，直到最后分裂发生。这时庞培发现自己已忠诚地站在贵族一边，尽管他和贵族从未相互信任。

问题在于凯撒辞去行省总督职位和放弃对军队指挥权的日期与他就任他提议的第2届执政官职务的日期之间是否应该有一个间隔期。如有一个间隔，凯撒在那段时间就容易遭到其敌人的打击。如被告发和判刑，政治上将被毁灭，而且可能丧命。凯撒必须确保,直到他开始担任第2届执政官,他应该继续至少控制一个行省,拥有军事力量来保证自己的安全。

这个问题已成为在罗马玩弄的一系列政治花招和反花招的目标。问题围绕的日期都悬而未决。如在公元前56年的卢卡会议上取得的协议,凯撒的指挥权已延长5年,显然是直到公元前49年2月28日,但这并不确定。公元前52年,庞培当选为唯一的执政官并在西班牙担任5年行省指挥。凯撒经由全体10名平民保民官倡议的法律批准担任缺席的执政官。如果他在公元前49年担任公元前48年的执政官,他在公元前49年的最后10个月中将无职务,因而处于危险之中。作为凯撒,防止这种情况的一个保障,看来似有一个谅解(可能公元前56年在卢卡会议上他和庞培之间有私人谅解),即在公元前50年3月1日以前,关于凯撒在指挥方面的继位人问题不应在元老院中提出,这个策略会保证凯撒将保留他的指挥权直到公元前49年底。然而,从公元前51年起,接替凯撒的问题在元老院中曾多次提起。每次凯撒都使这些危险的提案由他的代理人平民保民官予以否决,特别是公元前50年由盖尤斯·库里奥、公元前49年由马克·安东尼否决。

这个问题被公元前50年的执政官之一盖尤斯·马塞卢斯弄得非解决不可。他从元老院取得决议:凯撒应该交出他的指挥权(假定在终止日期),但庞培却不需要同时交出他的指挥权。库里奥后来在公元前50年12月1日取得一项决议(370票对22票):两人同时交出他们的指挥权。翌日,马塞卢斯(未曾获得元老院授权)将指挥意大利的所有军队以及招募更多军队的权力授予庞培,而庞培接受了。公元前49年1月1日,元老院获得凯撒的提案,要求他和庞培应该同时交出指挥权。凯撒的提议是命令式的。元老院作出决议,指出凯撒在一个确定的日期如不交出他的指挥权,将被作为公敌对待。

公元前49年1月10～11日,凯撒率领军队越过山南高卢行省与意大利本土的交界线鲁比孔河。因此,他首先采取了战争行动。然而,这不是问题的核心。事实上,问题的实质在于是应该准许罗马贵族对希腊-罗马世界的统治不当的状况继续下去,还是应该以独裁政权予以代替。两种选择方案都将以灾难性的内战告终。然而,后来希腊-罗马世界在早期帝政时期获得部分恢复的情况表明,凯撒的专制政治为害较轻。

内战是个悲剧,因为或凯撒或庞培或甚至相当多的一部分贵族都不要战争,而且罗马的大部分公民则渴望保全和平。然而,到了此时,在政治上举足轻重的三方均陷入困境。凯撒建立他的政治权力获得成功使得拥护旧政权的人们对他怀有无可缓解的敌意,因此,他面临的选择是要么乞求敌人的宽恕,要么抓住人们指控他作为目标来追求的权力垄断。他发现即便他削减自己的要求到他个人安全所必需的最小限度如他最后所作的那样,也无法摆脱这一困境。至于庞培,由于他对凯撒日益妒忌而促使他深深倒向贵族一边,因此,他不能重新和凯撒妥协而不丢脸。

内战第一个回合发展迅速。公元前49年,凯撒将其反对派从意大利赶到奥特朗托海峡东岸,然后又打垮了庞培在西班牙的军队。约在公元前49年底,他越过亚得里亚海追击庞培。公元前48年8月9日,他取得了法萨卢斯战役的决定性胜利,从而扭转了在都拉基乌姆遭受的一次挫败。他将庞培从色萨利一直追赶到埃及,后者被托勒密国王的一名部将杀害。凯撒在亚历山大过冬,一面同当地的民众战斗,一面和女王克娄巴特拉调情。公元前47年,他在安纳托利亚东北部与辛梅里安-博斯普鲁斯国王法尔纳凯斯进行一场短暂的局部战争,后者企图重新获得其父米特拉达梯的本都王国。凯撒的名言"我来了,我看见了,我征服了",是他本人对此次战役的描述。

凯撒后回到罗马,但不出几个月,他又带着独裁官的称号出征非洲,因他的反对派聚集该地。公元前46年,他在塔普苏斯击溃政敌们的联军后返回罗马,同年11月又离开罗马前往外西班牙行省镇压新发生的反叛,公元前45年3月17日在蒙达将这次叛乱镇压下去。然后回到罗马,着手整顿希腊-罗马世界的秩序。对此巨大的重建任务,他所获得的时间不足一年。公元前44年3月15日(古罗马历),他在罗马元老院大厅遇刺身亡。

凯撒的死部分是由于他的宽厚和急躁,二者的结合对他的个人安全是危险的。在情况适当时,凯撒毫不犹豫对"野蛮民族"施加暴行,但是在对待被他击败的罗马政敌,他几乎一贯是宽大的。这种宽大也许不只是一个政策问题。凯撒在其政治生涯中的最早经验是苏拉对其已失败的国内敌人无情地加以迫害。凯撒对其政敌全部赦免,并使许多人在其新政权下担任负责职位。卡修斯·隆吉努斯是暗杀阴谋的主要策划者,而马库斯·布鲁图是罗马共和体制的具体象征,两人以前都是凯撒的敌人。凯撒被刺时说:"布鲁图,你也刺我。"这句话表明他被一个他曾经宽恕、信任和爱护的人刺中时感受到的特别痛苦。

在60名阴谋分子中,也有许多前凯撒派分子。他们经人唆使实行倒戈,一方面由于凯撒的政权日益具有君主专制倾向,另一方面也许至少在同样程度上由于贵族们的轻蔑态度,使得凯撒不愿费力使不愉快的事变得容易被接受。除掉曾经给了他们巨大政治利益的独裁者以后,有些人就其个人来说受到了损失而没有获利。但是,即便他们根据原则采取行动,他们也没有认识到真实情况:罗马贵族的统治已无可挽回地崩溃,而且如果旧制度不是早该毁灭,甚至凯撒也不能将它推翻。他们也没有看到,由于他们使凯撒成为一个殉道者,他们使他身后的政治名声大增。

如果凯撒在公元前44年未遭暗杀,他可能再活15或20年。他的体格异常结实,虽然在他最后几年中曾发过几次癫痫病。这段时间,他会做些什么呢?我们只能根据他所掌握的几个月的时间猜出答案。公元前46年,他改革罗马历法。公元前45年,他制定一项法律,为自治市的组成规定了标准的模式。这种自治市此时已成为罗马公民居住的大部分地区的自治行政单位。公元前59年,凯撒已使卡普亚城复兴,该城在150余年前已被罗马共和政府剥夺了它的法人团体地位。他又复兴另外两个大城市:迦太基和科林斯,而这两座城市是他的前任者摧毁的。这些只是他为了重新安排他的退职士兵和罗马城市贫民所做的工作中的一部分。他也非常慷慨地授予外来人以罗马公民身份(公元前49年将罗马公民身份授予波河以北山南高卢全境的人民)。他扩大了元老院的组织,使其人员更足以代表全体罗马公民。

在他去世时,凯撒正准备发动一次新的军事出征,为克拉苏在公元前53年与安息人作战遭受惨败复仇雪恨。凯撒会成功地为希腊-罗马世界夺回已经灭亡的塞琉西王朝位于幼发拉底河以东的失地,特别是巴比伦尼亚吗?克拉苏军队的命运曾表明,美索不达米亚北部的地形有利于安息人的骑兵而不利于罗马的步兵。凯撒的军事天才会克服这个不利因素吗?罗马以前取之不尽的军事方面的人力资源能有足够力量满足对它的额外要求吗?对这些只能进行猜测,因为凯撒遭刺杀,使罗马人遭受另外13年的内战痛苦,而罗马永远不会再有足够的人力去征服并保住巴比伦尼亚。

个性与声誉 凯撒无论在过去或现在看来都是个不可爱的人物。他对待被击败的对手尽管宽宏大量,却没有赢得他们的好感。他的智力运用到作战上,使其士兵们获得胜利,因而得到了他们的爱戴。然而,凯撒虽不可爱,但无论过去或现在他都是一个具有吸引力、事实上能使人们为之倾倒的人物。他的政治成就需要才能,这种才能在几个不同的领域——除了较为次要的幕后操纵手腕和宣传外还包括行政和指挥才能——事实上相当于天才。

在所有这些方面,凯撒是一位超级行家。但是,如果他没有超过这种地位,他就不会成为他当之无愧的至高无上的伟人。

凯撒的伟大超过了他的政治野心,甚至与之发生冲突。他在对待被击败的政敌的慷慨行为中表现出一种人的精神上的伟大。这是他遭暗杀的部分原因(残忍的苏拉退位后死在家中床上)。

凯撒的天才超过其政治野心的另一领域是他的著作。在这些著作中,他的演说词、信函和小册子均已丧失。只有关于高卢战争和内战的记述(均不完整,由他人予以补写)幸存下来。凯撒在首先与霍滕修斯、后又与西塞罗相抗衡的一个时期中被认为是一个高超的公共演说家。

所有凯撒的演说词和著作,不论已经丧失或保存下来,显然都是为政治目的服务的。他为了政治宣传将悼念他的妻子和姑母的葬礼演说记载下来。关于他的作战的记述经过精心设计,使不猜疑的读者们按照他选定的观点来观察他的行为。记载的文字叙述采用简洁、不加修饰的事实报道形式,使人感到它客观而不带个人感情色彩。然而,每件记载下来的事实,都是经过仔细筛选,然后公诸于世的。为了答复西塞罗对凯撒死去的政敌马库斯·加图所作的赞扬,凯撒写了《反加图》,今已散佚。这篇著作证明凯撒的政治洞察力,因为尽管他身负十分繁重的军事、行政、立法任务,却抓住时机将它写出来。他认识到加图由于将生命贡献给他自己的事业(公元前46),使他本人身后比生前具有更强大的政治力量。从凯撒的观点看,他想使加图落入圈套的做法是正确的。然而,他没有成功。在嗣后的150年中,加图作为一个殉道者继续成为凯撒继位人的麻烦,有时是威胁。

凯撒在写作方面的天才的特征是,尽管这些著作是为宣传而写的,但却有卓越的文学价值。读者看透了这些著作的平凡乏味的目的,可以不予考虑,而把它们视为光辉灿烂的艺术作品加以欣赏。

凯撒最令人惊讶的是表现在智力和体力方面的旺盛精力。公元前51年,当他还要处理高卢发生的严重叛乱时,他为出版下部关于高卢战争的著作进行准备。而在公元前49和前44年之间的那段动荡岁月中,他撰写了关于内战的书和《反加图》。他的体力也同样旺盛。例如,公元前57～前56年的冬季,他访问他的第3行省伊利里亚和山南高卢。在公元前55和前54年的出征间隔期间,他在山南高卢处理公务,又前往伊利里亚和现在阿尔巴尼亚的一个狂暴的部落皮鲁斯泰人算账。公元前49年,在一个单一的作战季节,他从鲁比孔河行军到布伦狄西乌姆,然后又从此地前往西班牙。在亚历山大,时年已53岁,他依靠自己杰出的游泳本领,使他自己免于暴卒。

凯撒在体格方面的强大活力也许可以部分说明他在性生活方面的乱交,甚至根据当时希腊和罗马的标准,也是异乎寻常的。据传说,在他第一次去东方访问时期,和比希尼亚国王尼科梅德斯有同性恋关系。这个谣传是可信的,虽然它未被证实,但在凯撒的一生中,却一再传播。凯撒与异性的暧昧事件无须怀疑,其中许多对象是已婚妇女。凯撒也许将这些事看做是无足轻重的消遣。但是,他至少有两次卷入可能毁掉他的事业的越轨行动。如果事实上他确实和庞培的妻子穆西亚保持暧昧关系,他会使他和庞培的同盟遭受危险。他和克娄巴特拉私通的事虽然所冒的风险没有这么大,却更不光彩。由于在亚历山大和她调情,他要冒丧失他刚在法萨卢斯所获得的一切的风险。由于公元前46年准许她到罗马来访问,他轻视公众的感情,又增加了一个不机智的举动,而这类举动终于驱使他的老朋友和被赦免的敌人一同起来将他杀害。

这个头脑冷静、具有反常的强烈性欲的天才人物无疑地改变了旧大陆西部地区的历史进程。他清除了罗马贵族的丑恶可耻与名誉扫地的统治,使罗马国家以及希腊-罗马世界获得喘息机会。这在东部地区延续了600余年,而在比较落后的西部地区延续了400余年。凯撒以后来永远未能被废除的专制政治来代替罗马的寡头政治。如果他没有做他已经做了的事情,罗马和希腊-罗马世界可能会在基督教时代开始以前屈服于西部地区入侵的野蛮民族和东部地区的安息帝国。希腊-罗马文明的存在得以延长,具有重要的历史影响。在罗马帝国的统治下,近东地区受古希腊文化的浸润达六七个世纪之久。否则,古希腊文化的因素不可能具有足够的力量对基督教和伊斯兰教产生决定性影响。高卢如果不是由于凯撒的征服而和文明的地中海世界发生联系达500余年的话,那么,当法兰克人对它入侵时,它也会更深地陷于野蛮状态。

凯撒的政治成就是有限的。它的影响局限于旧大陆的西部地区,以中国或古埃及的标准相比,是比较短暂的。公元前3世纪由秦始皇建立的中国至今仍然存在,而它的未来可能比它的过去更加伟大。但是,即便凯撒证明自己比中国的秦始皇逊色,但同世界上一般常人相比,他仍是一个巨人。

Caesar Augustus (Roman emperor) **凯撒·奥古斯都** 参阅 **Augustus** (Roman Empire) 奥古斯都(罗马帝国)项下的 **Augustus, Caesar** 奥古斯都。

Caesar weed (plant) **凯撒草** 参阅 **urena** 梵天花。

Caesarea (ancient Mauretania) **凯撒里亚** 参阅 **Iol** 约尔。

Caesarea **凯撒里亚** 希伯来语作 Ḥorbat Qesari(凯撒里亚废墟)。巴勒斯坦古港口和行政中心,位于以色列的地中海沿岸,海法以南。原为古腓尼基人聚居地,名斯特拉顿塔。后由罗马治下的犹太国王希律大帝重建并

凯撒里亚的古罗马广场遗迹
美国不列颠百科全书公司供图

加以扩大,以其庇护人亦即罗马皇帝凯撒·奥古斯都命名。凯撒里亚本是希律王在塞巴斯特(Sebaste,希腊语 Augusta[奥古斯塔])——即巴勒斯坦中部的古撒马利亚——新建城市的港口,有个用大石块修筑的人工码头和一些典型的希腊-罗马式公共建筑物。有一渡槽从东北方将近16千米以外的泉水引来。凯撒里亚起了希律王的海军基地的作用,海军援助罗马人时,活动范围远达黑海。公元6年,该城成了罗马人的犹太行省首府,随后为早期基督教重地,在《新约全书》的《使徒行传》中多次被提到过,特别是在保罗的行传中提到,他在被解往罗马受审之前,曾在该处受监禁。犹太人对罗马的背叛,根据公元1世纪史学家约瑟夫斯的叙述,是因公元66年凯撒里亚的一次事变引发的。这次事变终于在公元70年发展到摧毁耶路撒冷和基督教堂。132～135年,罗马人在巴尔·科赫巴的起义期间虐杀了巴勒斯坦犹太人的10位最伟大的领袖与哲人,其中有阿吉巴拉比。这10位殉教士至今仍在赎罪日礼拜仪式中为信徒所追念。据传说,凯撒里亚几乎肯定是阿吉巴拉比等受难之地(约135)。此后该城就成为被皇帝哈德良更名为叙利亚·巴勒斯坦行省的首府。在拜占廷帝国统治下,为第一巴勒斯坦行省首府。教堂史学家兼圣经地理学家优西比乌斯(约260或264～约340)任当地主教。在拜占廷晚期和阿拉伯人统治下,凯撒里亚趋于衰落。十字军重修了港口和古城堡的一部分,该城先后被穆斯林和十字军攻占和再攻占,最后被马木路克王朝的苏丹拜巴尔斯一世于1265年占领并夷为平地。从1884到1948年期间,博斯尼亚的穆斯林在该地有一块聚居地。1940年在古城址南面建立了塞多特·雅姆渔业聚居区。这个聚落在古罗马人和十字军修的防浪堤上建了个码头。居民们也从事农业,并经营一处游人宾馆。1950年以来的一系列发掘,发现了一座古罗马神殿、圆形剧场、跑马场(有2万个座位)、渡槽以及古罗马和以后时期的一些废墟。特别引人注目的是1961年发现的一件古罗马的铭文,文中提到彼拉多,此人在耶稣殉难时任罗马帝国驻犹太总督。70～80年代的发掘,进一步弄清了希律大帝所建人工港的概貌。这可能是第一个完全建在开阔海面上的港口,它使凯撒里亚成为罗马帝国与亚洲之间的主要贸易港口。

Caesarea Cappadociae (Turkey) **凯撒里亚卡帕多西亚** 参阅 **Kayseri** 开塞利。

caesarian section 参阅 **cesarean section** 剖腹产术。

Caesarion **小凯撒** 参阅 **Ptolemy XV Caesar** 托勒密十五世(凯撒)。

Caesarius OF ARLES, SAINT **凯撒利乌斯(阿尔勒的),圣**(约470,高卢索恩河畔沙隆区[法国]～542,阿尔勒) 基督教传教士。20岁进入法兰西境内莱兰地方的隐修院,后来任阿尔勒大主教,奉教皇西马库斯布置统辖高卢与西班牙地区。凯撒利乌斯多次主持重要地区性宗教会议,其中在529年第二次奥朗日会议上坚决驳斥半贝拉基主义(**Semi-Pelagianism**),赞同温和的奥古斯丁主义,成为基督教教义史上一个里程碑。他虽不是伟大的神学家,但却是伟大的布道家,有许多布道稿流传后世。

Caesarius OF HEISTERBACH **凯撒利乌斯(海斯特尔巴赫的)**(约1170,科隆[德国]～约1240,下洛林海斯特尔巴赫[今在德国]) 传教士,著有教会史和禁欲主义作品。曾就学于科隆的圣安得烈学校,1199年加入西多会,1228年任该会海斯特尔巴赫分会会长。其流传最广的著作《关于神迹的对话》成书于1223年前后,介绍西多会生活甚为详尽,是研究13世纪日耳曼历史的重要资料。他布道注重实际问题,反对经院哲学中的唯理主义倾向。

caesaropapism 政教合一 一种政治制度，在这种制度下，国家元首兼任教会首脑，并是宗教事务的最高裁判者。通常多指东罗马帝国即拜占廷帝国所实行的制度。但是，现代的史学家大多认为，拜占廷的法律文献仅谈到帝国行政机构与教会组织的相互依赖，并没有说后者必须从属于前者。史学家还认为，根据拜占廷帝国对基督教的了解，皇帝并非在教义上一贯正确，并非有教牧之权。历史上皇帝对教会直接施加压力以失败告终的事例很多，如芝诺(474～491)和阿纳斯塔修斯一世(491～518)试图支持基督一性论，迈克尔八世·帕里奥洛加斯(1259～1282)支持与罗马合并等。克里索斯托和其他大多数拜占廷的权威神学者们否定皇帝的权力在教会之上。然而，皇帝充任普世教会的保护者和教会事务的主持者，这倒是东罗马帝国的常例。该撒利亚的优西比乌斯称君士坦丁是教会“物质”(与“精神”相对而言)问题的“监督者”。皇帝们主持宗教会议，他们的意志在任命最高主教及确定其管辖范围时起决定作用。政教合一在俄国更为明显，雷帝伊凡四世曾滥用权力干预教会事务，实际上无人反对，1721年彼得大帝终于把教会变为国家的一个部门，尽管二人都没有声称拥有特殊的教义权威。西方基督教国家也曾出现政教合一，英格兰国王亨利八世的统治以及宗教改革后在德国盛行的“宗教服从君主”的原则，就是实例。

caesura 顿 又拼cesura。在现代诗法中，指一行诗中使正规韵律格式中断的停顿。在划分音步时用‖符号来表示。人们有时用顿来强调一行诗句的正式韵律结构，但在更多的情况下，它表示自然句式的节拍和分解音步结构的习惯。顿可以同传统的标点符号相吻合，如莎士比亚的如下句子，为了修辞的效果，每个逗点之后都需要有强力的一顿：

This blessed plot, ‖ this earth, ‖ this realm, ‖ this England,

但顿不一定非得用标点隔开不可，如济慈下面的一句：

Thou foster-child of silence ‖ and slow time,

在日耳曼语和古英语的头韵诗里，顿是从中间把每一诗句分开的正式手段。在正式的浪漫故事和新古典主义的诗歌中，在绝大多数情况下，顿出现在诗行中央(中顿)，但在现代诗歌里，中顿的位置是灵活的。它可以出现在接近诗行的开头部分(始顿)，也可以出现在下一行结尾的附近(尾顿)。一行诗句可以有几个顿，也可以一个都没有。因此，它可以起这样一种作用：把它插入非正式的和不规则的句型之中，作为诗歌的正规韵律的一种巧妙的对照。它可以使格律不致显得单调，并且强调诗行的意义。在古典诗法中，顿指一个音步的词尾，同它相对照的是分音符(**diaeresis**)，后者表示词尾和音步的结尾是相符的。顿是一个严格韵律因素，而不是表现因素。

Caetani FAMILY 卡埃塔尼家族 又拼 Gaetani。意大利源于中世纪的贵族世家，自贝内代托(约1235～1303)当选为教皇卜尼法斯八世(1294～1303，参阅 **Boniface VIII**)后，开始有财有势，控制阿纳尼、塞尔莫内塔、丰迪和皮埃蒙特等强大的公国。1420年前后该家族分成为两支，分别占据那不勒斯和罗马。19～20世纪，该家族成员有许多政界和学术界的著名人物。

Caetano, Marcelo José das Neves Alves 卡埃塔诺(1906-08-17，里斯本～1980-10-26，里约热内卢) 葡萄牙总理(1968-09～1974-04)。原学法律。1929年任财政部法律顾问，协助 A. de O.萨拉查起草1933年宪法以及“新国家”的其他法案。1944～1949年任海外领地部长，1955～1959年任副总理。此后脱离政坛，出任里斯本大学校长。1968年萨拉查患中风，卡埃塔诺出任总理。他与反对党合作，批准了新宪法，但无法控制通货膨胀。国际上批评他的非洲政策以及军方的不满，导致1974年发生“四·二五革命”(Revolution of the Flowers)，“新国家”被推翻，他流亡国外。他在巴西定居，任里约热内卢伽马·菲洛大学比较法学研究所所长，直至逝世。

café 咖啡馆 又拼cafe。小型饮食店，传统为一咖啡屋，备有少数餐点，极少供应酒类。咖啡及咖啡饮料传入欧洲后，提供给不饮酒者非常需要的社交场所。17世纪中叶以后的200年间，享誉欧陆的咖啡屋流传到伦敦，顿时成为新闻传播、议事及派别活动的现成场所。咖啡屋主彼此竞相对顾客提供英国辉格党和托利党的报纸；该时期的商业活动，如保险交易、船运、股票、商品交易，甚至奴隶买卖多在咖啡屋中进行；文人、演员、艺术家也多在他们喜爱的咖啡屋中演出或者宣传他们小团体的宗旨；咖啡屋还充当非正式的包裹、信件的收发站。到了19世纪，日报和国内邮政取代了咖啡屋的这些功能。大约与此同时，法国咖啡馆和餐厅也成为知识分子和艺术家的聚集的场所，一时蔚为风尚。知识分子中较富裕的美食家可能在巴黎高格调的餐厅内就餐；至于较朴素的咖啡馆或小酒店则成为狂放派艺术家的麇集之处。美国20世纪后期所谓的咖啡馆使人易于联想起老式的、只有一位女侍的卡车打尖站，或不起眼的小餐馆，但是在20世纪70～80年代，欧洲风味的咖啡馆渐渐在美国复活，以咖啡店或露天咖啡座形式出现，别具一格。

cafeteria 自助餐厅 自我服务的餐厅。在这种餐厅里，食品放在敞开的柜台上任顾客选择，顾客通常把食品放在盘里到收款处付账后，自己端到餐桌上去。现代自助餐厅主要为方便顾客，特别适合于学校、医院、公司，力求能高效、经济地为顾客服务。它的服务人员比大多数商业餐厅要少。1891年，美国密苏里州堪萨斯城基督教女青年会办起历史上第一个自助餐厅，为工作妇女供应廉价膳食。19世纪90年代，美国许多城市出现自助餐厅。直到20世纪这种餐厅才成为工厂及大企业向职工供应膳食的普遍方式。

Caffaggiolo maiolica 卡法吉沃罗马约利卡陶器 16世纪早期在梅迪契家族赞助下，在意大利托斯卡纳的卡法吉沃罗城堡生产的锡釉陶器。卡法吉沃罗器皿的装饰大部分来源于其他领先的意大利工厂，尤其是法恩扎工厂，但在制作中显示出独特的工艺技巧。一种丰满而均匀的白釉、深红以及用亮丽的

约1515年的卡法吉沃罗马约利卡陶碟
美国不列颠百科全书公司供图

天青石色粗涂的底色构成这种陶器的特点；另外也使用嫩黄、橙色、红色和半透明的铜绿色。其造型有带纹章的壶、双耳大口瓶(二者均有特别生动的整体装饰)和药罐。许多卡法吉沃罗盘碟都是以伊斯托里亚多风格绘饰的，表现的是圣经的、历史的或神话的场景。盘碟的边缘通常都绘有多种怪异的图像或其他复杂的纹样；也有些盘子全部被画面覆盖，现存伦敦维多利亚与艾贝特博物馆的一件杰作就属于这一类，画面表现马约利卡陶器画师正在工作。在其有限的产量中，有少量卡法吉沃罗碟属于意大利马约利卡陶器精品之列。该厂在1540年以后衰落。

Caffaro DI CASCHIFELLONE 卡法罗(约1080～1166) 热那亚军人、政治家、外交家和十字军参加者。所著编年史是第一次十字军历史和12世纪热那亚历史的重要资料来源。出身贵族家庭，曾参加围攻耶路撒冷以北的凯撒城的战斗(1101)，并数次出任驻外使节。此后，他坚持不懈地把热那亚的历史逐年记载下来，直至1163年热那亚的内乱迫使他搁笔为止。1166年去世时，除上述编年史外，还留下另两部著作：《解放东方城市记》与《攻占阿尔梅里亚和托尔托萨史》。

caffeine 咖啡因 含氮的生物碱，即三甲基黄嘌呤，药效广泛。存在于茶、咖啡、瓜拉、巴拉圭茶、可拉果及可可中，广泛用作中枢神经兴奋药及利尿药。主要由咖啡中提出。纯品为白色粉末或有光泽的针状结晶，熔点238℃，于一般大气压下在178℃升华，易溶于热水，水溶液放冷后，可析出其一水化物结晶体，不易溶于有机溶剂。无臭，味极苦。天然咖啡研粉中咖啡因(重量)含量在0.75%～1.5%之间。故每杯咖啡中的咖啡因含量平均约为100毫克；茶水中的咖啡因含量取决于茶叶的种类和浓度。以符合饮用习惯为准，平均每杯烤炙的柯拉茶中含咖啡因约40毫克。咖啡因对中枢神经系统和心血管系统有兴奋作用，可舒张平滑肌，还有轻度利尿作

用(有时用作轻型利尿剂)。咖啡因最常用作抗中枢抑制剂,尤其是在治疗药源(如吗啡或巴比妥)性呼吸抑制时,苯甲酸钠咖啡因是首选药物。咖啡和茶叶是日常生活中的必需品,人们用它来提神醒脑、解除疲劳。起床后一杯咖啡成了很多人的生活习惯。但摄入过量的咖啡因也会出现副作用,如烦躁、神经质、焦虑、不安、头痛、失眠等。20 世纪 80 年代中期,脱咖啡因的软饮料走俏市场,主要是作为一种选择,为广大消费者提供方便。

Caffey's syndrome 卡菲氏综合征 参阅 **infantile cortical hyperostosis** *婴儿骨皮质肥厚*。

Caffiéri FAMILY **卡菲埃里家族** 法国雕刻和金工世家,以装饰富丽的洛可可风格作品著称。第一位家族的杰出成员菲利波(1634,意大利罗马～1716,法国巴黎)是意大利出生的雕刻家,曾为路易十四服务。其子雅克(1678-08-25,巴黎～1755,巴黎)自 1736 年直至去世,曾为王室的凡尔赛宫及其他宫室创作了许多作品。他与其子菲利普(1714,巴黎～1774)均以善于设计枝形吊灯、五斗橱、壁炉柴架及各种家具饰物闻名。雅克是洛可可风格的设计大师,重要作品存于凡尔赛宫和伦敦华莱士收藏馆。雅克的作品均签有家族的姓氏"卡菲埃里",与其子菲利普合作者亦如此。菲利普在其父去世后接受了许多王室任务。在法国大革命期间,他为巴黎圣母院制作的祭坛用具(1759)均已散失,但为贝尤克斯大教堂制作的十字架和烛台(1771)则得以保存下来。菲利普的弟弟让-雅克(1725-04-29,巴黎～1792-06-21,巴黎)是家族中最著名的雕刻师,师承其父并赢得 1748 年的罗马大奖。

Caffre cat (species *Felis libyca*) **利比亚猫** 又拼 Caffer cat 或 Kaffir cat,又称 African wildcat(非洲野猫)或 Egyptian wildcat(埃及野猫)。猫科小型动物,形似斑猫。栖息在非洲、亚洲

利比亚猫(*Felis libyca*)
美国不列颠百科全书公司供图

和欧洲南部的开阔地区和森林地带。可能是第一种被驯化的猫,比现代家猫稍大而结实,但易与家猫杂交。毛色淡褐或橘褐,上有窄的深色条纹,雌体毛色较淡。体长约 70 厘米,尾长约 40 厘米;肩高平均 23 厘米;体重约 3.5 千克。独居,夜出捕食鸟类和小兽。年初交配,妊娠期约 56 天,每窝 2～5 仔。其地理亚种栖息在科西嘉、撒丁、马略卡和克里特等地中海岛屿。

caftan 卡弗坦长袍 又拼 Kaftan。一种男子长袍,源于古代美索不达米亚,遍及中东各地。常用棉布或真丝绸缝制。袖宽长,前开襟,常用腰带束紧。卡弗坦一词(或 gaber-

G.贝利尼绘《土耳其画师》(1501)中的画师身着卡弗坦长袍
美国不列颠百科全书公司供图

dine)亦指在欧洲自中世纪以来哈西德教派犹太人所穿的黑袍。

Cagayan de Oro 卡加延-德奥罗 菲律宾棉兰老北部城市。濒临卡加延河,邻近马卡哈拉湾顶端。1950 年扩建为市。现为棉兰老北部的运输和商业中心。该城国际机场是南航飞机的主要中途站。卫星城卡门在卡加延河左岸。输出大米、玉米和椰干。市内有哈维尔大学(1933)和圣奥古斯丁大教堂。人口约 461 877(2000)。

Cagayan River 卡加延河 菲律宾吕宋岛最长河流(350 千米)。源出吕宋东北部马德雷山,蜿蜒向北流入一片 80 千米宽的肥沃凹地,是水稻和烟草的重要产区,在阿帕里流入巴布延海峡。主要支流有奇科河、马加特河、伊拉甘河。

Cagayan Sulu 卡加延苏禄 菲律宾苏禄海西南部岛屿。面积 67 平方千米。地势低缓。四周有 13 座小岛和珊瑚礁。1900 年,美国向西班牙买下该岛。1935 年,菲律宾获得自主,该岛归属菲律宾。经济以旱稻种植、椰干生产和贸易为主。居民为贾马-马蓬人,操萨马兰语,信基督教。人口 19 607(1980)。

Cage, John 凯奇(1912-09-05,美国加利福尼亚洛杉矶～1992-08-12,纽约州纽约) 全名 John Milton Cage, Jr.。美国先锋派作曲家,其

亨马尔出版公司供图

创新性作品和离经叛道的见解对 20 世纪中叶的音乐产生深刻影响。父为发明家,他在大学作短期学习后即去欧洲旅行一段时间。1931 年返回美国,随 R. 布立格、A. 勋伯格、A. 魏斯和 H. 考维尔学音乐。在西雅图任教期间(1936～1938),开始组织打击乐重奏组以演出他的作品,并和老友、舞蹈编导和舞蹈家 M. 坎宁安合作,开始就舞蹈用作品进行试验。凯奇的早期作品采用他的老师勋伯格的 12 音手法,及至 1939 年,他已开始试验诸如"加料钢琴"(即在钢琴的琴弦之间放进异物以产生叩击性的和超自然的声音效果)之类越来越背离正统的乐器。他亦用录音机、电唱机、无线电进行试验,努力跨出传统西方音乐的范畴,不受它的"声音是有意义的"这一概念的限制。1943 年他率领打击乐重奏组在纽约市现代艺术博物馆举行的音乐会,标志着他作为美国先锋派音乐带头人脱颖而出的第一步。在其后几年中,凯奇转而研究佛教禅宗和其他东方哲学,得出结论认为,创造音乐的一切活动都应视为单一自然过程的一部分。他把各种声音(包括十足的噪声)都看做潜在的乐音,鼓励听众注意所有音响现象,而不是只注意作曲家选定的那些要素。为了这一目的,他在音乐中建立了"非决定论原则"。采用许多手法以确保随机性,从而使演奏者排除任何个人趣味的因素:不具体指明乐器和演奏者人数、不规定个别声音和全曲持续的时间、记谱不精确、乐曲的进程由随机手法决定,例如通过查阅中国的《易经》。后期作品在其他手段上扩展了这类自由,如演出《HPSCHD》(1969 年完成)时,除原定的 7 名拨弦键琴独奏者和 51 台磁带录音机外,亦可采用灯光效果、幻灯、演奏者穿戏装等手法。

凯奇最著名的作品包括《4 分 33 秒》(1952),在演出的这几分钟内,表演者(一人或数人)在台上完全保持沉默;《幻景第四》(1951),由 12 台随机调频的无线电、24 名演奏者和指挥演出;《奏鸣曲与间奏曲》(1946～1948),由"加料钢琴"演奏;《方坦纳混合音响》(1958),这是一首以一系列编好程序的透明卡片为依据的作品,当卡片叠置起来时,就图示出电子音响的任意选择;《廉价模仿》(1969),这是对 E. 萨蒂的音乐的漫画式模仿;电子音乐作品《罗阿拉托里奥》(1979),其中采用 J. 乔埃斯小说《菲内根的觉醒》中的语词数千个。凯奇发表著述多种,包括《沉默》(1961)和《M:'67—'72 著作》(1973)。他对一些有成就的作曲家如 E. 布朗、L. 希勒、M. 费尔德曼和 C. 沃尔夫等人都有影响。

Cagliari 卡利亚里 古称卡拉利斯(Caralis)。意大利城市,撒丁岛区首府和卡利亚里省省会。在撒丁岛南岸,卡利亚里湾北端。史前时期已有人居住。罗马帝国时期为本岛最重要城镇。1718年并入萨伏依王室。下城区有圆形罗马竞技场和大片罗马墓地。中世纪所建上城区的主要建筑有圣切奇利亚大教堂(1257～1312;重建于1669～1702)、考古博物馆和卡利亚里大学(1606)等。该市现为大主教区。长期以来一直是撒丁岛军事中心。原有海、空军基地在第二次世界大战中被盟军摧毁。重建后现为撒丁岛主要港口。输出铅、锌盐及其他矿产。农业与制盐业重要。生产水泥、陶瓷制品等。人口:城市区约158 351(2001)。

Cagliostro, Alessandro, Count(count) di 卡廖斯特罗伯爵(1743-06-02,两西西里王国西西里巴勒莫[意大利]～1795-08-26,圣莱奥教皇国) 原名朱赛培·巴尔萨莫(Giuseppe Balsamo)。骗子、魔术师、冒险分子,在法国大革命前的年代里,曾在巴黎上流社会中红极一时。巴尔萨莫出身寒微,幼年出没于巴勒莫街头,衣衫褴褛。后在西西里王国境内犯下许多轻微罪行,因逃罪而出走,到过希腊、埃及、波斯、阿拉伯半岛和罗得岛。最后伪称卡廖斯特罗伯爵,于1768年与罗马美人洛伦札·费利恰尼结婚。卡廖斯特罗继续到欧洲所有主要城市去兜售长生不老药、春药,并装成炼金术士、预言家、通神者和神医。到1785年前后,他的降神会已成为巴黎上层社会中风行一时的话题。卡廖斯特罗的欺诈生涯终于达到了严重违法的地步。他因与罗昂红衣主教相友善,被卷进了所谓"钻石项链事件"(1785～1786)的丑闻,结果被监禁在巴士底狱9个月,然后被逐出法国。1789年,其妻曾向宗教裁判所控告他是一个异端分子、术士、骗子、共济会成员,于是他在罗马被捕。卡廖斯特罗受审之后被判死刑。但后来改为终身监禁,关押在亚平宁山脉中的圣利奥堡,后死于狱中。

Cagney, James 卡格尼(1899-07-17,美国纽约州纽约～1986-03-30,米尔布鲁克附近) 又译贾克奈。美国演员,以其在歌舞片、喜剧片和盗匪片中的多才多艺的表演而著称。卡格尼是一位爱尔兰裔酒吧侍者之子,在粗野的纽约市下东区长大。20年代作为歌舞演员和他的妻子弗朗西丝一道随歌舞杂耍班子巡回演出。1929年与布隆代尔成功地合演了百老汇歌舞剧《廉价游乐场》,1930年该剧搬上银幕,片名《罪人的假日》,他又在影片中演出。从影片《社会公敌》(1931)开始,他扮演了一系列令人难忘的态度轻慢和脾气暴躁的罪犯。他主演了影片《污面天使》(1938)、《我每天清晨死去》(1939)、《沸腾的20年代》(1939)和《白热》(1949),对罪犯的病态心理作了日益全面的刻画。卡格尼还是个才华横溢的歌舞演员,在《胜利之歌》(1942)中生动地扮演了著名艺人科汉,为此而获得了奥斯卡最佳男演员奖。他扮演的其他著名角色有《仲夏夜之梦》(1935)中的博顿,《金发女郎》(1941)中天真的牙医,《罗伯茨先生》(1955)中复仇心重的船长,《千面人》(1957)中的朗·钱尼,《一、二、三》(1961)中的极度激动的商人,以及在退休了20年之后在《拉格泰姆》(1981)中扮演了易激动,好争吵的警察局长。1974年卡格尼获得美国电影学会终身成就奖。1984年获得美国自由勋章,同年在电视片《可怕的乔·莫兰》中主演一位衰老的拳击手。他的自传《卡格尼谈卡格尼》于1975年出版。

Caguas 卡瓜斯 波多黎各中东部城镇。位于富饶的卡瓜斯河谷。有公路通首都圣胡安。建于1775年。有钻石切割、烟草加工、皮革制品、玻璃和塑料产品、电子仪器、服装和床上用品制造业。出产甘蔗、烟草、水果和蔬菜。人口92 429(1990)。

Cahaba 卡霍巴 美国亚拉巴马州中部偏西南的历史村庄,属达拉斯县。在卡霍巴河和亚拉巴马河汇合处。1819年建为该州第一个首府。1826年,州府因洪水迁往塔斯卡卢萨。在南北战争中又遭破坏,达拉斯县城于1865年由卡霍巴迁往塞尔马。现仅存有原建筑物的废墟,辟为考古公园。每年5月举办卡霍巴节。

Cahan, Abraham 卡恩(1860-07-07,俄罗斯帝国维尔纳[今立陶宛维尔纽斯]～1951-08-31,美国纽约州纽约) 记者、改革家和小说家。任纽约意第绪语报纸《犹太前锋日报》编辑达40年之久。该报帮助新到的犹太移民适应美国文化。卡恩自己也是移民,1882年到达美国。在卷烟厂工作时,他用6年时间学会用英文演说和写作。1897年他到《犹太前锋日报》工作,促使这家报纸更加直言不讳地发表政见,使其成为20世纪初维护移民权益的最重要机构之一。卡恩不仅积极参加政治活动,持激烈的反共观点,还努力组织工会,特别是在服装工业中。他的小说大都平淡无奇,只有《戴维·列文斯基的崛起》(1917)引人注目,这是写犹太移民经历的首批著作之一。这部小说以纽约东区南部为背景,描写一个身无分文但最终成为富有的厂主的移民的命运。评论家一致认为,这部书生动地再现了纽约一个区的生活,虽然文学价值不大,但却颇具历史意义。卡恩作为导师比作为作家影响更大。他对S. 阿施这样的年轻作家曾给予鼓励。在担任《犹太前锋日报》编辑期间,他经常为新的人才提供园地,刊登他们用意第绪语写的小说。

Cáhita 卡伊塔人 北美印第安部落集团,居住在墨西哥西北海岸沿锡那罗亚、富埃尔特、马约、亚基诸河下游地区。他们使用属于犹他-阿兹特克语系的卡伊塔语(或语群)的大约18种关系密切的方言。1533年西班牙人初到美洲时,卡伊塔人约有11.5万。他们是墨西哥北部操单一语群的各部落集团中的最大者。到17世纪,操卡伊塔方言的人大多在文化上已被殖民地社会或其他卡伊塔人所同化;20世纪两个仅存的说卡伊塔语的部落是雅基人(**Yaqui**)和马约人。这两个部落人数在20世纪后期分别约为25 000和80 000。尽管最初亚基人曾抵抗西班牙人入侵,但这两个部落的人很快被耶稣会吸引到教会周围,在17世纪全部改奉基督教。19世纪时,他们共同反抗墨西哥的统治,亚基人一直战斗到20世纪。1886年后,墨西哥政府开始强制疏散,成千上万的亚基人和一些马约人被驱赶到索诺拉州、瓦哈卡州和尤卡坦州的部分地区;另一些人则逃往美国西南部。据称有些卡伊塔人来自杜兰戈西部高地,但多数卡伊塔人居住在贫瘠低地,以农业为生。高地卡伊塔人是旱地农民,完全依靠夏季降雨。低地卡伊塔人则主要依靠每年的河水泛滥和降雨,他们在泛滥平原上种植谷物(玉米)、豆类和南瓜;除去一年种植两次庄稼外,还采集各种野生食物以补充食品不足。卡伊塔出产陶器、篮筐和棉布。卡伊塔人居住在被西班牙人称为简陋小屋的村落里。村落由一座座分布零散的小屋组成,各个家庭之间通常没有关系。村为自治单位,由一长老或数长老作为和平时期的统治者。在战争时期,各村则联合成为牢固的地区部落组织。

Cahokia 克霍基亚 美国伊利诺伊州西南部圣克莱尔县村庄。濒密西西比河,与密苏里州圣路易斯隔河相对。1699年始建。曾为密西西比河上游流域法国移民区的中心,1778年为美国占领,1790年建圣克莱尔县时定为县城(1814年移至贝尔维尔)。1927年设村。有帕克斯航空技术学院(1927,现为圣路易斯大学一部分)。贾洛特故居(1810年建成,2001年被辟为国家历史标地)、圣家族天主堂(1799,已辟为国家历史建筑)和克霍基亚法院(1760,州历史遗址)均为法国先锋派建筑的典型。村东北有州立克霍基亚土冢历史纪念地,1982年被联合国教科文组织列为世界遗产。旅游业在地方经济中发挥重要作用。人口16 391(2000)。

Cahors 卡奥尔 法国南部米迪比利牛斯大区洛特省城镇和省会。位于阿让东北,在为洛特河环绕的多岩石半岛上。城东南有圣西尔山。古时曾为卡杜尔西的都城和罗马迪沃纳镇,其古代泉现仍向城市供水。罗马时期以产亚麻布闻名。西哥特人和穆斯林人曾占领此城。13世纪,通过放债人使卡奥尔成为著名的金融中心。从1316年至1789年的法国大革命,主教一直管理着该城镇。1331年,罗马教皇约翰二十二世在此建立一所大学(1751年与图卢兹大学合并)。甘必大大街为新老城区分界。东首老城的圣艾蒂安教堂是法国第一个圆顶教堂。有三座带堞眼铁塔的瓦伦特雷桥是法国最出色的中世纪带防御工事桥梁。工业包括食品加工业、印刷业和汽车配件及药品制造业等。是鹅和块菌的冬日繁忙市场。人口20 003(1999)。

Cahuilla 卡惠拉人 操犹他-阿兹特克语的印第安居民集团,住地在南加利福尼亚,为一内陆盆地,由沙漠平原及崎岖的峡谷构成,位于圣贝纳迪诺山脉与圣哈辛托山脉之南。橡实及牧豆树为许多加利福尼亚印第安人的主食,而这里只在少数水源充足的地区才较丰茂。卡惠拉人住茅屋或土屋,或住无围墙的棚屋,长于编筐及制陶。其社会组织为父系制,由明显划分成的两个半偶族管理诸如

卡惠拉人
美国不列颠百科全书公司供图

继承及婚姻等事务；还有许多小型宗族或氏族，各有自己的土地。20世纪晚期，约有900名卡惠拉人的后裔。有些卡惠拉人的后裔把土地出售或用于修建像棕榈泉那样的度假地，获利甚丰；另一些人则投资于大面积灌溉农业，发财致富，例如居住在索尔顿湖附近的人们就是如此。

CAI 参阅**computer-assisted instruction**计算机辅助教学。

Cai E **蔡锷**（1882-12-18，中国湖南邵阳～1916-11-08，日本福冈） 又拼 Ts'ai Ao。中国近代军事家，讨伐袁世凯的护国军总司令。原名艮寅，字松坡。湖南邵阳人。1898年入

中国大百科全书出版社供图

长沙时务学堂，从梁启超学习。1899年赴日本，先后就读于东京大同高等学校、横滨东亚商业学校。1900年回国参加自立军起义，失败后复去日本入成城、陆军士官两校学军事。1904年归国后先后在江西、湖南、广西、云南训练新军。1911年任云南新军第十九镇第三十七协协统。蔡锷在昆明领导云南新军响应武昌起义，成立军政府，并任都督。1913年被袁世凯调至北京，暗加监视。1915年袁世凯称帝，他潜返云南，与唐继尧等人于12月25日宣布云南独立，组织护国军，发动护国战争讨袁，任护国第一军总司令。1916年率部在四川泸州、纳溪一带击败袁军，迫袁世凯取消帝制。袁世凯死后，蔡锷任四川督军兼省长。不久因病赴日就医，不治逝世。遗著编有《蔡松坡集》。

Cai Lun **蔡伦**（?～121） 又拼 Ts'ai Lun。中国造纸术革新家。字敬仲。东汉（25～220）桂阳（今湖南郴州）人。汉和帝（89～105）时为中常侍，曾任主管制造御用器物的尚

中国大百科全书出版社供图

方令。所监制器械精工坚密，为后世效法。他总结当时用麻质纤维造纸经验，采用树皮、麻头、破布等造纸，扩大原料来源，提高纸质，以代替通行的竹简和缣帛。105年和帝下令推广，时称"蔡侯纸"。114年封龙亭侯。后世尊为中国造纸术的发明人。中国造纸术约在8世纪传到中亚及阿拉伯地区，后又传入欧洲。

cai luong **𠲖戏** 越南戏剧的一种，意指改良戏剧或革新戏剧。在越南历史上的法国殖民统治时期（1862～1954）它有所变化，并很清楚地表现出欧洲戏剧的影响。它改变了（虽然不是移植）旧有的古典戏剧，其对话和歌曲相互交融这一点与欧洲的喜歌剧有些相像。它在具有欧洲风格的剧场中演出，充分利用了布景、舞台道具以及戏装。

Cai Xiang **蔡襄**（1012～1067） 又拼 Ts'ai Hsiang。中国北宋书法家。字君谟，兴化仙游

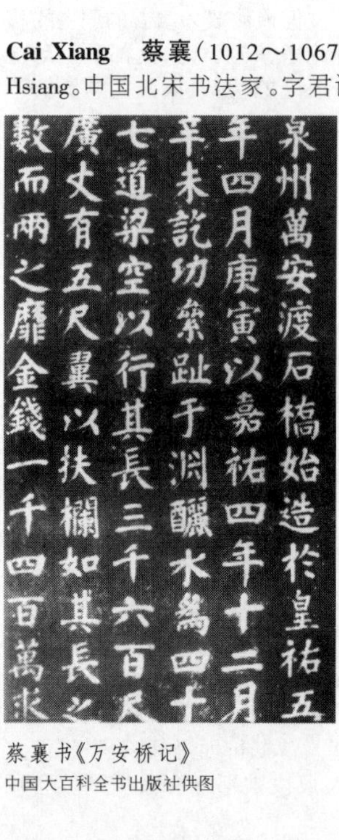

泉州萬安渡石橋始造於皇祐五
年四月庚寅以嘉祐四年十二月
辛未訖功纍趾于淵釃水為四十
七道梁空以行其長三千六百尺
廣丈有五尺翼以扶欄如其長之
數而兩之靡金錢一千四百萬求

蔡襄书《万安桥记》
中国大百科全书出版社供图

（今属福建）人。仁宗时进士。历官内外，正直敢谏，有政治才能。出知泉州，曾督修万安桥，写了著名的《万安桥记》，刻于石上。后被召为翰林学士、三司使，拜端明殿学士，出知杭州。他的书法学王羲之、王献之、虞世南、褚遂良和颜真卿，尤长行书，很受欧阳修和苏轼的推重。书法风格端重秀美，故赵子昂比之为"周南后妃，德容兼备"。与苏轼、黄庭坚、米芾并称宋四家。在中国书法史上，他承先启后，北宋前期书法皆步趋前人，他力去时俗流弊，另辟蹊径，下开苏、黄、米等新风。宋代对其书法有"独步当时"、"本朝第一"的推崇。元以后则评其为宋一代领袖群伦、超绝时贤的大师。传世书法作品有小楷《茶录》、《牡丹谱》，行草书《与杜长官帖》、《陶生帖》、《大研帖》等，以及石刻碑文。

Cai Yuanpei **蔡元培**（1868-01-11～1940-03-05，香港） 又拼Ts'ai Yüan-p'ei。中国近代教育家。字鹤卿，号孑民。浙江绍兴人。1883年中秀才，1892年中进士。1894年补翰林院编修。1902年与章炳麟等发起组织中国教育会，创办爱国学社和爱国女学。1904年参与组织光复会，任会长。1905年加入中国同盟会，为上海分部负责人。1907年赴德留学，1912年回国，任中华民国南京临时政府教育

中国大百科全书出版社供图

总长。提出修改学制、小学男女同校、废除读经等改革措施。袁世凯继任临时大总统时蔡元培辞职赴欧。旅欧期间参与组织勤工俭学会，先后有2 000多名中国学生、工人到法国半工半读。1916年11月回国，次年1月任北京大学校长，提倡学术研究和"思想自由"，主张对新旧思想"兼容并包"，实行教授治校，宣传劳工神圣，"以美育代宗教"，使北京大学面貌焕然一新，北大成为1919年五四运动的发源地。蔡元培1923年再次去欧。1926年回国。1927年南京国民政府成立后，任教育行政委员会委员和大学院院长。1928年参与建立中国最高学术研究机构中央研究院，任院长。1929年辞去所兼各职，专任中央研究院院长。"九一八"事变后，主张抗日。1932年同宋庆龄、鲁迅等组织中国民权保障同盟，任副主席，为争取民主、保障人权、营救政治犯进行了不懈的努力。1937年抗日战争爆发后，拥护国共合作，共赴国难。著作收入《蔡元培全集》。

Caibarién **凯瓦连** 古巴中部比亚克拉拉省东北部港口城市。为内地甘蔗、烟草和水

果产区的主要集散中心。近海可采集海绵。有锯木厂、糖厂和鱼罐头厂等。有公路和铁路通普拉塞塔斯和沿岸社区。人口约35 427(1990)。

Caieta(Italy) **卡耶塔** 参阅**Gaeta**加埃塔。

Caillaux, Joseph(-Marie-Auguste) 卡约(1863-03-30,法国勒芒～1944-11-22,马梅尔) 法国政治家。国家征收所得税的早期支持者,后因反对第一次世界大战,1920年以叛国

美国不列颠百科全书公司供图

罪入狱。其父欧仁·卡约曾两度任保守派部长。他于1886年获法学士学位,后入财政部任副财政监督官。1898年当选为众议员。他具有理财家的名声,两次被召至财政部任职(1899～1902,1906～1909)。尽管他试图征收所得税未果,但其他一些重要财政改革却取得了成功。1911年6月27日被任命为总理。为了解决摩洛哥危机,他与德国谈判,达成一项协议,即:北非地区由法国保护,中非让与德国。由于这一妥协方案,他受到舆论的猛烈抨击,1912年1月被迫辞职。第一次世界大战爆发后,他向左转,站在反对派立场坦率陈词。由于这一点以及同德国机构中朋友的交往,他受到叛国的指控。1917年12月22日,他的议员豁免权被取消,1918年1月4日被捕。1920年2月受审时,查明他并无叛国罪行,只判有"妨碍国家外部安全"罪,被剥夺公民权10年。1924年7月14日获赦。1925年4月P. 潘勒韦任命他为财政部长。1927年1月被选入参议院。作为财政委员会主席,他很快就成为参议院中的关键人物。1935年6月1～7日曾短期回财政部任部长。他支持达拉第1938～1939年与希特勒的谈判。1940年法国崩溃,他退隐家园,拒绝支持维希政权。

Caillebotte, Gustave 卡耶博特(1848-08-19,法国巴黎～1894-02-21,热讷维耶) 法国画家、收藏家、经纪人,他将学院派风格和印象派风格独特地结合为一体。出身于富有的家庭,曾受工程师训练,但对绘画发生兴趣,故入巴黎美术学校就读。1874年他遇见P.-A. 雷诺阿和C. 莫奈,在1876年的印象派画展和随后的展览中展出他的作品。卡耶博特成为其后6年里印象派画展的主要组织者、提倡者和出资人,他用自己的财富购买莫奈、雷诺阿、C. 毕沙罗、P. 塞尚、E. 德加、A. 西斯莱、B. 摩里索等人的作品。卡耶博特是很有才能的艺术家,但死后声名衰微,原因是他的画大部分由其家人持有,直到20世纪下半叶才展出或复制。他的早期作品主要表现19世纪50和60年代奥斯曼男爵为巴黎所造的新林荫大道和现代公寓住宅。《欧洲的桥》中描画的铁桥代表这种对现代都市环境的兴趣,而《刮地板的人》(1875)是都市工匠忙于工作的写实场景。卡耶博特的杰作《雨天的巴黎街道》(1877,现藏芝加哥美术馆)使用大胆的透视法,创造出雨天巴黎横断面的纪念碑式的画像。卡耶博特也画肖像、人体习作、划船场景和乡间风景、花的装饰性习作。他在晚期作品中倾向于使用较亮的颜色且涂色较厚。卡耶博特的独创性在于:他尝试把学院派提倡的仔细描摹、准确的色调与印象派提倡的生动色彩、大胆透视、对光线敏感、不矫饰的主题结合起来。他死后赠予法国政府的艺术收藏仅被国家勉强接受。1897年位于卢森堡宫的卡耶博特画室开放,成为第一个在法国博物馆中陈列的印象派画展。

Cailletet, Louis-Paul 凯泰(1832-09-21,法国塞纳河畔沙蒂永～1913-01-05,巴黎) 法国物理学家、炼铁业厂商,以其对气体液化的研究工作而闻名。青年时代在其父的炼铁厂做工,后管理该厂。也积极从事科学研究。1877年12月2日,在300大气压和 -27 °C下使氧液化,所得到的氧是云状物。后来在巴黎师范学校又重复了该实验,同时液化了氢、氮和空气。他的工作是独立于瑞士物理学家R.-P.皮克泰(1846～1929)的气体液化工作进行的。关于他二人中谁先获得成功还曾有过不少争论。曾在《汇报》等法文科技期刊上发表多篇论文,内容包括气体的液化和低温的形成、气体透过金属的通道、测量高压的流体压强计、临界点和低温下的物质状态。他还对航空术感兴趣,并设计了一种测量飞机飞行高度的仪器。1884年成为科学院院士。

Caillié, René-Auguste 卡耶(1799-11-19,法国拉罗谢尔附近莫泽～约1838,法国拉巴代尔) 法国探险家。到西非城市廷巴克图旅行生还的第一个欧洲人。20岁前已两次航海到塞内加尔内地。1824年开始学习阿拉伯语,研究伊斯兰教,准备到廷巴克图旅行。曾装成阿拉伯人前往埃及,于1827年4月离开西非海岸,1828年4月20日到达廷巴克图,途中因患病中断旅行5个月。然后经过大约2周的时间继续前进到达目的地,后越过撒哈拉,经摩洛哥回到法国。他对此次旅行的记述分三卷,1830年出版,同年译成英语。加尔布雷斯·韦尔奇所著《揭开廷巴克图的面纱:卡耶令人震惊的冒险》(卡耶旅途记事)于1938年问世。

caiman 凯门鳄 又拼cayman。中、南美洲几种与钝吻鳄有亲缘关系的爬行动物,同属鳄目钝吻鳄科。两栖,似蜥蜴,肉食性,生活在江河及其他水域的边缘。雌体筑巢并护卵。卵壳硬。共3属:①短吻鼍属(*Caiman*),包括宽吻凯门鳄(*C. latirostris*)、眼镜短吻鼍(*C. crocodilus*);②亚马孙鼍属(*Melanosuchus*),即黑凯门鳄(黑亚马孙鼍,*M. niger*);③南美鼍属(*Paleosuchus*),俗称光脸凯门鳄,包括锥吻南美鼍(*P. trigonatus*)及盾吻南美鼍(*P.*

宽吻凯门鳄(*C. latirostris*)
美国不列颠百科全书公司供图

palpebrosus)两种。最大的一种是黑凯门鳄(黑亚马孙鼍),有潜在的危险,最大的体长约达4.5米,其他种类的体长约1.2～2.1米。眼镜短吻鼍体长最多达2.7米,原产于墨西哥南部至巴西一带的热带地区,平静泥底的水域数量甚多。因两眼之间有一块骨脊,像一副眼镜上的鼻梁架而得名。自法律规定密西西比钝吻鳄(*Alligator mississippiensis*)为保护对象后,大量的眼镜凯门鳄卖至美国并向旅游者出售。光脸凯门鳄为凯门鳄中最小的一种,栖居于亚马孙地区湍急而多石的山川和江河里;因两眼之间无眼镜短吻鼍所具的骨脊而得名;善游泳,食鱼类、鸟类、昆虫和其他动物。

caiman lizard(*Dracaena*) **凯门蜥** 闪光蜥属蜥蜴亚目臼齿蜥科爬行动物。产于南美洲的潮湿森林地区。圭亚那闪光蜥(*D. guianensis*)体长达122厘米。主要取食蜗牛,以坚齿咬破其壳,去碎壳后吞下。橄榄绿色,尾扁平,上有一对冠状隆起,用于游泳。

Cain 该隐 《圣经·旧约》人物,亚当和夏娃的长子,杀死其弟亚伯(《创世记》4:1～16)。该隐种田,亚伯牧羊,上帝接受亚伯的供物而不选该隐的供物,该隐发怒而杀亚伯。于

J. della 奎尔恰的浅浮雕《杀亚伯》(1425～1438)
美国不列颠百科全书公司供图

是上帝将该隐从定居地赶走。该隐害怕在流离飘荡中被人杀害,因此上帝给他身上留下记号以保护他,并说凡杀该隐的必遭报七倍。这段圣经故事可能说明,一个名叫该隐的部

落实行纹身,为被害的本部族成员报仇,也可能是要说明该隐部落从事游牧生活的原因。有些《圣经》考证家认为该隐指基尼人(**Kenite**)。

Cain, Henri-Louis(French actor) **卡安** 参阅 **Lekain** 列肯。

Cain, James M(allahan) **凯恩**(1892-07-01,美国马里兰安纳波利斯～1977-10-27,马里兰尤尼弗西蒂帕克) 美国小说家。他的情节剧激烈紧张、沉溺于性的描写,具体而概括地体现了20世纪30～40年代盛行于美国的"硬汉派"写作风格。美国电影的3部杰作《加倍赔偿》(1936;1944年拍成电影)、《米尔德里德·皮尔斯》(1941;1945年拍成电影)和《邮差总是按两次铃》(1934;1936年改编成剧本,1946年和1981年两次拍成电影)都是根据他的小说改编的。1910年毕业于马里兰州的华盛顿学院,第一次世界大战在国外服役时任军报编辑。回华盛顿学院修完硕士学位后,先后在巴尔的摩的《美国人报》和《太阳报》工作。1923～1924年,在安纳波利斯的圣约翰学院担任新闻学教授,1924～1931年,在纽约任《世界》周刊的社论撰写人。曾短期担任《纽约人》的总编辑。42岁时出版他的第一部小说《邮差总是按两次铃》。这是一部引人注目的成功之作。小说中描绘的污秽环境、企图通过暴力达到目的的人物以及紧凑明快的散文体为他后来的大多数作品定下模式。《小夜曲》(1937)在描写一个两性人主角时用词大胆。短篇小说《罪恶的女人》、《加倍赔偿》和《盗用公款者》都收在《同类中的三个》(1943)中。他的作品在第二次世界大战后继续出版,其中有《蝴蝶》(1947)、《飞蛾》(1948)、《他的恶行的根源》(1954)、《魔术师的妻子》(1965)和《虹之端》(1975),但是没有一部超过早期作品。

Caine, Sir (Thomas Henry) Hall **凯恩**(1853-05-14,英格兰柴郡朗科恩～1931-08-31,马恩岛) 英国小说家。1885年出版第1部长篇小说《罪恶的影子》,此后还写过多部小说,包括《法官》(1887)、《马恩岛人》(1894)、《外国城市》(1901)、《你给我的女人》(1913)和《诺卡洛埃的女人》(1923)。他的小说人物突出,烘托巧妙,缠绵悱恻,既有地方色彩,又富于教育意义。1881～1882年给英国"拉斐尔前派艺术家"的领袖,诗人和画家D.G.罗塞蒂当秘书。罗塞蒂死后,他定居马恩岛。1918年被封为爵士。

Caine, Sir Michael **凯恩**(1933-03-14,英国伦敦～) 原名Maurice Joseph Micklewhite, Jr.。英国电影演员,善于饰演各种性格的角色,蜚声国际影坛。1954年出演影片《凯恩舰叛变》后改用艺名。1956年开始拍摄电影,饰演各类角色,如英国影片《韩国的一座山》(1956)、《如何杀死一个有钱的舅舅》(1957)、《地球着火的那天》(1961)和《祖鲁战争》(1964)。1965年在《伊普克雷斯档案》一片中饰演英国间谍H.帕尔默大获成功,但他真正的突破是在《风流奇男子》(1966)中饰演主角阿尔菲,获得奥斯卡最佳男主角提名。20世纪60年代的其他成功之作还有《柏林葬礼》(1966)、《艳贼神偷》(1966)、《错误的箱子》(1966)、《田野泪》(1967)和《大淘金》(1969)。在早期影片中,他的多才多艺使他饰演各类角色都惟妙惟肖,尤其善于表演轻喜剧。70年代的杰作有《复仇威龙》(1971)和《足迹》(1972),后者再次获得奥斯卡最佳男主角提名,其他成功的影片还有《霸王铁金刚》(1975)和《猛鹰雄风》(1976)。80年代拍摄了20多部影片,其中成功之作为《剃刀边缘》(1980)、《死亡计中计》(1982)、《凡夫俗女》(1983)(又名《教导丽塔》;获奥斯卡最佳男主角提名)、《蒙娜丽莎》(1986)、《汉娜和她的姐妹们》(1986)(获奥斯卡最佳男配角奖)、《福尔摩斯外传》(1988)和《偷心大少》(1988)。截至20世纪末凯恩拍摄了100多部影片,凭借《苹果酒屋法则》(1999)第二次获得奥斯卡最佳男配角奖。在《沉默的美国人》(2002)中饰演一位在越南工作的英国记者,获得奥斯卡最佳男主角提名。著有两本畅销书:《电影表演》(1987)和自传《这都是为什么》(1993)。1993年荣获大英帝国骑士勋章,2000年受封为爵士。

Cainite **该隐派** 诺斯替教的一派。据早期基督教著作家记载,此派盛行于2世纪,流行地区约在罗马帝国东部。他们重新解释《旧约》,说犹太人所奉之神雅赫维是邪恶之神,他创造世界意在阻止人的神性要素与完美的神重新结合。该隐派从根本上颠倒《圣经》的善恶标准,反面人物如该隐、以扫和所多玛人都被该派认为具有真知即诺斯,因此该派称为该隐派。他们宣称惩罚这些善人的是妒忌善良而不通理性的造物神希斯泰拉(子宫)所为。他们也崇拜夏娃和加略人犹大,且有《夏娃福音》与《犹大福音》等经籍。

caique **短尾鹦哥** 几种南美产鹦鹉的统称。参阅 **parrot**。

Caiquetio(people) 又拼 Caiquetia。参阅 **Caquetío** 卡克蒂奥人。

Caird, Edward **凯尔德**(1835-03-23,苏格兰伦弗鲁格里诺克～1908-11-01,牛津) 哲学家、英国新黑格尔派领袖。曾在苏格兰和牛津学习。1864～1866年在牛津默顿学院任指导教师。1866～1893年任格拉斯哥大学道德哲学教授。1893～1907年任牛津大学巴利奥尔学院院长。1907年因瘫痪而退休。他是按照黑格尔的方法阐述德国唯心主义哲学的最有影响的英国哲学家之一。和其友人,牛津大学教授T.H.格林在英国开创了这一运动。格林致力于阐述黑格尔体系在伦理学方面的含义,凯尔德则利用这一体系的原则来解释哲学和神学。他还专心研究康德的哲学,写出了《康德哲学评述》(1877)和《康德的批判哲学》(2卷,1889)。他认为"现代哲学的最大主题就是人的事物对神的事物的关系问题",因此又写了不少讨论宗教的作品,其中包括《宗教的发展》(2卷,1893)和《希腊哲学家著作中神学的发展》(2卷,1904)。

Caird, John **凯尔德**(1820-12-15,英格兰伦弗鲁格里诺克～1898-07-30,格里诺克) 英国神学家和传教士。他用黑格尔的用语解释有神论。1845年在格拉斯哥大学毕业时被任命为长老会牧师,以博学和雄辩的宣教而闻名全国。1862年任格拉斯哥大学神学教授,1873年任该校校长。其《宗教哲学概论》(1880)和《基督教的基本思想》(2卷,1899)都严格遵从黑格尔学说。在这两书中,他认为普遍的思想就是一切事物的现实,而无限的思想,即上帝的存在则由于有限思想的限制而得到证实。《斯宾诺莎》(1888)一书也采用黑格尔方法。其布道著作《平常生活中的宗教》(1855)曾重印多次,并译成其他语言。

Cairene rug **开罗地毯** 埃及铺地用品,生产于开罗或其附近,至迟开始于15～18世纪。马木路克时代的早期产品为紧凑的几何图案,中心花饰为大而复杂的星形、八边形或多边形,又经细分并缀以大量放射形或集簇形的小花饰。六色毯可能较早,因为在1517年奥斯曼人征服埃及以前不久已减为三色。保存下来的一般为小毯,两端均有十字格子图案。奥斯曼帝国征服后大量生产奥斯曼式彩花地毯,其中有许多为圆形奎心图案。开罗地毯似乎大量向南欧出口,现存的古代开罗地毯多发现于南欧,其中包括几条十字形桌毯。

cairn **圆锥形石堆** 作界标、路标或墓葬用的石堆。往往筑在高地上,主要见于不列颠。参阅 **burial mound**。

cairn terrier **凯恩㹴狗** 在苏格兰培育的一种使役㹴狗。祖先为17世纪斯凯岛上的㹴狗,现在该品种的特征即参照其特征培育而成。腿短,面短而宽,常现该品种特有的

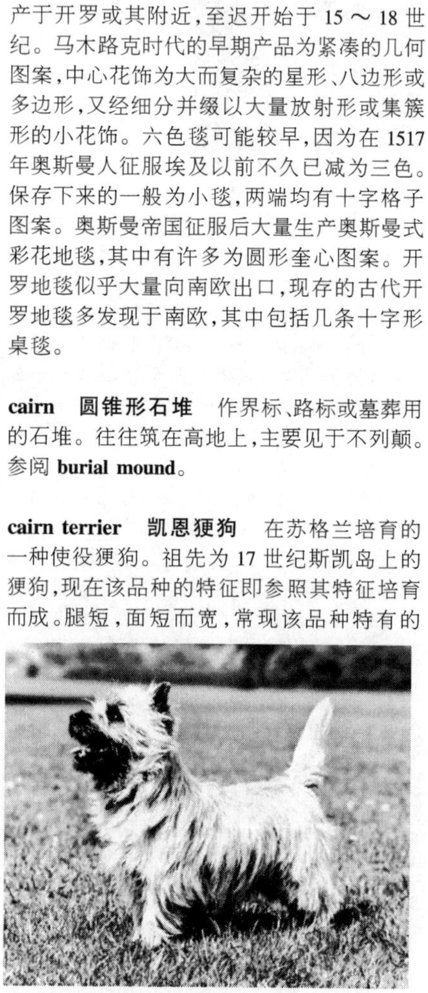

凯恩㹴狗
美国不列颠百科全书公司供图

"敏锐"表情。被毛粗糙,通常蓝灰色、黄褐色或淡黄褐色。活泼、耐劳,机敏、精力充沛。体高23～25.5厘米,体重约6～6.5千克。用作玩赏狗或看门狗。

Cairnes, John Elliott **凯尔恩斯**(1823-12-26,爱尔兰劳斯郡贝灵厄姆堡～1875-07-08,伦敦) 爱尔兰古典经济学家。在都柏林三一学院学习,1856～1861年为该学院政治经济学教授;随后在戈尔韦的女王学院(1861～1866)和伦敦大学学院(1866～1872)任政治经济学教授。在其第一部著作《政治经济学

的性质与逻辑方法》(1857)中,着重说明古典政治经济学的抽象演绎性质并鼓吹它对各种政策及政治原理保持科学的中立态度。《奴隶的权力》(1862 ～ 1863)一书阐明了奴隶劳动固有的弊端,对英国舆论在美国内战中(1861 ～ 1865)支持北方颇有影响。"论黄金问题"的文章(载于《政治经济学文集》中,1873)论及澳大利亚和加利福尼亚发现金矿的后果,被认为是19世纪货币理论方面最重要的著作之一。《政治经济学重要原理新义》(1874)为其最后的,也是篇幅最大的著作,其中复述了古典经济学派大多数原理。

Cairngorm Mountains 凯恩戈姆山 不列颠群岛中的最高山岳,在苏格兰高地斯佩河谷和迪河谷之间。该山分属苏格兰高地、马里和阿伯丁郡。本麦克杜伊山最高(1 309米),为不列颠群岛第二高山。冬季体育运动集中在阿维莫尔镇,第二次世界大战后,业务发展迅速。娱乐活动有滑雪、爬雪山和坐马车旅行。有英国最大的凯恩戈姆国家自然保护区,占地259平方千米,区内有稀有的动植物群。

Cairns 凯恩斯 澳大利亚昆士兰州东北部城市和港口。临特里尼蒂湾。19世纪70年代,该地始建为政府的海关关税征收站。19世纪后期,随着在帕尔默河发现沙金,在阿瑟顿高原发现锡矿,以及在该地区开始种植甘蔗,该地逐渐发展。以昆士兰州州长(1875 ～ 1877)W.W.凯恩斯的姓氏命名。1885年,该地为自治地区,1903年建镇,1923年设市。由于有航空线、铁路和布鲁斯公路通布里斯班(东南1 380千米),凯恩斯成为生产乳制品、糖、谷物、水果、烟草和花生的农业基地。亦从事伐木、乳品加工和锡矿开采。除了港口活动(特别是装运大宗食糖)外,凯恩斯有以农业为基础的工业、木材厂、铸造厂和酿酒厂。该地还是近海大堡礁的旅游中心。有一座天主教堂和一所艺术学校图书馆。人口120 433(2001)。

Cairo 开罗 埃及首都,非洲最大的城市。它的阿拉伯语名称的意思是"胜利的"。该城位于尼罗河东岸,在阿斯旺高坝下游800千米处,已有1 000年以上的历史。开罗地处尼罗河三角洲的入口,三角洲始于北面约16千米处,尼罗河下游在该地分为罗塞塔和达米埃塔两条支流,数百年来开罗一直是保卫埃及南部地区的要塞。

在开罗市,新的和旧的、东方和西方的东西并存。孟斐斯附近的大金字塔耸立在大都市的西南边缘。东北部的一座方尖塔标志着赫利奥波利斯的存在,柏拉图曾在这里学习过。该城现代的文物建筑有俯视尼罗河的漂亮的西式高层饭店。在这两个极端之间是可追溯到罗马、阿拉伯和土耳其时期的其他纪念性建筑物。除了百货商店、电影院、旅馆和市区新式住宅外,开罗还有一个很大的十分活跃的集市和一个广阔的中世纪城区,内有400多座从130年至19世纪初的历史性纪念物——清真寺、陵墓、有城垛的城墙和大城门等。

自然地理和人文地理

景观 气候 典型的沙漠气候,白天干热,入夜清凉,有尼罗河上的微风送爽。开罗只有两个季节:夏季近8个月,冬季4个月。夏季6 ～ 8月最热,日平均最高温度为35 °C,日平均最低温度为21 °C。夏天气温曾高达47 °C。冬季期间,白天因北回归线太阳强烈照射而温暖,但夜间凉快而湿润。1 ～ 2月日平均最高温度为19 °C,日平均最低温度为9 °C。有益健康的气候使开罗久享冬季度假胜地的美誉。

开罗市的爱资哈尔清真寺与爱资哈尔大学

美国不列颠百科全书公司供图

城市布局 ①旧区和新区。开罗呈扇形,南端最窄,河谷楔入沙漠的悬崖峭壁;北端最宽,河谷与三角洲融成一体。千百年间,当一条河道后退、留下不受水淹的土地时,城市便向西面扩展。但是,为了满足增大的需要,城市也向南北两方拉长,并在尼罗河西岸扩充了一块地盘。

开罗省是埃及所划分的行政区之一。省境只包括城市化区域的一半;极南端的工业卫星城镇赫勒万属于此省,但是远在北方的舒卜拉海迈等工业卫星城镇以及西岸高度开发的城区则属于另一省。

大都会综合体的组织只有根据城市历史的来龙去脉才能够理解。3个最古老的区构成人口稠密的贫民窟,它们实际上环绕着西式的中心部分。其中面积最大的是法蒂玛王朝时代所建造的城,以及19世纪以前的扩充地区(杰迈利耶、代尔卜艾哈迈尔、巴卜舍里耶、东塞义德济纳布、北哈利法)。开罗的大多数历史纪念物都在这一居民密集、包括有最古老建筑物的地区,从在北缘的拜巴尔斯一世清真寺到靠南的萨拉丁堡。在中央的有城墙的城市中,爱资哈尔清真寺附近的巨大集市有哈利利市场(1390年建)以及经销金物件、铜器、纺织品、地毯、琥珀、香料和皮货的市场。有两条通衢大道贯穿南北:穆伊兹丁安拉大街将旧城分为两半,两侧有一些大清真寺和市场;塞得港大街是沿着一条古代运河的河床修筑的,这条运河曾经是法蒂玛时代开罗的西边界线。戈哈尔加伊德大街(汇入穆斯基大街)和爱资哈尔大街将旧城与商业中心区连接起来。一条对角线,即卡拉大街,把商业中心区与萨拉丁堡连接起来。其他街道大多狭窄、弯曲,而且往往是死胡同。只有通衢大道允许机动车辆行驶。

另外两个旧城区是位于中世纪城西北缘的布拉格和南面的老开罗;在城市扩大把它们并入以前,它们是开罗的海港郊区。布拉格在1340年以前为一海岛,到1560年为主要港口,19世纪初成为一个工业区。现拥有一些小作坊、国家出版社、几所纺织厂和中等职业学校。该区居住的是穷人,包括许多由农村流入者,密度极高。在现存很少的历史性建筑物中,有艾布阿拉清真寺和锡南帕夏清真寺;许多比较古老的结构均已拆毁,给商业和办公大厦腾出地方。老开罗是一个更为贫苦的城区,不过只有一小部分是古老的。有围墙的巴比伦大院,包括它的一半浸在水中的罗马棱堡、它的科普特礼拜堂和博物馆,以及它的古老会堂和房舍,实际上均完好无损,附近那座经过重建的阿慕尔清真寺也未受触动。开罗与赫勒万之间的富饶农田已经盖满了公寓楼房,而英国人统治时代为独家公馆建立的迈阿迪郊区住宅现在矗立着几座摩天楼。

在这些旧城区侧面的是商业中心区(爱资拜基亚区)和它的居住区(花园城、伊斯梅利亚),一直延伸到尼罗河中的杰济拉岛上。主要交通干线是库尔尼什道即滨江道,系1952年推翻帝制后沿尼罗河建造的一条大马路。从北向南是气势雄伟的电视大楼、拉美西斯希尔顿饭店、市府大楼、尼罗河希尔顿饭店(其背后有埃及博物馆)和谢泼德饭店。其附近还有花园城的曲曲折折的街道,两侧列满高层公寓式住宅。从滨江道过桥越尼罗河到达杰济拉,这里有大饭店、开罗塔、博物馆、公园、赛马场、体育俱乐部和军官俱乐部,以及漂亮的住宅。

在给人留下深刻印象的尼罗河畔地区和古老的内陆城区之间有一个过渡地带(穆斯

基、巴布卢克、东阿比丁、纳斯里亚、希勒米耶),是工人阶级的居住区。它主要是在19世纪发展起来的,区内有国家图书馆、伊斯兰美术馆和总统府及档案馆。

沿着大都市东面和南面边缘是广阔的墓地——称为"死城"的地区,在埃及以外没有类似的地区。这是一片广大的灰蒙蒙、黄褐色的区域,没有市政公用设施,建有早期宗教领袖的精致神龛的清真寺和陵庙(例如伏斯泰特居民,埃及主要法定传统创始人沙菲仪伊玛目的陵庙),及马木路克苏丹的神龛清真寺和陵庙(其中最漂亮的有加伊特·贝、巴尔库克和卡拉温的纪念性建筑物)。也有比较现代的和现代的建筑物。特别是自从第二次世界大战期间人口增长以来,在死城以外建造了一些房屋和商店。约有25万开罗人居住在那里,大多未获政府批准。

北面和西面边缘地带有很大发展。东西岸和鲁达岛上是发达的住宅区(杜基和吉萨)、动物园和植物园、农业博物馆及开罗大学校园。因巴拜的工人城是一个大规模的住宅计划,而工程师区现在则是中层和上中层阶级的住地。北面也进行了扩展。自1905年左右起,北面的劳德·法赖吉、舒卜拉、沙拉比亚、拱北、阿巴西耶、迈泰里耶、扎伊滕和米斯尔杰迪代(赫利奥波利斯)区人口增加,在20世纪20年代大幅度增加。此后,城市发展越来越侵占农田,周密的灌溉计划已伸入沙漠地区。首先在1905年进行设想的赫利奥波利斯和1958年始建的奈斯尔城是这些事态发展的例证。农村人口仍居住在北部地区,但那里也有擅自占用的居住区。然而开罗大都市区中最新的区是在市中心以外的沙漠地区建造的一系列卫星城。沙漠地区中还有一些区域和服务设施居住计划,政府在其中规划了小区和修筑了街道、下水道、电力设施及自来水管线。

②建筑风格。开罗建筑物的风格与每一城区发展的历史时期有联带关系。在几个最古老的部分,盛行2～4层的结构,大多用砖砌成,外抹灰泥,有时露明木柱。木材奇缺,节约使用。有几座最古老房屋的窗户带优美曲线的木格,厚实的木门上有镶嵌工艺、黄铜或铁钉头装饰,表明过去的典雅气派。传统的住宅只有极少数现在依然完整如初,房前总有带人工喷泉的庭院,男女居室分开。传统的作坊和货客栈(现存较多)均有瞭望内庭的门廊。

开罗在19世纪兴修的各部分显示出欧洲过大的影响——装饰极为富丽的石造外表,圆屋顶,罗马风格的门道。这种不优美和不协调的、随着时间的推移而黯然失色的风格在过渡地带占有支配地位,其中最奇特的例子大概要算19世纪末期的塞卡基尼宫(在拜巴尔斯一世清真寺的东北)和20世纪的赫利奥波利斯创建者昂潘男爵府了。

早期现代西方式城区建于20世纪初年,采取巴黎的建筑式样,大多数中等高度的楼房是石造或者浇灌水泥。在靠近尼罗河的地方和江心岛上,一种现代的地中海风格占主要地位。带有阳台的钢筋水泥和玻璃的高楼大厦以瓷砖装饰墙面。在这些较少派生的结构中,从古代神庙的简洁的、几乎笔直的线条可以显然看出的埃及建筑艺术的独特风格似乎又在重新出现。

在西部和北部的各城区中,一些比较优雅的小区既有漂亮的高层公寓楼房,也有1或2层的"别墅",高高的院墙内是丰富多彩的花园。中下阶层和工人阶级的住宅则只是水泥的多层结构,灰色或深浅黄色,往往第一层由商店占据。最贫穷的地带有3～5层的简易楼,大多是红砖砌成,无装饰。

所有房屋都是平顶。在大多数城区中,商店分布在住宅群内;而在比较贫穷的城区,亦可见到临时性的车间。

人民 开罗人口过去在人种和宗教方面千差万别,但现在绝大多数是穆斯林。其余为信仰科普特正教的埃及基督徒。一度占支配地位的英、法、瑞士和比利时等外国集团的成员大多数已在1957年离去,留下的有人数不多的意大利人和希腊人社区,再加上阿拉伯国家的人(叙利亚人、巴勒斯坦人和苏丹人)以及从东欧派来的外交人员和技术人员。在埃及人内部,主要依照出生地(许多开罗居民生在埃及农村地区)、阶级和现代化程度而具不同的地位。约一半人口住在城内,另一半住在郊区。人口约9 900 000(1996)。

经济 **工业** 从最初起,开罗的经济就以政府活动、商业贸易以及工业生产为基础。特别是20世纪20年代以后,现代生产部门急剧扩大。1952年革命以后实行大规模工业化,其起点是利用埃及著名的长纤维棉的纺织业,将肥沃的三角洲上生产的多种多样水果、蔬菜制成罐头和冷冻的食品加工业以及上埃及生产的烟草和甘蔗的加工业以前的发展。除生产钢铁外,也制造消费品,如小汽车和电冰箱。尤其是1956年以后,各种各样小型消费品的产量增加。

开罗是国家现代经济活动和财政管理的首要中心。它拥有大多数埃及的重要银行、轮船公司和航空公司;全国所有的运动会、娱乐场所、咖啡馆、饭店和旅馆约有1/3也都集中于开罗。

虽然开罗以男性为主的劳动力有约1/2在日益发展的现代化经济部门(流水作业线和辅助性的商业、财政机构)工作,但仍存在大量的传统部门,手工业和个人关系在其中占重要地位。

劳工 约1/3的工人从事服务性行业,其中许多人的生产能力和生活能力不很强。政府的工作以动员这支劳动力为重点。开罗的失业率相当高。在20世纪80年代中期,多达320万埃及劳力为客籍工人,主要在生产石油的波斯湾国家和利比亚,但是石油价下跌和生产放慢后,许多工人被遣返。他们的归来使开罗的失业率进一步上升。

运输 开罗在赫利奥波利斯外围有一国际机场,有火车通往其他各大城市。从开罗的巴卜哈迪德火车站到亚历山大有带空调的火车,而通往卢克索和阿斯旺则有过夜的卧车。城市本身有公共交通设施。1981年开始兴修巨大的都城铁路系统,第一期工程是更新从开罗到南面的赫勒万之间的现有路线,已于1987年完成。都城系统的最主要项目是开罗市中心的4.3千米地铁线路,1982年动工。除法蒂玛区外,全市均有有轨电车和公共汽车穿行。由于当地工厂装配以及进口,现有汽车的辆数日益增加;为了解决交通越来越堵塞的情况,修筑一些旁道和立交桥。

行政与社会状况 **政府** 1949年以前,开罗的行政失常,由国家决策人和地方官共同管理。1949年设开罗特别市,1950年与一市议会同时举行就职典礼。1960年成立国家的地方行政部,随即发布统一的地方政府组织条例。虽然该部已于1971年解散,但一些基本改革保持下来,包括将特别市与开罗省合并。

开罗省的首脑是省长,由总统任命,省执行委员会辅佐。委员会内有国家一些主要部门的副部长,如教育、住房、保健、社会事务、财政和内政。委员会下还设有几个特别行政部门。开罗市议会由当选代表和职权议员组成,市议会于1971年解散,由人民议会取代,在人民议会中只有当选代表有投票权。中央政府仍掌握地方计划和预算的财政控制权。

公用设施 自19世纪60年代起有煤气和自来水管道,自20世纪初开始有电力网和下水系统。市内较古老的住宅绝大多数连接送电网络,但有上下水道者不到一半。主要的奋斗目标是向各新市区和郊区延伸所有种类的公用设施管线,修理和保养旧有的设施。对尼罗河水过滤和净化后输送给用户。下水道经过彻底整修,能力已经加大。1985年大力改进了电话设施。

保健 埃及的保健和医疗设施大多集中于开罗。有几所政府办的医院,包括宏大的卡斯爱尼综合医院、迪麦代什综合医院以及在阿巴西耶的精神病院。本市还有许许多多较小的私立医院,如达尔什发医院、意大利医院和英美医院。一些专科诊所和各种公共医院医治流行的眼疾(主要为沙眼)。

教育 初等教育是义务制,文盲率已大大降低。除小学和中学外,教育机构包括各种技术专科学校、大学预备学校和外国学校。学校数目和学生人数均已显著上升。

开罗又是埃及高等教育的中心,不仅吸引埃及的学生,而且吸引其他阿拉伯国家的学生前来就读。开罗大学的各院系所培养的大学毕业生和专门人才(医生、律师和工程师)的人数为全国最多者。艾因沙姆斯大学也是一个著名的学府;阿扎尔大学过去专门教授宗教课程和语言文学,现在在奈斯尔城新增加的校园中也教授各种科学。开罗的私立美洲大学用英语讲授各种艺术和科学。

文化生活 开罗是中东的文化首府,也是该地区的主要大众传媒中心。千百年来,该地区的主要宗教机构和文化机构都集中在那里。19世纪期间增加了欧洲的文化机构,如戏院和歌剧院。巴罗克歌剧院有时听到埃及作曲家的音乐作品,它是开罗交响乐团的大本营,并特邀芭蕾舞团和歌剧团前来演出,包括本土的列达民间芭蕾舞团在内。在闹市区歌剧院广场的那座歌剧院于1971年毁于火灾,1988年在杰济拉的南端建成一座代替它的建筑物。

埃及长期以来以产生音乐和戏剧的天才著称,并且有过阿拉伯正统剧的一次复兴。阿拉伯语的影片大多是由首都开罗市的一些埃及公司摄制的。主要的电影明星以及阿拉伯世界最受人欢迎的歌手们，都以开罗为自己的根据地。埃及广播电台的广播响彻北非各个角落，深入"肥沃新月"地带，甚至南达非洲大陆。

开罗有很多博物馆：如解放广场的埃及博物馆，陈列图特安哈门的珍宝；老开罗的科普特博物馆，专门展览伊斯兰教以前的圣像、纺织品和墓碑；巴卜卡尔克的整修得很漂亮的伊斯兰艺术博物馆，其中有一些本马木路克《古兰经》以及木、黄铜、镶嵌和玻璃制的物品；撒拉丁堡战争博物馆，以及鲁达岛上的土耳其风格的马尼阿勒宫博物馆。开罗各清真寺收藏品之丰富足以与任何博物馆媲美。

吉宰的开罗动物园有各式各样稀有的热带动物。供人享用的娱乐设施有乘帆船溯尼罗河一游，以及无数的河边咖啡馆，小舟餐厅和夜总会。除杰济拉原有的体育设施（赛马场、游泳俱乐部和花园）外，赫利奥波利斯有一个赛马场。奈斯尔城是开罗体育场的所在地，有很多比赛场所。

历史

早期 虽然在开罗西南22.5千米处已经毁坏的孟斐斯在5 000年前曾是大都市，并且在约2 000年之前，罗马人占领了开罗地界上的巴比伦镇（今盖迪迈区），但现代开罗兴起的基础却是伏斯泰特镇，把伊斯兰教引入埃及的阿拉伯人的司令官阿慕尔·伊本·阿斯在公元641年建立伏斯泰特镇作为军队扎营地。伏斯泰特成为日益繁荣的工商业港口城市，接连几个朝代又在这里修建了皇室郊区（伍麦叶王朝于750年修建了阿斯卡尔；艾哈迈德·伊本·图伦于870年修建了卡塔伊）。位于城市南部的这些早期建筑所余无几，留下的只有图拉真塔（130）、阿慕尔·伊本·阿斯清真寺（641）和艾哈迈德·伊本·图伦清真寺（878）以及部分被挖掘出的伏斯泰特地面上的土墩。

在969年，持不同意见的伊斯兰教派法蒂玛的信徒从现今的突尼斯入侵埃及。占领军将领贾华尔在已有的居住区的东北修建了一座长方形有城墙的新城。该城最初取名曼苏里耶，在973～974年，法蒂玛的哈里发穆伊兹到达该城，将之改名加希拉，设为王朝的都城，他的王朝历时200年。加希拉和伏斯泰特并存，直至1168年没有设防的伏斯泰特被放火烧毁，以保护开罗不受十字军的侵犯。来自叙利亚的一支逊尼派（正统的伊斯兰教派）军队驱走了十字军，此后获胜的军队的将领萨拉丁建立了阿尤布王朝，该王朝从开罗治理广阔的王国。

虽然伏斯泰特已部分重建，但开罗本城已从一个皇家飞地转变为一个帝国大都市。萨拉丁把一位高级官员巴德尔·贾马利建造的11世纪的城墙（北墙和南墙及3座大城门富图门、奈斯尔门和祖瓦拉门仍存）延伸，并在穆卡塔姆山嘴建造了一个城堡（现为穆罕默德·阿里清真寺）。1260年后，拜巴尔斯一世成为第一位无可争辩的合法的马木路克苏丹，开罗为马木路克王国都城，该王国统治埃及和"肥沃新月"地带直至1517年。

在马木路克时代，中世纪的开罗达到鼎盛时期。到1340年左右，在比原先法蒂玛王朝有城墙的城市大5倍的土地上居住了大约50万人，开罗已成为非洲、欧洲和小亚细亚的最大城市。设在开罗的阿扎尔大学是学习伊斯兰教的主要场所。该城是获利颇丰的东西方香料贸易的主要联系地，也是富有的王国接受贡品的地方。开罗最伟大的建筑杰作大多在这一时期建造。

此后出现了衰退，最初是偶然现象，后来就发展得急转直下了。瘟疫（包括1348年的黑死病）使人口大幅度减少。伽马从印度至葡萄牙之行（1497～1499）打破了香料贸易的垄断。最后，前来占领的土耳其人使开罗失去了政治自主权，1517年后土耳其人使开罗成为省会。1798年拿破仑和他的军队到达开罗，当时只有不到3万人住在市区和两个港口郊区：老开罗和布拉格。拿破仑在1801年被打败后，土耳其人卷土重来。1805年，一支阿尔巴尼亚小分队的司令官穆罕默德·阿里被任命为帕夏，从而建立了统治埃及的王朝，直至他的玄孙法鲁克一世在1952年退位时为止。

城市的发展 现代城市发展是在19世纪30年代开始的，但只是在伊斯梅尔的统治时期（1863～1879），城市才从根本上进行改造。在奥斯曼男爵对巴黎进行革新的影响下，伊斯梅尔下令在中世纪的核心城以西建造一个欧洲式的城市。爱资拜基亚（及其大花园）、阿比丁和伊斯梅利亚等区——现均为现代开罗的中心区域——的设计以法国城市规划法为主。到19世纪末，这几个区已很发达，但随着从1882年以后英国霸权的兴起，这些区已成为殖民飞地。但是随着1952年君主制被推翻，外国居民的人数和权力都有所削减。在20世纪，开罗的人口和面积都有很大的增长。交通的改善促进了郊区赫利奥波利斯和迈阿迪的发展；治洪又开发了沿河地带；修筑桥梁鼓励了在岛屿（鲁达和宰马利克）及西岸建立居民点。到70年代，城市已经发展成为极具后殖民特色的都市，包括城市拥挤、交通拥堵和污染严重。此外，工业化鼓励了城市规模不断扩大这一趋势。自50年代以来，城市向北扩展到了肥沃的尼罗河三角洲地区。为了制止城市无计划扩展，自70年代起政府在郊区发起规划城市工程，建设多座城市，并开通到达开罗的火车。同样为了缓解环境污染和交通拥堵的状况，政府修建了城市地铁路线开罗地铁，将市内主要地区连接，至21世纪初，为中东和非洲的唯一地铁线路。到90年代，随着基础设施的改善和旅游业的发展，开罗已经发展成为会议中心。1990年，阿拉伯国家联盟总部在迁出开罗11年后，再次迁回开罗。开罗举办了多次国际会议，包括1993年非洲共同体国家领导人峰会、1994年世界人口与发展大会和2000年旨在提高阿以和平进程的阿拉伯妇女峰会。

Cairo 开罗 美国伊利诺伊州南端城市，亚历山大县县城。位于密西西比和俄亥俄河汇流处的低洼三角洲。有桥梁跨上述两河与肯塔基州和密苏里州相连。因该处酷似埃及开罗而得名，伊利诺伊州南部后称小埃及。1837年设镇。1855年设市。南北战争期间，该市为U.S.格兰特将军西部战场的司令部驻地。1937年俄亥俄河发生最大洪水时，该市因有防堤保护未遭破坏。20世纪60年代后期和70年代初期曾发生种族冲突。现为俄亥俄和密西西比两河流域及该州南部的水运中心。有木材、面粉工业和聚氨酯泡沫、工作服、管件制造业。市南为州立迪法恩斯堡公园。人口3 632（2000）。

Cairo Conferences 开罗会议（1943-11～12） 第二次世界大战期间在开罗举行的两次会议。在第一次会议（1943-11-22～26）上，盟国领导人丘吉尔与罗斯福讨论了登陆诺曼底的计划；他们与蒋介石共同发表了一项宣言，声明日本应从它自1914年以来侵占的所有的土地上退出，朝鲜恢复独立。在第二次开罗会议（12-02～07）上，丘吉尔与罗斯福劝说土耳其总统伊诺努动员他的国家站在同盟国一边投入战争，但没有成功。在这次会议上，罗斯福还通知丘吉尔，美国将任命艾森豪威尔将军为诺曼底登陆盟军最高司令官。

Cairoli, Benedetto 卡伊罗利（1825-01-28，伦巴第帕维亚～1889-08-08，那不勒斯） 意大利政治家，复兴运动中的左派领袖，3任意

美国不列颠百科全书公司供图

大利首相。早年参加G.加里波第的革命军。两度当选为众议员。1878年组阁，半年后倒台。以后又两度组阁，也都以失败告终。

Caishen 财神 又拼Ts'ai Shen，英语作God of Wealth。又称财帛星君或财星。中国道教崇奉的富贵神。相传姓赵名公明，得道于终南山，玉皇封为神霄副帅，道教尊为正一玄坛元帅，故又称赵公元帅、赵玄坛。他能驱雷役电、除瘟禳灾。又因居八卦乾位，乾为金，职司财帛，商人认为奉祀财神可求财获利。财神像黑脸浓须，戴铁冠，执铁鞭，跨黑虎，故又称黑虎玄坛。民间又有文财神的传说，其像冠带袍服。

caisson 沉箱 水下施工用的箱形结构物，或直接用作基础。平面多为矩形或圆形，其直径可达几十米。有底沉箱顶部敞开，底部封闭。通常在陆地上建造好后，下水浮运到位，沉入水中放在预先准备好的基础上，四壁高出水面，用作桥墩、防波堤等项工程的外壳，永久留在水下基底上。开口沉箱两端开口，底边有刃口以便沉入软土中，再在箱内敷设许多大口径挖泥管井，而在井内进行挖掘。沉箱随着挖掘下沉，上部再接高箱壁，直到到达预定的深度为止。再用混凝土封底，最后

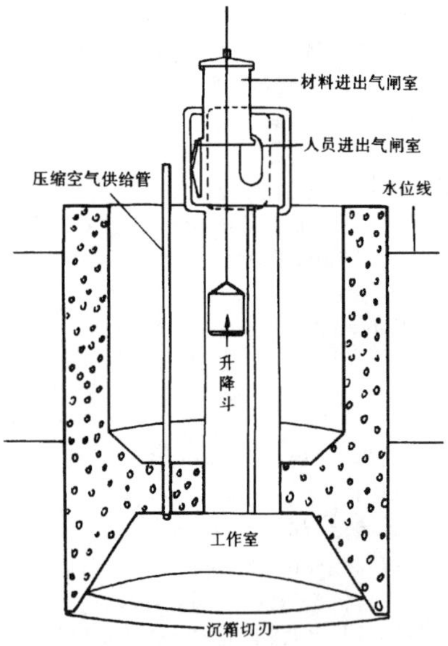

气压沉箱

用混凝土将沉箱内的挖泥管井全部填满。气压沉箱在底部刃口之上有一层密封顶盖，顶盖与土层之间为工作室，充以压缩空气以防泥水流入，使工人能在箱底的工作室内进行挖土工作。

caisson disease 沉箱病 参阅 **decompression sickness** 减压病。

Caitanya 查伊塔尼亚(1485，印度孟加拉纳瓦德维帕～1533，奥里萨布里) 又名加乌朗加。印度教神秘主义者。他用歌唱和舞蹈崇拜黑天大神的方式对孟加拉的毗湿奴教有深刻的影响。出身婆罗门家族。熟读梵文经典，父亲死后，开办学校。22岁前往格雅朝圣，纪念亡父周年，在该地经历深刻灵性变化，内心和外表前后判若两人。返回纳瓦德维帕，潜心敬神，弃绝世事。许多人聚集在查伊塔尼亚周围，与他一同进行崇拜，其内容有高唱黑天大神的名字和业迹，同时舞蹈，达到出神入迷状态。1510年，正式出家苦修，他本人没有成立教派，也没有神学著作，这种工作留待门徒完成。参阅 **Caitanya movement**。

Caitanya sect 查伊塔尼亚运动 16世纪主要兴起于孟加拉和奥里萨东部的印度教。查伊塔尼亚(1485～1533)鼓起对黑天大神的狂热信仰，从而形成这一运动，故名。他认为黑天和情人罗陀的传奇，象征并体现神与人的灵魂互爱。他认为只要诚信，不必履行其他宗教活动，诚信无非是完全信从神的旨意。该运动起源于他的诞生地纳瓦德维帕(在孟加拉)。该派最盛行的礼拜形式包括唱简单的赞歌和诵念神的名字，打鼓击钹，有节奏地扭动身体几小时之久，由此达到狂喜状态。

Caithness 凯斯内斯 苏格兰北端历史郡。北濒大西洋和彭特兰湾，东临北海。南部大部分为高地，海拔约300米，地势向北和东北的海滨倾斜；北部为冲积平原，几与海平面持平。东部多为肥沃的冰碛物和小湖。占全区面积2/3的西部多为泥炭沼。尽管地处北方，但气候温和。原为早期皮克特人省份，叫做凯特。曾遭挪威人入侵。早期基督教教堂遗迹遍布各地，其中包括瑟索的圣玛丽福斯教堂。中世纪城堡多建在海边，如邓比斯。内陆城堡多建于较晚时期。尽管原子能管理局于1955年在瑟索附近的敦雷建成核增殖反应堆，提供了各种就业机会，但当地仍以传统的农业和渔业为主，也是传统畜牧业地区。旅游业、玻璃制造业、核电站和研究机械的发展成为传统经济的重要补充。最重要城镇有威克和瑟索。

caitya 制多 佛教用语，又译支提，指圣地或圣物。后来此词专指托钵僧的聚会处和俗人的朝圣中心。这些处所后又成为可以供朝圣和来访者居住的永久性建筑。自公元前2世纪到公元8世纪，制多都是直接凿在西高止山的峭壁上，其建筑风格显然是模仿木质原型，比如石窟顶部刻有梁木之状。这些永

印度浦那附近的迦梨制多
美国不列颠百科全书公司供图

久性制多中部有长方形中殿，左右各有支撑窟顶的一排石柱，石柱外侧是侧廊。殿廊外围往往有小禅房。一端则有半圆形后殿，中部有窣堵波即佛塔，其中保存圣物，是崇拜活动的中心。印度西部地区浦那附近的迦梨制多建于公元前1世纪末，富丽堂皇，是古制多的典型。

Caius (Roman jurist) 参阅 **Gaius** 盖尤斯。

Caius, SAINT (pope) 参阅 **Gaius, Saint** 加伊乌斯，圣。

Caius, John 凯厄斯(1510-10-06，英格兰诺福克诺里奇～1573-07-29，伦敦) Caius又拼Kay，Kees或Keys。英国著名的人文主义者、内科医师。他对汗热病的经典描述(《汗厥症治疗刍议》，1552)被认为是流行病的最早记载之一，是关于这种病的主要原始资料，他认为病因是不洁。他曾在剑桥大学学习，1539年在帕多瓦大学师从孟塔努斯及维萨里。回国后在伦敦行医，并任皇家内科医师学会会长多年。1557年捐款扩充其母校冈维尔学院，命名为冈维尔和凯厄斯学院。

Cajal, Santiago Ramón y 卡哈尔 参阅 **Ramón y Cajal, Santiago** 拉蒙-卡哈尔。

Cajamarca 卡哈马卡 秘鲁北部省份(1855年成立)。面积35 418平方千米。经济以养牛业和农业为主。作物品种随气候和高度而变。北部低地种植咖啡、水稻；南部高地产玉米、谷物和苜蓿。矿产有金、银、煤、铜。农业人口比重居全国首位。省会卡哈马卡(**Cajamarca**)为唯一人口逾25 000的城市区。人口约1 377 297(1998)。

Cajamarca 卡哈马卡 秘鲁卡哈马卡省省会。濒临卡哈马卡河，海拔2 750米。早期为印加城市。因附近的瓦尔加约克新发现银矿，1802年建市。保存有殖民时期建筑。

卡哈马卡市的大教堂
美国不列颠百科全书公司供图

1962年建立国家技术大学。附近有温泉。安第斯山区北部的主要贸易中心。经济以采矿、农业和制造业(织物、皮革、草帽)为主。旅游业亦重要。通公路和航空线。人口约108 009(1998)。

Cajàzeiras 卡雅泽拉斯 巴西东北部帕拉伊巴州西部城市。建于1700年左右。为四周农业区的集散中心和商业中心，主要商品

卡雅泽拉斯市的街巷
美国不列颠百科全书公司供图

有棉花、蔗糖、奥蒂树籽油(用作油漆)和水果。为一条铁路支线的终点站。通公路。人口约30 834(1980)。

Cajetan 卡耶坦(1468或1469-02-20?，那不勒斯加埃塔～1534-08-10?，罗马) 意大利语作Gaetano，在多明我会中名为Tommaso de Vio(T.德·维奥)。天主教托马斯派神学家。1484年参加多明我会，就学于波洛尼亚和帕多瓦，1494年在帕多瓦讲授形而上学。他坚持多明我会的主张，特别是清贫生活和研究神学的主张。他在罗马讲授神学(1501～1508)，并开始撰写对托马斯·阿奎那所著《神学概要》的评注。1517年教皇利奥十世任命他为枢机主教。在任驻德意志宗座代表期间，受权审查路德，1518年同路德在奥格斯堡

会见。1519年奉召回罗马,任加埃塔主教,次年参与起草谴责路德的通谕。1522年他施加影响,使教廷选出推行改革的教皇阿德里安六世,他将对《神学概要》评注的第三部分献给阿德里安六世。1523～1524年任驻匈牙利、波兰及波希米亚宗座代表。1527年退休。他的名声主要来之于他的《神学概要》评注,他的评注深奥难解。他的著作主要是批判邓斯·司各脱等人的,但尚能详细介绍自然神学和基督教神学的基本原理。

Cajetan OF THIENE, SAINT **卡耶坦(蒂埃内的),圣**(1480-10,威尼斯共和国维琴察～1547-08-07,那不勒斯) 意大利语作 San Gaetano da Thiene。天主教蒂埃蒂会创始人之一。1523年结识罗马大主教卡拉法(后来成为教皇保罗四世),二人共同于1524年创立神职班修会(蒂埃蒂会)。1533年卡耶坦任那不勒斯蒂埃蒂会会长,在他的主持下该市圣保罗大教堂自1538年5月起成为天主教改革运动的中心。

Cajori, Florian 卡约里(1859-02-28,瑞士圣艾尼昂～1930-08-14,美国加利福尼亚伯克利) 生于瑞士的美国教育家、数学家。其数学史著作在当时享有盛誉。1875年迁居美国,先后执教于新奥尔良的图兰大学和科罗拉多学院。1918年成为伯克利加利福尼亚大学数学史教授。主要著作有《数学史》(第2版,1919)、《数学记号史》(2卷,1928～1929)、《物理学基本分支史》(1899)、《17世纪伟大的数学教师威廉·奥特雷德》(1916)和《费迪南德·鲁道夫·哈斯勒的坎坷生涯》(1929)等。身后于1934年出版了他的牛顿《自然哲学的数学原理》的修订译本。

Cajun 卡津人 法裔加拿大人的后裔。英国人于18世纪占领法国属地阿卡迪亚(现新斯科舍及毗邻区域)后将他们逐出,后定居路易斯安那州南部肥沃的冲积地区。如今组成了许多小型、居住密集、自给自足的社区。操一种土语,由古代法语混杂其他语言惯用语所形成,含有英语、西班牙语、法语、美洲印第安语及黑人语言等成分。卡津人靠饲养牲畜,种植玉米、薯蓣、甘蔗、棉花等为生,少数居民还自行纺织及制作物品以供生活之用。他们与外界隔绝,虽常出于自愿,也是外人对他们的歧视所致。

Cakchiquel 卡克奇克尔人 危地马拉中西部高地的马雅印第安民族,在语言及文化上与毗邻的基切人(**Quiché**)和楚图希尔人(**Tzutujil**)关系最近。卡克奇克尔人务农,文化和宗教是西班牙和马雅成分的混合体。卡克奇克尔人之间使用一种共同语言,但并不表明都属同一种族。这部分印第安人同本地区其他马雅人一样,都组成村社,并各以所在村社为族名。每个村社使用各自的卡克奇克尔方言,但能互相听懂,部分也为基切人和楚图希尔人了解。每个村社都有各自的政治和宗教的等级制度、地方服饰、守护神和经济特点。对于与村社以外人们的通婚,常常视为非正当之举。参阅 **Maya**。

Cakchiquel language 卡克奇克尔语 马雅诸语言基切语群的一种语言,通行于危地马拉中部。楚图希尔语与卡克奇克尔语通行于同一地区,关系极密切,因而有时把它看做是卡克奇克尔语的方言。这两种语言在语法和语音上都与基切语极为相近。古代文献中有非常重要的卡克奇克尔语著作《卡克奇克尔编年史》,年代起于16世纪。该书用借自西班牙语的拼写法书写,是卡克奇克尔民族统治阶级的史传。参阅 **Mayan languages**; **Quiché language**。

cake 糕饼 一般指面包的一个品种,或脆或不脆,用模具焙烤成型;特指含油多的或美味的甜面包。

美国有3种制作糕饼的方法。①传统方法:将糖和油脂拌和成乳脂状,加入鸡蛋,而后依次加入面粉、盐、发酵粉。②快速法或一次法:除发酵剂外,将所有用料同时放入钵内,剧烈搅拌,最好用电动搅拌器,然后加发酵剂,拌和均匀。③变通的方法:将蛋和部分牛奶分步加入。做松饼的方法是将液状料加入干状料混合物中。这种做法快且容易,但成品较粗糙,保存性差。作薄饼的方法与松饼一致,只是将蛋清单独搅打,然后与其他配料拌和。制作起酥饼也用此方法备料,在浅平锅中焙烤或装入小杯在烘箱中焙烤,焙烤温度为177～204°C。

英国制作糕饼有两种加油脂方法:①揉入法,按重量计算,油脂用量不多于面粉用量的一半,将油脂揉入过筛的面粉、盐和发酵剂中,直到像面包屑状时加入糖和其他干果,然后再将搅打好的蛋及食谱规定的其他液态料加入。为取得理想的效果,必须将配料混合均匀,但不得捶击或过分搅拌。②乳脂法,油脂量等于或多于面粉重量的一半,将糖与油脂乳化好,仔细掺进搅打好的蛋、筛过的面粉和盐、发酵剂,然后再加干果或按食谱加液态配料。烘焙温度幅度在143 °C(烤含油大的果子蛋糕)～218 °C(烤小圆面包)之间。

松蛋糕和白蛋糕是不脆的糕饼,除使用修改过的配方外,主要利用掺加空气来发泡而不使用化学发泡剂。猛烈搅打鸡蛋可掺进大量气体。白蛋糕只使用蛋清,蛋清与酒石一起搅打,酒石的酸性可以稳定蛋清的泡沫,以后要缓慢地加入面粉、糖、盐、香料。打蛋清时可加入一部分糖。

松蛋糕有两种制作方法:第一种是整蛋加糖和香料猛烈搅打,将筛过的面粉调稀加入这种有大量气体的稠液中。第二种将蛋黄与柠檬汁、部分或全部糖一起搅打,蛋清不加糖或加部分糖另行搅打,将面粉和盐加到蛋黄的混合物中再与蛋清混合。不脆糕饼的烘焙温度幅度在149～232 °C之间。产品愈薄,温度愈高。面粉愈细,成品愈松软。

cake urchin 饼海胆 海胆纲楯形目棘皮动物,体扁,体表覆有短刺(外形常似兽毛)和不明显的叉棘,许多种类中空略长的胆壳边缘有对称的缺刻或有浅孔(前月面)。甲壳上面

饼海胆(*Clypeaster japonicus*)
美国不列颠百科全书公司供图

有排成花瓣形的5块有孔区域,由此伸出用于呼吸的管足。下面的管足用于取食,或与刺配合进行运动。广泛分布于世界各地的浅海,穴居沙中,以随水流流入口内的有机颗粒为食。其他棘皮动物和贝类为其天敌。有些饼海胆体呈钱币状,边缘甚薄,称为沙钱,沙钱一词有时泛指一切饼海胆。北美和日本海滩上常见到海水冲刷上来的普通沙钱(沙币海胆,*Echinarachnius parma*)的甲壳。有前月面的种称为钥匙孔海胆。东非沿岸的海煎饼(裂边毛饼海胆,*Echinodiscus auritus*)最大最薄,黄或紫色。

cakewalk 步态舞 一种男女对舞,1900年左右风靡上流社会舞厅,并常由专门舞蹈家广泛演出。成对男女排成方形,男子居方形内侧,然后合着轻快的伴奏音乐,昂首阔步地绕着方形走。数名裁判根据男女的优雅风度和舞蹈中的创新花样进行评审,逐一淘汰,剩下最后一对即为优胜者,奖以花饰精美的蛋糕一盘。步态舞起源于早年美国黑奴之中,他们常当主人面以此舞暗嘲白人交际舞的故作风雅。该舞对继之而起以爵士乐节奏为基础的美国和欧洲舞蹈的发展起了促进作用,

步态舞
美国不列颠百科全书公司供图

其音乐则影响雷格泰姆音乐的形成。

Çakmak, Fevzi 恰克马克(1876-01-12,君士坦丁堡～1950-04-10,伊斯坦布尔) 土耳其元帅和政治家,对建立土耳其共和国起过主要作用。1912～1913年参加巴尔干战争,任师长。第一次世界大战期间指挥奥斯曼帝国的军队。1914年成为将军,4年后任总参谋长。1920年任苏丹政府陆军大臣,后来辞职参加凯末尔反对协约国占领安纳托利亚的运动,在安卡拉大国民议会政府中任总理和陆军部长。1921年4月晋升大将。1922年辞去总理职务。1920～1921年土耳其独立战争以后他任总参谋长,直至1944年。1946年作为无党派人士参加竞选,结果以压倒多数选入国民议会。1948年任国民党名誉主席。

cakra(Hinduism and Buddhism) 参阅 **chakra** 轮。

cakravartin(Buddhism and Jainism) 参阅 **chakravartin** 转轮王。

Čakste, Janis 恰克斯特(1859-09-14,俄罗斯帝国库尔兰利尔塞萨瓦[今在拉脱维亚]～1927-03-14,拉脱维亚里加) 爱国主义者和拉脱维亚共和国总统(1922～1927)。他通过在拉脱维亚和俄罗斯的政治活动以及出使西方的外交任务,推进了拉脱维亚的独立斗争。1888年,恰克斯特开业当律师,同时主编拉脱维亚文报纸《祖国报》。1906年被选入俄国第一届杜马。1915年因德军入侵库尔兰,他移居彼得格勒。恰克斯特在当地创立拉脱维亚难民委员会,除了给战时逃难者提供救济外,还致力于争取拉脱维亚自治。1916年去斯德哥尔摩筹划拉脱维亚独立的事业。著《拉脱维亚人和他们的祖国》一书(1917)。1918年当选为拉脱维亚人民会议主席,随后率代表团去伦敦和出席巴黎和会,争取国际上承认拉脱维亚共和国。1918年当选国民议会主席。1920年当选立宪议会主席。1922年当选拉脱维亚共和国总统。1925年再次当选总统,在任期中逝世。

Calabar 卡拉巴尔 前称老卡拉巴尔。尼日利亚东南部克罗斯河州首府和港口。临卡拉巴尔河,距克罗斯河口湾8千米。17世纪初由伊比比奥族分支埃菲克人创建。原为鱼、木薯、香蕉、棕油、棕仁的集市中心和贩奴站。19世纪中叶奴隶贸易衰落,其经济以出口棕油和棕仁为主。1885～1893年为英属油河保护国首都。1893～1900年是尼日尔海岸保护国的首都。1900～1906年为南尼日利亚的首都。这一地区为卡拉巴尔豆的主要产地。这是一种有毒的豆,服后会影响神经系统。修建公路后,提高了该港口的重要性。该港的天然码头可容纳吃水6米深的船只,出口棕榈产品、木材(非洲梧桐)、橡胶、可可、椰干和棕榈纤维。镇内有锯木、橡胶加工、食品加工、油棕加工、水泥和造船厂。埃菲克人传统的非洲乌木雕刻品专供拉各斯的旅游业。该镇长久以来为教育中心。1846年建第一所教会学校。现有卡拉巴尔大学

卡拉巴尔的港口
美国不列颠百科全书公司供图

(1975)、工学院、师范学院。人口约161 700(1993)。

calabash gourd 参阅 **bottle gourd** 葫芦。

calabash tree(*Crescentia cujete*) **葫芦瓢树** 又称炮弹果。紫葳科乔木。高6～12米,产于中、南美洲,西印度群岛及美国佛罗里达州最南部,常栽培供观赏。果实大,球形,直径

葫芦瓢树(*Crescentia cujete*)的果实
美国不列颠百科全书公司供图

达50厘米,外壳坚硬,掏空后可作碗、杯及盛水容器。果肉带白色,种子扁,深褐色。花5瓣,浅绿色,有紫色条纹,合拢成漏斗状。一年中任何时间均能开花结果。枝条长,向外水平伸展,几乎不再生出小枝。叶常绿,长约5～15厘米,披针形,基部渐细。英语中,无亲缘关系的葫芦属植物如杓葫芦(*Lagenaria siceraria*)的果亦称calabash。

calabazilla(*Cucurbita foetidissima*) **臭瓜** 又称密苏里葫芦(Missouri gourd)、野南瓜(wild pumpkin)。葫芦科多年生匍匐藤本植物。原产北美西南部。叶三角形,叶缘有细齿,叶柄

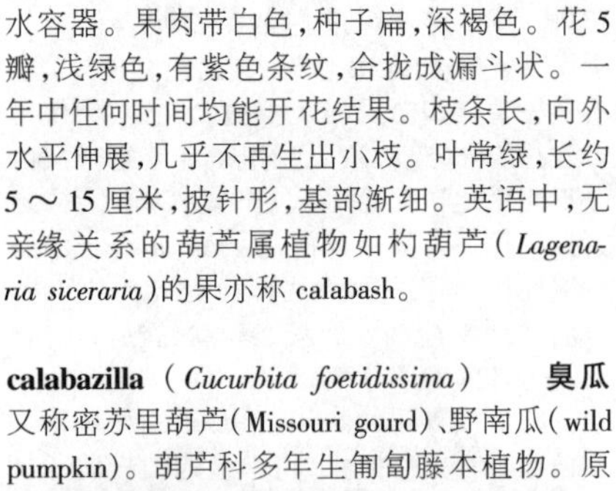

臭瓜(*Cucurbita foetidissima*)
美国不列颠百科全书公司供图

长;花黄色,直径约6.3～10.2厘米;果甜橙状,皮绿色,有黄色条纹及斑块,不能食用。植株臭味难闻,但果实色彩斑斓,常栽培以供观赏。

Cálabozo 卡拉沃索 委内瑞拉中部城市。临瓜里科河。1695年建立,原为行政中心。20世纪50年代,瓜里科河流域治理工程指挥部设在该城。这一工程可以治洪、灌溉并发展牧牛业。该市因产稻区的发展和现代化运输设施的建立而受益。由此可向南通往牲畜集散中心阿普雷河畔圣费尔南多,北接圣胡安-德洛斯莫罗斯。人口约85 570(1990)。

Calabria 卡拉布里亚 意大利南部的区。包括卡坦扎罗省、科森扎省和卡拉布里亚雷焦省,总面积15 080平方千米,有时被称为意大利"靴"的"脚趾"。卡拉布里亚为一形状不规则的半岛,自意大利主体沿东北西南方向伸出,两侧分别为第勒尼安海和伊奥尼亚海。

该区大部分是高山或丘陵,仅有的几处宽阔的低地在:①克拉蒂河谷下游锡巴里附近;②马尔凯萨托(地区)克罗托内附近;③圣欧费米亚;④焦亚陶罗。在北部,本区由波利诺山高地(2 248米)与亚平宁山脉的卢卡诺山相连,后者向南由西海岸山脉继续,西海岸山脉又由克拉蒂河将其与广大的拉锡拉高地(高达1 928米)隔离开。介于圣欧费米亚湾(在西)与斯奎拉切湾(在东)之间的一条狭窄地峡,将本区分成南北两部。在南部高地继续延伸为卡拉布里亚山,并在尽南端以阿斯普罗蒙特高地达到最高点(蒙塔尔托峰海拔1 956米)。

该区在古代为强大繁荣的希腊殖民中心,主要是在科罗托纳、锡巴里斯和雷基乌姆(今卡拉布里亚雷焦)。罗马于公元前246年在布林的西(即今布林迪西)建立了一处殖民地,于公元前209年攻占了他林敦(即今塔兰托)从而征服该地区后,该区——当时称作阿杰尔-布鲁蒂乌斯——就逐渐衰落成为一个边远偏僻的地方。该区终于归属于拜占廷帝国,被其命名为卡拉布里亚。自公元前3世纪至公元7世纪,卡拉布里亚一名一直专指意大利半岛介于亚得利亚海和塔兰托湾之间的东南端地区。据希腊地理学家斯特拉博(公元前1世纪)所述,该区一度曾经是13座繁荣城市所在地,但到公元前3世纪,就只有以羊毛贸易驰名的他林敦和布林的西两个港口还仍然兴旺发达。

扩大了的卡拉布里亚地区后来先受伦巴第人控制,接着再次受拜占廷人控制,然后受诺曼人控制。后来该地区与意大利南部其他地区一起先后处于霍亨斯陶芬王朝、安茹帝国(安茹王朝)、阿拉贡王朝和波旁家族统治之下。在复兴运动(即求政治统一的运动)之前,卡拉布里亚一直是意大利共和派的坚强堡垒,而且在民族主义领袖加里波第率领的1860年远征之后,成了意大利的组成部分。

加拉布里亚经济的主要支柱是农业,尽管低地面积很小。农业的操持者一度曾是拥有大量土地的大庄园主和耕种少量土地的小农。根据意大利土地改革制度,1951年后,绝大部分原先的大庄园都瓦解了,产生了新的、

耕种少量土地的小农，同时出现了农村服务中心、新房屋和新道路。先前，卡拉布里亚的农业几乎全部都集中在谷物、油橄榄生产及山羊和绵羊的饲养上，在锡拉高地的森林里偶有林木开采。该区过去由于水土流失，耕作粗放，曾长期是意大利最贫困地区之一。但 20 世纪 50 年代的土地改革以及随后的政府投资引进了新的、更有效益的经济作物，如柑橘（大都在西海岸）、无花果和栗子之类。政府还在海滨沿线适宜地点促进开发娱乐休养区。

尽管有这些改变，但称为"恩德拉盖塔"的当地卡拉布里亚黑手党仍继续存在，其长期形成的绑架伎俩为其他黑社会所仿效，为 20 世纪 70 年代意大利的一大祸害。地面崎岖不平、地震频繁和交通不便仍然阻碍着本区经济发展，而且，几乎没有一点具有什么重要意义的工业。20 世纪 20 和 30 年代，在拉锡拉发展了水电，现在那里的水电是卡拉布里亚经济上的一个重要特征，供应克罗托内的电气铁路和化学工业需要的电力。*卡坦扎罗*（**Catanzaro**）（1971 年立为该区首府）、*雷焦卡拉布里亚*（**Reggio di Calabria**）和*科森扎*（**Cosenza**）是仅有的三座有一些规模的城市。铁路交通仍然基本上限于沿海，有两条路线：通过西海岸的是罗马—那不勒斯—卡拉布里亚雷焦线，东海岸上的是伊奥尼亚线或塔兰托—卡拉布里亚雷焦线。这两条铁路线由保拉至锡巴里以及由圣欧费米亚至卡坦扎罗马里纳是相互连接的。有火车和汽车轮渡将卡拉布里亚雷焦港和圣乔瓦尼镇港同西西里的墨西拿连接起来。

卡拉布里亚是意大利南部住有一非意大利人少数民族的有限的几个地区之一：人数相当多的阿尔巴尼亚人在 15 和 16 两个世纪里因土耳其人征服了他们的祖国而逃亡至此并定居下来。他们仍然保持使用本民族语言，在他们的教堂里举行希腊正教的仪式，必要时还穿着色彩艳丽的民族服装。人口约 1 993 274（2001）。

Calabrian Stage　卡拉布里亚阶　卡拉布里亚期（160 万年前至 1 万年前）沉积的、全世界范围分布的所有岩层。此阶名来源于意大利南部的卡拉布里亚地区，该处传统上被视为是这个时期岩层的典型地区。卡拉布里亚阶包含了更新世沉积下来的那些岩层。按照国际地层委员会 1985 年的决定，这个阶下界的全球性层型剖面和层型点（GSSP），是卡拉布里亚地区马尔凯萨托半岛上的克罗托内以南约 4 千米的弗里卡剖面上海相地层序列中覆盖着标志层"e"的海相黏土岩之底。

Calah　卡拉　又拼 Kalhu，Kalakh。亚述古城，即今尼姆鲁德（Nimrūd），在伊拉克北部的摩苏尔以南。1845 ～ 1851 和 1949 ～ 1958 年间两度发掘。公元前 13 世纪撒缦以色一世建立。亚述纳西拔二世（公元前 883 ～前 859 在位）选定它为王室驻地和军事首府，此后开始重要起来。最重要的建筑物是公元前 798 年建立的文学之神那波及其配偶的神殿。神殿藏书室及附属房舍中收有许多宗教和巫术文献以及以撒哈顿（公元前 680 ～前 669 在位）的遗嘱。外城最重要的建筑物为占地12英亩的军火库。从这些建筑物中曾发掘出数千件牙雕，多为公元前 9 ～前 8 世纪制品，是当前世界上最丰富的牙雕宝藏。公元前 7 世纪，由于萨尔贡王朝以尼尼微作为王室驻地，卡拉的地位低落。

尼姆鲁德的亚述纳西拔二世王宫门前翼牛像
美国不列颠百科全书公司供图

Calahorra　卡拉奥拉　西班牙北部拉里奥哈自治区和省内城镇。位于洛格罗尼奥市东南，临锡达科斯河。初由凯尔特伊比利亚人创建。公元前 72 年被庞培率领的罗马军队攻下。9 ～ 10 世纪被摩尔人统治。1054 年由纳瓦拉国王收复。现为农产品加工中心，有水果、洋蓟、蕃茄、胡椒等罐头食品厂。名胜古迹有 5 世纪哥特式教堂、罗马广场及沟渠遗址等。罗马修辞学家昆体良出生在此。人口 18 781（1991）。

Calais　加来　法国北部北加来海峡大区加来海峡省工业港口，海路距英国的多佛尔 34 千米。原为岛上的渔港。1346 年曾被英国人围困达一年之久。6 名加来市民为了拯救全城市民自愿投降作人质一事是极为著名的事件，罗丹曾雕刻群像作为纪念。1558 年被法国人从英国人手中收复，加来区遂被称为收复区。1940 年 5 月是德国海上进攻的主要目标。后为德国向英国发射飞弹的基地。城市遭到破坏后重建，仍保留有其 13 世纪的瞭望塔。现为重要的运输港口和跨海峡客、邮运港。传统制造业有花边、薄纱和刺绣等，产品出口世界各地。近年发展起食品、化工、机械制造业。人口 77 333（1999）。

Calais　卡利斯　美国缅因州东部华盛顿县城市。位于班戈东北偏东 158 千米，濒圣克鲁瓦河。有跨河国际桥梁通加拿大圣斯蒂芬。1779 年始有人定居。后发展成伐木业中心。1801 年后造船为主要行业。1809 年设镇，并以法国卡利斯命名，以感谢法国对美国独立战争的援助。木器生产为目前主要经济项目。盛产蓝莓。附近有穆斯霍恩国家野生动物保护区和圣克鲁瓦岛世界历史遗址。1850 年设市。人口 3 447（2000）。

Calais，Pas de（English Channel）　**加来海峡**　参阅 **Dover，Strait of** *多佛尔海峡*。

Calais and Zetes　卡莱斯和泽特斯　希腊神话中波瑞阿斯和俄里蒂亚长着翅膀的双生子。他们同阿尔戈号船员一起到达色雷斯的撒尔米德索斯之后，释放了他们的姐妹克勒俄帕特拉。她原是被她的丈夫、当地的国王菲纽斯投入监狱的。一说，他们从半人半鸟怪手中救出了菲纽斯。可能由于同阿尔戈号船员中的舵手提菲斯发生过一次争吵，他们在提诺斯岛附近被赫拉克勒斯所杀。传说坎帕尼亚的卡列斯便是由卡莱斯建立的。

Calaisian Substage　卡莱斯亚阶　北欧全新世（始于约 1 万年前，延续到现在）的时间地层单元。因法国的一套地层而得名。代表一个海面上升的时期，可与中弗兰德尔阶相对比。在荷兰，这个时期的地层位于下泥炭层之上，弗尔森层之下，形成于 8 000 年前至 6 000年前之间。这个时期的堆积是海滨地区一系列海侵的产物。

Calama　卡拉马　智利北部安托法加斯塔区埃尔洛阿省省会。在洛阿河畔丁旱地区。地处安第斯山西坡，海拔 2 266 米。有渠道通安托法加斯塔市。为采矿、农贸中心，是来自阿根廷牛群的接收站。附近有美国史密森学会建立的太阳观察站。人口约 121 326（1999）。

Calamian Group　卡拉棉群岛　菲律宾中西部的群岛。位于民都洛岛和巴拉望岛之间。由布桑加岛、*库利昂岛*（**Culion Island**）、科伦岛和大约 95 个小珊瑚岛组成，总面积 1 753平方千米。隶属巴拉望省。主要岛屿上丘陵起伏，人口稠密。主要居民点科伦在布桑加岛东南部，以出产燕窝著名。人口62 832（2000）。

calamine　水锌矿　下列两种锌矿物的任何一种：*异极矿*（**hemimorphite**，成分为水合硅酸锌）；*菱锌矿*（**smithsonite**，成分为碳酸锌）。

calamine brass　菱锌矿黄铜　铜锌合金。将碎铜片与木炭和锌矿石（菱锌矿石）在密闭坩埚中加热到赤热状态（约 1 300 °C），锌矿石还原成锌蒸气，扩散到铜液中，即获得这种合金。在小亚细亚发明了这种方法，从公元前 1000 年起普遍用于生产黄铜。在罗马时代以此法为基础建立了黄铜工业。因菱锌矿黄铜较熔化铜和锌所制的黄铜得到较高评价，故此法一直沿用到 18 世纪金属锌出现了很长一段时期之后。参阅 **brass**。

Calamites　芦木属　古植物学术语。源出希腊文"芦苇"。原指繁盛于石炭纪的化石植物茎段。后该词用以指一个形态属。再后内涵扩大到包括一个理想化的树状植物种，芦木遂成属名。后芦木一词又指该属所在的芦木科（Calamitaceae）和芦木目（Calamitales，楔叶纲[Sphenopsida]）的任何植物。芦木与其他石炭纪树状植物形成了煤。

Calamity Jane　苦难的简（1852-05?，美国密苏里普林斯顿附近？～ 1903-08-01，南达科他

戴德伍德附近特里） M.简·伯克的绰号，母家姓 Cannary。美国边疆的传奇女性，她的名字常与 W.B.希科克的名字连在一起。由于她自己的编造和后来的一系列故事及传说，

美国不列颠百科全书公司供图

其生平事迹已经虚实难分。据传她很小的时候便随移民车队前往西部，母亲死于途中，父亲死在盐湖城，留下她孑然一身。她在西部到处流浪，当过厨工、舞女、营妓和鸨母，为了谋生什么事都做过。1876年春，她在南达科他州新发现金矿的地点戴德伍德定居，成为一个赶车人，用牛车向偏远的营地运送货物和机械。可能就在那里，她初次遇见希科克，两人相识时间极为短暂(不久之后希科克被枪杀于酒吧中)。另传他们相遇较早，甚至断言曾结婚生子。19世纪70年代后期，苦难的简引起了几位杂志专栏作家的兴趣，他们报道了戴德伍德丰富多彩的初创时期。1891年她与已经同居7年的出租马车车夫C.伯克结婚。1895年开始随西大荒演出团巡回表演于中西部各地。1901年她出现在纽约州布法罗的泛美博览会，但因酗酒且行为怪异被解雇。她回到戴德伍德，以后默默无闻。

calamus(writing implement) **翎笔** 参阅**quill** *羽管笔*。

Calamy, Edmund **卡拉米**(1600-02，伦敦～1666-10-29，伦敦?) 英格兰基督教长老会神学家。1641年与他人以斯梅克蒂姆纽厄斯为笔名发表文章，针对圣公会为主教制和该会礼拜仪式所提出的辩解表明长老会的观点。在1643～1653年共和政体时期他在议会中领导长老会议员，但1660年他又帮助查理二世复辟。1662年英格兰议会通过法案，强制推行主教制，卡拉米带头抗拒此项法案而被撤职。其孙(1671～1732)与他同名，著有不服国教派的历史。

Calanthe **虾脊兰属** 兰科的一属，约150种。多为陆生，原产亚洲和南非，有一个种原产于中美和西印度群岛。有些种在旱季落叶。该属大多数种无假鳞茎，有假鳞茎的种常有大叶。每一花穗上生花多朵，花序直立或稍弯曲。

Călăraşi **克勒拉希** 罗马尼亚东南部的县。面积4 754平方千米。1981年从雅洛米察和伊尔福夫两县划出部分地区组成。多瑙河形成该县东部边界。多瑙河支流博尔恰河、巴尔扎河和登博维察河流经县内。莫斯蒂什泰亚湖和格勒楚伊湖位于该县南部。县府*克勒拉希*(**Călăraşi**)市有造纸业；奥尔泰尼察有机器制造业；费泰什蒂和罗希埃乡有食品加工业。农业以饲养牲畜和种植谷物为主；东部的多瑙河和博尔恰河沿岸有葡萄园。迪基塞尼镇原为罗马人居住地。从布加勒斯特通往康斯坦察的公路和铁路穿过该县北部，其他公路经过克勒拉希市。人口约332 884(1997)。

Călăraşi **克勒拉希** 罗马尼亚东南部城市，克勒拉希县县府。靠近保加利亚边界，濒多瑙河支流博尔恰河和克勒拉希湖，在布加勒斯特东南约100千米处。1593年首见记载。现为河港和贸易中心。工业以食品(尤其是鱼)、面粉加工和造纸为主。市内有考古博物馆。有公路、铁路通费泰什蒂和斯洛博齐亚。人口约77 906(1997)。

Calarcá **卡拉尔卡** 哥伦比亚金迪奥省东北部城市。地处安第斯山脉中科迪勒拉山西坡。海拔1 536米。是重要的咖啡种植中心。在通往托利马省省会伊瓦格的主要公路上。人口：城市54 973；城市区73 999(1999)。

Calas, Jean **卡拉斯**(1698-03-19，法国拉卡巴雷代～1762-03-10，图卢兹) 法国胡格诺派教徒，图卢兹布商，他的被处决促使哲学家伏尔泰发动一个要求实行宗教宽容和改革法国刑法的运动。1761年，长子马克-安托万被吊死在他的布店里。当地的天主教徒立即掀起反胡格诺派的怒潮，将卡拉斯逮捕，指控他谋害自己的儿子，因为他的儿子是天主教徒。地方长官认定卡拉斯有罪，1762年3月图卢兹上诉法院判处他死刑。次日，当众被刑车裂尸而死。他的儿子则被当作天主教殉教者埋葬。哲学家伏尔泰注意到这一案件，曾发动一场强大的宣传运动，使广大欧洲舆论相信，审判卡拉斯的人怀有反胡格诺派的偏见，定罪不公。结果，政府任命50名法官组成陪审团重新审理此案。1765年3月陪审团撤销对卡拉斯的原判，由政府给予卡拉斯家属赔偿费。卡拉斯一案大大加强了法国争取刑法改革和宗教宽容的运动。

Calasanz, Saint Joseph **卡拉桑斯**(1556-09-11，西班牙佩拉尔塔～1648-08-25，罗马) 西班牙天主教司铎。创立虔敬圣母贫儿学校神职班修会。该会致力于教育工作，会士除发神贫、贞洁、听命三愿外，还发特别关怀青年这第四愿。卡拉桑斯出身贵族，他舍弃财产，到罗马教育贫儿，于1597年创立欧洲第一所贫儿免费学校。工作展开以后，人员增加，大家过团体生活。教皇克雷芒八世和保罗五世都曾给予他资助，保罗五世并承认他所领导的团体。1621年该会已遍布意大利，教廷核准它为修会，任命卡拉桑斯为会长。1630年有人在会内制造分裂，他无故被捕，该会因内部纷争而解体。后来教皇英诺森十世重新任命卡拉桑斯为会长，然而该会内乱不已，于是教廷于1646年将该会降格，其成员交由当地主教管辖。在他生前该会始终未能恢复。

calash **卡拉施马车** 又作 calèche 或 barouche。船形敞篷马车。车身较浅，略似船形，乘客座位相对，车身后面有折叠篷，前面的车夫座位高出车身。多数是四轮，但有些

约1880年的卡拉施马车

美国不列颠百科全书公司供图

是两轮。在魁北克的一种是两轮车，有一排面向前方的座位，车夫座位在挡泥板上方。

Calatrava, Order of **卡拉特拉瓦骑士团** 西班牙最古老的军事和宗教集团，1158年由两名西多会修士创立。他们宣称为保卫卡拉特拉瓦城而组成征讨摩尔人的神圣十字军。1164年这个骑士团得到罗马教皇的正式认可。到1493年，它已拥有20万人，年收入为4.5万杜卡特。收复格拉纳达之后，费迪南德与伊莎贝拉考虑到私人武装已不适用，遂将骑士团并入皇家军队。

Calatrava, Santiago **卡拉特拉瓦**(1951-07-28，西班牙巴伦西亚附近贝尼马梅特～) 全名 Santiago Calatrava Valls。西班牙建筑师，以雕塑式的桥梁和建筑闻名。1974年毕业于西班牙巴伦西亚理工大学，1979年获得苏黎世瑞士联邦理工大学结构工程学博士学位。1981年在苏黎世建立了自己的建筑工程公司，后在巴黎和巴伦西亚开设分公司。在桥梁和建筑设计中，他将先进的工程解决方案与戏剧性的视觉效果相结合。为他获得国际声誉的作品是西班牙塞维利亚的阿拉米略大桥(1987～1992)。他声称自然是他的向导，激发他创造反映自然形态和韵律的建筑。他在瑞典马尔默修建的公寓楼“旋转躯体”(1999～2005)是扭曲的脊柱的形状，他设计的法国里昂机场火车站(1989～1994)有着类似大鹏展翅一般的造型。20世纪90年代初，开始在设计中加入可活动的元素。在1992年世博会的科威特展厅中，他设计了可以分开和组合的屋顶板，创造了不同的形状和变化的采光效果。在对威斯康星密尔沃基艺术博物馆的扩建中(1994～2001)，他设计出了开合时如同鸟儿伸展收缩翅膀一般的移动遮阳板。

calaverite **碲金矿** 一种金的碲化物矿物($AuTe_2$)。是碲化物中斜方碲金矿类矿物之一，或许是*斜方碲金矿*(**krennerite**)结构上发生变化的一种形态(副象)，而且往往含有一些银(取代金)。最常见于低温形成的矿脉中，例如以下产地：澳大利亚卡尔古利，美国

采自美国科罗拉多州克里普尔克里克的碲金矿
美国不列颠百科全书公司供图

科罗拉多州克里普尔克里克、加利福尼亚州卡拉韦拉斯(该矿物即以此地命名)。该矿物呈单斜晶系结晶。关于其详细的物理特性,参阅 **sulfide mineral**(表)。

Calbayog 甲描育 菲律宾萨马岛西海岸城市。位于甲描育河口处。为宗教和教育中心,渔业和编席业为主要行业。为岛际通航港口,出口马尼拉麻和椰干,给萨马岛北部进口大米和工业品。有机场。1948 年设市。人口约 113 000(1990)。

calcarenite 砂屑灰岩 由直径为0.06～2毫米的钙质颗粒组成的沉积岩,钙质颗粒是由机械作用沉积的,而不是来自溶液。这些颗粒由化石、碳酸盐岩的中砾和细砾以及鲕粒(具有同心构造的球形结核)组成,是由流水搬运和分选的。当砂屑灰岩差不多全由介壳碎屑组成时,就称为*介壳灰岩*(**coquina**)。

calcareous sponge 钙质海绵 钙质海绵纲动物,特征为有碳酸钙质的骨针。主要栖

钙质海绵
美国不列颠百科全书公司供图

于温带地区大陆架浅水底部岩石上。色暗淡,长度不超过 15 厘米。

calcedony (mineral) 参阅 **chalcedony** 玉髓。

Calchas 卡尔卡斯 希腊神话中忒斯托耳(阿波罗的一个祭司)的儿子,特洛伊战争时希腊联军中最有名气的预言家。他曾预言围攻特洛伊的期限,要求以阿伽门农(迈锡尼国王)的女儿伊菲革涅亚作为牺牲,并建议制造一匹木马,使希腊人最后攻克特洛伊。有人预言说,如果他遇到占卜术比他高明的人,他就会死掉。战后他在克拉洛斯或意大利的西里斯遇到摩普索斯时,这个预言就应验了。他在比试预言本领时失败,于是懊恼而死或自杀。

calcite 方解石 天然碳酸钙($CaCO_3$)的最常见的形式,是一种广泛分布的矿物,以其晶体发育美丽、品种繁多而著称。是碳酸钙在地表或地表附近的温度和压力下的稳定形态。因此,随着地质年代的进展,一切其他形态的碳酸钙大概都转变成方解石。是霰石和球霰石以及几种显然只存在于特殊实验条件下的形态的同质多晶体(化学式相同而结晶构造不同)。方解石是石灰岩和大理岩的主要矿物,在无脊椎动物的贝壳中也常见。碳酸钙很易溶于含有机酸及溶解 CO_2 的地下

冰洲石
美国不列颠百科全书公司供图

水中,当 CO_2 逸出时,它就沉淀出来。这种机制可以解释石灰岩洞穴的经常出现和洞穴中石钟乳和石笋的广泛分布,也可解释热泉周围巨厚的带状石灰华沉积以及普通河流和泉水中海绵状的钙华。方解石是石灰岩和大理岩中用于建筑、炼钢、化学和玻璃工业中最重要的矿物。17 世纪最早从冰岛东海岸开采的冰洲石被用于偏光棱镜,例如尼科尔棱镜和阿伦斯棱镜中,也被用于偏光显微镜、偏光镜和其他光学仪器中。虽然 calcite(方解石)一名只是从 1845 年起才使用,但这种矿物很长时间以来就叫 calcareous spar(钙晶石)了,而它的叫做 Iceland spar(冰洲石)的透明变种已研究得很详细了。1669 年 E.巴托林对冰洲石的强双折射和完全解理作了详细描述。1678 年 C.惠更斯根据对冰洲石的研究,发现了双折射定律。R.J.阿维根据对方解石的解理和晶形的研究,发展了(1781 ～ 1801)晶体结构的一种理论,这个理论在现代晶体结构学的发展中起了重要作用。1924 年 L.布拉格爵士从方解石的原子排列情况计算了它的折射率,这是最早的这类计算当中的一种。关于其详细的物理性质,参阅 **carbonate mineral**(表)。

calcitonin 降钙素 又作 thyrocalcitonin。又称甲状腺降钙素。一种蛋白质激素。人及其他哺乳动物的甲状腺副滤泡细胞,鱼类的后鳃体,鸟类和其他脊椎动物的散在的降钙素分泌腺都分泌降钙素。当降钙素超过正常量时,就降低血中钙的浓度。其效应适与甲状旁腺激素相反。

calcium 钙(Ca) 周期表Ⅱa 主族碱土金属元素。为人体内含量最多的金属元素。在地壳中的丰度占第 5 位。为相当硬而质轻的银白色金属。古人广泛使用钙的化合物石灰。1808 年 H.戴维用蒸馏法除去电解石灰和氧化汞混合物所得汞齐中的汞后得到钙。这一发现表明石灰是钙的一种氧化物。钙在自然界不能以游离状态存在,而钙化合物却分布甚广,占月球表层的 8%,占地壳的3.64%。钙以方解石(碳酸钙)的形式存在于石灰石、白垩、大理石、白云石、蛋壳、珍珠、珊瑚、钟乳石、石笋和许多海洋动物的壳体中。钙以磷酸钙形式成为牙齿和骨骼的主要无机组分,并以磷灰石矿形式存在。钙还存在于许多其他矿物中,如萤石、文石、石膏、多种长石和沸石等。人体含 2% 的钙。人类食物中钙的主要来源是奶及奶制品。缺乏维生素 D 时,特别对婴儿和儿童,会削弱从胃肠消化系统吸收钙的能力,使进入细胞液的钙减少而造成软骨病(参阅 **calcium deficiency**)。过去用电解无水氯化钙法制钙,现在工业上采用以铝热还原石灰制备纯金属钙。金属钙可作为铝、铜、铅、镁和其他基底金属的合金添加剂,亦可作为某些高温合金、镍、钢和锡青铜的脱氧剂以及电子管吸气剂,从铬、钍、铀、锆及其他金属的氧化物制取其金属时用作还原剂,且可作为有机液体的脱水剂。与铅组成的合金(0.04%钙)可用作电话电缆包皮和蓄电池铅板。过去舞台照明用的聚光灯,靠用氢氧焰将氧化钙加热到灼热态而发出非常柔和而明亮的光。自然界存在的钙是 6 种同位素的混合物:钙 40(96.94%)、钙 44(2.09%)、钙 42(0.65%);另外 3 种为钙 48、钙 43 和钙 46,它们所占的比例很小。金属钙能与空气中的氧、水蒸气和氮缓慢反应形成黄色氧化物、氢氧化物和氮化物膜。钙在空气或纯氧中燃烧形成氧化物;与温水反应迅速,与冷水反应缓慢,均产生氢气。

钙的最重要化合物是碳酸钙 $CaCO_3$,它是石灰石、大理石、白垩、牡蛎壳、珊瑚的主要组分。从天然矿物获得的碳酸钙可用作陶瓷和玻璃等各种工业产品的填料,并可作为生产氧化钙的原料。合成的碳酸钙(也叫“沉淀”碳酸钙)常用于纯度要求很高的医药(抗酸剂、饮食补充钙)和食物中(作发酵粉)以及实验室等。氧化钙(又称石灰或生石灰,CaO)是白色或灰白色的固体,可由焙烧碳酸钙驱除二氧化碳而大量生产。石灰是人们知道的通过化学反应所得的最古老的产品之一。石灰被广泛地用作建筑材料和肥料。大量的石灰被用于各种工业上的中和反应。氧化钙大量用作生产碳化钙 CaC_2 的原料。碳化钙是灰黑色固体,在水中分解生成可燃性的乙炔气和氢氧化钙 $Ca(OH)_2$。这一分解反应用于产生乙炔气体,后者是气焊火焰的重要燃料。碳化钙还用于制造氰氨化钙 $CaCN_2$,氰氨化钙是一种肥料的成分,也是某些塑料树脂的原料。氢氧化钙 $Ca(OH)_2$(又称熟石灰)是通过水和氧化钙作用制得的。氢氧化钙与水混合微溶于水,形成的溶液称作石灰水,而其余不溶的固体则悬浮于溶液中称作石灰乳。氢氧化钙主要用作工业碱以及用作砂浆、灰泥和水泥的组分。钙的另一重要的化合物是氯化钙 $CaCl_2$,它是无色或白色的固体,工业上既可通过索尔维制碱过程以副产品的形式获得大量氯化钙,也可让盐酸跟碳酸钙反应而大量生产。无水氯化钙固体可用作干燥剂。次氯酸钙 $Ca(ClO)_2$ 广泛用作漂白

粉，它是由氯与氢氧化钙作用制得的。钙与氢两种元素直接作用可形成氢化钙CaH_2，氢化钙与水作用时可产生氢气。硫酸钙$CaSO_4$是天然存在的钙盐，是熟知的二水化物$CaSO_4 \cdot 2H_2O$，它是白色的或无色的粉末，又称石膏。石膏受热时失去3/4的水变成为半水化物 $CaSO_4 \cdot \frac{1}{2} H_2O$，称作烧石膏。烧石膏与水混合可以重结晶为二水化物，因而在它未硬化以前可以模制成型。地下水中可能含有硫酸钙，造成水的硬度，这种硬度是不能通过煮沸的办法除掉的。自然界大量地存在着几种形式的磷酸钙，例如磷酸三钙（沉淀磷酸钙）$Ca_3(PO_4)_2$，是骨头和骨灰的主要无机组分，其酸式盐$Ca(H_2PO_4)_2$可用硫酸处理磷酸钙矿制得，用作植物养料和塑料稳定剂。钙的原子序数 20。原子量 40.08。熔点 842°C。沸点 1 494 °C。比重 1.55（20 °C）。化合价 +2。电子组态 2,8,8,2 或 $1s^2 2s^2 2p^6 3s^2 3p^6 4s^2$。

calcium deficiency　钙缺乏　机体不能摄入或不能代谢足够数量的钙元素的一种病态，原因大多是平常饮食中钙的含量不足。钙是骨骼和牙齿中主要的支持元素，钙盐约占骨骼重量的70%，并维持骨骼的强度和刚性。人体中大约99%的钙存在于骨骼和牙齿中，其余1%存在于循环的血液中，但有多种重要功能。在维持肌张力和调节心肌活动方面，钙起着重要作用；对神经冲动的传导和凝血过程也产生影响。钙参与分娩时的子宫收缩的刺激，并与其后哺乳期的泌乳活动有关。钙还参与调节各种内分泌激素的分泌活动，并有助于各种酶在人体内的功能活性。在正常生理状态下，摄入的钙在小肠内被吸收，然后，或由此进入循环血，或最终进入骨骼。决定钙能否被充分吸收的主要因素是体内存在有足够的维生素 D，它是促进钙从消化系统被吸收后进入血液或骨骼的各种内分泌激素的关键成分；钙的充分利用还取决于钙、磷之间的适当比例。甲状旁腺（甲状旁腺激素）和甲状腺（降钙素）的激素分泌也有助于维持血钙平衡。这些调节机制可以防止血钙降低；血钙降低时，甲状旁腺激素可将钙从骨骼中转移到血中，以维持最重要的血钙功能。长期轻度钙不足可致骨质疏松或骨质变软（骨软化）。儿童时期发生的钙代谢障碍可以引起*佝偻病*（**rickets**）。最近的研究表明钙缺乏可能和高血压、结肠癌的发生有关。严重的钙缺乏，或称低钙血症，严格界定为血钙值低于正常标准范围，并有其特殊的临床表现。主要有手足搐搦（口周和指尖的麻木、麻刺感，顽固性肌肉疼痛、痉挛）。临床上所见到的缺钙病人很少是单纯因为钙供过低，大部分患者都是因为缺乏甲状旁腺激素或维生素 D——体内两种主要的钙代谢调节因子。钙在自然界中的分布极广。钙含量高的食物品种很多：如牛奶、干酪、酸乳及其他奶制品；绿叶蔬菜，如甘蓝、大头菜、新鲜绿菜；罐头鲑鱼和沙丁鱼。

calcrete　钙质壳　又称钙质层或硬盘（hardpan），为富含钙的硬壳，是在土壤内部或上面的硬化层。是在干旱和半干旱地区中由于气候的波动而在含钙的物质上形成的。方解石可溶解于地下水，而在逐渐干燥的条件下，当水在表面蒸发时，它又沉淀下来。为二氧化碳所饱和的雨水起着酸的作用，也能溶解方解石，然后使它在土壤颗粒表面上作为沉淀物再堆积起来。当土壤颗粒间隙的空间被填满时，就形成不透水的壳。

calculator　计算器　自动进行算术运算和某些数学函数计算的机器。B.帕斯卡 1642 年发明的数字运算器是现代计算器的前身。17世纪 G.W.莱布尼兹造出了更先进的机器，特别是在19世纪末期，发明家造出了尺寸越来越小、使用越来越方便的计算器。20世纪头数十年，各种台式加法器和其他计算装置迅速研制出来并在市场销售，有些是用键驱动，有些需用转筒来输入在键盘上打入的题目，后来，转筒又改用电动机驱动。50年代中期，电子数据处理系统发展起来，机械式计算器就显得过时了。到20世纪后期，微型固体电子器件的发展，迎来了新的袖珍和台式计算器。这些计算器除了基本算术运算之外，还可以计算简单的数学函数（例如三角函数和反三角函数）；可以把数据和指令保存在存储器里，提供与小型计算机类似的编程能力；并且可以比以前的机械式计算器快许多倍。有许多复杂的计算器能使用可互换的编程软件模块，其中可包括 5 000 个或更多的程序步。某些台式或袖珍式计算器配有打印机，能把计算结果打印在纸卷上，有的甚至具有绘图和打印字母字符的能力。

calculus　微积分　数学的一个重要的和基本的分支，它是人类文明史上最伟大的智力成就之一，发现于17世纪。现在把微积分的发现归功于两个人，英国人 I.牛顿（1642～1727）和德国人 G.W.莱布尼兹（1646～1716）。但是当时在牛顿的支持者和莱布尼兹的支持者之间发生了阻碍微积分发展几乎达一世纪的关于谁占先的激烈的争论。

极限　微积分的一个基本概念。在几何学中古希腊人已经有了*极限*（**limit**）的概念。例如，阿基米德把一个等 n 边形内接到一个圆周中去，$n=6$的情形见图1所示。当增加

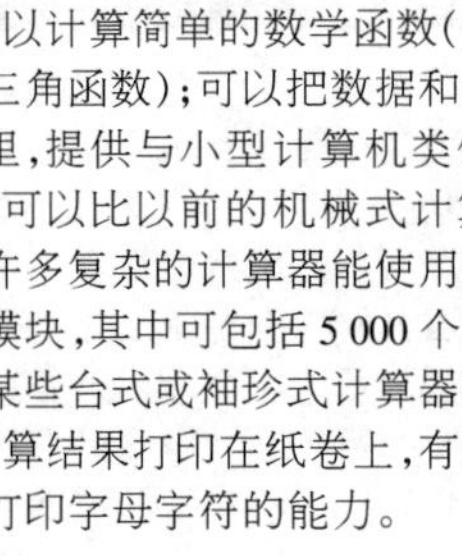

图 1

内接多边形的边数时，它的面积（这是可以计算的）趋于圆的面积。类似地，圆的外切正多边形的面积，当边数增多时，也趋于圆的面积作为极限。由此就能求出圆的面积为 πr^2，其中 r 是圆的半径。还能求出如图 2 所示的不规则平面图形的面积，办法是把它先分成 n 个等宽的内接矩形，取 n 愈来愈大，矩形面积的和就趋于所要求的图形的面积作为极限。同样的思想可用来求出球、锥等等的

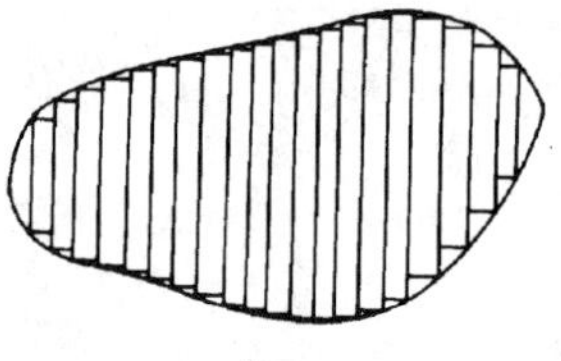

图 2

体积。微积分的妙处和重要就在于它提供了一个系统方法，可以精确计算古希腊人不会计算的许多面积、体积和其他量。

比率和导数　牛顿在两年（1664～1666）的时间里发现了微积分以及他的著名的万有引力定律，当时他是英国剑桥三一学院的学生，学院由于严重的鼠疫而停课。传说他可能从苹果落地中受到启发，当苹果下落时，愈落愈快，所以不但有速度还有加速度。牛顿希望从数学上来表达这一事实。考虑苹果从A点下落（图3），到时刻t时落到B点，AB的

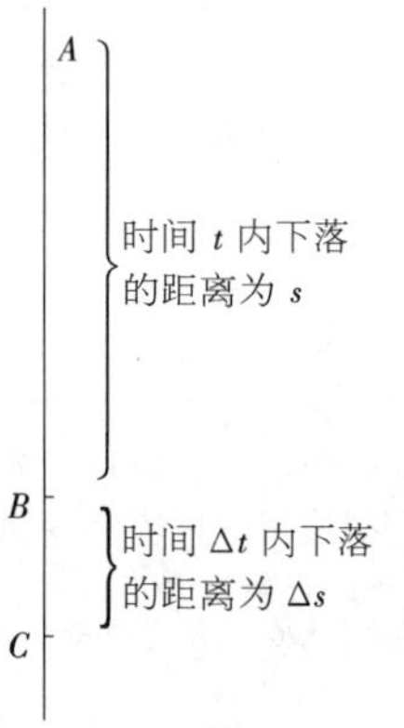

图 3

距离为 s；再考虑经过一点点时间 Δt 苹果又落下一点点距离到 C 点，BC 的距离为 Δs（这里我们把“一点点”表示成了希腊字母 Δ，读作 delta），这样就可以看出在 B 点的速度非常接近于距离 Δs 除以时间 Δt 的商，即比率 $\Delta s/\Delta t$。在 B 点的精确速度应该是当 Δt 愈来愈接近于零时（如我们说的‘趋于零’）的极限，记作

$$v=\lim_{\Delta t\to 0}\frac{\Delta s}{\Delta t},$$

类似于 $\Delta s/\Delta t$ 把上述极限记作$\frac{ds}{dt}$（用相应于希腊字母 Δ 的英文字母 d）是合适的：

$$v=\lim_{\Delta t\to 0}\frac{\Delta s}{\Delta t}=\frac{ds}{dt},$$

称 ds/dt 为 s 关于 t 的导数或变化率。可以把 ds 和 dt 认为是数，当作数一样进行演算，并认为它们的比就等于 v，这样，又把 ds、dt 分别叫做 s、t 的微分。正如速度是距离关于时间的变化率或导数，加速度就是速度关于时间的变化率或导数。若 a 是在 B 点的加速度，则有

$$a=\frac{dv}{dt}=\lim_{\Delta t\to 0}\frac{\Delta v}{\Delta t},$$

其中 Δv 是 v 在 BC 段中得到的“一点点”速度增量。因为 a 是 v 的导数，而 v 是 s 的导数，所以我们可以说 a 是 s 的二阶导数，并记作

$$a=\frac{dv}{dt}=\frac{d}{dt}\left(\frac{ds}{dt}\right)=\frac{d^2 s}{dt^2}。$$

为求得 s 关于 t 的导数必须知道 s 依赖于 t 的规律，或者换句话说，必须知道 t 的函

数 s,通常这是由联系 s 与 t 的公式来给出的。当 t 变化时,s 也跟着变化,所以它们都叫做变量。微积分学中研究导数的部分叫微分学,在科学和工程中导数有许多应用。其中一个重要的应用是求极大值与极小值的问题,例如求当体积给定时表面积最小的柱形罐头的尺寸大小。

积分 给定 t 的函数 s,利用给出 $v = ds/dt$ 的公式可求得 s 的导数。但是,有时候知道 v 需要反回去求 s,即求 v 的"反导数"。这个问题的另一种说法是:知道 $v = ds/dt$,也就是知道 $ds = v\,dt$,要从 ds 求得 s,求 ds 的"反微分"。通常用一个叫做积分号的特殊的记号 $\int$ 来表示反微分。这样,求导数或微分的反问题可以写成正面的形式:

$$ds = v\,dt, \int ds = \int v\,dt \text{ 或 } s = \int v\,dt,$$

最后这个式子读作 v 关于 t 的积分,或简单地读作 v 的积分。微积分学中研究积分的部分叫做积分学。积分学的一个重要应用是求诸如图 2 所示的许多小矩形面积那样的小量之和的极限,它可以用来求面积、体积、曲线长度等等。

calculus of variations 变分法 最吸引人、最重要而又最难的数学分支之一。许多变分法中的问题容易叙述,但是它们的求解(假如它们果真是可以求解的话)却需要微积分和微分方程的知识。变分法有许多应用,从肥皂泡到相对论,在诸如力学、电学、弹性力学、空气动力学和几何学中都有应用。许多大数学家曾对变分法做过研究,其中包括被认为是第一个发展了变分法方法的瑞士人 L.欧拉、法国人 J.L.拉格朗日、爱尔兰人 W.R.哈密顿和德国人 K.维尔斯特拉斯。

最速降线问题 当瑞士人约翰第一·伯努利在 1696 年提出了"最速降线问题"时,人们对变分法开始感到兴趣。设有一根联结点 P 和 Q 的曲线形状的细铁丝(图1),它位于

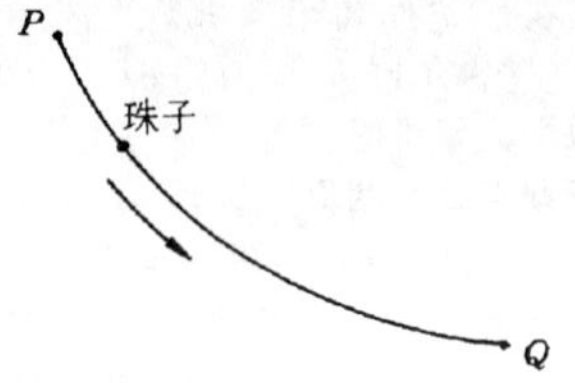

图 1

垂直平面内,Q 点不在 P 点的正下方;假定把一颗小珠子放在铁丝的 P 点,让它从静止状态开始在重力作用下从 P 点无摩擦地滑到 Q 点。问题是要确定曲线的形状使珠子能以最短的时间达到 Q 点。这样的曲线叫做最速降线。这个问题由约翰第一·伯努利和他的哥哥雅各布第一·伯努利还有牛顿互相独立地解决了。其基本思想是通过未知曲线来建立一个表示下降总时间的积分,然后改变曲线,使之能求得极小下降时间。这种改变曲线的技巧,在变分法中是典型的,它导致一个微分方程,其解是一条称为摆线的曲线。

极小曲面和肥皂膜 这是可以用变分法求解的另一个典型问题。考虑位于平面上的一条曲线,其端点 A 和 B 可位于平面上任何地方(图 2)。假定该曲线绕一条和它不相交的直线 DE 旋转,从而生成一张曲面。问题是要确定曲线的形状使它产生的旋转曲面具有最小或极小的曲面面积。这种曲面叫做极

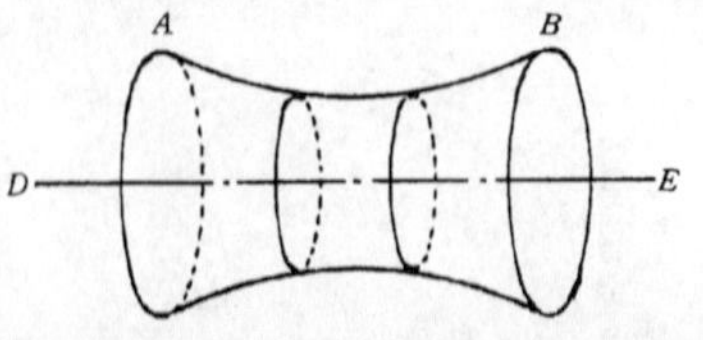

图 2

小曲面。这种情形的解与端点在 A 和 B 的链条由于自身重量而下悬所形成的曲线是一样的。德国人 G.W.莱布尼兹研究过这种曲线,他称之为悬链线。这个问题有一个有趣的物理解释,假定在图 2 中曲面两端的圆周表示两根细铁丝,若以某种方式在它们之间张上肥皂膜从而生成一曲面,则这个曲面具有极小面积。因为表面张力将把皂膜拉紧使曲面面积达到极小。另一个有趣的问题是确定以一条闭空间曲线为边界的具有极小面积的曲面的形状。这个问题尽管是拉格朗日首先提出的,但仍通称为普拉托问题,直到 20 世纪初还没有从数学上得到解决。在物理上,可以用如下方法求解,即把与该曲线形状一样的细铁丝浸到肥皂液中,取出后所得到的肥皂膜就是该问题的解。

等周问题 求平面上具有给定周长的闭曲线,使它所围的区域具有最大可能的面积或者说具有极大面积。利用变分法可求得其答案是一个圆周。这叫做等周问题,它已被用来泛指变分法中的任一这样的问题,其中要使某些数量在满足一定的辅助条件下,达到极大或极小。例如,要确定一个具有给定体积的物体的形状使他具有最小或极小表面积,这里给定体积就是一个辅助条件,或者说是一个等周条件。

测地线和相对论 变分法的一个重要应用是求曲面上的联结其上两点的最短路径。这个最短路径叫测地线。在平面几何或二维的欧氏空间中,测地线都是直线。在球面(一个二维的非欧几何空间)上,测地线是大圆(即球面上圆心与球心重合的圆周)上的一段弧。另一个例子,假定我们有一张位于地球表面之上的非常大的平的柔韧的橡皮片,这是二维欧氏空间,所以测地线都是直线。假定把一个重物,例如一个地滚球,扔在这张橡皮片上。那么这个空间就成了一个非欧氏二维空间了,从而测地线也不再是直线了,即空间是弯曲的(尽管远离地滚球的地方空间仍然是欧氏空间或者几乎是欧氏空间)。我们生活的空间或宇宙究竟是欧氏空间还是非欧空间呢?爱因斯坦说这是一个非欧空间或者说是一个弯曲的空间,例如万有引力就表明空间在物质附近是弯曲的(就像在地滚球附近二维空间是弯曲的那样)。爱因斯坦由此系统地阐述了他的广义相对论,并用他计算出光线在太阳附近应怎样弯曲,后来的观察结果证明了他是正确的。这就把我们从变分法引向了相对论。

变分原理 与变分法有关的一般原理有可能用来阐明多种科学定律。这些一般原理称为变分原理,往往通过断言某个积分取极值来表达。一个例子就是运动理论中的哈密顿最小作用量原理,其中断言被称为作用量积分的积分要取极小。这个原理(作为他的一种特殊情形可导出牛顿运动定律)也曾被用来作为量子力学的基础。在弹性理论、电磁理论、空气动力学、振动理论以及工程和科学中的其他领域中都有变分原理的应用。

Calcutta 加尔各答 孟加拉语作 Kalikata(加利加答)。1772 ~ 1912 年为英属印度首都,自 1947 年以来为西孟加拉邦首府,现为印度最大城市和主要港口之一。该城位于胡格利河东岸(此河曾是注入恒河的主要人工河),上游距孟加拉湾顶端约 154 千米,该处曾是水上至陆地以及江河至海上的转运地。

市区面积约 100 平方千米,但大都会区面积约有1 380平方千米。加尔各答为商业、运输和制造业中心,也是印度东部主要城市中心。

加尔各答是加利加答一名的英国化名称。一说加利加答一词源于孟加拉语加利舍特拉(意为加利女神之地);一说加尔各答因其原居住区位于卡尔运河河岸而得名;另说加城之名源于孟加拉语加利(石灰)和加答(烧化的贝壳),因当地以用贝壳烧制石灰闻名于世;尚有一说认为加城一名源出孟加拉语吉尔吉拉(意为平坦地区),古代文学作品中曾提及。

自然地理和人文地理

城市特征 加尔各答是英国殖民者按照欧洲豪华首都的模式修建的,而现在却是印度最贫穷、人口过剩最严重的地区之一,并已成为一座差异悬殊、充满矛盾的城市。在这过程中,它创造了一种揉合东方和西方特点的东西,这表现在 19 世纪孟加拉族上层人士的生活和作品中,也表现在最著名的人物、贵族出身的桂冠诗人泰戈尔身上。

加尔各答是印度最大的、最有活力的城市。它表面上充满不可克服的经济、社会和政治问题,但它生机勃勃,市民表现出极大的生活乐趣,酷爱艺术和文化,思想活跃,政治认识水平高,非全国其他各地所能比拟。加尔各答的书市、展览会和音乐会都人群麇集,而任何其他印度城市都无此现象。在墙壁上贴墙报论战,你来我往,热闹非凡,以致加尔各答被称为墙报之城。

景观 **城市位置** 加尔各答城址原选定于此,部分原因是这里易于防守,部分原因是这里便于贸易,否则这里的低洼潮湿的河岸是无甚价值的。这里海拔最高处约为 9 米。胡格利河以东地势逐步降低而成为低洼地和沼泽地。该河西岸地形与此类似,致使加尔各答大都会区只限于该河两岸各约 5 ~ 8 千米之内。该城东北边缘盐湖地区的开垦证明,加城空间还可扩展。自城市中央地区向东、南、西三面拓展的计划已付诸实施。

加尔各答主要郊区是:豪拉区(位于胡格利河以西)、伯勒讷格尔区(在市区以北)、南达姆达姆区(在市区东北)、南郊市政区(即贝哈拉区,在市区以南)和加登里奇区(在市区西南部)。市郊各区因社会经济关系而连成一个整体。

加尔各答市一角
中国大百科全书出版社供图

气候　加尔各答属亚热带气候，受季风控制。最高气温约 42 °C，最低气温约 7 °C。平均年降雨量约 1 625 毫米，大部分降于季风时期(6 ～ 9 月)，这期间湿度大，有时闷热。10 ～ 11 月雨量减少。冬季约始于 11 月末，结束于 2 月末。冬季气候凉爽宜人，无雨，清晨偶有浓度不等的雾气，傍晚则大雾迷漫，故早晚能见度差。

城市布局　加尔各答城市布局最显著特点是由南向北形成矩形。除过去欧洲人居住的中央地区外，各区杂乱无章。这种杂乱的发展现象在城区核心地区周围以及豪拉郊区最为明显。全城的大部分行政和商业活动集中在迈丹大广场(场内有威廉城堡以及市内许多文化和娱乐设施)以北的一个范围狭小的巴拉巴扎尔区。这种情况造成的日常交通状况，使得加尔各答的交通运输系统、公用事业和市政设施都负担过重。

加尔各答的街道分布状况反映了该城市的历史发展。这里的小巷很狭窄。主要在原欧洲人居住区的主干道路纵横交错，整齐规则，而其他各处的道路设计则杂乱无章。出现这种状况的部分原因是修筑多座越河桥梁有困难。由于同样原因，大小街道大部分都是南北走向。河渠和人工河架设的桥梁也是影响道路走向的重要因素。

①住房。加尔各答城市住房极为不足。都会区公共机构宿舍居民中有 2/3 以上住在市区。市区约 3/4 房屋仅供居住。全市约 1/3人口居住在数以百计的棚屋区(即贫民区)。按官方所下定义，一个棚屋区就是在至少1/15公顷英亩的地皮上修建的一群棚舍。但也有占地不到1/15公顷的棚屋区。大多数棚屋都是狭小、无通风设备、往往已损坏不堪的单层房间。几乎无卫生设备，而且极少活动空间。政府有一项棚屋改善计划。

②建筑。加尔各答现已出现摩天大厦和高层大楼，城市景观已迅速改变。中部的乔林基地区曾矗立着一排大厦，现已建起办公楼、旅馆和商店。北部和中部仍以两三层楼房为主。在南部和中南部，多层公寓式建筑已较为常见。

加尔各答的一些历史建筑物带有明显的西方影响。总督府是照英国德比郡的凯德尔斯顿大厅仿建的；高等法院酷似比利时伊普尔的克洛思大厅；市政厅采用带多立斯柱式门廊的希腊建筑形式；圣·保罗教堂是印度-哥特式建筑；作家大厦是楼顶带有雕像的哥特式建筑；印度博物馆是意大利式的；邮政总局有巨大的圆屋顶和古希腊科林斯式立柱；萨希德塔高约 50 米，其底层为埃及式，塔身为叙利亚式，圆顶为土耳其式；维多利亚纪念堂是西方古典式与莫卧儿式的接合；纳科达清真寺以锡根德拉的阿克巴帝陵为模型；比尔拉天文馆以桑吉的窣堵波(佛骨塔)为模式。

西孟加拉立法议会厅是一座气派庄严的现代建筑物。罗摩克里希纳教会文化研究所为独立后建筑物最重要的典型，按印度西北部古代印度教宫殿建筑风格营造。

人民　人口密度极大，每平方千米约 33 000人。人口的过度拥挤在许多地区已达到实际上无法容忍的程度。加尔各答的人口增长率百多年来一直很高，而 1947 年孟加拉分治、70 年代初孟加拉国战争等事件又突然加速了人口大规模流入。北部和南部郊区出现许多难民聚居点。此外，来自其他各邦——大部分来自毗邻的比哈尔、奥里萨和北方邦东部——的大量移民来到加尔各答寻找工作。

4/5 以上人口为印度教徒，穆斯林和基督教徒为最大的少数教族，此外还有一些锡克教徒、耆那教徒和佛教徒。主要语言为孟加拉语，但也使用乌尔都语、奥里萨语、泰米尔语、旁遮普语以及其他语言。加尔各答也是世界性城市，这里的其他群体来自亚洲(特别是孟加拉人和华人)、欧洲、北美和澳大利亚。人口：城市 4 580 544；都会区 13 216 546 (2001)。

经济　加尔各答是印度优越的经济中心之一，因为它拥有各种产业，从事金融和贸易活动，又是一大港口；它还是印刷业、出版业和报纸发行以及娱乐消闲活动的一大中心。加尔各答腹地的产品包括煤、铁、锰、云母、汽油、茶叶和黄麻。20 世纪 50 年代以来，失业问题一直是日益严重的问题，而且在很大程度上是受过大学教育者、文秘工作者以及其他白领工作者所面临的问题。

工业　加尔各答有世界最大的黄麻加工业。这里的黄麻工业建立于 19 世纪 70 年代，黄麻厂现已遍布胡格利河两岸市中心南北各地。工程施工为加尔各答另一大行业。此外，这里的工厂还生产和销售多种消费品(尤其是食品、饮料、烟草和纺织品)以及其他轻工业制品和化学制品。1947 年印度独立以来，加尔各答的工业一直处于普遍衰落状态。其主要原因是：独立时失去了孟加拉东部地区；加尔各答的工业生产率全面下降；以及该城的工业缺少多样化。

金融和贸易　加尔各答证券交易所在印度的有组织的金融市场扮演重要角色。外国银行在加尔各答也开展重要业务活动，但它作为国际银行业中心的重要地位已有所下降。而且，控制煤矿的机构就设在加尔各答。黄麻厂和大规模工程行业也受到控制。

加尔各答的经济基本上属商业经济，约 2/5 工人受雇于商业这一事实反映了上述特点。其他重要职业包括政府部门的公营服务业、金融机构以及医药和教育机构的工作。私营部分服务业包括证券交易所、医药和教育服务、法律服务、会计事务所和信贷银行、商会及各种公用事业服务。

运输　加尔各答交通繁忙，但其铺筑路面的道路极差。大量载客工具以电车和公共汽车为主。电车由政府管理。公共汽车由政府和私营公司经营。第一段地下铁道(也是全印度第一条地铁)于 1986 年通车。

加尔各答与其西面腹地靠胡格利河上几座桥梁——豪拉桥以及更往北在巴利和奈哈蒂的桥梁——相连接。加尔各答与其腹地相通的主要通道豪拉桥有 8 条车道，桥中央还有两条电车轨道；该桥为世界上使用率最高的桥梁之一。连接豪拉和加尔各答的另一桥梁维迭萨伽尔桥于 90 年代初通车。

主干公路(第 2 号国家公路)是印度最早修建的公路之一，自豪拉通往克什米尔，也是连接加尔各答和印度北部的主要通道。其他几条国家公路把加尔各答和印度西海岸、西孟加拉邦北部以及毗邻孟加拉国的边境地区连接起来。

加尔各答有两个铁路终点站——胡格利河西岸的豪拉站和东岸的锡尔达站。这两个车站为北行和南行各铁路线以及东行和西行各铁路线服务。加尔各答的主要航空港达姆达姆机场供国际和国内航线飞机起降。

加尔各答海港经营(就货量而言)印度进口货的 1/10 左右和出口货的 1/12 左右。但部分地由于挖掘河泥问题，部分地由于海港方面的问题，海港的吞吐量已略有下降。进出口货物的运输、储存、批发和零售等都需要集中在加尔各答和豪拉。加尔各答港在 60 年代失去了它作为印度货运最佳港口的地位，但它和霍尔迪亚(下游约 64 千米处)仍为印度赚取大量外汇收入。

行政与社会状况　政府　市区的管理由加尔各答市政厅负责，市内每 100 个选区选出一名代表组成市政厅理事会。该理事会每年选举市长一人、副市长一人和若干委员以开展市政厅的活动。市政厅的行政首脑，即市政厅长官，向选举产生的市政厅委员负责。市区也是都会区的一部分，都会区则是对各区计划和发展进行监督的实体。都会区包括市区周围的农村腹地。

因加尔各答为西孟加拉邦首府，邦长官邸设在市内具有历史意义的原总督府。邦议会设在市内。邦政府秘书处设在政府办公大楼内，邦政府各部长在此主持各部门工作。加尔各答高等法院对该市有初审管辖权，对西孟加拉邦有上诉管辖权，其院址也设此。市内还有一些全国性政府机构，其中包括国立图书馆、印度博物馆、印度地质调查局等。

服务业　经过过滤的饮用水由市外帕尔塔地方的主要自来水厂以及约 200 口大型水井和 3 000 口较小水井供应。河水上游距加尔各答384千米处恒河上的法拉卡水坝则确

加尔各答市迈丹广场上的维多利亚纪念馆
美国不列颠百科全书公司供图

保为加尔各答城市提供不含盐分的用水；但因现有供水设施不足，在干旱季节依然存在饮水含盐量过高的问题。此外，未经过滤的、每日用于喷洒城市街道和消防救火的水被许多居民用来供日常生活需要。所以这是过去在夏季流行霍乱的主要原因，但对未过滤水进行氯化处理和实行霍乱预防注射等措施已大大减少霍乱的发生。

加尔各答市有数百英里长的下水道和地面排水沟，但城市许多地方尚未敷设下水道。积存的淤泥已使许多污水道不能畅通。无下水道地区仍然使用不卫生的人粪便处理方法。清除垃圾和倾倒垃圾的办法也不能令人满意。

加尔各答从许多供电单位得到电力，这些单位包括加尔各答供电公司、西孟加拉邦供电局、杜尔加布尔发电厂、班德尔热电站、桑塔尔迪赫发电站和达莫德尔河谷公司发电网等。发电能力与潜在需求之间仍有差距，暂时断电现象偶有发生。

加尔各答警察管理权属于市警察局长，郊区警察指挥权也属于他。全市有4个警察分局。救火队总部设在加尔各答中部。

保健 加尔各答已完全消灭了天花，因霍乱和伤寒而死亡的现象已受到控制。肺病和免疫力丧失综合症（艾滋病）发病率在上升。加尔各答地区拥有数以百计的医院、私立诊所、由市政厅和慈善团体开设的诊室以及国立综合医院等。女修道院院长、1979年诺贝尔和平奖获得者德肋撒于1948年创立的仁爱会照管加尔各答最贫穷地区的盲人、老人、临终者和麻风病患者。有医学院多所，并有其他一些医学研究中心。加尔各答每1 000人占有医生数高于全国大多数地区，但分布不均匀；因这里是印度东北部地区的医疗中心，所以它的医疗保健机构总是人满为患。

教育 在加尔各答，受教育长期以来就是社会地位较高的标志。自印度传统教育19世纪初开始在孟加拉复兴以来，加尔各答就是一个学术中心。第一所英国式学校印度学院（后改称大区学院）在1817年建立。

小学教育受西孟加拉邦政府监督，市政厅所办学校实行免费教育。但许多儿童上受政府承认的私立学校。大部分中学受邦政府监督，但有些是经中央政府认可的，也有几所是经英国教育部门认可的。

加尔各答有3所主要大学：加尔各答大学、贾多夫布尔大学和拉宾德拉巴拉蒂大学。加尔各答大学创立于1857年，有150多所附属学院。除这些附属学院外，大学本校的文科（人文科学）、商业、法学、医学、理科、技术等学院专门负责研究生的教学和研究工作。贾多夫布尔大学共设三个学院——文学院（人文科学）、理学院和工学院。该校附属院校不多，是在一个校园之内进行大学本科和研究院课程的教学。拉宾德拉巴拉蒂大学专门教授人文科学和艺术（舞蹈、戏剧和音乐）。

研究机构有印度统计研究所、印度科学开发协会、鲍斯自然科学研究所和全印卫生和公共保健研究所（属加尔各答大学）。

文化生活 加尔各答是印度最重要的文化中心。这里是现代印度文艺思想和民族主义的诞生地，这里的市民为保存印度文化和文明所作的努力是印度其他各地无法相比的。东西方文化经过数百年相互影响，促使数目众多而性质各异的文化团体纷纷成立，对加尔各答的文化生活作出了贡献。除上述3所大学外，这类团体还有亚细亚学会、孟加拉文学会、罗摩克里希纳教会文化研究所、美术研究院、比尔拉艺术文化研究院、摩诃菩提会等。

博物馆和图书馆 大加尔各答范围内有博物馆30余所，涉及内容极为广泛。印度博物馆建于1814年，是印度历史最长、规模最大的博物馆，其考古部和钱币部的收藏品极为珍贵。维多利亚纪念馆的展品反映英国与印度的关系。加尔各答大学阿苏多什印度艺术博物馆的收藏品中有反映孟加拉民间艺术的展品。亚细亚学会、孟加拉文学会和加尔各答大学藏有珍贵图书。国立图书馆是印度最大的图书馆，藏有大量珍本书和珍贵手稿。

艺术 加尔各答人早就从事文学和艺术活动。19世纪中叶因接触到西方文学而产生的文学运动，在全印度范围内引发了文化复兴。这一运动的最优秀的阐述者是1913年诺贝尔文学奖获得者泰戈尔，他在诗歌、音乐、戏剧和绘画方面的杰出的创造力至今仍丰富着加尔各答的文化生活。加尔各答仍然走在全国艺术活动的最前列，有几个艺术团体每年都进行演出。

加尔各答还是传统和当代音乐舞蹈的中心。1937年泰戈尔在加尔各答主持了第一届全孟加拉音乐大会开幕式。自此以后，每年都要举行几次印度古典音乐大会。这里也是许多古典舞舞蹈家的故乡，香卡就曾在这里进行将西方舞台技巧用于传统舞蹈形式的试验。他创办的舞蹈、音乐和戏剧学校自1965年以来一直在这里活动。

由于国立剧院的创立，19世纪70年代加尔各答开始出现专业性戏剧活动。高士、米特拉等大剧作家曾在这里首先为采用现代戏剧形式进行探索。这里至今仍是职业和业余演剧的中心，也是戏剧实验中心。加尔各答还一直是印度先进的电影制片中心。电影导演中的先驱者雷伊和M.森已蜚声国际。加尔各答有电影院数十家，定期放映英语、孟加拉语和印地语影片。

娱乐 加尔各答市政厅管理着200多处公园、广场和空旷地段，但人口过于稠密地区极少空旷地。长约3.2千米、宽1.6千米的迈丹广场是最著名的空旷地；这里建有主要的足球、板球和曲棍球球场。迈丹广场附近有世界最早修建的板球场之一，即艾登公园内的兰吉运动场；供室内运动用的内塔吉运动场也在此附近。城东的盐湖运动场可容纳100 000名观众。市内有两个赛马场和两个高尔夫球场，湖上俱乐部和孟加拉划船俱乐部的划船活动均受欢迎。动物园占地约20公顷。印度植物园坐落在胡格利河西岸，园内的植物标本室藏有植物标本约40 000种。

历史

早期 莫卧儿王朝阿克巴大帝（1556～1605年在位）的租册和孟加拉语诗人比普拉达斯（1495）的作品《摩纳娑颂》中都提到加利加答的名称。加尔各答作为英国殖民地的历史始于1690年，那年英国东印度公司代理人查诺克在这里建立了贸易站。查诺克在此以前曾在胡格利河港口与莫卧儿帝国官员发生争执而不得不离去，随后他企图立足于胡格利河下游其他地方，但未成功。莫卧儿帝国官员因不希望失去他们从与英国东印度公司的贸易中获得的利益，所以允许查诺克回到原处去，查诺克便选择加尔各答作为他进行活动的中心。这一地点是经仔细选择的,西有胡格利河,北有河湾,东面约4千米处有盐湖,因而受到保护。敌对的荷兰、法国和其他殖民地处于胡格利河上游西岸,因此自海上进入加尔各答的通道不受威胁,而在胡格利港则不然。而且,胡格利河流经加尔各答处河面宽阔,河水也深,唯一缺点是这一地区有洼地和沼泽,有害健康。此外,在英国人来到以前,从上游被淤塞的萨德冈港迁来的印度商人已选定在当地3个村子——苏塔纳蒂、加利加答和戈宾达布尔——定居(这些村子后来成为加尔各答的一部分)。查诺克选择加尔各答作为他的活动中心,在一定程度上也是由于这里出现了这批商人。

到1696年,因附近的布德万发生叛乱,莫卧儿帝国的行省当局对这块日益发展的殖民地变得友好起来。英国东印度公司的官员要求允许其贸易站或工厂筑堡设防。他们得到可以实行自卫的一般许诺。叛乱者被莫卧儿政府迅速镇压下去,但殖民者的砖土防御工事保存了下来,1700年被命名为威廉城堡。1698年,英国人获得授权书,可以购买上述3个村庄的柴明达尔权(实际上是土地所有权)。

城市的发展 1717年,莫卧儿帝国皇帝法鲁克-西亚尔准许英国东印度公司自由贸易,交换条件是该公司每年交付3 000卢比;这一安排极大地促进了加尔各答的发展。印度商人蜂拥而至。该公司官员打着公司的旗号进行免税的私人贸易。1742年,来自西南方向的马拉塔人开始侵犯孟加拉西部各地的莫卧儿人时,英国人得到孟加拉纳瓦布阿里·瓦尔迪·汗的允许,在城镇北部和东部挖掘壕沟以便在陆地一侧开一护城河,这道壕沟因而被称为"马拉塔沟"。此沟虽未一直挖到殖民区南端,却成为加尔各答的东部边界。

1756年,阿里·瓦尔迪·汗的继承人西拉吉-乌德-多拉占领了城堡,洗劫了城镇。1757年1月,加尔各答又被印度英国政权建立者之一克莱武和英国海军上将沃森夺回。不久,西拉吉-乌德-多拉王公在普拉西战败(1757年6月),此后便确立了英国在孟加拉的统治。戈宾达布尔的森林被砍伐一空,在其现址上建筑了新的威廉城堡。该城堡矗立于加尔各答,俯视着胡格利河,成为英国军事优势的象征。

直到1772年加尔各答才成为英属印度的首都,当时第一任总督黑斯廷斯将重要办公处从莫卧儿帝国的省城穆尔希达巴德全部迁到加尔各答。1773年,孟买和马德拉斯成为从属于威廉城堡内英属印度政府的地区。实行英国法律的最高法院开始对加尔各答市行使初审管辖权,其范围远达马拉塔沟(即今阿查利雅·普拉夫拉·钱德拉路和贾格迪什·钱德拉·鲍斯路)。

1706年时加尔各答人口约10 000～12 000,1752年时已增至近120 000,1821年达180 000。白人(英国人)区建筑在已加高地面并建有排水系统的地方。这里豪华宅第比比皆是,因而被称为"宫殿之城"。英人区外既有蓬门荜户,也有新富之家的绮门甲第。全城不同地区的名称,如库马尔图利(陶工之区)和桑卡里帕拉(贝壳品制作者之区),仍表明当时加尔各答这一日益发展的大都会的居民中有从事各种不同职业的种姓。两个截然不同的区域——英国人地区和印度人地区——并存于加尔各答。

随着英国势力在次大陆的扩展,整个印度北部逐渐成为加尔各答港的腹地。1835年的废除国内关税形成了一个开放的市场,铁路的修建(始于1854年)进一步加速了工商业的发展。加尔各答至白沙瓦(今在巴基斯坦)的公路干线就是这时建成的。英国人的商业、银行业和保险业繁荣发达起来。加尔各答的印度人地区也成了繁忙的商业中心,挤满了来自印度各地以及亚洲其他许多地方的人群。加尔各答已成为次大陆的智力活动中心。

20世纪的加尔各答 20世纪的来临标志着加尔各答的灾难的开始。印度总督寇松勋爵1905年分割了孟加拉,将达卡定为东孟加拉和阿萨姆首府。因群情激愤,分割孟加拉事终作罢论,但英属印度的首都于1912年自加尔各答迁往德里,因政府在德里可得到较为安静的环境。1947年孟加拉的分治是对加尔各答的最后一击。

由于加尔各答市的人口增长,社会问题像印度自治问题那样也显得严重起来。1926年发生了教族骚乱。1930年圣雄甘地号召对不公正法律采取不服从行动时,又爆发了骚乱。第二次世界大战期间,日军对加尔各答市船坞的空袭造成了损害和伤亡。1946年发生了最严重的教族暴乱,当时英属印度的分治正迫在眉睫,穆斯林与印度教徒之间的冲突达到了高潮。

1947年孟加拉实行由印度和巴基斯坦分治,使加尔各答遭受严重挫折,加尔各答仅成为西孟加拉的首府,失去了过去的一部分腹地的贸易。与此同时,数以百万计的难民从东巴基斯坦(今孟加拉国)涌入加尔各答,使得社会问题更加严重,也使得人口过多的状况更趋恶化,而这些问题早已达到极其严峻的程度。60年代中期的经济停滞进一步增加了这个城市的社会和经济生活的不稳定,刺激了资金的流出。许多公司的管理权已由邦政府接管。特别是在80年代,由于执行了大规模公共工程计划并集中地制订了地区规划,加尔各答的经济和社会状况已有所改善。自90年代以来,多数大的制造公司已经被小企业、商业和服务业公司取代。军事贸易联盟减缓了新技术的引进速度,阻滞了工业活动和投资。加尔各答建成了一条地铁以弥补现有公共汽车、有轨电车和近郊铁路网络的不足,但是私家车数量的迅猛增长带来了交通拥堵的问题。尽管不像印度其他大城市拥有充满活力的经济,加尔各答仍是全国的文化、艺术、文学中心。它是传统艺术孟加拉戏剧的故乡,也以独立的电影业和优秀的影片而享誉全球。2000年9月,城市遭遇洪水,城市多处被淹,数百人身亡,数以万计的人们无家可归。

Calcutta, University of　加尔各答大学 1857年由英国人在印度创办的一所国立高等学校。该校以伦敦大学为模式,原来纯粹是一所管理大学,实际上不进行教学,只是一个对分散在印度北部的大部分学院进行考试和授予学位的权力机构。自1904年以来,除监督职能以外,逐步增加了教学工作。70年代中期,加尔各答大学已成为世界上最大的大学之一,有13所直属学院、150多所附属学院以及16个研究生院。印度古代史和文化系、应用数学系及无线电物理学和电子学研究所是国家指定的高级研究中心。用英语授课。

Caldas　卡尔达斯 哥伦比亚中西部省份。在安第斯山脉中科迪勒拉山中。面积7 888平方千米。因是采金地区而著名。1905年建省。咖啡是全省的主要产品,但其他农产品

卡尔达斯的咖啡种植园
美国不列颠百科全书公司供图

和工业正日益占有重要地位。还出产水银、金、银、煤、硫、锌和其他矿产。全省的铁路、公路和航空交通均以省会马尼萨莱斯(**Manizales**)为中心。人口1 094 000(1999)。

Caldas da Rainha　卡尔达什-达赖尼亚 葡萄牙中西部莱里亚区城镇和自治区。地处里斯本市北方,名意为"女王温泉"。19世纪末成为著名的游览胜地。以出产上釉陶器闻名。古迹有16世纪早期曼纽尔式教堂。人口24 947(2001)。

Caldecott, Randolph　考尔德科特(1846-03-22,英格兰柴郡切斯特～1886-02-12,美国佛罗里达圣奥古斯丁) 英国艺术家,以讽刺画和彩色书籍插图著称。曾在什罗普郡惠特彻奇和曼彻斯特当银行职员,最初给地方杂志作画。1871年开始向《伦敦社会》杂志投稿。第二年定居伦敦,为《笨拙》和《版画》等杂志作画。后在E.波因特爵士门下作画,并在J.达卢工作室画速写和模特儿,技巧有所提高。1872年他与朋友布莱克本同去德国。曾为布莱克本的著作《哈尔茨山》画素描插图,继承了R.多伊尔的传统,即适当的变形和温和的讽刺。也曾为欧文的《见闻札记》(1875)和《布雷斯勃列奇田庄》(1876)作过插图,这些素描带有漫画的风格,独树一帜。他为儿童书籍画的彩色图画包括W.考珀的《约翰·吉尔平》(1878)、O.哥尔德斯密斯的《疯狗的哀歌》(1879)和《伟大的潘奋德鲁姆传》(1885)。

Caldecott Medal　考尔德科特奖章 美国发给绘制最优秀儿童图书的美术家的奖章。1938年由鲍克出版公司董事长F.G.梅尔彻

设立,以 19 世纪英国插图画家考尔德科特的名字命名。每年在美国图书馆协会的年会上,考尔德科特奖章与纽伯里奖章(一儿童文学奖章)一起颁发。

Calder, Alexander (Stirling)　考尔德(1898-07-22,美国宾夕法尼亚朗顿～1976-11-11,纽约市)　美国雕刻家,以发明活动雕刻的新艺术形式闻名世界。出身于艺术世家,1919年

美国不列颠百科全书公司供图

在新泽西州霍博肯的史蒂文斯理工学院机械工程系毕业,1922 年到纽约的一所夜校学绘画,1923 年参加由所谓"垃圾桶"派画家领导的艺术学生联合会,1924 年开始为《国家警察报》的拳击赛和马戏团的报道作插图。1926 年赴巴黎从事雕刻,同时开始用木头和金属线制造玩具动物,把制成的动物组成一个微型马戏班展出,许多名艺术家前来参观。在此基础上,他进一步用金属线制造真人大小的模特儿和母狼等较大的作品。在这段时间里他结识不少法国艺术家。1930 年到荷兰画家 P.蒙德里安的画室拜访,才了解现代绘画的动向,其艺术创作也开始趋向抽象。1931～1932年开始制作机器牵动的雕刻,M.杜尚把它称为"活动雕刻",运动使雕刻不断变更形象,给人更多的美感。1932 年起其大部活动雕刻使用气流为动力,并逐步改进作品,使之日臻完美。1937 年巴黎世界博览会上,他为西班牙馆设计制造《水银喷泉》,以流注的水银冲击连在旋转杆上的金属板,深受观众称赞。其早期的作品以小型为主,后期作品向大型发展。1952 年为加拉加斯的委内瑞拉中央大学大礼堂设计的声响天花板是其最大的固定结构。1961 年阿姆斯特丹市立博物馆举办的活动艺术展览,主要展出他和他这一派艺术的作品。60 年代西德卡塞尔、纽约和巴黎等地的展览馆先后举办活动雕刻展览会,引起普遍的赞赏。70 年代考尔德的工作室设在图尔附近的萨谢,他制作大型雕刻时,先制造一个小小的模型,然后再在图尔的铸件厂放大。虽然他一生大部分时间住在法国,但在美国康涅狄格的罗克斯伯里也保有他的家和工作室。

caldera　破火山口　巨大碗口形火山凹地。其直径大于 1 千米,四周为单面山陡壁。破火山口通常是(虽非永远是)由于一火山锥顶部或一群火山锥因失去地下岩浆岩(熔岩)体的支撑崩塌而成。火山锥的破坏通常是混合型的,由于浮石和浮石灰的大量喷发,岩浆囊迅速变空,喷发之后,火山锥顶消失,原处留下一个大窟窿。曾有人认为是火山喷发把山顶喷掉了,但研究表明,只有少量原来的老岩石被喷掉,其余的都沉陷到地下空隙里去了。以后的小型喷发可能在破火山口底造成小的火山锥,破火山口后来可能充满了水,就像美国俄勒冈州的火山口湖那样。火山区还有其他明显的棱角状和不规则形状的凹地,有的甚至比破火山口还要大。它们的棱角状外形,特别是它们周边的棱角状凹入部分(凹槽)表明它们的形状取决于以前地壳运动造成的构造,如下伏老岩层中的节理和断层。所以这些亦称为火山构造凹陷。它们的崩塌也好像至少部分地与大量熔岩的快速喷发有关。例如,新西兰的罗托鲁阿-陶波盆地和苏门答腊的托巴湖盆地。

Calderdale　卡尔德达尔　英格兰西约克郡会郡都会自治市西端一个区(自治市)。都会自治市大部分地区属约克历史郡,仅有托德莫登以西的小片地方属兰开夏历史郡。面积 363 平方千米。哈利法克斯为区行政中心和最大城镇。随着传统纺织业的衰落,工程和轻工业逐渐兴起。也生产地毯,开采建筑石料和耐火黏土。人口约 192 900(1998)。

Calderón, Rodrigo, Conde(count) de Oliva, Marqués (marquess) de Siete Iglesias　卡尔德隆(1576?,安特卫普[今在比利时]～1621-10-21,西班牙马德里)　西班牙王室宠臣。在首相莱尔马公爵得势时有很大权力。卡尔德隆是军官之子。1598 年腓力三世即位后,他给莱尔马当秘书,不久便露头角,一再受到国王的嘉奖。大概因依仗权势谋取私利,遂招致以王后马格丽塔为首的反莱尔马派的攻击,政敌诬陷他与 1611 年王后之死一案有关。1612～1614 年出使佛兰德,回国后封侯爵。他的地位很稳固,一直到 1618 年 10 月莱尔马倒台为止。他被逮捕,受到严刑拷打,并被诬涉嫌谋杀某个名叫弗朗西斯科·舒阿拉的人。他住了两年多监狱,正要释放时,腓力三世去世。新国王腓力四世的首相 G. de 古斯曼将他处死。

Calderón, Serafín Estébanez　卡尔德隆　参阅 **Estébanez Calderón, Serafín** 埃斯特瓦内斯·卡尔德隆。

Calderón, Sila María　卡尔德龙(1942-09-23,波多黎各圣胡安～　　)　波多黎各政治人物,第一位波多黎各的女性总督(2001～2005)。生于富裕的、在政治上颇为活跃的家庭。其父是波多黎各人民民主党的坚决支持者。在波多黎各接受了传统教育之后,前往纽约的曼哈顿维尔学院求学,1964 年获政治学学士学位。1972 年获波多黎各大学公共管理硕士学位。1973 年担任波多黎各劳工部长行政助理,后担任内务部长和国务部长。在私营部门也有广泛经验,曾担任花旗银行在波多黎各的副总裁和另一家投资公司的总裁。1996 年当选为圣胡安市市长,后当选人民民主党领袖。1998 年,主张波多黎各成为美国一州的总督 P.罗塞略组织了一次全民公决,而卡尔德龙领导了维持自由联邦地位的运动。最后全民公决支持继续作为美国自由联邦,标志着她的一次政治胜利。2000 年参加总督竞选,发誓根除腐败,结束美国空军在维克斯岛的轰炸演习。她在维克斯岛问题上的强硬立场帮助她以微弱优势当选总督。上任后积极推进结束维克斯空军演习。2003 年宣布不再参加总督竞选,2005 年离任。

Calderón de la Barca, Pedro　卡尔德隆·德·拉·巴尔卡(1600-01-17,西班牙马德里～1681-05-25,马德里)　西班牙剧作家、诗人,是继洛佩·德·维加之后,西班牙黄金时代最著名的剧作家。生于马德里一个富有的官员家庭。其父脾气粗暴专横,家庭关系紧张,对他青年时代有深刻影响,在他的多部剧本里有所反映。1615～1619 或 1620 年入萨拉曼卡大学攻读法律、艺术与神学。后放弃神职生涯,在卡斯蒂利亚任职。1623 年开始为腓力四世宫廷写剧本。1633 年王宫新剧场建成后,成为宫廷剧作家。宫廷的支持是他艺术发展中最具影响的力量。宫廷戏剧产生于世俗戏剧,两者起初在主题和风格上没有区别。不过,王宫新剧场可以进行场景壮观的演出,从而使宫廷戏剧形成独特的巴罗克风格,将舞蹈、音乐和视觉艺术与戏剧结合,脱离了当时的生活,进入到古典神话和古代历史的世界。1635 年维加死后,他独步西班牙剧坛。1636 年国王授予他圣詹姆斯军功骑士勋章。他的影响超出宫廷,早期剧本也在公共剧场演出。1640 年加泰罗尼亚爆发叛乱,他应征加入骑兵部队,战绩卓著。1642 年因伤退役。1645 年,为阿尔瓦公爵效劳,或任秘书。1651 年接受神职后不再为一般观众撰写世俗剧,但奉王命仍为宫廷剧场定期创作。此外,每年还为马德里的基督圣体节创作两部宗教剧。1653 年在托莱多天主堂任受俸神父职,1657 年回到马德里,1663 年任国王荣誉司铎。一生共创作 100 多部世俗剧,最著名的有《医生的荣誉》(1635)、《人生是梦》(1635)、悲剧《萨拉梅亚的镇长》(1640)和被公认为杰出的宫廷剧代表作《空气的女儿》(1653)。该剧高度风格化,描述巴比伦的王后贪恋王权,将自己的儿子隐匿起来,并乔扮王子继承王位,以致引起骚乱,最后导致毁灭。《厄科与那喀索斯》(1661)、《普罗米修斯像》(1669)、《爱使野兽驯服》(1669)等,都以神话为主题,或多或少带有讽喻的描述,但不像《空气的女儿》那样强烈。此外,他还写有不少宗教剧,其中包括根据葡萄牙王子费迪南德的殉道改编而成的《坚贞不渝的王子》(1629)、《奇妙的魔术师》(1637)等。为基督圣体节创作的、在露天剧场演出的宗教哲理剧尚存 76 部。用戏剧形式来表现基督教义,使他在文学中有特殊地位。西班牙歌剧的兴起同他也有关系。《紫色的玫瑰》(1660)是他的第一部歌剧,全部对话都配了乐。卡尔德隆继承和发展了维加的戏剧传统。他的剧本结构严谨,情节复杂,内容紧凑。他那无与伦比的创作技巧,完美的艺术性和深刻的洞察力

使得在他死后的两个世纪里仍然没有人可以与之匹敌。但将近19世纪末,文学评论中现实主义原则占居主导地位,人们倾向赞同维加的更"接近生活"的戏剧。卡尔德隆因而就显得矫揉造作和因袭常规。尽管如此,他仍不失为世界剧坛的主要人物之一。

Calderone, Mary Steichen 考尔德伦(1904-07-01,美国纽约州纽约～1998-10-24,宾夕法尼亚肯尼特斯奎尔) 婚前名Mary Steichen。美国医师和作家。作为美国性知识与教育委员会创办人之一兼负责人,她始终坚持在公立学校课程中加入负责任的性教育。1925年毕业于纽约波基普西的瓦萨学院。在一次失败的婚姻结束后,她就读于纽约罗彻斯特大学医学院(1939年获得医学博士学位)。曾在纽约市贝尔维尤医院实习1年,然后到哥伦比亚公共卫生学院学习。1941年11月与公共卫生官员F.A.考尔德伦结婚。1964年成为美国性知识与教育委员会主任,委员会的目标是促进人类性行为的研究、讨论和教育,积极为年轻人开发性教育教材。1975年卸任委员会主任一职后,成为该机构的主席(1975～1982)。1982～1988年是纽约大学负责人类性行为项目的副教授。她继续频繁地进行演讲并且获得许多奖项。

Caldey Island 科尔迪岛 又拼Caldy Island,威尔士语作Ynys Bŷr。威尔士彭布罗克希尔郡卡马森湾中的一岛屿。长2.4千米,最宽1.6千米。早在6世纪就有凯尔特僧侣在此居住。1906年为英国本笃会买下,建立今日的隐修院。1928年为比利时天主教特拉普会修士所继承。岛上还有一个小村庄和灯塔。人口45(2001)。

Caldicott, Helen Broinowski 考尔迪科特(1938-08-07,澳大利亚维多利亚墨尔本～) 婚前名Helen Broinowski。澳大利亚出生的美国医师,是一个关注核武器造成医学和环境危害的活动家。1961年毕业于阿德莱德大学医学院并获得医学学士和外科学士学位(相当于美国的医学博士)。1971年开始从事反对核武器的运动,提醒澳大利亚市民关注法国政府在南太平洋进行大气层核武器试验的潜在后果。1975年全家人移居美国波士顿,1977～1980年为哈佛医学院讲师。她出版了《核疯子,你能干什么?》,其中以极其生动的语言阐述了核技术带来的后果。她还多次举办公开讲座及电视演讲。1978年振兴了一个名为社会职责医师协会的组织并且将其宗旨改为关注核能引起的健康危害。1980年她还组织了一个华盛顿游说团,发起解除核武器装备的妇女运动。1983年辞去社会职责医师协会会长,以表示她的目标与广大会员的不同。她继续进行演讲和撰写反对核武器的文章。1984年出版《导弹妒忌:军备竞赛与核战争》一书,1992年发行出版物《如果你爱这个行星:拯救地球计划》,1996年出版自传。

Caldwell 科德韦尔 美国爱达荷州西南部城市,坎宁县县城(1892),濒博伊西河。1883年建为俄勒冈短线铁路宿营地,以该路总裁科德韦尔命名。1890年设市。南有洛厄尔湖水库。为农产品加工和集散地,也有一些工业。特别是制造活动房屋。20世纪30年代后发展为商业印刷业和书业中心。1891年创办爱达荷学院。人口25 967(2000)。

Caldwell 科德韦尔 美国新泽西州东北部埃塞克斯县自治镇。位于纽瓦克西北数英里处。18世纪80年代始有人定居。1892年设镇。因是美国总统G.克利夫兰的出生地而闻名。其故居现辟为博物馆及州立历史遗址。该镇主要为住宅区。工业产品有黏合剂、手术设备、杀虫剂及纸制品。设有科德韦尔学院(1939)。人口7 584(2000)。

Caldwell, Erskine 考德威尔(1903-12-17,美国佐治亚考维塔县～1987-04-11,亚利桑那帕拉代斯瓦利) 美国作家。他的小说文风质朴,描写美国南部农村的贫民生活,并夹以暴

美国不列颠百科全书公司供图

力、性和荒诞的悲喜剧场面,在世界各地拥有大量读者,特别在苏联和法国受到重视。考德威尔的父亲是一位家庭传教士。考德威尔先后入读过南卡罗来纳州厄斯金学院和弗吉尼亚大学,但都没有毕业。1926年定居缅因州,决意认真作一个小说家。《烟草路》(1932)一书使他成名,这本书的书名也逐渐成为农村污秽和堕落的代名词。1934年杰克·柯克兰把《烟草路》改编成剧本,由于它对吉特·莱斯特这一角色、他的家庭和邻居的悲喜交集的生动描绘,在纽约舞台连续上演达7年半之久,成为美国剧院的主要剧目。考德威尔的小说家名望主要就是依靠这本小说以及另一部描写南方农村一群赤贫、堕落的白人的畅销小说《上帝的小块土地》(1933)。其他较为重要的著作有《七月的风波》(1940)、《佐治亚小伙子》(1943)、文学自传《就算是经验吧》(1951)和《寻找比斯科》(1965)。关于南方农村的记实性作品《你见过他们的面孔》(1937),文字由考德威尔所写,照片由他的未婚妻伯克-怀特拍摄。他们还合作出过两本关于东欧的图文并茂的著作。第二次世界大战时,考德威尔任海外记者,在好莱坞写电影脚本,晚年继续发表小说和回忆录。考德威尔后期的小说在评论界引起的兴趣不大。威廉·福克纳认为他是美国当代5个最出色的作家之一,但是大多数美国评论家对他的赞扬则比较慎重。

Caldwell, Sarah 考德威尔(1924-03-06,美国密苏里玛丽维尔～2006-03-23,缅因波特兰) 美国歌剧女指挥、演出人和经理人,以采用创新手法制作具有挑战性的及有难度的作品而闻名。早年即为天才小提琴手,曾在阿肯色大学和波士顿新英格兰音乐学院接受教育,后来在新英格兰歌剧团担任B.戈尔多夫斯基的第一助理达11年,在此期间又在马萨诸塞州坦格尔伍德的伯克希尔音乐中心研究并教授歌剧。1952～1960年主持波士顿大学实验歌剧团,1957年她为波士顿市建立一永久的歌剧小组,该组最后成为著名的波士顿歌剧团。作为指挥与演出人,考德威尔在演出一些标准作品时每每加以创新的处理,因而蜚声乐坛。她所领导的歌剧团曾首次上演威尔地的《唐·卡洛斯》和M.穆索尔斯基的《鲍里斯·戈东诺夫》。勋伯格的《摩西与亚伦》、诺诺的《偏狭》和兴德米特的《画家马蒂斯》等现代歌剧在美国首次公演也是由她主持的。由于她追求有意义的人物刻画并注重音乐品质和视觉效果,吸引了许多当代最杰出的歌剧演唱家,参与她主持的演出。1976年考德威尔成为纽约市大都会歌剧院第一位女指挥,指挥由B.西尔斯担任主角的威尔地作品《茶花女》。她还指挥过若干大交响乐团的演奏。1999年执教于阿肯色大学。2004年退休。

Caldwell, Taylor 考德威尔(1900-09-07,英国曼彻斯特～1985-08-30,美国康涅狄格格林尼治) 全名Janet Taylor Caldwell。美国极受欢迎的作家,以其长篇家世小说和历史小说闻名。1907年随父母迁居美国,定居纽约州布法罗。从小喜爱写作。1923～1931年间在美国劳工部和移民归化局的布法罗办事处担任过各种职务,同时还在布法罗大学(今纽约州州立大学布法罗分校)就读,1931年毕业。出版的第一部小说是《死亡的王朝》(1938),描绘一个军火商家族。这部家世小说的续集为《鹰队聚集》(1940)和《最后时刻》(1944)。其他著作的背景大多是设定在过去的激动人心的故事,几乎每部都非常流行。其中有《地球是上帝的》(1940)、《近于无辜》(1946)、《让爱最后来到》(1949)、《魔鬼的辩护人》(1952)、《爱情的序幕》(1961)和《两人的证词》(1968)等。1981年出版的小说《男子汉般的回答》还没有正式出版就被列入《纽约时报》的畅销书排行榜。许多小说被改编成电影或电视剧。

Caldy Island(Wales) 参阅**Caldey Island** 科尔迪岛。

calèche(carriage) 参阅**calash** 卡拉施马车。

Caledon River 卡利登河 非洲东南部的奥兰治河支流。源出德拉肯斯山脉,大致向西南流,构成莱索托和南非奥兰治自由邦间的大部分界线,穿过奥兰治自由邦东南部,在贝图利附近汇入奥兰治河。全长480千米。此河流域是南非温差最大的地区之一,盛产玉米。

Caledonia 喀里多尼亚 不列颠北部地区的古称,大致相当于现在的苏格兰。当时居

民为喀里多尼亚人。公元80年，罗马人首次入侵占领，他们修城堡，建据点，但公元90年左右被迫退出厄恩河以北地区，不久撤离整个苏格兰。虽然罗马皇帝规定以切维厄特丘陵南为罗马人占领区与喀里多尼亚的交界，但是后来罗马人又不断北移至福斯湾，约于144年筑起安东尼墙维护新界。10年后他们撤出，但在2世纪又重新占领并于209和296年更向北推进。在这一地区曾发掘出原始水上房屋和地下石室，室内有罗马时期的交易品。

Caledonian Canal　喀里多尼亚运河　从西南向东北跨越苏格兰北部的大格伦断层并连接爱尔兰海与北海的水道。1773年J.瓦特受英政府委托，勘测一条可连接内斯、奥伊赫和洛希等一连串淡水湖的运河。1803年在特尔福德指挥下开凿，1822年通航，到1847年才完全竣工。东北口在马里湾，西南口在林尼湖，全长100千米，其中人工开凿部分约占37千米。过去深具经济价值，现在因远洋船只不能通航，仅供钓鱼与划艇。

Caledonian orogenic belt　加里东造山带　位于欧洲西北部的大山脉，由亚皮特斯海在自寒武纪始(约5.7亿年前)至志留纪末(约4.08亿年前)这段期间张开、闭合和破坏而形成。最后的碰撞发生在欧洲西北部一大陆和北美-格陵兰大陆之间，造成了一条突出的大山脉，其残体现在沿西南-东北方向(现行地理坐标)延伸，自爱尔兰、威尔士、英格兰北部，经过格陵兰东部和挪威，到斯匹次卑尔根。横穿爱尔兰中部并沿英格兰-苏格兰边境通过的主要缝合带，将这两个具有不同的沉积岩、火成岩和变质岩，不同的化石，不同的矿化现象以及不同的演化阶段的大陆块隔离开来。该大山脉增厚了的地壳的隆起和剥蚀引起泥盆纪时(4.08亿年前至3.60亿年前)砂岩和砾岩在盆地和裂谷内的广泛堆积。

calendar　历法　为了适应公众生活、宗教仪式以及历史或科学的需要，而把日子进行组合(如日、月和年)的一种方法。历法的基本单位是日。现代是由子夜开始起算，古代则因地而异。日又被分为更小的时段。时段的分法也因时因地而异。最初，各种时段的长度多是不均匀的。例如，早期的西方国家分一日为24小时，白天、黑夜各12小时。由于昼夜长短随季节而变化，小时的长度也随之改变。这种不均匀的划分方法直到13世纪末机械钟出现以后才逐渐被淘汰。日的一种组合法是月，它大约是29.5日。后来又出现一些比月更短的组合。其中以7天为一周的组合法在很多地区使用。人们认识到季节变化同太阳运动有关，并测出其周期为365日，因而出现了年的长度。天体的运动为确定各种历法周期提供基本的准则。日可以通过太阳或恒星的视运动来量度，其结果分别称为太阳日和恒星日，历法中采用的是平太阳日。月主要有两种：恒星月和朔望月。年的定义也有几种。为了和季节保持一致，历法中一般采用回归年。精确的回归年长度通常可以通过确定太阳相对于春分点(或冬至点)的位置变化来获得。英国怀特郡著名的巨石阵就是为从事这种天文观测而建立的。

由于回归年和其他各种天象周期的日数都不是整数，而且彼此多为不可通约，所以各种历日和天象之间总存在着差异。但是，人们很早就认识到，这种差异是有周期性的。利用这些周期性可以找出诸如只考虑月相变化的太阴历和反映季节变化周期的回归年之间的联系。公元前4世纪的欧多克索斯就曾研究过一种8年的周期。按照当时的数值，8个回归年 $=8\times365=2\,920$ 日。这个数字和99个朔望月的日数 99×29.5 只差0.5日。因此，如果在8个太阴历年中插进3个闰月，就可以使它同8个回归年大体一致。公元前430年雅典天文学家默冬发明的默冬周是另一种能使太阴历年和回归年基本协调的周期。它的长度是19年，其中包含7个加置闰月的太阴历年。这一周期所含总日数为 $110\times29+125\times30=6\,940$ 日，与19个回归年的日数 $365.25\times19=6\,939.75$ 日相差甚微。还有一种儒略周期，它兼顾默冬周、星期位置变化周期和古罗马征税周期，长度达7 980年，至今仍在天文学中使用。

西方的历法和改革　①古希腊历。公元前13世纪，希腊就有了太阴月和观象授时方法。后来又逐渐制定了阴阳历的法则。马其顿王国征服波斯后，希腊人曾在东方推广使用希腊历。②早期罗马历。公元前8或前7世纪罗马人制定的历法。迭经改革，至公元前6世纪发展成为罗马历。罗马历岁首在3月，一年有12个月，每月28～31日不等，共355日。为与回归年协调，每隔两年在2月23日以后交替插入一个27日或28日的闰月，2月余下的5日则略去。由此得到年的平均值为366.25日。公元前1世纪，罗马统治者儒略·凯撒改革历法，用儒略历代替罗马共和历。1582年，罗马教皇格列高利十三世再次进行改革，用格列高利历(又译格雷果里历)取代儒略历。③法国共和历。是法国大革命期间为改革格列高利历而编成的一种历。改革的目的是摆脱与宗教的一切联系。该历于1792年9月22日开始使用，但只过13年又被格列高利历所取代。现代的改革方案是使历日的安排向着更有规律和更少变化的方向发展。最典型的是国际固定历和世界历。国际固定历一年分13个月，新的月份加在6月和7月之间。每月28日，年末加一日，闰年则在6月28日之后再加一日。每个月的第一天是星期天，末一天是星期六，附加日则不属于某月，也不属于某星期。世界历则改为一年等分为四季，每季91天，第一个月31天，余两月各30天。年末附加一天。闰年在6月30日后附加一天。

古代中近东历法系统　在中近东地区的早期文明国家中除埃及外，都使用兼顾朔望月和回归年的阴阳合历。这种历法的准则可能来自于公元前30世纪的美索不达米亚。中近东历法主要有：①苏美尔-巴比伦历。苏美尔人在公元前27世纪就已开始使用人为的较粗略的时间单位。公元前2 400年，他们已使用一种特定的年，每年有 $30\times12=360$ 日。大约在同一时期，为收获而举行的皇家祭祀使人有了明确的皇家年概念。这种年的年名是以皇家的丰功伟绩来称呼的。公元前21世纪，由于更细致的划分有利于经济核算，太阴历开始流行。与此同时，出现了置闰的概念，以使它和回归年相协调。随着方法的完善，巴比伦历逐渐形成。它对邻国的历法，特别对犹太历有着深刻的影响。②波斯历。公元前538年，波斯帝国征服巴比伦后在整个帝国推行了巴比伦历。至公元前1世纪，北部伊朗地区的财政机构开始使用琐罗亚斯德教历——每年12个月，每月30日，另外附加5日。到萨珊王朝，226～621年，琐罗亚斯德教历成为伊朗的官历。古代中近东地区还使用过埃及历、犹太历、穆斯林历等。至于其他历法，如亚述人、赫梯人的历法等，至今仍了解甚少。

远东历法系统　有印度历和中国历等。

美洲历法系统　主要有：①马雅历。它的基本结构是古代中美洲文化所共有的。它包含一个260日的典祀周和一个365日的年周。两者的最小公倍数为52年。经过这一“历法周”，某一确定的典祀周日期就会在一年中的同一位置上重新出现。在典祀周中以数字1～13和20个有序的专名循环相配，形成260个日名。年周期则划分为18个有专名的月，每月20日，最后附加5日。年与典祀周相配合的方法还不足以表示更长的时距。为此，马雅人又采用一种特殊的进位制来计算累计日数，如8、12、14、8、15，这些数字代表历元后的第 $8\times144\,000+12\times7\,200+14\times360+8\times20+15=1\,243\,615$ 日。在马雅人的铭文中，上述3种表示法往往同时使用，如8、12、14、8、15；13门；3席泼。这一日是历元后的第1 243 615日；在典祀周中为13门(门为第15个有序专名)，即第195日；在年周中为3席泼(席泼为第3个月的月名)，即第43日。马雅历累积日数的历元，现在大多数研究者认为对应于第584 283儒略日。此外，目前还不清楚马雅人在历法中如何考虑季节因素。太阴历则另有一套文字符号表示。②阿兹特克历。源于墨西哥谷地的早期历法，与马雅历基本相似。主要的不同点在于使用了更原始的数字系统，而且记日不很准确，因此造成了一些混乱。③秘鲁印加历。印加人无书面语，从早期殖民地编年史中只能得到一些矛盾的信息。一般认为印加人有基于日月观测的历法。现代对印加历的探讨主要是通过考古天文学。④北美印第安人的计时法。北美印第安部落并无真正的历法。他们用木棍的数目来计算日子，以月表示更长的周期，年则由季节而不是由固定的日数确定，因此月与年的配合一般也不甚精确。由于外界对北美印第安人的影响，现有关于这一系统的知识可能并没有反映出它们真正的复杂性。

calendering　轧光　造纸工业中，经过若干成对的加热辊筒将连续的纸页熨压平滑的生产过程。这些成对的辊筒名轧光机，由经过表面硬化或由织物覆盖的钢辊构成。通常对纸加以89千克力/厘米的线压力。涂布纸更需轧光加工，以使纸面平滑并有光泽。轧光工艺也广泛应用于纺织工业、涂布工艺及塑料薄膜制造，以期得到所需的表面质地。

Calepino, Ambrogio　卡莱皮诺(约1440,意大利伦巴第贝加莫～1510,贝加莫)　意大利最早的词典编纂者之一。其名字衍生 出一度通用的意大利语词"Calepino"和英语词"Calepin",成为词典的代名词。他是奥古斯丁会修士,曾编辑一部用几种文字解释的拉丁文词典(1502),在雷焦艾米利亚出版,后来增订,包括波兰文、匈牙利文等 11 种文字,1590 年在瑞士巴塞尔出版。

Caletti-Bruni, Pier Francesco (Italian composer)　**卡莱蒂-布鲁尼**　参阅**Cavalli, (Pier) Francesco** 卡瓦利。

Calexico　卡莱克西科　美国加利福尼亚州南部因皮里尔县城市和输入港。位于因皮里尔河谷南端,与墨西哥的墨西卡利仅隔一道栅栏 。1900 年创建。1908 年设市。原为贸易和水运中心。现旅游业和边境贸易为经济支柱。附近有灌溉该河谷的全美利坚运河。英文名源于 California(加利福尼亚)和 Mexico(墨西哥)。人口约 27 109(2000)。

calf roping　套牛犊　放牧人竞技会的一个项目。牧场骑士追逐牛犊,用绳索把它套住后下马用双手把它摔倒在地,并用一条短绳捆住它的三条腿,随即高举双手示意完成作业。整个过程所需的时间被记下来,时间花得最少的竞赛者即为优胜。牧人必须把马训练好,使得自己在套牛犊时既要拉紧绳套而

套牛犊
美国不列颠百科全书公司供图

又不把牛犊往后拽。开始时,牧人在牲畜栏内等候着直到牛犊被放出并越过 10 英尺以外的一条线为止。如果他在牛犊越过那条障碍线之前离开牲畜栏,他就要被罚 10 秒之多。如果在裁判员们裁定完成作业之前牛犊得以挣脱绳套,牧人即被取消比赛资格。

Calgary　卡尔加里　加拿大艾伯塔省南部城市。在大平原西缘,埃德蒙顿南 298 千米,鲍河和埃尔博河汇合处。1875年为西北骑警队驻地。1883 年通加拿大太平洋铁路,1904 年兴修西部灌溉区工程,促进当地成为农产品加工及集散中心。特纳谷石油和天然气(1914)以及埃德蒙顿附近著名勒杜克油田(1947)的发现,使该市经济迅猛发展。又因横贯加拿大公路与两条横越大陆铁路交会于此,该市已成为艾伯塔省仅次于埃德蒙顿的

卡尔加里市中心鸟瞰
美国不列颠百科全书公司供图

第二大都会区。主要工业有炼油、磨面、肉类加工包装、酿酒、伐木、建筑材料、化肥等。设有卡尔加里大学(1945)。始于 1912 年,从 1923 年起每年举行的卡尔加里节举世闻名。该节日是持续若干日的盛大庆祝活动,居民身着西部服装,在街上表演、跳舞,还有激动人心的马术表演。1988 年在此举行冬季奥林匹克运动会。1884 年建镇;1893 年建市。人口:市 878 866;都会区 951 395(2001)。

Calheta, Luiz de Vasconcelos e Sousa, 6th Count of (conde de)　**卡列塔伯爵(第六)**　参阅 **CasteloMelhor, Luiz de Vasconcelos e Sousa, 3°conde de** 卡斯特洛·梅略尔。

Calhoun　卡尔洪　前名乌思卡洛加。美国佐治亚州西北部城市,戈登县县城。邻近乌斯塔诺拉河。位于罗马东北 34 千米处。1850 年改现名。1852 年建市。南北战争中被摧毁。现为农业贸易中心。制造业有发动机和纺织。附近的新埃科塔原是东切罗基印第安人最后的首府(1825 ～ 1838),现为州历史遗址。最早的印第安语报纸《切罗基长生鸟》(1828 ～ 1834)在当地印刷。人口 10 667(2000)。

Calhoun, John C(aldwell)　卡尔霍恩(1782-03-18,美国南卡罗来纳阿比维尔区～ 1850-03-31,华盛顿[哥伦比亚特区])　美国政治家,历任众议员、陆军部长、副总统(1825 ～ 1832)、参议员和国务卿。捍卫州权和奴隶制,是老式南方人的象征。出生于苏格兰-爱尔兰裔拓荒者家庭。耶鲁大学毕业后在康涅狄格州利奇菲尔德法律学校学习 1 年,并取得律师资格。他是杰斐逊共和党的积极分子,早在 1807 年就号召与英国作战。1808 年选入南卡罗来纳州议会。1811年成为众议

美国国会图书馆供图

员,为众议院议长 H.克莱的主要助手。1812 年 6 月以对外关系委员会主席资格发表对英国宣战书。战后提出建立常备军和代现化海军等法案,并坚决支持 1816 年的保护关税法。1817 年任 J.门罗总统的陆军部长。卡尔霍恩由于手腕灵活,很快成为公认的共和党领袖。他一心想当总统,但因操之过急,接连 3 次竞选都遭到失败。每次竞选时都有一部匿名的传记问世,为他捧场。1824 和 1828 年两次当选副总统(总统分别为 J.Q.亚当斯和 A.杰克逊)。卡尔霍恩坚决主张每个州拥有最高权力,宪法只是各主权州之间的一项契约。因此任何一州都有权宣布国会的法令违反宪法,不予接受。卡尔霍恩所以坚持"否认原则",是由于他极力维护南方各州的蓄奴制。但使卡尔霍恩啼笑皆非的是,大多数南方州都断然拒绝他所谓的"否认原则"。就连承认州有权退出联邦的 J.戴维斯也不同意各州有权拒绝接受国会的法令。前总统 J.麦迪逊也公开批驳卡尔霍恩。卡尔霍恩不善交友,他的许多同道后来都变成与他势不两立的敌人。1832 年当选参议员。在参议院中他仍然捍卫自己视若珍宝的"否认原则",硬把奴隶制说成是一种"积极的因素",连篇累牍地为奴隶制进行辩护,但他想使南方成为统一体的一切努力始终落空。

Cali　卡利　哥伦比亚西部城市、考卡山谷省省会。位于卡利河两岸,海拔 1 014 米。建

卡利市的凯塞多广场,中为大教堂
美国不列颠百科全书公司供图

于1536年7月25日，由于处于内陆，直至20世纪50年代才在经济上有所发展，成为仅次于波哥大和麦德林的哥伦比亚第三大城市。1954年以来，考卡河流域公司(仿效美国田纳西河流域管理局而组织的一个自治的公共团体)利用考卡河上游河水发电，防止水患，改造城郊地区的农田，使之更适宜于灌溉和机械化的大规模耕作，从而促进了农业和工业的发展。该市现为卡利河流域物产的集散中心和工业中心。经济以农业为基础，当地种植的农产品有甘蔗、咖啡和棉花、大豆。牛肉、乳品和牲畜饲养亦重要。有利用蔗渣纤维造纸、药品和化学品等工业。400年来为全国重要的交通枢纽，有铁路和公路连接东北部及太平洋沿岸的主要城市。建有国际机场和空军基地。亦为旅游胜地，一年一度的甘蔗集市和狂欢节活动吸引众多观光者。也是重要的文化中心，有考古博物馆、宗教艺术博物馆、都市剧院、音乐学院和民俗文化研究所。人口1 323 944(1985)。

calibre　口径　表示枪膛或枪管内径的量度单位。步枪的口径是从阳膛线量取的直径。口径也用来标明枪弹或其他射弹的直径。武器的长度有时也通过枪膛的内径来表示(现在只用于海军舰炮及海岸防御炮上)。

calico　印花平布　印有单色或几种颜色的简单图案的全棉平纹织物。印花平布最晚在11世纪起源于印度的卡利卡特，17和18世纪，为印度与欧洲间的重要贸易商品。在12

18世纪的印度古吉拉特印花平布
美国不列颠百科全书公司供图

世纪，印度作家月天曾提到印有荷花图案的印花平布。最早(15世纪)残存布片在开罗附近的伏斯泰特发现。古吉拉特生产抗染(织物的未染部分涂有抗染物质)和模板印花平布。莫卧儿王朝时期，印花平布的印染中心为拉贾斯坦、古吉拉特、布尔汉布和中央邦的肯代什地区，艾哈迈达巴德专门生产廉价的印花平布。在出口贸易中，印花平布采用的图案取决于国外的爱好，内销的花样简单，小花、松果、菱形花纹和几何图案最为普遍。有时也织入豪华的金丝。印花平布在英国常用作帘布、床罩和服装，在印度一般仅用于外衣。印度妇女常穿的莎丽服几乎都是印花的。印花平布由一组经纱一上一下与一组纬纱交织而成，常织成本色布，经漂白、染色，并按各类家用及服装用品的要求印花。通常印花平布有两种颜色，一为底色，另一为花样或图案。底色经常匹染成单色，然后用刻有图案花样的滚筒印上花纹。根据不同用途，印花布有多种结构与品质，从透明的薄织物到粗而坚牢的结构不等。

calico bass　斑点巴斯鱼　即黑莓鲈。受欢迎的北美游钓鱼和食用鱼。参阅 **crappie**。

Calicut(India)　**卡利卡特**　参阅 **Kozhikode 科泽科德**。

Calidris　滨鹬属　鸻形目鹬科的一属，包括滨鹬(**dunlin**)、细嘴滨鹬(**knot**)、三趾滨鹬(**sanderling**)等滨鸟类。有些阔嘴鹬也划归滨鹬属。参阅 **sandpiper**。

California　加利福尼亚　加利福尼亚的人口居美国各州之首，人均个人收入居世界最高之列。该州社会、经济与政治生活的流动性主要是由于其他各州人口的涌入而形成，它赋予加利福尼亚试验新的生活模式的氛围。然而，在20世纪80年代，在该州的整个城市地区已经出现深刻的不满情绪。

加利福尼亚人构成了美国城市人口的多数，主要集中在沿海地区，其中3/4以上居住在洛杉矶、旧金山与圣迭戈都市区。同美国多数较大的州一样，首府萨克拉门托并不是主要的人口或经济中心。加利福尼亚面积为158 706平方英里(411 049平方千米)，仅次于阿拉斯加和得克萨斯。该州北接俄勒冈州，东连内华达和亚利桑那州，南邻墨西哥的下加利福尼亚，西濒太平洋。加利福尼亚州名的由来一直没有一个可完全接受的说法，但多数人认为，该名源于一本描述一个天堂似的，名为加利福尼亚岛的西班牙小说。该州于1850年9月9日成为美国第31州。其地形差别十分明显：从北部多雨的海岸到南部炎热的科罗拉多沙漠。内华达山的高度超过落基山。在相距不到85英里(137千米)的地方，坐落着海拔14 494英尺(4 418米)的惠特尼山和低于海平面86米的死谷，分别是美国本土48个州的最高点和最低点。加利福尼亚虽已城市化，但仍是美国的主要农业州，然其耕种面积仅约占总面积的15%。加利福尼亚州拥有全国之最的森林、沙漠、山脉和其他自然资源，国家公园和保护地遍布全州各个角落，几乎一半土地归联邦政府所有。

自然地理和人文地理

土地　海岸山脉　加利福尼亚绵长的海岸线多为山脉，引人注目的是旧金山以南的圣卢西亚岭，大瑟尔村就坐落在该处海拔800英尺的悬崖上。沿海3个重要天然港圣迭戈、旧金山和尤里卡的两侧均被较低的山脉环抱。由许多连绵的山构成的海岸山脉宽度达20～40英里，高度为2 000～8 000英尺。

内华达山　该州东部为人烟稀少的沙漠。沙漠的西边耸立着内华达山。其东坡陡峭，在10英里内落差达10 000英尺接近欧文斯湖。西侧山脉经高度缓降的一些山麓小丘，向中央谷地，包括圣华金谷地与萨克拉门托谷地倾斜。内华达山从北部靠近拉森峰升起的山屏起，向南绵延430英里到达洛杉矶的边缘。这一地区宽50～80英里，面积有27 000平方英里。除惠特尼山外，另有10个其他山峰的高度超过14 000英尺。东西走向的山脉少而高，有些超过9 000英尺。

内华达山区的最大湖是塔霍湖，位于高达6 229英尺的加利福尼亚与内华达交界处。这是一个群山环绕的高山湖泊，面积193平方英里，平均深度在世界名列第11位：靠近岸边有一段湖深1 200英尺，而湖的最深处则超过1 600英尺。该山区中还有数百个小湖，有些位于急遽下降的花岗岩峡谷和崖面平直如墙的峡谷的林木线以上地区。在这个山岳地带中有3个国家公园：金斯坎宁、塞奎阿和约塞米蒂，后者从马瑟洛代黄金围岩的紫色山麓丘陵，一直到默塞德河与图奥勒米河的冰融山谷，其间点缀着瀑布和花岗岩圆丘。

中央谷地　中央谷地蜿蜒450英里，经过加利福尼亚的中部，形成西部海岸山脉和东部内华达山脉之间的槽谷。中央谷地是该州的农业中心。萨克拉门托河与圣华金河流经中央谷地唯一开阔的三角洲地带，流入旧金山湾。中央谷地的东北面被喀斯喀特岭封闭，西北面则被克拉马斯山脉阻挡。谷地最北端地形崎岖，人口稀少，林木茂密；沿海一带气候潮湿，较高的东北部则比较干燥且贫瘠荒芜。中央谷地的南部止于横断山脉，主要是蒂哈查皮山脉，该山被认为是加利福尼亚南部和中部的分界线。

沙漠　加利福尼亚东部大部分是沙漠。该州的东北角为上沙漠，其间有荒芜的平原、山地和熔岩区，人口稀少，有一些空旷的放牧地。中东部地区是横断山沙漠，沿内华达山脉陡峭的东部悬崖延伸，包括辽阔的州际大盆地(属盆地与山脉区)的部分地区。横断山沙漠海拔2 000～7 400英尺。该地区的几个大城镇位于欧文斯谷地，1908～1913年间修建的大型输水管道将谷地的地下水送往洛杉矶，造成谷地失去了昔日富饶农田的景象。

莫哈韦沙漠位于东南部，占加利福尼亚陆地面积的1/6，超过25 000平方英里。沙漠中以大盆地、侵蚀的山脉、断层地块与冲积的地表为其特征，多数位于海拔2 000英尺以上。植被包括常绿的墨西哥三齿拉瑞阿、丝兰花、藜科植物、碱蓬、扁果菊、三角叶杨和牧豆树属植物。较高处有桧属植物与矮松。莫哈韦沙漠天空晴朗、人烟稀少，是理想的航空与武器试验场。帕姆代尔与爱德华空军基地跑道主要用于新型飞机的试验和美国的航天计划。莫哈韦的大多数居民散居在沙漠的小镇和西南角的几个军事基地。

下科罗拉多沙漠从科切拉谷地开始，谷地的棕榈泉提供了一系列的休憩地。这个沙漠延伸至因皮里尔谷地；在邻近墨西哥边境地区，该谷地是以冬季作物闻名的农业区。这片沙漠有4 000多平方英里在海平面以下，包括300平方英里的索尔顿湖，1905～1907年间附近的科罗拉多河水溢出河道形成这个没有出口的湖泊。

海岸居民区和森林　加利福尼亚南部稠密的居民区分布在沿海岸的高原和离海岸40～60英里的内陆谷地中。蒂哈查皮斯地区以北靠海岸的人口较少。围绕旧金山湾的人口稠密区以北的沿海地区不甚发达，在源自海岸山脉的小溪与河流两岸分布着伐木工与渔民的村庄。该地区有海岸红杉树林与红杉国家公园。高达 300 英尺，直径 15 ～ 35 英尺的红杉是世界上最大的树木之一，有些已有 4 000 年树龄。在欧洲人来此定居前，红杉林面积约有1 500 000英亩（607 000 公顷）。现在多数红杉林已被砍伐，但仍有 109 000 英亩红杉在州和国家的公园中受到保护。

水系和水资源 加利福尼亚南部和沙漠地区长期缺水，但雨量过多与融雪却使北部海岸河流在冬季泛滥。靠近俄勒冈州的克雷森特市的雨量超过 70 英寸（1 778 毫米）；洪堡县的红杉林区的哈尼迪尤村，一年中的降雨量可多达 174 英寸。与以上情况相反，加利福尼亚南部是该州居民最多的地区，其降水量仅占该州的 2%，年均降雨量为 15 英寸，全部集中在冬季。现已建成的北水南调引水工程遭到一些人的抗议，他们认为将水从他们所在地区调出会阻碍该地区未来的发展，或会对生态平衡构成威胁。科罗拉多河高架渠的水从亚利桑那州边界的河段引出，流经加利福尼亚南部的沙漠和山区，最后送至洛杉矶都市区。1960 年实施的加州供水计划是历史上最大的引水工程，计划每天将水从费瑟河送往南部靠近墨西哥边境的许多社区。

气候 整个太平洋沿岸地区的气候比较温和，温度变化比山脉以东同纬度诸州更小。在加拿大新斯科舍省哈利法克斯（北纬 44°39′）出现的平均年低温，在阿拉斯加州锡特卡（北纬 57°）以南的太平洋沿岸任何一地均未出现过，而圣迭戈的年平均温度比大约相同纬度的密西西比州维克斯堡和南卡罗来纳州查尔斯顿要低 3.3 ～ 3.9°C。冬季和夏季的平均温度与年平均温度非常接近。这种状况从海岸进入内地后并不显著，但是高山地区除外，冬季各地都比较温和。

该州一年分为 2 季：湿季和干季。这种气候在太平洋沿岸地区尤为显著，但在下加利福尼亚或俄勒冈的大部分地区并不明显，内华达和亚利桑那更是如此。除沿海地区外，空气的干燥和雨后水汽的迅速蒸发极大地减少了夏日酷暑带来的不适。

在地势低洼的科罗拉多沙漠，夏季温度可高达 54°C，几乎与非洲撒哈拉沙漠的最高温度相等。科罗拉多沙漠年均降雨量为3 ～ 4 英寸。但是，在加利福尼亚东部较高的沙漠地区，夏季气温比较温和。内华达山山顶处冬季严寒。降雨量分布不均，西北部可高达 174 英寸，而东南部沙漠区仅有少量降水，但在沿海岸一带则气候温和、雨量适中。洛杉矶的年平均温度为 18°C，旧金山为 14°C。洛杉矶年均降水量 14 英寸，旧金山 21 英寸。

气候宜人是人口大多集中在沿海一带的重要原因，这里凉爽的海风将暑热驱散，温度很少超过 32°C 或降到 0°C。湿度通常较低。在加利福尼亚的山地最高处，气候变化无常，而沿海城市到山区滑雪场或沙漠运动场只需数小时车程。

动物 加利福尼亚的动物与地貌一样多样化，已发现的哺乳动物约有 400 种，鸟类约有 600 种。加利福尼亚灰熊现已绝灭，稀少的大角羊多数只能在边远的沙漠山脉中见到。濒危的加利福尼亚神鹰正借助于动物园的人工孵化计划繁殖生存。郊狼和美洲狮在边远山区潜行觅食，而鹿、红猫和黑熊则可见于各种栖息地。在较干燥的地区和沙漠地带，有松鼠、杰克兔和金花鼠。甚至在最炎热的沙漠中，还生活着沙漠陆龟、角蜥和响尾蛇。在加利福尼亚最常见的鸟有松鸦、美洲嘲鸫、灯草鹀、蓝鸲和鸫。鲑和鳟是加利福尼亚州境内江、河中的重要鱼类。该州沿海鱼产包括巴司鱼、鲔、岩鱼和金枪鱼。

人民 *种族分布* 在加利福尼亚州的建筑物和地名中，可以明显地看到 18 和 19 世纪西班牙定居者的影响。许多带西班牙姓的加利福尼亚人大多是 20 世纪来自墨西哥的移民和他们的后裔，这些人为躲避该国的革命（1910 ～ 1917）或者为找份农活而来到此地。

加利福尼亚北部纳帕谷地内的葡萄园
美国不列颠百科全书公司供图

西班牙的传教士在建设加利福尼亚教区网的过程中制服了加利福尼亚印第安人，并使他们改变信仰。1833 年这些教区改作俗用时，分布在 21 个教区的 30 000 名印第安人在神父与军人的监督下从事农业生产。西班牙人到达后，疾病在几十年内使印第安人口锐减。到 20 世纪中期，加利福尼亚州印第安人的人口才又开始重新增长。在大约 20 万名加利福尼亚州印第安人当中，约 6% 的人居住在保留地。

来自美国的第一批定居者，绝大多数为盎格鲁-撒克逊裔的中西部农民。伴随着淘金热，一个较具国际色彩的地方出现了。各种船舶由大西洋沿岸、欧洲与亚洲驶入旧金山。在 1850 年，半数以上的加利福尼亚人是 20 多岁的单身男性。1850 年仅有数百名华人居住在该州，但 2 年以后，每 10 个居民中就有 1 个是华人，华人多数从事粗笨的体力劳动。19 世纪 60 年代，由于大兴铁路建设，爱尔兰劳工纷纷涌入。爱尔兰人、法国人和意大利人大多定居旧金山。19 世纪末洛杉矶开始发展时，大批墨西哥人、俄国人和日本人来到该地，但更多的是来自美国中西部的盎格鲁-撒克逊人。

种族歧视，特别是针对亚洲人的歧视日益增强。一条阻止亚洲人拥有土地的外国人土地法，直到 1952 年才被判定为违犯宪法。华人出庭作证一度曾被宣布为无效。1936 年之前，美国法律规定亚洲人必须上单独设立的学校。国会直到 1943 年才废除《排华法案》。在歧视华人加剧的同时，美国政府鼓励日本人移民美国，仅 1900 年一年就有 12 000 多名日本人进入加利福尼亚。他们靠从事农业发达起来，到 1920 年逐渐控制了 10% 以上的农田，而人口仅占加州人口的 2%。洛杉矶成为美国的日本人社区中心，而旧金山的唐人街则是美国最大的华人聚居地。

在第二次世界大战前，对日本人的歧视受到抑制，当时有 93 000 名日裔美国人住在加利福尼亚州。他们当中约有 60% 是在美国出生的公民，被称作 Nisei；其他多数人是 Issei，即 1924 年美国国会阻止他们移民时已移居美国的老年人。Issei 从未被允许归化加入美国籍，他们被列为来自敌对国的外国人。1942 年，几乎所有的加利福尼亚日裔美国人，不管是 Nisei 还是 Issei，都被迁往内地的隔离营，并被拘留到 1945 年。战争结束时，他们发现自己的地产已被卖掉用以支付税金或保管费，他们的飞地也被侵占。经过多年的诉讼，大约有 2.6 万名申请人得到损失赔偿，所得数额约为他们申请价值的 1/3。原来有 85% 的日裔美国人是农民，由于土地的丢失，他们又转向园林业或者从事经商和其他行业。1988 年，美国国会决定每一个过去曾被拘留的日裔美国人将得到2万美元的补偿费。

20 世纪 70 ～ 80 年代美国的亚洲移民急剧增加，新来者有菲律宾人、越南人和韩国人。到1987年,加利福尼亚的亚洲人估计约占该州总人口的6%。

在第二次世界大战之前,仅有少量黑人定居在加利福尼亚,但从1940～1980年,旧金山的黑人由大约5 000人增至86万人左右;洛杉矶则由6.4万人增至90万人以上。在美国各州中,加利福尼亚是黑人人口增加最多的州之一,许多黑人离开他们在南方所居住的州,来到洛杉矶和奥克兰这样的大城市寻找工作,尽管这些地方的失业率也很高。

美国大约有1/3的墨西哥裔美国人居住在加利福尼亚。1987年以前,成千上万的墨西哥人非法进入加利福尼亚南部。同年,美国国会对能为以前居住地提供具体情况的人进行大赦。到1988年,约170万墨西哥裔美国人按照大赦规定,获得临时居民身份,估计其中有一半在加利福尼亚。

该州迅速发展的少数民族同警察发生过冲突,特别是在洛杉矶市,他们抗议种族歧视与失业。1965年,黑人暴乱把洛杉矶沃茨区的大部分地方捣毁;1992年,在洛杉矶中南部发生的种族骚乱是该州历史上最严重的一次事件。

宗教 大约1/3的加利福尼亚人有宗教信仰,这个比例远低于全国的平均数。在洛杉矶盆地的费尔法克斯和贝弗利希尔斯地区犹太教势力最大;天主教的影响主要在旧金山;而新教中信奉基要主义的派别则集中在加利福尼亚南部地区,居民大多是从南方和西南方移居此地。

洛杉矶一直以宣扬异国的崇拜出名。A.S.麦克弗森是人所共知的福音传教士,他的安杰勒斯庙宇自称有35 000名信徒;现在信仰疗法的术士仍然很多。科学论派宣称它是"改善普通人生活的科学",该派在L.R.哈伯德的领导下曾在加利福尼亚南部盛极一时。20世纪50年代,禅宗佛教曾在旧金山流行,当时英国出生的A.沃茨作为该教的西方宣教人曾对包括"垮了的一代"在内的信徒传教。

人口动向 20世纪中期,本地出生的美国人仍然是加利福尼亚发展的主导因素。第二次世界大战期间参加国防工业生产的许多工人,以及成千上万首次来到该州的军人后来都留在加利福尼亚,成为该州居民。全州大约3/5的人口集中在蒂哈查皮山以南占该州面积1/4的地区,人口最稠密的地方是在沿海岸的小区。

到20世纪70年代,该州的发展开始趋于稳定。以后的人口流动是从加州拥挤的城市向乡村地区和山区各州的城市迁移。人口学家预测加利福尼亚的人口还将继续增长,可能会继续成为美国人口最多的州,但这些预见的准确性在几年前便开始大打折扣。人口33 871 648(2000)。

经济 从经济条件来看,加利福尼亚更适宜同其他国家而不是同其他州相比。该州的个人总收入只低于美国全部和少数几个发达的工业国的个人总收入。

工业未因地域遥远而受阻;由于缺乏铁矿和煤矿,加利福尼亚侧重发展轻工业。金融家们在寻求和利用资金方面极富想象力。美国许多大银行和公司的总部都设在加利福尼亚,后者主要涉及航空航天、电子、计算机、石油和天然气等领域。1965年,加利福尼亚取代纽约,成为制成品出口最多的一州。航空航天、农业、酿酒、电影与电视在该州占主导地位。虽然税收很高,但加利福尼亚州对高收入的移民和高技术工业仍具有吸引力。

农业 加利福尼亚财富的基础在于农业。农田与果园多利用人工灌溉,农产品品种繁多,达200种以上。主要的销售产品有牛、牛奶和奶油、棉花与葡萄。加利福尼亚生产的罐装和冷冻蔬菜、水果约占全国产量的1/3。大约一半的农产品来自中央谷地,谷地的灌溉依靠错综复杂的水坝、沟渠以及电站和抽水站。

该州自1947年起就在农业方面占有主导地位,当时它的农产品首次超过任何其他州的产量。9～10个月的生长期使弗雷斯诺、克恩和图莱里位居全国农产品产值最高的县之列。多数农场的经营规模都很大,几家超大型的农场就赚取了大部分的农业收入。许多大农场的土地占有得自于联邦政府为修建铁路而拨给的赠地。这些农场逐渐发展农产品生产的流水线,其特点是业主不在现场,机械化程度与生产率都较高以及不断发生劳资纠纷。多数农场专营一种或两种农产品:萨克拉门托以北地区产杏仁;在弗雷斯诺附近有棉花、饲料、各种作物、无花果和葡萄;在潮湿的三角洲则生产芦笋、西红柿、水稻、红花和甜菜。戴维斯加利福尼亚大学的研究工作提高了农业专业化的生产。该校还对加利福尼亚的酿酒业提出咨询意见,该州的葡萄酒产量占全美国总产量的90%。柑橘业几乎毁于20世纪40年代的一场病毒,现在柑橘产量仅次于佛罗里达州,名列全美国第2位。

优质的酿酒葡萄产于旧金山以北的纳帕谷地和索诺马谷地以及邻近的地区。科罗拉多沙漠最南端的因皮里埃尔谷地虽然面积比中央谷地小,但有大约202 000公顷的水浇地。其他主要农业区有棕榈泉附近的科拉切谷地(产海枣和葡萄柚)以及萨利纳斯谷地和蒙特雷湾地区。

农场的劳动力由低收入的农工组成,包括许多移民和在收获季节跨过边界到美国的墨西哥人。由于长期遭受虐待,农场季节工在20世纪60年代后期在C.查维斯的领导下组织起来,并开始长期罢工,这一行动引起全国普遍关注,许多消费者采取抵制购买该地农产品的方式支持季节工人。查维斯的联合农场工人联盟的许多成员后来转而加入了卡车司机联合会。

采矿 由于在洛杉矶-长滩地区发现了石油,1895年后石油生产迅速发展。1900～1936年间,加利福尼亚的石油产量居各州之冠。目前石油储量快要耗尽,燃料和天然气需要进口。然而,按产值计算,石油仍然超过所有其他矿物的总和。现在金矿业并不重要。其他产品有天然气、水泥、砂石、硼酸盐、苏打和盐。

渔业和林业 加利福尼亚的渔业占有重要地位。水产主要是海鱼,包括金枪鱼、鲭、鲳、枪乌贼、沙丁鱼和鲑。商业林地的所有权几乎是公营和私营各占一半,使用面积总数达1 700万英亩。

工业 第二次世界大战后,除飞机制造厂和造船厂以外,该州又增加了许多从东部和中西部工业区迁来的分厂。联邦政府的研究与发展计划拨给加利福尼亚各机构的资金也有助于战后经济的发展。到20世纪70与80年代,加利福尼亚的工业已向多样化发展,其中包括计算机科学、生物技术和卫生保健。建筑业也已成为一个重要行业。

所有联邦军队的各兵种都在加利福尼亚建有重要设施,影响了该州的社会生活和经济生活。圣迭戈、长滩和旧金山设有船籍港海军基地。圣迭戈的海军与海军陆战队基地的主要任务是训练新兵,陆军的训练则在蒙特雷附近的奥特堡进行。海军陆战队的基地彭德尔顿营内有最后一大块沿加利福尼亚南部海岸未开发的地区。空军的活动集中在中部海岸的范登堡基地周围和其他6个空防区,包括设在莫哈韦沙漠地区偏僻的秘不可测的试验场地。

旅游和娱乐 旅游业是加利福尼亚常年的收入来源。属于这个行业的有迪斯尼乐园和海洋世界这样的主题公园;这些大雇主是该州巨大的服务行业的一部分。在该州行业工薪总额中,服务业仅次于制造业而居第2位。

在美国没有一个州能像加利福尼亚那样提供如此多样的娱乐。沿内华达山脉往南远至靠近圣贝纳迪诺的大熊山脉有良好的滑雪场。塔霍湖附近的斯阔谷地是举办1960年冬季奥运会的地方。加利福尼亚南部的海滩,特别是从圣巴巴拉到圣迭戈一段,风光迷人,在那里可以进行多种水上运动,最主要的是冲浪运动。徒步旅行者可以沿海西拉山的小道行走,包括通过内华达山腹地的长达212英里的约翰·缪尔小道,以及纵贯全州的太平洋山顶小道。垂钓爱好者与狩猎者可以选择不同的去处和多种运动方式。

加利福尼亚州大约有1/4以上的陆地辟作娱乐区、国家海岸区或野生动物保护区。约塞米蒂、金斯坎宁与塞奎阿是位于内华达山脉的国家公园。在长达1 770千米的加利福尼亚海岸中,大约有40%的海岸线可以接纳游人,每年光顾的人数大约5 000万。红杉国家公园内长有23 500公顷的红杉树,沿着克雷森特市附近的红杉公路延伸约40英里。在州立公园系统中共有250个单位,其中包括位于科罗拉多沙漠的安扎-博里哥沙漠州立公园。该公园由北到南长54英里,面积550 000英亩,是美国最大的连绵不断的州立公园。此外,还有5 000多个市、县与特别区管理的公园,包括旧金山长4英里的金门公园。

电影业 加利福尼亚最著名的行业是电影和电视业,主要集中在好莱坞及其周围地区。电影业的开创者发现加利福尼亚南部由于阳光充足、气候温和、地形多样和劳动力多,最适合他们的需要。

20世纪20、30和40年代,好莱坞是拥有世界市场的电影业中心。地产生意兴隆,富人挥金如土。但是,电影制片厂对第二次世界大战后开始的那场因同电视业竞争引起的革命准备不足。电影产品的市场需求日益疲软,制片商们发现千百万人宁愿坐在家中观看电视节目,也不想出门去电影院。同时,一系列的法院判决裁定一些主要制片公司在限制贸易中为信托财产。虽然采用了宽银幕、多色彩、新镜头和立体声等项新技术,电影业仍出现严重亏损。大制片厂开始出售他们的软片储备,或将他们的场地卖给或租给电视公司。有些制片厂,如环球影片公司,变成了最大的电视制作公司。好莱坞地区有数千名技能高超的技师以及大量的设备,这使电影业完全退出市场似乎不太可能。

运输 以汽车和飞机为主的运输既是加利福尼亚人无休止流动的原因,也是这种流动的产物,他们比一般美国人搬家的次数更多,更经常地出差和旅游。加利福尼亚有地球上最大的汽车停车场,最便利的多车道和上下行线分隔的高速公路网。像大多数美国城市一样,第二次世界大战以后,轻轨公共交通运输系统多数已停止在加利福尼亚各城市中运行。但是,面对交通日益阻塞的状况,该运输系统又开始恢复。旧金山的湾区高速铁路系统于20世纪70年代初建成。作为连接墨西哥边境的一条线路,圣迭戈的电车系统始建于70年代末,80年代后期又加以扩充。

高速公路网四通八达,一个人可以在主干线上驾车从圣迭戈向北,穿过洛杉矶与中央谷地,连续行驶500英里不会遇到任何交通信号灯或停车标志。自70年代以来,高速公路的建设开始滑坡,公众反对的理由主要是讨厌、污染和侵占私人与公共财产权。第二次世界大战后,高速公路网的兴建与洛杉矶停止使用其长达1 920千米的市间铁路系统恰好相衔接,该铁路系统曾一度为美国同类铁路中最长的线路。洛杉矶由于缺乏常见的市中心,人口密度低,因此难以在该地建造现代化的高速交通系统。洛杉矶市区与圣费尔南多谷地间的铁路工程已于1986年动工。从长滩到洛杉矶与从诺沃克到洛杉矶国际机场附近的埃尔塞贡多之间的两条高速铁路线则于1985年间开工。

加利福尼亚的货运主要靠卡车。萨克拉门托河三角洲的错综复杂的运河与水道也承担了一部分水运任务,同时还有一些沿海货运。经过太平洋海盆的海运集中在长滩、洛杉矶两港,其合并的货运量要比加利福尼亚北部港口奥克兰、旧金山和里士满的货运量多数倍。

乘飞机上下班已有显著增加。连接旧金山、洛杉矶和圣迭戈的空中走廊的运量要比华盛顿特区、纽约和波士顿之间的运量大得多。空中交通的拥挤现已相当严重,但还没有达到机场周围地面交通阻塞的那种可怕程度。

行政与社会状况 *政府* 加利福尼亚是按照1878～1879年制定的宪法进行管理的,宪法细节反映出对那一时期猖獗的贪污受贿的失望。在1966年开始进行一系列删除以前,该宪法一直是最冗长的一部宪法。该州的宪法比任何政府宪法施行时间都长。加利福尼亚经常通过宪法修正案进行改革。1911年州长H.约翰逊提出的修正案,包括选举人对立法的创制权和对立法的复决权、罢免当选官员、直接初选、妇女选举权,以及允许候选人在反对党的初选中竞选的特别制度。自1962年起,选民可以不召开大会而直接进行宪法的修改。

州的执行官由选举产生,任期4年,30多个部门和委员会的成员由州长任命。州议会包括有40名议员的参议院,80名议员的众议院。立法机构由人数众多的加利福尼亚南部控制,牺牲了农村地区的利益。

司法系统分5个层次,包括由7人组成的最高法院、地区上诉法院以及高级法院、市法院和初级法院。高级法院是主要的裁判法院,而许多市区则受理不太重要的事务。

地方政府通过约4 000个下属机构运转,其中包括58个县和几百个合并市。县和市可以建立规章,或接受常规法规定和成文法。城市的管理模式不同。洛杉矶和旧金山由市长-政务会管理,而圣迭戈与圣何塞则聘请城市经理,他们承担大部分行政责任。

各种自发的党派组织经常喧宾夺主,抢做一般应由民主党与共和党的机构完成的任务。在初选之前,各党被禁止推举候选人,但是非正式的组织却可以这样做,而且比正式的党派机构资金充足,组织完善。为克服党派缺乏效率的缺点,候选人便求助于专业的竞选经理,以提高他们在公众中的形象。

由于选民的流动性、缺少党派的保证以及文职部门在分派工作方面的重要职能,核心政治的尝试证明不起作用。该州辽阔的地域以及自由的北方与保守的南方之间的政治分歧使得一个政党难以在全州各个部门获胜,即使得到多数选民的支持也是如此。对于许多加利福尼亚人来说,传统的党派归属似乎并不重要,虽然在选民登记中民主党人占绝大多数,但也有许多人在投票时支持另一政党。

财政 除了州和联邦的资助外,财产税是地方收入的主要来源。所得税、汽油税和销售税的提高保证了州政府主要用于公路建设、教育和福利的支出。

教育 加利福尼亚重视用税款资助公共教育。1907年开始创办2年制初级或社区学院,现在约有100所这类学院。若干所4年制州立学院和州立加利福尼亚大学系统完善了公立高等教育结构。大学附校遍布全州。加利福尼亚有约10%的学龄儿童和10%以上的大学生在私立学校上学。

根据一项试图避免公立大学的复杂系统中出现职能重叠现象的总体计划,1/3优秀的高中毕业生有资格进入一所州立大学;州立大学有权监督博士学位工作。4年制州立学院也从这1/3优秀高中毕业生中录取新生。其余2/3成绩较次的高中毕业生可上2年制学院,他们可以在学习期结束后转入4年制学校。

加利福尼亚大学在伯克利、洛杉矶、戴维斯、里弗赛德、圣巴巴拉、旧金山、欧文、圣克鲁斯和圣迭戈均设有分校。圣克鲁斯和圣迭戈分校按牛津大学系统的模式建立,设有许多较小的独立学院,共用有限的中央设施或服务部门。最早的伯克利分校建于1855年,现在仍是美国著名学府之一。

保健与福利 就保健与福利方面的法规而言,加利福尼亚一直被认为是一个慷慨的州。州的各种资金分别用于帮助有未成年儿童的家庭、完全丧失劳动能力的人和盲人及用于老年保险金。

文化生活 加利福尼亚的文化特征是公众广泛参与艺术并热衷于把文化的外部标志作为成就的象征,经常耗费大量金钱建造各种美术馆、博物馆和音乐厅。

作为一个州,加利福尼亚在所有艺术领域培育并造就了一大批卓越的有创见的人才。同加利福尼亚有关的早期作家均来自其他各州:B.哈特出生在纽约;马克·吐温出生在密苏里;J.米勒出生在印第安纳;A.比尔斯出生在俄亥俄。在淘金热年代的旧金山,当地人不但喜爱戏剧和音乐,还出现了一批对这些作家的作品十分感兴趣的读者。在此之后,又出现了一批本地作家,他们和其他艺术家一样注重在作品中反映本地区的生活。杰克·伦敦生于旧金山,是一位描写边疆暴力的记叙作家。F.诺里斯和U.辛克莱都出生于加利福尼亚,但在20世纪40年代离开该州,他们的作品抨击了当时的社会弊病,对J.斯坦贝克的作品有很大启发,并在一定程度上影响了W.萨罗扬。自然学家J.缪尔作为环境作家的先驱,赞美了加州奇妙的自然景色。R.杰弗斯大半生住在加利福尼亚,是该州最著名的诗人。20世纪30和40年代,大批文人来到好莱坞从事电影剧本的创作,他们对地区的文化传统建树不多,而加利福尼亚的环境在一些小说中却变成了经常的讽刺对象,如N.韦斯特的《蝗虫的日子》、E.沃的《爱人》以及F.S.菲茨杰拉德、B.舒尔伯格、R.钱德勒和R.麦克唐纳的作品。

旧金山产生了一批画家,如D.派克、E.比肖夫和R.迪彭科恩。洛杉矶似乎是一个更成功的艺术市场,拉赛尼格大街两旁,有许多生意兴隆的画廊。加利福尼亚南部许多富有的艺术收藏家因出资赞助格蒂博物馆(1953)、洛杉矶县艺术馆(1965)和现代艺术馆(1979)而出名。洛杉矶县音乐中心是一个音乐厅与剧场兼而有之的综合性设施,20世纪60年代由私人资助建造。

加利福尼亚艺术委员会创建于1963年,旨在使该州成为一个重要的艺术中心。但由于经费不足,该委员会主要的工作只能是进行艺术品的评估和提供象征性的赞助。靠税款维持的州立学术机构,尤其是加利福尼亚大学及其附校,经常举办独舞表演会、戏剧与电影演出、音乐会和演讲会。洛杉矶加利福尼亚大学戏剧团是美国最具创新精神的剧团之一。旧金山的实验剧团的演出蒸蒸日上,圣迭戈的由社区赞助的老环球剧场、拉霍亚剧场以及旧金山的魔术剧场长年演出高水平的、具有先锋派风格的轻松戏剧。业余剧团、社区交响乐团、室内乐团和周末艺术家团体十分普遍。卡梅尔、大瑟尔与索萨利托有各种不同艺术人才的团体。旧金山交响乐团和洛杉矶交响乐团以及旧金山歌剧团均享誉世界。1985年,圣迭戈交响乐团开始在自己的市中心音乐厅演出。

好莱坞还制作全国大多数的电影和电视节目,因此它仍是国际上富有魅力的象征。设在加利福尼亚的几个编辑部出版了越来越多的全国性杂志与画刊。加利福尼亚都市区报纸的种类减少了,但发行量却大为增加,处于领先地位的是该州拥有最多读者的《洛杉矶时报》。

历史

探险 1848年在萨特的磨坊突然发现黄金,由此开始了近代加利福尼亚的形成。仅9天之后墨西哥签署《瓜达卢佩-伊达尔戈和约》,将西南部一片包括现在整个加利福尼亚州在内的广大地区割让给美国。1542年西班牙航海家J.R.卡夫里略首次发现该地后,欧洲人忽略了这个地区达3个世纪之久。1602年,西班牙商人S.比斯凯诺乘船驶经加利福尼亚南部海岸,分别为圣迭戈、圣卡塔利娜岛、圣巴巴拉和蒙特雷湾等地命名。尽管有这些早期的探险活动,加利福尼亚这块土地仍在印第安人手中。1542年西班牙探险家到达加利福尼亚时,估计当地的印第安人约有13万。

移民 移民的压力来自急于要使印第安人改变信仰的教会以及俄国与英国商人的闯入,后者主要是为寻求水獭皮。1769年,西班牙总督从下加利福尼亚派遣陆地与海上探险队,同时圣方济各修士J.塞拉在圣迭戈建立了第一个教区。波尔塔拉于1770年在蒙特雷建立起军事哨所。1773年跨越西南部沙漠区的陆上运输线开通后,开拓殖民地的工作随之开始。

由塞拉及其继任者建立的21个教区,对开发加利福尼亚起到至关重要的作用。当神父们试图使印第安人皈依基督教时,还传授给他们农耕和各种生产技艺。神父利用印第安人的劳动力灌溉大片牧场,用皮革、动物脂、葡萄酒、白兰地、橄榄油、谷物与皮制品换取北方佬贸易船绕道霍恩角运来的制成品。

美国的殖民和取得该地 1821年墨西哥摆脱西班牙统治获得独立时,一位名为加利福尼奥斯的西裔墨西哥殖民者寻求将教区世俗化。1833～1840年间,墨西哥政府将教区牧场分给政治亲信。神父撤走了,印第安人受到残酷剥削,人口减少。1841年,第一批殖民者的大篷车队离开密苏里来到加利福尼亚。殖民地发展缓慢。但在1846年,加利福尼亚西北部成为美国的一部分,索诺马的殖民者宣布成立一个独立的加利福尼亚共和国。5月美国对墨西哥宣战,7月蒙特雷上空升起美国国旗。1847年1月那些加利福尼亚的早期西班牙籍殖民者在洛杉矶附近向J.C.弗雷蒙特率领的军队投降,在此之前仅有小规模冲突发生。

淘金热 1848年初,一个来自新泽西的木匠J.W.马歇尔在亚美利加河畔科洛马附近他正在修建的锯木厂捡到了金块。到8月份,河畔的山坡上已遍布首批4 000名采金工搭建的帐篷和木屋。勘探者来自东部,乘船绕过合恩角或冒疾病的危险徒步穿过巴拿马地峡。最艰难的是2 000英里的陆路,途中的霍乱病证明是比印第安人更为厉害的杀手。1849年,大约有4万人经海路来到旧金山。6 000辆大篷车载着大约4万多人于同年经加利福尼亚小道西迁。淘金者因此发财致富的极少。这里劳动艰苦,物价昂贵,生活条件十分简陋。比较聪明的移民便改行成为农民和店主。

黄金促使加利福尼亚于1850年成为美国一州(作为1850年妥协方案的一部分)。虽然淘金热于1852年达到高潮,但移民热并没有回落。在金矿的开采几乎完全停止以前,已从这块土地挖出大约价值20亿美元的黄金。

南北战争和战后 1850年的妥协方案并没有解决加利福尼亚的奴隶制问题。在关于加利福尼亚究竟应当成为一个自由州还是奴隶州的问题上,各政党意见分歧。由加利福尼亚参议员W.M.格温的支持者们领导的一个运动,寻求将加利福尼亚分成两部分:一个奴隶州和一个自由州。该组织还试图创立一个太平洋海岸共和国。南北战争爆发时,加利福尼亚站在北方一边。

战后,州长一职的人选一直在民主党、共和党之间交替产生,直至19世纪结束。1876年后,政治气候中引人注意的是各种劳工问题和那些企图通过州的资助控制采矿、灌溉与果树种植的人的活动。经济问题因某些势力极力排斥华人(华人提供了廉价劳动力)而变得特别突出。19世纪70年代的经济不景气导致工会的更加不满。

这个时期社会上存在的问题和骚动促使1879年宪法的出台。这部宪法进行了一些改革但仍歧视华人。同年,美国国会通过的一项排外法因遭总统否决而被撤销,但次年与中国签订的条约却允许美国对华人移民进行限制。在此之后,国会又于1882年批准《排华法案》,中止华人移民10年。1902年,国会重新制定排斥华人的立法。由于切断廉价劳动力的来源,排外使得专营单一作物的大农场无利可图,结果又出现了许多经营多种作物的小农场。

后来,日本农工大批来美替代日益减少的华人,但当日本人成功时,"黄祸"的叫嚣再度兴起。对日本人的担心主要是在旧金山,这影响了美国的国内与国际政策。1913年的韦伯外国人土地法目的在于防止移居美国的日本人拥有土地。该项法律是反日游说活动的最大成果。日、美两国于是签订一项君子协定,根据协定日本同意阻止进一步向美国移民。

20世纪 20世纪初期的改革运动连同其他事情,对在政府中任职的人产生了较大的影响。经济大萧条的影响在加利福尼亚并不像全国多数地区那样严重,但仍有所触动。来自大平原干旱尘暴区的农场季节工人大批涌入加利福尼亚寻找工作,引起广泛的社会不安。萧条的状况促使一些社会福利计划的产生,其中包括由著名作家U.辛克莱提出的"结束加利福尼亚的贫困"的改革运动。在萧条的几年中民主党变得强大起来。但在20世纪前50年,共和党一直控制着州议会,民主党仅在1939～1943年取得控制权。共和党州长中的杰出人物是E.沃伦,他于1953年辞职,成为美国首席大法官。他是该州担任此职的第一人。

1958年民主党的胜利使E.布朗成为州长。共和党的失败反映了一种全国性的趋势,民主党人不但在竞选州长和美国参议员的活动中获胜,并且在20世纪首次获得州议会参、众两院中的多数席位。1959年民主党人结束了加利福尼亚的跨党候选人登记制,由此一位候选人可以在初选中向民主、共和两党同时提出申请。州长布朗于1962年再次当选,但在1966年被共和党人R.里根取而代之。里根曾是一位演员,1981年当选美国总统。从60年代开始,该州州长一直由民主党人和共和党人轮流担任。

在此期间,经济和人口都有较大增长。由于受到柑橘和石油的吸引,同时也由于1906年发生地震和火灾后人们对旧金山产生的一种防范心理,1900年前后的移民大多流向加利福尼亚南部地区。土地价格时高时低。内陆谷地的农业与城市中的工业不断繁荣。第二次世界大战期间,飞机制造厂和造船厂也改造扩建,在50～60年代,来到西海岸的移民中包括相当数量的科学家和学术界人士,科研与教育机构因此发展迅速。

70～80年代标志着人口统计特点的转变。新的城市中心出现了,较小城市经历了高速发展的阶段。圣迭戈都市区人口超过200万,在美国10个人口最多的城市中,该市大学毕业生比例最高。在靠近圣何塞、萨克拉门托与里弗赛德的新郊区,人口也迅速增长。旧金山在一个世纪中曾经是金融与大公司的中心,但到80年代末,绝大多数大公司已将总部迁移到人口更多的加利福尼亚南部。

60年代前加利福尼亚的人口增长迅速,后又开始缓慢下降。不景气的还有所谓的"梦工厂",它生产出该州最难以触摸但又最富有刺激性的产品——电影。加利福尼亚仍在继续吸引来自全国各地的移居者,从最可比的一些特性看,它更像整个美国。

California, Gulf of 加利福尼亚湾 又称科尔特斯海。太平洋东部大海湾。位于墨西哥西北部沿岸。长约1 200千米,平均宽153千米,总面积16万平方千米。被安赫尔德拉瓜尔达和蒂布龙两大岛的地峡分成两部分,北部水浅、深度很少超过180米。南部水深,最深处达3 050米以上。两部分之间有波涛汹涌的海潮,形成险恶的萨尔西普埃德斯区,不利航行。海湾接纳科罗拉多、富埃尔特、马约、锡那罗亚、索诺拉和亚基等河水。沿岸有拉巴斯、瓜伊马斯等港口。西南沿海有采珍珠业。西班牙征服者科尔特斯派出的一支探险队在1532年到达该湾,但不知这是海湾。直至1539年,F.德乌略亚在航行中才证明加利福尼亚不是一个岛屿。由于在水中发现红色浮游生物,故为该湾取名贝尔梅霍海,意为"朱红色的海"。

California, University of 加利福尼亚大学 美国州立大学。其校园分布在伯克利(主校园)、戴维斯、欧文、洛杉矶、里弗赛德、拉霍亚的圣迭戈、旧金山、圣巴巴拉和圣克鲁斯。该大学于1868年建于奥克兰,1873年迁至伯克利,现设有研究生和大学本部的全套课程。戴维斯校园1905年是个农场,后为农学院的一部分,1959年成为一般校园。旧金山校园原为加利福尼亚大学医学中心(1873),现设有医学、护理、牙科和制药学学院、大学医院及各种诊所和研究机构。附属于该大学的旧金山艺术学院和黑斯廷斯法学院也在那里。洛杉矶分校(UCLA)作为该大学南部分校于1919年建立,1927年改称现名。它越来越带有研究生院的特色,但也提供大学的全部训练;设有法律、医学和工程学院。里弗赛德校园原来是柑橘属植物实验站(1907),1959年成为一所一般校园。圣迭戈校园建立时是个海运站,1912年成为加利福尼亚大学的一部分。在这个校园内有斯克里普斯海洋学院和雷维尔(1964)与米尔(1967)两学院。圣迭戈校园计划建立12所大学本科学院。圣巴巴拉校园(1891)于1944年成为加利福尼亚大学的一部分。圣克鲁斯和欧文(1965)两个分校的特点是拥有一簇小型和单独的文理学院,作为母体机构的组成部分。新墨西哥洛斯阿拉莫斯国家实验室(原名洛斯阿拉莫斯科学实验室),依据与联邦政府的合同运作。

California Academy of Sciences 加利福尼亚科学学会 1853年组成的美国西部最早的科学机构。在旧金山。设于金门公园,其建筑群包括自然历史博物馆(北美厅)、拥有上万件标本的水族馆(斯坦哈特水族馆)、天文馆、非洲野生动植物馆(西姆森非洲厅)和一座有表现世界各种文化概况的建筑(沃蒂斯人类厅)。北美厅除陈列哺乳动物和鸟类外,还藏有未被陈列的供研究用的爬行动物、鸟类和哺乳动物,并有一个藏书丰富的研究图书馆(藏书8.5万余册)。昆虫馆收藏的350多万件昆虫标本,仅次于美国的史密森学会的藏品而居第2位。出版物有《太平洋新发现》月刊等。

California Aqueduct 加利福尼亚高架渠 美国加利福尼亚州水利工程的主要输水建筑。从旧金山东面的萨克拉门托河三角洲,向南通过圣华金河谷,越过蒂哈查皮山脉,在440千米处分为东西两支,东支终点距三角洲约715千米。渠道宽度不尽一致,一般为混凝土衬砌水道,底宽12米,平均水深9米。该水利工程自1960年开始建设,按设计能力每年可从该州北部向南部供水52亿多立方米。

California Current 加利福尼亚洋流 海洋表面洋流,是阿留申洋流的延续。在北纬48°~23°之间沿北美西岸向南流。表面流速一般小于25厘米/秒,在1 000米深度以上的海水流量约为1 100万米^3/秒。洋流海水中的温度和盐度因洋流涌升、日照和水流等的季节性变化而异。从北端到南端,洋流的温度和盐度最大变化幅度分别为9~26°C和32.5‰~34.5‰。夏季涌升最强时,在靠近海岸的650英尺深度以下形成逆流。涌升的冷水将丰富的营养物带至表面,供养大量浮游生物和海生动物。

California Institute of Technology 加利福尼亚理工学院 别名Caltech。位于加利福尼亚帕萨迪纳的一所规模小、选拔严格的私立大学和研究院,着重于研究生和本科生的教育及纯科学、应用科学和工程学的研究。原名思鲁普工艺学院,建于1891年,1920年改用现名。学院设备优良,教师均系有名望的、有创造性的科学家。加利福尼亚理工学院被认为是世界主要研究中心之一。一些杰出的科学家曾在那里工作和任教,其中包括物理学家R.密立根、R.费因曼和M.盖耳曼,天文学家G.E.海尔及生物化学家L.泡令。1958年加利福尼亚理工学院的喷气推进实验室与国家航空航天局合作发射了第一颗美国人造卫星勘探者一号,后来又进行了其他的宇宙和月球探索项目。在帕洛马山、威尔逊山、大贝尔湖和智利拉斯-坎帕纳斯等地的天文台由加利福尼亚理工学院和华盛顿卡内基学会共同管理。其他研究设施包括在帕萨迪纳的地震实验室,在科罗纳德尔马的海洋生物实验室,以及在毕晓普附近的射电天文学研究中心。

California laurel (*Umbellularia californica*) **加利福尼亚桂树** 又作bay tree,myrtlewood,Oregon myrtle。又称番樱桃木、俄勒冈番樱桃或月桂。樟科的一种芳香常绿乔木。生长于

加利福尼亚桂树(*Umbellularia californica*)
美国不列颠百科全书公司供图

北美俄勒冈至加利福尼亚州的太平洋海岸。高约15~25米,树形美观,常植于庭园或作行道树。叶互生,具短柄,全缘,长圆形或卵形,长7.5~12.5厘米,揉碎时发出强烈的刺激性芳香。花黄绿色,着生成稠密的花簇。果卵形,浅黄绿色至紫色,长约2.5厘米。

California nutmeg (*Torreya californica*) **加利福尼亚肉豆蔻** 又作stinking nutmeg或California torreya。亦称加利福尼亚榧、臭肉豆蔻。紫杉科常绿观赏乔木。自然种生长于加利福尼亚州。株高24米以上,枝开展、略下垂。幼树树冠金字塔形,老树则成圆顶。树皮浅灰棕色,龟裂处可透见下方的橙色。叶深绿色而挺硬,近扁平,长可达4~8厘米,宽3毫米,顶端渐尖成刺。叶、枝和木材有刺鼻的芳香气味。假种皮广椭圆形,淡绿色,常有紫色条纹,长2~3厘米。

California poppy (*Eschscholzia californica*) **加利福尼亚罂粟** 即加利福尼亚花菱草。罂粟科一年生庭园植物。原产北美西部海岸,在欧洲南部、亚洲和澳大利亚等地已归化。茎高20~30厘米。叶灰绿色、革质。野生的大多开淡黄色、橙色或奶油色花,已培育出

加利福尼亚罂粟(*Eschscholzia californica*)
美国不列颠百科全书公司供图

开白色、深浅不同的红色或粉红色花的品种;花瓣4枚、花径5~7厘米,只在阳光照射下开放。在北方整个夏天开花,在气候暖和的地区花期持续至冬季。有高、矮、单瓣、重瓣及花色不同的园艺品种。

californite 玉符山石 矿物符山石(**vesuvianite**)的似玉的变种。

californium 锎(Cf) 周期表Ⅲb族锕系人工合成化学元素,原子序数98。不存在于自然界。1950年,S.G.汤普森、K.小斯特里特、A.吉奥索和G.T.西博格在伯克利加利福尼亚大学,用152厘米回旋加速器以氦离子轰击锔242(原子序数96),发现了作为产物的元素锎(同位素锎245)。锎的所有同位素都是放射性的,长寿命同位素有锎249(半衰期360年)、锎250(半衰期13年)、锎251(半衰期800年)和锎252(半衰期2.65年)。这些同位素以示踪剂的量已用于锎的化学研究中(锎在酸性水溶液中呈+3价氧化态),并用于制备锎的一些微克量的化合物,如氯氧化物CfOCl、氧化物Cf_2O_3和三氯化物$CfCl_3$。也有某种证据表明锎可呈+2价氧化态。至今尚未制得金属锎。锎252的衰变因有3%属于自发裂变,它作为很强的点中子源具有重要工业和医学意义。1微克锎252每分钟放出1.7亿个中子。锎原子序数98。最稳定同位素锎251。化合价+3。电子组态2,8,18,32,28,8,2或(Rn)$5f^{10}7s^2$。

Caligula 卡利古拉(公元12-08-31,拉丁姆昂蒂乌姆~公元41-01-24,罗马) 罗马皇帝(公元37~41)。本名盖尤斯·凯撒。在童年时代,他父亲属下的士兵们给他起一个绰号,叫卡利古拉(意为"小靴子")。此后,他就以这一别名为世人所知。他即位7个月后忽然患了一场重病。病愈后,他恢复对某些谋反案的审判,手段极为残酷。公元38年处决把他扶上皇位的禁卫军长官马克罗,并杀死原皇位继承人提比略的孙子提比略·格曼卢斯。公元39年10月,卡利古拉在上莱茵地区平息一次叛乱,公元38年8月在亚历山大对犹太人进行屠杀。公元40~41年间有一些人策划反对他的密谋。在一次巴拉丁赛会上,

指挥禁卫军的保民官卡修斯·克里阿以及其他人把他杀死。其妻女亦被处死。其叔克劳狄继承帝位。

caliper　卡钳　又拼calliper。由两根可调整的卡脚组成的测量零件尺寸的工具。卡钳的卡脚可用调节螺丝和螺母调整，称为弹簧卡钳(见右图)；也可利用铰接处的摩擦使卡脚固定在适当位置，称为紧密铰接卡钳(见左图)。外卡钳测量厚度和外径，内卡钳测量孔径和两个面之间的距离。在用卡钳检查被加

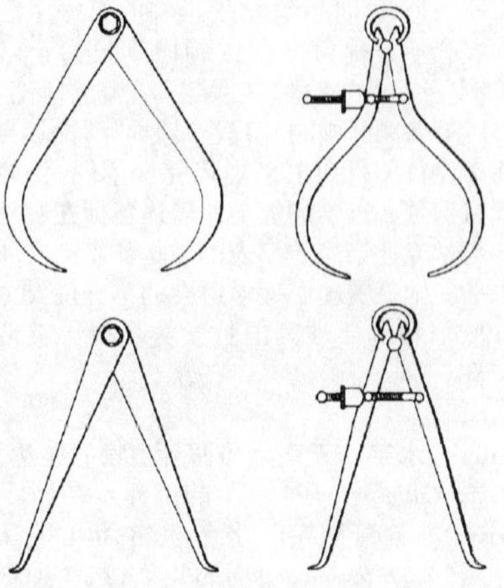

外卡钳(上)和内卡钳(下)

工零件的尺寸时，需先在尺子上或用标准塞规、孔规将卡钳调到要求的尺寸。用卡钳量尺寸的精度依赖于操作者的触觉。单边卡钳有一根向内弯的卡脚和一根带尖头的直卡脚，用于在离平面或曲面的指定距离上划线。

caliph　哈里发　穆斯林国家的统治者。穆罕默德去世(632-06-08)由艾卜·伯克尔接替他的职务，称"真主使者的哈里发"。哈里发原义为"继承人"。大概在第二代哈里发欧麦尔时代，哈里发成为穆斯林国家政教首脑的名称。艾卜·伯克尔和他的3个直接继任者称正统的哈里发。此后，大马士革的伍麦叶王朝有14代哈里发，巴格达的阿拔斯王朝有38代哈里发。1258～1517年，开罗的马木路克人有几代阿拔斯王朝出身的有名无实的哈里发。此后奥斯曼帝国的苏丹使用这个称号，直至1924年土耳其共和国成立为止。750年大马士革的伍麦叶王朝垮台之后，西班牙科尔多瓦的伍麦叶王朝(755～1031)和埃及的法蒂玛王朝(909～1171)也都用哈里发一词称呼他们的统治者。

Caliphate　哈里发帝国　哈里发帝国是先知穆罕默德于公元632年死后的几个世纪内由整个伊斯兰社会和穆斯林统治的土地和民族组成的政教合一的国家。

①阿拉伯帝国的兴起(622～750)　622年9月，穆罕默德和他的信徒约70人因受到麦加古莱氏部落首领的反对而逃往麦地那。这一事件被穆斯林称为"迁徙"，参加者称为"迁士"。迁徙的那一年(阿拉伯年)的岁首(儒略历622-07-15或16)后被定为穆斯林纪元元年的元旦。迁士与麦地那的8个氏族组成了穆斯林社会。麦地那的犹太人拒绝承认穆罕默德是《圣经》中的先知，因而在624年以后被赶走，或被屠杀和奴役。穆罕默德想使麦加的克尔白天房成为伊斯兰教的朝拜中心，遂于630年初进占麦加。穆斯林社会成为阿拉伯部落的联盟。穆罕默德晚年的一个重要动向是组织对北方拜占廷人及其阿拉伯同盟的领土的袭击和侦察。圣战的义务成了阿拉伯人对外扩张和建立哈里发帝国的动力。632年，穆罕穆德死于麦地那。在四位"大哈里发(安拉使者的继承人)"艾卜·伯克尔(先知的岳父，632～634)、欧麦尔(先知的另一岳父，634～644)、奥斯曼(先知的女婿，644～656)、阿里(先知的堂弟和女婿，656～661)的统治下，穆斯林统一了阿拉伯半岛，占领了伊拉克(636或637)，消灭了波斯的萨珊王朝(651)，蹂躏了约旦、巴勒斯坦和叙利亚(635年打败拜占廷军队后，攻占大马士革，636年的耶尔穆克河战役后，又向北进军到安条克和杰济拉)，侵入埃及(640)并最终占领亚历山大城(645)。

阿里以伊拉克为中心，迁都库费，661年被哈里吉派(即"分离派"，由脱离阿里队伍的人组成)的信徒刺死。他的政敌穆阿威叶(叙利亚总督)篡位，开始了伍麦叶朝(661～750)90年的世袭统治，以叙利亚及其都城大马士革为中心。穆阿威叶知识渊博，擅长文学。他是对拜占廷战争的巧妙组织者，他的军队曾一度包围君士坦丁堡(669)；他也是老练的政治家。耶齐德一世(680～683)即位时，阿里之子侯赛因在库费发动叛乱，兵败被杀，从此拥护阿里家族的人组成什叶派，同伊斯兰教多数派——逊尼派相对抗。684年，哈里发之位转到伍麦叶朝旁系的迈尔万一世(684～685)之手。阿卜杜勒-马利克(685～705)的20年统治就其重要性和强盛而言，可与穆阿威叶时期相比拟。他的得力助手赫贾吉在平定麦加的祖拜尔政权等内乱和统一国家的工作中起了决定性的作用。在瓦利德(705～715)的统治下，帝国进一步繁荣，马利克时期掀起的对外征服浪潮现在达到高峰。在北非，穆斯林军队继占领易弗里基叶(今突尼斯)、迦太基、丹吉尔之后，于711年渡过直布罗陀海峡而侵入西班牙。在东方，卡西姆率军于711年占领印度河口的德布尔，两年后抵达木尔坦，并占领信德。古泰拜率军征服中亚地区的大夏、花剌子模之后，还通过费尔干纳进入今中国新疆边境。希沙姆(724～743)的20年统治，繁荣强大，不减马利克和穆阿威叶的当年盛况(希沙姆俭朴、勤奋，力图把事务处理得井井有条)。730年，他的军队在高加索击退了哈扎尔人的进攻，一直追到伏尔加河下游。希沙姆死后，国家开始解体。伍麦叶朝的末代哈里发迈尔万二世(744～750)是一个果敢的指挥官，但他遇到了难以克服的困难。从718年起，阿拔斯(先知的叔父)家族利用什叶派的力量在库费、梅尔夫一带进行推翻伍麦叶朝的宣传活动。747年，波斯人阿布·穆斯林以黑旗为标志，在梅尔夫发动了成功的起义，749年攻占库费，艾布·阿拔斯·萨法被宣布为哈里发。750年，迈尔万军队在摩苏尔附近的大扎卜河战役中失败，伍麦叶朝覆亡。其后，希沙姆之孙阿卜杜勒·拉赫曼逃往西班牙，在科尔多瓦又建立了一个伍麦叶朝(756～1031)。伍麦叶朝时期，文学创作(尤其是诗)保持了阿拉伯人在伊斯兰时代以前的优势，诗人、歌手和音乐家会集于哈里发的宫廷。伍麦叶朝哈里发们热心于建筑，希沙姆时期的建筑物宏伟、坚固，给人以深刻的印象，其装饰通常也精美华丽。

②阿拔斯帝国(750～1258)　阿拔斯帝国在某种程度上是波斯帝国的重建，出现了严格的官僚等级制度，哈里发的一喜一怒可使人顷刻之间升天入地。萨法(749～754)很快就清洗了可能成为他政敌的开国功臣。伍麦叶家族遭到残酷屠杀。曼苏尔(754～775)为了巩固新王朝的政权，处死了天才的政治组织家阿布·穆斯林(755)，并把首都从骚乱的库费迁往巴格达。哈龙(786～809)的统治曾造成某种假象，仿佛这时达到了哈里发国家繁荣的顶点，其实帝国受到骚乱和暴动的频繁冲击。哈龙死后，他的两个儿子(阿明和马蒙)进行夺权斗争，马蒙的波斯军队包围了巴格达，阿明被杀。只有马蒙统治时期(813～833)堪称阿拉伯文明的黄金时代。他远征拜占廷，平定埃及、叙利亚、亚美尼亚、呼罗珊等地的叛乱。他加强了行政制度波斯化的趋势，提倡各派信徒之间的辩论，奖励科学研究，还试图弥合逊尼派与什叶派之间的裂痕。穆阿台绥姆(833～842)把马蒙时期使用突厥奴隶兵的经验变成政策，他雇了大量突厥人以及柏柏尔人和斯拉夫人守卫宫殿。这些军队在巴格达横行霸道，不得人心，迫使他迁往新都撒马拉。在穆泰瓦基勒(847～861)的统治下，政策大变。他力图削弱突厥人卫队的势力，取消马蒙支持的穆尔太齐赖派(主张通过同异端、异教进行辩论以维护伊斯兰教)和安抚什叶派的措施。他的儿子孟台绥尔和突厥人卫队合谋，刺杀了他，结果国家陷于混乱之中，突厥人将军左右朝政，诸侯割据。伊拉克南部爆发了僧祇奴起义(869～883)。在11世纪后期哈里发政权中兴之前，穆阿台迪德(892～902)和穆克台菲(902～908)是掌握实权的最后两个哈里发。其后宫廷成了派系斗争、政治倾轧和军事阴谋的中心。穆格塔迪尔(908～932)曾两度失位。另外3名被废的哈里发还被弄成瞎子。945年，阿赫马德·艾本·白益进入巴格达，他采用了"埃米尔的埃米尔"(最高统帅)的称号，掌握军政大权，阿拔斯哈里发差不多变成了傀儡。白益家族系来自波斯西北部代兰地区的佣兵，改信伊斯兰教不久，属于什叶派。但他们不打算废除阿拔斯朝，以免引起占多数的逊尼派的反抗。他们甚至还利用哈里发的精神权威来对付埃及的哈里发——法蒂玛朝(909～1171)。白益家族掌权时代(945～1055)以阿杜德·道拉统治时期(949～983)臻于鼎盛。他把该家族在波斯和伊拉克的全部领地统一起来。他死后，该家族内讧不已，对阿拔斯哈里发的控制渐松。同时，东面的萨曼王朝及其后的伽色尼帝国仍对哈里发表示尊敬，使其最高世俗权威得以维持。1055年，塞尔柱突厥人图格里勒贝格进入巴格达，由哈里发授予苏丹("世俗统治者")的称号，从而使阿拔斯朝摆脱白益家族的监护。其后，塞尔柱帝国开始分裂，阿拔斯朝的实权逐渐增加。精力充沛的穆格

台菲(1136～1160)建立了一支职业军队,他把自己对伊拉克中、南部的政治影响扩大到10世纪初未曾达到的范围,他还进而干预塞尔柱家族的内部纠纷。哈里发纳绥尔(1180～1225)是他那个时期外交和政治的中心人物。他想把逊尼派和什叶派中的温和人物撮合在一起,成立一个由他领导的非正式联盟。纳绥尔幸运地经受住了第一次蒙古人侵浪潮的风暴,但穆斯台绥木(1242～1258)未能挡住旭烈兀汗指挥的第二次蒙古进攻的浪潮。1258年,蒙古人洗劫巴格达并杀死哈里发,从而消灭了那里的阿拔斯朝。

伊斯兰世界的农产品种类繁多,但农民生活极苦。缺乏大规模工业生产。商人受社会尊敬,对外贸易活跃,在萨迈拉遗址曾发现大量唐朝瓷器。城市的繁华富庶远胜黑暗时代的欧洲。各种族和社会集团的生活地位和职业通常是世袭的;但比起封建欧洲来,这里的阶级意识较少而社会灵活性较多。在阿拔斯朝统治下,伊斯兰文化进入全盛时期。它的发展深受希腊和伊朗的影响。希腊影响主要表现在哲学和科学方面,波斯影响则在文学和历史领域占优势。金迪(约卒于870)被称为"阿拉伯人的哲学家",他还是杰出的天文学家和音乐理论家。拉齐(卒于10世纪20或30年代)和阿维森纳(卒于1037)同样学识渊博,后者的《医典》是欧洲中世纪后期的标准教科书。10世纪的穆太奈比大概是最伟大的阿拉伯诗人。查希兹的作品是阿拉伯散文的典范。

calisthenics 柔软体操 变换动作强度的、有节奏的自由体操。可以徒手,也可使用环、体操棍等轻型器械。柔软体操有屈、伸、转体、摆动、摆浪、跳跃等动作以及俯卧撑、仰卧起坐和引体向上等专门技巧。可增强体力、耐力、灵活性和协调性,并且对心血管系统施加有节制的规律性的压力,从而全面增进身体健康。可作为健身运动的一种,也可以作为剧烈运动前的准备活动。柔软体操为19世纪德国人F.扬和A.施皮斯所首创。美国的C.比彻把柔软体操单纯作为女子项目加以推行,但这项运动很快成为男女都参加的活动。柔软体操的健身价值到20世纪初普遍得到确认,西方国家中小学校纷纷把它作为日常活动来开展。此外,柔软体操也被纳入军事训练中。

Calistoga 卡利斯托加 美国加利福尼亚州西部纳帕县城市。在圣罗莎东北,地近纳帕河谷顶端。有热间歇泉和矿泉。1859年建为温泉疗养地。1886年设镇。1937年设市。该市的"加利福尼亚旧费斯富尔间歇泉"每40分钟喷射一次。市东北13千米有圣海伦娜山。市西的化石森林有巨大红杉化石。现为旅游城市和葡萄酒酿造中心。人口5 190(2000)。

Calixtine 参阅 **Utraquist** 饼酒同领派。

Calixtus 加里斯都 天主教几代教皇和敌对教皇的称号,按年代顺序分列于后,并各以●为标记。

● **Calixtus I, Saint 加里斯都一世,圣**(?～222,罗马) 教皇(217?～222在位)。217年教皇泽菲利努斯死后,他当选教皇,但在教义问题上与他对立的希波里图斯指责他附和模态说即上帝受难说,要求将他废黜。希波里图斯还指责他不严格执行法纪,这可能是因为,教会一向认为私通和奸淫是除蒙天主特别恩赦外不可饶恕之罪,而加里斯都却放宽对犯有此种罪行者的悔罪自赎要求。

● **Calixtus II 加里斯都二世**(?～1124-12-13或14,罗马) 原名勃艮第的吉多或勃艮第的盖伊。教皇(1119～1124在位)。教皇基拉西乌斯二世死于克吕尼,当地枢机主教推选他继位。他召开兰斯会议,这次会议宣布反对由世俗当局授予神职,并判处神圣罗马帝国皇帝亨利五世和敌对教皇格列高利八世以绝罚。1120年加里斯都胜利进入罗马,亨利五世在德意志诸侯的压力下与他和解。1122年双方达成沃尔姆斯宗教协定,关于主教叙任权的争执结束。1123年他召开第一届拉特兰会议,批准这项协议,使教会与帝国当局35年内相安无事。1120年他发出通谕,使罗马的犹太人受到保护。

● **Calixtus(III) 加里斯都(三世)**(活动时期12世纪末叶) 原名斯特鲁马,英文名斯特鲁马的约翰。敌对教皇(1168～1178在位)。靠神圣罗马帝国皇帝腓特烈一世支持继敌对教皇帕斯加尔三世之位,与教皇亚历山大三世对抗。他一直受腓特烈一世的保护,直到1176年缔结阿纳尼协议为止。该协议决定加里斯都应逊位,条件是授予他一处隐修院。直到1178年他才顺从亚历山大三世。

● **Calixtus III 加里斯都三世** (1378-12-31,阿拉贡王国哈蒂瓦附近～1458-08-06,罗马) 原名博尔贾。教皇(1455～1458在位)。登位后立即发动十字军东征,意在从土耳其人

A.瓜西亚洛蒂所制大纪念章上的加里斯都三世像
美国不列颠百科全书公司供图

手中夺回君士坦丁堡,结果徒劳无功。但借此建成教廷舰队解救了爱琴海许多岛屿。1456年8月6日土耳其军进攻贝尔格莱德受挫,次年他规定此日为主显圣容节。他宣布法兰西女信徒贞德无罪,使她获得昭雪。他趋附时俗,眷顾侄子罗德里戈·博尔贾,任命他为枢机主教兼教廷军队大元帅。罗德里戈·博尔贾日后成为教皇亚历山大六世。

Calkins, Mary Whiton 卡尔金斯(1863-03-30,美国康涅狄格州哈特福德～1930-02-26,马萨诸塞州牛顿) 美国哲学家、心理学家和教育家,是第1个在这些学科取得成就的美国妇女。基本上在纽约州的布法罗长大,1880年随家移居马萨诸塞州牛顿。1885年从史密斯学院毕业。1887年到韦尔斯利学院任教。1890年开始在克拉克大学后到哈佛大学进修,在W.詹姆斯、J.罗伊斯和H.明斯特贝格的指导下研究心理学和哲学。1890年起在韦尔斯利学院教心理学。1891年在该院建立美国第一个,同时也是女子学院的第一个心理学实验室。她自己在该领域则致力于研究"时空意识"、"情绪"、"联想"、"颜色理论"和"梦"等课题。她的"自我心理学"理论和当时逐渐盛行的行为主义观点完全不同,认为自我意识是心理学的核心。著述包括在心理学与哲学专业杂志上发表的100多篇论文和几本书。她是美国心理学协会的第一位女主席(1905),1918年被美国哲学协会授予类似的荣誉。

calla 水芋 天南星科两种植物的统称。水芋属(*Calla*)含一种水生的沼泽水芋(*C. palustris*)亦称野水芋。水芋也常为几种马蹄莲属(*Zantedeschia*)植物的共称,这些种均原

沼泽水芋(*C. palustris*)
美国不列颠百科全书公司供图

产于南非。沼泽水芋广泛分布在北温带和亚极地凉爽潮湿的地区;植株美观,叶心形,佛焰苞白色,浆果鲜红成串;其汁液剧毒;在塘边淤泥或浅水及水道中容易生长。普通花匠水芋(埃塞俄比亚马蹄莲、马蹄莲,*Z. aethiopica*)是植株粗壮的草本,佛焰苞白色光泽,芳香,叶箭形,自粗根茎上伸出,是受欢迎的室内植物,可用为切花。黄花马蹄莲(金花马蹄莲、埃利奥特马蹄莲,*Z. elliottiana*)叶更呈心形;红花马蹄莲(粉红花马蹄莲、雷曼氏马蹄莲,*Z. rehmannii*)佛焰苞玫瑰紫色。两种均有栽培。银星马蹄莲(白斑马蹄莲,黑喉马蹄莲、斑点马蹄莲,*Z. albomaculata*)叶带白色斑点,佛焰苞的尖端为白色,向下变为黄色或粉红色,到基部逐渐变为紫棕色。

Callaeidae 垂耳鸦科 雀形目的一个鸣禽科。只见于新西兰密林中。尾长,足强壮,翅弱,嘴角有肉垂。觅食地上的果实,偶吃地上的昆虫。巢筑在突出物上或洞穴中,浅而松散,垫以蕨类。俗称为"肉垂鸟",但某些吸蜜

雄性(上)与雌性黄嘴垂耳鸦(*Heteralocha acutirostris*)

美国不列颠百科全书公司供图

鸟亦俗名肉垂鸟。有3种。垂耳鸦(**kokako**)和鞍背鸦(**saddleback**)已罕见,为濒危种。黄嘴垂耳鸦自19世纪初已绝灭,嘴向末端渐细,两性的嘴形状截然不同,雄鸟的嘴几乎平直,雌鸟的向下弯。雌雄嘴形各异的适应价值不明,有人认为雌雄会合作取食,雄鸟凿腐木,雌鸟寻取蛴螬。

Callaghan, (Leonard) James 卡拉汉(1912-03-27,英格兰汉普郡朴次茅斯～2005-03-26,东萨塞克斯灵默) 英国工党政治家,首相(1976～1979)。由于家境贫寒,17岁即当了一名税务员。1936年成为专职工会官员。第二次世界大战期间在海军情报部服役,任上尉。1945年当选为下院议员。1947～1951年在运输部和海军部任低级官员。1964年任工党政府财政大臣。1966～1967年帮助缔结了一项特别提款权的国际协议,从而建立了一种新的国际货币。1967年因英镑贬值辞职,后任内政大臣至1970年。在1974年H.威尔逊第2届内阁中任外交大臣。威尔逊辞职后继任首相。在职期间,他作为一个温和的工党人士,竭力阻挡英国各大工会的要求。1978～1979年国内发生一系列大罢工,1979年3月下院通过不信任案,他的政府倒台,接着工党在大选中败北。1980年10月15日他辞去工党领袖职务,由M.富特继任。1987年出版自传。

Callaghan, Morley (Edward) 卡拉汉(1903-09-22,加拿大安大略多伦多～1990-08-25,多伦多) 加拿大小说家,曾就读于多伦多大学(文学士,1925)和奥斯古德法学院(法学士,1928),从未当过律师,但于1928年成为专业作家。他的短篇小说获得好评,最初辑录于《家乡的商船》(1929)。此后的作品集有《莫利·卡拉汉小说集》(1959)和《男人不屑一顾的性目标和被迷住的老鸨》(1978)。10余部长篇小说中的第一部是《奇怪的亡命之徒》(1928),描绘一个不能适应社会的人的毁灭,这类人物在卡拉汉的小说中曾一再出现。后期作品中另一个突出因素是强调基督教的爱,作为对社会不公正的答复,如《这就是我心爱的人》(1934)、《他们将继承全球》(1935)、《被爱的和被毁灭的》(1951)以及《罗马激情》(1961)。20世纪40年代他发表作品极少,转向剧本写作。并在加拿大广播公司任职。他后期作品中比较著名的有《巴黎的那个盛夏》(1963),书中卡拉汉回忆了他于1929年在巴黎度过的时光,以及和菲茨杰拉德和海明威的友谊。另外一部是《一个美丽而隐蔽的地方》(1975),讲述一个作者希望他的写作得到祖国的承认。评论家E.威尔逊说卡拉汉是最不公正地被忽略的英语作家。

Callahan, Harry (Morey) 卡拉汉(1912-10-22,美国密歇根底特律～1999-03-15,佐治亚亚特兰大) 美国摄影家,以擅长拍摄平凡的景物著称。卡拉汉在摄影方面没有受过正规训练,1938年他才对摄影发生兴趣,1941年以前一直是一个缺乏灵感的业余爱好者。后受风景摄影家亚当斯的作品的启发,才开始寻求自己的摄影风格。一生中的大部分时间用于教授摄影。1946年,莫霍伊-纳吉和西格尔请他到芝加哥设计学院任教。1949～1961年,任该校摄影系主任。1961～1976年,他在罗得岛设计学院工作,为该校开设了一个摄影系。卡拉汉的主要题材是风景和城市风光,以及他的妻子和女儿形式多样、不拘一格的肖像。他避免刻板式的表达方式,而喜欢强调宁静抒情的抽象构图。纽约市现代艺术博物馆于1976年为他举办了大型作品回顾展,并于1980年出版了他的两册摄影集——《水之涯》和《哈里·卡拉汉:彩色摄影,1945～1980》。

Callander 卡伦德 苏格兰中部斯特灵政务会辖区小自治市(城镇)。属珀斯历史郡。濒临泰斯河。地处进入高地的入口处,靠近

卡伦德境内的泰斯河

美国不列颠百科全书公司供图

本莱迪山(876米)、特罗萨克斯隘道和卡特琳湖,为旅游中心。W.司各特在《湖上夫人》一书中描写了这里诗情画意的美景。人口2 622(1991)。

Callao 卡亚俄 秘鲁的城市及重要商业海港,位于面积为148平方千米的卡亚俄直辖区内,在利马正西面。它是卡亚俄直辖区中最城市化的地区,为利马-卡亚俄大都会区的一部分。卡亚俄港为南美洲太平洋沿岸少数天然良港之一。该港的锚地位于里马克河南岸,有面积较大的近海圣洛伦索岛(潜艇基地和海军站)及长岬作为屏障。该港还有防波堤作为进一步的屏障。1935年该港开放为现代化的海上船运集散站。1938年建立了轮船坞,长175米。1969年,一座大的装卸矿石和货物码头和一座运送石油的码头均交付使用。20世纪末期,又进行了更多的现代化建设。卡亚俄是弗朗西斯科·皮萨罗于1537年建立的。作为西班牙征服者从印加帝国所取得的金、银之主要运送点,该港经常遭受海盗和西班牙的欧洲对手的袭击。1578年,弗朗西斯·德雷克爵士曾在该地进行掠夺。1746年,地震之后又继之以海啸,这座城市被毁,但后来在距该市原址约3/4英里处重建。不久以后,建造了一项大型防御工事——雷亚尔·费利佩要塞。在独立战争期间,这座要塞经受住了西班牙军队的多次围攻。1823年,西蒙·玻利瓦尔在这里登陆。3年以后,西班牙终于在这里投降。1851年,南美洲第一条铁路——卡亚俄—利马线通车。1866年该市被西班牙舰队炮击。1881年太平洋战争期间,智利军队一度占领该市。后根据《安孔条约》于1883年将该市归还秘鲁。1940年该市遭受强烈地震,故城市及港口均需重建。卡亚俄的主要出口产品包括矿产品、精炼金属、鱼肉及鱼油;主要进口有小麦、机器及木材。该市工业多种多样,其中以酿酒、造船和鱼肉加工最为著名。当地的农产品主要供应本地市场,包括蔬菜、水果和玉米。卡亚俄直辖区在文化或建筑方面几乎没有引人入胜之处。有豪尔赫·查维斯国际机场、国家陆军学校和海军学校以及工科大学。人口:卡亚俄直辖区约491 000;利马-卡亚俄都会区约5 887 600(1984)。

Callas, Maria 卡拉斯(1923-12-02,纽约市～1977-09-16,巴黎) 歌剧女高音歌唱家,以抒情的、戏剧性的多方面技巧使古典的花腔女高音角色在20世纪中叶得以复活。1937年由母亲陪伴离开美国入雅典音乐学院学习,师承女高音歌唱家E.德伊达尔戈,在当地演唱《乡村骑士》和《薄伽丘》。1945年返

中国大百科全书出版社供图

回美国,但转而又奔赴意大利,加入拉斯卡拉歌剧院,演唱《清教徒》中的埃尔维拉一角以及托斯卡、诺马与露契亚等角,声誉鹊起。1954年11月1日以诺马一角在芝加哥歌剧院首次登上美国舞台,1956年10月29日以同一角色出现在纽约市大都会歌剧院。她以表演要求高超的歌唱技巧的角色而闻名,歌唱法国、德国以及意大利歌剧。尽管有些评论家对她的技巧吹毛求疵,但多数人均认为她是优秀的花腔女高音歌唱家,其音色具有宏亮、清晰的素质,表演出神入化,无与伦比。贝利尼、罗西尼、唐尼采蒂以及凯鲁比尼等作曲家的鲜为人知的歌剧作品一经她灵巧的表演就会重新流行起来。1965年在伦敦科文特加登歌剧院作最后一次歌剧表演,饰演托斯卡;1970年拍摄电影《美狄亚》;1972年在朱利亚德学院教歌剧。1972～1973年在美国和欧洲最后一次巡回演出。退休时,已表演了40多个不同的角色,录唱了20多部完整的歌剧。

Callendar, H(ugh) L(ongbourne) 卡伦德 (1863-04-18,英格兰格洛斯特郡哈瑟洛普～1930-01-21,伦敦) 物理学家,对计温学、量热学及蒸汽的热力学性质等方面作出重要贡献。1886年发明了一种铂电阻精密温度计。此后,这种温度计被规定用来测定国际温标上标准点之间的温度。不久他又研制了连续流电量热器,可测量液体的载热性能。1915年发表了《卡伦德蒸汽数据表》,1920年出版了《蒸汽的物性及涡轮机的热力学理论》。他的蒸汽数据表至今仍为工程师和科学家们广泛使用。1893年卡伦德任蒙特利尔的麦吉尔大学物理学教授,1898年任伦敦大学学院教授,1902年起在皇家理学院(后来成为帝国理工学院的一部分)任职。

Callendar effect 卡伦德效应 主要通过燃烧过程人为地使大气的二氧化碳(CO_2)浓度增加而引起的气候变化。这种变化的真实性是由英国科学家G.S.卡伦德(H.L.卡伦德之子)于1938年提出的。参阅 **greenhouse effect**。

Calles, Plutarco Elías 卡列斯 (1877-09-25,墨西哥索诺拉瓜伊马斯～1945-10-19,墨西哥城) 墨西哥军政领导人。他使革命军队现代化,后任墨西哥总统。他是国民革命党创始人,该党后成为墨西哥主要政党,1938年改称墨西哥革命党,1946年改称革命制度党。1910年参加F.马德罗领导的反对P.迪亚斯独裁统治的斗争。先后参加过反对维克托里亚诺·韦尔塔和潘乔·比利亚及其叛军的战斗,他作为将军表现出非凡的组织和领导才能。1917年任索诺拉州州长。后任V.卡兰萨总统的商业、劳工和工业部长。后辞职,支持A.奥夫雷贡竞选总统,并积极参与1920年推翻卡兰萨政府的活动。1920年在阿道夫·德拉·韦尔塔的临时政府中任外交部长。1920～1924年任奥夫雷贡总统政府的内政部长。1924年当选总统。他虽然越来越保守,但支持土地、劳工和教育改革。他根据宪法的规定,限制教士的人数,取缔教会学校,使教会停止宗教活动3年。他批准了关于限

美洲国家组织供图

制外国人拥有土地和关于调整石油工业的两项法令,因而引起美国的不满。1928年当选的总统奥布雷贡遇刺。此后6年中先后有3位傀儡总统上台,但实权仍掌握在卡列斯手中。他的政治基础是1929年由他所创建的国民革命党。1934年左翼控制该党,他被迫支持左翼总统候选人L.卡德纳斯。后与卡德纳斯决裂,被迫流亡加利福尼亚。1941年获准回国。

Callias 卡利亚斯 (活动时期公元前5世纪中叶) 古代雅典外交家和一个豪富家族的著名成员。一般认为公元前450或前449年希腊和波斯签订的《卡利亚斯和约》是他的功劳。这一和约正式结束了旷日持久的希波战争。据说,当希腊人在马拉松战役(公元前490)战胜波斯侵略军的时候,卡利亚斯英勇无双;他在奥林匹亚赛会上,曾3次蝉联战车赛冠军。他可能还参加过草拟公元前446或前445年的雅典和斯巴达之间的《三十年条约》。

Callias 卡利亚斯 (活动时期公元前5～前4世纪) 古雅典人。早年放荡,但后半生成为卓越的军事将领和外交家。阿里斯托芬及其他一些诗人的剧本都拿他当作笑料。不过,雅典的哲学家们却和他很友善。在科林斯战争期间(斯巴达对雅典及其联盟者的战争,公元前395～前387),他率领一支重步兵援助伊菲克拉特斯,在科林斯附近消灭了斯巴达一个团(公元前390)。公元前371年他率使团去斯巴达签订条约,以结束斯巴达和雅典之间的七年战争。

Callicrates 卡利克拉特 (活动时期公元前5世纪) 又拼 Kallikrates。雅典建筑师。作品有雅典卫城的胜利神庙和与伊克蒂诺合作的帕台农神庙。胜利神庙(公元前427～前424)位于卫城的西南角的棱堡上,尺度不大,用大理石建造,柱廊为爱奥尼亚式。帕台农

卡利克拉特建筑的雅典卫城胜利神庙
美国不列颠百科全书公司供图

神庙是希腊本土上最大的多立斯式神庙,根据建筑上的铭刻,始建于公元前447年,公元前438年完成。在雅典伊利索斯河畔有一爱奥尼亚式小神庙,根据其建筑风格,被认为是卡利克拉特的作品。该庙毁于1778年。位于提洛岛上的多立斯式阿波罗神庙也可能是他设计的。在R.卡彭特所著的《帕台农神庙的建筑师》一书中认为他还设计了雅典的赫菲斯托斯神庙、索尼翁的波塞冬神庙、阿恰内的阿瑞斯神庙和拉姆诺斯城的神庙。

Callide Valley 卡利德谷 澳大利亚昆士兰州东部谷地。位于卡莱厄皮岭西麓,东南-西北走向,长110千米。谷内烟煤矿具有重要经济价值。露天开采始于1948年,以卡利德和比洛威拉两镇为中心。煤供热电厂发电,并送往格拉德斯通港市。卡利德谷地靠井水和卡利德河水坝灌溉,出产棉花、谷物和乳品。

Callières, François de 卡利埃尔 (1645-05-14,法国维尔河畔托里尼～1717-03-05,巴黎) 法国外交家和作家,其著作《外交实务》(1716)被认为是外交人门的范本。1670～1700年间,卡利埃尔曾经多次担负外交使命,特别是作为法国全权大使前往荷兰联省共和国,进行多次磋商,终于导致于1697年签订赖斯韦克和约,结束了大同盟战争。他为此受到国王路易十四的嘉奖,被任命为内阁大臣(1698)。卡利埃尔的专著阐明了一位理想的谈判者的资格、责任、行为和方法。虽然其专著容忍明智而审慎地运用奉承和贿赂,但它警告使用欺骗手段有损一位使节应得的信任。

calligraphy 书法 优美而高雅的书写艺术,要求字体结构正确、各部排列有序、比例协调匀称。书法具有范畴广泛的美学效果。

在伊斯兰世界，书法一直受到高度重视，而在中国及受中国影响的诸文化中同样得到重视。因为在这些文化中，书写的每个单独的字本身就是美学作品，从而书法就与绘画雕塑并列而深受珍爱。

希腊书法　早期希腊书写形式（约上溯至公元8世纪）主要有两种类型：一种用于抄录图书，另一种用于文书或信札。书录体（传统上被称为安色尔体，但此名往往不够确切）一般说来比较刻板，多以清晰易辨的大写字母书写。文牍体则较为多样，反映出其文字内容（私人信函、公文等）类属不同，也反映出书写者性格之各异。文牍体亦因书写速度快而具有字形圆态、风格流畅之感，还显示出“草体”的特点。

拜占廷帝国时期，希腊书法曾有几个发展阶段，其中以小写字母的创制尤其重要。自12～15世纪，希腊书法为一混合体：用于宗教礼仪作品的端正而刻板的书体加上用于私人信函、著作的较为随意而偶或造作的书体。在文艺复兴时期，两种书法在印刷体风格的发展上均有重大影响。

拉丁书法　罗马书法自公元1世纪起至4世纪止，出现两种形式：一是通俗大写字体，因与罗马石刻所用严整书法相对而言故名；石刻字体则被用于书录字体。另一种是草体大写字母，用作公文书写字体。通俗大写字母后来为安色尔字体及与之相似的书录体所代替；用于文书的草体大写字母后来发展成为小写字母形式。8和9世纪查理曼统治时期，曾创制几种重要的书体，主要是加洛林小写字体，在这一发展过程中，身为图尔圣马丁修道院长的英国教士阿尔昆功不可没。

14～16世纪的人文主义文学运动中，有两种字母产生，对以后的书法及印刷均有影响：一是所谓罗马体，即楷体，另一是意大利体，即斜体。

印刷术发明后200～300年间，欧洲书法越发因一些清楚浓重的装饰部分而显示其独特之处，而且装饰部分常常是过分夸张的；手稿的书写，既表现书法家的风格技巧，也起到传播知识的作用。19世纪末，更富于传统风格的字体重新受到重视，这一复兴过程一直延续到20世纪。

阿拉伯书法　阿拉伯书法受伊斯兰教影响很大。由于抄写《可兰经》受到高度尊敬，并且在抄录过程中倾注了美学精神，使书法擢升为一种艺术。阿拉伯书法与其他诸文化不同，对碑铭雕刻的书体反而产生影响。许多不同的书法风格，为特殊目的以及在伊斯兰世界不同地区发展起来。最为引人注目的书体是图格拉字母（tuğra），是专为苏丹设计的一种御用字母，由宫廷书法家附署于诏令之尾。

东方书法　中国、日本、朝鲜同样把书法视为艺术。东方书法始见于大约公元前1700年，迄今一直是丰富多彩、形式各异的一种艺术表现形式。日本每年举办书道比赛，参加者不分老幼与职业，都竞相展示其作品以见高下。

中国书法此前曾历经4个阶段，才有今天的楷书。甲骨文与金文因其书刻材料而得名，公元3世纪前一直使用。以后秦始皇诏令创制一种名为小篆的新字体以期“书同文”。第4个阶段是设法使书写速度加快，于是隶书就专为公文之用而发展出来。由于隶书在书写时速度快，不同的笔划就难以避免，这就在无意中为其创新发展提供了机会，这种创新便在楷书中得到发扬。楷书在过去两千年中基本上未有改变。楷书可为书法家提供最大限度的驰骋范围，很适于表现个人风格，因而产生极其广泛的书法体裁和风格。

日本书法使用汉字与假名，两相结合，形式丰富多样，使日本书法家创造出高度个性化的艺术品。

Callimachus　卡利马科斯（活动时期公元前5世纪末）　希腊雕刻家，可能是雅典人，一般认为科林斯柱头是他的创造。据记载，曾为卫城厄瑞克忒翁庙的雅典娜像雕过金灯（公元前408年完成）。还为普拉塔亚一所神庙中的赫拉坐像雕过金灯。现存罗马卡皮托利尼博物馆的牧羊神和希腊三女神浮雕上刻有“卡利马科斯作”的铭文，但可能是罗马时期根据卡利马科斯原作临摹的作品或同名临摹者的作品。当时人们认为他是一位善于推敲、创作优美雅致的雕刻家。现代学者认为卡利马科斯还是一组跳舞女祭司的浮雕像的作者。该作品是罗马时期的摹制品，现藏纽约大都会艺术博物馆。

卡利马科斯的跳舞女祭司像（约公元前475）罗马复制品

美国不列颠百科全书公司供图

Callimachus　卡利马科斯（约公元前305，北非昔兰尼～约前240）　希腊诗人、学者、博学和老练的亚历山大诗派最有代表性的诗人。他移居亚历山大后，埃及国王托勒密二世菲拉得尔夫斯要他在希腊化世界里最重要的亚历山大图书馆任职。他的浩瀚的作品现仅存片段，其中有许多是在20世纪发现的。他最著名的诗作《起源》足以说明他对研究古物的爱好。该书大概成于公元前270年，系4卷本的哀歌体的诗作，其中既有取自希腊神话的深奥难解的故事，又有历史，而作者是试图用历史来解释模糊不清的风俗、节庆和名称的传说起源。诗歌的结构以及它那些由一个共同的主题松散地联系在一处的简短的插曲成为罗马诗人奥维德所著《岁时记》和《变形记》的原型。他为特殊场合写的哀歌体的诗作以《柏勒尼克的头发》最为著名，这是一首精致的宫廷诗，后由卡图卢斯意译成拉丁文。卡利马科斯的其他作品中《抑扬格诗集》为13首应景短诗，《赫卡勒》为一首小型史诗，它为简明的、微型画式的细节树立了一种新的诗的类型。《朱鹭》是一首论辩诗，是反驳他以前的学生罗得岛的阿波罗尼奥斯的，因为后者的气势恢宏的史诗《阿尔戈船英雄记》表明他是反对他的老师的趣味标准的。卡利马科斯本人坚持做到在比较短的诗作中在文学的技巧和素养方面精益求精。在《颂歌》里，卡利马科斯使荷马体赞美诗的传统宗教形式转向一种独特的、纯文学的用途。有大约60首保存下来的警句诗以极为完美的艺术手法论述各种私人题材。在他的大量散文作品当中，最著名的肯定是有120卷之多的《皮那克斯》（“简册”）。这一作品为亚历山大图书馆所藏作品的作者们的目录，并附有精心撰写的评论性传记。19与20世纪古埃及纸草纸卷轴的发现肯定了卡利马科斯的声誉和受欢迎的事实。在古代后期，语法学家最常引用的希腊诗人，除荷马之外就属他了。许多罗马诗人，特别是卡图卢斯，把他当作典范。

Callinicus OF HELIOPOLIS　卡利尼库斯（赫利奥波利斯的）（生于叙利亚赫利奥波利斯，活动时期673）　又拼Kallinikos。希腊火药的发明者。希腊火药是一种极易燃烧的液体，从“虹吸管”喷射到敌舰或敌军去，几乎无法扑灭。他生于叙利亚，是被迫从阿拉伯人那里逃往君士坦丁堡（今伊斯坦布尔）的犹太难民。希腊火药的成分是国家机密，只有拜占廷皇帝和制作火药的卡利尼库斯家族知道。它的精确成分至今尚不明了，但一般认为是由轻油、沥青、硫磺，可能还有硝石及某些成分不明的配料组成。拜占廷人首次在库齐库斯战役（约673）中使用希腊火药，对击退逼近君士坦丁堡的萨拉森舰队起了重大作用。

Callinus　卡利诺斯（活动时期公元前7世纪中叶，小亚细亚爱奥尼亚以弗所）　希腊哀歌体诗人。其作品仅存若干片段，反映了辛梅里安人入侵小亚细亚的混乱时期，辛梅里安人的故乡是日后的南部俄罗斯地区。最长的一个片段是呼吁青年放弃怯懦懒惰，准备战斗，在必要时为保卫祖国而牺牲。诗歌的词汇和意象是荷马式的，措词有时新颖独特。

Calliope　卡利俄珀　又拼Kalliope。在希腊神话中，指九位缪斯女神（文艺女神）中最主要的一位，掌管史诗。按照众神之王宙斯的命令，由她来审判阿佛洛狄忒和珀耳塞福涅两位女神关于阿多尼斯的争端。在大多数传说中，她和色雷斯国王俄阿戈洛斯是弹竖琴的英雄俄尔甫斯的父母。阿波罗也与她相爱，同她生子许门和伊阿勒默斯。一说她是牺牲于特洛伊战争中的色雷斯国王瑞索斯的母亲;又说她是利诺斯的母亲,利诺斯是发明旋律和节奏的乐师。她的形象出现在约公元前570年由陶工埃尔戈提摩斯制作的佛朗索瓦酒瓮上。

calliope 汽笛风琴 一种发出数英里外都能听到的刺耳喧嚣声的蒸汽笛风琴。用于马戏团和集市,借以引人注意。1850年左右为A.S.丹尼在美国发明,并于1855年为J.C.斯

1908年美国伊利诺伊州迪凯特市游行队列中的汽笛风琴
美国不列颠百科全书公司供图

托达德取得专利权。汽笛风琴由锅炉产生蒸汽,通过一套哨管,用键盘或钉筒(就像手摇风琴或八音盒中所用的那种)操纵蒸汽进入特定的管道而发声。

calliper(measuring instrument) 参阅 **caliper 卡钳**。

Callistemon 红千层属 桃金娘科的一属,灌木或乔木。原产于澳大利亚。花艳丽,聚生成穗状,所以该属植物通称为洗瓶刷。在北美西部常种植于室外,较冷地区栽培于温

披针叶红千层(*C. lanceolatus*)
美国不列颠百科全书公司供图

室。披针叶红千层(*C. lanceolatus*)有时称柠檬绿色红千层(*C. citrinus*),是最常见的栽培种,高3～6米,叶披针形,雄蕊鲜红色。

Callisthenes of Olynthus 卡利斯提尼斯(约公元前360～前327) 希腊历史学家。经他的叔父和先前的老师亚里士多德推荐,以史官身份随亚历山大大帝远征亚洲。后因指责亚历山大采纳东方某些习俗而被捕,死于狱中。他的朋友泰奥弗拉斯托斯在《卡利斯提尼斯或论悲伤》中曾悼念他的死亡。他著有一部从安塔尔奇达斯和约到福西斯战争的希腊史(公元前386～前355)、一部福西斯战争史和一部亚洲远征记。据说他曾谈到亚历山大神奇诞生的故事并且可能是这样做的第一人。

Callisto 卡利斯托 希腊神话中的一位仙女,或阿耳卡狄亚国王吕卡翁的女儿,或尼克提乌斯或凯提乌斯的女儿。她是女神阿耳忒弥斯的一个狩猎伴侣,发誓终身不嫁。但是宙斯爱上了她,为了不使赫拉知道此事,就把她变成一只母熊。一说是阿耳忒弥斯或赫拉把她变为母熊的(因为她们对她的不贞感到愤怒)。而阿耳忒弥斯在狩猎时由于嫉妒的赫拉的阴谋而杀死了卡利斯托,她把卡利斯托当成一只真熊了。宙斯于是把他同卡利斯托所生的孩子阿耳卡斯交给女提坦迈亚抚养。继而他又把卡利斯托变为一个星座,即大熊星座。

Callisto 木卫四 木星4颗伽利略卫星中最外面的一颗。直径4 800千米。它在距木星平均为1 880 000千米的轨道上绕木星运行。木卫四的密度仅为水的1.83倍,或约为月球的一半,这说明木卫四可能是由一半岩石和一半冰块构成的。但在木卫四的表面上却看不到有纯水凝结的大量冰块。表面的近红外光谱则显示出有冰的谱带,但很弱。它的表面比较暗,好像冰被更暗的物质污染了。在木星系中,木卫四表面环形山显然最多,分析这些环形山的分布可以得出:它们是在约40亿年前,即当太阳系其他天体发生大碰撞时由流星体撞击而成的。与其他伽利略卫星不同的是,木卫四上面的这些环形山的最初状况并没有因内部活动而发生本质上的变化。除大量中等规模(直径几十千米)的环形山外,它最突出的地形是一些直径为几百千米、由多层同心环构成的盆地。这种结构大概是由很猛烈的撞击造成的;在水星和月球上也发现有类似的特征,只不过因为它们的表层成分不同而有许多重大差别。木卫四的表面起伏不大,这也许是多冰的外壳在早期历史上由于高温溶化的结果。

Callistus 卡利斯图斯一世(?～1363,君士坦丁堡[今土耳其伊斯坦布尔]) 希腊正教君士坦丁堡牧首、神学家、圣徒传作者。原在希腊正教密修中心圣山做修士,参加静修派,从帕拉马斯(圣山的)和圣格列高利(西奈的)受业,后者是保加利亚境内帕罗里亚山隐修院的创始人。他们两人都提倡静修派教义,主张运用气功、聚神凝思和祈祷进行灵修。卡利斯图斯一世著有圣格列高利传和保加利亚教士狄奥多修的传记。

Callot, Jacques 卡洛(1592或1593,法国南锡～1635-03-24,南锡) 法国铜版画家。其表现战争恐怖的铜版画组画对19及20世纪关心社会问题的画家影响甚大。其经历可分两部分:意大利时期(约1609～1621)及洛林时期(1621～1635)。卡洛曾在罗马从P.托马森学习铜版画雕版技术。约于1612年赴佛罗伦萨,为梅迪契家族仪式繁杂的欢乐场面作记录画。卡洛在描绘这些场面时,发挥自然主义风格,使画面宛如舞台,人物细微,手法简略。这种技巧,使其蚀刻版画作品一直影响着整个欧洲。卡洛善讽刺,其怪诞之作,如插图组画《斯费桑娜之舞》、《各类人的脾气》以及《驼背者》等,观察细致,刻划入微,别具一格。铜版组画《战争的悲惨》(小幅)(1632)和《战争的悲惨》(大幅)(1633)等,运用其纪实的才能,揭露了三十年战争的种种惨状。卡洛在线条和淡彩风景画以及运用粉笔作人物速写等方面,亦颇有名。

Calloway, Cab 卡洛韦(1907-12-25,美国纽约罗切斯特～1994-11-18,特拉华霍克辛) 原名卡贝尔·卡洛韦。美国爵士乐作曲家、乐队领队和歌手。早年(20世纪20年代后期和

美国不列颠百科全书公司供图

30年代)即在纽约市哈莱姆棉花俱乐部和康尼客栈享有盛名。海报广告因他所创作的一首歌曲而称他为"Hi-De-Ho之王"。中学毕业后曾就读于芝加哥一法律学校,未多久即转业在一些夜总会献唱。1928年开始指挥自己的乐队,翌年去纽约,在F.沃勒的《热巧克力》(这是一部全由黑人演唱的音乐剧)中亮相,演唱《我没有胡来》一曲,并应聘担任棉花俱乐部乐队领队。1931年首次录制其最著名作品《鬼头鬼脑的明尼》。他已成为一种拟声爵士乐唱法的化身。卡洛韦曾在几部电影中出演角色,包括《暴风雨天气》(1943)和《1945年特大新闻种种》(1944);1952～1954年随《波吉与贝丝》剧组在美国与欧洲巡回演出,饰演浪荡子一角;60年代又随《喂,娃娃》剧组巡回演出。

callus 胼胝 又作callous。用于皮肤科学时,此词指因持续性的摩擦、压迫以及其他物理或化学性刺激引起的局限性皮肤肥厚。表皮细胞受到反复的轻度损伤,因而增生活跃,角质增厚。常见于手、足部,呈黄白色,扁平、

无痛。若胼胝呈锥形并深入皮肤深层，有局部压痛感，则称为鸡眼。

callus 骨痂 又拼 callous。用于骨科学时，此词指在骨折修复时所形成的、跨越骨折部起架桥作用的骨和软骨物质。伤后1～2天内，即出现临时骨痂，包封骨折部。骨膜的成骨细胞增殖很快，环绕骨折端部形成领圈，彼此相对生长，将骨折断片连接在一起。软骨骨化时，缓慢地形成永久骨痂。伤后2～3周，强韧的骨小梁将骨折断端连接在一起，骨结构逐渐恢复。骨痂需经数月始被吸收。

Calmette, Albert (Léon Charles) 卡尔梅特 (1863-07-12，法国尼斯～1933-10-29，巴黎) 法国细菌学家，巴斯德的学生，与C.介兰一起发明了卡介苗。还报道过一种结核病的诊断方法(卡尔梅特氏反应)。1886年在巴黎毕业于医学院。1891年创建西贡巴斯德研究所，在该地发现了一种抗蛇毒血清。回法国后创办了里尔巴斯德研究所并担任所长(1896～1919)。1908年在此发现，把强毒的牛型结核杆菌培养于含胆汁的培养基后毒力减低。这种无毒菌株可用于制造卡介苗。约15年后卡介苗用于接种儿童以预防结核病。虽然卡介苗已在欧洲大陆广泛使用，但直到1940年美国进行的研究和英国医学研究理事会组织的试验(1956年发表)指出卡介苗确实可以预防结核病之后这两国才正式采用。

calomel 甘汞(Hg_2Cl_2) 又称氯化亚汞或氯化汞(Ⅰ)。一种白色、质软、比重大、味甘甜的卤化物矿物。由其他汞矿物质如辰砂或汞齐经蚀变作用而成。甘汞与天然汞、辰砂、方解石、褐铁矿及黏土共生，产于德国莫歇兰茨堡、墨西哥锡马潘和美国得克萨斯州布鲁斯特县。甘汞的详细物理性质参阅 **halide mineral**(表)。甘汞自16世纪以来即用于医药，一度是最常用的泻药。由于公认甘汞有潜在的毒性(因为离解为汞和氯化汞)，加之一些更好的和更安全的泻药研制成功，用甘汞作为内服药的情况逐渐减少。可是甘汞仍在某些杀虫剂和杀真菌剂中应用。

Calonne, Charles-Alexandre de 卡洛纳 (1734-01-20，法国杜埃～1802-10-29，巴黎) 法国国务活动家。他对财政和行政的改革加速了导致1789年法国大革命的政府危机。1768年任梅斯省长，1774年任里尔省长。善

美国不列颠百科全书公司供图

于理财，并与宫廷有联系，因此在1783年11月出任财政总监。当时法国政府债台高筑，卡洛纳于1784年筹集了一笔偿债基金，1785年改革了金本位制。但他发现必须进行重大改革，方可挽救濒于破产的法国财政。1786年8月向国王呈递一影响深远的改革计划，包括征收土地比例税，增加对贵族和教士特权阶级的课税等内容。卡洛纳知道高等法院会拒绝他的建议，遂将改革计划提交给1787年2月22日特别召开的显贵会议(包括贵族、教士和行政官员)。由于政敌的阴谋破坏以及与会的高级教士和行政官员的反对，他的努力以失败而告终。同年4月，被路易十六革职，4个月后他引退到英格兰。大革命爆发后，卡洛纳进行反革命活动，严厉批评国民议会废除法国的大部分封建体制。从1790年12月至1792年8月君主制倒台，他是流亡贵族的主要顾问。1802年拿破仑执政府统治期间回国，不久去世。

Caloocan 卡洛奥坎 菲律宾吕宋岛中部马尼拉湾达加特达加坦澙湖湖滨城市，毗邻马尼拉市北部。现为大马尼拉之一部及日益发展的工业中心和市郊住宅区。有食品加工、纺织业等。1961年设市。人口约761 000(1990)。

Calopogon 美须兰属 兰科的一属。约4种。陆生。分布于北美和西印度群岛，见于沼泽和湿地。沼泽美须兰(*Calopogon pulchellus*)的花的唇瓣被多数黄毛。该属植物的

沼泽美须兰(*Calopogon pulchellus*)
美国不列颠百科全书公司供图

唇瓣宽2.5厘米，位于最上部，颜色由淡紫色、深粉红色到白色。每个球茎上着生1～2枚具肋的叶片。花数朵聚生成花穗。

caloric theory 热质说 在18世纪得到广泛承认的关于燃烧和热现象的解释，认为热的传递是热质——假想的无重量流体——的流动。用想象的流体来表示热的观念，可用以解释热现象的许多问题，但不是所有方面。热质在许多物理过程和转换中保持恒定，有助于能量概念的建立，但它也构成了澄清科学思想的障碍。在19世纪中期以前，热质说一直保持着它的影响；但当时的许多实验，主要是热功当量的实验，促使人们普遍认识到热是能量传递的一种形式。

calorie 卡 或译卡路里。能量或热的单位。卡最初规定为在1标准大气压下使1克水温度升高1℃所需的热量。1925年后卡是用焦耳来规定的。1948年后规定1卡约等于4.2焦耳。卡所代表的热量随温度不同而稍有差别(约1%)。因此，必须规定水的比热被取作1卡时的温度。这样，就规定15度卡(也称克卡或小卡)为使1克水温度从14.5℃升到15.5℃所需的热量，其值等于4.185 5焦耳。此外，规定20度卡(4.181 90焦耳)为使1克水温度从19.5℃升到20.5℃所需的热量；规定平均卡(4.190 02焦耳)为使1克水温度从0℃升高到100℃所需热量的1/100，但这两种卡使用不太普遍。另一种卡(热能单位)是国际表卡(IT卡)，用于工程蒸汽表中，它最初规定为国际瓦·小时的1/860，其值等于4.186 8焦耳。在热化学中用的热能单位是热化学卡，其值等于4.184焦耳，常用作热容、潜热和反应热的单位。测定食物的卡值、发热值或代谢值时，营养学家不严格地用卡这一词代表千卡。千卡有时叫做千克卡或大卡(等于1 000卡)。因此，饮食上所指的“卡”实际上就是千卡，把“千”字省略了；在科学符号中，常用第一个字母是大写的Calorie表示。在营养学中，已提出用千焦耳代替千卡作为食物的能量值单位。这一改变使食品科学家的术语和其他科学家的一致了。国际营养科学协会术语委员会根据在14.5℃～15.5℃测定的千卡，建议千卡用千焦耳表示时的转换系数是1千卡等于4.184千焦耳。现在，尽管政府出版物常常提供以千焦耳和千卡表示的能量，但大卡(Calorie)仍是世界上食物能量的最常用单位。

calorimeter 量热计 测量机械热、电热、化学反应热或材料热容量的装置。量热计种类繁多；使用最广的量热计为一个周围注有液体(例如水)的容器，反应在容器中进行。液体吸收反应所生成的热，使其温度升高。已知容器和液体的重量和热特性，测出增加的温度就可计算出产生的总热量。热量单位为焦耳，相当于电单位瓦特·秒，即相当于1秒钟内向电路提供1瓦的功率所放出的热量。热量单位也用卡表示，1卡等于4.184焦耳。精心设计的精密量热计，其热量损失很小，并且能说明任何热量损失的原因。用于测量有

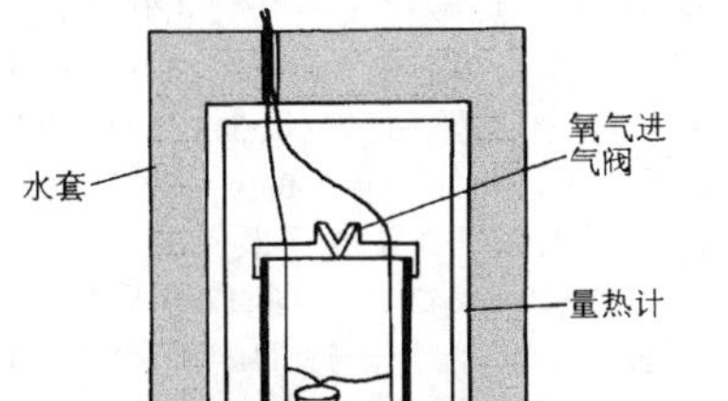

弹式量热计

机物燃烧热的弹式量热计(见图)，已发展成为复现的量热值不超出0.01%的结果。

Caloris 卡路里盆地 位于水星北半球的一个大型盆地，直径约1 300千米，是美国“水

手”10号行星探测器于1974年飞近水星时发现的。该盆地为大陨星在水星地质年代早期撞击而成。圆形结构的内部布满可能是由撞击熔解物质或由撞击后不久喷出的熔岩所形成的断裂平原。在中央平原的周围是一个直径1 300千米，高1～2千米的环形山。卡路里盆地是在水星史上一次灾变事件中形成的。除了由原先撞击环形山的迅速塌陷所造成的构造和火山断裂外，喷出物覆盖了水星表面很大的地区。还有人认为，撞击产生的激波焦聚在水星背面，从而造成各种直谷纵横交错的崎岖地带。

calotype 卡罗式照相法 又称塔尔博特式照相法，英国人塔尔博特在19世纪30年代发明的早期照相技术。他利用赫歇耳爵士和里德两人先前发明的方法，将暗箱拍摄的潜影利用硝酸银成功地显现在相纸上。他于1841年取得卡罗式照相法的专利权，该方法比达盖尔式照相法优越之处在于，底片上的负像可以无限量地在相纸上印为正像。

Calprenède, Gaultier de Coste, seigneur de La 卡尔普雷奈德 参阅**La Calprenède, Gaultier de Coste, seigneur de** 拉卡尔普雷奈德。

Caltanissetta 卡尔塔尼塞塔 意大利西西里岛中部城市，卡尔塔尼塞塔省省会。位于卡塔尼亚西部萨尔索河以西的山地，海拔588米。被诺曼人占领（1086）后始有记载。第二次世界大战中遭受严重破坏。现市中心为加里波迪广场。西部为现代化地区。皮耶特拉罗萨城堡内有希腊人、阿拉伯人和诺曼人的遗物。其他名胜有圣斯皮里托隐修院、大教堂、蒙卡达宫和19世纪新古典式宫殿等。市内有市级博物馆，有丰富的考古收藏品。为主教教区和农业集市中心及西西里硫磺工业中心。设有矿业研究所。人口：城市区约61 621（1993）。

Cālukya DYNASTY 遮娄其王朝 又拼Chalukya。古代印度两个王朝的名称。西遮娄其诸王两度统治德干高原(543～757，约975～约1189)。东遮娄其诸王，约624～约1070年统治文吉地区（今安得拉邦东部）。遮娄其王朝的创始人补罗稽舍一世攻占伐泰比山堡（今巴达米），夺取克里希纳河、栋格珀德拉河和西高止山之间的地区，543年开始统治。其子凯尔迪跋摩一世（566～597在位）继续北伐，并占领了重要的贡根海岸。补罗稽舍二世（约610～642在位）则取得了古吉拉特与马尔瓦的一部分，与北印度统治者根瑙杰的戒日王相抗衡，两个王国以讷尔默达河为界。约624年，他从毗湿奴孔亭族手里夺得文吉王国，交给兄弟库布查·毗湿奴伐弹那管辖，亦即东遮娄其的第一个国王。641～647年帕那瓦人劫掠德干高原，但在655年，遮娄其人恢复了他们在古吉拉特的势力。660年，遮娄其人在内洛尔获得土地。约670年，超日王一世（655～680在位）攻陷帕那瓦的首都建志。遮娄其的另一统治者超日王二世（733～746在位）于742年再度占领这一城市。757年，他的继承者凯尔迪跋摩二世为拉喜特拉库塔王朝所取代。约975年，拉喜特拉库塔王朝覆灭。台拉创建第二个西遮娄其王朝，以格利亚尼为首都。他最大的成就是征服马尔瓦的帕拉马拉王朝。朱罗王朝的罗阇罗阇一世约于993年入侵德干高原南部，以后又不断进犯，直至约1021年。经过几番盛衰，遮娄其王朝的权力约于1156年被俾查拉的卡拉丘里人篡夺。1167年索美斯伐拉四世重新恢复这一王朝，但在1189年又为德瓦吉里的雅达瓦族、多拉萨摩陀罗的曷萨拉族以及瓦郎加尔的卡卡蒂亚族所灭。东遮娄其王朝则于1070年并入朱罗。

calumet 凯路米特 参阅**sacred pipe** 神烟袋。

Calumet City 卡柳梅特城 美国伊利诺伊州东北部库克县城市。位于小卡柳梅特河和大卡柳梅特河之间，卡柳梅特湖东南6千米处。1868年始建。1893年设村。1924年设市。曾为加里-芝加哥都会区郊外住宅区和工业区。现主要为住宅区，也有些轻工业。人口约39 071（2000）。

Calumet District 卡柳梅特区 美国印第安纳州西北部工业化程度较高的地区。在芝加哥东南侧，大部分处于密歇根湖南岸的莱克县境内。原为一片荒丘，19世纪末加里建起钢厂后发展成芝加哥工业网的主要部分，成为世界上最先进的工业联合体之一。建有大钢厂、炼油厂、化学品厂及其他工业。面积230平方千米，人口30余万。范围包括邻近的加里、哈蒙德、东芝加哥（**East Chicago**）和怀廷（**Whiting**）等印第安纳州城市及伊利诺伊州的卡柳梅特市。大、小卡柳梅特河从区内穿过，两河均有运河与卡柳梅特河和卡柳梅特港连接，卡柳梅特河并与伊利诺伊州水道系统相通。加里、伯恩斯港和东芝加哥等地均有港口设施。

Calusa 卡卢萨人 已灭绝的北美印第安部落，居住在佛罗里达州西南沿海，其范围在坦帕湾至塞布尔角和佛罗里达角之间，包括诸岛屿在内。据某些学者称，卡卢萨人的土地曾延伸至内地，远至奥基乔比湖。卡卢萨人的语言系属尚不能确定。1650年，估计人口有3 000，居住在50个村子里。卡卢萨人主要以渔业而不是以农业为生，并用贝壳、鱼骨制造工具和武器。他们的住房为木结构，建于木桩之上，拜圣所建筑在平顶山冈之上。卡卢萨人是勇猛斗士兼航海能手，用桨划独木舟，来往于佛罗里达沿海。其早期生活阶段，有以俘虏进行人祭和食人的习惯。卡卢萨人也到古巴及加勒比海诸岛进行贸易，商品有鱼类、毛皮、琥珀等。16世纪时他们保卫了海岸地区，打退西班牙探险者的多次入侵。关于卡卢萨人绝迹的说法很多，有人认为，18世纪时，因克里克人（**Creek**）和英国人不断入侵，卡卢萨人被迫迁往古巴。19世纪初进入佛罗里达的塞米诺尔人（**Seminole**）则声称，卡卢萨人的残余部分同他们一起西迁于俄克拉何马居留地。

căluşari 克卢莎里舞 罗马尼亚男子跳的宗教仪式舞蹈。参阅**Morris dance**。

Calvados 卡尔瓦多斯 法国北部下诺曼底大区省份。在塞纳河口湾和科唐坦半岛之间，临英吉利海峡塞纳湾。面积5 548平方千米。1790年由贝桑、森格莱、希埃穆瓦、卡昂、欧日等区以及略万西部组成。南和西以诺曼底低山丘为界。有欧尔、奥恩、迪沃和图克河流经。全省大部是畜牧业区。气候潮湿、温和，适于牧草生长。贝桑和欧日两地乳品业重要，生产大量黄油和干酪。卡昂和略万主要生产谷物、甜菜和饲料作物。利用当地苹果生产苹果白兰地酒。英国和法国许多历史建筑所用石料都出产于卡昂地区，其南部开采铁矿石在当地加工。旅游是主要经济来源之一。有多维尔和特鲁维尔等海滨胜地。省下设4个专区，其中心为：卡昂（Caen）、利雪（Lisieux）、巴约和维尔。卡昂是省会和上诉法院所在地，也是教育区中心。诺曼底海岸的奥马哈滩是第二次世界大战时，美国第一军于1944年6月6日登陆之处。人口约632 462（1994）。

Calvary (site of Jesus' Crucifixion) **髑髅地** 参阅**Golgotha** 各各他。

Calvé, Emma 卡尔韦（1858-08-15，法国德卡兹维尔～1942-01-06，米约） 歌剧女高音歌唱家。因在《卡门》中扮演主角闻名。早年在西班牙度过。主要师承当时最有威望的声乐教师之一M.马尔凯西。1882年在布鲁塞尔首次登台，扮演《浮士德》中的玛格丽特。后来在《乡村骑士》中扮演桑图扎，在《哈姆雷特》中饰奥菲莉亚。对卡门一角的表演以戏剧真实性著称，长期被视作表演的典范。1925年退出舞台，从事教学。写有自传《我曾在世界各处歌唱》（1940）。

Calvert, Cecilius 卡尔弗特 参阅**Baltimore Cecilius Calvert, 2nd Baron** 巴尔的摩男爵（第二）。

Calvert, Charles 卡尔弗特 参阅**Baltimore, Charles Calvert, 3rd Baron** 巴尔的摩男爵（第三）。

Calvert, George 卡尔弗特 参阅**Baltimore, George Calvert, 1st Baron** 巴尔的摩男爵（第一）。

Calvert, Leonard 卡尔弗特（约1606，英格兰～1647-06-09，马里兰圣玛丽斯） 马里兰殖民地第一任总督。1633年11月率领17对绅士夫妇和其他约200人从英格兰出发，次年春到达马里兰，在圣玛丽斯建立一个居民点。1638年夺取W.克莱本建立的肯特岛商站。1644年克莱本挑动殖民地的新教徒闹事，迫使他逃往弗吉尼亚。两年后他恢复了在马里兰的统治地位。

Calvin, John 加尔文（1509-07-10，法国皮卡第努瓦永～1564-05-27，日内瓦） 法语作

Jean Calvin 或 Cauvin。法国基督教改革运动主要领袖，第二代基督教改革运动最重要人物。他对基督教的解释，特别是他的《基督教原理》(1536，以后各版复作详细阐述)，以及

美国不列颠百科全书公司供图

为日内瓦制定的休制和社会模式深刻地影响着欧洲其他地方和北美的新教。加尔文派新教教义被广泛地认为对现代世界的形成具有重大的影响。

生平与著作 加尔文于1509年7月10日生于法国皮卡第省努瓦永，父母属中产阶级。父亲是为本地主教服务的世俗教区管理员，1523年将他送至巴黎大学学习，希望他成为教士，后又决定培养他成为律师；加尔文遂于1528年至1531年在奥尔良和布尔日法学院学习。接着回到巴黎。这些年里，他接触受到伊拉斯谟和勒菲弗尔·戴塔普尔影响的文艺复兴人文主义，它构成了当时激进的学生运动。这一运动发生在基督教改革运动之前，旨在按照经典的和基督教古代的模式改革教会和社会，通过按照《圣经》原始语言重新学习《圣经》来加以建立。这一运动在加尔文身上留下了不可磨灭的烙印。在这一运动的影响下，他学习了古代基督教教义所用的三种语言——希腊语、希伯来语和拉丁语，为认真学习《圣经》作准备，并增强了他对经典著作的兴趣；他的第一部著作(1532)是对塞内加论宽恕的论著所作的注释。但这一运动首先强调通过神的恩赐而不是善行和礼义获得个人灵魂的拯救。

加尔文在巴黎的居留于1533年末突然结束。由于政府对这一改革运动不再宽容，为谨慎起见，加尔文感到有必要离开巴黎，这时他正与巴黎大学校长科布合作，为他发表公开演说准备一篇关于神学原则的强烈声明。他遂前往巴塞尔，该地当时虽属新教，但对其他宗教派别抱宽容态度。没有迹象表明加尔文这时已改信新教，这是一件很难确定日期的事，因为这可能是渐渐形成的。在逃往瑞士之前，他的信仰与天主教正统观念可能并不是不相容的。但当他在巴塞尔开始深入细致地学习神学之后，他的信仰发生了变化。可能部分是为了澄清他自己的信念，他开始写作。最初他为他的表兄弟奥利韦唐译出的圣经法译本写序言，接着着手写他的名著《基督教原理》的第一版，以后这本书连续修订多次，成为阐述新教信仰的唯一一本最重要的著作。这本书后来的各个版本以法语和拉丁语出版，包括对新教教义的详细阐述，对一些地方作了修改，并对批评作出回答。最后的两个版本于1559年和1560年问世。《原理》还包含了加尔文对《圣经》作出大量注释的研究成果，这些注释即席用拉丁语写成讲义，分发给来自许多国家的牧师候选人，构成他的著作的最大部分。此外，他还写了许多神学和进行论战的专论。

1536年，《原理》使加尔文在新教领导人中间获得一定声望。因此，1536年年底，当获悉加尔文正在日内瓦过夜后，当时正为在该城建立新教而斗争的基督教改革运动领袖和布道师法雷尔说服他留下来帮助这一工作。基督教改革运动在日内瓦遇到了困难，当时日内瓦是一个人口约10 000的城市，新教在那里的根底最为浅薄。这一地区的其他城市，最初由其兼任主教的君主统治，早就成功地赢得了自治，而日内瓦在这一进程中却落后了。主要是因为它的兼任主教的君主得到近邻萨伏依公爵的支持。16世纪20年代中期，日内瓦曾爆发反对崇拜偶像的骚乱，但是这些骚乱的神学基础却是微不足道的。新教主要是作为实行新教的伯尔尼给予军事援助的代价而强加于宗教上尚未觉醒的日内瓦的。日内瓦对新教的热情是有限的，这反映在它对宗教和道德改革的抗拒上，这种情况几乎一直持续到加尔文去世。这一抗拒愈演愈烈，因为日内瓦市议会，像其他实行新教的市议会一样，对教会和牧师行使最后控制权，这些牧师全是法国难民。主要的问题是关于开除教籍的权力问题，牧师们认为这是他们的权威性所必不可少的，而市议会则拒不给予。加尔文和法雷尔毫不妥协的态度最后导致他们于1538年5月被驱逐出日内瓦。

之后3年，加尔文在德国新教城市斯特拉斯堡避难，在那里他在为操法语的难民设立的一个教会任牧师，宣讲《圣经》；他并在那里发表了他为保罗的《罗马人书》所作的注释。也是在那里，他于1540年与一个从再洗礼派改信新教的人的遗孀伊蒂丽结婚。虽然他们的孩子都在婴儿期内夭折，但他们的夫妻关系极其和睦。在斯特拉斯堡期间，他并向该市首席牧师布塞尔学习了很多管理城市教会的知识。与此同时，加尔文参加了各种不同的国际宗教会议，使他认识了其他新教领袖，并获得了与天主教神学家进行辩论的经验。从此他成为国际新教的重要人物。

1541年9月，加尔文应邀重返日内瓦，那里的新教革命因缺乏强有力的领导而变得日益不稳。由于现在他的地位比以前要强大得多，市议会于11月通过了他的《教会法令》，法令规定对市民、特别是儿童进行宗教教育，把加尔文的关于教会秩序的想法形成制度。法令将教会圣职确定为4个部分：牧师和教师，宣讲和解释《圣经》；长老，代表全体会众管理教会；执事，担负起做好慈善工作的职责。此外，法令还设立由牧师和长老组成的宗教法庭，使日内瓦人各方面的生活符合上帝的律法。该法庭执行纪律处分，范围广泛，包括从废除天主教“迷信”到实施性道德、旅店条例和反对跳舞、赌博和咒骂等一切事项。这些措施激怒了一大部分人，而越来越多的法国宗教难民涌入日内瓦，更是激起本地人进一步不满的原因。这种紧张局势，以及在法国对加尔文信徒的迫害，有助于说明为什么要对宣讲和发表非正统信仰的西班牙神学家塞尔维特进行审讯和处以火刑，将他烧死。当塞尔维特于1553年突然来到日内瓦时，双方感到有必要表明他们对正统教义的热爱。加尔文应对塞尔维特的被捕和定罪负责，虽然他曾提出采取不那么残忍的办法来处决他。

夺取对日内瓦控制权的斗争一直持续至1555年5月，加尔文最后获胜，使他得以更为专心致志地处理其他事务。他不断观察国际形势，使他的新教盟国形成共同战线。为了这一目的，他与全欧洲主张新教的政治和宗教领袖进行大量通信。他并对《圣经》，包括除启示录外的全部《新约》以及《旧约》的大部分，继续作出注释。其中许多注释立即出版，常常题献给诸如伊丽莎白等欧洲统治者。但加尔文没有时间来亲自做编辑工作，由抄写员组成委员会把他所讲的记录下来，整理成正式文本，然后送交他批准。在这期间，加尔文还建立了日内瓦学院，训练学生学习人文主义，以培养牧师和担任世俗领导职务的人才。他还履行广泛的牧师职责，定期地并经常地布道，主持许多婚礼和洗礼，以及给予精神指导。如此大量的工作使他精疲力尽，百病缠身，于1564年5月27日与世长逝。

个性 与路德不同，加尔文是一个沉默寡言的人；他很少以第一人称单数来表达自己。这种沉默寡言，使他获得了冷淡、理智和不近人情的名声。从这一观点出发，他的思想被理解为是抽象的，关心不切实际问题的，而不是一个敏感的人对特定历史情况下的需要作出的反应。但那些了解他的人却有不同的看法，他们谈到他寻求友谊的才干，也谈到他的热心肠。此外，他对他妻子去世的极度悲伤，以及他对《圣经》许多章节入神的阅读，表明他具有非常丰富的感情。

加尔文表面上的无动于衷现在可以被理解为蕴含着他对周围世界、对自己为处理世界的需要而作出的努力是否适当，以及对人类、包括他自己在内的拯救所产生的不同于一般的高度忧虑。他认为每一个基督徒——当然他也把自己包括在内——都因与怀疑进行可怕的较量而受苦。从这一观点看，控制自己和控制周围气氛(这常被用来识别加尔文派教徒)的这种需要，可以被理解为与加尔文的这一忧虑有密切的关系。

加尔文的忧虑在他对人类状况所作的两个比喻中表现出来，这两个比喻一再在他的著作中出现：一个是比作深渊，人在其中迷路；一个是比作迷宫，人无法逃脱。加尔文主义作为思想整体应被理解为是加尔文为逃脱这两个比喻所带来的恐惧而努力的产物。

理智的形成 历史学家们普遍同意，加尔文主要应被理解为是文艺复兴时期的人文主义者，他旨在把新奇的人文主义应用于恢复对基督教作符合《圣经》的理解。为此，他力求用言辞来打动人的良心，而不是以系统神学家的传统方式通过宣传教义真理强迫人们同意。的确，他的主要敌人是他同时代的系统神学家们，即经院神学家们，他们过多地

依靠人的理智而不是《圣经》,他们的学说死气沉沉,并与处在严重困境中的世界脱离。加尔文的人文主义首先意味着,他认为他自己是符合基督教改革运动"一切根据《圣经》"这一口号的《圣经》神学家。他做好准备,纵使《圣经》超越人们理解力的范围,他也要遵从《圣经》,信赖圣灵而对其应允产生信念。与其他人文主义者一样,他深深地关心祛除他那个时代的邪恶;在这方面,他也在《圣经》中找到指导。不能把《圣经》的教导看作是一套不合时宜的抽象概念,而必须根据言词得体的原则——即适合时间、地点和听众——使之适应当代人的理解而被引进生活中来。

加尔文的人文主义还在其他两个基本方面影响着他的思想。一个方面是,他同意早期文艺复兴时期人文主义者关于人性的基本上符合《圣经》的概念,认为人性并不是一种受理智支配的天赋等级体系,而是一种神秘的统一体,在这一统一体内,主要的东西并不是最高的东西,而是中心的东西,即心灵。这一概念赋予意志和感情较之理智以更多的重要性,并给予人体以新的尊严。由于这一原因,加尔文拒绝对人体的需要作禁欲主义的置之不顾,而这在中世纪教士中常常是很明显的。在这一对传统的认为人性中的天赋存在等级的观念的特殊否定中,包含着对等级是一切秩序的基础这一传统信念的根本否定。相反,对加尔文来说,人类事务中的秩序的唯一基础是实用。这一主张的另一结果是渐渐破坏妇女从属于男人这一传统观念。加尔文相信,由于实际的原因,可能有必要由一些人指挥,其余的人服从,但不能再争辩说,妇女自然地应服从男人。这有助于说明为什么日内瓦拒绝性道德的双重标准。

另一个方面是,加尔文的功利主义,以及他关于人性既低于又超过理智的理解,也反映在他对人类除实际知识外能够知道任何事情的能力所作的极大的保留上。说他们能够绝对知道任何事情,譬如说,就像上帝知道的那样,在他看来,这是极其专断的。这一深刻的信念有助于说明为什么他要依靠《圣经》。加尔文认为,人类接受宗教所包含的赎罪真理的途径仅限于上帝在《圣经》中对他们所作启示的范围之内。但是所启示的真理并不是为了满足人类的好奇心,而是仅限于满足人类生存所最为迫切和实际的需要,首先是为了得救。这种对实用性的强调,反映了文艺复兴时期人文主义的基本信念:致力于满足实际需要的、积极的世俗生活较之瞑想的生活更为重要。加尔文认为每一种社会职业都是上帝的"呼召",这一信念使这一观念神圣化。这样,加尔文从各个方面为文艺复兴时期的人文主义作出了神学的解释。

但是加尔文并不是一个纯粹的文艺复兴时期的人文主义者。16世纪的文化是一种特殊的折衷文化,同时,与他的时代的其他思想家一样,加尔文继承了一系列与之相悖的倾向,他勉强地将这些倾向同他的人文主义结合在一起。他是一个无系统的思想家,这不仅因为他是个人文主义者,还因为16世纪的思想家们缺乏那种使他们能将自己文化中多种多样的资料加以分类的历史观点。这样,加尔文虽然强调心灵,但仍按照传统的观念,把人性看作是一种受理智支配的天赋等级体系。甚至在宗教方面,他也常常认为理智负有很大责任,并强调对感情和躯体实行理性控制的重要性。然而,加尔文思想中对这些传统观念的坚持,有助于说明为什么它具有广泛的号召力;这些传统观念使保守主义者消除疑虑。

神学 加尔文常常被看作不过是将路德的更具创造性的深刻见解加以系统化的人。他在许多方面追随路德:原罪、《圣经》、人类对神的恩典的绝对依赖,以及因信取义。但是加尔文与路德的不同之点却具有重要意义,即或有些地方主要是重点不同而已。上帝超然存在及其控制世界的论说可能给加尔文较之路德以更深的印象;加尔文强调上帝的力量和荣耀,而路德常常把上帝看作是马槽里(这里指在人类中间)容易上当的人。与一般印象相反,加尔文对预定论的理解事实上也与路德相同(并实际上接近托马斯·阿奎那的观点);同时,虽然加尔文可能更为着重地阐述这一问题,但这一问题本身在他的神学中并不十分重要。他把它看作是一件很神秘的事,带着害怕和恐惧的心情进行研究,并且仅在信仰的范围之内。从这点看,预定论对他来说似乎是一种安慰的学说;它意味着仁慈和完全可以信赖的上帝会关心拯救这件事的。

但在一些主要方面,加尔文却与路德分道扬镳。在某些地方,加尔文更为激进。虽然他同意路德关于在圣餐中基督真实存在的观点,但他完全是在精神的意义上理解这一点的。他的大部分不同之点说明他比路德更接近于古代教会,例如在教会学方面,他认为,在这个世界上,兼办社会事业和教育的教会才是真正的教会,而路德并不这么想。在教权主义方面,他也更富传统性;他的关于牧师拥有高于俗人的权力的信念,很难与路德对所有信徒人人均可为牧师的强调相一致。他并坚持过圣洁的生活的必要性,认为这至少可以成为上帝进行真正选拔的一个标志。特别是对加尔文主义作为一种历史的力量来说,尤为重要的是加尔文对世界的看法。路德把这个世界及其宗教机构看成是不可救药的,准备把这些留给撒旦,在他的灵性宇宙里比在加尔文的灵性宇宙里撒旦是一个重要得多的角色。而在加尔文看来,这个世界是上帝创造的,仍然属于上帝。它潜在地仍然是基督的王国,每一个基督教徒有责任通过把它置于上帝的律法之下使它实际上如此而斗争。

灵性 加尔文对人类理智能量的保留和他坚持认为基督教徒应努力把世界置于基督的统治之下表明,把他的思想看作是由理智领悟的神学就不如把它看作是基督徒生活的一整套原则——简言之即灵性——那样有教益。他的灵性论出发点是这样一种信念:即人类不能像通过上帝在这个世界上的强有力的行为和工作间接"感受"到上帝那样多地"了解"上帝,就同他们感受到雷电(加尔文指称宗教感受爱用的隐喻之一)但不能说了解雷电一样。对上帝的这种感受使他们对上帝的力量抱有信心,并激发他们赞美和崇拜上帝。

在加尔文强调上帝的力量的同时,他还将上帝描写为是一个仁慈的父亲。诚然,加尔文主义常常被认为是最为父权制的基督教派之一,但加尔文认为上帝被普遍地感受为像是一个母亲。他痛斥把上帝描写得十分可怕的那些人;对他来说,上帝是"温和的、仁慈的、慷慨的和热情的"。加尔文宣称"除他以他的德性之美赢得我们",人类是无法真正赞美他。上帝热爱和照顾他所创造的人类,对加尔文来说,正是这一点,把他的天命论与斯多葛派相区别。

这样,加尔文对基督教的理解在许多方面比一般想象的要温和。这也表现在他对原罪的理解上。虽然他坚持认为,亚当堕落之后人性即"完全堕落",但他并不是以此表明人类一无是处,而是说,在人性中,没有哪一种力量不受到亚当堕落的影响,正是在这一基础上要去争取获得拯救。这一论说的目的是实用的:为了加强对基督及上帝慷慨恩赐的依赖。事实上,与他的一些信徒们不同,加尔文相信,在亚当堕落之后,人类以之被创造出来的上帝形象的原始标志,不管多么模糊不清,却依然存在。他宣称,"始终有必要回到这一点:即上帝永远也不会创造一个人而不把自己的形象铭刻在上面"。有时,的确,加尔文对罪的谴责给人留下一个非常不同的印象。但是,必须记住,加尔文作为一个人文主义者和雄辩家,更关心的是使其听众感到有必要对罪进行忏悔,而对神学上的精确性并不那么关心。

对加尔文来说,罪所造成的问题,不是罪破坏了人类精神上的潜力,而是人类失去了使用其潜力的能力。由于亚当的堕落,他们与上帝疏远了,而上帝乃是一切力量、活力、热情和生命力的源泉。相反,罪使人类面临死亡——上帝创造生命的力量的反面。例如,人类对于罪的影响是这样感受的:当他们必须保持警觉时,却昏昏欲睡;必须互相照顾时,却漠不关心;必须勤奋时,却懒散;必须热情时,却冷淡;需要力量时,却软弱。又例如,由于撒旦力求哄骗人类入睡,以便吸干上帝给予他们的灵性,上帝必须想方设法唤醒他们。这有助于说明为什么上帝的选民要受到苦恼的折磨:上帝通过使他们的生活变得很惨,来威胁、惩罚和迫使他们牢牢地记着他。

罪的影响还阻碍人类对世上新奇的事物以适当的惊叹作出反应。灵性的败坏是获得感情上的认识的主要障碍,这种认识与仅仅是理智上领悟不同,它能够移情改性。加尔文对罪导致失去感觉,而灵性的认识使被罪割裂的认识、感觉和行动之间的联系重又恢复的过程特别加以重视。因此,圣灵在其一切表现中显示出是生命的力量。加尔文对罪的理解与其对行为的人文主义强调紧密相关。

如同他对使各个信仰者成为圣洁的人和对基督的义重新征服世界的强调一样,加尔文的灵性观也包含强烈的历史观念,他把历史理解为是上帝目的的逐渐实现的过程。因此,福音的几个中心组成部分——基督的化成人身和救赎,藉此获得恩典,依赖信仰的恩赐人类得以为自己接受这一恩典,以及由此而成为圣洁的人——合在一起客观地描述人类如何一步步地得以恢复其原来与上帝的关系，并重新获得这一关系所产生的活力。加尔文将这说成是"复活"，即实际上把信仰者从死回到生，并使他们尽最大努力为上帝服务。

加尔文利用了比喻基督徒生活的两个传统隐喻。由于他生活在不寻常的战争年代，他吸收了把信仰者的生活看作是一场为反对存在于自我之中的和现世的邪恶力量而进行的不懈的、准军事性质的斗争这一为人们所熟悉的思想。按照他的观念，基督徒必须为反对自身的邪恶冲动、为了福音而反对人类的大多数，以及最后为反对撒旦而斗争。但是，自相矛盾的是，基督教战争更多地在于忍受罪的影响，即长期忍受苦难，而较少在于给别人造成伤痛。在加尔文的思想里，把基督徒的生活比作战斗的隐喻，另外加上一层默许受苦的意思。使人类生存备感痛苦的种种灾难，虽然是对恶人的惩罚，但对信仰者却是一种教育；灾难加强信仰，增进谦逊，涤除邪恶，迫使他保持警惕和期待上帝的帮助。

加尔文所引用的比喻基督徒生活的第二个传统的隐喻，即比作旅行或朝圣——即朝着目标前进，同样含有行动的意思。他宣称，"我们的生活像旅行"，但"上帝的意志不是让我们随心所欲地漫游，而是在我们的面前竖立目标，并指引我们走一条正确的道路奔向这个目标"。这条道路也是斗争，因为谁也不能容易地前进，大多数人非常虚弱，"步履维艰，摇摇晃晃，蹒跚行走，甚至贴着地面匍匐而行。"但是，在上帝的帮助下，每个人每天仍能前进若干距离，纵使微不足道。在这一思想中，值得注意的是往往与加尔文主义联系在一起的那种赤诚：基督教徒必须直视前方目标，决不左顾右盼。加尔文允许他们在这种生活中热爱美好的东西，但有一定的限度。

这样，基督徒的生活在神圣中艰难地取得进展，这种生活通过个人不断的努力使整个世界服从上帝，并反映在世界的逐渐圣化上。但是这些过程在生活中永远也不会完成。在加尔文看来，即使是这个世界上发育得最为充分的基督徒也像是一个青少年，向往着成长成为具有完美的基督形象，那怕仍相差遥远。加尔文使他的信徒相信，"只要我们生活在世界上，每一天我们的纯洁将有某种程度的增长，我们的腐败将得到清洗"，"我们的知识增长得越多，我们的爱也增长得越多"。同时，虔诚的基督徒总是更清楚地体验到上帝的显灵，看到"上帝的脸，安详地、平静地和亲切地看着我们"。因此，在加尔文看来，一如他的许多前辈们那样，信仰的生活以上帝的显灵而达到顶点。

Calvin, Melvin　卡尔文（1911-04-08，美国明尼苏达圣保罗～1997-04-08，圣保罗）　美国生物化学家。因发现光合作用的化学途径而获1961年诺贝尔化学奖。1935年获明尼苏达大学哲学博士学位，后在英国曼彻斯特大学任洛克菲勒基金会研究员2年。1937年到伯克利的加利福尼亚大学任教，1946年任该校劳伦斯辐射实验室生物有机化学组组长。1971年任化学教授。卡尔文从事光合作用的研究工作始于40年代中期。他研制了利用放射性同位素碳14作为绿藻的标记元素的装置。通过中断植物在各个阶段的生长与测定所含放射性化合物的含量，以鉴定大多数光合作用反应的中间步骤。卡尔文的研究工作还包括放射化学与生命起源。

Calvinism　加尔文主义　基督教新教名词。指由基督教改革运动领袖C.加尔文提出并提倡的神学。加尔文派神学家对加尔文学说的发展，以及根据加尔文和该派人士的著作而拟订的、由归正宗和长老宗教会采纳的教义和教规，也称加尔文主义。

加尔文死后的发展　路德主义主要限于德意志部分地区和斯堪的纳维亚，而加尔文主义则传播至英格兰、苏格兰、北美操英语的殖民地、法国、荷兰、德意志的许多地方和中欧的一些地区。这种扩展在加尔文的有生之年即已开始，并为他所促进。宗教难民涌入日内瓦，特别是在16世纪50年代法国政府变得越来越不容异端时，从法国以及从加尔文主义业已传入的英格兰、苏格兰、意大利和欧洲其他地区涌入。加尔文欢迎他们，把他们中的许多人培养成牧师，然后把他们送回本国传播福音，并与他们通信，给予鼓励，提出意见，加以支持。这样，日内瓦就成了国际运动的中心和其他地区教会的榜样。苏格兰加尔文派领袖诺克斯把日内瓦描写成"自使徒时期以来世界上最完美的基督学校"。

从社会方面解释加尔文主义的召唤所作的努力仅获得有限的成功。在法国，它大概主要引起贵族和城市上层阶级的兴趣；在德国，它在市民和诸侯中间赢得信徒，而在英国和荷兰，每个社会集团中都有信仰者。所以看来，加尔文主义的召唤力的基础很可能是它对困扰着一切阶级的这个时代的混乱作出解释的能力、以及由其能动主义和学说提供的救赎办法和安慰。

除此之外，看到这样一点是很重要的，即加尔文主义后期的历史常常由于未能在如下三者之间作出区别而被弄得模糊不清：第一点是加尔文自己的信仰所代表的加尔文主义；第二点是他的信徒们的信仰，他们虽力求忠于加尔文，但却为满足他们自己的需要而修改他的教义；第三点，这一点与上述联系较松散，是基督教新教的新教传统信仰，正统的加尔文主义，如果说在历史上曾最为显著，也不过是其中的一个组成部分。新教派教会——16世纪时此词用复数，意指除了共性外，它们还各自实行自治，自成派别——最初由一批以瑞士和德国南部城镇为基地的非路德宗的新教教会构成。这些教会总是小心翼翼地保护它们的自治，而在它们中间也并非只有日内瓦才拥有杰出的神学领袖。苏黎世的茨温利和布林格、斯特拉斯堡的布塞尔在欧洲也很有影响，这些影响与加尔文的影响合在一起，特别在英格兰，形成了后来所称的加尔文主义。

日内瓦教会继续崇拜加尔文，目的在于在他的继承者们的领导下仍然忠于他的教义，这些继承者中第一位是贝札，加尔文后半生的主要助手。但在16世纪末和17世纪初，在被恰当地称之为新教的"反宗教改革"的气氛中，加尔文主义在日内瓦发生了变化。由于背离加尔文的较为人文主义的倾向，而更多地吸收他的思想的其他方面，加尔文主义变得日益理智化，越来越象加尔文所憎恶的经院哲学。

日内瓦的神学在亚里士多德的影响下变得日益系统化。在这一新的气氛中，信仰更多地是对神学陈述主体的赞同，而较少意味着对上帝应允的信赖。特别是预定论开始具有前所未有的重要性。加尔文由于个人的信仰而对预定论抱有充满敬畏的信念，现在预定论被认为是上帝"永恒的天意"和超自然之必然，已成为信仰的基础。

日内瓦的事态变化显示了加尔文主义在其他地方的变化，这些变化于1619年在荷兰多尔德会议上达到高潮。该会议详细地说明预定论的各种必然结果（加尔文并没有这样做），并将这一学说当作加尔文主义的中心学说。虽然诱发这一公式化表述的争论是地方性的，但其他地方的新教教会的代表出席了这一会议，使得这一会议对他们来说，就像特伦托会议之对于天主教徒那样，在某种程度上具有同样的重要性。

随着这些发展变化，加尔文派神学家们显然发现加尔文的含义不确的语言表达风格不能令人满意，开始审慎地像经院派神学家那样用拉丁文写作，甚至求助于中世纪经院派权威。17世纪陈述加尔文宗神学的主要著作是日内瓦首席牧师图雷蒂的《神学演绎法原理》（1688）。虽然这本书的书名使人联想起加尔文的名著，但内容却不像《原理》；它并不是以本国语言写成的，其辩证结构仿效托马斯·阿奎那的《神学集成》，并使人联想起托马斯·阿奎那对人类理智价值的信赖。下面的事实说明了这一变化的持久意义：图雷蒂用拉丁文写的这本书成了19世纪中叶以前美国加尔文派教义最卓越的学术研究中心新泽西州普林斯顿神学院的基础教科书。

研究加尔文主义的历史学家们一直不断辩论这些发展变化是在本质上忠于加尔文的信仰抑或与之相背离。在某种意义上，两者兼而有之。后期的加尔文主义虽然背离了加尔文的较为人文主义的倾向，但在他的思想的一些相反的方面找到先例。然而，后期拒而不谈他竭力平衡互相对立的冲动的那种典型文艺复兴式关心，这对加尔文是不忠实的。不仅如此，这些变化乃是韦伯所说的一个运动发展中的那个"墨守陈规"阶段。这个阶段出现在运动的创造性开端之后，作为对个人创造力的杂乱无章的自由的一种反动，代表着关于秩序与规则性的十分不同的价值观。同时，关于加尔文主义之所以发生这些变化，用下面情况解释也是适宜的，即这些变化发生在由一个世纪之久的宗教战争及其他原因造成的异常混乱的时期，这场战争普遍产生了要求信任、安定和和平的渴望。

评价　加尔文的影响不仅在法国、德国、苏格兰、荷兰和匈牙利的新教教会中经久不衰，并且在英格兰教会中亦复如此，在那里，加尔文至少在与英国国教分离的清教徒中间长期受到高度的尊重。英格兰教会成立了自己的长老会或公理会，它们把加尔文主义带到了北美。直至今天，这些教会与最初的德国福音归正会和新教教会一起，把加尔文崇奉为它们的创始人加以纪念。后来，加尔文宗神学为浸礼会各主要团体广泛接受;甚至18世纪与新英格兰加尔文派教会分裂的神体一位论派也对加尔文神学中较为合理的冲动加以研究。近些年来,新教徒对福音的社会含义备感兴趣,以及由巴特、布隆内尔和尼布尔所代表的新教新正统神学,表明加尔文的影响继续存在。

加尔文对现代西方文明的发展所产生的重大影响各派有着各种不同的评价。有争议的"韦伯论文"把现代资本主义的兴起主要归功于清教运动,但无论是韦伯在其1904年的著名论文《基督教新教伦理和资本主义精神》中,或伟大的经济历史学家托尼在其《宗教与资本主义的兴起》(1926)一书中,都没有把加尔文本人与这一发展联系在一起。在将加尔文主义与现代科学的兴起连在一起所作的艰难尝试方面,情况也大致如此;虽然在17世纪英国科学运动中清教徒发挥了突出的作用,但加尔文自己对当时的科学却并不关心。至于加尔文对政治理论的影响情况要好些。他本人的政治天性非常保守,鼓吹个人对一切合法当局的服从。但是,与意大利人文主义者一样,他个人宁可选择共和政体,而不是君主政体。面对激烈反对传播福音的统治者所造成的问题,他提出了抵抗的理论,这一理论为他的信徒们所牢记,根据这一理论,较小的地方官吏可以背叛国王。不仅如此,与他的大多数同时代人不同,加尔文不仅把维持公共秩序,并且把对社会大众福利的积极关心,都包括在国家应有的职责之内。

因此,加尔文主义在自由政治思想的发展中占有一席之地。不过,加尔文的主要和最为持久的影响还是在宗教方面。从他的时代开始以迄于今,加尔文主义意味着基督教及其道德内涵的独特的严肃性。

Calvino, Italo　卡尔维诺(1923-10-15,古巴圣地亚哥～1985-09-19,意大利锡耶纳)　意大利当代著名小说家。第二次世界大战期间,曾参加抵抗运动,后定居都灵,学习文学,并在共产党出版的《团结报》和埃纳乌迪的出版社工作。早期作品以意大利抵抗运动为题材,例如新现实主义小说《通向蜘蛛网的小路》(1947),通过一个少年的经历描写抵抗运动,他与周围的成年人一样,对于遭遇到的各种事件无能为力。20世纪50年代他从现实主义转向幻想和寓言,发表了3部幻想小说,使他获得国际声誉。第1部是《分为两半的子爵》(1952),写一个人被炮弹击中,分成两半:一半是好人,一半是坏人。后来爱上了一个农村姑娘,两半才重合为一。第2部是《树木中间的男爵》(1957),最受称道,写一个19世纪的贵族决定爬到树上住,再不下地;却能参与他的伙伴们从事的事务。小说饶有风趣地探索现实与想象之间的交互作用与紧张关系。第3部是《不存在的骑士》(1959),是一部模拟骑士的史诗故事。其晚期作品有短篇小说集《宇宙连环画》(1965)、长篇小说《看不见的城市》(1972)、《交叉命运的城堡》(1973)、《如果一个冬天的夜晚,一个旅行者……》(1979)等。他以游戏似地新颖的结构和变化不定的视角来考察各种机遇、巧合和变化。

Calvo Doctrine　卡尔沃主义　指有关各国政府对外国公民的管辖权、外国公民所属国政府保护其旅外公民的范围以及使用武力索取赔款的国际规则的总称。这个理论是阿根廷外交家和法学家卡尔沃在其所著《欧美国际法的理论和实践》(1868)一书中提出的。这个理论强调:关于一个国家管辖外国公民和索取赔款的规则,必须平等地适用于所有大小国家。这个理论又进一步说,凡在拉丁美洲国家拥有财产的外国公民,如对所在国政府提出赔偿要求,应向所在国的国内法庭提出,而不应谋求外交干涉。此外,根据这个理论,各国无权使用武力向借债国索取债款。阿根廷外交部长德拉哥1902年提出的德拉哥主义实质上是重申了卡尔沃主义。当时委内瑞拉欠英国、德国和意大利的债,这些国家威胁要用武力索取债款。德拉哥向美国政府建议说:"政府债务不能构成武装干涉甚至实际占领美洲国家领土的理由。"这项反对欧洲国家干涉美洲国家的声明同门罗主义(1823)以及罗斯福"推衍"(1904)所提出的美国政策是完全一致的。在第二次海牙和平会议(1907)上,美国政府同意了以《限制使用武力索取契约债务公约》的形式获得通过的德拉哥的主张。虽然美国反对欧洲干涉南北美洲,但它本身却保留了一旦任何拉丁美洲国家的局势危害美国的利益时进行武装干涉的权利,而且它也常常使用这一权利。

Calydon　卡利敦　希腊古代埃托利亚的城市,西距今迈索隆吉翁9.5千米,滨欧厄努斯河(埃维诺斯河)。据传系埃托勒斯之子卡利敦所建,墨勒阿格(**Meleager**)和其他英雄曾在此猎取过卡利敦的野猪。卡利敦人还参加过特洛伊战争。亚该亚人曾在公元前389年控制该城,但在留克特拉战斗(公元前371)后即被第比斯将军伊巴密浓达归还给埃托利亚人。罗马皇帝奥古斯都将该城居民迁徙到他的新城亚克兴胜利城(公元前31)。在埃维诺斯河畔,现尚存2英里城墙。一座拉弗利亚的阿耳忒弥斯(粮秣之神)神庙已被发掘。

Calypso　卡吕普索　希腊神话中提坦巨人之一阿特拉斯的女儿(一说俄刻阿诺斯或涅柔斯的女儿),神话的俄古癸亚岛上的一位仙女。她款待希腊英雄奥德修斯达7年之久,甚至用使他永生的诺言也未能打消他思乡的念头。最后赫耳墨斯奉众神之王宙斯之命要她放奥德修斯回家。根据后来的说法,她给奥德修斯生了一个儿子奥宋,或拉丁努斯,和双生子瑙西索厄斯与瑙西诺厄斯。

calypso　卡利普索　特立尼达的一种民歌,也在加勒比群岛的东、南部演唱,其歌词常以诙谐的语调讽刺当地的政治、社会事件。其传统始于19世纪初,20世纪50年代后期流行于国外。在大斋期前的狂欢节时期,歌手们带领一群奴隶走街串巷,边唱边即兴编出歌词,影射那些不得人心的政治人物。这种诗歌仿效民谣形式:8行诗节之后有4行迭句。具有高度想象力与独创性的语言,充分弥补了简朴的韵律结构。歌手兼诗人采用一个引人注目的艺名(例如"非凡的破坏者"、"旋律大王"等),在一些庸俗习语中加入西班牙的、克里奥尔的和非洲的语句。利用了新发明的口语,音乐中采用切分节奏,这是卡利普索歌曲中一种常见的特征。卡利普索歌手或是以旧曲填新词,或是自行创作简单曲调。常用的伴奏乐器是响葫芦、吉他、库阿特罗(一种弦乐器)和竹子塔姆布(一些插入地里的长短不一的竹竿)。第二次世界大战以来,具有不同音高的油桶常用在"钢鼓乐队"中一起演奏,十行流行。

Calzabigi, Ranieri　卡尔扎比吉(1714-12-23,托斯卡纳里窝那[意大利]～1795-07,那不勒斯)　意大利诗人、歌剧台本作者和音乐理论家。对W.格鲁克在歌剧方面的改革起过重要作用。1761年2月在维也纳结识格鲁克,同年10月上演两人合写的第一部作品:芭蕾舞剧《唐璜》。随后,格鲁克又为卡尔扎比吉的舞剧脚本《塞米拉米德》(1765)谱曲。他们还合写过3部意大利改良歌剧:《奥菲欧与尤丽狄西》(1762)、《阿尔塞斯特》(1767)和《帕里德和埃莱娜》(1770)。这些歌剧保持了古典戏剧传统,力求朴素、真实和自然。在格鲁克看来,卡尔扎比吉是歌剧改革的主要推动力。他于1780年返回意大利。

cam　凸轮　作转动或往复运动,使与之接触的从动件作规定运动的机器零件。凸轮接触表面的形状由从动件的外形和所规定的运动确定。从动件通常是平的或圆形的。凸轮

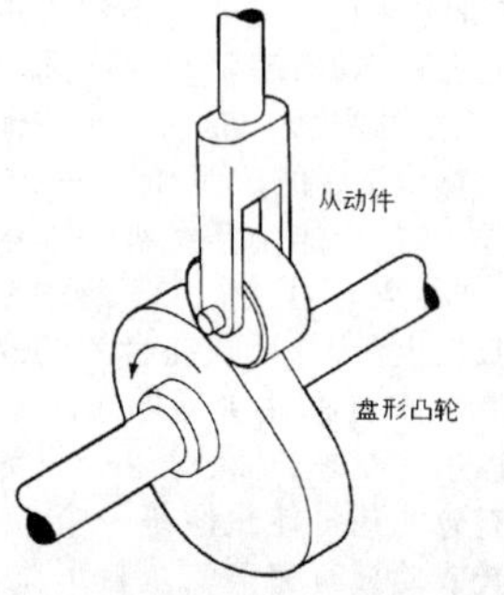

盘形凸轮及其从动件

有多种形状,例如:①具有所需外形的转盘或转板;②表面有凹槽的平板,以便与从动件上的滚子相匹配(即盘形凸轮,见图);③环绕表面切有从动件槽的圆柱形或圆锥形件;④端部切有所需外形的圆柱体(即端面凸轮);⑤具有所需形状的往复楔。当把机器的某一零件的简单运动变为另一零件的规定复杂运动时,凸轮从动件机构特别有用,复杂运动必须与简单运动准确同步,而且可以包括停顿时间在内。例如,汽车发动机凸轮轴的运动就是一种与曲轴转速成固定比率的简单转动;而由凸轮推动的阀门运动,则与曲轴的转动准确同步,并且包括阀门处于关闭期间的停顿时间。凸轮是自动机床、纺织机械、缝纫机、印刷机和其他许多机器中必不可少的零件。若从动件不受凸轮槽所约束,则必须用弹簧使从动件与凸轮接触。

Cam, Diogo(Portuguese explorer)　参阅**Cão, Diogo** 康。

Cam Ranh 金兰 越南中南部城市。位于包围南海金兰湾的半岛上。海湾西岸的柑林(巴巍)在法国殖民统治时期为附近地区主要港口和海军基地。1965 年美军军事干涉南越时新建的设施和机场多在金兰。人口约 114 041(1989)。

Cam Ranh Bay 金兰湾 越南中南部临南海的深水海湾。南北长约 32 千米,宽 16 千米。素被认为是东南亚最优良的深水港湾。分内、外两湾。外湾平巴湾以金兰角岸外的平巴岛为屏障;内湾金兰湾口仅 1.6 千米宽,不受季风和台风袭击。西岸的巴巍(今柑林)港曾为法国海军基地。1905 年俄国舰队赴对马海峡途中在此停靠。1941 年该湾被日军占领。1945 年日军撤出。1965 年美军在 260 平方千米的半岛上建有大型供给基地和几个机场。1972 年移交给南越。1975 年 4 月被越共军队占领。

Camacho, Manuel Ávila (President of Mexico) **卡马乔** 参阅 **Avila Camacho, Manuel 阿维拉·卡马乔**。

Camagüey 卡马圭 古巴中东部省份。面积 15 990 平方千米,为该国最大的省。有起伏平缓的热带稀树草原,历来是重要养牛地区。现仍放养约 100 万头牛。1900 年以后甘蔗种植面积扩大,成为该国主要产糖地。虽然 1925 年后人口增长迅速,但仍人口稀少。北部海岸由大珊瑚礁组成。除努埃维塔斯湾外,无重要海湾。南部海岸多沼泽,没有良好的天然港。境内有几条公路和两条铁路,从省会卡马圭市通努埃维塔斯、哈瓦那、圣地亚哥等地。人口约 732 056(1989)。

Camagüey 卡马圭 古巴卡马圭省省会。建于 1514 年。因繁荣而在 1668 年受到海盗的袭击。因该省出产大量牲畜、甘蔗等农牧产品以及铬铁矿石,成为该国最大内陆城市。有许多殖民时期建筑遗迹。在中央公路线上,有铁路通哈瓦那、圣地亚哥等地。为重要交通、贸易、工业中心。建有国际机场。设有哈瓦那大学分校和一座热电厂。人口约 278 958(1989)。

Camaldolese 卡马尔多利会 天主教本笃会的独立分支。1012 年由圣罗穆埃尔德在隐修院改革运动中成立于意大利阿雷佐附近的卡马尔多利,故名。该会将独居隐修与修院集体隐修结合起来。初入会者集体修持,修行进益显著者经院长许可开始独居隐修。另一支改革派称科罗纳山修会,成立于 1523 年,延续至今,但修士不多。

camanachd (stick game) 参阅 **shinty 简化曲棍球**。

Camār 科玛尔 遍布于印度北部的种姓,祖传职业是鞣革。科玛尔一词源于梵文 carmakāra,意为"制革匠"。这个种姓共有 150 多个亚支,均由组织良好的议事团体即潘查耶特管理。他们因职业关系必须触及死畜,从而得了不洁种姓恶名。其聚居地通常在种姓制印度各村落之外。每一聚居地有自己的头人即普罗丹,较大乡镇则包括由普罗丹领导的一个以上的聚居区。科玛尔种姓准许寡妇再嫁,嫁给亡夫之弟或同一亚支中的一名鳏夫。这个种姓中一部分人信奉圣者湿婆·纳拉亚纳的教导(参阅 **Satnāmī sect**),其目的在于净化本种姓的习俗以提高其社会声望。虽然许多人仍操传统鞣革职业,但更多的人已成为正规农业劳动力的一部分。

Camargo, Marie(-Anne de Cupis de) 卡玛戈(1710-04-15,比利时布鲁塞尔～1770-04-20,法国巴黎) 以在舞蹈技术上进行许多革新而为人们所铭记的巴黎歌剧院的芭蕾舞女

美国不列颠百科全书公司供图

演员。据说,她曾规定了与臀部转成 90° 的芭蕾舞腿的基本姿势。她以舞步轻快灵活以及完善了芭蕾舞的跳跃舞姿(昂特雷沙和卡勃里奥尔)而闻名,这种跳跃舞姿以前主要由男演员完成。为了得到必要的活动自由度和显示迅速移动的脚步,她是第一个在表演舞蹈时将芭蕾舞长裙裁短到只及小腿的长度、除去舞鞋后跟、穿着贴身内裤(后演变为芭蕾舞的主要"紧身衣裤")的芭蕾舞演员。1726 年在巴黎歌剧院首次演出《舞蹈的特性》。她的成功使其年迈教师普雷沃十分妒忌,把她降为群舞演员。但她不久就赢得了一次意外的胜利,那是因为另一位舞蹈家未能按时登台表演而由她即席表演了一场惊人的独舞而获得的。后来她继续巩固自己的成就,为舞鞋和头发装饰设计了时髦的式样。在 78 个芭蕾舞剧和歌剧中作过舞蹈表演。克莱蒙伯爵是为她倾倒的众多爱慕者之一,在她暂时从舞台退隐期间(1735 ～ 1741),曾和这位伯爵同居。1751 年退休。

Camargue 卡马尔格 法国南部罗讷河口省三角洲地区。在罗讷河大、小水道之间。面积 780 平方千米。三角洲北部为冲积土干地;南部最高地在现在和过去的水道沿岸。当地人口稀少,过去一片荒芜,有成群的野牛和野马。19 世纪末出现葡萄园,后种植饲料作物和谷物。自由走动的牛、马群多在瓦卡雷斯周围卡马尔格地区公园一带。第二次世界大战后发展起稻米生产,1961 年达 33 000 公顷,后又紧缩至 1/4 的规模。瓦卡雷斯和罗讷河之间东南部沼泽地区开采盐。瓦卡雷斯有自然保护区,保护火烈鸟、白鹭等稀有鸟类。卡马尔格也是朝圣和旅游中心。

Cambacérès, Jean-Jacques-Régis de, DUC (duke) DE PARME **康巴塞雷斯**(1753-10-18,法国蒙彼利埃～1824-03-08,巴黎) 法国政治家和法学家,拿破仑的第二执政,当时的帝

美国不列颠百科全书公司供图

国大法官。1800 ～ 1804 年,作为拿破仑在所有法律事务上的主要顾问,他在制定拿破仑法典或民法典(1804)及以后的一些法典中起了重要的作用。有时还在其他的国家事务上受到咨询,他试图对拿破仑施加较大的影响。由于他在法学方面的家学渊源,他于 1774 年在蒙彼利埃的间接税法院任推事,1791 年任该地的刑事法庭庭长。1792 年选入国民公会,投票赞成判处路易十六死刑,但认为仅在法国受到侵略时才予以执行。他和梅兰先后提出的两个民法典草案均未获通过。1794 年 11 月以后任救国委员会委员,掌管外交事务,翌年在与托斯卡纳、普鲁士、荷兰和西班牙缔结和约时起过关键性的作用。国民公会解散后,任五百人院议员。他参加起草的第 3 个民法典草案没有经过辩论。1797 年 5 月落选,改业律师。1799 年 7 月出任司法部长,协助拿破仑和西哀士部署共和 8 年雾月 18 日的政变(1799-11-09)。同年 12 月任第二执政。1802 年为确立拿破仑为终身执政官,他曾作出重大贡献。1804 年任大法官,1808 年受封为帕尔马公爵。他主持元老院,并按惯例主持国务会议,在拿破仑外出时行使广泛的权力。

Cambay 坎贝 又称肯帕德。印度中西部古吉拉特邦中东部城镇。位于坎贝湾顶端,默希河河口。马可波罗于 1293 年曾提及此镇是一繁忙的港口。15 世纪末仍为繁荣港市。后由于坎贝湾淤塞而衰落。曾是坎贝土邦首府,1949 年并入盖拉县。为棉花、谷物、烟草、纺织品与挂毯贸易中心。纺织占居重要地位,也生产盐、火柴和石制装饰品等。20 世纪 70 年代开始开发当地石油。是一条铁路线的终点站,有重要公路通该城镇。人口 76 724(1991)。

Cambay, Gulf of 坎贝湾 又称肯帕德湾。阿拉伯海一喇叭形小海湾。向北伸入印度西部古吉拉特邦,在孟买和卡提阿瓦半岛之间。湾口在第乌和达曼之间宽 190 千米,但不远

处便只有 24 千米宽。注入该湾的有萨巴尔马蒂、默希、讷尔默达和达布蒂等河流。潮水高达 12 米。沙洲与沙岸不利于航行,湾内所有港口都有淤塞问题。布罗奇与苏拉特为东岸港口,坎贝港位于湾顶。沿岸和近海的孟买高地发现并开采石油,使当地商业经济有所恢复。

Cambert, Robert　康贝尔(1628,法国巴黎～1677,英国伦敦)　法国第一位歌剧作曲家。但"歌剧"一词的戏剧含义并未表现于他的任何作品。曾师从拨弦键琴作曲家雅克·尚博尼埃,1666 年任法国王太后安娜(奥地利的)的音乐主管。1659 年与诗人彼埃尔·佩兰合作创作第一部舞台剧《伊西田园剧》。1669 年路易十四授予康贝尔和佩兰在法国独家上演歌剧的权利。他们创办了第一所皇家音乐学院,并于 1671 年开幕时上演他们的巨作、5 幕田园歌剧《波蒙》。但是,1672 年吕里设法从康贝尔手中夺过皇帝赐予的"歌剧特权",结果康贝尔离开法国前往英国。他的两部歌剧在伦敦上演;曾在科文特加登创办一所存在时间很短的皇家音乐学院。卒于伦敦,据传为一仆人下毒致死。

Cambio, Arnolfo di(Italian sculptor and architect)　**坎比奥**　参阅 **Arnolfo di Cambio 阿诺尔福**。

cambium　形成层　植物木质部与韧皮部之间的一层分裂旺盛的细胞,形成根与茎的次生构造。理论上讲,形成层只有一层细胞,称原始细胞;但实际上很难区分原始细胞及其尚未分化的子细胞,所以常把几层细胞统称为形成层或形成层带。形成层向茎的中轴方向分裂而形成新的木质部细胞,向外分裂而形成新的韧皮部细胞。形成层起源于未分化、但保持胚性的增生和分化能力的细胞。愈伤组织内也可形成形成层。

Cambodia　柬埔寨　又拼 Kampuchea。前称柬埔寨王国(至 1970)、高棉共和国(1970～1976)、民主柬埔寨(1976～1979)、柬埔寨人民共和国(1979～1989)。位于东南亚印度支那半岛西南的国家。柬埔寨自北至南最长 450 千米,从东到西最宽 580 千米。西部和西北部邻泰国,东北部与老挝相接,东部和东南部与越南相邻,西南部濒泰国湾。首都金边。面积 181 036 平方千米。人口约 13 414 000(2002)。

土地　柬埔寨的地形特征主要为广大的中部平原(约占全部国土的 3/4)和自北向南流过该国东部的湄公河。低而肥沃的中部冲积平原位于洞里萨湖周围,湖水经洞里萨河向东注入湄公河。中部平原的东面和东北面是东部高原(平均海拔 360 米),北面是扁担山脉(平均海拔 490 米),西南面是偏僻而大多无人居住的豆蔻山脉和象山山脉。湄公河流经柬埔寨的大部分地区,在其境内绵延约 505 千米。每年汛期,它在宽阔的岸边留下丰富的沉积物,并为无数稻田提供自然灌溉。

柬埔寨具热带季风气候,平均气温在 1 月的 28 ℃到 4 月的 35 ℃间变化。(大多来自西南季风的)年降雨量在西南部面海山坡的 5 000 毫米和中部平原的 1 400 毫米间变化。其气候颇宜于植物生长,国内约 3/4 土地为森林所覆盖。动物有象、野牛、豹和熊等。

人民　人口中的大多数属于孟-高棉种族集团。高棉人自己亦是由不同种族混合而成的,他们数世纪来互相通婚,其中有印度人、印度-马来亚人、泰人、越南人和中国人。人们普遍信仰上座部(小乘)佛教。据估计,居民 9/10 为佛教徒。

经济　柬埔寨经济正在发展之中,为世界上最贫穷的国家之一。农业占用了 3/4 的劳动力,以自给农业为主。稻米为主要作物。橡胶则为主要的经济作物。当局曾成功地鼓励农民种植本地的稻种,它们比进口稻种的发芽率高。木薯、甘蔗、甘薯和玉米亦少量种植。牲畜(主要是牛、猪和水牛)饲养和海上捕鱼也已有所发展。

制造业居次要地位,且多为本地种植的橡胶、稻米及其他农产品的加工业。橡胶、农产品和木材(如柚木)有少量出口。大部分的资本货物和消费品要依赖外国。

公路仅约 1/5 铺有路面。内陆航运集中在湄公河、洞里萨河及洞里萨湖。主要的深水港是泰国湾中的磅逊。金边附近有国际机场。

政体和社会状况　从 1975～1979 年,柬埔寨在共产党红色高棉的统治下,是一个极权国家;后在 1979～1991 年,又由一个受邻国越南支持的较为温和的共产党领导。1991 年后,在联合国的监督下建立了临时政府。1993 年为成立一个新的国会举行了自由的多党大选。新宪法正式通过,规定在该国实行君主立宪制,由诺罗敦·西哈努克亲王领导一个除红色高棉以外所有大党组成的联合政府。

疟疾和血吸虫病等传染性疾病十分流行,营养不良也很普遍。教育体系由小学、中学和高等院校组成。已开始对 6～12 岁的儿童实行义务教育。

历史　公元前 2 千纪至公元前 1 千纪,今柬埔寨地方居住着新石器时代人。高棉文明的发展可明显地分为几个时期。第一个时期从公元 1 世纪开始,直到 8 世纪,当时境内有扶南、真腊这样多少还是分散的印度教-佛教小王国。8 世纪末和 9 世纪初,阇耶跋摩二世奠定了一个王国的基础。到 10 世纪初,该王国在吴哥稳固地建立起来。这一时期史称高棉文明的古典时期(802～1432)。

阇耶跋摩的继承者们在吴哥建造了伟大的纪念性建筑。高棉帝国的威势在 12 世纪苏耶跋摩二世在位时达到顶峰,他营造了吴哥窟宗教建筑群。他的军队在西面远达北暹罗(今泰国北部),在东面进入了红河三角洲(在今越南)。高棉帝国的国力建立在水稻灌溉栽培的良好体系和组织稠密的官僚制度对人力的有效控制之上。13 世纪初期,阇耶跋摩七世将帝国的疆界扩大到前所未有的地步,但是到 13 世纪和 14 世纪它便很快瓦解了。几代统治者的懦弱导致了内部的动乱,邻国趁机来攻。同时,佛教开始动摇一向以印度教为基础的等级制度,更增加了局势的困难。到 15 世纪,高棉人已经无力保卫自己的国都吴哥。

此后 400 年为政治和社会的衰落时期。高棉统治者不断陷入同越南和暹罗的战争,并多次臣服于这一国或那一国。

1864 年,法国人在这里建立了一个保护国。这个保护国一直存在到第二次世界大战以后,柬埔寨成为法兰西联邦内的自治国。大战期间,日本人占领了该国,但没有触动维希法国行政体制。1941 年,法国人将诺罗敦·西哈努克亲王扶上王位。1953 年,柬埔寨脱离法国独立。翌年,西哈努克政府获得承认,成为该国合法政权。

西哈努克治国有方,而其国策的基石之一即是不偏向越南战争中的任何一方。他的统治在 1970 年结束,朗诺将军和其他反对默许越南共产党人留在柬埔寨的人废黜了他。

朗诺试图结束越南人的存在,并镇压名为红色高棉的柬埔寨共产党小团体,但因此搞垮了国家。1970 年代初美国对许多地区大规模而又常常是不加区别的轰炸,破坏了自己同很大一部分柬埔寨人的关系,遂使红色高棉得以通过募兵迅速壮大起来。尽管有美国的援助,朗诺政府还是在 1975 年被红色高

美国不列颠百科全书公司供图

棉推翻了。1976年民主柬埔寨共和国宣布成立,红色高棉领袖波尔布特出任总理。次年,柬埔寨共产党被正式承认为该国的执政机构。

1975年红色高棉占领金边后,即将居民清离城市。其他城市的人口亦被强行迁居农村,大搞挖掘巨型灌渠和其他公共工程,以推进农业生产。悲惨的生活和工作条件导致了全国性的饥荒和瘟疫。这些,再加上红色高棉有计划地消灭受过教育的人、中产阶级和其他所有被视为与现政权敌对的人,到1979年,柬埔寨人至少死了100万。红色高棉对于它强大的邻国越南采取了好斗的姿态,遂使后者于1979年发动武装入侵,把它赶到了西部的穷乡僻壤。越南人建立了一个大多由叛离红色高棉的人组成而又听命于己的政府。与前一政权相比,这个社会主义政府较为宽仁,但是由于外援不足,缺乏熟练的技术人员和专业人才,其重建国家的努力步履维艰。与此同时,红色高棉游击队、越南支持的政府以及拥护柬埔寨王室并且反共的派系之间的斗争却在继续。

1991年,在联合国的主持下,柬埔寨大多数派系之间达成了一项和平协议。1993年,一个在联合国监督下的临时政府组织了自由选举。不久,西哈努克以国家元首身份回国,领导一个联合政府。反对这个政府的只有红色高棉。20世纪90年代红色高棉组织解散,其领袖波尔布特去世。1998年通过自由选举产生了新的联合政府,并且加入东南亚国家联盟。2000年联合国积极筹划使仍在世的红色高棉领导人接受国际法庭的审判。

Cambodian language 柬埔寨语 参阅**Khmer language** 高棉语。

camboge (resin) 参阅 **gamboge** 藤黄树脂。

Cambon, Joseph 康邦(1756-06-10,法国蒙彼利埃～1820-02-15,荷兰布鲁塞尔附近[今在比利时]) 法国财政官,力图稳定1791～1795年法国革命政府的财政,获得相当大的

美国不列颠百科全书公司供图

成功。1789年大革命爆发时,康邦是蒙彼利埃的富商。在任立法议会议员时期(1791-10～1792-09),他专门从事财政工作。在选入接替立法议会的国民公会后,他最初加入温和的吉伦特派以反对比较激进的山岳派。1792年12月15日,他设法通过了一项法令,规定在法军征服的领土内没收贵族和教会的财产。1793年1月与大多数议员一起投票赞成处死国王路易十六(1793-01),4月6日至7月10日任第一届公安委员会委员。在负责财政和国库委员会工作期间,他用减少纸币流通量的办法遏制通货膨胀。8月24日他制订了"公共债务总册",登记全国的债务人。由于雅各宾派领袖罗伯斯比尔力图使一切权力集中于第二届公安委员会,从而威胁他作为财政负责人的独立地位,他参加了使罗伯斯比尔于热月9日(1794-07-27)垮台的密谋集团。在随之来到的反对雅各宾派的热月党反动统治期间,康邦被撤去了财政委员会的职务(1795-04),他隐藏起来,直至雾月4日(1795-10-26)大赦。在以后的20年中,他在蒙彼利埃附近他的庄园里过着平静的生活。后选入拿破仑"百日"时期(1815-03-07)的立法议会,1816年国王路易十八复位后流亡他乡。

Cambon, Jules 康邦(1845-04-05,法国巴黎～1935-09-19,瑞士沃韦) 法国外交家,对1898年美国与西班牙的和平谈判起过重要作用,对第一次世界大战前十年法国对德政策的制定具有影响。初习法律,在1870～1871年普法战争中服役后,从事地方行政工作。1878年6月任阿尔及利亚君士坦丁省省长,后任巴黎市秘书长、诺尔省和罗讷省省长。1891年1月任阿尔及利亚总督,政绩斐然。1897年10月被任命为驻美大使,协助谈成美西战争后的和约。1902～1907年任驻西班牙大使,1907～1914年任驻德国大使,与其兄保罗(任驻英大使)一起,致力于防止与德国发生战争。1914年第一次世界大战开始后返回巴黎,1915年任外交部秘书长。凡尔赛和会期间任希腊、捷克和波兰事务委员会主席。1918年当选为法兰西学院院士,1919～1931年任监督凡尔赛和约条款实施的大使会议的主席。

Cambon, Paul 康邦(1843-01-20,法国巴黎～1924-05-29,巴黎) 全名Pierre-Paul Cambon。法国外交家,1898～1920年任驻英大使期间,为缔结英法联盟——《英法协约》做过贡献。1870年毕业于法律系,是一位热心的共和主义者。曾为当时任巴黎市长的J.费里充当秘书。1871年4月被派往罗讷河口省任省政府秘书长,后在其他省任职。1882年2月,费里任命他为常驻突尼斯公使,他成功地使突尼斯成为法国的保护国。1891年8月起任驻西班牙大使,后任驻土耳其大使,曾致力于英国撤出埃及的谈判,遭到失败。1898年8月,在法绍达危机严重紧张之际,他出任驻英国大使,致力于改善法英关系,签订了1904年4月8日协定,通称《英法协约》。它的直接结果是:在法国与德国因摩洛哥问题发生的冲突(1905～1906和1911)中加强了法国的地位,从长远看,则为第一次世界大战中结成反对同盟国的联盟创造了条件。在第一次世界大战中,他对两个盟国之间的合作继续发挥了重大作用。在1920年2月担任凡尔赛和会土耳其委员会法国代表后,辞去大使职务。退休后被选为伦理和政治科学院院士。

Cambrai 康布雷 法国北部北加来海峡大区北部省城镇。位于鲁贝南部,临埃斯科河。罗马统治时期被称作卡马拉比姆。1227年公民从主教处获得各种权利之前一直受野蛮的侵略和不受欢迎的外国教士统治。1508年在此建立对抗威尼斯的康布雷联盟。1529年,神圣罗马帝国皇帝查理五世和法王弗兰西斯一世在此签订条约。两次世界大战中均被德国人占领,并被劫掠,也都重新修复。1914年以前有兴旺的纺织业。现为农业区的中心,盛产甜菜、亚麻、谷类、饲料、牛和乳制品。工业有纺织、建筑设备、木工和食品加工等行业。该城的历史建筑和艺术博物馆带动了旅游业的发展。人口33 738(1999)。

Cambrai, Battle of 康布雷战役 第一次世界大战期间英国在西线发动的攻势(1917年11～12月),这标志着坦克第一次在战争中大规模有效的使用。

攻势由第3军在将军朱利安·宾爵士指挥下进行,以减轻法国战线的压力。在法国北部康布雷之西约13千米处,沿16千米长的战线向德国的兴登堡防线发动突袭。选定的地形是起伏的白垩丘陵地,特别适合坦克行动。英军为这次攻势集中了19个师,由坦克(共有476辆,其中约324辆参加战斗)和5个骑兵师支援。战斗开始时由英军8个师向德军3个师发起进攻。

11月20日英军发起突然袭击,英军坦克突破德军防线,向纵深发展,以伤亡很小的代价抓获约7 500名俘虏。然而,天气恶劣,装甲兵部队无法扩大突破口,也没有足够的步兵增援。到11月29日,在前进了约10千米后,攻势停止。11月30日德军用20个师反攻,到12月5日英军几乎被赶回到进攻前的阵地。双方伤亡人数大致相等——都是4.5万人。尽管英军未能扩展坦克最初取得的成功,但是这次战役表明装甲部队是决定西线战斗胜负的关键。

Cambrai, League of 康布雷联盟 1508年12月10日教皇尤里乌斯二世、神圣罗马皇帝马克西米连一世、法国路易十二和阿拉贡的斐迪南二世之间成立的的联盟。表面上反对土耳其人,实际上是为了进攻威尼斯共和国,并在盟国之间瓜分其领土。曼图亚和费拉拉也参加了联盟。两者都有领土被威尼斯占领,因此联盟答应他们收复失地。尽管彼此信誓旦旦,4个联盟者各有野心,不能一致行动。唯一重要的军事行动是1509年5月14日,法国在米兰东部阿纳迪洛战胜威尼斯,这块领土几年前由法国割让给威尼斯。直到3月教皇才加入联盟,收复了在教皇亚历山大六世死后被威尼斯强占的罗马尼阿的一些城市;马克西米连占领了维罗纳、维琴察和伦巴第的帕多瓦;斐迪南收回了意大利南部阿普利亚领土,包括布林迪西港。联盟于1510年瓦解。

Cambrai, Treaty of 《康布雷条约》 又称"夫人和约"。1529年8月3日签订,它使法国弗兰西斯一世和哈布斯堡皇帝查理五世之间的战争告一段落,暂时确定了西班牙(哈布

斯堡)在意大利的霸主地位。1528 年查理的新教徒雇佣军洗劫罗马后,法国宣战,并进入米兰和那不勒斯。但由于热那亚舰队倒向帝国,致使胜利化为泡影,双方精疲力尽,军费短缺。随后双方缔结的条约被称作"夫人和约",因为议订条约的人是弗兰西斯的母亲(子不在时摄政)、萨伏依的路易丝和查理的姑母、荷兰的摄政者、奥地利的玛格丽特。弗兰西斯放弃了对意大利的要求和作为弗兰德斯和阿图瓦的大君主的权利;作为交换,查理同意不向勃艮第提出要求,而接受金钱作为释放被扣留的两位法国亲王的赎金。弗兰西斯抛弃了盟国,并接受了波旁和奥伦治亲王的领地。但意大利战争又起,因为法国企图取代西班牙成为半岛的统治者,对意大利进行了 3 次不成功的进攻。1559 年法国最终放弃这个企图,缔结了《卡托-康布雷齐和约》。

Cambrian period 寒武纪 古生代最老的一个时间划分单位,延续范围从 5.70 亿年前至 5.05 亿年前。在这段地质时期内所形成的岩石构成寒武系,其中含有丰富多样生物形式的最早的记录。寒武纪常被划分成早寒武世(5.70 亿年前至 5.40 亿年前)、中寒武世(5.40 亿年前至 5.23 亿年前)及晚寒武世(5.23亿年前至 5.05 亿年前)。

寒武纪地层在所有大陆上都有广泛分布。大部分是沉积成因,而且很多显示出,有在远远侵入到大陆内部的浅海里或其附近堆积的证据。已发现,有些这样的陆缘海堆积物有几千米厚。

化石资料和古地磁数据表明,大陆块在寒武纪期间是分散的,但没有一块大陆位于两极地区内。主要大陆之一,劳伦古大陆,大部分由北美洲和格陵兰构成,其位置在大部甚至全部寒武纪时期始终横跨赤道两侧。另一块小些的叫波罗的海古陆(Baltica)的大陆则位于南半球的中纬度至高纬度上。波罗的海古陆主要由欧洲北部构成,此外还有现在的斯堪的纳维亚地区。寒武纪大陆中最大的是冈瓦纳古大陆,基本上由现在的南美洲、非洲、欧洲南部、中东的一大部分、印度、澳大利亚,以及南极洲的很大部分构成,分布范围从北半球的低纬度到南半球的高纬度。据认为,被称做外来地体的若干地壳碎块当时分布在现在构成非洲北部的冈瓦纳古大陆的边缘附近或连接在边缘上。还有其他几个小地块(例如西伯利亚地块和哈萨克斯坦地块)分布在低纬度上。这些小地块很可能由单独的岩石圈板块(即造成地球表面的庞大的刚性地壳厚片和上层地幔)所构成。

寒武纪是大地构造活动相对不大的一个纪,代表从前寒武纪末的大陆分裂到古生代晚期大陆增长的过渡。地质资料表明,在寒武纪期间岩石圈板块没有碰撞,也没有连带的造山现象。不过岩石记录中存在着有限火山活动的迹象——特别是与火山岛弧相结合的活动,这种活动显示有某些板块构造活动存在。

寒武纪的自然景色十分荒凉,有点近似月球的景色,因为大地面上既无植物又无动物。寒武纪的一般气候据认为比现在更温暖些,也更稳定些。这一情况的证据是寒武纪的冰川堆积物完全不存在和碳酸盐堆积物分布广泛,这种堆积物今天只在世界上的暖温带和热带地区中形成。寒武纪早期的蒸发岩层序在现在的西伯利亚南部和美国东部一些地区的堆积更进一步显示,当时的气候条件为温暖到炎热。

没有寒武纪的陆生的或淡水生的植物群和动物群的化石记录,在寒武纪地层中也没有发现脊椎动物化石。已知的寒武纪生物区只限于海洋环境。寒武纪地层中的化石包括了大多数动物门的最古老的代表,它们或具有矿物化的外壳,或具有骨骼。这一类动物的主要形态是三叶虫,为节肢动物中与现代鲎有远缘关系的一个大的亚科。由于这个缘故,寒武纪有时被称为"三叶虫时代"。其他重要动物科当中有笔石类、牙形石类、环节动物类、腕足类、脊索动物类、栉水母动物类、棘皮动物类、软体动物类、海绵类。在寒武纪期间还繁殖着多种多样的藻类和藻状生物。

cambric 细纺 又称细薄布。法国康布雷最先制造的轻薄细密的平纹棉布,原为一种细薄的亚麻织物。1595 年时印花细纺在伦敦用作镶边、袖口以及轮状皱领。现代的细纺用上等美国棉或埃及棉制造,经纬纱线的支数为 60 ～ 80 支,一般经轻度轧光使织物的一面稍有光泽。细纺可以漂白或匹染。品质较低的经平滑光亮整理。它重量轻,适于缝纫,质地好,经过上浆,手感滑爽。由于细纺洗涤方便,极适宜用作手帕、儿童服装、外衣、衬衫与睡衣。

Cambridge 剑桥 加拿大安大略省东南部城市,属滑铁卢自治区。在多伦多西南偏西 90 千米处。1973 年由 19 世纪初有人定居的赫斯佩勒(采石业中心)和普雷斯顿(著名温泉疗养地)、戈尔特市(建于 1817)以及滑铁卢和北郑弗里斯镇的部分地区合并而成。现为安大略重工业区之一。金属制造和机械工业发达。人口92 772(1991)。

Cambridge 剑桥 英格兰剑桥郡的一个城市),面积 41 平方千米,是世界著名的剑桥大学所在地。位于沼泽地区(稍高于海平面的平缓冲积地区)南侧,海拔仅为 6 ～ 24 米。该城大部建于乌斯河支流卡姆河东岸。郊区延伸至河对岸,但近代向西的发展主要限于剑桥大学的扩展。

剑桥原为渡口,有土木建筑,包括城堡丘和古罗马遗迹。以后在马基特希尔另建一个居民点。11 和 12 世纪先后建起巴恩韦尔小修道院和本笃会女修道院;1496 年两地改为耶稣学院。1207 年该地首次获准设建制。自欧洲中世纪以来,一直有政府官员,从未中断,颇引人注目。同业公会的历史也很有趣。1352 年该城的同业公会创办基督圣体学院。

今日剑桥被人称为"也许是英国唯一真正的大学城。"几乎所有出色的建筑物均为大学和学院的建筑。有许多公园和空地,包括耶稣绿地和仲夏绿地、希普斯绿地、拉马斯公园、基督公园、帕克公园、大学植物园(业经发展、扩大和改造)和巴克斯公园,使城市大为生色。巴克斯是风景如画的草坪和花园,卡姆河在几个主要学院的后面蜿蜒流过,这些学院有王后学院、国王学院、克莱尔学院、三一学院、圣约翰学院和马格达伦学院。卡姆河上有许多漂亮的桥,最为著名的有塞斯桥(圣约翰学院,1827 ～ 1831);克莱尔学院的石桥,桥栏上有大石球(1638 ～ 1640);以及王后学院的所谓"数学桥"。卡姆河东岸金斯大街沿路朝国王学院一侧有 15 世纪圣马利亚大教堂和许多漂亮的商店。国王学院有小教堂和大学评议会大楼(建于 1722 ～ 1730 年,由詹姆斯·吉布斯设计)。剑桥最著名的国王学院小教堂(1446 ～ 1515)由亨利六世设计,是他从未彻底实现的宏大计划的一部分。这座小教堂有一些著名的特色,如大拱壁、高塔尖、高穹顶、报信装置和壮观的彩色玻璃窗。

剑桥其他著名的教堂包括具有撒克逊式钟楼的圣贝内特教堂、重建的诺曼式圣墓教堂(英国仅有的四座圆形教堂之一)和圣爱德华教堂。**菲茨威廉博物馆(Fitzwilliam Museum**,1837 ～1841)位于特兰平顿大街,这条街是金斯大街的延伸。卡姆河西岸是用红砖建造的大学图书馆(1931 ～ 1934)。卡斯特街马格达伦学院附近有剑桥和福克郡博物馆。

剑桥与南面 97 千米处的伦敦有公路和铁路相通。中世纪时卡姆河广泛用于水路交通。在每年一度的斯陶尔布里奇交易会期间,当地的码头设施(现已逐渐消失)使用量很大。现在卡姆河广泛用于划船、撑船和划独木舟娱乐。

剑桥大学的基督圣体学院

美国不列颠百科全书公司供图

剑桥工业范围很广，但从城市中心看并不引人注目。有在很大程度上依赖与大学和学院的联系及订货的各类工业，如建筑、印刷、仪器制造和其他有密切关系的工业，如电子工业等。面粉加工厂、沥青厂和水泥厂亦占重要地位。有几家世界著名的大型新、旧书店。还有许多专营古董的商店。除了有其他行政机构外，剑桥还是南剑桥（South Cambridgeshire）区首府。人口约 120 600（1998）。

Cambridge 剑桥 美国马里兰州东部城市，多切斯特县的县城（1686）。位于查普唐克河南岸。1684 年始建。为种植园港口。1686年以英国剑桥市命名。原只有沿海航运

剑桥市的古三一教堂
美国不列颠百科全书公司供图

业。增设远洋设施，建为海运终端港（1964）后，成为国际贸易海港。工业有造船、食品加工、海味罐头、伐木制材及轻工制造等。附近有古三一教堂（1675）等殖民时代的建筑。市南有布莱克沃特国家野生动物保护区。1793 年设镇，1884 年设市。人口 10 911（2000）。

Cambridge 剑桥 美国马萨诸塞州东部城市，米德尔塞克斯两县城之一（另一为洛厄尔）。位于查尔斯河北岸，与波士顿隔河相望。1630年创建。1636年创办哈佛学院（现

剑桥市的朗费罗故居
美国不列颠百科全书公司供图

为哈佛大学本科生院）时设镇，1643 年成为县府所在地。1846 年设市。哈佛广场一带老区被视为美国文化和历史的象征。独立战争爆发时，第一支美国军队驻扎在今剑桥公地。1775 年 7 月 3 日 G.华盛顿在该公地就任大陆军总司令。首届马萨诸塞州制宪会议（1779 ～ 1780）在此召开。早期工业发展缓慢。1638 年创办殖民地第一家印刷所，出版了美洲的第一批书籍。20 世纪末多数制造业逐渐衰落，被新兴产业取代，如计算机软件、电子和生物技术。亦有照相器材和其他轻型制造业。服务业占主导。高等院校提供大量就业机会。哈佛大学和麻省理工学院建立后，其在科学和工业技术研究方面的地位日益重要。设有拉德克利夫学院（1879）、莱斯利学院（1909）和圣公会神学院（1867）、史密森天体物理观测台总部。该市为多位名人的居住地。诗人 H.W.朗费罗、诗人兼外交家 J.R.洛威尔、医生兼作家 O.W.霍姆斯、基督教科学派创始人 M.B.艾娣和演员 E.布思葬在当地奥本山公墓。克雷吉-朗费罗宅邸（1759）曾为华盛顿统帅部（1775 ～ 1776）和朗费罗的住所（1837 ～ 1882），现辟为朗费罗国家历史遗址。城市人口曾多达 120 740（1950），后随着工业迁往远郊区而人口下降。80 年代和 90 年代初高科技产业的兴起使得人口发展趋于稳定。1/4 的城市人口为大学生。人口 101 355（2000）。

Cambridge, EARLS, MARQUESSES, AND DUKES OF 坎布里奇伯爵、侯爵及公爵 被封为此头衔的英国贵族名。按年代顺序分列于后，并各以●为标记。

● **Cambridge, Edmund of Langley, Earl of 坎布里奇伯爵** 参阅 **York, Edmund of langley, 1st Duke of** 约克公爵（第一）。

● **Cambridge, James Hamilton, Earl of 坎布里奇伯爵** 参阅 **Hamilton, James Hamilton, 3rd Marquess and 1st Duke of** 汉密尔顿侯爵（第三）和公爵（第一）。

● **Cambridge, William Hamilton, Earl of 坎布里奇伯爵** 参阅 **Hamilton, William Hamilton, 2nd Duke of** 汉密尔顿公爵（第二）。

● **Cambridge, George Augustus, Marquess and Duke of 坎布里奇侯爵和公爵** 参阅 **George** (Great Britain) 乔治（大不列颠）项下的 **George II** 乔治二世。

● **Cambridge, Adolphus Frederick, 1st Duke of 坎布里奇公爵（第一）**（1774-02-24，英国伦敦～ 1850-07-08，伦敦） 英国陆军元帅。英王乔治三世的第 7 子。格丁根大学肄业。曾在汉诺威陆军中服役，并参加驻低地国家的英国军队，1793 年身负重伤。1801 年 11 月封坎布里奇公爵。1802 年任枢密官。1813 年晋升陆军元帅。1816 年起任汉诺威王国总督，直至 1837 年汉诺威脱离英国止。

● **Cambridge, George William Frederick Charles, 2nd Duke of 坎布里奇公爵（第二）**（1819-03-26，汉诺威汉诺威［德国］～1904-03-17，英国伦敦） 英国陆军元帅、总司令。英王乔治三世之孙。在汉诺威军队中短期服役后，1837 年成为陆军上校，1850 年继承其父公爵爵位。克里米亚战争（1854 ～ 1856）开始时，他指挥第一师，参加所有重大的战役。他的指挥才能并不杰出，只因是王室亲属，战后晋升将军（1856），1862 年晋升陆军元帅，1887 年任总司令。他因循守旧，极力抵制军事改革。1868 年格莱斯顿任首相后，坎布里奇被迫进行改革：总司令向陆军部长负责，缩短服役期等。因反对进一步改革，被迫于 1895 年辞职。

Cambridge, University of 剑桥大学 英国自治的高等学府。位于英格兰剑桥郡剑桥市的卡姆河畔，在伦敦以北 80 千米处。剑桥大学的创办时间，一般都以1209年为准，当时

剑桥大学国王学院
英国旅游事业管理局供图

牛津大学的学生们因躲避牛津大学发生的学生与市民之间的骚乱，纷纷移到剑桥市。剑桥市的市政当局为避免可能发生的麻烦，只允许学生们在一名导师的监护下居住在市内。1284 年，伊利主教雨果·德·鲍尔塞姆仿照牛津大学办法，在剑桥创建了第一所学院，即彼得豪斯学院，部分原因亦在于提供一处整齐而有秩序的居住环境。此后 300 年间，另有 15 所学院筹建起来，而在 1318 年，剑桥就由教皇约翰二十二世正式承认为一"综合学科研习（之学府）"。

剑桥大学在 1502 年以前一直声誉不高。1502 年，设置神学教授的职位，成为该校第一个教授级学衔。1511 年伊拉斯谟任教于剑桥，介绍文艺复兴中出现的新学科，贡献很多。1546 年，亨利八世设立三一学院，迄今仍为剑桥大学各学院中最大的一所。1570 年，伊丽莎白一世颁发给剑桥大学一部经过修订的校规；1571 年，国会通过法案，正式将该校建置为大学。新校规规定，将大学的有效管理职权赋予各学院院长，这一制度一直沿用将近 300 年之久。大学成员资格的确认，首先是要具备学院成员的条件。

1663 年，根据原先一名大学成员的遗嘱，设置了卢卡斯数学教授这一个学衔。6 年之后，第一位拥有这个学衔的教授辞职，由牛顿接替之，当时牛顿还是一名三一学院的青年学者。牛顿担任这个讲座 30 多年，使剑桥大学的数学研究工作有了独特的地位。到 18 世纪设置优等学位考试时，主要科目就是数学（这种考试制度被称为"三脚凳"考试，系由原来的考生答辩时所坐三脚凳得名；根据答辩中的辩论风格而列入第一级的候选者被称做"优秀论辩手"）。1824 年，设置了古典学科三脚凳优等学士学位考试；1851 年，又增设了自然科学和道德科学方面的考试。

1871 年，剑桥大学设置卡文迪什实验物理学教授这一讲座，并开始创建卡文迪什实验室。J. C.麦克斯韦原是 1854 年的第二优秀论辩手，这时担任了第一位卡文迪什物理教授，开创了剑桥大学物理学研究方面的领导地位。这个领导地位由 J. J.汤姆孙和 E.卢瑟福继续保持下去。同样也是在剑桥大

学,由M.F.佩鲁茨和J.C.肯德鲁合作的研究小组以及由F.克里克和J.沃森合作的研究小组,曾阐明蛋白质的结构和双螺旋脱氧核糖核酸的结构,因而建立了分子生物学这门新学科。在更早的年代,F.G.霍普金斯曾在卡文迪什实验室工作过,他大概比任何人都有资格被誉为生物化学之父。著名的剑桥学者在其他领域尚有博物学家达尔文、经济学家凯恩斯、历史学家特里维廉。

剑桥大学的学院和学院级机构有:基督学院(1505)、丘吉尔学院(1960)、克莱尔学院(1326)、克莱尔霍尔学院(1966)、基督圣体学院(1352)、达尔文学院(1964)、唐宁学院(1800)、伊曼纽尔学院(1584)、菲茨威廉学院(1869)、格顿学院(1869)、冈维尔与凯厄斯学院(1348)、霍默顿学院(1977)、休斯霍尔学院(1885)、耶稣学院(1496)、国王学院(1441)、露西·卡文迪什学院(1965)、马格达伦学院(1542)、纽霍尔学院(1954)、纽纳姆学院(1871)、彭布罗克学院(1347)、彼得豪斯学院(1284)、女王学院(1448)、鲁滨逊学院(1977)、圣凯瑟林学院(1473)、圣埃德蒙学院(1896)、圣约翰学院(1511)、塞尔文学院(1882)、西德尼·萨赛克斯学院(1596)、三一学院(1546)、三一霍尔学院(1350)、沃尔夫森学院(1965)。

许多学院建筑物富有历史意义和传统色彩。国王学院礼拜堂始建于1446年,现在仍是不列颠最宏伟的建筑物之一。诗人弥尔顿据传曾在基督学院一棵桑树下面写出其著名挽歌《利西达斯》,桑树依然枝叶扶疏。S.佩皮斯的藏书迄今仍放置于原来的箱箧之中,现藏马格达伦学院。彭布罗克学院的礼拜堂和伊曼纽尔学院的礼拜堂,都是由C.雷恩设计的。卡姆河沿岸各学院的花园和隙地联成一片独特的混合景观,有大型建筑物,有天然园林和人工花园,还有泛舟河上的学子们,互为映衬,号称"后校园"。

剑桥大学图书馆藏书逾300万卷,而且是大不列颠各出版部门例行赠阅新书的少数图书馆之一。著名藏品有:阿克顿藏书收集中古史、宗教史及现代史著作多种;W.G.阿斯顿所藏日本图书;达尔文的论文及有关文献资料;还有威妥玛收集的中文图书。

菲茨威廉博物馆藏有埃及、希腊及罗马古文物珍品;中古时期及现代手稿;欧洲艺术大师们的绘画以及其他艺术品。

Cambridge Agreement 《剑桥协定》(1629-08-26) 马萨诸塞湾公司的英国清教徒股东在英国剑桥所作的保证:如果殖民地政府迁往新英格兰,他们将移居该地。公司接受了他们的条件,把公司的管理权移交给协定的签署人,并任命J.温思罗普为总督。翌年,温思罗普率许多清教徒迁往波士顿地区定居。

Cambridge critics 剑桥评论家 从20世纪20年代中期开始在英国文学的研究中具有重大影响的一些文人,他们建立了有严格文艺批评标准的学派。该派领导人为剑桥大学的I.A.理查兹和F.R.利维斯,以及理查兹的学生W.燕卜荪。当时剑桥大学在许多领域出类拔萃:E.卢瑟福在卡文迪什实验室的科学实验工作,凯恩斯的经济理论,特别是维特根斯坦对哲学、语言分析和语义学的大胆研究,都有助于形成剑桥文学批评家的观点。基本英语的创始人奥格登曾在剑桥大学同理查兹一起进行过语言研究。这些评论家依据对文学作品原文的仔细研究进行批评。剑桥派的批评并不局限于某种类型,它的分析态度、严格要求以及对于纯欣赏性写作的蔑视是由于他们在哲学、语言学、心理学和社会科学等方面都受过严格的训练并对之感兴趣,同时还由于他们阅读了大量的文学作品。

Cambridge Flag 剑桥旗 参阅 **Grand Union Flag 大联邦旗**。

Cambridge Platform 《剑桥纲领》 美国新英格兰基督教公理宗的基本文献。1648年制订于马萨诸塞州剑桥,在教义方面吸收了1646年在英格兰制订的长老宗信纲《威斯敏斯特信纲》的内容。

Cambridge Platonists 剑桥柏拉图派 17世纪英国的一个哲学-宗教思想家集团。他们想把基督教伦理学和文艺复兴时期的人文主义、宗教和新科学、信仰和理性加以调和。其领袖为本杰明·惠奇科特,他在布道中详细解释了使他们联成一派的基督教人文主义。他在剑桥的主要信徒有拉尔夫·卡德沃思、亨利·莫尔和约翰·史密斯。剑桥柏拉图派训练得像清教徒一样,他们反对强调神权任意性的加尔文主义者。他们认为政治哲学家托马斯·霍布斯和加尔文主义者全都错在认定道德是对意志的顺从。柏拉图派主张道德本质上是理性的,善良的人对于善的热爱同时也就是对其本性的一种理解,即使上帝也不能靠绝对权力来改变它。他们否认基督教的实质是宗教仪式、教会政体或琐细的教义。做一个基督徒就是分享神的智慧,并且自由选择无论什么样的宗教组织形式,只要它能证实确有益处。

Cambridgeshire 剑桥郡 英格兰东部的行政、地理和历史郡。行政郡所辖范围超出历史郡。1974年行政区划改组时将剑桥历史郡和亨廷登历史郡的大部分地区并入。行政郡包括东剑桥、芬伦德、亨廷登、南剑桥和剑桥市5个区和大奇希尔附近地区。地理郡包括整个行政郡和彼得伯勒自治市。该郡北海沃什湾沿岸有低矮的丘陵。海湾南半部现已排干并填筑成沼泽地带。沼地中低丘原为岛屿,其中最大岛伊利岛曾是反抗诺曼征服的英国人的隐避地。境内有宁河和大乌斯河及后者支流卡姆河流经。东部种植谷物,沼地出产谷物、马铃薯、甜菜和蔬菜。岛屿坡地和威斯贝奇附近产水果。大部分地区有食品工业。彼得伯勒是主要制造业中心,剑桥有科学仪器制造等轻工业。南缘丘陵地带有剑桥(主要为大学)和伦敦的住宅区。面积:行政郡3 053平方千米;地理郡3 387平方千米。人口:行政郡547 300;地理郡703 800(1999)。

Cambyses 冈比西斯 古波斯语作Kambujia。古波斯统治者名。按年代顺序分列于后,并各以●为标记。

● Cambyses I 冈比西斯一世(活动时期公元前6世纪) 公元前约600~前559年安申的统治者。居鲁士一世之子。在安申(埃兰苏萨的西北部)承继父位,为米底国王阿斯提亚格斯的藩臣。据公元前5世纪的希腊历史家希罗多德记述,冈比西斯与阿斯提亚格斯的一个女儿结婚,生下居鲁士大帝二世。

● Cambyses II 冈比西斯二世(活动时期公元前6世纪) 波斯阿契美尼德王朝国王(公元前529~前522在位)。居鲁士大帝二世之长子。父王在世时任巴比伦总督。即位后远征埃及。在埃及期间又计划征服埃塞俄比亚、阿蒙绿洲和迦太基。他亲自出征埃塞俄比亚,但在该国北部因粮绝而还师。另一支军队向阿蒙绿洲推进,但在途中被沙暴吞没,于是放弃进攻迦太基。冈比西斯从埃及返回时,叙利亚已发生叛乱。公元前522年夏自杀身亡或死于一次意外事故。

Camden 卡姆登 澳大利亚新南威尔士州东部城镇。位于南部高地霍克斯堡河尼平段。原为牧牛场。从1889年起,乳品业成为该地区主要经济项目。其他有采煤、畜牧业,种植水果、葡萄和蔬菜。通往悉尼的休姆公路经此。人口32 109(1996)。

Camden 卡姆登 英格兰伦敦一自治市。属米德尔塞克斯历史郡。位于威斯敏斯特和伦敦市北面,历史上是伦敦的中心。面积22平方千米。19世纪通铁路后建立铁路终端站。随着人口增长、水运和铁路的发展,村庄不断扩大,耕地面积减少。市南部的哈顿公园是钻石和金银交易中心,克拉肯韦尔附近有传统钟表和精密仪器商店。卡姆登镇仍生产家具和钢琴。19世纪显著的建筑有圣潘克勒斯教堂(1822)、不列颠博物馆(1823~1847)和大学学院(1828),以及坐落于布卢姆斯伯里的伦敦大学研究所、学院和议会大厦。新建的建筑物有189米高的邮政大厦和一些综合办公楼。该市是一个多民族共同生活的城市。早在17世纪,希腊与爱尔兰人在此定居。后意大利人与德国人迁入。20世纪中期,建立起一个大的塞浦路斯居民区,少数民族占总人口的1/5,其中1/3为南亚人(以印度人、巴基斯坦人和孟加拉人为主)。人口约188 600(1998)。

Camden 卡姆登 美国阿肯色州中南部城市沃希托县县城(1843)。位于沃希托河畔的峭壁之上。1783年始有人定居。1824年后建轮船码头。1844年设建制。南北战争后运输以铁路为主。1926年水闸和水坝的修建使河道加深,水运业再度兴起。现为木材、纸浆和纸张转运站。有多种制造业,包括汽车部件、一次性尿布、炸药及其他军火。当地出产高岭土、褐煤、砂砾和石油。设有南阿肯色大学技术分校(1975)。市西北有州立怀特奥克湖公园和波伊森斯普林战场历史纪念地。人口13 154(2000)。

Camden 卡姆登 美国新泽西州城市,卡姆登县县城(1844),濒特拉华河,有桥连费

卡姆登的“盒式”排房
美国不列颠百科全书公司供图

城。1773年设镇。美国独立战争中此地常被英军占领，发展受阻。1800年后，摆渡业的扩大及铁路的出现促进了该地的发展。1828年设市。南北战争后开始发展工业，先后建立钢栅栏公司、维克多留声机公司（1929年被美国无线电公司购买），城市进一步发展。河滨区的造船业始于1899年。20世纪30年代为工人建造的“盒式”排房，样式独具一格。该城现生产门类繁多的工业产品。诗人W.惠特曼曾在此居住（1873～1892），其故居现为州历史遗址。建有新泽西水族馆（1992）。该市设有州立拉特格斯大学市区分院、新泽西州立大学和卡姆登县学院。人口约79 904（2000）。

Camden　卡姆登　美国南卡罗来纳州中北部城市，克肖县县城（1791）。约建于1733年。1791年建市。独立战争之后，该市为产棉中心和旅游胜地。南北战争中遭焚毁。后成为农业中心，现在实行工业化，生产纺织品。该市以马术运动闻名，一年一度的卡罗来纳杯和国际殖民杯障碍赛马均在当地的斯普林代尔跑马场内举行。人口6 682（2000）。

Camden, Battle of　卡姆登战役（1780-08-16）　美国独立战争中英军在南卡罗来纳州所取得的一场胜利，也是美军所遭受的最惨重的失败之一。1780年5月查尔斯敦为英军攻陷后，美军将领H.盖茨于8月率1 400名正规军及2 000余名民军进攻卡姆登英军要塞。被饥饿与疾病所困扰的美军于卡姆登北为康华里勋爵所部2 200名英军袭击。民军惊散，正规军陷入重围。是役英军324人阵亡，美军死伤逾两千，辎重尽失。英军乘胜入侵北卡罗来纳州，并于1781年4月25日在霍布柯克山击退N.格林将军指挥的第二次对卡姆登的进攻，但不胜游击队的骚扰，于5月焚城后撤离。

Camden, Marquess, Earl, and Baron　卡姆登侯爵、伯爵和男爵　英国贵族普拉特家族之名，分列于后，并各以●为标记。

● Camden, Charles Pratt, 1st Earl, Viscount Bayham of Bayham Abbey, Baron Camden of Camden Place　卡姆登（1714-03-21，伦敦～1794-04-18，伦敦）　英国法学家。在他担任英国民事法院首席法官期间（1761～1766），拒绝实施通用逮捕证（即不指定逮捕某个人的令状）。在担任英国的大法官期间（1766～1770），他反对政府实行的没有经过议会代表通过的北美殖民地税收政策。卡姆登（1765年封男爵，1786年封伯爵）是政治家皮特（老）的同窗好友和政治上的同盟者。1763年，作

美国不列颠百科全书公司供图

为首席法官，他给激进的政治家J.威尔克斯发出人身保护令，威尔克斯曾在定期刊物《北不列颠人》上指责英王乔治三世的一次讲话是撒谎，并被根据通用逮捕证以煽动叛乱罪逮捕。在“威尔克斯诉伍德”（1763）案和“恩蒂克诉卡林顿”（1764～1765）案中，卡姆登坚定地宣称通用逮捕证是非法的。卡姆登在上议院发表的第一次演说（1765）中，攻击了印花税条例，该条例是引起殖民地居民不满导致美国独立战争的原因之一。由于他坚持反对殖民地税收政策，1770年他被撤掉了大法官的职务。

● Camden, John Jeffreys Pratt, 1st Marquess, 2nd Earl Camden, Earl of the County of Brecknock, Viscount Bayham of Bayham Abbey, Baron Camden of Camden Place　卡姆登侯爵（第一）（1759-02-11，英国肯特奇斯尔赫斯特附近～1840-10-08，肯特塞文欧克斯附近）　即J.J.普拉特。英国驻爱尔兰总督（1795～1798）。由于他的高压手段，1798年引起了反对英国统治的大规模叛乱。曾任英国海军大臣（1782～1789）和财政大臣（1789～1794），1795年3月赴都柏林任总督。由于对天主教徒争取在爱尔兰议会中的代表

美国不列颠百科全书公司供图

权持否定态度，迅即引起敌视。另一方面，他还须对付主要由北爱尔兰长老会教徒组成的爱尔兰人联合会，这些人希望法国入侵爱尔兰。爱尔兰民兵镇压了反抗者；1798年3月爱尔兰人联和会领袖们被捕，其报纸被查封，并发布戒严令。1798年5月23日爆发叛乱，但于6月末被粉碎，卡姆登被迫辞职。后历任陆军和殖民地大臣（1804～1805）、枢密大臣（1805～1806，1807～1812）。1812年封侯爵。

Camden, William　卡姆登（1551-05-02，英格兰伦敦～1623-11-09，肯特奇斯尔赫斯特）　英国古物收藏家，历史研究法之先驱人物，《不列颠志》作者，该书是第一部综合性的英格兰地志。卡姆登曾就学于牛津大学马格达伦学院，转基督堂学院，1573年获文学学士学位。1575年任威斯敏斯特学校副校长，1593年任校长。1595年发表一部希腊语法。从离开牛津时起，卡姆登就利用业余时间从事古物研究，每逢假期即去各地旅行，搜集资料，

美国不列颠百科全书公司供图

于1586年写成《不列颠志》。卡姆登还计划撰写一部英格兰通史，后来仅写成几部中世纪编年史和一些平平之作（《文物杂记》[1605]）。1607年开始撰写《伊丽莎白时期的英格兰及爱尔兰编年史》，第1卷于1615年出版，第2卷于1617年脱稿，此书成为后世同类史籍之蓝本。卡姆登羸弱多病，1618年退休后住在肯特郡奇斯尔赫斯特。曾在牛津大学创办历史讲座。他也是1585年成立的文物学会的重要成员，该会为17世纪英国历史学派奠定了基础。卡姆登是认识到古代语言在地名研究中的重要性的第一人，也是最早发现罗马时期不列颠岛上使用货币的学者。卡姆登学会建于1838年，刊行多种历史文献，1897年与皇家历史学会合并。

Camden Town Group　卡姆登镇小组　英国后印象主义画家团体，规定每周在伦敦卡姆登镇W.西克尔特的画室聚会一次。1905年西克尔特从威尼斯返回伦敦后，刚刚访问过巴黎的H.吉尔曼、F.S.戈尔、L.毕沙罗（法国印象主义画家C.毕沙罗之子）、A.约翰、H.兰姆、J.B.曼森、R.贝文、W.贝耶斯和C.金纳，都非正式地到西克尔特的画室聚会。1908年，评论家F.拉特加入他们一伙，提出把这一小组按照法国“独立派的沙龙”的方式组织起来，于是产生了联合艺术家协会。协会在艾伯特大厅举行法国和英国后印象主义的作品展览会。1911年，西克尔特的团体正式成为卡姆登镇小组。卡姆登镇小组于1911年和1912年在卡法克斯画廊主办了3次重要展览会，介绍了早期的法国野兽派和立体派的作品。卡姆登小组熟知印象主义技巧，但更倾心于后印象主义画家，如高庚、塞尚。主要关注形象的结构，故更加推崇塞尚。主题重在表现英国工业城市的日常生活。擅长

F.S.戈尔绘《伦敦北城的姑娘》(约 1911～1912)
美国不列颠百科全书公司供图

使用具有表现力的色彩,作品仍为现实主义,并具现代风格。1913 年并入由当代英国画家几个小型组织联合而成的伦敦小组。

camel 骆驼 偶蹄目骆驼科骆驼属(*Camelus*)两种大型反刍哺乳动物的统称,用作沙漠地区的挽畜或坐骑,尤其用于非洲和亚洲。阿拉伯驼又称单峰驼(*C. dromedarius*),仅有一个驼峰;双峰驼(*C. bactrianus*)又称大夏驼,有两个驼峰。骆驼四肢长;足部无第 2 及第 5 趾的痕迹,足柔软、宽大,适于在沙上或雪上行走。胸部及膝部有角质垫,跪卧时用以支撑身体。奔跑时表现出一种独特的步态,同侧的前后肢同时移动。具两排睫毛以保护眼睛,耳孔有毛;鼻孔能闭合,视觉和嗅觉敏锐,这些均有助于适应多风的沙漠

单峰驼(*Camelus dromedarius*)
美国不列颠百科全书公司供图

和其他不利环境。经过训练和管理恰当的骆驼性情驯顺,但容易发怒,尤其在发情期。发怒时口喷唾液,并会咬人、踢人,这时十分危险。骆驼原产于北美,约在 4 000 万年前左右。约在 100 万年前其分布范围扩大到南美和亚洲。以后骆驼在发源地消失,在南美亦仅存其亲缘的种类——栗色羊驼、骆马、美洲驼、羊驼。现存的两种骆驼中,双峰驼分布于从突厥斯坦至蒙古的整个中亚高原,传统上用作重要的驮畜。虽然其行进速度仅为每小时 3 或 5 千米,慢于单峰驼,但驼队中的双峰驼与单峰驼相比,能更长时间地维持这个速度,并且身背重负,通常情况下每日行进 50 千米。双峰驼的高度在驼峰处计算为 2 米左右。单峰驼为北非、中东及印度的特产,亦主要用作驮畜,但与骆驼科其他种一样,可提供毛、奶、皮及肉。与双峰驼相比,单峰驼腿更长、躯体更轻,毛更短。单峰驼肩高 2 米。骑坐时能保持每小时 13～16 千米的速度达 18 个小时。单峰驼曾出口到世界许多地方。著名的例子是 19 世纪中叶,单峰驼引入澳大利亚,主要用作挽畜,现在尚有约 25 000 头野生于人烟稀少的荒凉偏僻地区。骆驼能以稀少的植被中最粗糙的部分为生而繁衍生息。能吃其他动物不吃的多刺植物、灌木枝叶和干草,但如果有更好的食物,骆驼也乐意取食。食物丰富时,骆驼将脂肪储存在驼峰里,条件恶劣时,即利用这种储备。驼峰内的脂肪不仅用作营养来源,脂肪氧化又可产生水分。

双峰驼(*Camelus bactrianus*)
美国不列颠百科全书公司供图

因此骆驼能不食不饮数日,据记载,骆驼曾 17 日不饮水仍存活下来。骆驼体内水分丢失缓慢,脱水量达体重的 25% 仍无不利影响。骆驼能一口气饮入 100 升水,并在数分钟内恢复丢失的体重。冬季,骆驼(尤其是双峰驼)生长出蓬松的粗毛,到春天粗毛脱落,身体几乎裸露,直至新毛开始生长。雌骆驼每产一仔,妊娠期 12～14 个月,哺乳期 1 年。骆驼的寿命为 30～40 年。经过培育骆驼的品种非常特殊化,骑用骆驼已成为一个与辎重骆驼很不相同的类型。参阅 **camel hair**。

camel hair 骆驼毛 由骆驼提供的动物纤维,属特种毛纤维。大多数优良的纺织纤维采集自大夏型骆驼。这种骆驼具有粗的保护性外毛,长可达 40 厘米。底层保温细毛较短,长 4～13 厘米,通称骆驼毛或骆驼绒。骆驼毛通常不是用剪或拔的方法来采集,而大都是当动物脱毛时采集。外毛和底层绒毛同时脱落,通常用机器梳理,将所需绒毛与粗劣的外毛分离。分离出的绒毛直径为 5～40微米,通常呈红棕色。骆驼毛对化学药剂的灵敏性比羊毛高;其强度与相同直径的羊毛相似,但比马海毛差。骆驼绒织物的保暖性非常好,温暖舒适。主要用于制造高级大衣料,也用于制造针织用纱、针织外衣、毛毯和地毯。粗的外毛强度高,用于制造诸如机器传动带和榨油用的滤布等工业用织物。

camel racing 赛骆驼 骑骆驼高速奔跑的运动。有预定的赛程,通常只用单峰驼,不用双峰驼。赛骆驼历史悠久,在阿拉伯半岛可追溯至公元 7 世纪。虽然一般都是赛马,但传统上当地居民每逢集会或节日也即兴地非正式赛骆驼。20 世纪最后 30 年开始有了正式比赛,热心人士成立组织以制订规章,主持赛事。在肯尼亚、苏丹、埃及和澳大利亚,尤其是阿拉伯国家,兴起了训练、饲养和研究骆驼的行业。专门培养比赛用骆驼,精心研究饲养、训练和营养的方法。阿拉伯联合酋长国是赛骆驼的中心,当地政府鼓励饲养骆驼,对所有者和饲养者给予补贴。有优异记录的良种骆驼可以卖很高的价钱。各国赛骆驼的规则各异,在阿联酋自 10 月至次年 4 月举行比赛。赛前,训练者和所有者带着他们的参赛骆驼开会,决定赛程和让步条件。让步条件主要根据骆驼的品种、年龄和性别。比赛距离由幼畜的 4 千米到成兽的 10 千米不等。不同的重量和性别,乃至骟畜与种公畜,都分别比赛。成熟的骆驼疾驰能达到每小时 40 千米。赛后还收集尿样,测试是否有违禁物。每只骆驼都有一个小号牌嵌在脖子上。赛骆驼已经成为正式的国际运动,也成了吸引游客的一个活动。比赛胜者能得到可观的奖赏,包括大额现金。

Camellia 山茶属 山茶科的一属,约80种,常绿灌木或乔木,原产于东亚。以花朵美丽的观赏种类及产茶叶的茶树(*C. sinensis* 或 *Thea sinensis*)著称。普通山茶(日本山茶、

普通山茶(*C. japonica*)
美国不列颠百科全书公司供图。

山茶,*C. japonica*)最为著名,特别是重瓣花栽培变种,花瓣层层重叠,颜色或白或粉或红,或有斑驳条纹。野生山茶花瓣 5～7 枚,雄蕊黄色,围成一圈,花开时萼片下翻;株高约 9 米,叶亮绿色,广椭圆形,长 10 厘米左右。南山茶(*C. reticulata*)与前者相似而较矮,花径 15 厘米,叶暗绿色。茶梅(*C. sasanqua*)为灌木,花径 5 厘米,略芳香,耐旱及耐碱性土壤;秋季开花,常栽培作藩篱或绿篱。茶树是著名的经济作物,野生茶树可高达 9 米,栽培种常进行短缩修剪,使成圆头形灌木状,促使发枝和生长新叶;花芳香,白色黄心,花径约 4 厘米。参阅 **tea**。

Camelops 长颈驼 大型骆驼类的一个现已绝灭的属。晚上新世至更新世末(350 万年前至 1 万年前)、生活于北美洲西部从墨西哥到阿拉斯加一带,在密西西比河以东还没有发现这种动物。目前已得到承认的有 6 个种,但这个属的分类还需修订。它是真正的骆驼,在结构上,同现存的稍微小些的阿拉伯单峰驼(*C. dromedarius*)相似,它有长而粗的

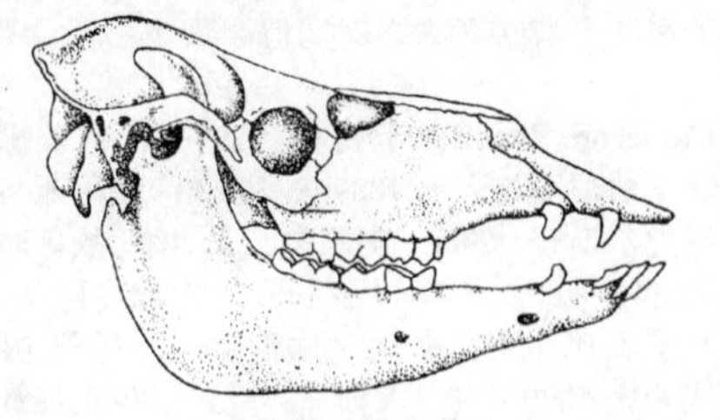

长颈驼的头骨

腿和长颈。它可能具有单峰，因为它的脊椎骨仅在前背上具有长刺。接近更新世末时，它像许多大型哺乳类一样从北美绝灭。这种大规模绝灭的原因至今不明。

Camelot 卡默洛特 亚瑟王传奇中的亚瑟王宫廷所在地。许多地方都被认为是卡默洛特的旧址：如威尔士蒙茅斯郡的卡利恩；在英格兰则是下列地点：萨默塞特的卡默尔皇后地；康沃尔的卡默尔福德小镇；汉普郡的温切斯特；萨默塞特的南卡德伯里的卡德伯里城堡。

Camembert cheese 卡门培尔干酪 上等诺曼底牛奶干酪，以该地区村庄名命名。质若奶油，内部乳白色，具有茸毛状的白色表面，和布里干酪相似。干酪的凝乳经卡门培尔青霉菌芽孢处理，然后做成圆饼形。其直径11厘米，厚4厘米，赖芽孢作用，需6～8周成熟，味道由淡转浓。行销世界各地，并有很多国家仿制。但从17世纪末开始直到现在，诺曼底原产地的干酪仍举世无双，而维穆捷附近的产品，尤为名贵。

cameo 凯米奥浮雕宝石 刻有浮雕的硬石、宝石，或用玻璃、介壳制成的此类宝石仿制品。通常是宝石（常为玛瑙、缟玛瑙、缠丝玛瑙），有两个颜色不同的层次，一层雕图像

16～17世纪凯米奥浮雕宝石《欧罗巴被劫》
美国不列颠百科全书公司供图

用，另一层衬托。凯米奥浮雕艺术从早期苏美尔时期（约公元前3100年）到罗马文明衰落，从文艺复兴到18世纪新古典主义时期，源远流长，在文艺复兴时期益臻完美。也用以雕刻纪念人物。16世纪英格兰凯米奥浮雕宝石上常雕有维多利亚女王头像，以庆祝战胜西班牙无敌舰队。整个18和19世纪，冠冕、带子、胸针、手镯等镶金嵌宝的物件，往往以凯米奥宝石装饰。

cameo glass 宝石玻璃制品 用彩色玻璃雕刻的图案或造型装饰在色彩对比鲜明的玻璃底层上的玻璃器皿。先用双层玻璃吹制成形，玻璃冷却后，把图案轮廓刻画在表面上，

F.卡德尔制作的宝石玻璃盘《艺术的永恒》(1887)
美国不列颠百科全书公司供图

再覆盖一层蜂蜡作为保护层，然后将外层玻璃蚀刻到内层，使设计的轮廓成为浮雕，其精细部分用手工或旋转的刀具雕刻。早在1世纪，罗马人已生产出精美的宝石玻璃制品，如著名的波特兰花瓶，是在颜色较深的底层玻璃上用手工刻出大部分不透明的玻璃制成的。1876年英国人J.诺思伍德仿造了波特兰花瓶，这一成就鼓舞了其他玻璃雕刻工相继制造宝石玻璃制品，E.加莱也约于此时在法国生产宝石玻璃制品，并以刻有雅致的花卉、动物等自然景物图案为特色。

cameo incrustation (glass) 镶嵌浮雕 参阅 **crystallo ceramie** 水晶陶瓷。

camera 照相机 摄影术中，用来在感光面上记录物体影像的装置，它实质上就是一个不透光的盒子，其上有一小孔，用以接纳光线，使之聚焦于感光软片或玻璃板上。尽管

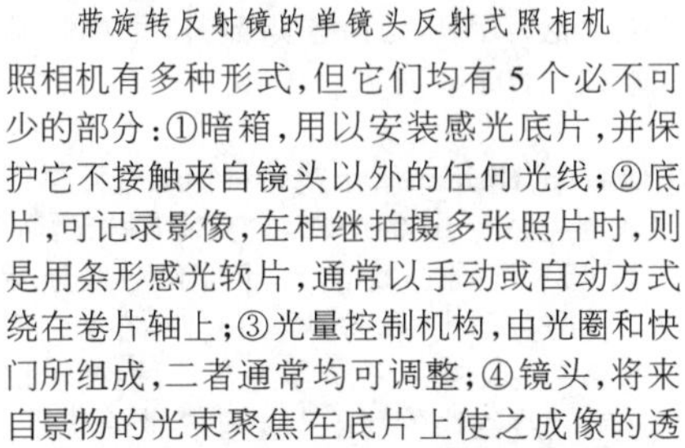

带旋转反射镜的单镜头反射式照相机

照相机有多种形式，但它们均有5个必不可少的部分：①暗箱，用以安装感光底片，并保护它不接触来自镜头以外的任何光线；②底片，可记录影像，在相继拍摄多张照片时，则是用条形感光软片，通常以手动或自动方式绕在卷片轴上；③光量控制机构，由光圈和快门所组成，二者通常均可调整；④镜头，将来自景物的光束聚焦在底片上使之成像的透镜，通常可前后调动以改变焦点；⑤取景系统，可独立于镜头系统之外（通常位于它的上方），或借助于一面反射镜，通过镜头来取景。最早的照相机是暗箱，法国的J.N.尼埃普斯和L.-J.-M.达盖尔曾分别在19世纪20和30年代用以取得永久性影像。19世纪已有许多改进，其中以在照相机外面显影和洗印的软片最为著名。20世纪已发展出许多照相机品种，可适合各种不同的用途，包括航空摄影、文件复制和科学研究。

camera lucida 投影描绘器 1807年W.H.渥拉斯顿发明的光学仪器，用以精确描绘物体。它由一个安装在小架上的4边棱镜所构成，棱镜的下方是一张纸。将眼靠近棱镜上

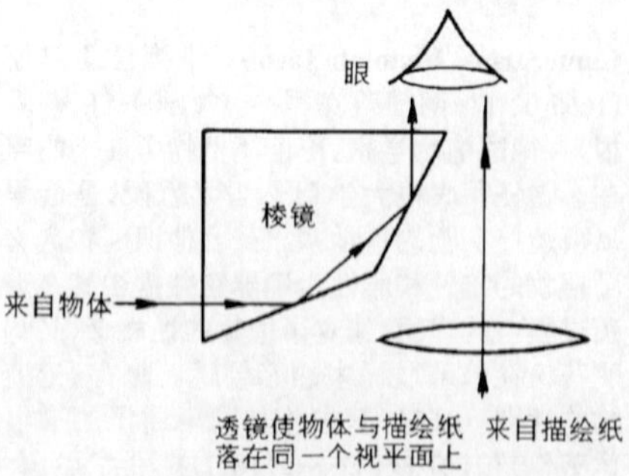

渥拉斯顿投影描绘器原理的图解说明

方边缘，使瞳孔的一半在棱镜上方，观察者可以看到棱镜前方物体的反射像，此像好像就落在纸上。此时观察者可用一铅笔描绘此像。投影描绘器的原始形式极难恰如其分地聚焦，而且在棱镜与纸间还需加进一浅度的眼镜镜片。后约于1880年发展的一种投影描绘仪是与显微镜配合使用的，其中用两片对角线方向的镜子取代了棱镜；一片半透明镜装在显微镜目镜的上方，第2片位于纸上方不远处。

camera obscura 暗箱 照相机的前身。在古代，最早的"暗房"是一个小黑房子。光线从墙上单一的微孔透射进来，把外面景物的倒像投射到对面的白墙上。很多世纪以来，

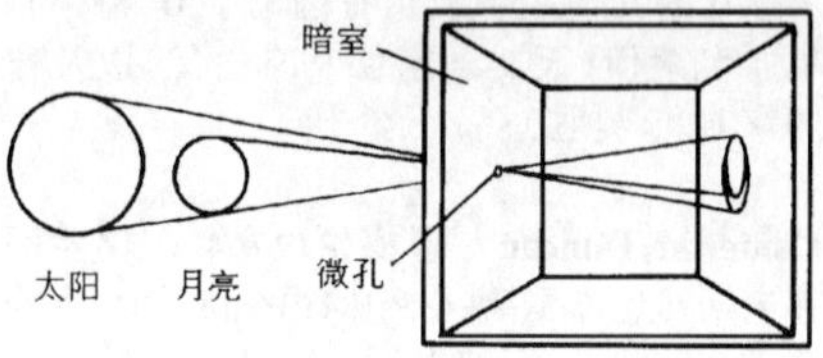

通过简单的暗箱看日食的示意图

这种方法被用来观察日食，以免给眼睛带来危害。到16世纪，画家用此法来描摹反映于画纸上的绘画题材。后来暗箱被制成手提式乃至袖珍式；内部涂成黑色，并用一面成倾斜角度的镜子将影像反射过来，使所看到的成为正像。J.-N.尼埃普斯把感光版用于暗箱，创造出了摄影术。

Camerarius, Joachim 卡梅拉里乌斯（1500-04-12，巴伐利亚班贝格～1574-04-17，莱比锡） 德国古典学者和基督教信义宗神学家。宗教改革时期在新教徒和天主教徒之间进行调停。1518年在埃尔富特加入赫苏斯的人文主义团体。后在维滕贝格成为梅兰希顿的弟子和朋友（1521）。1535年被任命为蒂宾根大学古典文学教授。1541年，符腾堡的乌尔里希公爵请他去改组莱比锡大学。他的古典文学出版物包括索福克勒斯、希罗多德、荷马、

普劳图斯和色诺芬等人著作的注释本，以及希腊作品的拉丁文译本。他写过赫苏斯和梅兰希顿的拉丁文传记（1553、1566）。1530 年，他和梅兰希顿到奥格斯堡，聆听宣读“教皇驳斥令”，1555 年出席在那里召开的帝国议会。同年，他在纽伦堡调解了奥西安德尔争端。1568 年，马克西米连二世召他到维也纳，以供咨询和处理奥地利宗教事务。他死后出版的《挚友书简集》（1583）和《挚友书简集续编》（1595）都是研究那个时期的珍贵史料。

Camerarius, Rudolph Jacob　卡梅拉里乌斯（1665-02-17，德国蒂宾根～ 1721-09-11，蒂宾根）　德国植物学家，论证了植物中性别的存在。曾任蒂宾根大学自然哲学教授，是最早从事遗传实验的科学家之一。他识别和定义了植物的雄性和雌性生殖器官并描述其在繁殖过程中的作用，建立了植物的性概念，又阐明花粉在繁殖过程中的必要性。著有《论植物的性别》（1694，形式为与同事通讯的书信体著作）和《植物学论丛》（1697）。

Camerata　卡梅拉塔会社　意大利佛罗伦萨的诗人与音乐家组成的会社。他们的理论和音乐实验促使音乐家 J.佩里和诗人 O.里努奇尼于 1597 年合作写出第 1 部歌剧《达夫尼》。这个会社分成 3 个小组，其中最早的一组在 1576 ～ 1582 年间集会，由 G.巴尔第赞助。虽然其成员比后来成立的卡梅拉塔会社小组保守，但他们复兴古希腊音乐的努力是单旋律独唱曲（由简单和音伴奏的富于表情的独唱歌曲）的发展中的一个重要因素。随后两个有几分对抗性的小组主要由巴尔第卡梅拉塔会社成员组成，由作曲家 J.科西和 E.de 卡瓦列里领导。他们对单旋律独唱曲的实验旨在复兴古希腊戏剧。他们认为在这种戏剧中，音乐和诗歌是密切结合的。卡梅拉塔会社的其他主要成员有理论家 G.梅伊和 V.加利莱伊（天文学家伽利略之父）以及作曲家 G.卡契尼。

Cameron, Duncan　卡梅伦（1764，苏格兰因弗内斯格伦摩里斯顿～ 1848-05-18，加拿大西区威廉斯敦）　苏格兰毛皮商人。与哈得孙湾公司在加拿大西部雷德河地区建殖民点问题上发生过冲突。幼年随家移民至当时是北美殖民地的纽约州。美国独立战争期间迁往威廉斯敦。1784 年进入在苏必利尔湖以北经营毛皮业的西北公司。后来担任公司领导职务。1807 ～ 1811 年负责经营温尼伯湖畔的商站，1811 ～ 1814 年负责经营雷尼湖畔的商站。在接管雷德河商站后，他与哈得孙湾公司负责人 T.道格拉斯所建立的殖民点发生冲突，欲逐出该公司的殖民主义者。1816 年被哈得孙湾公司的军官俘获，解往英格兰受审，无罪开释。卡梅伦约于 1820 年回加拿大，定居威廉斯敦。1824 年当选上加拿大立法会议议员。

Cameron（of Lochiel）, Sir Ewen　卡梅伦（洛奇尔的）（1629-02～1719-02）　苏格兰高地部族首领。英格兰国王查理二世和詹姆斯二世的有力支持者。以身高力大和好勇斗狠闻名。卡梅伦部族出身。约 1647 年成为部族首领。1649 年 1 月英格兰议会处死查理一世国王后，他参加保王派。1653 年在格伦凯恩伯爵的起义中立下战功。格伦凯恩停止抵抗后他仍骚扰英军。1658 年与英军将领 G.蒙克媾和，共同向伦敦进军，拥立查理二世。1681 年封爵士。1688 年威廉和玛丽推翻查理二世之弟詹姆斯二世，卡梅伦参加苏格兰詹姆斯党人的起义，在 1689 年 7 月 17 日战胜威廉军队的战役中起了关键作用。

Cameron, Julia Margaret　卡梅伦（1815-06-11，加尔各答～1879-01-26，锡兰卡卢特勒）　英国女摄影家，被认为是 19 世纪最伟大的人像摄影家之一。1848年，她和她丈夫（退休的

卡梅伦摄《赫伯特·达克沃思夫人》（1867）
美国不列颠百科全书公司供图

殖民地官员）及全家移居英国。1860 年定居于怀特岛，与诗人丁尼生为邻。1863 年左右，她得到一架相机礼物。她将鸡舍改装成摄影室，煤箱变成暗房，开始制作人像。在她拍摄的坐像中，有她的朋友诗人丁尼生和朗费罗、天文学家赫歇耳、作家卡莱尔和科学家达尔文。她尤以敏于表现女性美著称，如著名的人像作品《埃伦·特里》（1864）和《赫伯特·达克沃思夫人》（1867）。像维多利亚时代许多摄影家一样，卡梅伦夫人模仿当时流行的浪漫派和前拉斐尔派画家的绘画。根据丁尼生的要求，她以自己拍摄的照片作为他的《国王叙事诗》一书的插图。这些照片显示出她 20 余年的友人兼导师、画家瓦茨对她的影响。她所拍的人像照片追求精神上的深度刻画，而不讲究技术上的完美，在人像照片中不愧为上乘之作。1875 年，她和她丈夫前往锡兰。虽然生活穷困，但她仍继续摄影。据传说，她的临终遗言是：“美！”

Cameron, Richard　卡梅伦（约1648，苏格兰法夫福克兰～ 1680-07-22，艾尔郡艾尔德沼泽地）　苏格兰圣约派人士，卡梅伦教派创始人。原任自己乡村的教师。1673 年在圣约派 J.韦尔奇的影响下开始露天布道，拒绝承认“没有接受圣约的”国王查理二世的统治。1679 年在博思韦尔桥败北以后，他的信徒人数大为减少。不过，还有许多人随他流亡荷兰。1679 年底回国。翌年 6 月 22 日与友人共同发表《桑克尔宣言》，号召与查理二世作战。因为他只有一小撮人，1680 年夏天，国王的军队不费吹灰之力就把他俘获处死。

Cameron, Simon　卡梅伦（1799-03-08，美国宾夕法尼亚梅敦～ 1889-06-26，宾夕法尼亚多尼戈尔斯普林斯）　美国参议员，南北战争时期的陆军部长和宾夕法尼亚州的政界巨头。其子 J.D.卡梅伦继他之后在参议院任职，并成为该州政界实力人物。只受过很少正规教育。经商致富。后进入参议院，当议员 18 年（1845 ～ 1849，1857 ～ 1861，1867 ～ 1877）。A.林肯当选总统后，任命他为陆军部长。1862 年因滥用私人而下台。曾短期出任驻俄国公使。1867 年回到参议院，1872 年起任外交委员会主席。他在共和党中有很大势力，能使 U.S.格兰特总统任命他的儿子为陆军部长。

Cameron, Verney Lovett　卡梅伦（1844-07-01，英国多塞特韦茅斯附近拉迪波尔～ 1894-03-27，贝德福德郡莱顿巴泽德附近）　第一个从印度洋海岸到大西洋海岸横越赤道非洲的欧洲探险家。1857 年加入英国海军，参加 1868 年的阿比西尼亚战役，阻止东非的奴隶贸易。1872 年皇家地理学会选他率领一探险队为在东非失踪的探险家 D.利文斯敦提供援助，并且自己进行考察。探险队离开桑给巴尔不久就碰到带着利文斯敦遗体的仆人。在坦噶尼喀湖上的乌吉吉，卡梅伦找到了利文斯敦的一些文件。在探索坦噶尼喀湖南半部时，他证实刚果河的支流卢库加河是湖的出口。他为了探索刚果河与赞比西河的分水岭曾走了几百千米，于 1875 年 11 月 7 日到达安哥拉本格里附近的西非海岸。著有《横越

美国不列颠百科全书公司供图

非洲》（1877）。他后半生参与非洲商业发展规划，自称首先想到开普敦-开罗铁路（罗得斯热衷于这条铁路）。他还倡议修建从利比亚的黎波里到卡拉奇（今在巴基斯坦）的非亚铁路。偕同 R.伯顿爵士前往西非，同著《到黄金海岸淘金》（1883）。

Cameron Highlands　金马伦高原　西马来西亚中西部游览区。位于中央山脉，泰国最南端之南约 130 千米处，海拔 1 448 米。20 世纪 40 年代由英国人辟为山中避暑胜地。旅馆建筑大都为欧洲式。种植有几百种热带罕见的花卉。通过密林小道可达鲁宾逊瀑布、风景优美的山顶和土著村庄。与霹雳州的打巴有公路相通。山坡修成梯田，出产草莓、卷心菜、番茄、莴苣等温带作物。也种植茶和出

口大量茶叶。主要居民区是冷力、丹那拉达和布林章。有水电工程将德龙和巴丹河的源头引入班唐河流域。人口 28 050(2000)。

Cameronian 卡梅伦派 苏格兰基督教长老会中追随卡梅伦要求恪守 1680 年《昆斯费里文件》中所揭示的 1638、1643 年两项誓约(保证维护苏格兰长老会教会的行政和崇拜礼仪)的各项规定的一批人。卡梅伦死后,这一派人在苏格兰南部各地建立组织,1706 年麦克米伦为该派领袖,因而改称麦克米伦派。1876 年该派中的多数派与苏格兰自由教会联合,1929 年并入改组后的苏格兰长老会。另外,英国陆军中的卡梅伦大队(苏格兰步兵)是由卡梅伦卫队沿袭下来的,该卫队在 1689 年基利克兰基战役之后曾负责在苏格兰高地恢复秩序。

Cameroon 喀麦隆 全称喀麦隆共和国。位于非洲西部与中部之间的国家,面积 465 458平方千米。首都雅温得。西南临几内亚湾,西北与尼日利亚交界,东北与乍得接壤,东与中非共和国为邻,南与刚果、加蓬和赤道几内亚相接。人口约 16 185 000(2002)。

土地 全境分为 4 个地理区。南部区介于萨纳加河与南部边界之间,包括沿海平原和森林密布的高原(平均海拔略高于 600 米)。中部区自萨纳加河向北延伸至贝努埃河,地势向北逐渐升高,包括阿达马瓦高原(海拔介于750 ~1 350 米之间)。北部区为热带稀树草原,有孤山散布,地势向乍得湖盆地倾斜。西部和北部沿尼日利亚边界一带的地势起伏多山。喀麦隆火山海拔 4 095 米,为西非最高峰。主要河流中,萨纳加河流域约 135 000平方千米,流向西南,注入大西洋;贝努埃河则向西流入尼日利亚境内的尼日尔河流域,一年中有数月可通航。

地处热带,全年气候炎热,境内各地年平均气温介于 21 ～ 28 ℃之间,最低气温出现在海拔较高地区,降雨量自南向北递减。沿海地区年平均降雨量约 2 500 毫米,中部高原地区则减至 1 500 毫米。南方有两个旱季,分别为 12 月至次年 5 月和 7 ～ 10 月。北方只有一个旱季,为 10 ～ 5 月。南方炎热潮湿,生长着茂密的热带雨林,有桃花心木、黑檀、奥贝契树,还有大量兰及羊齿植物等。中部地区为落叶树与常绿树混交林。北部则为热带多树草原。境内野生动物有少量大象、各种羚羊、猴子、黑猩猩、狒狒、狮、豹和多种鸟类。可耕地仅占全国面积 1/7 左右,森林则超过 1/2,可供放牧的土地约占 1/5。矿产包括铁矿、大量铝土矿、锡石、黄金、铀和石灰石。靠近尼日利亚边境地区有近海天然气和石油蕴藏。

人民 境内有 200 多个种族,故被称之为种族聚会之地。较大的种族有芳族(占总人口 1/5),巴米累克族(亦约占 1/5),杜亚拉族(约占 1/7);此外尚有富拉尼族等较小部族群。俾格尔人,当地称为巴杰利人和巴宾加人,居住在南部森林中。官方语言为法语和英语,但一些地方语言仍在使用。约 1/4 人口仍信奉传统宗教。基督教在殖民地时期由欧洲人传入,北部则以穆斯林为主。

人口中有近 1/2 不足 15 岁。人口密度因地区而异,西部山区密度最高;东南部和阿达马瓦高原地区人口最为稀少。

20 世纪末期,年人口增长率近 3%,高于世界水平,但与撒哈拉以南非洲地区的平均水平相当。撒哈拉以南非洲人口相对年轻,其出生率远高于死亡率。城市人口占总人口的 2/5 以上,大多集中在南部地区;首都雅温得,主要港口杜阿拉以及许多其他城市均位于此区。

美国不列颠百科全书公司供图

经济 喀麦隆经济为发展中的市场经济,主要以农业为基础。自 1960 年独立后,经济稳步发展,70 年代末期因开采石油而发展加快。国民生产总值的增长赶不上人口的增长;但人均国民生产总值仍居西非之冠。

农业约占国内生产总值的 1/4,但占用了 3/4 的劳动力。农产品种类繁多,使喀麦隆免受世界市场上任何一种作物价格涨落的影响。咖啡、可可、棉花和香蕉多供出口,主要由小农种植。橡胶与棕榈油等经济作物则在种植园生产。主要粮食作物有玉米、豆类、花生、粟、高粱等。尽管偶因干旱而减产,但这些粮食的生产仍能与人口增长保持同步,基本上可以自给自足。

木材生产主要适应出口需要,木材总产量的一半以上(原木)供出口;其余部分除用于建筑外大多用作家庭燃料。自 70 年代末期开始近海采油以来,原油一直持续生产。

包括采矿在内的工业约占国内生产总值的 1/3,但仅雇用一小部分劳动力,以原料加工为主。埃代阿的大型铝制品联合企业获得大规模扩建。工业企业包括纸浆厂与造纸厂,以当地橡胶为原料的轮胎厂、化肥厂、制革厂、纺织厂、几家水泥厂和酿酒厂以及一家炼油厂。埃代阿水坝提供全国大部分电力,其中近 1/2 用于当地炼铝。

宽松的投资法规和精心拟定的发展计划吸引了大量外资,主要是法国的资金。外国的财政援助对该国经济发展作用很大。喀麦隆极为依赖对外贸易;大多数制成品和许多工业原料均靠进口。出口产品包括石油、咖啡、可可及其制品、木材、棉花和铝。主要贸易伙伴有法国、美国、荷兰、德国和意大利。

政体与社会状况 喀麦隆为中央集权制共和国,有强有力的总统制政府。1972 年修改的宪法赋予总统以行政权,总统由直接选举产生,任期 5 年。总统由内阁辅助执政。立法权归一院制国民议会,议员共 180 人,由直接选举产生,任期 5 年。尽管 1996 年宪法修正案提出增加上议院从而建立两院制国民议会,但该修正案至今仍未实施。在某些领域,国民议会可以授权给总统以法令立法。1990 年喀麦隆正式成为多党制国家。直至 1991 年初,官方承认的唯一政党是喀麦隆人民民主运动(前称喀麦隆民族联盟)。主要反对党包括社会民主阵线、全国民主进步联盟和喀麦隆民主联盟。司法系统则以最高法院为最高机构。

喀麦隆有社会保障制度,但其涉及范围与资助程度均有限。医疗卫生条件普遍较差,人民平均预期寿命仅为 55 岁,婴儿死亡率亦高。医疗卫生设施主要集中在较大城市,乡村人口大多没有机会获得现代医疗服务。营养不良症在幼儿中极为常见。

成年人口识字率约占 55%,属西非国家较高水平之列。随着教育设施与入学人数的增加,识字率仍在提高。公立学校教育实行免费制,政府亦资助私立学校。高等学府有雅温得大学(1962 年创办)。

政府发行独家日报,并拥有和经营各地

电台和电视台。

文化生活 境内各主要种族均有以其传统艺术与习俗为基础发展起来的独特文化。音乐形式丰富多彩，如南方森林部族的击鼓节奏和北方部族的长笛音乐。手工艺品种类繁多，包括穆斯林富拉尼人的皮革加工制品，西部山区基尔迪和马塔坎人生产的独具特色的陶器，以及蒂卡尔人的铜管。传统气息较淡的文学与电影艺术亦很繁荣。小说家M.贝蒂世界闻名。

历史 考古发现证实喀麦隆至少在5万年前即已有人类居住。后来，讲班图语部族成为从赤道非洲进入此地的最早的几批人之一，开始定居在南方，尔后迁至西部。其后穆斯林富拉尼人于18世纪与19世纪自尼日尔河流域迁入，定居北部。

15世纪70年代初期，葡萄牙人作为首批欧洲人抵达沿海一带。到1520年，他们已建立起许多甘蔗种植园，并大批贩卖奴隶。17世纪初期，葡萄牙人失去对奴隶贸易的控制，由荷兰人起而代之。1807年英国宣布贩奴为非法，并在征得西班牙许可后，于1827年以费尔南多波岛为基地，开始对沿海水域实施管辖。到19世纪40年代奴隶贸易逐步停止。英国人开始定居大陆，以期建立保护地。1884年初，德国代表G.纳赫蒂加尔催促当地首领不与英国而与德国签订条约，1884年末德国将其保护领地扩展到喀麦隆。第一次世界大战期间，法、英两国军队联合行动，迫使德国人撤至西属（赤道）几内亚。1919年根据《伦敦宣言》，喀麦隆被划分为法属和英属两个行政区。1922年国际联盟委托法国和英国管理这两个行政区。1946年两地改由联合国托管。

1960年法国托管地成为独立共和国，并加入联合国。次年，英国托管地的南部地区投票赞成与新成立的喀麦隆联邦共和国合并，北部地区则赞成与尼日利亚合并。1972年中央集权政府成立。A.阿希乔自独立后一直任总统，1982年辞职由总理P.比亚取代。P.比亚仍然实行阿希乔式的独裁统治，但到90年代开始顺应改革要求。在1992年和1997年两次选举中，比亚连任，喀麦隆人民民主联盟（RDPC）继续执政。仍未与尼日利亚就富含石油的巴卡斯半岛的归属问题达成协议。90年代进行的财政改革促进了国民经济的发展。

Cameroon, Mount　喀麦隆火山 喀麦隆西南部的火山。由几内亚湾向内陆延伸23千米。海拔4 095米，为撒哈拉以南西非和中非的最高峰。形成喀麦隆北部和尼日利亚之间天然边界的一连串山脉的最西部分。布埃亚市在山的东南坡，维多利亚港在山的南麓。面向大海的一侧是世界最潮湿的地区之一，平均年降雨量10 000毫米以上。土壤肥沃，产香蕉、橡胶、油棕、茶及可可。山谷多牧场。英国人伯顿（1821～1890）于1861年登上喀麦隆火山的最高峰。喀麦隆火山是活火山，前一次喷发是在1959年。

Camiguin　甘米银 菲律宾棉兰老海中多山的岛屿。距棉兰老北岸10千米，靠近马卡哈拉湾和欣奥奥格湾，常被认为是菲律宾群岛中最美丽的岛。面积230平方千米。1948年希博克-希博克火山（1 330米）喷发以来，已有大量人口迁走。主要农产品为大米、香蕉和玉米。主要港口曼巴豪位于东北海岸。人口68 039（1995）。

Camilla　卡米拉 古罗马神话人物。她是沃尔西族少女，成为女勇士，受女神狄安娜宠爱。据罗马诗人维吉尔说，卡米拉之父迈塔布斯战败，怀抱她逃命。不料阿米塞努斯河横在面前。迈塔布斯把婴儿缚在枪上，献给狄安娜，然后掷过河去。他本人游泳到对岸，父女重逢。卡米拉后来率领一队勇士，内中包括青年女子，与罗马英雄埃涅阿斯作战，竟为埃特鲁斯坎人阿伦恩所杀。

Camillus of Lellis, Saint　圣卡米卢斯（莱利斯的）（1550-05-25，那不勒斯王国布基亚尼科［今在意大利］～1614-07-14，罗马） 天主教侍疾会创立人。他出身没落贵族，曾当雇佣兵，嗜赌，后于1575年改奉天主教，曾因患腿部溃疡和组织破裂而在专门医治疑难病症的罗马圣雅各医院就诊，后来就在该院作佣工，升助理医务员。1584年任司铎，他所建立的致力于护理工作的团体于1586年获得教廷承认。1591年教皇格列高利十四世核准它为修会，命名侍疾会。卡米卢斯任该会会长直到1607年。

Camillus, Marcus Furius　卡米卢斯（？～公元前365） 罗马军人，政治家。在高卢人于公元前约390年左右劫掠罗马后，他吸取教训，大力加强城防，从而被尊崇为罗马城的

卡米卢斯铜像

美国不列颠百科全书公司供图

“第二个奠基人”。他担任过5次独裁官，以一系列的煊赫战功知名于世。公元前396年担任独裁官期间，他攻克了埃特鲁斯坎人的维爱城。公元前390年，当高卢人攻占罗马时，他再次被任命为独裁官。在高卢人劫掠罗马城之后的几十年中，他对恢复罗马的国力起过重要作用。

Camino Real　皇家大道 16世纪连接西班牙希洪、莱昂和马德里等城市的公路，后来指任何重要公路。美国加利福尼亚州建于西班牙殖民时代（1542～1821）的沿海公路称为皇家大道，最后一段从圣迭戈通至索诺马，长达970千米。目前的太平洋公路从圣迭戈至旧金山的一段与原有的皇家大道紧靠平行。

Camisard　卡米撒派 法国南部下朗格多克和塞文山区的基督教新教教徒，18世纪初叶曾组织武装起事，反对路易十四对新教徒的迫害。“卡米撒”一词可能源于朗格多克语的“白衬衣”（该派战士穿著以利于夜战中相互识别）。撤销南特敕令和结束宗教宽容的路易十四想把天主教强加给他的所有臣民。18世纪初，一阵宗教狂热的浪潮席卷笃信新教的塞文山区。先知们预言迫害即将告终。许多人认为消灭天主教徒的时机已经到来。1702年7月杀害了被公认为严酷迫害新教徒的谢拉天主教神父。这标志着反抗的开始。他们计划劫掠和焚毁教堂，赶走甚至杀死教士。领导这一运动的群众领袖有：让·卡瓦利耶，面包房学徒；皮埃尔·拉波特，又称罗兰，阉羊者。他们作战很成功，甚至阻遏了王军的进攻。对他们有利的因素是：伏击和夜袭战术，熟悉活动所在的山区，以及人民的支持。政府采取灭绝政策：焚毁村舍，屠杀村民。1704年谈判破裂。政府愿意实行大赦，但对新教徒不肯实行宗教宽容。这些条件都被卡米撒派大部分人拒绝。1705年，许多领袖被捕和被杀，起事失去推动力量。零星战斗持续至1710年。政府根绝这个地区新教徒的企图一直持续到18世纪上半叶。

Camões, Luís (Vaz) de　卡蒙斯（约1524或1525，里斯本～1580-06-10，里斯本） 葡萄牙伟大的民族诗人、作家。长篇史诗《卢济塔尼亚人之歌》和死后出版的抒情诗对葡萄牙和巴西文学均产生了极其深远的影响。他的生平记载极少，限于三方面来源：17世纪最初为他作传的人的记叙，19世纪发现的少数文件以及随后的少量研究，及他的作品中对自己的生平的一些极为抽象的暗示，其中有些在编年上很难确定。生于里斯本一个没落贵族家庭。曾在科英布拉大学学习。据说曾在葡占摩洛哥住过。年轻时一目失明。曾因在一次街头斗殴中打伤官员而被捕。1553年获释后即前往印度。在东方，曾在澳门居住并参加过海军远征，在湄公河三角洲经历过船只遇难事件，也曾因旅费匮乏被困于莫桑比克。在异乡漂泊一二十年后，于1570年返回里斯本。1572年所写《卢济塔尼亚人之歌》问世，同年得到一笔皇家年金。死后葬于里斯本的圣安娜教堂。墓碑因1775年大地震丢失。1880年为纪念诗人逝世300周年，根据国王曼努埃尔一世的命令，把遗骸重新安葬于里斯本热罗尼莫隐修院，但这遗骸肯定不是他的。卡蒙斯一生未婚，但创作了几百首优美的诗篇，除3首外，其他诗歌均在作者死后发表。《抒情诗集》的新增订版于1598

美国不列颠百科全书公司供图

年问世。前两版中已混有许多他人之作。给卡蒙斯带来世界声誉的作品是八行诗体的《卢济塔尼亚人之歌》，全诗共 10 章，总计 1 102节。史诗描写瓦斯科·达·伽马的船只航行印度洋，正沿东非海岸行驶，奥林波斯山上的诸神会晤，就远航船队的命运展开争论(维纳斯予以赞助，巴克科斯却对之攻击)。在全诗中，作者运用了绝妙的插话，使故事更加生动活泼，扣人心弦，茵乃丝·德·卡斯特罗的被害，成为为爱情而殉身的象征；船只离开葡萄牙时，一位老人对冒险精神的谴责令人难忘；巨人阿达马斯托尔告诉瓦斯科·达·伽马，他要躺着等船队从印度回来，把它毁灭。对艳遇、战斗和暴风雨等自然现象的现实主义描绘优于遍及全诗中的古典主义的暗示和讽刺，有助于突出该诗夸张而流畅的风格。

camomile 参阅 **chamomile** 苹果菊。

Camorra 卡莫拉 意大利罪犯的秘密帮会。19 世纪控制过那不勒斯。卡莫拉的起源不详，也许早在 15 世纪就已经存在于西班牙，后来流入意大利。当卡莫拉的势力和影响逐步扩大之时，它进行了形形色色的犯罪活动，诸如走私、敲诈和拦路抢劫。腐败的波旁王朝不干预卡莫拉的活动。实际上，许多卡莫拉成员被招募到警察部门，而且这个黑帮还在那不勒斯市政府雇员和军人中深深地扎了根。意大利统一(1861)之后，政府采取强硬措施镇压卡莫拉。这次镇压活动持续了几十年之久，高潮是 1882 年的一系列大搜捕。从此以后卡莫拉元气大伤。在 1901 年的那不勒斯选举中卡莫拉的候选人全部落选，这标志着卡莫拉黑帮的衰亡。这个黑帮的势力虽然大大地削弱了，它的组织却没有被完全摧毁。1911 年发生的一起著名的谋杀案，使人们注意到卡莫拉黑帮仍然存在。这次案件中 20 名被控为卡莫拉分子的人受到了审判，其中一名从美国引渡到意大利的，据称是卡莫拉的首领。被定罪的人都判了重刑，这对卡莫拉黑帮是一次沉重的打击。许多卡莫拉分子逃到美国。据一些资料透露，这些人在美国与黑手党势不两立，互相残杀，直到 1920 年左右黑手党吸收了卡莫拉残余分子，风波才告平息。参阅 **Mafia**。

camouflage 伪装 军事科学上指战争中隐蔽自己及视觉上迷惑敌人的技术和做法。它是通过隐蔽或伪装军事设施、人员、装备和活动来挫败敌人的观察的一种手段。常规的伪装局限于被动的防御性措施。例如，表面伪装就不是采取干扰敌人雷达的方法来阻止其空中侦察，而是提供使敌人误解的视觉情报来迷惑敌人。

隐蔽和迷惑对敌人的情报活动均产生不利影响。敌人情报受阻，便不得不增加其侦察力量，因而从战斗中抽出更多的人员和装备。敌人可能为其所收到的不正确报告所迷惑，因而使其指挥官犹豫不决，丧失战机并招致无谓牺牲，甚至引导他作出错误决定。

常规的伪装不是企图明显地破坏敌人收集情报，而是极力向敌人提供假情报而不引起其疑心。另一方面，干扰手段确实损害敌人用于"观察"的感知手段的能力；只要敌人的侦察能力被摧毁，就不必担心敌人是否觉察到这种干扰行动。例如，从在飞行中的飞机上投下锡箔，以及发射牵制性的导弹，这些举措都是为了使敌人的防空体系陷于混乱，受到牵制，以至于达到饱和状态。一般认为这些措施与其说是伪装，不如说是反干扰措施。

伪装一词来源于法语 camoufler，意为"掩饰"。第一次世界大战期间采用了空中作战，此词便在英语中开始使用。军用飞机的发展使敌人的阵地暴露在空中侦察之下。空中侦察的目的在于指导炮兵射击，并预测敌人可能发动的进攻。因此每一支主力部队都组织了一个由受过特殊训练的士兵组成的伪装部队以实施迷惑敌人技术。第二次世界大战时，飞机进行远程轰炸的能力日增，使交战国受到全面威胁，而不仅限于前线。这既增加了伪装的重要性，也扩大了伪装的范围。同时，伪装的概念也更加广泛，包括对敌人的主动迷惑以及对抗敌人的观察和空中摄影的被动隐蔽。

第二次世界大战时，实际上每一件有军事意义的东西都加以一定程度的伪装。使用的材料有斑驳灰暗的油漆花纹、布伪装网、铁丝织网、十字织网，也采用天然的树叶。这些伪装的目的在于使每一件武器、每一辆车或每一项军事设施与周围的植被和地形相似，在空中观察时无法分辨出来。几乎所有的作战用车辆都装有伪装网，并被涂上绿色、灰色或褐色。全体军事人员在基本训练期间，都接受伪装基本训练。

第二次世界大战期间，广泛地使用了模拟物、故意展示、假目标，以达到各种目的。在英国和德国，一座座整个飞机场及大型制造工厂均加以伪装，以避免遭受空袭。还树立了假的目标，以诱使敌轰炸机离开真正的目标。战争结束时，英国空军部曾有如下的报告："在不列颠战役期间，500 个摆样子的假城市、假机场、假船坞及其他假目标十分逼真，夜间在敌机空袭时，他们发出强烈的光彩，使成千上万吨德国炸弹投在空旷的田野上而无损于我们。假机场吸引敌人的袭击甚至多于真机场，敌人袭击假机场 443 次，而袭击我实际军事设施 434 次。假机场如此逼真，以致盟军驾驶员必须加倍小心，以避免在假机场着陆。"

在评价第二次世界大战中德国的伪装时，美国战略轰炸调查报告曾有如下报告："所实行的保护性隐蔽措施比以前任何一个交战国使用了更加多样化的材料，很可能更具有独创性，肯定动用了更多的人力。这些野心勃勃的伪装工程在汉堡即可见一斑。汉堡阿尔斯特河的内港大致有 500 码长、450 码宽，周围有主要商业区。内港被掩蔽得像是一片自然环境。"

在第二次阿拉曼战役(1942)中，英军司令官蒙哥马利利用模拟物与假象相结合的手段，对德国司令官隆美尔的军队进行奇袭。蒙哥马利意欲在德军的北部防御体系强行打开一个缺口，却制造了一个长期的假象作掩饰，使德军认为盟军将在南部发动攻击。蒙哥马利巧妙地使用假材料，借以调动其坦克和其他装备到北部，而在南部却看不出其兵力有任何减少。这些假象使隆美尔一直在猜测作战时英军究竟将在何处发动进攻。从而使英军在这次战役中获胜。

另一个著名的使用模拟物的实例发生在诺曼底登陆前夕。当时为了迷惑德军，使其弄不清盟军究竟在何处登陆，便在英格兰精心制作了代表一支完整军队的模拟物。这时，德国的侦察机经常报告："英国的港口停有装有弹药的舰队，而旷野有大规模机械化部队。"这些故意的展示实际上是做成各种类型的武器形状并模拟登陆艇、坦克、卡车和大炮大量集结的充气假目标。在诺曼底海滩实际进攻时，假的攻击船也吸引了敌人的一部分防御火力。第二次世界大战期间，由烟幕提供的保护性隐蔽也产生效果。陆上和海上的部队调动，停泊的舰队以及渡河前准备工作都能靠大片烟幕得以暂时隐蔽，有些烟幕延绵达若干英里。1945 年 3 月，沿莱茵河长达 100 千米的烟幕掩护盟军第 21 集团军的重新组建，以及该军随后的渡河行动，这可能是迄今为止最大的一次烟幕掩护。

朝鲜战争(1950 ～ 1953)中，伪装技术没有多大改变。但在 20 世纪 50 年代和 60 年代出现了各种各样的新的侦察技术，这些技术用于越战时产生了显著效果。在战斗中，共产党的游击队使用了隐蔽行动、天然隐蔽以及伪装，十分有效。而美国飞机则利用尖端的电光学感知仪器，经常在战区茂密的植被中精确地找出这些隐蔽部队的位置。美国飞机及无人驾驶机均装备有电视、雷达、红外线扫描装置、音响探测器及配有多重滤色镜的高速摄影装置。美国地面作战区的监视装备有电视、雷达及供夜间观察的装置。

伪装的研究和发展同时也提供了新的技术、材料和装备来对付这些监视设施。生产了一些改进后的充气装置，用以模仿成为一些军事装备项目，如卡车、装甲车、大炮、导弹。还生产了一些其他材料，用来制造模拟的桥、车队、露营区、简易机场、铁道编组车场、岗哨巡逻活动及前线军需品临时堆集处。电脑已成为分析家们使用的一种普通工具；分析家们对大量的摄影资料及其他资料设法进行拼合，以区分敌人的真、假军事活动。

camp 兵营 部队临时性或半永久性的驻扎区,设施比露营地周全、耐久,但不如城堡或永久性营房 。历史上,古罗马军团的兵营最可称道:无论驻扎时间长短,四周总要掘壕、筑土墙,围以木栅,构成防御壁垒;营区内按固定不变的格局划分为大本营、辎重区和士兵宿营区。即使在夜间,驻军都可以发现任何方向来袭的敌军并迅速反击。罗马士兵的营地十分坚固,其中许多后来成为法、英等国新兴城市的核心部分。火器出现后,兵营不再筑城设防,只在周围布置哨兵和巡逻兵,并位于已建立的战线后方。

Camp, Walter Chauncey 坎普(1859-04-07,美国康涅狄格新不列颠～ 1925-03-14,纽约州纽约) 美国体育界权威人士。1876 ～ 1881 年在耶鲁大学求学,加入大学校际橄榄球协会,自 1880 年起该组织采纳了他所提出的一系列革新建议。1883 年起任一钟表厂经理,但 1888 ～ 1892 年仍任耶鲁大学橄榄球队教练,该队共胜 67 场负 2 场。1889 ～ 1896 年参与选拔各年度全美橄榄球队(可能与惠特尼合作),自 1897 一直到 1924 年选出的名单只以坎普一人名义公布。被列入大学橄榄球名人堂。

Camp David 戴维营 1953年之前名为香格里拉。美国总统的休养地。在马里兰州北部弗雷德里克县,东南距华盛顿市 103 千米。地处凯托克廷山公园兰岭山脉山嘴上。休养地为一片景色优美的山林区,面积 81 公顷,四周有高度安全的围栏,不向公众开放。1942 年由罗斯福总统建立,称之为"世外桃源"。1945 年由杜鲁门总统正式定为总统休养地。1953 年艾森豪威尔总统以其孙之名改地名为戴维营。由总统军事助理办公室管理,内有总统办公室、宅邸、游泳池和会议厅。第二次世界大战中罗斯福总统与英国首相丘吉尔在此会晤后,美国总统常在此与外国元首会谈。1978 年 9 月,经卡特总统撮合,埃及总统萨达特与以色列总理贝京在此签订和平协定(称《戴维营协议》)。

Camp David Accords 《戴维营协议》(1978-09-17) 以色列与埃及之间签订的两个协议,导致两国于第二年实现由谈判达成的和平,这在以色列与其阿拉伯邻国的关系上是第一次。之所以称为《戴维营协议》,是因为这两个协议是在美国总统卡特的支持下,以色列总理贝京与埃及总统萨达特在美国政府休养地马里兰州的戴维营经过谈判后达成的。从法律的意义上说,自以色列于 1948 年成立以来,埃及与以色列一直处于战争状态。以色列在 1967 年的六日战争中夺取并占领了埃及的西奈半岛。《戴维营协议》源出萨达特于 1977 年 11 月 19 ～ 21 日对耶路撒冷进行史无前例的访问,并向以色列政府和议会发表演说。这是一位阿拉伯国家元首对以色列的第一次访问。萨达特的访问导致同年晚些时候以色列与埃及之间的和平谈判,这一谈判进入 1978 年后继续间或进行。由于谈判陷入僵局,萨达特和贝京接受卡特总统的邀请,于 1978 年 9 月 5 日在戴维营举行美国-以色列-埃及首脑会晤。在卡特的调停下,经过 12 天的谈判,萨达特与贝京签订了两个协议:一个是关于签订一项埃及与以色列之间和平条约的纲要;另一个是关于实现中东和平的范围更为广泛的纲要。前者规定以色列军队分阶段撤出西奈,在两国签订和平条约后 3 年内,这一地区全部归还埃及。这一纲要同时保证以色列船只通过苏伊士运河的通航权。第二个较为一般性的纲要,以多少有点含糊的词句要求以色列同意在其占领的西岸和加沙地带逐步实现巴勒斯坦人的自治,并同意将它的军队部分地撤离这些地区,以便做好准备,3 年后就这些地区最后的地位进行谈判。以色列与埃及于 1979 年 3 月 26 日签订的和约严格地反映了《戴维营协议》。该条约正式结束两国之间存在的战争状态,色列同意分阶段撤出西奈半岛。条约并规定两国之间建立正常的外交关系。这些规定得到了充分的执行,但以色列没有执行关于西岸和加沙地带巴勒斯坦自治的规定。

camp meeting 野外奋兴会 19世纪美国边境地区基督教各派举行的户外奋兴会。根据史学家的意见,该会是 1799 ～ 1801 年期间由长老会教士麦克格莱迪(1760 ～ 1817)首先在肯塔基州洛根县举行的。顾名思义,参加这种聚会的人备妥野营用具,按规定时间到 50 ～65 千米以外的规定地点集合。各家围绕林中空地搭帐篷,空地置长凳和简陋的讲坛,构成室外教堂。奋兴会在三四天内几乎不间断地进行。有的奋兴会据说有1 万～2 万人参加。参加者有的是出于好奇,有的是为了结交朋友或看热闹,但大多数还是希望享受进行宗教崇拜机会。该会的活动内容有讲道、祈祷、唱赞美诗、婚礼或洗礼。各讲道者的神学观点互相迥异,但大都强调心灵突然转变。野外奋兴会以不同的方式影响边境居民的宗教和社会生活。既然强调突然转变信仰,于是教义宣传就极不受重视,往日要求于信徒的信仰标准被打破,教牧人员必须有学识的观念也不复存在。野外奋兴会所强调的新教个人主义和积极态度,符合边境地区生活的特点,最终渗透美国农村居民的宗教观。到了 20 世纪,边境居民的野外奋兴会变成夏令查经会,但其重要性已大不如当初。

Campā 瞻波 古印度城市,安加王国(今比哈尔邦东部地区)首都。在恒河南岸。5 佛陀时代(公元前 6 ～前 5 世纪)北印度的 6 大城市之一,是当时对外通商中心。后在安南(今越南)建立的瞻波王国即以此得名。

Campagna di Roma 坎帕尼亚-迪罗马 意大利中部拉齐奥区环绕罗马城的低地平原。面积 2 100 平方千米。19 世纪末 20 世纪初开始开垦。出产谷物、饲料、水果和蔬菜,饲养牲畜。无控制的开发建设和小农场的被废弃,至 20 世纪末已使昔日农村面貌日益改变。

Campagnola, Domenico 康帕尼奥拉(约 1484,威尼斯共和国帕多瓦[意大利]～约 1563) 意大利油画家,版画家,最早的职业绘图师之一。曾师从雕版画家G. 康帕尼奥拉,但不用其师的点刻法作画,而喜用松散的笔触,追求潇洒的效果。早年曾在帕多瓦协助提香画壁画,提香的明亮色彩和以运动为基础的构图法对他的画风有极大影响。在帕多瓦一带,他曾为许多宫殿和教堂作壁画,并以擅长木刻和设计木刻著称。而且是一位多产的绘图师,常以羽毛笔和墨水作画;是最早把素描作为目的而非习作的画家。

康帕尼奥拉绘《牧羊人乐手》(约 1515)

美国不列颠百科全书公司供图

Campagnola, Giulio 康帕尼奥拉(约1482,威尼斯共和国帕多瓦[意大利]～ 1514 以后) 意大利油画家和雕版画家,他采用点刻法作

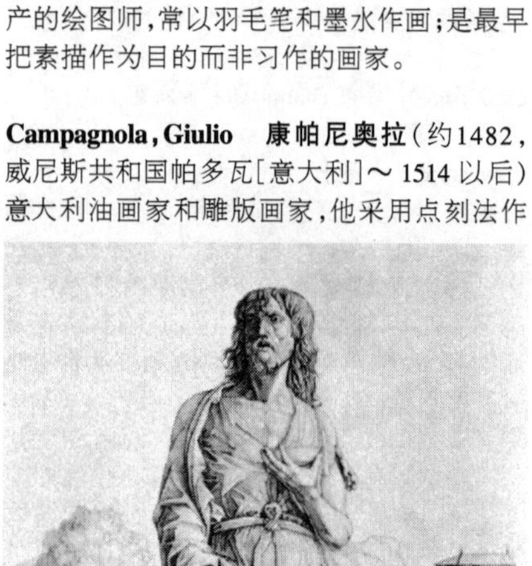

康帕尼奥拉绘《施洗约翰》

美国不列颠百科全书公司供图

版画先于别人两百多年。刻出的巧妙的斑点呈现出十分微妙的浓淡变化,并以此著称。曾为乔尔乔涅的作品刻制版画。

Campaña, Pedro (Flemish painter) **卡姆帕纳** 参阅 **Kempeneer, Pieter de** 肯珀内尔。

Campanella, Roy **坎帕内拉**(1921-11-19,美国宾夕法尼亚霍姆斯特德～1993-06-26,加利福尼亚洛杉矶附近伍德兰希尔斯) 美国职业棒球运动员。1948年加入全国棒球联盟布鲁克林道奇队,担任接球手。1957年赛季后,在一次汽车事故中受伤而瘫痪。在他的棒球经历中,先后于1951、1953、1955年被评为全国棒球联盟最有价值球员。50年代期间被认为是联盟最佳接球手。他的击球技术也很有名,1953年他作为击球员取得了41次本垒打并帮助本队142次跑垒得分的成绩,为全联盟之冠。曾参加1949、1952、1953、1955、1956年的世界系列赛。1969年入选棒球名人堂。

Campanella, Tommaso **康帕内拉**(1568-09-05,那不勒斯王国斯蒂洛[意大利]～1639-05-21,法国巴黎) 哲学家、诗人和作家。他试图调和文艺复兴的人文主义和天主教神学。因写过社会主义性质的作品《太阳城》(1602)而极受重视,此书写于他作为西班牙宗教裁判所的囚徒之时(1599～1626)。1583年他加入多明我会(这时他取名托玛索)后,受意大利哲学家贝尔纳狄诺·特勒肖(1509～1588,经院亚里士多德学派的反对者)著作的影响,未经教团许可,于1589年去那不勒斯,并在那里发表其著作《感官表现出来的哲学》(1591)。它反映特勒肖想从经验方面去探索哲学问题的意图,强调必须把人的经验作为哲学基础。此书最后使他因异端罪名被逮捕、审讯和短期囚禁。被释放后前往帕多瓦,在那里他再度被捕,被控以鸡奸之罪(1593),后被宣告无罪。然后又被控雇用了一个犹太人参加有关基督教信仰的一次辩论。他被送往罗马受审,1596年他正式放弃他被指控的异端思想。在《论基督王国》(1593)和《反对路德派、加尔文派和其他异教徒的政治对话》(1595)等早期作品中,他对于实用主义和政治改革的兴趣已很明显。在这些作品里,他断言有罪的人类可以通过以建立一个世界性教会帝国为基础的宗教改革获得新生。1598年返回斯蒂洛,对这里人民的苦难深为感动,于是提出一种比较有限度的、尽管仍然是空想的改革计划。按照此计划,他在1599年成为推翻西班牙在卡拉布里亚统治的一次阴谋的精神领袖。阴谋发觉后被押送至那不勒斯。在拷问之下他被迫承认在阴谋中的领导地位,装疯以逃避死刑,结果被判处无期徒刑。在监狱里,他恢复了对正统天主教的信仰,并立即写了著名的作品《太阳城》。他理想的共和国要由受过理性教育的人来治理,每人工作的目的都在于增进整个社会的福利。私有财产以及贫困现象都已消灭,因为任何人不能占有超过他所需要的东西。在被监禁的27年期间,还写过抒情诗,其中仅少数保存在1622年出版的《诗选》中。某些评论家认为这部诗选是当时意大利文学中最具特色的诗歌,它包括牧歌、十四行诗、传统爱情诗和玄学赞美诗。所著《形而上学》(1638)阐述了他的建立在权力、智慧和爱的三位一体结构之上的形而上学理论。在30卷的《神学》(1613～1614)中,他按照形而上学理论重新审评了天主教学说。1626年获释后,曾试图使天主教会接受他的新思想,未能成功。1634年那不勒斯的一次反西班牙阴谋暴露,他逃往法国,受到法国国王路易十三和枢机主教黎塞留的欢迎。

Campani, Giuseppe **坎帕尼**(1635,圣费利切堡[意大利]～1715-07-28,教皇国罗马) 意大利光学仪器制造者,曾发明一种磨透镜的磨床。他出生于农家,青年时就离家到罗马学习。在那里他学习磨透镜,并同他的两个兄弟一起,发明一种无声夜钟赠送亚历山大七世(教皇),因此出名。此后,他就成为一名专职的透镜磨工。在约50年期间,他曾替当时的重要人物和巴黎皇家天文台制造了望远镜和透镜。1664年他研制了他的透镜磨床,并用这种磨床磨出了供望远镜使用的高级透镜。他还改进了望远镜的伸缩套筒,用木头代替包有皮革的纸板来制作镜筒(管),虽笨重,但耐用,因此木制望远镜一直用到19世纪。用他自己的这些仪器,他在1664～1665年观察了木星的卫星和土星的光环。随后,他又设计出一种螺旋套筒显微镜,可以通过在螺纹圆管内的旋转来调整套筒。这种仪器替代了靠摩擦力固定的滑动式套筒,从而有可能调整得更加精确。

Campania **坎帕尼亚** 意大利南部区。濒第勒尼安海,在加里利亚诺河(北)和波利卡斯特罗湾(南)之间。下设阿韦利诺、贝内文托、卡塞塔、那不勒斯和萨莱诺5省。面积13 595平方千米。境内多山地、丘陵。早期由希腊殖民者和埃特鲁斯坎人定居。公元前6世纪建区,以卡普阿市为中心。4世纪末,全区罗马化。后成为罗马帝国的一个区。罗马帝国衰落后,先后属于哥特人、拜占廷人和伦巴第人。11世纪被诺曼人征服。12世纪并入西西里王国。后成为那不勒斯王国领土。1860年与意大利合并。沿岸平原是该区最重要的肥沃农业区,主要出产水果(杏仁、苹果、桃、坚果、柑橘、葡萄)、蔬菜、花卉、烟草和大麻。当地葡萄酒驰名全国。那不勒斯湾有渔业。普罗奇达和托雷-德尔格雷科为主要港口。作为意大利南部工业最集中的大区,工业大部分集中在区首府那不勒斯及其附近萨莱诺,主要工业有冶金、化工、机械和工具、纺织、农产品加工(罐头食品、面粉、通心粉、制烟)和造船等。那不勒斯及其郊区有兴旺的手工业,制做以珊瑚、珍珠、龟壳、皮革和花边为材料的工艺品。那不勒斯、索伦托半岛、卡普里和伊斯基亚等岛的旅游业是重要经济收入来源。人口5 652 492(2001)。

campanile **钟塔** 钟塔通常建在教堂旁或与教堂连在一起。钟塔这个词经常与意大利式建筑联系起来使用。最早的钟塔建于7～10世纪的各个不同时期,为简单的圆塔,有若干小圆拱形的孔穴围在顶端附近。这类典型实例有位于拉韦纳的克拉塞圣阿波利纳雷教堂和新圣阿波利纳雷教堂旁的钟塔。以后各个时期偶尔也出现圆形钟塔。著名的比萨斜塔(始建于1173年),周围有一系列层叠的拱廊,是这种类型中较为复杂的例子。

自10世纪起,大多数钟塔按矩形底层设计图建造,这种设计似乎在罗马和伦巴第同时出现。这类钟塔通常有突出的垂直的支板

(上)拉韦纳克拉塞的圣阿波利纳雷教堂钟塔;
(下)威尼斯市圣马克广场钟塔
美国不列颠百科全书公司供图

作为装饰，还有若干排有拱顶的檐口将钟塔分为数层。钟塔顶部，特别是早期的实例，通常是一种斜度不大的角锥形（金字塔形），从地面看不见顶部。这种罗马式的钟塔在整个欧洲中世纪十分盛行，有时有小的变化。实例有特拉斯特维尔的圣普拉塞德教堂（1080）和圣马利亚教堂（约1140）的钟塔。伦巴第的钟塔类似方形罗马类型，但其组成部分通常更为复杂，更加精细。钟塔的顶层发展成为整体上面的一种顶冠，其上为金字塔式的或（偶尔是）圆锥形的塔尖。这种对钟塔的垂直性日益强调，可以见之于14世纪初期由乔托、加迪等人设计的佛罗伦萨钟塔，其钟楼层的高度约为其他层的两倍。

钟塔这种发展趋向主要在威尼斯一带得到充分体现。威尼斯的钟塔具有方形细长的高塔身，由下往上逐渐变细。顶部为开敞的钟楼。钟楼往往用石头建造，尽管塔的其他部分是用砖建造的。钟楼上有一两排连拱廊。钟楼檐口上立着塔尖，有时为矩形，例如威尼斯圣马克广场上高达99米的著名钟塔便是如此（塔的下部建于10～12世纪，钟楼层建于1510年，1902年钟塔倒坍后曾全部重建）。

这种成熟型的钟塔在威尼斯地区长期继续建造，直到进入欧洲文艺复兴时期。但当文艺复兴期间人们偏爱其他形式（特别是圆屋顶形式）时，在意大利的其他地方，原来的成熟型钟塔便显得过时，这种情况持续到19世纪初。然后，意大利罗马风格的复兴使伦巴第式的教堂及其颇具特色的钟塔得以与北欧折衷的新哥特式教堂相抗衡（英国的实例是始建于1840年的斯特雷特姆的基督教堂）。19世纪晚期，在评论家拉斯金的影响下，威尼斯式的钟塔风行一时。甚至可以说，它对威斯敏斯特大教堂的塔产生过良好的启迪作用（1897年J.F.本特利语）。然而，19世纪折衷主义的独特之处还在于复兴后的钟塔形式并不仅限于其原来的各种用途，而是与工厂、农舍、公寓区、市场及大学的校舍等均有关联——有时候与铃有关系，有时候与时钟有关系，而更多的时候与二者均无关系，不过是为了起到美化环境的作用。

20世纪的建筑材料极大促进了独立式建筑的出现。于是钟塔再次成为教堂及其他非居住用的建筑物所拥有的一般的塔的形式。

Campanulales 桔梗目 显花植物的一目，属木兰纲，多为多年生草本，主要具观赏价值。本目含7科，105属，约2 500种。最为人们熟知的种类见于桔梗科；半边莲属（*Lobelia*）的种类亦为著名的庭园观赏植物。

桔梗目植物的分布范围从海平面至海拔4 000米。桔梗科种类生长于东、西半球温带的山区；某些半边莲属植物原产于北半球温带，但更多的种类见于南半球更为温暖的地区及热带。其他较小的科的代表种类主要分布于澳大利亚。

本目植物的生境多种多样。例如，风铃草属（*Campanula*）的许多种喜欢阳光充足的场所，另一些则在多阴的林地生长最好，北美的拉拉藤样风铃草（*C. aparinoides*）则见于沼泽地。大部分风铃草在由石灰石转化的土壤中生长繁盛，但葡萄牙的勒夫灵氏风铃草（*C. loeflingii*）则生长于略带酸性的沙壤中。蓝花半边莲（*Lobelia siphilitica*）及近缘种生长于浸透了水、阳光普照的开阔地上。另一方面，*Nemacladus* 属的种类为一年生荒漠植物，分布于美国西南部。

桔梗科含40属，700种，其中17属为美丽的花卉植物，受人们喜爱。亚德里亚风铃草（沟繁缕风铃草，*Campanula elatines*）及柳风铃草（桃叶风铃草，*C. persicifolia*）原产于欧洲及北亚，已产生多个栽培品系，花色自白至蓝色。从生风铃草（喀尔巴阡风铃草，*C. carpatica*）分布于喀尔巴阡山脉，生长成高45厘米的丛。蓝铃草（圆叶风铃草，*C. rotundifolia*）及高大蓝铃草（美洲风铃草，*C. americana*）原产于北美东部，但亦栽于庭园。匍匐生根风铃草（类牧根草风铃草，*C. rapunculoides*）是臭名昭著的花园杂草。兰花参属（*Wahlenbergia*）含100多种，广泛分布于从欧洲西部至南半球的范围内，其中8种有人工栽培。蓝钟花属（*Cyananthus*）的种类俗称蔓生风铃草，产于喜马拉雅山地区，是著名的铺地植物种类。

桔梗科有少数种类可食，如牧根草样风铃草（*Campanula rapunculus*）在欧洲一些地区当作蔬菜食用；桔梗科内一些生长茁壮的种类，尤其是 *Canarina* 属、*Clermontia* 属和 *Centropogon* 属的种类，其浆果可食。

半边莲属（山梗菜属）的一些种类为人们所熟悉，如深红花半边莲（红衣主教花，*L. cardinalis*）的花冠为鲜红色，而近缘种的花冠大部分为蓝或白色。印第安烟草（祛痰草、膨大半边莲，*L. inflata*）原产于北美东部及中部，具烟草味，当地印第安人用作催吐药。该种与其他半边莲属植物可提取山梗菜碱（半边莲碱），可治疗烟碱（尼古丁）成瘾。

桔梗目植物几乎均借种子繁殖。茎多叶，细长，顶部向上生长，变成花序，叶腋处生成花蕾。花若有花柄则花序为总状花序，花若无花柄则花序为穗状花序。

典型的桔梗目植物的花具5片部分合生的绿色萼片，共同构成花萼。5片花瓣构成花冠管，花冠管闭合成钟形，或向外展开。好几个属的种类具有不足5枚的雄蕊。雌蕊由3个细长的心皮连合而成，底部为膨大的子房，内含胚珠，子房上连细长的花柱，花柱顶部为分成三叶的柱头，用以接受花粉。花的各个部分生于子房上方（子房下位）。

果实成熟后果皮呈干燥状态，为蒴果。成熟的果实沿长轴裂开或以其他方式裂开，散出种子。桔梗科和半边莲科种类的果实中具多数种子，但其他各科的种类仅结成少数种子。

桔梗科种类的花冠为辐射对称（各花瓣形态及大小相似），而半边莲属种类的花冠为两侧对称（花冠的一半似另一半的镜影）。桔梗科种类的花尚在花蕾状态时花粉即从花药释出，此时柱头尚无接受花粉的能力；花柱位于花的中央，上具硬毛，花粉即黏附于毛上直至花朵绽开。昆虫为花柱基部的花蜜所吸引前来采蜜，从花粉处擦过，将花粉带到其柱头能接受花粉的老花上。异花传粉借此方式得

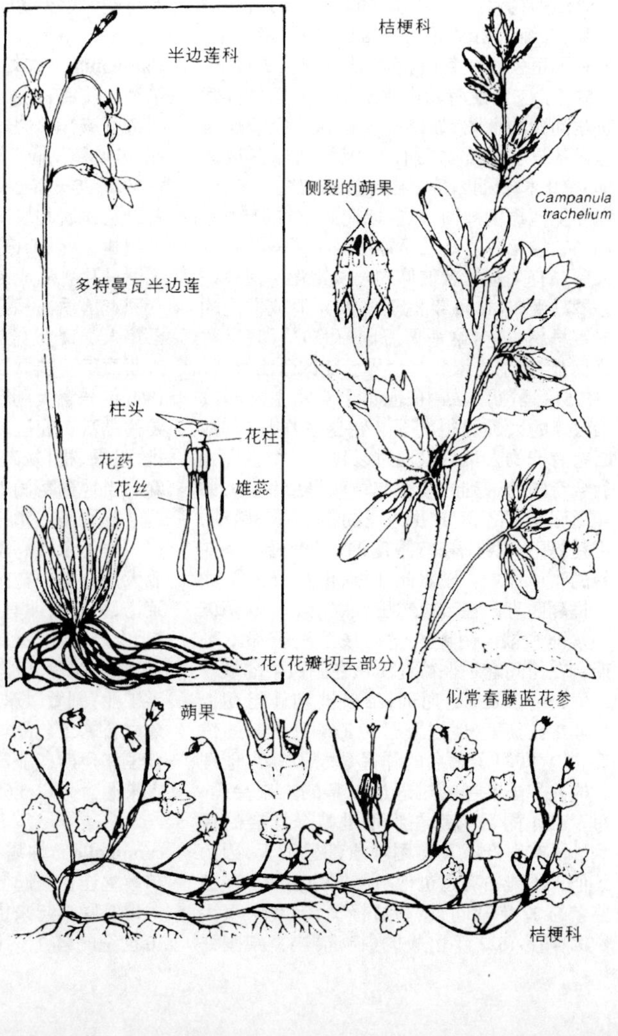

桔梗目两大科的代表植物与花的结构

以实现。产于夏威夷的 *Clermontia* 属种类,其花冠筒形状弯曲,与传粉鸟类——旋蜜雀的喙形状一致。

本目的7科为花柱草科(Stylidiaceae)、草海桐科(Goodeniaceae)、蓝针插科(Brunoniaceae)、多纳特氏草科(Donatiaceae)、半边莲科、楔瓣花科(Sphenocleaceae)和桔梗科。

Campaspe River 坎帕斯皮河 在澳大利亚维多利亚州中部。源出墨尔本西北80千米的东部高地,向北流,在凯恩顿附近有水坝拦成的埃帕洛克水库。继续流经埃尔莫尔后在伊丘卡附近汇入墨累河。坎帕斯皮河全长170千米,为古尔本灌溉系统的一部分,流域面积约3 900平方千米。沿岸地区出产木材、小麦和葡萄,有养羊及乳牛业。

Campbell, Alexander 坎贝尔(1788-09-12,爱尔兰安特里姆郡巴利米纳附近～1866-03-04,美国西弗吉尼亚贝瑟尼) 美国基督教教士、著作家、基督会和贝瑟尼学院的创始人。

美国不列颠百科全书公司供图

其父长老会牧师托马斯·坎贝尔于1807年迁居美国,鼓吹基督教会合一。1809年坎贝尔本人也随家属到美国,参加父亲的事业。1832年他的信徒(通称坎贝尔派)联合斯通的信徒共同组成基督会。他撰写或编辑书籍约60卷,其中包括一种《新约》版本,题为《活的神谕》(1826),还有一部赞美诗集。

Campbell, Archibald 坎贝尔 参阅**Argyll, Archibald Campbell, 1st Marquess and 8th Earl of 阿盖尔侯爵(第一)和伯爵(第八); Argyll, Archibald Campbell, 9th Earl of 阿盖尔伯爵(第九); Argyll, Archibald Campbell, 10th Earl and 1st Duke of 阿盖尔伯爵(第十)和公爵(第一); Argyll, Archibald Campbell, 5th Earl of 阿盖尔伯爵(第五); Argyll, Archibald Campbell, 3rd Duke of 阿盖尔公爵(第三)**。

Campbell, Sir Colin 坎贝尔 参阅 **Clyde (of Clydesdale), Colin Campbell, Baron 克莱德男爵**。

Campbell, Donald Malcolm 坎贝尔(1921-03-23,英格兰萨里霍利～1967-01-04,兰开夏科尼斯顿湖) 英国摩托艇和赛车驾驶员。继其父M.坎贝尔之业,创陆上和水上速度世界纪录。1955年7月23日在坎伯兰郡阿尔斯沃特湖上驾驶喷气发动机快艇创时速325.60公里的纪录。1964年12月31日在澳大利亚邓布尔扬湖上将纪录提高到444.6公里。1964年7月17日在澳大利亚艾尔湖盐滩驾驶喷气发动机汽车,创A组陆上机动车(4轮,大小不限)时速649公里的纪录。1967年企图再创水上速度新纪录,不料时速超过480公里时艇毁人亡。

Campbell, Douglas Houghton 坎贝尔(1859-12-16,美国密歇根底特律～1953-02-24,加利福尼亚帕洛阿尔托) 美国植物学家,以研究藓类和蕨类植物的有性繁殖方式而著名。他

美国不列颠百科全书公司供图

坚决认为维管植物起源于陆地,最早的维管植物属石松纲,今已绝灭,其祖先是原始的苔藓植物。但他提出的证据不足以使其他植物学家改变他们的日益为人接受的观点:苔藓植物及维管植物来源于不同的藻类。他的观点加剧了这方面的争论,这问题至今未有定论。1888～1891年他任布卢明顿的印第安纳大学植物学教授,后到帕洛阿尔托新建立的斯坦福大学(1891～1925)组织并领导植物系。他是蕨类、苔类、藓类形态学和生活史以及植物地理分布等方面的权威。他最著名的著作有《藓类与蕨类植物的结构与发育》(1895,该书作为大学的权威教材几乎达半个世纪之久)及《陆生植物的进化》(1940,该书总结了他关于种系发生方面的论点)。

Campbell, E. Simms 坎贝尔(1906-01-02,美国密苏里圣路易斯～1971-01-27,纽约怀特普莱恩斯) 美国第一位常在杂志上发表作品的黑人漫画家。曾就读于芝加哥大学和芝加哥艺术学院,后作过餐车服务员,经常画些讽刺乘客的漫画以自娱。后来迁居纽约,为一家广告社工作,由于长期给各种幽默杂志投稿而逐渐成名。擅画闺房中的妖娆妇女。

Campbell, Henry 坎贝尔 参阅**Campbell-Bannerman, Sir Henry 坎贝尔-班纳曼**。

Campbell, John 坎贝尔 参阅**Argyll, John Campbell, 2nd Duke of 阿盖尔公爵(第二); Breadalbane and Holland, John Campbell, 1st Earl of 布雷多尔本和霍兰伯爵(第一)**。

Campbell, John Archibald 坎贝尔(1811-06-24,美国佐治亚华盛顿～1889-03-12,马里兰巴尔的摩) 美国法学家和最高法院大法官(1853～1861)。并曾任南部邦联助理陆军部长。11岁进富兰克林学院(今佐治亚大学)学习,14岁毕业。随后入美国军事学院,但尚未完成军事训练,即因其父逝世被召返家,后开始研习法律。18岁时依据议会一项特别法令,获得律师资格。不久,迁往亚拉巴马州,并在此结婚。他除主持个人庞大的律师业务外,曾担任过两届亚拉巴马州议员。41岁时,被任命为美国最高法院大法官,以对法律作严格解释而闻名。他对各州权利的观点,则显然符合T.杰斐逊的政治主张。在法官任内参与臭名昭著的"德雷德·斯科特裁决",该裁决使各地的奴隶制合法化,从而煽起美国南北战争。他虽曾反对南方脱离联邦,认为这做法不审慎,但却于1861年辞去最高法院的职务,为南方效命。1862年,南部邦联总统J.戴维斯任命他为助理陆军部长,他任职直至南部邦联战败。他曾因伪控罪名被拘禁4个月,获释后因在战争中财产尽失,便迁往新奥尔良,兴办律师业务,并定居该地,终其余生。在此期间他曾在美国最高法院为许多案件辩护。

Campbell, John McLeod 坎贝尔(1800-05-04,苏格兰阿盖尔郡基尔宁弗～1872-02-27,邓巴顿郡罗斯尼斯) 苏格兰神学家、学者和著作家。他于1821年任牧师,1825年任罗教区牧师。逐渐改变信仰,确信"信心的保证",认为普世之人皆蒙救赎。1831年苏格兰国定教会长老会大会宣布坎贝尔为异端,将他撤职。其后他自由传教,1833年任格拉斯哥某独立教会牧师。著有《生命的饼》(1851)及《关于启示的想法》(1862)等。

Campbell, John W. 坎贝尔(1910-06-08,美国新泽西纽瓦克～1971-07-11,新泽西芒廷锡德) 美国科幻小说作家,被认为是现代科幻小说之父。儿时博览群书,进行科学试验,进大学后开始写科幻小说。他发表的第一个短篇小说《当原子无济于事之时》(1930),是最早描写计算机的科幻小说之一。30年代初期,写了一些有关外层空间的科幻小说,并开始用"唐·A.斯图尔特"(取自他夫人之名唐纳·斯图尔特)的笔名写另一种科幻小说。在这些小说中,技术居于次要地位,主要刻画人物和情感。其中有一部小说题名为《薄暮》(1934),描写在人类灭亡很久以后,机器仍在不停地工作着。这些受人欢迎的作品使人们纷纷群起模仿,甚至当坎贝尔1937年转而专心编辑《令人惊奇的故事》时,他对其他科幻小说作家的影响仍然存在。主要由于他的影响,科幻小说开始涉及重大的社会问题。

Campbell, Joseph 坎贝尔(1904-03-26,美国纽约州纽约～1987-10-31,夏威夷檀香山) 美国作家、比较神话学家。他发现古代不列颠人关于亚瑟王的许多传说与美国印第安民间传说有相似之处。他的《英雄》一文载《兄弟同来见父亲》(1969)一书中,它把印第安人神话的英雄概念同其他民族的英雄概念作比较。《千面一人的英雄》(1949)是另一部研究英雄原型的著作。坎贝尔的主要著作《上帝的面具》(1959～1967;4卷)广泛地研究了世界神话。其他著作有论文集《野鹅的迁徙》(1969)、《赖以生存的神话》(1972)、《神话偶

像》(1975,与 M.J.阿巴迪合著)和世界神话历史地图集《动物神的习惯》(卷 1,1983)。他还编有《神话、梦及宗教》(1971)。

Campbell, Kim 坎贝尔(1947-03-10,加拿大不列颠哥伦比亚艾伯尼港～　　) Avril Phaedra Campbell 的别名。加拿大女政治家,1993 年起任加拿大总理。坎贝尔曾在不列颠哥伦比亚大学(1969 年获文学士学位)和伦敦经济学院学习。她教了 6 年政治学之后,为获得法学学位,重返不列颠哥伦比亚大学。1983 年毕业后,在温哥华当律师两年,接着便全身心地投入政界。坎贝尔最初的政治经验,来自她当选温哥华教育委员会委员(1980～1984;1983 年任主席)。1983 年作为社会信用党的候选人竞选不列颠哥伦比亚省立法议会议员未成,1986 年 5 月代表社会信用党竞选省的领导职位再次败北。但同年 10 月,作为社会信用党员在温哥华的一个选区竞选省立法议会议员获胜。两年后,她转为进步保守党员并当选为联邦议会议员。她的勤奋和才能受到当时的总理马尔罗尼的青睐,他于 1989 年任命她为印第安人事务和北方发展部长。1990 年坎贝尔任司法部长兼总检察长。她的任期以立法上的几次成功为标志,其中包括加强加拿大的枪支控制法律,并通过严厉的强奸法,这些显示了她运用巧妙的手法获得政治妥协的能力。1993 年 1 月她被任命为国防部长,这被认为是马尔罗尼对她的政治前途抱有信心的表示,特别是此后不久他即宣布退休。1993 年 6 月,坎贝尔在党的全国代表大会上当选为党的新领袖,接替马尔罗尼成为加拿大第一位女总理和第一位来自西海岸的总理。同年 12 月辞去党内领导职位。

Campbell, Mrs. Patrick 坎贝尔夫人(1865-02-09,英国伦敦～1940-04-09,法国波城) 本名比阿特丽斯·斯特拉·坦纳。英国女演员,以塑造热情而机智的人物著称。1888 年首次登台,第 1 个出名角色是 A.W.平内罗爵士的《第 2 个坦克里太太》(1893)中的坦克里太太。两年之后,她饰朱丽叶,福布斯-罗伯逊演罗密欧。此后他们常在一起配戏。1907 年在易卜生剧本《海达·加布勒》中扮演令人难忘的同名主角。1914 年在《皮格马利翁》中扮演杜利特尔,这个角色是她的朋友萧伯纳专为她创作的。她还扮演过梅特林克剧本《普莱雅斯和梅丽桑德》中的梅丽桑德、《麦克白》中的麦克白夫人、易卜生剧本《群鬼》中的阿尔文太太、索福克勒斯剧本《厄勒克特拉》中的克利坦奈斯特拉等角色,均获巨大成功。她以 68 岁的高龄在影片《潮水汹涌》中首次登上银幕,接着又在其他几部影片中出现。她与萧伯纳的通信集由 A.登特编辑,于 1952 年出版。

Campbell, Robert 坎贝尔(1808-02-21,苏格兰珀斯格伦莱昂～1894-05-09,加拿大马尼托巴赖丁山附近默奇斯敦兰奇) 加拿大边境贸易商。1830～1871 年为哈得孙湾公司工作,最初到达育空地区的探险者之一。1840～1852 年考察育空河源头、佩利河(育空河支流)和利亚德河。1842 年在弗朗西斯湖建立哈得孙湾公司在育空地区的第一个毛皮贸易站。在离开育空地区时,穿雪鞋旅行 4 800千米到达蒙特利尔。

Campbell, Roy 坎贝尔(1901-10-02,南非德班～1957-04-22,葡萄牙塞图巴尔附近) 诗人。曾经在法国、西班牙、葡萄牙等国经历过各种危险,干过各种工作,包括斗牛。西班牙内战时期站在国家主义者方面参战,第二次世界大战期间在东非和北非服役,后受伤致残。死于车祸前已在葡萄牙住过 5 年。第一首长诗《火红的甲鱼》(1924)发表后,一举成名。这首诗歌颂本能的生命力,认为它可以使人摆脱悲观失望。《印刷工人的郊游》(1928)讽刺南非知识分子,《乔治亚德》(1931)抨击英国的布卢姆斯伯里团体。他的抒情作品有《阿达玛斯托》(1930)、《芦花盛开》(1933)和《会说话的野马》(1946)。曾翻译西班牙、葡萄牙和法国作家的作品,并写了两部自传《打破的纪录》(1934)和《意外荣光》(1951)。

Campbell, Thomas 坎贝尔(1777-07-27,苏格兰格拉斯哥～1844-06-15,法国布洛涅) 苏格兰诗人,以写抒情诗闻名,是创建伦敦大学计划的倡议者之一。1799年写成《希望的

美国不列颠百科全书公司供图

乐趣》,一年之间出了 4 版。他还写过几首激动人心的爱国战歌,如《英国水手之歌》、《士兵的梦》、《霍恩林登》和《波罗的海海战》。1825 年,为因宗教考试或付不起学费而被排除在牛津和剑桥大学之外的学生发起成立伦敦大学的运动。

Campbell, William Ellsworth 坎贝尔 参阅 **Chung Ling Soo** 钟林苏。

Campbell, William Wallace 坎贝尔(1862-04-11,美国俄亥俄汉考克县～1938-06-14,加利福尼亚圣弗朗西斯科[旧金山]) 天文学家,以用分光照相术确定恒星视向速度著称。恒星视向速度是指恒星接近地球或远离地球的运动。他还发现了许多分光双星,并于 1924 年发表一本包含 1 000 多颗分光双星的星表。为测出那些只在南半球才能看到的恒星的视向速度,他把一架配有摄谱仪、口径为 36 英寸的望远镜搬到智利的圣地亚哥。他把在加利福尼亚州哈密尔顿山利克天文台和在圣地亚哥两地所得的资料合在一起,从而定出太阳运动的方向和速度以及各种光谱型恒星的平均或然速度。他7次率领远征队,

加利福尼亚州圣克鲁斯市利克天文台档案馆供图

从利克天文台出发去观测日食,带回丰富的日冕和闪光光谱的资料。1890 年在利克天文台任职,两年后任密歇根大学天文学讲师。1901 年任利克天文台台长。1923～1930 年任加利福尼亚大学校长。1931～1935 年任全国科学院主席。

Campbell, William Wilfred 坎贝尔(1861-06-01,加拿大安大略柏林～1918-01-01,渥太华附近) 加拿大诗人。第一卷诗集《湖畔抒情诗及其他诗篇》(1889)最令人难忘,诗集歌颂了他家附近的休伦湖和乔治亚湾乡村的风景。受教于多伦多大学。1885 年任神职。1891 年受雇于渥太华民政部门,直至逝世。作品充满传教士的热情,热衷于英国"种族"的文化,并对原始神话感兴趣,这在当时并不常见。其他诗集有《恐怖的旅程》(1893)、《在梦之山外》(1889)、《诗集》(1905)、《更辽阔的不列颠传说》(1914)。他的作品还包括诗剧,加拿大生活的纪实性研究,以及两部历史小说。编有《牛津加拿大诗集》(1913)。经 W.J.塞克斯编辑发表《诗作》(1923)。

Campbell-Bannerman, Sir Henry 坎贝尔-班纳曼(1836-09-07,格拉斯哥～1908-04-22,伦敦) 英国首相(1905-12-05～1908-04-05)。他的名望使他所领导的自由党和异常

美国不列颠百科全书公司供图

强大的内阁归于统一。他带头同意德兰士瓦(1906)和奥兰治河殖民地(1907)实行自治,从而获得了布尔人对英帝国的忠诚,尽管他们不久前为英国军队所打败。1868 年起为下议员,历任陆军部财务大臣(1871～1874,1880～1882),海军部政务次官兼财务大臣和在下院的发言人(1882～1884),爱尔兰事务首席大臣(1884～1885)和陆军大臣(1886,1892～1895)。1895 年 6 月 21 日,他说服维多利亚女王的堂兄弟坎布里奇公爵从武装部队总司令的职位上引退。这位公爵在其 39

年的任期内,阻止军队的改组。女王认识到这一变动的必要性,封坎贝尔-班纳曼为爵士,以为奖励。1899年2月6日,坎贝尔-班纳曼当选为严重分裂的自由党下院领袖。在南非战争期间,他最初在自由党内奉行一条介于帝国主义派与反战的"亲布尔"派之间的中间路线。但在1901年6月14日,他谴责英国"在南非的野蛮手段"。1905年末保守党首相贝尔福辞职后,他从国王爱德华八世处接受了这一职位。他的内阁中有两位未来的首相:曾为自由党帝国主义派的阿斯奎斯和曾为"亲布尔"派的劳合·乔治,还有英国第一位代表工人阶级入阁的J.E.伯恩斯。1906年1月大选后,自由党在下院形成很大的多数,但是坎贝尔-班纳曼提出的许多法案都被上院否决。不过,1906年的行业争端法却得到贵族院的批准,这个法案给予工会以相当大的罢工自由。给予德兰士瓦和奥兰治河殖民地以自治是通过特许证的办法进行的,对此上院无权控制。1907年坎贝尔-班纳曼病情恶化,他在去世前17天辞职,支持阿斯奎斯接替他的职位。

Campbell Hill 坎贝尔山 位于美国俄亥俄州中西部洛根县,贝尔方丹正东。为该州最高峰(472米)。地处风景游乐区,有泉水和极富印第安情调的烟蓝色山丘。附近有赞恩洞穴、印第安湖和滑雪区。

Campbell Island 坎贝尔岛 新西兰近海火山岛。在南岛以南644千米的南太平洋中。面积106平方千米。地势高而崎岖不平,东面有珀西维伦斯港和东北港。气候寒冷、潮湿、多风。1896年引进绵羊,破坏了岛上大片天然植被,然亦未得发展。1941年建气象站。该岛受新西兰王室领地事务专员管辖。人口10(1986)。

Campbell River 坎贝尔里弗 加拿大不列颠哥伦比亚省西南部一区属自治镇。在温哥华岛东海岸、坎贝尔河河口。为伐木和造纸业的中心和以钓捕鲑鱼著称的休假胜地。附近有埃尔克瀑布和斯特拉思科纳等省立公园及约翰哈特水力发电设施。村庄(1904始建)及河流以英国海军军医S.坎贝尔之姓命名。1947年设村;1964年设区属自治镇。人口21 175(1991)。

Campbell Soup Company 坎贝尔罐头汤公司 1922年成立的美国制造业公司,其前身是最初成立于1869年的一家罐头食品制造公司。现在该公司是制造现成食品的最大制造商之一,特别是罐头汤、罐头意大利面条和混合蔬菜汁。坎贝尔罐头汤公司还是罐头豆制品、罐头通心粉、番茄汁、冷冻食品和各种面包的大生产商,并经营小规模的糖果制造厂、宠物食品加工厂、快餐馆和园林附设的零售店。公司总部设在新泽西州的康登。1869年,水果商人坎贝尔(1900年卒)和冰箱制造商安德森在康登合伙开设公司,将番茄、蔬菜、果酱及其他产品制成罐头。1876年,安德森离开这家合伙公司,于是坎贝尔和A.多兰斯联手,组成一家新公司。该公司于1891年命名为坎贝尔罐头水果公司(1901年成为股份有限公司)。1894年坎贝尔退休。3年后,多兰斯的侄子J.T.多兰斯(1873～1930)加入这家公司,提出制造浓缩汤的计划。1898年这种罐头汤以人们熟悉的红、白色标签上市。1900年罐头汤在巴黎博览会上获金奖,此后便进一步以此金奖作为其产品标志。1905年,公司更名为约瑟夫·坎贝尔公司。1922年公司重新改组,更名为坎贝尔罐头汤公司。J.T.多兰斯于1914年成为公司总经理,他的兄弟A.C.多兰斯则成为该公司1921年收购的法美食品公司的总经理,1930年又成为坎贝尔罐头汤公司总经理。第二次世界大战以后,该公司逐渐转向多样化经营,购入果汁、冷冻食品、面包制品的生产厂家,还拥有几家速食连锁店。该公司在其他一些国家还建立了坎贝尔罐头汤公司的子公司。

Campbellsville 坎贝尔斯维尔 美国肯塔基州中部泰勒县城市。地处布卢格拉斯、诺布斯和彭尼罗亚尔3地区交界,在路易斯维尔东南偏南113千米处。1817年始建。1824年设建制。先属格林县,1848年设泰勒县时成为泰勒县县城。坎贝尔斯维尔市为牲畜和烟草等的贸易市场。该市有轻工业,生产服装、空气压缩机、铝制品、金属容器和硬木制品等。1906年建坎贝尔斯维尔学院。该市城南是南北战争中格林河之役的战场。坎贝尔斯维尔市西北郊有国立林肯故居历史遗址。人口10 498(2000)。

Campbellton 坎贝尔顿 加拿大新不伦瑞克省北部雷斯蒂古什县城市,在雷斯蒂古什河河口湾,有桥通魁北克的波因塔拉克鲁瓦。约1793年建立。1833年以该省省督A.坎贝尔之姓命名。坎贝尔顿市现为河运终端站,以及纸浆原材和木材等的转运地。该市以钓捕鲑鱼闻名。1888年建镇,1958年建市。人口8 404(1996)。

Campbelltown 坎贝尔敦 澳大利亚新南威尔士州东部城市。在悉尼都会区内。1810年建镇。市内有古老教堂。当地麦夸里菲尔德大厦(建于19世纪40年代)是摄政时期建筑风格的最佳典范之一。主要行业有家禽饲养和乳制品业。生产棉织品和电器。人口149 489(1998)。

Campbeltown 坎贝尔敦 苏格兰西部阿盖尔-比特区的小自治市(城镇)和海港。属阿盖尔历史郡。是长65千米、伸入大西洋的金泰尔半岛的主要中心,水路距格拉斯哥西南134千米,市西北的坎贝尔敦机场有航班通格拉斯哥。1700年成为自治市。现经济主要依靠旅游、服装生产、食品加工和酿酒业。人口5 722(1991)。

Campeche 坎佩切 墨西哥东南部一州。位于尤卡坦半岛,西北濒墨西哥湾,南邻危地马拉。面积50 812平方千米,位于低平的石灰岩平原。北半部为干旱和半干旱地区,农业和畜牧业用水靠地下水。州首府坎佩切东部和南部地区雨量充沛、气温高,形成热带雨林区,不宜居住。一些河流流经该州南部,注入特尔米诺斯潟湖。林产品(主要为硬木材和糖胶树胶)是该州主要收入来源。渔业收入其次。有水路、铁路、公路和航空线通墨西哥中部。人口约689 656(2000)。

Campeche 坎佩切 墨西哥东南部墨西哥湾港口城市,坎佩切州首府。濒临坎佩切湾。1540年建城。18世纪辟为墨西哥湾三大港口之一。1863年为坎佩切州首府。虽然由于

坎佩切市的雕塑——坎佩切的复兴
美国不列颠百科全书公司供图

化学染料取代了植物染料,其经济重要性下降,但仍出口染料木、棉花、稻米、甘蔗、烟叶和吉他。邻近坎佩切湾近海油田,现为油田服务中心。有殖民时期的教堂、古老的城堡和为防备17世纪海盗袭击而修建的城墙。设有东南大学(1954)。有铁路、公路和航空线与梅里达及墨西哥中部各城市相连。人口190 813(2000)。

Campeche, Bay of 坎佩切湾 墨西哥湾一小海湾,在墨西哥南部。东为尤卡坦半岛,南为特万特佩克地峡,西为韦拉克鲁斯州南部。面积约15 540平方千米。吃水3米以上的船只不能进湾。帕帕洛阿潘、夸察夸尔科斯、格里哈尔瓦、乌苏马辛塔和坎德拉里亚等河注入湾内。沿岸地势低洼,湖泊和沼泽星罗棋布。20世纪70年代开发坎佩切湾近海油田,80年代初成为墨西哥最大的产油区。1979年中期,伊斯托克1号油井爆炸,将约300万桶原油喷入墨西哥湾,次年年初方封顶。这次溢出为历史上最严重的一次,墨西哥政府耗费1.32亿美元才控制住。有天然气、石油管道通往海岸边的夸察夸尔科斯。

Campeggio, Lorenzo 坎佩基奥(1474～1539-06-19,罗马) 意大利天主教枢机主教、人文学者、律师。1511～1539年先后任5代教皇的特使或大使。1511和1513年任随神圣罗马帝国皇帝马克西米连的教廷特使。他通过执行政治和宗教任务,特别熟悉德意志

情况。1528年到英格兰，与枢机主教沃尔西一起调查英格兰国王与阿拉贡的凯瑟琳之间的婚变。他们的调查尚未作出结论，教廷即撤回此案。

Campen, Jacob van　坎彭（1595-02-02，荷兰哈勒姆～1657-09-13，阿姆斯福特附近赫伊斯兰登布罗克）　荷兰建筑师。荷兰一建筑师团体领导人之一，该团体曾创建适用于当时荷兰社会及政治风气的一种严谨的建筑风格。他曾研究意大利建筑师A.帕拉弟奥及其他人的作品，并在荷兰创立一种古典建筑风格。其设计风格平易近人，产生了巨大影响，在英国尤为明显。杰出作品有：与P.坡斯特合作设计的海牙的莫里斯宫（1633～1644，现为皇家绘画陈列馆）、森林之家（1645），阿姆斯特丹的市政厅（1648～1655，现为皇家博物馆），以及哈勒姆的巴罗克新教堂（又称圣安妮教堂，1645～1649）。

Campephagidae　鹃鵙科　雀形目的一个鸣禽科，包括鹃鵙和山椒鸟。见于非洲到太平洋岛屿，70种。体长13～35厘米，嘴稍钩曲，尾较长，羽衣蓬松，背和腰有疏松的、挺直的羽毛。许多种呈灰色并有横斑，又因它喜欢吃毛虫，使人联想到杜鹃。大多数种类亦食果实。栖于森林和花园中，通常成群嘈杂鸣叫，啭鸣悦耳，随着带头鸟在树间飞来飞去。巢杯状，通常筑在树的高处，产卵2～5枚。未离巢的雏鸟身上可覆白色绒羽，再大些的雏鸟则像雌性成鸟，其颜色可与雄鸟大不相同。参阅 **cuckoo-shrike; minivet**。

camphor　樟脑　具有刺鼻、有点霉香味的有机化合物，作为焚用香的组分和药已使用了很多世纪。现在已用作硝酸纤维素的增塑剂、防虫剂，特别用于防蠹虫。分子式$C_{10}H_{16}O$。樟脑产于樟脑月桂树，常见于中国和日本。在这种树的木屑中通以蒸汽，蒸汽冷凝后，从蒸馏液的油相析出樟脑结晶，再加压升华精制。从20世纪30年代初已用几种方法由α-蒎烯制得樟脑。樟脑为萜烯酮类有机化合物，其结构及反应曾作为19世纪有机化学研究的重要课题。纯樟脑为白色蜡状固体，熔点约178～179 °C。

Campi, Giulio　康皮（1502，米兰公爵领地克雷莫纳～1572，克雷莫纳）　意大利画家和建筑师，克雷莫纳画派的缔造者。初随父加莱亚佐（1475～1563）学画。作品雅致而具折衷色彩。多产，兼画油画与壁画；作品以色彩丰富见称。

Campidano　坎皮达诺　意大利撒丁岛西南部狭长的低平原。在伊格莱西恩泰西南高地和东部高地之间。长110千米、宽32千米。出产谷物、橄榄、杏仁、蔬菜、水果和酿酒葡萄等。原为沼泽，1946年后逐渐排干。现为人口稠密的沃土带。主要城市有奥里斯塔诺和泰拉尔巴。

Campin, Robert　康平（约1378，法国图尔奈～1444-04-26，图尔奈）　佛兰德斯画家，北欧文艺复兴的主要艺术家，佛兰德斯文艺复兴绘画方法的创始人，湿壁画的主要先驱。作品以自然写实和雕刻感为特征，这种风格取代了中世纪晚期装饰性的国际哥特式风格。康平是一个革新的画家，其石雕般的画面惊人厚重而且栩栩如生，看起来很真实。大多数作品把实体的人和事物当作宗教秘仪的参与者。近来研究表明，是康平而不是凡·爱克发展了油画方法，康平画中深深的阴影和受光面的冷调子增加了画面的立体感和空间感。在与图内尔雕刻家的竞赛中，他曾用了当时北欧画家所不曾运用过的明暗造型法。J.达雷和韦登都是他的学生，但他们的作品又反过来影响着老师。已被确定为康平的作品有3幅：《圣母与圣子》、《圣维罗尼卡》（反面有“三位一体”）和《十字架上的强盗》。他的晚期作品《威尔祭坛画》（1438）在透视方面有了新的发展。《圣体下架图》是一幅壮观的作品，在祭坛画侧翼的背面和盖扇上，他继续发展着单色绘画，其把形体置入空间的尝试预示出早期佛兰德斯艺术中绘画和雕刻的相互影响。

Campina Grande　大坎皮纳　巴西东北部帕拉伊巴州东部城市。海拔550米。1766年建村。1864年升为市。巴西东北部重要工商业中心。棉花、西沙尔麻、豆类、木薯和皮革产品的集散地。可制造纺织品、冶金产品、塑料制品和药品。设有地区大学、农业研究站和艺术博物馆。货物经铁路、公路、河流和航空运输到州首府若昂佩索阿、累西腓和其他各地。人口约354 061（2000）。

Campinas　坎皮纳斯　巴西圣保罗州东部城市。海拔693米。1797年建镇，为市政府所在地。19世纪时为州的主要商业中心。为内地所产咖啡、柑橘、可可和甘蔗等产品的重要集散地。市内有州属农艺研究所、几个大实验种植园等农业研究机构。工业有铸造、纺织、制锁、包装和加工厂。亦制造农业机械和摩托车。市内还有坎皮纳斯天主教主教大学（1941）和国立坎皮纳斯大学（1962）。歌剧作曲家A.C.戈麦斯诞生于此。有几座博物馆、剧场和美术馆。坎皮纳斯也是铁路和公路枢纽。有国际机场。人口约967 921（2000）。

坎皮纳斯市容
美国不列颠百科全书公司供图

Campine, la (region, Belgium)　**拉康潘**　参阅 **Kempenland** 肯彭兰（地区）。

camping　野营　娱乐活动，参加者到野外在帐篷、篷车或有篷拖车里住宿，度过一夜、一个周末、一周或更长时间。野营曾经只是肯吃苦耐劳的露天活动爱好者一项粗略回归自然的娱乐，后来逐渐成为广大平常家庭的标准假日活动。特别是从1950年以来，野营已成为日益流行的娱乐活动，乐于此项活动的人在20世纪70年代已达6 000万人，其中一半在北美洲，其余主要在欧洲。远古人就用兽皮和树叶搭帐篷居住。在《圣经·旧约》所记载的时代，人们用布搭帐篷，这种帐篷与今日中东旷野地区牧民所住者相似。现代野营运动的创始人是英国人T.H.霍尔丁（1844～1930），他的著作《野营手册》出版于1908年。1901年他在英格兰成立世界上第一个野营俱乐部，这个组织于1907年与其他俱乐部合并，成为大不列颠及爱尔兰野营俱乐部。1933年，在英国倡议下，国际帐篷野营和篷车野营联合会成立，同年在伦敦附近汉普顿考特举行国际野营大会，这种大会在第二次世界大战后每年举行，主要在西欧国家，但1964年是在以色列，1966年在匈牙利。集体野营遍及世界许多国家，但发展得最为迅速的，却是个人或家庭野营。从1955年起，各界人士纷纷外出野营，他们有人仅仅是为了体验野营生活，但更多的人是为了观赏风景、采风、捕鱼、照相、狩猎或探测山林。私人汽车迅速增加，尖端的野营设备不断涌现，也是个人和家庭野营活动发展的原因。欧洲出现有内框架帐篷，内部有几个不小于6平方米的单间，设备尽量齐全。美国野营者多用汽油炉做饭，欧洲大多用瓶装丁烷或丙烷气炉。聚乙烯或塑料食器和水容器、易洗炊具、折叠桌椅、气褥、折叠野营床、泡沫塑料褥、轻型睡袋以及其他种种用具，都使野营大为舒适。自从1960年以来，乘车野营的人数剧增。拖挂式篷车和拖车帐篷固然十分流行，扯篷汽车也日益为人所喜爱。北美洲的旅游拖车较欧洲的长，临时汽车住房也是如此，往往长达10.7米。此外尚有各种用卡车载运的野营房屋。在欧洲，徒步、搭乘他人汽车、骑摩托车去野营的个人固然尚不在少数，但使得野营地生意大为兴隆的，却是有如雨后春笋的家庭野营运动。北非国家，如摩洛哥，也不乏野营区。美国和加拿大的野营地数以千计，许多设在州立或国立的公园、森林区和游乐区内。20世纪70年代洲际航空野营兴起，游人可将野营车辆和设备空运到远隔重洋的野营地。

campion 冠军花 又称catchfly（捕蝇草）。石竹科蝇子草属（*Silene*）观赏植物的通称，约500种。草本。广布世界。冠军花一词也指同科的剪秋罗属（*Lychnis*）植物。蝇子草属植

白玉草（*S. vulgaris*）
美国不列颠百科全书公司供图

物直立或铺散；茎常覆以黏性物质；叶对生，全缘；花红色、白色或粉红色，单生或成有分枝的花簇；花瓣5枚，基部狭窄、柄状，称为爪，有时在瓣爪与瓣片之间有鳞片；果为蒴果。白玉草（习见蝇子草、普通蝇子草，*S. vulgaris*）的花大而下垂。许多亚种见于全欧不同的生境。某些种栽培于岩石花园及作沿边花卉。

Campion, Saint Edmund 坎皮恩（1540-01-25，伦敦～1581-12-01，伦敦） 英格兰耶稣会士。伦敦书商之子，曾在牛津大学任教。1568年任圣公会副主祭。后改奉天主教，1573

美国不列颠百科全书公司供图

年去罗马加入耶稣会。1580年参加耶稣会派往英格兰的传教团。1581年在牛津圣玛丽教堂散发谴责圣公会的小册子《十大理由》。被密探逮捕，关入伦敦塔。当局对他施以酷刑，强令他改变信仰，遭他拒绝，于是诬告他阴谋推翻女王，以叛国罪处以绞刑。

Campion, Thomas 坎皮恩（1567-02-12，伦敦～1620-03-01） 英国作曲家、诗人、音乐及文学理论家、医生。他的抒情诗和所配乐曲长期为人们所喜爱。他的韵文理论认为写诗不可无节拍，诗凭听觉定高下，在英诗中诗行和诗节节拍稳定，音步和音节在其间可以千变万化。其音乐理论并不足道，但他已自然地考虑到具有大调、小调的现代音调体系。1595年出版拉丁文讽刺短诗《诗集》。1601年出版《歌曲集》（与P.罗塞特合著）。1602年出版一本文学理论著作。1606年成为医生并开始出名，可能在法国或荷兰学过医。1607年写成一部假面剧。1613年又连续写了三部。同年出版《两卷本歌曲集》。《三、四卷本歌曲集》于1617年出版。

Campo, Matthias Gallas, Graf von（count of）**坎波伯爵** 参阅**Gallas, Matthias, Count（Graf）von Campo** 加拉斯。

Campo Formio, Treaty of 《坎波福尔米奥条约》（1797-10-17） 在拿破仑第一次意大利战役中，奥地利战败，法奥在坎波福尔米奥（今意大利坎波福尔米多）所签订的和平条款。条约保留了大部分法国对所占地区的权利，表明了拿破仑对第一次反法联盟的胜利。在法国势力影响下，阿尔卑斯山南共和国和利古里亚共和国在意大利北部建立，法国获得威尼斯所属亚得里亚海上的爱奥尼亚群岛。为补偿奥方在伦巴第的损失，拿破仑把阿迪杰河以东威尼斯所属领土包括伊斯特里亚、达尔马提亚及威尼斯城在内划归奥地利。这一条约标志着威尼斯1 100年独立的结束。奥地利将其占领的比利时诸省让予法国，并同意法国兼并它所占领的莱茵河左岸自巴塞尔至安德纳赫一带地区，包括美因茨。作为回报，法国答应将运用其影响帮助奥地利取得萨尔茨堡和巴伐利亚的一部分地区。双方还秘密协议，不给奥地利前盟友普鲁士任何领土报偿。

Campo Grande 格兰德营 又译大坎普。巴西西南部南马托格罗索州首府。海拔540米。州内最大城市和最活跃的商业中心。1975年为发展农业生产，巴西政府在附近开发大片灌丛林地。生产玉米、咖啡、稻米、豆类。工业有农产品加工、肉类加工、制革和制茶等。设有国立南马托格罗索大学（1970）。位于圣保罗-科伦巴铁路线上。为公路枢纽。有一座机场。人口约697 800（2003）。

Campoamor y Campoosorio, Ramón de 坎波亚莫尔-坎波索里奥（1817-09-24，西班

美国不列颠百科全书公司供图

牙纳维亚～1901-02-12，马德里） 西班牙诗人。其贡献在于表现了他生活时代的社会观念。他的两本早期作品《温情和花卉》（1842）和《灵魂的叹息》（1842），显示出西班牙浪漫主义诗人索里利亚对他的影响。但在诗集《痛苦》（1842）中却又脱离了浪漫主义。《痛苦》是一本关于阐述处世哲学一类的纯朴的诗作，近似格言，被认为是新诗歌的前驱。

Campobasso 坎波巴索 意大利中南部城市，莫利塞区首府和坎波巴索省省会。老城镇于1732年被其居民遗弃而在肥沃的低地平原建一新城镇。老城镇保留有建有6个城楼的蒙福特城堡（1459）及其中世纪围墙遗迹，还有圣乔治等罗马式教堂。新城镇有新古典式大教堂和考古博物馆。当地农业出产干酪和著名的冬梨等。也生产瓦和肥皂。人口：城市区约50 762（2001）。

Campobello Island 坎波贝洛岛 在加拿大新不伦瑞克省西南部帕萨马科迪湾入口处。长9英里，宽3英里。属夏洛特县。1883年F.D.罗斯福总统之父在岛西海岸购买一房屋，后其母赠与罗斯福，作为他20世纪30年代的休假别墅，现为纪念馆，周围是罗斯福国际公园（1964年开放）。居民从事渔业。通过罗斯福国际大桥（1962）与美国缅因州的卢贝克相连。人口1 195（2001）。

Campos 坎普斯 巴西里约热内卢州东北部城市。海拔13米。该州重要商业城市之一。出产可可、甘蔗、咖啡、稻米、玉米和豆类，加工酒和畜产品。1980年开始钻探近海石油。有铁路通里约热内卢、维多利亚等城市。也有水路和航空线。人口约372 600（2003）。

Campos, Arsenio Martínez（Spanish general and politician）**坎波斯** 参阅**Martínez Campos, Arsenio** 马丁内斯·坎波斯。

Campos, Haroldo de and Augusto de 坎波斯兄弟（哈罗尔多1929-08-19，巴西圣保罗～2003-08-16，圣保罗；奥古斯托1931，圣保罗～ ） 巴西诗人和文学评论家。1956年与诗人D.皮纳塔里、F.古拉尔共同举办第一次实体诗歌展览，出版先锋派艺术和诗歌杂志《诺伊甘德雷斯》和《发明》。实体诗歌企图从诗的单纯语言观念转向它的提倡者所谓的“语言、声音、视觉的综合表现”，把几何和图解的因素糅进诗歌创作。他们的实验包括使用意象代替语言形式，构思一首诗就仿佛把黑色“部署”在白色上面（或相反），而且企图把诗歌创作成可看、可摸、可听或可读的东西。他们1965年与皮纳塔里合著《具体诗派理论》。

Campos do Jordão 坎普斯-杜若尔当 巴西圣保罗州东南部城市。在曼蒂凯拉山中，海拔1 700米。1700年建立。疗养和旅游中心。水果种植（番木瓜、芒果、番石榴、西番莲果和柑橘）亦很重要。市郊多泉水和瀑布，以景色秀丽著称。有铁路和公路通圣保罗和里

坎普斯-杜若尔当市的园林
美国不列颠百科全书公司供图

约热内卢。人口约46 000(2003)。

Campra, André　康普拉(1660-12-04,法国普罗旺斯地区艾克斯～1744-06-29,凡尔赛)　吕里和拉莫之间的最重要的法国歌剧作家。19岁任土伦大教堂乐师。1681年在阿尔勒、1683年在图卢兹任类似职务。1694年任巴黎圣母院音乐指挥,在此他是在宗教仪式上用风琴伴奏加上弦乐器的第一人。后转向写非宗教音乐作品。第一部芭蕾歌剧《风流的欧洲》于1697年上演。1700年放弃教堂职务。后40年中,其戏剧音乐作品一直享有声誉。芭蕾歌剧是他首创的一种艺术形式。他的宗教音乐,包括赞美诗、圣歌、弥撒曲,其力量与美备受赞赏。

Camptosaur(genus *Camptosaurus*)　**弯龙**　巨大食草恐龙类的成员。化石见于西欧和北美洲西部晚侏罗世到早白垩世(约1.63亿年前至9 750万年前)地层。为鸟脚类(较原始的两足行走的恐龙),身长2～6米。有非常强健的后肢和较小的前肢。前肢足以支撑身体,进食时可以用四肢前进。垂直站立时,相当粗大的尾可能用于支撑身体。头骨低而长,又粗壮,具有大的太阳穴和鼻孔。下颌比上颌短,但一个特殊的腭悬挂物保证颊齿并列咀嚼。牙齿宽大呈轮齿状,只出现在腭部的两侧。像鸟嘴的构造(可能活着时覆盖着角状衬垫)有效地把植物食料送进嘴里,靠颊齿把食料切断。

Campus Martius　战神广场　英语作Field of Mars。古代罗马台伯河的一块冲积平原。公元前5世纪有战神祭坛和阿波罗神庙。原先主要为军事操练场地,后来排除积水后,到公元前1世纪已经充满巨大的公共建筑物——公共浴池、圆形竞技场、剧院、体育馆、火葬场和另外的许多神庙。现存最著名建筑为万神庙。

campylobacter　弯杆菌属　螺旋菌群,能引起人类疾病,如弯杆菌肠炎,疾病初期突发高热,头疼,腹泻,明显腹部疼痛。空肠弯杆菌是最常见的食源性感染的病因,家畜和家禽经常会受到空肠弯杆菌感染,但没有明显的疾病表现。结果,加工过的肉食、未煮熟的家禽以及未经处理的牛奶都会被细菌污染在家中,刀具和切板也会污染,细菌会由此播散到其他未加工或未煮熟的食品,这些食品由同样未清洗的器具装置。人们食用后,通过胃酸环境后到达小肠,细菌靠鞭毛游动到较厚的黏膜层覆盖整个小肠内层。有时细菌还会播散到血液引起致命性感染(菌血症)。弯杆菌感染通常持续大约1周,并且不需抗菌素治疗。但是,抗菌素广泛用于家畜家禽业导致弯杆菌出现变异,治疗人类感染的许多种四环素类抗菌素都会出现耐药性。

Camrose　卡姆罗斯　加拿大艾伯塔省中部城市。濒卡姆罗斯河,近比滕莱克。在埃德蒙顿东南93千米。1907年设镇,1955年设市。现为农业、乳制品业中心,铁路枢纽。城外油井林立。生产钢,有面粉、粮食及肉类加工业。市内有卡姆罗斯信义会学院。人口13 420(1991)。

camshaft　凸轮轴　在内燃机中,带有若干不规则形状盘(凸轮)的旋转轴,用以驱动各气缸的进气阀和排气阀。凸轮和凸轮轴通常是组合件,当按不同角度装在凸轮轴上的各个凸轮旋转时,它们就使各气阀按规定顺序启闭。每排气缸都有一根单独的凸轮轴,由曲轴通过齿轮或链条来驱动。

Camú River　卡穆河　在多米尼加共和国中北和东北部。源出中科迪勒拉山,在圣地亚哥-德洛斯卡瓦耶罗斯和拉贝加附近。大致向东流,穿过富饶的拉贝加雷亚尔地区,汇入尤纳河。全长约80千米。从卡穆河及其支流分出的运河网主要用于灌溉水稻。

Camus, Albert　加缪(1913-11-07,阿尔及利亚蒙多维～1960-01-04,法国桑斯附近)　法国小说家、散文家和剧作家。以其小说《局外人》(1942)、《鼠疫》(1947)和《堕落》(1956)及

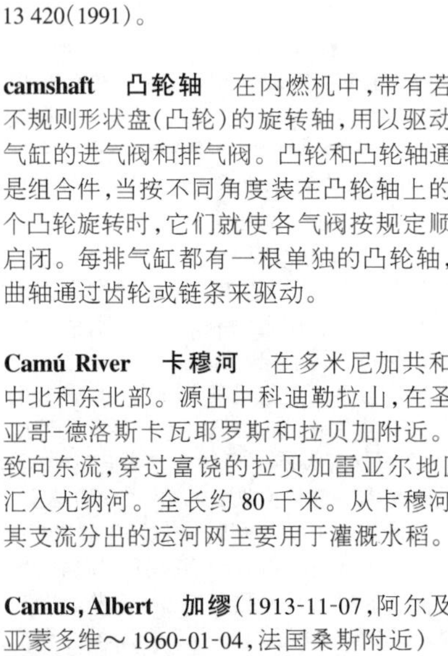

美国不列颠百科全书公司供图

其在左派运动中的作用而著称。1957年获诺贝尔文学奖。

早年生活　加缪的父亲是一个贫穷的工人,祖籍阿尔萨斯,在他不到一岁时便在第一次世界大战中的首次马恩河会战中阵亡。母亲祖籍西班牙,为养家给人当仆人。加缪与哥哥吕西安随母迁居阿尔及尔一工人区,一家3口与外祖母和一个瘫痪的舅舅住在一套两间房的公寓里。加缪出版的第一部散文集《正面和反面》(1937)描写了这些早年岁月的物质环境,包括对他母亲、外祖母和舅舅的描述。第二部散文集《婚礼》(1938)包含对阿尔及利亚农村充满强烈感情的沉思,将大自然的美描写成即使极其贫穷的人们也能享有的一种财富形式。两部散文集都把人生的短促易逝与物质世界的永恒作对比。

1918年加缪上小学读书,幸运地成为一位杰出教师热尔曼的学生,后者帮助他在1923年取得阿尔及尔中学的奖学金(忠诚观念是加缪的特点,34年后他在接受诺贝尔文学奖时发表的演说是献给热尔曼的)。随后一段时期是他智力的觉醒阶段,同时他以极大的热情参加体育运动,特别是足球、游泳和拳击。但在1930年,第一次染上的严重的肺结核病结束了他的运动生涯并中断了他的学业。加缪不得不离开15年来一直是他的家的那间有损健康的公寓。在短暂地与他的一个叔叔——一个崇拜伏尔泰的屠夫——住过一段时期之后,加缪决定独立生活,在阿尔及尔大学攻读哲学的同时,从事过各种工作以维持生活。

在大学,加缪特别受到他的一位老师格勒尼耶的影响,后者帮助他发展了他的文学和哲学思想并同他一样热心于足球。1936年,他以一篇研究柏罗丁和圣奥古斯丁哲学著作中希腊和基督教思想之间关系的论文获优等毕业证书。其大学助教候选人的资格(一种使他可能从事大学教师职业的资格)因肺结核病再次发作而失去。为恢复健康,他前往法国阿尔卑斯山中一疗养地(他第一次游览欧洲),后来经佛罗伦萨、比萨及热那亚返回阿尔及尔。

加缪的文学生涯　在整个20世纪30年代,加缪扩大了他的兴趣和爱好。他阅读法国古典文学及当代作家的作品,其中有纪德、蒙泰朗、马尔罗,并且是阿尔及尔左翼青年知识分子中的佼佼者。1934～1935年曾短暂加入阿尔及利亚共产党。此外,他为工人剧团编写、改编剧本并参加演出。该剧团的宗旨是为工人阶级观众演出优秀的剧本。他一生热爱戏剧。具有讽刺意味的是,他的剧作不如他的其他文学作品受欢迎,虽然分别首演于1944和1945年的《误会》和《卡利古拉》至今仍然是荒诞派戏剧的里程碑。他对戏剧做出的两个最不朽的贡献很可能是根据福克纳和陀思妥耶夫斯基的作品改编的剧作《修女安魂曲》(1956)和《群魔》(1959)。

第二次世界大战爆发前两年,加缪任《阿尔及尔共和报》见习记者,做过包括社论主笔、副主编、政治新闻采访记者和书刊评论员在内的各种工作。他评论过萨特早期的一些文学作品,写过一系列分析卡比利亚地区穆斯林社会状况的重要文章。以摘要形式收入《现状之三》(1958)的这些文章,提请人们关注(早在15年前)导致1954年爆发的阿尔及利亚战争的许多不公正现象。加缪的立场建立在人道主义而不是意识形态的基础上,在不否认殖民主义的不公的同时,他仍然看到法国将来在阿尔及利亚的作用。

作为记者,他在法国被占领的最后几年

及解放后不久的一段时间里具有极大的影响。身为巴黎日报《战斗报》——其前身为主要由加缪编辑的一份抵抗运动报纸——的主编，他坚持一种建立在正义和真理的理想基础之上的独立的左翼立场，认为一切政治行为都必须有可信的道义根据。后来，左右两派老一套的权术令他日益失望，于是在1947年断绝了与《战斗报》的关系。

此时，加缪已成为一名重要的作家。显赫一时的第1部小说《局外人》开始写于战前而发表于1942年，通过对一个被判处死刑的"局外人"的生动描写研究了20世纪的异化。主人公被判死刑，与其说是由于枪杀了一个阿拉伯人，毋宁说是由于他从不说不是他真正感受到的话及他不愿顺应社会的需要。同年发表一篇有影响的哲学随笔《西叙福斯的神话》，加缪在其中怀着相当同情的感情分析了当代的虚无主义与"荒诞"观念。当时他正在探索一条克服虚无主义的道路。他的第2部小说《鼠疫》(1947)是一个象征性的故事，叙述发生在奥兰的与鼠疫的斗争。书中人物的重要性不在于他们与鼠疫作斗争所取得的(可疑的)成功，而在于他们对人类尊严与友爱的坚信。加缪此时已从他最初主要的荒诞概念发展到他另一个道德和形而上学的"反叛"的主要观点。在第二篇长随笔《反抗的人》(1951)中，他以这后一理想与政治历史上的革命作对比，因而引起马克思主义评论家及像萨特那样倾向于马克思主义的理论家们的激烈反对。其他重要的文学作品有写作技巧出色的小说《堕落》(1956)和短篇小说集《流放和王国》(1957)。《堕落》表现对基督教象征主义的专注，并包含对世俗的人道主义的伦理道德更为自得的形式的冷嘲热讽。

1957年加缪荣获诺贝尔文学奖，年仅44岁。他以其特有的谦逊宣称，假若他是评选委员会的成员，他的那一票肯定会投给马尔罗。不到3年之后，他在车祸中丧生。

评价 作为小说家、剧作家、伦理家和政治理论家，加缪在第二次世界大战之后不仅在法国，而且在欧洲并最后在全世界成为他那一代人的代言人和下一代人的导师。他的著作主要涉及人在异己的世界中的孤独、个人与自身的日益异化，以及罪恶问题和死亡的不可避免等，确切地反映了战后知识分子的迷惘和幻想的破灭。虽然他对许多同代人的虚无主义表示理解，但仍然主张必须维护像真理、中庸和正义这些社会准则。在最后的著作中，他概括地论述了对基督教及马克思主义的教条均不承认的自由人道主义。

Camus, Marcel 卡米(1912-04-21，法国阿登沙佩～1982-01-13，巴黎) 法国电影导演。他的第二部影片《黑人奥尔弗》(1958)为他赢得世界声誉。这部影片因具有异国情调的外景和宏伟壮观的场面而备受好评，荣获戛纳电影节和威尼斯电影节两个大奖，以及奥斯卡金像奖。在第二次世界大战期间曾被囚禁。战后从影，第一部影片《佯死》(1957)是对印度支那战争的抗议，但并未受人注意。后来导演的一些影片也同样不及《黑人奥尔弗》那样引起评论界和观众的兴趣。

Can-Am Cup(automobile racing) 参阅**Canadian-American Challenge Cup 加拿大-美国挑战杯**。

Can Tho 芹苴 越南东南部后江省省会。位于湄公河三角洲的后江左岸，在胡志明市西南145千米处。原属高棉旧地，18世纪为越南人占领，现在是三角洲地区工业中心、最大城市、内陆大港以及和好派佛教中心地。该市原有椰油和稻米加工业；20世纪60年代在市北10千米处建起工业园区，发展与农业有关的工业。新增化肥、制冰、工具、塑料制品、制砖和鱼露加工等工业。有两个飞机场和一所医院。人口215 587(1992)。

Canaan 迦南 历史上和《圣经》上的地区，对其界限有多种解释，但始终以巴勒斯坦为中心。最初的居民称迦南人。迦南和迦南人的名称见于《旧约》以及约公元前15世纪以后的楔形文字、埃及文字和腓尼基文字。迦南有时指包括整个巴勒斯坦和叙利亚的地区，有时指约旦河以西的全部土地，有时指阿卡以北的一条海岸地带。以色列人占领和征服巴勒斯坦(或迦南)，始于公元前2千纪晚期，或者更早一些；《圣经》说迦南是"应许之地"，即上帝许给以色列人的土地。参阅**Phoenicia**。

沿海的迦南文明可以追溯到旧石器时代和中石器时代，但直到新石器时代(约公元前7000～约前4000)才出现固定的城乡居民点。铜石并用时代(约公元前4000～约前3000)以使用陶器和铜器、以泥砖和粗石建造房屋为特征。青铜器早期时代(约公元前3000～约前2000)引进金属，曾引起一场文化革命，它以雕刻和冶金的发展以及彩陶的衰落为标志。闪米特人首先出现在这个时期。有记载的历史始于青铜器中期时代(约公元前2000～约前1550)。闪米特阿莫里特人从东北渗入迦南，成为当地居民的主要成分。其他入侵者还有埃及人和似乎从巴勒斯坦北部迁移而来的喜克索人，胡里人也从北方来到迦南。青铜器晚期时代(约公元前1550～约前1200)，基本上由埃及人控制，尽管其势力面临安纳托利亚的赫梯人的挑战。这一时代以称做"哈皮鲁"或"阿皮鲁"的强盗的入侵为标志，他们是一个多民族群体，许多学者认为他们即最初的希伯来人，后来的以色列人只是其中的一支或同盟者。公元前13世纪末埃及对南部迦南的控制衰落，赫梯帝国也在来自北方敌人的攻击下崩溃。在青铜器晚期时代向铁器早期时代过渡时期(约公元前1250)，以色列人进入迦南，最初居住在山区和南方。下一个世纪，迦南受到非利士人的进一步入侵，他们似乎来自克里特岛，在迦南的南部海岸建立了五城邦联盟。大卫王(公元前10世纪)所率以色列人最终得以打垮非利士军队，并同时征服土著迦南人。此后，迦南实际上就成了"以色列的土地"。

迦南地处数种文化的十字路口，其全部有记载的历史表明其艺术和文学是多种成分的混合体，包括埃及的、迈锡尼的、克里特的、胡里人的和美索不达米亚的成分在内。关于迦南宗教的大部分情况是从拉斯沙姆拉(位于叙利亚北部海岸的古城乌加里特遗址)发现的一系列泥板推知的。迦南宗教的主神为厄勒，职司降雨和收成的神祇是巴力，其他重要神祇有掌管疫病和冥府的瑞舍夫、工匠之神科塔尔、厄勒的配偶阿瑟拉，以及丰收女神阿斯塔特等。迦南人的语言或许可以说是希伯来语的一种古老形式。迦南人是迄今所知最早使用字母的民族。在青铜器晚期时代的地层中曾发现过一种文字，多数学者认为腓尼基字母和希腊与拉丁字母就是由此演变而成的。

Canaan dog 迦南狗 牧羊犬的一种。在20世纪的以色列由半野生状态的狗驯化出来，其祖先自圣经时代就已经出现在这个地区。在此之前，它们曾被用作看门狗和猎犬，但大部分又回到了野生状态，生活于沙漠地区。20世纪30年代开始把这些野生狗再次驯化为集体农场看门狗。战时这些狗可充当信使和警卫，并且擅长探雷。1949年，盲人定位和行动研究所接管了迦南狗的驯化工作，由150只圈养的狗构成了一个种群。迦南狗强壮、聪明，可训练并且合群。它们可以承担放牧、警卫、跟踪及带路的工作。它们对陌生的人和环境非常机警，但是忠实于它们的家庭，喜欢吠叫和嬉戏。体形中等，肩高48～61厘米，体重为16～25千克。它们有直立的耳朵和锲形的头，浓密的尾巴卷曲到背部上面。短而粗糙的双层皮毛可以是白色的，上面有棕色、黑色或红色斑点，而面部或头部的颜色则相反；也可以是纯色并带少许白色的斑点。纯色迦南狗的体色多为黑色或某种棕色。

Canaanite inscriptions 迦南铭文 巴勒斯坦几处古遗址出土的碗和其他器皿上的铭文，共11段，年代约为公元前16～前13世纪。因为铭文尚未全部解读，其文字体系是否与北闪米特字母有关，待考；闪米特字母可

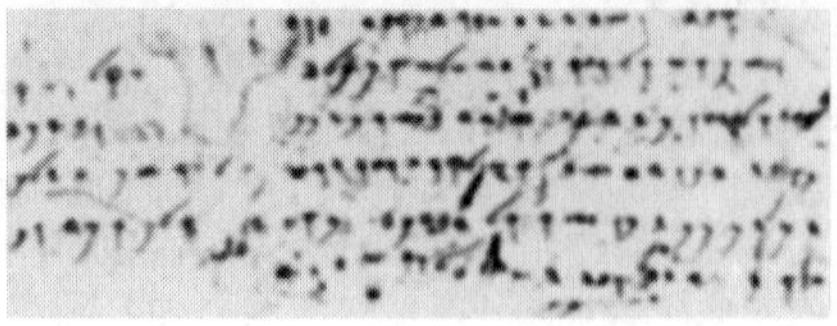

西罗亚铭文(迦南铭文中的一种)
美国国会图书馆供图

溯至公元前11世纪或更早几个世纪。迦南铭文与西奈铭文两者是否有联系亦不清楚，而迦南铭文构成西奈铭文与北闪米特字母间的一个环节的说法，似也不可信。

Canaanite languages 迦南诸语言 属闪米特语族中北或西北语支，包括希伯来语、摩押语、腓尼基语、布匿语，古代通行于巴勒斯坦、叙利亚沿海地区以及分散在地中海沿岸的一些居民点。最早的迦南语文献见于阿马纳文书(约公元前1400年)。摩押语与希伯来语关系极近，主要从公元前8世纪的一块碑铭中而为人所知。唯一仍在使用的迦南语是希伯来语，它是一种19和20世纪又复活的语言。参阅 **Hebrew language; Phoenician language**。

Canaanite religion 迦南宗教 公元前2千纪至前1千纪流行于巴勒斯坦和叙利亚的宗教。所信奉的主要神灵有厄勒(El)、巴力(Baal)和安娜特(Anath)。在以色列人进入迦南以后,他们所信仰的一神教往往受到迦南宗教的干扰。

Canada 加拿大 疆域仅次于俄罗斯的世界第2大国,占北美洲北部2/5的土地,面积9 970 610平方千米,其中7.6%为内陆水面。首都渥太华。加拿大从北至南(北纬83°～42°)长约4 600千米,从东至西(西经52°～140°)宽近5 380千米。北临北冰洋,南接美国,西为太平洋及美国的阿拉斯加州,东濒大西洋。人口约31 244 000(2002)。

土地 加拿大可划分为若干自然地理区。以哈得孙湾为中心占全国面积近4/5的大片内陆盆地,由加拿大(劳伦琴)地盾、内陆平原及五大湖-圣劳伦斯低地区组成。盆地边缘是几个大部为高地的区域(北极群岛尤为显著),包括因努伊特山脉,东南的阿巴拉契亚山脉和西面的加拿大科迪勒拉山。

加拿大地盾区极为辽阔,几乎占该国全部领土的一半。除很少几处以外,其地形起伏较小,海拔极少超过600米。西部有一系列大湖,从西北地区向东南延伸至苏必利尔湖。

加拿大的内陆平原为美国蒙大拿州与北达科他州大平原的向北延伸,居地盾西侧,占全国面积的1/5。五大湖-圣劳伦斯低地为加拿大人口最稠密的部分,其范围西起休伦湖,沿伊利湖、安大略湖、圣劳伦斯河北岸,至洛朗蒂德陡崖的南面。地势平坦,海拔低于610米。

最重要和最大的高地边缘地带为加拿大科迪勒拉山西段,从西北的阿拉斯加伸入加拿大的育空地区并由不列颠哥伦比亚伸入美国西北部。800千米宽的高山带,其间有几座4 500多米高峰,陡立于其北部的洛根山高达5 951米。

加拿大境内有5条河流居世界40条最大河流之列。圣劳伦斯河约占全国大西洋径流量的2/5。马更些河提供了北冰洋径流量的1/2,而育空河与弗雷泽河共约占该国流入太平洋水量的40%。纳尔逊河为几条向哈得孙湾注入大量淡水的河流之一。除与美国共有的苏必利尔湖(82 100平方千米)和休伦湖(59 600平方千米)外,加拿大的大熊湖(31 153平方千米)和大奴湖(28 570平方千米)亦属世界11个最大湖泊之列。

加拿大气候酷寒,冬季漫长。除温哥华岛附近的太平洋沿岸因海洋性气候1月平均温度为3 °C以外,其余各地1～2月平均温度相差悬殊,西北地区的尤里卡为-36 °C以下,新斯科舍的塞布尔岛为0 °C。夏季平均温度由中南部向东西海岸递减,而平均年降雨量则递增。温尼伯和马尼托巴7月平均温度为20 °C,温尼伯的年降水量约510毫米。北部群岛(北极冰漠)降水量最少,该地夏季温度常在冰点以下。

加拿大全部土地面积虽然仅约8%为农田和放牧地,但这部分的总面积仍将近738 000平方千米。由于可耕地降雨量分布不均,仅约2%的农田得到灌溉;南部内陆平原以旱田农作为主。全国2/5的土地森林密布,生长多种落叶树和针叶树。北部针叶森林从纽芬兰延伸至育空地区,为世界最大森林区之一。该国北部地区主要特征为冻土苔原以及北极群岛广大地区终年不化的冰盖。野生动物种类繁多,一些加拿大特有的动物是麋、海狸和加拿大山猫。

加拿大矿产资源丰富,镍、锌、钼、镉、钴和铜的产量在世界均居前列。铁和铅的产量也很大,煤、石油和天然气储量十分丰富。

人民 加拿大人口中有两个主要的和几个较小的民族和文化集团。英国人和法国人后裔占人口半数以上,而德国人、意大利人、乌克兰人、华人、荷兰人、美洲印第安人和爱斯基摩人的后裔则构成重要的少数民族。该国主要宗教为天主教,加拿大联合教会和加拿大圣公会亦有不少信徒。英语和法语为主要语言,英语人口为法语人口的两倍以上。按世界标准衡量,该国人口的年增长率偏低,出生率和死亡率亦较低。作为一个西方工业化国家,加拿大的婴儿死亡率属一般水平。3/4以上人口居住在城市。移民出境人数有时相当可观,一般是前往美国。

经济 加拿大的市场经济相当发达,这主要建立在出口和与美国保持密切关系的基础之上。20世纪后期,该国经济增长极不稳定,有时强劲。增长较慢时期大多是因为一些主要输出品,如石油、天然气和小麦的世界市场价格跌落。虽然高通货膨胀率和持续的高失业率不断困扰该国的决策者,但加拿大仍与瑞士、瑞典及美国一道跻身于世界最富裕国家之列。国民生产总值的增长远比人口增长迅速,人均国民生产总值居世界最高之列。

农业占国内总产值3%以下,占用了相近比例的劳动力。加拿大为世界主要粮食生产国之一,约4/5农田位于五大湖区与落矶山脉之间的大草原各省。小麦为主要出口作物,其他还有饲料谷物、油籽、苹果、马铃薯和槭树汁。牛、猪为最重要的牲畜。

木材工业极为发达,森林资源非常丰富。加拿大是木材及木制品的主要输出国,此项输出通常占该国出口总额的10%以上。

渔业亦为重要的出口行业,该国的河流、湖泊及海洋均可捕鱼。加拿大已将其渔场管辖范围扩展至东西海岸以外370千米。鳕鱼、鲱鱼、沙丁鱼是在大西洋捕获的主要鱼类,在太平洋捕获的主要是鲑鱼。

矿产品占出口大宗。除原油及天然气外,主要出口品有铜、镍、铅、锌及其制品,铁砂、生铁和钢也有一定数量出口。

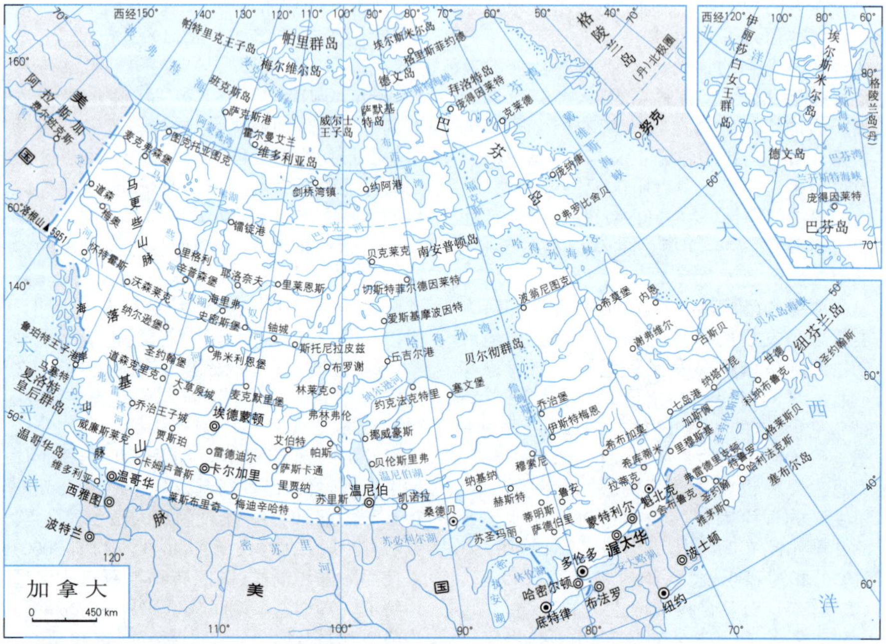

美国不列颠百科全书公司供图

制造业与建筑业占国内生产总值的1/4,雇用约1/5的劳动力。食品和饮料制作、石油精炼、汽车制造为主要工业。其他重要工业有纸浆及造纸业、肉类加工和钢铁制造业。运输设备、原料、机械、石油及煤产品、高技术产品为主要输出品。

加拿大矿业和制造业最引人注目的方面是外国所有权或其势力的广泛程度。虽然该国的矿物资源开采一直是经济发展的主要因素,但也是造成大量资本流入的重要原因,导致加拿大工业被外国公司,首先是美国公司控制。几乎所有私营和非农业的企业均受到美国势力的支配,不是通过共同经营加拿大的资产权,就是通过不断增加加拿大生产厂家对美国市场趋势及其金融市场的依赖。

服务业部门几乎占到国内生产总值的2/3,雇用了相应比例的劳动力。该国约2/3的电力来自水力发电。其余1/3来自矿物燃料和核能发电。

加拿大工会制度的一个主要特点是国际倾向性。全部工会的2/3属于有国际分会(主要是美国)的工会组织。

联邦政府参与全国各地自然资源的开发,但农业和大部分工业企业则为私人所有。国家的经济政策在一定程度上已被私营企业对外国势力的依赖关系所制约。

外贸对加拿大经济发展的影响,远比对其他多数发达国家更深远。进出口商品的总

表 1　加拿大国家、省和地区的格言与标记

格言		标记		
		植物	兽	鸟
加拿大	从海洋到海洋	红花槭	河狸	黑额黑雁
艾伯塔	坚强与自由	野蔷薇		
不列颠哥伦比亚	光辉照人不减	山茱萸		
马尼托巴		草原番红花		
新不伦瑞克	又有希望	紫堇菜		
纽芬兰	首先要找到天国	瓶子草		
西北地区		仙女木		
新斯科舍	有守就有攻	五月花		
安大略	忠诚一旦开始，忠诚就会永存	自延龄草		
爱德华王子岛	小的要靠大的庇护	杓兰		
魁北克	我记得	鸢尾花		
萨斯喀彻温	力量来自多民族	西部红百合花		
育空地区		狭叶柳叶菜		

表 2　加拿大历任总理

	党　派	任　期
J.A. 麦克唐纳爵士(第一次)	自由保守	1867 ～ 1873
A. 麦肯齐	自　由	1873 ～ 1878
J.A. 麦克唐纳爵士(第二次)	自由保守	1878 ～ 1891
J. 艾博特(自 1892 年起为爵士)	自由保守	1891 ～ 1892
J. 汤普森爵士	自由保守	1892 ～ 1894
M. 鲍威尔(自 1895 年起为爵士)	自由保守	1894 ～ 1896
C. 塔珀爵士	自由保守	1896
W. 洛里埃(自 1897 年起为爵士)	自　由	1896 ～ 1911
R.L. 博登(自 1914 年起为爵士)	保　守	1911 ～ 1920
A. 米恩(第一次)	保　守	1920 ～ 1921
W.L.M. 金(第一次)	自　由	1921 ～ 1926
A. 米恩(第二次)	保　守	1926
W.L.M. 金(第二次)	自　由	1926 ～ 1930
R.B. 贝内特(自 1941 年起为子爵)	保　守	1930 ～ 1935
W.L.M. 金(第三次)	自　由	1935 ～ 1948
L. 圣劳伦特	自　由	1948 ～ 1957
J.G. 迪芬贝克	进步保守	1957 ～ 1963
L.B. 皮尔逊	自　由	1963 ～ 1968
P.E. 特鲁多(第一次)	自　由	1968 ～ 1979
J. 克拉克	进步保守	1979 ～ 1980
P.E. 特鲁多(第二次)	自　由	1980 ～ 1984
J.M. 特纳	自　由	1984
B. 马尔罗尼	进步保守	1984 ～ 1993
K. 坎贝尔	进步保守	1993
J. 克雷蒂安	自　由	1993 ～ 2003
P. 马丁	自　由	2003 ～ 2006
S. 哈珀	改良保守	2006 ～

和约占国民生产总值的一半。加拿大对外贸易的增长主要是由于加拿大市场与美国市场的一体化。该国对美国的出口约占出口总额的 3/4，来自美国的进口约占进口总额的2/3。加拿大、墨西哥和美国之间的《北美自由贸易协定》已于 1994 年 1 月生效。加拿大与英国及其他欧洲国家保持着密切的经济关系，但逐渐发展的日本市场已取代英国市场，成为加拿大第 2 大出口市场。出口到中国和澳大利亚的商品亦有明显增加。

政体与社会状况　加拿大为议会制政体的联邦国家，政府结构与权限主要根据 1867 年的《英属北美法案》及不成文法律惯例。经加拿大和英国议会批准的 1982 年宪法法案，结束了英国在加拿大宪政中的微小影响。最高政治权力归参众两院组成的加拿大两院制议会。众议院多数党领袖即为政府总理，内阁成员经总理推荐，由总督任命，只要获得众议院大多数席位支持，内阁即可持续执政。英国君主作为加拿大的象征性行政元首，根据加拿大总理的推荐，任命一位代表出任总督。

众议院有 301 名众议员，由成人普选产生，任期 5 年。参议院有 104 名参议员，由总督根据总理的建议任命。所有议案必须经两院通过方能形成法律，只有众议院可以提出有关公款支出及任何征税的议案。该国主要政治组织有自由党、进步保守党、新民主党、改革党和魁北克人党。加拿大为北大西洋公约组织成员国，并参加联合国维持和平行动。

加拿大分为 10 个省及育空、西北和努纳武特三个地区。各省管理诸如教育、财产法、自然资源等事务，并与联邦政府共同负责社会福利及医疗保健。联邦政府负责提供失业保险、退伍军人和老年人养老金以及家庭津贴；其他一切福利事项均由省政府负责。绝大多数人口享受联邦医疗保险，其范围包括须由内、外科医生提供的医疗服务。经联邦政府提供部分基金的省医院保险方案，几乎适用于全部人口。国民的健康状况很好，按人均计算的医生与医院床位比例均很高，有良好的母婴保健。平均预期寿命男性 73 岁，女性 79 岁。

每个省及地区均有组织各地教育体系的权力和责任。大多数加拿大儿童 6 岁或 7 岁进入 8 年制小学，14 岁左右几乎全部进入正规的 4 年制中学。中学毕业后可考入该国的 60 多所高等教育学府之一。

文化生活　早期真正的加拿大文学作品为探险家、传教士及移民的法文著作，对于后世作家多有启示。最值得注意的作品为 M. 莱斯卡博的《新法国史》(1609)。其他加拿大文学名著有 W.柯尔比的《金狗》(1877)及 R. W.塞维斯的《'98 的足迹》(1910)。20 世纪 40 年代文学界人才辈出。H.麦克伦南以《晴雨表在上升》(1941)和《两地孤栖》(1945)两部作品蜚声国际文坛。G.鲁瓦的小说《转手的幸福》(1945)使其一夜成名。G.盖夫勒蒙的《不速之客》(1945)一书使其跻身于优秀法文小说家之列。1960 年后崭露头脚的其他重要作家有 M.劳伦斯、R.戴维斯、M.阿特伍德及 A.芒罗。音乐界亦有几位国际知名的表演家，如钢琴演奏家 G.古尔德、大都会歌剧院演员 G.伦敦和 J.维克斯。

加拿大的报纸为民营，不受政府检查。电台和电视台虽亦免受新闻检查，但须接受政府机构加拿大广播电视和电信委员会的监督。国家的加拿大广播公司经营着两个全国电视网，一个用法语广播，另一个用英语广播。一家私营的全国电视网，加拿大电视有限公司以英语广播。

历史　包括爱斯基摩人在内的土著印第安人自古以来即居住在加拿大。考古发掘证实在纽芬兰有挪威人居住的遗迹，从而把欧洲人进入"新世界"的时间定在约公元 1000 年。早在公元 1500 年，纽芬兰附近海域即有英国、法国、西班牙及葡萄牙的渔业考察队来此探险。1534 年法国人雅克·卡蒂埃首次进入圣劳伦斯湾，法国遂提出对加拿大的领土要求。1605 年法国人在新斯科舍(法国人称阿卡迪亚)建立起一个小拓居地，1608 年尚普兰也曾到过魁北克。但直到 17 世纪中叶"新法兰西公司"成立后，殖民地的开拓工作才真正开始。毛皮交易对早期殖民地的开拓起到促进作用。

为对付法国人的行动，英国于 1670 年成立哈得孙湾公司，其根据是英国人亨利·哈得孙早在 60 年前即声称发现该地。英国人控制了海湾附近地区的全部毛皮交易。英法两国为此在上北美洲腹地相持达一个世纪之久。1713 年法国在安妮女王之战(西班牙王位继承战争)中失利，被迫将新斯科舍及纽芬兰割让给英国。之后，法国决定转向俄亥俄和密西西比河谷地扩展，直接引发法英北美殖民地争夺战(七年战争)，导致 1763 年法国人被逐出北美大陆。英国改组加拿大时，将新法兰西地区易名为魁北克殖民地。

美国独立战争(1775 ～ 1783)后，加拿大人口中增加了一些从美国逃来的保皇分子。

许多人定居在新斯科舍，有些人渡过芬迪湾，于1784年建立起新不伦瑞克。由于到达魁北克的保皇分子越来越多，英国遂于1791年将该殖民地分成上、下加拿大省，并把英国的政治制度与宪法规定的公民权利扩大到这两个新省。

在下加拿大省居住的大多数法国人在英国统治下日子并不好过。各种严重的经济问题，加上政治上的不满，终于引起法国人在1837年公开叛乱。1841年英国将上、下加拿大省合并，1848年建立起加拿大殖民地自治政府。

加拿大人的扩张主义愿望和英国打算结束它在加拿大内地防务的愿望，导致了19世纪中叶的联邦运动。1867年根据《英属北美法案》，成立了加拿大自治领，其范围包括新斯科舍、新不伦瑞克、魁北克及安大略。该法案规定把哈得孙湾公司的土地出售给自治领政府，此举对促进加拿大的发展至关重要。

联邦成立后，加拿大开始向西扩张，并进行与其南部邻国相似的国内发展。伴随加拿大进入20世纪的繁荣，由于英国人与法国人社区间的不断冲突而大受影响。L.里尔在加拿大西部领导的起义虽遭失败，却使其成为法国人心目中的烈士和英雄。1890年马尼托巴地区的法语学校及教派学校被撤销，更加使法国人离心离德。在整个20世纪初期，有关加拿大参加英国海外军事冒险的严肃问题，一直牵动着当地法语居民的心。

第一次世界大战结束后，加拿大极力摆脱英国的控制，实行独立的外交政策。1931年英国议会通过《威斯敏斯特条例》，承认加拿大和其他自治领都是平等的主权国家。随着1982年《加拿大法案》的通过，英国将《英属北美法案》交还给了加拿大，从而使加拿大对其宪法具有完全的控制权，并割断了两国间的法律纽带。魁北克是唯一未批准该法案的省。

20世纪后半叶法语居民的分离主义一直是令人关注的主要问题。从60年代后期起魁北克人党便要求分离；80～90年代各种旨在给于魁北克省更大自主权的宪法改革方案，均未获得批准。1993年通过法案成立因纽特人自己管理的地区努纳武特地区，并于1994年4月1日正式设立。

Canada, Air 参阅**Air Canada**加拿大航空公司。

Canada, Anglican Church of 加拿大圣公会 加拿大基督教会。是属于安立甘宗的自治教会，其前身是18世纪在加拿大成立的英国圣公会。1750年加拿大新斯科舍省省会哈利法克斯建成第一座圣公会教堂。由于英格兰移民的不断到来，美国革命期间和革命后仍效忠于英王的殖民者又自美国迁来，于是圣公会教堂日渐增加。英格利斯1787年任新斯科舍省主教。他原是纽约市圣三一教堂牧师，在政治上是保皇派，曾于1783年返回英格兰。他是在不列颠群岛之外任圣公会主教的第一人。加拿大圣公会的礼仪根据英国圣公会的《公祷书》(1959年修订本)。在20世纪，加拿大圣公会共有30个主教区，各由主教一人执掌。主教区合成4个教省，每教省设大主教一人。全教会由总会管辖。总堂设在多伦多。

Canada, Bank of 加拿大银行 加拿大金融机构。在大萧条期间为加强管理信贷与通货，根据1934年《加拿大银行法》而创立的一家银行。1935年3月开始营业。加拿大银行是加拿大政府财务代理银行，且拥有独家发行纸币的权限。该行归加拿大财政部管辖，利润全部上缴国库。

Canada Act 《加拿大法案》 又称《1982年宪法法案》，即《加拿大宪法》。1982年3月25日由英国议会批准，1982年4月17日由伊丽莎白二世女王颁布。这一法案使加拿大取得完全的独立。法案包括：1867年建立加拿大联邦的原始法令(《英属北美法案》)；英国议会历年来对这一法令的修正案；1980～1982年联邦政府同各省政府举行的谈判中达成的协议。

这一新宪法是加拿大总理特鲁多的"一个加拿大两种官方语言"的设想与强调各省特殊利益的观点的折衷产物。法案的一个新的部分是"权利与自由宪章"，规定了在加拿大全境实行的34种权利，包括从宗教信仰自由到以人口统计为基础的讲方言和受教育的权利。其中很多权利可以因"但书"而失效，"但书"容许联邦议会和各省的立法机关废除该宪章中的保证。为了保持议会至上这个加拿大的基本政治原则，"但书"必须每5年更新一次才能继续有效。因此，"权利宪章"在加拿大宪法中的地位不像"人权法案"在美国宪法中的地位那样非常稳固。

《加拿大法案》还包含一个在加拿大修改宪法的程序，这个问题曾经挫败了早在1927年就为在一部新宪法上达成一致意见而作的尝试。按照这一程序，加拿大议会的决议须经代表至少50%的全国人口的2/3的省(7个省)的同意才能批准一项宪法修正案。法案的其他条款承认土著人民的固有权利和由条约规定的权利，加强各省对其自然资源的管辖权，并使中央政府有义务通过保证向各省(平均)支出国税收入的方式在加拿大全境提供适当程度的公共服务。

从1980年提出宪法修正案以后，曾在加拿大进行了广泛的讨论，而且其修改的程序模式已于1981年获得司法部门的认可。当修正案于1982年初送交英国议会时，很少遭到反对。所有主要的英国政党都予以支持，尽管有些议员认为土著人的权利没有得到充分的保护。伊丽莎白二世女王于同年3月29日御准了《加拿大法案》，时在其高祖母维多利亚女王批准1867年《联邦法案》之后115年。这样就解除了与大不列颠的最后的法律关联，加拿大终于成为一个完全独立的主权国家。

尽管魁北克省的人民在看待新宪法的价值上发生严重的意见分歧，强烈的分离主义的魁北克省政府仍然坚持反对这些修改。魁北克省政府将它的立场诉诸法院，但魁北克上诉法院于1982年4月7日判决认为魁北克省无权否决宪法的修改，即使这种修改影响省的管辖权。9月8日，魁北克省高级法院又裁决魁北克省的有争议的语言法的条款即101法案是违宪的，因为它们与新的《权利宪章》抵触。该101法案要求曾在魁北克以外受教育的讲英语的加拿大籍父母在移居魁北克时将他们的子女送入法国学校读书。另一方面，《权利宪章》保证在所有的省内为加拿大公民的子女提供少数民族的语言教育，只要那里的人数符合建立学校的要求。魁北克省要求享有宪法否决权的主张于1982年12月6日被加拿大最高法院以9票对0票断然予以驳回。

canada balsam 加拿大香脂 又称加拿大松节油或冷杉香脂。由北美香脂冷杉的淡黄色、淡绿色黏性渗出液组成的含油树脂。实质上是一种松节油，属于含油树脂，并非香脂。加拿大香脂能固化成透明体，是重要的黏结剂，尤其在显微镜中，用以固定标本，也用于黏结光学仪器中的玻璃。

Canada Bill 《加拿大法案》(1791) 参阅**Constitutional Act**《宪法法案》。

Canada Company 加拿大公司 负责开拓上加拿大(今安大略)西部许多移民区的机构。许多上加拿大居民在1812年战争中受到损失，要求英国政府赔偿。英国政府同意赔偿一部分，其余部分由上加拿大政府补足。上加拿大当局决定出卖该省西部皇家土地以安置受损失者。为此加拿大公司于1824年建立，1826年获得特许状。该公司在上加拿大收购约100万公顷土地，每年付给省政府一定款项，直到1843年。1827年任命J.高尔特为公司负责人。这个机构一直存在到20世纪50年代。

Canada Cup(golf) **加拿大杯** 参阅**World Cup**世界杯。

Canada Day 加拿大国庆节 1982年前称Dominion Day(加拿大自治领成立纪念日)。加拿大全国的假日，以纪念1867年7月1日加拿大自治领的成立。加拿大自治领一名，是英国1867年国会通过的《不列颠北美洲法案》中制定的，1982年根据加拿大宪法，这个纪念日的名称正式改为加拿大国庆节。每年7月1日举行游行、放焰火、悬挂国旗、唱国歌《啊，加拿大!》等加拿大国庆节庆祝活动。有关不列颠北美洲诸省联合的可能性，曾讨论多年。1864年，魁北克、安大略、新斯科舍及新布伦瑞克各省代表在爱德华王子岛夏洛特敦开会，经过3年磋商，决定组成联邦。随着《不列颠北美洲法案》的通过，其他各省也参加了这个联邦。

Canada East 加拿大东区 加拿大历史上又称下加拿大，即今魁北克地区。1791～1841年，该区称为下加拿大，1841～1867年改称为加拿大东区，但两名称继续通用。该区居民主要是讲法语的加拿大人。他们想要保持自己的特有身份和文化传统，因此并不情愿与西区组成拟议中的联邦。1867年他们最终同意加入联邦，因为加入联邦后东区仍可保持单独的领土和政府（如魁北克），这样讲法语的加拿大人便可稳占选举大多数，因而至少能部分地决定自己的事务。G. 卡蒂埃为东区联邦的倡导者，在组成联邦中起了作用。

Canada goose（species *Branta canadensis*）**加拿大雁** 又称黑额黑雁。雁形目鸭科鸟类。背褐色，胸部颜色较浅，头和颈黑色，颊白色，起飞前摇动头部时闪亮着白色颊部。

加拿大雁（*Branta canadensis*）
美国不列颠百科全书公司供图

各亚种的个体大小很不相同，咯咯亚种（*B. c. minima*）重 1.3 千克，而加拿大亚种（*B. c. maxima*）的雄鸟成体达 8 千克。加拿大亚种翅展 2 米，在水禽中它的体型仅次于喇叭天鹅。加拿大雁繁殖于加拿大和美国的阿拉斯加州，在美国南部和墨西哥越冬，是重要的猎禽。迁徙时排列成 V 字队形，引人注目，边飞边不停地叫。17 世纪加拿大雁被引入英格兰用作猎禽及装饰性的水禽，后又被引入其他国家。

canada turpentine **加拿大松节油** 参阅 **canada balsam** 加拿大香脂。

Canada West **加拿大西区** 加拿大历史上又称上加拿大，即今安大略地区。1791～1841 年，该区称作上加拿大，1841～1867 年改称加拿大西区，但两名称继续通用。该区居民主要为讲英语的移民，但却寻求与加拿大东区（居民大部分为讲法语的加拿大人）的联盟，以确保建立统一政府来进行有效管理和建设殖民地间的铁路。在 J. 麦克唐纳、G. 卡蒂埃和 G. 布朗的"大联合"形成并很快组成联邦之后，西区政府长期不稳定状态才告结束。1867 年通过的《英属北美法案》正式宣告加拿大统一自治领的形成。

Canada yew **加拿大紫杉** 参阅 **American yew** 美洲紫杉。

Canadian Alliance **加拿大联盟** 法语作 Alliance Canadienne。全称 Canadian Reform Lonservative Alliance。前加拿大保守的政党，主要基地在西部省份。该党成立于 2000 年，由以前的加拿大改革党与其他保守派团体合并而成，试图共同向执政的加拿大自由党发起挑战。到 1997 年，支持者集中在加拿大西部各省的改革党在加拿大下议院获得 60 个席位，并成为正式的反对党。新成立的加拿大联盟在 2000 年的选举中获得 66 个席位，并仍然保持正式反对党的地位，但它无法在加拿大东部获得重大突破。该党的政见总体上是赞成精简政府、降低税收，以及在诸多社会问题上持保守立场。2003 年 12 月与进步保守党合并成为加拿大保守党。

Canadian-American Challenge Cup **加拿大-美国挑战杯** 别称 Can-Am Cup。美国运动汽车俱乐部和加拿大汽车运动委员会联合举办的汽车比赛所颁发的奖杯。这种比赛 1966～1975 年和1977～1986 年间每年举行，根据国际汽车联合会规则列为第 7 组的双座运动汽车和赛车可参加比赛。赛程较短，一般约为200英里，在美国和加拿大的环形公

在 1970 年 6 月的加拿大-美国挑战杯赛中，D. 格尼（48 号）与 D. 休姆（5 号）所驾驶的 B. 麦克拉伦设计的赛车跑在前列
美国不列颠百科全书公司供图

路赛车道上进行。加美挑战杯比赛在 1986 赛季以后即已中止。

Canadian Football League（CFL） **加拿大橄榄球联合会** 加拿大主要的职业橄榄球运动组织，成立于 1956 年。当时，西部省际橄榄球联合会和省际橄榄球联合会这两个 20 世纪初创立的橄榄球运动组织都加入加拿大橄榄球联合会，该组织一年后采用现名。西部省际橄榄球联合会和省际橄榄球联合会分别成为这个新联合会的西部分会和东部分会。加拿大橄榄球联合会不久接管了在加拿大橄榄球运动中象征最高等级的格雷杯冠军赛工作。2002 赛季参加加拿大橄榄球联合会西部分会的球队是：不列颠哥伦比亚狮子队、卡尔加里蜂拥队、埃德蒙顿爱斯基摩人队、温尼伯蓝色轰炸机队和萨斯喀彻温骝马师队。参加东部分会的是：哈密尔顿虎猫队、多伦多阿尔戈英雄队、渥太华驯马师队、蒙特利尔阿卢埃特队和渥太华雷尼盖德队。

Canadian high **加拿大高压** 又称阿拉斯加高压。加拿大西北部冬季极端低温所产生的大范围高气压系统。由于高气压空气冷而稠密，它向上伸展不超过 3 千米。高压位于加拿大落基山脉东面，山脉使这个高气压系统不受比较温暖的太平洋的影响，并保持其强度。它的 1 月平均海平面气压为 1 020 毫巴。这个高气压系统逐渐向东南偏移，可到达大西洋，在大西洋上并入亚速尔高压。

Canadian Imperial Bank of Commerce **加拿大帝国商业银行** 加拿大的主要商业银行，办理国内外业务。总行在多伦多。1858 年成立时叫加拿大银行，1867 年改组为加拿大商业银行。1961 年加拿大商业银行和加拿大帝国银行（1875 建立）合并后改用现名。近年来吸收了许多小银行和证券公司。该行及其联行提供一般银行业务、投资、能源贷款、咨询信托服务等。

Canadian Labour Congress（CLC） **加拿大工人大会** 加拿大全国工会联合组织，包括所有加拿大"国内的"工会和"国际的"工会，后者是以美国为基地的加拿大工会分会。加拿大工人大会于 1956 年由加拿大职工大会（TLC）和加拿大劳工大会（CCL）合并而成。21 世纪初期，加拿大英语地区 400 万加入工会的工人中的大部分都是加拿大工人大会附属工会的会员。虽然到 19 世纪 50 年代，英国的几个工会在加拿大建立了分会，但边界以南的劳工组织的吸引力却更为强大，到 19 世纪 80 年代，加拿大全部工会会员的大约一半属于美国工会的附属工会。加拿大职工大会于 1886 年成立，虽然成立伊始，对行业工会和产业工会均接受，但其会员却大部分由行业工会构成，其中许多工会隶属于美国劳工联合会。像美国一样，加拿大劳工在此后的数十年里经历了行业工会的捍卫者（他们统治着加拿大职工大会）与拥护产业工会制度的工人之间的一系列斗争。1940 年，当美国劳联开除产业工会联合会及其产业工会时，加拿大职工大会也跟着效法，开除其产联的附属会员。同年，这些被开除的附属会员加入全加拿大劳工大会（1927 年成立），组成新的产业工会组织——加拿大劳工大会。1956 年（美国劳联和产联合并后的一年），加拿大劳工大会与加拿大职工大会联合组成加拿大工人大会，总部设在渥太华，来自加拿大职工大会的 C. 约多因当选为第一任主席。加拿大工人大会的负责人于 1961 年协助组成新民主党。1955 年约 1/3 的加拿大工人为加拿大工人大会的"国际"工会成员，另有 1/3 隶属于美国的劳联-产联（AFL－CIO）。至 1980 年工会发展步入巅峰，全国 38% 的工人为其成员。世纪之交时规模下滑，有不到 1/3 的工人为工会成员，另有不足 15% 的工人为美国劳联-产联成员。

Canadian literature **加拿大文学** 加拿大人用英文或法文所写文学作品的总称。加拿大英语地区最早的作品，是英国人用朴实无华的文字记下的他们在辽阔而大部未经探测的加拿大地域内旅行时所得的印象。这些早期的游记后来为加拿大出生者的作品所取代；尤其是那些居住于滨海诸省的作家如 T. 麦卡洛克和 T. C. 哈利伯顿，就曾以生动而幽默的笔调描述新斯科舍人的习俗与方言。早期的加拿大诗人如 O. 哥尔德斯密斯，主要只写些爱国诗歌、赞美诗及在发现和探险中对地势的记叙，以及歌颂拓荒生活的作品。

1867 年加拿大各省联合为加拿大自治领，增强了民族自豪感，同时也促使文学活动

蓬勃兴起。C.G.D.罗伯茨、B.卡曼、A.兰普曼和D.C.斯科特等所谓的邦联派诗人,在对加拿大山川景物的充满浪漫气息的无限赞美中,在他们的爱情诗以及哲学思辨诗中,表达了新的民族意识。直至20世纪初,他们的作品始终主宰了加拿大的诗坛。至于小说方面,19世纪后半期在加拿大最为风行的为历史传奇故事,作者有的以浪漫的眼光处理外来移民与当地印第安人之间的早期冲突,有的则是近乎纪实性的开疆辟土的真实冒险故事。

20世纪初,加拿大诗坛对前一时期感伤的和爱国的维多利亚时代的诗风产生了反感。当时的诗人E.J.普拉特的作品既有写纽芬兰岛生活的抒情诗,也有像《泰坦尼克号》(1935)那样的史诗式的叙事诗。在第二次世界大战之前他始终是加拿大诗坛的中心人物。加拿大现代派诗歌始于20世纪中叶A.J.M.史密斯、A.M.克莱因等人的自由体诗歌及其开放的文体。富有地方色彩的小说在20世纪初即取代了长期流行的历史传奇,最有名的如L.M.蒙哥马利的儿童故事《格林·盖布尔斯的安妮》(1908)、著名讽刺作家S.李科克的《小镇阳光随笔》(1912),以及闻名国际的小说家M.德·拉·罗奇的16部小说。

在20世纪40～50年代,加拿大小说又从地方色彩转为试探性的抒情风格,许多作品以过去认为非典型的儿童或艺术家为主角。60～70年代,小说家M.阿特伍德以出色的讽嘲笔调剖析当代都市生活及两性关系,M.里奇勒和R.戴维斯也在此时赢得国际声誉。讽刺模仿、女权主义和超现实主义的黑色幽默,始终是70～80年代加拿大小说的特色。战后数十年间,诗坛也很活跃,阿特伍德、讽刺作家和社会评论家E.伯尼、L.科恩和诗人兼剧作家、小说家M.翁达德都有不少诗作问世。

在全部历史中,加拿大有两种截然不同的文化:一为英语的,一为法语的。法裔加拿大人集中居住于现在的魁北克省,其文学传统的建立较英语地区为晚。直至19世纪30年代,英国统治加拿大已久,最早的加拿大法语诗集和第一部法语小说才问世。19世纪中叶,主要的法语著作包括F.-X.加诺的《加拿大史》(1845～1848)和O.克雷玛齐的爱国诗集,反映出人民日益意识到自己的民族特性。法语加拿大的第一个文学团体是魁北克运动,成立于1860年。它致力于在一个英语占绝对优势的国家中,确保法语文化的延续。该团体成员保守的天主教倾向,促使他们以传统的方式写怀旧之作,这成为他们的诗歌和小说的特色。随后的主要文学团体是蒙特利尔学派,成立于1895年,以蒙特利尔为中心。其成员所发表的诗作大多受欧洲象征派和帕尔纳斯派诗人的影响。该团体在20世纪初分为审美派与地域派,后者主宰加拿大法语文坛达30年之久。即使在魁北克越来越都市化及工业化时,地域派仍然创作以乡村和农业为主题的作品。第二次世界大战后,加拿大法语小说鲜明地转向都市,其代表作有G.鲁瓦写蒙特利尔工人阶级生活的《意外的幸福》(1945)和R.勒梅兰的《普卢夫一家》(1948)。加尔诺的无韵内省诗,对其后40～50年代的诗人,尤其对那些与魁北克的重要出版社六角社有关系的诗人们,有重大影响。

魁北克的逐渐现代化和60年代后期及70年代的分离主义运动所表征的社会与政治动荡,促进了文化的自我觉醒及随之而来的文学活动。60年代的诗作与政治结下了不解之缘,一心追求表现形式的自由和探寻民族特性的真谛,G.米龙的《苦痛的人生》(1970)可为代表。小说家如J.戈德布特、H.阿昆、M.-C.布莱和G.贝赛特等在表现激进主题、社会批评和原子能时代年轻一代的觉醒时,大量采用了法国"新小说派"的非传统结构。

Canadian National Railway Company 加拿大国家铁路公司 加拿大两大横贯大陆铁路系统之一。1918年由加拿大政府创建,经营一些国有化的铁路,如旧的大干线基干线路、殖民地间铁路、国家横贯大陆铁路及加拿大北方铁路等。最初几年里,该公司同私营的加拿大太平洋股份有限公司竞争剧烈。1933年通过法案,指导两铁路公司在厉行节约和消灭业务重迭方面寻求合作,结束了彼此间的竞争。1978年该公司客运业务被加拿大VIA铁路公司接管。1995年加拿大政府实现国家铁路公司私有化。1999年该铁路公司收购伊利诺伊中央铁路,建成从墨西哥湾至加拿大大西洋和太平洋沿岸的铁路网。其横跨大陆的线路贯通东海岸多个城市和西海岸温哥华和鲁珀特王子港。除铁路外还经营连锁旅馆、公路运输、轮渡、电讯等。1976年公司在多伦多市建成世界最高的独立结构的加拿大国家电视塔。1995年该塔归加拿大政府所属。

Canadian Pacific Railway Ltd. 加拿大太平洋铁路公司 经营加拿大两大横贯大陆的铁路系统之一的私营公司。公司的建立是为了建成一条横贯大陆的铁路,这条铁路原系加拿大政府与不列颠哥伦比亚省签订的协议,于1871年开始修建。由蒙特利尔到穆迪港(温哥华郊区)这条主线于1885年完成。后来,公司又合并了其他铁路,包括在美国的几条铁路。从公司的大部分历史来看,公司的大多数所有权人住在加拿大之外。但在第二次世界大战后,这种情况有所改变,已有更多的加拿大人开始向公司投资。到20世纪末期,约有2/3的表决权在加拿大人手中。加拿大太平洋股份有限公司最初接受过批地

1886年7月4日,加拿大太平洋铁路公司的第一列横贯大陆客运火车抵达不列颠哥伦比亚省的穆迪港

美国不列颠百科全书公司供图

1 000万公顷。若干年间,该公司在采矿、冶炼及木材等方面聚积了大量资产。1956年,该公司建立了一些子公司,开始将其资产用于开发石油、天然气、矿产、化肥、食品、林产品、房地产、旅馆业、金融、汽车货运、电信、航运、航空等方面。这些资产于1962年集中于一家控股公司——加拿大太平洋投资公司。母公司于1971年改名为加拿大太平洋股份有限公司。1980年,加拿大太平洋投资公司成为加拿大太平洋企业公司。2001年太平洋铁路公司从母公司独立。21世纪初公司的横跨大陆铁路网贯通蒙特利尔、温哥华与美国芝加哥、华盛顿(哥伦比亚特区)、费城、布法罗和纽约等城市。

Canadian River 加拿大人河 源于美国新墨西哥州东北部桑格雷-德克里斯托山,该河向南流经拉斯韦加斯平原,在加拿大陡崖形成一条近450米深的峡谷后东折,穿过得克萨斯州锅柄状地区的狭谷,向东流经俄克拉何马州的安蒂洛普山,经俄克拉何马城与马斯科吉东南47千米的阿肯色河相汇。加拿大人河全长1 458千米,沿河水网交错,流域面积121 500平方千米。沿河有多处防洪和灌溉设施,如康克斯大坝和水库(1939)、尤特水库、梅勒迪斯湖。主要支流是北加拿大人河,在俄克拉何马州尤法拉附近汇入。河的名称大概是由早期来自加拿大的法国商人和狩猎者所起。

Canadian Rockies 加拿大落基山 落基山脉的一部分,自加拿大不列颠哥伦比亚省的北部中央伸向东南,成带形,宽40～80千米,长约1 600千米。其南段构成不列颠哥伦比亚与艾伯塔二省1 500千米边界。落基山地沟(一地质洼地)把它与西边的哥伦比亚山脉分开。约有50座高峰,海拔逾3 350米,最高峰罗布森山达3 954米。哥伦比亚山是艾伯塔省的最高峰,海拔3 747米。东西坡都有国家公园,景色极佳。加拿大落基山是许多主要河流如库特内河、哥伦比亚河、弗雷泽河的发源地。有铁路和公路通过的重要山隘有耶洛黑德、克罗斯内斯特和基金

艾伯塔省通金谷地的加拿大落基山
美国不列颠百科全书公司供图

霍斯等山口。横贯加拿大的公路通过基金霍斯山口。

Canadian Shield 加拿大地盾 世界上最大的大陆地盾之一。其中心在哈得孙湾,范围有800万平方千米,从五大湖区伸展到加拿大北极地区,遍布加拿大东部、中部和西北部,并进入格陵兰,还有小量突出部分进入美国的明尼苏达、威斯康星、密歇根及纽约州。加拿大地盾构成地球表面上最大的一片露出的前寒武纪岩石。该地盾区大体上全部由古老结晶质岩石组成,其构造之复杂表明其隆起和沉降、造山运动以及侵蚀作用历史悠久。有些古老的山脉现在作为一条或一带丘陵仍然能够辨认出来,但加拿大地盾自然景观的现时外表,主要不是几亿年前其岩石遭受褶皱、断裂及挤压作用的结果,而是在相对晚近的地质时期内的冰川的作品。在更新世期间(160万年前至1万年前),覆盖着北美洲北部的庞大的大陆冰川之中心就在该地区。此冰川在向南运动中把盖在地上的由风化岩石构成的表层剥得精光。一部分这种物质当冰川熔融时被堆积在地盾上,而主要部分则被向南搬运,堆积在加拿大地盾以南或西南。结果造成的地表由经冰川磨光的岩石质丘陵所构成,其起伏为30米,同时还有不规则的盆地,几乎全部盆地都充满了湖泊或沼泽。在一些地方,老的山脉可以根据高几百米的丘陵辨认出来。不过,地盾的东北部已变得翘起来了,因而在拉布拉多北部和巴芬岛,地面现在升高到了海拔1 500米以上。

Çanak, Treaty of 《恰纳克条约》 Çanak又拼Chank。又称《达达尼尔海峡条约》。奥斯曼帝国与英国于1809年1月5日在恰纳克(今土耳其恰纳卡莱)签订的协定,其中确立任何强国的军舰都不得开入达达尼尔海峡和博斯普鲁斯海峡的原则。此约促成了1841年的《伦敦海峡条约》,其他签署国也都接受了这一原则。此约使俄国舰队不能从黑海进入地中海。另有一项秘密条款,规定一旦法国向奥斯曼帝国宣战,英国将支援奥斯曼人。

Çanakkale 恰纳卡莱 土耳其西北部城市。位于达达尼尔海峡东面亚洲一侧的科贾河口。原为15世纪奥斯曼帝国的要塞。18世纪以生产精美陶器闻名。制陶业18～19世纪时为全盛期,今已衰落。现为土耳其鱼类罐头工业中心之一。有轮船通伊斯坦布尔。地扼达达尼尔海峡,该处宽度不足1.6千米,

恰纳卡莱市的码头区
美国不列颠百科全书公司供图

一向为战略重镇。第一次世界大战时曾遭英军轰炸破坏。人口约52 887(1990)。

Çanakkale Boğazı (strait, Turkey) **恰纳卡莱海峡** 参阅**Dardanelles**达达尼尔海峡。

canal 运河 为了农业灌溉、航运、供水和排水开凿的人工水道,通常与天然河流或其他运河相连接。中东古代文明的运河建设可能是为了满足饮水和灌溉的需要,航运还在其次。公元前7世纪亚述王辛那赫里布开了一条长80千米的石砌运河,将淡水引入尼尼微城。约公元前510年,古波斯王大流士一世着手开凿尼罗河至红海的运河。腓尼基、苏美尔和巴比伦都建有运河网。公元前4世纪,中国开始建设一系列的运河,将主要流域间的内陆地区连接起来,其中最伟大的工程是全长1 794千米的大运河,为世界最长的人工水道,于公元前486年吴王夫差开邗沟沟通江淮开始,后经历朝增修,最后从杭州直达北京。罗马人为了军用运输在北欧和不列颠建设了广大的运河网。1373年荷兰人发明了在运河建设上具有深远意义的船闸,船闸的密封水槽可充水或放水,使水槽中的船舶也随水位升高或降低,因此船舶能穿越两条水位不同的河道航行。近代伟大的运河时代从工业革命开始,止于19世纪中叶铁路作为主要交通工具兴起时。在这个时期美国引人注目地进行了运河建设,19世纪初美国只有运河约160千米,到19世纪末航程已逾6 500千米,其中最重要的是沟通五大湖的几条运河以及连接五大湖和密西西比河的伊利诺伊-密歇根运河。19～20世纪,几条内陆水道工程的建设,使越洋航行得到蓬勃发展。从德国北部开凿的基尔运河,将北海与波罗的海之间的航程缩短了数百英里。约2 300年前大流士一世开始开凿的运河,因1869年苏伊士运河通航最后得以完成。在西半球,横穿巴拿马地峡的巴拿马运河,长82千米,于1914年竣工,使在大西洋和太平洋越洋航行的船舶不需绕道南美洲。船闸解决了运河建设中的多数主要问题,人字闸门和蓄水池这两大革新进一步提高了船闸的效能。人字闸门由两扇闸门组成,关闭时向上游方向形成一个角度,它能经受的水压比平直闸门要大得多,并使建造容纳大型船舶的更深、更长的船闸成为可能。蓄水池用于水的重复利用,当需要降低船闸的水位时,将水槽中的水抽入蓄水池中储存;当需要升高船闸的水位时,将蓄水池中的水抽回水槽中。现代河道工程向着修筑渠道的方向发展,以缩短大型船舶停留的时间,克服黑夜或其他自然困难,方法之一是选择天然障碍较少的地段修建运河。基尔运河通过的地形比较平坦,减少了开凿运河的工程量,只需在两端设立船闸。苏伊士运河利用原有的湖泊和沼泽,减少了沿河的船闸。如果受自然条件的限制,必须修建船闸,则力求提高船闸的效率,并尽可能减少其使用。例如在圣劳伦斯水系的韦兰运河上,

巴拿马运河中行驶的大型快速客轮
美国不列颠百科全书公司供图

设立成对的上下船闸,使上行和下行的船舶能同时过闸。巴拿马运河通过开凿穿越大陆分水岭的深水渠道,并阻塞一条河流,形成一适于航行的狭长湖泊,以减少所需的船闸。如果河道坡度过于陡峭,方法之一是建筑一系列升船斜面,布鲁塞尔于1968年建成的升船斜面在5%的倾斜面上可通过1 350吨的平底船;或利用巨型液压起重机垂直升

世界主要运河

名称	长度（千米）	修建年份（重建年份）[a]	主要用途[b]
非洲			
埃及			
苏伊士运河	168	1856～1869	N
摩洛哥			
贝尼阿米尔运河	64	1938～	M
贝尼穆萨运河	122	1938～	M
苏丹			
琼莱运河	402	20世纪70年代后期～	M
美洲			
加拿大			
博阿努瓦运河[c]	19	1929～1932	N
科特圣凯瑟琳水闸[c]	12	1954～1959	N
拉欣运河	14	1821～1825	N
黎塞留运河	69	1833～1844	N
里多运河	200	1826～1832	N
圣朗贝尔水闸[c]	4.8	1954～1959	N
圣劳伦斯航道[d]	293[e]	1954～1959	N
圣安妮运河	3.2	1840～1843（1879～1886）	N
苏圣玛丽运河	2.2	1887～1895	N
特伦特运河	386	1833～1920	N
韦兰运河[f]	44	1913～1932	N
巴拿马			
巴拿马运河	82	1880～1914（1935，1955，1970，1974）	N
美国			
阿尔伯马尔-切萨皮克运河[g]	16	1855～1859	N
大西洋沿岸水道[h]	3 057	…	N
卡吕梅水道[i]	26	1922	N
科德角运河[g]	13	1909～1914	N
切萨皮克-特拉华运河[g]	22	1829（1919）	N
芝加哥环境卫生和航行运河[i]	48	1900	N
海湾沿岸航道[j]	1 770	…	N
伊利诺伊水道[k]	526	1933	N
华盛顿湖航行运河	13	1916	N
纽约州驳船运河（伊利运河）[l]	837	1903～1918	N
萨克拉门托河深水航行运河[m]	69	1963	N
田纳西-汤比格比水道	376	1971～1984	N
怀利-唐德罗运河[c,n]	16	1954～1959	N
亚洲			
阿塞拜疆			
萨穆尔-阿普歇伦运河	182	1939～1940（1951～1955）	M
孟加拉			
恒河-科巴达克运河	3 054	…	M
蒂斯塔堰堤运河	2 262	…	M
中国			
大运河	1 747	约公元前4世纪（公元6世纪）（1958～1964）	M
印度			
巴克拉运河	4 490	…	M
达莫德尔河谷总运河	2 494	1958	M
杜尔加布尔堰堤	225	1952～1955	M
希拉库德运河系统	888	1963～1964	M
拉贾斯坦运河	649	1955～	M
栋格珀德拉运河	545	1956	M
伊拉克			
塞尔萨尔河谷运河	65	1958	M
日本			
爱知运河	112	1961	M
哈萨克斯坦			
伊里利什-卡拉冈达运河	451	1971	M
泰国			
拉菲法特运河	32	1916～1924	M
土库曼斯坦			
卡拉库姆运河	1 100	1954～1981	M
乌兹别克斯坦			
大费尔干纳运河	345	1939～1940	M
欧洲			
白俄罗斯			
第聂伯-布格运河	196	1837～1848（1945～1946）	N
比利时			
阿尔贝特运河	130	1939	N
布鲁日-泽布吕赫运河	12	1898～1907	N
沙勒罗瓦-布鲁塞尔运河	77	1968	N
维勒布鲁克运河（布鲁塞尔-鲁珀尔）	32	1561（1922）	N
芬兰			
塞马运河	43	1845～1856（1968）	N
法国			
中部运河	118	1784～1792	N
南运河	240	1665～1681	N
北运河	95	20世纪初期（1961～1965）	N
拉泰拉勒-加龙运河	200	1838～	N
阿尔萨斯大运河	50	1932～第二次世界大战后完成	N
马恩-莱茵运河	316	1838～1853	N
马赛-罗讷运河	81	20世纪初期	N
莱茵-罗讷运河	320	1784～1833	N
圣康坦运河	92	1738～1810	N
德国			
多特蒙德-埃姆斯运河	269	1890～1899（1950）	N
易北-哈弗尔运河	56	1936	N
易北-吕贝克运河	62	1895～1900	N
埃姆斯湾-亚德湾运河	72	1887	N
基尔运河	98	1887～1895（1907～1914）	N
屈斯滕运河	70	1935	N
路德维希运河	172	1836～1845	N
美因-多瑙运河	171	1959～1992	N
中部运河	321	1905～1938	N
南北运河	112.5	1968～1976	N
奥得-哈弗尔运河	83	1908～1914	N
奥得-施普雷运河	84	1887～1897	N
希腊			
科林斯运河	6.5	1881～1893（1948）	N
爱尔兰			
大运河	130	1756～1804	N
意大利			
克雷莫纳-米兰运河	75	20世纪60年代后期	N
大运河（威尼斯）	3	…	N
荷兰			
阿姆斯特丹-莱茵运河	72	（1952）	N
根特-泰尔讷曾运河	31	1824～1827	N
朱丽安娜运河	34	1935	N
北荷兰运河	78	1825	N
北海运河	24	1865～1876	N

续表

名称	长度（千米）	修建年份（重建年份）[a]	主要用途[b]
波兰			
奥古斯图夫运河	100	1824～1839	N
比得哥什运河	27	1774	N
格利维采运河	41	1933～1939	N
葡萄牙			
阿连特茹运河	9 000	1959～	M
索拉亚河谷运河	381	1953～1958	M
俄罗斯			
波罗的海-白海运河	227	1931～1933	N
莫斯科运河	128	1932～1937	N
涅温诺梅斯克运河	49.2	1936～1948	M
伏尔加河-波罗的海水道	368	1964	M
伏尔加河-顿河运河	101	1950～1952	N
上沃洛乔克水系[o]	1 406	1703～1709	N
西班牙			
阿方斯-ⅩⅢ运河	85	1926	N
瑞典			
约塔运河	558	1810～1822	N
乌克兰			
北克里米亚运河	403	1961～1971	N
英国			
喀里多尼亚运河	88	1803～1822	N
利兹-利物浦运河	230	1770～1816	N
曼彻斯特航行运河	58	1894	N

…无资料。a 包含运河现代化所需时间。b N＝航行，M＝多种用途。c 圣劳伦斯航道沿蒙特利尔至安大略湖部分。d 圣劳伦斯航道加拿大和美国边界的国际部分。e 所示长度是由蒙特利尔至安大略湖，或圣劳伦斯航道计划长度，而由大西洋到明尼苏达州德卢斯的距离为3 769千米。f 沿圣劳伦斯航道连接安大略湖至伊利湖的运河。g 大西洋沿岸水道的一部分。h 连接大西洋沿岸马萨诸塞州波士顿到佛罗里达州基韦斯特间各港口的一系列人工及天然水道。i 伊利诺伊水道的一部分。j 连接墨西哥湾沿岸得克萨斯州到佛罗里达州之间各港口的一系列人工及天然水道。k 经伊利诺伊河连接密歇根湖与密西西比河的一系列人工及天然水道。l 包括 1817～1825 年间重建的旧伊利运河 584 千米。m 连接萨克拉门托河至旧金山湾。n 指圣劳伦斯航道位于美国一侧的部分。o 由人工运河、水道及水库连接数条河流而形成的系统。

降，德国亨里兴堡于 1962 年建成的起重机，能将1 000吨的船只提升 18 米。

Canal, Giovanni Antonio（painter） **卡纳尔** 参阅 **Canaletto 卡纳莱托**。

Canal Zone 运河区 又称巴拿马运河区。1903～1979 年美国在巴拿马行使管辖权的历史行政区。为沿巴拿马运河从大西洋岸至太平洋岸、宽 16 千米的狭长地带，面积 1 432 平方千米，约 1/3 为水域（主要是加通湖）。运河区包括两个行政分区：巴尔博亚区（太平洋一侧）和克里斯托瓦尔区（大西洋一侧）。运河区政府和巴拿马运河公司总部均设在巴尔博亚高地。运河区系根据 1903 年《海约翰-比诺-瓦里亚条约》于 1904 年 5 月 4 日设立。根据该条约，巴拿马将运河及两岸各 8 千米以内的土地交由美国经营管理，而由美国每年向巴拿马付租金。运河在 1904～1914 年建成。1951 年起，运河及毗邻地区由两个美国机构管理：巴拿马运河公司负责经营运河，运河区政府负责全区民政管理。运河区总督由美国总统任命，受美国陆军部长监督，他是巴拿马运河公司的当然董事长和经理。根据 1977 年签订的条约，运河区于 1979 年 10 月 1 日撤销，民政权归还巴拿马；美巴共同组成巴拿马运河委员会管理运河，到 2000 年，运河完全由巴拿马管辖。

Canale Grande（Venice） 参阅 **Grand Canal 大运河**。

Canalejas（y Méndez）, José 康纳勒哈斯（-曼德斯）（1854-07-31，西班牙埃尔费罗尔～1912-11-12，马德里） 西班牙政治家、民主党领袖。他任首相时，提出反对扩张教权的“挂锁法”，禁止成立新的宗教团体，实行义务兵役制。康纳勒哈斯于 1881 年代表索里亚区选入议会，从此开始其政治生涯。以后若干年中，他先后代表阿格雷达、阿尔赫西拉斯、阿尔科伊及马德里等地区任议员。曾任总统府副部长（1883）、公共工程部长和司法部长（1888）、财政部长（1894～1895）及农工商联合部长（1902）。1910 年 2 月，塞吉斯蒙多·莫雷特政府倒台后，康纳勒哈斯任首相。尽管在君主政体下主持自由主义的内阁，康纳勒哈斯经常表现出民主倾向，在某些问题上甚至偏向于激进主义。1906 年当他发现有人与梵蒂冈进行秘密谈判后，便开始发动一场反对扩张教权的运动。他成为政府首脑后，便提出反对扩张教权的立法，把运动推向高潮。在摩洛哥，法军于 1910 年进入非斯后，康纳勒哈斯 1911 年下令西班牙军队占领拉腊什、阿尔卡萨尔及阿尔奇纳。但 1912 年又不得不与对方达成协议，进一步缩小了西班牙在摩洛哥的占领区。康纳勒哈斯建议制订一项法律，即在 4 个加泰隆省成立联合立法机构，使之有较小程度的自治权，但该法还未通过，他即去世。他对劳工骚动采取的某些强硬手段和某些共和党人对他不满均构成了他被无政府主义者曼努埃尔·帕迪尼亚斯暗杀的部分原因。

Canaletto 卡纳莱托（1697-10-18，威尼斯［意大利］～1768-04-20，威尼斯） G.A.卡纳尔的别名。意大利风景画家，作品充满感情，色彩和谐，轮廓明确，所绘威尼斯、伦敦和英格兰乡舍细致景观对后代风景画家影响很大。父亲是布景师。青年时代帮助其父绘制舞台布景，后改作风景画，很快受到外界的重视。最早的四幅巨幅画是为列支敦士登大公作的。其技法自由而精巧，善于处理风景画中阳光和阴影的关系，表现阴影的效果、建筑物明暗光度的差异。当时很少有人重视这些。他主要描绘威尼斯景色。亦采用“照相光学法”使实物形象透过镜头射到玻璃板上，在此基础上绘景着色。最后又发明机械制画法，利用轨尺和罗盘，运用一定比例和公式作画。18 世纪 30 年代是其创作盛期。1740 年后，卡纳莱托风景画增加了新的内容和气息。1741～1744 年间创作了一组蚀刻铜版画，共 30 幅。1746 年去英格兰，在新的环境条件下，描绘新的题材。有时以威尼斯的结构布局，配上英国的景物，但大部分达不到早年在威尼斯作画的水平，缺乏生气。回威尼斯后，1763 年被选入威尼斯学院，同年被任命为绘

卡纳莱托绘《石匠铺子的院落》（约 1730）
美国不列颠百科全书公司供图

画学院院长。

Canaletto THE YOUNGER **加纳列托(小)** 参阅 **Bellotto, Bernardo** 贝洛托。

Canali, Isabella 卡纳利 参阅 **Andreini, Isabella** 安德烈尼。

Canarias, Islas(Atlantic Ocean) 参阅 **Canary Islands** 加那利群岛。

Canaries Current(Atlantic Ocean) 参阅 **Canary Current** 加那利洋流。

Canario(people) **卡纳里奥人** 参阅 **Guanche and Canario** 关切人和卡纳里奥人。

Canaris, Wilhelm (Franz) 卡纳里斯(1887-01-01,德国威斯特伐利亚阿普勒贝克～1945-04-09,巴伐利亚弗洛森比格集中营) 德国海军上将,纳粹政权时代的德国军事情报局局长,反对希特勒的军官行动的主要参与者。第一次世界大战期间在海军服役。德国共产党理论家罗莎·卢森堡被谋杀以后,曾任审判该案的军事法庭成员。1935年1月任军事情报局局长。在西班牙内战期间,他负责德国对佛朗哥将军的援助工作。他曾录用几名反希特勒密谋分子进入军事情报局,并掩护他们的活动。在党卫军对军事情报局进行调查之后,1944年2月他被调任军队的经济工作。1944年7月20日暗杀希特勒的计划失败后被捕,后被处死。

canary (species *Serinus canaria*) **金丝雀** 又称芙蓉鸟、加那利雀。雀形目金翅科一种受人喜爱的笼鸟。色彩鲜艳,鸣啭时间长而不间断,这是400年来人工选育的结果。称

金丝雀(*Serinus canaria*)
美国不列颠百科全书公司供图

为百啭金丝雀的品种几乎不停地啭鸣,鸣声连续不断;而断续金丝雀鸣声响亮,一声声界限清晰。著名的品种有哈茨山、诺里奇和约克郡等。笼养者平均寿命10～15年;有的活20多年。原产加那利群岛、亚速尔群岛和马德拉群岛。野生种类背面有条纹,主要呈绿褐色。丝雀属的其他种类有欧洲的丝雀和非洲的硫黄色丝雀(霸道食籽雀,*S. sulphuratus*),作为宠物饲养。参阅 **goldfinch**; **wood-warbler**; **seedeater**。

canary creeper (species *Tropaeolum peregrinum*) **黄花藤** 又称金丝雀花、金丝雀藤、金丝雀旱金莲,即五裂叶旱金莲(外国旱金莲)。旱金莲科一年生攀缘草本植物。原

黄花藤(*Tropaeolum peregrinum*)
美国不列颠百科全书公司供图

产南美西北部,已引种其他地区用作庭园栽培植物。株高1.8～3米。叶圆形,深五裂。花浅黄色,直径2.5厘米,具绿色长距。

Canary Current 加那利洋流 又作Canaries Current。北大西洋顺时针流向洋流系统的一部分。它是从北大西洋洋流向南分出的一支,沿非洲西北岸向西南方向流动,最南直至塞内加尔,然后转向西,最后汇入大西洋北赤道洋流。洋流水温较低,系来自大陆的岸外风引起海水涌升而造成。洋流环绕加那利群岛流动时,有助于减轻东部的撒哈拉沙漠的增温效应。温度的混合使该地区成为良好渔场。

Canary Islands 加那利群岛 西班牙语作Islas Canarias。西班牙自治区,大西洋一群岛,距非洲大陆最近一岛,离西北海岸108千米。加那利群岛上设有西班牙的拉斯帕尔马斯省和圣克鲁斯-德特内里费省以及大加那利、富埃特文图拉、兰萨罗特、特内里费、拉帕尔马、戈梅拉和耶罗诸岛的地区议会。群岛于1982年8月16日根据自治法设为自治区。加那利群岛的原始居民为柏柏尔族的关切人(参阅 **Guanche and Canario**),现已灭绝。柏柏尔人15世纪时为西班牙人征服。公元前约40年,毛里塔尼亚国王朱巴二世远征至此,罗马人由此得知有加那利群岛。朱巴所述此事在古典作家普卢塔克和老普林尼的著作中保存有记录。老普林尼提到"加那利之名称来自当地有众多体型巨大的狗"。999年,阿拉伯人在大加那利岛登陆并经商。13、14世纪间热那亚、马霍卡、葡萄牙和法国航海家曾到达过该群岛。1404年,卡斯蒂利亚的亨利三世任命贝当古为群岛国王。贝当古征服了兰萨罗特、富埃特文图拉和费罗,于1406年12月返回欧洲,让他的侄子马西奥特掌管当地。1420与1479年间,葡萄牙军队征服戈梅拉。1479年的《阿尔卡索瓦斯条约》承认西班牙对加那利群岛的宗主权。1496年西班牙征服群岛其余部分。于是加那利群岛成为西班牙至美洲海上航路不可缺少的基地,哥伦布4次西航的船队都在该群岛得到补给。1936年佛朗哥将军以此作为其举行民族主义政变的最早基地,由此前往西属摩洛哥。加那利分为两个岛群:西岛群有特内里费(**Tenerife**)、大加那利岛(**Gran Canaria**)、拉帕尔马(**La Palma**)、戈梅拉(**Gomera**)和费鲁(**Ferro**)诸岛,由深海底床直接升起的山峰构成。东岛群由兰萨罗特岛(**Lanzarote**)、富埃特文图拉岛(**Fuerteventura Island**)及拔起于一块称为加那利海岭的海底高地的6座小岛组成,海底高地从海底升起约1 400米。加那利群岛由数百万年前的火山爆发形成。西岛群的所有岛上最高点都高于1 200米,特内里费的泰德峰海拔3 718米,为西班牙领土内的最高点。该群岛属亚热带气候。天气温暖,四季变化不大。拉斯帕尔马斯8月份的下午平均温度为26 °C,1月份只降低到21 °C。降雨集中在11、12月,雨量小,各地鲜有超过250毫米;只有东北面朝风方向部分可达到750毫米。岛上肥沃的火山土和温和的气候宜于多种植被。植物的分布因地势高低不同

加那利群岛兰萨罗特岛火山低坡处准备种植酿酒葡萄的火山灰田地
美国不列颠百科全书公司供图

而异。从海平面到约400米高度的地区种植适宜炎热干旱气候的植物；较为湿润或灌溉条件较好的地区则可生长香蕉、柑橘、咖啡、枣、甘蔗和烟草等作物。在约400至700米的地区，为近似地中海的气候，主要作物为谷类、马铃薯和葡萄。高于海拔700米地区气候相当凉爽，生长冬青属、桃金娘、月桂等树木。20世纪中，特内里费和大加那利的人口较其他各岛人口增长速度快。当地人操卡斯蒂利亚西班牙语，带轻微安达卢西亚口音，群岛特有的某些古辞语表明曾受葡萄牙影响。1927年前加那利群岛为西班牙一个省，因群岛上两个最大港口大加那利岛拉斯帕尔马斯和圣克鲁斯-德特内里费之间的敌对竞争而分为两个省。拉斯帕尔马斯省有大加那利、富埃特文图拉、兰萨罗特和一些小岛，其中3个小岛有人居住。属于圣克鲁斯-德特内里费省的有特内里费、拉帕尔马、戈梅拉和费罗（耶罗）诸岛。群岛的经济长期以农业为主。直至1853年，在无灌溉系统的山坡上种植葡萄并酿酒是主要产品。该年葡萄蚜虫在葡萄园蔓延为害，不久葡萄种植便主要由胭脂虫生产代替。由胭脂虫制成洋红颜料的行业在19世纪末期因不能与人工合成染料竞争而趋于衰落，又代之以种植香蕉、番茄、马铃薯和其他蔬菜、水果。香蕉目前仍然是加那利群岛的主要作物，在西班牙市场上与外国产品的竞争受到保护。番茄是出口商品，生长在11月到4月间；种植花草苗木是新兴的行业。谷物主要依赖进口。富埃特文图拉和兰萨罗特以旱地耕种为主，在大加那利和特内里费则到处有灌溉的土地。由于土地分属小土地所有者，所以在有些岛上农业机械化迟迟不能实行。1950年后，群岛的旅游业发展迅速，随之饭店和政府经营的旅馆大量增加。在旅游高峰季节，拉斯帕尔马斯和圣克鲁斯-德特内里费是主要停泊港，12月到3月为淡季。群岛上的制造业除在圣克鲁斯-德特内里费有大量的原油加工精炼之外，其他地方只有小规模的行业。西班牙政府鼓励投资兴办食品加工工厂。人口约1 716 276（2000）。

Canasta 卡纳斯塔 兰姆类牌戏之一。桑巴、玻利维亚等牌戏都是从卡纳斯塔演化出来的。最流行的玩法是4人分两家，同一家两人对面而坐。使用108张扑克即两副52张的牌外加4张王。王和2都是百搭，可以代替任何一张牌。每人发11张牌，余下的摆在桌上作底牌。把最上面的底牌翻过来作为出牌堆的首张。4人可以组成牌组，并要垫一张牌，面朝上摆到出牌堆上。一家两人合起来算分。当有一人把最后一张牌组成牌组时，一盘比赛便结束。组成牌组多者胜。

Canastra Mountains 卡纳斯特拉山 位于巴西东南部米纳斯吉拉斯州西部巴西高原的山脉。北起戈亚斯州边界，南迄格兰德河上游，长240千米，平均海拔1 800米。为圣弗朗西斯科河发源地。蕴藏着丰富的钙、铅、铁、钍、锌和金刚石矿。一条联邦公路自巴西利亚沿卡纳斯特拉山东坡至贝洛奥里藏特。第二条新筑的东西走向公路跨越此山，连接乌贝拉巴和蒙蒂斯克拉鲁斯。

Canaveral, Cape 卡纳维拉尔角 美国佛罗里达州中东部布里瓦德县属一堡礁岛向大海延伸部分和城市，由印第安河及巴纳纳河（都是潟湖）将其与大陆本土隔离开。是供国家航空和航天局执行空间计划的现场。在1963年肯尼迪总统死后曾改名肯尼迪角，但1973年又正式改回西班牙语原名，意为“芦苇地”。第二次世界大战结束之前，卡纳维拉尔角一直是一片灌木丛生的多沙荒地。1950年从该角发射了一枚德国造V-2型火箭以后，就安装了供组装和发射弹道导弹和航天飞船用的全套设备。美国第一次载人进入外层空间的飞行发生在1961年5月5日，当时，小谢泼德在他的水星计划密封仓里从该设备上被发射升空；而载有阿姆斯特朗、小奥尔德林和科林斯的第一次载人登月飞行则是在1969年7月16日从这里发射的。用于整套操作的设备现已撤到巴纳纳河里的几个人造岛上以及梅里特岛上的肯尼迪航天中心（由国家航空和航天局大堤联接）。附近有巴特里克（Patrick）空军基地。该地区仍有野生动物栖息，是野生动物的天然庇护所。卡纳维拉尔国家海滨区位于北面。卡纳维拉尔角市（卡纳维拉尔港）于1962年正式列入建制。人口：城市8 829（2000）。

Canberra 堪培拉 澳大利亚联邦首都。在澳大利亚东南部澳大利亚首都直辖区悉尼西南240千米处，跨莫朗格洛河两岸。1824年建居民点，称坎伯里。1836年更名堪培拉。1901年成立联邦后于1909年定为新的首都所在地，后划归首都直辖区。1913年始兴建。1927年5月9日迁都，联邦议会由墨尔本正式迁此。位于澳大利亚阿尔卑斯山脉的山麓

堪培拉市的澳大利亚国立图书馆
美国不列颠百科全书公司供图

平原上。气候宜人，冬暖夏凉，雨量大大少于周围高地。市区不断扩展，只有市中心和近郊符合原来设计。住宅区主要在韦斯顿克里克、贝尔康嫩、塔格拉农等卫星城镇。有轻工业，旅游业日益发展。建有澳大利亚国立大学（1936）、斯特罗姆洛山天文台（1924）、澳大利亚国立图书馆（1968）、澳大利亚高等法院（1981）、澳大利亚国家美术馆（1982）、圣施洗约翰教堂（1845）、澳大利亚国家战争纪念馆（1941）、堪培拉技术学院和进修教育学院等。亦为澳大利亚联邦科学与工业研究组织和澳大利亚国防军事学院总部所在地。2003年火灾给堪培拉及其郊区带来巨大损失，约有400间房屋被烧毁，多人死亡。人口约321 680（2001）。

cancan 康康舞 起源于法国或阿尔及利亚的一种轻快而并不高尚的舞蹈。通常由4名女子表演。19世纪30年代流行于巴黎舞厅。19世纪40年代出现于杂耍表演和小型歌舞

G.修拉绘《放荡舞》（1889～1890）中的康康舞
美国不列颠百科全书公司供图

讽刺剧中，以高高踢腿，露出衬裙和大腿而闻名。康康舞的音乐为2/4拍子，最初用卡德利尔舞曲和加洛普舞曲伴奏，约1840年后，J.奥芬巴赫和其他一些作曲家曾专门创作康康舞曲。后来在F.莱哈尔的轻歌剧《快乐寡妇》（1905）和C.波特的《康康舞》（1953）中有这种舞段。

cancellaresca corsiva 文书草体 又作chancery cursive，littera da brevi。又称文书体，16世纪成为整个基督教世界“新学问”工具的书写体，从15世纪古草书体演变而来，古草体则是由教廷档案文书加以完善而成的。

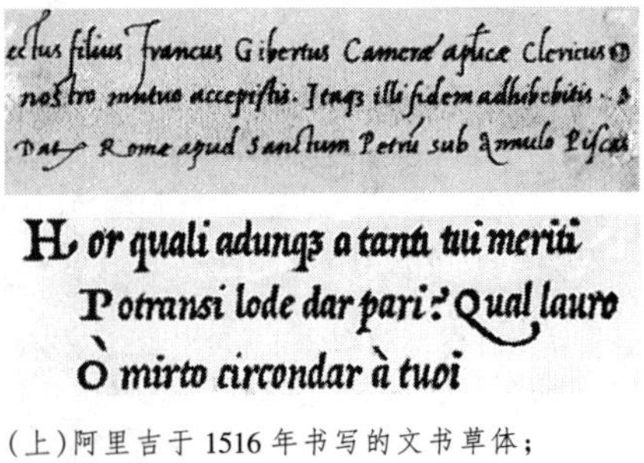

(上)阿里吉于1516年书写的文书草体；
(下)G.B.帕拉蒂诺于1540年书写的文书草体
美国不列颠百科全书公司供图

16世纪初维琴察的书法家和印刷工卢多维科·德利·阿里吉所书文书体，既有醒目的类似哥特体粗细不一的笔划，也有纤细、流畅而单一的交叉装饰线。阿里吉书写的上行字母，不像早期书写体那样以衬线为终点，而是羽毛状向右飘拂，其下行字母伸过基线向左回旋，以相平衡。文书草体轻快而严谨，可随笔尖的粗细和运笔的速度而变化，在20世纪为大众所采用，以“斜体”之名再度流行。

cancer　恶性肿瘤　由各种尚未完全明确的致癌因素引起的、无节制的、迅速的细胞过度增生；恶性肿瘤细胞的分化程度极低，在形态结构上接近胚胎组织(组织间变，或称细胞异形性)；并具有异常的功能。无论什么组织发生的恶性肿瘤，也不管是原发性、还是转移性的，都可严重地危及到患者的生命。恶性肿瘤有许多不同于良性肿瘤的生物学行为，如扩散和转移。据此，人们把恶性肿瘤的发展分为三个阶段：早期，也就是尚未出现扩散或转移时的阶段，这是治疗的最佳时期；浸润期，恶性肿瘤向周围组织浸润性生长，或有局部淋巴结的转移；转移期，恶性肿瘤经由淋巴道和(或)血液向远方的器官、组织转移，出现转移性肿瘤病灶。良性肿瘤一般只通过肿瘤的局部占位影响器官功能，而恶性肿瘤却能通过扩散和转移危及患者生命。恶性肿瘤的迅速增长，与其说是因为细胞分裂加快，不如说是因为失去了部分或全部的生长控制。恶性肿瘤的细胞分化不完全，也没有形成正常组织的倾向。恶性肿瘤组织不能行使正常功能。恶性肿瘤的生长受到患者全身状态的影响，包括免疫功能和对内分泌激素的易感性。如乳腺癌和前列腺癌就在很大程度上受到患者内分泌活动的影响。病毒感染常是某些恶性肿瘤的重要病因。

恶性肿瘤的分类　根据组织来源，人们把恶性肿瘤分为癌和肉瘤二大类。前者源于各种类型的上皮组织(皮肤、黏膜和包括肝细胞和内分泌腺在内的各种腺上皮)，后者源于各种间叶组织(结缔组织、脂肪、肌肉、血管、骨、软骨等)。如同一恶性肿瘤中含有上皮和间叶两种组织成分，则名为癌肉瘤，较为少见。造血组织肿瘤(如白血病和恶性淋巴瘤)、神经系统肿瘤(包括脑肿瘤)和恶性黑色素瘤各自单独分类。

恶性肿瘤的名称也有相应的规定。来自间叶组织者，则在原发组织名称后加上“肉瘤”二字，如骨肉瘤、脂肪肉瘤、纤维肉瘤、滑膜肉瘤等。如骨肉瘤转移到肺，肺部病变的正式名称为“肺转移性骨肉瘤”。癌的命名中有一些特殊含义的词组，如腺癌，说明了该种癌是来源于腺体上皮。至于是发生在甲状腺、消化腺还是子宫内膜，还需另作说明。如甲状腺腺癌、胃腺癌、子宫内膜腺癌等。鳞状细胞癌是指源于复层鳞状上皮的恶性肿瘤，我们平时简称的皮肤癌、唇癌、宫颈癌、阴茎癌、喉癌等都是鳞状细胞癌。

病因　恶性肿瘤的病因尚未完全明了，常和许多因素的联合作用有关。已经明确的致癌因素有石棉、多环烃基化合物、吸烟和来自X射线、放射尘回降和紫外线的电离辐射等。但是，因为从开始接触到上述各种因素到癌的实际发生之间，要经过很长时间，很难找到直接的因果证据，所以，它们各自对癌的发生究竟发挥了多大的作用，是个谁也说不清楚的问题。有些恶性肿瘤的发生据说和病毒感染有关。伯基特氏淋巴瘤就和EB病毒感染有关；女性宫颈癌据说和生殖器疱疹病毒的感染有关。分子生物学的研究表明，在病毒感染致癌的机制中，病毒DNA是以致癌基因的角色参与癌变过程的。致癌基因存在于正常人染色体，只是没有表达。如遇到适当刺激就会表达，人就会患癌。

治疗　恶性肿瘤的现代治疗有化疗、放疗、外科切除，或各种方法的联合使用。诊断得越早，治疗越及时，预后也就越好。肺癌、乳腺癌、结肠直肠癌的治疗预后不好，主要就是因为早期诊断困难。恶性肿瘤的各种治疗方法都有副作用。绝大部分化疗药都是针对破坏肿瘤细胞DNA设计的，以控制它们无节制的过度增生。但现在使用的化疗药都没有很好的肿瘤特异性，在治疗过程中正常组织也受到不同程度的损害。放疗也一样，指向肿瘤的放射线同样会伤及放射范围内的正常组织。设备上的改进可减少治疗副作用和危险性。没有转移的恶性肿瘤是外科手术的适应症。

恶性肿瘤的转移方式有许多共性，但也有不少各自的转移个性。如乳腺癌的骨转移最常见，而恶性黑色素瘤最多是向肺转移。只要出现转移，就不再是外科手术的适应症了，化疗可能就是唯一的治疗选择。目前，人们对少数几种恶性肿瘤的治疗有了一些突破。如用铂制剂能有效地控制卵巢癌、前列腺癌和睾丸癌；用化疗和放疗能大大地延长淋巴系统恶性肿瘤患者的生存期限；用骨髓移植技术可明显减少儿童白血病的死亡率。骨髓移植技术的关键是供体和受体之间的骨髓配型，如果配型不合，就可能出现两种类型的排异反应：一是受体宿主对供体骨髓的排异反应，一是供体骨髓对新宿主的排异反应。据估计，发达国家有1/3的人口可能在其一生的某个时候成为癌患者。在目前条件下，防治恶性肿瘤的最佳途径是做到早期诊断、早期治疗；避免接触那些已知的各种致癌因素，如吸烟和芳香烃类化合物等；调节饮食结构，多吃些粗粮。

Cancer　巨蟹座　又作Crab。又称巨蟹宫。在狮子座和双子座之间的黄道星座，位于赤经(类似于地球上经度的天球坐标)8时25分，

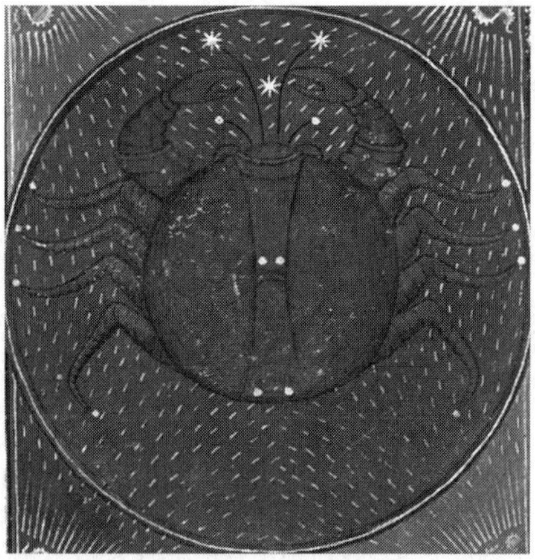

约1475年意大利《祈祷书》中的巨蟹座插图画
美国不列颠百科全书公司供图

北赤纬(天赤道以北的角距离)20°附近。星座中有一著名的鬼(宿)星团或蜂巢星团。在占星术中，巨蟹宫是黄道十二宫的第四宫，被看成是主宰约6月22日～约7月22日期间的命宫。巨蟹宫的形象是一只螃蟹，在希腊神话中，这只螃蟹在赫拉克勒斯正同L.许德拉作战时因夹痛了赫拉克勒斯而被踩死，赫拉克勒斯的敌人赫拉把它放到天上，以为报答。

Cancer and Capricorn, Tropics of　北回归线和南回归线　分别接近地球赤道以北23°27′和以南23°27′的两个纬圈。这两个纬度相当于太阳黄道(**ecliptic**)相对于天球赤道最北和最南的偏斜度。北半球夏至日(6月21日左右)，太阳到达最北位置，直射在北回归线上。在北半球冬至日(12月21日左右)，太阳到达最南位置，直射在南回归线上。

Canchungo　坎雄戈　旧称特谢拉平图。几内亚比绍西北部卡谢乌区城镇。位于卡谢乌河和曼索阿河之间沿海低地上。为出口用棕榈油的主要产地，也为附近出产的稻米和椰子的集市中心。有公路通首都比绍。人口：城市区36 766(1979)。

cancioneiro　歌集　12世纪以来编集的葡萄牙语抒情诗集。葡萄牙语-加利西亚语诗歌的最早范例，是写于12世纪到14世纪、并于14世纪和15世纪收集的3部手抄本歌集。这些歌集中的2 000首诗，可以根据内容分为3大类：①相思之歌，妇女哀叹和她们的情人的离别、相思和耐心等待；②爱情之歌，男子为爱情而痛苦；③嘲讽和诅咒之歌，对当代问题的粗俗讽刺。另外，偶然还有赞美圣母奇迹的宗教歌。后来出现的《诗歌总集》(1516)，由加西亚·德·雷森迪编纂，包括将近1 000首葡萄牙语和卡斯蒂利亚语的歌，以爱情和讽刺为题材。这些诗歌比早期歌集里的作品更加复杂精巧，显示出受西班牙和意大利影响的迹象。

cancrinite　钙霞石　稀少的似长石矿物，是含钠和钙的碳酸盐-铝硅酸盐，在霞石正长岩及有关的岩石中作为霞石和长石的蚀变产物产出。也产于变质岩中以及石灰岩与岩浆侵

产自加拿大安大略的与菱锰矿（浅色部分）共生的钙霞石
美国不列颠百科全书公司供图

入体的接触带中。著名产地是瑞典的阿尔讷、挪威的芬地区、芬兰的伊瓦拉和美国科罗拉多的铁山。关于化学式和详细的物理特性，参阅 **feldspathoid**（表）。

Cancún　坎昆　墨西哥东南部金塔纳罗奥州旅游城市。位于尤卡坦半岛东北岸外的海岛上。岛长 21 千米，宽 400 米，有堤道通大陆上的坎昆市。沿海多白沙滩、棕榈林和珊瑚礁。年雨量极少。1970 年以前是马雅人小村落，后由墨西哥政府开辟为国际度假中心，多年来，坎昆成为全新城市和旅游胜地。房荒严重，服务区也是如此，约 3 万名工人居住在窝棚中。旅游区有公路通华雷斯港和莫雷洛斯港。大陆上的坎昆市南 19 千米处有国际机场。人口 397 191（2000）。

caṇḍāla　孔达洛　印度的一个阶级。一般认为不属于种姓制度之内，是印度社会中最低的一个等级。根据《摩奴法典》，此等级源于婆罗门（种姓的最高一级）女人和首陀罗（种姓的最低一级）男人结合所生子女。孔达洛一词现代亦用以指孟加拉的农民、渔民和船工，常称为那摩首陀罗。有些学者认为那摩首陀罗源出比哈尔邦拉杰马哈尔山的一个土著部落。

Candar DYNASTY　**桑达尔王朝**　又称伊斯芬迪亚尔王朝。统治安纳托利亚北部卡斯塔莫努-锡诺普地区的土库曼王朝（约 1290 ～ 1461）。这个王朝因塞姆斯丁·亚曼·桑达尔而得名，他曾在塞尔柱苏丹麦斯欧德二世的军队中服役，得卡斯塔莫努以西的埃夫拉尼地区作为酬劳。其子苏莱曼夺取卡斯塔莫努和锡诺普，1314 年承认伊儿汗国的宗主权。约 1380 年王朝内讧，公国一分为二：卡斯塔莫努一支承认奥斯曼的宗主权，到 1391 年为苏丹所兼并；而锡诺普一支则继续维持桑达尔的统治。1402 年，整个国土由中亚征服者帖木儿归还桑达尔。1417 年王朝内讧再次使公国分裂，其中一支又陷于奥斯曼的影响之下。1461 年桑达尔王朝的公国被奥斯曼苏丹穆罕默德二世吞并，其王室成员成为奥斯曼帝国在亚洲或巴尔干的省督。桑达尔王朝时期文人受到保护，土耳其语得到很大发展。

candela　坎德拉　发光强度的国际单位制度量单位，定义为在标准大气压（101 325 牛顿/米^2）和铂凝固温度（约 1 773 °C）下，黑体的1/600 000平方米的表面垂直方向上的发光强度。缩写为 cd。坎德拉在人工照明计算中已经代替标准烛光或标准灯泡作为发光强度的单位，有时称为新烛光。

Candela（Outeriño），Felix　坎代拉（1910-01-27，西班牙马德里～ 1997-12-07，美国北卡罗来纳达勒姆）　西班牙出生的墨西哥建筑师、钢筋混凝土结构设计师，擅长设计薄壳结构。1939 年定居墨西哥。1950 年与 J. 冈萨雷斯·雷纳合作设计墨西哥国立自治大学的宇宙射线馆，受到国际上的注目。该馆的钢筋混凝土屋顶厚度只有 1.6 ～ 5 厘米。后来他设计的圣母马利亚功绩教堂（1954），其

美国不列颠百科全书公司供图

曲壳顶厚度只有 3.8 厘米。除了墨西哥城的里奥仓库（1955）和其他一些曲壳顶厂房外，还设计了不少悬索薄壳及拱形壳的工业厂房和仓库。他在一些工程中，亲自担任结构施工员。坎代拉曾在美国哈佛大学（1961 ～ 1962）及芝加哥伊利诺伊大学（1971 ～1977）任教。

candelabra tree　烛台树　参阅 **Paraná pine** 巴拉那松。

candelabrum　华柱　在建筑中，由烛台或灯柱发展而来的一种装饰形式。古罗马人继承希腊风格时期的先例，使之成为装饰富丽的华柱，现知有两种形式：一种较为简单，有一根常带有凹槽的细柱，底部扩大作兽足形及叶片装饰，顶上有带花瓶状线脚的平板；在庞贝城发现了大量这样的华柱，证明是普通的家庭装饰形式。另一种用于公共建筑中，由大理石或青铜制成，形式较为庄严，底部像小祭坛，上承粗壮的柱子，常用重叠的叶片装饰。这种华丽的样式对文艺复兴时期的艺术家影响很大。

candelilla wax　小烛树蜡　墨西哥北部和美国得克萨斯州野生的小蜡烛树——抗梅大戟（*Euphorbia antisyphilitica*）及产蜡大戟（*E. cerifera*）——灌木上覆盖着的坚硬的、黄棕色至褐色的蜡质。与巴西棕榈蜡相似，但硬度较低。由于它能和其他蜡质混合，且价格低廉，主要用于含有巴西棕榈蜡、石蜡和其他蜡质的配方中作为掺合剂。也用于擦光剂、油漆、油墨、防水剂和复写纸。

Candella（Indian history）　参阅 **Chandelā** 昌德拉人。

Caṇḍī　准胝　印度教女神萨克蒂的降魔形象，主要流行于印度东部地区。她名称甚多，如大幻、无惧等，准胝可能由乡村非雅利安信仰与高级宗教教义融合而成。她形似萨克蒂，另一形象似难近母，有 10 或 8 条臂，乘狮子车。

Candia（city，Crete）　**干地亚**　参阅 **Iráklion** 伊拉克利翁。

Candia，Sea of（Europe）　**干地亚海**　参阅 **Crete，Sea of** 克里特海。

Caṇḍīdās　钱迪达斯（活动时期 14 世纪末～15 世纪初，印度孟加拉）　印度诗人。他的写给洗衣妇罗米的情歌在中世纪时期极为流行，成为探寻人神相爱的毗湿奴派与自然派宗教运动灵感的源泉，遂群起模仿，以致难于确证诗人身份。此外，传说还掩盖了他的生平详情。诗本身表明这位作者原是一个当乡祭司的婆罗门，他公开宣布爱上了低等种姓的罗米，因而与传统习俗决裂。在这对情侣看来，他们的关系是神圣的，最可比拟于神仙情侣罗陀与黑天的精神结合。钱迪达斯既不愿放弃他在寺庙的职责，也不愿放弃对罗米的爱情，这使他的家族非常恼火。为平息村里婆罗门的怒气，准备了一场盛宴，但由于罗米的意外出现，宴会陷入一片混乱。此后发生什么样的事，则被传说搞得迷离不清。他的诗对后来的孟加拉文学、艺术和宗教思想有很大影响。

candidiasis　念珠菌病　又作 moniliasis。由酵母样的真菌——念珠菌（尤其是白色念珠菌）所引起的传染病。念珠菌属常寄居于人类口腔、阴道和肠道，一般对人无害，仅对婴儿或久病、衰弱的人（如糖尿病患者）有致病力。事实证明长期使用广谱抗生素（如氯霉素、四环素）可诱发念珠菌病，其原因可能是一些对真菌有拮抗作用的正常菌群被杀灭。口腔或阴道黏膜的念珠菌病常见，称为鹅口疮或阴道念珠菌病，病变多局限，症状轻，但也可扩散成全身性。鹅口疮最常见于用奶瓶喂养的婴儿及临终患者；阴道念珠菌病多见于糖尿病患者或孕妇。皮肤念珠菌病最易发于皱摺处，尤其是湿润部位如腋窝、肛周及脐部。手上多汗的人，其指间和甲沟亦常发生念珠菌病。传染性口角炎是发生于口角处的念珠菌病。念珠菌偶可侵犯呼吸系统，引起支气管及肺的炎症，症状似粟粒性肺结核；本型很少发展成全身性，但一旦全身播散，可损害心内膜或脑膜。念珠菌病极难治疗，碘化物、龙胆紫为沿用至今的治疗药，制霉菌素亦有疗效。

candiru（*Vandellia cirrhosa*）　**寄生鲇**　毛鼻鲇科无鳞寄生鲇类鱼，产于亚马孙河区。体半透明，似鳗，长约 2.5 厘米，以寄主的血为食，常见于其他鱼类的鳃腔中。有时也寄生于人体，曾发现寄生鲇钻入游泳人和游泳

寄生鲇(*Vandellia cirrhosa*)
美国不列颠百科全书公司供图

动物的尿道中。一进入尿道里,就竖起鳃盖上的短刺,可以引起发炎、出血,甚而导致寄主死亡。

Candish, Thomas(English navigator) 参阅**Cavendish, Thomas**卡文迪什。

candle 蜡烛 现今大多在装饰和礼仪活动中用作光源,由蜡、牛脂或类似的缓燃材料制成。一般为圆柱形,中心包着一根纤维烛心,但也可制成奇形怪状的蜡烛制品。蜡烛是古人最早的发明物之一,这可从埃及和克里特岛所发现的至少在公元前3000年前的蜡架得到确证。中世纪时,欧洲已广泛使用牛脂制蜡烛。在一张巴黎的1292年度税表中,列有71个蜡烛商或蜡烛制造者的名字。19世纪时,法国化学家M.-E.谢夫勒尔曾从脂肪甘油分离脂肪酸以制取硬脂酸,而硬脂酸可用来制成优质蜡烛。制取蜡烛原料的新工艺取得了迅速成功。除硬脂外,还发现了另外两种制蜡原料:从抹香鲸头腔取得的鲸蜡,以及从石油中得到的粗石蜡。石蜡和硬脂酸的混合物成了蜡烛的主要原料。蜡烛点燃时,火焰的热使蜡烛心顶端近处的蜡熔化,蜡液靠毛细作用上涌,后受热蒸发,蜡蒸气燃烧并发光。蜡烛成型机也是在19世纪研制成的,它由放有多排蜡模的金属容器构成,制蜡时要对之加热或冷却。蜡模冷却后,蜡烛可用活塞从蜡模中顶出。而烛心则是从制蜡机底部靠活塞使之穿过蜡模,蜡烛被顶出时烛心则被切断。标准烛光或国际烛光是光强度的测量单位,当初把它定义为1/6磅的鲸蜡以每小时120格令速率燃烧时所发出的光强度。但1921年按白炽灯制定了新标准,上述标准烛光被取代。现在,各种颜色、形状和尺寸的蜡烛已大量问世,偶尔还用蜂蜡和月桂树脂作为掺合剂,有的蜡烛点燃时能发出香味。制蜡烛成为一种流行的业余爱好。

candlefish 蜡烛鱼 又作eulachon。银白鱼(**smelt**)的一种。

Candlemas 圣母行洁净礼日 又称Presentation of the Lord或Presentation of Christ in the Temple。基督教节日,定在2月2日,纪念圣母马利亚当年遵照犹太法律在分娩40天后前往耶路撒冷圣殿行洁身礼并把头生男儿耶稣献给上帝。

candlepins 烛柱球 地滚球的一种,使用标准10柱地滚球场。柱高约15英寸,两端略细。球直径4.5英寸,重2磅7盎司。每一轮滚3个球。撞倒的柱不移开,直至一轮结束。记分办法与鸭柱球(**duckpins**)相似。

Candler, Asa Griggs 坎德勒(1851-12-30,美国佐治亚维拉里卡～1929-03-12,亚特兰大) 美国软饮料制造商,曾改进可口可乐。出身于农家。学医后当药剂师,经营药品批

美国不列颠百科全书公司供图

发业,业务兴旺。1887年购买了当时还并不特别出名的可口可乐配方,改善其生产流程,开办新的公司。公司在美国南部极为成功;1919年出售产权时获利2 500万美元。他捐款将亚特兰大附近的埃默里学院迁入市内并扩建成埃默里大学,还捐赠近200万美元在该校医学院的附近兴建一座实习医院。

candlestand 烛架 放置烛台的架子,通常由一根置于三脚座上的柱子托起一个圆盘或多边形盘组成。这种式样的烛架从中世纪的金属灯台演变而来。17世纪英国的烛架用栎木或胡桃木制成,高90～150厘米,柱身加工成螺旋形或栏杆支柱形,柱脚流行用涡卷形装饰。18世纪普遍使用一种上有雕刻并装有弯脚的烛架,一些最华丽的烛架涂上金色。18世纪末期,朴素的新古典主义式样的烛架取代了纤巧华丽的洛可可式和中国式烛架。

candling 光检 禽卵分级的方法。在暗室内将卵放在透射光前,检查是否受精,有无缺陷,以及鲜度如何。光检最初用于检验孵化卵的胚胎发育情况;在现代商品卵生产中,主要用于检定质量。因为卵的较大一端的气腔随时间推移而缩小,所以其大小就是鲜度的良好指标。蛋黄投射在壳上的阴影也能指示产出的时间。因为陈卵的蛋白较薄,蛋黄离壳较近,阴影较清晰。有训练的光检者能说出蛋黄的大小、形状和颜色,并能查明有无血块。

Candolle, Alphonse(-Louis-Pierre) Pyrame de 康多尔(1806-10-27或28,巴黎～1893-04-04,日内瓦) 瑞士植物学家,提出了植物地理学(研究植物地理分布的一门生物学分支学科)的研究和分析的新方法。继其父(著名的植物学家A.P.德·康多尔)之后任日内瓦大学植物学教授和植物园园长(1842～1893)。编辑出版了《植物界自然体系序论》(17卷,1824～1873)的最后10卷,其父希望通过该书对所有已知的种子植物进行分类并描述。1867年他发表《植物命名法规》一书,进一步完成了其父对命名原则的研究工作。同年在巴黎召开了第一次国际植物学大会,大会试图统一命名工作。他的命名法规虽被大会采纳,但植物学家却不认真采用。他与其子A.-C.德·康多尔(1836～1918)编写了一系列关于显花植物的专题性文章《显花植物专论》(7卷,1879～1891)。他对植物地理分布研究的最有名的贡献是他于1855年所著的《推理植物地理学》,目前仍为植物地理学中的主要著作。在《栽培植物起源》一书中,他力求除植物学资料之外,还用历史学、语言学、考古学等各方面的资料来推断植物起源的中心。

Candolle, Augustin Pyrame de 康多尔(1778-02-04,日内瓦～1841-09-09,日内瓦) 瑞士植物学家,曾建立确定植物属间自然关系的科学结构标准。在达尔文提出生物进化

美国不列颠百科全书公司供图

原理后,这些标准即成为现代植物进化史的经验基础。他的植物分类体系作为其他体系的楷模被广泛使用几达半个世纪之久。1796年到巴黎后,他与G.居维叶和J.-B.德·拉马克交友。1802年在法兰西学院成为居维叶的助手,并参与修订拉马克的《法国植物志》(1805、1815)。1808年就任蒙彼利埃大学植物学教授。1806～1812年参加了政府委托的对法国植物和农业的调查并于1813年发表调查结果。同年发表其最重要的著作《植物学基本理论》,坚决主张把植物解剖学而不是生理学作为分类的唯一基础,并为此创分类学一词。居维叶引入动物同源器官的概念后,康多尔亦引入植物同源器官的概念,这概念有利于生物进化论,但他和居维叶一样坚信植物的物种稳定不变。康多尔1817～1841年任日内瓦大学博物学教授及植物园第一任主任,并着手将他在《植物学基本理论》一书中提出的设想付诸实践。在《植物界自然分类》(2卷,1818～1821)一书中,他首次提出系统的植物命名法原则。此后又开始了雄心勃勃的工作:拟将所有已知种子植物分类,于是撰写《植物界自然体系序论》(17卷,1824～1873)。他完成了该书头7卷的准备工作。但因他的分类方法未能遵循自己订立的标准,结果将裸子植物归入双子叶植物,蕨类归入单子叶植物,其他植物归入无子叶植物。尽管如此,他终于将显花植物分类,描述了双子叶植物161个科,明确论证林奈分类法的不足,并代之以自己的体系。他还到过巴西(1827)、东印度(1829)和中国北部(1834)调查,大大促进了植物地理学的建立。

candomblé 坎东布雷 巴西巴伊亚地区对流行的马库姆巴教(**macumba**)宗教仪式的称法。

Candra Gupta 旃陀罗笈多 又作Candragupta,Chandra Gupta 或 Chandragupta。印度摩揭陀王国的统治者。按年代顺序分列于后,并各以●为标记。

● Candra Gupta 旃陀罗笈多(约公元前321～约前297在位) 孔雀王朝创建者。父为孔雀族移民首领,因在边界冲突中死亡,家道衰落,他成为放牛人的养子。后被婆罗门政治家考底利耶买去,带到塔克西拉(今巴基斯坦境内)接受军事战术和美学教育。在考底利耶的劝告下,他招兵买马,经过一场血战,推翻了难陀王朝的统治。约公元前325年登上摩揭陀国(今比哈尔)的王位。约公元前322年占领旁遮普,次年开创孔雀王朝。约公元前305年击退塞琉古的入侵,将帝国疆界扩至波斯国边境。然后越过温迪亚山脉南进,以60万大军征服整个印度。旃陀罗笈多帝国是历史上最大的帝国之一,领土北起喜马拉雅山和喀布尔河流域(今阿富汗),南直至印度最南端。相传旃陀罗笈多因帝国发生大饥荒绝食而死。

● Candra Gupta I 旃陀罗笈多一世(320～约330在位) 印度国王,笈多王朝创建者。室利笈多之孙,早年情况不详。约308年与梨车部族公主鸠摩罗提毗结婚。通过联姻,他所创立的新王国的势力和声望大大增强。在他统治末期,领土西至今安拉阿巴德城,包括阿约提亚和比哈尔南部在内。他曾采用"摩诃罗阇"(众王之王)的称号。他征服西徐亚的传说可能并无根据,杀梨车王以吞并其部族和他被继承者所害也不可能。一般认为是,他召集大臣和皇室成员开会,正式指定沙摩陀罗·笈多王子继位。

● Candra Gupta II 旃陀罗笈多二世(约380～约415在位) 又称超日王。印度北部的皇帝。沙摩陀罗·笈多之子,旃陀罗笈多一世之孙。在位期间,绘画、建筑、雕塑兴盛,古印度文化的发展亦达到顶峰。相传弑兄后即位。他继承父皇的政策,兼用武力与和平手段向邻近地区大事扩张。388～409年先后征服古吉拉特、须叻他和马尔瓦。印度在这位贤君统治下,得到和平与相应的繁荣。他奖励学术,在宫廷里有天文学家彘日、梵文诗人与戏剧作家迦梨陀娑。中国佛僧法显当时旅居印度6年(405～411),盛赞印度政府的体制、行善施药的措施以及人民的亲善友好。他是一个虔诚的印度教徒,但也容许佛教和耆那教。

Candradeva(Jaina author) 参阅 **Hemacandra 月天**。

Candrakīrti 月称(活动时期约600～650) 佛教因明学具缘派主要代表人物,著有《明语论》,阐述佛教哲学家龙树的思想。月称的著作是现存评注龙树学说的唯一梵文著作(其他著作现仅有藏文译本)。

candy 糖果 又作confection。甜食(包括糖果、巧克力、糕点三大类)中的糖基产品。至少在3 000年以前,埃及已有糖果制造手艺。当时是用蜜作为甜味剂,将蜜与无花果、海枣、坚果、香草香料等混合制作。中世纪,波斯人传播了甘蔗栽培方法并发展了榨糖技术以后,才有了糖基糖果。18世纪时期出现糖果制造机器。糖果中可加入炼乳或奶粉、蛋白、油脂、水果、坚果、乳化剂、天然和人造香料、调味剂、色素等。糖果按是否含有发砂糖晶分为非结晶型与结晶型两类:非结晶型,如太妃糖、硬块糖等,具有均一的质地,硬脆耐嚼。结晶型,如方旦糖、法奇糖等,含有大量奶油,呈微晶结构,柔软易嚼。生产硬糖是利用糖可形成玻璃状非晶体的性质,将糖的水溶液熬成很稠的糖浆,然后加入香料、调味剂、色素,稍加冷却,使具有可塑性,再经成型机拉条,最后冷却定型,即得到含水分不到2%、坚硬而透明的非晶质硬糖。加入适当比例的转化糖或玉米糖浆可防止硬糖结晶发砂。玉米糖浆含有复杂的糖类和糊精,除了增加溶解度外,还可提高黏度,因此,能有效地阻止糖分结晶。生产奶糖、太妃糖的工艺与硬糖相似,但要加入牛奶和脂肪。牛轧糖的稠度与奶糖相似,但不含牛奶,以熬好的糖浆与搅入空气的蛋白溶液剧烈搅和后制成。加入植物油脂可得到黏度较低的产品。明胶则用来生产耐嚼的牛轧糖。方旦糖是结晶糖果的代表,并且是许多外包巧克力衣的糖果和奶油微晶糖的底糖。传统的制法是把糖浆与酒石一起熬煮,再倒在冷却台上,冷却时用一平刀搅拌以促使快速结晶。最初的机械生产是在浅圆平锅中用转动的犁形设备搅动。现代生产是把连续煮成的糖浆引到转动的水冷圆鼓上冷却,再将糖浆引入水冷的装有转轴和锤子的箱内强烈搅动,使糖浆内产生微晶。这种微晶和气泡使软糖具有典型的不透明白色。然后加入香料和色素即制成软糖。用作巧克力糖果等的底糖时,将煮好的糖浆倒入加衬淀粉的印模中成型。法奇糖兼有奶糖和方旦糖的某些性质,质地柔软又具有奶糖的香味。把明胶、琼脂或果胶之类物质加到浓度约75%的糖、淀粉糖浆中,再加入不同的水果、香精和色素,就得到各种胶冻软糖。土耳其快乐糖与胶冻软糖相似,但以淀粉为胶凝剂,以玫瑰油为传统香料。棉花软糖用蛋白和明胶溶液与糖、淀粉糖浆混合,经搅打形成泡沫,加入调味料、香料、淀粉制成。夹心糖、酥糖的芯料是糖、淀粉糖浆及黏结剂明胶的混合物,加入香料调味,通常还可加入椰丝或其他碎果仁。胶质软糖的历史悠久,用溶有阿拉伯树胶的糖浆制成。淀粉、明胶、琼脂等可代替阿拉伯树胶。给硬果、蜜饯等包糖衣,有专门的工艺。现代化工厂是间隔地将糖浆喷到滚动着硬果或蜜饯上,糖衣达到规定厚度后,再喷一层整饰糖浆。口香糖用小块干乳胶与热的糖、淀粉糖浆混合物揉成匀和的糖团,加入薄荷等调味剂压成薄片状制成,在一些国家也被视作糖果。

candytuft 屈曲花 十字花科屈曲花属(*Iberis*)植物。30种,原产于欧亚大陆,多数产于地中海地区。广为栽培的庭园观赏植物

伞形屈曲花(*I. umbellata*)
美国不列颠百科全书公司供图

伞形屈曲花(*I. umbellata*)原产于南欧,一年生,株高40厘米;其花序扁,夏末开花,白色、粉红、紫堇色、紫色或红色;叶片狭长;角果圆形。苦味屈曲花(屈曲花,*I. amara*)叶厚,深裂;花大,白色,常带粉红色,芳香,花柄长22厘米;生于白垩质山坡及田野间。岩生屈曲花(*I. saxatilis*)和株形较大的常青屈曲花(*I. sempervirens*)都产于欧洲南部的开旷地区,多年生,常绿,铺地生长;花白色;为庭园广泛栽培。

cane fencing 棒术 用拐杖自卫的技巧。16世纪起源于法国,20世纪初以后停止流行。在棒术中刺与劈同等重要,近似于佩剑剑术。劈之前一般将棒快速挥动一下或几下,以迷惑对手。刺的动作与花剑类似,但往往用双手握棒。法国棒用硬木制成,长约1米,无护手盘,一头粗一头细。练习时佩戴面具、手套、防护衣和护胫。

cane furniture 藤制家具 用藤条绕框架的某些部位,主要是椅背和椅座,编成的网状家具。早在公元2世纪已在印度和中国使用。藤是由东印度公司输入欧洲的,17世纪

约1680年的英国藤椅
美国不列颠百科全书公司供图

末期藤制家具在英国和荷兰盛行。在法国,摄政时期曾风行一时,直到路易十五时期仍继续使用。19世纪初,在英国,随着人们使用中式家具,藤制家具渐又时兴起来,并且一直没有过时,到20世纪仍在使用。

cane rat 蔗鼠 啮齿目中蔗鼠科的蔗鼠属（*Thryonomys*）2 种大型非洲动物的统称。2 个种是大蔗鼠（*T. swinderianus*）和小蔗鼠（*T. gregorianus*）。蔗鼠身材肥短，尾较短，耳小，

大蔗鼠（*T. swinderianus*）
美国不列颠百科全书公司供图

毛粗而硬，褐色带有小斑点。体长 35 ～ 60 厘米（尾长不计）。其肉可食。多分布于非洲撒哈拉以南地区。一般栖于临水处。善游泳，被追赶时窜入水里。蔗鼠隐蔽于稠密的植被中或地穴里，以根、禾草及植物其他部分为食。不时对甘蔗造成相当大的损害。往往独居。每窝产 2 ～ 4 仔，幼仔生下就有毛，睁眼。

Canea（city, Crete） 参阅 **Khaniá** 干尼亚。

Canelo 卡内洛人 南美印第安民族，传统上住在厄瓜多尔境内安第斯山东坡，地处帕斯塔萨河、纳波河和博沃纳萨河上游。卡内洛人是最早信仰基督教的亚马孙印第安人的一部分，其原始语言和文化记载均不详。1581 年卡内洛人开始定居在一个多明我会布道团的驻地时，便不再使用本族语而改操教士们所熟悉的克丘亚语；同时也放弃许多旧有的生活方式而选择了西班牙人的习俗。卡内洛人传统上刀耕火种，种植甜木薯、玉米和豆类；在前哥伦布时期，他们曾开始生产香蕉和芭蕉供自己食用，同时培植甜木薯，加工成淀粉，作为商品与西班牙人进行交易。卡内洛人用长矛、鱼叉及鱼网捕鱼；鱼网是用棉纤维及棕榈纤维制成的。他们也用吹矢枪、长矛、罗网、陷阱、毒药等捕鸟、猴及各种小哺乳动物。20 世纪，少数卡内洛人仍住在基督教传教区及其附近和分散的农村中，绝大多数已并入安第斯山地梅斯蒂索农业人口中。

Canelones 卡内洛内斯 前称瓜达卢佩。乌拉圭南部城市。1774 年在附近建立居民点。1783 年移至现址，为附近农牧业区的商业和制造业中心。农牧区生产谷物、葡萄、甜菜和牛羊。工业有磨面和造纸等。市内有酿酒学校。与蒙得维的亚通公路和铁路。人口约 17 325（1985）。

Canepanova, Pietro 卡内帕诺瓦 参阅 **John**（papacy）约翰（教皇国）项下的 **John XIV** 约翰十四世。

Canetti, Elias 卡内蒂（1905-07-25，保加利亚鲁塞～1994-08-13，瑞士苏黎世） 小说家、剧作家。他的作品探索群众的感情和与周围社会格格不入的个人的处境。1981 年获诺贝尔文学奖。卡内蒂的祖先是西班牙系犹太人。他用他的第三语言德语写作，他的第一和第二语言是拉迪诺语（犹太-西班牙语）和英语。父母定居英国时学会英语。1913 年父亲去世后，与母亲移居维也纳。曾在苏黎世、法兰克福和维也纳求学，1929 年获维也纳大学化学博士学位。卡内蒂 20 世纪 20 年代在法兰克福目睹因通货膨胀而发生的街头暴动，因而对群众产生兴趣。那次暴动在 1927 年达到高潮，维也纳正义宫被愤怒的暴民焚毁。原计划写 8 部小说来描写他所目睹的、发生在身边的疯狂现象，后来压缩成《迷惘》

美国不列颠百科全书公司供图

（1935）一书，描写一个学者在一座城市怪诞的社会底层毁掉一生的故事。第二次世界大战爆发前不久卡内蒂移居英国，停止文学创作而潜心研究群众心理学和法西斯主义的诱惑力。《群众与权势》（1960）就是这种无法抑制的兴趣的产物。这种兴趣也明显地表现在他的 3 部剧本里，即《婚礼》（1932）、《虚荣的喜剧》（1950）和《确定死期的人们》（1956）。前两部剧 1965 年首次在西德的不伦瑞克上演，第三部 1956 年在英国牛津上演。这些剧本于 1964 年收入《剧选》出版。除小说和剧本外，出版过笔记摘录《杂记集，1942 ～ 1972》（1973）、评介 50 位作家的人物特写《耳闻集》（1974）以及 3 部自传：《放开的舌头》（1977）、《耳中火炬》（1980）和《眼睛的戏剧》（1985）。

Caney Fork River 凯尼福克河 由科林斯河和落基河在美国田纳西州中部汇成。向西北，在史密斯县迦太基附近流入坎伯兰河。全长 232 千米。河上有森特希尔水坝和大瀑布水坝。后者形成大瀑布水库，属田纳西河流域管理局的一部分。

Canfield, Cass 坎菲尔德（1897-04-26，美国纽约州纽约～1986-03-27，纽约市） 美国出版家和编辑，因同哈珀兄弟出版公司（后易名哈珀-罗出版公司）长期合作而闻名。坎菲尔德在哈佛大学受教育（文学士，1919），第一次世界大战期间辍学参军。毕业后（在牛津大学和巴黎大学）继续深造并外出旅行。在美国从事过各种工作，后于 1924 年担任哈珀兄弟出版公司（1817 年成立）伦敦办事处经理一职。1927 年返回美国，1931 年任该公司总裁。1945 ～ 1955 年任董事长，1955 ～ 1962 年任执行委员会兼编辑委员会主席。在哈珀兄弟出版公司与罗-彼得森股份公司合并后，他在 1962 ～ 1967 年出任新成立的哈珀-罗出版公司执委会兼编委会主席一职。1967 年起任高级编辑。坎菲尔德除了作为出版人和编辑的工作外，本人也写了几本书，最著名的是一本回忆录：《上下左右，一个出版家追述他的一生》（1971）。

Caṅgadeva（Jaina author） 参阅 **Hemacandra** 月天。

Cangas de Narcea 坎加斯-德纳塞阿 西班牙西北部阿斯图里亚斯自治区奥维耶多省城市。在奥维耶多市西南，临纳尔塞阿河。坎加斯和纳塞阿之间有罗马式桥梁相通。经济以煤矿和铅矿开采业为主，肉类加工和旅游业亦重要。著名建筑包括 13 世纪修道院（18 世纪重建）和马格达莱纳圣马利亚大圣堂（1639）。人口 19 152（1991）。

Cange, Charles du Fresne, seigneur du（lord of） **迪康热**（1610-12-18，法国亚眠～1688-10-23，巴黎） 别名法国瓦罗。法国 17 世纪伟大学者之一，博学多才，使用具有现代语言学考据意义的历史方法研究语言，编纂了中世纪拉丁语和希腊语词典。曾在亚眠的耶稣会学院受教育，在奥尔良大学学习法律，1631 年在巴黎法庭作过短期辩护律师，其后返回亚眠，继其岳父任该市名誉司库领薪闲职（1645 ～ 1668）。中年以后才撰写第一批历史著作，收录于两卷本《君士坦丁堡帝国史》（1657）。1688 年为严重流行病所迫，离开亚眠，在巴黎度过最后时光。迪康热由于和蔼可亲、彬彬有礼，结交同时代许多伟大学者，从而博学多闻，对语言、历史、法律、考古、古钱币及地理等学科造诣很深，俱见于其杰作《中古拉丁语词汇》（1678）和《中古希腊语词汇》（1688）两书中。他试图应用历史观点考察这两种语言，亦即试图把中世纪拉丁语和希腊语词汇同古典拉丁语和希腊语的相应词汇区分开来，所以其意义重大。进而言之，因为他根据文献和原始资料不仅说明词汇本身而且说明了这些词汇所描述的事物，所以与其说这两部书是词典，毋宁说是百科全书，撰著规模之大，前所未有。现今多次重印其著作说明作为现代历史语言学先驱，其学术成就具有永恒价值。

Cangjie 仓颉 又拼 Ts'ang-chieh。相传是

中国大百科全书出版社供图

中国汉字的创造者。一作苍颉，或称皇颉、颉皇。一说是黄帝的史官，另一说是古代的帝王。相传他"首有四目，通于神明，仰观奎星员曲之势，俯察龟文鸟迹之象，博采众美，合而为字"。天地鬼神为之感动，故"天雨粟，鬼夜哭"。相传有文字传世，"李斯曾见其所书二十八字，仅识八字"。东汉桓帝延熹五年(162)有仓颉庙碑，在陕西西安，隶书24行，已漫漶不可读。荀子《解蔽篇》曰："好书者众矣，而仓颉独传者一也。"现代学者都认为文字是人类社会集体的创作，仓颉当是中国古代最早搜集整理创造文字的一位著名人物，故长期以来产生许多关于他的神话传说。

Cangzhou 沧州 又作Ts'ang-chou。中国河北省辖地级市。位于省境东南部，冀中平原东部。属黑龙港流域，地势低平，海拔仅10米左右，由西南向东北缓缓倾斜。属暖温

铸于后周广顺三年(953)的沧州铁狮
中国大百科全书出版社供图

带大陆性季风气候，年平均温度13.4℃，年平均降水量500～700毫米，易发生春旱秋涝。东近渤海湾，南运河从南至北贯穿全市。濒海带河，自古为中国主要的产盐区，产著名的长芦盐。西汉置浮阳县，北周大象二年(580)分置长芦县。隋开皇十八年(598)改浮阳县为清池县。唐武德元年(618)复置沧州时移州治至清池。开元十六年(728)长芦县治移至今沧州市区，北宋熙宁四年(1071)废长芦县为镇。元延祐元年(1314)移沧州和清池县治所于长芦镇，明洪武初年(1368)废清池县入沧州。1913年改沧县。1958年析沧县沧镇(旧长芦镇)设市，后撤销，1961年复设市。1983年升省辖市，辖境不断扩大。1993年沧州地区和沧州市合并，成立新的沧州市。辖新华、运河2区，及沧县、青县、东光、海兴、盐山、肃宁、南皮、吴桥、献县9县和孟村回族自治县，并代管泊头、任丘、黄骅、河间4县级市。面积13 419平方千米。运河的开凿和通航曾与沧州的兴衰密切相关。隋大业四年(608)开凿永济渠(今南运河的前身)，引沁入黄河，使洛阳至天津、北京一带得以通航，沧州成为沿线的重要地区。元代重修大运河，沧州又成为繁荣港口，曾设置河间盐运司，专管盐务。明初改名长芦盐运司，直至清康熙后盐运司才移至天津。该市近大港油田和冀中油田，东面沿海又有黄骅盐场，20世纪80年代以来石油化工和海洋化工工业发展很快，石油化工厂的炼油能力及化肥厂的合成氨产量均逾数十万吨。90年代初已成为包括石油、化工、机械、电子、纺织、造纸、食品、建材等部门的新兴工业城市。特产沧州冬菜畅销国内外。京沪铁路穿过市区，有104、105、307等国道及京沪高速公路通过，交通便利。人口：全市6 800 000(2006)。

Caniapiscau River 卡尼亚皮斯科河 加拿大魁北克省北部新魁北克行政区河流。源自魁北克省中部的卡尼亚皮斯科湖，大体向北流740千米与拉奇河汇合，经由长137千米的科克索克河注入昂加瓦湾。流经长达320千米的多瀑布峡谷，水力资源极为丰富，向附近的拉布拉多-昂加瓦铁矿区输电。

Canice, SAINT 参阅 **Kenneth, Saint 肯内斯，圣**。

Caniff, Milton (Arthur) 卡尼夫(1907-02-28，美国俄亥俄州希尔斯伯勒～1988-04-03，纽约州纽约) 美国连环画家，创造了《特里和海盗》及《斯蒂夫·坎宁》的形象，以绘画精美、惊险、幽默见长。1930年俄亥俄州立大学毕业后，在纽约为美联社画惊险幻想漫画。1934年开始画《特里》，连续12年，备受欢迎；其画以东方为背景，细节真实生动。第二次世界大战期间，为军方报纸创作了《男性的呼声》。1947年发表《斯蒂夫·坎宁》，描写一位搞国际阴谋的冒险飞行家。

canine 犬 又作canid。食肉目犬科地栖兽类所有成员的统称。包括约14个现存属和约70个绝灭属的犬形动物。除南极洲和大部分海岛之外分布于世界各处。体躯修长，腿较长，善于奔跑。吻长，尾多毛，耳尖且直立。前足4～5趾；后足4趾；爪不锐利，不能伸缩；犬牙和磨牙发达。听觉和嗅觉发达。用趾着地奔跑，能作长距离的追逐。大部分食肉，捕食各类动物，有些也吃腐肉或植物性物质，或二者均吃。妊娠期60～65天，每窝4～6仔。新石器时代遗迹表明，犬类可能是被人类最先驯化的动物。能帮助人类控制啮齿动物和兔类种群，但人类为了得到其毛皮，也常加以猎捕。人们认为犬科动物伤害家养动物及大型猎物(有时确实如此)而对之加以杀戮，犬属(*Canis*)包括9个现存种，有丛林狼(**coyote**)、澳大利亚野狗(**dingo**)、狗(**dog**)以及各种狼(**wolf**)和胡狼(**jackal**)。

canine distemper 犬瘟热 一种急性、高度接触性传染的病毒性疾病，侵害狗、狐、狼、水貂、浣熊和雪貂。感染病毒后数日即开始发热、淡漠、拒饮食，后咳嗽，从眼、鼻流出分泌物，呕吐，腹泻，肌肉颤搐，后肢瘫痪或惊厥。迅速注射血清球蛋白有良效，继发感染可用抗生素预防。不予治疗则多死亡。预防注射后可产生免疫力。

canine tooth 犬牙 又作cuspid，eye tooth，dog tooth。又称尖牙、眼牙。哺乳动物的一种单尖牙。位于切牙之后。多为单根，适于撕碎食物。通常为全口牙齿中最粗大者，并突出于牙列之外，闭口时上下犬牙交锁，限制了上下咀嚼的动作。绵羊、牛、鹿的下犬牙与切牙相似，仅上犬牙较为粗大。啮齿目动物无犬牙。野猪、海象的獠牙即为特别发达的犬牙。在某些哺乳动物(如猪、鹿、狒狒、大猩猩)中，雄性个体的犬牙大于雌性，除撕碎食物外，尚可用以恫吓敌人、保护自己。人类的犬牙不突出于牙列之外，因此在灵长目动物中，仅人类能作旋转式的咀嚼动作。人类有4枚犬牙，上、下颌的左、右侧各一枚，其牙根特别粗大，这是从人类的灵长目祖先那儿继承下来的。

canine viral hepatitis 犬病毒性肝炎 一种急性病毒性动物传染病，侵害肝和血管内皮细胞。通常表现为发热、食欲不振、呕吐、剧渴、腹痛及出血。本病多感染幼犬，亦可感染狐、灰狼、丛林狼和熊。幼崽最易感染，病死率亦最高。终年可发病。疾病严重不一，轻者无症状，重者致死。潜伏期6～9日。最先出现的症状是体温升高。若发热持续2天以上，其他症状随即出现，包括精神萎靡、淡漠，继之食欲减退或完全丧失，剧渴，口腔黏膜鲜红是一个重要征象，有时肿胀损形，皮肤易出血，因凝血时间延长，出血后很难制止。病犬恢复后25%一侧或两侧角膜暂时呈蓝白色。处理为对症治疗，预防并发细菌感染。多数病犬愈后，于数月内尿中仍排出病毒。疫苗有预防之效。本病症状似犬瘟热，故常与之混淆。两病亦可伴发，愈后对两者均免疫。可用在鸡蛋内培养的减毒犬瘟热病毒与取自受染犬的犬肝炎病毒混合制成疫苗。

Canisius, Saint Peter 卡尼修斯，圣(1521-05-08，尼德兰奈梅亨～1597-12-21，瑞士弗里堡) 荷兰语作Sint Petrus Kanis。天主教耶稣会学者、教义师，新教的强烈反对者。他曾就学于科隆大学。1543年加入耶稣会，先后在科隆、因戈尔施塔特、维也纳等大学执教，在慕尼黑(1559)、因斯布鲁克(1562)、迪林根(1563)、维尔茨堡(1567)、奥格斯堡、维也纳等地开办学院。出席1557年沃尔姆斯会议、特伦托会议和1559年奥格斯堡议会，参加辩论，阻碍宗教改革运动的进展。后又奉派前往布拉格、德意志南部地区、奥地利、波希米亚、瑞士等地活动。1580年定居于瑞士境内弗里堡，创立耶稣会学院(今弗里堡大学的前身)。主要著作是《三重教理问答》(1555～1558)，对天主教教理提出清晰的说明。这本反对宗教改革的教理问答在150年中重版400次。

canistel (*Lucuma nervosa*) **蛋黄果** 又作eggfruit。即具脉果榄。山榄科小乔木。原产南美北部，也栽培于其他热带地区。高3～7.5米，枝条开展；叶革质，互生；花小，白色；果卵形，长5～10厘米，橙黄色，果肉橙色，可食，味甜。

Canitz, Friedrich Rudolf, Freiherr von (baron of) **卡尼茨**(1654-11-27，柏林[德国]～1699-

08-11，柏林） 德国宫廷诗人之一。与其他诗人一起为启蒙运动的新思想铺平了道路。所著讽刺作品《杂诗集》(1700)系模仿法文和拉丁文杂诗，既枯燥又夸张，但有助于把古典的审美观和文体标准介绍到德国文学中来。1697年被选帝侯腓特烈三世任命为枢密顾问。利奥波德一世皇帝封他为帝国男爵。

caṅkam literature 桑格姆文学 caṅkam 又拼 śaṅgam。最早的泰米尔语作品，据认为是1～4世纪在印度马杜赖的3个“桑格姆”(学府)中写成的。编写成书的，有文法与修辞学《妥迦比艳》；还有八大诗集，即《库伦托凯》、《纳里纳伊》、《阿卡纳努鲁》、《阿因库鲁努鲁》、《卡里塔凯》、《富拉纳努鲁》、《帕蒂鲁帕图》和《帕里帕塔尔》。这些诗在古代印度文学中，可能是无与伦比的，几乎全都带有宗教色彩。诗歌涉及的两大主题是爱情和对君王及其业绩的歌颂。

Cankar，Ivan 参卡尔(1876-05-10，奥匈帝国卡尼奥拉弗尔赫尼卡[今在斯洛文尼亚]～1918-12-11，斯洛文尼亚卢布尔雅那） 斯洛文尼亚作家和爱国人士。童年贫苦，只身去维也纳，靠写作为生。他的作品为被压迫者仗义执言，讽刺和抨击了剥削者。1907年返回斯洛文尼亚。他是一位多产作家，作品有小说、论文、剧本和诗歌；也是一位政治演说家，因抨击奥地利政府而遭受监禁。他的作品虽有倾向性，但具有独特风格——纯朴自然、语言雄辩、文笔精微而情调委婉。其文集出版于1925～1936年间，共20卷。

canker 溃疡病 多种真菌和细菌引致的植物病害。症状为茎、小枝、枝或干上出现圆形至不规则形、凹陷、肿胀、扁平或裂缝状变色的坏死区域。溃疡可使小枝或枝条膨大并环状脱皮、病变部位以上的叶片死亡。溃疡病常见于受机械损伤、受冬寒侵袭、遭虫害、受干旱、营养失衡、线虫侵染或患根腐病的植株。控制方法为于干燥季节去除病部；在温暖而排水良好的肥土中种植抗病品种；避免种植过密、浇水过多和机械损伤；迅速处理树皮及木材的损伤；控制携带病原体的昆虫和啮齿类动物；包扎幼树以防日灼；施肥以使植株保持茁壮。

canker sore 口腔溃疡 又称口疮性口炎。一种发生在口腔黏膜的小溃疡。很痛，这种溃疡一般呈圆形，白色，而且比较表浅，位于口腔颊部或唇部黏膜，周边为炎症区，最大直径可达2.5厘米(1英寸)。可有3种病变形式：①1～5个小溃疡，可于两周内痊愈；②直径在6毫米(1/4英寸)以上的较大溃疡可持续3个月之久，愈合后留有瘢痕；③同时存在有多发性、浅表型的小溃疡。病变严重者，可影响吃饭，甚至影响讲话。有时，发生口腔溃疡的人可占到人口的半数左右。病因尚不清楚，还没有稳定成型的治疗方法。口腔溃疡常可自愈。用局部麻醉剂和消炎药可以缓解症状。

cankerworm 参阅 **measuring worm** 尺蠖。

Çankırı 昌克勒 旧称坎格里，史称甘格拉。土耳其中北部城市。位于塔特利河和阿哲河汇合处，以及安卡拉一宗古尔达克铁路线上。曾为古代帕夫拉戈尼亚王国都城，约公元前6世纪被并入罗马加拉蒂亚省，公元1071年被塞尔柱突厥人占领。15世纪时归奥斯曼帝国版图。昔日拜占廷的堡垒现今残迹犹存。大清真寺为苏莱曼一世的宫廷建筑师奥斯曼人锡南所设计(约1550)。附近大盐矿在拜占廷时代很著名，现仍在开采。周围地区农产品有谷类和水果。饲养安哥拉细毛山羊。人口：市45 496(1990)。

Canlaon 坎拉翁 菲律宾内格罗斯岛中部城市。位于坎拉翁火山(2 460米)东麓。1961年建市。1934年建有面积245平方千米的国家公园。火山沉积物使周围甘蔗田土壤肥沃。有路与内格罗斯岛东部和西部沿岸公路相连。人口约37 000(1990)。

Canlaon，Mount 坎拉翁山 菲律宾内格罗斯岛中北部的活火山。在巴科洛德东南32千米处。是米沙鄢群岛中的最高点(2 465米)。坎拉翁山国家公园(1934)占有245平方千米的崎岖林地，有火山口、温泉以及猴、鹿、野猪等各种野生动物。

Cannabaceae 大麻科 荨麻目的一科。包含2个属(大麻属[*Cannabis*]和葎草属[*Humulus*])，3个芳香草本种(以往归入桑科)，分布于北半球温暖地方。本科种类是直立或攀缘植物；花无花瓣；干果具一粒种子。大麻(**hemp**)和忽布(**hop**)有经济价值。

Cannabis 大麻属 荨麻目大麻科的属。只有一种——大麻(*C. sativa*)，即栽培大麻，为粗大、直立、芳香的一年生草本植物，原产于中亚，今在北温带广泛栽培。有一种甘蔗一般的高大变种，可用以制造大麻纤维。又有一种矮小多分枝的变种，其雌株可提取大量致幻药。

Cannaceae 美人蕉科 姜目的一科。仅美人蕉属(*Canna*)一属，约55种，热带草本植物。分布从北美东南部到南美。具根茎，也

印度美人蕉(*Canna indica*)
美国不列颠百科全书公司供图

有高达3米的直立茎。叶绿色或青铜色，螺旋排列。花不对称；发育雄蕊仅一枚，此雄蕊的半边具发育的药室，另半部花瓣状；退化雄蕊数枚，一枚向外反卷成唇瓣，其余的均为花瓣状；真正的花瓣3枚。有些种的唇瓣两侧有二个翅状构造。花猩红色、橙红色或黄色，有时有不同颜色的斑点。该科植物广为观赏栽培，秘鲁种蕉藕(*C. edulis*)的块状根茎含淀粉，可食。

Cannae，Battle of 坎尼战役(公元前216) 第二次布匿战争时期，罗马军队与迦太基军队在意大利东南部阿普利亚的坎尼村附近进行的一次大会战。迦太基大将汉尼拔在盟友阿非利加人、高卢人和西班牙人的协助下，把罗马军队打得一败涂地。公元前216年，罗马执政官保罗斯和瓦罗率军8万准备与汉尼拔激战。后者有步兵4万、骑兵1万。罗马人将6 000名骑兵放在两翼，把大批步兵放在中央，排成纵深队形，企图以巨大冲力突破敌阵。对此，汉尼拔则采取弹性的阵形。他把高卢和西班牙的步兵放在正中，把阿非利加军团放在其两侧，把骑兵放在两翼。临战之前，他的阵形成为向前突出的新月状。接战后，两翼骑兵首先获胜，一部分迂回敌后。与此同时，罗马步兵在中央直逼，汉尼拔的部队节节后退。但是，汉尼拔的部队并没有作鸟兽散。罗马军队逐渐落入一个陷阱。这时，汉尼拔的新月形变成一个圆圈。阿非利加人部队包围过来，迦太基骑兵堵住后路。罗马军队拥作一团，无法发挥武器的效力。他们在包围圈中伤亡惨重，仅1.4万人逃生，1万余人被俘，余者均丧生，迦太基方共损失约6 000人。军事历史学家把坎尼战役作为运用双重包围战术取得胜利的一个古典范例。

Cannanore 坎纳诺尔 印度南部喀拉拉邦北部城市，阿拉伯海边港口。12～13世纪与波斯、阿拉伯有重要贸易往来。1709～1887年为英国在印度西岸的军事指挥部驻地。有大型纺纱、织布和针织厂。输出椰干、椰壳纤维和胡椒。有几座要塞、一座葡萄牙的教堂和几所清真寺。内地的经济以农业为主，出产腰果、胡椒和椰子。渔业也很重要。人口：市约65 233；都会区约463 951(1991)。

Cannaregio，Andrea di(composer) **坎纳雷焦** 参阅 **Gabrieli，Andrea** 加布里埃利。

Cannauj(India) 参阅 **Kannauj** 根瑙杰。

cannel coal 烛煤 一种富含氢的腐泥煤，暗黑色，有时具石蜡光泽。由于易燃，火焰明亮、有烟，曾称为蜡烛煤。烛煤微粒体由壳质组显微组分和某些无机物构成(参阅 **maceral**)。通常存在于其他种煤的顶部和底部，不过有时也可以找到厚度小于61厘米的单独烛煤层。烛煤可能是由湖或池中漂浮的孢子被风和水转移聚集在泥中，与植物屑混合演变而形成。19世纪时用于制造照明煤气，并作壁炉用煤。

Cannes 戛纳 法国城市，海滨胜地。在普罗旺斯山-蓝岸大区滨海阿尔卑斯省。位于尼斯西南。估计早由利古利亚部落拓居。后连续被凯尔特人(或高卢人)和罗马人占领。4 世纪戛纳受莱兰群岛的众修士保护，该地

戛纳市的港口

法国国家旅游局供图

各隐修院院长即为戛纳的市绅。这些宗教首脑于 10 世纪在该市区内舍瓦利尔角建碉堡，以防御穆斯林军自海上来袭。拿破仑从厄尔巴岛回来当晚，曾在村外扎营。1834 年布鲁厄姆勋爵去尼斯受阻，停留在戛纳渔村并在此建造别墅，之后 34 年每年冬天都回到此。有棕榈树的海滨大道沿弯曲的海岸沙滩伸展，道旁有豪华的旅馆。港口停泊游艇和大西洋航轮。建有几个赌场。娱乐宫是著名戛纳电影节的举办地。旅游业是主要收入来源，约有 1/5 来自冬季旅游。有国际花卉市场，以含羞草最多。岸外小岛圣奥诺拉仍住有修士，他们酿制一种查尔特勒酒，叫做莱兰纳。铁面人即被囚在附近圣玛格莱特岛上。人口 67 304(1999)。

cannibalism 食人俗 又称 anthropophagy。指人吃人的肉。此词源于加勒比人一词的西班牙语名称；加勒比人是西印度群岛一个素有食人风习的部落。食人俗是一种广泛而久远的风习，见于各大陆的多数民族。虽然许多早期有关食人俗的描述也许是夸张的或错误的，但这种风俗直到最近还流行于西非和中非、美拉尼西亚(尤其是斐济)、新几内亚、澳大利亚的部分地区，新西兰的毛利人、波利尼西亚的某些岛屿、苏门答腊的部落以及南北美洲的一些部落中。在某些地区，人肉被视为一种食品，有时与兽肉等同视之，美拉尼西亚混杂语即称人肉为“大猪”。打了胜仗的毛利人常常把在战斗中死去的人的尸体切碎，摆人肉宴席。据说苏门答腊的巴塔克人在由荷兰人完全控制以前，还在市场上出售人肉。在其他情况下，吃掉人体的某些部分或某些器官，是一种含有宗教仪式意义的方法，通过这种方法，使食人者能够获得被食者的某些品质，也可通过这种方法运用某种巫术或魔法。非洲的礼仪性杀戮和食人俗常与巫术有关。猎头者或其他人常常割下敌人的首级作为战利品，吃掉一部分尸体或死去的敌人的头，将这作为一种吸收敌人的活力或其他素质及削弱他们复仇力量的手段(参阅 **headhunting**)。阿兹特克人显然把大规模的食人习惯作为对战俘及其他罪人实施宗教牺牲仪式一部分。在某些情况下，一个死人的尸体按照礼仪，要由他的亲属们吃掉，这种形式叫族内食人俗。某些土著澳大利亚人把这种习俗当作表示尊敬的行为来实行。在某种情况下，礼仪性食人俗是作为秘密社团的活动的一部分出现的。对于食人习俗，没有一种令人满意的解释，也没有包罗万象的说明。不同民族对此各有其理由，在一种背景下一个群体会把食人俗视为惯常，在另一种背景下，则把此俗看作骇人行为。无论如何，现代社会的进步与发展已普遍影响世界各地，往往会对食人陋习严予禁止。但在现代社会中，处于某种与世隔绝的环境中的人们不免因极端的自然恶劣条件而食人肉以求存活，1846～1847 年冬季，唐纳兄弟率移民进入加利福尼亚时在内华达山为大雪所困的遭遇就是一个例子。

cannibalism 同类相食 动物学术语，指动物被同种其他成员所食的现象。同类相食通常有控制种群或保证残食者得以参与种系遗传的作用。在某些蚊类中，受伤的幼蚊经常被吃掉。当食物缺乏时，群体转而残食剩余的健康幼体。这一做法使得成体在食物缺乏时能以存活待将来再重新繁殖。在狮群中，新当领袖的雄狮可能会咬死并吃掉现存的幼狮，失去幼仔的雌狮会更快地与新领袖交配并受孕。水族箱中的虹鳉食掉大部分幼体借以调节其种群密度。许多动物在被关在笼中时，如果受惊扰就可能吞食它们的幼仔，常见的金仓鼠即属这一类。

canning 罐装 将食品贮藏于密封的容器中然后加热消毒的食品保藏方法。此法是法国的 N.阿佩尔响应政府要求研制一种适用于陆军和海军的食品保藏方法的号召，经过长期研究后于 1809 年发明的。阿佩尔的方法包括：将食品密封在瓶或罐中，加热到一定的温度后再保温一定的时间，然后将该容器保持密封，直到食用。这项发明早于 L.巴斯德能够解释如此处理的食品为何不变坏的时间 50 年。巴氏的解释为：高温杀死了食品中的微生物，而密封防止了其他微生物进入罐中。英国的 P.杜兰德于 1810 年取得使用镀锡铁罐代替玻璃瓶的专利；到 1820 年，他能向皇家海军供应大量的罐头食品。此后不久，欧洲的罐装传到美国，后者终于成为世界上在自动罐装工艺和罐头总产量方面领先的国家。19 世纪末叶，美国的 S.C.普雷斯科特和 W.安德伍德由于说明了罐头食品消毒的具体时间-温度加热要求而奠定了罐装的科学基础。

起初，罐头由镀锡铁皮构成，先将铁皮卷成圆筒状(称为罐身)，再在两端用人工焊上盖和底。这种形式已在 20 世纪初被现代的卫生罐头或称开盖罐头所取代，后者的各组成部分，由卷制或压制在一起的联锁褶皱接合起来。在端缝或盖缝处使用聚合物密封材料，罐身接缝可由外面焊死。现代锡罐头是由镀有薄锡层的 98.5% 薄钢片(即马口铁)制成。它们在完全自动的机械加工作业线上生产，产量为每分钟数百只。

大部分蔬菜、水果、肉类和乳类制品，以及经加工的食品，均贮藏在马口铁罐头中，但是软饮料和许多其他饮料现在一般贮存在铝罐头中，它们较轻且不生锈。铝罐头经冲压后制成；罐身由一块薄铝片在冲模中冲制而成。然后将这种圆底的无缝制件用另一制件作为顶盖盖上。易拉罐所用的开口拉袢，也是由铝制成。双金属罐头则由铝制罐身和钢盖制成。

罐头食品厂通常位于罐装产物的生长地区附近，因为希望在收获后尽可能快地将食品制成罐头。罐装过程本身包括几个阶段：将食品原料进行清洗和进一步准备；灭活；装入容器(通常在真空下)；将容器闭合和密封；将罐装产品进行消毒；将最终产品贴上标签后送入仓库。清洗通常包括使待加工食品通过水槽或高压水喷头，然后将蔬菜或其他产品加以切割、剥皮、去芯、切片、分类、浸泡、净化等。几乎所有的蔬菜和有些水果需要浸入热水和蒸汽中进行灭活；这种方法可使蔬菜的组织软化并使它们柔软得可装填紧密，还能使食品中所含的可在装罐前引起有害变化的酶类失活。灭活也可作为补充的或最终的清洗操作。

罐头的装填可用机械自动进行；将固体物品装入罐头时，在许多情况下还加入液体(常为盐水或糖浆)，以尽可能多地取代罐头中的空气。然后使已装填的罐头穿过排气箱中的热水或蒸汽浴槽；这样加热可使食品膨胀并排出剩余的空气；因此，罐头经密封、加热消毒和冷却后，罐装物品的收缩可使容器内产生部分真空。有些产品是真空包装的，其罐头用专门设计的真空罐头密封机来抽真空。

罐头被抽空后，立即予以闭合和密封；用机械加上盖，然后将顶盖的卷边和罐身的凸缘卷合在一起后压平。原位于顶盖边缘的密封材料被分散在两层金属之间，以保证密封。然后将密封的罐头消毒，即将它们加热到足够高的温度和足够长的时间，以杀死罐装食品中可能残存的所有微生物(细菌、霉菌和酵母)。加热在高压蒸汽釜或蒸煮锅中完成，通常使用约 116 ℃的温度。然后将罐头在冷水或空气中进行冷却，再贴上标签。

罐装能保存食品中的大部分营养成分。蛋白质、碳水化合物和脂肪，以及维生素 A、C、D 和 B_2 都不受影响。维生素 B_1 的保存量，取决于罐头食品制作过程中所用的热量。有些维生素和矿物质可在加工过程中溶于罐头中的盐水或糖浆中，但是，即使在这些液体消耗后，仍然保持住它们的营养价值。

Canning, Charles John Canning, Earl 坎宁 (1812-12-14，英国伦敦～1862-06-17，伦敦) 政治家、印度总督，任内爆发 1857 年印度兵变，1858 年成为代表英王的第一任印度总督，对该殖民地的重建与和解发挥了重要作用。G.坎宁最小之子，1836年起任议会议

美国不列颠百科全书公司供图

员,1837年继承其母的子爵头衔。1841年加入R.皮尔爵士内阁,任外交次官,1846年起任木材和森林局长,1853～1855年任阿伯丁伯爵政府的邮政总长,1856年帕默斯顿勋爵政府任命他为印度总督。坎宁立即派出远征军前往波斯湾,反对波斯国王占领英国在阿富汗的保护地赫拉特。远征军将国王军队赶出赫拉特,赢得阿富汗统治者多斯特·穆罕默德汗的友谊,并于1857年缔结条约加以巩固。同年爆发印度兵变——孟加拉土兵举行起义,发展成为印度北部反对英国统治的大规模叛乱。坎宁迅速调集增援部队,包括正开往中国的军队,重新占领叛乱者的据点。兵变平息后,坎宁坚持以"审慎的公正和平静、耐心的理智"对待叛乱者,说服印度人相信他的目的是和解而非报复。印度由英国东印度公司统治转由英王统治后,坎宁主持了印度政府的改组。1859年他被授予伯爵称号。他扩大行政会议,接纳印度非官方成员;重组印度军队;鼓励修建铁路;赈济饥荒;并协助建立加尔各答、孟买和马德拉斯大学。在他的妻子于1861年11月去世后,他于1862年辞职。由于没有子嗣,其爵位终止。

Canning, George **坎宁**(1770-04-11,英国伦敦～1827-08-08,伦敦附近奇西克) 英国政治家,以其在外交大臣任内(1807～1809,1822～1827)和1827年担任首相的4个月内推行自由主义政策而闻名。

美国不列颠百科全书公司供图

早年与经历 坎宁的父亲是爱尔兰的一个地主的长子。其母为演员。坎宁由富有的叔父斯特拉特福·坎宁抚养长大,其叔父的孩子中有一个是未来的外交家斯特拉特福子爵。坎宁进入伊顿公学和牛津大学基督堂学院学习。1791年毕业后即决心从政,1792年7月投靠首相皮特,皮特设法为坎宁在议会中找到一个席位。1793年7月,他在怀特岛纽敦自治市当选为议员,很快就被认为是下院政府方面上升的一颗新星。1796年皮特进一步为他谋得外交部次官职务。尽管日理万机,他仍抽出时间为《反雅各宾党》周报撰稿,该周报是为嘲笑英国和法国具有共和思想的人而创办的。

1799年他离开外交部,被任命为印度事务管理委员会委员。1800年5月擢升为军需总监和枢密顾问官。数星期后,他与女继承人斯科特结婚。他们生了4个孩子,其中的约翰后来成为坎宁伯爵和印度总督。1801年皮特辞职,坎宁也离开政府。1804年5月,皮特最后一次组阁,坎宁出任海军司库。皮特于1806年1月去世后,他的同僚们由于害怕失去议席而纷纷辞职。1807年3月,国王号召"皮特先生的同事们"重新组阁,坎宁出任外交大臣。

升任领导 在坎宁第一次担任外交大臣期间发生的拿破仑战争中的几场战役,包括夺取丹麦舰队(他的英明的决策)和对尼德兰斯海尔德河外瓦尔赫伦岛的倒霉的远征。英国、西班牙和法国在伊比利亚半岛抵抗拿破仑的半岛战争也在这个时候开始。1809年9月21日因政见不同与国防大臣卡斯尔雷子爵进行决斗受伤而辞职。1814年担任被认为是待遇优厚的闲差驻葡萄牙大使。

两年之后,他作为管理委员会主席进入内阁。他不同意政府致力于剥夺乔治四世皇后卡罗琳的称号和地位,于1820年12月辞职。为改善其经济状况,并认为由于国王对他的敌视,他在国内提升受到阻挠,他同意于1822年3月出任孟加拉总督,回国后可以成为贵族。但在他启航前,卡斯尔雷于8月12日自杀,乔治四世勉强同意坎宁担任外交大臣兼下院议长,成为政府最重要的成员。由于担心过深地卷入大陆政治,以及嫌恶大国专制的君主们急于在各处镇压自由主义运动,他使英国于1823年脱离由俄国皇帝亚历山大一世倡议的、维护欧洲现状的所谓"神圣同盟";阻止欧洲为了西班牙斐迪南德七世的利益而干涉南美洲;承认反叛的西班牙美洲殖民地的独立;向葡萄牙派遣军队以对付西班牙进攻的威胁;给希腊人争取从土耳其统治下获得自由的斗争以外交支持,并保证最后建立一个独立的希腊国家。

利物浦勋爵的首相任期于1827年2月结束。他早已选中坎宁为其继承人,但坎宁是不是国王选中的人尚不明确。虽然自1822年以来,由于外交政策的成功,以及由于在温莎城堡皇室密友的面前显露才能,他在温莎城堡享有明显的优势,但他是要求对天主教实行解禁的主要拥护者,而乔治四世则倾向于拒绝天主教,最后,在达成不强迫国王接受天主教解禁法案的谅解后,他于4月10日受命重新组阁。他得到了辉格党员们及大多数无党派议员们的支持。但他的内阁只存在了4个月,由于过度劳累,坎宁于1827年8月在奇西克德文郡公爵的府邸中去世。

评价 对某些人、特别是智力比他低的人来说,坎宁似乎十分傲慢和目空一切。他的妙语警句和讽刺挖苦使一切听到和读到他的讲话的人难以忘怀。他是个最不知疲倦的人,常常从早餐时一直工作到深夜而不进食。他的朋友们认为,这种长期的不规则的生活,使他容易激怒的性格变得更加难以控制。人们从他的缺点对他作出不公正的判断,同时忽略了他的干劲、爱国精神和卓越才能。认为他不是一个绅士的观点曾风行一时。1827年托利党贵族怀着憎恨和极大的恶意对他进行攻击,这表明对一个非统治阶级出身的首相依然存在着大量的偏见。在选择坎宁作为首相的过程中,乔治四世感到他必须重又进行他父亲进行过的反对大家族权势的斗争,这些家族剥夺国王任命其臣仆的传统权利。

同时代的人认为,坎宁的内阁最受业已出现的中产阶级的欢迎。作为利物浦内阁的一员,他充分认识到新兴工商业者的需要。他把国家置于个人和党的利益之上。当时没有哪个党的领袖像他那样具有认为有义务应对他的支持者负责的崇高信念。他从没有对他的朋友们封官许愿,也没有利用自己的影响来为他们谋得不应有的提升。他们通过与他充满个人爱慕之心的交往而被他所吸引。在他死后,他拥有的威信,通过他的追随者赫尔基森和帕默斯顿勋爵而继续存在。

Canning, Stratford (British diplomat) **坎宁** 参阅 **Stratford de Redcliffe, Stratford Canning, Viscount** 斯特拉特福子爵。

Canning Basin **坎宁盆地** 又称荒漠自流

生长在坎宁盆地里的三齿稃
美国不列颠百科全书公司供图

盆地。在澳大利亚西澳大利亚州西北部的干旱沉积盆地。北起菲茨罗伊河，南至德格雷河，东抵西北沿岸，东以东经128°为界。面积约40万平方千米。大部分地区未开发。该盆地为大沙沙漠（**Great Sandy Desert**）西段基底。腹地多沙丘，间有黏土平地。有自流泉，因盆地下面有地壳下陷，是一地震活动中心。在该区有布利纳油田。

Cannizzaro, Stanislao　坎尼扎罗（1826-07-13，两西西里王国西西里巴勒莫［意大利］～1910-05-10，意大利罗马）　意大利化学家、教师和议员。他认识到原子量和分子量的差异，并发现坎尼扎罗反应。在比萨大学（1845～1846）任最早制备出水杨酸的R.皮里亚的助手。1848年因参加西西里革命而被判处死刑，逃至马赛，1849年到达巴黎。1851年，他在M.-E.谢夫勒尔的实验室中帮助制备氨基氰，同年他在皮德蒙特（今在意大利）的亚历山德里亚工学院任化学和物理学教授。1853年发现用浓的氢氧化物醇溶液处理苯甲醛能生成等量的苯甲醇和苯甲酸盐（坎尼扎罗反应）。1855年在热那亚大学任化学教授，1858年证明挥发性化合物分子中元素的原子量可应用阿伏伽德罗气体原理（1摩尔的不同气体在同样温度和压力下体积相等）计算出来，而对于蒸气密度未知的非挥发性化合物，原子量可通过测量比热计算。他的发现在1891年获得了伦敦皇家学会的科普利奖章。他在巴勒莫大学任无机化学和有机化学教授时（1861～1871），从事芳香族化合物和胺类的研究。1871年任罗马大学化学讲座教授，同年进入意大利参议院，任议会副议长和公众教育委员会委员。

Cannock Chase　坎诺克蔡斯　英格兰斯塔福德行政、历史郡一区。面积79平方千米。斯塔福郡煤田南部（包括利霍尔煤矿）均在本区内。原为王室狩猎地。传统经济以采煤和金属加工业为主，但现已被许多新行业代替。人口约91 500（1998）。

cannon　火炮　加农炮、榴弹炮或迫击炮之通称，以区别于枪械等轻武器。现代火炮机件复杂，部件用优质钢铸造并按准确的公差尺寸机械加工而成。火炮多具有线膛，少数坦克炮和野炮为滑膛。15世纪时，欧洲出现大型火器，但直到1670年才有了火炮这一名词。17世纪50～70年代，火炮的命名主要根据弹丸重量，其次还根据其他特征（野战型或攻城型，轻型或重型，短管型或长管型）。后火炮一词逐渐演变到泛指炮管内径大于25.4毫米、自炮架或固定炮座上发射的各种火炮。在20世纪，凡口径大于20毫米、安装在飞机上并发射燃爆弹丸的速射武器通称自动炮。1953年，美军装备了世界上第一门可发射原子炮弹的280毫米加农炮，称之为原子炮；1957年，苏联也展示了类似武器。数年后，原子爆炸物已缩小到可以装进普通炮弹内，由常规火炮发射。

Cannon, Annie Jump　坎农（1863-12-11，美国特拉华多佛～1941-04-13，马萨诸塞剑桥）　美国女天文学家，擅长恒星光谱分类。她曾为1918～1929年间出版的《亨利·德雷伯星表》（HD星表），这一巨著中的光谱分类作出不朽的贡献，后来还参加该星表"补编"的编制工作。1897～1911年任马萨诸塞州剑桥哈佛大学天文台助理。1911年以后成为天文照相部主任。1938年在哈佛大学被命名为W.C.邦德天文学家。曾发现很多变星和5颗新星。

Cannon, Harriet Starr　坎农（1823-05-07，美国南卡罗来纳查尔斯顿～1896-04-05，纽约皮克斯基尔）　19世纪美国宗教领袖。圣母马利亚社区的创立者之一，该社区为美国新教圣公会妇女会，着重关注儿童健康和福利问题。1岁时父母双亡，由住在康涅狄格州布里奇波特的姑妈抚养。在当地小学就读，私下学习音乐。1851年迁居纽约州布鲁克林，靠讲授音乐课维持生计。1856年2月进入由A.艾尔斯修女领导的圣餐美国新教圣公会妇女会，一年后成为正式会员。1858年负责掌管一所医院的病房。因日益不满修道会的规章，她与另外4人于1863年脱离该妇女会。后来她们管理慈善堂（援救和感化青年妇女之所）、孤儿院和圣巴拿巴收容所。这5位妇女最终于1865年创建圣母马利亚社区，这是第一所由英国国教主教组建的妇女修道院。她被选为该修道院的第一任院长。她们成功地在纽约市建立圣母马利亚学校（1868）、在纽约州皮克斯基尔建立圣加百列学校（1872），以及其他几所学校和布道会。

Cannon, James　坎农（1864-11-13，美国马里兰索尔兹伯里～1944-09-06，伊利诺伊芝加哥）　美国牧师、激烈的禁酒主义者、民主党总统候选人A.E.史密斯的政敌。坎农在新泽西州普林斯顿神学院毕业后，于1888年任南方美以美会牧师。1918年被选为主教，1938年退休。是反沙龙联盟的积极倡导者和世界禁酒联盟的领导人。1928年竞选期间发表多篇激烈的演说抨击倡导废除禁酒法案的A.E.史密斯，1930年，坎农主教在美以美会一批高级教士面前答复关于参与"投机商号"的股票投机之指控。由于他承认"错误"，并请求宽恕，未受审判。不久以后，当他被传讯到参议院的院外活动集团委员会，要他解释如何处理1928年竞选期间所得到的用于弗吉尼亚州的48 300美元时，他蔑视该委员会，拒绝回答问题。其后，联邦法院不以贪污论处，宣判他无罪。尽管他仍继续推行禁酒运动，由于这些事件以及禁酒法的撤销，他的影响下降。

Cannon, Joseph Gurney　坎农（1836-05-07，美国北卡罗来纳吉尔福德～1926-11-12，伊利诺伊丹维尔）　美国政治家，资深的美国众议院议员。1858年在印第安纳州当律师，次年移居伊利诺伊州，继续从事律师业务，并进入政界。1872年选入众议院，任议员46年（1873～1891，1893～1913，1915～1923）。是一位坚定的保守主义者和忠诚的共和党人。由于资历深，曾任一些重要委员会的主席，并任议长8年（1903～1911）。作为议长，公然以派性的态度行使其权力，直至1910年3月，民主党人与倒戈的共和党人联合起来通过一项决议，规定议长不能当选为规则委员会委员，从而剥夺了他的许多权力。坎农在众院的46年里，没有起草过一项重要的立法议案。但他个人却为他的同事所喜欢，人称"乔大叔"坎农。

Cannon, Walter Bradford　坎农（1871-10-19，美国威斯康星普雷里德欣～1945-10-01，新罕布什尔富兰克林）　美国神经病学家、生理学家，首先应用X射线进行生理学研究。1911年根据研究成果写成《消化的力学因子》。第一次世界大战期间从事出血性休克和创伤性休克的研究，1923年将研究成果总结于《创伤性休克》一书中。他曾研究血液的储存方法；1931年发现交感素。所著的《疼痛、饥饿、恐惧和愤怒时的躯体变化》（1915）及《人体的智慧》（1932）等书阐述了交感神经系统的应急功能及内环境稳定学说。1937年与A.罗森布鲁思合著《自主神经效应器系统》，1949年著《去神经结构的超敏感反应》，对了解神经冲动的化学传递作出了贡献。他1900年毕业于哈佛大学医学院；1899～1942年一直在该校任教。

Cannon King, The　"火炮大王"　参阅 **Krupp, Alfred** 克虏伯。

cannonball tree（*Couroupita guianensis*）　**炮弹树**　玉蕊科的一种软木质高大乔木。原产于南美东北部，北美南部有栽培。炮弹树的果球形，直径达20厘米，木质，形似生锈的炮弹，果肉厚，含多粒种子，外壳坚硬，当地

炮弹树（*Couroupita guianensis*）
美国不列颠百科全书公司供图

常用作器皿。叶广椭圆形、长圆形或宽披针形，边缘平滑或具细齿。炮弹树的花簇发自茎干，长60～90厘米；花艳丽，花瓣如浅碟状，长约5厘米，外侧黄色或红色，内侧深红色或淡紫色。

Cano, Alonso　卡诺（1601-03-19，西班牙格拉纳达～1667-09-03，格拉纳达）　西班牙画家、雕刻家、建筑师，素有西班牙的米开朗琪罗之称。创作了许多精美的宗教题材作品。曾在塞维利亚、马德里、格拉纳达等地工作。在格拉纳达保存有他的许多着色木雕。其代表作为雕塑《阿尔卡拉的圣迪埃戈》（1653～1657），构图简练，富有表现力。所作格拉纳达大教堂正面被认为是西班牙建筑最有独创

卡诺的《圣灵感孕》（1655～1656）
美国不列颠百科全书公司供图

性的作品。

Cano, Melchor 卡诺（约1509，西班牙塔兰孔～1560-09-30，托莱多） 天主教多明我会神学家、主教。他维护西班牙国王的权利，反对罗马教廷的要求。原是萨拉曼卡大学神学教授，1546～1552年任巴拉多里德大学神学教授。奉西班牙国王、神圣罗马帝国皇帝查理五世派遣，参加1551～1552年特伦托会议，积极参加关于圣体圣事和告解圣事的讨论。卡诺努力抵制另一多明我会会士德卡兰萨的影响，指责他是路德派。他与西班牙国王腓力二世的反教廷政策有牵连，开罪于教皇保罗四世。1557年当选为多明我会分会会长，1559年再次当选，但教皇迟迟不予批准。

Canoas 卡诺阿斯 巴西南部南里奥格兰德州东部城市。位于热拉尔山南面低地上，州首府阿雷格里港以北22千米处。亚热带气候（16～26℃），雨水充足。为重要工业中心，生产玻璃、化工品和药品。有炼油厂和几家肉类加工厂。建有巴西第五地区空军基地。有全天候公路通阿雷格里港。人口约214 115（1980）。

Canobus（ancient Egyptian city） 参阅**Canopus** *克诺珀斯*。

canoe 划艇 一种两头尖的轻型小船，用一根或多根短桨划行，桨手面向船首。划艇主要有两种形式：一种为从头到尾敞开式（如现代娱乐用或运动用加拿大划艇），用一单叶桨划行；另一种为*海豹皮船*（**kayak**），覆以甲板，并有尾舱，恰能容纳手执双叶桨的桨手。其他称为划艇的小船还有各种独木舟。最早的划艇装有轻型木架或鲸骨架（如爱斯基摩人的海豹皮船），蒙以绷紧的树皮（常为桦树皮，偶为榆树皮）或动物皮。桦树皮划艇原为阿尔冈昆族印第安人（当时分布在现今的美国东北部及附近加拿大地区）所使用，后向西流传。这种划艇用于载运货物、渔猎人员及战士。长度约为4.5～30米不等，最常用者为6米，30米者常为军用；使用桨数有时多达20根。*独木舟*（**dugout**）多为当时生活在现今美国东南部及北至现今加拿大的太平洋沿岸的印第安人使用，亦见于非洲、新西兰及太平洋其他地区。为适用于海上，划艇可加上舷外铁架或两艇用圆木连接在一起（参阅**catamaran**）。早期的法国传教士和北美洲北部的探险者使用桦树皮划艇，有些旅客和后来从事毛皮贸易的商人也用这种划艇，但尺寸较大。现代运动用和娱乐用划艇大小不一，通常约为5米长，85厘米宽，30～36厘米深，两端略为翘起，材料多为木材、木骨架蒙帆布、铝、模制塑料或玻璃纤维。还有些划艇设计或改装得能够张帆行驶，铝制方尾划艇可在艉部装发动机。20世纪初还出现过折叠式划艇，折叠后便于运输。

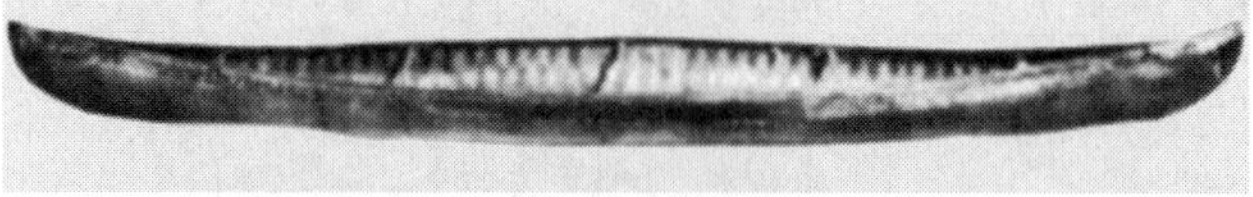

现代加拿大敞开式划艇
美国航海博物馆供图

canoe cedar 独木舟杉 *巨柏*（**giant arborvitae**）的俗名，亦指某些*假柏*（**false cypress**）。

canoeing 皮划艇运动 把划艇、皮艇或折叠式舟艇用于体育、娱乐或竞赛的一种运动。所有这些舟艇都是两头尖的狭长轻型小艇，用桨来驱动。欧洲和北美洲有许多皮划艇俱乐部。多数皮划艇用作巡航，在茫茫水域中航行，或在湍急的水流或激浪中进行惊险的急流划艇运动。

历史 皮划艇运动是苏格兰运动员、旅行家、慈善家J.麦克格雷戈于19世纪60年代独创的。他所设计的皮划艇装有甲板、桅杆、风帆和划桨。他乘着这种皮划艇周游欧洲和中东，并且通过讲学和著书立说宣传推广这种艇的用途。男童子军创始人R.巴登-鲍威尔于19世纪70年代设计了一系列带风帆的皮划艇。此后，他和麦克格雷戈所制的皮划艇遵循一条与用桨划动的皮划艇不同的发展道路。第二次世界大战后，一种有甲板和风帆的皮划艇获得国际皮划艇联合会的承认。1970年，带风帆的皮划艇成为帆船运动中的"单一设计型"（一种竞赛级别，在此级别中所有船只的尺寸都一样）。1866年麦克格雷戈同其他有名望的运动员和旅行家一起建立了皮划艇俱乐部（自1873年起改名为皇家皮划艇俱乐部）。1936年之前，英国曾有人组成若干皮划艇团体，有的专门从事巡航活动。1936年英国皮划艇联合会成立，为联合王国全面管辖这项运动的机构。北美最早出现的组织是纽约皮划艇俱乐部（成立于1871年）。1880年美国皮划艇协会成为美国的管理机构。加拿大皮划艇协会成立于1900年。国际皮划艇代表机构建立于1924年，它为皮划艇运动在1936年奥林匹克运动会中争得一席之地。第二次世界大战后，该机构于1946年重建成为国际皮划艇联合会（ICF）。

娱乐与运动 最初皮划艇运动是一种非竞赛性的娱乐活动。大多数皮划艇爱好者一直以此为娱乐活动，或在当地河流湖泊中游弋，或去远方旅游，有时在北美洲沿早年的传教士、探险家和旅行家走过的航道划行。许多爱好者还把皮划艇运动和垂钓、狩猎和野营等活动结合起来。在激流中划艇以及在海洋中冲浪也都为人们所喜爱。第二次世界大战后，北美洲小型飞机不断增多，皮划艇爱好者有可能到达只有印第安人和早期旅行家们才去过的遥远的茫茫水域，使娱乐性的皮划艇运动得到进一步发展。20世纪最后十几年娱乐性皮划艇快速发展，特别是在北美地区。1995年美国统计局估计在1994年约有1400万人（6%的人口）参与了皮划艇活动。在加拿大和欧洲也颇受欢迎。许多水上公园均建有皮划艇航道供游客娱乐。

皮划艇运动作为一种体育可能是从人们在狩猎、捕鱼或打仗以后回航的路上临时举行比赛而开展起来的。作为一个有组织的运动项目，皮划艇活动始于19世纪下半叶英国和北美洲的地方性和全国性比赛中，这些比赛有很多一直延续到今天。至20世纪，皮划艇运动在欧洲迅速普及，因此1936年奥运会上开设的男子皮划艇项目和1948年奥运会上开设女子项目，优胜者大部分为欧洲人，第二次世界大战后苏联和东欧国家选手占绝对优势。但20世纪中期的杰出单人艇手却是瑞典的G.弗雷德里克松，他在1948～1956年几次奥运会上赢得个人和团体项目6枚金牌，此外还在国际比赛中夺得40多枚金牌。

奥林匹克男子项目从1936年起设1 000米双人皮艇（K-2）（K＝皮艇；C＝加拿大式划艇；数字指桨手的人数），从1976年起设500米双人皮艇；1936年起设1 000米单人皮艇（K-1），1976年起设500米单人皮艇；从1964年起设1 000米4人皮艇（K-4）；从1936年起设1 000米加拿大式单人划艇（C-1），从1976年起设500米加拿大式单人划艇；从1936年起设500米加拿大式双人划艇（C-2），从1976年起设1 000米加拿大式双人划艇。奥运会女子项目从1948年起开设500米单人皮艇，1960年起设500米双人皮艇。由国际皮划艇联合会主办的国际比赛中，其他项目有加拿大划艇和皮艇的急流划艇比赛（至少3 000米）以及从滑雪的回转比赛演变出来的皮艇障碍回旋赛。在这种比赛中皮艇须通过一些门框，举办这种比赛的水流速度必须每秒2米以上。在1972年奥运会上进行了加拿大式划艇和皮艇障碍回旋赛。在静水中比赛（障碍回旋赛除外）时水深至少3米。1 000米以下的比赛完全在水道上进行，长距离的比赛则在快到终点的地方设水道。长距离比赛不在国际皮划艇联合会管辖范围之内。著名的长距离比赛有赛程为16.5公里的塞拉·第山特比赛，这一赛事从1931年起每年在西班牙北部举行；还有赛程为28.2公里的里菲·第山特比赛，自1959年起每年在爱尔兰举行。与皮划艇有关的运动有皮艇水球和皮艇冲浪。

运动用皮划艇 根据国际划艇联合会所制定的规格,艇只的长度是:单人皮艇(K-1)和加拿大式单人艇(C-1)为4米,4人皮艇(K-4)为11米。艇只的重量是:单人皮艇(K-1)9公斤,加拿大式7人艇(C-7)50公斤。参加障碍回旋赛和急流划艇赛的艇只没有重量限制。加拿大式划艇由薄木片制成。短距离比赛用的加拿大式单人和双人划艇艇身很浅,表面很光滑;桨手单膝下跪。在急流划艇和障碍回旋比赛中,可用留有出桨口的防水帆布做船面。参加短程比赛的单人和双人皮艇(K-1,K-2)用薄木片制成,在船尾下装有一个小舵。障碍回旋比赛和急流比赛用的皮艇艇身相当短,用玻璃纤维制成。长距离比赛用的皮艇有较高船首。

canon 卡农 根据严格模仿的原则,用一个或更多的声部相距一定的时间,对原有旋律进行模仿的曲式和作曲技巧。模仿可在同度上,也可在其他级上进行;可用相同的音符时值,也可用增值或减值的音符;可以与原旋律呈反向进行(逆行模仿),也可在音程保持原距离情况下,上下呈反向进行(倒影),或两者同时并用(逆行倒影)。已知最早的卡农是13世纪的英国轮唱曲《夏天来了》。至15世纪,卡农成为弥撒配乐中一个重要的起统一作用的手段。18世纪巴赫在其《赋格的艺术》和《戈德堡变奏曲》中写了两部不朽的卡农套曲。勋伯格、韦伯恩、兴德米特都在20世纪大量运用这一技巧。卡农也出现于民间音乐,例如在巴尔干半岛和非洲。在西欧,轮唱曲(同度严格模仿的卡农),如《雅克兄弟》,像17、18世纪英国的"追唱曲"(其中一个声部试图追及下一个声部)一样,是许多社区歌唱传统的一部分。

Canon City 卡嫩城 美国科罗拉多州中南部弗里蒙特县县城(1861)。位于弗兰特岭和韦特山之间,阿肯色河的罗亚尔峡谷东端,圣伊萨贝尔国家森林正北。原为犹他印第安人营地,1859年有采金者定居。19世纪60年代附近发现石油,成为油田和矿山的供应点。1871年设立地方监狱,现为科罗拉多州监狱。1968年增设妇女教养所。1872年设市。1874年丹佛和格兰德河西部铁路通车后,成为当地农产品、牲畜、矿产、大理石以及制造业产品装运地。设有南科罗拉多大学分院卡嫩学院。卡嫩城为示范火箭生产基地。人口15 431(2000)。

canon law 教会法 基督教某些派别(天主教、东正教、东派各独立教会、安立甘宗)内的合法教会机构为管理全教会或其中一部分教会而制定的法律。广义教会法包括收进教会法汇编或法典的神律(自然的或成文的)。编纂教会法的活动首先出现在东派教会,即罗马帝国本都省的教会法,其中包括尼西亚会议(325)制订的20条以及安卡拉会议(314)和新凯撒里亚会议(4世纪初)所制订的条文。这部教会法汇编逐渐增为150条,由于已为人们所熟悉,在卡尔西顿会议(451)上人们往往按条文号加以引用。卡尔西顿会议及君士坦丁堡会议又先后增益若干条,其后又把所谓使徒法律置于卷首。这就是最初被翻译并介绍到西方的希腊文汇编。在6世纪又增加其他文件,又从教会法学家狄奥尼西(小)的汇编中吸收了撒尔底迦会议(342或343)和迦太基会议(419)的条文,后者包含非洲历次会议制订的大部分条文。君士坦丁堡特鲁洛大厅会议(692)颁行教会法102条,并且正式采纳上述的希腊文本教会法汇编。这样编成的汇编,再加上尼西亚会议(787)的22条,成为希腊正教会的正式教会法典,后来也成为俄罗斯正教会的正式教会法典。在西派教会,历史最悠久的教会法是由非洲主教区每年全区会议制订的条文构成(8、9世纪)。这些条文现仅见于《西班牙教会法汇编》和狄奥尼西(小)的汇编。后者相当详细地转录绝大部分非洲各次会议所制订的条文,即所谓"非洲会议教会法汇编",是中世纪常引用而且也为希腊正教会所承认的。卡马尔多利会修士格拉提安以这些教令为基础,再加上后来教皇多次发布的法律和决定,在1139～1150年间编成《格拉提安教令》或名《教会法大全》,在几个世纪内被使用。1500年在巴黎出版了《天主教教会法典》。1904年3月19日,教皇庇护十世指示修订天主教会法典。经过多年努力,新的《教会法典》于1917年5月27日正式颁行,1918年5月19日起在天主教会内生效(除少数条文有修正外)。教皇约翰二十三世指示要根据第二次梵蒂冈会议(1962～1965)的教令和决定修订《教会法典》,第二部《教会法典》于1983年1月25日由教皇约翰-保罗二世签发。英国议会承认英国君主为圣公会的最高首脑。有人认为,安立甘宗的教会法制并不是教会法而是国家的宗教法。有关圣公会事务的任何提案(除教义问题外),由教会大会(1919年成立)提交议会教会委员会审批。提案经议会上下两院通过,再经君王批准,即成为法律。

Canon Law, Code of 参阅 **Codex Juris Canonici**《教会法典》。

Canon Law, Corpus of 参阅 **Corpus Juris Canonici**《教会法大全》。

canonical ensemble 正则系综 物理学中质点系统的一种函数关系,用于计算系统总的统计力学和热力学性态,而无需考察各个质点的细节。这是由美国物理学家J.W.吉布斯引进的概念。它可以避免由于对相互作用的质点系统(如气体中的分子)的细节缺少完备的观测数据而引起的问题。描述质点系统的一种方法是,明确地说明每个质点的位置和动量(即质量乘速度)。如果系统有 N 个质点,每个质点有 s 种可能移动的方式(参阅 **freedom, degree of**),则确定此系统的状态需要 $2sN$ 个数值。这样,系统就可以被看成 $2sN$ 维空间(称为 Γ 空间)中的一个点。系统的细致状态将随着时间变化,这对应于点在 Γ 空间中的移动。一个系综就是大量彼此相似的系统,它们被描述成 Γ 空间中的一群点。一个正则系综(或更明确地说,宏正则系综)是一种系综,它的点在 Γ 空间中的密度随系统的总能量 E 按指数变化:$\rho = Ae^{-E/\theta}$,其中 A 与 θ 是系统常量。如系统在绝对温度为 T 时处于平衡态,则其总的(宏观的)性态可用 $\theta = kT$ 的一个正则系综中的系统的平均性态来描述。常量 k 为玻耳兹曼常量。

微正则系综是由能量相同的系统组成的系综,它对于描述总能量不变的孤立系统往往有用,前述的宏正则和微正则系综均属次系综,这种系综中系统的质点数是确定的。任何系统的质点数未被限制为常数的系综是主系综。这是一种更一般的表示方法,特别它可应用于质点数目可变的系统,例如化学反应系统。

canonical hours (liturgy) 参阅 **divine office** 日课。

canonical hours 祈祷时刻 天主教教会每日用于公众祈祷礼拜(日课)的音乐谱曲。一天的祈祷时刻分为:申正经、赞美经、晨经、辰时经、午时经、申初经、晚课和夜课经。祈祷时刻所使用的音乐项目有交替合唱曲和诗篇歌曲、应答圣歌、赞美诗和日课音乐。祈祷时刻的最初音乐谱曲是在素歌(单声部、非有量节奏)中咏唱。在弥撒时,尤其是在申正经的应答圣歌中(参阅 **trope; Gregorian chant**),时刻音乐吸收了附加段(包括音乐与经文)。祈祷时刻的谱曲保存着某些最古老的复调范例,例如《温切斯特附加段集》是一部在10或11世纪为温切斯特大教堂礼拜音乐而复制的手抄本。西班牙《圣杯派手稿集》(约12世纪)也包括为晨祷应答圣歌谱的二声部复调音乐。15世纪的复调音乐在黄昏祷中最为普遍,但也有一些为申正经应答圣歌和赞美经谱写的音乐。16世纪时,祈祷时刻的复调音乐重新引起人们的兴趣。天主教教仪通过特伦托会议(1545～1563)进行改革后,赞美诗套曲和晚课音乐以及申正经、赞美经和夜课经的配乐在盛大的宗教节日中均有出现。一种新风格随着蒙特威尔地的《晚课歌》(1610)产生,教堂礼拜音乐也采用了管弦乐队,从而对教会音乐的复调音乐传统进行了改革。18世纪时,W.A.莫扎特写了两首为独唱、合唱和管弦乐队演出的晚课乐曲。19世纪时,人们又试图恢复晚课祷歌而重版了16世纪的版本。在17和18世纪,《耶利米哀歌》(《旧约》之一章)曾被谱成有独唱的声乐与乐器的作品。至20世纪,为《耶利米哀歌》和应答圣歌谱曲的作曲家有I.斯特拉文斯基、E.克来内克和F.普朗克等。

canonization 追谥圣人 基督教会正式宣布已故信徒有资格受公众崇敬并将其姓名登录在圣人名册上的行动。早期教会并无谥圣典仪。将殉教烈士的遗骸自墓地迁移到教堂,即等于谥圣。教会当局逐渐对谥圣过程进行干预。到10世纪时,谥圣申请必须向教皇提出。第一位由教皇正式追谥为圣人的人是奥格斯堡主教乌尔里希。教皇亚历山大三世(1159～1181)开始将谥圣之权专归教廷,教皇格列高利九世(1227～1241)在位期间,这种做法遂成为定法。教皇西克斯图斯五世(1585～1590)决定,由罗马教廷的礼仪部专门负责主办宣福礼(此为谥圣中的一个步骤,受过宣福者即可享受有限度的公众崇敬)和谥圣。在下一世纪,教皇乌尔班八世禁止公众崇敬未经教会宣福或谥圣的人。教皇乌尔班八世的法令,连同后来教皇本尼狄克十四世的法令,成为天主教教会法典(1917 年颁行)规定的宣福及谥圣程序的依据。根据教会法典,宣福和谥圣各分为两种类型:正式,亦即普通;特殊,亦即相当。正式宣福礼有 4 个主要步骤:调查、推荐、审核、四点明断。20 世纪 60 年代末,教皇保罗六世宣布,宣福和谥圣可以简化和分权,他还设立一个部(行政管理部门),专门掌握这方面的程序。

关于候选人的调查了解范围,包括搜集有关其人圣洁、美德的声誉的全部材料,其著作以及有关其生前或逝世后所行神迹的资料。由主教任命一名申请官和一名审查官,以便如实充分了解候选人。全部程序完成之后,经过教皇批准,即在举行庄重的弥撒时,举行庄严的宣福礼。其后即可在各特定地点举行崇敬之礼。

谥圣程序大致与此相同,但申请谥圣者必须在宣福之后又有两件神迹被发掘出来而且经过核实。特殊谥圣(即相当谥圣)只须教皇证实某人确为圣人即可。这种办法只适用于教皇乌尔班八世(1634)时代因过于古远而无从考据其神迹的人。东正教的谥圣侧重于宣布而不太注重程序。在安立甘宗,1950 年成立了一个委员会,在其后的年代(特别是在 1958 年兰贝斯会议上)讨论追谥该宗信徒为圣人的问题。

Canopic jar 克诺珀斯坛 古埃及葬仪用具。用木或石制成或为陶器。有盖。在进行尸体防腐作业时,将内脏经用香料处理殓于

克诺珀斯坛,坛盖分别作人首(上)、狒狒首(左)、隼首(右)、豺首(下)形
美国不列颠百科全书公司供图

其内埋葬。第20王朝时开始改为待作业完毕将内脏放回体内,制坛技术随之衰落。

Canopus 克诺珀斯 又拼 Canobus。古埃及城市,在伊斯坎德里耶省,尼罗河三角洲西岸。油膏工业中心和亚历山大人的游乐地点。克诺珀斯祭拜的俄赛里斯神的形象是一人头容器。因而考古学家把克诺珀斯坛误认为古代埃及人在制成木乃伊后置放内脏的有人兽头的坛子。

Canopus 老人星 又称船底座α,夜晚天空中第二亮星(仅次于天狼星),目视星等为 -0.73等。位于南天船底座中,离地球约 100 光年,由于它与太阳的角距离合适以及与邻近天体的亮度差别大,在控制航天器的姿态过程中有时被用作导航星。叙利亚斯多葛派哲学家波西多尼阿斯(约公元前 135 ～前 50)曾利用老人星在靠近地平线时来估算地球的大小。

Canopus, Decree of 《坎诺普斯法令》 又称《塔尼斯法典》(Table of Tanis),用三字母一词(或三字母一音)的两种语言写成的古代埃及法令,为解读象形文字和较简单的古埃及通俗文字提供了线索。该法令用希腊文、古埃及通俗文字和象形文字写成。是在公元前 238 年 3 月 7 日祭司们为托勒密三世及其后贝勒奈西举行的纪念集会上颁布的。法令的两个副本是 1866 年在塔尼斯发现的。许多学者认为在解读古埃及文字方面其价值仅次于罗塞塔石碑。

canopy 挑篷 又称华盖。建筑中悬挑在圣坛、雕像或壁龛上方的顶盖。最初它象征着神祇与帝王的莅临,可能源自古波斯阿契美尼德王朝朝觐君主的宏大宫帐。中世纪时象

英国林肯郡伯格教堂 1623 年的挑篷
美国不列颠百科全书公司供图

征上帝莅临教堂。14、15 世纪时,陵墓、雕像和壁龛上方有石雕的装饰华丽的顶盖,教堂的木质洗礼盘上方亦有此种装饰。文艺复兴时期,教堂内祭坛上的挑篷发展成由柱支承的固定的华盖(**baldachin**)。17 世纪 G.L.贝尔尼尼设计的罗马圣彼得大教堂内圣坛上的巨大巴罗克式华盖成为这一发展的顶峰。16 世纪中期到 18 世纪,挑篷在欧洲各地有多种不同的用途。如某些新教国家,在布道坛上设置了称为传声板的扁平木制挑篷,重要的墓碑上也建立巨大的挑篷。传统的犹太婚礼仪式也在一种挑篷下举行。在住宅中,挑篷很早就用在门楣和壁炉上。

Canosa di Puglia 卡诺萨迪普利亚 拉丁文称卡努西翁。意大利东南部普利亚区巴里省城镇。临奥凡托河右岸。原为希腊人城镇。后成为一条古罗马大道上的重要农产品贸易中心。9 世纪被萨拉森人破坏。11 世纪由诺曼人重建。此后即成为那不勒斯王国的一部分。现发现有大量古希腊遗物,如公元前 3 世纪的精制彩饰花瓶。市内有古罗马遗迹、中世纪城堡遗迹和 11 世纪大教堂。大教堂旁边有博希蒙德一世的陵墓。20 世纪初的大规模移民(多迁往美国)使城市人口减少。经济以农业为主,有畜牧和乳品业,出产粮食、牧草、油橄榄和杏仁。生产橄榄油、葡萄酒和陶器。人口:城市区约 31 200(1991)。

Canossa 卡诺萨 意大利埃米利亚雷焦西南方的 10 世纪城堡,因教皇格列高利七世与皇帝亨利四世在此处会见(1077)出名。这一要塞为阿通尼家族的奠基人,第一代卡诺萨伯爵 A.阿达尔贝特在 940 年左右所建。格列高利七世应卡诺萨女伯爵玛蒂尔达(托斯卡纳的玛蒂尔达)之请,1077 年在去德意志途中于此逗留。教皇去德意志的目的是要采取行动对付他的反对者亨利四世。亨利为了避免被废黜,就以普通悔罪者的身份前来卡诺萨,在那里等候 3 天,于 1 月 28 日得到宽恕。这件事虽然并不意味着教廷的长久胜利,但是在后世,卡诺萨这个名字却包含着王权向教权屈服的意思。卡诺萨城堡于 1255 年为雷焦人所毁。

Canova, Antonio, MARCHESE (marquess) D'ISCHIA 卡诺瓦(1757-11-01,威尼斯共和国波萨格诺～1822-10-13,威尼斯) 即伊斯基亚侯爵。意大利雕刻家,新古典主义最伟大的代表人物之一。作品有:教皇克雷芒十四世墓(1783 ～ 1787;罗马圣宗座大堂)和克雷芒十三世墓(1787 ～ 1792;罗马圣彼得大教堂),拿破仑雕像(米兰布雷拉陈列馆和伦敦惠灵顿博物馆),拿破仑之妹博盖塞公主的雕像(玉体斜倚,题名《胜利者维纳斯》)。拿破仑失败后,他因从巴黎索回艺术作品有功封侯爵。

父亲为石匠,1761 年去世。祖父也是石匠,将卡诺瓦抚育成人。11 岁时,在威尼斯一位大法官的保护下,到在帕格纳诺(阿索洛)居住的雕刻家贝尔纳迪(外号"小塔")处工作。同年(1768),贝尔纳迪把工作室从地方小镇帕格纳诺搬到威尼斯,卡诺瓦随同前去。这个少年协助他的师傅,自己也作了少数小订件,并按照当时习俗学习古典艺术和作裸体雕刻。1775 年在威尼斯设立自己的工作室。1779 年雕刻威尼斯共和国行政长官皮萨尼的订件《达埃达洛斯和埃卡路丝》,是为卡诺瓦第一件重要作品,有几分洛可可风格,形象非常逼真,人们甚至非难这位雕刻家

卡诺瓦为M.克里斯蒂娜雕刻的大理石陵墓(1798～1805)局部
美国不列颠百科全书公司供图

是按活的模特用石膏模制而成。1779～1780年卡诺瓦在罗马,曾结识当时一些第一流艺术家,包括苏格兰画家兼艺术品商G.汉密尔顿,他指导卡诺瓦的研究工作向更深刻理解古代风格的方面发展。卡诺瓦游览那不勒斯以及赫库兰尼姆、庞贝、帕埃斯图姆等地考古遗迹。一度回威尼斯,但于1781年再次去罗马,余生大部分时间在那里度过。他成为罗马城艺术界一位十分活跃和很有影响的人物,始终乐于帮助青年艺术家,给他们寻找资助人。1783年接受一项重要委托任务,为罗马至圣宗座大堂的教皇克雷芒十四世墓作雕刻。当1787年揭幕的时候,观众人山人海。同年,他受委托在圣彼得大教堂制作教皇克雷芒十三世墓,1792年完成,从全局处理来看,与为克雷芒十四世制作的丰碑相比,他对古代古典审美观念的理解已经前进一大步。此后雕刻的陵墓日益增多新古典主义情调,含蓄与奔放并重,风格与同时代英国人J.弗拉克斯曼的作品近似。1798年法国人入侵罗马,迫使卡诺瓦北上。他在维也纳的奥古斯丁教堂雕刻M.克里斯蒂娜的陵墓(1798～1805)。1802年,在教皇的怂恿下,他接受拿破仑的邀请前往巴黎,任宫廷雕刻师,对法国艺术颇有影响。1802年部分时间在巴黎雕刻拿破仑半身像;1806年约瑟夫·波拿巴委托他作拿破仑骑马雕像。约1807年完成他的最著名作品之一《胜利的维纳斯》,表现拿破仑之妹博盖塞斜倚在睡椅上几乎一丝不挂的姿态,把古典女神与当代人像融合到一起。1811年完成两尊巨大的拿破仑雕像(一存米兰布雷拉陈列馆,一存伦敦惠灵顿博物馆),他把"皇帝"刻成古典式的裸体像,尺寸大于真人。在拿破仑时代,他还开始雕刻几件最富有表现力的、精益求精的作品,如《珀尔修斯带着墨杜萨的头》(1801)和《拳师》(1802),二者均存梵蒂冈。1805年任教皇国美术和古物总监。1810年任罗马圣路加学院院长,此后终生任此职。在前往巴黎索还被法军掠走的意大利艺术珍宝之后,1815年前去伦敦对埃尔金大理石雕塑品一事提出自己的意见。由于圆满完成去巴黎的使命,教皇赐给他伊斯基亚侯爵称号。在伦敦时,摄政王(即后来的乔治四世)委托他作真人大小的组雕《维纳斯与马尔斯》。晚年的其他订件有:圣彼得大教堂中的斯图亚特纪念碑(1819)、将拿破仑的骑马雕像改变成功的那不勒斯的查理三世雕像(1819)、乔治·华盛顿纪念碑(1820)。他将华盛顿理想化,穿罗马式服装;这座纪念碑于1821年在北卡罗来纳州首府洛利(Raleigh)建成,1830年毁于火灾。卡诺瓦又是一位画家,作品大多藏于波萨格诺的卡诺瓦石膏雕塑陈列馆。但绘画仅占其作品的一小部分,质量一般很差。其中有几幅肖像画和对在海克拉尼乌姆发现的古画的重新创作。他被安葬于波萨格诺一座由自己设计的、模仿罗马万神庙的神庙中。

在新古典主义的发展史上,卡诺瓦与画家J.-L.大卫具有同等的重要性。回忆录、诗歌和报纸中数不尽的恭维奉承,反映出卡诺瓦在18世纪末至19世纪初居欧洲雕刻界的统治地位,卡诺瓦生前经常见到给他的作品加上"崇高的"、"宏伟的"、"了不起的"等形容词。不过,他作为一位雕刻家的声誉在下一个世纪大大下降。

Cánovas del Castillo, Antonio　卡诺瓦斯·德尔·卡斯蒂略(1828-02-08,西班牙马拉加～1897-08-08,吉普斯夸圣阿格达)　西班牙政治家、首相,曾复辟西班牙波旁王朝,草

美国不列颠百科全书公司供图

拟1876年宪法。他在父亲死后去马德里,投靠其亲戚,作家S.E.卡尔德隆,并得到银行家J.萨拉曼卡的资助。1852年被推荐给L.奥唐奈将军,后来成为奥唐奈将军的政治顾问,1859年为奥唐奈起草《曼萨纳雷斯宣言》。1854年选入议会,1855年出使梵蒂冈。1857年从意大利回国。1864年任内政大臣,1865年任殖民地事务大臣。伊莎贝拉二世于1868年9月29日被废黜后,他成为阿方索派的领袖,准备迎接阿方索十二世回国。1874年12月29日由M.坎波斯将军在萨贡托拥立阿方索为王以后,他与自由党领袖P.M.萨加斯塔轮流担任首相。1885年阿方索十二世死后,他与萨加斯塔、坎波斯将军订立所谓《帕尔多协议》,议定先将权力和平移交给女王玛丽亚·克里斯蒂娜,以待日后阿方索十三世即位,他个人则辞去首相职务。卡诺瓦斯执政时期,努力恢复社会秩序和实现国家统一,但他没有满足工人阶级的要求。在古巴问题上,他采取战争政策,使局势日益恶化。1897年他被意大利无政府主义者安焦利洛暗杀。他是一位学者,著有《腓力四世时代研究》、《西班牙衰落史》和《奥地利王朝在西班牙的领地》等。

Canrobert(town, Algeria)　**康罗贝尔**　参阅 **Oum el-Bouaghi 乌姆布瓦吉**。

Canrobert, (François-) Certain　康罗贝尔(1809-06-27,法国圣塞雷～1895-01-28,巴黎)　法国军人和政治家,拿破仑三世的支持者。出身于军官世家,曾在圣西尔军校攻读。他被派往西班牙边境后,要求调到阿尔及利亚,在那里服役(1835～1851)功勋卓著。他升迁很快,并因随朱阿夫团在查扎获胜(1847)及攻占君士坦丁而闻名。1849年荣获荣誉军团勋章。1851年2月返回巴黎,同年12月2日在波拿巴政变中起关键性作用。拿破仑三世为报答他,任命他为师长和自己的侍从副官。1854年9月,在克里米亚战争中,康罗贝尔任法军总司令。由于时常与英军指挥官拉格伦勋爵意见不一,请求召回本国。1856年封法国元帅。在第二帝国时期,他仍然是主要军事人物。他在意大利战役(1859～1860)中战绩卓著,在索尔费里诺和马真塔作战中表现尤为突出。在普法战争(1870～1871)中,他在圣普里瓦英勇作战,但于梅斯被俘。1871年3月回到法国,在最高军事委员会工作。1876年起当选为参议员数年,带头主张复辟帝制。

Canso, Strait of　坎索海峡　又作Canso Gut。在加拿大新斯科舍半岛与布雷顿角岛之间,自大西洋一小海湾切达巴克托湾至圣乔治斯湾和诺森伯兰海峡,长约27千米,平均宽3千米,深逾60米。坎索堤道(2 100米)自1955年起建铁路及横贯加拿大的公路,把布雷顿角岛与大陆相连。海峡中设有船闸,多数远洋海轮可通过。沿岸主要城镇有霍克斯伯里港和马尔格雷夫。canso来源于印第安语kamsok,意为"悬崖边","悬崖"指切达巴克托湾南岸的峭壁。

Cantabri　坎塔布里人　古代伊比利亚部落,杂有显明的凯尔特民族成分。公元前200年以前,他们与罗马人长期作战,后被征服。其发祥地位于西班牙北部沿岸的坎塔布连山中间。他们是半岛上最强悍的民族,公元前19年臣服于罗马。坎塔布里人原分为9个不同氏族,在罗马人统治下重组为7个。

Cantabria　坎塔夫里亚　西班牙的自治区(1981-12-30建立)和历史地区,与西班牙北部

坎塔夫里亚省范围相同，前名桑坦德省。坎塔布里人是与凯尔特族有密切血缘关系的伊比利亚部落，公元前19年以前，在该地区居统治地位。该区北临比斯开湾，沿海地带丘陵起伏，地势逐渐升高到坎塔布连山脉。几乎1/2土地位于海拔600米以上，只有1/4土地位于200米以下。西部毗邻阿斯图里亚斯地区的奥维耶多省。西南部有贝萨亚河、帕斯河谷地与帕伦西亚省相连。其东南部与布尔戈斯省相接。属海洋性气候。年降水量很高（超过1 000毫米）并且有规律，向埃布罗河流域递减。人口大量集中在沿海地带。1/3以上人口居住在桑坦德市内。农村人口分散，多居住在孤立的庄园或小村庄中。劳动力均匀地分布在农业、工业、服务业中。农业产值在区生产总值中只占很小部分。农业以畜牧业为主。采矿业为主要工业，境内有铅、锌和硫化物等矿藏。是西班牙锌和硫化物主要产区。还开采铁和石墨。托雷拉韦加为坎塔夫里亚主要工业中心，生产化工产品和合成纤维。雷诺萨和桑坦德为冶金中心，桑坦德亦为商业及商业金融中心。拉雷多和乌迪亚莱斯堡为旅游中心。男子传统服饰有巴斯克人的贝雷帽。农庄由石块砌成，和巴斯克式不同之处在于房顶为四边形且阳台更开阔。该区地名主要是以拉丁系语言命名，但很多地名混合有凯尔特语。人口约523 633（1991）。

Cantabria　坎塔夫里亚　旧称桑坦德（Santander）。西班牙北部坎塔夫里亚自治区一省，在比斯开湾之滨。因地区内高原的高度向南逐渐增加，俗称拉蒙塔尼亚（意为大山）。面积5 289平方千米。主要城镇有省会桑坦德、工业和采矿（铁、锌和铅）中心托雷拉韦加、炼钢中心雷诺萨、渔港桑托尼亚、拉雷多和乌迪亚莱斯堡。人口约523 633（1991）。

Cantabrian Mountains　坎塔布连山　西班牙北部沿海岸的一组山脉。始于桑坦德省的托雷拉韦加，穿过阿斯图里亚斯，止于加利西亚，绵延300千米。其南北因分别为中央高地和坎塔布连沿海地区，界线明显。东部有耸立的欧罗巴峰（2 648米）和拉夫拉峰（2 006米）。山脉主脊宽度不超过100千米，海拔为1 500～2 000米。别哈、普列塔和埃斯皮圭特等主峰高逾2 500米。在纳尔塞阿河谷以西，拉尼亚多伊罗山一改其东西向，转为南北向，包括西北部的安卡雷斯山和考雷尔山以及围绕埃尔别尔索盆地的希斯特莱奥山和莱昂山。山区景色优美，有森林覆盖。其中帕哈雷斯山口（1 379米）有奥维耶多—莱昂铁路穿过。有铁、煤矿藏和水电资源。此山之险甚于比利牛斯山。

Cantal　康塔勒　法国中南部奥弗涅大区省份。在古奥弗涅省的较高南部地区。面积5 726平方千米。其高原地区向东延伸至中央高原。中部有康塔勒火山体，最高绝壁达1 858米。主要河流有阿列、多尔多涅和特吕耶尔河，河流穿切火成岩并在谷端形成山口。河流有水电之利。气候冬季潮湿寒冷，降雪较早并持续到春天。高原地区盛行畜牧业。

法国康塔勒省内自塞雷谷至阿拉尼翁谷的利奥兰山口

美国不列颠百科全书公司供图

低地种植饲料和马铃薯。西北角靠近博尔莱索格之处开采铀矿。境内多温泉，其中如绍德-艾格温泉已发展成为矿泉疗养地。一些温泉地增设了冬季运动设施。省下设3个专区：欧里亚克（省会）、莫里亚克和圣弗卢尔。康塔勒教育属克莱蒙费朗学区，其上诉法院在里永，两地均在邻近多姆山省内。人口约158 195（1991）。

cantala（*Agave cantala*）　**坎塔拉剑麻**　龙舌兰科植物，叶片中可提取纤维。1783年在菲律宾栽培，19世纪头10年之初印度尼西亚和印度开始种植。坎塔拉剑麻是热带植物，叶片带有缘刺，呈披针形，从主茎上密集丛生。经机械剥制或沤制，从叶片中制取纤维。在菲律宾常采用海水沤制，制成的纤维强度较低，且易使纤维污染。纤维束为白色，长75～150厘米，纤维丝很细，能吸湿。用途与西沙尔和赫纳昆剑麻相同，制造粗麻线，质地较柔软，易于弯曲。产地也用之织布。主要栽培于印度次大陆、印度尼西亚及菲律宾。

Cantar　歌　在西班牙文学中，原指一首歌的歌词。后用以指若干不同的诗歌形式。现代特用来指一种八音节的四行诗，半谐音出现在偶数诗行，奇数诗行不押韵，重音落在最后一个音节。《武功歌》是一首中世纪的叙事史诗，与法国的《武功歌》相似。《熙德之歌》是最著名的例子。

Cantar de Mio Cid　《熙德之歌》　西班牙语又称 Poema de Mio Cid，即《我的熙德诗》。12世纪中叶西班牙史诗，为西班牙文学现存最古老的作品，被公认为中世纪伟大史诗之一，西班牙文学中的杰作。此诗原稿已佚失，现存最早的抄本是1307年间的。诗中叙述人称熙德的11世纪卡斯蒂利亚贵族及军事领袖R.D.德·比瓦尔（1043～1099）失宠于国王，最后获得谅解的故事。熙德从此成为西班牙的民族英雄。此诗以现实主义的情调逼真地描写历史背景和地理细节，以及具有丰富想象的诗歌艺术为特点，启发了群众的想象力，因而不断地在史诗、纪事、民谣和戏剧中出现。

cantata　康塔塔　源自意大利语cantare，意为"唱歌"。原指声乐曲，与乐器演奏的奏鸣曲区别。现泛指由人声与乐器表演的任何乐曲。这一术语最早出现于意大利作曲家A.格兰迪的《独唱康塔塔与咏叹调》一书（1620～1629年出版）。在较早时期的分节咏叹调以及蒙特威尔地的后期牧歌中，可见到康塔塔的前身。格兰迪以后的早期康塔塔均系意大利作曲家所作，多为世俗风格（即室内康塔塔），但也有宗教风格（即教堂康塔塔），全部用意大利语。两种风格的特性各不相同，但后来都吸取了当代歌剧中宣叙调-咏叹调相结合的特征。L.罗西、P.A.卡斯蒂，特别是G.卡里西米均为17世纪著名康塔塔作曲家。第二代康塔塔作家将这一形式标准化为一串宣叙调与返始咏叹调，由1个或偶尔2个人演唱。A.斯特拉代拉和G.莱格伦齐等作曲家及其弟子使康塔塔成为在罗马宫廷和欧洲各地贵族中经常上演的音乐节目。A.斯卡拉蒂是最后一批意大利康塔塔作曲家中的主要人物。他的一名德国学生J.哈塞将室内康塔塔传到了德累斯顿。其他一些作曲家，如G.F.韩德尔，曾按照意大利风格写作康塔塔。18世纪初的法国音乐也如此，但使用法语，德国康塔塔则使用德语，并失去其与贵族相联系的含意。康塔塔一词通过J.S.巴赫的作品而被人知晓。自1714年起，巴赫在教堂作品中采用了返始咏叹调的曲式，并且在他的莱比锡时期早期（1723～1725）发展了所谓"众赞歌康塔塔"。世俗康塔塔自巴赫时代起也属常见的作品，例如他的《咖啡康塔塔》和《农民康塔塔》。维也纳作曲大师们也写康塔塔，通常是为特殊事件而作，例如莫扎特的《共济会的欢乐》。但此形式逐渐衰退。约从1800年起，康塔塔一词含意扩大，可用来泛指由独唱或几人合唱、合唱队与管弦乐队合作的任何大型作品，例如贝多芬的《光荣瞬间》。门德尔松甚至把康塔塔与交响曲相结合，作有所谓康塔塔交响曲《颂赞歌》（1840）。20世纪英国作曲家B.布里顿的《春天交响曲》（1949）实际上是一部康塔塔。20世纪，作曲家由于对古老形式的爱好，也创作康塔塔，布里顿是其中一人。

cante jondo　洪多歌曲　jondo为安达卢西亚西班牙语，意为"深切的歌"、"壮丽的歌"。西班牙吉普赛歌曲，"弗拉明科"中最严肃而深切感人的一种。它发展了一种与众不同的旋律风格。最主要的特点是：音域窄，多有宣叙调（一种带有音调的讲话）式的单音反复，戏剧性地运用华丽的旋律装饰音，带有东方人喜爱的微分音程（小于半音的音程）以及一种无法记录的巧妙而复杂的节奏。参阅 **flamenco**。

Canteloube（de Malaret），（Marie-）Joseph　康特吕伯（1879-10-21，法国阿诺奈～1957-11-04，巴黎）　法国作曲家、钢琴家、民歌采集者。作品以描写其故里风光者为最著。1901年起师从丹第。在其影响下走遍法国收集民歌，将其中许多改写成带乐器伴奏的声乐曲，并予发表。其中有人声配管弦乐演奏的《奥佛涅歌曲》（1923～1930）受到最广泛的赞扬。其民歌配曲虽受欢迎，但本人创作反湮没无闻。还曾编辑《法国流行歌曲选集》一书（1939～1944）。

Cantelupe, Saint Thomas de 坎特卢普的圣多马（约1218，英格兰白金汉郡汉布尔登～1282-08-25，教皇国奥尔维耶托附近蒙特菲亚斯科内） 改革家、教育家、英格兰教会

美国不列颠百科全书公司供图

高级教士、主教，他捍卫主教的管辖权，在诸侯战争中发挥重要作用。多马曾在奥尔良大学和巴黎大学学习，后来在巴黎大学和牛津大学教授教会法，1262年任牛津大学校长。1264年莱斯特伯爵孟福尔在诸侯战争中获胜，1265年曾一度任命多马为英格兰首相。次年孟福尔死去，诸侯派瓦解，多马被撤职，返回巴黎（1265～1272）。1273～1274年重任牛津大学校长。1275年任赫里福德主教，进行整顿，并任英格兰国王爱德华一世的顾问。1279年佩卡姆任坎特伯雷大主教，多马与他在权力问题上发生争执，1282年被他处以绝罚。多马前往意大利向教皇马丁四世申诉，但未待审理即死去。

Cantemir, Antioch Dmitrievich（Russian poet and statesman） 参阅 **Kantemir, Antiokh Dmitriyevich** 康捷米尔。

Cantemir, Dimitrie 参阅 **Kantemir, Dmitry**（Konstantinovich）康捷米尔。

canter 慢跑步 马术中三个蹄音的自然步法。表演这种步法时，马的一条前腿和两条后腿几乎同时先向前摆动，接着另一条前腿也向前摆动，这时4条腿全部离地，马处于完全悬空的状态。慢跑步基本上是一种缓慢的自然步法，平均速度为每小时5～9英里，常见于马术表演和一般乘骑。据说这种步法来源于“坎特伯雷跑步”（Canterbury gallop），即僧侣们在骑马前往坎特伯雷途中所定下来的步速。引申的慢跑步允许马前颈前伸，马的重心放在马体前部。这种步法可以从自由慢跑变化到快跑，马身悬空时间都很短暂。慢步则见于盛装舞步或3种步法表演中，其特点是马首和马颈抬得较高，悬空点更明显。在慢跑起步中，马的两条右腿或两条左腿同时移动。

Canterbury 坎特伯雷 英格兰肯特郡的区和城市，面积311平方千米。该地在罗马时期以前已有人居住，原在斯陶尔河河口。斯陶尔河注入将萨尼特岛与陆地分隔开的旺特沙姆海峡。克劳狄一世入侵英格兰后，于公元43年建此名为杜罗佛努姆坎特科鲁姆镇的罗马城；伦敦在该城西北89千米，多佛在其东南26千米，其间有卡辛格大道即后来的华特灵大道相通。200年前后所建罗马城墙，中世纪时曾经加高，至今犹存有其中一部分。6个城门中仅西门保留下来。

6世纪末，坎特伯雷为肯特国王艾特尔伯赫特一世的都城。艾特尔伯赫特一世娶法兰克国王卡里贝尔特之女伯莎为妻。伯莎信奉基督教，可能影响艾特尔伯赫特，使之同意坎特伯雷的圣奥古斯丁来此传道。圣奥古斯丁于597年到达萨尼特岛并建造一座隐修院。他在阿尔勒受任英格兰大主教神职之后，又返回坎特伯雷，并建成天主教大教堂。此教堂至今仍是英格兰最重要的处理教会事务的中心。坎特伯雷的重要性日见增长，但亦遭到丹麦人劫掠，1011年受到的蹂躏尤为惨重。1170年大主教贝克特在大教堂中被杀害，1174年亨利二世曾在此教堂忏悔；在此之后，贝克特的圣堂便成为无数教徒朝圣之所。城内众多客栈饭店的主要活动是为这些朝圣者提供食宿。乔叟所著《坎特伯雷故事集》中对这些朝圣者有生动描述。坎特伯雷设市政府应不迟于14世纪；1461年设为郡，有郡长一人。在16世纪的宗教改革运动中，许多隐修院被解散，对贝克特的崇拜遭压制，该城衰落。后来从欧洲大陆到此避难的大批新教徒（多是纺织工）使城市恢复生机。

现代的坎特伯雷是一座商镇和地区服务中心。有若干轻工业；旅游业很发达；有许多教育机构，如肯特大学（1965）。第二次世界大战期间，该城遭到轰炸，破坏严重，但天主教大教堂安然无恙，购物区已作大规模重建。大教堂曾经过多次重建：第一次在1070～1089年，14世纪中作过修建，其后建造现在的中殿和塔楼时，又作过改建。16世纪末

坎特伯雷的大教堂

美国不列颠百科全书公司供图

期，教堂巨大的地下室给来此避难的胡格诺派教徒作教堂用，现每周做礼拜时仍用法语。穿过基督教堂大门可到达隐修院的遗址。诺曼台阶通往国王学校大厅；该校建于中世纪早期，1541年经亨利八世重建。坎特伯雷的其他中世纪宗教性建筑物将该城装点得更为古雅，其中有22座教区教堂中的尚存者以及城墙外的诺曼隐修院大教堂（圣奥古斯丁的）。大教堂的大门约建于1300年，可通到一所神学院。人口：城市39 734（1998）；区约139 300（1998）。

Canterbury 坎特伯雷 新西兰南岛中东部地方政府区，位于坎特伯雷平原北部。东濒太平洋，从班克斯半岛和克赖斯特彻奇城向北延伸至怀奥河附近。坎特伯雷面积为17 465平方千米，南阿尔卑斯山东坡部分地区包括在内。这一饲养绵羊和种植谷物地区中的主要河流有拉凯阿河和怀马卡里里河。在19世纪50年代初期最早有人定居的克赖斯特彻奇城已成为南岛的最大城市。人口约442 392（1991）。

Canterbury, archbishop of 坎特伯雷大主教 在英国圣公会体制中坎特伯雷大主教是全英格兰的首主教和坎特伯雷教省（辖柴郡与约克郡以南的英格兰地区）大主教。坎特伯雷大主教除在当地有官邸外，在伦敦的兰贝斯宫设办公处。虽然安立甘宗各教会没有公认的首脑，但是坎特伯雷大主教是公认的高级主教。安立甘宗各主教（会督）每十年在兰贝斯宫举行大会，届时由坎特伯雷大主教任召集人和主席。

附表：坎特伯雷大主教，见412页。

Canterbury and York, Convocations of 坎特伯雷会议及约克会议 英国基督教圣公会坎特伯雷、约克两教省教牧人员会议。每年举行2～3次，自19世纪中叶以来主要讨论教会法的改革。15世纪以后两会各分为两院：上院由两教省大主教和各主教区主教组成；下院由较低级教牧人员选派代表组成。会议由大主教遵照国王敕令召开。国王如要对会议有所咨询，随时可向会议发出公函。1969年宗教会议管理法付诸实施，这两个会议的大部分权力，包括教会法规定下的立法权，转归由主教院、教牧人员院和平信徒院成员组成的大会。这两个会议仍定期召开，但仅具形式。

Canterbury Plains 坎特伯雷平原 新西兰南岛中东部低地。长240千米，宽70千米。濒太平洋。主要河流有朗伊塔塔河、拉凯阿河和怀马卡里里河。气候夏季炎热。一般湿度低。全年降雨均不足750毫米。19世纪50年代引进美利奴绵羊和精耕农业后，开始组织居民点。适宜发展机械化农业，种植谷物、饲料作物和饲养羔羊。克赖斯特彻奇为该地区重要城市和主要出口港。

Canth, Minna 康特（1844-03-19，俄属芬兰坦佩雷～1897-05-12，库奥皮奥） 芬兰女小说家、剧作家，19世纪后期复兴芬兰本国语和现实主义运动的领袖人物之一。1863年入新成立的于韦斯屈莱师范学院。在早期短篇小说《凯尔托穆斯克西亚的故事》（1878）中，她多少受到挪威作家比昂松对乡村生活所作的理想主义描绘的影响；但在后来的小说和

戏剧中，她转而以现实主义手法描写城市社会问题，如鼓吹妇女解放的剧本《工人的妻子》(1885)，该剧和剧本《瑟尔薇》(1893)一样，显示出易卜生的影响。她最好的作品有短篇

美国不列颠百科全书公司供图

小说《女贩洛波》(1889)和戏剧《安娜-丽莎》(1895)等。《安娜-丽莎》受到托尔斯泰的影响。作为剧作家，她的地位长期以来仅次于芬兰戏剧之父基维。

canticle　赞美歌　几种基督教仪式中使用的《圣经》赞歌经文，与《圣经》中《诗篇》赞歌内容与形式很相似，但又不在《诗篇》之中。《旧约》中至少有十几首这样的赞美歌，其中几首还被犹太教圣殿和会堂的宗教仪式中使用过。也有许多出自《新约》的赞美歌，其中3首用于天主教的每日宗教仪式中，即《以色列颂》、《尊主颂》和《西面颂》。在圣公会祈祷书中，这一词仅用以称呼《祝福文》，但习惯上用其称呼所有每日晨祷与晚祷的赞歌。其他一些并不出自《圣经》的词也一般被认为是赞美歌，其中有：《主祷文》、《使徒信经》和《赞美颂》。

cantiga　坎蒂加　13世纪西班牙的一种单声部或齐唱歌曲体裁，常用来颂赞圣母马利亚。最著名的曲集是13世纪下半叶汇编的《圣马利亚的坎蒂加》，以3卷手抄本分别藏于马德里西北部的埃尔埃斯科里亚尔图书馆、马德里国家图书馆和佛罗伦萨中央国家图书馆。该曲集共收有400余首歌曲的词和曲，用加利西亚方言写成。大部分歌曲都用**双韵短诗**(**virelai**)诗体(见于中世纪法国诗篇和音乐作品)，显然与当时法国游吟诗人(普罗旺斯的诗人音乐家)歌曲有密切关系。

cantilena　坎蒂莱纳　在中世纪末和文艺复兴初期的音乐中，用来称呼15世纪中为人所知的某些声乐作品体裁，也指15世纪普遍用于世俗和宗教作品中的一种音乐织体。坎蒂莱纳(或叙事曲)风格的特点是最高一层的歌唱线条占统治地位，其下用两个比较简单的器乐声部支持。它可以是主调(或和弦伴奏式)音乐，也可以是复调音乐。佛兰德斯音乐理论家廷克托里斯(1436～1511)说，坎蒂莱纳是通常以爱情为主题的小型曲式之一，但任何题材都适用。法国作曲家G.马肖(约1300～1377)和勃艮第的G.迪费(约1400～1474)是写作这种风格作品的最重要作曲家，因此在15世纪初这主要是一个法文术语，虽然它很快就在意大利的乐曲中露面。

坎 特 伯 雷 大 主 教

奥古斯丁（Augustine，又名奥斯汀[Austin]）	597～604	斯特拉特福（John Stratford）	1333～1348
劳伦蒂乌斯（Laurentius，又名劳伦斯[Lawrence]）	604～619	布雷德沃丁（Thomas Bradwardine）	1348～1349
梅利特斯（Mellitus）	619～624	伊斯利普（Simon Islip）	1349～1366
尤斯图斯（Justus）	624～627	兰厄姆（Simon Langham）	1366～1368
洪诺留（Honorius）	627～653	惠特尔西（William Whittlesey）	1368～1374
狄乌迪弟（Deusdedit）	655～664	萨德伯里（Simon Sudbury）	1375～1381
狄奥多尔（Theodore[Theodorus]）	668～690	科尔特尼（William Courtenay）	1381～1396
伯尔特瓦尔德（Berhtwald[Beorhtweald]）	693～731	阿伦德尔（Thomas Arundel）	1396～1397
塔特温（Tatwine）	731～734	沃尔登（Roger Walden）	1397～1399
诺瑟姆（Nothelm）	735～739	阿伦德尔（Thomas Arundel 复位）	1399～1414
库思伯特（Cuthbert[Cuthbeorht]）	740～760	奇切利（Henry Chichele）	1414～1443
布雷戈温（Bregowine[Breguwine]）	761～764	斯塔福德（John Stafford）	1443～1452
杰恩伯尔特（Jaenberht[Jaenbeorht]）	765～792	肯普（John Kempe）	1452～1454
艾特尔赫尔德（Aethelheard）	793～805	布尔格奇尔（Thomas Bourgchier）	1454～1486
伍尔夫雷德（Wulfred）	805～832	莫顿（John Morton）	1486～1500
费奥洛吉尔德（Feologild）	832	迪恩（Henry Deane）	1501～1503
塞奥尔诺斯（Ceolnoth）	833～870	渥兰（William Warham）	1504～1532
艾特尔雷德（Aethelred）	870～889	克兰麦（Thomas Cranmer）	1533～1556
普莱格芒德（Plegmund）	890～914	波尔（Reginald Pole）	1556～1558
艾特尔海姆（Aethelhelm）	914～923	派克（Matthew Parker）	1559～1575
伍尔夫海姆（Wulfhelm）	923～942	格林达尔（Edmund Grindal）	1575～1583
奥达（Oda）	942～958	惠特吉夫特（John Whitgift）	1583～1604
艾尔夫希吉（Aelfsige）	959	班克罗夫特（Richard Bancroft）	1604～1610
贝奥尔特海姆（Beorhthelm）	959	艾博特（George Abbot）	1611～1633
邓斯坦（Dunstan）	960～988	劳德（William Laud）	1633～1645
艾特尔加尔（Aethelgar）	988～990	贾克森（William Juxon）	1660～1663
塞里奥（Sigeric Serio）	990～994	谢尔登（Gilbert Sheldon）	1663～1677
埃尔弗里克（Aelfric）	995～1005	桑克罗夫特（William Sancroft）	1677～1690
艾尔夫赫亚克（Aelfheah）	1005～1012	蒂洛森（John Tillotson）	1691～1694
里菲因（Lyfing）	1013～1020	坦尼森（Thomas Tenison）	1694～1715
艾特尔诺斯（Aethelnoth）	1020～1038	韦克（William Wake）	1715～1737
伊德希吉（Eadsige）	1038～1050	波特（John Potter）	1737～1747
罗伯特（朱梅热的）（Robert of Jumièges）	1051～1052	赫林（Thomas Herring）	1747～1757
斯蒂甘德（Stigand）	1052～1070	赫顿（Matthew Hutton）	1757～1758
兰弗朗克（Lanfranc）	1070～1089	塞克（Thomas Secker）	1758～1768
安塞姆（Anselm）	1093～1109	康华里（Frederick Cornwallis）	1768～1783
拉尔夫·戴斯居雷斯（Ralph d' Escures）	1114～1122	摩尔（John Moore）	1783～1805
科尔贝（William of Corbeil）	1123～1136	萨顿（Charles Manners Sutton）	1805～1828
西奥博尔德（Theobald）	1138～1161	豪利（William Howley）	1828～1848
贝克特（Thomas Becket）	1162～1170	萨姆奈（John Bird Sumner）	1848～1862
理查（多佛的）（Richard of Dover）	1174～1184	朗利（Charles Thomas Longley）	1862～1868
鲍尔温（Baldwin）	1184～1190	泰特（Archibald Campbell Tait）	1868～1882
沃尔特（Hubert Walter）	1193～1205	本森（Edward White Benson）	1883～1896
兰敦（Stephen Langton）	1206～1228	坦普尔（Frederick Temple）	1896～1902
大理查（Richard le Grant）	1229～1231	戴维森（Randall Thomas Davidson）	1903～1928
里奇（Edmund Rich）	1233～1240	兰（Cosmo Gordon Lang，1942年起封兰贝斯的兰男爵[Baron Lang of Lambeth]）	1928～1942
卜尼法斯（萨伏依的）（Boniface of Savoy）	1241～1270	坦普尔（William Temple）	1942～1944
基尔沃比（Robert Kilwardby）	1272～1278	费希尔（Geoffrey Francis Fisher，1961年起封兰贝斯的费希尔男爵[Baron Fisher of Lambeth]）	1945～1961
佩切姆（John Pecham）	1279～1292	拉姆齐（Arthur Michael Ramsey）	1961～1974
温切尔西（Robert Winchelsey）	1293～1313	科根（Frederick Donald Coggan）	1974～1980
雷诺兹（Walter Reynolds）	1313～1327	朗西（Robert Alexander Kennedy Runcie）	1980～1991
梅费姆（Simon Mepham）	1327～1333	凯里（George Carey）	1991～2002
		罗恩（Rowan Williams）	2003～

cantilever　悬臂梁　又称悬臂。一端被支承而重量荷载在另一端或分布在无支承部分的梁。这种梁的上半部受到拉力，下半部受到压力。在房屋构造和机械中广泛应用悬臂梁。在建筑中，一端嵌入墙内而另一端挑出的任何梁都是悬臂梁。建筑中当下面空间不能有障碍时，常用较长的悬臂梁，用以支承上面的眺台、屋顶、雨篷、天车滑道或部分房屋。

桥梁工程中,在大跨度上常使用悬臂结构,如苏格兰的福斯桥,由三段悬臂梁及两段架在它们中间的联系梁组成。当起重机的工作范围较大时,例如在钢材堆料场或造船厂的船台上都须用悬臂。较轻型的起重机有一个移动的中心塔支承着两边的悬臂,造船厂中用的大型锤头式起重机有一个固定塔和旋转枢轴,以便使悬臂可以转动一周。

cantillation　唱经　在音乐中,指以吟咏声调在礼拜仪式中朗诵《圣经》经文。朗诵时,原设计用以表示经文重音、标点和着重点的符号仍起指导作用。这些符号称为"仿语音"符号,出现在7～9世纪犹太教和基督教(叙利亚、拜占廷、亚美尼亚和科普特)的手抄本中。它们最初是为使经文朗读清晰明了而采用,后来显然仅作为帮助记忆之用,即帮助歌手记起不同的旋律公式。因此这些符号如何加以音乐的诠释,完全取决于歌手对口授言传的旋律公式传统的了解。现今唱经几乎只用于犹太教礼拜仪式。无论就所用旋律调式,还是从附属于各个符号的旋律公式而言,这些符号的诠释在犹太教礼拜仪式音乐的三大传统(东方裔、西班牙裔、德裔)中大相径庭,但是在一些重要方面的少数相似之处说明它们是同源的。在伊斯兰教宗教仪式中,朗读《古兰经》和宣礼员呼唤信徒做祷告时都有唱经形式,但两者均不作为音乐看待,因为音乐本身在礼拜仪式中是禁止使用的。呼唤做祷告原先只是简单的吟咏,今天却往往极其华丽,其旋律因地区而异。

Cantillon, Richard　坎特龙(17世纪后期,爱尔兰凯里郡巴利海吉～1734-05-14,伦敦)　爱尔兰经济学家和金融家,曾撰写现代经济学的最早著作之一。坎特龙祖籍诺曼底,是与詹姆斯党有联系的爱尔兰人,多年住在法国。他接管一位同名叔父在巴黎的破产银行业务,从约翰·劳的密西西比规划(一个殖民地开发项目,未能取得投机商们哄抬所预期的利润)的破产中发了财。他在包括阿姆斯特丹在内的一些金融中心从事金融业务,规模巨大。坎特龙被他所开除的一个厨子暗杀,后者掠夺其财物,并将住宅付之一炬。他完全因一本在火劫中幸存的著作《一般商业之性质》而扬名。此书大约写于1730～1734年,1755年由米拉波侯爵刊行。书中对人口问题的探讨影响了米拉波和A.斯密,通过后者又影响了T.R.马尔萨斯。斯密使用了书中的相对工资理论。重农学派著名的《经济表》可能就是受此书的启发而写出的。书中对货币理论的探讨具有创新的重要意义。这本著作还包括坎特龙关于工资、物价和利息的理论,货币流通的运作,贵金属在国际经济中的作用,以及其他一些课题。

Cantinflas　坎廷弗拉斯(1911-08-12,墨西哥城～1993-04-20,墨西哥城)　原名马里奥·莫莱诺。拉丁美洲电影史上最受欢迎的表演家,生于墨西哥。国际知名的丑角、杂技演员、音乐家、斗牛士和讽刺家。他塑造的喜剧人物是一个墨西哥贫民区的穷汉,裤子用绳子系着,戴一顶用旧了的扁毡帽,脖颈上扎着一条围巾,身穿一件破旧的外套。他离开学校后就加入一个旅行的帐篷演出队,任舞蹈演员,很快成为一个喜剧讽刺家和哑剧艺术家。曾参加广告电影短片的演出。他演的第一部故事片是《这就是关键所在!》(1941)。《无血无沙》(1941)是一部对斗牛的讽刺片,这部墨西哥电影在整个西班牙语国家里打破了卖座纪录。到50年代,他已成为一个具有国际成就的表演家,被介绍给英语观众,在《80天环游地球》(1956)中扮演P.福格的男仆——万能钥匙。他的下一部好莱坞片《佩佩》卖座不佳。后回到墨西哥,继续作为拉丁美洲无可争辩的喜剧之王而称雄剧坛。

canto　诗章　史诗或其他长篇叙事诗的主要划分单位。它本是一个意大利词,源自拉丁文的 *cantus*(歌)。最初可能指叙事诗中可以由行吟诗人在一次表演中唱完的那一部分。虽然早期口头相传的史诗,如荷马的作品,都划分为彼此不相联系的段落,但该词却是由意大利诗人但丁、博亚尔多和阿里奥斯托最早用来表述这种段落的。第一首用它来划分章节的英国长诗是斯宾塞的《仙后》(1590～1609)。拜伦的长诗《恰尔德·哈罗尔德游记》(1812)和《唐璜》(1819～1824)也是用这种诗章来划分的。

Canton　参阅 **Guangzhou** 广州。

Canton　广州　美国伊利诺伊州中西部富尔顿县城市。地处伊利诺伊河流域。1825年始建。1849年设建制。后为中西部最大农具制造中心之一。现经济亦赖采煤业和农业。城西有威马图克游乐区,占地1 300公顷。设斯庞河初级学院(1959)。人们认为该城是中国广州的对跖点,故名。人口15 288(2000)。

Canton　广州　美国马萨诸塞州东部诺福克县城镇。在波士顿以南23千米。临尼庞西特河。1650年始建。1797年设建制。因被认为是中国广州的对跖点而得名。为早期工业中心,有火药、轧铜和铜器厂。现主要为住宅区。服务业提供大量就业机会,轻型制造业亦占重要地位。设有马萨诸塞残疾儿童医院及学校。面积52平方千米。人口20 775(2000)。

Canton　广州　美国密西西比州中部麦迪逊县城市。位于珀尔河和大布莱克河之间的浅分水岭处。1834年建为县府所在地。棉花为经济主要支柱,另有牲畜、家禽、山核桃、木料产品和纺织品。密西西比石化林、纳奇兹古道风景区以及罗斯-巴尼特水库都在附近。每年7月举办密西西比热气球冠军节。1836年建镇,1911年建市。人口12 911(2000)。

Canton　广州　美国俄亥俄州东北部城市,斯塔克县县城(1808),位于克利夫兰东南偏南97千米。为都会区(包括北广州、东广州及马西隆等城市)的中心。始建于1805年。名称可能源于创立者B.韦尔斯为纪念其友人在巴尔的摩的"广州"庄园。1834年建镇;1854年设市。从制造犁、收割机和农业机械开始,发展为重要的工业中心。工业产品多种多样,包括电子探测器、合金钢、锥形滚柱轴承、保险箱和银行保险库、重型钢材锻压机、投票计算机、内燃机、橡胶制品、砖瓦陶瓷等。W.麦金利于1867年在此开办法律事务所,并发起"前廊运动"竞选总统。1901年遭暗杀后,遗体葬于市内韦斯特劳公墓的麦金利纪念堂中。美国职业橄榄球协会于1920年在此成立,1963年建国立职业橄榄球名人馆。市内有马隆学院、州立肯特大学斯塔克分校、沃尔什学院、斯塔克技术学院等高等学府;还有文化艺术中心,广州艺术研究所、演员同业公会、广州交响乐团、市歌剧院及诗歌协会等均设于其内。设在该市的斯塔克县历史中心包括麦金利博物馆科学与工业馆和胡佛-普赖斯天象馆等。人口:市约80 806;广州-马西隆都会统计区406 934(2000)。

广州市的国立职业橄榄球名人馆
美国不列颠百科全书公司供图

Canton　广州　美国南达科他州东南部城市,林肯县县城(1867)。位于艾奥瓦州边界,苏福尔斯东南30千米处,濒临大苏河。1866年建城,初名商业城。当时的移民认为它是中国广州的对跖点,1868年改名广州。为挪威裔居民中心。勒尔法格的长篇小说《地球巨人》(1927)即以此为背景。现以农业经济为主,也有轻工业。1881年设市。人口3 110(2000)。

canton　州　法国、瑞士和其他一些欧洲国家的行政区划单位。在法国,canton为专区以下的单位,是一种地域分划,而不是实在的地方政府单位;它只是为进行选举、收税以及警察设置的便利而作的一种行政划分。区是根据1789年12月22日颁布的一项法令设立的,但区的政府资格却被1799年12月24日颁布的共和8年执政府宪法所剥夺。在瑞士,canton为构成瑞士联邦的23个邦的名称,其中3个——翁特瓦尔登、巴塞尔和阿彭策尔——又各分成2个半州,但半州具有全州同样的职能,所以常称瑞士有26个州。每个州都各有自己的宪法,自己的立法、行政和司法部门。上瓦尔登、下瓦尔登、格拉鲁斯、内罗得阿彭策尔及外罗德阿彭策尔等州都一直保持着古老的民主大会传统，民主大会每年由全体成年男性公民举行一次，解决立法、税收问题，并进行任期一年的行政管理委员会和州最高法院成员的选举。在其余的州里，立法机构由普选选出的代表组成，而且通常采用比例代表制。这些管理委员会处理立法问题以及不保留给联邦政府的一切问题。州管委会确定州的税收，任命法官，以及指派本州出席联邦议会的代表，除非该州宪法要求公开选举。所有的州都具有公民表决权和公民创制权，但这两种权的运用情况，各州有所不同。

Canton, John　坎顿（1718-07-31，英国格洛斯特郡斯特劳德～1772-03-22，伦敦）　英国物理学家和教师。纺织工之子。1737年任伦敦一校长的书记员，1745年以教师身份继校长位，掌管学校直至1772年逝世。1751年因发明制造人造磁铁新法而获科普利奖，并成为皇家学会会员。1752年首先在英国用实验证明B.富兰克林关于闪电即电的假说，后又有若干关于静电感应的重要发现。他也是第一个反驳佛罗伦萨学院关于水不可压缩的断言的人。1768年还发现一种带磷光的物质，即坎顿磷。

Canton Atoll（Kiribati）　参阅 **Kanton Atoll** 坎顿岛。

Canton Delta（China）　**广州平原**　参阅**Zhujiang Sanjiaozhou** 珠江三角洲。

Canton enamel　广彩　中国清代（1644～1911）生产的外销瓷器。色彩鲜艳厚重，质感与清代前期珐琅彩有相似之处。珐琅彩技术源于1470年的法国里摩日。18世纪传入中国，雍正六年（1728）在造办处珐琅内仿炼成功。广彩用景德镇御窑厂烧制的薄胎白瓷，由名画师加绘粉彩，图案多根据外商需要，或依照国外订货的模样绘成，瓷器底部均书写年款。广州是当时外贸口岸，绘画工序多在广州进行，因名广彩。以乾隆时期（1736～1795）制品最著名。

Canton system　广州十三行　17～19世纪中国清政府广州海关特许经营对外贸易的专业商行。1685年清政府开放海禁，分别在广东、福建、浙江和江南设立海关。广东政府决定将国内商税和海关贸易货税分为住税和行税两类，并为此建立相应的两类商行。前者称金丝行，后者称洋货行即十三行（“十三”仅是个虚数）。广州十三行建立有同业商人行会组织称洋行会馆（公行）。1720年由16家洋行组成，垄断外贸。因外商及行外商人反对，次年解散。1760年外洋行商潘振成等9家再请设立获准，成为专办外洋各国商船来广州贸易的组织。有亦官亦商职能。主要任务为：①向外商宣布港口管理、商务及外商居留章程，督促外商遵守。②承包缴纳进出口货物税。③赔垫破产行商所亏公款和所欠私债。④分配行商进出口货交易额，不许外商私自经营。⑤划一市价。⑥每年从所属各行赢余中抽取若干作为向官方的报效，资助乏商以及本身办公费用。1770年又裁撤，仍由行商分行各办。1782年十三行商人重组公行，专揽茶丝及大宗贸易。因鸦片走私贸易的发展，外商实力雄厚，公行地位日趋衰落。1842年中英《南京条约》订立后撤销。

鸦片战争前的广州十三行
中国大百科全书出版社供图

Cantonese language　广东话　参阅 **Yue dialect** 粤方言。

cantor　赞礼员　又拼 chazzan，ḥazan，ḥazzan 或 kantor，又作 chanter。犹太教会和基督教会中主持音乐或圣咏的教会官员。赞礼员主持犹太会堂中的仪礼祷告并领唱圣咏，可能是常年职，也可能仅在岁首节和赎罪日的典礼上起襄助作用。美国许多教会中的赞礼员兼任宗教学校校长。从前犹太教赞礼员的职责范围很广：全面负责照管犹太会堂、宣布安息日的开始和结束、将托拉经卷从壁龛中移开和在礼拜结束后放回原处、访贫问苦、照料病人、关心儿童的宗教教育。他由于在音乐和希伯来文领域的知识，逐渐从一名读经师助手转变为礼拜仪式中的唱诗指导。在中世纪基督教中，赞礼员或乐长是指主持大教堂音乐的官员，其职责为监督唱诗班歌唱（后来这一工作由管风琴师担任），特别是唱诗篇与赞美歌。在应答圣咏（指分成合唱与独唱两部分的圣咏）中，cantor 一词仍指领唱者。此词又指教会音乐院校的校长。在17和18世纪德国新教教会中，cantor 一词指隶属教区长的学校或学院中的唱诗班指挥和管风琴师。J.S.巴赫曾在莱比锡的托马斯学校任此职。

Cantor, Eddie　坎托（1892-01-31，美国纽约州纽约～1964-10-10，加利福尼亚洛杉矶好莱坞）　原名爱德华·伊斯雷尔·伊斯科维茨。美国喜剧演员，歌舞杂耍、滑稽剧、舞台戏剧、广播和电视明星。两岁时成为孤儿，由祖母抚养，在纽约下东区长大。幼年在街头表演小丑和歌唱，以挣零花钱，但这却发展了他的模仿天才。12岁时参加一次夏令营，在那里的表演受到热情称赞。小学辍学后，在一次夜间业余表演比赛中获胜，从而得以扮演黑人歌舞手，开始其歌舞杂耍生涯。他参加了各种剧团的巡回演出。接着参加《百老汇的美丽》（1920）、《直截了当地干》（1922）等百老汇讽刺剧的演出。1923～1926年在《小山羊皮靴》中担任主角。成为百老汇明星后，1931年秋转入广播界，举办《蔡斯与桑伯恩的节目》。作为担任诙谐独白的喜剧演员，他运用其歌舞杂耍表演技巧将表达爱国主义与个人价值同幽默结合起来，获得卓越的效果，受到听众热烈欢迎。该节目数度易名，由全国广播公司和哥伦比亚广播公司向全国广播达18年之久。他还是《坎托杂耍剧场》节目的主持人，这个每集长半小时的电视杂耍节目于1955年供多家电视台同时播出。

Cantor, Georg（Ferdinand Ludwig Philipp）康托尔（1845-03-03，俄国圣彼得堡～1918-01-06，德国哈雷）　德国数学家，创立了集合论——19世纪数学最伟大的成就之一。他通过建立处理数学中的无限的基本技巧而极大地推动了分析与逻辑的发展，凭借古代与中世纪哲学著作中关于无限的思想而导出了关于数的本质的新的思想模式。他的工作还对数学基础教育中新课程的发展有积极的影响。

康托尔出身在俄国圣彼得堡的一个丹麦人家庭，11岁时随家迁居德国法兰克福，1863年进柏林大学，在分析方面深受维尔斯特拉斯的影响。他在1869年成为哈雷大学的讲师，1879年成为教授，并在那里度过他的后半生。他早年研究数论和用三角函数唯一地表示函数等问题，与R.狄德金的通信标志着他的集合论思想的开始。两人都认为集合是一些对象的总体，不管它们是有限还是无限。当运用一一对应去研究集合时，他发现了惊人的结果。1873年他证明有理数是可数的，而全体实数是不可数的。后来出版了著作《集合一般理论的基础》（1883）。由于承认无限是真实存在的，他受到了反对与攻击。L.克罗内克长期攻击他，甚至阻碍了柏林大学对他的聘请。1895～1897年，他提出了超限序数与超限基数的理论，称全体整数的基数为阿列夫零（$\aleph_0$），称后面较大的基数为阿列夫一（$\aleph_1$），阿列夫二（$\aleph_2$），等等。他证明了全体实数的基数大于$\aleph_0$。这就引出了他的著名的连续统假设：在阿列夫零与全体实数的基数之间，不存在任何别的基数。这个问题在20世纪引起了全世界数学家的兴趣，并被许多数学家，其中包括K.哥德尔与P.科恩研究过。到20世纪初，康托尔的工作被完全承认，它成了函数论、分析与拓扑的基础，并且刺激了数理逻辑中直观主义与形式主义学派的进一步发展。

Cantor, Moritz Benedikt　康托尔（1829-08-23，巴登曼海姆～1920-04-10，德国海德堡）　19世纪德国最著名的数学史家。1853年，成为海德堡大学教师。他的第一部重要著作是《数学对人类文化生活的贡献》（1863），后来

美国不列颠百科全书公司供图

又出版了他的名著《数学史讲义》，第一、二卷分别出版于1880、1892年，第三卷1894～1896年间分册出版。由于年迈，第四卷由他主编，九人合写，完成于1908年。这部书记述了从古代到1799年数学的发展，公认为最出色的数学史著作之一。1856～1898年他还写了一批论文。

Cantù 坎图 意大利北部伦巴第区科莫省城镇。位于科莫市的东南面。工业多样化。主要生产家具、花边和金属器皿等。有一所木工手艺学校。保存有几座中世纪教堂。人口：城市区约36 311(1990)。

cantus firmus 固定旋律 构成复调乐曲基础的现成旋律，例如一段素歌选段。11、12世纪的奥加农是在一个现有的素歌旋律（主要声部）之上加一个简单的第二旋律；13世纪的复调经文歌在定旋律声部中给素歌固定旋律以显著地位。文艺复兴时期，弥撒曲和经文歌通常在定旋律声部中突出一个固定旋律（此时定旋律声部已不是最低声部）。不过，固定旋律有时亦以装饰的面貌或经过改写而出现于最高声部。素歌除具有纯音乐内涵外，还有了象征性的意义。当时的作曲家还利用世俗曲调（民歌，或尚松的最高线条）。流行歌曲《武装的人》就曾引发出30余首弥撒曲，其中有迪费（约1525～1594）、若斯坎·德普雷（约1445～1521）和帕莱斯特里纳（约1525～1594）各一首。固定旋律的另一来源是六声音阶 *ut*, *re*, *mi*, *fa*, *sol*, *la*。若斯坎曾将它用为其《海格立斯·迪·费拉拉弥撒曲》的主题。流行歌曲亦为W.伯德（1543～1623）、A.卡贝松（1510～1566）等人的键盘变奏曲提供固定旋律。16世纪德国复调利德作曲家亦采用固定旋律技巧，巴罗克时期的路德派作曲家，包括J.S.巴赫也在为人声与乐器（特别是管风琴）而作的众赞歌配乐中采用这一技巧。20世纪后期很多管风琴家继续根据众赞歌固定旋律即兴演奏。但作为一种作曲手段，固定旋律已基本废弃不用，只是偶尔露面，例如在L.达拉皮科拉（1904～1975）《囚徒之歌》的一个章节中。

Canusium（ancient town, Italy） **卡努西翁** 参阅 **Canosa di Puglia** 卡诺萨迪普利亚。

Canute 克努特 又作Cnut。统治者之名，按国别分列于后，并各以●为标记。

与此字相等之外语

丹麦语 Knut 或 Knud

挪威语 Knut

丹 麦

● **Canute Ⅱ 克努特二世** 参阅 **Canute(Ⅰ)** 克努特（一世）。

● **Canute Ⅲ 克努特三世** 参阅 **Hardecanute** 哈迪克努特。

● **Canute Ⅳ 克努特四世**（约1043～1086-07-10，丹麦欧登塞） 又称圣克努特。丹麦国王（1080～1086）。斯韦恩二世埃斯特里德森之子，继其兄哈罗德·亨为国王。他反对贵族，同教会保持密切联系，试图建立一个强大的中央集权君主政体。在宗教事务方面，他慷慨资助几个教堂，包括丹麦大主教管区隆德大教堂；在欧登塞建立本笃会隐修院；支持丹麦全国的传教事业。在世俗事务方面，他开始进行行政改革，特别是强制征收什一税，从而激怒了农村贵族。1085年他重申丹麦对英格兰的领土要求，并与佛兰德伯爵和挪威国王奥拉夫三世一起准备一支大规模入侵的舰队，使英王征服者威廉一世震惊。但是，他不得不突然放弃自己的计划，因为反对他的税收政策的贵族在他准备启航去英格兰时发动叛乱。他逃至在欧登塞修建的圣阿尔班教堂，在那里与全部王室成员同时遇害。他葬在圣克努特大教堂，1101年被谥为圣徒。

● **Canute Ⅵ 克努特六世**（1163，丹麦～1202-11-12，丹麦） 丹麦国王（1182～1202），在他统治时期，丹麦退出神圣罗马帝国，将其统治沿波罗的海南岸扩展到波美拉尼亚、梅克伦堡、荷尔斯泰因。他是瓦尔德马一世之子。1170年起与父王共同摄政，开始了瓦尔德马王朝的世袭统治。1182年继位后，执行摆脱神圣罗马帝国皇帝红胡子腓特烈一世的政策。1185年取得对波美拉尼亚（在今德国东部和波兰境内）的宗主权。不久又取得斯拉夫人的领土（现在德国境内）和德意志边界地区各邦诸侯的领地，为纪念他的胜利，又加上斯拉夫人国王的称号。1192年以后，克努特的兄弟瓦尔德马执行丹麦对南方的政策，他使丹麦的统治达到整个波罗的海东岸地区，直至奥得河以东。克努特死后无嗣。

英 格 兰

● **Canute（Ⅰ） 克努特（一世）**（？～1035-11-12） 又称克努特大帝。来自丹麦的英格兰国王（1016～1035）、丹麦国王（称克努特二世，1019～1035）和挪威国王（1028～1035），11世纪欧洲政治舞台上受神圣罗马帝国皇帝和教皇尊重的权力人物。出生地点和日期不详。1013年随其父丹麦国王斯韦恩一世入侵英格兰，留在林肯郡盖恩斯伯勒掌管舰队。1013年底斯韦恩一世成为英格兰国王，但翌年2月去世，克努特返回丹麦。1015年他又去英格兰，与埃德蒙二世长期争夺王位。1016年4月他和埃德蒙二世被分别拥立为国王，王国分裂；11月30日埃德蒙死，克努特遂成为全英格兰国王。他用英格兰人的财产犒赏丹麦部下；策划害死埃德蒙之弟埃德威格；杀死或放逐一些英格兰著名人物；把诺森伯里亚和东英吉利分封给北欧海盗首领。但不久他改变外国征服者的作法，到1018年英格兰人已领有韦塞克斯和麦西亚的伯爵领地。他的丹麦部下势力被削弱。1018年他遣散了大部分舰队，制订了《克努特法典》。他是一位讲求效率的统治者，带来国家的安定繁荣。他大力支持和赞助教会，曾游历罗马。他取得英格兰人的支持以抵御外患。1017年与英王艾特尔雷德的遗孀结婚。1019年父亲死

约1016～1020年插图中的克努特大帝像

美国不列颠百科全书公司供图

后，他在英军协助下取得丹麦王位，并巩固了他在斯堪的纳维亚半岛的地位。1027年他远征苏格兰，得到苏格兰3个国王的承认。他死后，两个儿子均缺乏他的品格，1042年英格兰恢复了原来的王朝体系，丹麦则落入斯韦恩二世的手中。

● **Canute（Ⅱ） 克努特（二世）** 参阅 **Hardecanute** 哈迪克努特。

挪 威

● **Canute 克努特** 参阅 **Canute**（Ⅰ）克努特（一世）。

Canute, Saint **克努特（圣）** 参阅 **Canute**（Denmark）克努特（丹麦）项下的 **Canute Ⅳ** 克努特四世。

canvas 粗帆布 一种牢固结实的布。自古以来用大麻与亚麻纤维制造船帆用布，其中有几种称为船帆布或粗帆布。自从使用动力织机后，粗帆布由亚麻、大麻短纤维亚麻、黄麻和棉制成。亚麻帆布主要为双经织物，用于制造承受压力或摩擦的制品。粗帆布可制造摄影机和其他仪器的手提箱，钓杆、猎枪、高尔夫球和其他运动用具的包装袋，各种运动鞋和帐篷，邮包等。用亚麻和棉制成的帆布涂以煤焦油后，在铁路、码头、船坞等处被大量用来覆盖货物。粗帆布用的纱线（通常

为棉、亚麻或黄麻)几乎都是双股或多股的,使帆布的厚度均匀。油画用的粗帆布是一种单经织物,比船用粗帆布薄得多。优质油画布用纤维长约 25 厘米的乳白色或漂白的亚麻制成,普通画布则混有亚麻短纤维和棉纤维。织物自织机取下后,表面经过处理,以供绘画。

canvasback(species *Aythya valisineria*) **帆布背潜鸭** 鸭科鸟类。湾鸭或潜鸭(**pochard**)的一种。最受欢迎的猎禽之一。雄性体型较大,体重约 1.4 千克。繁殖季节雄性的头和颈为红色,胸部为黑色,背部和两肋为

具繁殖季节羽衣的雄性帆布背潜鸭(*Aythya valisineria*)雄体
美国不列颠百科全书公司供图

白色并有灰色细纹。脱掉婚羽后,雄体的羽衣与雌体相似,头部棕褐色,背部灰褐色。于北美西北部繁殖,在不列颠哥伦比亚和马萨诸塞向南至墨西哥中部沿岸一带越冬。在有野芹(大叶藻)的地方喜食其根,亦食许多其他植物甚至动物性食物。

Canvey Island 坎维岛 在英格兰埃塞克斯行政、历史郡卡斯尔角自治市,泰晤士河口湾内地势低的岛屿。在南本弗利特处有桥与英格兰本土相通。1623 年荷兰工程师最早建设海防。但面对潮水仍显力量薄弱。有炼油工业和进口液化天然气的储存库。人口 36 406(1991)。

Canyon 坎宁 美国得克萨斯州北部城市,兰德尔县县城(1889)。位于阿马里洛以南 26 千米,帕洛杜罗河与特拉布兰卡河汇合成为雷德河之处。1878 年始建。为 T. 安科大牧场总部,今仍为农牧业中心。州立西得克萨斯大学(1910)对该市经济起重大作用。是市东 19 千米最大的州立帕洛杜罗峡谷公园的门户,园内有坎宁拓荒者圆形剧场,每年夏季演出保罗·格林的配乐剧《得克萨斯》。布法罗湖国家野生动物保护区及六炮区亦为坎宁增添不少吸引游人之处。1906 年设市。人口 12 875(2000)。

Canyon de Chelly National Monument 谢伊峡谷国家保护区 美国亚利桑那州东北部保护区。位于钦利以东纳瓦霍印第安人保留地。1931 年建立,占地 339 平方千米。内有哥伦布发现美洲以前红砂岩悬崖住所数百座,其中许多为 11 世纪遗迹,为西南部最早遗址。还发现有时代更早的编篮文化的文物。现代纳瓦霍印第安人住宅和农场在峡谷底部。保护区管理处设在桑德伯德大牧场营地。

Canyon Diablo(meteor crater , Arizona) **代阿布洛峡谷** 参阅 **Meteor Crater** *流星陨石坑*。

Canyonlands National Park 坎宁兰兹国家公园 由侵蚀砂岩塔、峡谷和方山组成的原野,内有印第安原始人石刻。位于美国犹他州东南部,环绕格林河与科罗拉多河汇流处。1964 年设立,面积 1 366 平方千米。分为天岛和尼德尔斯等区。坎宁兰兹国家公园有阿普希弗尔圆丘、壮观台、安琪儿和德鲁伊德石拱及西部边缘的立石地等景观。有鹿、狐和郊狼等动物及适于生长在潮湿环境的野花。

canzona 坎佐纳 16世纪意大利的复调音乐体裁,也是 16、17 世纪一种重要的器乐曲。在 18 和 19 世纪的音乐中,指抒情歌曲或类似歌曲的器乐曲。16 世纪的声乐坎佐纳以曲式自由和高质量的文学歌词为特征,16 世纪后期,坎佐纳及类似的小型坎佐内特都是指在音乐和歌词上比牧歌更为轻巧的复调歌曲。器乐坎佐纳源于法国复调尚松,许多早期坎佐纳都是尚松的器乐改编曲,以复调段落与主调段落(建立在和弦上)相交替。典型的坎佐纳,其开头的动机由一个长音符和同音高的两个短音符组成。虽然意大利是坎佐纳的主要基地,但它也流传到其他国家,特别是德国。

16 世纪后期出现了两种变体:键盘乐曲和器乐合奏曲。前者复调性较强,它那惯常的处理一个主题的手法为赋格曲的出现铺平了道路;事实上在 17 世纪初的德国,坎佐纳常与赋格曲同义。而 G. 加布里埃利和弗雷斯科巴尔第的合奏坎佐纳则与强调音乐织体的统一的键盘坎佐纳不同,它应用速度、拍子和节奏的对比,从而发展成三重奏鸣曲——巴罗克时期的主要室内乐体裁。及至 17 世纪中叶,多段的坎佐纳有步骤地转换为一种四乐章器乐曲,称为"教堂三重奏鸣曲"。

Canzoneri, Tony 坎佐内里(1908-11-06,美国路易斯安那斯莱德尔～1959-12-09,纽约州纽约) 美国职业拳击手。次轻量级、轻量级和次中量级世界冠军。起初参与业余拳击,1925 年转入职业,赢得美国国家拳击协会最轻量级冠军。1928 年 2 月 10 日以 15 回合击败 B.巴斯,获次轻量级世界冠军。同年数点输给 A.劳蒂斯,失去冠军。1930 年在第 1 回合中仅以 66 秒击倒 A.辛格,获轻量级世界冠军。1931 年 4 月在第 3 回合击倒 J.贝格获次轻中量级世界冠军,并于 7 月中至 11 月末 3 次卫冕。1932 年在次轻量级比赛中两次落败,并于 1933 年两次以数点判定输给 B.罗斯,失去轻量级冠军。1935 年罗斯升入次中重量级后,坎佐内里以 15 回合数点判定战胜 L.安伯斯,重获轻量级世界冠军。但 1936、1937 年两次输给安伯斯。他的最后一次比赛,1939 年 11 月 1 日在第 3 回合被 A.戴维斯击倒,是他仅有的一次被击倒。终其一生共赢得世界冠军 18 次。退役后成为演员,并经营一家餐馆。1956 年入选《拳坛》杂志拳击名人堂。

canzonet 坎佐内特 又作 canzonetta。16世纪(约 1565 年及其后)意大利声乐体裁。它是这时期在意大利、英国以及德国最流行的轻快世俗音乐,根据坎佐内特诗体写成。系分节歌,常以 AABCC 模式组成。坎佐内特可视为精致细腻的维拉内拉(模仿乡村音乐的三声部乐曲),但又与较严肃的牧歌(16 世纪主要体裁之一)有某些相似之处。情绪轻快活泼,有明显的四至六声部织体和舞曲般的节奏,运用某些绘意手法(如对"飞越"、"火"等歌词作生动的音乐描绘)和大量采用简单的曲调模仿。虽然蒙特威尔地和其他一些著名作曲家均曾作有这一体裁的优秀作品,但最杰出的坎佐内特作曲家是 O. 韦基。英国的 T.莫利和德国的 H.L.哈斯勒也都是重要的坎佐内特作曲家。坎佐内特主要为世俗音乐体裁,但采用宗教歌词的也有。在后期坎佐内特中器乐伴奏以及甚至完全写成器乐曲的亦不乏其例。有时也作为器乐伴奏的独唱曲。

Cão, Diogo 康(活动时期1480～1486) Cão 又拼 Cam。葡萄牙航海家和探险家,发现刚果河口(1482-08)的第一个欧洲人。他在刚果河口竖起第一根石柱,作为葡萄牙占有这一地区的标记。沿河上溯一段短航程,发现沿岸居民愿意进行贸易。然后又沿今安哥拉海岸向南航行,在圣玛丽亚角(蒙特内格罗,南纬 13°26′)竖起第二根石柱。1484 年回里斯本时被葡萄牙国王约翰二世封为贵族,获年金享受权,并获准在他的纹章上增加两个柱子,以纪念他曾竖立的两根石柱。第二次航行时(1485 ～ 1486)到过今纳米比亚的克罗斯角(南纬 21°50′)。

Cao Bang 高平 越南东北部城镇,为一行政和商业中心,位于中越边界以南约 25 千米处,濒临平江。平江自西北向东南流经高平地区。附近有静宿矿产锡。高平省的东、北两面与中国的广西壮族自治区接壤。境内多山,东南一座山峰海拔为 895 米。该地区的主要物产有:家畜(牛、猪、山羊)、锌和木材,木材产自覆盖高平境内 1/3 地域的森林。高平现已成为专门生产烟草、水果(桃和柿子)、蘑菇、药材、蜂蜜和板栗的地区。人口由多民族组成,其中人数最多的为依人,与岱人、召人和苗人几乎构成当地人口的全部。位于中越两国之间的茶灵山口在历史上是入侵者的必经之路。

Cao Cao 曹操 参阅 **Wei wudi Cao Cao** *魏武帝曹操*。

Cao Dai 高台教 越南宗教派别。具有强烈的民族主义性质,把儒教的道德训诫、道教的玄妙法术、佛教的业报轮回学说和天主教的教制组织熔于一炉。该教所崇奉的神祇中有佛陀、孔子、耶稣、伯里克利、凯撒、圣女贞德、雨果和孙中山。此教于 1926 年由*吴文照*(**Ngo van chieu**)创立。高台教于1943年日本

胡志明市附近西宁的高台教庙宇
美国不列颠百科全书公司供图

占领印度支那时组成军队，战后该教军队先支持吴庭艳，后反对他。1955～1956年吴庭艳解散高台教军队，该教教主逃亡。该教目前仍是越南重要教门之一，其中心在胡志明市附近的西宁。

Cao Guojiu 曹国舅 中国神话中道教八仙之一。传为宋代(960～1279)人，名友。本为国舅，因其弟仗势作恶，恐受牵累，遂散财济贫，入山修道。后为汉钟离、吕洞宾度化成

18世纪的曹国舅木雕像
巴黎吉梅博物馆供图

仙。一说是曹佾事迹的演化，曹佾为宋曹彬孙，曹太后弟。曾隐居山岩，相传遇钟离权、吕洞宾。两人晓以“心即天、天即道”的修道真谛，将曹引入仙班。曹在八仙中事迹最少。在画像中穿官袍，戴乌纱帽，手执朝笏。

Cao Kun 曹锟(1862-12-12～1938-05-17) 又拼 Ts'ao Kun。中国直系军阀首领。字仲珊。直隶天津人。1890年天津武备学堂毕业。1894年中日战争时随军去朝鲜。战后投袁世凯部，历任北洋军管带、协统、统制。民国初任师长。1916年袁死后北洋军分裂为直、皖、奉系，他任直隶督军。1919年12月冯国璋病死，他为直系军阀首领。1920年任直鲁豫三省巡阅使。20年代初，直系军阀控制北京政府。1923年10月收买国会议员，被选为“大总统”。次年11月冯玉祥在北京发动政变后被迫下台，后长期寓居天津英租界。

Cao Lanh 高岭 越南西南部城市，在胡志明市(原西贡)西南120千米处。临湄公河左岸，地处同塔梅平原南缘。为稻米贸易中心。

Cao Pi 曹丕 参阅 **Wei wendi Cao Pi** 魏文帝曹丕。

Cao Xueqin 曹雪芹(约1715～1763或1764) 又拼 Ts'ao Hsüeh-ch'in。中国清代小说家，长篇小说《红楼梦》作者。名霑，字梦阮，号雪芹、芹圃、芹溪。祖先原是汉人，很早

中国大百科全书出版社供图

加入旗籍，隶属满洲正白旗。曾祖起三代都在宫廷内务府供职，相继担任“江宁织造”达65年。其父被免职。产业被抄，随家迁居北京，晚年贫病卒于北京西郊。性格高傲，能诗善画，嗜酒健谈。呕心沥血十年写出不朽巨著《红楼梦》。小说描写一个贵族大家庭的盛衰历史，通过贾宝玉和林黛玉爱情悲剧以及许多少女的悲惨遭遇揭露封建社会的腐朽罪恶。仅写成80回定稿，即猝然去世。

Cao Yu 曹禺(1910-09-24，中国天津～1996-12-13，北京) 中国现代剧作家。原名万家宝，祖籍湖北潜江。中学时代开始从事戏剧活动，1929年9月入南开大学政治系读书，

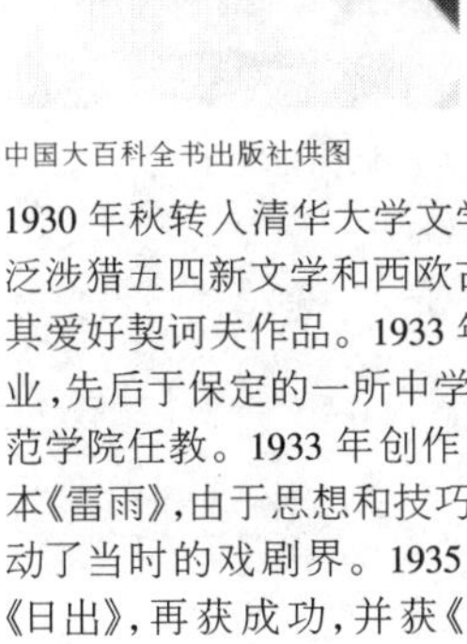

中国大百科全书出版社供图

1930年秋转入清华大学文学系。求学期间广泛涉猎五四新文学和西欧古典、现代戏剧，尤其爱好契诃夫作品。1933年秋在清华大学毕业，先后于保定的一所中学、天津河北女子师范学院任教。1933年创作、1934年发表的剧本《雷雨》，由于思想和技巧上的高度成就，震动了当时的戏剧界。1935年写成四幕悲剧《日出》，再获成功，并获《大公报》文艺奖。1936年秋，应聘任南京国立戏剧学校教授。1937年完成剧作《原野》，写一个农民复仇的故事。抗日战争爆发，随剧校迁往重庆，后又转至江安。1938年与宋之的合作编写剧作《全民总动员》，抱病创作剧本《蜕变》(1938)，期望国家在抗战中蜕旧变新。随后创作剧本《北京人》(1940)，1942年任教于复旦大学，又将巴金的《家》改编为同名剧，深为观众喜爱。1946年2月应邀赴美讲学。1947年1月回国，创作了电影剧本《艳阳天》，并亲自执导拍成电影。1949年辗转至北平。其后有剧作《明朗的天》(1954)，揭露帝国主义的文化侵略；历史剧《胆剑篇》(1961)，以越王勾践卧薪尝胆的故事为题材，揭示“一时强弱在于力，千古胜负在于理”的主题；以及《王昭君》(1978)等。曹禺的作品一一被搬上舞台，改编成戏曲、电影、芭蕾等。曹禺的剧作具有很强的艺术魅力，标志着五四以来话剧创作的成熟，对中国话剧水平的提高贡献极大。1956年参加中国共产党，历任中国戏剧家协会副主席、主席，北京人民艺术剧院院长和中央戏剧学院名誉院长等职。

Cao Zhan 曹霑 参阅 **Cao Xueqin** 曹雪芹。

Cao Zhi 曹植(192～232) 又拼 Ts'ao Chih。中国三国魏文学家，字子建。谯(今安徽亳县)人，曹操子。早年以才学受操宠爱，拟立为世子。后以放纵不羁未得立。曹丕即位后备受猜忌，至曹叡时仍不得志，终于在忧患中去世。因其最后的封地在陈郡，卒谥思，故后人称其为“陈王”或“陈思王”。前期作品如《白马篇》、《名都篇》、《公讌》等，多写建功立业的抱负及饮宴游乐。后期多抒写壮志难

曹植《洛神赋》，晋代王献之手迹石刻
中国大百科全书出版社供图

酬及被迫害的悲愤,风格沉郁悲壮。《赠白马王彪》、《杂诗六首》、《泰山梁甫吟》等均为传诵名作。《七哀诗》写弃妇的哀怨,亦凄惋动人。辞赋以《洛神赋》最著名,抒发对洛神的爱慕之情和人神相隔不能如愿的惆怅,意境优美。散文以辞藻华美见称。早期的《与杨德祖书》、《与吴季重书》,后期的《求自试表》、《求通亲亲表》均为三国散文名作。今存南宋刻本《曹子建集》10卷,明代又稍加厘定而成《陈思王集》。清代的《曹集铨评》、《曹集考异》为较全、较精的两个本子。今人赵幼文有《曹植集校注》。

Cao Zhongda 曹仲达 又拼 Ts'ao Chung-ta。中国北朝齐(550～577)画家。来自西域曹国(在今乌兹别克斯坦撒马尔罕以北和东北)。工画肖像,尤长于"梵像","其体稠叠,衣服紧窄,时称曹衣出水"。这是取法印度笈多式造像而移用于绘画的新作风,时称"曹家样"。到了唐代继续流行,与吴道子"吴带当风"的吴家样同为画家、雕塑家的楷模。这种衣纹质软而薄,紧紧地、稠叠地贴着肉体,线条平行整齐,给人以平静肃穆的感觉,又带有一种异国情调。又据记载:"曹师于袁",当是指南朝的袁倩或袁昂。可见曹仲达是融合了中外技法的大师。今原作未见。北朝的有关雕塑与吐鲁番高昌壁画如《定光佛授记》等,当和曹仲达的艺术风格有紧密关联。

caoshu 草书 英语作 draft script, cursive hand。中国汉字书体之一,由定型后的篆书、隶书发展而来。可分为四个阶段:初为草隶,二为章草,三为今草,四为狂草。湖北云梦睡

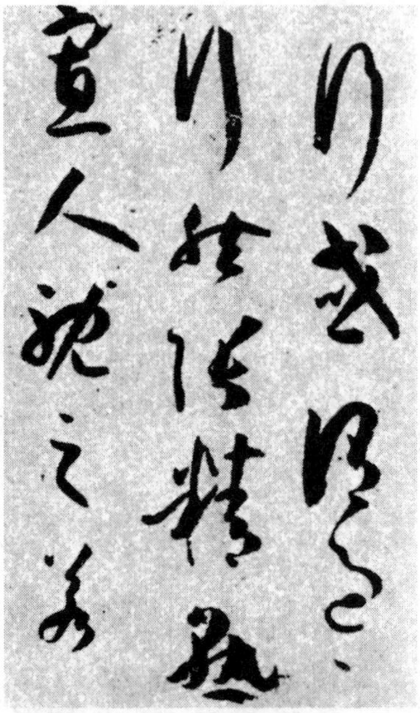

唐代孙过庭的草书《书谱》
美国不列颠百科全书公司供图

地虎出土的秦简上面的文字,可称为秦隶,其中亦有草篆的成分在内。汉宣帝神爵二年(公元前60)与五凤元年(公元前57)简上的简化字体,多有近似章草笔意者,故草书至晚出现在西汉中期,似无可疑。章草出现于西汉,广泛流行于东汉。主要还保留着隶书的形迹,每字独立,不相连属。这种字于汉末至西晋之间,渐脱隶势。到了东晋经王羲之兄弟父子进一步努力,终于形成了一二字连接的今草。此即一般所称的草书。从1970年安徽亳县发现的400多块汉末曹氏家族的墓砖刻字上可以看到汉末民间草书风格的多样化。到了唐朝张旭、怀素等将"今草"写得更加放纵,笔势连绵围绕,字形变化参差,如狂风骤雨、惊涛骇浪,而又不失法度,称为"狂草"或"大草"。

Cap-de-la Madeleine 卡普德拉马德莱娜 加拿大魁北克省南部城市,在三河行政区,圣劳伦斯河北岸,圣莫里斯河河口。在魁北克市和蒙特利尔市的中途,对面是三河城。以

卡普德拉马德莱娜市的玫瑰经圣母殿
美国不列颠百科全书公司供图

一法国修道院院长之姓氏命名,17世纪开始有居民。主要工业有纸浆、纸张、铝箔、服装和研磨材料制造业。有著名的玫瑰经圣母殿(1714)和供奉着卡普圣母的大教堂(1964)。1845年建市。人口33 438(1996)。

Cap-Haïtien 海地角 又称岬角(Le Cap)。海地共和国北部城市,是海地的第二大城(次于太子港)。海地角由法国人于1670年始建,原名法兰西角,有"安的列斯群岛巴黎"之誉,当时名为圣多曼各,是这块殖民地的首府,1770年首府撤销,1791年曾发生奴隶暴动事件。法国与美国产生争端期间(1798～1800)及美国南北战争时期,美国舰只均曾使用这个港口。1802年,海地与法国军队将此城夷为平地。自立为海地国王的亨利·克里斯托夫曾重建此城的大部分,但1842年的一次地震,1928年的一次飓风,将这里的许多古建筑毁掉,只有殖民时期的一座教区教堂得以保存下来。海地角的现代化海港经运全国进出口商品的1/9左右,也是诸如香蕉、菠

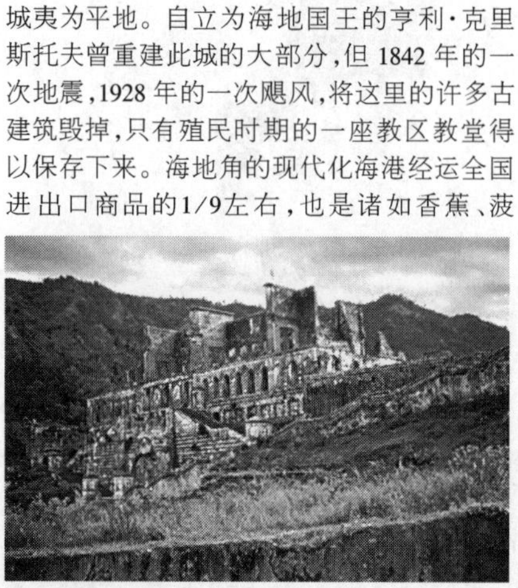

海地角附近的莫愁宫
美国不列颠百科全书公司供图

萝、甘蔗、咖啡和可可等国内产品的一个市场。市郊有世界上最大的剑麻(做绳索的纤维)种植园之一,面积18 000公顷,还有政府的一个牲畜饲养站。海地角也有一些工业。一条新建的公路,使太子港和海地角之间的旅程时间从11小时减少到3小时,有效地扩展了这个地区的旅游业。名胜古迹有附近的莫愁宫和拉费里埃城寨。后者常常被称作是世界的第八奇迹,它于1804年开始动工,由20万名奴隶用去13年时间才完成,只有乘骡子,上行2小时才能到达。附近有拿破仑妹妹(夏尔·勒克莱尔将军的妻子)的倾圯的宫殿。人口约75 519(1989)。

Cap Saint-Jacques (Vietnam) **圣雅克角** 参阅 **Vung Tau** 头顿。

Cap Vert, Presqu'île du (Senegal) 参阅 **Cape Verde Peninsula** 佛得角半岛。

Capa, Robert 卡帕(1913,布达佩斯～1954-05-25,越南太平) 原名安得烈·弗里德曼。匈牙利摄影家,以拍摄的战争照片成为20世纪著名的新闻摄影记者。在西班牙国内战争时期,他作为随军记者,并由此而成名。1936年拍摄的残酷的死亡场面的特写照片,充分显示了其纯熟的风格,如《忠于共和政府的西班牙士兵》等。第二次世界大战时期,他为《生活》杂志采访了非洲、西西里和意大利的许

卡帕自拍像
美国不列颠百科全书公司供图

多重大战役。他拍摄的诺曼底登陆的照片,是这次大战中最令人难忘的作品。1947年,卡帕和摄影家卡蒂埃-布勒松、西摩一起,建立了第一个国际性的自由职业摄影家合作机构玛农图片社。1954年,他志愿为《生活》杂志拍摄法国在印度支那的战争,因触地雷而死。

Capablanca, José Raúl 卡帕布兰卡(1888-11-19,哈瓦那～1942-03-08,纽约市) 古巴国际象棋大师。1921年胜拉斯克获世界冠军,1927年败于阿廖欣。曾于1901年击败古巴最强棋手。1913年起任古巴外交人员。1916～1924年间未曾输过一局。在纽约曼哈顿国际象棋俱乐部观棋时中风,翌日去世。他着棋平中出奇,能从容制胜。

capacitance 电容 一个或一组导电体的性质,它是当电势改变一个单位时导体上存

贮的电荷量。电容也联系着有关电能的贮存。两个原来不带电的导体之间有电荷传输时二者都能等量地带电,但一个带正电荷,另一个带负电荷,它们之间建立一个电势差。电容 C 是任一导体上的电荷量 q 和它们之间的电势差 V 之比值,即 $C=q/V$。

在实用单位制和米-千克-秒单位制中,电荷的单位是库[仑],电势差的单位是伏[特],而电容的单位称为法[拉](符号为 F),即库/伏。1法是一个极大的电容。常用10^{-6}法作为单位,称为微法(μF);或用10^{-6}微法作单位,称为皮法(pF),旧称微微法($\mu\mu$F)。在静电单位制中,电容的单位和长度的单位相同。

在电路中可以随意加入电容,所使用的器件叫做电容器。它是普鲁士科学家 E.G. von 克莱斯特 1745 年在研究静电现象时发现的,差不多同时也被荷兰科学家 P. van 穆申布鲁克独立地发现。他们从静电起电器得到的电可以贮存一段时间,然后释放。这个后来被称为莱顿瓶的器件,是一个有塞的玻璃瓶,其中装满水,用一个钉子穿透瓶塞,浸入水中。手持瓶子,使钉子和静电起电器的导体接触,然后分开,他们发现用另一只手去触摸钉子时,有被电击的感觉。这个反应表明有些从起电器来的电被贮存起来了。

在电容器发展中,简单但基本的一步是 1747 年英国天文学家 J.比维斯采取的。他将瓶中的水代以镀在瓶子内壁的金属膜,并在瓶子外表面镀以另一金属膜。这种形式的电容器的一根导线从瓶口进入并与内壁金属层相接触。它的主要特征是两个大面积的导体被一层厚度均匀的绝缘介电层分开,这个介电层要尽可能地薄。这种结构一直保持在现代电容器中。

capacitor 又作 condenser,都译成电容器,它基本上是两个导电的金属片中间夹有绝缘材料或介电层。它的主要功能是贮存电能。不同的电容器,它的大小、电极片的几何布置和所用介电材料的种类不同。因此,它的名字有云母电容器、纸电容器、陶瓷电容器、空气电容器和电解质电容器,等等。它们的电容量可以是固定的,或在一定范围内可调整的(用在调谐电路中)。

贮存在电容器中的能量等于在外加电压下(例如用一个电池),在两个极板上建立相反的电荷所作的功。在电容器中可以贮存的电(荷)量取决于极板的面积、它们之间的间隙大小、间隙中用的介电材料和外加电压。

在交流电路中,每半个周期电容器被充电和放电一次。因此,充电或放电所用的时间与电流的频率有关。如果这时间大于半个周期,则极化是不完全的。这种情况下,介电常数显得小于直流电路中测得之值,并且随频率升高而降低。在电极板的极性变换时,电荷就要穿过电介质先在一个方向,然后在另一个方向移位,并且克服它们遇到的反抗。这导致热的产生,称为介电损耗。这是电路中应用电容器时必须考虑的一个特性。例如,在无线电或电视接收机中,介电损耗与频率和介电材料有关。

当电容器加上恒定电压时,除了通过电介质漏电(一般很小)外,没有电流通过电容器,然而交流电将容易地通过电容器,称为位移电流(**displacement current**)。

capacitance heating 电容式加热 参阅 **dielectric heating** 电介质加热。

Čapajevsk(Russia) 参阅 **Chapayevsk** 恰帕耶夫斯克。

Çapakçur(Turkey) **恰帕克丘尔** 参阅 **Bingöl** 宾格尔。

Capannori 卡潘诺里 意大利中部托斯卡纳区卢卡省的市镇。由 38 个居民点组成。为集市中心,有造纸、纽扣和油漆厂。教区教堂的正面,为 13 世纪风格,上有一座伦巴第式钟楼。人口:城市区约 43 885(1990)。

Cape,(Herbert) Jonathan 凯普(1879-11-15,伦敦～1960-02-10,伦敦) 英国出版商。1921 年和霍华德共同开设凯普出版公司。该公司成为英国一般性图书及高质量图书的著名出版社之一。凯普 16 岁时为伦敦一家书商当童仆,后来成为纽约市哈珀兄弟出版公司的推销员。1904 年他开始为杰拉尔德·达克沃思公司推销图书,随后担任该公司的销售经理。第一次世界大战期间,他参加英国皇家陆军军械团。1918 年,他回到达克沃思公司。两年后,他应聘担任梅迪契会社的经理,这是一家彩色艺术复制品的出版机构,它有时候也出版图书。担任经理期间,他结识了霍华德;两人成为朋友,并决定开设一家公司。于是凯普出版公司于 1921 年 1 月 1 日开业。该公司第一本出版物是再版道蒂 1888 年的名著《阿拉伯沙漠旅行记》。凯普和霍华德说服 T.E.劳伦斯(阿拉伯的劳伦斯)为此书写了一篇介绍,促使它成为畅销书。凯普和霍华德又聘请评论家加尼特为文学顾问。加尼特的正确判断也大有助于凯普公司事业的成功。凯普到美国访问,寻找作家。结果,凯普公司出版了美国一些著名作家的作品,这些作家中有 S.刘易斯、海明威、奥尼尔和弗罗斯特。凯普所罗致的英国作家中,有库珀、弗莱明、W.刘易斯及 M.韦布。该公司还出版了洛夫廷著名的儿童故事集《多利特尔医生》。

Cape Breton Highlands 布雷顿角高地 在加拿大新斯科舍省最北部、布雷顿角岛上。

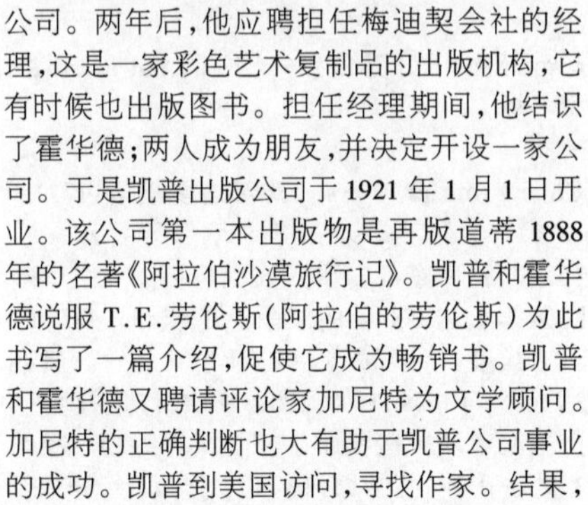

布雷顿角高地国家公园内的卡伯特盘山公路
美国不列颠百科全书公司供图

为林木茂盛的山地。平均海拔 370 米,最高处 532 米,为本省最高点。东临大西洋,西连圣劳伦斯湾,风景最壮观。除沿海狭长地带外,无人居住。部分地区划入布雷顿角高地国家公园。卡伯特盘山公路(长 298 千米)环绕大部地区。

Cape Breton Island 布雷顿角岛 加拿大新斯科舍省东北部岛屿。西南隔 3 千米宽的坎索海峡与该省其他部分及加拿大大陆相望,北接圣劳伦斯湾和卡伯特海峡,东和南濒

跨坎索海峡连接布雷顿角岛与大陆的堤道
美国不列颠百科全书公司供图

大西洋,西临诺森伯兰海峡。岛长 175 千米,最宽处 120 千米,面积 10 311 平方千米。由布雷顿角、因弗内斯、里士满和维多利亚 4 县组成。全岛海岸线曲折,大部分地区是森林丘陵,北部为布雷顿角高地,最高处海拔 532 米。岛中有布拉多尔湖。该岛最早是法国殖民地,1763 年割让给英国,属新斯科舍,1784 年成为直属英王室的殖民地,1820 年又划归新斯科舍。有采煤、伐木、捕鱼和夏季旅游业。1955 年跨越坎索海峡大堤竣工,使该岛直通大陆,成为横贯加拿大公路和加拿大国家铁路的东端终点站。人口 109 330(2001)。

Cape buffalo 好望角水牛 大型的黑色有角水牛,一直分布于非洲,自撒哈拉至好望角。参阅 **buffalo**。

Cape Coast 海岸角 加纳沿海中部城镇。位于伸入几内亚湾的低矮地岬上。15 世纪葡萄牙人在此处建立哨所。16 世纪英国人来到。1655年瑞典人建镇,为全国最古老的

海岸角城堡
《黑星》杂志社供图

城镇之一。1663 年被英国人接管。最初为阿散蒂商人的贸易中心。后成为英国黄金海岸殖民地海港和首府。1962 年开辟特马港后,其海港作用完全停止。现为教育中心,设有海岸角大学(1962 年成立)和数所中学。经济活动包括捕鱼、贸易和政府行政管理。1976

年建起工业区，生产砖瓦、烟草制品、棉织品、肥皂、食糖、可可制品、饮料、食盐和化工品。人口 57 224(1984)。

Cape Cod Canal 科德角运河 美国马萨诸塞州东南部人工水道，通过科德角地峡，连接科德角湾与巴泽兹湾(长岛海峡的入口)。包括疏浚道共长 28 千米，控制宽 152 米，水

横跨科德角运河的萨加莫尔大桥
美国不列颠百科全书公司供图

深逾 9 米。运河内无水闸，但有许多控制潮汐的设施。运河 1909 年开工，1914 年 7 月由私人集资经营，使纽约与波士顿之间的水路缩短 120 多千米(水程：伊斯特河—长岛海峡—科德角运河)，并免除环科德角冒风航行的危险(尤其在通过科德角尖端靠近普罗温斯敦的浅滩时)。1927 年美国政府购买该运河，免费通行。

Cape Colony 开普殖民地 1806年在今南非境内建立的英国殖民地。1910 年南非联邦成立时，它成为好望角省(参阅 **Cape of Good Hope**)，又称开普省。

Cape Coloured (people) **开普科洛德人** 参阅 **Coloured** 科洛德人。

Cape Coral 开普科勒尔 美国佛罗里达州西南部利县的城市。位于一面南的宽阔半岛上，其东面克卢萨哈奇河对岸为迈尔斯堡，西面为派恩岛(岛外即墨西哥湾)，中隔马特拉查海峡。1958 年设居民点，1970 年设市，人口 11 470 人，但人口增长迅速，到 1983 年已超过其邻市迈尔斯堡的人口。市内多为住宅区(有许多退休者居住)，有一些轻工业和旅游、娱乐设施，包括一个游艇俱乐部、高尔夫球场和公园。人口：市 102 286；迈尔斯堡-开普科勒尔都会统计区 440 888(2000)。

Cape Dutch language 南非荷兰语 参阅 **Afrikaans language** 阿非利堪斯语。

Cape emerald 好望角祖母绿 一种宝石级的葡萄石(不是祖母绿)。参阅 **prehnite**。

Cape Fear River 开普菲尔河 美国北卡罗来纳州中部和东南部河流。由迪普河和霍河在查塔姆县境内汇成，大致向东南流，在索斯波特注入大西洋。全长约 320 千米。该河南河口湾是大西洋沿岸水路的一部分。一系列船闸和拦河坝使该河威尔明顿至费耶特维尔之间河段可通航。史密斯岛南端的河道多危险的暗礁，故得 Cape Fear 河之名。广受欢迎的好莱坞电影《恐惧角》以该河流经地区为背景，根据约翰·麦当劳的小说《刽子手》(1958)改编。

Cape Flats 开普平原 自南非开普省好望角半岛延伸至内陆的沙质低地，占桌湾与福尔斯湾间地峡的大部。在较近期的地质时代系位于海底，突出海面后曾一度遍布矮丛，后由于初期移民伐木作柴用致土地贫瘠，直至 19 世纪末才垦作耕地。今则大部分为蔬菜农场区及上有大块房产的地区，房产大部分为科洛德人(南非混血种人)所有。此外还有一占地甚小(3.2 公顷)的开普平原植物保留区，由南非国家植物园管理。1928 年在该平原采沙场中发现名为"开普平原头盖骨"的澳洲土著型原始人头盖骨。

Cape fox 好望角狐 参阅 **bat-eared fox** 大耳狐。

Cape Frontier Wars 开普边境战争(1779～1879) 又称卡菲尔战争。南非开普殖民主义者与开普东部从事农牧业的科萨人之间断断续续长达 100 年的战争。是非洲人反对欧洲人入侵、持续时间最久的斗争之一。最初 3 次战争(1779，1793，1799 ～ 1801)是荷兰殖民主义者对一些科萨小酋长国进行的。在第 3 次战争中，由于原来给白人当奴仆的科伊桑人起来造反，与科萨人并肩作战，使殖民主义者遭到极严重的损失。1811 年进行第 4 次战争，英军把科萨人赶出聚尔韦尔德。1818 ～ 1819 年再次在边境地区发生战争。英国人企图把科萨人赶出大鱼河与凯斯卡马河之间的中立地区没有成功。1820 年英国殖民主义者在边境地区定居，使该地区更加动荡不安。1834 ～ 1835 年爆发战争。科萨人酋长欣察被英国人枪杀。1846 年又爆发战争，科萨人被击败，英国吞并原属中立的地区，作为英属卡弗拉里亚直辖殖民地。1851 年科伊桑部落举行起义，大大加强了科萨人的抵抗力量。1853 年科萨人战败，英国吞并卡弗拉里亚以北的土地。1857 年科萨人大规模杀牛献祭，认为靠神保佑，可以奇迹般地推翻英国人的统治。这一行为造成广泛的饥馑，使科萨人失去军事抵抗力量达 20 年之久。1877 ～ 1878 年，渴望收复失地的恩吉卡人和格卡莱卡人拿起武器反对殖民主义者。经过这些战争，科萨人的土地逐渐被并入开普殖民地。

Cape Girardeau 开普吉拉多 美国密苏里州东南部开普吉拉多县城市。位于欧扎克高原东南缘，密西西比河畔(有桥与伊利诺伊州相通)。1793 年前建成。南北战争联邦军占领前，河运繁忙。海湾铁路系统(1902)建成后，将开普吉拉多与美国西部(经过圣路易斯)以及墨西哥湾连接，物资运输始告畅通。有纸张、服装、鞋和电气用具制造业。有密苏里州东南大学(1873)。1806 年设镇；1843 年设市。人口约 35 337(1993)。

Cape hunting dog 参阅 **African hunting dog** 非洲猎狗。

Cape Indians (people) **科德角印第安人** 参阅 **Nauset** 瑙塞特人。

Cape Krusenstern National Monument 克鲁森施特恩角国家保护区 在美国阿拉斯加州西北部，临楚科奇海。全境分布在 114 条海滨山脊上。1978 年建立。现有面积2 670 平方千米。当地考古遗址反映了从4 000年前北极人到现代爱斯基摩人的北极人文化发展状况。野生动物有海豹及其他海洋哺乳类动物。岸边多鸟巢，夏季遍地鲜花。可从科策布乘水上飞机到达。

Cape May 开普梅 美国新泽西州南端开普梅县城市。全国最古老的海滨胜地之一。19 世纪 50 年代，市内的芒特弗农旅馆是全美最大的旅游地旅馆，可接待宾客2 000人，后

开普梅市的维多利亚式建筑
美国不列颠百科全书公司供图

毁于火灾。市内众多的维多利亚式建筑(如县府大楼[1745])吸引游客。海滨大道长 1.6 千米以上。该市附近有开普梅灯塔和美国海岸警卫队基地。当地的沙丘是观察候鸟迁移的优良场所。岸外岛上的怀尔德伍德海滨胜地有 5 千米长海滨木板路和沙滩。经济以旅游业为主，渔业和海产品加工业为辅。1851 年设市。人口 4 034(2000)。

Cape of Good Hope 好望角 又称开普省。阿非利堪斯语作 Kaap die Goeie Hoop 或 Kaapprovinsie。南非共和国一省，位于非洲大陆最南端。省会为开普敦，亦是共和国法定首都。开普省在共和国的南部和西部，是全国四个

省份中最大一省,占南非总面积一半以上。

1488年葡萄牙航海家 B. 迪亚斯到达非洲南端,命名该地为“好望角”(葡萄牙语为 Cabo da Boa Esperança),1652年荷兰商人抵达该地,其后殖民者在此开辟农场。1814年荷兰把开普殖民地转让给英国,英国设此地区为好望角殖民地。1867年发现钻石,英国移民猛增,外资流入,并开始铺设铁路。其后人口迅速增长。1910年该省成为南非联邦一部分,从1961年起属南非共和国。

该省部分地区在非洲南部大面积的内陆高原之上,多数地区海拔900至1 500千米。陡峭的悬崖将高原主要地区与海岸地区以及南面的大卡鲁盆地隔开。沿海地带属海洋性气候,有相应的植被,其余许多地区为干旱(西北部)及半干旱(东部)地带。全省大部分地区平均年降雨量不足380毫米,西北部地区不足125毫米。常有旱年。内地气温冬季最高日温为20 °C,夏季为32 °C。山顶有时有积雪。

20世纪后期,开普省(除西斯凯、特兰斯凯和博普塔茨瓦纳)约1/3人口是黑人,白种人占1/4,约半数为混血种人;城市人口约占总人口2/5,多集中在4个最大城市:开普敦、伊丽莎白港、东伦敦和金伯利。官方语言是阿非利堪斯语和英语,4/5黑人操班图(Bantu)语之一的科萨(Xhosa)语。

开普省有多种经济,农业为主。黑人中从事农业的人口约占3/5。20世纪后期,南非大部分羊毛、小麦、饲草、马海毛和水果都由开普省出产,几乎全部葡萄酒产自该省。内陆高原是饲养绵羊的主要地区。奥兰治河以北金合欢花丛生的草原主要饲养牛,阿平顿附近沿河一带的灌溉地产棉花。

鸵鸟毛一度是开普省的重要出产,但目前其价值已远逊于紫花苜蓿籽、饲草、水果、烟草、羊毛和马海毛。该地区一直出口新鲜水果、食用葡萄、葡萄酒、白兰地酒和罐头食品。该省南面海岸的莫塞尔贝和许曼斯多普之间地区的木材是重要产品。加姆图斯、森迪斯、大鱼和卡特等河流河谷中的浇灌地有柑橘种植业。

从厄加勒斯浅滩到纳米比亚都有产量丰富的渔场,为鱼肉和罐头工业的重要供应地。其他行业有纺织品、服装、鞋袜、汽车、轮胎、肥料、杀虫剂、采矿炸药和药品等的制造,还有船舶工程和船舶修理。该省矿藏有铜、钻石、石棉、锰和铁,但采矿人数不多。

在开普敦、格雷厄姆斯敦、伊丽莎白港和斯泰伦博斯开设有大学,在艾丽斯附近的黑尔堡有一所为黑人开设的大学,在贝尔维尔有一所为科洛德人开设的大学。开普敦有许多图书馆和博物馆,其中有南非博物馆。有一个省图书馆服务机构经营管理数百个图书中心。由开普表演艺术委员会资助的各巡回演出团在全省各地演出戏剧和芭蕾舞。除去西斯凯、特兰斯凯和博普塔茨瓦纳三处,全省面积641 379平方千米。人口(不包括西斯凯、特兰斯凯和博普塔茨瓦纳)5 514 420(1991)。

Cape of Good Hope(South African cape) 参阅 **Good Hope, Cape of** 好望角。

Cape Palmas(Liberia) **帕尔马斯角** 参阅 **Harper** 哈珀。

Cape Photographic Durchmusterung(CPD) **《好望角照相星表》** 载有从南纬19°至南天极之间,亮度在11等以上的45.4万多颗恒星的星表。所用的照相底片都是英国天文学家 D.吉尔于1885～1890年在南非开普敦摄制的。J.C.卡普坦在荷兰的格罗宁根用10年时间(1886～1896)测量了底片上星象的位置并编成该星表。

Cape polecat **好望角艾鼬** 参阅 **zorille** 非洲艾虎。

Cape Province(South Africa) **开普省** 参阅 **Cape of Good Hope** 好望角。

Cape ruby **好望角红宝石** 又称红镁铝榴石。一种深红色镁铝榴石(不是红宝石)。参阅 **pyrope**。

Cape Town **开普敦** 开普敦城,阿非利堪斯语称为 Kaapstad,南非共和国立法机构所在地的首都,也是开普省省会。开普敦城位于开普半岛北端,其最南部界线在好望角以北50千米处。开普敦因是南非境内欧洲最早移民的居住点,故有该国“母亲城”之誉。

开普敦风光秀美,部分城区及其近郊沿桌山(高1 086米)及其邻近峰峦陡坡建置,蜿蜒而上,俯瞰桌湾。该城其余部分或坐落于坡下平原,或南向延伸越过平原而达福尔斯湾。全城面积300平方千米。

自然地理和人文地理

城市特点 1652年,荷兰东印度公司在桌湾沿岸设置供应站为其来往船舶提供服务,开普敦城在此基础上逐渐构建起来。当地居民为荷兰人供应牛只但不提供劳务,公司则进口奴隶,奴隶来源主要是东非、马达加斯加、孟加拉湾等地区。奴隶带来他们本来的一些文化特征,尤以东印度群岛来的穆斯林为明显,他们还把伊斯兰教带到开普地区。于是出现棕色人种、黑色人种及白色人种混杂的过程,然而,各个种族的本身特点仍明显地保持,未因种族混淆而全部消失。1781年,法国人在此建立要塞以帮助荷兰人防守该城,抵御英军进攻。法国人的介入和居留期间,对当地建筑风格和文化模式,也起到一定影响。19世纪英国人占领时期,又带来新的议会概念和司法概念及解放奴隶的思想。开普敦成为欧洲各国向南非内地渗透的大门,一直与欧洲大陆保持密切联系。

今日,开普敦已是一座现代城市,到处有矗立的高楼,以及有人行道的商业区。开普敦是一个重要的政治经济中心,但仍因背靠崇山,面临大海,深得自然之美。此外,开普敦还以其来自世界各地的人口组成成分以及许多公民的自由观点而闻名于世。

景观 城市位置 开普敦的最早居民点坐落于桌山与桌湾之间。居民点西北为狮头岭及狮臀岭(后更名为西格纳尔丘陵),北部为桌湾,南部为德弗尔斯峰,东部为一片沼泽地及多沙的开普平原。居民点设一堡垒,有通道南向直达开普半岛东侧的福尔斯湾,由此穿过梅曾贝赫及卡尔克湾而抵西蒙斯湾,东印度商船于冬季可在此停泊以避西北狂风。开普敦的发展受到高山、大海及沙漠的制约,其后公路及铁路的兴建,也完全按城市的走向而形成其独特模式。1864年,由开普敦至温贝赫的铁路建成,1883年通至梅曾贝赫,另一条铁路自开普敦向东,经开普平原,通向内地。

气候 开普敦气候呈地中海型。气温受桌山大气团及南大西洋本格拉洋流影响,1月及2月份平均最高气温为21 °C,7月份平均最低气温为13 °C,但山坡及海岸地区较清凉。少有霜冻。平均每年降雨69天;年降水量660毫米,约一半在6～8月之间,即南国之冬。降水量随山势之起伏而有所不同,近山雨量几乎为远山地区雨量之一倍。一般说来,风力较强,冬季为西北风,夏季则多东南风和西南风。南风吹来,在桌山上空形成一片饱含冷凝水蒸气的云层,人们称之为“桌

位于桌湾的开普敦,左为德弗尔斯峰,右为桌山

美国不列颠百科全书公司供图

布”。东南风与西南风都使空气污染保持在低水平上，故有“开普医生”之誉。

城市布局 早期住区街道窄狭，道路的修筑与海岸成平行之势。由海岸通往东印度公司的农产品种植园有一通道，后来成为城市干道。其他主要道路随城市的发展而兴建，均与干道平行。桌湾沿岸地带，已建成滨海大道，好望堡即矗立其上，该城堡是由荷兰东印度公司于 1666 至 1679 年间修建的。城堡附近为植物园，政府路穿园而过，政府大楼可以俯瞰园中景物。议会大厦原为殖民地政府办公而建，1885 年开始使用，1910 年成为南非联盟的议会所在地，1961 年又成为南非共和国议会大厦。1987 年，大厦的一些附属建筑也投入使用。

1870 年，艾尔弗雷德码头开始启用，沿岸地区重新得到发展。1890 ～ 1895 年之际，将防波堤加长并新建突堤码头若干处，新辟水域被命名为维多利亚湾。1938 ～ 1945 年为停靠大型船舰曾修建邓肯码头。1977 年，将邓肯码头和本舒曼码头加以疏浚，由此填海造陆 194 公顷，名为前滩。

现代高速公路体系的建成，极大地方便了城市与郊区之间的交通。开普敦南郊人口不断增加、商业日趋繁荣，尤以克莱尔蒙特和温贝赫两地最为明显。特别受欢迎的住宅区是桌山以东的各个山坡和西格纳尔丘陵各斜坡，可以俯瞰班特里湾和克利夫顿各海滩。

很多开普顿的早期建筑都反映出荷兰建筑的原型，只是略加修改以适应当地之需。其特征不外平顶、门廊突出和山墙独具一格。法国建筑师 L.-M. 蒂鲍曾于 1783 年来到开普敦，当时有很多流行建筑物都是由他设计的。今天，开普敦市中心商业区和前滩许多大厦的建筑风格都按照现代国际潮流设计。

人民 开普敦城区及大都市区的居民中，半数以上为科洛德人（混合种族的正式名称），白人约占 1/4，黑人约 1/5，其余为亚裔人。在大都市区范围内，阿非利堪斯语几乎是半数科洛德人和白人的第一语言。大约有 1/4 的人口以英语为第一语言，另有 1/4 的人口则兼操此两种语言。黑人主要使用科萨语。居民中绝大多数是基督教新教各派教徒，但也有一定数量的天主教徒和穆斯林。

南非 1966 年实施《种族区域法案》，加强了早期各种以强迫推行种族隔离政策为目的的方针，规定为不同种族群体居住和占用土地划出保留区。法案使开普敦的居民区发生很多变化。例如，原来位于城堡南面被称第 6 区的居民区，本是以科洛德人为主的杂居地带，后来竟用推土机推平。根据上报议会的数字，到 1980 年末，大约有29 300户科洛德人及1 500户印裔人的家庭，迁居于开普半岛，而白人家庭只有 195 户迁此。由于在政府划定地区内住房严重短缺，1975 年由政府出资在开普敦城东南的米切尔平原兴建一处模范聚居区，建造 4 万套科洛德人家庭住房。印度人家庭则被安置在赖兰兹和鹈鹕公园一带。1990 年，政府重建第 6 区，向开普敦各住区居民开放，提供住房。

政府立法控制黑人在其被指定的“家园”以外居住及工作。几乎全部开普敦地区的黑人都被限定在城内的古古莱图和西尼扬加两个区内以及附近的尼扬加和兰加两地。随着 20 世纪 80 年代对人口流动控制措施的废除，开始有大批黑人由贫困的“家园”涌向开普敦和其他城市地区，占地者的营帐很快就拥挤不堪。政府在米切尔平原以东的哈耶利查为黑人建起了一个聚居点，并在 1986 年把占地者的营帐完全拆除，使黑人到聚居点去。人口：市 854 416（1991）；都会区2 415 408（1996）。

经济 **工业和商业** 在南非内地发现各种矿藏并进行开发以前，开普敦一直是该国经济活动的基地。今日，它已是该国最重要的工业中心之一和主要港口。南非境内消耗的鱼类，大约有 9/10 是由开普敦分运到各地的，桌湾是世界最大水果出口港之一。在开普敦都会区设有一座炼油厂，另有化工、化肥、水泥、汽车装配等工厂。在城区，基本行业有船舶修理与保养、食品加工、酿酒、服装、塑料、皮革等厂家。旅游业亦日趋重要。

运输 开普敦口岸每年进出口货物量高达 500 万吨。港口在低潮期不能停靠吃水超过 40 英尺以上的船只，但是它的修理设备和干船坞对两洋交通非常重要。本舒曼码头有集装箱货运之便。

开普敦国际机场有定期航班飞往欧洲和南北美洲，但其主要运营是国内各航班。开普敦是北向通往津巴布韦和津巴布韦更远处的铁路网终点站。

两条主要的放射形高速公路向南通往福尔斯湾。另有两条国家级公路和一条围绕市中心商业区的环路，是高速公路的补充路段。一条高架高速公路穿过开普敦城的海岸地带。绝大多数白人和比较富裕的科洛德人及黑人拥有私人汽车。公共交通对于被法律强行勒令住区远离工作地点的人们来说是特别重要的。现已私有化的南非铁路公司经营郊区运输业务，一家私营公共汽车公司运营于开普敦地区。

行政与社会状况 **政府** 开普敦市议会由 17 个区各选两名代表组成，市长大体上为礼仪性职务，城市行政则由议员组成的行政委员会直接负责。

服务业 开普敦的大部分用电是由设于城北的科伊贝赫核电站供应，电站隶属国家供电委员会。开普敦本市设有火力发电厂和两座煤气涡轮发电厂，以供紧急状况下和高峰用电时期补充电力之需。必要时设于斯滕布拉斯的水力发电设施也可提供电力。城市用水一度来自桌山和斯滕布拉斯各处堤坝拦蓄的水，现在也使用勒非松德伦德、鸟湖和韦默尔肖克各处的水资源。

保健 开普敦市卫生局提供广泛的保健服务并经办一整套综合医院和专科诊所。开普敦与南非各城市中心的主要疾病都是肺结核，这种病在营养和卫生条件恶劣以及居住拥挤的地方最易流行。公立医院则由省级行政单位在更广泛的范围内经营管理。大谷仓医院曾成功地进行了世界上第一例心脏移植手术，是南非最大的医院之一。开普敦也有几家规模较小的省立医院，私立医院的数目正在增加。

教育 最有名的高等教育机构是主教区学院（建于 1849 年），坐落于龙德博斯。开普敦大学亦位于该地，大学前身是建于 1829 年的南非学院，1918 年正式采用现名。大学始终要求招生不受种族限制的权利。西开普大学原为科洛德学生所设，位于附近的贝尔维尔市。开普高等技术学院的教学设备目前正集中于第 6 区新院址内。开普敦居民很多参加南非大学的函授课程以取得学位，非白人更愿接受这种教育形式。

文化生活 南非文化史博物馆附设几个卫星博物馆，包括大康斯坦蒂亚博物馆、建于 18 世纪的法官大厦博物馆、上开普博物馆、伯特勒姆大厦博物馆；在旧海港区还有南非海洋博物馆。开普敦也有几家艺术馆，设于好望堡的威廉·费尔收藏馆陈列着与开普历史有关的绘画、版画以及开普旧式家具、银器、料器等。费尔藏品的另一部分陈列于好望堡附近一幢 18 世纪的怡乐宫内，有水彩画及版画，饶有历史价值。欧洲大师的绘画作品陈列在老市政厅内，现代和当代绘画作品则在南非国家艺术品陈列馆内展出。南非博物馆主要是一座自然史博物馆。

开普敦交响乐团在一段时期内曾是南非唯一的市级乐团。开普表演艺术协会以尼科·马兰歌舞剧院为基地，有一个固定的乐团，并有一批独唱演员和一个合唱队。它以歌剧和芭蕾舞闻名于世。巴克斯特大剧院于 1977 年在开普大学校园内开始公演，有一个剧场、一个音乐厅、一个电视广播剧场，每年演出多达 1 000 次。

设于纽兰兹的板球场和橄榄球场是南非国内这两种球类运动的老家。全国网球赛则在龙德博斯举行。好望中心用于展览、室内网球、拳击、摔跤等活动。在开普敦大学的室内运动中心，设有室内网球场。开普敦城的周边地带，建有一个赛马场和 4 个高尔夫球场。福尔斯湾附近的济库湖和桑德湖地处开普敦东南，以水上运动闻名，尤以帆船和冲浪为著。开普敦港湾是赛船的重要基地；许多国际性赛船在此举行。开普敦还设有很多公共游泳池，其海滨沙滩十分有名，对各族人民开放。桌山以及梅曾贝赫以北的山脉，为爱好大自然的人和登山者提供徒步旅行和爬山运动的场所。建于基尔斯滕布什的国家植物园为该市边界之一部。

历史

第一名在桌湾碇泊并登上桌山的欧洲人是葡萄牙航海家 A. de 萨尔达尼亚。他遇到了数百名土著居民科伊科伊人。其后欧洲船舶继续在桌湾停泊以取得淡水、肉类及其他补给品。1647 年，荷兰商船“哈莱姆”号在桌湾失事，生还者带回有关这个地区的见闻，荷兰东印度公司董事会随即命令在该地设站，供应绕道好望角航行的船只。1652 年 4 月 7 日，公司代表 J. van 里贝克登上开普海岸勘察场地准备构筑堡垒和辟作菜圃。1657 年，公司开始解除部分雇工契约，使他们成为自由镇民和农民，而自 1658 年起，公司就开始买进奴隶了。

里贝克及其上级官员共同组成一个政策会议和法庭。遇到有关镇民的问题，自由镇民被邀参与法庭上的审理。最后镇民议员负责像防火、修路、维持秩序之类的公务。

由于输入奴隶，自荷属东印度群岛引入

政治流亡者，以及与土著的科伊科伊人的异族通婚及杂居共处，使得当地人口数量增加，但在18世纪初该城镇还被称为德开普时，它只有200所住宅。这个地方的发展，由于国际局势日形紧张以及好望角的战略地位日益重要而大为加速。七年战争（1756～1763）期间，欧洲列强多卷入战争，许多法国船舰和英国舰只不断到达这个港口，而自1773年起，英国人往往称该地为“开普敦”。美国独立战争加剧了欧洲敌对强国之间的紧张形势，1781年，一支英国舰队力争攻占好望角，因为英国东印度公司的董事把该地描述为“印度的直布罗陀”。但法国舰队先期到达，早已建成要塞，帮助荷兰人进行防御。法国人在开普敦期间该地繁荣升平，开始大兴土木。

1859年开始兴建铁路及公路网，由此而带动了郊区的发展，其范围大致为向东深入内地，向南直到开普半岛。1870年艾尔弗雷德码头投入运营，极大地刺激了海运业务的发展。1870年内陆发现金刚石矿，1886年又发现黄金矿藏，随之人口大批涌入。这些发展，再加上英国与两个布尔共和国之间爆发南非战争（1899～1902），都使开普敦有了一定程度的工业化。

第二次世界大战之后，开普敦的显著特点是不断都市化和工业上的长足发展以及人口大量增加。港口及工业区再度扩展，现代建筑在市中心商业区到处矗立。山坡低处已成一片住宅区，而现代高速公路多已建成通车。

在20世纪的大部分时间内，开普敦没有种族歧视，白人和非白人都可选举和任职。1972年由于公民的抗议，国家法律把非白人从选举名单上除去。市民继续反对种族隔离法律，1985年重申他们的信念：所有的人，不分种族、肤色或信仰，都有充分参与城市及市议会事务的民主权利。1989年9月，约4万人举行和平抗议游行，为南非其他地区举行类似示威，为非洲国民大会领袖曼德拉从狱中获释和种族隔离制度的结束创造了气氛。解除种族隔离后，市政府开始实施多数裁定原则。1998年，非洲国民大会领导下的新一届政府通过了城市组织法，扩大了城市边界，重新规划、整顿市政府，更好地服务市民。

Cape tulip　网球花　又作bloodlily。又称好望角郁金香、血百合或血莲。石蒜科网球花属（*Haemanthus*）植物，约50种，原产于南非。草本，多数种叶基生成簇，宽而钝。花密集簇生，红色，少数种白色。可供观赏。有些种各有俗名，如纳塔尔画笔草、凯瑟琳轮形草、巨画笔草及非洲血百合等。

网球花（*Haemanthus puniceus*）
美国不列颠百科全书公司供图

Cape Verde　佛得角　全称佛得角共和国。大西洋中部岛国，距塞内加尔西岸约620千米。在北纬14°48′～17°12′、西经22°40′～25°22′之间。面积4 033平方千米，由10个大岛和5个小岛组成，分为向风与背风两个岛群。首都普拉亚，位于圣地亚哥岛。人口约401 000（2000）。

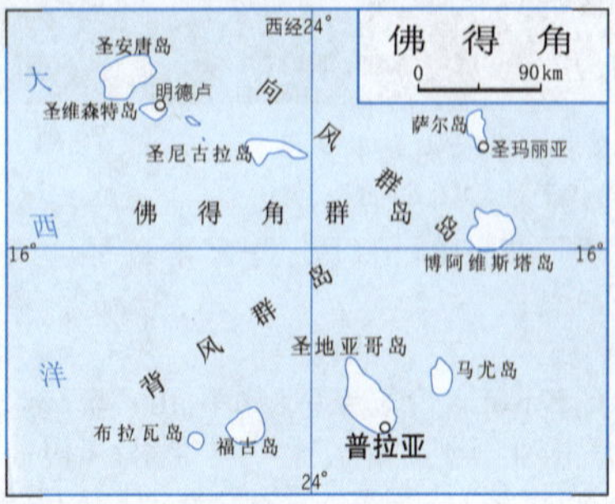

美国不列颠百科全书公司供图

土地　向风各岛多山，地形崎岖，由于受到侵蚀形成许多深沟；背风各岛地势平坦，多为平原和低地。两岛均由火山运动构成。福古岛的一座活火山于1951年喷发，全国最高峰（海拔2 829米）亦位于该岛。由于地形崎岖和雨量不足，土壤以石质土和未成熟土为主。多数岛屿上均有峭壁拔海而出。多山岛上无常年河流，仅在雨季才有水流动。

气候温和且稳定，但极为干燥。2月最凉爽，平均气温22 °C；9月最暖和，平均气温27 °C。降雨不规则，周期性干旱导致饥荒。普拉亚平均降雨量260毫米。丘陵下的谷地由雨季形成的山泉提供灌溉用水。较高的丘陵地带则由于有海雾使农耕成为可能。马尤岛和萨尔岛上的盐区生长适旱植物。向风区的灌木多刺、味苦且有毒。动物有壁虎、数种蜥蜴和石龙子。群岛上还有多种鸟类，另有两种海龟在荒芜小岛上产卵。

可耕地占全境陆地面积近1/10，牛羊放牧区占7%。

人民　佛得角人口有2/3以上为克里奥尔人（黑白混血种），其余为欧洲人和非洲黑人。除葡萄牙语（用于正式场合和大部分书面语）外，当地通用一种称为克里奥罗的葡萄牙方言。居民多信奉天主教，但以圣地亚哥岛为基地的一个基督教新教传教机构亦日趋旺盛，在大多数岛屿上设有一个教会和数所教会学校。佛得角仍保留着许多信仰万物有灵的习俗。

佛得角境内约3/5的人口年龄在20岁以下。多数年龄较大的居民都移民国外，大部分去欧洲（尤其是葡萄牙）以及委内瑞拉和巴西谋生。

人口最稠密的地区在圣地亚哥、圣安唐和圣维森特诸岛沿海一带。1/5人口居住在城市，而其中1/2在普拉亚。农村人口主要集中在有限的几处肥沃谷地和沿海小村落。

20世纪发生的数次特大旱灾造成20余万人死亡，并有大量移民前往非洲各国、巴西和美国。40年代后，人口持续增加，尽管向外移民仍然不断，且出生率亦属撒哈拉沙漠以南非洲地区最低之列。20世纪末，政府考虑到进一步降低人口出生率的紧迫性，开始大力提倡节育。

经济　佛得角经济为发展中的混合型经济，主要以农业为基础。1968年严重干旱周期开始后，经济状况急速恶化，由于有大量国际粮食救济才免遭饥馑。

国民生产总值的1/3来自农业，全国1/3以上人口为农民，但粮食却有4/5以上依赖进口。即使在雨量正常时期，10个岛屿中也仅有4个（圣安唐、布拉瓦、福古和圣地亚哥）可以进行重要的农事活动，并以饲养牲畜为主。粮食作物有玉米、豆类、木薯和甘薯。虽然香蕉、甘蔗、咖啡和花生等经济作物的种植受到鼓励，但农业发展仍很缓慢。70年代和80年代在圣维森特和萨尔两岛建有海水淡化厂，以缓解岛上严重缺水状况。为克服缺水现象，政府除安排打井外还兴建许多小型堤坝，以留住极为稀少的雨水。80年代初栽种的抗旱林木达200余万株。

矿业微不足道。萨尔、马尤和博阿维斯塔诸岛产盐。白榴火山灰（可用于制造水泥）有少量出口。渔业发展有潜力，逐渐采用现代化渔船和捕捞工具。在明德卢建有冷冻厂，在普拉亚和萨尔岛建有金枪鱼罐头厂。

制造业和建筑业共约占国民生产总值的1/4。其中建筑业占大部分。制造业主要有食品加工、纺织和制药业。

服务业和运输业约占国民生产总值的1/2。佛得角地处大西洋中部航空、航海路线交会处的战略要冲，其地位随港口和机场的改善而有所加强，80年代初考虑到群岛的地理位置和气候条件十分适合发展旅游业，普拉亚开始兴建宾馆。

佛得角的外贸长年出现逆差，且日趋恶化。主要贸易伙伴为葡萄牙和荷兰。尽管有大量外援，落实政府发展政策所需资金仍然不足。海外侨民和移民的汇款使局面稍有缓和，但经济发展仍主要依赖外援。

政体与社会状况　佛得角为多党制共和国，1992年颁布宪法，总统为国家元首。总统选举每5年进行一次，由选民直接选举产生。国民议会行使立法权；议会负责选举总理。司法系统的最高机构是最高法院。

社会保障计划虽有实行，但涉及范围十分有限，全民医疗卫生服务已开始实施。国家虽然贫穷，但人民健康状况却比西非其他国家好。由于缺乏医疗卫生设备和普遍营养不良，传染病和寄生虫病的发病率均很高，尤其是结核病、肺炎、支气管炎、肠胃病及儿童易患的疾病。人口平均预期寿命约为62岁，婴儿死亡率在西非地区最低。

7～14岁未成年人须接受免费义务教育，小学学龄儿童的入学率约为90%。政府采取了新建学校、培训教师等行之有效的扫盲措施。现全国3/4的成人有读写能力。学生接受高等教育一般都到国外，主要是葡萄牙。

文化生活 佛得角丰富的克里奥尔文化以其在文学和音乐方面的独特贡献而著称。感伤乐曲(称为莫尔纳斯)和克里奥罗诗歌为其特征。

历史 1456～1460年间葡萄牙人初探各岛时,未发现人烟。1460年葡萄牙航海家D.戈麦斯和A.德诺利发现马尤和圣地亚哥岛并命名。1462年首批葡萄牙殖民者登上圣地亚哥岛,建立起大里贝拉市。随着贩卖奴隶的盛行,该市的重要地位和财富与日俱增。1541年该市遭海盗袭击,1585年和1592年又连遭英国人进攻,1712年在遭法国人攻击后,该市被废弃。1876年后,因贩奴贸易衰微,各岛每况愈下。周期性干旱和饥荒的情况因腐败和弊政而更加严重,19世纪末方渐有起色。由于该岛地处欧洲、南美和南非之间的商船航线要冲,在明德卢建立了煤站和海底电缆站。第一次世界大战后,因海运减少,当地经济日趋衰落。第二次世界大战后,贸易发展,经济开始复苏。

1951年葡萄牙将此殖民地改为一个海外省,岛民于1961年获得葡萄牙正式公民权。但岛上独立运动仍极活跃,领导者是几内亚比绍和佛得角非洲独立党(简称几佛独立党;几内亚比绍位于非洲大陆,前为葡萄牙另一殖民地,亦获省地位,但仍争取彻底独立)。1975年佛得角成为独立共和国,A.佩雷拉为该国首任总统。1981年佛得角脱离几佛独立党,组成佛得角非洲独立党。同年该国国民议会通过宪法,正式和几内亚比绍分离。

Cape Verde Basin 佛得角海盆 葡萄牙语作Bacia do Cabo Verde。大西洋海底凹地。西为大西洋中脊,东为西非海岸。与相邻的加那利海盆(北)共同成弧形环绕非洲西海岸和佛得角群岛西南部。虽然大部分大西洋底覆盖着软泥,但在这个平均深度逾7 200米的海盆,软泥却被红色黏土所取代。海盆水温较高,含盐度较大,有来自塞拉利昂海盆的较冷水体汇入,还有加那利海流汇同较暖的大西洋赤道逆流与几内亚海流一起向南注入该海盆。

Cape Verde Peninsula 佛得角半岛 法语作Presqu'île du Cap Vert。位于塞内加尔中西部。由近海火山岛屿和海岸水流造成的陆桥连接而成。伸入大西洋,顶端为非洲大陆最西点。半岛上青翠葱绿,与北部起伏连绵的黄色沙丘形成鲜明对照。半岛的西南海湾是天然良港。1444年被葡萄牙人发现以来,佛得角成为非欧两洲贸易中转地。法国人1857年建立达喀尔,今为塞内加尔共和国首都。

Cape York Peninsula 约克角半岛 澳大利亚最北端半岛。伸入卡奔塔利亚湾(西)和珊瑚海(东)之间,北为托雷斯海峡。南北长约800千米。较大河流向西注入卡奔塔利亚湾。年降雨量自南部760毫米至北端约克角1 773毫米不等。人口稀疏,两岸均有土著居民保留地。当地发现有岩壁绘画。有养牛

托雷斯海峡的约克角半岛与岛屿

美国不列颠百科全书公司供图

业。产于韦珀的铝矾土是该半岛的主要资源。

Čapek, Karel 恰彼克(1890-01-09,奥匈帝国波希米亚马列·斯瓦托尼奥维采～1938-12-25,布拉格) 享有世界声誉的捷克长篇和短篇小说家、剧作家和散文作家。乡村医

美国不列颠百科全书公司供图

生之子。终生患有脊椎病,写作似乎成为他的一种补偿。曾在布拉格、柏林和巴黎攻读哲学,1917年定居布拉格。他的哥哥约瑟夫·恰彼克是一位画家,从1907年起他们共同合作写了许多作品。他的大部分作品都在探讨各种哲学思想。早期短篇小说主要描写人为了冲出命运狭小的樊笼而作的努力。另一类作品表现的是恰彼克的"黑色乌托邦",描绘科学发明和技术的进步如何诱惑人们进行巨大反抗。在剧作《罗素姆万能机器人》(1920)中,人制造了一个机器人(它的名字robot已经成为国际通用字),它比人更准确、更可靠,不久就控制了人,并以死亡相威胁,虽然在最后的关头,人终于得救了。格调类似的其他作品还有长篇小说《专制工厂》(1922)、《炸药》(1924)、《鲵鱼之乱》(1936)。滑稽幻想剧《小人的把戏》(1921,与约瑟夫合作),讽刺人的贪婪、自满和自私自利,强调人的价值的相对性和适应生活的必要性。他对民主的信念使他支持马萨里克(**Masaryk, Jan Garrigue**),并为他撰写传记。隐藏在貌似平凡生活表面下的神秘动机及确定动机的问题是恰彼克最成熟之作的主题,他的三部曲长篇小说表现了三方面的知识。《霍尔杜巴尔》(1933)把人对其行为动机的朦胧意识同世界的不可理解相对照;《流星》(1934)说明客观判断的主观原因;《平凡的生活》(1934)探索隐藏在"平凡"人自认的"自我"中的复杂个性。现实主义长篇小说《第一救生队》(1937)强调团结的必要性。《白色病》(1937)描述一位道德高尚的和平主义者的悲剧。《母亲》(1938)为武装抵抗野蛮侵略辩护。

Capel, Arthur 卡佩尔 参阅**Essex, Arthur Capel, 1st earl of** 埃塞克斯伯爵(第一)。

capelin(*Mallotus villosus*) **毛鳞鱼** 鲑形目胡瓜鱼科的海产食用鱼,栖于环球的北极冷海,但向南可扩布到北温带沿岸水域。与许多其他溯河洄游的胡瓜鱼类不同,不进入淡水产卵,而留在浅海中繁殖。但同其他胡瓜鱼类一样,身体细长,光滑,银色。尾鳍叉状。鳞小。眼大。长度不大于20厘米。常捕捞作食用鱼出售。

Capella 五车二 又称御夫座α,御夫座中最亮的恒星,也是夜空中第6颗最亮的恒星,它的目视星等为0.05等。五车二与另一颗目视星等为10等的红色伴星组成分光双星。距地球约50光年。

Capella, Martianus Minneus Felix 卡佩拉(创作时期4世纪末～5世纪初) 北非人,迦太基律师。他用散文和诗的形式介绍技艺在文化上产生的巨大影响一直延续到中世纪后期。卡佩拉的主要著作大概写于400年左右,但肯定是在439年以前。他的著作全称不详。根据手稿,前两部书题为《墨丘利与论学术的联系》,其余7部为《论语法》、《论辩证术》、《论修辞》、《论几何》、《论数学》、《论星占》和《论和谐》等。墨丘利给他的(神化了的)新娘7个使女,她们各自为所代表的7种技艺中的一种宣讲。卡佩拉所使用的散文形式往往是枯燥的,但有些部分受到了阿普列乌斯的《变形记》的影响。而且甚至比它更加矫揉造作和标新立异。他的韵文大体上是不错的。

Capellanus, Andreas 卡佩拉努斯 参阅**André le Chapelain** 安德烈(神甫)。

Capellen, Godert Alexander Gerard Philip, baron van der 卡佩伦男爵(1778-12-15,荷兰乌得勒支～1848-04-10,德比尔特) 荷属东印度群岛总督(1816～1826)。早年在荷兰司法部门供职,1809～1810年任内政大臣。任总督期间,曾经历了种种严重的困难。当摩鹿加群岛发生叛乱时,他取消了荷兰人的垄断权。为了防止印度尼西亚人沦为农奴,他禁止土邦向欧洲人出售更多的土地。因此,他不但激怒了欧洲人,而且也激怒了印度尼西亚贵族,从而引发爪哇战争(1825～1830)。当时,东印度群岛的财政状况每况愈下。他为了筹措资金,曾向英国贷款。由于以东印度群岛作为抵押,而被本国政府革职。

Capello, Bianca 卡佩洛(1548,威尼斯～1587-10-20,佛罗伦萨附近波焦) 又拼Cappello。威尼斯贵族女子。以美貌和聪慧闻名,但她搞的宫廷阴谋是当时的一大丑闻。

早年逃离家庭，与佛罗伦萨的一个青年人结婚。不久成为梅迪契的弗朗切斯科一世的情妇，最初陈仓暗渡，1569年丈夫被谋杀后公开同栖。1578年她假装怀孕，然后把一个平民

美国不列颠百科全书公司供图

所生的孩子当作自己的孩子交给弗朗切斯科，因而与弗朗切斯科正式结了婚。她的权术在佛罗伦萨宫廷中招致很多敌人。后来，她与弗朗切斯科同日病死，很可能是被人毒死的。

Capellus, Ludovicus 参阅 **Cappel, Louis** 卡佩尔。

Capena 卡佩纳 意大利伊特鲁里亚南部的古代城市。可能原为维爱城的殖民地，维爱陷落后归附罗马。有罗马建筑的遗迹。在附近丘陵还发现了许多陵墓（主要是公元前8和前7世纪的）。

capercaillie 松鸡 松鸡科欧洲猎鸟类。参阅 **grouse**。

Capernaum 迦百农 杜埃版英文本《圣经》作 Capharnaum。以色列加利利海（又称太巴列湖）西北岸古城，耶稣的第二故乡，即今纳侯姆村。在耶稣时代，是一驻军城镇，行政中心和税卡。耶稣从这里选定他的门徒彼得、安得烈和马太，并在此显示了他的许多奇迹。考古发掘的遗址中，有一长方形犹太会堂，年

迦百农古城的2～3世纪犹太会堂遗址

美国不列颠百科全书公司供图

代为2～3世纪；在其地基下面，可能还有一座更老的基督时代的犹太会堂。

Capetian DYNASTY 卡佩王朝 中世纪987～1328年的法兰西王朝。其历代国王通过扩大和巩固王权，为法兰西民族国家奠定了基础。这一王室为安茹和布卢瓦伯爵强者罗贝尔（866卒）的后裔。罗贝尔的两个儿子厄德和罗贝尔一世分别于888年和922年被立为法兰克国王。罗贝尔一世之子伟大的于格于936年恢复加洛林王朝。但其子于格·卡佩（**Hugh Capet**）又于987年当选国王，从此永远消灭了加洛林王朝。从于格·卡佩至约翰一世13代国王均为父子相传，他们和约翰一世的两位叔父腓力五世和查理四世（1328卒）称作卡佩王朝的“嫡系”。此后该王朝经历瓦卢瓦王室（参阅 **Valois dynasty**）的13代国王。其中，自腓力六世至查理八世的7代为父子相传。此后从路易十三开始，成为瓦卢瓦-奥尔良王室。自弗兰西斯一世至亨利三世共5代至1589年，属瓦卢瓦-奥尔良-昂古莱姆王室分支。此后，王位由卡佩王朝的波旁王室（参阅 **Bourbon, House of**）继承。于格·卡佩的统治范围仅限于巴黎周围的领地，法兰西王国的其他领土尚为各地强有力的贵族所据。于格·卡佩的后代通过征服、继承以及对非直属地区行使宗主权而逐步扩大领地。在该王朝治下，法兰西君主政体的许多基本行政机构，如高等法院、三级会议和大法官等开始建立。卡佩王朝著名的君主有：腓力二世奥古斯都（1180～1223在位），他从英格兰安茹王朝手中夺得了法国西部大部分疆土；路易九世，或称圣路易（1226～1270在位），他公正圣洁，大大提高了王朝的威望。除法兰西诸王外，还有：卡佩家族的勃艮第公爵的两个世系（1032～1361和1363～1477）；布列塔尼公爵世系的一支德勒的卡佩家族（1213～1488）；属于库特奈家族的3个卡佩王朝的君士坦丁堡皇帝（1216～1261）；历代阿图瓦伯爵（1237年起，但世袭权一直有争议）；第一个安茹的卡佩家族，有的后裔成为那不勒斯国王和女王（1266～1435），有的成为匈牙利国王（1310～1382）；埃夫勒家族，有3个人成为纳瓦拉国王（1328～1425）；第二个安茹的卡佩家族，有5个人成为普罗旺斯伯爵（1382～1481）；此外还有一些较小的支系。

Capgrave, John 卡普格雷夫（1393-04-21，英格兰诺福克郡林恩～1464-08-12，林恩）英国历史学家、神学家、圣徒传记作家。著有英文本《圣凯瑟琳传》，以诗的形式写成，风格刚健，论辩有力，充分显示出一代文风和所处时代背景。他是司铎，曾在牛津大学讲授神学，其后在林恩参加奥古斯丁会，可能曾担任隐修院副院长。他至少去过罗马一次，旅行中所见奇事载于《朝圣者的安慰》中（C.A.米尔斯编辑，1911年出版）。他的神学著作绝大多数似为辑录或译述他人的作品而成。他献给英王亨利六世的历史著作学术价值不高，但其未竟稿《英格兰编年史》的后一部分尚有可取之处。他用英文写过几本诗歌或散文体圣徒传记。拉丁文的英格兰圣徒传集《英格兰传奇新编》大部分是由他编辑而成，16世纪时人们认为是由他所撰写。

Capharnaum（ancient Israel） 参阅 **Capernaum** 迦百农。

capillarity 毛细现象 液体通过毛巾的纤维间隙或多孔材料中的细小孔道上升或下降的现象。毛细现象不只是沿垂直方向出现。毛巾的纤维不论如何取向都能吸水。把小孔

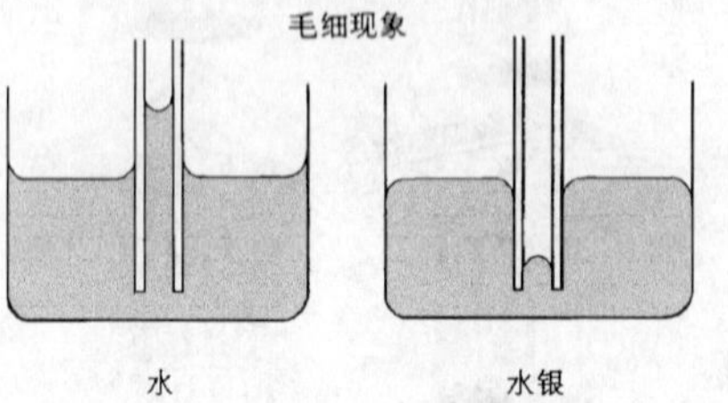

水和水银的毛细现象

径管子插入液体中，如果管内液面上升，就说它润湿了管壁，如果管内的液面下降，就说它不润湿管子。水是一种能润湿玻璃毛细管的液体，水银则不是。毛细现象是表面张力（**surface tension**）或界面力产生的。插入水中的细玻璃管中的水面之所以上升，是因为水分子和玻璃管壁之间以及水分子彼此之间相吸引。吸引力恰与水柱升高所产生的重力相平衡。毛细管的孔径越窄，水上升得越高。而水银则下降得越多。

capillary 毛细血管 遍布全身组织的微小血管，连成网状，功能为向组织提供氧及营养物质并带走二氧化碳及其他废物。毛细血管网是来自心脏的动脉血的终点，也是乏氧血经静脉回心脏的起点。前毛细血管或称后小动脉，在微动脉与毛细血管之间，与毛细血管不同之处是有肌纤维，可收缩以控制毛细血管的充盈和排空。毛细血管直径约8～10微米，仅容单列红细胞通过。管壁由单层内皮细胞所构成。毛细血管网的网眼大小各异，在肺及脉络膜内，网眼比毛细血管本身还细小，而在血管外膜中则比毛细血管的直径约大10倍。一般说，在生长部位、腺体、黏膜内毛细血管间隙较小；在骨、韧带则较大；在腱内几乎缺如。capillary一词亦指淋巴系统的最小管道（淋巴毛细管）及肝内的毛细胆管。参阅 **artery**；**vein**。

capillary wave 表面张力波 微小的自由水面波，以水的表面张力为恢复力而波长很短。它使波峰为圆形，波谷为V形。其最大波长为1.73厘米；更长的波受重力控制，称为重力波。表面张力波的波速与重力波的波速不同，随波长的减小而增大，其最小速度为23.1厘米/秒，相应的最大波长是1.73厘米。

capital 柱头 建筑中,柱子、壁柱、壁角柱等的顶部,在结构上支承其上的梁、额枋、檐部或拱等构件。在古典建筑中,各种柱式(**order**)的区别以柱头最为明显。柱头按位

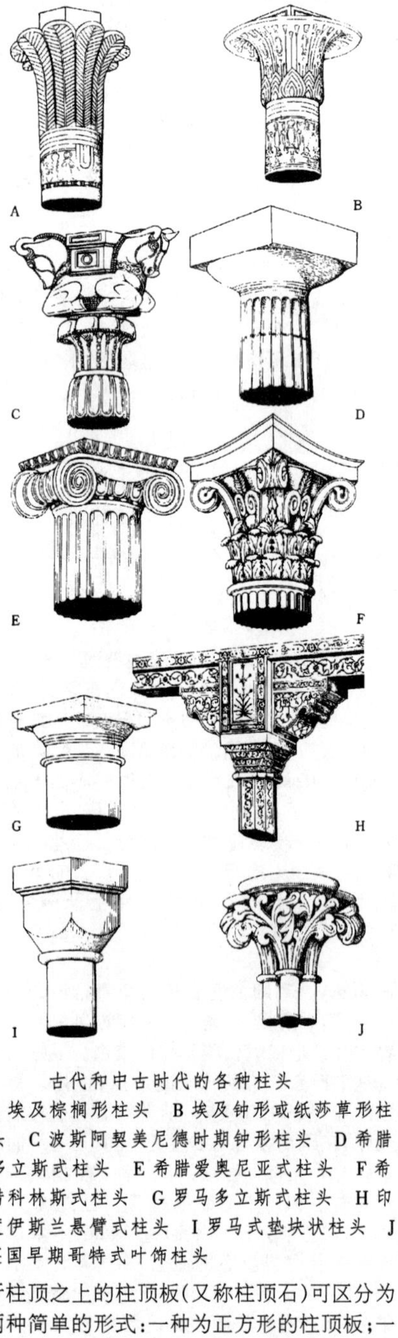

古代和中古时代的各种柱头

A 埃及棕榈形柱头 B 埃及钟形或纸莎草形柱头 C 波斯阿契美尼德时期钟形柱头 D 希腊多立斯式柱头 E 希腊爱奥尼亚式柱头 F 希腊科林斯式柱头 G 罗马多立斯式柱头 H 印度伊斯兰悬臂式柱头 I 罗马式垫块状柱头 J 英国早期哥特式叶饰柱头

于柱顶之上的柱顶板(又称柱顶石)可区分为两种简单的形式:一种为正方形的柱顶板;一种为长方形的柱顶板,其较长的一边与上方的梁并行。将柱顶板的两端加以修饰,柱头便形成向两侧扩展的形式,以后,又在其上添加了线脚并用植物、动物或几何图案加以装饰。原始的顶板式柱头很早就已在埃及和美索不达米亚应用。在塞加拉的阶梯式金字塔建筑群(约公元前 2890 ～前 2686)中就有两种简单的石柱头,一种为马鞍形,另一种为倒钟形。后期的埃及建筑中使用了由棕榈和莲花等植物形态装饰的柱头以及人形柱头。早在公元前 870 年,安纳托利亚和美索不达米亚的赫梯建筑中已使用涡卷形装饰的柱头。波斯阿契美尼德王朝时期创造了非常精致的柱头。希腊人创造了三种为人广泛使用的柱头形式:多立斯式柱头由方形的柱顶板和其下的钟形圆饰以及连接着柱身的几条狭窄的隆起线脚组成。爱奥尼亚式柱头,也许与西亚的涡卷形柱头有关,由柱顶板、柱头凸圆线和一对涡卷形装饰组成。科林斯式柱头基本上是由围有几行叶纹装饰片的倒钟形饰物和它所支承的顶板组成。罗马人又增加了由多立斯式变体形成的托斯卡纳式柱头以及由爱奥尼亚式的涡卷饰和科林斯式的倒钟形饰综合而成的组合式柱头。伊斯兰建筑的柱头主要采取由重复的小线脚和叠置的小拱等构成的抽象图案形式。在印度、中国和日本,带斗拱的柱头和用莲花纹装饰的钟形柱头最为常见。中世纪欧洲的柱头设计导源于古代罗马,上方下圆,作为其上部方形拱脚及下部圆柱之间的过渡。罗马式柱头则上面雕有鸟兽和其他图案纹样。哥特式时期的柱头多采用朴素的叶饰、卷叶饰和几何形线脚。中世纪后期,强调束柱直接与拱顶相连,逐渐降低了柱头的重要性。

capital 资本 在经济学中,指一批可用于生产货物和服务的资源。在古典经济学中,资本被称作生产三要素之一,其余二要素为劳动和土地。广义的资本定义可以包括生产系统中一切物质的、非物质的和人力的投入;不过一般说来,更加有用的定义是将此术语限制为指生产企业所掌握的物质性资产。按照这种意思,有两种形式的资本。货币或金融资本是一种用于投资的流动的、无形的资本。货物资本——即实际或物质资本——是在生产中产出的或用以生产其他货物和服务而使用的诸如建筑物、机械、设备等有形的项目。货币资本是为融资获取实际资本或货物资本而销售股票和债券来筹集的资本。货物资本与储蓄相类似,为了供应将来生产和消费的物品,二者都需要延迟当前的消费。根据会计学的意义,工商企业的资本,是尚未由企业的运营而产生出来的那部分财产净值;换言之,就是企业在未挣得收益前原有的那批资产净额。经济学家可能要称诸如成套和部分设备、厂房和办公楼、原料、半成品和成品存货之类资产为"实际"资产,而不论其财务状况如何。最早的理论认为资本是生产超过消费的盈余部分,从 A.斯密开始,古典学派的经济学家发展了这一资本理论。由资本所赚得的收入是利润,其他两个生产要素所赚得的收入相应称为工资和租金。迄今仍未提出过任何十分令人满意的资本理论,自 19 世纪以来人们对发展这一理论的兴趣业已衰落。

Capital (book by Karl Marx) 参阅 **Kapital, Das**《资本论》。

capital gains tax 资本收益税 对出售或交换资本资产而实现的收益所征收的税。美国从实行联邦所得税以来,就对资本收益征税;自 1921 年迄今,某几种资本收益可享有优惠待遇。赞成资本收益优惠待遇的论点:①优惠待遇有助于鼓励风险资本的投资,从而可刺激经济的增长;②在一年内对几年才能增值的全部价值进行课税,有欠公平;③对资本收益按常规税率课税,会促使投资者将投资固定于目前的类型。而另一方面,反对的论点却认为:有了优惠待遇,人们为了逃避纳税会把正常收入转化为资本收益,从而产生扭曲的投资类型。在英国,1962 年以前,不对资本收益课税,并且资本损失也不能从总收入中予以扣除;1962 年投机性的短期(6 个月或以下)收益,按常规税率课征。在美国,长期(18 个月或以上)资本收益最高税率可达 20%。

capital levy 资本课税 严格的定义是,凡有人拥有可征税的财富超过最低值,对他们的资财一齐进行征税,并至少以其部分资财支付税款,这种直接税叫资本课税。各种各样的税,即使是按当期收益征收,或税负并未超过其当期收益支付能力,有时也统称为资本课税。就其最狭的含义而言,资本课税旨在使纳税人交出较大部分的财富,以便政府能应付某些突然发生的重大紧急事件,或实行一次社会巨额财富的再分配,或实行一次货币流通量、国债额的巨大削减。第一次和第二次世界大战后,资本课税曾为欧洲许多国家所采用。

capital punishment 死刑 指对被定罪的罪犯的处决。死刑曾是多种罪行量刑的常用处罚。例如,在英格兰,18 世纪期间,对几百种具体罪行,特别是对侵犯财产罪,规定了死刑。然而,就在那个世纪,对应处死刑的罪行的数目和类型开始施加了限制。18 世纪启蒙运动的思想家孟德斯鸠、伏尔泰、贝卡里亚等人的著作,正如工人阶级和人道主义运动的兴起一样,对改革这种刑法起了有力的促进作用。到 20 世纪 70 年代,葡萄牙、丹麦、委内瑞拉、奥地利、巴西、瑞士和英国(除叛国罪和海盗行为外)已取消法定的死刑。在其他一些国家,死刑很少或从未被使用。在美国,有些州有死刑法令,有些州没有。1972 年,美国最高法院裁定当时实行的死刑法律违反宪法。但是,后来的一项最高法院的裁定又认为死刑本身是符合宪法的。此后很多州通过了一些符合最高法院关于具体规定适用死刑的罪名和情节的要求的法律。赞成死刑的人认为死刑能使罪犯感到威慑;他们认为,无期徒刑作为一种威慑力量不如死刑有效,而且会使监狱人员和其他罪犯面临被谋杀的危险;这种危险以后还会扩展到居民区,因为杀人犯可能逃脱、或者被宽恕,或者获得假释。反对死刑的人认为,不能证明死刑比无期徒刑更具有威慑力,对居民区更安全。他们认为,错误的判决有时会导致处决无罪者。他们还认为,死刑的实施往往是不公平的,多数是实施于那些穷人和得不到保护的人们身上,他们雇不起律师,也没有钱提出上诉。

capitalism 资本主义 又称自由市场经济或自由企业经济。封建主义瓦解后,统治西方世界的经济制度。在资本主义制度下,生产资料大多为私人所有,并主要通过市场的作用来指导生产和分配收入。16、17、18 世纪英国纺织工业的兴起引起了资本主义的发

展。其发展特点与过去不同，它将生产超过消费的余额用于扩大生产能力，而非用于投入像金字塔、大教堂等非生产性项目之中。这一特点是由好几桩历史性事件促进而形成的。在伦理方面，它受到16世纪宗教改革的激励，艰苦工作和俭朴生活得到宗教的赞许，传统上对努力获取财富所抱的蔑视态度已经消失。鉴于富人也是有道德的人，经济上的不平等被认为是正确的。另一个起作用的因素是，欧洲贵重金属供应量增加而导致物价飞涨。在此期间，工资增长赶不上物价上涨速度，主要受益者是资本家。早期的资本家(1500～1750)还得益于重商主义时代强大民族国家的兴起。这些国家所奉行的国家权力政策，在提供经济发展所需的基本社会条件如统一的货币制度和法典方面获得成功，并最后使公共积极性转变为私人积极性成为可能。自18世纪英国开始，资本主义发展的中心由商业转向工业。在产业革命期间，前几个世纪持续积累的资本都投入于技术知识的实际应用之中。A.斯密的《国民财富的性质和原因的研究》(1776)表达了古典资本主义的观念，书中建议应由自动调节的市场力量的自由作用作出经济决策。法国大革命和拿破仑战争清除了封建主义的残余，斯密的方针日益付诸实施。19世纪政治上的自由主义政策包括自由贸易、稳定货币(金本位制)、平衡预算和最低限度的贫困救济。第一次世界大战标志着资本主义发展的一个转折点。战后，国际市场萎缩，许多国家放弃金本位制而实行有管理的国家通货，金融霸权从欧洲转向美国，贸易壁垒日益增加。20世纪30年代的大萧条迫使多数国家终止自由放任主义(国家不干预经济事务)政策，并一度引起人们对整个资本主义制度的怀疑。但自第二次世界大战以来，资本主义在美、英、西德、日本等国的成就，证明它仍然有持续的生命力。

Capitano　卡皮塔诺　意大利即兴喜剧中的定型角色。这是一个色厉内荏的军人典型。作为即兴喜剧中最早的人物之一，源于古罗马喜剧中好吹嘘的士兵"吹牛军人"一角。最

佚名画家绘《杰洛西剧团》(约1580)中的卡皮塔诺

美国不列颠百科全书公司供图

初旨在讽刺16世纪意大利的法国和西班牙雇佣兵。该角色总是大言不惭地吹嘘他在财富、武功和女人方面的成功，却常常被他的随从和知己朋友以戏谑式的旁白加以戳穿。至17世纪晚期，卡皮塔诺这个人物已失去其绝大部分政治含意，而仅仅代表一个傲慢的吹牛者。

capitation　人头税　1789年大革命以前法国的主要直接税。最初作为一种战时措施规定于1695年。开始时每一臣民都要缴纳，其数额分级而定。为了征税，法国社会划分为22级。18世纪初成为常征税，由一总监分配，以代替分级缴纳制。实际上，人头税仅为平民税的附加额，而平民税已成为一种久已存在的王家税，主要由法国人民中的无特权阶级负担，此税的大部分由他们缴付。法国大革命后，人头税被废除。

Capito, Wolfgang Fabricius　卡皮托(1478，阿尔萨斯哈根瑙[今在法国]～1541-11-04，法国斯特拉斯堡)　原名科普费尔。人文学家，天主教司铎。他放弃天主教信仰，成为斯特拉斯堡主要宗教改革家之一。1515年任瑞士巴塞尔主教座堂布道员，在巴塞尔大学讲课，结识著名人文学者伊拉斯谟和瑞士宗教改革运动领袖茨温利。1519年美因茨大主教阿尔布雷希特任命他为美因茨主教座堂布道员，后改任秘书，卡皮托郁郁不得志。他逐渐深信宗教改革事业，遂于1523年辞职前往德意志南部斯特拉斯堡，与德意志新教人士布塞尔一起在斯特拉斯堡和南部地区推行宗教改革运动，支援福音派内的德意志、法兰西和瑞士籍牧师，巩固他们的地位。1530年与布塞尔共同起草《四城市信纲》，调解茨温利与路德之间在《奥格斯堡信纲》问题上的争执。他同再洗礼派以及不赞成斯特拉斯堡宗教改革运动的人们保持良好关系，直到1534年才明确地驳斥他们。

Capitol, United States　美国国会大厦　美国最为人熟悉的建筑物和国会举行会议的地方。坐落在华盛顿国会山，宾夕法尼亚大街与宪法大街和独立大街交叉处。其西为草地广场，其东为联邦最高法院和国会图书馆，其南北两面则为众议院与参议院的办公楼。大厦由W.桑顿(1792年国会大厦设计方案竞赛获胜者)设计。1793年9月18日奠基。北翼先期完工并于1800年交付国会使用。1807年南翼建成。1814年遭英国人火焚。1827年，著名波士顿建筑师C.布尔芬奇将两翼连

美国国会大厦的西面

美国不列颠百科全书公司供图

接起来并建造了最初的圆顶。后来的87米高铸铁穹顶系由T.U.沃尔特设计。至1857年，众议院扩建工程完工；两年后参议院扩建工程完工。1863年穹顶顶部设置了由T.克劳福德制作的6米高的名为"自由"的青铜雕像。国会大厦现坐落在一占地53公顷的公园内，建筑长约751英尺，宽约350英尺，有房间约540个。

Capitol Reef National Park　卡皮特尔里夫国家公园　在美国犹他州中南部，托里正东。1937年设为国家纪念地。1971年设为国家公园。面积982平方千米。沃特波基特褶皱西侧的多彩砂岩大悬崖长32千米。有弗里蒙特河及其支流从300米深的峡谷流经。崖壁上刻有哥伦布抵美洲前的图纹。植被稀疏。矮松及红松多见于斜坡之上，沿河则有三角叶杨。

Capitoline Museums　卡皮托利尼博物馆　罗马卡皮托利尼山上的综合艺术陈列馆。1471年教皇西克斯图斯四世将其所藏古代雕像捐出展览，是其缘起。藏品随着继任教皇们的捐赠而不断扩增。博物馆大厦由米开朗琪罗设计(1536)，约于1603年竣工，1734年开放。新博物馆集中了原来几个市立收藏馆的古代艺术品。

capitulary　加洛林王朝法规汇编　指8～9世纪后期西欧加洛林王朝各君主(查理曼及其继承人)颁布的通常已划分好条目的法令。这些法令处理行政、王室领地、公共秩序和司法等各种问题，也处理宗教问题。在早些时候的墨洛温王朝时代，类似的法令也曾颁布过，但不用同样的名称。在加洛林王朝时代，处理宗教事务的法令是和处理世俗事务的法令分开的。后者分为三大部分。第一部分旨在补充或修改加洛林王朝的国家法律，内容涉及刑法、程序规则，或私法。第二部分是国王和他的贵族议会同意达成的法令。这些法令适用于王国范围内的各部分领土，处理臣民和王国之间的关系。最后一部分则是训令，来源于国王个人决定，发给各地特派员的指示。这些特派员被派驻各省，监督地方行政，以确保对王室命令的服从。这些法规汇编的原本已不存在，因此有必要对它们的抄

本或抄本的抄本进行研究。但这些抄本常常错误百出。为此,要完全确定它们的性质往往很困难。加洛林王朝并不按照固定的系统来立法,上述的区别只不过是大概而已。

capitulation 外侨权利 在国际法的历史上,指一个国家准许他国在其领域内对他国国民行使治外法权的任何条约。这个词在这里的含义不同于它在军事上的含义"投降"。最早由欧洲的一些统治者与强大的土耳其苏丹协议的外侨权利没有投降的因素,苏丹们是想摆脱对外国商人行使司法权的负担。后来由欧洲国家通过军事压力在中国和其他亚洲国家获得的外侨权利,被认为(而且,实际上是)对后者的主权和平等的屈辱性的损害。1536年,法国的弗兰西斯一世与土耳其的苏莱曼一世签订了一个关于外侨权利的条约,这个条约成为后来与其他强国签订条约的模式。它准许法国商人在土耳其营业,赋予他们个人自由和宗教自由,并且规定由法国国王任命的领事按照法国法律判决在土耳其的法国臣民的民事和刑事案件,并有权请求苏丹的官员们协助执行判决。在18世纪期间,几乎所有的欧洲强国都在土耳其获得了这样的外侨权利,在19世纪中,一些新兴的国家,例如美国、比利时和希腊也加以仿效。外侨权利制度在17、18世纪和19世纪初广泛发展,当时西方的商人通过渗入的过程散布西方的影响。很快就产生了"不平等条约",这种条约,例如中英补充条约(1843)及其后来的修订条例,在中国建立了一个英国的外省法院和最高法院的系统,审判涉及英国臣民的案件,但未给予在英国的中国居民以同样的权利。外侨权利制度产生的弊端在土耳其和中国表现得特别明显。外国领事对涉及外国国民的所有事务享有司法管辖权的事实早就导致损害了土耳其的主权,外国政府还可以对在土耳其港口出售的货物征税,例如1454年阿德里安堡条约规定对来自威尼斯的货物征税2%。一些强大的外国还可以在土耳其的土地上设立银行、邮局和商店,不向土耳其纳税,而且可以和当地的公司竞争。在土耳其和中国,外侨权利的存在导致形成了一个不受当地司法管辖的阶级——被外国保护的人,这些人由于受雇于外国人,声称可以部分地不受其本国法律的管辖,而且在充当外交阴谋中的爪牙时特别有用。尤其在中国,逃避法律制裁的人可以向外国人寻求庇护。因此外国人不免滥用特权;他们自己的法律有时执行不力,他们的法庭偏向自己的国民而损害所在国的国民的利益(在没有混合法庭的中国尤其是如此),并为贿赂和腐败大开方便之门。在中国的一些通商口岸中,众多的定居地和租界实际上不受当地的司法管辖,不可避免地致使行政混乱;每个外国使馆有它自身的、有时是相互冲突的权利。随着东方国家日益意识到其本身的主权权利和越来越憎恨西方的统治,开始出现了要求结束外侨权利。土耳其于1856年正式提出废止这些权利的问题;美国拒绝承认单方面废止的有效性,但同盟国于1919年正式放弃了这些权利,苏联于1921年主动放弃了所有这些权利,1923年同盟国与土耳其在洛桑签订的和约废除了外侨权利。第一个签订条约废除外侨权利的国家是日本(1899);直到1943年英国和美国方才放弃它们在中国的权利。从那以后,除了在马斯喀特和巴林所做的某些安排以外,外侨权利不复存在了。参阅 **extraterritoriality**。

Capo d'Istria, Giovanni Antonio (Greek statesman) 参阅 **Kapodístrias, Ioánnis Antónios** 卡波季斯特里亚斯。

Capodimonte, National Museum and Gallery of 卡波迪蒙特国家博物馆和美术馆 位于那不勒斯的艺术博物馆,馆址为18世纪中叶的卡波迪蒙特宫。几个世纪以来,馆藏通过多种途径不断扩大。至19世纪初藏品已达1 780件。藏有13～17世纪的意大利绘画,以及武器、盔甲、金银器和其他装饰艺术品,包括卡波迪蒙特的瓷器在内。该馆主要的三部分是:博物馆、19世纪美术馆和国家美术馆。

Capodimonte porcelain 卡波迪蒙特瓷器 1743年由那不勒斯的查理三世建立在卡波迪蒙特宫的工厂生产的软质瓷器。截至1759年查理因登上西班牙王位而将该厂拆迁到马德里附近的布恩雷蒂罗之前,曾大量生产过多种这类瓷器。应将卡波迪蒙特瓷器与那不

约1755年的卡波迪蒙特瓷器
美国不列颠百科全书公司供图

勒斯王室工厂的产品加以区别,该厂是查理之子斐迪南一世于1771年建立的,持续生产到1806年。卡波迪蒙特工厂的主造型师自始至终均为朱塞佩·格里齐,主绘画师则相继为J.S.菲舍尔和鲁伊基·雷斯蒂尔。瓷器的软质坯体涂有有光泽的釉料,通常为纯白色,也有时着浅淡的颜色。早期产品——洛可可式鼻烟盒,手杖柄、汤锅、茶具,曾在年度集市上出售。彩绘装饰有战斗场面、海景画、山水风景、人物以及红、蓝、紫、黑等单色的爱神丘比特画像。为数众多的人物群像是由格里齐塑造的,它们取材于神话、宗教、乡土风光。各色意大利即兴喜剧角色塑造得栩栩如生,以严谨的柔和色彩和镶金而见长。卡波迪蒙特工厂彩绘的杰作是洛可可"瓷室",原在波蒂奇的皇家别墅内,后于1805年迁至卡波迪蒙特宫。该室建于1757～1759年间,除一盏吊灯在第二次世界大战期间被毁之外,至今保持完整。格里齐和菲舍尔为建造该室的主要负责人。瓷室除门和5块镜面外,完全由瓷画屏、花瓶和受到中国装饰风格影响的大型浮雕群像所组成,并采用大量镶金和灿烂的多色瓷釉作装饰。饰有浮雕和彩绘神话场景的茶杯、茶托和类似的装饰用瓷器从未在这个工厂生产过,而是在多西亚工厂。波旁家族的百合花纹是这个厂的标记(布恩雷蒂罗后来也用过同样的标记),或为压印或为绘制,不过用得很少。

Capodistria (Slovenia) **卡波迪斯特里亚** 参阅 **Koper** 科佩尔。

capoeira 卡波艾拉 巴西东北部流行的一种民间舞蹈。由奴隶从安哥拉带到巴西。卡波艾拉最初是一种有生命危险的运动,参加者(往往在踝骨处绑有刀片)向前高高踢腿,攻击对方,翻筋斗时紧紧擦过舞伴的双膝、头部和腹部。在现代舞中,更强调这种急速、优美的动作。通常两个男伴彼此面对站立,随着"贝利姆巴乌"(音乐性鞠躬)的节奏,竞相攻击,做出"打仗"的种种动作。巴海亚和里约热内卢的俱乐部训练舞蹈演员掌握这种精确的踢腿和擦过技巧。

Capoid local race 开普地域人种 尼格罗(非洲)地理人种中的一个亚群,大致相当于一个遗传隔离种群。开普人种包括南非的桑人(布须曼人)与科伊科伊人(霍屯督人)。主要体质特征是:身材低矮,四肢短小;皮肤浅黄色;头发密集卷曲,形成一些疏稀的丛簇,体毛极少;脸庞肥胖,额部凸出;眼睛常常有内眦褶(即所谓蒙古褶),眼窝周围脂肪发达。开普人种的血液中有特殊的亲血色珠蛋白和血红蛋白以及罕见的血型。参阅 **local race**; **Negroid geographic race**。

Capone, Al 卡彭(1899-01-17,美国纽约布鲁克林～1947-01-25,佛罗里达帕姆岛) 原名Alphonse Capone,别名Scarface。美国著名歹徒,1925～1931年为芝加哥犯罪集团首脑。1893年,卡彭的父母从那不勒斯移居美国。卡彭在他们9个孩子中排行第四,在布鲁克林读完小学6年级后辍学,加入了以J.托里奥为首的詹姆斯街少年团伙,后来升为"五点帮"(Five Points Gang)一级。有一次在妓院进行的斗殴中,卡彭被一阿飞用小刀或剃刀划破左颊,故有"疤痢脸"之绰号。1909年托里奥由纽约迁往芝加哥,去协助别人经营大型妓院,1919年就把卡彭叫去帮忙。据说在1920年不知是卡彭还是F.耶尔把托里奥的老板大吉姆·科洛西莫暗杀了,托里奥就夺取了当地犯罪团伙的大头目地位。禁酒令颁布后,新兴的私酒贩运活动为他们开辟了致富之路,财源滚滚而来。1925年托里奥洗手不干,卡彭当上芝加哥犯罪集团首脑,设赌营妓、贩运私酒、枪击对手及其一伙以扩大地盘。1927年,他的财产估计近1亿美元。最著名的一次流血事件是1929年2月14日

的圣瓦伦丁节惨案。在这次惨案中,疯子莫兰黑帮在北面停车场遭到机枪扫射。1931年6月卡彭被控偷漏联邦所得税,10月开庭审判,判决11年监禁,罚款和诉讼费达8万美元。1932年5月,卡彭被关进亚特兰大监狱,1934年8月又被转到阿尔卡特拉斯监狱囚禁。1939年11月,卡彭因脑梅毒症全面恶化而获释,进入巴尔的摩医院治疗。余生在佛罗里达乡间隐居。

Caporetto, Battle of　卡波雷托战役(1917-10-24)　意大利在第一次世界大战期间的一次大败仗。意、奥两军在的里雅斯特西北的伊松佐河战线僵持两年半之后,奥、德联军发起进攻,意军败退。结果使60多万厌战沮丧的意大利士兵或开小差或投降。这次失败促使意大利的盟国法国和英国派来援军,成立最高作战会议,以统一协约国的军事行动。由于卡波雷托战役失败,意大利撤换了军事指挥官,成立了新的政府。

Capote, Truman　卡波特(1924-09-30,新奥尔良～1984-08-25,洛杉矶)　原名Truman Streckfus Persons。美国小说家和剧作家。其早期作品为美国南方哥特式小说传统的延续。以后他创造了一种新闻报道的风格,特别是在《心辣手狠》(1966)中,它记叙了堪萨斯州两个反社会精神病患者犯的多次谋杀案,他称之为"非虚构小说"。

卡波特未成年时父母即离婚,他被送到路易斯安那州和亚拉巴马州的小城随年长的亲戚生活(他的姓得自他母亲再嫁的丈夫约瑟夫·加西亚·卡波特)。他的两篇自传性的短作品写的便是这一段时期的经历:《圣诞忆旧》(1965年拍成电视片;1966年出版)和《感恩节的来客》(1968年拍成电视片;1969年出版)。他随后与居住在康涅狄格州密尔布鲁克的母亲和继父共同生活,在格林尼治中学受完教育。

他的第一部小说《别的声音,别的房间》(1948)被誉为一位前程远大的作家的作品。它讲一个13岁的男孩在腐败已极的南方世界中寻觅父亲以及查清自己身份的故事。两年之前,他曾以《关上最后一扇门》获欧·亨利短篇小说奖。本篇与其他一些描写无人怜爱、无人理会的可怜虫的故事结为一集,名《夜晚的一棵树》(1949)。

《草竖琴》(1951)写一些桀骜不驯、天真未泯的人暂时退出现实生活,居住在树上,获得新生后回到现世的故事。他还把它改编为舞台剧本。1954年他与作曲家H.阿伦合作,写了《花之屋》,一部以西印度群岛一家妓院为背景的音乐剧。他还写了由J.休斯顿导演的影片《打垮魔鬼》(1954)的脚本,并把H.詹姆斯的《拧螺丝》改编为剧本《老实人》(1961)。《地方色彩》(1950)则是一本旅途随笔。

美国名音乐剧《波琪和贝丝》在苏联巡回演出时,卡波特与剧团同行,最后写了一本《听到了缪斯的声音》(1956)。《在蒂芬尼饭店进早餐》(1958;1961年拍成电影)是描写曼哈顿一个濒死的年轻妓女遭遇的中篇小说。

他越来越热衷于新闻报道这一事实不但见诸《心辣手狠》,也见诸《观察集》(1959),这是一组名人的人物速写,附R.艾夫登所摄人像。在20世纪50～70年代,他成为上流社会富豪名流的宠儿。

卡波特的《群犬吠了》(1973)收入30年间所作的论文和人物速写。另一本《为变色龙奏的音乐》(1980)中既有虚构也有非虚构的作品。1975年,《老爷》杂志选登了他计划要完成的、自以为是他最高成就之作的《祈祷有了回应》——一部影射小说——中一些章节,它们在敌友两个营垒中均引起大哗,两方面的人在小说中都被刻画得颇为不堪,仅略加掩饰而已。从此他被以前的名流朋友拒之于千里之外。

Capp, Al　卡普(1909-09-28,美国康涅狄格纽黑文～1979-11-05,纽黑文)　美国漫画家。先后在波士顿博物馆美术学校和宾夕法尼亚美术学院学习绘画与建筑。卡普的连环漫画《利尔·阿布纳》于1934年初次发表于《纽约镜报》,这部系列幽默画以虚构的美国边远森林地带的村庄为背景,创造了一个羞怯、笨拙的农民形象。

Cappadocia　卡帕多西亚　安纳托利亚中部偏东的古代行政区,在托罗斯山脉以北的多丘陵高原。公元前6世纪初见记载。当时由波斯管辖,人民信奉琐罗亚斯德教。公元前190年以后与罗马结盟,成为其附属国。公元17年被提比略占领。迄11世纪为止,卡帕多西亚是拜占廷帝国的一个屏藩。

Capparales　白花菜目　木兰纲——双子叶植物(**dicotylodon**)——的一目,含5科,427属,约4 000种。最为人熟知的种类分布于白花菜科和十字花科。十字花科分布广泛,原产于北美温带和极地。其种类主要为一年生或多年生草本。生境多种多样,但栽培的种类在菜园的肥沃土壤中生长繁盛。本科有相当大的经济价值,包含萝卜(*Raphanus sativus*)和芜菁(*Brassica rapa*)等生长于凉爽气候条件的蔬菜作物。卷心菜组(*B. oleracea*)的园艺变种包括羽衣甘蓝、无头甘蓝、嫩茎花椰菜、花椰菜、结球甘蓝、皱叶甘蓝、抱子甘蓝、球茎甘蓝等。各种蔓菁属于芜菁的亚组。黑芥菜(*Brassica nigra*)是食用芥末的主要来源。本科还有许多种类栽作观赏植物,包括紫罗兰(*Matthiola incana*)、香雪球(*Lobularia maritima*)和屈曲花属(*Iberis*)种类。白花菜科(Capparaceae)的山柑属(*Capparis*)、白花菜属(*Cleome*)及鱼木属(*Crateva*)均原产于热带,有15属仅产于非洲。其他种类产于澳大利亚和亚洲;少数种类原产新大陆。白花菜科的经济价值不大。欧洲山柑(刺山柑,*Capparis spinosa*)的花蕾泡在醋中用作辛辣调味品。凋落山柑(*C. decidua*)的蓓蕾可作野菜煮食。咖喱用锡兰山柑(牛眼睛,*C. zeylandica*)和多雄蕊白花菜(*Cleome icosandra*)的种子和果实制成。本目其他科有辣木科(Moringaceae)、托瓦里奥氏草科(Tovariaceae)和木犀草科(Resedaceae)。虽然有几种白花菜目植物能进行营养繁殖,但主要的繁殖方式是有性繁殖。十字花科和白花菜科的花簇生成花序;几个小科的花单生于叶腋。白花菜目的花为两性,雄蕊数多或少,子房一,由两个或多个心皮融合而成。

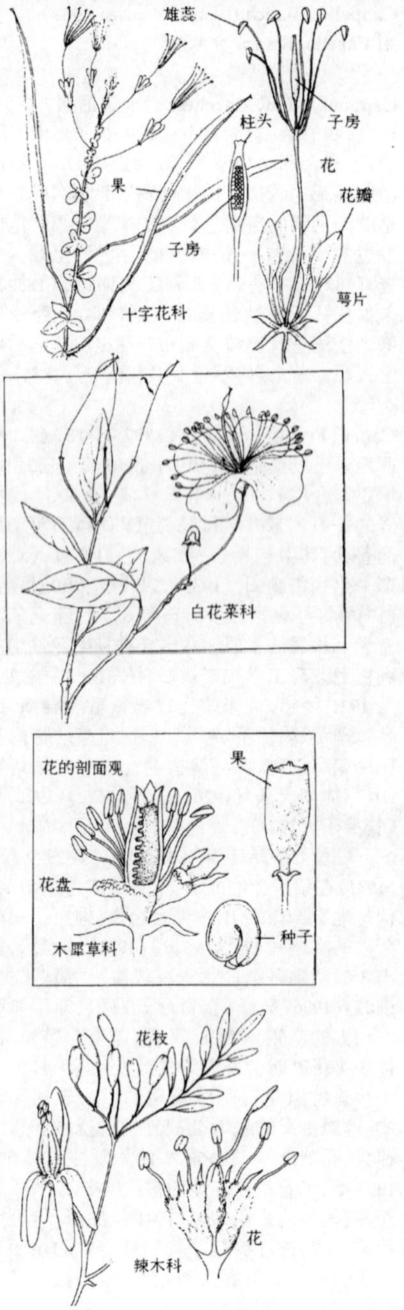

白花菜目中4个科的代表植物

Cappel, Louis　卡佩尔(1585-10-15,法兰西圣埃利耶～1658)　拉丁语作Ludovicus Capellus。基督教胡格诺派神学家、希伯来文学者。他首先发现元音符号和重音符号不是希伯来文所固有,而是5世纪以后太巴列一带犹太教马所拉学士(即编集传统解经著作的学者)所加;他还断定,原始希伯来文即现在所称撒马利亚文。他比较《旧约》的各种异文,比较各古本与马所拉文本,从而断定:希伯来文本并非如一般新教徒所说完整无缺。

Cappellari, Bartolomeo Alberto(pope)　**卡佩拉里**　参阅**Gregory XVI**格列高利十六世。

Cappello, Bianca（Venetian adventuress） 参阅 **Capello, Bianca** 卡佩洛。

Capponi, Gino, Marchese 卡波尼（1792-09-13,佛罗伦萨[意大利]～1876-02-03,佛罗伦萨） 意大利历史学家、政治家,托斯卡纳自由主义派的领袖。他在佛罗伦萨的客厅长期是欧洲主要的自由思想家的聚集中心。他创办过两个杂志:一是模仿《爱丁堡评论》的《文选》(1821),一是《意大利历史评论》(1839)。他曾任托斯卡纳的国务大臣(1847),经长期努力使国王利奥波德颁布开明宪法。其后任参议员。著有《佛罗伦萨共和国史》(1875)。

Capra, Frank 卡普拉（1897-05-18,意大利西西里巴勒莫附近～1991-09-03,美国加利福尼亚拉金塔） 美国电影导演,以30年代执导的一系列带有温和讽刺意味的情节喜剧片而著称,其中包括《一夜风流》(1934)、《史密斯先生到华盛顿》(1939),以及《美好的生活》(1946)等经典影片。卡普拉6岁时随全家从意大利移居洛杉矶。1918年他从帕萨迪纳加利福尼亚理工学院毕业后,任军队工程教官。从1921年起,卡普拉当过电影短片导演、道具管理员、剪辑师、字幕作者,为塞纳特的喜剧片编写笑料,并导演由兰登主演的通俗喜剧片《徒步天涯》(1926)、《坚强的人》(1926)和《长裤子》(1927)。

随着《确有其事》(1928)和《金发女郎》(1931)在票房上的成功,卡普拉成为名导演。他与电影剧作家R.里斯金合作,推出了引起轰动的喜剧片《淑女一日》(1933),接着又推出3部经典喜剧片:《一夜风流》、《第兹先生进城》(1936,又译《富贵浮云》)和《你不能夺去别人的幸福》(1938,又译《浮生若梦》),使他3次获奥斯卡最佳导演奖。这些影片的一个共同特点是以幽默风趣的手法表现天真的、理想主义的主人公战胜世俗狡诈邪恶之徒,从而展示了这些影片的乐观主义本质。1937年,卡普拉放弃他的喜剧风格,拍摄了幻想片《消失的地平线》。1941年拍摄了《会见约翰·朵》,该片揭露了美国社会中的法西斯分子。第二次世界大战期间,他拍摄了名为《我们为什么而战》的美军纪录系列片,执导了《砒霜和老花边》(1944)。他战后的著名影片有:《美好的生活》、《国情咨文》(1948),以及《锦囊妙计》(1961),这是他的最后一部影片。自传《弗兰克·卡普拉:片名前的名字》于1971年出版。

Capraia Island 卡普拉亚岛 托斯卡诺群岛的一个岛。位于意大利大陆和科西嘉岛北端之间的第勒尼安海上。属里窝那省。面积19平方千米。多山和火山,海拔447米。产葡萄酒。为鳀鱼捕捞业中心。1/3的地区为劳役农场。岛上村庄和港口有一15世纪的要塞,现为浴场胜地。人口约396(1981)。

Caprara, Giovanni Battista 卡普拉拉（1733-05-29,教皇国博洛尼亚～1810-06-21,巴黎） 意大利天主教人士、教廷外交家。1792年任枢机司祭,1800年任耶西主教。虽长期从事外交活动,却懦弱而易受影响,在特殊困难时节,如与神圣罗马帝国皇帝约瑟夫二世谈判时,不能有效地维护教廷利益。拿破仑知道他的弱点,要求教皇任命他为驻法国使节,以执行1801年协议中的各项条款。1802年经过拿破仑的活动,卡普拉拉得以任米兰大主教。1802年在巴黎蒙拿破仑正式接见时,似乎已承诺一定要尊重高卢主义的自由权,即容许法国教会自治;同时他还同意梵蒂冈无法接受的一些折衷方案。1804年参加教廷与法国的谈判,根据这次谈判达成的协议,1804年教皇庇护七世为拿破仑加冕;1805年卡普拉拉再次为拿破仑加冕,并授予意大利国王称号。

Capréolus, Jean 卡普雷奥吕（约1380,鲁埃格罗德兹～1444-04-06,罗德兹） 基督教多明我会学者,其《为圣托马斯·阿奎那神学辩护的四部书》(1409～1433著)对托马斯派神学的复兴起促进作用,因此他被称为托马斯派巨擘。他在巴黎大学讲学时开始撰写这部巨著,后来(1411、1415)在该校获神学学位。在图卢兹居住数年后,他重返罗德兹(1426),完成此书。

Caprera Island 卡普雷拉岛 第勒尼安海岛屿。位于意大利撒丁岛东北方。属萨萨里省拉马达莱纳镇。面积16平方千米,有堤道通临近的马达莱纳岛(Maddalena Island)。1856年,意大利民族主义领袖G.加里波第在此定居,1882年6月2日在此逝世,他的故居和陵墓现为国家纪念地。人口73(1971)。

Capri, Island of 卡普里岛 在那不勒斯湾南部入海口附近。属意大利南部坎帕尼亚区的那不勒斯省。与索伦托半岛相望。是一个石灰石岛,长6.25千米,最宽处有2.89千米,

卡普里岛风光
美国不列颠百科全书公司供图

面积10平方千米。该岛最高点索拉罗峰海拔589米。史前已有人在卡普里岛上定居。后成为希腊殖民地。在罗马帝国初期为帝王的游览地。拿破仑战争中数次在英、法间易手。1813年归属两西西里王国。该岛的海岸多岩石洞穴。其中一处发现有石器,著名的"蓝洞"于1826年重新被发现,只能乘船入内。日光通过水射入洞内,在入口处充满惊人的蓝光,蔚为壮观,因而取名"蓝洞"。岛上有巴巴罗萨和卡斯蒂利奥内两座中世纪城堡遗迹以及供奉该岛守护神圣科斯坦佐的教堂(10～11世纪)。19世纪下半叶后,该岛成为意大利南部最著名的游览胜地之一。当地尽管缺水,但风景秀丽,气候温和,植物繁茂,有大量候鸟在此栖息。岛上经济除旅游业外,还有农业(葡萄园、油橄榄、柑橘)和渔业。铺设有海底输水管从大陆运入淡水。人口:城市区约12 761(1991)。

capriccio 随想曲 一种活泼而结构自由的乐曲,往往采用一条人所共知或流行的曲调。该名词早在16世纪就偶尔应用于外表看来新颖古怪的乐曲上,如坎佐纳幻想曲和利车卡尔(寻求曲),常以模仿式声乐复调曲为蓝本。从弗雷斯科巴尔第到J.S.巴赫的巴罗克作曲家,曾写作键盘乐器随想曲来表现严格的赋格和变幻无常的特征。巴赫最早的注有日期的键盘乐曲就是他的《送别亲爱的兄弟随想曲》。P.洛卡泰利的24首小提琴随想曲是19世纪N.帕格尼尼随想曲的蓝本,这时随想曲体裁已相当流行。韦伯、门德尔松和勃拉姆斯的一些钢琴曲也冠用随想曲的标题;贝多芬则只是偶尔把此形容词"随想的"与标准速度修饰词如行板、快板结合使用。19世纪后期,柴可夫斯基作有管弦乐曲《意大利随想曲》;里姆斯基-科萨科夫创作了《西班牙随想曲》。比较近期的斯特拉文斯基将其《钢琴协奏曲》(1929)构思为随想曲。R.施特劳斯的最后一部歌剧亦以《随想曲》(1942)为名。

Capricorn, Tropic of 南回归线 参阅**Cancer and Capricorn, Tropics of** 北回归线和南回归线。

Capricorn-Bunker Group 坎普里科恩-邦克群岛 澳大利亚昆士兰州东海岸外大堡礁南端的13个珊瑚礁岛。位于南回归水道与克佩尔湾之间的南回归线上。岛上人烟稀少。主岛多为游览地并有捕虾业。人口108(1971)。

Capricornus 摩羯座 又称山羊座、摩羯宫。在宝瓶星座和人马星座之间的一个黄道星座,位于赤经(类似于地球上经度的天球坐标)约21时,南赤纬(天赤道以南的角距离)20°附近。星座中的星都是暗星。在占星术中,摩羯宫是黄道十二宫的第十宫,被看作是主宰12月22日至1月19日前后的命宫。摩羯宫的形象是一只具有鱼尾巴的山羊,它来自希腊神话中有关潘(Pan)的故事:潘为躲避

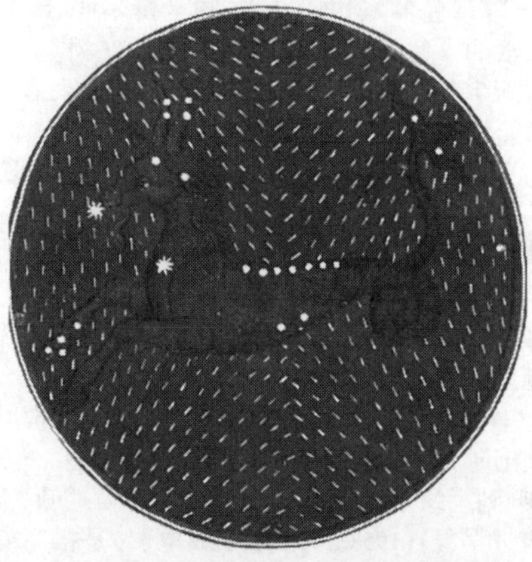

约1475年意大利《祈祷书》中的摩羯座插图画
美国不列颠百科全书公司供图

妖怪泰丰(Typhon)的追击而跳入水中,变成了动物,在水面上的半个身子变成羊身,下半身则变成鱼尾。

Caprifoliaceae 忍冬科 川续断目的一科。18 属,约 500 种,多为灌木和木质藤本。以具有许多观赏种而著称。该科主要为北温带植物,也有热带山地种。日本忍冬(金银花,*Lonicera japonica*)为藤本,花芳香,能攀缘生长于其他植物上方,并以茂密的枝叶遮挡光线而杀死其他植物。墨西哥六道木(多花六道木,*Abelia floribunda*)通常为小灌木,也有的高达 1.8 米;叶鲜绿,广椭圆形,常绿;花小,管状,芳香,淡粉红紫色,簇生。光泽六道木(大花六道木,*A. grandiflora*)是两个中国种糯米条(*A. chinensis*)和白花蒲花梗(*A. uniflora*)的杂种,株高与墨西哥六道木大致相等,但花淡粉红色,在温暖气候下常绿,在更北部地区则落叶。大叶西兰(*Alseuosmia macrophylla*)是常绿灌木;花绯红,芳香;浆果绯红色;原产于新西兰。加拿大接骨木(美洲接骨木,*Sambucus canadensis*)原产北美,成熟浆果用于制果酒和果子冻。双盾木属(*Dipelta*)原产于中国,是高大灌木;花芳香;果实包藏在艳丽的苞片内,供观赏。喜马拉雅忍冬(台湾莱斯特木,*Leycesteria formosa*)叶长,穗状花序下垂,花和苞片均为紫色。

caprimulgiform 夜鹰类 夜鹰目(Caprimulgiformes)鸟类,羽毛柔软;包括夜鹰、美洲夜鹰、林鸱、蛙嘴夜鹰和袅蛙嘴夜鹰等,亦包括产于南美的颇具特色的油鸱。夜鹰目与鸮形目(猫头鹰)亲缘关系最近,不同之处在于其两眼位于头部两侧,又无用以攫捕猎物的喙和足。夜鹰类体长 14～55 厘米。最突出的特征为口极大,张口时似将头部裂为两半。大多数种类的翅长,边缘呈曲线形,但某些美洲夜鹰的翅端尖。在生殖季节一些夜鹰尾部出现长羽,翅内侧出现白色斑纹,这些特征于进行空中求偶炫耀时尤为明显。另一些种类的羽尾中等长度。本目一些种类的保护色是鸟类中最有效者。本目种类均为铁锈色到黄色、黑色、灰色或白色。树栖种类,如林鸱和蛙嘴夜鹰,身上有树皮一样的条纹。夜鹰居于林地,在林中地上栖息者羽色斑驳有如落叶或其他林中碎屑。栖于开阔地区的种类羽色和斑纹各异,与具体地方的土地色纹相似或看似地面上的石头。夜鹰类的羽毛柔软蓬松,使体型看来比实际大得多。夜鹰类基本上于清晨和黄昏时出外活动,因此时的小生境内没有其他竞争者。绝大部分夜鹰类以昆虫为食,某些大型种类也食蛙类、鼠类等小型脊椎动物;但油鸱(*Steatornis caripensis*)与本目其他种不同,以果实为食。蛙嘴夜鹰亦食果实。夜鹰和美洲夜鹰通常在稀树草原或林中空地上空于飞行中捕食。蛙嘴夜鹰喜栖于多树木的地区或森林地区,其大部分猎物是在地上捕捉;体型较小的袅蛙嘴夜鹰(裸鼻鸱属[*Aegotheles*])亦然,但也从栖木上捕捉飞行中的昆虫。油鸱夜出活动,全以棕榈和月桂类树木的果实为食;将果实整个吞下,并将坚硬的大种子吐出。油鸱类也属少数借气味寻觅食物的鸟类之一。油鸱类多在飞行中取食,采食果实时在树木旁边飞来飞去。夜鹰类在交配和占域时均要发出鸣声。鸣声各异,从大林鸱(*Nystibius grandis*)的特别而响亮的鸣声到各种夜鹰啭鸣样、虫鸣样或吹哨样的叫声。这些鸣声中有一些非常特别,这些鸟类竟因此得其俗名,如三声夜鹰(*Caprimulgus vociferus*)的英文俗名为 whip-poorwill,帕乌拉凯夜鹰(白领夜鹰,*Nystidromus albicollis*)的英文俗名为 pauraque。油鸱能发出各种叫声,但其迅速有起有伏的咔哒声用于在其营巢和栖息的黑暗的洞穴内进行回声定位。除某些穴居的小雨燕外,油鸱是唯一已知能用回声定位的鸟类。但油鸱在洞穴以外是否仍应用回声则尚未知。夜鹰类进行长距离的迁徙,但大部分热带种类为留鸟。弱夜鹰(*Phalaenoptilus nuttallii*)在冬季仍停留在温带地区,并且真正进入冬眠状态。其他种类能降低其代谢,从而进入蛰伏状态,因此能度过恶劣的天气,这样的天气会妨碍它们在晨昏有限的时间内觅食。本目各种间生殖行为各异。夜鹰类不营巢,而将卵直接产在地上(有时产在屋顶上)。蟆口鸱属(*Podargus*)等的蛙嘴夜鹰用小枝条在树枝上筑巢。袅蛙口夜鹰在空心的树中产卵,偶尔将卵产在泥质河岸中的洞穴内。油鸱在其栖息的洞穴内岩石突出部营巢;这些巢用回吐出的果实筑成,吐出的果实凝固变硬;这样的巢可以连续使用多年。夜鹰卵的孵化期为 19 日;林鸱和油鸱卵的孵化期约 35 日。夜鹰的幼雏由双亲哺育。开始饲以黏稠的物质,后来饲以部分消化的昆虫。3～4 周间羽毛丰满。油鸱的幼雏孵出 2 周后即饲以完整的果实,但到 100～120 日后羽毛方丰满。

夜鹰目可分两个亚目。①油鸱亚目(Steatornithes),1 科:油鸱科(Steatornithidae),仅 1 种。②夜鹰亚目(Caprimulgi),4 科:蛙嘴夜鹰科(蟆口鸱科,Podargidae)、林鸱科(Nyctibiidae)、裸鼻鸱科(Aegothelidae)、夜鹰科(Caprimulgidae)。

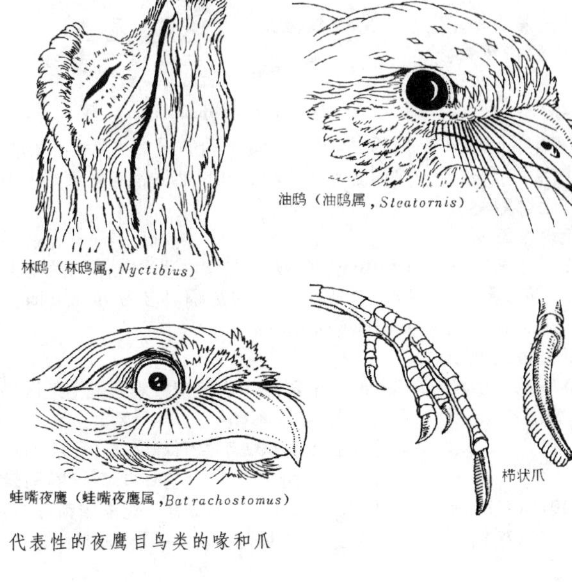

代表性的夜鹰目鸟类的喙和爪

Caprivi, (Georg) Leo, Graf von 卡普里维 (1831-02-24,柏林-夏洛滕堡～1899-02-06,德国奥得河畔克罗森附近[今波兰克罗斯诺])德国卓越的军事家,1890～1894年间继俾斯麦任普鲁士首相。在柏林受教育。1849 年入伍。1866 年奥地利战役时在第 1 集团军参谋部供职。1870～1871 年普法战争中任第 2 集团军第 10 军参谋长,参加了梅斯战役前的历次战役和奥尔良附近的诸战役。1883 年任海军大臣,指挥舰队并代表海军部出席国会。1888 年辞职,任第 10 军军长。由于具有卓越的领导才能并与任何党派无联系,因而被俾斯麦选为继承人。1890 年 3 月任首相、普鲁士总理、外交大臣。他的第一个成就是在 1890 年 7 月与英国签订划分两国在非洲势力范围的协定。但是由于放弃在东非和尼日利

美国不列颠百科全书公司供图

亚积极进取的政策，并宣布从桑给巴尔撤军以换回黑尔戈兰岛，引起实行殖民地政策的党派间的争执，遭猛烈攻击。继1890年的英德协定，他又与奥地利、罗马尼亚和其他国家签订商务条约。这些活动受到威廉二世的特别赞扬，封他为伯爵。但此后他不断遭到农民党的攻击，只能主要依靠原先反对他的自由党和其他党派的支持。在国内，不顾保守派军人的反对，实行军制改革，导致议会危机。1892年因提出教育方案未获通过，他的地位受到严重损害，因而辞去普鲁士总理职务，由奥伊伦堡继任。1894年因刑法修正案与奥伊伦堡发生分歧，皇帝将两人同时免职。晚年完全过着退休生活。

Caprivi Strip　卡普里维地带　纳米比亚的一条狭长地带，从该国领土主体部分东北角延伸至赞比西河，长450千米，宽32～105千米。地势平坦，海拔950米。人口稀少，东部居民同赞比亚西南部操班图语的洛齐人有血缘关系。他们的经济生活为混合式，有养牛、捕鱼、狩猎和自给性农业；种植玉米、谷物、甜瓜和木薯。居住在这一地区东端的人因赞比西河时发洪水而季节性迁居。在西部居住的为桑人。这一地区布满稠密的河流地带植被，有稠密的森林、沙地或沼泽，交通极为不便。南部利尼扬蒂沼泽地以栖息许多大猎物而闻名（包括稀有的大羚羊）。1884～1919年为德属西南非。第一次世界大战结束以后，这片地带为西南非-纳米比亚的一部分，当时为南非联邦（今共和国）的托管地。赞比西河旁的卡蒂马穆利洛村为卡普里维地带的主要人口中心。这一地区有限的教育、医疗和宗教设施最初是由天主教会引入的。南非军队利用这一地区作为热带战争的训练基地。

Caproli, Carlo　卡普罗利（约1615或1620，罗马～约1692或1695，罗马？）　意大利作曲家、小提琴家、管风琴家，A. 贝拉尔迪称之为当代最卓越的康塔塔作曲家之一。1643～1645年在罗马日耳曼学院任管风琴师，最早可确定年代的康塔塔约作于此时。1649～1670年间在圣路易吉-迪-法兰契西任小提琴师，同时还在罗马一些机构从事其他与音乐有关的工作。受布蒂神父之命将其剧本《佩利奥与赛蒂的婚礼》写成歌剧，1654年上演，这是最早在法国上演的意大利歌剧之一，音乐已佚失。他的康塔塔与坎佐纳约70首流传至今。

capsaicin　辣椒素　又拼capsaicine。类脂化合物。红胡椒属（辣椒属）中辛辣素含量最多的有机氮化物，常误认为是具有显著生理效应的含氮有机化合物生物碱。辣椒素这一名称曾用于1876年首次从辣椒属含油树脂中分离出的无色结晶状物质，1960年以前一直被看作是单一化合物。20世纪60年代发现这种天然产物中含有少量和已知的辣椒素非常相似的另一些化合物。

Capsian industry　卡普萨石器工艺　北非内陆地区著名的中石器时代文化遗存。最有代表性的遗址在今突尼斯南部大盐湖地区，加夫萨附近的马克塔山为典型的遗址。卡普萨石器是武木冰河时代晚期的典型工具，显然与距今约17 000年的欧洲佩里戈尔工艺传统的格拉维特期相关，但它并非真正属于冰河时代，而是新高温时代的产品。同其前驱伊贝罗-马乌鲁萨工艺一样，卡普萨也是细石器遗存，但石器种类大增，前期以大型有背石叶和雕刻器为特点，后来逐渐形成几何形细石器。至公元前6千纪，几何形细石器成为主要特点。北非有些岩画据信为卡普萨人所作。

capstan　绞盘　用绳、缆或链条来移动重物的机械装置，主要用于船上或造船厂中。铁路调车场也用它来调整货车的位置。绞盘包括一个卷筒，用人力、蒸汽或电力驱动，使其绕垂直轴旋转，把绳、缆或链条绕在卷筒上（见图）。绳、缆或链条同卷筒的黏着力取决

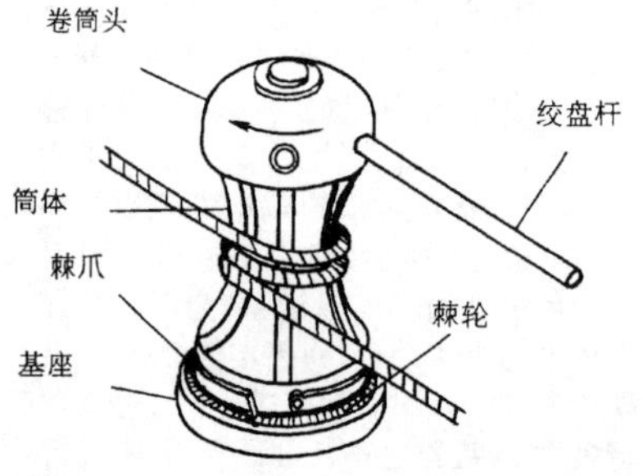

绞盘

于二者间的摩擦和前者在后者上面的缠绕圈数。基座上有一棘轮，棘爪与卷筒连接，以防止卷筒反转。

capsule　蒴果　一种成熟后裂开的干果。有的从顶端裂到基部，分成几个果瓣（如鸢尾）；或顶端裂开几个小孔（罂粟）；或环状裂开，顶部呈盖状脱落（藜和车前草）。英语中capsule一词亦指苔藓植物产生孢子的器官孢蒴。

captain　陆军上尉　又译海军上校或船长。军队的军衔、航运业中的职务等级和连队中军衔最高的军官。在大多数国家的陆军和有些国家的空军里，上尉是一个能亲自掌握情况的最基层的指挥官；在步兵、炮兵中称连长。在海军中，海军上校一般是一艘大型军舰如巡洋舰、战列舰或航空母舰的指挥官。船长则是航运业的任何大型船只的一船之长。在英、美海军，captain这一军衔相当于陆军上校，而在（英国）皇家空军中，上校却称为group captain。一个军衔比海军上校低的军官在指挥一艘军舰时，习惯上都尊称其为"海军上校"，但是他不能自称为海军上校，也不能在书面上称呼其为海军上校。在英国海军中，没有单独设置海军准将军衔，而是特别任命一位海军上校担任该职。在美国海军中，海军准将军衔高于海军上校而低于海军少将，通常只在战时设置此军衔。除海军以外，人们对船上的大副尊称为船长；对引水员通常也尊称为船长。

Captain Beefheart　牛心上尉（1941-01-15，美国加利福尼亚格伦代尔～2010-12-17，加利福尼亚阿克塔）　Don Van Vliet的别名。美国具有创新精神的先锋摇滚和布鲁斯歌手、歌曲作者和乐器演奏家。牛心上尉和他的魔力乐队一道，从20世纪60年代到80年代推出一系列唱片，对朋克摇滚和实验摇滚产生了巨大影响。生长于加利福尼亚的莫哈韦沙漠。1964年成立第一支魔力乐队，推出了《像牛奶一样安全》（1967）和《严格隐私》（1968）等成功之作。牛心上尉最著名的唱片是《红鳟鱼面具复制品》（1969）。该专辑偏离了以前的摇滚传统，将古怪的滑音吉他、突兀的节奏和超现实主义的歌词结合起来，表达出对现代文明的强烈不信任感，对生态平衡的渴望和野生动物高于人类的信念。但他从未获得广泛的拥戴，不过，他的歌曲极大地影响了碰撞乐队和退化乐队。80年代初离开音乐界，投身于绘画。

captain general　都督　西属美洲殖民地都督区（总督区的一部分）的长官。都督区是受到外国侵略或印第安人袭击的严重压力的地区。都督虽名义上受总督管辖，但由于其特殊的军事责任，以及其辖区远离总督驻地，实际上成为总督，与马德里的国王和西印度事务部保持直接联系。都督领导当地的议会和行政机构，但不干预司法职能。第一个都督区圣多明各设于1540年，管辖范围包括委内瑞拉的滨海地区。1560年设第二个都督区危地马拉，辖中美洲。不久又建立新格拉纳达都督区，大体包括今哥伦比亚和厄瓜多尔。1739年新格拉纳达改为总督区后，委内瑞拉并入。18世纪改组殖民地时，更加强调都督可脱离总督的管辖而独立行事，并增设3个都督区：古巴（1764年成立，包括1763年从法国得到的路易斯安那领地）、委内瑞拉（1777）和智利（1778）。葡萄牙在其殖民地也实行都督制，特别是在巴西，巴西都督区的首脑称为"统领"。

Captorhinus　大鼻龙属　爬行类的绝灭属。化石见于北美的早二叠世地层（二叠纪始于2.8亿年前，延续5 500万年）。个体小，具细长的四肢。头骨大约只有7厘米长。虽然

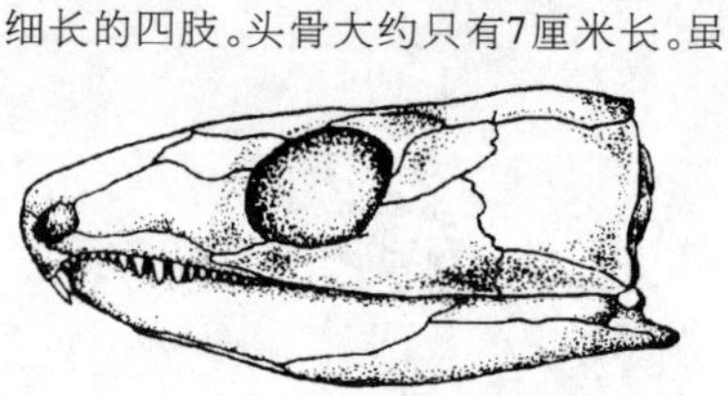

大鼻龙属（*Captorhinus*）头骨

原始，但比其他同时期的同类更特化。大鼻龙属是延续到早二叠世然后趋向绝灭的大鼻龙形类的代表。

capture　俘获　在核物理学中，指原子核吸收一个较小粒子的过程。参阅**beta decay**；**neutron capture**。

Capua　卡普阿　古代意大利坎帕尼亚区的主要城市，在那不勒斯北26千米处。古卡普阿是在公元前600年左右建立的（可能为埃特鲁斯坎人所建），公元前340年归罗马管辖，但保留其执行官和语言。逐渐繁荣，成为意大利第二大城市，以青铜器和香水驰名。

在第二次布匿战争中，卡普阿联合迦太基反对罗马。公元前211年被罗马重新占领，剥夺了公民的政治权，并以罗马长官取代当地的执行官。公元前73年奴隶领袖斯巴达克思在这里举行起义。456年卡普阿被汪达尔人洗劫，约840年又被穆斯林抢掠一空，只有圣马利亚教堂免遭其难。古迹有陵墓和两座公元前6世纪的寺庙，还有罗马竞技场、浴场、剧场和神庙等。

Capua 卡普阿 意大利南部坎帕尼亚区卡塞塔省城镇和主教区。在那不勒斯市北，濒临沃尔图诺河，在阿皮亚古道上。现城建于公元856年。该镇保持着中世纪风貌。大教堂(856年建，1943年被毁后重建)高耸城中。其他古建筑有诺曼城堡(1050)、腓特烈二世城堡塔楼(1239)以及数座教堂和宫殿，其中有一座建筑内有坎帕诺博物馆。通公路和铁路，有军工、化工和制糖厂。人口：城市区约19 131(1988)。

Capuana, Luigi 卡普安纳 (1839-05-28，意大利西西里，米尼奥～1915-11-29，卡塔尼亚) 意大利评论家、作家，也是意大利最早的现实主义作家之一。对小说家维尔加、剧作家皮兰德娄和其他许多作家均有影响。前两位都是他的朋友。出生于西西里一个富有的家庭。曾在卡塔尼亚大学攻读法律。此后，移居佛罗伦萨，任《民族报》戏剧评论家，后去米兰。他在评论创作中明确主张自然主义和客观性，而不喜用象征主义。1877年，他的15卷短篇小说的第一卷《妇女剪影》问世，1879年6部长篇小说的第一部《姬雅琴塔》出版。3年后写成第一部儿童故事集《从前有一次》(1882)。他最优秀的文艺评论是《现代文学研究》(1880、1882)和《当代各种"主义"》(1898)。

Capuchin 嘉布遣会 正式名称为嘉布遣小兄弟会。天主教方济各会的独立分支。1525年由玛窦·巴西创立。玛窦·巴西认为，方济各会修士的会服，不同于圣方济各的衣着。他自制尖顶风帽，并蓄须赤足，许多人纷纷效法他的榜样。他们生活极为简朴清贫。16世纪欧洲及其他地区鼠疫大流行时，嘉布遣会修士仍积极传教和服务社会。18世纪中叶，会众多达34 000人，法国大革命后减少。

capuchin monkey 僧帽猴 又作sapajou。卷尾猴科卷尾猴属(*Cebus*)的美洲热带猴类，分布于尼加拉瓜到巴拉圭一带。是新大陆智力最高的猴类之一。因其顶毛像托钵僧的头巾，故名。体型粗壮，头圆，尾较短而多毛，能卷缠。体及尾均长30～55厘米；体色浅褐、深褐或黑色，在某些种类中具白斑。通常分成两类：毛冠类包括褐僧帽猴(卷尾猴，*C. apella*)，其顶毛长而直立，形成黑色毛冠；无冠类包括体态灵巧的白喉僧帽猴(*C. capucinus*)、白额僧帽猴(*C. albifrons*)和黑纹僧帽猴(*C. nigrivittatus*)，这3种猴的顶毛色暗，平滑，稍尖。褐僧帽猴及黑纹僧帽猴又一直俗称黑僧帽猴。僧帽猴成群活动，常出没于

白喉僧帽猴(*C. capucinus*)
美国不列颠百科全书公司供图

森林中高树的冠部。昼行性，非常活跃，以果实和小动物为食，有时骚扰种植园以取食柑橘等。对其野生习性了解很少。全年都能繁殖，妊娠期约6个月，通常每产一仔。易驯养，性温顺，容易学会一些技巧，是在街头以演奏手摇风琴为生的人最常豢养的动物之一。

Capulin Volcano National Monument 卡皮林火山国家保护区 位于美国新墨西哥州东北部，1916年建成时称作卡皮林山国家保护区。1962年曾改变界线，1987年12月31日重新命名。面积约为3.1平方千米，包括一个不活动火山的熔渣锥。

capybara 水豚 又作carpincho或water hog。两种半水栖的中美和南美啮齿动物的统称，通常划归啮齿目水豚科水豚属(*Hydrochoerus*)，有时和豚鼠一起列入豚鼠科。

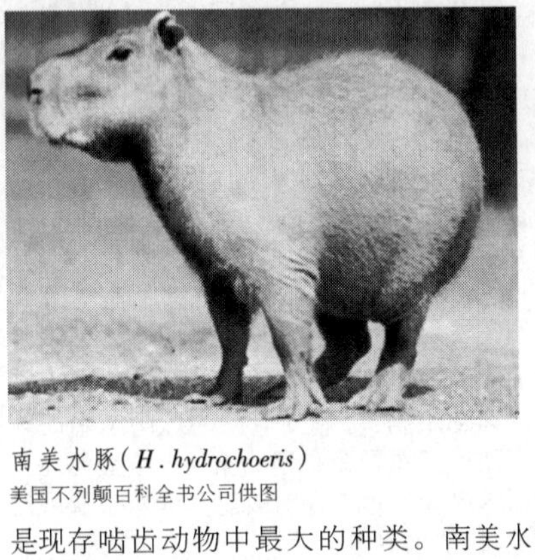

南美水豚(*H. hydrochoeris*)
美国不列颠百科全书公司供图

是现存啮齿动物中最大的种类。南美水豚(*H. hydrochoeris*)体长可达1.25米，体重50千克或更多。巴拿马水豚(*H. isthmius*)较小，重约27千克。水豚毛稀，浅褐色。吻钝，腿短，耳小，几乎无尾。性胆怯，群栖于湖泊、河流沿岸。晨昏觅食，白天大部分时间躲在岸边隐蔽处休息。以植物为食，由于吃瓜类、谷物和小果南瓜，有时成为农区的害兽。会游泳，喜潜水，常跳入水中以逃避食肉动物。肉可食，但不太可口。年产一窝，一窝3～8仔，妊娠期约100～110天。

Caquetá 卡克塔 哥伦比亚南部省份。1910年建特区；1950年升为州；20世纪70年代末升为省。面积88 965平方千米。西部是安第斯山脉的东科迪勒拉山，其余地区为森林茂密的低地。以产雪松、桃花心木、橡胶等树木著名。在低地种植香蕉等热带水果，高地以种植玉米为主。省会弗洛伦西亚(**Florencia**)四周养牛业普遍。唯一的主要公路越过安第斯山通往弗洛伦西亚。其他运输靠水路和航空线。人口214 473(1985)。

Caquetío 卡克蒂奥人 又拼Caiquetio或Caiquetia。委内瑞拉西北部的印第安人，西班牙征服时期沿马拉开波湖岸居住，为躲避西班牙人的奴役，他们曾迁往内地，但和邻近的基里基雷人和希拉哈拉人一样，终为西班牙人所消灭。卡克蒂奥人和希拉哈拉人使用阿拉瓦克语，他们的文化十分相似。他们都是精耕细作的农民，种植玉米、甘薯和木薯作为主要粮食，进行灌溉；也从事狩猎，采集仙人掌果实和其他野生植物。他们的村社由一排排茅舍组成，每2～4幢茅舍组成一单元，各单元间留有通道。他们不需衣着，只用一小块遮羞布，但饰物甚多且实行文身。主要的手工制品是陶器，他们不重视纺织，因为几乎不需要衣物。除了有各种首领和一个实行一夫多妻制的贵族阶级外，人们对他们的社会和政治组织了解甚少。他们崇拜太阳和月亮，并举行人祭。各户还供奉家神的偶像。

car 参阅**automobile** 汽车。

Caraballo Mountains 卡拉巴略山 菲律宾吕宋岛中部山脉。平均高度1 680米。北接中科迪勒拉山脉，东连马德雷山脉。向北流的卡加延河上游流经此地，山上森林茂密。

Carabiniere 军事警察 意大利三种国家警察之一。最初为城邦军事组织，1861年国家统一时并入意大利武装部队，迄今仍被视为意大利军队的组成部分。其成员身穿军服(头戴拿破仑式帽)，住在营房中。这支队伍担负若干军事任务：纠察武装部队，守卫军事设施，执行征兵法，并在战时履行特殊的军事任务。执行上述任务时均向国防部长负责。军事警察还作为一支民警队伍进行活动，负责维护公共秩序和侦察犯罪活动，其职能与公安警卫队一致。而且像公安警卫队一样向内务部负责。

Carabobo 卡拉沃沃 委内瑞拉西北部一州。面积4 650平方千米。为纪念对委内瑞拉独立运动具有决定作用的战役而得名。在西班牙人征服委内瑞拉时，当地有称做卡拉沃沃人的印第安人。工农业都重要。产稻、棉、玉米、烟草、咖啡、可可和食糖。乳品部分供应加拉加斯。境内的巴伦西亚湖周围的草场给来自拉诺斯(平原)的牲畜提供丰富的饲料。也产水泥、奶粉、纺织品和鞋类。卡贝略港为委内瑞拉最繁忙的港口之一，在州首府巴伦西亚与卡贝略港之间有一重要石油化工厂。州内公路和航空交通便利，通铁路。人口约951 295(1983)。

Carabobo, Battle of 卡拉沃沃战役（1821-06-24） 拉丁美洲独立战争期间，南美洲爱国主义者在加拉加斯附近的平原上战胜亲西班牙派的一次战役。它实际上使委内瑞拉脱离了西班牙的控制。当时，爱国主义者违背P.莫里略将军与南美洲北部革命军司令S.玻利瓦尔1820年11月签订的停战协定，向马拉开波湖的亲西班牙派的卫戍部队进攻。玻利瓦尔率领其数量占优势的军队，包括来自英属岛屿的志愿人员，共约6 500人，在卡拉沃沃战胜了由拉托雷将军指挥的西班牙军队及其"平原居民"。

caracal（*Felis caracal*） **狞猫** 又称荒漠猞猁、波斯猞猁。猫科短尾动物，栖息在非洲、中东、亚洲中部和西南部的小山、荒漠和平原上。毛短而柔滑，呈浅红褐色；耳尖，端部有

狞猫（*Felis caracal*）
美国不列颠百科全书公司供图

一丛黑色长毛；腿长；尾短；肩高40～45厘米，体长66～76厘米，尾长20～25厘米。行动疾速，通常独居，夜间活动，捕食羚羊、野兔和孔雀等。每窝产1～4仔，新生幼仔形状与成体相似。

Caracalla 卡拉卡拉（188-04-04，高卢卢格杜努姆[里昂]～217-04-08，美索不达米亚卡雷） 原名巴西安努斯（196年以前），又称马可·安东尼努斯（196～198）。罗马皇帝，

美国不列颠百科全书公司供图

198～211年与父皇塞维鲁共执朝政，211年起一人当朝，直至217年被刺杀。其主要成就为在罗马兴修巨大澡堂和212年发布敕令，给予帝国内所有自由居民以罗马公民权。卡拉卡拉的统治加速了罗马帝国的衰亡，一般认为他是罗马历史上最嗜血成性的暴君之一。卡拉卡拉是北阿非利加人塞维鲁未登帝位时和叙利亚人尤莉娅·多姆纳所生长子。

原名巴西安努斯系从外祖父名，外祖父为叙利亚太阳神埃拉加巴卢斯的大祭司。由于父亲希望把自己的门第与著名的安东尼王朝联系起来，为他取名马可·安东尼努斯，并加"凯撒"称号。198年加"奥古斯都"称号，在名义上表明与父亲级别相等。别名卡拉卡拉来源据云他曾设计一种叫此名称的新斗篷。他的另一个绰号叫塔拉乌塔斯，这本是一个相貌丑陋、厚颜无耻而又嗜血成性的罗马斗剑士的浑名，人们认为他和那个人相像。古代讲述他生平和性格的史料不可靠。例如其中之一说：他少年时代很和蔼、宽厚而且敏感，只是后来使人厌恶；但据同一史料在另一处的记载，他天性凶暴残酷。现代史学强调：卡拉卡拉的叙利亚血统是他的性格中最重要因素之一，但这种说法也不可轻信，因为东方出身与高度罗马化决不会水火不能相容。尤莉娅本人精通希腊罗马文化，并且聘请优秀的教师对儿子进行有用的教育。据传他曾研究希腊的演说家和悲剧家，能够大段背诵希腊戏剧家欧里庇得斯的作品；但是又传他极端鄙视教育和受过教育的人。这可能是他酷爱军事生活的结果，大概在他随父进行多次远征时培养了此种热情。他在14岁时与有势力和有野心的近卫军司令F.普劳蒂安努斯的女儿普劳蒂拉结婚。据说他仇恨普劳蒂安努斯，在以阴谋推翻皇朝的罪名处决后者时起重要作用。他又将妻子流放海岛，后来也予以杀害。

卡拉卡拉和他的弟弟盖塔之间的对立不断升级，当塞维鲁于211年死在不列颠战役中、而将近23岁的卡拉卡拉由帝国的第二把交椅转坐第一把交椅的时候，两者的敌对更为加剧。他们的母亲使弟兄和解的一切努力徒劳无功，卡拉卡拉终于杀死盖塔，据说当时盖塔正在尤莉娅的怀抱中。卡拉卡拉下令处死盖塔的许多朋友和同事，再一次表明他非常残酷。可能是为了恢复友好，他赦免了被流放的人们，但古代史籍痛斥这一行动为伪善，又诋毁卡拉卡拉的最著名措施、即所谓的《安东尼朝民法》是仅为多征捐税而设计的花招。他在212或213年远征日耳曼各部族，恣意屠杀日耳曼联军。216～217年又进攻安息人。古史说这是由于他喜好军事的光荣。安息战役之前不久，据说他在亚历山大城的人民中又创"屠杀"记录，可能是镇压那里的骚乱。据云，卡拉卡拉的忽阴忽晴的表现促使近卫军司令和他的帝位继承者马克里努斯密谋除掉他。在对安息人的第2次战役开始时，他被刺杀。

有一点对于了解他的性格和行为是很重要的，这就是他以亚历山大大帝自居。在罗马的皇帝当中，崇拜伟大的马其顿人者不乏其人，但是卡拉卡拉对亚历山大人迷达到了荒唐可笑的极点。他所采取的服装、武器、举止、旅行路线、可能还有一个所谓的征服安息帝国的计划，一概效法亚历山大。他给名字加上Magnus（大帝）一词，他编组一个马其顿方阵和一个大象师，他把自己神化，在硬币上铸上头像。卡拉卡拉十分迷信。他学习巫法，认真遵守一切仪规。他容忍犹太教和基督教的信仰，但是他崇拜的神是埃及男神萨拉匹斯，自命为萨拉匹斯之子或兄弟。他采取埃及的做法把统治者与神等同起来，而且是在雕像中做法老姿态的唯一的罗马皇帝。他的许多肖像中显然有狂暴和残酷的表情，有些史料说他故意加强这种形象，可能由于满足使天下之人害怕和恐惧的虚荣心。传说他身材虽小但勤于身体锻炼；又说他虽然曾与士兵同甘共苦，但因生活放荡而减损了大丈夫气概，阳虚到不能承受胸甲重量的程度。对于他的精神状态的判断，也具有同样相互矛盾的特点。据云他疯狂，但又头脑敏锐，富于机智。如许多题献铭文所记载，他特别喜欢司健康的神祇，这可以成为精神病态说的佐证。卡拉卡拉是疯子或是暴君都未对他统治罗马帝国引起严重后果（他的朝政或许受到尤莉娅·多姆纳和他周围的大法学家们的决定性影响），他的部下士兵崇拜他，在他去世后迫使元老院奉他为神，在一般老百姓中间也没有特别讨厌他的迹象。当时罗马帝国依然十分强盛，由这个肯定缺乏杰出皇帝品质的统治者治理并未削弱国势。

Caracalla, Baths of 卡拉卡拉大浴场 又称安东尼大浴场。古罗马公共浴场，公元206年皇帝A.塞维鲁开始营造，216年由其子皇帝卡拉卡拉完成。卡拉卡拉大浴场是罗马最漂亮豪华的浴场之一，设计可容浴者约1 600人，一直使用到6世纪。现存的废墟，加上近代的发掘和复原（包括引人注目的重建），为所有现存的罗马浴场中规模最大者。主体建筑占地230米×115米，内设一组宽敞的拱顶浴室，另有庭院和附属房屋，周围是花园，其中有运动和游戏场地，还有露天的大游泳池。有三个主要浴室：冷水浴室、热水浴室和温水浴室。冷水浴室与温水浴室之间是一座大厅，有巨大的拱顶和高侧窗，为中世纪教堂内拱顶中堂的原型。建筑中使用大量的大理石，室内有雕刻、镶嵌图案、壁画和其他装饰。在夏季，卡拉卡拉大浴场是露天上演歌剧的场所，雇用大批演员演出《阿伊达》和《卡门》一类歌剧，场面非常壮观。

caracara 卡拉卡拉鹰 又称食腐鹰。隼科卡拉卡拉鹰亚科（Polyborinae或Daptriinae）的新大陆猛禽，10种。主要食腐肉、鸟类、爬行和两栖动物。群集，具攻击性。体较小，但觅食时可制服秃鹫。可从其长腿、颊和喉的红色裸露皮肤而鉴别。体长40～60厘米。普通卡拉卡拉鹰（凤头卡拉卡拉鹰，*Polyborus plancus*）分布于佛罗里达、得克萨斯、亚利桑那、古巴和松岛向南达福克兰群岛和火地岛。美国产的亚种称为奥杜邦亚种（*P. p. auduboni*）。南美的其他种包括食虫卡拉卡拉鹰（*Milvago chimango*）和黑卡拉卡拉鹰（*Daptrius ater*）。体型较小的南美种类以昆虫为食。

Caracas 加拉加斯 为委内瑞拉共和国首都，南美洲主要城市之一，为该国最庞大的集结城市及工业、商业、教育和文化主要中心。加拉加斯除具有国家首都的地位，还是联邦区政府所在地。

自然地理和人文地理

景观 城市位置 加拉加斯位于安第斯

加拉加斯闹市区的西蒙·玻利瓦尔中心
美国不列颠百科全书公司供图

山系内一高的裂谷中，四面八方都有大山环绕。滨海科迪勒拉山高耸于城市上空，东尖峰海拔8 600英尺，阿维拉海拔7 000英尺，限制了城市的向北扩展；南面的内部山脉海拔较低，但崎岖不平。谷地主要河流为瓜伊雷河，一度本是比较大的河，但现在流量减少，而且污染严重。

气候　加拉加斯市的温度一般随着高度的升高而递减。在面朝东常有风的山坡上，降雨量大，湿度高。年平均气温约21 °C。而相距不过10英里的位于海平面上的拉瓜伊拉，年平均气温竟为27 °C。加拉加斯气温在最冷月份(1月)的平均值和最暖月份(5月)的平均值之间的季节性变化范围只有 -15°C，大大低于正常昼夜温差。年降雨量约为813毫米。从5月到11月是明显的雨季，从12月到来年4月是旱季。

城市布局　加拉加斯市核心部分位于邻近耶稣受难像公园山的谷地西边缘附近，从这座山上可看到市区全景。那里以玻利瓦尔广场为中心，周围有许多反映殖民地历史的建筑物，其中包括：加拉加斯大教堂、国家大会堂、市政参议会大楼、西蒙·玻利瓦尔诞生地以及作为共和国总统官邸的葵花宫。

加拉加斯市中心现正日益向东面的中央公园和委内瑞拉广场方向移动。这个地区的核心为哥伦布纪念碑，但更加突出的是一簇摩天大楼，其中有两座一模一样的塔楼，属全拉丁美洲最高建筑物之列。

人民　加拉加斯人，像整个委内瑞拉的人民一样，主要是混血人种。在白人祖先和当地印第安人祖先的这种混合上，还增加了较少的非洲来的黑人血统。

社会阶级的划分在加拉加斯十分明显，像在南美洲的其他地方一样，并且在居住区的占有上反映出来。上层阶级的住房豪华，而且一般占有河谷的东边缘和加勒比海沿岸。中产阶级的住房占有市的中央核心部分，加上近郊某些住宅区。社会下层阶级占有小山边的棚户区，从西面和南面俯瞰着市区。天主教自最初殖民以来，一向是加拉加斯的主要宗教，但也有其他宗教。西班牙语是全国通用的语言，但在旅馆、饭店等旅游设施中也通用英语。人口：市约1 975 787；都会区约2 284 921(2000)。

加拉加斯城貌
中国大百科全书出版社供图

经济　工业　加拉加斯是委内瑞拉的主要经济中心，也是领先的制造业中心。重点产品有纺织和服装，还有食品和饮料、烟草制品、木材、纸张和印刷、黏土和石料制品、橡胶和皮革商品、玻璃、化学制品和药剂，以及金属器皿和塑料制品。委内瑞拉的制造业部门20%以上设在大加拉加斯都会区范围以内，全国工业劳动力的30%也在这里。

商业和金融　加拉加斯经济生活中最重要的是第三产业部门，即服务业。包括批发和零售贸易、交通运输和公用事业、教育和卫生保健，尤其是行政管理。该市系大多数委内瑞拉的商行和工业公司、银行和保险公司以及本国和外国政府机构的总部所在地。世界上几乎所有国家都在该市以内设有大使馆或领事馆。旅游业对委内瑞拉越来越重要，其中心也在加拉加斯，该市拥有许多宾馆和旅游机构。

运输　加拉加斯同世界其他大城市中心通过空中和海上运输直接相连。迈克蒂亚航空港位于海滨，陆路距加拉加斯10英里。拉瓜伊拉为该市主要海港，经营其大部分进出口贸易。有一条现代化高速公路，途经两段穿山长隧道，由加拉加斯通往迈克蒂亚、拉瓜伊拉以及一些海滩和海滨疗养区。

行政与社会状况　政府　加拉加斯系国家政府所在地，包括行政部门、立法部门和司法部门。该市居民中的政府雇员人数超过全国范围所有政府雇员的40%。该市是通过联邦区的解放者部进行管理的，但市区范围已经扩展跨越了本区和米兰达州的其他许多次一级行政区划。联邦区的区长由共和国总统任命。加拉加斯自1535年起曾是天主教会一主教管辖地，而自1804年以来则一直是该教会一大主教管辖地。

服务业和保健　随着市区人口的继续增长，供水是有待解决的最关键问题之一。废品处理、脏乱和污染也都是重要问题。未经处理的污水被直接排放到瓜伊雷河，而河谷较为狭小闭塞，其中的工业生产和严重交通堵塞造成空气污染。

加拉加斯自1897年以来就有了电力,现在已并入全国发电网内。天然气通过管道从位于亚诺斯大草原地区东部的、委内瑞拉的瓜里科州和安索阿德吉州供应。

20世纪后半叶,政府和私人在委内瑞拉的投资都集中在加拉加斯,其结果是该市的繁荣程度已超过该国所有其他城市。有大批移民从国内各地以及多数欧洲国家迁来。高出生率使人口增长迅速,并使住房问题更加严重。

新住宅的兴建使人有深刻印象,但仍不能满足持续增长的需求。加拉加斯的医疗保健设施,也像多数大城市中心的情况那样,面临由人口迅速增长、环境污染及治疗大量贫民的困难。在都会区范围内,有许多诊所、疗养院、医院以及保育院和养老院,可向首都居民提供医疗保健。

教育 加拉加斯对教育一向相当重视。公、私立教育有5部分:小学、中学、师范、美术与商业学院和大学。主要高等教育学府是委内瑞拉中央大学,创建于1725年。其建筑物在河谷中央构成一处现代化飞地,称作大学城。

文化生活 加拉加斯也像世界上许多首都那样,是全国文化生活的主要中心。主要文化机构有:①加拉加斯文艺协会,成立于1983年;②语言研究所;③历史研究所;④医学研究所;⑤政治和社会科学研究所;⑥国家图书馆。

加拉加斯有无线电广播、电视和新闻报纸为其提供充分服务。现在基地仍然设在加拉加斯的几家主要报纸是:①《最新消息报》,②《国民报》,③《世界报》,④《普及教育报》。有多种多样的无线电广播。

国家的主导运动项目棒球和足球,都集中在加拉加斯。该市还有一处有3万座位的赛马场和一处斗牛场。市内的公共花园和广场相当多,市内的动物园、博物馆、名胜古迹及林荫大道也吸引众多游人。

历史

加拉加斯系洛萨达于1567年建立。1578年时,市区是以一广场为中心、由24块正方形地所构成的长方形地。街道笔直,用鹅卵石铺成,并有山里出来的小河沿道边流淌。在这一时代,上层阶级的一般住宅都很大,有树木葱茏的大院和拱廊,并带有隔离开的奴隶住处和马棚。

加拉加斯的市政会,即市政参议会,对委内瑞拉的整个中央部分行使着越来越大的权力,并出现了一批优秀人物,从事该市政治事务和经济事务的管理。加拉加斯于1577年取得地方首府地位。1595年该市遭英国海盗掠夺,其建筑物后来又几乎全部为1755年和1812年的两次大地震所摧毁。然而,在18和19世纪内,加拉加斯便逐渐脱颖而出,成了委内瑞拉突出的中心城市。

南美洲最伟大的英雄西蒙·玻利瓦尔于1783年7月24日出生于加拉加斯的一个在委内瑞拉事务中长期占有显著地位的家族里。他从自己的导师们那里获得了争取西属美洲独立的热忱。他带着一支在哥伦比亚招募的、人数不多的部队,于1813年8月进军委内瑞拉,并攻陷加拉加斯;在这个时刻,该市授予他"解放者"的称号。一年之后,爱国武装全部撤出,当委内瑞拉于1830年终于作为一个独立的国家建国时,加拉加斯即成为首都。

1870年,在布兰科总统领导下开始加拉加斯的城市改造。他虽然并不住在巴黎,但尽力使加拉加斯处处仿效法国首都。这个时期的法兰西建筑风格代替了西班牙的殖民地风格。

统治了27年的独裁者戈麦斯将军于1936年死后,委内瑞拉开始经历了一个繁荣的、以石油为基础的新的时代。

加拉加斯人口增长,建筑规模扩大。1951～1957年,委内瑞拉由另一个军事独裁者希门尼斯统治,他重视加拉加斯的现代化。贫民窟被清除,建立高高的公寓,修筑了使加拉加斯与沿海地带及内地相连的高速公路。旧城开始消失。山脚下建起许多郊区,谷地内迅速修建了一些商业大楼和政府大厦。尽管地理上受限制,加拉加斯仍在继续发展,已逐渐在委内瑞拉全国的城市建筑中起完全主导的作用。

Caracas Company (colonial trading company) **加拉加斯公司** 参阅 **Guipuzcoana, Compañía** 吉普斯夸纳公司。

Caracciolo, Francesco, DUCA (duke) DI BRIENZA **卡拉乔洛**(1752-01-18,那不勒斯王国那不勒斯[意大利]～1799-06-28,那不勒斯) 布里恩扎公爵,意大利那不勒斯舰队司令。先支持那不勒斯国王,后任帕特诺培共和国海军司令,因而被一些意大利人视为叛徒。早年参加英国海军,与争取独立的美国人作战。1781年返回那不勒斯,1793年在英国海军上将H.纳尔逊指挥下在土伦与法国人作战。1799年11月法国占领那不勒斯并宣布帕特诺培共和国成立后,他回那不勒斯,任海军舰队司令。1799年H.纳尔逊攻占那不勒斯,将他处死。

Caracol 卡拉科尔 马雅的主要城市,今为伯利兹中西部一个考古地点,位于危地马拉的马雅城市蒂卡尔东南76千米。此名为西班牙文(意为"蜗牛"),原马雅文名不详。废墟由一个伐木工于1938年发现,考古学家于1952～1953年第一次进行初步勘查,但直至1985年才开始大规模清除和挖掘丛林中的遗址。最初从事这一工作的是由中佛罗里达大学考古学家黛安娜·蔡斯和阿伦·蔡斯领导的一个小组。在此址发现的马雅雕像和其他物品说明,中古典时期(约公元6世纪)卡拉科尔十分繁荣,在大约公元562年取代蒂卡尔成为该地区的大城市。衰落一个时期后,于大约800年又复兴为大城市。挖掘后发现金字塔(最高为42.5米)、帝王陵墓、寓所、纪念碑和一个球场,还有诸如陶瓷制品、壁画、祭坛和雕刻品等人工制品。初步勘查说明城市面积可能超过蒂卡尔。

Caractacus (British chieftain) 参阅 **Caratacus** 卡拉塔库斯。

Caradeuc de la Chalotais, Louis-René de 卡拉德克·德拉夏洛泰 参阅 **La Chalotais, Louis-René de Caradeuc de** 拉夏洛泰。

Caradoc (British chieftain) 参阅 **Caratacus** 卡拉塔库斯。

Caradoc Series 卡拉多克统 奥陶纪地层单位。兰代洛统之上,阿什及尔统之下。最初是根据威尔士的卡尔卡拉多克地区的露头的研究而确认的。卡拉多克统和上覆的阿什及尔统有时归在一起成为晚奥陶世(4.58亿年前至4.38亿年前)的巴拉统。在许多地区,卡拉多克统的开始是以纤细丝笔石(*Nemagraptus gracilis*)带底部的间断为标志。北威尔士的卡拉多克统是由硬砂岩、泥岩、薄的不纯灰岩和细粒黑色页岩组成的。在斯诺登山也有富含二氧化硅的流纹质熔岩、凝灰岩。在北威尔士,卡拉多克统的总厚度超过2 000米。其他重要的卡拉多克统剖面在苏格兰南部高地和格文地区也能看到,该处岩层厚度约4 900米。在爱尔兰中部谷地相当卡拉多克统的帕特里统厚4 600米。在挪威奥斯陆地区,卡拉多克统以页岩和灰岩为代表。可根据化石将这个剖面再细分并与其他地区的剖面对比。卡拉多克统在全世界都有露头,存在于瑞典、中国南部、澳大利亚、新西兰和南美等地。

Caradon 卡拉顿 英格兰康沃尔行政、历史郡和锡利群岛的区。位于博德明穆尔和英吉利海峡之间。东邻德文郡,以泰马河为界。面积664平方千米。博德明穆尔海拔300米,顶部有突岩,高沼地中谷地开阔。高地上覆盖着高沼地植被,当地居民放养牛和羊。泰马河谷中的卡尔斯托克和甘尼斯莱克有铁路支线通普利茅斯,并成为一居住区。泰马河下游流域为集约种植区,主要出产草莓和其他无核水果等。室内外的花卉栽培是主要经济来源,也种植早熟蔬菜(供应伦敦和密德兰)。下游河谷两壁陡峭,多林木,几乎无居民。畜牧业(乳牛、菜牛、绵羊、猪)亦很重要。利斯卡德是主要市场和服务中心,近年发展成为住宅区;镇西有小工业区。索尔塔什与普利茅斯相连,轻工业和服务业在发展。南部海岸风景优美,有连绵不断的峭壁、海湾和沙滩。卢港和波尔佩罗小渔港已发展成为旅游中心,有木造别墅并为帐篷和大篷车提供营地。人口约81 300(1998)。

Carafa, Gian Pietro 卡拉法 参阅 **Paul IV** 保罗四世。

Caragiale, Costache 卡拉迦列(1815-03-29,罗马尼亚布加勒斯特～1877-02-13,布加勒斯特) 罗马尼亚演员兼剧院经理。对推动别具一格的罗马尼亚戏剧的发展做出很大贡献。1835年于布加勒斯特首次登台演出。1838年于雅西组织了一个演当代戏的剧团,接下来的15年中,他与当地剧团协作,推动了当时最有才华的一些戏剧家如阿列克山德里和C.内格卢济等人的剧作演出。1850年返回布加勒斯特,两年后被任命为国家剧院导演。他的侄子I.L.卡拉迦列后来成为罗马尼亚最伟大的剧作家之一,而他的弟弟约尔古在雅西和其他一些外省市、镇成为成功的演员兼导演。1877年约尔古于布加勒斯特建造了自己的剧院。

Caragiale, Ion Luca 卡拉迦列(1852-01-30,奥斯曼帝国瓦拉几亚哈伊马纳列[今在罗马尼亚]～1912-06-10,德国柏林) 具有伟大讽刺才能的罗马尼亚剧作家和散文作家。他的喜剧揭示了过早引进现代生活方式对罗马尼亚都市社会所产生的影响,以及社会和政治的变动导致的喜剧性结果。《约尼达先生》(1879)、《暴风雨之夜》(1880)和《一封遗失的信》(1884)都属于最著名的作品之列。《冤狱》(1890)是农民戏剧的一个例子。卡拉迦列的短篇小说《狂欢节》(1889)、《罪》(1892)等,在罗马尼亚文学中都属于最优秀作品之列。

Carajá 卡拉雅人 又拼Karajá。南美印第安人部落,居住在巴西中部阿拉瓜亚河沿岸。靠近巴纳纳尔岛。他们的语言同周围绝大多数部落所使用的格语有较远的亲缘关系。卡拉雅人的3个亚部落——正统卡拉雅人、桑比瓦人和哈瓦埃人——文化几乎完全相同,都沿河而居,而不喜森林。主要的食物来源是鱼;农产品也几乎同等重要。他们沿河岸开垦丛林地带,种植木薯、玉米及其他各类作物。卡拉雅人无衣着,而佩饰物。男人戴唇饰及耳塞,男女均文身,两颊各画一小圈,作为部落标记。卡拉雅人每逢雨季,就住进永久性的大草房中,每幢草房容纳几个有亲戚关系的家庭成员;旱季则移往沿河沙滩上的临时棚屋。村落以大家庭为社会单位,各家长为全村实际领袖,村长有名无实,村村各自为政,互不相干。但毗邻村庄往往共同举行宗教活动。卡拉雅人以能歌善舞著称。歌舞为各种庆祝活动的主要特色。宗教仪式由男子担任主角,届时他们参加面具舞蹈,扮演各种精灵及被杀死的敌人的鬼魂。

Caralis(Roman city, Sardinia) **卡拉利斯** 参阅 **Cagliari** 卡利亚里。

caramel 焦糖 一种糖食,以达到或超过约115 ℃的温度熬煮白糖,使呈现浅黄色并带有焦香味,即获得焦糖,其质地因配料比例不同有松软和耐嚼之分。加入白糖中的淀粉糖浆是控制结晶度的要素,并有助于糖体的形成。牛奶对于传统的焦糖糖果风味是必不可少的,这种含有奶油的柔韧的焦糖混合物再加入脂肪与淀粉,在熬煮过程中不断搅拌,然后倒入罐中或冷却板上,以便切块包装。生产奶油焦糖需要熟练的技巧。焦糖是糖果的基础,它对大批量生产的糖果工业比对个体糖果生产者更为重要。各种水果、果仁和咖啡可用结晶颗粒不同的各种焦糖蘸挂、外涂、染色或调味。将苹果裹以焦糖糖衣,并串在一根小棒上,是美国一种很受欢迎的食品。

Cāraṇ 卡兰 印度西部古吉拉特邦世袭系谱学家、流浪乐人和说书人的印度教种姓。他们自称是拉贾斯坦地方拉其普特种姓的后代,可能是婆罗门(僧侣)和拉其普特的混血后裔。他们的许多习俗与印度北部与其相当的种姓巴特人相似;这两种人都有宁死决不食言的美名。卡兰种姓的乐师们运用一种称作丁加尔语(Dingal)的西拉贾斯坦特殊方言创作他们的说唱诗篇,叙述武士及帝王的业绩。

Caran d'Ache 卡兰达什(1858,俄罗斯莫斯科～1909-02-26,法国巴黎) E.布瓦雷的笔名。法国讽刺画家、插图画家,其作品线条刚劲简洁。曾在莫斯科受教育;后定居巴黎,为期刊供稿,深受欢迎。他最先提倡片段式连环漫画。曾在法军中服役5年,喜为军事题材作品画插图。受现代德国漫画家W.布施和A.奥伯伦德尔的影响较深。

carangid 鲹类 鲈形目鲹科200多种海产鱼的统称,包括鲹和鲳鲹这些知名鱼类。遍布世界暖水和热带海域。活动敏捷,肉食性,通常银白色,主要为海产,有些生活于半咸水

俯视鱼(月鲹,*Selene vomer*)
迈阿密海洋水族馆供图

或淡水中。鲹科鱼类体形差异甚大,从细长流线型到体高而侧扁。一般均具如下的共同特征:背鳍2个,第一背鳍可退化为少数小棘;第二背鳍与臀鳍通常前部高;胸鳍细长,常呈镰形;尾基细,尾鳍强健,叉形或月牙形;鳞小,侧线通常部分或全部被以大而硬且具嵴突的鳞(棱鳞)。多数鲹类体小,但有些体形甚大,如大鰤(迪梅里氏鰤、大琥珀鲹,*Seriola dumerili*)长可达约1.8米,重70千克。鲹科鱼类有各式各样的俗名,如月亮鱼(**moonfish**)、鲳鲹(**pompano**)、引水鱼(**pilot fish**)、跑鱼(runner)、鲹鱼(**jack**),等等,其中许多是食用鱼或游钓鱼。样子最奇特的大西洋鲹科鱼之一,是俯视鱼(月鲹,*Selene vomer*),体极薄,"额"部极高,第二背鳍的前部鳍条呈丝状,延长到尾。然而,某些种,如大鰤和几种鲹,肉中时常含有有毒物质,吃后,可引起肉毒(雪卡)中毒。

Caraquet 卡拉凯特 加拿大新不伦瑞克省东北部城镇和渔港。在卡拉凯特湾沿岸、近卡拉凯特河河口,在巴瑟斯特东北68千米处。约1760年建立。为该省最早建立的法国居民点之一。现为大西洋渔船队基地,有渔业学校、船坞、水产加工厂、阿卡迪亚陈列馆和修复的阿卡迪亚村。每年7月举行为船队祝福的活动。1961年建制。人口4 442(2001)。

Caraş-Severin 卡拉什-塞维林 罗马尼亚西南部的县。面积8 503平方千米。南和西与塞尔维亚接壤。境内有特兰西瓦尼亚山脉(南喀尔巴阡山脉),山间谷地为居民区。多瑙河及其支流如蒂米什河向东流经该县。县府为雷希察(**Reşiţa**)。该县饲养牲畜,种植谷物和果树;有铁矿、锰矿、长石矿、黄铁矿、煤矿和无烟煤矿。鲁什基察附近开采大理石。雷希察、博克沙和红钢市等有金属产品和机械制造业。克沃兰生产建筑材料,其他数城镇有木材和食品加工业。沃柳格附近内尔加尼察河上有水电站。卡兰塞贝什以东约39千米的特兰西瓦尼亚山口的"铁门"(697米)是达契亚人和罗马人塔帕耶之战的战场。从卡兰塞贝什向南的公路是沿蒂米什河岸罗马大道而建。蒂米什河流域罗马人曾建有营地,现有普卢戈瓦、梅哈迪亚、泰雷戈瓦和伯伊莱海尔库拉内等镇。伯伊莱海尔库拉内附近的山洞中发现有旧石器时代燧石工具和新石器时代的遗物;附近的多莫格莱德山自然保护区有各种蝴蝶和蛾。博尔洛瓦和沃柳格为山区旅游地。有铁路和公路通雷希察和卡兰塞贝什。人口约333 396(2002)。

carat 克拉 金刚石和某些其他珍贵宝石的重量单位。1913年以前,在不同的宝石中心,克拉的重量是有差异的。最初是以谷粒或豆粒重量为准,这些子粒的大小当然是因地而异的。在伦敦1克拉等于0.205 3克(3.168金衡格令),在佛罗伦萨等于0.197 2克,在阿姆斯特丹等于0.205 7克。宝石的重量是按照克拉整数加克拉的分数(1/2、1/4、1/8、1/16、1/32或1/64)计算,所以一块宝石可以说成重3 + 1/4 + 1/16克拉。各种统一克拉标准的尝试失败之后,1913年在美国采用了公制克拉(1公制克拉等于0.200克)和潘特(1潘特等于0.01克拉)。这一规定随后为其他许多国家所采用。金刚石、红宝石、蓝宝石、祖母绿、黄玉、海蓝宝石、石榴石、电气石、锆石、尖晶石的重量,以及有时蛋白石和珍珠的重量都以克拉表示。

carat (gold) 参阅**karat**开。

Caratacus 卡拉塔库斯(主要活动时期公元26～75) 又拼作Caractacus,凯尔特语拼作Caradoc。不列颠特里诺文特部族国王,库诺贝利努斯(**Cunobelinus**)之子。他的王国在西部,包括汉普郡的阿特里贝特人,可能还有格洛斯特郡的多布尼人。克劳狄统治时期罗马人入侵英格兰时,他领导本族人员反抗奥路斯·普劳提乌斯(公元43～47),被击败后撤退至南威尔士。公元50年最后被奥斯托里乌斯·斯卡普拉在威尔士边境地区某地击败,逃往布里甘特部族王国,该王国卡蒂曼杜女王把他引渡给罗马人。在克劳狄的一次庆功游行中,他和他的家属成为胜利展览品,被免一死。

Caratasca Lagoon 卡拉塔斯卡潟湖 在洪都拉斯东北部,为该国最大的潟湖。该湖从加勒比海向内陆延伸约40千米,西北—东南方向长88千米。有一条5千米长的运河与

加勒比海相通,河岸上有一卡拉塔斯卡村落。潟湖内有许多岛屿点缀其间,其中最大的是坦辛岛;低矮的岸上长着浓密的热带雨林,出产桃花心木和雪松。潟湖内产虾。南岸上的伦皮拉港为主要城镇。

Carathéodory, Constantin　卡拉西奥多里（1873-09-13,柏林～1950-02-02,慕尼黑）　现代希腊裔德国数学家。对实函数论、**变分法**（**calculus of variations**）和点集测度论做出了重要贡献。1900年,他在柏林大学开始钻研数学,1902年入格丁根大学,并在德国数学家H.闵科夫斯基指导下于1904年取得博士学位。先后在汉诺威大学、布雷斯劳大学、格丁根大学和柏林大学执教,之后,又在希腊人建于小亚细亚的士麦那大学任教授,后又到雅典大学。1924年任慕尼黑大学教授。他对变分法的贡献包括关于间断解的广泛理论,而先前对此只有有限的了解。他在一阶偏微分方程与变分法的关系方面也取得了重要结果。他关于 n 维空间中 m 维曲面的变分问题的工作标志着首次对于这种一般情形取得的深刻结论。他在多元函数理论中有重要发现,并简化了把单连通区域共形表示为单位圆这一重要定理的证明。他关于边界的几何集论的研究导致他建立了边界对应理论。他对热力学也有贡献,还对爱因斯坦狭义相对论的发展有所助益。其著作有《论实函数》(1918)、《共形表示》(1932)、《几何光学》(1937)、《实函数》(1939)和《函数论》(2卷,1950)等。

Carausius, Marcus Aurelius Mausaeus　卡劳修斯（?～293,不列颠）　罗马军官、曾在不列颠建立过昙花一现的独立国家。出生于梅纳比亚(现比利时斯海尔德河与默兹河之间的一个地区)。在罗马镇压高卢起义者时立过大功。约285年任舰队司令。他的任务本是防止海盗活动,但每每等待海盗抢劫之后才进行出击,把财物据为己有。马克西米安一世大为震怒,下令将他处死。但他率部逃往不列颠,自立为王。戴克里先和马克西米安几次试图将他赶走,均未成功。约在290年被迫暂时承认他为不列颠统治者。293年他被部将阿莱克图斯所杀。

Caravaca　卡拉瓦卡　西班牙东南部穆尔西亚自治区穆尔西亚省城市。位于穆尔西亚市西北偏西约65千米。1241年被卡斯蒂利亚国王费迪南德三世从摩尔人手中收复,后赐与圣殿骑士团。继而转属圣地亚哥骑士团。现为制鞋业中心,也生产纺织品、白兰地及巧克力。城内有J.de埃雷拉16世纪设计的萨尔瓦多教堂,另有一教堂(1617)曾珍藏卡拉瓦卡十字架。人口22 963(2001)。

Caravaggio　卡拉瓦乔（1571?,米兰?～1610-07-18,托斯卡纳埃尔科莱港）　米开朗琪罗·梅里西的别名。意大利画家,暗色调技术的首创者(参阅 **tenebrism**)。他摒弃了理想化的艺术模式,着眼于表现人,认为生活即是戏剧,一切经验都来自物质现象。其作品富有强烈的戏剧性、真实性、感情色彩和鲜明的个性。11岁成为孤儿,到米兰画家S.彼得扎诺的门下习艺4年。1588～1592年间到罗马。绘画技巧已相当熟练,并深谙伦巴第与威尼斯画家艺术的真谛,这两派画家反对佛罗伦萨理想化的绘画,发展了一种近似再现自然的风格。在罗马的最初5年,卡拉瓦乔生活飘荡不定,常给一些才艺平庸的画家当助手。约1595年开始独自卖画,并很快受到枢机主教弗朗西斯科·德·蒙特的重视和庇护。在这之前,卡拉瓦乔绘制过不下40幅作品,其中有不少早期的杰作,如《音乐师》、《弹琴者》、《方济各的大喜悦》、《年轻的巴库斯》、《女卜者》、《逃亡埃及途中的休息》、《泉边的

卡拉瓦乔绘《耶稣遗体下十字架》(1602～1604)
美国不列颠百科全书公司供图

那喀索斯》、《玛格达丽娜》、《以撒的牺牲》和《水果篮》等。这些作品富有革新精神,所表现的大都是日常生活中的事物。1597年,受托为罗马的圣路易吉·迪·法兰契西教堂的小礼拜堂作装饰画,描绘圣马太的生平,显示出其写实画风。装饰画共三幅:《圣马太与天使》、《圣马太蒙召唤》和《圣马太殉教》。第一幅是祭坛画,这位福音书的作者被描绘成一个普通劳动者的形象,僧侣从未见过这样的圣徒,于是引起轩然大波,最后不得不重画。另外两幅画在两壁,同样富有戏剧性情节和充满了生活的真实,场景取自闹市,但同样因为缺乏宗教的虔诚,也都重画过。小礼拜堂的装饰画最后完成于1602年。这期间他画了许多具有强烈反叛精神的作品,如《罗雷托的圣母》,因前景的两个老人"脏足污巾"而遭到非议;又如《圣母之死》,因为圣母描绘粗俗,跣足肿腹,如同溺死的妇人,而被拒绝接收。卡拉瓦乔的艺术富有生动的写实精神,以现实为依据,笔下多画普通的劳动人民。光线的运用是卡拉瓦乔绘画革命的主要成就,如线条与色彩一样,光线已成为其作品构成的决定因素。他所使用的光并不是自然光,而是一束来自上方的光或一束舞台光。他擅长运用强光黑影突出画面的主体,对比强烈,不作繁琐的细节描绘。他的一生生活动荡,在罗马期间,他因屡次与人格斗而触犯法律,被迫于1607年初逃到那不勒斯,后到马耳他、西西里、墨西拿、巴勒莫基地。1609年又回到那不勒斯。后期主要作品有:《玫瑰经圣母》、《七件善事》(1607)、《埋葬圣留西》(1608)、《拉撒路复活》(1609)等。

caravan　商队　在沙漠中或其他敌对地区通常为了互相保护而结伴旅行的一群商人、朝圣者或旅客。由于骆驼可食多种食物、耐渴和驮物能力强,在亚洲和北非沙漠中,是最常用的动物。在某些地区,人们用骆驼套拉两轮大车(例如中国的张家口和蒙古的恰克图之间的茶叶贸易),但通常把驮物分为两部分,系在骆驼背两侧。在气候炎热路途很长的情况下,一匹骆驼负载量通常为160千克左右;但是如果气候凉爽路途较短,或是为了逃避关税,负载量可增加到450千克。旅客坐在骆驼两侧的驮篮里。商队规模取决于运输量多少、路途是否安全和可否找到骆驼。有史以来最大的商队是有特殊目的的商队,例如从开罗和大马士革前去麦加的穆斯林朝圣者商队,这种商队可能有10 000多匹骆驼;或是从陶代尼去廷巴克图或比尔马或阿伊尔的横跨撒哈拉的贩盐商队。后一种商队即使在1908年衰落时期,也有20 000匹骆驼。用绳子穿过骆驼鼻圈再系在前面骆驼的鞍具上,即可将多达40匹骆驼连成一串。游牧民中赶骆驼的人通常使三或四串骆驼并排而行,而某些中国商队则使骆驼排成一个长行。商队启行的时间要根据是否可得到水和找到草场而定,穆斯林朝圣者商队必须在回历12月8日到达麦加,他们启行时间依此而定。因此,奥伦堡商队在俄罗斯冬雪溶化后离开布哈拉,巴士拉商队在中东的晚秋雨季后离开阿勒颇。一个商队每天或在天气炎热时每晚行进8～14小时,平均每小时行程3～5千米。如有可能则安排在一个**商队客店**（**caravansary**）落脚,商队客店通常有一个庭院,四周高层上有许多小房间,底层为牲畜棚和库房。虽然开辟了从欧洲通向东方的海路是某些商队道路(例如从中国通往地中海的伟大的丝绸之路)衰落的部分原因,但是直到19世纪有几条重要的商队道路仍很繁荣;19世纪后有了公路和铁路运输,并废除了奴隶贸易,这才是商队消失的主要原因。在无法得到其他运输工具时,某些地方商队仍然存在。另一些商队则是由于某种特别的吸引力或好处而保持下来,例如仍有一些穆斯林朝圣者商队存在,因为他们认为走传统的艰苦道路是更值得赞扬的。

Caravanche（Slovenia-Austria）　参阅 **Karawanken 卡拉万克山脉**。

caravansary　商队客店　又称篷车旅店。中东、北非部分地区和中亚地区供商队住宿的建筑。一般建于村镇的城墙外,平面为四边形,用厚墙包围,只在近屋顶处开小窗,底部有少量狭小的通气孔。装有厚重大门的门道是唯一的入口,其宽度可容载货的骆驼通过。晚间大门用粗铁链锁闭。客店内部中央为庭院,庭院周围底层有拱廊和小间贮藏室,有宽阔的露天石楼梯通向带拱廊的二层的许

土耳其阿拉尼亚的商队客店
美国不列颠百科全书公司供图

多小房间。底层用来存放大件货物和拴喂骆驼,庭院的角上有炉灶,供客商自行烹调膳食。楼上的房间供住宿。砖石铺地的露天大庭院常可容 300～400 头骆驼蹲伏或拴系骡马,中央有水井和蓄水池。客店不供应膳食和饲料,只由地方当局指定的服务员照顾旅客和维持秩序。商栈(khan)常易与商队客店混淆,它更接近于客栈和旅馆,一般位于村镇之内,供应伙食及较好的服务和住宿条件,比商队客店小得多。

caravel　西班牙多桅快帆船　欧洲15、16、17 世纪在西班牙、葡萄牙广为使用的远航轻型帆船。由葡萄牙人研制,主要用于在非洲沿岸探险的这种快船,最大优点在于其逆风航行的能力,并善于快速航行。C.哥伦布 1492 年用以进行其具有历史意义航行的 3 只舰船中,有两只为多桅快帆船,即"尼尼亚"号和"平塔"号。快帆船的设计随时代的发展而有所改变,但 15 世纪后期典型的快帆船为一种宽体船,可载重 50 至 60 吨,有些可达 160 吨。标准快帆船长约 23 米,有 2 或 3 根张有纵帆(即大三角帆)的桅杆。此后这种快帆船上又增添第 4 根横帆桅杆,用以顺风行驶。快帆船通常在船尾建一双塔(后船楼或船尾楼),在船头建一单塔(前船楼)。作为快船的一类,这种西班牙多桅快帆船比 16 世纪西班牙的大型帆船更快更轻。此后,西班牙多桅快帆船这一名称渐用于法国沿海的小型渔船和土耳其军舰。

caraway　葛缕子　俗称茴蒿籽。伞形科二年生草本植物茴蒿(*Carum carvi*)的干燥种子。茴蒿原产欧洲和亚洲西部,古代就有栽培。其干燥果实有类似茴芹的芳香,味稍辣,

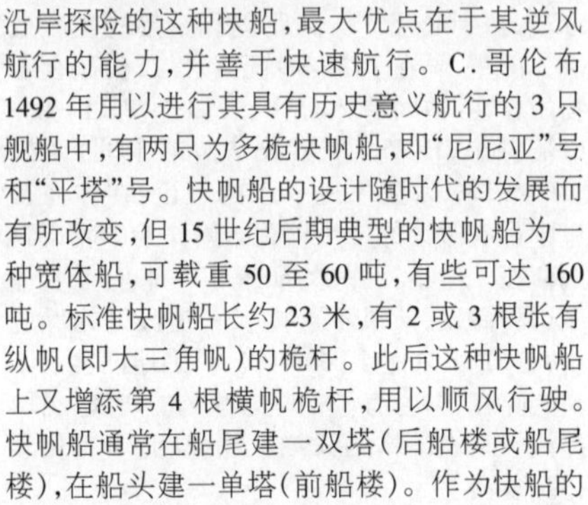

葛缕子(*Carum carvi*)
美国不列颠百科全书公司供图

用于肉食、面包、乳酪、泡菜以及甘蓝一类蔬菜的调味。荷兰茴蒿籽质量优良,久享盛誉。茴蒿叶有细裂;花小,白色,复伞形花序;果实淡褐至深褐色,新月形,长约 5 毫米,具 5 条明显的纵脊。精油含量约 5%,主要成分是 d-香芹酮和 d-柠檬烯,用于酒精饮料,尤其是露酒和枯茗酒的调味,医药方面用作芳香性兴奋药及驱风药。

Caraway, Hattie Ophelia　卡拉韦(1878-02-01,美国田纳西贝克维尔附近～1950-12-21,弗吉尼亚福尔斯彻奇)　母家姓怀亚特。美国政治家,第一位当选为美国参议员的妇女。1902 年与律师卡拉韦结婚,其夫随后任众议员,接着代表阿肯色州任美国参议员。1931 年他去世后,州长指定其遗孀接替其席位,她 1932 年 1 月在一场特别选举中获胜,任满了她已故丈夫任期剩下的几个月。1932 年,她依靠自己的才能,在路易斯安那州州长 H.朗的帮助下(他为她进行竞选),再度当选。1938 年第二次当选,但在 1944 年争取第三个任期的竞选中失败。在参议院工作的 13 年里,成为主持该机构一届会议的第一位女参议员,也是担任小组委员会主席的第一位女参议员。她支持禁酒,支持工会和妇女的权利,以及支持"新政"的大部分法律。

carbamide (chemistry)　参阅 **urea** *尿素*。

carbanion　碳负离子　又称负碳离子、阴碳离子。负电荷主要位于碳原子上的一类有机化合物的总称;在形式上是中性有机分子失去带正电荷的原子或原子团而生成的。它们主要作为化学中间体用于制备他种物质。有些重要的工业产品,其中包括一些实用的塑料,都是利用碳负离子制得的。最简单的碳负离子为甲基碳负离子(CH_3^-),它是有机化合物甲烷(CH_4)失去一个质子(氢离子H^+)而形成的,如下列化学反应式所示:

$$\underset{\text{甲烷}}{CH_4} \rightleftharpoons \underset{\text{甲基碳负离子}}{CH_3^-} + \underset{\text{质子}}{H^+}$$

式中符号 C 和 H 分别表示碳原子和氢原子;下角标表示分子中各种原子的数目;上角标正、负号分别表示正、负电荷;双向箭头表示可逆反应。在讨论碳负离子的结构时,必须区别定域离子与不定域离子。在定域离子中,负电荷大部分限定在一个碳原子上,而在不定域离子中,则负电荷分布在数个原子上。

定域离子　最简单的定域碳负离子是甲基碳负离子(CH_3^-)。它与中性分子氨(NH_3)的电子相等。甲基碳负离子的几何形象,可用一个四面体来很好地表示,碳原子位于四面体的顶点,此结构式与氨分子相似:

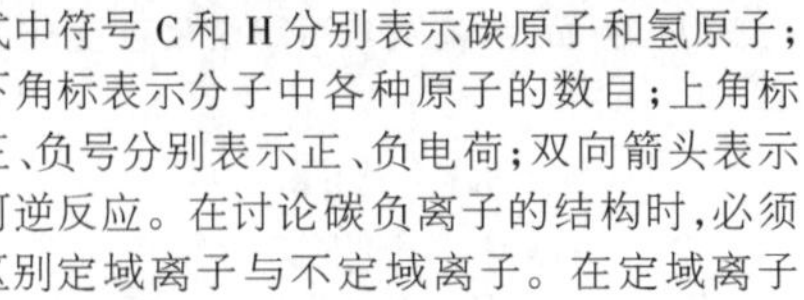

甲基碳负离子　　　　氨分子

式中实线表示原子间的键,虚线表示四面体的底边。

不定域离子　烯丙基碳负离子($C_3H_5^-$)可作为不定域碳负离子的典型,其结构比甲基碳负离子略为复杂。它是丙烯失去一个质子而形成的,其结构可用"共振"关系(方括号中的两个式子)很好地表示:

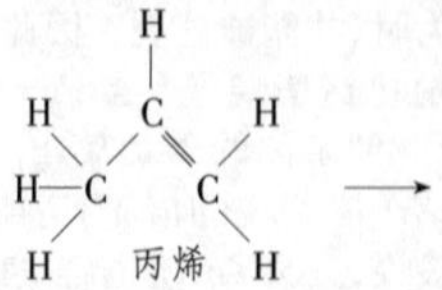

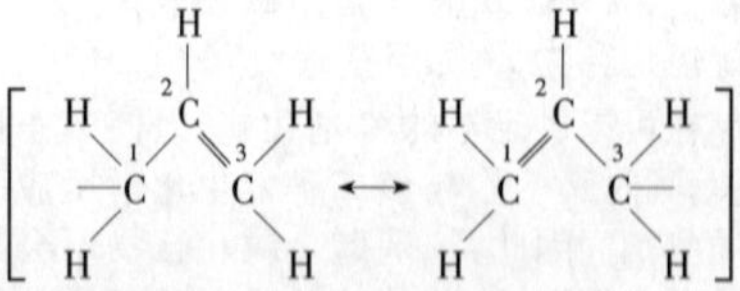

烯丙基碳负离子的共振式

结构式用两个分列的共振式表示的物质(例如烯丙基碳负离子),被认为具有与其所有的共振式相似的杂化结构,但不能用其中的一个来准确地代表。

这类碳负离子的另一例子是苄基碳负离子,其中的负电荷可分布在相当扩展的 π 键结构中,即包括一个芳香环(由 σ 键和 π 键连接成的碳原子环)在内。该负离子的共振式如下所示:

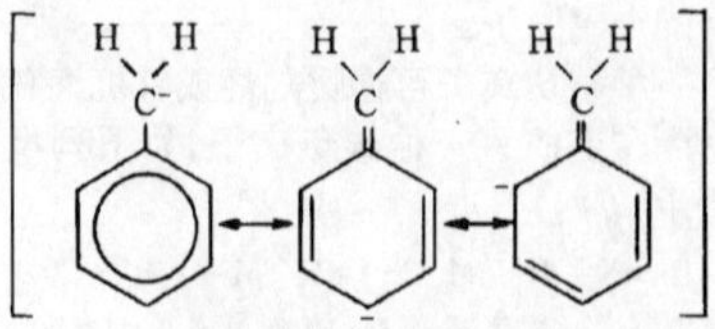

苄基碳负离子的共振式

与烯丙基碳负离子紧密关联的是烯醇负离子,它有一个碳原子被氧原子所代替。它们是从醛与酮(含有碳原子与氧原子间双键的化合物)的羰基邻近的碳原子上除掉一个质子而形成的。烯醇碳负离子的共振式如下所示:

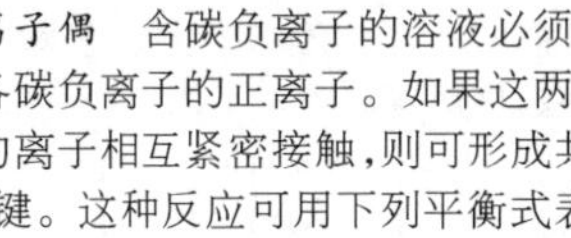

因为氧对电子的吸引力(电负性)比碳强,所以氧原子上带负电荷的共振式所起的作用,大于该化合物的准确代表式的一半。换句话说,在典型的烯醇离子中,氧原子分担的负电荷大于碳原子。

离子偶　含碳负离子的溶液必须含有对应于各碳负离子的正离子。如果这两种电荷相反的离子相互紧密接触,则可形成共价(非离子)键。这种反应可用下列平衡式表示:

$$\underset{\text{共价键化合物}}{-\overset{|}{\underset{|}{C}}-M} \rightleftharpoons \underset{\text{离子偶}}{-\overset{|}{\underset{|}{C}}{}^{-}M^{+}}$$

式中 M 在大多数情况下是金属原子。因为对于一个特定碳负离子来说,正离子的电子亲合性低时有利于离子化反应,所以当 M 原子是碱金属——锂、钠、钾、铯和铷时,该化合物显示出最强的碳负离子特性。但是,即使当形成共价键的倾向微不足道时,也不易观察到游离碳负离子的特性。造成这种情况的

原因在于,正负离子间的强吸引力导致这两种电荷相反的离子的偶配(形成离子偶)。所生成的“牢固”离子偶,只有当单个的离子与溶剂之间的相互作用强得足以克服这种离子间的吸引力时,才能被分裂。因此,只有在能有力地溶剂化这些离子(至少一种)的溶剂中,才能观察到游离的碳负离子。具有强烈倾向使正离子溶剂化的溶剂,有醚类和二甲亚砜。一般说,分离离子偶所需的能量,当负离子的电荷是定域的时,比不定域时为大。实际上,如果碳负离子是由碳和氢构成的简单烷烃化合物,例如甲基碳负离子(CH_3^-),则不存在可提供足够的溶剂化能,以使离子偶分裂,同时又不易与负离子发生化学反应的普通溶剂。因此,烷基碱金属化合物不会离解为游离的离子,并且其性质仅是离子偶所特有的。

制备 有机碱金属化合物的制取,是碳负离子的来源,含有氯、溴或碘的有机化合物与碱金属的反应,是最常用的方法之一。这种反应可表示如下:

$$R{-}X + 2M \longrightarrow R^-M^+ + M^+X^-$$

有机卤化物　金属原子　碳负离子-金属离子偶　金属离子-卤化物离子偶

式中 R 为有机原子团;X 为氯、溴或碘原子;M 为碱金属原子。

一种碳负离子可通过与烃或有机卤化物作用而转变成另一种碳负离子,如下列反应式所示:

$$R{-}X + R'^-M^+ \longrightarrow R^-M^+ + R'{-}X$$

有机卤化物　碳负离子-金属离子偶　碳负离子-金属离子偶　有机卤化物

$$R{-}H + R'^-M^+ \longrightarrow R^-M^+ + R'{-}H$$

烃　碳负离子-金属离子偶　碳负离子-金属离子偶　烃

反应 大概碳负离子的最普通反应是它们作为碱的作用,如本文第一个反应式所示。用下列反应式重新给酸-碱平衡下定义,相当实用:

$$-\overset{|}{\underset{|}{C}}-H + Y \rightleftharpoons -\overset{|}{\underset{|}{C}}^- + YH^+$$

烃　碱　碳负离子　共轭酸

式中 Y 为质子受体(碱)。

用这样的平衡来认识碳负离子的形成,就能给该碳负离子定出一个碱度(吸收质子能力)数值。其方法为测定上述平衡反应的平衡常数;平衡常数为以下比值:

$$K_a = \frac{\left[-\overset{|}{\underset{|}{C}}^-\right]\left[YH^+\right]}{\left[-\overset{|}{\underset{|}{C}}-H\right]\left[Y\right]}$$

式中K_a为酸平衡常数,方括号内各项为所含本体的浓度。为了方便起见,常将平衡常数变换为另一数量——酸度指数,后者经常用符号pK_a来表示。pK_a是平衡常数的负对数,用数学式表示则为$pK_a = -\log K_a$。对于特定的碱(Y)来说,碳负离子碱度的增加,反映为平衡常数(K_a)的降低和pK_a的增加。

大多数碳素酸的pK_a约15~40,这说明碳负离子是比水(其pK_a为15.7)强得多的碱。在不同的碳素酸之间,pK_a的差异很大,反映出相应的碳负离子的内稳定度的不同。一般认为,使碳负离子稳定的机理有三种:①依靠上述共振作用来使它稳定。共振稳定的碳负离子的例子有烯丙基碳负离子和苄基碳负离子,各自的pK_a约为35。环戊二烯基负离子(pK_a约为15)的共振稳定作用特别强,它具有相应的烃所没有的芳香族 π 电子,如下所示:

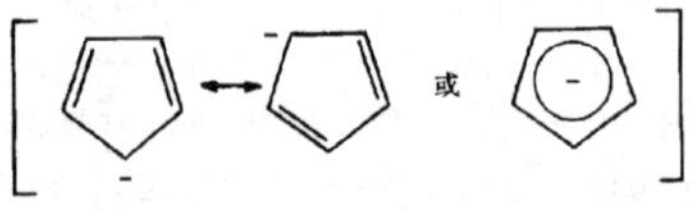

环戊二烯基负离子

②相邻负电性原子的诱导(吸电子)效应。可以举出甲烷(CH_4)的pK_a(约40)与氯仿($CHCl_3$)的pK_a(小于25)的对比为例。氯仿失去质子而形成三氯甲基碳负离子:

$$^-\overset{Cl}{\underset{Cl}{C}}{-}Cl$$

其稳定性较高,可用氯原子的诱导效应来解释,该效应减小碳原子的自由电荷,将它分散到数个氯原子上。③带负电荷的碳原子电负性的改变。可以从乙烷经乙烯到乙炔为例,各 pK_a 依次递降(分别为 42、36 和 25)。在下列的各相应碳负离子中,负电荷分别位于 sp^3、sp^2 和 sp 杂化的各碳原子上:

$CH_3CH_2^-$	$H_2C{=}CH^-$	$HC{\equiv}C^-$
乙基碳负离子	乙烯基碳负离子	乙炔基碳负离子

由于碳原子的电负性随着成键的 s 特性的增强(依 sp^3、sp^2、sp的顺序)而增强,碳负离子的稳定性也依次增加。能使碳负离子成为有价值的合成中间体的一种反应类型,是它们在取代反应中作为亲核体(亲正电荷原子团)的能力。例如,甲基钠与溴甲烷反应生成乙烷,如下所示:

$$CH_3^-Na^+ + CH_3Br \longrightarrow CH_3CH_3 + NaBr$$

甲基钠　溴甲烷　乙烷　溴化钠

此反应类型广泛用于酮类烷基化,该法中先将酮转化为烯醇离子,然后用一种适当的烷基卤进行烷基化,如下例所示:

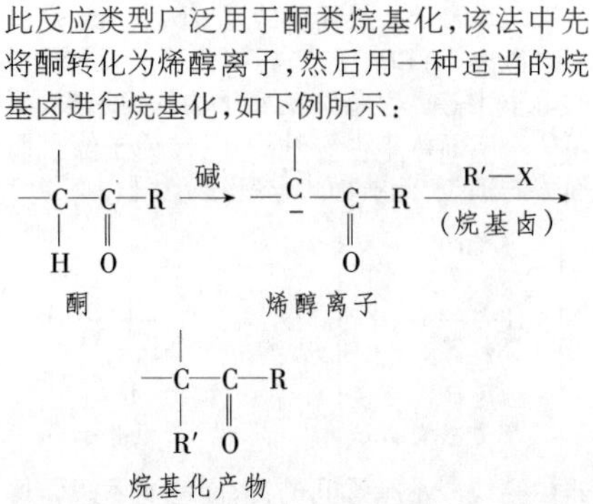

另一种在合成上有用的反应是碳负离子在羰基上的加成;例如,甲基锂与丙酮加成为叔丁氧基锂,如下所示:

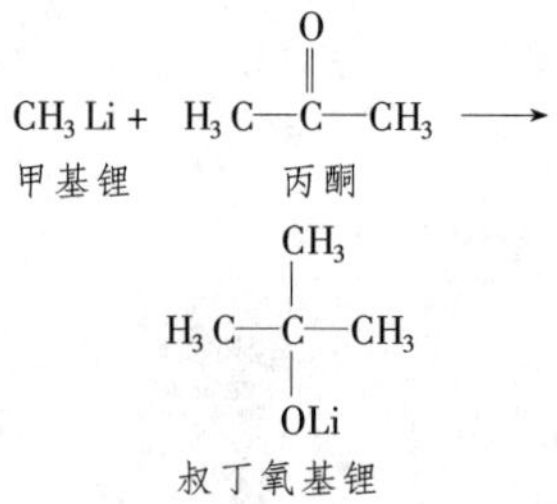

carbene 卡宾 又称碳烯、亚碳化物。含有二价碳原子(仅利用了可与其他原子形成的四个键之中两个键的碳原子)且反应能力很强的分子,通常是化学反应中的瞬时中间产物。其重要性主要在于它们揭示化学反应和分子结构。此外,某些化合物,特别是那些分子内的碳原子排列成环的化合物,最适合利用亚碳化物来制备。根据化学键的电子理论,两原子之间的键是由电子共享而形成的。按照这种理论,卡宾中碳原子的四个化合价(或键、电子)之中只有两个实际上与其他原子成键。与此相反,在重键化合物如氰化氢中,碳原子所有的四个价电子都与其他原子形成了键。因为卡宾分子中的电子不多余,也不缺少,所以它们是电中性分子。

早期研究 卡宾具有很强的反应能力,因此通常只有极短的寿命,从而关于它们的存在,直到最近才得到明确和直接的实验证明。但是,早在 1876 年就已假设二价碳化合物的存在,当时有人提出,二氯卡宾 Cl—C—Cl 是氯仿($HCCl_3$)碱催化水解的中间产物。19 世纪末,发展出进一步的理论:在许多反应中都有假设的二价碳化合物作为中间产物而存在。但是,后来的研究工作未能证明许多这种假设,结果不再提卡宾是假设的反应中间产物。20 世纪 50 年代,明确地证实了卡宾的存在,并且有了一些方法上的研究,已取得关于卡宾结构的详细数据,从此卡宾化学得到复兴。

电子组态和分子结构 化学键理论预测,卡宾具有两种基本不同的电子组态,其中任何一种都可能对应于分子的基态(内能较低的能态),只取决于二价碳原子所连接的原子和基团的性质。产生这种二重性的原因是,亚碳的两个键仅利用了碳的四个价轨函中的两个轨函(这些轨函是一个原子中各电子所占据的领域)。碳原子的未被成键利用的两个轨函,可以接受两个未成键电子。一般说,每个轨函可容纳两个自旋成对(即其角动量符号相反)的电子。未成键的电子有两种可能的分布:它们可以处于同一轨函中并具有成对(相反)的自旋,或者各自处于一个轨函中并具有平行的自旋。具有平行(不成对)自旋电子的物质,显示出一种磁效应(磁矩)。在磁场中这种磁矩与磁场的方向相平行、垂直或反平行(平行但方向相反);这三种可能的排列,与能量略有差异的三种形式相对应,致使具有未成对电子的物质能够以三种形式存在,即处于三线态。与此相反,那种所有的电子都成对的物质并不显示出净磁矩,这样的物质状态称为单线态。原则上,卡宾能以单线态或三线态存在(分别取决于电子在同一轨函还是在不同轨函中)。

在大多数有机化合物(碳的化合物)中,单线态比三线态稳定,分子的基态即属于此形式。在这些化合物中,三线态仅作为受激态或高能态存在。另一方面,由于卡宾中的两个未成键的电子和两个未占用的轨函,根据理论可以预测,三线态的稳定性应与单线态不相上下,实际上可能就是基态。

有人出自理论上的考虑,提出卡宾的碳原子与相连的两个原子排列成"V"字形,而不是直线形,即由碳原子到两个取代基原子之间的两键夹角小于180°,三线态和单线态均如此。但是,单线态的键角预测比三线态要大。这些预测为实验所完全证实。已用称为电子磁共振波谱学的技术证明,最简单的卡宾亚甲基具有三线态的基态,其中的碳—氢键键角等于136°。亚甲基的单线态可在特定的环境中获得,已用另一种光谱学技术对它进行了研究,测出其键角为104°。亚甲基的三线态和单线态的未成键电子的结构和组态在附图的A和B中示出;环形线代表成键中未利用的轨函,电子自旋的成对和不成对,分别用反平行的和平行的箭头来指示。该轨函图解示出,在A中两个成键轨函均被占用(三线态),而在B中则有一未占用轨函(单线态)。

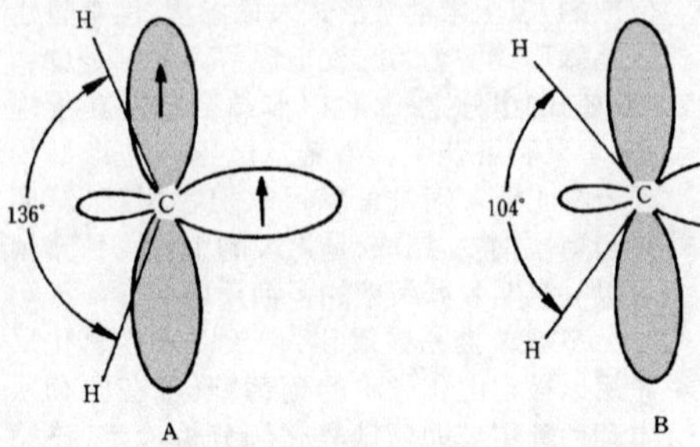

亚甲基的三线态(A)和单线态(B)的不成键轨函,有阴影轨函的轴垂直于由碳原子(C)、氢原子(H)和无阴影轨函所形成的平面

决定单线态或三线态是否与卡宾分子的较低能态相对应的结构特点,可归纳为以下的规则,即仅在二价碳原子上连接有碳或氢原子的卡宾,具有三线态基态,很少有例外,而连接氮、氧和卤素等取代基的亚碳化物则具有单线态基态。三线态卡宾的例子有亚甲基(H—C—H)、苯亚甲基(C_6H_5—C—H)、二苯亚甲基(C_6H_5—C—C_6H_5)和炔亚丙基(HC≡C—C—H)。已知单线态基态的卡宾有甲氧亚甲基(CH_3O—C—H)、氯亚甲基(Cl—C—H)和苯基氯亚甲基(C_6H_5—C—Cl)。

形成 由于卡宾是具有高能量的分子,因此必须从高能前体来制备这类化合物,或者从外部提供额外的能量。由光诱导的化学转化即光化学反应,常常用来制备卡宾,因为吸收的光能转入高能结构中。含有重氮基团(两个相互连接并以双键与碳原子相连的氮原子)的有机化合物是最常用的卡宾的前体。重氮化合物的分子结构用以下通式表示:

$$\begin{matrix}R\\ \quad\backslash\\ \quad C{=}\overset{+}{N}{=}\overset{-}{N}\\ \quad/\\ R'\end{matrix}$$

式中R和R′代表两个有机基团,可以相同,也可不相同。重氮化合物经光分解或热解可分裂生成相应的卡宾和一个游离的氮气分子。重氮丙因是环状化合物,其结构与重氮化合物相似,可进行同样的分裂反应,常用作卡宾的前体。重氮化合物按下式生成卡宾:

$$RR'C{=}\overset{+}{N}{=}\overset{-}{N} \longrightarrow R{-}C{-}R' + N_2$$

重氮化合物　　卡宾　　氮

如果重氮化合物的光解在很低的温度和化学惰性的固态介质中进行,则常可防止生成的卡宾作进一步的反应。因此,在固态介质(或称基体)中,可测出的卡宾的量能保持一段较长时间。例如,已在惰性气体氙(冷却到氦的沸点)的晶态基体中制备出最活泼的卡宾亚甲基,并可保持足够长时间供研究之用。用类似的基体分离技术,已制备出许多其他卡宾。

烯酮的分子中含有由双键连接的两个碳原子和一个氧原子:

$$\rangle C{=}C{=}O$$

其光分解生成一氧化碳和卡宾:

$$RR'C{=}C{=}O \longrightarrow R{-}C{-}R' + CO$$

烯酮　　卡宾　　一氧化碳

在某些情况下,分子中含有三元碳环的环丙烷,可在光化学反应中用作卡宾的前体。例如1,1,2,2-四苯基环丙烷按下列反应转化为二苯基卡宾:

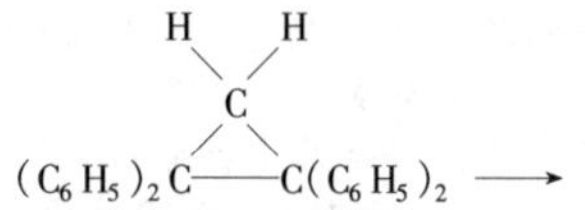

1,1,2,2-四苯基环丙烷

$$(C_6H_5)_2C{=}CH_2 + C_6H_5-C+C_6H_5$$

1,1-二苯基乙烯　　二苯基卡宾

经由带电的或离子形式的中间产物的途径而生成卡宾,可以氯仿与一种强碱叔丁醇钾的反应为例。反应的第一步,氯仿分子在通常的酸碱反应中失去一个质子(氢离子,H^+)。生成的三氯甲基钾然后失去氯化钾而生成二氯卡宾。符合分子式HCX_3(式中X等于氯、溴或碘原子)的其他卤化物,可按类似途径进行反应而生成相应的二卤卡宾。

反应 亚甲基是已知最活泼的分子之一,很少有机化合物能不与这种物质起反应。如因所谓的共振现象而产生了稳定化作用,则卡宾的反应能力略有降低。据说,如果可以描写出一种分子的交变电子结构(称为共振式),则可产生共振现象。该分子的真实状态被认为应包括所有共振式的特征,并且比任何一种单一共振式都稳定。例如,二氟卡宾和甲氧基卡宾则远不如亚甲基活泼,可能因为下式中所示各共振式起了内稳定作用:

$$F{-}C{-}F \longleftrightarrow \overset{+}{F}{=}\overset{-}{C}{-}F \longleftrightarrow F{-}\overset{-}{C}{=}\overset{+}{F}$$

二氟卡宾的共振式

$$CH_3O{-}C{-}H \longleftrightarrow CH_3\overset{+}{O}{=}\overset{-}{C}{-}H$$

甲氧基卡宾的共振式

在上述各式中,一种杂化结构的不同共振式用双头箭号相连,+、-号示出电子迁移而产生的正负电荷。

卡宾所进行的各种化学反应可分为分子内反应和分子间反应。分子内反应或称重排反应,仅涉及卡宾本身,而不涉及其他外部物质;如果结构上可能,它们可生成稳定的分子,其中的碳原子处于它的正常即四价状态。分子内反应的一个例子是甲基卡宾中的一个氢原子从一个碳原子转移到另一碳原子上,而重排成乙烯:

$$CH_3{-}C{-}H \longrightarrow H_2C{=}CH_2$$

甲基卡宾　　乙烯

仅由三个原子组成的卡宾,比如亚甲基本身或者卤代亚甲基,当然不可能发生这种分子内重排。

分子间反应涉及两个或更多的分离的分子。已知有三种重要的卡宾分子间反应:二聚反应、加成反应和插入反应。卡宾的二聚反应——两个卡宾分子相结合——生成烯烃,其分子式恰是原来的两倍,例如二甲氧基卡宾生成四甲氧基乙烯:

$$2CH_3O{-}C{-}OCH_3 \longrightarrow (CH_3O)_2C{=}C(OCH_3)_2$$

二甲氧基卡宾　　四甲氧基乙烯

卡宾在烯烃和炔烃上的加成反应非常有用,因为它是合成多样结构的环丙烷和环丙烯类化合物的一种简便方法。分子内也有可能发生这种加成反应,例如表现为由相应的重氮化合物所生成的烯丙基卡宾的环化反应,生成的二环丁烷——一种不常见的化合物,含有一个具有相当大的应变(由于键角异常)的环系——显示出卡宾的反应在合成用其他方法难以制得的化合物方面的价值。

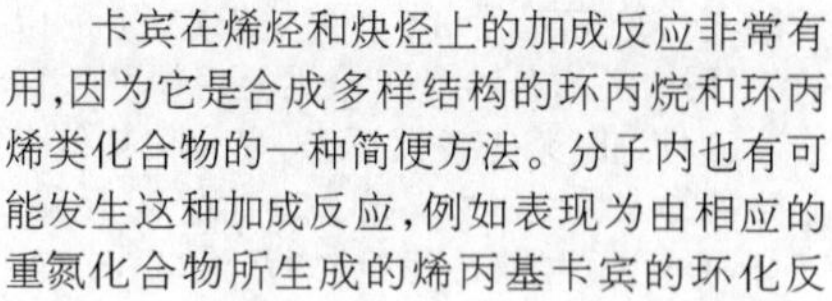

烯丙基卡宾　　二环丁烷

分析和物理学研究 由于卡宾主要是在化学反应过程中作为中间产物而存在,因此,对于卡宾所作的大量研究工作,是用动力学方法进行的,就像已知的反应速率及其影响因素的一般研究领域内的研究那样。关于卡宾结构的许多可用资料,已用光谱法——对于光吸收图样的研究——取得。例如,该法揭示出各种亚碳离子的键长和键角。电子自旋共振波谱学这种可提供电子角动量数据的

物理学方法，在区分三线态与单线态方面特别有用。

Carbet Mountains 卡尔贝山 加勒比海法属西印度群岛马提尼克岛山岳（在小安的列斯群岛范围内）上的火山。由几个山峰（海拔3 510～3 924英尺）组成，距西岸约3.5英里（6千米），在圣皮埃尔与法兰西堡之间。西北-东南延伸约50英里，是阿布萨隆镇温泉发源地。1932年建造了一个研究培雷火山（参阅 **Pelée, Mount**）的观测站。

carbide 碳化物 碳与金属或准金属元素化合而成的一类化合物的总称。碳化钙是乙炔及其他化学试剂的重要原料，而碳化硅、碳化钨及其他几种元素的碳化物在硬度、强度和高温下的耐化学腐蚀性等方面很有价值。碳化铁（渗碳体）是钢和铸铁的重要组分。根据原子结构可将碳化物分为三类：离子型（类盐的）、间充型（金属的）和共价型（类金刚石的）。碳与周期表中Ⅰ族、Ⅱa族和Ⅲb族的金属通常形成离子型碳化物。纯净的碳化物是透明固体，导电能力弱，用酸（或在某些情况下甚至于用水）处理即可分解成碳氢化合物和金属氢氧化物。Ⅳb、Ⅴb、Ⅵb、Ⅶb和Ⅷ族金属常能与碳形成间充型碳化物，此类碳化物很硬、导电好，其中一些特别是碳化钨以及钛、钽和铌的碳化物都是合金陶瓷复合材料的重要组分。碳化硼和碳化硅（金刚砂）的结构与金刚石相似，硬度也与之相近，两者都有良好的耐化学腐蚀性，并均已用作磨料。一般使碳与金属或金属氧化物在1 000～2 800°C高温下反应制取碳化物，在某些情况下，则用碳氢化合物或氢气以还原金属的氧化物或氯化物。

carbine 卡宾枪 短枪管的轻型滑膛枪或线膛枪。枪名始于16世纪。在18世纪以前，不同口径的各种卡宾枪主要用作骑兵武器。18世纪时某些步兵军官、炮兵和其他专业兵种的人员使用卡宾枪。20世纪80年代，有普遍采用轻型突击步枪（如苏联的AK-47和美国M-16步枪）的趋向。卡宾枪作为军用武器已属过时，但因其短而轻，成为丛林狩猎和民间骑手的通用猎枪。

Carbo, Gaius Papirius 卡波（？～公元前119） 罗马政治家。他作为公元前131年的保民官，设法扩大了以投票表决方式通过或者废除法律的范围。一年以后，他成为格拉古兄弟领导的土地改革委员会的成员。但是在公元前122年，卡波却背叛了格拉古兄弟，加入了反对派——“贵族党”（元老院中保守的贵族集团）。他的新盟友推选他为公元前120年的执政官。可是，尽管他为杀死改革家G.格拉古的凶手卢齐乌斯·奥庇米乌斯成功地作了辩护，贵族党仍然不信任他。不久，卡波被指控犯有叛逆罪或敲诈勒索罪，自杀身亡。

Carbo, Gnaeus Papirius 卡波（约公元前130～前82，西西里利利巴厄姆） 罗马将军。在马略和苏拉角逐的内战时期，他是马略一方的军事指挥官。公元前87年，他协助马略对亲苏拉的部队驻守的罗马实行封锁。不久，罗马城投降。此后，卡波和秦那出任公元前85年的执政官，为阻止苏拉从东方返回罗马作了种种准备。翌年，卡波和秦那非法宣布他们自己连任执政官。秦那被其手下暗杀后，卡波成为独一无二的执政官。公元前82年，在克卢西乌姆（今意大利丘西）附近，卡波和苏拉打了一仗，结果不分胜负。但在第三次担任执政官期间，卡波终于被苏拉打败。兵败后逃遁，但在西西里以南的科西嘉岛被庞培擒获处决。

carbohydrate 碳水化合物 自然界存量很丰富和分布很广泛的一类有机物，包括糖、淀粉及纤维素。经分析（19世纪初期）的首批碳水化合物被鉴定为由碳（C）、氢（H）和氧（O）所组成，后两者之比如同水（H_2O）的氢氧比。许多碳水化合物具有$C_x(H_2O)_x$的通式。这类化合物太广泛，无简单定义可完全包括。

已提出碳水化合物的几种分类方案。其中最常见的是将它们分成四大类：单糖、双糖、低聚糖和多糖。单糖分子含有3～9个碳原子，最普通的是含5或6个。三个最重要的单糖是葡萄糖（也叫右旋糖或玉米葡糖）、果糖（水果糖）和半乳糖。两个单糖分子相互连接成双糖，食用双糖含有一个葡萄糖分子和一个果糖分子，乳糖和麦芽糖也是双糖。含3～6个单糖单元的低聚糖是罕见的。多糖是大分子，例如纤维素、淀粉和糖原，其分子中有高达一万个单糖单元相互连接在一起的。自然界中多数起结构作用和储存能量的碳水化合物均为多糖。

绿色植物利用阳光能量使二氧化碳与水转化成碳水化合物——光合作用。这个过程释放氧气到大气中并将光能转化为碳水化合物的化学能。植物可将简单碳水化合物转化成蔗糖（许多水果中的糖）、纤维素（植物的基本结构组分）、淀粉（被植物储存的），以及转化成各种各样的其他多糖，它们起着基本结构组分的作用。在许多动物中，碳水化合物提供可迅速使用的储存能量。在高级动物血液中循环的葡萄糖被细胞所吸收，在该处葡萄糖发生氧化作用可增强代谢过程。含有支链型葡萄糖分子（葡萄糖单元排列成支链型）的糖原储存于高级动物的肝脏和肌肉中，在紧张或肌肉活动条件下糖原被分解成葡萄糖。另外，在某些动物中，多糖起着基本结构组分的作用，例如类似纤维素的几丁质可构成昆虫和其他节肢动物的外骨骼。

单糖的各名称的词头代表分子中的碳原子数（如pent-[戊]意指5而hex-[己]指6），词尾通常是-ose，pentose（戊糖）代表含有5个碳原子的任何单糖。当一个单糖分子呈现直链型时，其碳原子构成分子的主链，多数的碳原子连接一个羟基（OH）和一个氢原子（若为链的末端碳原子则为二个）。多个羟基表明了糖在水中的高溶性。链中有一个碳原子不同于其他的碳原子，此碳原子以双键与一个氧原子相连，这个碳及其双键氧可形成醛基（双键氧在链的末端碳上）或酮基（在链中的碳上）。因此，单糖可以属醛类或酮类，这可从词头aldo-和keto-来辩认，例如aldopentoses（醛戊糖类）与ketohexoses（酮己糖类），葡萄糖属于醛己糖，含有5个碳原子和一个醛基。许多碳水化合物互为同分异构体（原子组分相同但结构不同），例如葡萄糖、果糖和半乳糖均互为异构体，分子式均为$C_6H_{12}O_6$。

自然界最常见的单糖，属己糖类的是葡萄糖、甘露糖、果糖和半乳糖，属戊糖类的是木糖和阿拉伯糖。其他两个单糖——核糖和脱氧核糖——存在于所有细胞中，它们在细胞内分别构成核糖核酸（RNA）和脱氧核糖核酸（DNA）的碳水化合物成分。木糖通过化学分解棉籽壳、玉米棒或麦秸中的木聚糖（一种多糖）制取。半乳糖是低聚糖和多糖（如琼脂和角叉胶）的共同组分，半乳糖还存在于含碳水化合物的名叫糖脂的类脂物中，糖脂存在于多数动物的脑和其他神经组织中。半乳糖通常从乳糖（一种由半乳糖与葡萄糖组成的双糖）制取。葡萄糖存在于水果、蜂蜜、血液和非正常条件下排出的尿中，葡萄糖又是自然界最常见的两种双糖——蔗糖和乳糖——的组分，它是纤维素、淀粉和糖原的唯一的结构单元。葡萄糖是通过玉米淀粉的水解大量生产的，以玉米糖浆形式大量出售，但有时也以晶体形式取名为右旋糖出售。果糖是蔗糖（双糖）的组分之一，也以非结合态存在于蜂蜜、苹果和番茄中。果糖从蔗糖中生产并用于食品工业。阿拉伯糖可从植物树胶（其名来自阿拉伯胶）制取，是果胶的组分。甘露糖可以从名叫甘露聚糖的多糖获取。

多数单糖易被氧化，长久以来这氧化反应用以检定血和尿中的葡萄糖（现在血和尿中葡萄糖可借助葡糖氧化酶分析检定，该酶可使葡萄糖催化氧化成含有过氧化氢的产物，过氧化氢本身可氧化存在于反应混合物内的一种染料）。当单糖的一个末端基（CH_2OH）被化学或生物氧化时便形成糖醛酸（uronic acid）。葡糖醛酸（来自葡萄糖）是存在于结缔组织的多糖的主要成分，它与其他糖醛酸参与许多毒物及其在尿（urine）里排泄物的解毒作用（此即糖醛酸英文名称的来源）。糖可被加氢而还原成糖醇，葡萄糖还原的产物为山梨（糖）醇，常用作增甜剂，甘露糖还原形成的甘露醇也用作增甜剂。溶液（包括细胞）中的糖呈现环状结构，其中羟基是与带有醛基或酮基的碳相连，此羟基很活泼，能使糖相互反应或与其他类化合物反应生成衍生物，称为糖苷，葡萄糖形成的糖苷称作葡糖苷。植物色素（如尿蓝母）、心肌兴奋剂（如毛地黄）、抗菌素（如链霉素）以及调味品（如香兰素）的前体物都属于多种多样的天然糖苷。在某些单糖中，一个羟基被一个氨基（NH_2）取代，称为氨基糖，这类化合物广泛分布于自然界。在脱氧糖中，一个羟基被一个氢原子取代，这类糖中迄今最重要的是由核糖衍生的脱氧核糖，它存在于脱氧核糖核酸（DNA）中，DNA是遗传信息的载体。

双糖是特殊的糖苷，其中一个糖分子与另一个糖分子相结合。在少数具有工业和生物意义的双糖中，最重要的是蔗糖、海藻糖、乳糖和麦芽糖。蔗糖是由葡萄糖和果糖组成的双糖，是常见的商业和食品的食用糖，全世界每年产量超过一亿吨。蔗糖工业上是用甘蔗或甜菜经压榨、水抽提、提纯和结晶制取的,自浓缩母液中沉积的纯度稍差的晶体通常称为红糖,剩余的糖浆物称为甘蔗的终结糖浆或赤糖糊。由两个葡萄糖分子组成的海藻糖在许多方面类似于蔗糖但分布欠广。由葡萄糖和半乳糖组成的乳糖是人类饮食中最常见的另一种糖,所有哺乳动物的乳汁中约含5%的乳糖。虽然自然界中未见有游离(非结合)态的麦芽糖,但它在生物学上却是重要的,因为在消化过程中麦芽糖是酶分解淀粉的一种产物。麦芽糖含有两个葡萄糖分子,但在结构上不同于海藻糖。

多糖或聚糖可以多种方式分类。同多糖是由单独一种单糖组成的,根据单糖单元的排列又可分成直链、支链和环状同多糖。杂多糖含有两种或多种不同的单糖,其分子也可呈线型或分支型。最常见的两种多糖(均为同多糖)为纤维素和淀粉。纤维素是多数植物的基本结构组分,是个巨大线型分子,是由3 000个或更多的葡萄糖分子组成,通过热碱处理植物材料制取。纤维素有多种工业用途,包括造纸和制布。与纤维素相类似的是木聚糖,它含有木糖单元,也存在于植物细胞壁内。淀粉一词代表含有葡萄糖单元的一类植物多糖,多数淀粉是由两种组分(直链淀粉和支链淀粉)的混合物构成的。在人体内,淀粉的利用需要将其分解成单个葡萄糖单元,此过程是由存在于唾液中的淀粉酶所催化并在肠道内继续进行。淀粉酶的作用产物为麦芽糖,后者水解成葡萄糖随即通过肠壁而被吸收。其他重要的同多糖是糖原,存在于所有动物组织中而且是动物的碳水化合物的主要储存方式。糖原由葡萄糖单元组成,类似于淀粉但其结构更为分叉。由半乳糖或半乳糖醛酸构成的多糖,例如果胶和琼脂,由于能形成凝胶而具有重要性。从柠檬果皮得到的果胶在工业上用于制备胶冻和果酱。琼脂广泛用于生物实验室作为微生物的生长介质,在烘烤食品工业中用作胶凝剂。

carbolic acid 石炭酸 最简单的酚类有机化合物(参阅 **phenol**)。

carbon 碳(C) 化学元素,周期表中Ⅳa族非金属。碳在自然界中分布虽广,但储量并不特别丰富,在地壳中仅占0.2%,然而其化合物却比其他元素所形成的化合物的总和还多。1961年选定碳12同位素代替氧作为确定所有其他元素原子量的标准。碳14是放射性同位素,用于放射性碳测定年代和放射性同位素示踪。元素碳以三种形式存在,其物理特性各不相同。金刚石和石墨两种形式都是晶体结构,但因碳原子在它们的结构中排列方式不同,它们的物理性质也不相同。第三种形式为无定形碳,包括木炭、炭黑和焦炭等,虽然X射线研究揭示这些物质具有低度结晶特性,但基本上还是无定形结构。金刚石和石墨均可用合成法制取,其化学性质不活泼,但在高温下和无定形炭一样,可与氧化合。纯金刚石是目前所知天然存在的最硬的物质,为电的不良导体。然而,石墨却是软而滑的固体,热和电的良导体。金刚石因为美丽是很贵重的宝石,因硬度高,作为磨料用于切割、研磨和钻探。石墨用作润滑剂,用于配制涂料,并和黏土混合制作铅笔的铅芯。由于石墨导电性好,且不熔化,也用作电炉、干电池中的电极和熔化金属用的坩埚。每种无定形碳各具特性,因而也各有其用途。所有无定形碳都是有机化合物的氧化产物和分解产物。例如,煤和焦炭广泛用作燃料;木炭用作吸附剂、过滤剂和燃料,还用于制造黑色火药;炭黑除用于制造油墨、复写纸、打字机墨带和涂料外,还可加入轮胎橡胶中改善其耐磨性;骨炭或动物炭能吸收其他物质中的气体和有色物,主要用于粗糖脱色。碳有两种稳定同位素,碳12(在天然碳中占98.89%)和碳13(1.11%)。现已知道5种放射性同位素,其中以碳14寿命最长,半衰期为5 730±40年。碳生成成千上万种化合物,它们种类繁多、结构复杂又很重要,因而对碳的化合物的研究已构成了一个特殊的化学领域即有机化学。人们之所以称它为有机化学,是因为在19世纪时大多数已知的碳化合物被认为是来自生命有机体。碳与氢、氧、氮以及某些其他元素形成约占生命机体物质18%的化合物。生物体消耗碳同时又将碳送回到它们的环境中的这一系列过程构成了*碳循环*(**carbon cycle**)。碳以二氧化碳的形式约占地球大气体积的3%,溶解于所有天然水中。碳在地壳中以碳酸盐的形式存在于大理石、石灰石、白垩等岩石中,并以碳氢化合物的形式成为煤、石油和天然气的主要组分。常温下,碳是非常不活泼的(很难氧化),它也不与酸或碱反应。高温时,它与硫蒸气化合生成二硫化碳;与硅及某些金属化合生成碳化物;与氧化合生成氧化物,其中最重要的氧化物是一氧化碳CO和二氧化碳CO_2。由于高温下碳容易与金属氧化物中的氧化合,因此大量的焦炭(碳的一种廉价的形式)用于冶金过程中还原(除去氧)金属氧化物矿,如还原铁和锌的氧化物矿。碳原子序数6。原子量12.011。熔点3 550 °C。沸点4 827 °C。密度:金刚石3.52克/厘米^3,石墨2.25克/厘米^3,无定形碳1.9克/厘米^3。氧化态+2、+3、+4。电子组态2,4或$1s^2 2s^2 2p^2$。

carbon-14 dating 碳14年代测定法 又称放射性碳年代测定法。根据放射性碳(碳14)衰变成氮而测定年龄的方法。在自然界碳14是由中子与大气中的氮14相互作用产生的;这种反应所需要的中子,由宇宙射线与地球的大气层相互作用产生。大气的二氧化碳分子中的放射性碳进入生物*碳循环*(**carbon cycle**):绿色植物从空气中吸收它,然后通过食物链传给动物。放射性碳在活着的机体中缓慢地衰减,而且只要机体由空气或食物中取得它,其损失的量会不断地得到补充。然而一旦机体死亡,停止吸收碳14,在细胞组织中放射性碳的量不断地减少。碳14的半衰期为5 730±40年,即任何时刻存在的放射性同位素量的一半将在随后的5 730年间自发的衰变。因为碳14按此恒定速率衰变,则靠测量机体中残留的放射性碳的数量就能估算机体死亡的年代。碳14法是美国物理学家W.F.利比约在1946年研究出来的。已证明它是一种可通用于测定年龄在500～50 000年的化石和考古样品年代的方法。这种方法被更新世地质学家、人类学家、考古学家和有关领域的研究者所广泛使用。

carbon black 炭黑 颜色非常黑、颗粒非常细的无定形碳的总称,如通常由烃类不完全燃烧而得的烟灰。主要用作汽车轮胎和其他橡胶制品的增强剂,也常作为高覆盖力的黑色颜料用于油墨、油漆和复写纸中,还用于保护性涂层、塑料和在电子电路中用作电阻。以炭黑为增强填料,可显著提高橡胶等制品的耐磨性能。炭黑约占标准汽车轮胎重量的1/4。对于需要避免静电积累的车辆如油罐车和医院手术车等来说,应往其轮胎橡胶中加入更多的炭黑,使轮胎导电。炭黑颗粒通常呈球形,它的晶体没有石墨那样规则。如果在3 000 °C温度下长时间加热炭黑会转变为石墨。炭黑是已知的颗粒最细小的材料,颗粒大小随制备方法不同而变化很大。槽法炭黑或烟道炭黑是使烟焰从细孔喷嘴喷出并撞出铁槽而形成的,在静止刮板上方移动铁槽将沉积炭黑刮出。炉黑是在耐火材料的燃烧室中使各种气态或液态烃进行不完全燃烧而制得的。热解法炭黑是在隔绝空气条件下使烃类与被加热的耐火材料接触分解而制得。灯烟这种最早的黑颜料是燃烧油得到的。一般是将煤焦油、杂酚油混合物放在浅盘中,再将盘放入带有可调通风装置的炉中燃烧,使产生浓烟,制取灯烟。乙炔黑是在隔绝空气条件下,将预热到800 °C的乙炔气通入耐火材料的燃烧室,使之分解而制得,这种炭黑用于干电池等要求高导电率的场合。

carbon cycle 碳循环 生物学术语。碳以各种形式在自然界中的循环。碳是一切有机化合物(包括地球上生命不可缺少的有机化合物)的一种组分。生物所含碳的来源是空气中的或溶于水的二氧化碳。藻类和地面上的绿色植物都是通过光合过程固定二氧化碳的主要介质。二氧化碳和水通过光合作用,转化成简单碳水化合物。这些碳水化合物被藻类和绿色植物用来维持新陈代谢,多余部分作为脂肪和多糖贮藏起来,供消费动物(从原生动物到人)食用,再转化成其他形式。所有动物将二氧化碳作为其呼吸的副产品直接送回大气。动物粪便和一切生物体中的碳经过腐烂(或分解),即微生物(主要是细菌和霉菌)的一系列转化过程,变成二氧化碳进入大气。一部分有机碳(有机体残骸)则作为化石燃料(如煤、天然气和石油)、石灰石和珊瑚贮于地壳中。化石燃料中的碳是史前从碳循环中脱离出来的,现正通过工业过程和农业过程以二氧化碳形式大量释出,大部分很快进入海洋并作为碳酸盐在其中"固定"。在氧气不足的情况下(如在污水和沼泽中),一些碳以甲烷形式释出。

carbon cycle 碳循环 又称碳-氮循环。一种热核反应链,较热的恒星所辐射的大部分能量就是这种热核反应提供的。对于太阳,这种反应所提供的能量仅占太阳能源的一小部分,而对非常冷的恒星,碳循环根本不起作用。实际上当四个氢核转变为一个氦核时,一部分质量(根据质能关系定律$E = mc^2$)

被转变为能量并释放出来。德国出生的美国物理学家H.A.贝特于1938年首先描述了这个过程。其反应如下：一个碳12(^{12}C)核俘获一个氢核(^{1}H,质子),形成一个氮13(^{13}N)核同时放射出一个光子(γ射线),氮13核放出一个正电子(e^+)变成碳13(^{13}C),这个碳核俘获另外一个质子变成氮14(^{14}N)并放射出另一个光子。氮14俘获一个质子形成氧15(^{15}O);它放出一个正电子从而变成氮15(^{15}N),最后氮15核又俘获一个快速运动的质子并被击碎而成为一个碳12核和一个质量数为4的氦核(^{4}He,即α粒子),用反应式表示是:

$$^{12}C + {}^{1}H \longrightarrow {}^{13}N + \gamma$$
$$^{13}N \longrightarrow {}^{13}C + e^+$$
$$^{13}C + {}^{1}H \longrightarrow {}^{14}N + \gamma$$
$$^{14}N + {}^{1}H \longrightarrow {}^{15}O + \gamma$$
$$^{15}O \longrightarrow {}^{15}N + e^+$$
$$^{15}N + {}^{1}H \longrightarrow {}^{12}C + {}^{4}He + \gamma$$

carbon dioxide　二氧化碳(CO_2)　无色而略带刺鼻气味和酸味的气体;是地球大气层的次要组分(按体积约占万分之三),在含碳物质燃烧、发酵和动物呼吸作用中形成。植物利用它进行碳水化合物的光合作用。大气层中的二氧化碳能避免地球所接收的辐射能的一部分返回空间,因而产生所谓*温室效应*(**greenhouse effect**)。各种工业上应用的二氧化碳,是从烟道气中回收或作为制备氢气(用于合成氨)的副产品,或从石灰窑以及其他来源回收得到。早在17世纪,比利时化学家J.B.范·海耳蒙特就认识到二氧化碳是与其他气体不同的气体,他发现这是发酵和燃烧的产物。在31 °C和75千克力/厘米^{2}压力下,或在-23～-12 °C和16～24千克力/厘米^{2}压力下,二氧化碳液化。到20世纪中叶,大部分二氧化碳是以液态形式出售的。如让液态二氧化碳膨胀到大气压力时,则自行冷却并有一部分冻结成称作*干冰*(**Dry Ice**)的雪花状固体。在-78.5 °C和常压下,干冰升华(不经融化直接变成蒸气)。常温下,二氧化碳很不活泼。超过1 700 °C时,部分分解成一氧化碳和氧气。在高温下,氢气或碳也能使二氧化碳转变为一氧化碳。氨与二氧化碳在压力作用下反应形成氨基甲酸铵,然后转变成尿素,后者是肥料和塑料的重要组分。二氧化碳稍溶于水(在0 °C和大气压力下每体积水可溶1.79体积二氧化碳,高压下溶解量增大)生成弱酸性溶液。该溶液含有二元酸碳酸(H_2CO_3)。二氧化碳用作冷冻剂,用于灭火器、充气救生筏和救生衣、泡沫橡胶和泡沫塑料,它能促进温室中植物生长,使动物在屠宰前丧失其活动能力,以及用于充碳酸气的饮料中。点燃的镁可在二氧化碳中继续燃烧,但二氧化碳对大多数物质来说是不助燃的。人在二氧化碳浓度为5%的空气中长时间停留会昏迷或死亡。

carbon disulfide　二硫化碳(CS_2)　又作carbon bisulfide。无色、有毒、高挥发性、可燃的液态化合物。大量用于制造黏胶纤维、赛珞玢和四氯化碳;少量用于溶剂萃取过程或将其转化为其他化工产品,特别是作橡胶硫化的促进剂,或选矿用的浮选剂。多年来,一直是用活性炭与硫磺蒸气在750～1 000 °C温度下反应制二硫化碳。但到20世纪中期,特别是在美国,已改用天然气(主要为甲烷)与硫磺反应的方法来制取二硫化碳。在脂肪、油和蜡的提取工艺中,大部已停止使用二硫化碳作溶剂,改用毒性小而不易燃的其他溶剂。在人造丝和赛珞玢的生产中继续使用二硫化碳,是因为二硫化碳与纤维素和苛性钠反应生成黄原酸纤维素的胶体溶液,经压入稀硫酸溶液后,稀硫酸促使纤维素膜或丝凝析,同时释放出二硫化碳。二硫化碳比水重,稍溶于水。沸点46.3°C。冰点-110.8°C。其蒸气比空气重,极易燃烧。

carbon group element　碳族元素　构成周期表Ⅳa族的5个化学元素,即碳(C)、硅(Si)、锗(Ge)、锡(Sn)和铅(Pb)。元素碳是地壳中的次要组分,但在宇宙中是含量比较丰富的元素,其丰度仅次于氢、氦、氧、氖和氮。硅是地壳的基本组分,只有氧在丰度上超过它,它占宇宙中含量最多元素的第7位。锗、锡和铅在地层上部和宇宙中都是比较稀少的。碳族元素的性质介于周期表中相邻的硼族和氮族有关元素的性质之间。在各族元素中,随着原子序数的增加,由于对最外层价电子的束缚越来越松,使得金属性越来越强。这种特性在碳族元素中最明显。碳是非金属,而硅也几乎一样。锗在外观上和某些性质上与金属相似。锡几乎完全是金属性的,而铅在各个方面都是一种真正的金属。碳族元素的原子具有相似的电子结构,最外层均有4个电子。这一族的每个元素与非金属原子都生成共价键。碳和硅不能失去或获得电子形成自由离子,而锗、锡和铅能形成金属离子,但只能形成带2个正电荷的离子。在固态,元素碳、硅、锗和灰锡(α锡)以立方晶系形式存在,每个原子以共价键与4个相邻的原子结合,4个相邻的原子构成四面体的顶角。随着原子序数和原子半径的增加,这4个元素的熔点、沸点以及熔化热、升华热和气化热下降,表明在这种结构中共价键以同一方向减弱。

carbon monoxide　一氧化碳(CO)　剧毒、无色、无嗅的可燃性气体,工业上用于制造多种有机和无机化工产品。由于内燃机和各种炉子中的碳或含碳燃料未完全转化为二氧化碳,而在其废气中含有一氧化碳。一氧化碳所以有毒性,是因为它比氧更易被血红细胞所吸收,从而阻碍氧气从肺部输送到需氧组织。一氧化碳中毒的表现有头痛、虚弱、眩晕、恶心、昏厥,严重的病例可有昏迷、脉弱和呼吸衰竭。治疗必须迅速及时,包括人工呼吸和给氧(常含有5%的二氧化碳),有时需高压输氧。生产中所用一氧化碳是将空气通入炽热的焦炭或煤层,或在高温并有催化剂存在下使天然气与氧反应制得的。用上述方法制得的一氧化碳常含氮或二氧化碳等杂质,如有碍使用可以除去。一氧化碳在-192°C液化,-199°C凝固,仅微溶于水,物理性质与氮很相似。高温下,一氧化碳与水蒸气反应生成二氧化碳和氢,这一过程用以生产合成氨中与氮化合的氢气。一氧化碳与苛性碱反应生成碱金属甲酸盐,这种盐可进一步转化为甲酸或用于生产草酸的碱金属草酸盐。一氧化碳与某些金属形成羰基化合物,其中许多羰基化合物具有挥发性。这种反应已用于镍的提纯。一氧化碳和氢是制取甲醇的原料,亦用于由烯烃制取醛和醇,以及制取适合作燃料的液态烃混合物。

carbon-nitrogen cycle(astrophysics)　**碳-氮循环**　参阅**carbon cycle** *碳循环*。

carbon steel　碳钢　铁和碳两种元素组成的金属。其中的碳赋予它强度和硬度,并决定这些物理性能的强弱程度。参阅**steel**。

carbon tetrachloride　四氯化碳　又称四氯甲烷。无色、剧毒、比重大、易挥发、不可燃、具有特殊气味的液体,属于有机卤化物。主要用于生产二氯二氟甲烷(冷冻剂和喷雾剂)。四氯化碳最初于1839年由氯仿和氯反应制得,工业生产是用氯与二硫化碳或甲烷反应。20世纪50年代,美国主要用甲烷生产四氯化碳。但二硫化碳法在天然气(甲烷的主要来源)不充足的国家仍是重要的。四氯化碳沸点77 °C,凝固点-23 °C,不溶于水,比重比水大得多。过去用作干洗剂,现在几乎完全被更稳定、毒性更低的四氯乙烯所取代。

carbonaceous chondrite　碳质球粒陨石　含有同生命有联系的物质(如碳氢化合物、氨基酸和类似显微化石的东西)的陨石。有些研究人员假定这些物质来源于地球外生物。与大多数球粒陨石含有无水硅酸盐的情形不同,这种碳质型陨石含有黏土状的水合硅酸盐矿物。它们还含有碳酸盐和硫酸盐矿物、氧化铁和硫,在陨石狭窄的纹理内发现有硫酸镁。由于碳质球粒陨石能溶于水,所以风化作用会使它们迅速瓦解。在见其飞行后所收集到的全部陨石中,碳质球粒陨石约占3%。碳质球粒陨石的纹理与称为火山凝灰岩的地球岩石纹理相似,说明它们也曾有过重复碎裂和凝结的过程。参阅**chondrite**。

carbonado　黑金刚石　*工业用金刚石*(**industrial diamond**)的一种。

Carbonaro　烧炭党人　指19世纪初期意大利倡导自由、爱国思想的秘密团体烧炭党的成员。他们反对意大利的保守制度,其活动为意大利统一(1861)的复兴运动铺平道路。烧炭党原来可能是法国的一个互助团体,跟随拿破仑的军队来到意大利,也可能是18世纪盛行的共济会的分支。19世纪初,意大利南部出现了第一批烧炭党分会,它们倡导共和与爱国,反对那不勒斯的拿破仑统治者J.缪拉。1814年该运动向北扩展到马尔凯和罗马涅。总的来说,烧炭党人赞成代议制立宪政府,希望保护意大利人的利益不受外国的侵犯。但他们并没有统一的纲领:有人要求建立共和国,有人主张实行君主立宪;有人赞成联邦制,有人倡导统一的意大利国家。

烧炭党人有入会仪式、复杂的信条和等级森严的组织。其成员主要来自贵族、官吏和小土地所有者。1815 年以后，许多在法国统治下受益的中产阶级加入烧炭党，其分会迅速扩展，遍及意大利，主要活动中心在中部(教皇国)和南部(那不勒斯)。1815 年，波旁王朝的两西西里王国在意大利南部复辟，烧炭党领导了 1820 年的那不勒斯革命，迫使斐迪南一世允诺实行宪政。但革命在奥地利的干涉下失败。1831 年又发动博洛尼亚、帕尔马和摩德纳的起义，成效都甚微。同年，G. 马志尼发起青年意大利运动，提出明确的民族主义和共和主义纲领。烧炭党人的重要性开始衰退。在意大利境外，法国也有称为烧炭党的类似的运动。

carbonate 碳酸盐(碳酸脂) 由碳酸或*二氧化碳*(**carbon dioxide**)衍生的两类化合物碳酸盐和碳酸酯的总称。无机碳酸盐是含有碳酸根离子 CO_3^{2-} 和钠或钙等金属离子的碳酸(H_2CO_3)的盐；它构成许多矿物，是石灰石和白云石的主要组分，也是许多海洋无脊椎动物硬壳的组分。碳酸中的氢原子被含碳化合基团(如乙基 C_2H_5)取代而形成的有机碳酸盐为碳酸酯。

carbonate-apatite 碳磷灰石 稀有磷酸盐矿物，属磷灰石系。参阅 **apatite**。

carbonate mineral 碳酸盐矿物 含有碳酸根离子(CO_3^{2-})，并以其为基本结构单位和成分单位的矿物。碳酸盐类是地壳中分布最广泛的矿物之一。很多碳酸盐矿物的晶体结构反映出碳酸根离子的三方对称性，碳原子位于氧原子的等边三角形中心。这个阴离子基团通常与钙、钠、铀、铁、铝、锰、钡、锌、铜、铅或稀土元素相结合而存在。碳酸盐矿物一般较软，可溶于盐酸，很多物理性质有明显的异向性(如很高双折射)，这是由碳酸根离子的平面状结构造成的。已知的碳酸盐矿物大约有 80 种，但大多数都是罕见的，最常见的几种——方解石、白云石、文石是某些岩石的主要组分。方解石是石灰岩和大理岩的主要矿物；白云石在石灰岩中作为方解石的替换物，岩石中如白云石居多，就叫白云岩；文石又叫霰石，出现在某些现代沉积物和具有钙质骨骼的生物的介壳中。其他比较常见的碳酸盐矿物有：铁矿石菱铁矿、锰矿石菱锰矿、锌矿石菱锌矿、锶矿石碳锶矿、钡矿石碳钡矿、铅矿石白铅矿等。这类造岩的碳酸盐矿物大多数分属于两种结构型：方解石型和文石型。方解石结构通常是参照氯化钠的结构来描述的，石盐中钠离子和氯离子分别被钙离子和碳酸根离子取代了。石盐的单位晶胞沿三次轴受到压缩而畸变了，形成了菱面体晶胞。在方解石中，所有 CO_3 基团都彼此平行，并且位于水平层中，但相邻两层的 CO_3 基团指向相反。钙原子同 6 个氧原子连接起来，3个分别来自上层中的3个 CO_3 基团，另3个分别来自下层中的3个 CO_3 基团。白云石 $CaMg(CO_3)_2$ 的结构与方解石 $CaCO_3$ 的相近，但 Ca 和 Mg 作有规则的交替，对称程度较低，不过仍属菱面体对称。第二种结构，文石型结构，属斜方晶系。像方解石结构一样，文石结构中的阳离子也被 6 个碳酸根基团包围着，但这些 CO_3 基团围绕垂直于其平面的轴旋转，而且同阳离子相配位的氧原子是 9 个，而不像在方解石中是 6 个。碳酸盐矿物除简单碳酸盐外，还有含水碳酸盐、重碳酸盐，以及除含碳酸根外还含有其他阴离子的碳酸盐。前两类矿物中包括苏打石、天然碱、泡碱和碳钠钙石；这些一般都产在沉积的蒸发岩矿床里，也作为低温热液蚀变产物。第三类矿物一般都含稀土元素，并且几乎总是由低温热液蚀变造成的，例如氟碳铈矿、菱氟钇钙矿、孔雀石和蓝铜矿。

附表：碳酸盐矿物，见 446～447 页。

carbonate rock 碳酸盐岩 主要由碳酸盐矿物组成的各种岩石。碳酸盐岩的主要岩石种类有沉积岩的*白云岩*(**dolomite**)和*石灰岩*(**limestone**)等。

Carbondale 卡本代尔 美国伊利诺伊州南部杰克逊县城市。在伊利诺伊欧扎克高原北缘。1852 年伊利诺伊中央铁路修通后创建。1856 年设建制。成为矿业和农业中心。1874 年建师范学校后发展迅速(该校 1947 年后即为南伊利诺伊大学)。附近有国家野生动物保护区、国有森林和州立公园。人口 20 681 (2000)。

Carbondale 卡本代尔 美国宾夕法尼亚州东北部的拉卡万纳县城市。卡本代尔市上濒临拉卡万纳河，地处煤矿开采和山地娱乐区。位于斯克兰顿市东北 26 千米处。19 世纪初有人定居。1814 年武尔茨兄弟发现煤矿。卡本代尔于 1822 年建立。1831 年设建制。因煤炭外运的需要，当地修建了特拉华-哈得孙运河(1825)和铁路。1831 年 6 月，卡本代尔市建成美国第一个井下无烟煤矿。随着煤矿的衰落，轻工业成为卡本代尔市的主要经济项目。卡本代尔市市北有埃尔克山滑雪中心。人口 9 804(2000)。

carbonic anhydrase 碳酸酐酶 红细胞、胃黏膜、胰细胞及肾小管中一种催化二氧化碳与碳酸相互转变的酶。影响血液中二氧化碳的运输从而在呼吸中起重要作用。对胃中盐酸的生成亦起作用。

Carboniferous Period 石炭纪 距今3.60亿年前至 2.86 亿年前的一段地质时期，常划分为早石炭世(3.60 亿年前至 3.20 亿年前)和晚石炭世(3.20 亿年前至 2.86 亿年前)。石炭纪是古生代第 5 个纪，继泥盆纪之后，在二叠纪之前。在石炭纪期间形成的岩层构成石炭系。

石炭系是 W.D.科尼比尔和 J.菲利普斯于 1822 年在英国鉴定的，指在英国的“老红砂岩”(泥盆系)和“新红砂岩”(二叠系)两层系之间的地层序列，因其中许多部分有煤炭存在，故名。在北美洲，石炭系常用密西西比纪和宾夕法尼亚纪来代表，根据境内有石炭纪地层广泛发育的两个州而定名，相当于早石炭世和晚石炭世的时间阶段。在欧洲，石炭系常被划分为下石炭统和上石炭统，相当于早石炭世和晚石炭世的时间单元。20 世纪 20 年代中期前，石炭系岩层单元及其相应的时间单元的划分已变得十分复杂，因而，国际地质学大会和晚些时候国际地质科学联合会石炭纪分会都着手为石炭纪制定据以划定国际通用时间界限的标准。对石炭系的上下界线及其对应的时代已得到普遍同意，但细分仍有争论。

在石炭纪期间，大陆地块的分布情况继续发生变化。当板块构造运动将各个地块向赤道区域和南半球聚集时，所有的地块都更紧密地靠拢到了一起。由现在的非洲、南美洲、印度、中东、澳大利亚和南极洲所构成的庞大的冈瓦纳古大陆占据了南半球的很大部分。主要由现在的北美洲、格陵兰和欧洲北部所构成的劳俄古大陆向冈瓦纳古大陆的北缘推进。到石炭纪末，劳俄古大陆大部分已同冈瓦纳古大陆发生碰撞，使两古大陆之间的特提斯海峡闭合起来。随之发生的阿巴拉契亚-海西造山作用把两个古大陆融合在一起。此时，西伯利亚和中国(包括东南亚在内)都是单独的大陆，仍然处在北半球的高纬度区。

在冈瓦纳古大陆上，位于非洲南部附近的南极中心出现了一场大规模的、持续很久的大陆冰川作用。后来，随着冰量减少，海水位恢复，气候也变好。在南、北两半球的大陆地区沼泽开始广泛分布，因而森林植被茂盛起来。石炭纪晚期的煤矿层就是由这些森林的残留物形成的，煤炭沼泽森林的广泛分布和反复生长是石炭纪的一个最有代表性的特点。这一幕成煤的景象由于地块的升高和气候越来越干旱而结束。这种环境的终止预兆着随后二叠纪影响很大部分生物界的那次大危机。

石炭纪期间，地球上植物残屑内所含大量的碳都来自大气圈。有些科学家坚持说，如此大量的二氧化碳从大气圈中移去影响了气候，但这一点至今是有争议的，而且不被认为是石炭纪的一个重要因素。石炭纪期间形成的煤在世界许多地区都有发现，其中包括北美洲的东部、欧洲、非洲的北部以及中国的北部和朝鲜。成煤的过程持续了大约 4 000 万年，没有其他任何一个纪有如此大量的植物转化成煤。

除了植物形成复杂的森林体这一巨大进展外，脊椎动物也发生演化并向四方扩散。两栖类开始广泛分布而且变得各种各样，有些竟然大到 2 米长。爬虫类首次出现并迅速适应了许多栖息环境。

可见，石炭纪是以对世界地理的巨大变迁为标志的。生物类型有了重大的进展并适应了各种气候，其中包括冰川边缘气候、赤道多雨气候以及高温干燥气候。当时以季节差异悬殊为特点的大陆性气候是普遍的，这大概同地球历史上的任何一个时代的情况一样。

carboniferous shale 碳质页岩 参阅 **black shale** *黑色页岩*。

carbonium ion 碳正离子 又称碳鎓离子。在所含碳原子上带正电荷的有机分子。用某

碳 酸 盐 矿 物

名称 化学式	颜色	光泽	莫氏硬度	比重	习性	断口或解理	折射率	结晶系空间群	备注
三斜钡解石 $CaBa(CO_3)_2$	无色至雪白，淡灰色、米色，粉红色	玻璃状	4～4½	3.7	假六方双棱锥形	不规则的断口	$\alpha=1.526$ $\beta=1.671$ $\gamma=1.672$	正交	在长波紫外光下，发弱的荧光
文石 $CaCO_3$	无色至白色，可变的	玻璃状	3½～4	2.9～3	双棱柱的晶体，柱状集合体，硬壳	一个清楚的解理	$\alpha=1.527\sim1.535$ $\beta=1.676\sim1.690$ $\gamma=1.680\sim1.695$	正交 Pmcn	与方解石和六方碳钙石是同质多晶型的，在电子束、X射线和紫外光下发荧光，热释发光
绿铜锌矿 $(Zn,Cu)_5(OH)_6(CO_3)_2$	灰绿色至蓝绿色或天蓝色	丝状的至珠光的	1～2	3.6	羽状结壳	一个完全的解理	$\alpha=1.654\sim1.661$ $\beta=1.740\sim1.749$ $\gamma=1.743\sim1.756$	正交	
蓝铜矿 $Cu_3(OH)_2(CO_3)_2$	天蓝色，蓝色不同的色调	玻璃状	3½～4	3.8	片状或棱柱状晶体，也有块状的	一个完全但中断的解理	$\alpha=1.730$ $\beta=1.755$ $\gamma=1.836$	单斜 $P\frac{2_1}{a}$	
氟碳铈矿 $CeCO_3(OH,F)$	黄色至淡红棕色	玻璃状至油脂状	4～4½	4.9～5.2	片状晶体，块状的	不规则断口	$\omega=1.717\sim1.722$ $\varepsilon=1.818\sim1.823$	六方 $C\bar{6}c2$	
泡铋矿 $(BiO)_2CO_3$	麦杆黄色至淡棕黄色，可变的	玻璃状	2½～3½	6.7～7.4	泥土状的物质，硬壳			四方	
方解石 $CaCO_3$	纯净时无色，可变的	玻璃状	3(一种硬度标准)	2.7(纯$CaCO_3$)	晶体形状变动较大，块状的，平行生长，晶体集合体	一个完全的解理	$\omega=1.658$ $\varepsilon=1.486$ (纯$CaCO_3$)	六方 $R\bar{3}c$	与文石和六方碳钙石是同质多晶型的；水合物在自然界存在(如六水碳钙石)；与菱锰矿形成固溶体系列，其中锰取代钙，与菱铁矿倾向形成固溶体，其中铁部分取代钙
白铅矿 $PbCO_3$	无色至白色	金刚石般的	3～3½	6.5～6.6	变动极大，晶体簇，块状的	两个明显的解理	$\alpha=1.793\sim1.814$ $\beta=2.060\sim2.092$ $\gamma=2.061\sim2.093$	正交 Pmcn	在X射线和长波紫外光下发荧光
菱钴矿 $CoCO_3$	玫瑰红色变至灰色，棕色，黑色	玻璃状	4	4.1	同心球状物质，硬壳		$\omega=1.85\sim1.86$ $\varepsilon=1.59\sim1.61$	六方 $R\bar{3}c$	
碳钠铝石 $NaAlCO_3(OH)_2$	无色至白色	玻璃状	3	2.4	结壳，蔷薇状共晶组织，丛	一个完全的解理	$\alpha=1.462\sim1.466$ $\beta=1.537\sim1.542$ $\gamma=1.589\sim1.596$	正交 Imam	
白云石 $CaMg(CO_3)_2$	无色至白色，灰色、淡绿色、粉红色、棕色	玻璃状至珠光的	3½～4	2.8～3	密实的或粒状的物质，菱形晶体	一个完全的解理	白云石 铁白云石 $\omega=1.679\sim1.750$ $\varepsilon=1.500\sim1.548$	六方 $R\bar{3}$	与铁白云石形成固溶体系列，其中铁取代镁；摩擦发光，在紫外光下发荧光
斜碳钠钙石 $Na_2Ca(CO_3)_2\cdot5H_2O$	无色至白色，淡黄色或淡灰色	玻璃状	2½～3	2	细长的或像楔形的晶体	一个完全的解理	$\alpha=1.4435$ $\beta=1.516$ $\gamma=1.523$	单斜	
锰白云石 $CaMn(CO_3)_2$	白色至淡玫瑰色			3	粒状至粗粒状物质	一个完全的解理	$\omega=1.727$ $\varepsilon=1.535$		
菱镁矿 $MgCO_3$	无色，白色，淡灰色，淡黄色至棕色	玻璃状	4	3	粒状或密实的块状，土状的，纤维状的	一个完全的解理	$\omega=1.700$ $\varepsilon=1.509$ (纯$MgCO_3$)	六方 $R\bar{3}c$	摩擦发光，有时在紫外光下发荧光，与菱铁矿形成固溶体系列，其中铁取代镁，并倾向与方解石和菱锰矿形成固溶体，其中钙和锰分别部分取代镁
孔雀石 $Cu_2CO_3(OH)_2$	亮绿色至暗或带淡黑色的绿色	金刚石般的，丝状的，无光的或土状的	3½～4	4～4.1	丛生或蔷薇状共晶的似针状晶体，葡萄状物质，纤维状聚合体	一个完全的、一个还算好的解理	$\alpha=1.652\sim1.658$ $\beta=1.872\sim1.878$ $\gamma=1.906\sim1.912$	单斜 $P\frac{2_1}{a}$	

续表

名称 化学式	颜色	光泽	莫氏硬度	比重	习性	断口或解理	折射率	结晶系空间群	备注
苏打石 $NaHCO_3$	无色至白色	玻璃状	2½	2.2	棱柱状晶体和松散的晶体聚合体，多孔状物质	一个完全的、一个好的解理	$\alpha=1.377\sim1.378$ $\beta=1.500\sim1.503$ $\gamma=1.583\sim1.584$	单斜 $P\frac{2_1}{n}$	易溶于水，水溶液加热时放出 CO_2
钙水碱 $Na_2Ca(CO_3)_2\cdot2H_2O$	无色至白色，淡灰色	玻璃状	3～3½	2.4	棱柱状或片状晶体	贝壳状裂痕的断口	$\alpha=1.504$ $\beta=1.510$ $\gamma=1.575$	正交 Fdd2	热电物质
菱锰矿 $MnCO_3$	不同色调的粉红色，玫瑰色至玫瑰红	玻璃状	3½～4	3.7	粒状至密实的大块的，柱状的大块的，结壳	一个完全的解理	$\omega=1.816$ $\varepsilon=1.597$ （纯 $MnCO_3$）	六方 $R\bar{3}c$	与菱铁矿和方解石形成固溶体系列，其中铁和钙分别取代锰，并倾向与菱镁矿形成固溶体，其中镁部分取代锰
板碳铀矿 $NaCa_3UO_2(CO_3)_3SO_4F\cdot10H_2O$	带淡绿色的黄色	弱透明的	2½	2.5	压扁的鳞片状的聚合体	一个完全的解理	$\omega=1.539\sim1.545$ $\varepsilon=1.489\sim1.496$	六方 （?）	在紫外光下发荧光
菱铁矿 $FeCO_3$	带淡黄色的棕色和带淡灰色的棕色至棕色	玻璃状	4	4（纯 $FeCO_3$）	粒状的块状物，菱形的晶体，葡萄状的	一个完全的解理	$\omega=1.875$ $\varepsilon=1.633$ （纯 $FeCO_3$）	六方 $R\bar{3}c$	与菱锰矿和菱镁矿形成固溶体系列，其中锰和镁分别取代铁，并倾向与方解石形成固溶体，其中钙部分取代铁
菱锌矿 $ZnCO_3$	带淡灰色的白色至暗灰色，带淡绿色、淡棕色的白色，可变的	玻璃状	4～4½	4.4（纯 $ZnCO_3$）	葡萄状的、肾状的物质，硬壳，粒状至密实的块状的	一个几乎完全的解理	$\omega=1.842\sim1.874$ $\varepsilon=1.619\sim1.633$	六方 $R\bar{3}c$	
碳锶矿 $SrCO_3$	无色至灰色，淡黄色淡绿色	玻璃状	3½	3.7～3.8	棱柱状晶体，柱状至纤维状的块状的，粒状的块状物	一个几乎完全的解理	$\alpha=1.518\sim1.522$ $\beta=1.662\sim1.670$ $\gamma=1.664\sim1.673$	正交 Pmcn	在电子束、X 射线和紫外线下发荧光和磷光，有时热释发光
水碱 $Na_2CO_3\cdot H_2O$	无色至白色，淡灰淡黄色	玻璃状	1～1½	2.3	硬壳，风化物		$\alpha=1.420$ $\beta=1.506$ $\gamma=1.524$	正交 Pmmm	碱味
天然碱 $Na_3H(CO_3)_2\cdot2H_2O$	灰色或带淡黄色的白色，无色	闪耀的玻璃状	2½～3	2.1	纤维状或柱状的块状物	一个完全的解理	$\alpha=1.412$ $\beta=1.492$ $\gamma=1.540$	单斜	碱味，干燥空气中不脱水
六方碳钙石 $CaCO_3$				2.6	六方片晶，球粒状		$\omega=1.550$ $\varepsilon=1.640\sim1.650$	六方	与方解石和文石是同质多象的
碳钡矿 $BaCO_3$	无色至牛奶色、白色或淡灰色	玻璃状	3～3½	4.3	假六方双晶，块状	一个清楚的解理	$\alpha=1.529$ $\beta=1.676$ $\gamma=1.677$	正交 Pmcn	在电子束、X 射线和紫外线下发荧光和磷光，热释发光
翠镍矿 $Ni_3CO_3(OH)_4\cdot4H_2O$	翡翠绿色	玻璃状至油脂状	3½	2.6～2.7	结壳，密实的块状物	贝壳状裂痕断口	$n=1.56\sim1.61$	立方	

些方法制备的碳正离子足够稳定，可供研究之用；但更常见的则是在化学反应过程中出现的短寿命的形式（中间体）。事实上，碳正离子是有机反应中最常见的中间体之一，有关这种物质的结构和性质的知识，对于理解产生它们的反应很有必要。许多这些反应在合成、生物化学或工业方面是重要的。第一个碳正离子是在 1901 年观察到的。但是，以后过了 21 年，德国化学家 H.梅尔魏因才得出结论：由中性的反应剂（氯代莰烷）通过涉及一个碳正离子中间体的重排反应，生成了一种中性的产物（异冰片基氯）。这是第一次将碳正离子作为有机重排反应中间体的事实概念化。从 1932 年起，美国化学家 F.C.怀特莫尔推广了这一想法，从 20 世纪 20 年代末期起，英国化学家 C.英戈尔德和 E.D.休斯将此想法立于坚实的实验基础之上。虽有许多关于碳正离子的间接推测，但直到 1960 年以后，才有了产生稳定的长寿命碳正离子的一般方法。

分类 迄今已确认了两类不同的碳正离子。第一类是“经典”碳正离子，它们含有一个三价碳原子中心。该碳原子处于杂化的 sp^2 态，即碳原子的三个电子占据由三个普通轨函（一个用 s 表示，两个用 p 表示）结合（杂化）而成的三个轨函。所有三个轨函均位于一个平面内；因此，由碳原子与三个其他原子或基团键合而形成的分子的正离子中心趋于在一平面内。这类离子的母体是甲正离子，化学式为 CH_3^+。第二类碳正离子是五配位的或“非经典的”碳正离子，它有三个单键，每个连接一个碳原子与一个其他原子，还有一个二电子键（即一对电子连接三个原子）。这

类离子的母体是甲鎓离子,即 CH_5^+ 。甲正离子和甲鎓离子的结构用图解表示如下:

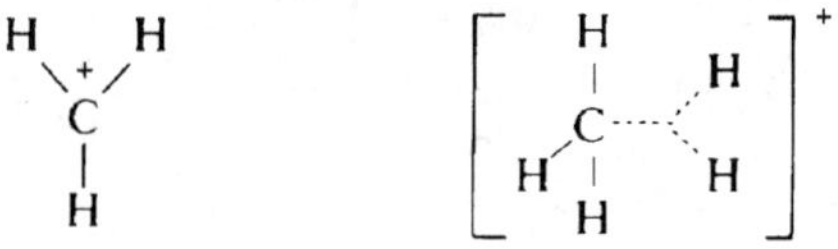

甲正离子　　　　　　甲鎓离子

式中实线代表原子中的键,虚线代表一个三中心键。

这两类碳正离子常可用实验方法,例如某些仪器方法来区分。这些方法包括可获得有关原子核信息的核磁共振波谱学、基于光线吸收的红外和拉曼光谱学以及较新颖的可获得有关键能信息的 X 射线激发电子发射波谱学。

制备和稳定性　已知有若干产生碳正离子的方法。但它们均可归入下列四种方法之一:①碳原子和相连基团之间双电子键异裂(不对称断裂);②从中性有机化合物上移走电子;③向不饱和体系添加质子或其他正离子;④碳-碳或碳-氢单键的质子化或烷基化(添加一个烷基或烃基)。因为碳正离子是带正电荷的物质,所以极易在相对极性溶剂(由电子分布不对称的分子构成的溶剂)中形成。这些溶剂促使它们的电荷和伴随着的负离子的电荷分散到全部介质。常用的溶剂包括甲醇、含水丙酮、乙酸和三氟乙酸。

由上述方法之一产生的碳正离子的命运,主要取决于两个因素:①产生离子的介质的性质;②离子本身的内在稳定性。碳正离子迅速与溶剂或者任何可被正电荷体吸引的物质发生反应。因此,碳正离子仅有短暂的存在,研究它们必须采用间接法。常用的方法是动力学方法(反应速率测定)、碳正离子反应产物的化学分析(特别是原子在分子中的空间排列的测定)和同位素标记方法(即用放射性同位素来鉴定特殊的原子)。

已发现有些溶剂不与许多种碳正离子发生反应。这些溶剂是氟化氢-五氟化锑和氟磺酸-五氟化锑(与二氧化硫或硫酰氯、硫酰氟同时存在)。在这些溶剂中,有许多碳正离子的寿命相当长,足可供直接观察。

叔碳正离子一般比仲碳正离子稳定,后者又比伯碳正离子稳定。在叔碳正离子中,sp^2 碳原子与三个烷基相连;在仲碳正离子中,sp^2 碳原子则与两个烷基和一个氢原子相连;在伯碳正离子中,sp^2 碳原子可与一个烷基和两个氢原子相连,也可与三个氢原子相连(甲正离子),分别举例如下:

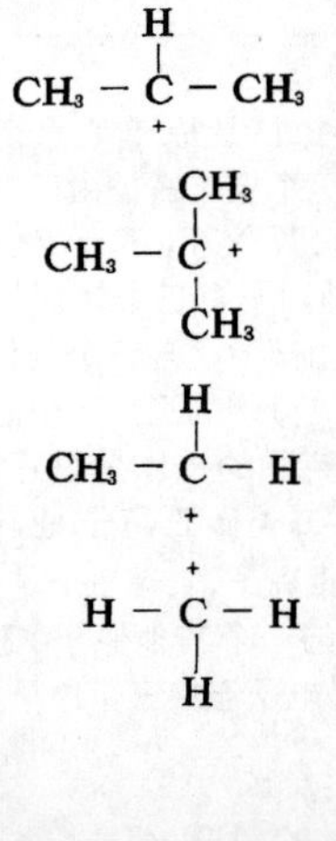

仲碳正离子　异丙基正离子

叔碳正离子　叔丁基正离子

伯碳正离子　乙基正离子

甲正离子

叔碳正离子、仲碳正离子、伯碳正离子的这种相对稳定性顺序,可根据烷基对于 sp^2 碳原子电荷的分散能力大小来解释。

苄基正离子比大多数的伯碳正离子更为稳定,这是因为在苄基离子中,其正电荷可以分布在芳香环的各个碳原子上,所以,该正离子可以多种形式存在,且都对总结构起作用。苄基正离子的这些形式表示如下:

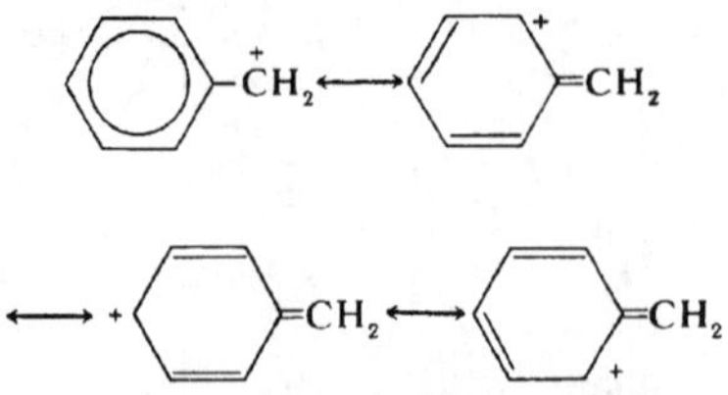

苄基正离子共振式

在上述苄基正离子共振式的结构式中,苯环用一个六角形表示,其各角顶均为碳原子(所连接的氢原子未示出)。这个六角形的中心有圆环的结构式,表示环中的各单、双键交替排列;在其他的结构式中,示出电荷在环中的不同部位。

反应　因为碳正离子是贫电子体,能和任何电子给体的分子发生反应。这些分子又称亲核体,共有三种类型:n - 碱、π - 碱和σ - 碱,其中的 n、π 和 σ 指亲核体中电子对给体的键合状态——分别指未成键的、π 键的和 σ 键的(σ 键是通常原子间的共价键,π 键是不饱和体系和芳香体系中的特种键)。亲核体可以是外来的,也可以是内在的(即碳正离子本身的一部分)。在后一种情况下,可以发生重排反应。可能发生的各种反应类型举例如下:

①与外来的 n - 碱发生的反应:酸催化的异丁烯水合反应(水加成反应)。在此反应中,水分子的氧原子上有一未共享(未成键)的电子对:

$$\underset{\text{异丁烯}}{(CH_3)_2C{=}CH_2} + \underset{\text{质子}}{H^+} \longrightarrow \underset{\text{叔丁基正离子}}{(CH_3)_3C^+}$$

$$\xrightarrow[\text{水}]{H_2O} (CH_3)_3C\overset{+}{O}H_2 \longrightarrow \underset{\text{叔丁基醇}}{(CH_3)_3COH}$$

②与外来的碱发生的反应:苯用异丙基氯烷基化反应(弗里德-克雷夫茨反应)。苯作为电子给体的分子,用苯环的 π 键体系给予的电子参加反应:

$$\underset{\text{异丙基氯}}{CH_3\overset{\overset{\displaystyle Cl}{|}}{C}HCH_3} \xrightarrow[\text{氯化铝}]{AlCl_3} \underset{\text{异丙基正离子}}{CH_3\overset{+}{C}HCH_3}$$

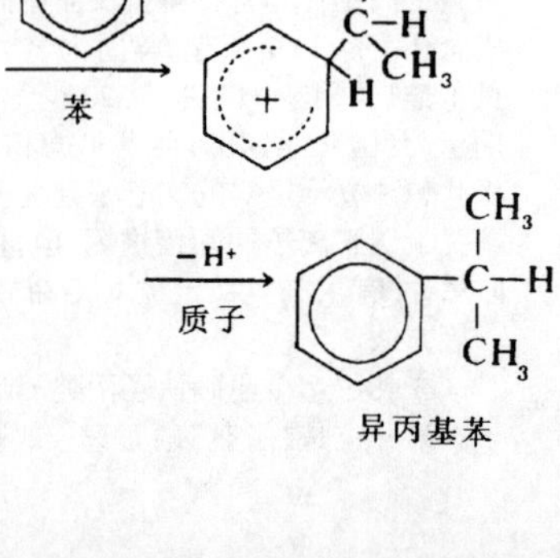

异丙基苯

在上式中,六角形中带正电荷的半圆形表示正电荷分布于全环的正离子形式(如同前图中所示苄基正离子那样)。

③与外来的 σ - 碱发生的反应:氢负离子转移反应(其中的电子对给体来自异丁烷的碳-氢(σ 键):

$$\underset{\text{异辛基正离子}}{(CH_3)_3CCH_2\overset{+}{C}(CH_3)_2} + \underset{\text{异丁烷}}{HC(CH_3)_3}$$

$$\longrightarrow \underset{\text{异辛烷}}{(CH_3)_3CCH_2CH(CH_3)_2} + \underset{\text{叔丁基正离子}}{\overset{+}{C}(CH_3)_3}$$

④与外来的 n - 碱发生的反应:环化反应(氧原子的未成键电子对作为给体):

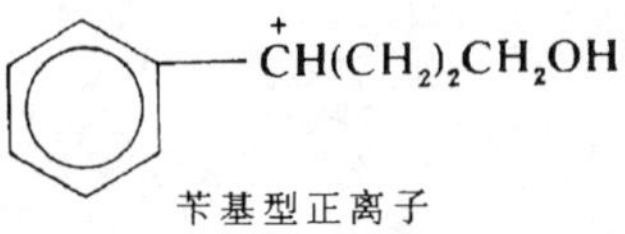

苄基型正离子

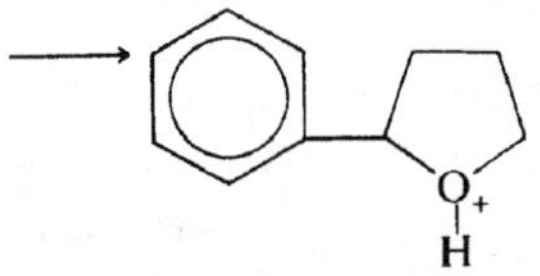

氧质子化的 2 -苯基四氢呋喃

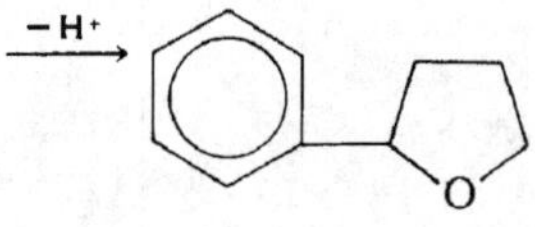

2 -苯基四氢呋喃

⑤与内在的 π - 碱发生的反应:生成 β -紫罗酮的酸催化环化反应(不饱和体系的 π 电子作为给体电子):

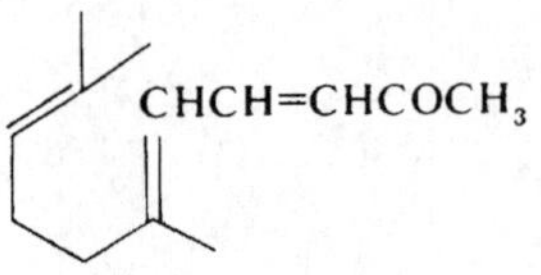

假紫罗酮

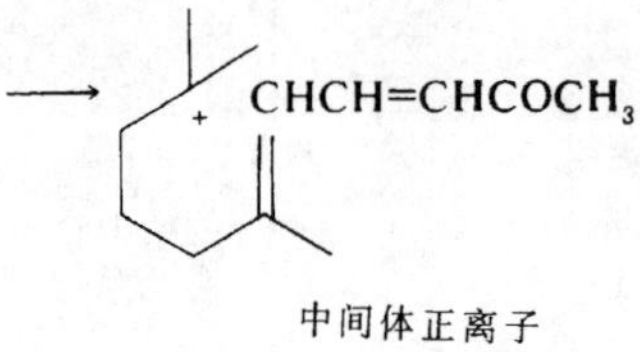

中间体正离子

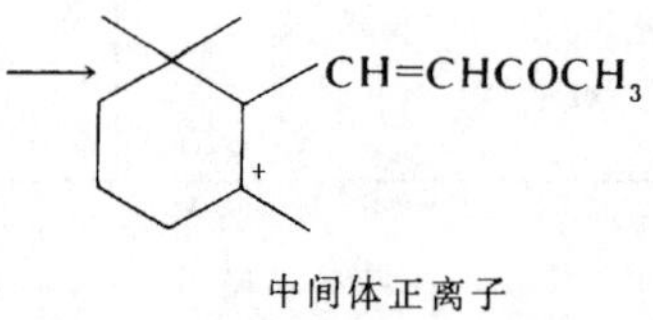

中间体正离子

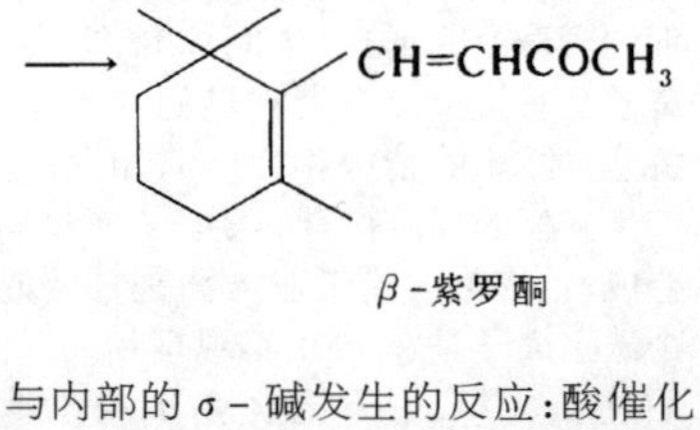

β -紫罗酮

⑥与内部的 σ - 碱发生的反应:酸催化的新戊醇的重排反应(电子对来自内部碳-碳 σ 键):

$$(CH_3)_2\overset{CH_3}{\overset{|}{C}}-CH_2OH \xrightarrow[-H_2O]{HBr} (CH_3)_2\overset{CH_3}{\overset{|}{C}}-\overset{+}{C}H_2$$

新戊醇　　　　新戊基正离子

$$\longrightarrow (CH_3)_2\overset{+}{C}CH_2CH_3 \longrightarrow (CH_3)_2\overset{Br}{\overset{|}{C}}CH_2CH_3$$

叔戊基正离子　　　　叔戊基溴

每一反应类型都在有机合成中广泛应用,许多的酸催化烃转化反应是石油化学和维持生命所必需的生物有机过程的基础。例如,一种重要的制造高辛烷值汽油的方法,就包括使直链烃类进行酸催化异构化而生成支链烃类。可以说明碳正离子在生物有机过程中的重要性的一个例子,就是由胆固醇的前体角鲨烯,经由另一化合物羊毛甾醇制得胆固醇这个重要物质的生物合成过程。在这个转化过程中,重复地发生酸催化的重排反应——上述反应类型6。

carbonyl, metal 参阅 **metal carbonyl** 金属羰基化合物。

carbonyl chloride　碳酰氯 参阅 **phosgene** 光气。

carbonyl group　羰基 有机化学术语,含有一个碳原子(C)和一个氧原子(O),两者用双键连结的两价的化学单元。是羧酸、酯、酸酐、酰卤、酰胺和醌的组成基团,也是醛和酮的特征官能团(反应性基)。羧酸(及其衍生物)、醛、酮和醌也统称为羰基化合物。在羰基中,由于碳原子和氧原子对电子的亲和力不同,构成双键的电子对比较靠近氧原子。富电子的氧原子带负电,贫电子的碳原子带正电,因而含羰基的分子是极性分子,两端电性相反。

含一个羰基的化合物要比含有相同碳原子数的烃具有较高熔点和沸点,在水等极性溶剂中的溶解度也较大。羰基可参与多种化学反应,亲核试剂(富电子试剂)与碳原子反应,而亲电子试剂(寻电子试剂)与氧原子反应。醛和酮含有与烷基或芳基及一个氢原子相连或与烷基、芳基二者相连的羰基。这些基团对羰基的电子排布只有很少的影响,所以酮和醛的性能取决于羰基。在羧酸及其衍生物中,羰基与卤素原子或与含有氧、氮或硫的原子团相连。这些原子对羰基的电子排布有明显影响,形成新的具有自身特性的官能团。

carborane　碳硼烷 通式为$C_2B_nH_{n+2}$的一类有机金属化合物的总称,式中 C、B 和 H 分别代表碳、硼和氢原子,n 为正整数。n 为 3～10 的碳硼烷已经鉴定。碳硼烷具有以硼和碳原子网络为基础的多面体分子结构,其中碳原子处于相邻位置。通常用乙炔或乙炔衍生物与氢化硼反应制备碳硼烷。研究最为透彻的碳硼烷是邻碳硼烷($C_2B_{10}H_{12}$),由乙炔与十硼烷在二乙基硫存在下反应制得,分子结构与二十面体相似,以其十个硼原子和两个相邻的碳原子作为顶点。

Carborundum　金刚砂 参阅 **silicon carbide** 碳化硅。

carboxylic acid　羧酸 分子内的一个碳原子以双键和一个氧原子结合、以单键和一个羟基结合,第四个键使该碳原子与一个氢原子或其他等价的结合集团相连的一类有机化合物。羧酸存在于自然界,也可人工合成,可用作溶剂和制备许多化合物。最简单的羧酸是甲酸,分子内有一个氢原子与羧基相连,用作消毒剂,存在于蚂蚁和荨麻的组织内。若一个甲基与羧基相连,其化合物为乙酸,它的稀释态为醋。一大类羧酸衍生物为酯,在这些化合物中羟基被氧和烃取代。主要的工业酯为乙酸乙酯,用作熔剂以及调味品和香水的配料。酯通常是由羧酸与醇反应并在过程中脱除水而制得。酸酐、卤化物、过氧酸、酰胺、酰肼和叠氮化物为羧酸的另一大类衍生物。各个衍生物可由羧酸与另一种化合物(如氢卤酸)经失水而生成。不仅羧酸容易转化成衍生物而且各衍生物也可相互转化。

羧酸可根据结构加以分类,通常可分为直链或支链烃脂肪族酸(与脂肪相关)。脂肪族羧酸又可分成饱和(各个碳之间只含单键)或不饱和(至少含一个重键)的。有些羧酸是芳香族的,即拥有环状结构的烃。羧酸还可根据功能分类,例如,许多脂肪族酸,尤其含偶数碳原子的酸是脂肪的组分,它们统归类为脂肪酸。羧酸的主要化学特征是其酸性,通常要比含羟基的其他有机物的酸性强,但比常见的无机酸的酸性弱。酸性起源于失掉一个带正电荷的氢原子,留下带负电荷的分子单元即羧酸盐负离子。

羧酸及其衍生物按照两条主要途径进行化学反应,其一是附加基团与邻近于羧基的碳原子相连,其二是与羰基碳原子相连的一个基团被其他基团取代。这也是各衍生物可相互转化的途径。羧酸广泛存在于自然界。脂肪酸是甘油酯的组分,后者也是脂肪的组分。羟基酸如乳酸(来自酸奶产物)、柠檬酸(来自柠檬水果)以及许多酮酸都是许多活细胞的重要代谢产物。蛋白质是由许多氨基酸构成的。

合成羧酸有几条途径,包括氧化或从伯醇中脱出电子,其他方法是使用强有力的金属有机试剂(格利雅试剂)的格利雅合成。另外,羧酸还可从腈(羧酸的含氮衍生物)、酯合成。

羧酸及其衍生物具有各种用途,除用作消毒剂外,甲酸还用于织物处理以及用作酸性还原剂。乙酸广泛用于纤维素塑料和酯的生产,阿斯匹林(水杨酸的酯)是从乙酸制取的。软脂酸和硬脂酸在制备肥皂、化妆品、药物、蜡烛以及保护涂料方面是重要的,硬脂酸还用于橡胶制品。丙烯酸以酯形式用于制备名叫丙烯酸酯的聚合物(长链分子),甲基丙烯酸酯聚合成有机玻璃。油酸用于制造肥皂、洗涤剂以及纺织品。

carbuncle　痈 一种金黄色葡萄球菌引起的皮肤感染。典型的痈由两个或更多的底部相通的疖组成,疖是疼痛的红色硬结,有黄色脓头,脓头破裂后排出脓液及坏死组织。痈比疖大,常累及皮肤深层,并有多个排脓的开口。常出现在皮肤的毛发区或易受摩擦的地区,例如颈背、腋窝和臀部。单纯的疖经肥皂水洗后用热敷、湿敷等治疗可消散。痈可切开引流,随后用抗生素治疗。经过治疗后,卫生状况若无改善,痈仍可复发。

carbuncle　红榴石 深红色馒头形铁铝榴石,为一种铁铝榴石。参阅 **almandine**。

carburetor　化油器 又作 carburettor。向火花点火式发动机供给燃油和空气混合气的装置。汽车发动机用的化油器的组成通常包括储油室、阻风门、慢车喷油嘴、主喷嘴、文丘里型空气节流喉管和加速泵。储油室中的燃油量由浮子操纵的阀控制。阻风门是蝶阀,可减少吸进的空气量,当冷发动机起动时,它使富油燃料的混合气进入气缸。发动机的温度升高后,可用手或用热响应调节器和发动机速度响应调节器自动地逐渐打开阻风门。由于部分关闭的节流阀附近的压强下降,燃油由慢车喷油嘴喷入吸进的空气中。当节流阀进一步打开时,主喷嘴开始工作。空气节流喉管处压强下降,以便从主喷嘴吸出燃油,使之与气流混合,吸出的油量是随空气流量大小而变,所以油气比几乎是恒定的。节流阀突然打开时,加速泵将更多的燃油喷入吸进的空气中。现代化油器上添加了其他一些零件,以减少烃类的放出,节约能源。作为发动机系统部件的微处理器,可以根据发动机的温度、负荷和速度精确地控制吸入的空气-燃油混合气。

carburizing　渗碳 增高钢件表面含碳量的表面硬化(**surface hardening**)方法。

carcajou (mammal) 参阅 **wolverine** 狼獾。

Carcassonne　卡尔卡松 法国西南部朗格多克-鲁西永大区奥德省城镇和省会。位于图卢兹东南,近奥德河向东转弯处。奥德河将城市分成下城和旧城两部分。旧城保存有欧洲最好的中世纪防御工事遗迹。地处奥德河右岸孤立的小山顶上,公元前 5 世纪被伊比利亚人占领,后被高卢罗马人占据。485 年筑内城墙,外城墙则筑于路易九世在位期间。其子腓力三世续建并在内墙上增加美丽的纳博讷斯门,是进入旧城的唯一通道。门两旁建有两座翘角塔楼和一座双层碉堡,可对敌人进行侧翼攻击。1659 年随鲁西永地区并入法国,卡尔卡松不复为边境要塞。1844 年,建筑师和中世纪艺术鉴赏家维奥莱-勒-杜克开始重建大教堂和城墙;修复工作直到 20 世纪 60 年代仍在进行。旧城约有 1 000 名居民住在狭窄、迂回曲折的街道中。下城建于 1240 年,当时起义民众被禁入内;1355 年黑太子爱德华因无法取得该城,即将它付之一炬,但 13 世纪建的两座教堂幸存。现在下城是卡尔卡松的商业中心。有轻型制造业。经济以旅游业为主。人口 43 950(1999)。

carcharhinid　真鲨 真鲨科约13属鱼类的统称。世界性分布,主要在暖水水域和温带海洋，也有生活于淡水或半咸水的。绝大多数现存的鲨类均属真鲨。外观为典型的鲨形，背鳍两个，尾鳍上叶长，牙单尖，刀状。肉食性，掠食鱼类和其他各种脊椎动物和无脊

白真鲨（*C. leucas*）
美国不列颠百科全书公司供图

椎动物。长约1.5～5.5米。有许多鲨类，特别是灰鲨（或鲸鲨，真鲨属[*Carcharhinus*]）的分类尚不确定，进一步研究之后可能会有修正。某些种类，已为人们熟知，如蓝鲨（**blue shark**）和虎鲨（**tiger shark**）。"黑尖鲨"是几种鳍尖呈暗色的鲨鱼的统称，其中有两种可能伤人的大西洋真鲨：体型小，长约2.5米的小黑尖鲨（黑边真鲨，*C. limbatus*）和体型稍大的大黑尖鲨（斑鳍真鲨，*C. maculipinnis*）。不伤人的黑鳍真鲨（*C. melanopterus*）产于印度洋-太平洋地区的浅水水域。白真鲨（牛鲨，*C. leucas*）产于西大西洋近岸，有时可上溯江河达250千米；其吻钝，背侧淡灰至暗灰，腹侧白色，长约3.5米，可伤人。尼加拉瓜湖鲨又称食人鲨；或认为是白真鲨的一个亚种，产于尼加拉瓜湖；粗壮，吻钝，灰色，可长达2.5～3米，可伤人。柠檬鲨（*Negaprion brevirostris*）为西大西洋的常见种，近岸分布，偶进入淡水或半咸水；体色淡黄，长约3.5米，可伤人。油翅鲨（*Galeorhinus zyopterus*）为北美太平洋种，曾被大量捕捞以制富含维生素的肝油。近缘种澳大利亚翅鲨（*G. australis*）为澳大利亚的重要食用鱼；角翅鲨（*G. galeus*）为英国游钓鱼；以上三种体均呈灰色或褐色，长约2米，常集群。长鳍真鲨（*C. longimanus*）为大西洋和地中海种，主要分布在热带，太平洋有几个相似类型，可能为同一种；胸鳍长，第一背鳍大且圆，体长达3.5米，灰色、褐色或淡蓝色，鳍端白色，行动敏捷，但很少出现在近岸，可伤人。

Carchemish　卡尔基米什　罗马时代称欧罗普斯。古代城邦，在今叙利亚阿勒颇省杰拉布卢斯附近。扼幼发拉底河上一个战略性的渡口，是商队在叙利亚、美索不达米亚和安纳托利亚进行贸易的必经之路。卡尔基米什的遗址占地93公顷，1911～1920年间首次发掘。新石器时代才有人居住。初见记载于马里文书（马里王室档案，约公元前18世纪）。当时为重要的木材贸易中心。此后，赫梯征服者苏皮卢利乌马斯（约公元前1375～前1335）立其子为此城国王。作为对抗亚述、米坦尼和埃及的缓冲国。赫梯帝国崩溃后，此城大概遭到海上民族的侵扰。公元前717年向亚述的萨尔贡二世投降。最后一个有关的重大历史事件是公元前605年的战役，巴比伦国王尼布甲尼撒二世将埃及人逐出叙利亚。发掘表明该城有双重厚墙及城楼高耸的坚固城门防护。发掘者在城堡中发现大量垫在泥砖墙底部的石板，用叙利亚北部特有的风格加以雕刻。许多亚述艺术（可能由胡里人从叙利亚北部带来）的特征，在卡尔基米什也可辨识。

Carchi　卡尔奇　厄瓜多尔最北部的高原省份。面积3 876平方千米，人口集中在省会图尔坎（**Tulcán**）周围。基本上是农业省。在盆地种植小麦、大麦和水果。在较低和中等高度地区生产玉米、甘蔗和咖啡。饲养乳牛。在较高的山坡上牧放羊群。开采硫矿和生产除虫菊日益重要。泛美公路从北到南纵贯全省。人口约155 182（1983）。

carcinogen　致癌物　能够引起癌瘤发生的物质，包括化学制剂、射线和病毒。这些物质在一定条件下引起接触者发生癌瘤的机制还不清楚。工厂、汽车、住宅排出的各种环境污染物，以及吸烟，在不同地理位置与气候条件下均可不同程度地引起癌瘤。物理性致癌物质有日光中的紫外线、X射线及放射性物质的射线。一些可能引起动物和人发生癌瘤的病毒常被称为致癌病毒。反复的局部损伤或对机体某一部位的反复刺激亦可有致癌作用。有些（并非全部）癌瘤是可以遗传的，因为某种致癌素质需要待其作用积累到一定程度方表现出来。因此，识别和及时去除致癌物可减少癌的发病率。

carcinoma　癌　组织来源为上皮组织的恶性肿瘤，其细胞常侵及周围健康组织，引起邻近或远隔部位的增生。皮肤、乳腺、黏膜、肺、许多内脏器官及腺体的恶性肿瘤可能为癌，而神经系统、淋巴系统、血液、骨及肌肉组织的恶性肿瘤则不属于癌。所谓腺癌是其细胞呈腺样排列的恶性肿瘤。胃癌常发生于胃黏膜的腺细胞，因此属于腺癌。胰腺癌也是如此。男子的前列腺癌、女子的乳腺癌以及许多肺癌是最常见的腺癌。

card, playing　参阅 **playing card** 扑克牌。

card game　纸牌游戏　用一副或多副扑克牌（**playing card**）达到娱乐、赌博的目的或两者兼有的游戏。纸牌与牌戏可能同时为中国人发明，他们将纸币搀和后排出不同的组合，并以此为赌具和赌注，今天中国通称的纸牌即乡间所谓纸掌牌。早期纸牌大部分为数目牌，中国的玩法通常是大点数胜小点数，或以特殊组合的牌型取胜，此二原则仍为两大纸牌游戏派系的基础。传说印度有一种在棋盘上玩的圆形纸牌，以纯技巧取胜，由此发展为有机遇性的游戏，但史籍未予记载。一种叫做"阿斯那斯"（as nas）的波斯游戏，被认为是现代牌戏发展中的一个环节。尽管昔日君主、贵族和政府曾偶尔试图用严格的法律禁止纸牌与牌戏，但此风仍盛行于社会各阶层。当纸牌热广为传播并引起了不顾一切的赌博和一种极为严格的分高低贵贱的习俗时，政府和教会谴责了纸牌游戏。当时的不少纷争甚至酿成决斗事件，其中包括1890年英格兰贵族涉讼欺诈的川拜村巴卡拉牌局丑闻，由于王室也被卷入，震动了维多利亚时代的英国。今天，诸如桥牌这样的游戏已成为高雅的社交与智力活动，且赌博活动减少了，于是反对玩纸牌的呼声也大为减弱。

实际上纸牌游戏种类无穷，现有的已甚繁多。这些游戏主要根据比牌点大小和牌型的牌点组合。一般玩牌人数为4人。多数游戏在按照规则出牌之前个人的牌只有自己知道。

按牌点大小决胜负的游戏　在这些游戏中，每出一圈牌时，每一张牌可能胜过别的牌，也可能负于别的牌。通常依顺时针方向每人各出一张牌比大小，但是在起源于西班牙的游戏诸如"奥姆伯"中则按逆时针方向出牌。每一圈牌中，同花色的最大点获胜。一般可按规则决定一组花色为王牌，王牌不论点数大小均可赢任何一张非王牌。除王牌外，花色之间无大小之分，但在得分计点方面，各种花色可有相对价值。16、17世纪英国流行的"凯旋"是这种游戏的最早牌型之一，虽然与它类似的法国和西班牙牌戏可能比它还早。3人玩的西班牙牌戏"奥姆伯"盛行一时，以后又出现一种延续至今的牌戏，其中18世纪英格兰的"卢"、爱尔兰的"抢五墩牌"成了"全国性"牌戏。在19世纪，法国的"埃卡泰"、英国的"拿破仑"和美国的"尤克牌"均处于相同地位。20世纪流行的各式桥牌皆属此类。

按牌型分胜负的牌戏　一种古老的牌戏，其目的是获取具有规定分值的牌型。获胜原则与古代中国骨牌类似。今日众所周知的扑克牌即由一系列的欧式牌戏变革而来。据1801年的《英国人的运动与消遣》一书记载，英国最早玩的牌戏是西班牙的"普里美洛"（primero）。根据莎士比亚的说法，亨利八世在伊丽莎白女王诞生之夜，即以"普里美洛"牌戏为乐。目前英国仍然流行的"吹牛"牌戏，即由"普里美洛"演变而来。在美国，现代的扑克牌戏最早于19世纪初出现，这种牌戏由于对于计算能力和心理战术方面有很高的要求而为人们所喜爱。其他以配成套牌为基础的现代扑克牌有"拉米"牌戏及其无数变种，属于此类牌戏的"康奎安"或"库恩克坎"于20世纪初从墨西哥传入美国。拉丁美洲发明的"卡纳斯塔"于1949年迅速地传播到北美与欧洲。

既比大小又比牌型的牌戏　以"皮克牌"最为著名，特别在法国，使用一种由于与贵族和赌徒长期有联系而产生的宫廷术语。此外在美国大受欢迎的"皮纳克尔"及"比齐克牌"均属记忆力的测验，亦属此类牌戏，但须4人同玩，使用两副或更多副牌。

单人纸牌戏　至少有350种玩法，使用一副至两副纸牌。通常从摆出数张基牌开始，然后设法按规定顺序把剩余牌续上。成功与否主要靠牌的最初巧合布局。但是玩两副牌时需要相当的技巧。

儿童和集体牌戏　儿童牌戏在设计上较简单，因须适合各种年龄组的儿童且少费脑

筋,并要使孩童与成人玩牌时能有获胜机会。任何适当人数均可参加此种牌戏。许多牌戏强调延缓原则,允许输牌人出局前有三次生还机会。盛行的儿童和集体牌戏有"抢杰克"、"卡西诺"、"精神集中"、"老闺女"、"捉乌龟"及"钓鱼"等。

卡西诺牌戏 欧洲最流行的卡西诺牌戏是"巴卡拉庄家",由其演变的"铁道牌"及"三十到四十牌"更受欢迎;在美国最为人熟知的则为"二十一点"("黑杰克")牌戏。所有这些牌戏均源自15、16世纪的欧式牌戏,其共同点是非常简单的打牌技巧。基本原理是把点数不超过一定值(在"巴卡拉牌戏"中为9,在"黑杰克"牌戏中为21)的牌集中在一起,然后就玩牌人或庄家取胜的可能性打赌。

cardamom 小豆蔻 又拼cardamon。姜科多年生草本植物小豆蔻草(*Elettaria cardamomum*)的完整的果实或种籽,或其干粉末。用作香料,稍辣,其味似樟脑。在近东和远东,是菜肴调味品,特别是咖喱菜的作料。在斯堪的纳维亚则常用于面食品调味。该植物原产印度南部潮湿的森林,可收采野生的果实,现印度、斯里兰卡和危地马拉大量栽培。地上部分多叶,从分枝的根茎长出,高1.5～6米;花枝长约1米,直立或蔓生;每条花枝生有多数花朵,花径约5厘米,花瓣浅绿色,唇瓣白色具紫脉。完整的果实径8～15毫米,是绿色的三面体广椭圆形蒴果,内含有15～

小豆蔻草(*Elettaria cardamomum*)
美国不列颠百科全书公司供图

20粒黑色、红褐色至褐黑色的硬而具棱的种子。在成熟前采摘,弄净,晒干或烘干。用燃烧的硫漂白、干燥、簸去果实的小柄,去皮,即得脱壳的干燥小豆蔻。精油含于种皮表皮下大型薄壁细胞中,含量为2%～10%;主要成分是桉树脑和 α-乙酸松油酯。姜科其他属(如豆蔻属[*Amomum*]、山姜属[*Alpinia*]、*Aframomum*属)植物所产香料有时亦称小豆蔻,在非洲及亚洲用于烹调,或充作真正小豆蔻出售。

Cardamom Hills 豆蔻丘陵 印度南部喀拉拉邦东南部山地。为西高止山的一部分。东部一些山峰海拔超过1 370米。出产茶叶、咖啡、柚木、竹子与豆蔻。产品大都向东经根伯姆河谷输往泰米尔纳德邦。豆蔻丘陵有时指巴尔卡德山口以南的西高止山全部地段。

Cardamom Mountains, FRENCH CHÂINE DES CARDAMONES(Cambodia) 参阅**KrâvanhMountains 豆蔻山脉**。

Cardano, Girolamo 卡尔达诺(1501-09-24,米兰公国帕维亚[意大利]～1576-09-21,罗马) 又译卡尔丹。意大利医生、数学家、占星术士。对斑疹伤寒首次作出临床记载。所

美国国立美术馆供图

著《大衍术》(1545)是代数历史上的奠基石之一。1526年取得医学学位,1534年去米兰,在成为数学讲师以前,一直生活于极度贫困之中。1539年加入医师协会,此后作为医生,声誉剧增,但不愿做宫廷医官。1543年于帕维亚接受医学教授职位。他是当时最卓越的数学家。1539年出版了两本收录他的通俗算术讲演的书,其中最重要的是《算术实践与个体测量》。他的《大衍术》中有三次方程的解法,这一解法受惠于威尼斯数学家N.塔尔塔利亚;书中还有他先前的仆人L.费拉里发现的四次方程解法。他在《赌博之书》中首次系统计算了一些概率,这比B.帕斯卡和P.de费马早一个世纪。卡尔达诺的广泛声誉主要基于他讨论科学和哲学问题的书,特别是《事物之精妙》一书,其中汇集了物理实验和发明,并点缀一些轶事。1562年起,他任博洛尼亚大学教授,1570年因被控异端罪突然被捕,数月后获准私下宣誓放弃异端学说,但失去了职位和著书权。

Cardenal, Ernesto 卡尔德纳尔(1925-01-20,尼加拉瓜格拉纳达～　　) 尼加拉瓜革命诗人,天主教司铎。最初在尼加拉瓜的耶稣会学校受教育,后在墨西哥和美国哥伦比亚大学学习。1957年进入美国肯塔基州盖特塞马尼特拉普教会隐修院。1965年,在尼加拉瓜受神职。诗集《格言》(1961)谴责索摩查政权的愚蠢暴行,其他一些则是以细腻的嘲讽感写成的爱情诗。《午夜零时》(1960)是一首谴责中美洲的专制政权和美帝国主义的文献性长诗,为抗议诗歌的杰作。在以后的作品中,卡尔德纳尔使用空洞词句和商业口号象征使人厌恶的世界。《诗篇》(1964)用的是《圣经》的格调,谴责现代的罪恶。在诗集《为玛丽莲·梦露祈祷及其他》(1965)中,早期的预言格调和当代事件联结在一起:电影女演员玛丽莲·梦露之死,被用来谴责资本主义制度中使人性沦丧的腐化堕落。诗中的陈词滥调、标语口号、剪报、商业广告,象征人们无法沟通的状态。其他的诗集有《可疑的海峡》(1966)、《向美洲印第安人致敬》(1969)、《对马那瓜的神谕》(1973)等。他的散文作品有:《生活在爱情中》(1970)是一本哲学散文集,《在古巴》(1973)回忆他1970年在那里的访问。卡尔德纳尔积极参加了1979年7月推翻A.索摩查的桑地诺派的革命,成为新政府的文化部长。

Cárdenas 卡德纳斯 古巴中部偏西马坦萨斯省北部城市。濒海湾。为古巴主要运糖港口之一。1828年建立。有榨糖、酿酒(朗姆酒)和制绳厂。市西北12千米有著名的巴拉德罗海滨胜地。人口约78 300(1986)。

Cárdenas, Bartolomé de 卡德纳斯 参阅**Bermejo, Bartolomé 贝尔梅霍**。

Cárdenas (del Río), Lázaro 卡德纳斯(1895-05-21,墨西哥希基尔潘～1970-10-19,墨西哥城) 墨西哥总统(1934～1940),以努力实现墨西哥革命党的社会和经济目标而著称。他把土地分配给农民,向农民发放贷款,分别组织工人和农民联盟,并将外资企业收归国有。

卡德纳斯主要具有印第安人血统。在获得基础教育后,在地方税务局工作。18岁时参加加西亚·阿拉贡将军领导的革命军队,一年内升上尉。革命力量分裂成敌对的派别后,他仍忠于卡兰萨。1920年卡兰萨的军队获胜。同年卡德纳斯被任命为上将,这是墨西哥军队的最高军衔。1928年他33岁时被选为家乡米却肯州州长,1932年任满。他在组织全国性政党以加强革命政权方面,发挥了重大的作用。1929年由前总统卡列斯(任期1924～1928)领导的国民革命党(PNR)创立,翌年卡德纳斯州长当选为党的主席。他勤奋工作,把国民革命党从各州的党的松散联盟改组成为一个真正的全国性政党,成为革命政权的一个主要稳定因素。1931年卡德

美国不列颠百科全书公司供图

纳斯任内政部长,为期6周;1933年任陆海军部长,为期5个月。1934年他从这一职位上退下来,成为1934年大选中国民革命党的总统候选人。他当选后,最初审慎地工作。军队、民政管理和许多政府机构仍处在前总统卡列斯的控制之下。在任期的第一年里,他用大部分时间在这些部门中树立威信。后来

在他感到已有足够的力量时,把卡列斯放逐至美国。

作为总统,卡德纳斯实行广泛的改革。根据土地改革计划,他分配给农民的土地相当于他所有的前任分配给农民的土地总和的将近两倍,这样,到他任期结束时,全国约一半耕地为以前的无地农民所有。他还扩大了政府银行的服务范围,使在改革中获得土地的农民得以向这些银行贷款。为给土地再分配计划提供政治基础,他将改革中的所有受益者组成新的全国农民联盟(CNC)。此外,早在1936年,他已将大部分分散的劳工组织组成墨西哥工会联合会。1938年把执政党改组为墨西哥革命党(PRM)。过去仅政府雇员和从事政治活动的人为该党党员,新的组织计划则允许群众性组织直接加入该党。

卡德纳斯政府因致力于没收外资企业而扬名海外。1937年政府没收了国家主要铁路,1938年3月卡德纳斯总统签署了一项法令,对全国石油工业实行国有化。任期结束后,他打算退出现实政治生活。但第二次世界大战爆发后,随着1942年初墨西哥成为积极的参战国,卡德纳斯重又担任公职。他于1943～1945年任国防部长,并在任期的最后一年任墨西哥军队总司令。他于1945年再次引退。此后16年,他没有担任任何公职。但于1961年任巴尔萨斯河流域委员会执行委员。虽然他的职责已大大减少,但他仍然是全国政坛的重要人物。他成为执政党左翼的象征,1946年该党改名为革命制度党。他仍然是以合作形式进行土地改革的主要支持者,是美国在墨西哥的经济和政治势力的首要反对者。60年代初,他发起组织与全国农民联盟对立的全国农民独立联盟,并赞助(但未参加)全国解放运动这一左翼政治联盟。1959年卡斯特罗革命胜利后,卡德纳斯成为古巴革命者在墨西哥的最强有力的支持者。

cardiac arrhythmia　心律失常　心脏搏动的速率或节律的异常,常由心脏传导系统异常引起。正常的或病态的心脏都可出现心律失常。虽然当心律失常伴有其他心脏疾患时可损害心功能,但是其本身并无重要临床意义。最常见的心律失常是窦性心律失常,表现为吸气时心率加快,呼气时心率减慢;窦性心动过速(**tachycardia**)是心率快而均匀;窦性心动过缓(**bradycardia**)是心率慢而均匀;房性或室性早搏是在正常心脏节律中出现额外的收缩。偶然出现节律不规则是正常的,伴有某些心脏病的持续的或慢性的心律失常,可能会减少心搏出量,降低血压,影响重要器官的血液灌注,并会加速心力衰竭。严重的心律失常可引起心房或心室纤维性颤动,此时心搏的效率比心律正常时低许多倍(参阅 **fibrillation**)。心律失常表明维持心脏正常的起搏器——窦房结——不能维持规律的心脏搏动,常由将电冲动传导到心脏各部位的通路发生障碍所造成。解剖学的异常与疾病可使电冲动传播减慢或加速,使冲动在正常的节律以外出现,或返回原来的路径,以短路通过起搏点。很多心律失常可通过心脏复律纠正,如使用电休克除去异常电冲动,或使用直接影响心肌敏感性与电冲动传导速度的药物,诸如奎尼丁或洋地黄等。

cardiac catheterization　心导管插入术　将一种易弯曲的导管插入动脉或静脉,并沿该血管走行进入心脏的操作方法。用于将药物直接注入心脏并测定心脏及大血管内的血流量及压力,借此诊断先天性心脏病和发现心脏各腔室之间有无通道狭窄和异常交通;还可用于将电极植入心脏以恢复和调节心脏的搏动。这种方法为德国医师W.福斯曼于1929年首创,他当时切开了自己臂上的一条静脉,把一根直径约3.2毫米、长76厘米的可弯曲导管的头端经由肱静脉、胸廓内静脉插入右心室。最近发明了一种左心导管插入技术,即将导管逆行送入某动脉内。虽然这种操作较经静脉插管困难,而且风险大,但诊断的价值极大。参阅 **angiocardiography; diagnostic imaging**。

Cardiff　加的夫　威尔士语作 Caerdydd。威尔士首府、城市,独立构成一个郡,为格拉摩根历史郡的一部分。位于伦敦西240千米处,布里斯托尔海峡塔夫河河口。区与市同域,面积139平方千米。约公元75年罗马人在此建小碉堡。1090～1093年诺曼人远征威尔士时,在碉堡原址上建起城堡。1150年城堡又经加固(现为英国保存下来的最好城堡之一)。此后在城堡之外建起一座围有城墙的小镇,后该镇成为附近沿海平原的贸易中心和小港口。古堡及其所属公园地区于1947年划入加的夫市。1794年修建运河通梅瑟蒂德菲尔,铁路也与工业和采矿地区相连。1839～1907年间建造一系列新码头,1913年加的夫已成为世界上最大的煤炭出口港,1918年后,煤的贸易量急剧下降,到1963年几乎全部停产。但仍为威尔士最大城市和英国十分重要的商业和服务中心,设有许多全国性组织机构和政府部门的总部,也是重要的工业中心。1978年炼钢工业停产,但食品加工、机械工业和其他轻工业继续存在。该市有许多著名建筑,但除古堡、兰达夫大教堂和中世纪的圣约翰教区大教堂外没有什么古建筑物。市中心有精致漂亮的公共建筑群,包括市政厅、法院、威尔士国立博物馆、威尔士国家战争纪念馆和加的夫大学学院。威尔士民俗博物馆设在圣法根城堡(市中心以西7千米)内。市机场建在西面的鲁斯。人口315 040(1999)。

加的夫市的国家战争纪念馆
美国不列颠百科全书公司供图

Cardiff Giant　加的夫巨人　一桩著名骗局,作恶者名乔治·霍尔(或乔治·赫尔)(George Hall or Hull),系纽约州宾厄姆顿人。起初,在艾奥瓦州道奇堡采石场开采到一块巨大的石膏,便运往芝加哥。1868年,这块石膏在芝加哥被雕刻成一具人体像,随后又被埋在纽约州加的夫附近一农场。1869年,打井工人"发现"这座雕像,说是一个3米高的石化的史前人,直到这一骗局被美国古生物学家O.C.马什揭穿之后,问题才得到澄清。

Cardigan　参阅 **Cardiganshire** 卡迪根郡。

Cardigan　卡迪根　威尔士锡尔迪金城镇(卡迪根郡历史郡)。在12世纪诺曼古堡附近发展起来,俯瞰泰菲河。河上有一拱桥据说是1136年所建。1284年获自治市特许证。曾是当地市场中心和爱尔兰海小海港。19世纪渐趋衰落。附近有引人入胜的海岸和乡村风光,现为小型旅游中心。泰菲河及其支流可供垂钓。人口约3 758(1991)。

Cardigan, James Thomas Brudenell, 7th Earl of, Baron Brudenell of Stonton　卡迪根伯爵(第七)(1797-10-16,英国白金汉郡汉布尔登～1868-03-27或28,北安普敦郡迪恩帕克)

美国不列颠百科全书公司供图

即J.T.布鲁德内尔。英国将军。克里米亚战争期间,曾在巴拉克拉瓦战役中率轻骑兵旅向俄军冲锋。这次战斗在A.丁尼生的诗歌《轻骑兵旅的进击》(1855)中流传千古。他曾在牛津大学基督堂学院受教育。1824年从军,升迁很快,到1832年即成为第15轻骑兵团中校指挥官。他喜怒无常,曾和属下军官发生争吵,并将其中一名非法逮捕,因而受到军事法庭的训斥,被迫放弃指挥权(1834)。两年后,依靠家族的势力成为第11轻龙骑兵团的指挥官。1837年继承其父伯爵爵位和财产。他每年从私囊拿出约1万英镑,使自己的队伍成为军装最华丽的团队。曾再次因虐待下属军官而引起公愤,但仍然指挥该团直到1854年晋升少将。克里米亚战争(1854)爆发后,他被任命为轻骑兵旅旅长。他的旅在1854年10月25日发起著名的冲锋,他坚定而英勇地领导了这次行动(参阅 **Balaklava, Battle of**)。这次冲锋使英国人心大振。他回国后成为英雄人物,被任命为骑兵总监。

Cardigan Bay　卡迪根湾　威尔士西海岸港湾。风景优美,海岸呈锯齿形,从西南偏南到东北偏北长105千米。有两个国家公园(斯诺登公园和彭布罗克夏海岸公园)。湾畔城

卡迪根湾达维河口阿伯多维镇的海滨人行道
美国不列颠百科全书公司供图

市有海滨避暑城镇普尔黑利、克里基厄斯和历史古城哈勒赫；河口城镇巴茅斯、阿伯多维；阿伯里斯特威思是威尔士中西部主要城市；海上贸易基地菲什加德也是威尔士和爱尔兰之间的渡船口岸。

Cardiganshire　卡迪根郡　又作 Cardigan，威尔士语作 Sir Aberteifi 或 Ceredigion。威尔士南部原来一郡，临爱尔兰海。1974 年重新划分行政区域时并入达费德郡，在该郡北部。卡迪根郡面积 1 794 平方千米。该郡和英国西部其他地区一样，远古时代人类的遗迹都发现于高地上。高地的南、北部都散布有古土冢与石冢。郡东面有一罗马时代人行小道的遗迹，人称"萨海伦"。罗马时期之后的若干世纪，该郡屡次遭受爱尔兰人和斯堪的纳维亚人对无屏障的海岸的袭击，可能意在劫掠当地藏量丰富的矿石。传闻在罗马时期之后，整个泰菲盆地都在北威尔士的丘恩达·弗列迪之子塞罗迪掌握中，卡迪根郡名就是从塞罗迪之名而来。诺曼人入侵卡迪根郡山区的进程缓慢。12、13 世纪间，诺曼人为保持在谷地中的通道而和威尔士山地牧民经常发生战斗。由于此地局势不稳定，15 世纪初期，欧文·格伦道尔把朝廷设在阿伯里斯特威斯堡。英王爱德华一世根据《里兹兰法令》(1284)按英格兰的模式将原威尔士所属领地设为塞罗迪金郡，将该郡分为六个区(hundreds，古地区单位)。亨利八世在位时，该郡面积扩大，有一名代表出席议会。英国内战期间，查理一世军队曾占据卡迪根城堡和阿伯里斯特威斯堡，后该二城堡毁于克伦威尔的军队。18 世纪，此郡成为循道宗教徒的活动中心。该教派对高地荒野中的牧民影响甚大。17、18 世纪，海岸沿线的城镇和村庄的海上贸易甚为发达，主要来往于布里斯托尔一带。由于与内陆交通不便，几乎一切物资都从海路输入。渔业一直很重要，后来仍有小规模的经营；许多地方为英格兰中部地区和南威尔士旅游者的避暑胜地。英国工业革命对卡迪根郡起的作用是消极的，它完全破坏了该郡的地方工业和航海事业，使当地居民纷纷迁出，移居到像伦敦这样的城市中去。

Cardin, Pierre　卡丹(1922-07-07，意大利威尼斯～　　)　法国女装设计师，也是设计高级男式时装的先驱。17 岁到维希，在一家男装店当裁缝。第二次世界大战后，加入巴黎帕坎时装公司。1950 年开办一个专为巴黎流行的化装舞会设计新颖服装的商店，同时继续创作数量有限的男女时装。逐渐牢固地博得了制作男套装的名声，兼营离奇古怪的男装零配件。1957 年首次举办了完整的女装设计作品展览会，获得成功；1960 年发表了身为一名最高级设计师设计的第一批男装作品。显示了自己是运用斜裁、柔和线条和浓郁色彩的大师。20 世纪 60 年代后期，他以其硬挺的短上衣，以及使用维尼纶、飞行帽和护目

美国不列颠百科全书公司供图

镜，推出了航天时代的装束。他的男装成衣对其他男装设计师(如美国人比尔·布拉斯)产生了重要影响。

cardinal　枢机　天主教枢机团的成员。负责选举教皇，为教皇的主要参谋人员，参与管理全世界天主教会。枢机是教廷的主要官员、主要教区的主教，往往代表教廷出使。枢机着红衣，亦称红衣主教。枢机团内分枢机主教、枢机司铎、枢机助祭三级，是教皇乌尔班二世(1088 ～ 1099 在位)所创立。枢机团内的级别不必要与该人原属级别相应，例如，纽约或巴黎教区主教在枢机团内可能是枢机司铎。罗马市附近各主教区出缺时，由枢机主教继任，8 世纪这种主教区有 7 个，后减为 6 个。本来各枢机主教对所领主教区有完全管辖权，但自 1962 年以后，仅保留空衔，实权由驻在各该主教区的主教掌握。枢机司铎是枢机团中的第二级，人数最多。罗马市各教堂中名誉司铎出缺时，由枢机司铎继任。7 个地区的助祭出缺时，由枢机助祭继任。1586 年规定枢机团人数为 70 人，其中枢机主教 6 人，枢机司铎 50 人，枢机助祭 14 人。教皇约翰二十三世取消这个限额，其后总人数已逐渐增至百余人。枢机必须由教皇任命。教皇亲自召集枢机团秘密会议，宣布新枢机人选。

cardinal (*Cardinalis*[formerly *Richmondena*] *cardinalis*)　**红衣主教雀**　又作 redbird 或 cardinal grosbeak。雀形目新大陆燕雀科(或归入鹀科)鸣禽，分布于北美洲落基山以东。长 20 厘米，具尖冠。雄鸟鲜红色，雌鸟暗淡红色或淡褐色。整年成对地在花园和开阔林地发出清脆嘹亮的啭鸣。食昆虫(因此有助于消灭害虫)和野生植物的果实及种子。在美国东南部数量甚多。已引入夏威夷、加利福

红衣主教雀(*Cardinalis cardinalis*)
美国不列颠百科全书公司供图

尼亚南部和百慕大。

cardinal fish　红衣主教鱼　鲈形目天竺鲷科鱼类的俗名，约 200 种，为热带和亚热带水域典型夜间活动的小型鱼类。绝大多数种类海生，生活在浅海礁岩中。有些种，如加勒比海的星天竺鲷(*Astrapogon*[或 *Apogonichthys*] *stellatus*)隐蔽于活海螺的壳内。红衣主教鱼体长 5 ～ 20 厘米，背鳍二个，口、眼和鳞均大，大部呈红色或淡红色，色似红衣主教红袍，故名；也有银白、淡褐或黑色者。

cardinal flower　红衣主教花　半边莲科半边莲属(*Lobelia*)几种近缘多年生植物，原产于北美和中美。花深红色，唇形，穗状花序；茎多叶，株高1.5米。一些专家认为红花半边

红花半边莲(*L. cardinalis*)
美国不列颠百科全书公司供图

莲(*L. cardinalis*)和华美半边莲(*L. splendens*)是同一种。较矮小的墨西哥半边莲(光辉半边莲，*L. fulgens*)原产中美洲，是花园栽培种的亲本。蓝花半边莲(*L. siphilitica*)较其他种小，花蓝色或带白色。

cardinal sin　参阅 **deadly sin** 大罪。

cardiology　心脏学　研究有关心脏疾病诊断和治疗的医学专科。1749 年，J. B. de 塞纳克出版了一本著作，总结了当时对心脏的认识，使心脏学首次成为一门医学专科。12 年

后，L.奥恩布鲁格发现心脏的状况可由扣诊胸壁评估。1816 年，R.拉埃内克发明听诊器，使听诊心音成为体格检查中的一个重要部分，19 世纪，心脏学的发展主要在于诊断方法的改进。1903 年，W.埃因托芬发明测量心脏电活动的心电图描记器。1915 年，许多心脏疾病基本诊断方法(包括在荧光屏上观察心搏)已问世。1929 年，W.福斯曼发明心导管插入术，推进了心脏病的诊断技术。他将一条细导管通过前臂静脉引入心脏，接着注射不透 X 射线的造影剂，然后以荧光屏观察心脏的详细构造。福斯曼的发明使心脏专科医师和外科医师得以直接观察冠状动脉，因而开启了心脏外科手术之门。虽然心脏专科医师与外科医师在心脏外科病例的诊治中密切合作，但心脏学一直为内科而非外科的一支。心脏科医师的任务包括：照顾心脏病患者，研究心脏生理功能，以及施行各种治疗(如开给改善心脏功能的药物)等。20 世纪后半期，心脏学的发展主要在于心脏外科手术的进步，直到 50 年代才付诸实践。其中较重要的突破包括：①冠状动脉修复术普及化；②1967 年，南非的 C.巴纳德医师完成首例人类心脏移植手术；③美国犹他大学研究小组研究制成可用手术植入体内的持续发挥功能的永久性人工心脏，1982 年首次用于临床。

cardiopulmonary resuscitation(CPR)　**心肺复苏术**　在心搏停止和溺水等创伤后促使呼吸和循环恢复正常的紧急施救术。包括畅通呼吸道和进行体外心脏按摩两个步骤。此术只能由受过专门训练的人施行于呼吸停止的昏迷患者。操作过程如下：首先让患者仰卧于坚硬的表面上，清除其口腔和气道内的异物，使头部后倾，颏部上提；然后夹住患者鼻孔，术者的口与患者的口紧密相贴，进行口对口人工呼吸，每分钟吹气 12 次，让患者自然呼气；接着轻按喉结两侧的颈动脉，观察有无脉搏，若无，按压胸骨，施行体外心脏按摩(成人约每分钟 80 次)。通常每压胸骨 15 次即吹气二次。CPR 必须不间断地施行到呼吸和循环恢复正常或专职医疗人员赶到时方可停止。此法施行于婴儿、儿童时或在某些特殊情况(如还有其他损伤)下须稍加改变。

cardiovascular system　**心血管系统**　将血液运送到全身各个部位的器官系统。它把各种营养物质和氧气输送到全身各种组织，同时把代谢废物和二氧化碳输送到相应的排泄器官。虽然人类的循环系统可分为肺循环和体循环两部分，但它是一个统一的、密闭的管道系统。

其中枢结构为心脏，这是一个能够把血液泵往全身的肌性泵。动脉是把血液从心脏送往全身的肌性厚壁血管；然后血液通过薄壁的静脉血管返回心脏；毛细血管是连接动、静脉血管的微细血液通路，血液和组织之间的物质交换过程就是在毛细血管床中进行的。

心血管系统的发生是一种生物进化的表现。最早见于个别高级无脊椎动物，但是只有到了脊椎动物，心血管系统才发育得比较完善起来。这种完善主要表现在肺循环上，这时的肺兼有呼吸功能和水及二氧化碳的排泄功能。

正常成人的心脏位于胸腔中间偏左；外被心包，心包腔内有少量液体，以润滑心脏搏动。心肌是一种有运动传导功能的肌肉组织，能同时收缩，把血液泵出心脏的四个腔室。回心静脉血经上、下腔静脉入右心房，再入右心室；右心室将血泵入肺循环，使血液氧化为动脉血，经肺静脉入左心房，进左心室；左心室是最强大的泵，将动脉血经动脉血管泵向全身组织。心房和心室之间开口处有瓣膜，左侧为二尖瓣，右侧为三尖瓣，心室收缩时瓣膜关闭，以防止血液倒流回心房；心室向动脉的开口处也有瓣膜，左、右两侧都叫作半月瓣，心室舒张时瓣膜关闭，以防止血液倒流回心室。

心脏的收缩分为心房收缩和心室收缩两步。第一步，充满回心静脉血的左、右两个心房收缩时，将血液排入左、右心室。第二步心室的收缩强而有力，关闭房室瓣，并将血液同时泵向肺、体两个循环。心肌收缩不是靠外部刺激和神经传导实现的，心肌纤维的自主节律性来自窦房结、房室结、希斯氏束和普尔金耶氏纤维的生物电活动，所有这些结构在细胞形态上和一般心肌细胞之间并没有很大差异。主动脉是循环系统中最大的血管。左右两条冠状动脉分支直接自主动脉根部发出，向心肌供血。自主动脉发出的其他重要动脉还有无名动脉、左颈总动脉、左锁骨下动脉(向头、颈、上肢供血)；降主动脉不断有分支发出支配胸、腹腔各脏器；最后分支为髂总动脉，支配下肢。

随着不断地分支，动脉的口径也越来越小。毛细血管前动脉称为“小动脉”，管壁只有几个微米厚。毛细血管壁是半透膜，允许小分子物质如水、氧、二氧化碳、糖元等自由出入毛细血管。动脉血所携带的各种营养物质渗出毛细血管壁，向组织扩散；而组织中的各种代谢产物则向毛细血管内扩散(这两个方向扩散的动力是各种物质在毛细血管内、外的渗透压差)，然后随血到肾脏、肝脏、肺，并以不同方式排出体外。

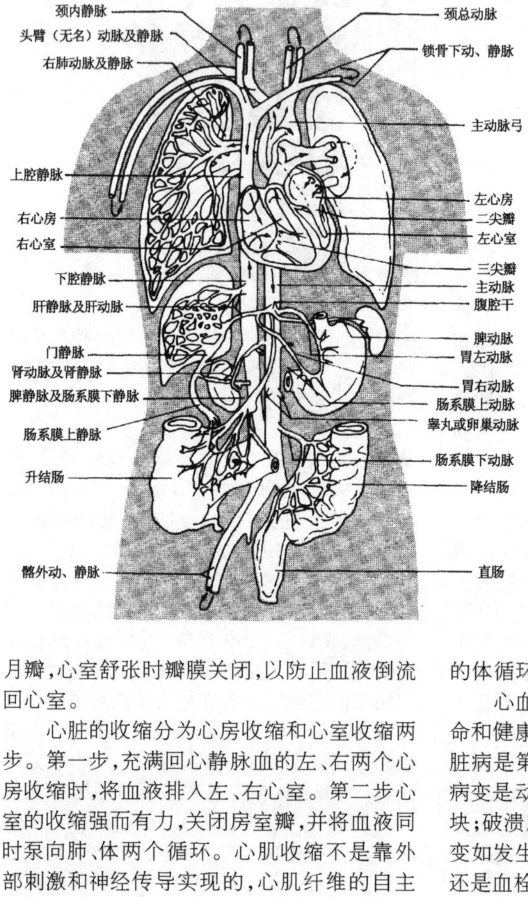

人的心血管系统

毛细血管逐渐会聚成小静脉、静脉，口径逐步增大。静脉的走向一般都和动脉伴行。因心脏收缩和动脉张力所产生的血压到了毛细血管网基本上就减弱为零了，因此静脉压常为负值。为了使血液不致倒流，静脉内膜多有静脉瓣结构。

最后，静脉血经上、下腔静脉回右心房、右心室、肺动脉，开始肺循环。肺毛细血管位于肺泡间隔中，和肺泡腔仅两层上皮之隔，是进行气体交换的场所。在肺泡中，血液向肺泡排放二氧化碳，并且摄取其中的氧气(弥散动力是两侧的气体分压差)。结合了氧气的动脉血经过肺静脉流入左心房，开始新一轮的体循环。

心血管系统疾病极大地威胁着人类的生命和健康。在发达国家，动脉粥样硬化性心脏病是第一位的死亡原因。这种疾病的基本病变是动脉内膜出现大量脂性粥样纤维斑块；破溃后，粥样物质还可形成血栓。这种病变如发生在冠状动脉，不管是斑块直接堵塞，还是血栓栓塞，都可严重减少冠状动脉对心肌的血液供应，引起心肌缺血或心肌梗死。动脉粥样硬化还能引起中风，病因是脑动脉粥样硬化、脑动脉栓塞或脑血管痉挛。先天性心脏病、风湿性心脏病、大血管炎也是常见的、重要的心血管系统疾病。

Cardis, Treaty of　**《卡尔迪斯条约》**(1661)　俄国与瑞典之间的和约，这一条约结束了 1656 年开始的战争，维持以前的《斯托尔博沃条约》的领土安排。

cardoon (*Cynara cardunculus*)　**刺菜蓟**　菊科多年生草本植物。原产欧洲南部和北非，在该处用作蔬菜。内叶和叶柄苍白色，主根肥厚。通常将全株煮熟、调味、冷冻后加入沙拉。除普通刺菜蓟及西班牙刺菜蓟外，还有刺状叶的图尔刺菜蓟、红茎刺菜蓟、最大且最细嫩的巴黎刺菜蓟等。刺菜蓟已引种到南

刺菜蓟（*Cynara cardunculus*）
美国不列颠百科全书公司供图

美，遍及潘帕斯草原。

Cardoso, Fernando Henrique 卡多索（1931-06-18，巴西里约费内卢～ ） 巴西总统（1995～2003）。出生于富有的军人家庭，曾在圣保罗大学教社会学，在巴西实行军事统治时期是左翼知识分子反对派的重要成员，尽管在恢复文职统治后他又倾向于中间派。1993年出任财政部长，负责监督实业计划的制订，这是一整套反对通货膨胀的有效计划，帮助他于1994年赢得总统选举。他致力于国营公司的私有化和增加外国投资。1998年他成为巴西历史上首位获得连任的总统。1999年一场外汇危机破坏了巴西的发展远景。

Cardozo, Benjamin Nathan 卡多佐（1870-05-24，纽约市～1938-07-09，美国纽约切斯特港） 美国法学家，有创造性的普通法法官和法律论说家。他影响了美国上诉审判趋向于更多地与公共政策相结合，和随之而来的法律理论的现代化。他由于担任美国最高法院大法官（1932～1938）的职务而受到尊重，但他在纽约州最高法院——上诉法院（1914～1932年任法官；从1926年起任首席法官）的工作也许更为重要。卡多佐出身于一个著名的西班牙籍犹太人家庭。1891年在纽约取得律师资格。1913年，他作为改革派的候选人

美国国会图书馆供图

被选入州的最高法院；很快被提升到上诉法院。在"麦克弗森诉别克汽车公司"一案（1916）中，他宣布了一个原则，这个原则后来被美国全国各地和英国所采用，即在一个制造商与一个私人购买者之间存在着一种不言而喻的安全保证，尽管产品由居中间的零售商所占有。1932年，胡佛总统任命卡多佐为美国最高法院大法官。在罗斯福总统的新政期间，卡多佐通常被列入具有自由主义思想倾向的大法官这一类。他给"赫尔维林诉戴维斯"一案（美国《联邦报告》第301卷第619页）和其他社会保险案件（1937）写了一个多数大法官的意见，坚决维护根据宪法的一般福利条款（第一条第八款）制定的联邦社会保险计划。在一个涉及到声称处于重复追诉的刑事案件——"帕尔科诉康涅狄格州"一案（美国《联邦报告》第302卷第319页[1937]）中，他认为宪法第14条修正案（1868）施加于各州的只有《权利法案》（前十条修正案，1791）中属于"有纪律的自由体制的本质"的那些条款。尽管这个标准起的指导作用很小，尽管它比一个具体的标准所引起的会涉及宪法的争讼可能更多，但这个标准在20世纪60年代仍为法院保留下来。然而，在1969年，帕尔科案的裁决被最高法院推翻（"本顿诉马里兰州"案），该院认为，反对重复追诉的规则对司法来说非常重要，是正当法律程序的一个必要条件。

Cardston 卡兹顿 加拿大艾伯塔省西南部城镇。濒临利河，邻近美国蒙大拿州边界。1887年从犹他来的摩门教徒建此镇。以率领犹他篷车队的C.O.卡德之姓命名。早年的合作农业至今不衰。经济以饲养牲畜、种植谷物为主。镇内有全国唯一的八角形的白花岗岩摩门教教堂（高34米，建于1913～1923年）。1888年西北骑警队在此设兵站，1898年建村，1901年建镇。第一任镇长为卡德。人口3 480（1991）。

Carducci, Giosuè 卡尔杜齐（1835-07-27，卢卡公国卢卡附近瓦尔迪卡斯泰洛[意大利]～1907-02-16，意大利博洛尼亚） 意大利诗人。1906年诺贝尔文学奖获得者。为当时文学

美国不列颠百科全书公司供图

界最有影响的人物之一。共和派乡村医生之子。曾在比萨大学学习，1860年任博洛尼亚大学意大利文学教授，执教40年。1890年成为终身议员，被意大利人尊为民族诗人。早年他是一群坚决要打倒当时盛行的浪漫主义而回归古典作品模式的青年中的核心人物。主要由于当时政治的影响创作了赞扬撒旦的《撒旦颂》（1863）和《讽刺诗与抒情诗》（1867～1869），在这两部作品中体现了诗人的艺术魅力与共和派人士的战斗激情，也显示出反教会的感情。

Carducci, Vincenzo 卡尔杜奇（1578，佛罗伦萨～1638，马德里） 意大利画家。从其兄B.卡尔杜奇学画，接受了意大利风格主义的训练。他是委拉斯开兹之前马德里的主要画家之一。1609年接替其兄任腓力三世宫廷画家。曾为布恩·雷蒂罗宫画了三幅战争画，但其所作主要是宗教画。写过一篇关于艺术的学术论文《绘画对话》（1633）。

Carduelidae 金翅科 雀形目的一个鸣禽科，含约112种群居鸣禽，除太平洋岛屿外，栖于全世界林地和灌丛地区。体长10～25厘米不等，具尖嘴和圆翼。大多数体小，飞行强健有力，忽高忽低，边飞边鸣唱。迅速飞掠寻找食物，主要食种子、芽、浆果，偶尔还吃昆虫。最著名的属有：金翅属（*Carduelis*）、朱顶雀属（*Acanthis*）、岭雀属（*Leucosticte*）、交嘴雀属（*Loxia*）、蜡嘴雀属（*Cocothraustes*）、丝雀属（*Serinus*）。这个种数众多而活跃的小鸟类群，有时被划为文鸟科的一个亚科——金翅亚科（Carduelinae）。

Cardwell (of Ellerbeck), Edward Cardwell, Viscount 卡德韦尔（1813-07-24，利物浦～1886-02-15，英国德文托基） 英国政治家。1868～1874年任陆军大臣，被认为是19世纪英国最伟大的军事改革家。在国内遭强烈反对的情况下使英国陆军的组织和装备现代化。曾在牛津大学求学，1838年起为律师。1842年起他就任下院议员。历任贸易大臣（1852～1855）、爱尔兰事务首席大臣（1859～1861）、兰开斯特公爵领地大臣（1861～1864）和殖民大臣（1864～1866）。1868年任W.格莱斯顿内阁陆军大臣。他于1869年废除在和平时期以鞭刑作为军法。两年后，他将军队服役期从12年现役改为6年现役和6年后备役，使英国第一次有可能拥有大批素质优良、训练有素的后备兵力。1871年废除购买军官职衔制。1874年去职后，封子爵。

Čardžou (Turkmenistan) 参阅 **Chardzhou** 查尔朱。

CARE 美国援外合作社 全名Cooperative for American Relief Everywhere，旧名Cooperative for American Remittances to Europe及Cooperative for American Remittances Everywhere。国际性救济及开发组织，其机构遍布世界大约35国。1945年由美国及加拿大许多团体为协助西欧战后重建而组成之伞式组织。其后该组织鉴于世界不发达国家仍待支援，故未解散，而许多西欧国家更自设分支机构，共同推动这项活动。他们与受援国政府合作，分摊经费，举办自救项目多种，如做好土地管理、水土保持、粮食分配、营养与营养教育等工作。1962年起，又与国际医疗合作组织（MEDICO，1958年成立）协作，培训卫生保健人员，以便去边远农业地区服务。

Carême, Marie-Antoine 卡雷梅（1784-06-08，巴黎～1833-01-12，巴黎） 别名安托南。法国名厨师。出身贫寒，15岁时在巴黎一餐馆的厨房当帮手，不久即受雇于一著名糕点

店,使塔列朗成为该店的常客。他精心制作的甜点成为拿破仑的美食。后历任塔列朗(12年)、不列颠摄政王(后为乔治四世)、俄国沙皇亚历山大一世、维也纳宫廷、英国驻巴黎使馆、符腾堡亲王等的厨师,后又侍奉罗思柴尔德男爵达7年。他的烹饪以精心制作、造形动人而著称。主要著作有《巴黎厨师或19世纪烹饪艺术》(1828)、《巴黎皇家糕点师》(1828)。

Carew, Sir George　卡鲁　参阅 **Totnes, George Carew, Earl of 托特内斯伯爵**。

Carew, Rod　卡鲁(1945-10-01,巴拿马加通～　　)　美国棒球联盟职业球员。1962年随母迁居纽约市。1967年参加美国棒球联盟明尼苏达孪生队,先任二垒手,1976年起任一垒手。1969、1972～1975、1977和1978年击球率居联盟首位,1977年平均击球率最高,达0.388,同年被选为美国联盟最有价值球员。1969年偷垒成功7次,创联盟纪录。1979年转到加利福尼亚天使队,为该队打球时他的击球率在0.300以上。到1986年退休时,他在整个棒球运动生涯中的平均击球率达0.328。1991年入选棒球名人堂。1992年执教加州天使队,1999年执教密尔沃基酿酒人队。被巴拿马人誉为民族英雄,一直持有巴拿马国籍。

Carew, Thomas　卡鲁(1594或1595,英格兰肯特西威克姆～1639或1640-03-22,伦敦)　英格兰诗人,第一个骑士派诗歌作者。曾在牛津大学和伦敦中殿律师学院受教育,任过驻威尼斯、海牙和巴黎大使馆的秘书。1630年充当国王餐桌侍者。写过一部假面剧《不列颠的天空》,于1634年由国王及侍从演出,同年出版。所写诗篇以手稿形式流传,均为致宫廷人士的艳情诗或应景诗,以语言流畅,善于表达感情和意境而引人注目。《狂喜》是他最长的一首诗,给人以美的享受。他的创作效法琼森,严谨刻苦,力求完美。他对J.多恩的诗极为赞赏,称他是"世界智慧之国"的国王。他也得益于意大利诗人,特别是G.马里诺(1569～1625)。马里诺放荡不羁,才华横溢,技巧娴熟,与他十分相似。据说他死时对生前的放荡表示痛悔。他的诗作在他死后数周发表。

Carey, George (Leonard)　凯里(1935-11-13,伦敦～　　)　1991～2002年任英国圣公会坎特伯雷大主教,福音派著名神学家。凯里15岁辍学,1954～1956年间在皇家空军中任无线电操作员。后考入伦敦大学国王学院,1962年获神学学士学位。进入宗教界后,在伊斯灵顿任副牧师(1962～1966),并先后在绍斯盖特奥克希尔学院(1966～1970)和诺丁汉圣约翰学院(1970～1975)任讲师。1975～1982年任达勒姆圣尼古拉教堂牧师,后任布里斯托尔三一学院院长(1982～1987)。1987年凯里被任命为巴斯和韦尔斯主教,1990年被提名继任坎特伯雷大主教。任大主教期间面临许多具有争议的问题,如妇女任神职、同性恋婚姻等问题。"9·11"事件后表示赞成对阿富汗的反恐战争,同时呼吁基督徒与穆斯林展开对话。2002年宣布离任,任命威尔士主教罗恩·威廉姆斯继任。凯里有多种著作,包括《我信仰的是人》(1975)、《上帝化为肉身》(1976)、《荣耀之门》(1986)和《圣经所传的信息》(1988)。

Carey, Henry　凯里(约1687,英格兰～1743-10-04,伦敦)　英格兰诗人、戏剧家、音乐家。主要由于他的歌谣而为后人所铭记,特别是收在他的最佳配乐诗集《音乐世纪》(1737)中的《我们小巷里的萨莉》。不管凯里的作品怎样流行,他还是极为贫困,主要是由于他的剧本和诗被无耻的印刷商广泛盗印。据说,凯里是哈利法克斯侯爵(第一)萨维尔的私生子,约在1713年前(可能自约克郡)来到伦敦。凯里曾经学过音乐,并且为许多部滑稽戏剧、歌谣剧等写词作曲。他所创作的最佳戏剧也许要推《诚实的约克郡人》(1735)。后自缢身亡。

Carey, Henry C(harles)　凯里(1793-12-15,美国宾夕法尼亚费城～1879-10-13,费城)　美国经济学家和社会学家,当时以拥护保护贸易而闻名,常被称为美国经济学派的创始人。父原为爱尔兰天主教徒,因政治原因而避居美国,为著作家兼出版商。凯里所受的教育虽不正规,但知识面颇广。1835年以后致力于写作,重要的著作有:《论工资率》(1835)、《政治经济学原理》(1837～1840)、《社会科学原理》(1858～1860)、《法律的统一性》(1872)。其著作已译成8种以上文字。他对英国古典政治经济学日益持批评态度。他认为自然规律会导向稳定的经济发展与各种不同经济利益之间的协调。他是共和党人和民族主义者,认为在最初阶段贸易保护对新兴国家的工业发展是必不可少的。

Carey, Ron　凯里(1936-03-22,美国纽约州纽约～2008-12-11,纽约皇后区弗拉兴)　美国劳工领袖。纽约昆斯区联合包裹服务公司(UPS)卡车司机,1956年加入卡车司机国际兄弟工会,1967年当选该工会本地804分会主席。经常直言反对司机国际兄弟工会,但1991年仍当选该会总会长。1996年以16 000票的多数,击败J.P.霍发,赢得连任。1997年8月举行的联合包裹服务公司罢工是凯里取得的最大胜利,公司管理层作出实质性让步,这次胜利代表着20世纪90年代有组织劳工的鼎盛时期。但其成功昙花一现,联合包裹服务公司罢工平息后仅三天,即宣布其赢得连任的选举作废,原因是选举监督人声称凯里为其最后的竞选活动非法挪用司机工会20多万美元的资金。凯里被开除出工会,并禁止再次参选。2001年1月联邦大陪审团指控其对此项控告作伪证,但其后出现转折,同年10月纽约陪审团认定其未作伪证。

Carey, William　凯里(1761-08-17,英国北安普敦郡保勒斯普里～1834-06-09,印度腓特烈纳加[今什里兰布尔])　英国基督教浸礼会国外传教士。1792年创办浸礼会国外传教会,毕生在印度传教并办教育。由于他编写的文法、字典和翻译,被称为"孟加拉散文之父"。1793年,凯里与医生汤姆斯前往加尔各答,并成为到达该地的第一批浸礼会传教士。次年任孟加拉穆特纳巴提靛青染料厂厂长,不再接受国外传教会的资助,但继续进

美国不列颠百科全书公司供图

行传教和教育工作,并着手翻译《圣经》。1800年被迫离开英属印度,举家迁居加尔各答附近丹麦殖民地腓特烈纳加,与马什曼和沃德合作,号称什里兰布尔之教士,另立传教会。1801年在威廉堡学院执教,授孟加拉语、梵文和马拉塔语,译成《圣经》的孟加拉文本、奥里雅文本、马拉塔文本、印地文本、阿萨姆文本和梵文本,并将部分章节译成另外29种语言和方言。他与马什曼合作编成菩提亚语语法以及另外6种语言的语法,编纂孟加拉语、梵语和马拉塔语词典,并着手将印度教史诗《罗摩衍那》三卷译成英文。凯里在塞兰布尔创办印刷厂,1814年出版园艺学家罗克斯伯勒所著《孟加拉园艺》,1832年出版《印度植物志》。他曾敦促政府禁止杀婴和寡妇殉夫等习俗。

Careysburg　凯里斯堡　利比里亚西部城市。已解放的北美洲奴隶最初于1859年在该市建居民点。现在当地居民主要为其后裔。美国之音在凯里斯堡设立的无线电转播台是非洲功率最强的无线电台之一,1964年开始向非洲、中欧和中东转播。橡胶和咖啡种植是当地主要经济活动。人口5 184(1974)。

cargo cult　货物崇拜　主要流行于太平洋美拉尼西亚群岛的宗教运动,相信来自超自然资源的特殊商品货物即将抵达,幸福新时代即将开始。过去当地居民眼见殖民政府官员源源不断收到供应品,从而产生这种信仰。他们期待部落神灵、传统英雄或祖先随这种货物返回,还有人期待外国人把这种货物带来;过去就有人认为外国人截收本来运给当地人的物资。期待这种货物由船舶或飞机运来的人们建设象征性的码头、机场或仓库,同时放弃农事,杀死猪和其他牲畜。这些准备活动宣告新时代即将来临,大灾变将毁灭旧秩序而带来富裕乐园,实现自由和公义,当地居民与白种人将互易地位。这种活动的政治含义和它给经济造成的损失,引起殖民地当局的镇压。由自称得到新的启示的先知们所倡导的货物崇拜出现于19世纪,巴布亚的"瓦伊拉拉狂教"出现于1919年,自20世纪30年代起向四外传播,主要是在边缘不发达地区。在日益扩大的城市中,货物崇拜逐渐让位于更加世俗化的教门。

Caria 卡里亚 安纳托利亚西南部的古代行政区。希腊化最彻底的地区之一。这一地域包括爱琴海沿岸的一些希腊城市以及北起吕底亚、东至弗里吉亚和吕基亚的山区。住在山区的卡里亚人认为他们与吕底亚人和密细亚人属于同一血统。约公元前546年，卡里亚从吕底亚人转入波斯人手中；公元前4世纪初成为波斯帝国的一个独立行省，由当地人的王朝统治。其中一个统治者摩索拉斯(约公元前377～前353)把首都迁至哈利卡纳苏斯。他在那里的陵墓为古代世界七大奇观之一。在亚历山大大帝之后，卡里亚成为希腊统治者统治下的市或镇，直至公元前129年并入罗马的亚细亚行省。

Carian language 卡里亚语 古代语言，通行于小亚细亚西部的最南部地区，主要从在埃及服役的卡里亚人雇佣军留下的一百多块粗糙石雕上而为人所知。第二次世界大战后，在卡里亚地区又发现一些卡里亚语刻写的泥板和碑铭。卡里亚语似乎使用字母文字，现在对它知道得还很不充分，所以未能明确归类。但是也有些学者认为它属于印欧语系安纳托利亚语族。

Carib 加勒比人 美洲印第安人，西班牙征服时期居住在小安的列斯群岛和邻近的南美沿海地带。加勒比实为加勒比海名称之源。今天，加勒比这一名称还用来指一个语

制作吹矢枪的圭亚那加勒比人
美国不列颠百科全书公司供图

组，不仅包括安的列斯群岛加勒比人的语言，而且包括南美流行的很多互有亲缘关系的印第安语言。海岛加勒比人勇猛好战(是所谓的食人生番)，由内地迁来，将**阿拉瓦克人(Arawak)**从小安的列斯群岛赶走后，到西班牙人抵达时仍在向外扩张。特别的是他们的加勒比语，只为男人使用，女人使用阿拉瓦克语。他们袭击其他部落，俘获妇女，作为奴妻，男俘虏则加以折磨和杀害。海岛加勒比人为海滨民族，善于航海，常乘大型独木舟到远处劫掠。民性剽悍，重视战争，内讧不已，但无酋长、军事组织或等级结构。男子喜作“匹马单枪”的武士，自矜其英勇行为。南美大陆的加勒比居民集团居住在圭亚那共和国及法属圭亚那，南抵亚马孙河。他们之中有的凶猛好战，据传有食人习惯，但比安的列斯群岛的加勒比人稍逊一筹。南美加勒比人聚居在自治的小村落中，种植木薯及其他作物，并使用吹矢枪或弓箭捕猎。他们的文化是赤道森林诸部落的类型代表。其他操加勒比语的部落，显然更像圭亚那加勒比人，多住在沿委内瑞拉-哥伦比亚边境安第斯山坡林地之西。在东南部则是圭库鲁人、巴凯里人及其他操加勒比语的部落，住在巴西中部欣古河一带。

Cariban languages 加勒比诸语言 南美洲印第安诸语言的一组语言，西班牙征服前通行于现今的大安的列斯群岛至巴西马托格罗索州中部这一片地区；不过，这组语言中的绝大多数语言主要是在亚马孙河以北使用，也就是今天的巴西北部、圭亚那及委内瑞拉的内陆和哥伦比亚的低地一带。西印度群岛的加勒比语现已消亡，本语组的多数语言也在其他地方急遽衰落。

Caribbean Community and Common Market (Caricom) 加勒比共同体和共同市场 加勒比地区的经济组织。根据1973年7月4日签订的《查瓜拉马斯条约》成立，以代替1967年成立的加勒比自由贸易协会。1968年正式启动。成员国有：安提瓜和巴布达、巴哈马(为加勒比共同体成员，但非共同市场成员)、巴巴多斯、伯利兹、多米尼加、格林纳达、圭亚那、海地、牙买加、蒙特塞拉特、圣基茨-尼维斯、圣卢西亚、圣文森特、格林纳丁斯、苏里南、特立尼达和多巴哥。秘书处设在圭亚那的乔治敦。共同体的主要目的是促进该地区的经济合作；各成员国在同非成员国的贸易中实行了统一对外税率和共同保护政策。为促进各成员国之间的融洽关系，共同体制订了税收办法和激励工业的财政措施。它协调各成员国的经济政策和发展计划，还为该地区欠发达国家设计和制订专门发展项目。其成员国虽表示同意，但却推迟实施具体措施，故到20世纪90年代，建立统一市场的活动停滞。

Caribbean Current 加勒比洋流 强大的表面洋流。向西流穿过加勒比海，然后通过尤卡坦海峡向北，最后向东流出佛罗里达海峡，形成佛罗里达洋流。是由北赤道洋流和圭亚那洋流汇合而成的暖流。平均流速在38～43厘米/秒之间。每秒输送约2 750万立方米的海水。

Caribbean literature 加勒比文学 加勒比地区用西班牙文、法文或英文写成的文学作品之总称。该地区文学不具有本土的传统。哥伦布发现美洲以前，美洲印第安人只留下少许石雕或铭刻，16世纪西班牙殖民时期前，当地口头传统文学随之湮灭。取代印第安人的西非人，亦无书写的传统，因此大约有400年时间，加勒比文学是殖民国家——西班牙、法国、英国和荷兰作品的分支和仿作。然而加勒比地区的作家对他们的环境并非毫无感觉。海地的将军和解放者图森-路维杜尔曾在他的书信与演说中表示，至少从18世纪末起，加勒比地区即已意识到它在文化上的特性。但直到20世纪20年代，创造一种自成一格的文学样式的挑战才被接受。作为西班牙-美洲现代主义的一部分，西裔和法裔加勒比作家开始摆脱欧洲的观念，同他们的主要是黑人的大众站到一起。

这一运动的领袖人物主要为诗人，有波多黎各的L.P.马托斯、海地的J.罗曼、古巴的N.纪廉、法属圭亚那的L.达马斯和马提尼克岛的A.塞泽尔。在《叔叔这么说》(1928)一书中，海地的人种学家J.普利斯-马尔斯宣称他的目的是要“使海地人民重新感到他们的民间文化遗产的尊严”。这种黑人特性表现于塞泽尔的诗《回乡札记》(1939)中，运用象征派和超现实派的技巧，把马提尼克岛宗教仪式和演说模式中的韵律及音调要素，组合改造成诗的形式。

英裔加勒比人于1945年后发展他们的民族文学，在方言小说方面作出了他们的贡献，如V.里德的《新日子》(1949)、S.塞尔冯的《一个更亮的太阳》(1952)和《孤独的伦敦人》(1956)、G.拉明的《在我的躯壳里》(1953)、V.S.耐保的《神秘的男按摩师》(1957)和《比斯瓦斯先生之屋》(1961)等。奇怪的是，以英语为母语的加勒比地区文学的发展在形式上是保守的，趋向于一种“开放”而非乡土的表现风格，例如特立尼达的C.L.R.詹姆斯的作品和圣卢西亚的D.沃尔科特的诗作。在圭亚那的W.哈里斯的小说中，现代派的象征主义和超现实主义手法再度出现；E.布拉思韦特在他的诗歌《通行权》(1967)、《面具》(1968)、《岛屿》(1969)中，企图重申非洲在加勒比地区的地位。

Caribbean Sea 加勒比海 大西洋西部属海。面积约2 754 000平方千米。南界委内瑞拉、哥伦比亚和巴拿马海岸；西接哥斯达黎加、尼加拉瓜、洪都拉斯、危地马拉、伯利兹和墨西哥尤卡坦半岛；北界大安的列斯群岛；东接小安的列斯群岛。最深处开曼海沟在古巴和牙买加之间，深达7 686米。海底可分5个椭圆形海盆，彼此之间为海脊和海隆所分隔。有尤卡坦、开曼、哥伦比亚、委内瑞拉和格林纳达海盆。表层海流越过两个海底山脊进入加勒比海。加勒比海地区一般属热带气候。但因受高山、海流和信风影响，各地有所不同。多米尼加部分地区年平均雨量高达8 890毫米，而委内瑞拉沿海博奈尔岛只有254毫米。加勒比海的地质年代不详。由于系中美海的一部分，可能在古生代同地中海相连，以后逐渐分开。加勒比地区国家的经济主要依靠旅游。这里气候宜人、风景秀丽，是世界上主要的冬季旅游胜地之一。

Caribbees (islands, Caribbean Sea) **加勒比群岛** 参阅**Lesser Antilles**小安的列斯群岛。

Caribert I (Merovingian king) 参阅 **Charibert I** 卡里贝尔特一世。

Cariboo Mountains 卡里布山 在加拿大不列颠哥伦比亚省东部，哥伦比亚山脉北支脉。绵亘约305千米，与落基山地沟平行。地沟将此山脉与加拿大落基山脉隔开。所在地区周围有弗雷泽河及其支流北汤普森河环绕。从最高的威尔弗里德·洛里埃爵士峰(海

卡里布山区南部威尔斯格雷省立公园的赫尔姆肯瀑布
美国不列颠百科全书公司供图

拔3 444米)开始,向北和西逐渐降低。山区矿藏丰富,巴克维尔附近有金矿,为19世纪60年代淘金热的中心。西坡有威尔斯格雷和鲍伦湖两个省立公园。还有伐木和畜牧业。

Cariboo Road　卡里布小道　位于加拿大不列颠哥伦比亚南部弗雷泽河流域,在淘金热时期由皇家工程师勘察和帮助建造(1862～1865)的马车小径。从弗雷泽河汽船航运起

马车行驶在耶鲁北面的卡里布小道上(19世纪后期)
美国不列颠百科全书公司供图

点耶鲁起,经过阿什克罗夫特,到卡里布山的巴克维尔止,全长逾644千米。此项工程因其陡峭的地势而被视为一大成就,当初便利了该地区的殖民开拓,如今已被现代卡里布公路所取代,公路循原道的一部分建造。

Caribou　卡里布　美国缅因州东北部阿鲁斯图克县城市。濒临阿鲁斯图克河,靠近加拿大新不伦瑞克省边界。1824年建立。后发展成伐木中心。现为马铃薯产区的转运地,生产马铃薯包装袋、电动设备和钢制品。为其东北郊罗林空军基地服务的商业中心、去缅因州大北方林区和阿拉加什野外度假区的门户。市内尼兰德陈列馆展有北美印第安人手工艺品。为首次单人乘坐热气球横渡大西洋飞行的出发地(1984)。1968年·设市。人口8 312(2000)。

caribou　北美驯鹿　原产北美洲的一种驯鹿(**reindeer**)。

caricature　讽刺画　平面造型艺术中喜剧性扭曲的图像或肖像,作画的主旨是讽刺或嘲笑其主题:一个人、一个类型或一个行动。在建筑物的兽形滴水嘴、手抄本图案边饰、中世纪的单页大传单以及其他地方都可以见到许多喜剧性扭曲的例子,但是迄今已知的最早肖像讽刺画则是16世纪末或17世纪初从意大利产生的。意大利语 caricatura(源出caricare,意"使负荷"或"使超负荷")据说是由画家A.卡拉齐杜撰的,又认为是他发明了使得后世的政治漫画家刻意运用的、具有现代意义的技巧,把人的面孔变成动物、蔬菜或者其他任何东西,而保持原有的相貌。

漫画《不联合就灭亡》
美国国会图书馆供图

政治讽刺画于18世纪首先在英格兰出现。英格兰一些爱好艺术的贵族在罗马偶然见到了P.L.盖齐所绘的精巧的画像,于是将这些画像和画讽刺画的新潮流带回国。这种时髦的新艺术形式最成功的代表人物之一G.汤森德,将讽刺对象的范围从自己的熟人和艺术界名流扩展到政治家。政治讽刺画很快就大为流行;1780～1820年间,在动荡不安的政治气氛中,出版了大批供销售或出租的讽刺画复制品。在这些现在属于广义的讽刺画的政治小品中,"道德画"的传统与卡拉齐和汤森德的传统一样强烈。虽然如此,18世纪的业余艺术爱好者们往往信笔一挥表达出无心栽柳柳成荫的幽默,为讽刺画确定了特有的风格。下一代的职业讽刺画家们精心开创一种同样活泼自然的表现方法,其中最杰出的是J.吉尔雷,他的生花妙笔把形形色色的主题刻画得淋漓尽致。许多常见的漫画手法是在这时创始的,如加上说明文字、气球形讲话圈框,特别是在M.乔治的印刷品中,把纸面分成一些框格,绘出一系列有关的或对比的图画(但不是一篇连贯的故事),这是连环画的雏型。在最初运用这些手法专门达到叙述一个滑稽故事的目的的艺术家中,有瑞士人R.特普费尔,他于1829年以平版印刷出版了《废石头博士历险记》。18世纪末发明平印术以后,法国马上采用它作为印刷图画的一种方法。讽刺画与报刊联结到一起了。特别是两个讽刺性期刊,即19世纪30年代均由C.菲利蓬创办的《讽刺画》周刊和《闹洞房》日报,通过它们所刊印的几千幅精湛的平版画产生了长远的影响。讽刺画趋向一种迅捷而又生动活泼的风格,因采用平版印刷而确立起来,画家依靠这种快速而直接的方法,把画直接画到石版上,随即印出成品。《闹洞房》毫不留情地对政坛开炮,包括把国王路易-菲力普的大胖脸画成一只梨(poire,意"笨蛋"),结果因官方审查而受到极大的钳制。因此,这一刊物转向社会讽刺,并创立了"过火肖像"或译装满东西"超载画像"体裁,主题既是讽刺的对象,又含有寓意。菲利蓬的期刊不论在哪一时期都有许多仿效者:欧洲大陆模仿政治讽刺作品,英格兰则模仿比较纯喜剧性的东西,如在声誉日隆的《笨拙》中。

《笨拙》的绘画水平高,讽刺不伤人,往往只不过是用图表达的笑话,与欧洲大陆的同类刊物以及英格兰本土过去的同类刊物对政治猛烈进攻的性质截然不同。1830年以后,除了大幅单页木刻的古老形式外,通俗艺术在英格兰下层社会中没有存在很久。在维多利亚时代的大半期间,只要能拿出3个或6个便士便可以买一本坚持英国讽刺画传统的《笨拙》一类的期刊。在英格兰,是用木刻而不是用平印取代19世纪40年代《笨拙》等刊物刊印讽刺画所用的铜版蚀刻。木刻是由匠人按照艺术家的原画稿加工。这种手段所产生的风格比欧洲大陆石印品的风格更加婉约和符合传统,从而在漫画家的处理方法中也反映出国民姿态的各不相同。正是《笨拙》促使"漫画"一词取代用得过滥的讽刺画名称。它在1843年仿制一系列真正的漫画或原尺寸素描,用作下议院新厦湿壁画的图样,大受群众的欢迎。漫画的意义随着"严肃"漫画的出现,主要在19世纪60年代,进一步延伸了。大概最著名的要算J.坦尼尔爵士的《甩掉领航员》(1890年,讲的是德皇威廉二世将俾斯麦免职)。这类作品使用类比、象征或寓言形象评论时事,没有扭曲或幽默意味。

19世纪80年代,照相制图版引起印刷术的革命以后,讽刺画得以大众化。新的方法成本低,使得日刊报纸有可能在版面上增加插图,这也是报业经营的需要。1888年,《蓓尔美尔街时事报》(Pall Mall Gazette)聘用了第一位漫画家入社,署名F.C.G.(即Francis Carruthers Gould)。使人解颐的廉价报纸把照相制版与简单彩印形式结合起来,讽刺画遂大量增加,所有各阶级都能入手;在英格兰,连环画周刊《阿里·史洛坡的半个休假日》半便士一册,变成了穷人的《笨拙》。19世纪90年代,美国各报纸开始刊载连环画和政治漫画;1897年出现连续性故事《吵闹的孩子们》。照相制版使风格也得到了自由化;它忠实地再现艺术家的原图,不论是用粗犷的大笔触,还是像P.梅那样用钢笔飞速的涂鸦。漫画家开始利用这种技术发展一种尽可能独具一格的线条;卡兰达什、A.希施费尔德、D.洛、M.比尔博姆、J.科克托、M.考瓦路比亚和维基均成为家喻户晓的词,每个词不仅表示一位漫画家,而且表示一种绘画类型。与此同时,一些画家如H.土鲁斯-劳特累克、J.A.M.惠斯勒、L.法宁格、G.格罗茨、P.克利、W.格罗珀和B.沙恩等,提高了讽刺画在美术中的地位。

在20世纪中叶,单栏噱头漫画、连环画和连环画册更受群众热烈欢迎,而讽刺画看起来不那么走红。但是,有一些漫画家给这种手段打气,赋与它新的生命,其中包括英国

的C.比顿、G.奥夫南、R.塞尔和G.斯加夫；美国的R.奥斯本、D.莱文、P.B.索雷尔和奥利芬特等。

caries 龋 又作tooth decay。牙的局限性疾病，表现为牙齿被腐蚀，形成腔洞。病损初起于牙表面，向牙本质内部发展而进入髓腔。据信其病因为：口腔内的微生物作用于食入的糖或其他碳水化合物，产生酸性物质，腐蚀了牙釉质。牙本质中的蛋白质结构亦为酶的作用所破坏。饮食习惯、全身健康情况、牙齿结构上的缺陷、遗传因素均与本病发病有关。龋的处理包括注意饮食（如少食糖果）、牙齿卫生（刷牙、修复已形成的龋洞）等。往缺少氟的城市供水中加入氟化钠，可使龋的发病率降低达65%。

carillon 大钟琴 用至少23个青铜铸钟铃悬挂组成的乐器，按半音依次定音，在一起鸣响时能构成和声。通常设置在钟楼上，在键盘装置上演奏。键盘装置有杠杆和踏板连接

大钟琴

美国不列颠百科全书公司供图

到钟舌上，或者由装有电动装置的象牙键盘牵动钟舌，但后者不太普遍，并且只有前一种方法可通过指触的变化使其富有表情。在某些大钟琴中，一部分音域能利用打孔滚筒自动奏出。大多数大钟琴有3到4个8度，少数有5个、甚至6个8度。通常其布尔顿低音多在中央C左右。在大型乐器中，产生这个音的钟铃可达6～8吨，有时达10～12吨。世界上最重的钟铃在纽约市的里弗赛德教堂，达20吨。大钟琴的钟铃随音阶的上升，体积和重量都逐渐减小，至最高的音约9千克。演奏大型乐器用拳和脚，耗费体力甚多，因为要使有几百磅的钟舌摇摆。大多数大钟琴音乐均由演奏者为特定乐器改编。17、18世纪巴罗克时期的音乐适合大钟琴演奏。维瓦尔第、库伯兰、科莱利、韩德尔、巴赫和莫扎特的许多作品都非常适合改编为大钟琴曲。其演奏广泛使用即兴手法，，特别是根据民歌和其他熟悉主题。carillon一词最初在法国用于指4个固定的钟铃，后来则指任何固定钟铃组合。现在所称的大钟琴首创于佛兰德，约在1480年。佛兰德人设计了一个木键盘，与鸣响的圆柱体一起使用。这一创新很快在比利时、荷兰和法国北部流行。但在其他地区被采用则是近代的事。大钟琴艺术到17世纪后半叶荷兰铸工弗朗索瓦和P.埃蒙尼使之达到顶峰。他们最早将钟铃精确定音，尤其是注意钟的内部调音，从而把200年前完成的研究成果完全应用到实践上。19世纪由于定货萧条，定音技术被遗忘；大钟琴处于破烂失修的状态。19世纪90年代英国莱斯特郡拉夫伯勒地方的J.泰勒铸造公司重新发现调音技巧，从而开始了大钟琴艺术的复兴工作。比利时的梅赫伦自16世纪以来一直是大钟琴的中心地。圣隆博德大教堂的大钟琴是世界最著名的。1881～1941年在该教堂演奏的J.德宁领导这一艺术的复兴，并于1922年创办第一所大钟琴学校和一个出版机构，同年大钟琴被引进美国。全世界两个最大的大钟琴（各有72个钟铃）分别建造于纽约市的里弗赛德教堂和芝加哥大学的洛克菲勒教堂。

carillon, electronic（musical instrument） 参阅 **electronic carillon** 电子大钟琴。

Carinthia（Austria） **卡林西亚** 参阅 **Kärnten** 克恩滕。

Carinus 卡里努斯（?～285，上默西亚马古斯河畔） 罗马皇帝（283～285）。282年其父卡鲁斯皇帝派他指挥莱茵河地区驻军，给予凯撒称号。283年卡鲁斯去世，卡里努斯成为西罗马皇帝，他的兄弟努梅里安成为东罗马皇帝。285年春卡里努斯在维罗纳附近

美国不列颠百科全书公司供图

击败了僭称皇帝的威尼斯总督奥里略·朱里亚努斯。此后不久在马古斯河畔与继努梅里安成为东罗马皇帝的戴克里先作战时，为部下所杀。

Carisbrooke 卡里斯布鲁克 英格兰怀特岛的一个地方。属汉普历史郡。地处纽波特西南。当地古城堡建于罗马、诺曼和伊丽莎白三个时期。1647～1648年查理一世曾被囚禁于此。

Carissimi, Giacomo 卡里西米（1605-04-18受洗，罗马附近马里诺～1674-01-12，罗马） 17世纪最伟大的意大利作曲家之一，主要以其清唱剧与世俗康塔塔闻名。17世纪20年代后期定居罗马，在圣阿波利纳雷教堂任音乐总监，直至去世。虽不是歌剧作曲家，但通过可在家中或教堂表演的清唱剧与康塔塔中的牧歌性或戏剧性的内容，满足了意大利人对于歌剧的热忱。他根据《圣经·旧约》写成的16部清唱剧可作为大斋节期间的“歌剧代用曲”演出，因那时歌剧是禁演的。在康塔塔中，他巩固了先驱者罗西的成果，在创作清唱剧方面，他本人是先驱。其作品以情感上的平衡、抒情性与戏剧性的理想结合为特征。在创作大型作品时，由于他具有鲜明的调性感，绝无冗赘芜蔓之弊。他的才华在清唱剧《耶弗他》中得到充分展示。他不只通过本人作品，也通过许多学生而极大地影响了后来的音乐创作。后人对其音乐重新发生兴趣，并上演他的清唱剧，如《所罗门断案》、《伯沙撒》和《最后审判》。

Carl XVI Gustaf 卡尔十六世古斯塔夫（1946-04-30，瑞典斯德哥尔摩～ ） 又拼Charles XVI Gustav。瑞典国王（1973即位）。他是古斯塔夫六世阿道夫的长子古斯塔夫·阿道夫亲王（1947年飞机失事身亡）的独生子。1950年其祖父登上王位后，他成为王储。曾就学于军官学校、乌普萨拉大学并留学法国。1968年任海军军官。即位3年后（1976）与S.索默拉特结婚。卡尔·古斯塔夫即位时，适逢瑞典君主政体发生根本变化。1973年颁布、1975年1月1日起实施的新宪法取消了国王的行政管理和统率军队的权力，赋予他的仅仅是象征性的职务而已。

Carleton, Guy 卡尔顿 参阅 **Dorchester, Guy Carleton, 1st Baron** 多尔切斯特男爵（第一）。

Carleton, Mount 卡尔顿山 加拿大沿海诸省（新不伦瑞克、新斯科舍和爱德华王子岛）最高点（820米）。在新不伦瑞克省埃德门兹顿以东110千米、尼克托和内皮泽吉特湖附近。是雷斯蒂古什县一个省立公园的中心。1899年以新不伦瑞克首任省督T.卡尔顿之姓命名。

Carleton, William 卡尔顿（1794-02-20，爱尔兰蒂龙郡普里利斯克～1869-01-30，都柏林） 爱尔兰作家。用现实主义手法描写爱尔兰农村生活。小农家庭出身，青年时在农村当家庭教师。1830年出版两卷随笔集《爱尔兰农民的特征和故事》，描写19世纪爱尔兰佃农的生活情况。此后出版《爱尔兰故事集》（1834）和《守财奴法多鲁哈》（1839），涉及

美国不列颠百科全书公司供图

爱尔兰农村中的各种问题，如土地分配、秘密爱国结社和19世纪40年代的马铃薯荒等。他写的故事地方色彩很浓，富有感染力，已被译成法文、德文和意大利文。

Carletonville 卡尔顿维尔 南非德兰士瓦省城镇。主要矿区中心在约翰内斯堡以西。1937～1957年在一些公司采金时为未经规划的居民点。1959年正式建镇，依靠不断采金而繁荣，经常发现副产品铀，除采矿外，还有一些轻工业。1979年西方迪普莱弗尔斯公司开采了全世界最深的金矿（地表下3 608米）。人口164 367(1996)。

Carlile, Richard 卡莱尔（1790-12-08，英国德文郡阿什伯顿～1843-02-10，伦敦） 激进的英国新闻记者。新闻出版自由的著名斗士。尽管他深信思想的自由传播比具体改革

美国不列颠百科全书公司供图

更为重要，仍拥护当时几乎所有的激进事业，如：废除君主制，宗教与教育分离，妇女解放。卡莱尔是鞋匠的儿子，1813年在伦敦做白铁匠维生，因受T.潘恩《人权论》一书的影响，并对1817年的经济萧条感到沮丧，他成为两个激进派周刊《黑矮子》、《舍温政治周刊》的推销员。在掌管了舍温的印刷所后立即出版了若干激进的和自然神论的著作，包括他自己撰写的《政治连祷文》。1819年因出版潘恩的著作而受审，并被判6年徒刑。同年他成为舍温的周刊之业主，乃将刊名改为《共和党人》，并在狱中编辑了12卷。1825年卡莱尔获释，除续编2卷《共和党人》外，他还主编《蛇发女怪》和《狮子》，均系周刊。1829～1831年他曾领导过伦敦中央大厅的辩论会。这个大厅成为当时激进派和自由思想家的活动中心。一生中有9年在狱中度过。

Carlini, Armando 卡利尼（1878-08-09，那不勒斯～1959-09-30，比萨） 意大利哲学家。他的基督教唯灵论综合了G.秦梯利和B.克罗齐的关于现象本性的当代理论。其学说建立在对上帝和尘世的两分法之上，把存在解释为依赖于自我意识和对“外部世界”的识别上。卡利尼受教于博洛尼亚大学和雅典大学，1922～1959年继金蒂利任比萨大学的理论哲学教授。主要著作有《心灵的生命》(1921)、《亚里士多德的形而上学》(1928)、《在艺术和哲学中的宗教》(1934)和《人类精神的实在论观念纲要》(1942)。1951年写的《关于我自己的研究》是他的生动自传。

Carlino（Florentine painter） **卡尔利诺** 参阅 **Dolci, Carlo** 多尔奇。

Carlinville 卡林维尔 美国伊利诺伊州中西部城市，马科平县县城(1829)。约建于1815年。1829年设建制。经济以农、牧业为主，出产玉米、大豆和苹果。也有乳脂加工、采煤和制造业，生产管道、接管零件和劳动保护手套。设有布莱克本学院(1857)，1912年在W.M.赫德森领导下以其自助计划及学生管理闻名于世。南北战争期间在此招募了该州第一团士兵。J.M.帕尔默、J.洛根、R.罗厄特和J.I.里纳克4位将军曾在此居住。人口5 685(2000)。

Carlisle 卡莱尔 英格兰坎布里亚行政郡的一个区和城市。属坎伯兰历史郡。与苏格兰毗邻。面积1 040平方千米。罗马时期建立居民点，后发展成为地区的中心城镇。685年成为林迪斯法恩主教区的一部分。约875年被挪威入侵者焚毁。1092年归属威廉二世后重建。亨利一世时期为要塞城镇，扼守从西北进入英格兰的狭窄低地。1158年准设建制。18世纪末至19世纪棉纺业兴起，现仍为英国北部棉纺织业中心。19世纪30年代后通铁路，发展成为铁路中心。现工业以纺织业为主，也有食品、糖果和机械制造业。市内大教堂原为奥古斯丁女隐修院礼拜堂(1093)，大部分毁于1292和1392年大火，仅存诺曼人所建中殿的残部。其他古迹有市政厅(1717)、14世纪行会馆。城堡遗迹中，最重要的当推诺曼人所建的中心塔楼和玛丽女王塔。设有艺术学院和工学院。杜利馆(1689)内有市博物馆和美术馆。有英格兰最古老的赛马场之一。郊区有大量荒地。人口：城市72 439(1991)；区103 000(1998)。

Carlisle 卡莱尔 美国宾夕法尼亚州南部坎伯兰县县城(1751)和自治镇。在坎伯兰谷地，哈里斯堡西南29千米处。1751年建立。该镇曾是华盛顿的指挥部所在地(1794)和逃亡奴隶“地下铁路”的车站。经济主要为轻工制造业，生产地毯、鞋、电子设备、石英晶体和橡胶制品。镇内有迪根逊学院(1773)和迪根逊法律学校(1834)。卡莱尔军营为美国陆军大学所在地。人口：自治镇17 970；哈里斯堡-莱巴嫩-卡莱尔都会统计区629 401(2000)。

Carlisle, Charles Howard, 3rd earl of 卡莱尔伯爵（第三）（1674～1738-05-01，英格兰萨默塞特巴斯） 即C.霍华德。英国首席大臣(1701～1702，1715)。第2代卡莱尔伯爵E.霍华德的长子。1690～1692年为议会议员。1692年继承其父爵位。他一生中曾由王室任命担任多种职务，最著名的是在安妮女王和国王乔治一世时代任财政大臣（当时的首席大臣）。

Carlisle, John G(riffin) 卡莱尔（1835-09-05，美国肯塔基坎贝尔县～1910-07-31，纽约市） 美国律师、议员、政府官员。民主党人。1858年获律师资格后在卡温顿开业。1859～1861年任州议员，1866～1871年任州参议员，1871～1875年任副州长。1876年当选为美国众议院议员，1883年任议长。1890年补缺选入参议院。1893年任财政部长。他的硬币政策极不得人心。1897年以后在纽约市执律师业。

Carlisle, Lucy Hay, countess of 卡莱尔伯爵夫人（1599～1660-11-05） 即L.海。母家姓Percy。英国内战时期的两面派和阴谋家，曾为当时一些诗人如T.卡鲁、W.卡特赖特、R.赫里克和J.萨克林等所赞美。第9代诺森伯兰伯爵H.珀西次女，与J.哈伊(1622年成为卡莱尔伯爵)结婚，成为查理一世宫廷中的风头人物。国王顾问斯特拉福德伯爵对她极为赏识。1641年斯特拉福德被处决后，她开始向国会领袖们泄露国王的绝密计划。她最大的成就是把国王要逮捕5名议员的企图及时告知埃塞克斯勋爵，使他们得以逃脱。但她为双方服务，向双方递送情报，在政治上起过相当大的煽风点火作用。1647年她投靠温和的长老派。在第二次内战中，她站在国王一边，将珍珠项链典当1 500英镑，向荷兰勋爵的军队提供经费。查理亲王封锁泰晤士河时，她与之建立联系。她成为分散在各地的保王派与女王之间的联络员。1649年3月21日被捕，关入伦敦塔。她在查理去苏格兰之前一直用暗语与查理通信。1650年9月25日获保释。王政复辟后不久死于中风。

Carlisle Commission 卡莱尔委员会 又称1778年和平委员会。美国独立战争期间，1778年英国为谋求与起义的13个殖民地和解而派出的议和使团。英方提出13个殖民地留在英帝国内实行自治的建议，但为时已晚。卡莱尔第五伯爵F.霍华德在英国国会撤销《茶叶条例》(1778-02)和取消《马萨诸塞自治条例》后，率委员会成员赴美议和。其时，法国已与美国结盟，英军主力自费城退守纽约，美国人民要求独立的志向已坚不可摧。该委员会多方游说，并试图行贿，但终未成功。

Carlism 拥护卡洛斯运动 西班牙语作Carlismo。西班牙具有传统主义色彩的政治运动。出现于19世纪20年代，以极端教权论者所形成的派系为代表，到1827年就壮大为准军事性质的王党志愿队伍。到30年代，以国王费迪南德七世的幼弟卡洛斯·马利亚·伊西德罗（参阅 **Carlos María Isidro de Borbón**）这个人物为中心发展成一支反自由主义的势力。卡洛斯就是后来的莫利纳伯爵，曾提出要求继承其兄王位，对查理四世1789年国事诏令不予承认，因为费迪南德用此保证他的未成年幼女伊萨贝拉(1830-10-10出生)将来继承王位。卡洛斯派转而求助于1713年腓力五世引进西班牙的《*萨利克法*》(**Salic Law**)，此法规定女性无权继承王位。王位继承争议及其观念形态上的余波引起了1833～1839年的卡洛斯战争。卡洛斯派失败，但嗣后一直维护其主张，对伊萨贝拉王国的保守主义政策以及试图采用*伊萨贝拉二世*(**Isabella II**)与卡洛斯的继承人蒙特莫林伯爵卡洛斯·路易联姻的方式来求得和解均置之不顾，而和解一途亦告失败。19世纪期间，卡洛斯派经常举行武装叛乱：40年代第二次卡洛斯战争亦未取胜，1868年伊萨贝拉二世被推翻，政局动荡，由是引起1872～1876年的全面战争。卡洛斯派再次失败，兼以1874年伊萨贝拉之子阿方索十二世复位，使卡洛斯派势力日衰。自80年代起，卡洛斯派发展

的特点是一系列的冲突，一方是主张与其他天主教党派加强谅解的人们，他们认为只要那些党派接受代议制自由主义或与其他派系合作共同抵制国家权力过于集中者，都可与之达成谅解。另一方是那些认为出于权宜之计而结盟就不要过分坚持原则的人们。后者的观点由1918年J.巴斯克斯·德·梅拉组成的保守党体现出来，这个党后来成为拥护卡洛斯运动的主要代言人。1937年它与佛朗哥将军领导的长枪党合并，但两者毫无共同之处。到1960年，绝大多数卡洛斯派赞同他们上层人士的意见，一致承认1958年所选定的阿方索十三世之子巴塞罗那伯爵唐·胡安为合法继位人。但这位伯爵对佛朗哥颇有微词，因之1969年7月，佛朗哥便指定支持他的胡安·卡洛斯为自己的合法继位人；胡安·卡洛斯是巴塞罗那伯爵的儿子，头衔是阿斯图里亚斯王子，1975年佛朗哥去世，王子即位为国王。

Carloforte 卡洛福泰 意大利圣彼得罗岛上唯一的城镇。该岛在撒丁岛西南方，面积52平方千米，属卡利亚里省。1899年国际大地测量组织在此建立天文台。有轮船通撒丁岛韦斯梅港和圣安蒂奥科岛。金枪鱼捕捞业为主要行业。有制盐和锰矿开采业。人口：城市区约6 630(1991)。

Carloman 卡洛曼 德语作Karlmann。统治者名称，按地方或国别分列于后，并各以●为标记。

巴伐利亚/克恩滕

● **Carloman 卡洛曼**(828～880-03或09，德国厄廷根) 法兰克国王"日耳曼人"路易二世的长子，阿努尔夫皇帝之父。861和863年背叛父王。865年父王准他分享权力，统治巴伐利亚和克恩滕。从此，他忠于父王。875年西法兰克皇帝路易二世死后，意大利北部的一派人支持他为帝位候选人，但教皇约翰八世选立了秃头查理二世。876年"日耳曼人"路易死去，他成为德意志一些领地的国王，牢牢控制了巴伐利亚。877年秃头查理死去，他迅速越过阿尔卑斯山，被承认为北意大利国王。在患病后，他放弃自己的称号和领地，让给他的兄弟小路易三世。卡洛曼的私生子阿努尔夫于896年即帝位。

法兰西

● **Carloman 卡洛曼**(？～884-12-12) 法兰西或西法兰克国王(882～884)。路易二世的次子。父王死(879)后，他和他的兄弟路易三世共同成为西法兰克国王，但两人都未顺利取得承认。路易三世死(882)后，他成为唯一的统治者。后在打猎时死亡。

法兰克王国

● **Carloman 卡洛曼**(约715～754-08-17) 法兰克亲王。查理·马特之子，矮子丕平三世的哥哥。他继承了奥斯特拉西亚、阿列曼尼亚、图林根等领地以及巴伐利亚的宗主权，单独或与其弟一同镇压外部敌人和反叛的臣民。为进行教会改革，曾求助于圣卜尼法斯。742年召开几近50年来的第一次法兰克宗教会议。743年，埃斯蒂诺会议解决了查理·马特占据并分封给其陪臣的教会领地问题。卡洛曼后来放弃世俗生活，在意大利隐修。

● **Carloman 卡洛曼**(751～771-12-04，法国萨穆西) 法兰克国王。查理曼之弟。根据父王矮子丕平三世的提议，754年卡洛曼同查理曼一起被立为法兰克国王。他继承了丕平的东部领地(768)。卡洛曼主张与伦巴第人结盟，并同伦巴第国王之女结婚。他死后，查理曼兼并了他的领地，成为法兰克帝国的唯一统治者。

Carlos de Austria 卡洛斯(奥地利的)(1545-07-08，西班牙巴利亚多利德～1568-07-25，马德里) 别名唐·卡洛斯。阿斯图里亚斯王子，西班牙王位继承人，腓力二世之子。由于对其父不满，与低地国家反对国王的敌人勾结遭到逮捕。他的死造成腓力二世极不光彩的恶名。卡洛斯在14岁以前几乎没有见过父亲。身体多病，有精神失常状态。1560年卡斯蒂尔议会承认他是王位继承人，但腓力二世认为他无力执政，不让他继承王位。1565年他企图逃往弗兰德，两年后又企图逃往德意志。1568年1月腓力二世获悉他与卷入低地国家叛乱的两贵族串通，下令将他逮捕。几个月后，他死于狱中。卡洛斯之死虽很神秘，但与其父无涉。至于传说他因交付审判，或由于爱上王后伊莎贝拉，或由于倾向新教，而遭惨祸，均缺乏历史根据。卡洛斯可能由于作为席勒的一部悲剧的主人公和威尔地的歌剧《唐·卡洛斯》中的主人公而闻名。

Carlos, Don 卡洛斯 参阅**Carlos de Austria** 卡洛斯(奥地利的)；**Carlos Luis de Borbón** 卡洛斯·路易斯(波旁的)；**Carlos María de los Dolores de Borbón y Austria-Este** 卡洛斯·马利亚；**Carlos María Isidro de Borbón** 卡洛斯·马利亚·伊西德罗。

Carlos Luis de Borbón, count(conde) de Montemolín 卡洛斯·路易斯(波旁的)(1818-01-31，西班牙马德里～1861-01-13，奥地利帝国的里雅斯特[今在意大利]) 别名唐·卡洛斯。西班牙王位觊觎者(称查理六世)，两次夺取王位未成。因波旁王朝中断时间过长，而削弱了它对君主制的支持。他是查理四世(1788～1808在位)之孙，莫利纳伯爵卡洛斯之子，1845年继其父领导卡洛斯运动。1846～1848年其支持者在加泰罗尼亚发动反女王伊莎贝拉二世的战争，未能得逞。1860年又企图从伊莎贝拉手中夺取王位，结果被俘，后流亡国外，不久即死去。因无嗣，运动领导权遂转给其弟唐·胡安。

Carlos María de los Dolores de Borbón y Austria-Este, duke (duque) de Madrid 卡洛斯·马利亚(1848-03-30，奥地利帝国莱巴赫[今斯洛文尼亚卢布尔雅那]～1909-07-18，意大利瓦雷泽) 别名唐·卡洛斯。西班牙王位觊觎者、第4名卡洛斯派领袖(称查理七世)。无军事才能，又缺乏领导方法，使卡洛斯运动终于一蹶不振。他是查理四世(1788～1808在位)的曾孙，唐·胡安的长子。唐·胡安在1868年推翻伊莎贝拉二世的革命时期将王位让给他。他聚集兵力，挑起一场内战，即第二次卡洛斯战争(1872～1876)。虽然获得几次胜利，但由于伊莎贝拉之子阿方索十二世于1874年即位，他的希望完全落空，只好逃亡国外，到处流浪。他死后，卡洛斯派因地方主义派与自由罗马天主教派的兴起而陷于绝望乃至解体。

Carlos María Isidro de Borbón, count (conde) de Molina 卡洛斯·马利亚·伊西德罗(波旁的) (1788-03-29，西班牙马德里～1855-03-10，奥地利帝国的里雅斯特[今在意大利]) 别名唐·卡洛斯。第一个觊觎西班牙王位的王室正统主义者(称查理五世)。他是国王查理四世幸存的第2个儿子。1808～1814年被监禁于法国。在宪政时期(1820～1823)以前，一直过着无所作为的生活。他的长兄费迪南德七世要他承认其女伊莎贝拉继承王位，他拒绝了这一要求，认为根据腓力五世确定的《萨利克法》(1713)，他才是合法继承人。西班牙的自由主义派支持伊莎贝拉，而教权主义派则拥护他。1833年3月，他到葡萄牙去会见正在追求葡萄牙王位的唐·米格尔。由于葡萄牙发生内战，当1833年9月费迪南德七世逝世时，他被阻于国门之外。直到次年7月，他才经由英格兰回到巴斯克省领导拥护他的人们。总司令德苏马拉卡雷吉本是一位天才将领，但由于卡洛斯优柔寡断，在第一次卡洛斯战争中未能速战速决。德苏马拉卡雷吉死(1835)而卡洛斯派未能攻取毕尔巴鄂，之后战争的主动权日益转入自由主义派手中。1839年8月签署《贝尔加拉协定》，自由派承认巴斯克的法律特权，战争停止，卡洛斯流亡国外。1845年宣布放弃对王位的要求，改用莫利纳伯爵称号，并希望其子卡洛斯·路易斯能与伊莎贝拉二世联姻，庶几能使波旁家系的王统不致中断，但此愿望落空。

Carlota 卡洛塔(1840-06-07，比利时莱肯～1927-01-19，布鲁塞尔附近) 墨西哥皇帝马克西米连的妻子，比利时国王利奥波德一世唯一的女儿。17岁时嫁与奥地利皇帝弗兰

美国国会图书馆供图

茨·约瑟夫的兄弟马克西米连大公。他们作为奥地利摄政者在米兰住到1859年奥地利失去对伦巴第的控制时为止。1864年随马克西米连前往墨西哥，其夫接受法皇拿破仑三世授予的墨西哥皇位。抱负不凡的卡洛塔很

欣赏她在墨西哥的权势,但也对墨西哥的历史、艺术和文化发生兴趣。1866年,由于墨西哥的反抗和美国的反对,拿破仑撤出驻墨西哥的法国军队。卡洛塔去巴黎、维也纳及罗马教皇处寻求援助失败,意志沮丧,再未返回墨西哥。次年马克西米连被墨西哥人处死,她在比利时莱肯及意大利的里雅斯特附近的城堡中度过余生。

Carlow 卡洛 爱尔兰伦斯特省的一个郡。面积896平方千米,是爱尔兰的第二小郡。北与基尔代尔郡为界。东部为威克洛和韦克斯福德两郡。西部为基尔肯尼和莱伊什郡。郡首府为卡洛镇。镇东有伦斯特山脉的花岗岩山,有斯拉尼河穿过,山脉西侧有巴罗河谷地,谷地西有老洛赫林沼泽。土地精耕细作,种植大麦、小麦和甜菜。从都柏林到基尔肯尼和沃特福德的铁路经过该郡。古迹有巨石墓、诺曼人城堡和隐修院等。人口约40 946(1991)。

Carlow 卡洛 爱尔兰卡洛郡首府和市郊区。位于巴罗河左岸。13、17世纪两次建制。13世纪要塞仍屹立在巴罗河和巴伦河的汇流处。地方工业有甜菜加工、面粉加工、制鞋和机械制造。人口约11 275(1991)。

Carlowitz, Treaty of 《卡尔洛维茨条约》(1699-01-26) Carlowitz又拼Karlowitz。结束1683～1699年奥斯曼帝国与神圣联盟(奥地利、波兰、威尼斯和俄国)之间的敌对行动并把土耳其所控制的特兰西瓦尼亚和匈牙利大部分地区让给奥地利的和约。条约大大削弱土耳其在中欧东部的影响,使奥地利成为这一地区的霸主。1697年残夏,土耳其苏丹穆斯塔法二世最后一次统率大军北征,9月11日在森塔战役中被萨伏依的尤金亲王彻底打败。由于惨败于奥地利并受俄国恫吓,苏丹同意举行谈判。1698年在贝尔格莱德附近的卡尔洛维茨村举行为期72天的和平会议。土耳其人接受中立国的调停。1699年1月26日,奥斯曼帝国同奥地利、波兰和威尼斯签订条约。奥地利获得匈牙利全部(泰梅什保的巴纳特除外)、特兰西瓦尼亚、克罗地亚和斯洛文尼亚。威尼斯获得伯罗奔尼撒半岛和达尔马提亚的大部分,包括卡塔罗港。波兰退出摩尔多瓦,但收回波多利耶和第聂伯河以西的乌克兰土地。土俄两国在卡尔洛维茨仅缔结一项两年停战协定,但在1700年又签订《君士坦丁堡条约》,土耳其将亚速割与俄国,并允许沙皇在君士坦丁堡设常驻外交使团。

Carlsbad(Czech Republic) **卡尔斯巴德** 参阅 **Karlovy Vary** 卡罗维发利。

Carlsbad 卡尔斯巴德 美国加利福尼亚州南部圣迭戈县城市。濒临太平洋,北邻欧申赛德,处于冬季蔬菜和鲜花种植区。19世纪70年代创建,初称弗雷泽斯台雄,后因发现该地矿泉水与波希米亚的卡尔斯巴德(今为捷克卡罗维发利)的矿泉水相似,遂改为现名(1883)。1885年圣非铁路修通后,该市以其秀丽海滩而成为著名疗养和度假胜地。有电

在弗雷泽最初水井原地的卡尔斯巴德市汉斯博物馆

美国不列颠百科全书公司供图

子、生物医学和高科技产业及轻工业。1952年建市。人口78 247(2000)。

Carlsbad 卡尔斯巴德 美国新墨西哥州东南部城市,埃迪县县城(1889)。在佩科斯河右岸。始建于1887年,曾为一大灌溉区中心,现转运棉花、紫苜蓿、羊毛、石油、牲畜等。1926年,附近发现钾碱矿,现有开采。设有新墨西哥州立大学分校。是通往卡尔斯巴德洞窟国家公园的门户。附近有州立利文德瑟特公园。1918年设建制。人口约25 625(2000)。

Carlsbad Caverns National Park 卡尔斯巴德洞窟国家公园 位于美国新墨西哥州东南部。1923年辟为国家保护区,1930年设为国家公园,面积189平方千米。公园内蜿蜒着迷宫般的地下洞穴(86个),其洞室与通道的总长迄今仍未查清;已探明的主要洞穴长约为48千米,其中5千米向游人开放。洞分三层:最深层在地下313米,第二层为253米,电梯可送游客至230米深的一层。洞窟由地下水溶解石灰岩而成,许多洞室中有钟乳石和石笋,有的有发光的幔帐般造形。其中大洞长610米,宽335米,拱顶高78米。每年夏季有数百万只蝙蝠栖息于部分洞穴之中,称为蝙蝠洞。洞窟地表为植物与野生动物保护区。

Carlsbad Decrees 《卡尔斯巴德决议》 Carlsbad又拼Karlsbad。1819年8月6～31日德意志各主要邦的大臣在波希米亚的卡尔斯巴德(今捷克共和国卡罗维发利)矿泉集会时通过的一系列决议。出席会议的各邦有奥地利、普鲁士、巴伐利亚、萨克森、梅克伦堡、汉诺威、符腾堡、拿骚、巴登、萨克森-魏玛-爱森纳赫以及黑森选侯国。当时奥地利外交大臣梅特涅的用意是利用最近的革命暴行,尤其是一个激进学生组织的成员K.赞德杀害剧作家A.科策布引起的惊恐来促使各邦政府同意联合对邦内开明的民族主义倾向进行镇压。会议同意梅特涅的紧急惩戒措施。他提出:①要求德意志邦联帝国议会对所有定期出版物进行统一的审查;②解散新成立的青年协会,各级学校的教师必须接受学校当局的监督;③在美因茨建立中央调查委员会,负责搜查阴谋组织。在以后的数十年中,德国各邦执行反动与压制的《卡尔斯巴德决议》宽严不一。尽管在镇压开明的政治活动方面暂时获得成功,但从长远看,未能扼杀德国的民族主义或阻止各邦中自由主义思想的发展。

Carlsberg Ridge 卡尔斯伯格海岭 阿拉伯海和印度洋的海底山岭。为印度洋中脊的一部分,从罗德里格斯岛延伸到亚丁湾,基本为西北—东南走向。该海岭将北东面的阿拉伯海盆与西南面的索马里海盆分隔开。卡尔斯伯格海岭平均深度在海平面以下约3 300米,平均高出海底约2 100米。该海岭往西绕过索科特拉岛,经亚丁湾与东非大裂谷相连。卡尔斯伯格海岭与印度洋地震活动带相吻合。

Carlson, Chester F. 卡尔森(1906-02-08,美国华盛顿西雅图～1968-09-19,纽约州纽约)美国物理学家,静电印刷术发明者。这种静电干板复印方法可应用于公文复制和绝版书的复印等方面。卡尔森14岁时就供养病残的双亲。但是1930年他仍然在帕萨迪纳的加利福尼亚理工学院获得学士学位。在贝尔电话公司短期工作后,他在纽约一家电子企业P.R.马洛里公司专利部任职。他苦于专利中大量图纸和说明书难以复制,1934年开始寻求快速方便的方法复制线条图和文本。鉴于当时有些大公司已经在研究照相或化学复制法,他转向用静电法来解决这个问题。4年后,他成功地取得第一张用静电复印的制品。在众多的复印技术专利中,卡尔森在1940年得到其中的第一个专利。此后4年中,他试图劝说别人发展他的发明并将其推向市场,但没有成功,被20多家公司拒绝。最后在1944年他说服俄亥俄州哥伦布市的一个非盈利工业研究组织B.梅默里阿研究所着手发展这一发明。1947年纽约州罗切斯特的一个小厂商哈洛伊德公司(后来是静电复印公司)取得静电复印术的商业权利。11年后该公司制出它的第一台公文复印机。卡尔森由于有专利使用权并在该公司拥有股份而成为大富翁。

Carlson, Evans (Fordyce) 卡尔森(1896-02-26,美国纽约悉尼～1947-05-27,康涅狄格普利茅斯) 第二次世界大战期间美国海军陆战队军官,曾率领游击队(卡尔森突击队)在太平洋地区英勇作战。16岁参军。第一次世界大战中任上尉,在驻法、德的潘兴将军参谋部任助理副官长。1920年复员。1922年加入海军陆战队。1927～1929年在中国服役。1937～1939年在中国任军事观察员,其中约一年时间和敌后游击队在一起。回国后,就日本在远东进行扩张的危险性广为发表演讲,大声疾呼反对把废钢之类的军用物资运送给潜在的敌人,讲述中国人抗日的潜在力量。1941年任海军陆战队第二突击大队(卡尔森突击队)大队长,运用他在中国学到的经验训练士兵,1942年8月率领大队袭击马金

岛,11月又袭击瓜达尔卡纳尔岛。1946年因病伤退役,当时为准将。

Carlsson, Arvid　卡尔松(1923-01-25,瑞典乌普萨拉～　)　瑞典药理学家。他的研究确定多巴胺是大脑中的重要神经递质,为此,他与P. 格林加德和E. 坎德尔共获2000年诺贝尔生理学或医学奖。1951年从隆德大学取得医学学位后在该校执教,1959年为哥特堡大学的药理学教授。他的研究成果导致用左旋多巴来治疗帕金森氏症,最终成为治疗这种疾病的最重要药物。他的工作也使人们理解神经递质与精神状态的关系,从而生产出新的抗忧郁药物。

Carlton, Steve　卡尔顿(1944-12-22,美国佛罗里达迈阿密～　)　美国职业棒球运动员。1994年被选入棒球名人堂。1966年加入全国联盟圣路易斯枢机队,担任投球手。1971年转到费城菲力士队。1971～1972、1976～1977、1980和1982年6次胜20场以上。1983年9月23日取得他第300场胜利,成为获此成绩的第16个投手。1972、1977、1980和1982年为联盟最优秀投手,获塞伊·扬格奖。1986年,作为投手使对方三击不中出局达4 136次(仅次于诺兰·瑞安)以后,他宣布退休,但继续为几个队打球,直至1988年。卡尔顿兼能投球和击球,均用左手。擅长投快球和向对方击球员外侧自然旋转的硬球。

Carlton House table　卡尔顿王府写字台　一种精致的写字台,一般用桃花心木或椴木制成。特点是,在台面后部有一排抽屉和文件架,呈曲线形,仅把最靠近坐者的那部分台面空出。这一上层结构的曲线的重点部分是凹进去的小柜门,曲线向两边前方延伸时,通常呈阶梯状或曲度渐渐变小。上层结构的外侧装有黄铜柱栏。卡尔顿王府写字台于18世纪80年代问世,以威尔士亲王在伦敦的宅第命名。第一张这样的写字台是为他制造的。

Carlyle, Thomas　卡莱尔(1795-12-04,苏格兰邓弗里斯郡埃克尔费亨～1881-02-05,英国伦敦)　苏格兰散文作家和历史学家。1809年入爱丁堡大学。他喜爱数学,1814年在安嫩当数学教师。1819年12月重返爱丁堡大学学法律。在爱丁堡度过3年痛苦、孤独的日子,找不到明确的人生意义,放弃了当牧师的打算。此时开始苦学德语,十分赞赏德意志文学,尤其崇拜歌德,曾于1824年翻译出版了歌德的《威廉·迈斯特》。1826年为《爱丁堡评论》撰稿并写作《成衣匠的改制》。此书文笔辛辣、幽默,既有自传性质,又贯穿着德意志哲学。其主题是形成人类深刻信念的各种理智形式已经死亡,必须寻求适合时代的新形式,但这种新的宗教体系的理性内涵是无法理解的。1834年迁居伦敦从事写作,但一无成就。他不甘屈服,开始写作雄心勃勃的历史书《法国革命》。他完成一部分后把手稿借给J.穆勒去看,结果穆勒弄错,将它烧掉了。这一事故发生后,他如疯似狂地重新写作,1837年初脱稿,出版后立即受到人们的赞扬。在《法国革命》一书中,卡莱尔说法国大革命是王朝和贵族的愚蠢自私所必然取得的报应。他引用了大量宝贵文献,在描述人物时有感人的技巧。他在《宪章运动》(1840)一书中强烈反对传统的经济理论,但激进的和反动的成分混杂在一起。在《论英雄、英雄崇拜和历史上的英雄事迹》(1841)一书中,他崇拜强力,深信上帝赋予的使命。他论述了神话中的英雄(异端神话)、先知(穆罕默德)、诗人(但丁和莎士比亚)、教士(路德和诺克斯)、文学家(约翰逊和彭斯)和帝王(克伦威尔和拿破仑)一类人物。他在谈论诗人时有突出的见解,特别是对但丁的看法要比别人更为深刻。两年后,他在《过去和现在》一书中进一步阐述了他的英雄观。他认为克伦威尔是英国最伟大的典型人物,1845年出版《奥利佛·克伦威尔书信演说集详解》。1857年他开始研究所崇拜的另一个英雄腓特烈大帝,1858～1865年发表《普鲁士腓特烈大帝史》。1865年任爱丁堡大学校长,翌年4月就职。他在就职演说中大力提倡道德,因而获得巨大成功,讲稿随即以《论书的选择》为题发表。在爱丁堡大学取得这次成就后不久,他的夫人病逝。此后15年中他十分消沉,过着隐居生活。晚年极少写作。1875年写成《挪威早期帝王史》,1881年出版《回忆录》,1883年刊印了由他自己编纂的《卡莱尔夫人书信集》。

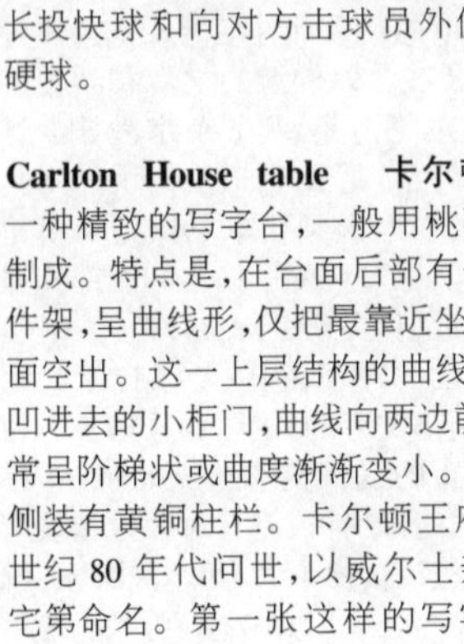

美国不列颠百科全书公司供图

carmagnole　卡马尼奥拉服　最初指一种皮埃蒙特农民的服装式样(因意大利城镇卡马尼奥拉得名)。在法国南部很有名,1792年由马赛革命党人传入巴黎。这种服装后来成为雅各宾党人所喜爱的服饰,由带几排金属扣的短裾外套、1件三色背心,以及1顶红帽组成。"卡马尼奥拉"一词亦指一首在恐怖统治时期广泛流行的著名革命歌曲。

Carman, (William) Bliss　卡曼(1861-04-15,新不伦瑞克弗雷德里克顿[今在加拿大]～1929-06-08,美国康涅狄格新迦南)　加拿大诗人。其诗作具有滨海省份和美国新英格兰地区的地方色彩。他那深深打动人心的恋诗,以及一两首赞美大自然的叙事诗深为人们所铭记。1890年前往纽约市,此后20年间在各报刊杂志社从事编辑工作。1893～1905年间出版了将近20卷诗歌,包括《大普瑞湖的低潮》(1893),以及《流浪者之歌》(3集:1894,1896,1901,卡曼与霍维合著)、《萨福》(1904)等。

美国不列颠百科全书公司供图

Carmarthen　卡马森　威尔士达费德郡一区。1974年设建制。面积1 182平方千米。南濒卡马森湾,北临泰菲河,海岸线长达32千米。西与普雷塞利和南彭布罗克夏区为界,北为塞罗迪金,东邻迪内弗尔,南接拉内利。该区为一繁荣的农业区,生产青草和饲草。奶品制造业为主要经济来源。工业有毛纺厂、牛奶加工厂等。旅游业逐渐开展。一条公路和一条铁路贯穿东西。人口约53 800(1986)。

Carmarthen　卡马森　威尔士语作Caerfyrddin。威尔士卡马森郡行政中心、城镇。濒临托威河,离布里斯托尔湾口13千米。罗马人和诺曼人均曾在此建城堡。中世纪是威尔士最重要自治市之一,多次被授予特许证,1353年爱德华三世特许建立为威尔士唯一的羊毛中心市场。诺曼时期有一个奥古斯丁隐修院内藏威尔士最古老的手稿《卡马森记过名册》(约1170～1230)。曾是繁荣的内地农业区的市场中心和繁忙的河港。1747年后,曾兴起炼铁工业,到1900年增设马口铁制造业。现虽有牛奶加工等工业,但主要为农业集镇和繁忙的商业中心。该城古建筑有主要建于14世纪的圣彼得教堂、1770年建于原遗址(1583)的市政厅,还有诺曼人所建城堡的废墟。与该城有关的著名人物有威尔士民族英雄卢埃林和O.格伦道尔、作家R.斯梯尔(葬于圣彼得教堂)、乔治王朝时期建筑师J.纳什等。人口13 524(1991)。

Carmarthen, Thomas Osborne, Marquess of　卡马森侯爵　参阅**Leeds, Thomas Osborne, 1st Duke of 利兹公爵(第一)**。

Carmarthenshire　卡马森郡　又作Carmarthen,威尔士语作Sir Caerfyrddin。威尔士东南部一郡,由布里斯托尔海峡延伸至内陆,地势逐渐上升,在东部黑山地区海拔达600米。面积2 390平方千米,1974年前是威尔士最大的郡。在180米高度以上的地区,到处有石器时代的土冢与石冢;尤其在西北部,更有各种石质建筑物。高地的顶巅有罗马时期的山顶营房。罗马时期之后的许多世纪,该地一方面受到凯尔特圣徒们基督教的影响;另一方面又在海、陆两面遭爱尔兰人和斯堪的纳维亚人无数次的入侵。据说罗德里·莫尔强有力的统治(约 870)曾使当地得到一定程度的安宁，其孙贤王豪厄尔(又名豪厄尔达)在蒂-格温-阿尔-达夫宫(今惠特兰附近)制订威尔士第一部古代法典。1080 年后，诺曼人频频入侵，并在沿海构筑碉堡；之后又循谷地中的路线深入到卡马森和兰代洛。英格兰王爱德华一世在几次战役后，给诺曼人以对该地更统一的控制权。1284 年的《里兹兰法令》颁布后，卡马森遂设为郡。1536 年亨利八世在位时，该郡面积扩大。郡内的山区是理想的绵羊牧养地，因此在其后中世纪的年代里，卡马森以产羊毛闻名。里斯·阿普·托马斯爵士曾于博斯沃斯原野战役中为 H.都铎作战，因此 16 世纪时该郡与都铎王朝有重要的联系。在 17 世纪的英国内战中，该郡各城堡，尤其是南面的城堡对议会军队抵抗不力。兰道罗尔的教区牧师 G. 琼斯(1683 ～ 1761)设立了威尔士的巡回教学学校，实际上是威尔士现代教育活动的伊始。W. W. 潘蒂塞林(1717 ～1791)是威尔士循道宗运动中研究赞美诗的最重要的学者。1843 年为反对增收苛捐杂税和欺侮贫民而爆发的丽贝卡暴动广泛深入地波及到卡马森郡。诗人 D.托马斯曾居住于拉恩并葬于该地。1966 年选举卡马森的下院议员时，G.埃文斯成为下院议员中第一个威尔士民族主义者。19、20 世纪间，该郡的东南部有小规模工业，除此之外，全郡主要为农业区，还经营许多牛奶场；北部山区兼营农业和绵羊牧养业。东南部开采无烟煤，因而出现了许多以采矿为业的村庄和市镇，其中有拉内利和阿曼福德。拉内利是郡中最大的城镇，生产钢和马口铁。第二次世界大战后，该郡鼓励发展新兴的工业以吸收由于煤、钢和马口铁工业的变化而剩余的劳动力。人口约 169 000(1998)。

Carmel　卡梅尔　美国加利福尼亚州西部蒙特雷县城市。濒临卡梅尔河和卡梅尔湾，邻近蒙特雷。1602 年西班牙人首先给河命名。1771年圣卡洛斯·博罗梅奥教堂迁此。

卡梅尔市的圣卡洛斯·博罗梅奥教堂
美国不列颠百科全书公司供图

1904 年始建为艺术家聚居地。1916 年设建制。市内有多种风格的建筑物。现旅游业为经济支柱。有多座美术馆，还有卡梅尔教堂和植物园。市南有州立洛博斯岬保护区，每年 12 月到次年 5 月可观看灰鲸。人口 4 081(2000)。

Carmel, Mount　卡尔迈勒山　以色列西北部山脉，西北—东南走向的石灰岩山脉，长约 26 千米，占地约 245 平方千米。东北坡有海法市。该山在公元前 16 世纪的埃及文献中被称为圣山，在《圣经》中记为以利亚与崇拜巴力神的众先知对证真伪之处。从 6 世纪开始即有修士遁迹于此，中世纪时为天主教加尔默罗会的发祥地。在**海法**(**Haifa**)内外的山坡上有许多优美的公园和树林。林区大部属于卡尔迈勒自然保护区。1931 ～ 1932 年考古学家在西南山坡的洞穴中发现一种以前未知的石器时代人类骨骼。

Carmelite　加尔默罗会　又称圣衣会。中世纪天主教四大托钵修会之一。1155 年左右，一部分十字军余众和朝圣者等虔诚信徒定居于巴勒斯坦境内加尔默山(又译卡尔迈勒山)，这个集体就是加尔默罗会的前身。早期该会修士多分散独居。十字军在巴勒斯坦失利后，这些人约于 1240 年迁至塞浦路斯、西西里、法兰西和英格兰，修士靠募化为生。不久这个修会传遍西欧各地。加尔默罗女修会创建于 1452 年。在该会的历次改革运动中，以阿维拉的圣德雷萨所倡导的一次影响最为深远。她在该会一女隐修院苦修将近 30 年，于 1562 年在阿维拉成立小规模女隐修院，实行严格戒律，后来逐步发展而成为加尔默罗女修会。她克服重重阻力和困难，又建立一批纪律严明的男隐修院。改革派修士着草鞋，不穿袜，故称为赤脚加尔默罗会，以别于老派。20 世纪末，老会主要从事传教和教育事业，赤脚派积极从事教区工作和对外传教工作。两派都鼓励圣母崇拜。近代成立了从事教育、护理病人和其他慈善事业的第三加尔默罗派。

Carmichael, Hoagy　卡迈克尔(1899-11-22，美国印第安纳布卢明顿～ 1981-12-27，加利福尼亚兰乔米拉日)　美国自学成材的钢琴家、作曲家、歌手和演员。在盛行大型乐队时期创作了许多最流行歌曲。在布卢明顿印第安纳大学求学期间(1926)，结识了一些爵士音乐家，包括短号手 B. 贝德贝克。第一首作品《江船摇晃前进》是贝德贝克 1924 年与以芝加哥为基地的“狼獾爵士小组”一起录制的，后成为爵士乐名曲。所写流行歌曲的旋律结构与和声趣味引起了 L. 阿姆斯特朗和 J. 蒂加登等音乐家的注意，这些作品包括《佐治亚在我心上》(1930)、《摇椅》(1930)和《懒惰的河》(1931)。他曾在好莱坞工作，开始当作家，后当性格演员，并创作了其他著名的流行歌曲，包括《感谢怀念》(1938)、《两个昏昏欲睡的人》(1939)和《凉丝丝、冷飕飕的黄昏》(该曲于 1951 年获奥斯卡金像奖)。不过他最成功的也是有史以来最常录音的流行歌曲是《星尘》(第一稿作于 1927 年)。他继续创作歌曲，并演戏，直到 70 年代。所摄电影包括《有和没有》(1944)、《峡谷通道》(1946)和《带着号角的青年》(1950)。著有回忆录两本：《星尘之路》(1946)与《有时我诧异》(1965)。

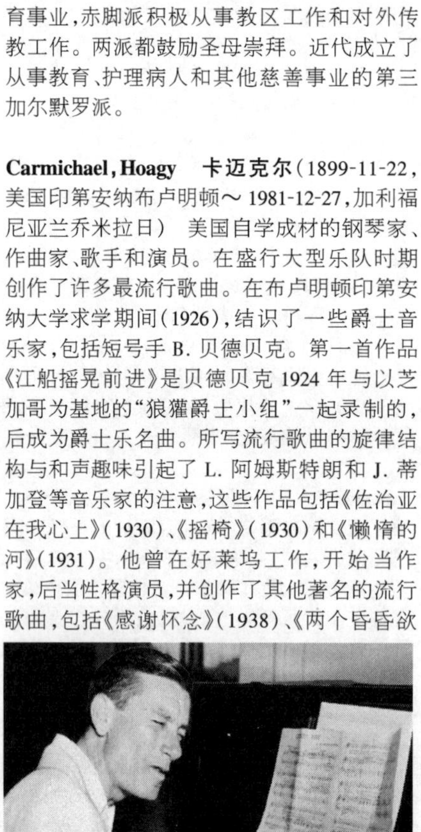

美国不列颠百科全书公司供图

Carmichael, Leonard　卡迈克尔(1898-11-09，美国费城～ 1973-09-16，华盛顿[哥伦比亚特区])　美国心理学家和教育家。1953 ～ 1964 年任史密森学会秘书期间，使这座“国家顶楼”迈向现代化。1924 年获哈佛大学哲学博士学位后相继在普林斯顿、布朗、罗切斯特等大学教授心理学。1938 年任塔夫茨大学校长，后到史密森学会任职。1964 年退休后任全国地理学会负责研究勘探的副会长，并曾赞助 L.S.B.利基和 J.-Y.库斯托等人的研究工作。著有并编辑多种心理学书籍，又曾任美国心理学会及美国哲学学会主席。

Carmiel(Israel)　参阅 **Karmi'el 卡尔米埃勒**。

Carmina Burana　布尔伦诗集抄本　德国民歌的 13 世纪手抄本，据信是 10 ～ 13 世纪期间以颂扬狂欢的诗歌而闻名的西欧**游荡诗人**(**goliard**)以及在各处漫游的学者和学生的作品，包括《布尔伦诗集》和 6 个宗教剧。这部手抄本又称为《本尼狄克布尔伦手抄本》，因为是 1803 年在巴伐利亚本尼狄克布尔伦村本笃会隐修院里发现的。抄本的两部分虽系同一时期写成，但是分别成卷，各为一帙。这些诗歌是押韵的抒情诗，主要以拉丁文写成，少部分是用德文写的，主题和风格各不相同，有酒歌、庄重的爱情诗和放纵的情歌、宗教诗篇、牧歌式的抒情诗，还有对教堂和政府的讽刺诗。有些诗曾由卡尔·奥尔夫配乐，编成《布尔伦诗集大合唱》(1937)。剧本都是用拉丁文写的，其中包括目前仅存的两部中世纪耶稣受难剧的完整剧本，一个题名《耶稣受难》的短剧，是一部耶稣复活剧的序幕；另一个剧本较长，可能是根据圣马利亚(抹大拉的)的身世和拉撒路复活等情节扩写的。其他几个宗教剧本是：一个复活节剧；一个内容很丰富的圣诞节剧；一个扩写的《漫游记》，描写耶稣对两个门徒的显圣剧；还有一个题名《埃及王》的剧本，过去认为是圣诞节剧的一部分。

carmina Fescennina(poetry)　**费申尼内诗集抄本**　参阅 **Fescennine verse 费申尼内诗**。

carmine　洋红　又称胭脂红。由**胭脂虫红**(**cochineal**)获得的红色或紫红色颜料，胭脂虫红为由美洲热带和亚热带的雌蚧干体提取的一种红色染料。在合成染料问世前，洋红广泛用作水彩和高级汽车车身颜料。自此之后，洋红仅用于需要使用天然颜料的场合，如糕点、糖果、化妆品、水溶性药剂及组织切片着色剂。制备洋红时，把粉状虫体投入氨水或碳酸钠溶液中煮沸，滤去不溶物，将明矾加入澄清的胭脂红酸的盐溶液中，以沉淀出红色铝盐。除净铁杂质，以保证颜色纯正。可以加入氯化亚锡、柠檬酸、硼砂或明胶以调整沉淀。明矾中掺入石灰则得紫红色洋红。胭脂红酸是一种复杂的蒽醌衍生物。

Carmona (Angola) **卡莫纳** 参阅 **Uíge** 威热。

Carmona 卡莫纳 西班牙南部安达卢西亚自治区塞维利亚省城镇。座落在俯瞰安达卢西亚平原的阿尔科雷斯山一山梁上。凯撒时期为罗马重镇。1247年由卡斯蒂利亚国王费迪南德三世从摩尔人手中收复。现为加工业和农业中心。名胜古迹有罗马人所建城墙、塔楼和15世纪哥特式及丘里格拉风格的教堂等。1881年发现巨型罗马墓穴，现已发掘。人口25 403(1999)。

Carmona, António Oscar de Fragoso 卡尔莫纳(1869-11-24，葡萄牙里斯本～1951-04-18，里斯本) 葡萄牙将军和政治家。1926年乘军事叛乱之机获得政治权势，1928～1951年任葡萄牙总统，在A.de O.萨拉查执政期间(1932～1968)成为政权连续性的一个象征性人物。1888年毕业于王家军事学院，1922年晋升将军。1926年5月参加军事政变，成功后任外交部长，7月任总理，他任命萨拉查为财政部长。1927年2月镇压流血的叛乱事件后，卡尔莫纳举行全民公决，被选为总统，他于1932年提名萨拉查为总理。1933年通过"新国家"宪法，根据该宪法，他于1935、1942和1949年3次当选总统。

Carnac 卡尔纳克 法国西部布列塔尼大区莫尔比昂省村庄。位于欧赖西南，近大西洋海岸。当地有3 000多块史前石碑，因长期受日晒雨淋，上面已布满白色地衣。石碑长期为布列塔尼人所尊崇。罗马人将其用于宗教目的。一些石碑上刻有罗马神像。基督教传入后，当地由尊奉这些巨石转为信奉基督教。石碑设立于新石器时代早、中、晚期。最著名遗迹有800米长巨石行列，1 029米长

卡尔纳克村的梅内克石列，属新石器时代晚期
美国不列颠百科全书公司供图

的梅内克石列(11行)，东一北东向、1 219米长、10行的克马里奥行列，800米长、13行的凯尔勒斯康石列和圣米歇尔山大型古墓等。当地米尔恩-勒鲁齐克博物馆有重要的文物收藏。人口4 443(1999)。

carnallite 光卤石 一种软的白色卤化物矿物，为水合的钾和镁的氯化物($KMgCl_3 \cdot 6H_2O$)，是钾肥的一种来源。与其他氯化物矿物一起产于海相盐矿床的上部层位，看来像是早先存在的盐类受到蚀变的产物。主要见于德国北部的盐矿床中，也见于西班牙、突尼斯和美国西南部。关于详细的物理性质，参阅 **halide mineral**(表)。

Carnap, Rudolf 卡纳普(1891-05-18，德国龙斯多夫～1970-09-14，美国加利福尼亚圣莫尼卡) 逻辑实证学派创始人和领袖人物之一。作为富有独创性的思想家，他对逻辑学、语言分析、概率论、归纳推理均有重要贡献。他的许多著作专业性很强，反映了他精湛的数学和科学素养。1910～1914年在耶拿大学和布赖斯高地区弗赖堡大学攻读数学、物

加利福尼亚大学供图

理和哲学。在耶拿大学时他师从于19世纪最著名的逻辑学家弗雷格，受其影响颇深。1921年在耶拿大学以论空间概念的论文获博士学位。以后数年专心从事逻辑和物理学基础的研究，著文论述空间、时间和因果关系等问题，并编著符号逻辑学教科书《逻辑学概要》(1929；1958年英译本书名为《符号逻辑入门及其应用》)。1926年维也纳学会创始人M.施利克邀他参加该学会并在维也纳大学任教。不久他即成为学会内有影响的人物。逻辑实证论或称逻辑经验主义的初步概念，在该学会的讨论中即已形成。这个学派的基本经验主义倾向与休谟和马赫的学说是一致的。卡纳普曾与著名科学哲学家H.赖兴巴赫一道创建《认识论》杂志(1930～1940)作为"科学的哲学"论坛。他的第一部杰出著作是《世界的逻辑结构：哲学中的伪问题》(1928)。1931～1935年他在布拉格的德国大学教授自然哲学时又发展了一套形式更为灵活的经验论。在他的主要论文《可试验性和含意》中对此进行了详细阐述。此论文发表时，德国国家社会主义之威胁日益显著，于是他移居美国。1936～1952年在芝加哥大学任教。到芝加哥不久，他与过去维也纳学派学者创办了《联合科学的国际百科》杂志(1938年出版)。自从在维也纳时起，卡纳普一直十分关心逻辑学问题和语言哲学问题。他认为哲学上难解之题常常来自对语言的误解或误用，解决的办法是采用"语言的逻辑分析"。著有《语言的逻辑结构法》(1934)和《含义和必然》(1947)。他赞成发展世界语，方便学者交流和国际上的进一步相互了解。1945年后，他转向研究归纳推理、理性信念及决定等问题，想为归纳逻辑制定出正规的体系，并著有《概率的逻辑基础》(1950)。从1952至1954年在普林斯顿继续研究概率论学说，后又到加利福尼亚大学任教授。晚年主要从事对归纳逻辑学之修改和大量补充。

Carnarvon (Wales) 参阅 **Caernarvon** 卡那封。

Carnarvon, George Edward Stanhope Molyneux Herbert, 5th earl of 卡那封伯爵(第五)(1866-06-26，英国伯克郡海克利尔城堡～1923-04-05，开罗) 即G.E.S.M.赫伯

美国不列颠百科全书公司供图

特。英国埃及学家，曾与英国考古学家H.卡特共同发现古埃及王图特安哈门的陵墓。1907～1912年他们合作考察，发表一份工作报告，记述发现第十二王朝及第十八王朝各代陵寝的情况，题名为《底比斯五年考察记》。1922年11月4日，卡特在皇陵谷地发掘了图特安哈门的陵墓。1923年2月16～17日，打开墓室，1924年1月3日，才找到真正的石棺。卡那封由于在底比斯考察刚刚打开的墓室时被蚊虫叮咬，引起感染及并发症死去。

Carnarvon, Henry Howard Molyneux Herbert, 4th earl of 卡那封伯爵(第四)(1831-06-24，伦敦～1890-06-28，伦敦) 即H.H.M.赫伯特。英国政治家，保守党政府中具有自

美国不列颠百科全书公司供图

由主义倾向的成员，试图在英国海外领地中建立联邦式的自治政体。在伊顿公学和牛津大学基督堂学院受教育。1849年袭其父伯爵爵位。1858～1859年任殖民地事务副大臣，1866～1867和1874～1878年两度任殖民大臣。第一任期间最大成就是使议会通过了《英属北美法》(1867)，赋予加拿大以联邦体制和自治领地位。第二任时提出仿效加拿大形式建立南非联邦的建议遭到否决。1878年提出《卡那封条款》，解决了阻碍建设加拿大

太平洋铁路的加拿大和英国之间的争端。在索尔兹伯里第一届内阁(1885 ～ 1886)中,他出任爱尔兰总督。1885 年 8 月 1 日,与爱尔兰领袖 C.S.巴涅尔就爱尔兰自治问题举行秘密会谈,但他找不出一个可以同时被索尔兹伯里和巴涅尔接受的解决办法。

Carnarvon Gorge 卡那封峡谷 在澳大利亚昆士兰州东南部。位于东部高地东坡。有"昆士兰大峡谷"之称。长约 32 千米,宽约 45 ～370 米。陡直的砂岩峭壁高达 180 米。为一国家公园的主要风景区。园内洞穴中有土著居民艺术,园中还有各种野生动物,包括鸭嘴兽。

Carnarvon Range 卡那封岭 在澳大利亚昆士兰州中部及东南部。为东部高地之一段,距班达伯格海岸以西 370 ～ 450 千米。南北走向,长 160 千米。平均高度 900 米。为道森河发源地。已开发成游览区,有壮观的地貌、土著居民洞穴艺术和种类繁多的野生动植物。布里斯班位于其东南,空中距离 560 千米。

Carnatic(India) **卡纳蒂克** 参阅**Karnātaka 卡纳塔克**。

Carnatic music 卡纳蒂克音乐 又拼 Karnatic music。南印度(通常指安得拉邦首府海得拉巴市以南各地区)的音乐。从古印度传统演化而来,受阿拉伯和伊朗影响较小。与北印度音乐风格相反,卡纳蒂克音乐更适合于人声,即使用乐器单独演奏时,也是或多或少地模仿歌唱,通常在人声音域之内,并有声乐所特有的装饰。卡纳蒂克音乐所用的乐器也比北印度音乐少,并且没有器乐专用的曲式结构。对很多听众而言,与较世俗性的印度斯坦传统相比,南方音乐具有婉约素淡而理智的特点。今天卡纳蒂克音乐的中心在泰米尔纳德邦(原马德拉斯)、卡纳塔克邦(原迈索尔)、安得拉邦和喀拉拉邦等地。

Carnatic Wars 卡纳蒂克战争 18世纪,英国人、法国人、马拉塔人与迈索尔之间为控制东印度内洛尔以南的海岸地带而发生的一系列武装冲突。卡纳蒂克原为卡纳拉语人居住地区,大致相当于今印度卡纳塔克邦(原为迈索尔)。18 世纪卡纳蒂克沿海属莫卧儿帝国,为海得拉巴的附庸。卡纳蒂克与海得拉巴的内讧成为欧洲人进行干涉的口实。起初,法国人在卡纳蒂克和海得拉巴两地颇为得手。但到 1751 年,英国东印度公司的势力已经扯他们的后腿。在七年战争(1756 ～ 1763)中,英法两国都向南印度派兵。1760 年法军在文迪瓦什败北,翌年英军占领了该地。此后,英国人即控制卡纳蒂克地区。参阅 **Mysore Wars**。

carnation (*Dianthus caryophyllus*) **康乃馨** 又作 grenadine, clove pink。又称丁香石竹、香石竹。石竹科草本植物,原产地中海地区。因花香、美观故广为栽培。一般分为花坛康乃馨与四季开花康乃馨两类。花坛康乃馨包括许多变种与杂交种,植株高约 30 ～ 75 厘米;花色繁多,花瓣边缘縫状,花径多不及 5 厘米,生长于硬直的茎干上;叶狭长,蓝绿色,在茎上形成叶鞘;叶节及茎节膨大。四季开花康乃馨可能是花坛康乃馨与中国石竹(*D. sinensis*)的杂交后代,植株较高,可达 1 米,较粗壮,花亦较大,在温室里几乎可以连续不断开花。此外,花店出售的四季开花康乃馨还有微小型以及伸展型变种。康乃馨是最受欢迎的切花之一,可供作插花、胸花或钮孔花。1907 年,美国费城的 A.贾维斯选择粉红色的康乃馨为母亲节的象征。在欧洲,康乃馨曾用来治疗发热。在伊丽莎白时代亦曾用作葡萄酒与淡色啤酒的香料,以代替价格较贵的丁香。

carnauba wax 巴西棕榈蜡 从巴西产的扇状棕榈亦即巴西蜡棕榈树(*Copernecia cerifera*)叶子上得到的非常坚硬的蜡。此树在巴西称为生命树,在定期出现的旱季里,这种棕榈树分泌一层蜡,以防止其扇形叶子的水分蒸发。巴西棕榈蜡曾用于强光泽的上光剂、唱片和炸药。但它的许多用途现已被合成蜡所代替。

Carné, Marcel 卡尔内 (1909-08-18, 巴黎～ 1996-10-31,巴黎附近克拉马) 法国电影导演。以导演厌世影片著称,使法国电影业在20世纪30年代末得到振兴。在为导演

美国不列颠百科全书公司供图

J.费德的著名影片《新的绅士们》(1928)等担任助理导演以前,曾当过记者,还担任过 R.克莱尔的著名喜剧片《巴黎屋檐下》(1930)的助理导演,为《电影杂志》写过影评。他的第一部影片是一部纪录片《诺让——星期天的乐园》(1930)。《珍妮》(1936)一片奠定了他作为第一流导演的地位。接着拍摄的喜剧片《怪事》(1937)、《雾码头》(1938)和《太阳升起》(1939)使他成为法国电影振兴时期的一位杰出的导演。这些影片的宿命论倾向是 30 年代末法国电影的典型特征。在这些影片里,主人公生活在一个充满暴力和贫困的悲惨世界中,毫无幸福可言。演员 J.迦本由于扮演这些命运多舛的主人公而声誉卓著。在第二次世界大战期间,他以拍古装片为主,如《夜间来客》(1942)和《天国的子女们》(1945)都是情节剧的杰作。这些影片具有他所有影片的特点:人物刻划得很逼真,镜头拍得富于诗情画意,叙述平稳流畅。在《夜之门》(1946)中,他特别注意气氛的创造;此外,还有《弄虚作假的人》(1958)等,都是战后的卓越影片。

Carneades 卡涅阿德斯(公元前214?～前129?) 希腊哲学家。昔兰尼人。曾在反教条的怀疑主义势力最盛时主持过雅典的新学园。公元前 155 年,负外交使命到罗马,发表两篇公开演说,一篇为正义辩护,一篇反驳正义。为一个问题的两个方面辩护的做法表明他的学园派的、反教条的怀疑主义的悬置判断的态度。他以表现的机敏首次引起了罗马人对希腊哲学的兴趣,也引起了罗马统治者的怀疑。他的悬置回答的态度基于这一观点:不存在任何确定的感性知识或理性知识。他批评伊壁鸠鲁派和斯多葛派的信仰是无根据的。他利用后来取得了古典地位的论据为阿凯西劳斯辩护,以反对斯多葛派和伊壁鸠鲁派。他的论据是:由于并不存在真理的可靠标准,所以阿凯西劳斯不下判断,在有关知识的争论中不站在任何一方,这种做法是对的。尽管卡涅阿德斯没有留下任何著作,但他的学说却保存在克莱托马科斯的著作里。

Carnegie, Andrew 卡内基(1835-11-25,苏格兰法夫邓弗姆林～ 1919-08-11,美国马萨诸塞莱诺克斯) 苏格兰出生的美国实业家,曾领导19世纪末美国钢铁工业的巨大发展;也是当时最重要的慈善家之一。

卡内基祖居邓弗姆林,家人博览群书,对激进的苏格兰政治深感兴趣。其父 W.卡内基是手织机纺织工,宪章派人,曾为工人事业参加游行。其外祖父 T.莫里森也是鼓动家,乃 W.科贝特之友。小卡内基的幼年时期,引进动力织机和经济普遍衰退使其父陷于贫困。卡内基一家于 1848 年迁居美国,加入了亲友们在宾夕法尼亚阿勒格尼(现为匹兹堡的一部分)的苏格兰人殖民地。一家人很快找到了工作,小卡内基 12 岁便开始在一家棉纺厂当线轴童工。他很快便热衷于美国化,通过阅读、书写和上夜校来教育自己。19 世纪50年代初期其父入籍美国,小卡内基遂自

美国不列颠百科全书公司供图

动成为美国公民。

14岁时卡内基在电报局任电报递送员，由此他终于引起宾夕法尼亚铁路公司监督T.斯科特注意。1853年斯科特任命他为私人秘书兼电报员。随后卡内基迅速提升，1859年继斯科特成为该铁路公司匹兹堡分部监督。任职期间，他向伍德拉夫卧车公司(普尔曼专利的原持有人)投资，并成功地在美国铁路上推出第一辆卧车。同时，他已经开始机灵地向诸如基斯通布里奇公司、苏必利尔钢轨轧制和钢铁冶炼厂、联合铁厂、匹兹堡机车厂等工业企业进行投资。他还投资于宾夕法尼亚一处油田，获利颇丰。他数次到欧洲旅行，销售铁路证券。到30岁时，他的年收入已达5万美元。

当他在英国旅行期间，遇见一些钢铁制造商。他预见将来对钢铁的需求很大，1865年离开宾夕法尼亚铁路并开始管理基斯通布里奇公司。在1872～1873年，即大约38岁时起，他集中精力于钢的生产，在匹兹堡附近创建汤姆森钢铁厂；该厂最终演变成为卡内基钢铁公司。在19世纪70年代，卡内基的新公司在美国建成了第一批应用贝塞麦炼钢新法(从英国借用来的)的钢铁工厂。其他创新也接踵而至，内有成本与生产会计详细程序，这种会计程序使该公司所取得的效率比当时其他任何制造企业都大。任何能够降低炼钢成本的技术创新都很快得以采用，在19世纪90年代，卡内基的工厂将碱性平炉引入美国的炼钢。卡内基购买为炼钢提供原料的煤(炼焦炭用)田和铁矿，以及运输这些材料到炼钢厂的船只和铁路，取得了更大效率。如此获得的纵向一体化是美国制造业上另一个里程碑。卡内基任人唯贤，选拔特别能干的下级为其工作，例如行政官员H.C.弗里克、炼钢能手和发明家C.B.琼斯、自己的弟兄T.M.卡内基等。

1889年卡内基将其巨额资财汇集投入卡内基钢铁公司(合营有限公司)，从此该公司左右了美国钢铁制造业。主要由于卡内基的成就，美国钢的产量于1890年首次超过英国。甚至在1892年经济不景气期间，卡内基钢铁公司仍继续兴旺发达。

1900年卡内基钢铁公司(已成为股份有限公司)盈利4 000万美元，其中卡内基分得2 500万美元。1901年卡内基以2.5亿美元的售价将其公司售给摩根新组建的美国钢铁公司。从此他便退休并投身于慈善事业，慈善活动本身规模庞大。

卡内基经常著文论及政治和社会事务，其最著名的论文是刊登在1889年6月号《北美评论》上的《财富》，其中陈述了以后称为财富福音的理论要点。这一理论认为：一个聚敛了巨大财富的人肯定是一个特殊人物，他为社会的进步运用了他的天赋和能力；他进一步的职责是要将其剩余的财富使用在慈善事业中，为“人类的进步”做贡献。“人死富有，死而蒙羞。”

卡内基自己分配的财富，总额约为3.5亿美元，其中6 200万美元捐赠给英帝国，2.88亿美元捐赠给美国。他主要的“信托基金会”或慈善基金会有：①苏格兰(爱丁堡)大学卡内基信托基金会，1901年设立，宗旨为改进和扩大4所苏格兰大学并为苏格兰学生提供资助。②邓弗姆林卡内基信托基金会，1903年设立，宗旨是扶持和改进邓弗姆林的教育和文化机构。③联合王国卡内基信托基金会(邓弗姆林)，1913年设立，宗旨是兴办各种慈善事业，如建造图书馆、剧院、儿童福利中心，等等。④匹兹堡卡内基学会，1896年设立，宗旨是改进匹兹堡文化教育机构。⑤华盛顿卡内基学会，1902年设立，资助各个方面的科学研究。⑥卡内基英雄基金委员会(匹兹堡)，1904年设立，目的是奖励从事和平职业而冒生命危险抢救他人的英雄人物，奖励方式有授予奖章、奖金、抚恤金、助学金及其他。⑦卡内基英雄基金信托会，另一所英雄基金会，会址在邓弗姆林。⑧卡内基促进教学基金会(纽约)，1905年设立，为大学教授提供自由退休金。⑨卡内基国际和平基金会，1910年设立，目的很广泛，一般是通过散发印刷品信息资料以促进国际间的和平和理解。⑩纽约卡内基基金会，卡内基基金会中最大的基金会，1911年设立，宗旨是“提高与扩大美国人民之间的知识和理解”。它自1917年起将工作范围从美国扩大到加拿大和英国殖民地；它已经资助过许多学院、大学和图书馆，还资助过法律、经济和医学方面的研究和培训。

卡内基的主要著作有：《在全世界》(1881)、《美国的四马马车在英国》(1883)、《得胜的民主》(1886；1893年再版)、《财富的福音》(文集，1900)、《商业王国》(1902)、《瓦特》(1903)、《今日之问题》(1908)、《自传》(1920)。

Carnegie, Dale　卡内基(1888-11-24，美国密苏里玛丽维尔～1955-11-01，纽约福里斯特希尔)　美国演说家、著作家和教育家。生于密苏里州一个贫寒农家。中学和大学时代，积极参加辩论俱乐部的活动。毕业后在内布拉斯加当推销员，后在纽约当演员，最后在基督教青年会教讲演术。他讲的课极其成功，堂堂满座。为了使他的教学方法标准化，他开始出版小册子，后来汇集成书，即《演说术：商人实用教程》(1926)，后改名为《演说术及影响人的艺术》(1932)。这时，他还当巡回讲习班的经理，并编纂《名人逸事》(1934)。他写的《如何赢得朋友和影响人们》(1936)大受欢迎，立即获得成功。像他的大多数著作一样，该书所揭示的人类心理大都尽人皆知，但是它强调指出个人态度至关重要。他告诉人们，如果善于变害为利，任何人都可以从缺陷中获得好处。其他著作还有《如何解除苦恼并开创事业》(1948)等。

Carnegie Hall　卡内基音乐厅　历史悠久的音乐厅，位于纽约市第7大道与57街的交叉路口。由W.B.图锡尔按新意大利文艺复兴风格设计，1891年5月投入使用，并以其创建者与原业主，实业家卡内基之姓命名。音乐厅开幕周中柴可夫斯基曾应邀担任客座指挥，其后几乎每一位重要的美国音乐家和其他国家来访的音乐家都曾在此献艺。纽约爱乐乐团在20世纪60年代移驻林肯中心以前，长期以卡内基音乐厅为演出基地。1959年卡内基音乐厅濒临倾圮，因为纽约爱乐乐团计划迁往林肯中心，使该厅的收益仅能维持支出。在此紧要关头小提琴家I.斯特恩和音乐赞助人雅各布与A.卡普兰成功地发起一场拯救这一旧楼的运动；1960年纽约市出资购买此楼，所付款项以后由非营利性的新卡内基音乐厅公司偿还，卡内基音乐厅始得以继续主办音乐会和其他音乐活动。1986年进行了大修。

carnelian　光玉髓　又作cornelian。硅氧矿物玉髓的变种，为半透明的次宝石。由于存在分散的胶体赤铁矿(氧化铁)故呈红色到红褐色或肉红色。与肉红玉髓关系密切，不同的只在于红色色调上。古希腊人和罗马人对光玉髓很珍视，用来做戒指和印章，它的一些凹雕比许多坚硬的宝石更能保持高度抛光面。颜色可以用焙烧和铁盐染色增强。主要产地为印度的拉特纳普勒，巴西的坎普-迪马亚，澳大利亚昆士兰的沃里克。其物理性质与石英相同。参阅**silica mineral**(表)。

Carnera, Primo　卡内拉(1906-10-26，意大利乌迪内塞夸尔斯～1967-06-29，塞夸尔斯)　意大利最重量级拳击世界冠军。1933年6月29日在纽约市以6个回合击倒夏基而夺冠，1934年6月14日在纽约市经过11个回合败于贝尔。1928年起在巴黎开始从事职业拳击运动，1930年去美国参加比赛，多次击倒对手取胜，但许多观察家认为是预先安排的。1936年连续两次被海恩斯击倒后回欧洲，几乎不名一文。1928～1945年间共参加99场比赛，胜86场，其中66场击倒对方。卡内拉体重约117公斤，为世界冠军中体重最高者，身高197.5厘米。第二次世界大战期间参加意大利军狙击队。1945年到美国从事摔跤运动。1933～1960年间曾在几部电影中参加演出。其中最著名的为《职业拳击手与女郎》(1933)。

Carnesecchi, Pietro　卡纳塞基(1508-12-24，佛罗伦萨[意大利]～1567-10-01，教皇国罗马)　意大利人文学者、宗教改革家。曾受梅迪契家族特别是教皇克雷芒七世的保护与支持，任克雷芒七世的首席秘书。1540年在那不勒斯参加以西班牙著名宗教著作家巴尔德斯为首的小集团。这个小集团鼓吹基督教不应有圣礼和教条。这种观点使罗马异端裁判所大为不满。他又接受路德所提出的因信称义之说，于是处境日益不利。1546年天主教当局镇压改革派，他逃往巴黎。教皇保罗四世召唤他去罗马，他公然抗命，遂于1558年受谴责。保罗四世死后，获得赦免，1559年返回罗马。1566年异端裁判所经教皇庇护五世批准恢复活动。他前往佛罗伦萨，但为保护人梅迪契家族的科西莫一世所出卖，被斩首焚尸。

Carnic Alps　卡尔尼克山脉　德语作Karnische Alpen，又称卡尔尼施山。东阿尔卑斯山脉的山岭。沿奥地利—意大利边界绵亘100千米。西起普斯特河谷及皮亚韦河，东至盖利茨河。西南为多洛米蒂山，东南为尤利安山。北接盖尔河及盖尔塔尔山脉，东连卡拉万克山脉。凯勒万德山(2 780 米)为顶峰。普勒肯山口(1 360 米)有公路通过。景色秀丽的山区有避暑胜地和冬季运动中心。

Carniola　卡尼奥拉　德语作 Krain,斯洛文尼亚语作 Kranjska。斯洛文尼亚的西部地区。19 世纪时为奥地利帝国和奥匈帝国境内斯洛文尼亚民族主义和独立活动的中心。古时为罗马帝国潘诺尼亚行省一部分。6 世纪时为斯洛文尼亚人所占。10 世纪开始成为特别行政区,1335 年成为奥地利哈布斯堡王室领地。15 ～ 17 世纪不断遭受土耳其的劫掠和宗教迫害。1809 ～ 1814 年受法国统治。19 世纪斯洛文尼亚民族主义在当地得到发展。在 1848 年革命中,居民们起来反抗哈布斯堡王室,试图在奥地利帝国内建立自治的斯洛文尼亚王国,结果失败。1894 年改为奥地利王室领地,斯洛文尼亚民族主义运动得到更大发展。到 1918 年,大部分地区已归属新的塞尔维亚-克罗地亚-斯洛文尼亚王国。1947 年以后整个地区归于斯洛文尼亚。

carnitine　肉毒碱　一种与氨基酸有关连的水溶性维生素样化合物。为面粉甲虫幼虫生长所必需的因子,并存在于高等动物的横纹肌和肝组织中。高等动物可自行合成。脂肪通过血流转运到肌细胞内脂肪酸进行氧化的部位,这过程与肉毒碱有关。肉毒碱能调节脂肪酸的氧化速度并可帮助细胞迅速改变代谢方式(如从脂肪合成转变为脂肪分解)。

carnival　狂欢节　又称"嘉年华会"。许多天主教国家在大斋前最后几天最后几小时举行的欢庆活动。狂欢节可能起源于古代庆祝新年和大自然再生的节日,但意大利狂欢节的起源也可能与古罗马农神节有关。节期的开始因民族与地域传统而不同。在慕尼黑和巴伐利亚,狂欢节(Fasching)始于显现节(1 月 6 日);而在科隆或莱茵兰地区则始于 11 月 11 日上午 11 时 11 分;在法国,庆祝活动限于大斋首日前一天和大斋第三周的星期四。较普遍的开始于大斋前的星期日,结束于大斋开始的前一日;而在西班牙的某些地区,大斋开始的首日也包括在狂欢节之内。早期,罗马的狂欢活动最为热烈。狂欢节活动在长时期内对民间戏剧、民歌和民间舞蹈的形成、发展起了重要作用。美国主要狂欢庆典在新奥尔良举行,始于 1 月 6 日,在大斋首日前一天达到高潮。意大利威尼斯有传统的假面狂欢节,不过现代最著名的狂欢节或许是里约热内卢的狂欢节。

carnival song　狂欢节歌曲　15 世纪末与 16 世纪初在意大利佛罗伦萨的狂欢节演唱的主调合唱歌曲。庆典的一个主要部分,是戴假面的狂欢者载歌载舞,高唱世俗歌曲。在 L.梅迪契(1469 ～ 1492 在位)的统治下,狂欢节的庆祝活动变得更热情而精美,由于他的领导和鼓励,连宫廷成员也积极参加。梅迪契自己写作歌词,由他的廷臣和行会会员演唱,前者演唱取材于神话故事的歌曲,而后者的曲目则以当时的流行题材为依据。狂欢节歌曲的歌词源自老的追猎歌,并具反映时事、长于描写、充满双关语的特点,其中不乏讽刺或猥亵之词,歌曲的标题本身生动反映了 15 世纪佛罗伦萨充满活力与刺激的生活。狂欢节歌曲的音乐类似曼图亚的佛罗托拉,有和弦伴奏,呈分节歌形式;曲式结构往往为 ABBC,前几段用 4/4 节拍,C 段则变为 3/4 节拍,有数次反复。H.伊萨克在梅迪契宫中任职(约 1480)时作有一些联欢节歌曲。由于梅迪契家族的衰败(1494)和萨沃纳洛拉的当权,狂欢节歌曲随其他艺术珍品及乐器一起逐渐消失。一些较著名的曲调用上了宗教和悔罪的新歌词而留存下来。萨沃纳洛拉在 1498 年下野后,狂欢节恢复,但变为沉重庄严的宫廷仪式,狂欢节歌曲失去了群众的自发性,更多地倾向于文学性。

carnivore　食肉动物　哺乳纲食肉目(Carnivora)种类。肉食性;但熊和浣熊却主要以植物为食。体中至大型,体型最小的是银鼠(伶鼠,*Mustela nivalis*),体重仅约 57 克,最大的陆生种为棕熊(*Ursus arctos*),体重达 780 千克,最大的水生种是象海豹(*Mirounga leonina*),体重达 3 630 千克。多数种类的体重为 4 ～8 千克。大多数食肉类为陆栖,而海獭、河狸及北极熊等,则大部分时间生活在水中;鳍脚类主要水栖。水生的种类身体特化呈流线型,足具蹼。大部分食肉目动物,尤其是仅以肉为食者,上颌第 4 前磨牙与下颌第 1 磨牙特化成裂牙,上下裂牙一起,作用似剪刀。狗、鬣狗和鼬的裂牙发达;熊和浣熊杂食,而鳍脚类食鱼或海产无脊椎动物,它们均无特化的裂牙。裂牙后面的牙多消失或变小,多数种类的上、下颌均有 6 枚切牙、一对犬牙、6 ～8 枚前磨牙,而上磨牙 4 枚,下磨牙 4 ～ 6 枚。犬牙大而尖,有助于捕食。头骨的下颌关节面为横位,其轴与头骨的轴呈直角,使下颌仅能在垂直面活动,咬食力量很强。锁骨退化或消失,若存在则常埋藏在肌肉中,与其他骨骼无连接,故肩关节活动极灵活。脑大,有复杂的脑回,智力高。胃简单,盲肠退化或消失。乳头位于腹部,沿两条乳脊排列,哺乳时乳头垂下。食肉目是人类最熟悉的动物类群,狗和猫是人们喜爱的玩赏动物;大部分珍贵的天然毛皮来自食肉目动物;马戏团里和动物园里,食肉类常是最吸引人的动物。多数大型且危险的食肉类为狩猎的对象。狼、豺、熊、虎、豹及美洲豹会伤害身处蛮荒的人。牧人惧怕其畜群受大型掠食动物的侵害。在自然界的生态平衡中,食肉类也起着重要的作用,它们构成食物锥的最上一级,控制着某些动物的数量。挖穴的食肉类(如獾和臭鼬)有助于土壤的混合和减少雨水造成的径流。食肉类在哺乳类中智慧较高,脑大,嗅觉发达。可经训练以供表演或帮助狩猎(如狗、猎豹、狞猫、雪貂)。食肉类有较强的领域性,用肛腺或臭腺分泌物来标志其领域。某些种类(如狼、非洲猎狗、豺)成群猎食,海狮、象海豹、海狗于繁殖期集成群,海獭一年中大部分时间成群活动,河狸终年成群;另一些种类(如熊、浣熊、狐、貘、大部分猫科动物和大部分鼬类等)除在繁殖季节外均独居,而黑背豺和小熊猫则全年成对活动。食肉类世界性分布,但多数海洋岛屿上无陆生种类分布,仅在沿岸有鳍脚类活动。澳大利亚无陆生的食肉类,澳大利亚野狗(*Canis dingo*)和赤狐系自外界引入。食肉类的种群密度一般每平方英里 1 只(但杂食性哺乳类每平方英里约 20 只;草食啮齿动物在数量高峰时,多达每平方英里 10 万只以上)。估计全世界约有鳍脚类 1 300 万～ 3 700 万只。陆栖食肉类无统计数字。每年获取野生食肉类毛皮达 600 万张,但这仅相当于饲养水貂的皮张年产量。据目前估计陆生食肉类可能有 5 000 万～ 6 000 万只。某些猫科动物、熊猫、熊和鳍脚类数量稀少,近乎灭绝。

食肉目有 10 个现生科,约 115 属,274 种。分两个亚目:

1.裂足亚目(Fissipedia)。齿式为:

$$\frac{3}{(2-3)}\cdot\frac{1}{1}\cdot\frac{(2-4)}{(1-4)}\cdot\frac{(1-4)}{(1-5)}=28\sim 50,$$

有裂牙;足端有趾;趾端具爪,面颅长;外耳发达;多数陆生。现生有两总科:(1)猫总科(Feloidea),共 42 属,115 种。①灵猫科(Viverridae)。牙齿总数 36 ～ 42 枚。犬牙细长,裂牙发达。腿短,身体细长,尾长、呈帚状。现生约 36 属,75 种。杂食性,吃小兽、鸟、爬行动物、鸟卵、爬行动物卵、两栖动物、鱼、甲壳动物、昆虫及其幼虫、蚯蚓、果实、鳞茎和根等。少数种(如椰子猫)主要为植食性。獴属(*Herpestes*)等以善于打开卵壳及其他具硬壳的食物而著称。灵猫类能捕杀毒蛇(尤其是眼镜蛇)。视觉、听觉和嗅觉均发达。多数陆栖,但 10 属有树栖种。有的獴会作出奇怪的动作以吸引猎物从而捕食之。多数趾行。妊娠期 49 ～ 64 天。一年产仔两窝,每窝 3 ～ 4 仔。雌兽腹部有两对乳头。分布在旧大陆热带及亚热带,是食肉目中唯一能分布到马达加斯加的类群。有的种类(香猫)的肛腺产香猫香,可制香水。灵猫亚科的毛皮有利用价值。大灵猫(*Viverra zibetha*)等的肉可食。白尾獴会盗食家禽,但多数灵猫能控制鼠害。又分灵猫亚科(Viverrinae,7 属,15 种)、椰子猫亚科(Paradoxurinae,6 属,8 种)、缟椰子猫亚科(Hemigalinae,5 属,7 种)、条纹环尾獴亚科(Galidiinae,4 属,7 种)、獴亚科(Herpestinae,13 属,37 种)及马达加斯加长尾狸猫亚科(Cryptoproctinae,仅 1 种)。②鬣狗科(Hyaenidae)。外形似狗,但前腿长于后腿。每足 4 趾。爪不能伸缩。头大,吻宽。耳大而圆。项部多有鬣毛。牙数仅 34,犬牙尖而长,前磨牙及磨牙发达,适于将骨咬碎(土狼颊牙小,间隙大,适于食昆虫)。以大型猫科动物遗弃的猎物为食。棕鬣狗(*Hyaena brunnea*)除腐肉外,亦食刚出生的小兽、爬行动物、鸟和爬行动物的卵。土狼主要食白蚁。鬣狗科嗅觉灵敏,视觉不发达。斑点鬣狗的吼声甚著名,因此称为"笑鬣狗"。趾行性。繁殖季节因种而异。妊娠期 3 个月。每胎产 3 ～ 4 仔。分布在非洲和南亚,东至印度。鬣狗食腐,在生态系统中有重要作用。非洲有些村落允许鬣狗进入清除废物。但有时鬣狗也会攻击人畜。下分土狼亚科(Protelinae,仅一种)及鬣狗亚科(Hyaeninae,2 属,3 种)。③猫科(Felidae)。几乎纯肉食性,多以小兽、鸟及有蹄类为食。视觉和听觉均发达,嗅觉不如其他食肉类发达。一般在夜间单独活动,但猎豹日间活动，狮则30只左右成群。小型种类妊娠期50～68天，大型种类88～113天。每窝2～3仔，但家猫多达6仔。雌体有6～8个乳头。冬末至早春繁殖。雌兽3～4岁性成熟，雄兽5～6岁性成熟。小型种类1岁左右性成熟。大型种类3～4岁(雌)或5～6岁(雄)性成熟。猫科动物以满足时鸣叫和与其他同种个体冲突时咆哮而著名。常用前足在树上留下抓痕。常用前足洗脸。会挖洞掩埋粪尿。除澳大利亚和马达加斯加外，几乎世界均有原产者。猫科动物的皮可制服装。大型猫科动物(如年老的虎、豹)饥饿时会伤人畜。家猫常饲为玩物或用以捕鼠。智力较高，可以驯养。下分猫亚科(Felinae，2属，35种，包括猞猁、猫、虎、豹、狮[唯一两性多型的食肉目动物])、猎豹亚科(Acinonychinae，仅1种)。(2)犬总科(Canoidea)。现生53属，133种。①犬科(Canidae)。齿式与其他陆栖食肉类相同，总数为42枚，犬牙发达；吻长，耳尖而有散热功能；尾长而多毛；腿长，爪钝，不能屈伸，趾行，善奔跑。犬科动物基本肉食，亦吃少量植物性食物。狼、非洲猎狗和豺完全肉食。狐、丛林狼、胡狼、貉则食性杂，小兽、鸟、昆虫、甲壳动物、软体动物、果实均吃。以肉食为主的种类常集群活动，常随驯鹿群或羚羊群移动，其猎物常是1种或少数几种；杂食性种类则多单独活动。能持续奔跑追逐，但不能突然疾跑。凭发达的嗅觉、听觉捕猎。智力高。在洞穴、灌丛、树洞或者石隙中产仔。年产1窝，每窝4～6仔，妊娠期51～80天。北极狐可产2窝。多数种类在冬末繁殖，幼仔在仲春或春末出生。肉食性者产仔于猎物的繁殖峰后不久，以利于幼仔取食。幼仔2周后睁眼，须母兽照顾4～6周。多种小型种类1岁左右性成熟。狼2～3岁性成熟。犬科趾行性，善奔驰。生境类型虽多，但一般喜栖于猎物丰富的开阔草原。狐栖于林缘。犬科多地栖，灰狐会爬树。貉常生活在树洞中。犬科动物能发多种声音，犬是群栖者。独栖者的叫声用于标志领域。犬科全世界分布，只在新西兰、南极洲及多数海洋岛屿无犬科动物。狗是人类驯化最早的野生动物。在8 000年前的新石器时代即驯化。貉、狐、灰狐、北极狐等是珍贵的毛皮兽。银狐(狐的一个突变型)及貉有人工饲养。犬科动物能控制啮齿动物的数量，但若防护不善，有时会为害家畜或家禽。某些种类是寄生虫病和狂犬病的寄主。从前印第安人视狗肉为美味。又分犬亚科(Caninae，11属，37种)、仰鼻犬亚科(Simocyoninae，3属，3种)、大耳狐亚科(Otocyoninae，仅1种)。②熊科(Ursidae)。共6属，8种。裂牙不发达，磨牙宽而冠平，头骨长，爪不能伸屈，蹠行，无锁骨，有阴茎骨。熊科动物多为杂食性，以蚁、蜂蜜、种子、草根、坚果、浆果、昆虫幼虫、啮齿类、鱼、鹿、猪和羊羔等为食。北极熊则几乎仅以海豹为食。懒熊(*Melursus ursinus*)毁白蚁巢而食白蚁。大熊猫以竹笋为食。熊科动物行动迟缓，但一旦受惊却相当凶猛。视觉和听觉均不发达，嗅觉较发达，除繁殖季节外都单独活动。妊娠期不一，受精卵可在子宫中处于休眠状态(延迟植入)，以保证当食物丰富时幼仔才出生。每年繁殖一次，繁殖季节在晚春及初夏。多数幼仔在1月或2月生出。每窝一般产2仔，最多达5仔。哺乳期约2个月，幼仔随母兽生活至1岁或1岁半，当母兽第2次繁殖时才离去。3岁半至4岁性成熟。产第一窝幼仔后，每两年产1窝。入冬前则大量进食，并入洞内熟睡，但熊类睡眠时心率、呼吸率、血压、体温无明显下降，睡得不实，所以不算真正的冬眠动物。熊有领域行为，灰熊会刮咬树木以标志其领域。多林栖，除灰熊、欧亚棕熊及北极熊外均会爬树。北极熊栖于外海及冰上。主要分布于北温带，分布范围较其他哺乳动物为北。自幼捕来的灰熊可驯养用于马戏团。熊皮可制毯、服装。黑熊及北极熊肉可食。北极熊的肝含大量维生素A，食之可中毒。熊类会为害牲畜及农田。③浣熊科(Procyonidae)。共7属，14种。体型中等，裂牙不发达，尾长而多毛，小熊猫等肛门区有臭腺。蹠行或半蹠行。浣熊科动物杂食，吃昆虫、虾、蟹、鱼、两栖动物、爬行动物、鸟、小兽、果实、根及幼嫩植物。蓬尾浣熊嗜肉。小熊猫吃植物。冬末或早春繁殖，妊娠期约两个月，每年产仔1窝，每窝2～6仔。除小熊猫分布于亚洲喜马拉雅山东南部外，浣熊科均分布于新大陆。多可饲为玩赏动物。浣熊肉可食，皮可制服装，有时会为害庄稼。④鼬科(Mustelidae)。约25属，70种，是食肉目中的大科。裂牙发达，前磨牙和磨牙数减少。前足与后足均5趾，趾行或蹠行。腿短，身体细长，有的冬夏毛色不同，肛门区多有臭腺，有臭腺者常有警戒色。雄性体大于雌性。鼬和貂吃小兽、鸟、鸟卵、蝾螈、蛇和昆虫等，体型最小的鼬(伶鼬)食量达其体重的2/3。鼬会将食物藏在地穴中。獾与臭鼬杂食。水獭吃水生无脊椎动物和鱼类。海獭吃海胆、蛤、海藻、乌贼和小鱼。鼬科动物嗅觉和听觉发达，视觉不发达。昼夜均活动，夜间活动较多。除非在带仔时期以家族为单位活动外，均单独活动。獾和海獭稍集群。多地栖，栖于林地或灌丛地区。水獭为水栖。多有延迟植入现象，故妊娠期差异甚大，貂属220～297天，獾6～8个月，水獭8个月至1年，臭鼬无延迟植入现象，妊娠期较固定(62～72天)。多数1年产1窝。每窝3～5仔。6～10周断奶。除澳大利亚、大部分海岛和马达加斯加外，几乎分布全世界。毛皮兽中鼬科占很大比例，如水貂、白鼬、紫貂、水獭皮是最耐用的毛皮。鼬类是食物链中重要的一环，能控制啮齿类和害虫的数量，但对家禽饲养业有害。下分鼬亚科(Mustelinae，11属，33种)、蜜獾亚科(Mellivovinae，仅1种)、獾亚科(Melinae，6属，8种)、臭鼬亚科(Mephitinae，3属，11种)及水獭亚科(Lutrinae，5属，19种)。

2.鳍脚亚目(Pinnipedia)。牙同型，适于抓握及撕裂，无裂牙，齿式：

$$\frac{(1-3)}{(0-2)}\cdot\frac{1}{1}\cdot\frac{(3-7)}{(3-6)}=18\sim38,$$

身体呈流线型。头平。面颅短。外耳退化或消失。潜水时耳及鼻孔能闭合。无锁骨。腰带与脊椎近乎平行。足变成鳍状。趾间有蹼。血量增多，代谢降低，体温低。肺小，气管软骨不成环。肾多叶。多海栖，少数栖息在河流或湖泊。水陆两栖，在水中觅食，在陆地交配、产仔及休息。以鱼、乌贼、章鱼和甲壳类为食。听觉及嗅觉均不发达，视觉发达。经常结群。繁殖期一雄与多雌交配。妊娠期长达8～12个月。每胎产1仔，产于陆地或冰块上。雌兽2～8岁性成熟。雄体于性成熟后数年方交配。全世界大部分沿海地区均有分布，寒冷的极地尤多。爱斯基摩人食海豹肉，用海豹皮制服装、囊袋，用其骨制器具；又用海象的獠牙刻刀柄及雕刻品。海豹油亦可用。海豹皮有商业价值。加利福尼亚海狮训练后可在马戏团及动物园表演。某些海豹于鲑、鲱洄游时大量取食，对渔业不利。下分3科：(1)海狗科(Otariidae)。又分①海狗亚科(Otariinae)。共4属，5种。②南非海狮亚科(Arctocephatinae)。共2属，7种。(2)海象科(Obobenidae)。仅1种。(3)海豹科(Phocidae)。下分①海豹亚科(Phocinae)。7属，9种。②僧海豹亚科(Monacpinae)。共6属，9种。食肉目科的划分至今有争论，许多哺乳动物学家把海豹等划归鳍脚目(Pinnipedia)，而把陆生食肉类划为食肉目。

carnivorous plant　食肉植物　又作insectivorous plant。又称食虫植物。能借特化的结构捕取昆虫或其他小动物，并靠消化酶、细菌或两者的作用将其分解的植物。已知约有

捕蝇草(*D. muscipula*)
美国不列颠百科全书公司供图

400种，亲缘关系可能甚远。这类植物虽多为绿色植物，但某些微小的真菌也能捕捉和消化动物。食肉植物能将捕获的动物分解，这过程类似动物的消化过程。分解的最终产物，尤其是含氮的化合物及盐类为植物所吸收。食肉植物多数能营光合作用，又能消化动物蛋白质，能适应极端的环境。其诱捕机制多为叶的变态。半数以上的种属于玄参目狸藻科，其特点是花两侧对称，花瓣融合。其余的食肉植物属猪笼草目(包括茅膏菜科和猪笼草科)及瓶子草目的瓶子草科，花辐射对称，离瓣。猪笼草科及瓶子草科植物总称瓶子草类，捕虫叶瓶状。茅膏菜科植物的捕虫装置能活动。茅膏菜科含貉藻属(*Aldrovanda*)、捕蝇草属(*Dionaea*)、茅膏菜属(*Drosera*)和露叶花属(*Drosophyllum*)，约100余种。茅膏菜属最大，几乎遍及世界各地。貉藻是漂浮的水生植物，有时栽培于水族馆作为奇特的植物供观赏。捕蝇草属仅捕蝇草(*D. muscipula*)1种，捕虫反应迅速(参阅**Venus's-flytrap**)。露叶花属也只有葡萄牙露叶花(黄露叶花，*D. lusitanicum*)1种。瓶子草科分布于新大陆，其种类称新大陆瓶子草。瓶子草属(*Sarracenia*)原产于北美及南美东部，有15种，其中8种已被广泛研究。猪笼草科的种

类称旧大陆瓶子草。仅猪笼草属(*Nepenthes*)1属,约70种,原产旧大陆。澳大利亚西南部的澳大利亚瓶子草(*Cephalotus follicularis*)形似虎耳草,捕虫叶似瓶子草属植物而较小,属虎耳草目澳大利亚瓶子草科(参阅 **pitcher plant**)。狸藻科含5属,250多种,多属狸藻属(*Utricularia*,分布最广的食肉植物属)。产于古巴和南美的 *Biovularia* 属有2种,产于澳大利亚的 *Polypompholyx* 属有2种,均与狸藻相似,也是利用高度特化的气囊捕捉小动物。*Genlisea* 属有15种,为热带微小的水生植物,有捕虫的瓶状结构。捕虫堇属(*Pinguicula*)有45种,具第3种捕虫机制:叶形如捕蝇纸,有黏性,用以捕虫(参阅 **bladderwort**)。无论水生、陆生或两栖,食肉植物均有相似的生态特点。瓶子草属、茅膏菜属及捕虫堇属等2～3属的种常生活在同一地点。大部分食肉植物都生长在潮湿荒地、酸沼、树沼、泥岸等水分丰富而土壤酸性缺乏氮素的生境,只有露叶花生于葡萄牙和摩洛哥的干燥乱石山丘上。大部分食肉植物是多年生草本,高不超过30厘米,常仅10～15厘米,但同一属内,高度差异亦大,猪笼草属有些种为大灌木状藤本。茅膏菜属种类高数厘米至1米(巨茅膏菜,*D. gigantea*),最小者常隐藏在水藓沼泽的藓类中。

carnosaur　肉食龙　兽脚亚目(Theropoda)肉食龙次目(Carnosauria)的大型掠食性恐龙。为兽脚亚目恐龙的一个分支,演化为大型草食恐龙的掠食者。肉食龙与同属兽脚亚目的虚骨龙不同,虚骨龙为体型较小而轻盈、行动敏捷的掠食性动物。据信肉食龙于晚三叠世(2.3亿年前至2.08亿年前)由虚骨龙趋异演化而来,到早侏罗世(2.08亿年前至1.87亿年前)成为大型动物的主要掠食者。肉食龙体型庞大,两足行走,颈短,头骨大,口大,具可怕的牙齿。早期的肉食龙以巨齿龙属(*Megalosaurus*)为代表。巨齿龙体长9米,生活于侏罗世。肉食龙类的体型越来越大。晚侏罗世的异龙属(*Allosaurus*)体长12米。到晚白垩世(9 750万年前至6 640万年前)霸王龙属(*Tyrannosaurus*)又取代异龙。霸王龙是最大的肉食龙,体长达15米;也是已知体型最大的陆栖恐龙。白垩纪末期肉食龙绝灭。

Carnot, Lazare　卡诺(1753-05-13,法国勃艮第诺莱～1823-08-02,普鲁士萨克森马格德堡[德意志])　法国军事技术专家和政治家,连续几届法国革命政府的行政官员,因其在18世纪90年代初期革命战争中所起的作用,在法国历史上以"胜利的组织者"著称。律师家庭出身。1769～1771年在巴黎炮兵和工程预备学校学习,1773年在梅齐埃尔工程学校毕业,领中尉衔。后任卫戍官。他酷爱文学,1780年参加一个著名的文学团体。1787年选入罗伯斯比尔主持的阿拉斯学会。法国大革命爆发后,他于1791年任立法议会议员,1792年9月选入国民公会。1793年1月参与最后表决,赞成处死路易十六。后任总体防御委员会(救国委员会前身)委员。1793年3月国民公会听取他的报告,决定派代表到各省征兵30万人。他受命去北方诸省,并改组北方军团,亲自参与攻占菲尔讷的战役。同年8月任救国委员会委员。不久又去北方军团,击退围攻莫伯日的敌人。此后在救国委员会中全力指导军事行动。他要求放弃全

美国不列颠百科全书公司供图

线进攻的古老战术,主张集中兵力攻击关键地点。委员会采纳了他的观点。他在拟订作战计划上起了主要作用。1794年5月他与罗伯斯比尔分道扬镳,反对以平均主义为目的的社会政策。1794年热月政变时他也赞成推翻罗伯斯比尔。但随后却不得不为自己辩护,以抵御热月政变分子不分青红皂白的攻击。1795～1799年选入督政府,思想比以前更为保守。1797年夏季的选举中王党取得多数席位,他于同年果月政变时逃亡德意志。1799年雾月政变后拿破仑任法国第一执政,他返回法国。1800年一度任陆军部长。1802年选入保民院。他反对拿破仑成为终身执政,反对建立拿破仑帝国。1807年退隐。1814年盟军入侵法国时他再度出山,拿破仑委任他为安特卫普总督。"百日"时期他任内务大臣。在滑铁卢战役以后他曾鼓励拿破仑进行抵抗。1815年7月亡命国外,1823年8月2日客死于马格德堡。其骨灰后来移葬巴黎先贤祠。

Carnot, Sadi　卡诺(1796-06-01,法国巴黎～1832-08-24,巴黎)　法国工程师、物理学家,有关热机理论的卡诺循环的提出者。其父L.卡诺是法国大革命到拿破仑称帝之间统

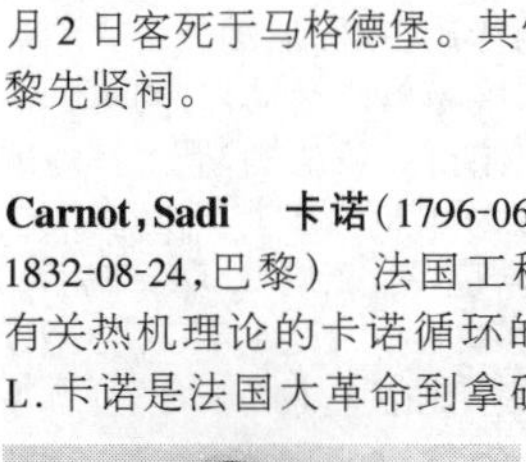

美国不列颠百科全书公司供图

治法国的五人执政团成员之一,以后曾任拿破仑的部长,1815年拿破仑短暂复辟失败后,其父亡命德意志,再也没有回法国。卡诺1812年进入巴黎综合工科学校,1814年毕业后便开始从事热力发动机的运转研究。他考察了蒸气机运转的基本问题,就输入热量和其所作最大的功的比较,证实蒸汽机的热产生机械能的理想条件,据此提出最理想的热机循环即"卡诺循环"。这种循环在实际设计中不可能实现,但在纯科学特别是热力学研究方面有着重大的指导意义。他的研究成果虽提交法国科学院取得好评,但未受重视,直至他去世后于1834年被铁路工程师É.克拉珀龙采用才为人们所认识。他的观点最终体现在德国R.克劳修斯(1850)和英国的W.汤姆孙(1851)的热力学理论中。卡诺后来的活动很少知道,但1828年在他的自述中,称自己为热机的设计者。他也关心改善公共教育。当君主专制复辟时,他继续从事他的科学工作。1832年,卡诺因巴黎霍乱流行而病逝,年仅36岁。

Carnot, Sadi　卡诺　(1837-08-11,法国利摩日～1894-06-24,里昂)　法国工程师出身的政治家,第三共和国第4任总统(1887～1894)。左派议员伊波利特·卡诺之子,法国

美国国会图书馆供图

大革命时期著名的"胜利的组织者"拉扎尔·卡诺之孙。卡诺原受工科教育,曾在阿南西任政府工程师,后任诺曼底专员。他曾一度担任下塞纳省的省长,后由科多尔省选入众议院。他与左派共和党人采取同一立场,集中注意有关公共工程和铁路发展等问题 。1878年10月任公共工程部副部长,1880年任部长。1887年,卡诺当选为第三共和国的总统。在职期间发生了政治冒险家G.布朗热将军的阴谋、劳工骚乱、无政府主义运动和巴拿马运河公司丑闻(1892)。即使如此,他在这7年间设法保全了自己的声誉。他在里昂博览会发表演说后,被一个意大利无政府主义者击伤致死,葬在先贤祠中他杰出的祖父旁边。

Carnot cycle　卡诺循环　热机中流体(如热机中的气体)的压强和温度变化的理想循环序列,由法国工程师S.卡诺于19世纪初构想出。它被用来作为所有在高温和低温间工作的热机性能的标准。在卡诺循环中,热机的工质经历四个连续的可逆变化:在恒定高温下加热膨胀;可逆绝热膨胀;在恒定低温下冷却压缩;可逆绝热压缩。热机在高温膨胀过程中吸收热量(从高温热源),在可逆绝热膨胀过程中作功,在低温压缩过程中排热(给低温热源),而在可逆绝热压缩过程中被外界作功。输出的净功与输入的热量之比等于高温热源和低温热源的温差除以高温热源的温度。它表述了卡诺原理:工作于两个温度之间的任何热机,以上述比值为最大。

carnotite 钒钾铀矿 辉黄色、软质土状放射性钒矿物，铀的重要来源。是一种含水的钾铀酰钒酸盐[$K_2(UO_2)_2(VO_4)_2 \cdot nH_2O$]。纯钒钾铀矿约含53%的铀，12%的钒和痕量的

采自美国犹他州格林河附近的钒钾铀矿
美国不列颠百科全书公司供图

镭。是次生矿物，由原生铀、钒矿物蚀变形成。主要与钒钙铀矿伴生于砂岩中，呈浸染状或局部成为纯的小块体，特别是围绕木化石产出。其次生矿床曾采出大量的铀，也可作为钒矿和镭矿来开采。1911～1923年，含钒钾铀矿的矿石在科罗拉多作为镭矿来开采。1937～1943年主要作为钒矿被开采。第二次世界大战后，在美国作为铀矿广泛地开采。目前所知最大的钒钾铀矿集中地在美国西部，尤其是在科罗拉多高原地带。其他矿床在怀俄明、南达科他和宾夕法尼亚，小量的钒钾铀矿散见于世界许多地方。美国以外有工业价值的矿床，在乌兹别克斯坦东部浩罕和费尔干纳附近。

Carnuntum 卡农图姆 多瑙河上游古罗马最重要的军营，位于维也纳东20英里的彼得罗内尔。公元6年罗马皇帝提比略进攻马科曼尼人的基地。106年成为上潘诺尼亚省首府。307年在此召开皇帝会议。马科曼尼战役中被蛮族夷毁，375年重修，约400年为大火所焚。

Caro, Annibale 卡罗(1507-06-19，教皇国奇维塔诺瓦-马尔凯～1566-11-21，罗马) 罗马抒情诗人、讽刺作家、翻译家。卡罗以其出色地翻译了维吉尔的《埃涅阿斯纪》以及诗人写给其好友的清新而俊逸的书信而著名。他还将朗戈斯的希腊小说《达夫尼斯和赫洛亚》译成意大利文，称为《达夫尼斯和赫洛亚的田园诗式的爱情》。

Caro, Sir Anthony 卡罗(1924-03-08，伦敦～) 英国抽象雕刻家，作品为松散的金属几何形结构。第二次世界大战中在皇家海军航空兵部队服役，后在剑桥大学基督学院学习工程学。1946年开始学习雕刻，初在伦敦摄政街工艺学校，后在皇家学院美术学校(1947～1952)。在此期间做过雕刻家H.穆尔的助手。1953～1979年任教于伦敦圣马丁艺术学院。学生时代的雕刻主要为人像，50年代后期开始实验焊接的横梁、柱杆和平面，后即发展为其特有的风格。1959年访问美国时，结识了雕刻家D.史密斯，两人形成了密切的相互影响的关系。其成熟的技巧多取法于史密斯的作品。虽有一些作品保持了刻板的、理性的几何形体(如《今夜出航》，1971～1974)，但他更为注重的是即兴作品，抒情的运动感和偶然效果。其为华盛顿国立艺术馆东楼所作《壁架》(1978)，高高在上，仿佛摆脱强大的引力一涌而出。70年代作品多使用不规则几何形大钢板为原材料。80年代回归传统，使用铜作原材料。1987年被封为爵士。

Caro, Joseph ben Ephraim 参阅**Karo, Joseph ben Ephraim**卡洛。

carob(*Ceratonia siliqua*) **角豆树** 豆科乔木，原产于东地中海地区，世界各地广为栽培。高约15米。羽状复叶，常绿，光滑，小叶厚。花红色。荚果扁平，革质，长7.5～30厘米，果肉甜，可食，内含5～15粒坚硬的棕

角豆树(*Ceratonia siliqua*)
美国不列颠百科全书公司供图

色种子。传说中施洗约翰所食的"蝗虫"乃是角豆树的荚果，故角豆树又称蝗树或圣约翰面包。

Carobert of Anjou(king of Hungary) **卡罗伯特(安茹的)** 参阅**Charles**(Hungary)查理(匈牙利)项下的**Charles I 查理一世**。

Carol I 卡罗尔一世(1839-04-20，霍亨索伦-西格马林根的西格马林根～1914-10-10，罗马尼亚锡纳亚) 即查理一世(Charles Ⅰ)。罗马尼亚第一代国王，在其长期统治(1866～1881为大公，1881～1914为国王)期间，西线的军事和经济得到显著发展，但他显然未能解决一个主要由农民组成的国家的基本问题。原为德意志霍亨索伦-西格马林根家族的卡尔亲王，在德累斯顿和波恩受教育，1864年在对丹麦的战争中为普鲁士军官。在法国皇帝拿破仑三世的支持下，他继承罗马尼亚的大公位；1866年4月经公民投票，正式选为大公。由于亲德，他在普法战争期间大失人心，1871年的一场国内革命几乎迫使他退位。但在俄土战争期间，由于他在普列文战役中表现出卓越的军事指挥才能，重新赢得了人民的拥护。又因罗马尼亚脱离奥斯曼帝国完全独立，他终于加冕为国王。1883年他与德国和奥匈帝国秘密结盟。他鼓励发展工业，扩充军事设施，但是由于忽视解决迫切的农民问题，酿成1907年的农民起义。

Carol Ⅱ 卡罗尔二世(1893-10-15，罗马尼亚锡纳亚～1953-04-04，葡萄牙埃斯托伊) 即查理二世(Charles Ⅱ)。罗马尼亚国王(1930～1940)，其颇受争议的统治最终导致

美国不列颠百科全书公司供图

组合主义个人独裁的产生。国王斐迪南一世长子，1914年立为王储。由于婚姻问题和不正当男女关系，1925年被迫放弃王位继承权，流亡国外。1930年回国，取代其子的摄政，同年6月宣誓为国王。仿墨索里尼的独裁方式，把国内民主制度摧残殆尽。为对付日益增长的全国性法西斯组织铁卫团的威胁，他宣布实行组合式独裁。1938年末成立以他为首的"民族复兴阵线"。在轴心国和苏联于第二次世界大战中夺走特兰西瓦尼亚、多布罗加、布科维纳和比萨拉比亚地区后，他于1940年9月6日被迫退位，再次流亡国外。

carol 颂歌 广义地说，指与某一特定节日(特别是圣诞节)有关的表示宗教性欢乐的歌曲；严格地说，则是指中世纪后期任何题材的英国歌曲，其中统一的诗节或诗句(V)与迭句(B)交替出现，形成B，V_1，B，V_2……B的模式。在英国颂歌的黄金时期(约1350～1550)，大部分颂歌均可用"迭歌-诗句"这一形式加以界定。而颂歌作为一种流行宗教歌曲在14世纪初似乎已经定型。有少量颂歌曲调和约500首歌词从这一时期留存至今，它们大多与圣母马利亚、圣婴基督以及一些圣徒有关。也有一些耶稣受难节或复活节的颂歌，劝人为善的歌曲，以及谈情说爱的、讽刺的、有关时事的唱词。许多颂歌混合使用两种语言，以拉丁语和英语最为常见。15世纪，颂歌仍是一种流行宗教歌曲，但作为艺术音乐和文学体裁它也得到了发展。从音乐方面来看，它是英国最重要的"固定曲式"，与法国的回旋曲、维尔莱和叙事歌相类似。15世纪的颂歌保留曲目是中世纪英国音乐最有分量的丰碑之一。它们的音乐形式每每是精美复杂的。15世纪末，颂歌在宫廷歌集《费尔法克斯手抄本》中出现，是一些以复节奏(二拍子)为基础的、风格灵活而不落俗套的三声部或四声部歌曲，题材大多关系到基督受难，歌词常常明确地决定着音乐的效果。其中提到的作曲家有W.科尼舍、R.费尔法克斯、J.布朗。复调的颂歌由专业音乐家创作，供训练有素的合唱团演唱。随着宗教改革运动的兴起，颂歌迅速地而且几乎是完全地消失，由有韵律的诗篇歌代替。18世纪后半叶，颂歌开始复兴。这一时期的圣诞颂歌，如C.韦斯利的《听！信使在歌唱》仍然缺乏颂歌的特殊风格。颂歌的复兴以一些传统歌谣集为基

础，另外两个来源是英国民间颂歌和翻译的外国颂歌。

Carol, Martine　卡罗尔（1922-05-16，法国比亚里茨～1967-02-16，蒙特卡洛）　原名玛丽-露伊丝-让娜·穆莱。法国电影女演员，40年代末、50年代初首屈一指的金发性感演员。1943年初上银幕。1948年第一次担任主角。50年代初期，她是法国最叫座的电影明星，在若干部影片中扮演了上流社会的风骚女郎。在由她的丈夫克里斯蒂安-雅克导演的一批精心拍摄的历史片中，她展露了自己的表演特色。

Carolan, Terence　卡罗兰　参阅 **O'Carolan, Turlough** 奥卡罗兰。

carole　卡罗尔舞　中世纪欧洲的一种舞蹈。表演者呈圆圈或链条队形，边唱边舞。参加人数不限，互相挽臂，跟随领头人做同样舞步。起源于五月节和仲夏狂欢节的环舞，更远还可追溯到古希腊的"霍罗"，即圆环队形的歌舞。关于卡罗尔舞的记载最早见于7世纪，12世纪时传遍欧洲，14世纪衰落。有材料证明卡罗尔舞是由民谣伴唱表演的。许多伴唱暗示着舞蹈动作（如"鞠躬，鞠躬"）。法罗群岛的圆环队形民谣歌舞中至今还有中世纪丹麦卡罗尔舞表演场面的痕迹可寻。直到20世纪，巴尔干半岛还有与卡罗尔舞同源、由唱歌或乐器伴奏的环舞、蛇状队形或直线形舞（例如，罗马尼亚的霍拉舞、塞尔维亚-克罗地亚的科洛舞、保加利亚的霍罗舞和希腊的西尔托斯舞），别的地区也有，如法国的法兰多拉舞和卡马尼奥拉舞，加泰罗尼亚的萨尔达纳舞。当今的瑞士还有一些卡罗尔舞，以环形群舞开始而以对舞表演结束。欧洲中世纪后期跳的布朗莱舞起源于卡罗尔舞。某些权威认为，各种成直线或圆圈的乡村双人舞亦起源于卡罗尔舞。

14世纪绘画中的卡罗尔舞
美国不列颠百科全书公司供图

Carolina　卡罗利纳　波多黎各东北部城镇。为圣胡安都会区之一部。地跨洛伊萨河，距首都圣胡安19千米。1816年建村镇，称上特鲁希略。1857年，该镇洛伊萨河以北城区分离出，称卡罗利纳。后将上特鲁希略其余部分并入。建有国际机场。周围种植甘蔗和烟草并就地加工；其他制造业有纺织、制陶和玻璃砂加工等。人口177 806（1990）。

Caroline of Brandenburg-Ansbach　**卡罗琳（勃兰登堡-安斯巴赫的）**（1683-03-01，勃兰登堡-安斯巴赫安斯巴赫［德国］～1737-11-20，英国伦敦）　英王乔治二世（1727～1760在位）的王后，美丽而聪明，她对丈夫施加的影响在委任和保留罗伯特·沃波尔爵士的首相地位（1730～1742）中起了决定性作用。她是一位德意志诸侯之女，1705年与乔治·奥古斯塔斯（后为英王乔治二世）结婚。在她公公于1714年成为国王乔治一世后，她帮助缓解了国王与她丈夫因一次激烈争吵而产生的隔阂。在乔治·奥古斯塔斯被禁止入宫的3年（1717～1720）中，她使他们的伦敦寓所成为反对王室的活跃中心。1727年乔治二世即位后，她力阻国王撤销首相沃波尔的职务。她逝世前一直左右着她的丈夫。

美国不列颠百科全书公司供图

Caroline of Brunswick-Lüneburg　**卡罗琳（不伦瑞克-吕讷堡的）**（1768-05-17，不伦瑞克［德国］～1821-08-07，英国伦敦）　英王乔治四世的王后，她和她的丈夫（也是表兄）一样，是各种丑闻的主要角色。不伦瑞克-吕讷堡公爵C.W.斐迪南之女。1795年4月8日同乔治（当时为威尔士亲王）结婚，但在他们唯一的孩子夏洛特公主出生（1796-01-07）后不久，两人即行分居。曾被指控与人私通并生下一子，1805年12月被枢密院的一个委员会宣布无罪。她的丈夫因父亲乔治三世患精神病而摄政期间（1811～1820），她被排斥在宫廷之外。1814年起她主要寄寓意大利，据信与其意大利籍伴游B.佩尔加米有暧昧关系。1820年1月29日乔治四世即位后，试图用给予报偿的方式让她继续留在欧洲大陆，但她却在6月返回英格兰。因此，英国政府提出一项议案，要求解除此项婚姻，并剥夺她的王后称号。经过长期听证（08-17～11-10）以后，上院最终否决这一议案。乔治四世举行加冕典礼时（1821-07-19），她被禁止进入威斯敏斯特教堂，随即患病，19天后去世。

美国不列颠百科全书公司供图

Caroline Atoll　加罗林环礁　又称桑顿岛。太平洋西南部中-南莱恩群岛的珊瑚建造。位于塔希提西北450英里（720千米），属基里巴斯。由20个小岛组成，环绕一长6英里、宽1英里的潟湖。总陆地面积1.45平方英里。原被波利尼西亚人占据。1868年属英国。1979年归新独立的基里巴斯。无永久性居民。

Caroline Islands　加罗林群岛　西太平洋群岛，包括密克罗尼西亚联邦（库赛埃、波纳佩、特鲁克、雅浦）和帕劳。加罗林群岛可分为两个自然地理区：东部为覆盖于火山基底之上的珊瑚礁，西部是由于地壳褶皱突出海面而形成的岛屿。两部分的海拔均在150米以上，包括雅浦、波纳佩、特鲁克、库赛埃、巴伯尔图阿普和乌利西在内，总陆地面积约为1 300平方千米。该群岛属热带气候，月平均温度为26～28 °C，一年中降雨量分布均匀，在有人居住的岛屿上，一般年降雨量在3 050毫米以上。地势较高岛屿的向风面降雨量超过4 570毫米。正常年份，该群岛每年遭遇20多起台风。加罗林群岛的东部岛屿于公元2世纪前可能已有人定居；西部岛屿上的发现则说明早在公元7世纪中国商品已运抵该岛。16世纪时，西班牙航海者来到该岛，并以当时西班牙国王查理二世的名字命名该岛，但直到19世纪该岛才沦为西班牙殖民地。美西战争（1898年）后，加罗林群岛被转卖给德国；1914年又被日本侵占；1919年后作为国联的委托统治地继续被日本占据。第二次世界大战期间，日军在该岛严密设防，修筑了大量工事，但该岛最终仍被美军占领并在1947年成为联合国战略托管地的一部分，由美国管辖。1986年后，联合国托管地仅剩帕劳，其余部分，包括密克罗尼西亚联邦，均已实行联邦制或组成了国家，并与美国保持密切联系。加罗林群岛主要出口椰干，其次是手工艺品。岛上旅游业得到扶持和促进。日军占领该岛期间曾在西部地势高的岛屿上开采矿藏。有些岛屿发展金枪鱼捕捞业。种族、文化、语言的巨大差异在加罗林群岛上随处可见。该群岛西部岛屿居民为美拉尼西亚和菲律宾人的混血人；东部居民为波利尼西亚人；居住在环状珊瑚礁上的努库奥罗人和卡平加马兰吉人则代表波利尼西亚文化的西部分离体。人口约 137 200(2000)。

Carolingian DYNASTY **加洛林王朝** 法兰克贵族家族和由他们建立的统治西欧的王朝(750～887)。该家族因世袭东法兰克王国(奥斯特拉西亚)的宫相而得势。679 年埃斯塔勒的丕平二世成为宫相后，该家族把几代墨洛温王朝的国王都贬为傀儡元首。687 年丕平二世击败敌对的纽斯特里亚人埃布罗恩，掌握了整个法兰克国家的实权。他死后，其私生子查理·马泰尔于 725 年自封为法兰克人的统治者，但仍保留墨洛温王朝的名义。741 年查理·马泰尔死后，由他的儿子矮子丕平三世与卡洛曼将王国瓜分。747 年卡洛曼逊位，丕平三世变成国家唯一的统治者。750 年丕平三世废黜了墨洛温王朝最后一代国王希尔德里克三世，在教皇札迦利的支持下，由法兰克贵族会议拥立为国王。768 年丕平去世。王国再度分割，后由其长子查理曼(**Charlemagne**)重新统一。他征服整个高卢，进入日耳曼及意大利，扩展了法兰克人的势力，使波希米亚人、阿瓦尔人、塞尔维亚人、克罗地亚人及其他东欧民族皆来进贡。他与教皇结盟，并于 774 年在意大利中部建教皇国。他于 800 年圣诞节加冕为罗马帝国皇帝。查理曼的儿子虔诚者路易于 840 年死去，路易的 3 个儿子争夺继承权。后于 843 年订立《凡尔登条约》，他们同意将帝国分为 3 个王国：西法兰克归秃头查理，东法兰克归日耳曼人路易，中法兰克(包括意大利若干省份及罗马)归洛泰尔，并由他承袭皇帝称号。随后由于 3 个王国再行分割，又加上诺曼人和撒克逊人等新兴力量的崛起，加洛林王朝的权势日益削弱。帝号于 855 年由洛泰尔传给儿子路易二世；于 875 年由路易二世传给叔父秃头查理；877 年查理死去，相隔一段时期，881 年传给日耳曼人路易的幼子胖子查理三世。到查理三世于 887 年被废黜时，加洛林王朝的权势在帝国中实际上已冰消瓦解。然而加洛林王朝的国王们于 893 或898～923 年和 936～987 年又曾两度取得法国政权。

Carolingian art 加洛林王朝艺术 查理曼统治时期(768～814)形成的古典风格，一直延续至 9 世纪末。在查理曼对艺术的大力支持下，随着对早期基督教式样的摹仿和当时的拜占廷和希腊-罗马风格的影响，引起了罗马古典主义的空前复兴，但这种古典主义已为热衷于直线和图案化的地方传统以及加洛林王朝的一再革新所修正(参阅 **Anglo-Saxon art**)。因此，加洛林王朝的文艺复兴实际上是一场革新运动，而不是古典主义的再生。可是，它对在西方恢复古代遗产和引起人们对以后艺术的兴趣十分重要。从早期基督教 T 形平面巴西利卡(**basilica**)的重新出现，可以明显看出罗马建筑的影响。富尔达的僧侣曾被派往罗马测量圣彼得大教堂，以便在本

9 世纪初期《洛尔施福音书》的象牙浮雕书皮
美国不列颠百科全书公司供图

地仿制。拜占廷建筑也对其产生影响。例如，查理曼在亚琛宫殿内建造的巴拉丁礼拜堂(805 年完工)，模仿了拉韦纳圣维塔莱教堂(约 526～547)的八角形平面。总之，加洛林王朝的许多艺术特征是根据特殊需要所创造。最有代表性的是教堂的西侧设计，即带有塔楼的堡垒式结构和通往中殿的几间内室；以及外部的地下室，即在地下组成的宽阔的礼拜堂和东端的半圆形后殿(教堂一端的凸出部分)。手抄本插图(参阅 **Ada group**)、象牙浮雕和金工都反映了因袭古典主题和式样的兴趣。至于风景画，则使人想到古代罗马别墅的壁画。镶嵌画也有制作，但残存的很少。

Carolingian minuscule 加洛林小写字体 书法中一种清晰而易于掌握的字体，是8世

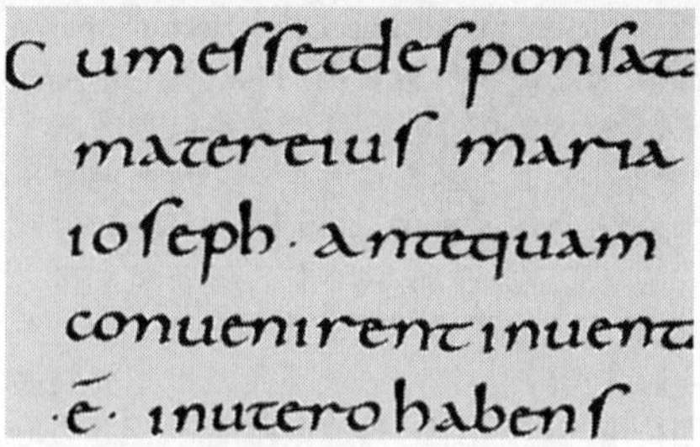

约 850 年的加洛林小写字体
美国不列颠百科全书公司供图

纪末和 9 世纪初查理曼教育改革中所创制。由于在意大利文艺复兴时期为人文主义者重新发现并有所改善，该书体继续流行，成为现今罗马字体的基础。博学的英格兰牧师阿尔昆负责这个教育改革计划，改革本身就是一次真正的文艺复兴事业。改革的主要中心在图尔圣马丁修道院，当时阿尔昆任院长。他曾任约克大教堂学校校长和亚琛查理曼宫廷学校校长，由于他的功劳，产生了许多出色的手稿，叫做《金福音书》。其中最著名的是《戈德斯卡尔福音书》(巴黎国家图书馆藏)，783 年前用加洛林小写字体写成，进奉给查理曼。由学者、加洛林字母书写者及艺术家所构成的图尔艺术流派的最高成就，在 9 世纪中叶的《洛泰尔福音书》中可以体现出来，这套福音书是阿尔昆的弟子们制作的。

carom billiards 卡罗姆台球 参阅 **French billiards** 法式台球。

Caron, Antoine 卡隆(约1515，法国博韦～1593) 法国查理九世和亨利三世时期重要画家。作品反映宗教战争(1560～1598)期间豪华而又动荡不安的瓦卢瓦宫廷生活见闻。

卡隆绘《奥古斯都与蒂布尔蒂内·西比尔》
美国不列颠百科全书公司供图

现存少量作品可分为三大类：寓意题材、大屠杀题材和幻想与占星术。对宫廷生活的讽喻以及暴行和巫术反映出 16 世纪晚期生活的特点。

Caron de Beaumarchais, Pierre-Augustin 卡龙·德·博马舍 参阅 **Beaumarchais, Pierre-Augustin Caron de** 博马舍。

Carondelet,(Francisco Luis) Hector, baron de　卡龙德莱特男爵(约1748,佛兰德努瓦耶勒～1807-08-10,新格拉纳达总督区基多[厄瓜多尔])　西属路易斯安那及西佛罗里达总督(1791～1797)。出身于勃艮第名门,与西班牙望族联姻,在受任治理新奥尔良之前,曾担任过西属殖民地多种公职。他力图克服各种困难,修凿一条连接新奥尔良与墨西哥湾的运河,改进其他城市设施,但为当地印第安人问题及美国入侵所扰,收效甚微。美国与西班牙均声称北纬31°线以北为其领地,他为维护西班牙权益曾与当地印第安人结盟,共同侵扰美国边界居民;成立一支炮舰舰队巡逻于密西西比河上;在美西双方有争议的地带构筑堡垒;与驻守肯塔基的J.威尔金森将军及其他将领谈判,将阿巴拉契亚山以西的美国领土分裂出去。1795年10月,这种图谋终因《圣洛伦佐条约》(《平克尼条约》)的签订而破灭,条约规定:西班牙同意将美国南部边界定在北纬31°,允许美国公民在密西西比河自由航行,并赋予美国公民在新奥尔良免税储存货物的权利。卡龙德莱特于1797年转任基多总督。

Caroni River　卡罗尼河　在加勒比海南部特立尼达和多巴哥岛群中特立尼达岛的西北部,源起北岭高地南缘巴伦西亚附近,西流注入帕里亚湾。流经北部山脉和中部山脉之间的地区。长约40千米,部分河段可通行平底船。1592年圣约瑟夫登上卡罗河岸,成为第一个荷兰定居者。卡罗尼河栖息大量火烈鸟和朱鹭,但由于非法捕猎和污染,20世纪末鸟的数量大为减少。

Caroní River　卡罗尼河　委内瑞拉东南部玻利瓦尔州河流。源出委内瑞拉、巴西和圭亚那三国交界的帕卡赖马山脉罗赖马山山麓。北流穿过圭亚那高原和委内瑞拉东南部,在圭亚那城地区圣费利克斯注入奥里诺科河,全长690千米。下游可航行轮船。壮观的全世界最高的安赫尔瀑布(979米)就在该河源头。该河水力资源丰富,已建成马卡瓜水坝和古里水坝。

Carora　卡罗拉　委内瑞拉西北部拉腊州中西部城市。位于莫里里河滨。海拔344米。城内有教堂和方济各会隐修院。1572年建立。殖民地时期相当繁荣,人口约达1万。饲养马、骡、牛。出口皮革、咖啡和橡胶。人口约79 907(1990)。

Carossa, Hans　卡罗萨(1878-12-15,德国托尔茨～1956-09-12,西德里特施推克)　德国诗人、小说家。对20世纪德国自传体小说的发展有杰出和独特的贡献。曾在帕绍、纽伦堡和慕尼黑等地行医,一生多半住在巴伐利亚。他的很多作品对该地人民及其天主教和异教的民间传说、迷信行为等都有所描述和思考。其文学生涯以抒情诗《神秘的星星》(1902)开始,诗中沉思的和哲理的态度支配了感情的表现。这种超然地转向自己生活的态度,以及想寻求和献出人类最可宝贵的东西的愿望,在他的作品中始终占有主导地位。第一部小说《比格尔医生的结局》(1913;1930年修改后再次发表,书名改为《比格尔医生的命运》)讲一个年轻的医生看到周围人们的苦难而感到绝望,因未能拯救他所喜爱的女人

美国不列颠百科全书公司供图

而自杀身亡。这部小说既是对歌德的维特题材的探讨,也是对这一题材的变异。他在《歌德在当今的影响》(1938)一书中表示了对歌德的感激之情。《罗马尼亚日记》(1924;1934年再次发表时改名为《战时日记》)是对他第一次世界大战时作为军医在罗马尼亚种种经历的一次评价,也是对更深邃的人生奥秘的一次探索。这是他在德国境外赢得赞许的第一本书。更直率的自传体作品有《童年时代》(1922)、《充满美好迷惘的一年》(1941)、《一个青年的变化》(1928),以及《不同的世界》(1951)。最后的作品《年轻医生的一天》(1955)没有完成,主要探讨他作为医生的义务和作为作家的责任之间的冲突。

carotene　胡萝卜素　作为色素广泛分布于动植物中的几种有机化合物的总称。在许多动物的肝脏中可转变为维生素A。这些色素是不饱和的烃类(具有许多双键),属于异戊二烯类化合物。有数种同分异构体(分子式相同而分子结构不同)都统归为胡萝卜素化合物。在植物中胡萝卜素使花(蒲公英、金盏草)、果实(南瓜、杏)和根(胡萝卜、甘薯)呈黄、橙或红色。在动物中可见于脂肪(奶油)、蛋黄、羽毛(金丝雀)和贝壳(龙虾)中。最重要的前维生素A(维生素源)是β-胡萝卜素,1910年首次从胡萝卜中分离而得。经一些科学家的研究,终于在1950年合成出来。

carotenemia　胡萝卜素血症　又作xanthosis, carotenodermia, artificial jaundice。又称褐黄病、胡萝卜素黄皮病或假性黄疸。由于血中胡萝卜素含量过高使皮肤呈黄色的一种临床表现。原因为食入大量胡萝卜素含量丰富的食物(如胡萝卜、甘薯或柑橘等)。

carotenoid　类胡萝卜素　一类不含氮的黄色、橙色或红色的生物色素。几乎一切生物都有类胡萝卜素。可分为两大类:碳氢化合物类或胡萝卜素,氧化合物(醇性的)类或叶黄素类。类胡萝卜素由细菌、真菌、藻类和绿色植物合成,在大多数高等有花植物的花瓣、花粉和果实(例如胡萝卜、甘薯、番茄和柑橘果实)中最为明显。亦见于落叶乔木、灌木的秋叶中。在绿色植物的叶中,类胡萝卜素是光合作用的辅助色素,用以捕捉太阳能并将其传递给叶绿素。所有动物及原生生物也都含有类胡萝卜素(从食物中摄取)。动物摄取胡萝卜素,并将其转变为维生素A。动物具有的色彩中,类胡萝卜素也起作用。

Carothers, Wallace Hume　卡罗瑟斯(1896-04-27,美国艾奥瓦伯灵顿～1937-04-29,宾夕法尼亚费城)　美国化学家。研制出第一种工业化生产(1938)的合成聚合纤维尼龙,是合成纤维工业的奠基人。他先后在伊利诺伊大学和哈佛大学研究并教授有机化学。1928年,杜邦公司聘请他担任该公司设在特拉华州威尔明顿的实验室的有机化学研究主任。他研究了高分子量物质的结构和生成它们的聚合反应。这些基础研究导致尼龙和氯丁橡胶的发展。尼龙是性质上类似羊毛、棉花、丝等天然纤维的人造纤维,且在许多方面比天然纤维优越。氯丁橡胶则是由乙烯基乙炔衍生的合成橡胶。卡罗瑟斯由于长期的抑郁症而自杀。

carotid artery　颈动脉　向头、颈部供应血液的动脉。有数条。颈总动脉2条,沿颈外侧部上升,左颈总动脉起于主动脉弓,右颈总动脉起于头臂干。颈总动脉分支为颈内动脉及颈外动脉。颈内动脉从颞骨上的颈动脉管入颅,分出眼动脉入眶后,分为大脑前动脉及大脑中动脉两终支。颈内动脉的特点是位置深、走行弯曲、无大侧支。脑的血液供应主要来自颈内动脉及椎动脉。颈外动脉在颈上外侧部上升,在下颌后方穿入腮腺,在该处分出许多分支。颈外动脉的分支有:①甲状腺上动脉(分布于喉和甲状腺);②舌动脉(分布于舌和舌下腺);③面动脉(分布于面、腭、扁桃体、颌下腺);④枕动脉(分布于项肌和项部头皮);⑤耳后动脉(分布耳后和邻近头皮);⑥颞浅动脉(分布耳前的头皮,有分支面横动脉分布于面的后部);⑦上颌动脉(有肌支至咀嚼肌、脑膜支至硬脑膜,又有分支至牙、鼻、腭、鼓膜);⑧咽升动脉(分布于咽、腭、扁桃体、硬脑膜)。

Caroto, Gian Francesco　卡罗托(约1480,威尼斯共和国维罗纳[意大利]～1555,维罗纳)　意大利画家,作品以技巧与色彩感见称。早期主要作品是《基督入殓》(华盛顿国立美术馆藏),两幅晚期主要作品是《带光轮的圣母与圣徒》(1528,维罗纳圣费尔莫大教堂)和《圣徒乌尔苏拉》(1545,维罗纳圣乔治教堂)。他的以风景为背景的半身圣母像,给人以类似达·芬奇的作品的神秘联想;晚期风格接近拉斐尔那种文雅的古典主义。他在有生之年,一直是维罗纳最重要的画家。

carp(species *Cyprinus carpio*)　**鲤鱼**　鲤科绿褐色鱼,原产亚洲,后引进欧洲、北美及其他地区。生活力强,鳞大,上颌两侧各有二须。单独或成小群地生活于平静且水草丛生的泥底的池塘、湖泊、河流中。杂食性,掘寻食物时常把水搅浑,增大混浊度,对很多动植

鲤鱼(*Cyprinus carpio*)
美国不列颠百科全书公司供图

物有不利影响,因此常令人讨厌,人们要花很大力量才能清除。冬天蛰伏于河底,停止觅食。春天产卵,雌鱼常在浅水带的植物或碎石屑上产大量的卵。卵在 4 ~ 8 天后孵化。鲤鱼生长很快,大约第三年达到性成熟。在饲养条件下,可活 40 年以上。长度平均 35 厘米左右,但最大可超过 100 厘米,重 22 千克以上。鲤鱼常被养殖,以供食用,特别在欧、亚二洲,产量甚高。有两个养殖品种:镜鲤(具少数大鳞)和革鲤(几乎无鳞)。英语 crucian carp 指黑鲫(*Carassius carassius*),无须,原产欧洲,与金鱼近缘。

carp louse 参阅**fish louse**鱼虱。

Carpaccio, Vittore 卡尔帕乔(约1460,威尼斯[意大利]~ 1525 或 1526,威尼斯) 意大利文艺复兴早期威尼斯画派最伟大的画家。主要受 G.贝利尼和 A.达·墨西那的影响。约1490年开始为圣奥尔索拉学校画《圣徒乌

卡尔帕乔绘《乌尔苏拉圣迹图》(约 1495)
美国不列颠百科全书公司供图

尔苏拉传》组画(威尼斯美术学院藏)。这些作品显示了他的独创性和成熟性、组织和表叙情节的技巧与掌握光的本领。19 世纪的英国评论家 J.罗斯金对他画的建筑和画中发光的基调推崇备至。

carpal bone 腕骨 上肢的多角形小骨,共多块;在人构成腕关节,在马、牛和其他四足动物构成前腿的"膝"。相当于后肢或下肢的跗骨。典型的原始脊椎动物有 12 块腕骨。现代两栖类、爬行类和鸟类的腕骨由于愈合而数量减少。人类有 8 块,排成两排。近侧(接近前臂)的一排为舟骨、月骨、三角骨和豌豆骨。远侧(接近手指)的一排为大多角骨、小多角骨、头状骨和钩骨。远排与掌骨牢固地相连。近排与挠骨和尺骨下端的关节盘构成腕关节。

carpal tunnel syndrome(CTS) **腕小管综合征** 由长期不断弯曲或压迫手腕造成的痛苦状态。腕小管综合征因正中神经受压而引起,该神经在手和脊髓之间传递神经冲动。腕关节由一组腕骨形成。腕小管是手腕内侧一条小通道,三面包着腕骨,第四面包着韧带。9 条腱经过腕小管,腱能曲指,即让手指在握拳时得以合拢。正中神经也经过腕小管。指和腕活动时,手指屈腱摩擦着腕小管壁。这可能导致腱肿,由于腱的伸展空间小,腱会压迫腕小管中最软的组织正中神经。压力引起手和手腕的麻木、刺感和痛苦,即腕小管综合征的主要症状。如果神经上的压力加剧,患者可能有一些手部肌肉暂时失控,而感到拾物或握物的困难。腕小管综合征典型出现于不断从事手部工作或工作时手部须维持笨拙姿势、不断重复强抓或强握的动作、手掌受机械式压力的工人。腕小管综合征最常见于装配线的工人,还有长期从事电脑键盘上打字的人。减少或避免致病活动,常使轻微病症减缓。较严重的病症用消炎药舒解,病人同时戴上腕梏或腕夹。有时也用外科手术来矫正。

Carpathian Geosyncline 喀尔巴阡地槽 是特提斯地槽(**Tethys Geosyncline**)的弧形延伸部分。喀尔巴阡地槽于新生代的中期曾经受过造山运动,并隆起形成现在的喀尔巴阡山脉。

Carpathian Mountains 喀尔巴阡山脉 欧洲中东部弧状山脉。西起斯洛伐克布拉迪斯拉发附近的多瑙河峡谷,向南绵延至罗马尼亚布拉索夫,再向西南止于罗马尼亚奥尔绍瓦附近多瑙河谷的铁门。全长 1 450 千米。跨捷克共和国、斯洛伐克、波兰、匈牙利、罗马尼亚和乌克兰等国。喀尔巴阡山脉虽是阿尔卑斯山系向东延伸部分,但在很多方面与之有明显差异。山系结构不很紧凑,山峰较低,最高峰格尔拉赫峰只有 2 655 米。喀尔巴阡山脉由 3 列平行延伸的山脉组成。外喀尔巴阡山脉由页岩与砂岩互层的复理层岩石构成;起自布拉迪斯拉发附近,经摩拉维亚和波捷边境进入乌克兰西部,南抵罗马尼亚,止于布加勒斯特北面。内喀尔巴阡山脉由许多分离的断块组成,断块的岩心为古老的结晶岩与变质岩,较年轻的沉积岩被逆掩其上。西部为中斯洛伐克断块,东南部为东喀尔巴阡断块,中部为孤立的比霍尔山。最内的一列由不到 5 000 万年前形成的年轻的第三纪火山岩构成,其西段和东段的延展情况大不相同:西段山脉呈弧形,在南、东两面包围中斯洛伐克断块;东段则由西北向东南几乎呈直线延伸,与平行于这部分山脉的构造断层相一致。在火山山脉与南喀尔巴阡断块之间则是特兰西瓦尼亚盆地。喀尔巴阡山脉的径流大部分经由多瑙河与德涅斯特河排入黑海。农业、林业和旅游业为重要经济支柱。参阅 **Europe**。

Carpatho-Rusin Catholic Church 喀尔巴阡-罗塞尼亚公教会 参阅**Ruthenian Catholic Church**罗塞尼亚公教会。

Carpații Meridionali(Romania) **南喀尔巴阡山** 参阅**Transylvanian Alps**特兰西瓦尼亚山脉。

carpe diem 及时行乐 罗马诗人贺拉斯使用的短语,用来表达一个人应该"能行乐时且行乐"。这种情绪在许多文学中都有表达,尤其是在 16 ~ 17 世纪英国诗歌中。

Carpeaux, Jean-Baptiste 卡尔波(1827-05-11,法国瓦朗谢讷~ 1875-10-12,库伯瓦) 又称朱尔·卡尔波,法国当时首屈一指的雕刻家。作品表达了与当时法国学院派雕刻相反

卡尔波的《舞蹈》(1865 ~ 1869)
美国不列颠百科全书公司供图

的谐调感和多样性,形成了 A.罗丹雕刻艺术的前奏。卡尔波是法国著名雕刻家 F.吕德的学生。1854 年获罗马奖,并因而得以移居罗马(1854 ~ 1861),在那里受到意大利文艺复兴时期雕刻家如米开朗琪罗、多那太罗和韦罗基奥等人作品的影响。1861 年以所作《乌戈利诺和他的儿子们》而一举成名,受到拿破仑三世的赏识。最有名的作品是 1869 年完成的《舞蹈》,这是为巴黎歌剧院正立面制作的一座群雕,是轰动一时但也被指责为有伤风化的作品。

Carpentaria, Gulf of 卡奔塔利亚湾 阿拉弗拉海(太平洋的一部分)的一个长方形的浅水湾,凹入澳大利亚北部海岸。这个多世纪以来未被人注意的海湾,自 20 世纪后期开发铝土矿、锰和对虾(河虾)资源后,始引起国际上的重视。海湾面积 12 万平方英里(31 万平方千米),最深处为 230 英尺(70 米)。海湾底部是澳大利亚和新几内亚的大陆架。有一座横跨托雷斯海峡的山岭将海湾底床从珊瑚海分隔开来,另一座从韦塞尔岛向北绵亘的山岭又将海湾底床与阿拉弗拉海的班达海盆盆

底相分隔。海湾底床坡度很小;昆士兰西部大平原的河水向北或西北流经海岸注入海湾,落差非常小,每英里只有1英尺。平原近海处形成一带盐滩,最宽的盐滩在弗林德斯河正西面。汇入海湾的河流约有20条,下游极为蜿蜒曲折,有许许多多三角洲。海湾东面最早于1605～1628年由荷兰人开发,西、南两面海岸于1644年为探险家塔斯曼所发现。1628年P.卡彭特曾到达该地区,海湾以其姓氏命名。海湾位于卡奔塔利亚盆地的北部、中部和西半部。约于2亿年前形成的中生代沉积岩厚度有5 000英尺左右,其下有一层非常古老的前寒武纪岩石。后来在5 000万年前形成的岩层上、在海湾岸上生成厚达33英尺的铝土矿层。在韦尔斯利群岛和爱德华·佩留爵士群岛,覆盖于上述矿层之上的是砂石层,可以表明过去的海拔比今日的为高。海湾西部有大量锰矿,似乎是沿着一个原始海湾参差的海岸线形成。海湾东南岸的盐田由复杂的因素互相作用而形成。在夏季,由于该地是十分平坦的流域,有季风带来的雨,有汹涌的潮汐,岸边风劲浪高,盐田区为海水淹没,而盐田后面的陆地区也淹没在因海湾水满而宣泄不下的河水中。海水和淡水交界的标志是:一面是裸露的盐田,另一面是有植被的平原。至20世纪后期,对虾捕捞业发展迅速。对虾加工在有专门设备的船上或在格鲁特岛和星期四岛上进行。芭蕉虾捕捞量最大。正在开发格鲁特岛的丰富的锰矿,及韦帕、约克角半岛、戈夫半岛及阿纳姆地等地区的相同规模的大型铝土矿。由于有上述各项经济开发,海岸和各岛屿上的居民从寥寥可数增加至数千人,此地与澳大利亚其他地区及世界各地的交通和信息联系均有改进。

Carpenter, Edward　卡彭特(1844-08-29,英格兰苏塞克斯布赖顿～1929-06-28,萨里吉尔福德)　英国作家。他拥护社会改革和19世纪晚期的反工业化工艺美术运动。1864年入

美国不列颠百科全书公司供图

剑桥大学,1869年被推选并任命为大学评议员。1874年因对当时的社会和宗教习俗感到反感,为新成立的大学教育普及运动到处进行演讲,以使无法上大学的人也受到大学教育。他长期受惠特曼作品的影响,甚至因此而改变了生活的道路。无韵长诗《走向民主》(1883)采取了惠特曼的诗歌形式。1877年访美时会见了惠特曼。1883年在德比郡买下一小农场,在那里住到1922年,结识许多工人阶级的朋友。作为社会主义者,他是W.莫里斯的信徒。他的主要兴趣是社会改革和恢复农村手工艺,而不是搞政治革命。由于写过一些关于社会问题的论文如《英国的理想》(1887)、《文明产生的原因和对策》(1889)等,因此经常有人访问他。这些论文以及讲述艺术与生活关系的著作《天使的翅膀》(1898)、《创造的艺术》(1904)和关于两性关系的著作《爱的成年》(1896)、《中间性别》(1908)都被译成各种文字。一生爱好音乐,曾谱写著名工人歌曲《英国起来》。

Carpenter, Harlean (American actress)　**卡彭特**　参阅**Harlow, Jean**哈洛。

Carpenter, John Alden　卡彭特(1876-02-28,美国伊利诺伊帕克里奇～1951-04-26,芝加哥)　美国20世纪20年代著名作曲家。最早在管弦乐曲中使用爵士乐节奏。曾在哈

美国不列颠百科全书公司供图

佛大学师从保守的、受德国影响的作曲家J.K.佩因。但又加入他父亲的航运公司,任副总裁(1909～1936)。1906年在E.埃尔加的指导下进修音乐。1936年后专事作曲,基本上属保守派作曲家,但受法国印象主义影响。他在《钢琴与管弦乐队的小协奏曲》(1917)、芭蕾舞剧《傻瓜》(1922)与《摩天楼》(1926)中,掺用了爵士乐节奏。后来《摩天楼》被他改编为交响曲。其幽默管弦乐组曲《婴儿车中的奇遇》也颇为流行。

Carpenter, M(alcolm) Scott　卡彭特(1925-05-01,美国科罗拉多博尔德～　　)　第二个完成太空轨道飞行的美国宇航员。他乘"曙光7号"航天飞船进行第四次水星计划的飞行,于1962年5月24日绕地球飞行3圈。这次飞行有一部分是由他用手控操纵的。1949年加入美国海军,参加过朝鲜战争。曾任海军试飞员,1958年入海军航空情报学校。1959年4月被选为水星计划的7名宇航员之

美国国家航空航天局供图

一。1964年在一次摩托车事故中左臂骨折,后因手臂转动困难而被迫退出航天计划。1965年受命在海底实验室Ⅱ号实验中领导2个小组生活和工作在太平洋水下62.5米处,研究救援遇险潜艇的有效方法。1967年他参与建立海底实验室Ⅲ号,1969年从海军退役,进入有关海洋学和能源研究的私营企业工作。

Carpenter, Mary　卡彭特(1807-04-03,英国德文埃克塞特～1877-06-14,格洛斯特郡布里斯托尔)　英国女慈善家、社会改革者、贫儿免费学校——"褴褛学校"创建人。她在担任一位论派牧师的父亲所办学校中受教育。1829年和母亲在布里斯托尔开办女子学校。1846年自己在该城贫民区创建贫民免费学校,1852年建男童教养所,1854年又建女童教养所。1833年,通过印度领袖R.拉伊和波士顿慈善家J.塔克曼,对印度发生兴趣,以后曾先后4次访印。回英国后,创建全国印度协会,向英国公众报道印度的需要。曾访问北美,对其监狱制度的缺点,尤其是加拿大监狱的缺点作了报道。卡彭特支持妇女受高等教育的运动。她写小册子并著书讨论贫民学校、教养所、少年犯罪以及印度社会改革等问题,这一切都引起公众的兴趣,并促使有关教养所及工业学校的立法得以实现。

carpenter bee　木匠蜂　膜翅目木蜂科昆虫。分布于世界上的大部分地区。小木匠蜂属于芦蜂属(*Ceratina*),有金属光泽,体长约6毫米。木匠蜂在植物干中营巢,雌性木匠蜂先将干掏空,然后充填以花粉,产卵于其中。许多单个的巢室排成一列,隔以由木屑及唾液构成的薄隔板。大木匠蜂属于木蜂属(*Xylocopa*),颇似熊蜂,但腹部无毛,在实心木内挖穴为巢。

Carpenter Gothic　木工哥特式　19世纪中叶美国住宅建筑中利用哥特式形式的一种风格,是仿哥特式的一个支流。其特点是对于哥特式建筑和装饰的原来构造和比例很少认识并几乎不加以考虑,而将哥特式装饰中最表面、最明显的主题作折衷的幼稚的应用。常滥用角楼、尖塔、尖拱,其装饰和结构之间没有逻辑上的联系,其中佼佼者也不过是由木工臆造的虚有其表的住宅。许多作品在钢丝锯发明以前是难以做到的。这种住宅曾流行于美国各地,但现存的主要在东北部和中西部。

carpenter moth　木蠹蛾　鳞翅目木蠹蛾科昆虫,世界分布。成虫口器退化,体粗长,翅灰到褐色,常有斑点。有的温带种类翅展不到2.5厘米,而澳大利亚的桉斑木蠹蛾(*Xyleutes boisduvali*)翅展25厘米左右。幼虫灰色,几乎无毛,钻入树干或髓茎内,为害严重;幼虫期可达1～3年。洋槐木蠹蛾(*Prinoxystus robiniae*)是北美最常见的种类,翅展5厘米。芳香木蠹蛾(山羊蛾,*Cossus cossus*)的幼虫色如桃花心木,为害落叶树,有强烈的羊膻气。梨豹蠹蛾(*Zeuzera pyrina*)的幼虫钻

芳香木蠹蛾(*Cossus cossus*)
美国不列颠百科全书公司供图

梨豹蠹蛾(*Zeuzera pyrina*)
美国不列颠百科全书公司供图

在落叶树或果树内,约生活两年,然后在树洞化蛹,成虫翅白色,具黑或蓝斑。

Carpentier (y Valmont), Alejo **卡彭铁尔**(1904-12-26,哈瓦那～1980-04-24,巴黎) 古巴小说家、音乐研究者、新闻记者。曾在哈瓦那大学攻读音乐和建筑学,后在巴黎学习。1920年返回古巴,参加先锋派作家集团,以从事新闻工作为生。1927年公开谴责马查多独裁统治,被逮捕监禁,后利用另一位作家的护照逃往法国,在那里居住到1939年。记实小说《埃古·扬巴·奥!》写于狱中,1933年在马德里出版,对古巴黑人的生活和文化深表同情。1928年,他积极参加超现实主义运动,经常为期刊《超现实主义革命》撰稿。但他后来弃绝了这个运动。1943年的海地之行,使他写出小说《这个世界的王国》(1949)。该书是幻想因素与社会现实的混合物,描写19世纪初期海地暴君H.克里斯托夫的故事。1941年到委内瑞拉内地的旅行,使他写出杰作《消失的足迹》(1953),一本受到广泛赞赏的小说,企图把西班牙美洲现实的本质解释为:原始的神话和西班牙征服者强加的文化的共存。《时间的战争》(1958)是一本中短篇小说集,描写50年代古巴生活中的压迫和暴力。1959年6月,卡斯特罗领导的革命即将结束时,卡彭铁尔从委内瑞拉回到古巴,带回小说《启蒙世纪》(1962)的原稿,以加勒比人的观点阐明法国大革命的矛盾,其暴力的行为,及其理想的消失。作品使用的华丽文体代表卡彭铁尔全部小说的特色。小说《方法的根源》(1974)是写拉丁美洲独裁者马查多的生涯。《巴罗克式协奏曲》(1974)是一部文体复杂的小说,重申了作者关于西班牙美洲各种文化混合的观点。

Carpentier, Georges **卡庞捷**(1894-01-12,法国朗斯～1975-10-27,巴黎) 法国拳击运动员。世界重量级冠军(1920～1922)和4种级别的欧洲冠军。因分别击败英国选手贝克

卡庞捷(左)迎战G.库克
美国不列颠百科全书公司供图

特、韦尔斯和刘易斯而被法国人视为民族英雄。一生中共参加109场比赛:击倒对方取胜56场。1927年退休。1964年入选拳击名人堂。

carpentry **木工作业** 锯解、加工及接合木材的技术和手艺。此词兼指房屋框架的木结构和木门窗、木楼梯等的制作。过去由于房屋往往全部为木材结构,在建房中具有重大作用的木工,与泥瓦工一样,都是主要的建筑工人。随着时代变迁,木工的工作范围已经与前不同。房屋建造中,尤其在修建楼板及屋顶时日益广泛地使用混凝土和钢材,减少了木工在房屋框架制作中所起的作用。但另一方面,在修建混凝土房屋时,木工钉制模板的工作,却已大为增加。由于木材在全球各地广泛分布,多少世纪以来世人都利用它作为建筑材料,所以从中世纪起已臻于完善的许多木工工具及技术,迄今并无多大变化。但因世界的木材供应量缩减,原木的开采、修整和销售价格的上涨,促使木工业继续修改其因袭的做法。此外,因为许多传统的建造方式浪费木料,一些单凭经验的估算方法已为精确的工程计算所代替。层压板材如胶合板等的开发,以及预制构件的应用,起到了简化木工作业和降低其成本的作用。

房屋木框架的建造一般采用下列两种方式:①平台式楼板骨架,每一楼层分别建造;②轻型木骨架,竖向墙筋与整个房屋的高度相等,从基础板一直通向椽板。竖向墙筋的尺寸通常为4厘米×9厘米,按41厘米的相等间距排列。它们同底部的水平基础板和顶部的椽板连接在一起,这些板都是4厘米×9厘米的木筋。竖向墙筋之间要加钉许多加固横档。门窗洞则利用4厘米×9厘米的木材上下固定,顶部的称过梁,底部的称门槛或窗台。钉制地板和楼板骨架时,用4厘米×28厘米的称为搁栅的木材,底层地板的搁栅固定在基础上,楼层的搁栅则固定搁置在各楼层的水平板上。它们都顺着房屋宽度方向,平行地竖放。搁栅之间交叉地设置称为剪刀撑的加固横档,可使搁栅保持相互平行,固定不动。接着就在搁栅上面钉一层粗木板或胶合板拼成的底层地板(或称毛地板),再在其上加铺面层地板——可用较窄的硬木板条,以舌槽榫接合方式拼制,或用其他铺地材料制作。传统的坡屋顶由斜搁的椽子在屋脊处接合组成。屋顶跨度较大时,则需增加一根水平支撑,把椽子拉牢,使其形状像字母A,再在水平支撑上添加V形的斜撑。这样的支撑就叫做桁架。通常制作框架和木工作业用的木料,都属于球果植物即软材,其中包括各种松木、冷杉、云杉和雪松;在美国,加拿大云杉和北美黄杉(花旗松)以及西部柏木最通用。柏材既可用于铺设屋面板和墙面板,又适宜钉制木框架,因为它有抵御风雨侵蚀的性能,无需特殊的保护措施。木工的作业还可以包括一些室内装修,这就需要具备细木工的手艺。这些装修包括制作门框镶边、橱柜、工作台面及各种装饰线条和贴脸等。这种细木工技艺主要在于把木材拼合得像整体一样,达到美观的目的,而与不露在外面的木构件的拼接不同(参阅 **joint**)。

木工通用的工具有锤、钳、螺丝刀和钻子,它们分别用来锤打和拔出钉子、旋紧螺钉和钻洞。宽刀刃的刨子可用来使木板变薄和表面光滑;凿子的刀刃在木锤敲击下能在木材中开槽。横切锯可在与木纹垂直方向上锯割木材,而粗齿锯则可顺着木纹平行方向进行锯割。榫锯和鸠尾锯用作接榫时精细的锯割,而钢丝锯则用来锯割小孔。水准仪可检测平面是否处于水平或垂直状态,而三角尺则可检查相邻的两个表面是否成直角。上述器具还包括电动工具。

carpet 参阅**rug and carpet**地毯。

carpet grass (*Axonopus affinis*) **地毯草** 学名近缘地毯草。早熟禾科多年生丛生如地毯状的禾草。原产于北美东南部沙质地。在原产地及澳大利亚温暖地区偶尔种作草坪和牧草。压扁地毯草(*A. compressus*)与之近缘,叶较宽,原产于南非,俗名称地毯草,也作为草坪草。

carpet moss **地毯藓** 真藓目灰藓属(*Hypnum*)植物。世界性分布,在各种生境形成绿色密丛,尤其见于潮湿地区的朽木上。少数水生。约有20种为北美原产。羽毛藓(**feather moss**)以前归入灰藓属,学名为*H. crista-castrensis*,但现归入毛梳藓属(*Ptilium*)。有些种地毯藓雌雄异株。孢蒴弯曲,圆筒状,蒴盖具喙。光绿灰藓(霍尔丹灰藓,*H. haldanianum*)有直立开展的拟叶体。柏状灰藓(*H.*

柏状灰藓(*H. cupressiforme*)
美国不列颠百科全书公司供图

cupressiforme)常见于欧洲,在北美各处均有分布,但不常见,拟叶体弯曲。花匠的"薄皮藓"通常为金绿色的弯叶灰藓(*H. curvifolium*)。地毯藓曾用于装填卧具,据认为有催眠作用。

carpet moth 地毯尺蛾 鳞翅目尺蛾科的几种纤细的蛾类。与其他尺蠖(**measuring worm**)共约12 000余种,分布于全世界。地毯尺蛾有的日间活动,有的夜间活动。翅宽,有花纹,休止时翅展开摊平在栖息面上,形似一层地毯。幼虫形似枯枝。有些种为害植物的叶,还有些是农作物害虫。

carpet shark 须鲨 须鲨科约25种鱼类的统称,分布于各海洋,但集中于印度洋-太平洋地区及澳大利亚地区。体扁,皮肤有斑纹,故英文原意为"地毯鲨"。许多种类体大,但除受伤时自卫外,不会伤害人类。与其他鲨一样行卵胎生。铰口鲨(**nurse shark**, *Ginglymostoma cirratum*)体长逾4米,是分布于大西洋的唯一须鲨。须鲨的许多种类底栖性,主要以软体动物和甲壳类为食。

carpetbagger 提包客 美国南北战争以后的重建时期(1865～1877),从北方到南方去升官发财的政客或金融冒险家。此词原指不受欢迎的外地人,他们携带一个提包,别无他

T.纳斯特绘《提包客》(1872)
美国不列颠百科全书公司供图

物,来到一个地方利用新取得选举权的黑人进行开发或控制。

Carpi 卡尔皮 意大利北部艾米利亚-罗马涅区摩德纳省城镇。以其大型广场闻名。其他名胜有文艺复兴时期式市政厅、大教堂(1514)和罗马式圣马利亚教堂以及其他一些雅致的旧教堂等。作为铁路枢纽和商业中心,有食品加工、草编、酿酒、衬衫、制袜等行业。人口:城市区约61 154(1999)。

Carpi, Jacopo Berengario da 卡尔皮 参阅 **Berengario da Carpi, Jacopo** 贝伦加里奥·达·卡尔皮。

Carpi, Ugo da 卡皮(约1480,摩德纳公爵领地卡尔皮～1520至1532) 油画家和版画家,意大利第一个明暗对照法木刻艺术家。即用几块不同调子的同色木板套印一幅木刻的技术。他用明暗对照法印制了许多拉斐尔和风格主义画家帕米贾尼诺的作品。这一方法的所有权曾引起长期争议。

Carpini, Giovanni da Pian del(Franciscan author) **卡尔皮尼** 参阅 **Giovanni da Pian del Carpini** 乔万尼(皮安德卡尔皮尼的)。

Carpocratian 卡波克拉蒂斯派 2世纪基督教诺斯替派首脑卡波克拉蒂斯所创的一派,盛行于亚历山大。该派认为耶稣是普通人,不是救世主。耶稣与众不同之处在于:他的灵魂未曾忘记自己的本源和故乡乃在未知的完美上帝所在境界之内。也就是说耶稣也是诺斯替教徒,是可资效法的楷模。此派信徒认为自己就是精神实际,因而弃绝受造的世界。他们自称能与精灵相通,以此证明他们有能力控制物质世界并超然于物质世界之上。卡波克拉蒂斯派以推翻犹太教《圣经》律法为己任,因为据说这种律法来自创造世界的众邪恶天使。该派提出,人要修成超然于世界之上的自由必须尽量体验一切,包括罪恶,因此,该派被人称为放荡诺斯替派。

carpoid 海果 一类已绝灭的稀有的棘皮动物。化石见于中寒武统到下泥盆统岩层中。与其他棘皮类动物不同,不呈辐射对称,似乎也没有水管系统。不仅有像茎(或臂)的

海果化石
美国不列颠百科全书公司供图

附肢,还有一系列的钙质板。通常身体扁平,有些似乎有鳃裂(见于原始脊索动物的一种特征)。可能与最原始的脊索动物或脊椎动物有亲缘关系,并且是较进步的棘皮类的祖先。

Carr, E(dward) H(allett) 卡尔(1892-06-28,伦敦～1982-11-03,英国剑桥郡剑桥) 英国政治学家和历史学家,专门研究近代俄国史。1916年进入外交部,1941～1945年为《泰晤士报》副主编。此后在牛津巴利奥尔学院当导师和研究员,在剑桥三一学院当研究员。其名著有《巴枯宁传》(1937)和《苏俄历史》丛书,后者分4部分,计10卷:《布尔什维克革命,1917～1923》(丛书第1卷,1950;第2卷,1952;第3卷,1953)、《空位时期,1923～1924》(丛书第4卷,1954)、《在一国建成社会主义,1924～1926》(丛书第5卷,1958;第6卷,1959;第7卷,1964)和《计划经济的基础,1926～1929》(丛书第8卷,与R.W.戴维斯合著,1969;第9卷,1971;第10卷,1976～1978)。其他著作有:《新社会》(1951),《什么是历史?》(1961),《1917年前后》(1968),《从拿破仑到斯大林》(论文集,1980)。

Carr, Emily 卡尔(1871-12-13,加拿大不列颠哥伦比亚维多利亚～1945-03-02,维多利亚) 加拿大女画家、作家。以她所作关于西海岸印第安人和该地风景的绘画,被认为是加拿大主要艺术家之一。在温哥华教授艺术时,经常旅行到印第安村庄作速写。但她的工作收入微薄,因谋生而长期中断。健康欠佳使她结束了绘画旅行,改为写作。卡尔写有6部自传体作品,这些作品由于对人物性格作了讽刺性的描写而显得生动活泼。其中如《克利·威克》(1941),描写印第安人的生活;《住着形形色色房客的公寓》(1944)描述她在维多利亚作为一个公寓主人和养狗者的各种经历;《生长的痛苦》(1946)是一部自传;《随笔集:暂停》(1953)写她在一座英国疗养院的经历。

Carr, John Dickson 卡尔(1906-11-30,美国宾夕法尼亚尤宁敦～1977-02-27,南卡罗来纳格林维尔) 笔名卡尔·迪克森。美国侦探小说作家。作品既机智又阴森可怖,被认为是这类作品中的佳作。第一部小说《夜行记》(1930)获得读者长久的喜爱,继而又写英国历史上的疑案。他写了70多本书,平均每年达6本之多,但是他的作品仍然真实、感人。《饿鬼》(1972)是他的后期作品之一。其他成功作品包括《柯南道尔爵士的生平》(1949)和《福尔摩斯的业绩》(1954)。后一部作品由卡尔和柯南道尔的小儿子艾德里安合写。《纽盖特的新娘》(1950)是一部历史小说,写一个女人与一个1小时后将被处死的囚犯结婚的故事。卡尔还编辑了一套给人以深刻印象的描写破案的参考丛书。他留居英国期间(1931～1948),给英国广播公司写了一些侦探小说,其中有些被拍成电影。

Carr, Sir Robert 卡尔 参阅 **Somerset, Robert Carr, earl of** 萨默塞特伯爵。

Carr-Saunders, Sir Alexander (Morris) 卡尔-桑德斯(1886-01-14,英国萨里赖盖特～1966-10-06,坎伯兰瑟尔米尔) 英国社会学家、人口学家、教育行政家。在任伦敦大学副校长期间为该大学建立数所海外大学学院,其中有些后来成为独立的大学,如苏丹的喀土穆大学、吉隆坡的马来亚大学、尼日利亚的

伊巴丹大学、牙买加金斯敦的西印度群岛大学以及肯尼亚、坦桑尼亚和乌干达的东非大学。他本是学生物学的，但成了伦敦东区的社会工作者，协助管理(1912～1913)英国社会服务所的先驱托恩比服务所。同时还修习法律，并于1913年取得律师资格。曾任利物浦大学社会科学教授(1923～1937)及伦敦大学伦敦政经学院院长(1937～1956)。第二次世界大战结束不久，他即着手创建该大学在欧洲以外的海外学院。1946年被封为爵士。他的第一部重要著作《人口问题》(1922)是人口学方面最早一批意义重大的历史研究著作之一。他的《世界人口》(1936)一书记载了许多国家的人口资料。他还撰写了《英格兰和威尔士社会结构调查》(和D.卡拉道格·琼斯合写，1927)、《职业》(和P.A.威尔逊合写，1933)以及《海外新建大学》(1961)。

Carrà, Carlo　卡拉(1881-02-11，意大利夸尔尼恩托～1966-04-13，米兰)　20世纪上半叶最有影响的意大利画家，尤以"形而上绘画"风格著称。曾在布雷拉短期学习绘画，1909年后受诗人F.马里内蒂、画家U.波丘尼的影响而崇拜未来派并签署了未来主义宣言。其《无政府主义者加利的葬仪》(1911，纽约市现代艺术博物馆藏)表现了未来派的特点。所作拼贴画《爱国主义的庆典，实话画》(1914，米兰詹尼·马蒂奥利基金会藏)仍以未来派理论作依据，但不久就转向一种朴实的画风。其《罗得的两个女儿》(1915，米兰埃尔内斯托·贝斯塔吉尼收藏馆)，就是一次尝试。1917年结识了G.德希里科，促使这种新画风更加具体化，他和德希里科把这种风格称为"形而上画派"。1918年与形而上画风决裂。20年代与30年代，他以15世纪意大利画家马萨乔的现实主义为楷模，专门绘制情调忧郁的象征性作品，如《海边的清晨》(1928，米兰詹尼·马蒂奥利基金会藏)。多年在米兰学院执教，从而对两次世界大战期间意大利艺术这门课程产生了很大影响。

Carracci, Agostino　卡拉齐(1557-08-16受洗，教皇国博洛尼亚[意大利]～1602-02-23，帕尔马)　意大利油画家和版画家。曾与同为画家的弟弟安尼巴莱漫游意大利北部，同去威尼斯和帕尔马。阿戈斯蒂诺的《牧羊人朝拜圣婴》(1584)显示出威尼斯画家丁托列托和P.韦罗内塞的影响。随后师法其弟，1597～1599年在罗马协助安尼巴莱装饰法尔内塞宫的门廊。1599年与安尼巴莱分手，去帕尔马为R.法尔内塞当宫廷画家；他以湿壁画装饰贾尔迪诺宫的一室，但未完成自己的宏图便卒于该地。他的画风较其弟枯燥，亦欠纯熟。但从1580年起，雕版成为他的作品的一大部分。他所复制的F.巴罗奇、丁托列托和提香的名画曾在欧洲各地广为流传，受伦勃朗及其他一些艺术家的赏识。

Carracci, Annibale　卡拉齐(1560-11-03，教皇国博洛尼亚[意大利]～1609-07-15，罗马)　意大利画家，在从风格主义的矫揉造作恢复文艺复兴盛期崇尚古典的传统方面曾起力挽狂澜的作用。在卡拉齐家族的三位画家中

卡拉齐的罗马法尔内塞宫门廊湿壁画《维纳斯和安喀塞斯》(1597～1603或1604)
美国不列颠百科全书公司供图

才气最高。

安尼巴莱和其兄阿戈斯蒂诺系一裁缝之子，最初师从堂兄洛多维科，堂兄为一画师，劝服他们从事他的行业。16世纪80年代，安尼巴莱的早熟天才在漫游意大利北部时发展起来，他游览威尼斯具有特别重要意义。据传他在那个城市曾与画家J.巴萨诺同住一处，后者的画风影响他一段时期。可以说是安尼巴莱重新发现了在帕尔马以外几乎被一代人完全忘记的16世纪初期画家柯勒乔；安尼巴莱为博洛尼亚圣格列高利奥教堂所绘的《基督洗礼》(1585)是对这位帕尔马大师的光辉献礼。安尼巴莱回博洛尼亚后，与阿戈斯蒂诺和洛多维科共同创立一所培育艺术家的学校，名为启迪学院。安尼巴莱为雷焦的圣普罗斯帕罗教堂所绘的《登位的圣母与圣马太》(1588)显示出他的艺术的两个最持久的特征，即高雅的古典格调加上欢快的田园气氛。安尼巴莱与另两位卡拉齐合作，在玛那尼宫(现称塞勒姆宫，1588～1590)和其他两所贵族府邸作湿壁画时，已经成为三人中的领班匠师。他在这些豪华建筑物中所绘的层次分明和飘逸洒脱的风景促使那一类型成为意大利湿壁画的主要题材。1595年，安尼巴莱去罗马为年轻富有的枢机主教法尔内塞工作。法尔内塞宫是罗马最豪华的宫殿之一，这位主教希望用湿壁画装饰它的主层。在该城，安尼巴莱为了把他在意大利北部各艺术中心所形成的风格应用于新环境，急切地潜心研究米开朗琪罗、拉斐尔和古希腊及罗马的艺术。他在法尔内塞宫装饰书斋之后，与阿戈斯蒂诺一道(1597)从事他毕生的主要事业——以奥维德的爱情寓言为题材，为画廊的拱形天顶绘湿壁画(1597～1603或1604)。这些装饰画把对现实的各种幻想交织在一起，甚至比拉斐尔在梵蒂冈敞廊的名画显得更加复杂，实乃充满人性的古典主义的一大胜利。这些湿壁画有力地塑造人物，把他们置入高度复杂的构图，其虚构手法表明在想象力方面足以与米开朗琪罗的西斯廷教堂天顶湿壁画媲美。虽然这些湿壁画组织繁复，但由于色彩富丽以及整个运笔生动有力，仍能具有直接的感染力。法尔内塞画廊不久即成为青年画家们真正必不可少的研究对象，直至18世纪开始很久还是如此；对于P.鲁本斯和G.贝尔尼尼等巴罗克艺术家的想象力来说，这是一个特别丰富的启示源泉。安尼巴莱在法尔内塞宫的长期紧张劳动仅仅从枢机主教法尔内塞那里得到少得可怜的报酬。1605年他放弃了法尔内塞宫的所有工作后，又绘出几幅杰出的宗教画，著名的有《上帝啊，往何处去?》(约1601，伦敦国立美术馆藏)和《哀悼基督》(约1607，巴黎罗浮宫博物馆藏)。这些作品构图极为简单，而所绘人物凝重有力。他为阿尔多布兰迪尼宫所绘的弧形风景画，特别是《逃往埃及》和《埋葬基督》(均约1604，罗马多里亚·潘斐利美术馆藏)，对日后多梅尼基诺和N.普桑在罗马所绘的那种"英雄式风景画"的发展显示出重要作用。后患忧郁症，断断续续作画度过余生。

Carracci, Lodovico　卡拉齐(1555-04-21受洗，教皇国博洛尼亚[意大利]～1619-11-13?，博洛尼亚)　意大利油画家和版画家，以宗教画和1582年参加创办博洛尼亚美术学院驰名，该学院促使意大利艺术在风格主义之后重放异彩。肉商之子，画家安尼巴莱和阿戈斯蒂诺的堂兄。曾在博洛尼亚画家P.丰塔纳手下工作，后出游佛罗伦萨、帕尔马和威尼斯，又返回故乡博洛尼亚。1582年在此地与两堂弟创立启迪学院，这一美术学院成为意大利同类院校中最先进者，影响也最大。在创立后20年间，他一直任该校校长，与两堂弟共同培育出几名意大利下一代的主要艺术家，著名的有G.雷尼和多梅尼基诺。卡拉齐家族的学院以如下几点为教学法的基础：经常不断地观察大自然，研究和修改活体模型的姿态，在用粉笔速写图像时大胆放开尺寸。他在自己所作宗教题材的绘画中，使人物具坚强有力的姿态，周围的光线闪闪烁烁，以表达一种神秘感和内心的激情。《圣母子、圣方济、圣约瑟和奉献者》(1591，琴托市美术馆藏)是他早期的代表作。他在表达宗教情感上的丰富想象力以及作品的鲜明基调，曾对意大利形形色色的巴罗克风格的画家们产生影响。他曾与两堂弟共同完成多种湿壁画任务。1609年安尼巴莱去世后，他仍活跃于博洛尼亚，绘制一系列祭坛画，风格日趋浮夸，过分矫饰造作。

carrack porcelain　大帆船瓷器　指明朝万历年间(1573～1620)出口的中国青花瓷器。在荷兰东印度公司成立的1602年，荷兰人在广州附近的海面上俘获了一艘葡萄牙武装商船(大帆船)，被俘船上的东方瓷器后来作为战利品在阿姆斯特丹拍卖，获利数百万荷兰盾。在代尔夫特等地仿制的荷兰大帆船瓷器对欧洲的陶器和陶瓷鉴赏均具有很大的影响。看起来像玻璃的陶瓷器皿出现在许多近代荷兰静物画和室内装饰中。这些器皿以灰蓝色作装饰，画法自然流畅，但成品的加工较为粗糙，不及当时中国国内的瓷器，其特色是以鹿、双鸭、山石和风景为主题。

carrageen (alga)　参阅**Irish moss**角叉菜。

Carranza, Bartolomé de　卡兰萨(1503，西班牙阿尔加河畔米兰达～1576-05-02，教皇国罗马[意大利])　又称米兰达。天主教多明我会神学家。1546年发表《天主教历次会议纪要》和《四大论争》，后者评述教会内部权威人

士对于圣传、圣经、教皇及历次会议的意见。后来多明我会神学家卡诺指责他与路德观点一致。1558年卡兰萨才发表《评教理问答》,又被人指责为路德派。1559年被异端裁判所逮捕,罪名是怂恿在俗信徒阐释《圣经》和提倡用非拉丁文著述神学。1563年特伦托会议宣布卡兰萨的著作无可非议,但西班牙国王腓力二世和异端裁判所不肯让步。直到1576年卡兰萨才被宣告无罪,不久死去。

Carranza, Venustiano　卡兰萨(1859-12-29,墨西哥夸特罗谢内加斯～1920-05-20或21,特拉斯卡兰东戈)　独裁者P.迪亚斯被推翻后墨西哥内战中的领袖人物,墨西哥共和国

美国不列颠百科全书公司供图

首任总统。温和派人物,因与迪亚斯合作,又和新的剥削势力结盟而名声受损。卡兰萨反对革命后的彻底改革。1910年作为科阿韦拉州州长参加F.马德罗领导的反对迪亚斯的斗争。1913年率军反对杀害马德罗的V.韦尔塔。1914年韦尔塔出逃。卡兰萨领导的立宪派军队开始发生分裂。叛乱者在P.比利亚和E.萨帕塔领导下反对他的临时政府,要求马上实行社会改革。1915年4月,卡兰萨的军队在A.奥夫雷贡指挥下,在塞拉亚击败比利亚的军队,于是,卡兰萨就任临时总统。他被迫接受1917年宪法中有关土地所有制改革、自然资源管理以及劳工和社会立法的条款。1917年5月1日成为总统后,他并未实施这些条款。他任职期间,与比利亚和萨帕塔继续冲突,而且由于迟迟不实行改革引起了社会的普遍骚乱。他是狂热的民族主义者,卷入与美国的激烈争执。1914年4月反对美国占领韦拉克鲁斯,1916年3月阻止美国将军J.J.潘兴率领军事远征队逮捕曾袭击美国新墨西哥州哥伦布的比利亚。1918年将石油工业置于墨西哥的控制之下,因而激怒了美国。在第一次世界大战中,他使墨西哥保持中立。1920年12月总统任期届满前,他不顾激进的将军们的反对,强行让自己选定的继承人I.博尼利亚斯当选。4月奥夫雷贡领导武装叛乱,卡兰萨逃离首都。在携带政府文件和财物逃往韦拉克鲁斯途中,乘坐的火车遭到袭击,他与少数随从骑马逃进山中。后被出卖并遭杀害。

Carrara　卡拉拉　意大利中北部托斯卡纳区马萨-卡拉拉省城市。位于阿普阿内山脚的卡里翁内河畔,马萨的西北面、拉斯佩齐亚的东面。1428年属马拉斯皮纳家族,后与马萨一同构成了马萨-卡拉拉(参阅 **Massa**)封邑(1568)和领地(1633)。历史名胜有前公爵宫内的美术学院、12～14世纪的比萨式大教堂等。以出产世界上最优质的卡拉拉大理石闻名。从米开朗琪罗至H.穆尔都使用这种大理石进行雕刻。市西南的马里纳迪卡拉拉为利古里亚海滨游览地,有装运大理石的港口设施。人口:城市区约65 560(2001)。

Carrara FAMILY　卡拉拉家族　又称卡拉雷西家族。意大利中世纪的家族,初为统治帕多瓦乡间卡拉拉村的封建领主,后成为帕多瓦城君主。13世纪移至帕多瓦后,他们起先作为吉伯林派、后来作为归尔甫派领导人开拓城市政治的采邑,得以建立一个更显耀的新领地。该家族从1318年雅科波当选为帕多瓦终身总督开始,直至其侄马尔西利奥在1337年当选,才在威尼斯人帮助下最后确立。卡拉拉统治约50年之久,除了在本家族成员之间,别无劲敌,马尔西利奥由乌贝蒂诺(1338～1345)继位,没有发生事故,但乌贝蒂诺的继位者马尔西利洛被雅科波·迪尼科洛(1345～1350)废黜并杀害。后来,雅科波被古列尔米诺杀害,由其兄弟雅科皮诺·迪尼科洛(1350～1355)继位,而雅科皮诺又被其侄弗朗切斯科·伊尔·韦基奥(1355～1387)撵走并监禁。卡拉拉朝廷是当时最辉煌的朝廷之一。乌贝蒂诺尤其是建筑和艺术的赞助人,雅科波·迪尼科洛为彼特拉克的密友。帕多瓦的领地虽然延伸到贝卢诺和费尔特雷(1361),乃至特雷维索(1383),仍太小,最后又太不得人心,未能幸免于较大邻国、特别是威尼斯和米兰的维斯孔蒂的贪婪。弗朗切斯科·伊尔·韦基奥完全改变了家族的政策,倾向于维斯孔蒂,反对威尼斯人,并与G.G.维斯孔蒂结盟(1385),反对受威尼斯支持的德拉·斯卡拉。他的政策构想错了:虽然占领维罗纳,维斯孔蒂迅速与威尼斯和埃斯特进一步结盟以征服帕多瓦。弗朗切斯科不得不将其领地交出(1388),死于维斯孔蒂的监狱(1392)。其子和几个孙子试图收回家族财产,但最后被威尼斯人消灭。

Carrasquilla, Tomás　卡拉斯基利亚(1858-01-17,哥伦比亚安蒂奥基亚圣多明各～1940-12-19,麦德林)　哥伦比亚小说家,以对他的故乡安蒂奥基亚人民生活的现实主义描绘而著名。他以出版《我家乡的果实》(1896)开始其漫长的文学创作道路。这是一本现实主义小说,批判小城镇生活的伪善,发表后立刻得到广大读者欢迎。他继续写出许多地区性题材的短篇小说和长篇小说,如《卡萨富斯神父》(1914)、《约隆博侯爵夫人》(1928)。晚年双目失明,但仍以口授方式完成《很久以前》(3卷,1935～1936),许多评论家认为这是他最好的作品。

carrel　小阅览间　供阅览和写作用的小隔间,现指图书馆中专门用于研究的小隔间。可能12世纪晚期已有,但原词最早的记载见于13世纪时的伦敦威斯敏斯特教堂。格洛斯特大教堂隐修院中的阅览间是现存最完整的一组,作为隐修院整体的一部分,建于1381～1412年,共有20间,每开间两间,均互用矮墙分隔,靠回廊窗采光,屋顶设在窗的横梁上。最初每个小阅览间有一张书桌。

Carrel, Alexis　卡雷尔(1873-06-28,法国圣福瓦里昂～1944-11-05,巴黎)　法国外科医师、社会学家、生物学家。由于创造了缝合血管的方法而获得1912年诺贝尔生理学或医学奖。他为进一步研究血管和器官的移植奠定了基础。也研究了组织在体外保存的方法并将其应用于外科。他培养的鸡心肌细胞株存活了30多年。1900年获里昂大学医学博士学位,1904年赴美,先后在芝加哥大学及纽约市洛克菲勒医学研究所工作。第一次世界大战期间回法国参与研究用抗菌药冲洗伤口来治疗创伤的卡雷尔-达金氏法。1941年任巴黎法国人类问题研究基金会主席。著有《人的奥秘》(1935)、《器官培养》(与C.A.林德伯格合著,1938)、《对生命的见解》(1952)。

Carrel-Dakin fluid　卡雷尔-达金氏液　参阅 **Dakin's solution** 达金氏液。

Carreño, (Maria) Teresa　卡里诺(1853-12-22,加拉加斯～1917-06-12,纽约市)　委内瑞拉著名女钢琴家。演奏具有极大的活力和强度,听众称她为"钢琴的瓦尔基里(女武神)"。父为政治家和业余钢琴家。幼随父学琴,1862年全家因革命而流亡,定居纽约市从L.M.戈特沙尔克学琴。后赴巴黎师从G.马蒂亚斯和A.鲁宾斯坦,4年后开始了她漫长而极其成功的音乐会生涯。她在德国生活和教学30余年,备受尊崇。作有钢琴曲及一首弦乐四重奏和管弦乐曲《小茨冈舞曲》。曾以次女高音参加歌剧演出,并与她的第二任丈夫(她共结婚4次)、男中音歌唱家塔里亚皮耶特拉一起在加拉加斯组织一歌剧团。

Carreño de Miranda, Juan　卡雷尼奥·德米兰达(1614-03-25,西班牙阿斯图里亚斯阿维莱斯～1685-09,马德里)　画家,被认为是委拉斯开兹以后巴罗克艺术时代最重要的西班牙宫廷画师。曾协助前者装饰马德里阿尔卡萨尔王宫及其他宫邸。1669年任国王查理二世

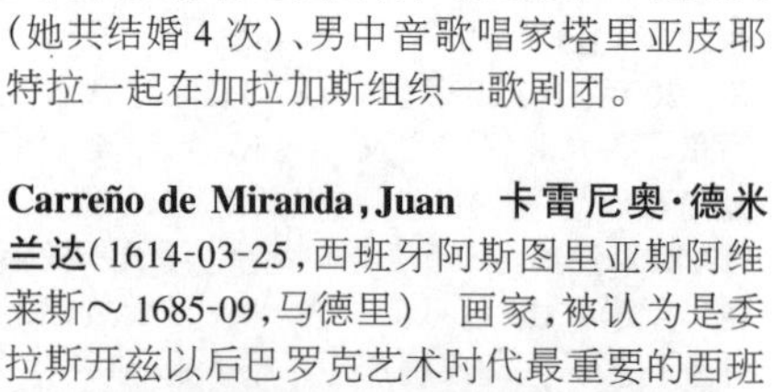

卡雷尼奥·德米兰达绘《帕斯特拉马公爵》
美国不列颠百科全书公司供图

画师,1671年任宫廷画师。以肖像画著称于世,也作过许多宗教画和壁画,均有巴罗克艺术所独具的风格。其杰作《三位一体秩序的建立》(1666,阿尔帕容附近库尔松城堡),手法熟练,明暗运用精妙,景色有创造性。

Carrera, José Miguel　卡雷拉(1785-10-15或16,智利圣地亚哥～1821-09-04,阿根廷门多萨)　智利早期独立运动领袖,首任总统。1811年通过政变成为政府首脑和独裁者。不

美国国会图书馆供图

久独立运动分裂,西班牙人趁机又恢复了统治。B.沃伊金斯成为反卡雷拉力量的领导人。为了使沃伊金斯上台,执政委员会于1813年将卡雷拉解职。1814年初卡雷拉重新掌权。随后西班牙军队从秘鲁入侵,1814年10月,卡雷拉和沃伊金斯均在兰卡瓜败北。为了反对他的对手,卡雷拉先去布宜诺斯艾利斯,1815年又去美国请求援助。1816年抵阿根廷后,当局禁止他再返回智利。他协助阿根廷外省的首领进行反对布宜诺斯艾利斯的叛乱。后因同伙出卖而被捕枪决。

Carrera, Rafael　卡雷拉(1814-10-24,危地马拉城～1865-04-04,危地马拉城)　危地马拉独裁者,19世纪中美洲最有权势的人物之一。他兼有白人和印第安人血统,毕生文盲。在印第安农民和下层教士的支持下,于1838年攻占危地马拉城,夺取政权,实行全面而无情的统治直到去世。他笃信宗教,是一个强硬的民族主义者,在政治上属于保守派。1840年他使危地马拉脱离中美洲联合省,宣布为独立共和国,从而成为独裁者。他召回耶稣会士,1852年重建天主教会。1854年取消选举,成为终身总统。在他领导下,危地马拉击败W.沃克率领的尼加拉瓜冒险分子的进攻,两次挫败墨西哥吞并危地马拉的企图,限制了英属洪都拉斯的领土扩张。他经常干预邻国事务,支持邻国的保守势力。尽管为人粗野、残忍,但其政权不仅稳定,而且尊重个人财产,支持教会,因此受到教士们和上层阶级的赞赏。在他统治下,国家经济有所进步,实现了一定程度的种族平等。

Carrhae (ancient Mesopotamian city)　**卡雷**
参阅 **Harran** 哈兰。

Carrhae, Battle of　卡雷战役　公元前53年罗马执政官克拉苏发动的一场战役。克拉苏率领7个罗马军团(约4.4万人)进扰美索不达米亚,向卡雷进军。突然安息人从天而降,有约1 000名装甲骑兵,1万名马弓手,向罗马军队围攻。克拉苏的士卒矢尽粮绝,多半被俘或被杀。安息大杀罗马在东方的威风,克拉苏之死对罗马政局影响甚大。

carriage　四轮载客马车　客运马车的最后改进型。14世纪载客马车开始改进,四轮大马车的特点是后轮组比前轮组大得多,车身具有相适应的形状。这样,尽管重量减轻了,但仍可使乘客感到舒适,而且可只用一匹马牵引。这种车最先在匈牙利制造,16世纪在西欧普遍使用,是上层阶级常用的交通工具。到17世纪,出现了大型车辆,包括由马队牵引的长途公共马车。同时,美观、快速的轻型车辆也在发展,由于使用钢制弹簧和皮条,这些车辆的悬架方法不断提高。用木材、玻璃和布制造车厢进一步改进了四轮载客马车。在18～19世纪,广泛使用各式各样的四轮载客马车。在美国,驿车是人们熟悉的公共交通工具。在欧洲,单马双轮篷车也用作公共交通工具。四轮载客马车的许多结构和形式,被20世纪初的汽车采用。

carriage of goods　货物运输法　在普通法国家中,托运人、收货人和承运人的权利和义务,大多建立在运输契约的基础上。大陆法国家认为运输契约是劳务雇用契约的一种变异,即一方当事人由于在酬资上与另一方当事人达成一致,约定为另一方当事人做某事的一种契约。

英美两国法律中,公共承运人、契约承运人和私人承运人是有区别的:公共承运人是指一个为了取得运费或报酬,本人提出愿为公众运送货物的人;契约承运人是指为特定个人而不是为普通公众运送货物的人;私人承运人则是指运送他自身货物的人。这种区分具有重要的法律意义:公共承运人须遵守严格的经济规章,不得收取不合理的高率运费或以差别待遇对待顾客。在大陆法系中,公众承运人大体相当于普通法国家的公共承运人,公众承运人也必须严格遵守经济规章。

承运人可以拒绝承运危险品和违禁品。承运人对所掌管货物的任何损坏或灭失负有赔偿责任,除非他能证明该损失或灭失应归因于某种特殊原因(包括不可抗力、敌人的行为、托运人的过失或欺诈行为、货物固有的瑕疵等)。现今多数国家均援用国际公约以限制承运人的赔偿责任,并在国际货运方面,大体趋于一致。如海运多适用1924年《布鲁塞尔公约》;空运多适用经1955年《海牙议定书》修订的1929年《华沙公约》;而国际铁路货运则主要遵照1890年首次通过的《伯尔尼公约》及以后几次的《伯尔尼公约》的规定。大多数法律制度规定,如承运人将货物误交别人,或因故意处理不当的过错,或有重大过失,则不得享受赔偿责任法定限制的待遇。

普通法管辖下的公共承运人享有留置权,并据此有权保留所掌管的货物直到取得支付给他的运费为止,但无权出售该货物。在大陆法管辖范围内,承运人对所承运的财物通常享有特权。大陆法的特权与普通法的留置权在赋予承运人变卖货物以抵偿其索赔的权限范围及许可程度方面是不同的。特权适用于按照运输单据确定的全部装载货物并得取消交货给收货人。

装载的货物多系根据提单而定,提单是由承运人凭交来准备装运的货物签发给托运人。而托运人也有权要求签给提单,除非他的权利被运输契约所排除。提单的法律职能有三:提单本身就是运输契约或为运输契约存在的证明。提单为承运人收到待运货物的回单。提单又是一种物权凭证。在所有法律制度中,提单完全可以转让,承运人签交不可转让的提单,通常在交付货物给指定的收货人时即已履行了自身的责任;而签发可转让的提单则只能在交付货物给提单的持有人时才算履行了自身的责任。承运人如不凭提单交货,在普通法管辖范围内,该承运人对于任何为购买提单付予等值的诚实买主,在不正当的交付货物前后,仍负有法律责任。而在大陆法管辖范围内,如发生不正当交付货物,则承运人只对提单的被背书人负有法律责任。提单与海上货运关系特别密切,提单关系人通常均受1924年签订的《统一提单之若干法律规定的国际公约》的约束。

随着国际贸易的发展,国际货物运输的方式多趋于联合运输。联合运输是指货物运抵最终目的地要经由两种或多种运输工具,诸如公路和海运或铁路、海运和空运。并且至少存在着两种可能情况:一种是当托运人单独与各承运人订立契约时,各连续承运人可能没有共同的法律联系。在这种情况下,则各承运人只受其各自的法律规定的约束,而且对托运人享有他自己的权利并尽他自己的义务。另一种是各连续承运人对托运人可能受共同的法律联系的约束。在此种情况下,大陆法管辖范围内的国内立法多趋向于旨在使各承运人只受其独特制度的约束,同时并用契约约束所有的承运人使承担连带的义务。在普通法管辖范围内的国内运输,各承运人的责任通常根据支配两个或两个以上承运人运输法规的实际应用来决定。

Carrick　卡里克　英格兰康沃尔行政和历史郡的一个区。横跨科尼什半岛中部,海滨从北到南长24千米。面积461平方千米。有肥沃的耕地和乡村景色。郡首府特鲁罗位于该区。法尔茅斯是主要港口。该区大部分为海拔150米的高地,被几条河流深切形成深谷。年降雨量通常为1 000～1 250毫米。丰富的降水和温暖的冬季促进了以乳品业为主的综合性农业的发展,牛、羊肥壮,大麦为主要饲料。在法尔河河口湾西侧种植有水果、早熟马铃薯和各种蔬菜。南、北海岸有峭壁、岬角和沙滩。旅游业促进了佩伦波思、圣阿格尼丝和圣马韦斯等村庄的发展。特鲁罗是交通枢纽,为重要的行政、销售和服务业中心。海水上涨使法尔河及其支流河口形成几个深水港湾。法尔茅斯位于海湾入海口西岸的半岛上。濒海湾的彭林位于航路的岬角上。人口85 300(1998)。

Carrick(Scotland) **卡里克** 参阅**Kyle and Carrick** 凯尔-卡里克。

Carrick, John Stewart, earl of 卡里克伯爵 参阅 **Robert**(Scotland)罗伯特(苏格兰)项下的 **Robert Ⅲ** 罗伯特三世。

Carrick on Suir 舒尔河畔卡里克 爱尔兰蒂珀雷里郡城镇。濒舒尔河，坐落在库姆拉山脚旁，镇内有陡窄的街道。舒尔河上有两座大桥，与沃特福德郡卡里克贝格南郊相连。19世纪就是重要的制造业城镇。现工业有纺织、制药、制革和皮件厂。人口5 143(1991)。

Carrickfergus 卡里克弗格斯 北爱尔兰原安特里姆郡的城镇、郡首府和区(1973年设置)。位于贝尔法斯特湾北岸。约公元320年，弗格斯国王在岸外遇难，故起此名以示纪念。卡里克弗格斯城堡因俯瞰港湾的战略位置，在爱尔兰历史上起过重要作用。英国内战(1642～1651)期间该城堡成为安特里姆新教徒的主要避难地。1840年正式建镇。1850年成为郡府镇。有合成纤维厂、烟草厂和服装厂。有12世纪末建造的圣尼古拉斯教堂。卡里克弗格斯区面积77平方千米，西为纽敦阿比亚，北为拉恩区。该区西北为丘陵地带，向东南缓降至贝尔法斯特湾平坦的海滨。该区东北的伊登村有盐矿；西部面积颇大的林区可供野营和徒步旅游。卡里克弗格斯镇是游船中心，与贝尔法斯特有公路相通。人口：镇22 900(1998)；区约37 659(2001)。

卡里克弗格斯城堡
美国不列颠百科全书公司供图

Carrickmacross 卡里克麦克罗斯花边 从1820年至19世纪末在爱尔兰莫纳亨郡的卡里克麦克罗斯断断续续生产的花边。有网纱补花和嵌带花边两种。前者是在光滑结实的织物上勾绘图案的轮廓线(通常是连续不断的)，然后罩上一层网纱和织得细密的棉纱布，沿轮廓线缝上嵌线并剪去周围多余的棉纱布，完整地留出网地来。嵌带花边不用网纱，各部分图案是由系带连接在一起而剪去多余的棉纱布。通常两种一起使用。

(上)1880年的卡里克麦克罗斯嵌带花边；
(下)1886年的卡里克麦克罗斯网纱补花花边
美国不列颠百科全书公司供图

Carrier 卡列尔人 法语作Porteur，又作Takulli。操阿塔巴斯卡语的印第安部落，其分布地区以弗雷泽河各支流上游为其中心，介于落基山脉与滨海地区之间，约相当于现在的不列颠哥伦比亚省中部。他们的风俗酷似西北太平洋沿岸印第安人的风俗，主要以河鲑为主，辅以猎捕当地动物及采集浆果及块根。他们利用繁茂的林地资源制造独木舟、炊具或雕刻表示贵族纹章顶饰的木柱。南部卡列尔人居住在半地下住房里；北部卡列尔人构建木柱木板的人字屋顶房屋，颇与沿海印第安人相似。南北两部卡列尔人的住房均为全社区性的。卡列尔人是半定居民族，在各个有组织的村庄里拥有季节性住所，社会结构亦如沿海印第安人；阶级结构复杂，有贵族、平民、奴隶之分，各人应尽义务名目繁多，通常在家系、氏族和家族之外进行婚配。卡列尔人的每一个亚群对其土地都有特权，如被其他亚群侵犯时，就可以构成流血报复或至少如数赔偿的根据。他们的宗教信仰集中于一个天神，但主要以梦幻、仪式、巫术之法与无数的自然精灵打交道。他们也相信转世和来生。欧洲传染病和卡列尔人古老生活方式的破坏使其人口锐减，到20世纪末仅存4 500人。

Carrier, Jean-Baptiste 卡里埃(1756-03-16，法国约勒～1794-12-16，巴黎) 法国大革命的激进民主派，因在南特对反共和叛逆者大肆屠杀的暴行而臭名昭著。1790年任奥里亚克裁判区推事。后成为雅各宾俱乐部和科德利埃俱乐部的主要成员，1792年9月选入国民公会。翌年3月参加创立审判反革命嫌疑分子的革命法庭。8月，救国委员会派他前往布列塔尼执行任务。两个月后，他又奉命从旺代的反共和叛逆者手中拯救南特，曾下令处决许多人。此外，在1793年11月至1794年1月期间，他又将2 000多名囚犯装在船上，在卢瓦尔河上将船凿沉。如此大规模淹死人的消息传到巴黎后，救国委员会的首席发言人罗伯斯比尔便于1794年2月8日把他召回。卡里埃曾参与促使罗伯斯比尔于热月9日(1794-07-27)垮台的密谋。在随后针对雅各宾派政权而掀起的热月反动中，他以犯有大批杀人罪而被送上断头台。

Carrier, Willis Haviland 卡里尔(1876-11-26，美国纽约安哥拉～1950-10-07，纽约市) 美国发明家和工业家，奠定了空调技术的基本理论。1902年在布法罗锻造公司任工程师时，设计出第一套控制温度和湿度的系统。他在1911年的工程学论文中提出的"合理湿度公式"，开创了科学地设计空调器的新阶段。1915年创办制造空调设备的卡里尔公司。

Carrier-Belleuse, Albert(-Ernest) 卡里埃-贝勒斯(1824-06-12，法国埃纳阿尼济堡～1887-06-03，塞夫尔) 法国著名雕刻家，当时是罗丹的最大竞争对手。卡里埃-贝勒斯的主要作品有《爱情与友谊》(1857)、《朱庇特与菲比》(1860)和《酒神祭司》(1863)等，其雕塑品的特点是注重形体和优雅，而并非一味求新。他的学生、大名鼎鼎的罗丹曾于1871年在布鲁塞尔帮助他雕刻新证券交易所的《女像柱》。

carrier wave 载波 电子学中指未经调制的单一频率的电磁波。它载有所需要的信息，即被信息所调制。参阅 **modulation**。

Carriera, Rosalba(Giovanna) 卡列拉(1675-10-07，威尼斯～1757-04-15，威尼斯) 意大利肖像和细密画女画家，在洛可可艺术时代，她在法国开创了粉彩肖像画。早年以鼻烟盒上的细密肖像画而闻名。25岁时成为罗马圣路克画院成员。得到收藏家、金融

卡列拉绘《手持妹妹肖像画的自画像》(1715)
美国不列颠百科全书公司供图

家克罗扎鼓励,于1720年到巴黎,受托作肖像画36幅,其中有路易十五幼时的肖像。同年成为法国皇家学院成员,翌年回威尼斯。1730年到维也纳,查理五世作了她的庇护人而皇后成为她的学生。

Carrière,Eugène　卡里埃(1849-01-17,法国古尔奈～1906-03-27,巴黎)　法国油画家、平板画家和雕刻家,以描绘天伦之情和为知名文学家、艺术家画肖像著名。1870年入巴黎美术学院学习。普法战争期间参军。战后师从法国学院派主要画家A.卡巴内尔。1877年起,常作家庭成员群像和表现母爱题材的画。前期多用鲁本斯和委拉斯开兹色彩丰富的画法,1890年前后开始发展成自己特有的风格;人物为一层高贵的蓝灰色气氛所笼罩,若隐若现,灰色成为画面的主调,处理得柔和、细致。

Carrillo,Julián　卡里略(1875-01-28,墨西哥阿瓦卢尔科～1965-09-09,墨西哥城)　墨西哥作曲家,20世纪杰出的微分音音乐的倡导者。印第安人后裔,成长于墨西哥城。自幼显露音乐才华,在墨西哥城学习小提琴与作曲之后,20多岁赴欧洲学习,毕生在西欧与美国广泛地巡回演出。1905年后在墨西哥任作曲家、指挥、教师、音乐评论家和行政官员等重要的音乐职务。对微分音音乐的兴趣是1895年在墨西哥举办的一个声学学习班引起的。他发现一个全音不仅能分为两个半音,还可以分为3个3分音或4个4分音,以此类推。20世纪20年代开始探索用微分音进行作曲的可能性,一直用到16分音,这是他认为人的耳朵能分辨的最小音程。曾建立了新的记谱法体系,并为演奏其微分音作品制作出特殊乐器。其6部交响乐曲中有3部是微分音作品,5部弥撒曲中有两部是微分音作品,6部由器乐独奏与乐队演奏的作品也如此。另用微分音或非微分音的技巧写了室内乐曲与独奏曲。撰写过一些论文和著作。

Carrillo,Santiago　卡里略(1915-01-18,西班牙希洪～2012-09-18,马德里)　1960～1982年任西班牙共产党总书记,以所著《欧洲共产主义与国家》(1977)闻名,这部书强烈支持一些持民族主义立场的共产党采取自由与独立的方针。卡里略为阿斯图里亚斯人,1936年当人民阵线在西班牙选举中获得胜利时,加入西班牙共产党。他负责维持马德里的公共秩序,因此曾有人认为他应对1936年11月在帕拉库埃略斯屠杀犯人的事件负责。西班牙内战结束后,他前往美洲,后又在巴黎度过多年。1974年7月,他参与建立西班牙民主委员会,团结了一部分反对佛朗哥统治的人。1977年3月,他又参加建立民主协调委员会,这个组织将各反对党派和西班牙各个地区的自治运动包括在内。1977年西班牙共产党合法化之后,在赢得选票和议会席位的同时,采取一种低姿态。在西班牙新宪法的起草工作中,他采取合作的态度,并支持本国政府克服经济困难和对付恐怖主

中国大百科全书出版社供图

义的措施。他主张“政党的多元化和多数派与少数派之间的民主更替”;他支持巴斯克和加泰罗尼亚两地的共产党地方组织根据各自地区的需要而采取独立的态度。由于党内矛盾激烈,1982年辞去西班牙共产党总书记职务,建立自己的政党,但未能取得选举胜利。

Carrillo y Sotomayor,Luis　卡里略-索托马约(1583?西班牙科尔多瓦～1610,圣马利亚港)　西班牙诗人,作为夸饰主义的代表人物而著名。夸饰主义倡导一种高度华饰雕琢的诗歌风格,并且在诗人路易斯·德·贡戈拉的诗作中达到了高潮。卡里略-索托马约在诗论著《诗学之书》(现代版1946)中,企图以晦涩作为诗歌的优点来说明其创作方法正确。其最著名的作品是长诗《阿西斯与加拉特亚的寓言》。

Carrington (of Upton),Peter Alexander Rupert Carington, 6th Baron,　Baron Carrington of Bulcot Lodge　**卡林顿**(1919-06-06,英国伦敦～　　)　北大西洋公约组织秘书长(1984～1988)。在伊顿公学和皇家军事学院(桑德赫斯特)接受教育。在第二次世界大战中服役后,成为丘吉尔领导下的次要的国务部长。1963年进入道格拉斯-霍姆的内阁,1964年保守党在大选中失败后,在上议院领导反对党。保守党于1970年重又执政后,任国防大臣,并在后期的希思政府中任能源大臣。1979年撒切尔夫人组成保守党政府时,任外交大臣。他的魅力和外交手腕使他在关于罗得西亚(今津巴布韦)独立的谈判中获得成功,从而结束了1979～1980年罗得西亚的流血内战。接着他将注意力转向中东,寻求通过谈判解决英国残存的殖民地问题。1982年4月,在针对他错误解释阿根廷政府关于福克兰群岛的意图的严厉批评中辞职。1984年6月任北约秘书长,强调与苏联进行交流的重要性,认为这是恢复公众对北约信任的中心问题。

Carrington, Richard Christopher　卡林顿(1826-05-26,英国伦敦～1875-11-27,萨里法纳姆近郊彻尔特)　英国天文学家。根据观测太阳黑子的运动发现太阳自转的赤道加速现象,即在太阳赤道附近太阳自转速度高于极区的自转速度。他还发现,在一个太阳活动周内,太阳黑子区随着时间的推移逐渐移近太阳赤道。曾在剑桥大学学习。1853年他在萨里郡赖盖特的雷德希尔建立私人天文台。1857年发表《3 735颗拱极星表》。1865年后健康状况日差,很少再从事研究工作。

Carrío de Lavandera,Alonso　卡里奥·德·拉班德拉(1715,西班牙希洪～1778?)　西班牙殖民政府官员。笔名孔科洛科尔沃。他所叙述的从布宜诺斯艾利斯到利马的旅行见闻,被认为是西班牙美洲小说的先驱。原以为《向导》(1775)是卡里奥的印第安向导和旅伴唐卡利斯托·布斯塔门特所作,后来的研究发现是卡里奥以笔名出版该书,以避免因批评西班牙政权而招致惩罚。此书以明快的文体、详细的描述和讽刺的笔调见长。卡里奥对潘帕斯草原上加乌乔牧民生活习惯的现实主义观察,与后世作家们所描绘的高度浪漫主义的画面形成鲜明对比。

carrion beetle　食腐甲虫　又称埋葬虫。鞘翅目葬甲科昆虫,约230种。大部分食动物尸体,将其分解供环境利用;少数生活于蜂巢内,食腐;有几种无眼,在洞穴中食蝙蝠粪便。体长从极小到35毫米,一般12毫米。

食腐甲虫(*Silpha ramosa*)
美国不列颠百科全书公司供图

许多种呈鲜艳的橙、黄或红色,有的黑色。体和翅扁可屈曲,因而能在动物尸体下爬行。卵产在腐肉中。幼虫长而扁,前后端渐尖,成三角形。初孵的幼虫最初几天吃成虫吐出的一种褐色液体。成虫能把动物尸体下方的土挖出,将尸体埋葬,因此得名埋葬虫。

carrion-feeder　参阅 **scavenger** 食腐动物。

carrion flower 腐臭花 萝摩科豹皮花属(*Stapelia*)75种肉质植物的俗称,原产于非洲南部热带地区。花大,有恶臭以吸引蝇类来产卵并传粉。植株茎粗,四棱形,具沟,色常鲜艳或被侧枝覆盖。无真正的叶,仅有鳞片

大豹皮花(*Stapelia gigantea*)
美国不列颠百科全书公司供图

或刺。花着生于茎棱,有紫色、红色或黄色的带和斑点。少数种栽培观赏。百合科牛尾菜(草质菝葜,*Smilax herbacea*)原产美洲,为木质藤本,因其花恶臭,亦称腐臭花。

carrion hawk 食腐鹰 参阅 caracara 卡拉卡拉鹰。

Carrión's disease 卡里翁氏病 参阅 bartonellosis 巴尔通氏体病。

Carroll, Anna Ella 卡罗尔(1815-08-29,美国马里兰萨默塞特县~1894-02-19,华盛顿[哥伦比亚特区]) 美国政治小册子女作家和宪法理论家,声称在制订美国南北战争时期的联邦战略方面曾发挥作用。出身名门。19世纪50年代大力支持一无所知党。南北战争时期成为拥护联邦的宣传家。1861~1862年发表两本小册子,认为南方联盟的成立违反宪法,总统有权重新接纳脱离联邦的各州。后来A.林肯总统实际上采用了她的理论。

Carroll, Charles 卡罗尔(1737-09-19,马里兰安纳波利斯~1832-11-14,巴尔的摩) 美国爱国领袖、签署《独立宣言》的唯一天主教徒,也是这一文件签署者中寿命最长的。1765年以前卡罗尔在英格兰和法国学习法律。美国革命时期及以前,他成为大陆会议(1776~1778)作战部的重要成员之一。1776年,他与B.富兰克林、S.蔡斯、J.卡罗尔牧师同赴加拿大,劝说加拿大人参加13个殖民地的独立斗争,但未获成功。他历任马里兰州参议员(1777~1800)、美国参议员(1789~1792),后加入联邦党。

Carroll, Earl 卡罗尔(1893-09-16,美国宾夕法尼亚匹兹堡~1948-06-17,宾夕法尼亚芒特卡梅尔附近) 美国戏剧主持人、戏剧演出人和导演。以时事讽刺剧《卡罗尔的浮华世界》(1922~1948)闻名。纽约市的卡罗尔剧院和好莱坞的卡罗尔餐厅的大门上,都贴着"世界上最美貌的女子从这扇门中进出"的标语。10岁辍学,1903~1910年在匹兹堡一些剧院干零活。1912~1917年,他在纽约市以歌曲作者获成功。1922年,作为一个戏剧演出人,创建了他的第一个卡罗尔剧院,1931年创建第二个卡罗尔剧院。1938年,在好莱坞建造卡罗尔餐厅(附设剧院)。他还监制并导演了60多部百老汇戏剧及几部电影。在一次飞机失事中遇难。

Carroll, John 卡罗尔(1735-01-08,马里兰上马尔伯勒[今在美国]~1815-12-03,巴尔的摩) 美国第一位天主教主教、第一任巴尔的摩大主教。先在法国,继去比利时受宗教教育。1767年左右在比利时受神职为司铎。1774年春返回巴尔的摩。美国独立后他参与重新组织天主教徒并与罗马教廷建立良好关系。1790年被立为巴尔的摩主教,当时该教区包括美国全境。1791年亲自在巴尔的摩创立稣尔比斯会神学院。他鼓励天主教各修会在美国建立支会。在华盛顿的赞助下,他从联邦政府获得基金,派人前往美国西部地区向印第安人传教。1806年为巴尔的摩市大教堂奠基。1811年升任大主教。在他主持美国天主教会期间,天主教信徒从大约2.5万人发展为20万人。

Carroll, Lewis 卡罗尔(1832-01-27,英格兰柴郡达斯伯里~1898-01-14,萨里吉尔福德) 英国数学家、逻辑学家、摄影家和小说家。原名C.L.道奇森。他以卡罗尔为笔名所写的

美国不列颠百科全书公司供图

《艾丽丝漫游奇境记》(1865)和续篇《镜中世界》(1871)流传极广,备受儿童和成年人的欢迎。其叙事诗《斯纳克之猎》(1876)是最高水平的"荒诞文学"。12岁开始写作,年轻时就读于约克郡的里士满学校(1844~1845)和拉格比公学(1846~1850)。1850年被牛津大学基督堂学院录取,1852年他的数学和古典文学学习成绩超群,1854年数学期终考试在班上名列第一,同年12月获文学士学位。次年被任命为数学讲师,直至1881年退休。

他对基督堂学院院长利德尔的三个女孩极其钟爱,常给她们讲故事,后来把这些故事写出来给了利德尔的长女艾丽丝。小说家金斯利无意中发现了它,怂恿利德尔夫人劝卡罗尔发表这部作品,于是《艾丽丝漫游奇境记》经卡罗尔修改、补充后于1865年问世(第1版因印刷粗劣而被收回,只有约21册留存下来,同年圣诞节重印发行,但日期注明为1866年)。此书逐渐取得成功。嗣后他又根据给利德尔的孩子讲的另外一些故事写了续篇,这就是1871年出版的《镜中世界以及艾丽丝的发现》。到卡罗尔去世时,两书成为英国最受欢迎的儿童读物。1932年他诞生100周年时,它们已是全世界最受欢迎、最著名的童话之一。除童话外,他还写有关于大学事务的幽默小册子,其中最好的汇集为《一个牛津年轻人的笔记》(1874)。他还是一位出色的摄影师,他为女演员特里、诗人艾尔弗雷德·丁尼生、诗人兼画家罗塞蒂及其他许多人拍的照片留存至今并常被人们复制。道奇森用卡罗尔这一笔名发表他所有的非学术性著作,他还用原名写了相当数量的数学著作,但都不甚重要,虽然《欧几里得和他的近代对手》(1879)还有一些历史价值。他的幽默诗和其他诗篇在1869年汇集为《幻影集及其他》,后增补分为两册出版:《诗韵?涵理?》(1883)、《三次日落及其他诗》(1898)。他晚年又试图续写"艾丽丝",但只写了两篇,而且不甚成功。"艾丽丝"是适合儿童纯真情趣的逻辑和数学心智的完美创造物。

Carroll, Vinnette 卡罗尔(1922-03-11,美国纽约州纽约~2002-11-05,佛罗里达劳德希尔) 全名Vinnette Justine Carroll。美国剧作家、舞台剧导演和演员。第一位在百老汇执导的非洲裔美国妇女。长岛大学学士(1944),纽约大学硕士(1946)。放弃心理学专业改行到戏剧领域。在社会研究新学院参加了几场学生上演的舞台剧,1948年开始参加职业演出。1957年首次到百老汇演出。1962年出演《彩虹披肩上的月亮》获得欧比奖。为了支持少数民族参与戏剧艺术,1967年成立"城市艺术联盟"(1980年更名为"城市艺术剧团")。她的首部作品《上帝的小号》(1963)是根据诗人J.W.约翰逊的作品改编的音乐滑稽剧;构思并导演的热门福音滑稽剧《别烦我,我应付不了》1972年在百老汇上演,获得4项托尼奖提名。她改编的《你无法与上帝对抗》(与M.格兰特合作)1976年在百老汇上演,再次获得4项托尼奖提名。作为演员曾参加《逆潮而动》(1967)和《艾丽斯的饭馆》(1969)等影片的演出。此外还参加电视剧的演出。1964年凭借《超越布鲁斯》获得艾美奖。

Carrollton 卡罗尔顿 美国佐治亚州西部城市,卡罗尔县县城(1829)。邻小塔拉普萨河。1856年建市。为附近农产品的贸易和加工中心,工业日益发展。制造业产品有纺织品、金属制品、磁带和光盘。有西佐治亚学院(1933),为佐治亚大学系统的一个分支。距约翰·坦纳州立公园8千米。人口19 843(2000)。

carrot(*Daucus carota*) **胡萝卜** 伞形科草本植物,通常二年生,直根可食。常见品种的根呈球状或锥状,末端钝或尖。橘黄色、白色、黄色或紫色。原产阿富汗及邻近国家。野胡萝卜已成为分布于欧洲、美国和其他温带国家的杂草。地中海地区早在公元前就已栽培胡萝卜,在中国和西北欧不迟于13世纪,现栽培于整个温带地区。胡萝卜富含胡萝卜素,20世纪,人们认识了胡萝卜素(维生

胡萝卜(*Daucus carota*)
美国不列颠百科全书公司供图

素A原)的营养价值而提高了胡萝卜的身价。胡萝卜喜凉爽至温和的气候条件,在温暖地区不宜于夏季种植。要求深而肥沃的疏松土壤。用现代化机械稀疏条播可免去疏苗工序。一般在第一个生长季节长叶,叶为二回复叶,细裂,直立丛生成莲座状。其下为可食的胡萝卜和附着的根。在近冰点的低温下休眠后生出大而分枝的花茎。复伞形花序顶生,花极小,白色或淡粉色。果实为小而带刺的双悬果,每半含一粒种子。买来种植的种子已将刺除去。新鲜胡萝卜应坚实而脆,皮平滑而无污斑。亮橘黄色表示胡萝卜素含量高,较小的类型最嫩。可做沙拉、开胃食品或炖食、做汤。

Carrucci, Jacopo　卡鲁奇　参阅**Pontormo, Jacopo da 蓬托莫**。

carrying capacity　容纳量　某一特定生境或地段能够养育一种或多种动物度过一年中最不利时期的最大数量。因为各个物种对食物、隐蔽场所和群居生活的需要各不相同,还因为来自具有同样需求的其他物种的竞争,因此,同一生境对不同物种的容纳量各不相同。

Carson, David　卡森(1955-09-08,美国得克萨斯科帕斯克里斯蒂～　　)　美国平面造型设计师,其一反传统的风格使视觉传播在20世纪90年代产生了根本性的变革。卡森接触平面设计为时较晚。他原是世界排名第八的冲浪运动员和加利福尼亚的中学教师。26岁时参加了一次为期两周的商业设计班,在一所商业艺术学校短期学习后去一家小的冲浪者杂志《自我和音乐家》任设计员。在《环球滑板运动》杂志任业余设计员达4年之久。1989年成为《海滩文化》杂志的美术编辑。虽然他在该杂志停刊前只做了6期,但在那里的工作使他获得了150多项设计奖。那时卡森的工作已经引起了音乐杂志《激光枪》出版商M.S.贾勒特的注意,1992年他被请去担任美术编辑。以后的3年中,得益于他的激进的设计想象,《激光枪》的发行量增加了两倍。由于其作品明显地受到年轻读者的欢迎,一些公司纷纷请他设计印刷广告,而他也开始导演电视商业广告。1995年离开《激光枪》后,卡森开设了戴维·卡森设计公司,分设于纽约市和加利福尼亚州的圣迭戈。1995年卡森的《印刷的终结:戴维·卡森的平面设计》出版,集他的与众不同的平面设计意象之大成。其后又著有大胆的试验性著作《洞察力》(1997)、《照相平面设计》(1999)和《跋涉》(2003)。

Carson (of Duncairn), Edward Henry Carson, Baron　卡森(1854-02-09,都柏林～1935-10-22,英国肯特敏斯特)　英国律师和政界人物,被称为"北爱尔兰的无冕之王",曾成功地领导了北爱尔兰抵制英国政府在爱尔兰全境实行自治的企图。出身于南爱尔兰的一个新教家庭。1877年开始在爱尔兰从事法律工作。在担任都柏林高等刑事诉讼检察官时,他严格推行《1887年刑事犯罪法》,大量判处英格兰不在地主在爱尔兰的庄园的暴行有罪。1892年任爱尔兰副检察总长,同年被选入英国下议院。1893年进入英国律师界,1900～1905年任英国副检察总长。作家O.王尔德就是经他审问而以搞同性恋被判罪的。1910年2月成为反对自治的爱尔兰合并派议员的领袖。他认为贝尔法斯特的重工业是爱尔兰在经济上生存所必不可少的。1912年H.H.阿斯奎斯的自由党政府准备提出《自治法案》,由于他在下院发表讲话加以阻挠而未能通过。1912年9月28日在贝尔法斯特参加签订反对自治的盟约。1913年在贝尔法斯特成立临时政府。他还自行招募北爱尔兰军,公开进行操练,准备在自治法案通过时起来进行战斗,并从德国运入大量武器,准备全面内战。1914年7月他同意爱尔兰实行自治,但北爱尔兰除外。1915年5月任阿斯奎斯战时联合政府的检察总长,但因对指导战争表示不满,于10月辞职。后在劳合·乔治的联合政府中任海军大臣(1916～1917)和不管部大臣(1917～1918)。1921～1929年任常任上诉法院院长。

Carson, Kit　卡森(1809-12-24,美国肯塔基麦迪逊县～1868-05-23,科罗拉多莱昂堡)　美国边疆居民、猎人、军人和印第安事务官,因对向西扩张做出贡献,跻身于英雄人物之列。

美国国会图书馆供图

15岁参加前往圣菲的商队。他从边疆居民那里学会设阱捕兽方法。1842年给探险家J.C.弗里蒙特当向导,积极参加开疆辟土的工作。1846年在前往华盛顿的途中遇见S.W.卡尼将军,后者劝他给自己的部队当向导,以便向加利福尼亚进军。从此,他一面参加作战,一面去华盛顿递送公文。由于他的勇敢和忠诚,在华盛顿结交许多身居高位的朋友。1854年3月出任陶斯地方的印第安人事务官。南北战争中任第1新墨西哥志愿军上校,在西南部作战。1868年任科罗拉多准州印第安人事务总督。在美国西南部,如内华达、科罗拉多、加利福尼亚州都有以他的姓氏命名的城市和地名。

Carson, Rachel (Louise)　卡森(1907-05-27,美国宾夕法尼亚斯普林代尔～1964-04-14,马里兰锡尔弗斯普林)　美国生物学家,以环境污染和海洋自然史方面的著述闻名。1932年在约翰斯·霍普金斯大学获文科硕士学位,后在伍兹霍尔海洋生物实验室做研究生。幼年时就对野生动物有浓厚兴趣,所以长期在美国渔业局(后改名美国鱼类和野生生物署)工作。1951年发表《围绕我们的海洋》一书,获国家著作奖。1962年发表有影响的预言性著作《寂静的春天》,促使全世界注意环境污染的危险。其他著作有《在海风的吹拂下》(1941)和《海角》(1955)。

Carson City　卡森市　美国内华达州首府。位于内华达山东麓,里诺以南48千米、塔霍湖以东23千米处。1858年始建。1861年先后定为卡森县县城、内华达准州首府和新建

卡森市的州议会大厦
美国不列颠百科全书公司供图

奥姆斯比县县城。1864年内华达建州后为首府。1875年设市。1969年卡森市和奥姆斯比县合组为一行政单位:卡森市和卡森县。早期发展受定居该地从事农耕的摩门教徒及西迁移民影响颇深。1859年东北郊发现银矿,经济从此迅速发展。康斯托克矿脉(1950废弃)曾为全世界最富矿藏之一。联邦政府曾于卡森市建铸币厂,后成为内华达州立博物馆。采矿业(铜,部分白银)至今不废,但以畜牧、旅游、政府采购以及合法赌博为经济主要支柱。内华达州议会大厦(1871)收藏有丰富历史文物。设有西内华达社区学院(1971)。人口52 457(2000)。

Carson River　卡森河　美国加利福尼亚州内华达山脉的几条源流形成的河。向东北方

向流动200千米入内华达西部,消失在卡森湖沼中。连同特拉基河和沃克河,卡森河被广泛地用在灌溉和治理工程上。其下游用于筑坝发电和灌溉。

Carstares, William 卡斯塔雷斯(1649-02-11,苏格兰格拉斯哥附近卡斯卡特~1715-12-28,爱丁堡) 苏格兰基督教长老会牧师。他在亡命荷兰期间受按立为牧师。英格兰国王查理二世在位时期,他曾两次因颠覆活动被捕。以推翻查理为目的的“黑麦屋事件”破获后,他在严刑下供认参与其事,但得以返回荷兰,1685年在莱顿为操英语的信徒任牧师,并任奥兰治大公威廉的随身牧师。1688年威廉称英格兰国王,卡斯塔雷斯任苏格兰教会首脑兼爱丁堡大学校长。1707年在缔结苏格兰与英格兰统一条约时,卡斯塔雷斯曾为安妮女王出谋划策,遂使苏格兰教会的独立的长老制得以保持。

Carstens, Asmus Jacob 卡斯滕(1754-05-10,丹麦石勒苏益格附近圣于尔根~1798-05-25,罗马[意大利]) 德国新古典主义肖像画及历史画家,曾为18世纪后期古典美术的发展做过许多工作。1776~1783年间曾在哥本哈根学院学习,但主要自学成材。1787年到柏林,3年后成为教授。1792年得普鲁士政府资助移居罗马,研究壁画。常以希腊罗马神话为题材,从荷马、品达、但丁、莎士比亚等人作品中取材。1795年在罗马公开展览《黑夜与孩子们沉睡和死亡》等画,反应热烈,赢得许多支持者。

Carstensz, Mount(Indonesia) **卡斯滕士峰** 又作Gunung Carstensz。参阅**Jaya, Mount 查亚峰**。

cart 畜力车 挽畜牵引的两轮车。从有文字记载起,一直被用来运送货物、农产品、垃圾和乘客,通常由一头挽畜牵引。最早由希腊人和亚述人在公元前1800年前后使用(如果按发明车轮的时间推算,则这种车可能早在公元前3500年就已使用)。畜力车可制成各种式样,通常构造简单,车辕常常是车身构架的延伸,根据运载的物品不同,车身可能是简单的木栅,也可能是坚实的箱子。后来这种车也被用作赛车和客车,与原始的畜力车所不同的是,为了乘坐者的舒适车上装有弹簧。

Cartagena 卡塔赫纳 哥伦比亚北部玻利瓦尔省省会。在卡塔赫纳湾北端。旧城部分有华丽的大教堂、圣彼德罗·克拉弗教堂(1603)、异端裁判所大厦(1706)、大广场和卡塔赫纳大学(1827)。1533年建立,后成为异端裁判所中心和主要的奴隶市场。1811年卡塔赫纳省宣布脱离西班牙独立。到19世纪40年代,人口减少,商业衰落。20世纪再度发展。现为全国第五大城,1917年以后马格达莱纳河谷地油田的开发,可能是使该市重新繁荣的最重要因素。输油管(1926)和炼油厂的建成使该市成为全国主要油港。白金和咖啡也是重要输出品。制造业有制糖、

卡塔赫纳的17世纪要塞
美国不列颠百科全书公司供图

卷烟、化妆品、纺织品、肥料和皮革制品。旅游业日益重要。人口805 757(1999)。

Cartagena 卡塔赫纳 西班牙东南部穆尔西亚省和自治区港口城市、地中海主要海军基地。港湾深广,四周有小山,山顶有碉堡,唯一的狭窄入口处有炮台把守,为西班牙东海岸最佳港。初为伊比利亚人居民点。公元前3世纪由迦太基人创建。公元前209年被罗马人占据。公元425年遭哥特人劫掠。400~1289年间为主教教座。摩尔人统治时期为独立公国。1269年由阿拉贡国王詹姆斯一世收复。16世纪时由腓力二世建为军港。1936~1939年内战期间曾是共和军海军基地。几段古城墙仍有所保留,并有12世纪古建筑。城中考古博物馆存有伊比利亚人、希腊人和罗马人遗物。现为重要商业港口,输出橄榄油、干果和矿产品等。该市以东18千米处的波特曼1898年建独立港口后,矿产品出口减少。有冶金、玻璃、茅草纤维加工、军工和造船业。人口184 686(2001)。

Cartago 卡塔戈 哥斯达黎加中东部城市。位于肥沃的中央高原,在伊拉苏火山脚下,海拔1 439米。建于1563年。1823年前是该国首都。17世纪频遭海盗袭击。多次受地震

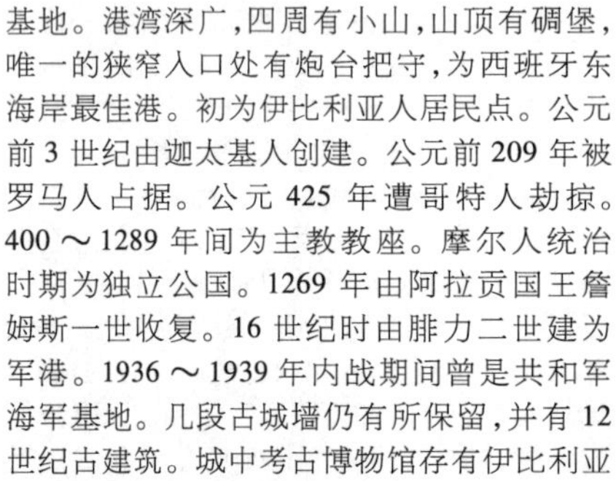

卡塔戈市的天使圣母教堂
美国不列颠百科全书公司供图

破坏,因而没有真正的殖民时期建筑物。天使圣母(哥斯达黎加守护神)教堂供奉著名的黑色圣母像,为朝圣地。并以星期日集市闻名。离首都圣何塞很近,通泛美公路和哥斯达黎加铁路。人口23 928(1984)。

Cartan, Élie-Joseph 嘉当(1869-04-09,法国多洛米约~1951-05-06,巴黎) 法国数学家。极大地发展了李群理论,并对子代数理论做出了贡献。1894年任蒙彼利埃大学讲师,并研究由挪威著名数学家S.李引进的连续群的结构。以后又考查等价性理论及其与积分不变量理论、力学和广义相对论的关系。1896年到里昂大学,研究线性结合代数,发展基于哈佛大学的B.皮尔斯的工作的一般定理,阐明由德国数学家F.G.弗洛贝尼乌斯建立的子代数。1912年出任巴黎大学教授,一年后发现了旋量,这是用来把三维旋转变换为二维表示的复向量。他是一个深刻的理论家,但也能对普通学生解释艰深的概念。直到晚年,其工作的意义才得到公认。1931年成为法国科学院院士,1947年当选为英国皇家学会会员。著有《黎曼空间的几何》(1925)、《连续群与广义空间论》(1935)等书。

Cartan, Henri (-Paul) 嘉当(1904-07-08,法国南锡~2008-08-13,巴黎) 法国数学家。在解析函数论方面取得了根本性进展。他是数学家É.嘉当的长子。1928~1939年在康城中学当数学教师,1929年任里尔大学的代理教授,两年后成为斯特拉斯堡大学数学教授。1940年到巴黎大学任教。除解析函数论的工作外,对于层的理论、同调论、代数拓扑和位势理论,他都有所贡献。主要著作有《同调代数》(1956)和《单或多复变量的初等解析函数论》(1963)。

Carte, Richard D'Oyly 卡特(1844-05-03,英国伦敦~1901-04-03,伦敦) 英国演出经理。因首先演出吉尔伯特和沙利文的歌剧、提高当代人的音乐欣赏水平和促进演剧技术的发展而被人怀念。原为作曲家,后为音乐经纪人,法国作曲家古诺的代理人。继1875年委托吉尔伯特和沙利文创作《陪审团的审判》后,他于1876年创立喜歌剧有限公司演出轻歌剧,将C.勒科克和J.奥芬巴赫的作品介绍给英国观众。1881年在英国建立第一所使用电力照明技术的萨沃伊剧院,吉尔伯特和沙利文的歌剧就是在这里开始享有盛名。为了确立严肃歌剧的地位,他于1887年建立英国皇家歌剧院(现为皇宫剧院)。沙利文为该剧院创作了歌剧《艾凡赫》(1891)。卡特去世后,他所创办的卡特歌剧团继续上演吉尔伯特与沙利文的作品,只在20世纪有过一度短暂的中断(1982~1988)。

carte-de-visite 肖像名片 指贴有本人肖像的名片。19世纪中叶非常流行。肖像名片是巴黎人像摄影师安德烈-阿道夫-欧仁·迪斯德里(1819~1890?)所首创。自从他为

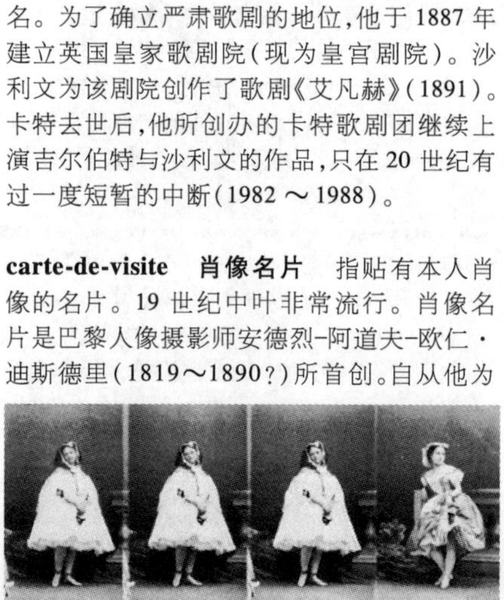

安德烈-阿道夫-欧仁·迪斯德里约1860年摄制的肖像名片
美国不列颠百科全书公司供图

法国皇帝拿破仑三世拍摄了肖像名片后,便风靡一时。人们常在生日或节日里互换肖像名片。肖像名片集也成为维多利亚式客厅里的风雅之物。19 世纪 60 年代以后,肖像名片的风尚逐渐衰落,但名人和皇族的肖像名片仍然是收藏家的珍品。

Carte du ciel 照相天图 计划拍摄全天约几千万颗恒星的星图。按计划将拍摄包括亮度在 14 等以上的恒星,并把 12 等以上的恒星编成照相天图星表。由巴黎天文台台长 A. 穆谢于 1887 年提出的这一计划需要全世界 18 座天文台的协作,以便把整个天空都拍在底片上,每一底片只包含 2 平方度的天区。20 世纪的技术进步使得可以在包含更大天区的单张底片上精确测出恒星的位置。这项已经耗费几十年精力的照相天图迄今仍未完成,但附带的星表则已在 1958 年基本完成。

cartel 卡特尔 独立公司或个人为了对某种或某类商品的产销施加某种形式的限制性或垄断性影响而组织的联盟。最常见的是为了控制价格或产量,或是为了划分市场范围而进行的安排。卡特尔的成员在参与制定和执行共同政策的同时,仍然保持各自的独立性和财务上的自主。通常提出设立卡特尔的主要理由是为了防止"灾难性"竞争,据说"灾难性"竞争会促使整个产业利润过低,而卡特尔能在所有竞争的公司之间提供整个市场的公平分配。为维护和加强其产业的垄断地位,卡特尔所最常用的方法有:固定价格,在成员之间分配销售限额,划分专卖地区和分派生产活动,保证每个成员的最低利润额,还在销售、回扣、折扣、结帐期等条件方面订立协议。卡特尔使消费者所支付的价格高于竞争价格。卡特尔会使无效率的公司保留在某一产业之中,并且会妨碍降低价格、节约成本的先进工艺的采用。虽然卡特尔能确立高度稳定的价格,而成员之间也易于发生利益冲突;卡特尔的瓦解将导致激烈的价格波动。在德国,卡特尔一直是现代垄断组织的最普遍形式。德国卡特尔通常是生产者(生产竞争性产品的公司)的横向联合;然而有时综合性企业之间也组成卡特尔,这些企业业务范围广,从事原料、中间产品直到制成品的生产,这类企业的联合就形成纵向联合。在两次世界大战间隙期间,德国政府为了便于过渡到战时经济曾支持卡特尔。第二次世界大战后盟军占领期间,卡特尔及其他限制贸易的组织形式都列为非法。1957 年,德国通过立法禁止各种形式的限制竞争,但某些卡特尔协定如出口卡特尔协定不在禁止之列。国际卡特尔协定通常是指在各本国享有垄断地位的各公司之间的协定。这种协定早在两次世界大战之间就有签订的。由于各国对卡特尔看法不同,又由于国际卡特尔的参加者需遵守各自国家的法律,因而很难确定一项统一的政策。

Cartel des Gauches(French political faction) 参阅 **Gauches, Cartel des** *左翼联盟*。

Carter FAMILY 卡特家族 由 A. P. 卡特(1891-04-15,美国弗吉尼亚梅塞斯泉～1960-11-07,肯塔基)和他的妻子萨拉(1898-07-21,弗吉尼亚弗拉特伍兹～1979-01-08,加利福尼亚洛迪)及弟媳梅贝尔·卡特(1909-05-10,弗吉尼亚尼克斯维尔～1978-10-23,田纳西纳什维尔)组成的歌唱小组。是传播与普及阿巴拉契亚山区民歌的主要力量。1927 年这个家族开始其录音事业。其后 16 年中,萨拉的两个孩子与梅贝尔的 3 个孩子也参加演出。他们为多家唱片公司共录制 300 余首歌曲,其中包括 19～20 世纪初期的古老民谣、幽默歌曲、感伤歌曲和许多宗教歌曲,代表着山区音乐宝库一个重要的横断面。后来他们在电台大量演出,使许多歌曲十分流行,并成为民歌及乡村音乐的样板。其中有《报童吉米·布朗》、《沃巴什炮弹》、《让烦恼的人唱起烦恼的歌》和《天然森林的花朵》。在原来的家庭小组拆散后(1943),由一名或多名原来的成员加其他亲戚组成的小组继续以"卡特家族"之名演出。原来的卡特家族是第一个被"乡村音乐名人会堂"接纳的小组。

Carter, Betty 卡特(1930-05-16,美国密歇根弗林特～1998-09-26,纽约布鲁克林) 原名 Lillie Mae Jones,又称 Lorraine Carter 或 Lorene Carter。美国爵士乐歌手,以拟声唱法和其他复杂的音乐表现形式驰名,显示出她声音的柔韧性和丰富的音乐想象力。早年在密歇根州的底特律音乐学院学习钢琴。16 岁开始在底特律的爵士乐俱乐部演唱。1946 年以后在中西部的黑人酒吧和剧院表演。1948 年加入 L. 汉普顿的乐队,但是由于她坚持即兴演唱惹恼了汉普顿,最终于 1951 年离开,在全国各地的爵士乐俱乐部演唱,与许多爵士乐艺人都合作过。1960～1963 年与 R. 查尔斯巡演并在 1961 年合作录制了一张二重唱专辑。后因结婚中断演唱。1969 年离婚后重返舞台。1971 年发行第一张个人唱片。从 20 世纪 70 年代开始在校园巡演并主持几个爵士乐研习会。1977 和 1978 年参加纽波特爵士乐艺术节,在卡内基音乐厅演出,之后继续在美国和欧洲各地举行音乐会。其独唱专辑有《贝蒂·卡特》(1953)、《外面》(1958)、《贝蒂·卡特的现代之声》(1960)、《贝蒂·卡特与观众共欢》(1979)和《看我得到了什么!》(1988 获格莱美奖)。为了激发年轻人对爵士乐的兴趣,1993 年 4 月发起了一项"爵士乐向前进"活动,每年由 20 名年轻的爵士音乐人与她一起练习和作曲一个星期。1997 年美国总统克林顿授予她美国国家艺术奖章。

Carter, Elizabeth 卡特(1717-12-16,英国肯特迪尔～1806-02-19,伦敦) 英国女诗人、翻译家。为以蒙塔古夫人为中心的著名文学团体"蓝袜社"的成员。父亲是个有学问的牧师,曾教她拉丁文、希腊文和希伯来文。她不是个早慧孩童但却勤勉不懈,以至影响健康。她还学法语、德语、意大利语、葡萄牙语、阿拉伯语以及天文、古代地理、古代史和现代史,并学音乐及家政。她的《偶感诗》发表于 1738 年,而《感时杂咏诗》于 1762 年出版。确保其声誉的,则是她的翻译作品。她最重要的译著是《爱比克泰德现存作品集》,1758 年出版。

Carter, Elliot (Cook, Jr.) 卡特(1908-12-11,纽约市～2012-11-05,纽约市) 美国作曲家。其精深广博的风格与新颖的复节奏(称为"节拍转调")原则引起世界范围的注视。曾两度荣获普利策音乐奖(1960,1973)。出身富裕家庭,在哈佛大学求学,先主修英语,后学音乐,师承 W. 皮斯顿和 G. 霍尔斯特。1933 年在巴黎就学于 N. 布朗热时,开始作曲。早期作品是用自然音阶写的,在节奏与旋律型方面流露出希腊音乐与散文的强烈影响,反映出他对古典文学的爱好。早期作品有合唱曲与器乐曲及一部芭蕾舞剧。

美国不列颠百科全书公司供图

《第一交响曲》写于 1942 年。此期最具代表性的作品《保卫科林斯城》作于同一年,由朗诵、男声合唱与两台钢琴演出。《钢琴奏鸣曲》(1945～1946)标志其写作风格的转折:在大型框架之内采用一个复杂的织体,其中的对位具有不规则的重音交错。从《大提琴奏鸣曲》(1948)起,"节拍转调"的原则已完全成立。这一技巧在《第一弦乐四重奏》(1951)中达到高峰,这里所特有的密集交织的对位写法成为他个人风格特点。这个四重奏和《第二弦乐四重奏》(1960 年获普利策音乐奖)成为他的保留曲目。《管弦乐队变奏曲》(1954～1955)表现他的发展的另一方面,即使音程与力度序列化。由拨弦键琴、钢琴及两个室内管弦乐队演奏的《双重协奏曲》(1961)表现了他对不寻常的乐器法及卡农式的织体感兴趣。其他作品有:《钢琴协奏曲》(1964～1965)、《管弦乐队协奏曲》(1970)、《第三弦乐四重奏》(1973 年获普利策音乐奖)、《铜管五重奏》(1974)、《小提琴与钢琴重奏曲》(1975)、根据 E. 毕晓普诗歌而作的声乐套曲《想着的镜子》(1975)和《三个乐队的交响曲》(1977)等。

Carter, Howard 卡特(1873-05-09,英国诺福克斯沃弗姆～1939-03-02,伦敦) 英国考古学家,对埃及学的贡献极大。17 岁时,曾参加英国主办的埃及考古调查,后在埃及考古部门担任巡查主任。1902 年在皇陵谷地监督发掘时,发现了王后哈特谢普苏特和国王图特摩斯四世的陵墓。1922 年 11 月 4 日,卡特发现图特安哈门陵墓的初步线索,发掘 3 日之后,到达封闭的墓门。此后 10 年期间,他监督墓室文物的出土工作,文物多数藏于埃及博物馆。著有《图特摩斯四世》(1904;与 P. E. 纽贝里合著)和《图特安哈门陵》(1923～1933;与 A. C. 梅斯合著)。

Carter, Jimmy 卡特(1924-10-01,佐治亚普莱恩斯～) 美国第39任总统(1977～1981)。花生批发商、佐治亚州州议员之子,1946年毕业于安纳波利斯美国海军学院。曾

美国不列颠百科全书公司供图

在海军服役7年,其中有5年系随里科佛将军在潜水艇上从事核潜艇研究计划。1953年其父去世,卡特辞去军职,返回佐治亚州经营其家庭的花生农场。1962年以民主党人身份当选佐治亚州参议员,1964年连选连任。1970年当选佐治亚州州长。他在就职演说中宣称:"种族歧视的时代已经过去",进而让佐治亚州各政府部门录用黑人及妇女。他将错综复杂的州政府机构改组成为较大的部门,对它们采取更严格的预算管理办法。当1974年州长任期临近届满时,卡特宣布参加民主党总统提名竞选。虽然缺乏一个全国性政治基地或重要支持力量,但他不懈的努力和有计划的竞选活动,使他获得大批选票,在1976年7月赢得民主党提名。卡特选择明尼苏达州的自由派美国参议员蒙代尔为他的竞选伙伴,于1976年11月击败在职总统福特。卡特在总统任内力求加强其平易近人的形象,出现在公众场合时,穿着及言谈均不拘形式,不时举行记者招待会,并避免总统的排场。然而尽管民主党在参众两院均占有多数席位,卡特雄心勃勃的社会、行政、经济改革方案还是在国会受到阻力。由于不能将其理想抱负变为现实的立法,到1978年时,他最初树立起来的声望便逐渐消失。在外交事务方面,虽然卡特标榜的国际人权得到各方重视,但他的主要成就却是更为实际的忍耐外交。1977年美国与巴拿马签订了两项条约,使后者得于1999年底接管巴拿马运河,并保证其后该运河中立。1979年1月1日卡特在美国和中国之间建立起全面外交关系,同时断绝了与台湾的官方关系。1978年卡特邀请埃及总统萨达特与以色列总理贝京同赴戴维营,使双方同意按戴维营协定结束两国间自1948年以色列立国以来的战争状态。该协定规定两国间建立全面的外交和经济关系,条件是以色列将所占领的西奈半岛归还埃及。1979年又与苏联领袖勃列日涅夫在维也纳签订新的双边限制战略武器条约(SALT Ⅱ),在两个超级强国得以充分查核的条件下,建立彼此同等的战略核武器发射系统(苏联入侵阿富汗后,卡特于1980年1月将提交参议院讨论的该项条约撤回)。然而这些外交政策上的重大成功不久即因一次严重的外交危机和对卡特经济政策的普遍不满而黯然失色。1979年11月4日,一群伊朗学生冲入驻德黑兰美国大使馆,将使馆人员扣为人质。学生的暴行随即得到伊朗革命政府的支持,于是在被困外交人员问题上,美伊之间的距离越来越远。卡特的反应是迎合拖延,尽量通过谈判方式寻求人质的释放,避免与伊朗政府直接冲突。这一态度起初得到美国公众支持,但在1980年4月美国秘密军事援救人质行动失败后,卡特未能取得人质获释遂成为他一大政治包袱。1979年苏联进兵阿富汗,他采取了较为强硬的措施,禁止美国谷物输往苏联,并抵制1980年莫斯科夏季奥运会。国内方面,卡特在处理经济问题上引起广泛关切。自他上任以来,通货膨胀率逐年上升,1976年为6%,1980年已升至12%以上。失业率仍高达7.5%;波动的利率1980年竟两次达到20%,甚至更高。虽然在国内政治改革及经济政策上遭到明显失败,又有1979年的外交危机,他仍然赢得1980年民主党的总统候选人提名。但美国人民对其执政能力的信任已跌至谷底,无可挽回,因此在当年11月的大选中,卡特被共和党总统候选人里根以压倒优势击败。

卡特回到家乡,于1982年发表了他在总统任内的回忆录《守信》,他另著有《亚伯拉罕的血——中东问题透视》(1985)一书。卡特与其妻子罗莎琳在亚特兰大建立了卡特总统中心。该中心设有一个总统图书馆及博物馆。卡特在一些国家的各种冲突中担当了一种自由外交官的角色——包括在尼加拉瓜成功地促成了米斯基托印第安人返回家园;在巴拿马观察和报告了选举中的非法行为以及在埃塞俄比亚试图调停该国与厄立特里亚人民解放力量达成解决办法。1994年他在与北朝鲜谈判结束核武器的发展、与海地谈判权力和平移交、与波斯尼亚的塞尔维亚人和穆斯林安排短期停火中都发挥了特殊的作用。1995年发表诗集。从1997年起,卡特夫妇每年抽出一周时间为穷人建造房屋。2002年应卡斯特罗之邀赴古巴访问,成为自1959年卡斯特罗上台以来首位访问古巴的美国前总统。同年,因其在维护社会平等和人权方面所作出的努力,获诺贝尔和平奖。

Carter, Maybelle 卡特(1909-05-10,美国弗吉尼亚尼克斯维尔～1978-10-23,田纳西纳什维尔) 婚前名Maybelle Addington。美国吉他手,其独特的演奏方式和具有影响力的音乐生涯使她成为乡村音乐的典范人物。12岁已经成为技艺娴熟的吉他手和竖琴手。17岁与E.J.卡特结婚,移居弗吉尼亚。开始同其夫的哥嫂在社区聚会和教堂活动中演奏。为了显示独特的吉他演奏风格,她以低音弦演奏旋律,以高音弦弹出节奏——这一创新的演奏风格后来被无数乡村音乐吉他手仿效。1927年,他们的演奏组与RCA唱片公司签约,通过唱片和广播名声远扬。1943年停止演出,但她同女儿们组建了一个新乐队。1943～1948年,她们成为弗吉尼亚州里士满《老自治领谷仓舞》广播节目中的重要演员。1950年开始在田纳西州纳什维尔WSM电台的乡村音乐广播节目《大奥利·奥普里》中表演,很快成为明星。她们的许多唱片,如《瓦贝希的炮弹》和《野花》都被当作乡村音乐的经典。20世纪50年代末,卡特的女儿们停止了演出,但是卡特在奥普里的表演一直持续到1967年。60年代末的民歌复兴使人们恢复了对老卡特家族的兴趣,她参加了1963和1967年纽波特民间艺术节的演出。1970年,该乐队被选入乡村音乐名人堂。70年代,她经常参加电视节目《约翰尼·卡什秀》,为美国和欧洲的听众表演,并且与尼蒂-格里蒂-德蒂乐队合作,推出突破性的专辑《这个圆还完整吗》(1973)。

Carteret, Sir George, BARONET 卡特里特(约1610,可能是英格兰海峡群岛的泽西～1680-01,新泽西[美国]) 英国保王党政治人物,新泽西殖民地领主。曾任海军军官,泽西岛副总督。英国内战期间,他把这个岛变成保王党的一个据点,为斯图亚特王朝进行私掠活动,因此封为爵士(1644)和准男爵(1645)。1651年议会军攻克该岛后,他流亡法国,在法国海军中供职。1660年王政复辟后返回英格兰,成为有权势的行政官和议员。因议会指责他账目管理混乱,1667年辞去海军司库职务,但后来又担任其他要职。1663年成为英王查理二世赐予北美卡罗来纳地区的8个最初领主之一,次年获得新泽西的一半产权(以他的出生地命名)。由于殖民地内部不和,而且对财政收益感到失望,另一位领主斯特拉顿男爵J.伯克利于1674年将其卖给贵格会教徒。1676年卡特里特与贵格会教徒商定将该殖民地分成两部分,他拥有东泽西。他死后两年,其继承人将东泽西卖给了彭威廉和其他贵格会教徒。

Carteret, John 卡特雷特 参阅Granville, John Carteret, 1st Earl 格兰维尔伯爵(第一)。

Cartesianism 笛卡儿主义 就最广义而言,笛卡儿主义是渊源于现代哲学创始人笛卡儿著作的哲学传统和科学态度。笛卡儿主义的基本思想是区分精神和物质,认为精神的本质是思维,物质的本质是广延。精神、物质及上帝的观念是天赋的,并非来自经验。精神和物质的区分给笛卡儿主义提出了两个严肃的问题:能动的没有广延的精神怎样作用于被动的具有广延的物质?既然两种实体本质上完全不同,那么精神怎样与物质联系并认识物质呢?对这些问题的不同的答案构成了笛卡儿哲学的不同分支。笛卡儿最著名的命题是"我思,故我在"。哲学和科学的确定性取决于心理学基础,并用那些同"我思故我在"一样清楚明白的观念证明了上帝的存在,确立外部世界的现实,并详尽阐述精神和物质的科学。笛卡儿主义认为:所有的物质都是按照机械论原则运动的,一切动物的身体(包括人的身体)都是机器。著名的偶因论者马勒伯朗士的著作直接渊源于笛卡儿,但他有几点和笛卡儿不一致。笛卡儿认为心灵比身体更容易认识,而马勒伯朗士则认为内省并不能直接认识精神。笛卡儿认为观念是由物质对心灵的活动所引起的,即心灵受到靠近中脑的松果腺这种中介物的影响,而马勒伯朗士则认为精神和物质不能相互作用,

从而发展了偶因论学说。马勒伯朗士认为物质世界的存在在《圣经》里得到了证明，观念只存在于上帝心里。在适当的时机，上帝向人们阐明这些观念。正统的笛卡儿主义者效法马勒伯朗士的心物二元论，但与他不同，他们仍坚持认为心物之间可以相互作用。他们认为观念对对象的描述取决于观念与对象的共同性，而笛卡儿的精神观念和物质性对象完全不一致。笛卡儿主义者反对托马斯主义把灵魂视为肉体形式的观点，认为人是心灵和肉体两者结合而成的混合体。人死后，两者就完全分离。笛卡儿的道德格言是奉劝人们遵守国家的法律和风俗习惯，坚守本身的职位，并信奉宗教。海林克斯则进一步将其发展成为一个以宿命论的上帝意志为基础的严格的笛卡儿主义伦理学。虽然人们只能按照上帝的意志行动，但人们是否愿意这样做则有自己的自由。他认为人类的自由和幸福不在于行动，而在于理解必然性。理性主义者斯宾诺莎有时也被划入笛卡儿主义者之列。另一位理性主义者莱布尼兹认为由于每个单子同所有其他单子保持着一种先天的预定和谐，所以表面上保持了精神和物质之间的相互作用。笛卡儿在当代的影响极其广泛。可以说西方所有的哲学家都是笛卡儿主义者，正如他们都是希腊人一样。笛卡儿的怀疑论方法和数学为新科学奠定了基础。近年来美国语言学家 N.乔姆斯基为笛卡儿主义赋予新义，提出某些中心概念必须是天赋的，儿童学习前所未见的新句式而能在语义上做到正确无误，就是“我思故我在”的明证。

Carthage　迦太基　腓尼基语作 Kart-Hadasht，拉丁语作 Carthago。古代重要城市，相传系公元前 814 年推罗的腓尼基人在非洲北部海岸建立。今为突尼斯市的一个住宅郊区。

古迦太基遗迹
中国大百科全书出版社供图

腓尼基一词意为“新城”。希腊人称迦太基为卡尔奇顿，在他们之间曾经流行着各种各样有关此城建立的传说。但是，罗马的传说则由于有《埃涅伊特》而更为家喻户晓，据此诗云，推罗的公主狄多逃离其弟皮格马利翁（推罗历史上一国王名）之后，创建此城。罗马人称此城居民为布匿人，从而演化出形容词“布匿的”。迦太基的建城日期可能是被迦太基人本身夸大了，因为与考古测定的时间不合。在所发现的文物中，没有任何一件早于公元前 8 世纪最末 25 年，也就是说实际建城日期比传说晚整整 1 个世纪。在突尼斯湾的海岸中心部分选定迦太基城址是十分理想的。该城建在一个丘陵起伏的三角形半岛上，背枕突尼斯湖，既有安全泊地，又能供应大量的鱼。城市四周有良好的屏障，极易防守。半岛南端由一窄条土地与大陆相连。古代城堡，即比尔萨，坐落在一个俯瞰大海的低山丘上。在那里已发现几座最早期的坟墓，但是迦太基的家庭和公共建筑物则毫无遗存。迦太基人的文化生活水平大概远远低于古希腊罗马世界的各大城市。布匿人喜欢经商。在罗马时代，布匿人制作的床、靠垫和床垫都视为奢侈品，人们仿造布匿人的细木器和家具。迦太基的大批收入来自开采北非和西班牙南部的银矿，早在公元前 800 年即开始这一工作。

从公元前 3 世纪中叶至公元前 2 世纪中叶，迦太基与罗马进行了一系列战争。这些战争史称布匿战争（Punic Wars），以罗马彻底打垮迦太基而告结束。当公元前 146 年迦太基终于陷城时，遭到洗劫和焚烧，并且禁止任何人在那里居住。公元前 122 年，罗马元老院委托格拉古和弗拉库斯在迦太基的遗址建立一个殖民地。虽然这一行动没有成功，但是后来凯撒把一些无地的公民送到那里去了。公元前 29 年，奥古斯都定迦太基为罗马阿非利加行省的省会，此后更名“凯撒迦太基殖民地”，不久即大为繁荣，足以与亚历山大里亚和安条克媲美。迦太基成为罗马皇帝们特别喜欢的一个城市，但是没有一位曾在那里驻跸。罗马帝国晚期迦太基历史的资料极少，但从 3 世纪中叶起，该城已开始衰落。2 世纪末该城有其基督教的主教，著名人物有拉丁教父德尔图良和圣西普里安。在整个 4 世纪和 5 世纪，迦太基为多纳图派和贝拉基派的争论所纷扰。公元 439 年，汪达尔人统治者盖塞里克几乎不费一兵一卒进入迦太基，将该城洗劫一空。汪达尔人的末代国王盖利默在德西姆附近被贝利萨留统率的一支拜占廷军队打败，公元 533 年，贝利萨留长驱直入迦太基。705 年迦太基被阿拉伯人占领后，新城突尼斯使其完全失色。罗马人的迦太基虽然已被摧毁，但可见到许多遗迹，包括许多防御工事和一个沟渠的轮廓。以前的比尔萨区域增添美景，建了一座供奉朱诺、朱庇特和密涅瓦的巨大神庙，其附近还有一座供奉阿斯克勒庇俄斯的神庙。也是在比尔萨的原址，有一个露天的柱廊，那里现存罗马人在迦太基的最精美的雕刻。这座罗马人城镇的其他遗存有：一所表演场——哈德良敕建的另一剧场，一所按照古罗马圆形剧场的模式建造的露天大剧场，许多澡堂和神庙，以及一个竞技场。城内的基督教建筑物，除了很少几座汪达尔人结构以外，全部是拜占廷式。最大的长方形柱廊大厅式基督教堂是 6 世纪在原有教堂的地址重建的。大概在 3 世纪和 4 世纪就存在一些教堂，但无残迹可寻。1979 年迦太基考古学遗址被联合国教科文组织列为世界遗产。

Carthage　迦太基　美国伊利诺伊州西部城市。汉考克县县城。近密西西比河。1833 年始建。1837 年设建制。该市居民仇视定居于附近诺伍地方的摩门教徒。1844 年，摩门教创始人 J.史密斯与兄弟 H.史密斯一同被囚在迦太基监狱，因被控叛国而听候审讯。不料一群暴民于 6 月 27 日闯进监狱，将史密斯兄弟枪杀。由于这一事件，遂使史密斯被尊为殉教烈士，该监狱也被当做纪念地而保留下来。现为农业中心（以大豆、玉米和牲畜为主）。设有罗伯特莫里斯初级学院（1965）和博物馆。人口 2 725（2000）。

Carthage　迦太基　美国密苏里州西南部城市，贾斯珀县县城。位于乔普林正东，斯普林河畔。始建于 1842 年。1863 年毁于南北战争的战火，1866 年重建，1873 年设市。现为农产品贸易中心（水果、谷物和乳品），并以出产灰色大理石著称。有服装、鞋、弹簧和炸药制造业。古迹有南北战争迦太基战役（1861-07-05）纪念碑。该市是 B.斯塔尔的出生地；斯塔尔是绿林女杰，在南北战争期间，她投效在南部邦联军官威廉·C.昆特里尔麾下。人口 10 747（1990）。

Carthage, Exarchate of　迦太基总督管区　拜占廷帝国半自治的非洲行省，以位于北非的迦太基城为中心。6 世纪末由拜占廷皇帝莫里斯（582～602 在位）设立，作为拜占廷领土上的军事特区，主要由非洲柏柏尔人居住。总督由皇帝委派，拥有无限的军政大权，他是帝国政策的代表者和执行人。总督虽然是军事统制者，但不能直接撤换全部民政官员。民政官员依旧履行职务，但此时必须服从总督的命令。迦太基总督有与皇帝分庭抗礼的可能性。皇帝福卡斯（602～610 在位）对内残暴，对外无能，于是，610 年迦太基总督公然抗命。总督之子希拉克略率非洲舰队到君士坦丁堡，在众人支持下，推翻福卡斯，登上帝位，立新王朝。迦太基总督管区在 7 世纪初曾屡挫阿拉伯的进攻，但在 697～698 年臣服于阿拉伯人。论者以为迦太基总督区实开拜占廷帝国屯田军管区之先河，自 7 世纪起将此种建制用作省级行政区划进行统治。

Carthaginian Wars　迦太基战争　参阅 **Punic Wars, First 第一次布匿战争；Punic Wars, Second 第二次布匿战争；Punic Wars, Third 第三次布匿战争。**

Carthusians　加尔都西会　天主教修会。1084 年由圣布鲁诺（科隆的）创建于法兰西境内格勒诺布尔北沙特勒斯山谷。该会将独居苦修与集体苦修相结合，在 11、12 世纪隐修院改革运动中曾发挥重要作用。在俗人员也过集体生活，遵守严格纪律，他们在大沙特勒斯（总会会址）造酒，盈利所得分别拨给附近宗教团体和慈善机关。该会在法兰西和意大利有几处女隐修院，也以严格集体虔修生活为特点。

Cartier, Sir George Étienne, BARONET　**卡蒂埃**（1814-09-06，下加拿大圣安托万［今魁北克］～1873-05-20，伦敦）　加拿大政治家，1858～1862 年与 J.麦克唐纳爵士同任加拿大总理。曾促进联邦，推动英、法在加拿大的友好关系。1837 年以前当律师。1837 年因参加叛乱而被流放美国几个月。1848年作为自

加拿大公共档案馆供图

由党人选入加拿大立法会议。1855年任加拿大东区秘书,两年后任东区(原下加拿大)总检察长。他代表加拿大东区与麦克唐纳结成联盟,成立自由-保守党。他曾提出许多有益的措施,其中包括废除加拿大东区的领主土地占有制和制定民法。他参加修筑横贯加拿大东部的大干线铁路和决定兴修加拿大太平洋铁路。他不顾强烈的反对,1867年使他出生的省加入联邦。次年封联合王国爵士。在麦克唐纳的第一届联邦内阁中,他任民兵和国防部长,对陆军进行了改革。但因与罗马天主教会政见不合,在1872年的选举中失败。

Cartier, Jacques 卡蒂埃(1491,法国布列塔尼圣马洛～1557-09-01,圣马洛附近) 法国海员。曾赴北美海岸和圣劳伦斯河探险(1534,1535,1541～1542),为法国占有加拿大殖民地奠定基础。他似乎也到过巴西。1534年受法国国王弗兰西斯一世派遣去北方探险,寻找黄金与香料,勘探通往亚洲的航道。4月从圣马洛起航探索圣劳伦斯湾,远至安蒂科斯蒂岛。在加斯佩抓了两个印第安人后返航。次年再次北航,由两个印第安人为向导到达魁北克,在易洛魁人村庄附近建立基地。9月到蒙特利尔岛。他从印第安人获悉,有两条河流向西通往盛产金、银、铜和香料的地方。在岛上度过艰难的严冬,坏血病盛行,加上与易洛魁人的关系紧张,所以到5月份解冻时就偷偷抓了几个易洛魁头领回国。1541年法王派贵族罗贝瓦勒去北美在卡蒂埃新发现的土地上建立殖民地,以抗衡西班牙的主权要求,任卡蒂埃为副职。卡蒂埃先行,到魁北克后再次驶往蒙特利尔。在蒙特利尔度过第二个严冬,由于他不能约束部下的行动,又引起当地印第安人反对,被迫在罗贝瓦勒大队到达以前就放弃基地返航回法。中途在纽芬兰碰上罗贝瓦勒,后者要他返魁北克,他却乘黑夜启航回国。带回的黄金钻石原来都是废石残渣。不久罗贝瓦勒也毫无成就而返。这次探险的失败,使法国失去海外开拓的兴趣达半个世纪。

Cartier-Bresson, Henri 卡蒂埃-布勒松(1908-08-22,法国尚泰卢普～2004-08-03,塞雷斯特) 法国著名摄影家。他在摄影上富于人道精神的自然风格,使拍摄新闻照片成为一门艺术。他认为摄影能特别明确地揭示出隐藏在外表下面的内涵,这个理论他在所著《决定性的时刻》(1952)一书中作了最好的阐述。1927～1928年在巴黎受艺术家、评论家和立体派运动的成员洛特的影响,终生爱好绘画。1929年去剑桥攻读文学和绘画。约1930年,他看到了阿特热和M.雷这两位20世纪摄影家的作品,从而对这一媒体产生了认真的关注。1931年旅行非洲,在丛林里用小照相机拍下目击的一切,可惜不久因病被迫回国。1933年购买第一架35毫米莱卡摄影机,此后40余年走遍世界从事摄影。1937年制成第一部纪录片,记录西班牙内战时期

美国不列颠百科全书公司供图

的医疗救护工作;这年他也开始为报刊拍摄新闻图片。1936～1939年协助电影导演雷诺阿拍摄《野餐》和《比赛规则》,他对制片的兴趣得到更多满足。1940年被德国人逮捕,1943年逃出并参加法国地下抵抗运动摄影队,记录德国兵占领时和撤退时的情况。1945年为美国战时情报局拍摄电影《归来》,记录被释放的战俘和集中营难民回到法国的情形。早在1933年他的作品就曾在纽约著名的朱利恩·利维美术馆展出;1947年在纽约市现代艺术博物馆举办的个人影展,给他带来更大的荣誉。同年与美国摄影家卡帕等人合伙创办玛农图片社,专门为期刊提供由当时一些最有天才的摄影记者拍摄的环球新闻报道图片。此后3年他遍历印度、中国、印度尼西亚和埃及。1952～1956年间,他把这些材料和20世纪50年代在欧洲拍摄的照片汇编为几本影集,获得摄影大师的美誉。1955年巴黎装饰艺术博物馆展出他个人400件佳作,深受观众赞赏,这批照片后来又运往欧洲各地、美国和日本展出,最后存放在巴黎国家图书馆。1968年5月巴黎学生造反时期,他带着35毫米摄影机在纷乱中以每小时4张的速度记录实况。在后来的岁月里,他的主要兴趣转向电影摄制。不论走到哪里他总是携带莱卡;而且,作为一个绘画爱好者,也随身带着素描簿。对他来说摄影机具有一种社会意义,他认为在一个日益变得人为造作的时代,摄影是一种留住真实和人道的世界的手段。

cartilage 软骨 一种致密的结缔组织,在骨化过程开始前构成哺乳动物胚胎的骨架,成人的部分骨架仍由软骨组成。某些原始脊椎动物(如七鳃鳗及鲨),其骨骼仅由软骨组成。软骨由深埋在坚实的凝胶状基质中的致密的胶原纤维网所组成,其坚硬度有如塑料。这种结构使软骨具有抗拉强度,又能负重,但柔韧性较骨为大。软骨细胞散布于软骨组织中,通过基质中的弥散作用取得营养。软骨与骨不同,不含血管。软骨可分三种。透明软骨分布最广,组成胚胎的骨架,并持续存在于成人活动关节的骨端、肋骨末端及鼻、喉、气管、支气管中;呈蓝白色,有光泽,富有弹性。纤维软骨构成椎间盘的纤维环,极为坚韧;与其他纤维组织相似,但含有软骨基质;坚硬度不及透明软骨。弹性软骨中除胶原纤维外尚含弹性纤维,因此最为柔韧;人类的外耳、中耳道和会厌即由弹性软骨构成。人类软骨的主要作用为形成一个骨骼雏形,以后骨骼雏形又骨化而成骨质。仅锁骨及某些颅骨为膜成骨。在胚胎期,软骨的基质即逐渐钙化,软骨细胞为骨细胞所取代。出生后长骨的两端各有一薄层软骨,称为骺板,生长完成后方消失。在骺板的生长缘上,软骨细胞继续生长、分裂。新的骨质形成后,骺板后缘的软骨细胞为骨细胞所取代,于是骺板能始终维持一定的厚度,而骨质在骺板后方生长,一旦骺板消失,骨质生长亦即停止。参阅**bone**。

Cartimandua 卡蒂曼杜(活动时期约公元26～75) 不列颠北部的一个大部族——布里甘特王国的女王,依靠罗马侵略军进行统治。罗马人于公元43年开始征服不列颠。征服不久,卡蒂曼杜就与罗马人缔结一项条约。在缔约后,她的臣民中的反罗马分子举行一系列起义。公元48年罗马帝国军队第一次进行干预、镇压。3年后她的军队捉住不列颠抵抗运动领袖卡拉塔库斯,递解给罗马人。公元52～57年她的丈夫维纳修斯起来反对她,遭罗马军团镇压。维纳修斯和卡蒂曼杜重新和好,共同执政到公元69年。维纳修斯再次反叛,卡蒂曼杜第三次被罗马军队所营救。公元71年罗马人打败维纳修斯领导的布里甘特人,并吞了他们的领土。现存有卡蒂曼杜时代铸造的银币。

cartographic projection 地图投影 参阅**projection 投影**。

cartography 制图学 在地图或航图(通常是平面形的)上用图形表现一个地理区域的科学和技术。在表现地理区域的同时,有时可能还要加上一些政治、文化或其他非地理的区划。它是一门古老的学科,可上溯到史前时代人们所画的渔猎疆域图。巴比伦人把世界画成平的圆盘状。托勒玫于公元2世纪著有地理学8卷集,指出地球是一个圆球,为后人研究奠定了基础。中世纪时,按照托勒玫的理论绘制的地图都以耶路撒冷为中心,并把东方画在图的上方。这种图通常称为T形地图,因为它们只画出欧、亚、非三大洲,各洲以地中海和尼罗河所构成的T字形为界。较为符合实际的地图是从14世纪开始的,当时为了航海制成了航图。新大陆发现后,要求制图学采用新技术,特别是需要把曲面上的各种特征系统地表现在一个平面上(参阅

projection; Mercator projection）。17 ～ 18 世纪印制了大量日益准确和精密的地图。在以后出现的科学方法中，值得注意的是使用望远镜测定经度一度的长度。现代制图方法大多使用航空照相作为绘制任何一种所需的地图或航图的基础。将照相资料解译成地图的步骤需遵循照相测量术（photogrammetry）的原理，这样作出的地球地形图达到了前所未有的精确度。通过人造卫星摄影，现已能够绘制出月球以及若干行星和它们的卫星的表面图。

Carton de Wiart, Henri (-Victor), Comte (Count)　卡尔东·德维亚尔伯爵（1869-01-31，布鲁塞尔～1951-05-06，布鲁塞尔）　比利时政治家、法官和著作家。1896 年选入众议院，历任司法大臣（1911 ～ 1918）、首相（1920～1921）和社会福利大臣（1932 ～ 1934）。随后任比利时-卢森堡经济委员会最高法庭庭长，并代表比利时出席国际联盟（1928 ～ 1935）。1945 年他把天主教党改组为天主教社会党。在任不管部大臣（1949 ～ 1950）和司法大臣（1950）期间，他主要为流亡在外的国王利奥波德三世复位问题奔走，但未能如愿以偿。他是民族主义文学运动“青年比利时”的成员，写有历史小说和论文，其中描述了独特的比利时民族主义精神。

cartoon　漫画　原来指、现在仍然指挂毯、绘画、镶嵌工艺或其他平面造型艺术原尺寸的底图。但是，从 19 世纪 40 年代初期起，又指运用夸张、讽刺，通常带有幽默的模仿画。漫画如今主要被用在报纸上表达政见和编辑部意见，或用于杂志中的社会喜剧性事件和可视的趣闻。讽刺画家的主要对象是人物和政治讽刺，而漫画家则从风俗的喜剧意义上探索典型或类型。虽然 W. 贺加斯并非漫画的最先行者，但是后来漫画受到批判时，矛头总是对着他的社会讽刺作品和他对人类缺点的刻画。H. 杜米埃是 20 世纪在漫画中用气球形圈出语言的先驱。他用这种方法伴随漫画文字指明人物的内心思想。贺加斯的木刻画和杜米埃的平版画是当时伦敦和巴黎最完美的文献。T. 罗兰森嘲讽了各种各样社会典型的荒唐可笑的行为，包括《辛塔克斯博士》在内，这一漫画大有给日后的连环漫画当爷爷的资格。继罗兰森之后的有 G. 克鲁克香克、《笨拙》的一大群用幽默笔法评论现时社会的画家、E. 利尔、T. 纳斯特、C. 吉布森，以及《名利场》杂志的两位主要漫画家“间谍”（Spy，真名 L. 沃德）和“类人猿”（Ape，真名 C. 佩莱格里尼）。在 20 世纪，一行笑话或单栏噱头，以及不用文字的幽默画均呱呱坠地，绘画风格也五花八门。《纽约人》杂志的影响遍及全世界的其他出版物。新漫画家有美国的 J. 瑟伯、C. 亚当斯、S. 施泰因贝格、P. 阿诺和 W. 汉密尔顿，英国的 G. 霍夫农、“定向地雷”、安东和 E. 罗兰。普利策奖 1922 年设新闻漫画项目，西格马·德尔塔·凯奖自 1942 年以后每年向新闻漫画授奖。漫画家 E. 布尔克、赫布洛克、B. 莫尔丁和 R. 戈德堡均荣获过两种奖金。1959 年，C. 贾尔斯以绘社论性漫画的成就荣获大英帝国勋章。

cartouche　涡卷饰　建筑中专用于装饰牌匾四周边框的涡卷形纹样。该词又指任何椭圆形或盾形装饰，以及古埃及王室姓名的象形文字周围的椭圆边框和埃及人所佩戴的类似护符。

英国诺丁汉郡布莱斯教堂纪念碑上的涡卷饰，约 1733 年

美国不列颠百科全书公司供图

cartridge　枪弹　由金属弹壳（黄铜居多）、发射药、弹丸和底火组成的整装式轻武器子弹。枪弹最早产生于 16 世纪后半叶，由火药装药和包复纸壳两部分组成，弹丸是分开装填的。17 世纪发明了将弹丸与装药结合起来的办法。前装式滑膛枪装弹时，士兵先咬掉纸弹壳的底盖，向药池内倒少许火药，余下的由枪口倒入，再推入弹丸和纸壳。19 世纪出现后装枪和弹仓供弹式武器后，使弹药有可能作为一个整体推入弹膛。研制出各式枪弹，弹壳以纸、亚麻布、动物组织、火棉胶、金属、橡胶等为原料，发射药需借助外来火花引燃。1847 年巴黎枪炮技师乌里埃申请世界第一种以武器的击锤击发弹药的枪弹专利。击发形式有两种：①击针受击锤打击，刺入枪弹内发火；②刺进弹药底缘，使其中的雷汞点火药发火；后经改进，将击针打击点由底缘移至中心部位的火帽。较大口径的枪弹多采用中心发火，小口径低威力枪弹普遍保留边缘发火。19 世纪后期，枪弹发射药由黑火药改为硝化棉无烟火药，球形弹丸也让位于长弹丸或锥头圆柱形弹丸——俗称米涅弹丸。其底部有空穴，发射药燃爆时该穴膨胀，使弹丸紧紧嵌入膛线。目前霰弹枪的弹药多用纸或塑料制作弹壳，而不用黄铜。

Cartwright, Alexander Joy　卡特赖特（1820-04-17，纽约市～1892-07-12，檀香山）　棒球规则编订人。他所编订的规则是现行规则的基础。其职业为测量员，参与创立纽约市业余棒球运动组织纽约佬俱乐部。他在该俱乐部内主持一个委员会制订棒球规则，1845 年 9 月正式通过，1846 年 6 月 19 日首次生效。这一套规则有一部分是根据 1834 年出版的《体育运动之书》制订的，但在许多重要问题上颇有创见。例如规定用触杀代替将球打中跑垒员的办法，这一改变使得使用硬球成为可能。把垒间距离定为 90 英尺也是卡特赖特的功劳。

Cartwright, Edmund　卡特赖特（1743-04-24，英国诺丁汉马恩哈姆～1823-10-30，苏塞克斯黑斯廷斯）　英国发明家，发明了第一台羊毛精梳机和原始的力织机。1784 年在参观德比郡克罗姆福德的 R. 阿克赖特的棉纱厂中受到启发，当他仿造该厂的织机时，发明了原始的力织机，1785 年获得专利。同年他在约克郡唐克斯特建立了一座纺织厂，1793 年被迫将工厂抵偿给债主。1789 年他取得羊毛精梳机的专利；虽然这种机器能降低生产成本，但并没有给他带来经济上的好处。直到 1809 年，英国下议院鉴于他发明的力织机对国家有利，决定授予他 1 万英镑奖金。他的发明还包括制绳机（1792）和一种用酒精代替水的蒸气机。

美国国会图书馆供图

Cartwright, John　卡特赖特（1740-09-17，英国诺丁汉郡马纳姆～1824-09-23，伦敦）　英国议会激进改革和宪法改革的鼓吹者，其主张被纳入工人阶级运动（即宪章运动）的基本文献《人民宪章》（1838）中。约在 1758 年参加皇家海军。在七年战争中打过仗。1766 年晋升海军中尉，后因病退伍。他是最早支持殖民地的英国人之一，1774 年发表声援殖民地的第一篇文章《美国的独立乃是英国的光荣与利益》。1775 年诺丁汉郡成立民兵团时，他成为陆军少校，服役 17 年，最后因赞扬法国革命而被撤职。1776 年他论述议会改革的第一部著作《作出你的选择》问世，1777 年第二版改名为《维护平民的立法权利》。此后终生为争取普选权和每年召开议会而奋斗。1780 年创立宪法情报协会。由这个协会产生了更著名的通讯协会。1794 年他的友人 H. 图克、J. 西尔沃尔和 T. 哈迪以叛国罪受审时，他是证人之一。1819 年他自己也被控犯有阴谋罪，被罚款 100 镑。

Cartwright, Peter　卡特赖特（1785-09-01，美国弗吉尼亚阿默斯特～1872-09-25，伊利诺伊普莱森特普莱恩斯附近）　美国边远地区基督教美以美会巡回牧师。其父是美国独立战争老兵，1790 年举全家迁居肯塔基州。卡特赖特在边区环境没有受教育机会，变成赌徒。他在 1801 年的西部大奋兴运动中悔改信道，6 月入美以美会，1802 年秋奉命在坎伯兰河口附近荒野地区建立布道网，1806 年任执事，1808 年任长老。他在 60 多年内讲道几千次。他虽非废奴主义者，但不赞成奴隶制，因此于 1824 年迁到伊利诺伊州桑加蒙县，进入政界，抨击奴隶制。曾在伊利诺伊州几届议会下院任议员。

Cartwright, Sir Richard John　卡特赖特（1835-12-04，上加拿大金斯顿～1912-09-24，

安大略省金斯顿） 加拿大政治家及自由党的财政部长。支持加、美间的自由贸易，反对保守党的贸易保护主义。早年经商致富。1863年作为独立的保守党人选入加拿大联合

加拿大公共档案馆供图

省议会。1867年加拿大自治领成立后，他不同意保守党领袖J.A.麦克唐纳爵士的财政政策，遂转为自由党人。1873～1878年任A.麦肯齐政府的财政部长。1878～1896年作为反对党自由党财政发言人，一直鼓吹与美国实行无限制的贸易互惠。1879年受封爵士。1896年任W.洛里埃政府商业部长。1898～1899年代表加拿大出席在魁北克召开的英美联合高级委员会。1904年进入参议院。在洛里埃总理不在期间，曾代行总理职务。1909～1911年为参议院中的执政党领袖。

Caruaru 卡鲁阿鲁 巴西东北部伯南布哥州东部城市。临伊波茹卡河，海拔550米。最初为每周一次的集市中心。1857年升为市。农业、牧业和食品加工业是该市主要经

卡鲁阿鲁市的市政官及花园
美国不列颠百科全书公司供图

济收入来源。亦有些轻工业。多集市和宗教节日。有铁路和公路通州首府累西腓。人口约231 989(2000)。

Carúpano 卡鲁帕诺 委内瑞拉东北部苏克雷州北部城市。濒临加勒比海，是农业区的商业中心和主要港口，出口可可。卡鲁帕诺四周直至苏克雷的高原上许多肥沃的谷地可供耕种。该城发展缓慢，外迁人数甚多。交通有公路、航空线和海运。人口约92 333(1990)。

Carus 卡鲁斯（?～283） 罗马皇帝(282～283)。原来可能是高卢人或伊利里库姆人，曾任皇帝普罗布斯(276～282在位)的禁卫军长官，后来继承皇位。在多瑙河进行一次短促的战役以后，他率军向萨珊王朝进攻，直捣底格里斯河对岸，但忽然神秘地暴卒，据说是遭了雷击。他的两个儿子努梅里安和卡里努斯分别继任帝国东西两部的皇帝。

Carus, Titus Lucretius 卡鲁斯 参阅**Lucretius** *卢克莱修*。

Caruso, Enrico 卡鲁索(1873-02-27，意大利那不勒斯～1921-08-02，那不勒斯） 原名Errico Caruso。20世纪初口碑最好的意大利歌剧男高音歌唱家，也是最早用唱片录下自

卡鲁索在歌剧《阿伊达》中饰拉达梅斯的剧照
美国不列颠百科全书公司供图

己声音的音乐家之一。卡鲁索出身贫寒，在20个兄弟中排行18。虽然从小就很有乐感，到处歌唱那不勒斯民歌，9岁即参加所在教区的唱诗班，但起初未曾受过正式音乐训练，直到18岁才师从于G.韦尔吉内。其后不到3年，他便于1894年首次登上歌剧舞台，在那不勒斯的新剧院演出M.莫雷利的《友人弗朗切斯科》。4年后(在此期间他的演出剧目中又增加若干歌剧角色)他应邀在米兰为焦尔达诺的《费多拉》首演塑造劳里斯一角。这次演出引起轰动，不久他即受到莫斯科、圣彼得堡(俄国)和布宜诺斯艾利斯方面的邀请。在拉斯卡拉歌剧院首演的剧目是《波希米亚人》(1900)。1901年在那不勒斯参加《爱之甘醇》的演出，观众反应不佳，他发誓今后绝不再在那不勒斯演唱，并且说到做到。其后卡鲁索又塑造《阿德里亚纳·莱库夫勒》、《杰尔马尼亚》和《西方少女》中的主要男高音角色，还在拉斯卡拉歌剧院扮演《假面舞会》和《爱之甘醇》中的男高音角色。1902年春在蒙特卡洛演出《波希米亚人》和在伦敦科文特加登剧院演出《弄臣》，从此饮誉世界。1903年11月23日在纽约市大都会歌剧院开幕式上演出《弄臣》，这是他在美国的首次演出，此后17年中他参加该院每一演出季的首场演出，共扮演36个角色。1920年12月24日作最后一次公开亮相(也是他在大都会的第607场演出)——在《犹太人》中扮演埃莱亚萨一角。在全世界同时代人中，卡鲁索是最著名也是收入最高的一位歌唱家。曾为约200首歌剧选段和歌曲录音，其中许多至今还在出版。他的嗓音悦耳、抒情，在戏剧性爆发中刚劲有力，至晚年音质越来越暗。他的男高音素质富有感染力，在低音区尤为圆润深沉，充满热情、活力与和谐。

Carvajal y Mendoza, Luisa de 卡巴哈尔-门多萨(1568-01-02，西班牙埃斯特雷马杜拉哈赖塞霍～1614-01-02，英格兰伦敦） 天主教女信徒。1595年英格兰耶稣会会士沃波尔被处决，她深受感动而献身于英格兰天主教事业。她利用自己所分到的家产在西班牙属尼德兰(今比利时)卢万为英格兰耶稣会士创办学院。该院1612年迁到圣奥梅尔附近的瓦唐，在该地维持到耶稣会被取缔时为止。她于1605年到英格兰，在西班牙大使的保护下得以居留，以大使住宅为据点进行活动。伦敦发生"火药阴谋"案，一批天主教人士因被控图谋炸死英格兰国王詹姆斯一世并炸毁议会而被捕，卡巴哈尔-门多萨积极关注这些被捕人员，因而受到注意。她于1608年被捕。由于受西班牙大使保护，而且詹姆斯一世希望与西班牙维持良好关系，她得以获释。英格兰准备将她驱逐出境，但她死于执行之前。

Cārvāka 斫婆伽派 又称顺世论派，一个准哲学的印度唯物主义学派。这一派否定来世的观念；不承认圣书吠陀的权威；不承认自我的不朽。在已被承认的取得知识的手段(量)中，他们只承认直接感受(呈现)这一种。他们提倡一种完全机会主义的政策，因而文献中常常描述他们建议国王们完全按照个人利益行事，从而造成一种理智的风气，使考底利耶的《政事论》那样的著作得以产生出来。虽然这一派的学说到中世纪末期便已消失，但它在一个时期里所起的重要作用却因如下事实而得到证实，即从佛教和印度正统哲学的文献中我们知道人们都曾长时期试图反驳这一派的学说。但这些文献也正是了解这一派学说的主要来源。

Carvalho, Sebastião de (Portuguese leader) **卡瓦柳** 参阅**Pombal, Sebastião de Carvalho, marquês de** *蓬巴尔侯爵*。

carvel construction 平镶结构 船体结构之一，是中世纪时地中海水域船舶的特征，与此成对比的是北方水域船舶的叠接式结构

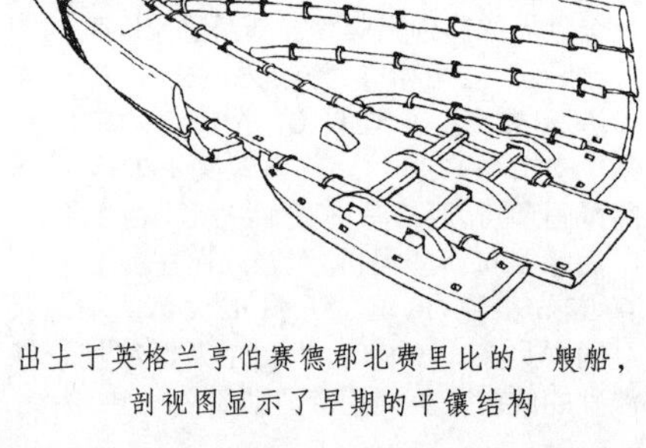

出土于英格兰亨伯赛德郡北费里比的一艘船，剖视图显示了早期的平镶结构

(clinker construction)。在平镶结构中，外板边对边地相接，装在预先造好的船体骨架上，外表光滑，流线型好，要求做工精细，手艺熟练。但在风涛海面上船体易于损漏。

Carver, George Washington 卡弗(1861?,美国密苏里戴蒙得格罗夫附近～1943-01-05,亚拉巴马塔斯基吉) 美国农业化学家、农艺师和为帮助美国南方农业经济改革而开发新产

美国不列颠百科全书公司供图

品(如花生、甘薯和大豆)的实验者。他一生都在塔斯基吉学院从事教学和研究。他是M.卡弗的一个女奴的儿子，12岁前一直生活在种植园内。此后，为了生存，他当过佣人、旅馆炊事员、洗衣工、农场工人及定居移民，从书本和经验中受到了不完整的教育。20岁后在堪萨斯的明尼阿波利斯上中学，半工半读。由于堪萨斯的大学拒绝招收黑人，卡弗到艾奥瓦印第安诺拉的辛普森学院学习钢琴和艺术。后又转到艾奥瓦州农学院，1894年获农业科学学士学位，1896年获硕士学位。1896年秋，他离开艾奥瓦到亚拉巴马领导塔斯基吉学院的农学系并成为学院农业研究负责人，该校校长是美国黑人教育家B.T.华盛顿。在塔斯基吉，卡弗致力于研究，协助制定美国南方的农业开发计划。他在一个实验农场进行了土壤管理和种植庄稼的实验。当时美国南方农业遇到很大麻烦，由于无限制地单一种植棉花，许多土地贫瘠。卡弗极力主张种植花生、甘薯和大豆等能使土地变肥沃、同时又可以改善南方人饮食结构的作物。但是当地农民开始耕作时，由于市场需求很小，它们又被棉花取代了。为了扩大花生、大豆和甘薯的市场需求量，他制定了一个研究开发计划，终于研究出从花生制造出300多个衍生产品，如干酪、乳、咖啡、粉、墨水、染料、塑料、木材着色剂、肥皂、油毡、药物油、化妆品等；从甘薯中制造出118个衍生产品，包括粉、醋、糖蜜、橡皮、墨水、一种合成橡胶、邮票胶水。1914年，当棉桃象鼻虫毁坏了绝大部分棉花时，卡弗公开展示了他的实验结果。这样，南方农民开始大量地转向种植花生、大豆和甘薯等。大批贫瘠的土地又开始复苏，南方变成了新的农产品基地。1940年花生已成为全美6种主要农作物之一，在南方成为仅次于棉花居第2位的经济作物。美国政府于1942年发放了500万英亩土地给农民种植花生。卡弗在国内外获得极大声誉，1916年他入选大不列颠艺术、制造和商贸促进会，1923年获得了斯平加恩奖章。1940年卡弗将其一生的积蓄捐赠给塔斯基吉，建立卡弗研究基金，以使对农业的研究得以继续。第二次世界大战期间，卡弗对染料进行了研究，生产了500多种不同色彩的染料来取代过去从欧洲进口的产品。

Carver, John 卡弗(约1576,英格兰诺丁汉郡或德比郡～1621-04-15,马萨诸塞普利茅斯) 新英格兰普利茅斯清教徒移民地首任总督。卡弗原来是生财有道的商人，当分离教派决定向北美移民时，他为这次旅行获得资助，并且包租了"五月花"号船。1620年11月21日"五月花"号合约订定后，他被选为移民地的总督。其主要业绩是印第安人酋长马萨索伊特和英格兰的詹姆斯一世间订立了一项同盟条约。

Carver, Jonathan 卡弗(1710-04-13,马萨诸塞韦茅斯[美国]～1780-01-31,英格兰伦敦) 北美洲早期的探险家，所著历险的书籍曾经风靡一时。1759～1760年在法国-印第安

美国国会图书馆供图

战争中服役，1766年受罗杰斯少校派遣参加西北地区探险队。从罗杰斯的米奇利麦基诺堡(今密歇根州麦基诺)基地往西行，经过大湖区到密西西比河，溯流而上到达苏族印第安人地区，只身一人在明尼苏达河畔苏族印第安人的村落度过1766～1767年的冬天。春天返回米奇利麦基诺堡时，遇见由罗杰斯派遣的J.图特率领的一支探险队寻找去太平洋的路线。图特给卡弗带来任命，要他加入探险队，任制图员和第二副队长。他们溯密西西比河而上，沿苏必利尔湖岸到达大波蒂奇。因得不到给养，探险队放弃了考察，回到米奇利麦基诺堡(1768-08)。但罗杰斯对卡弗没有任何报酬，1769年卡弗离开住地去英国，出版他的旅行记。但其计划迟迟未能实现。所著《1766、1767、1768年北美腹地记游》终于在伦敦出版(1778)。此书甫经问世，即大获成功，出了30多版。书中生动地描述密西西比河上游谷地的富饶和印第安居民图景。但作者并未生受其惠，他心力交瘁而死，葬在义冢。

Carver, Raymond(Clevie) 卡弗(1938-05-25,美国俄勒冈克拉茨卡尼～1988-08-02,华盛顿州安吉利斯港) 美国短篇小说家和诗人。其关于穷苦工人的写实主义作品反映了他本人的生活。卡弗是一个锯木厂工人的儿子，中学毕业后一年结婚，靠当看门人、煤气站帮工和送货员养活妻子和两个孩子。1958年，在奇科州立学院学习创作课程后开始对写作生涯产生兴趣。在加利福尼亚州阿克塔的洪堡州立学院学习时(1963年获学士学位)，开始在杂志上发表短篇小说。作为作家，卡弗在1967年以小说《请你别出声，好吗?》而初次获得成功，并且在1970年失去教科书编辑的工作后开始专门从事写作。短篇小说集《请你别出声，好吗?》(1976)获得的巨大成功，确立了他的声誉。尽管获得了成功，卡弗在1967年开始大量饮酒，因酒精中毒70年代曾多次住院。与此同时，继续发表短篇小说。20世纪70年代末克服酗酒后，曾在圣克鲁斯的加利福尼亚大学执教数年，1983年获一文学奖，每年获得的丰厚津贴使他得以集中精力专事写作。后期的短篇小说集有《当我们谈论爱情时，我们都说些什么?》(1981)、《大教堂》(1984)和《我打电话的地方》(1988)。50岁时死于肺癌。在其短篇小说里，卡弗记录了濒临太平洋的西北海岸穷苦工人的日常生活及困惑。他笔下的蓝领人物为破裂的婚姻、经济拮据和事业的挫折所压倒，但他们无法理解甚至无法说出他们自己的痛苦。卡弗的朴素和最简练的散文风格以直率与力量著称。他的功绩是在20世纪后期使英语短篇小说这个体裁恢复了活力。

Carver, Robert 卡弗(1490,苏格兰?～1547?) 苏格兰杰出作曲家。其现存的作品包括5首弥撒曲和2首经文歌，其中一首经文歌含19个声部，系在一册唱诗班歌本(16世纪上半叶珀斯郡的斯昆隐修院所编)中发现，现存于苏格兰国立图书馆。据该书所载，卡弗在16岁时即被任以神职，并居于这所奥古斯丁教派的隐修院直到1546年或更晚。此后，他的一切便鲜为人知。

Carver chair 卡弗椅 一种美国椅。椅座用蒲席制成，用车床制作的椅腿从椅座向上延伸，构成椅背，并用以支撑扶手。椅背装有3个纺锤形立柱和顶饰。卡弗椅是以美洲普利茅斯殖民地创建者和第一任总督英国人J.卡弗(约1576～1621)的姓氏命名的。卡弗椅也指一套餐椅中放在首席的扶手椅。

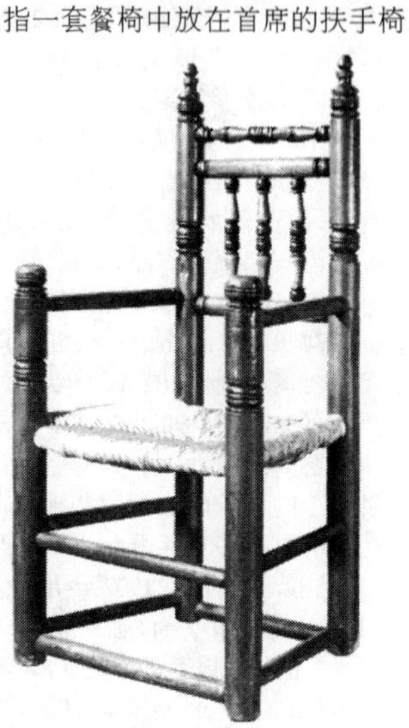

1660～1690年的美国卡弗椅

美国不列颠百科全书公司供图

Cary, Alice; and Cary, Phoebe　卡里姐妹（艾莉斯 1820-04-26，美国俄亥俄辛辛那提附近～1871-02-12，纽约州纽约；菲比 1824-09-04，美国俄亥俄辛辛那提附近～1871-07-31，罗得岛纽波特）　美国女诗人。她们的著作均描写道德和理想主义。靠自学成才，并紧密合作，共同写作。她们的诗歌最早收在《艾莉斯·卡里和菲比·卡里诗集》(1849)里。艾莉斯较菲比更为多产，还独自写过散文、小说和诗歌，其中最佳作品均描写她少女时代的生活环境和朋友。她的抒情诗《记忆的写照》受到爱伦·坡的赞赏。菲比发表过 2 卷诗集(1854，1868)，但主要是由于赞美诗《更靠近家园》而享有盛名。

Cary, Annie Louise　卡里（1841-10-22，美国缅因韦恩～1921-04-03，康涅狄格诺沃克）原名 Ann Louisa Cary。美国歌剧演员。她嗓音浑厚，能跨越 3 个八度，善于演唱气势恢宏的歌剧作品，成为美国 19 世纪 70 年代最重要的女低音歌唱家。1860 年毕业于戈勒姆学院，在波士顿学习音乐和唱歌。1866 年前往欧洲深造，在米兰学习一年后，进入哥本哈根的一家歌剧院，1868 年 1 月首次演出 G.威尔第的《假面舞会》。1870 年在伦敦科文特加登演出 G.唐尼采蒂的《吕克莱斯·波尔吉》。同年加入 M.斯特拉科西的剧团。1870 年随该团在纽约的音乐会上亮相，引起轰动。1871 年登上纽约歌剧舞台，成为美国、甚至世界音乐会和歌剧舞台上卓越的女低音歌唱家。1873 年 11 月在美国首演歌剧《阿伊达》中埃及公主安奈瑞斯；1874 年参加《洛亨格林》在纽约的首演，成为在美国上演瓦格纳歌剧首位担任角色的美国女性。她参加了威尔第的《安魂曲》(1874)、J.S.巴赫的《圣母尊之颂》(1875)和《圣诞清唱剧》(1877)，以及 A.博伊托的《梅菲斯托费尔》(1880)在美国的演出。她的最后一场歌剧演出是 1881 年在费城上演的《假面舞会》。1882 年 5 月最后一次露面，之后退出歌剧舞台。

Cary, Elisabeth Luther　卡里（1867-05-18，美国纽约布鲁克林～1936-07-13，布鲁克林）美国艺术和文学评论家，20 世纪前 25 年间作为《纽约时报》的艺术评论家而为人们所铭记。幼时在家受教于父亲，随后跟当地教师学习绘画达 10 年之久。后对文学产生浓厚兴趣。19 世纪 90 年代曾先后将三部法语著作译成英文，由此开始其文学生涯。1898 年卡里出版的第一部原创作品，是对 A.丁尼生勋爵的评论集《丁尼生：家庭、朋友和著作》。接着出版了对 R.布朗宁、D.加布里埃尔和 C.罗塞蒂、W.莫里斯和 R.W.爱默生的评论集（分别于 1899、1900、1902 和 1904 年出版）。评论强调道德的严肃性、语言的高雅、措辞之美以及贯穿于她评论的文学家和她本人的作品中的社会准则。1905 年开始出版小型艺术月刊，并为之撰写稿件。1907 年出版对 W.布莱克、H.杜米埃和 J.M.惠斯勒等人的评论集。后受《纽约时报》发行人 A.S.奥克斯邀请出任报纸的艺术评论员。其后的 28 年中，她的艺术评论文章成了该报不可缺少的组成部分。

Cary, Henry Francis　卡里（1772-12-06，直布罗陀～1844-08-14，英国伦敦）　英国传记作家和翻译家，因曾以无韵诗体翻译但丁《神曲》闻名。曾就学于牛津大学，1796 年任英国圣公会牧师，其后担任不列颠博物馆图书馆助理馆长。发表过英国和法国诗人传记并翻译了古希腊作家阿里斯托芬和品达的作品。《神曲》译本发表于 1814 年，题名《但丁的地狱、炼狱和天堂》。

Cary, (Arthur) Joyce (Lunel)　卡里（1888-12-07，爱尔兰伦敦德里～1957-03-29，英国牛津）　英国小说家。他创造一种新的三部曲形式，每一部由一个主人公来自述。出身于古老的盎格鲁-爱尔兰世家。8 岁丧母，16 岁起在爱丁堡和巴黎学习绘画。1909～1912 年在牛津大学三一学院学习法律。1914 年到殖民机构任职，第一次世界大战期间在尼日利亚兵团中服役。在喀麦隆作战负伤后恢复文职工作，1917 年在尼日利亚任地方官。早期小说均以西非为背景。他由于决心成为作家，1920 年定居牛津。在美国《星期六晚邮报》上发表 10 部短篇小说，但是他发现自己对哲学、伦理和历史知道得太少，无法继续安然自得地写作。从此埋头读书，直到 1932 年才发表第一部长篇小说《艾萨得救了》。这部小说写一个非洲姑娘虽然皈依基督教，但在她的信仰中仍保留着异教成分。此后出版 3 部以非洲为题材的长篇小说《美国客人》(1933)、《非洲女巫》(1936)和《约翰逊先生》(1939)，以及一部描写大英帝国没落的长篇小说《古堡一角》(1938)。以后的两部长篇小说以童年为主题。《儿童的房子》(1941)写他自己，《查利是我的宝贝》(1940)写战时疏散到农村的一个伦敦佬。他论艺术的三部曲的第一部是一个女人以第一人称叙述的故事《她自己感到惊奇》(1941)；后两部是她生活中的两个男人的叙述，第二部《作一个香客》(1942)由一个律师自述；第三部《马嘴》(1944)为其杰作，由一个画家自述。另一部三部曲也采取同样手法，《恩宠的囚徒》(1952)由一个政治家的妻子自述；《老爷除外》(1953)由政治家本人自述；《不再有荣誉》(1955)由妻子的第二个丈夫自述。他原计划写第三部论宗教的三部曲，但由于患肌肉萎缩症，知道自己在生前无法完成，于是就用这个主题写了一部独立的长篇小说《俘虏和自由人》(1959)。他的短篇小说收在《春天之歌》(1960)里。

Cary, Lucius　卡里　参阅 **Falkland, Lucius Cary, 2nd Viscount of 福克兰子爵（第二）**。

caryatid　女像柱　古典建筑中代替柱子用作建筑支撑物的女性雕像。最早出现于希腊德尔斐的 3 座大理石小建筑（公元前 550～前 530）中，成对设置。起源于腓尼基用象牙雕成裸体人像的镜柄和古希腊用青铜铸造的着衣人像。根据古罗马建筑理论家维特鲁威的叙述，女像柱是表现公元前 480 年卡利阿城的妇女因该城在希波战争中投敌而被判服苦役的情况。雅典卫城的有 6 个雕像的厄瑞克忒翁庙女像柱廊（公元前420～前415）是

雅典卫城厄瑞克忒翁庙的女像柱廊，公元前 5 世纪

美国不列颠百科全书公司供图

最著名的范例。蒂沃利的罗马皇帝哈德良别墅中照样复制，与柱子交替设置。此外，还有罗马的阿尔巴尼别墅的雕像、埃莱夫西斯神殿前入口建筑上的两座巨型雕像。在 M.V.阿格里帕所建万神庙原建筑的上层以及罗马奥古斯都广场周围的柱廊上也有类似的女像柱。

Caryophyllaceae　石竹科　属显花植物石竹目，包括 70 属左右之草本植物。石竹科植物主要分布于北温带。其形态及生育地随种类而有差异；多数种类具膨大的叶及茎节。石竹科重要的属如下：繁缕属（*Stellaria*）、卷耳属（*Cerastium*，参阅 **chickweed**）、小无心菜属（*Arenaria*，包括小无心菜）、蝇子草属（*Silene*）和剪秋罗属（*Lychnis*，参阅 **campion**）、丝石竹属（*Gypsophila*，参阅 **baby's breath**）及石碱草属（*Saponaria*，包括石碱草）。最具园艺价值的石竹科植物为石竹属（*Dianthus*），其中康乃馨（carnation）除广为种花者栽培外，并在欧洲种植以制造香水；美国石竹（**sweet William**）则为旧式庭园常见花卉；此外尚有常夏石竹（参阅 **pink**）。

Caryophyllales　石竹目　又称中央胎座目（Centrospermae）。显花植物的一目，属双子叶植物纲（特征为具两片子叶）。含 12 科，约 1 万种，世界性分布。大部分种类为一年生或多年生草本，但许多科含灌木、藤本及乔木。草本种类包括观赏花卉、杂草及蔬菜。石竹目中能用作食物的种类，大部分属藜科（Chenopodiaceae），包括菠菜（*Spinacea oleracea*）、甜菜（*Beta vulgaris*）、莙荙菜（*Beta vulgaris* variety *cicla*）。藜（*Chenopodium album*）是世界性分布的杂草，嫩时可用作熟食叶菜。本目的另一可食种类为美洲商陆（*Phytolacca americana*）。

苋科（Amaranthaceae）包括许多杂草属。反枝苋（*Amaranthus retroflexus*）从美洲和非洲热带地区向北蔓延到世界上大部分农业地区。有人对其花粉过敏。石竹目有几个科为观赏植物。紫茉莉科（Nyctaginaceae）著名的

种类有：紫茉莉(药喇叭、树脂紫茉莉，*Mirabilis jalapa*)，在午后稍晚的时候开花，故俗名四点钟花(four-o'clock)；以及叶子花属(*Bougainvillea*)。马齿苋科(Portulacaceae)包括大花马齿苋(半枝莲，*Portulaca grandiflora*，广泛栽种的一年生庭园花卉)及春美草(弗吉尼亚春美草，*Claytonia virginica*，北美东部的一种野花)。石竹科(Caryophyllaceae)含许多观赏植物属。仙人掌科(Cactaceae)的种类世界各地均有栽培，以观赏其独特的形态，有的观赏其美丽的花朵，许多种用作食物(有些权威将仙人掌科归入另一个目——仙人掌目[Cactales])。

虽然石竹目少数科的种类可通过根状茎进行营养繁殖，但主要的繁殖方式还是有性繁殖。种子的产生及散布效率甚高。花序结构各异，由密集排列的短柄小花构成。

苋科和藜科种类的花具5枚萼片；无花瓣；雄蕊数可达5枚；雌蕊由2心皮构成，花柱及柱头2；子房1室，内含1枚胚珠。传粉、受精之后，胚珠发育成种子，而子房发育成果实；果小，成熟后干燥，为闭合的小坚果或瘦果。两个科的种数以千计，各个种的花部数目可有不同。有些种的花为单性花，一般雌花和雄花生于同一植株上。

大多数石竹目种类的花被仅由萼片构成。本目的其他特征有子房上位，一室。可借茎叶的发育形式、显微镜下组织和细胞的相似程度，以及独特的细胞产物的合成来查清各种类之间的亲缘关系。

在大多数显花植物，颜色从纯红到纯蓝之间的变化决定于称为花色素苷的化合物的存在；颜色从黄色到浅红橙色之间的变化决定于称为花黄素的化合物的存在。另有一组独特的与之并行的色素——甜菜色素(betalain)，包括甜菜青素(betacyanin)和甜菜黄素(betaxanthin)，这类色素仅见于相当多种类的石竹目植物中。因为甜菜色素似乎仅存在于石竹目，故人们认为其存在具分类上的相当重要性。

石竹目的12个科是番杏科(Aizoaceae)、仙人掌科、石竹科、藜科、商陆科(Phytolacaceae)、落葵科(Basellaceae)、苋科、紫茉莉科、马齿苋科、粟米草科(Molluginaceae)、Didieraceae科及Achatocarpaceae科。

Caryophyllidae 石竹亚纲 双子叶显花植物的一个亚纲，本亚纲最大的目为**石竹目**(**Caryophyllales**)。

caryopsis 颖果 又作grain。禾草特有的含一粒种子的干果，果皮与种皮愈合，非用特殊的碾磨加工方法不易分开。见于除荞麦外的所有谷类植物。

Cas-gwent(Wales) **卡斯格温特** 参阅**Chepstow 切普斯托**。

Casa, Giovanni Della 卡萨(1503-06-28，托斯卡纳穆杰洛[意大利]～1556-11-14，锡耶纳) 意大利主教、诗人、翻译家。他评述世俗社会的规矩礼数的作品《礼范》流传甚广，被译成多种文字，并且因而名传后世。卡萨曾在博洛尼亚、佛罗伦萨、帕多瓦及罗马等地就学。1544年任贝内文托大主教，出使威尼斯。1555年，教皇保罗四世任他为国务卿。他写了许多朝气蓬勃的讽刺诗，还创作一些壮丽的抒情诗及《政治论述》(1707)。卡萨的成名之作是他的既风趣而又有人情味的诗体《礼范》(1550～1555)，1558年《礼范》与他的另一作品《韵文》一起问世。

Casa da Guiné 几内亚公司 又作Casa de Guiné e Mina，Casa da India。参阅**India, House**

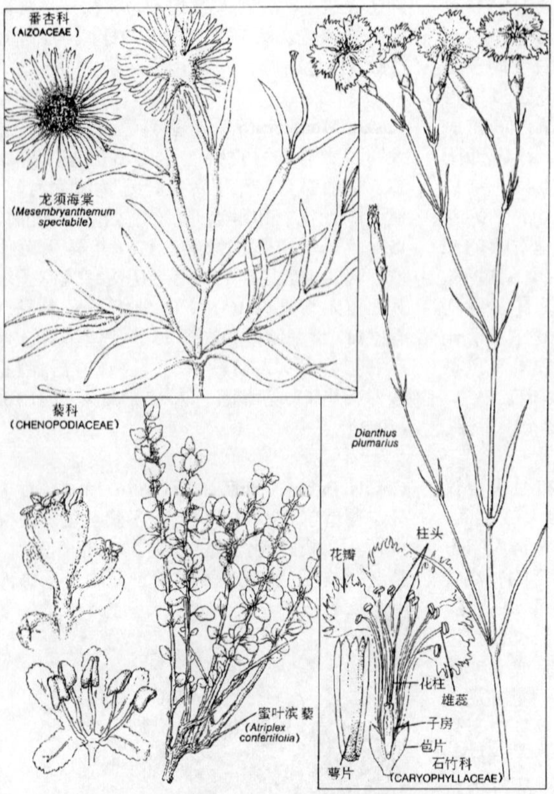

图1 石竹目三个大科的代表植物

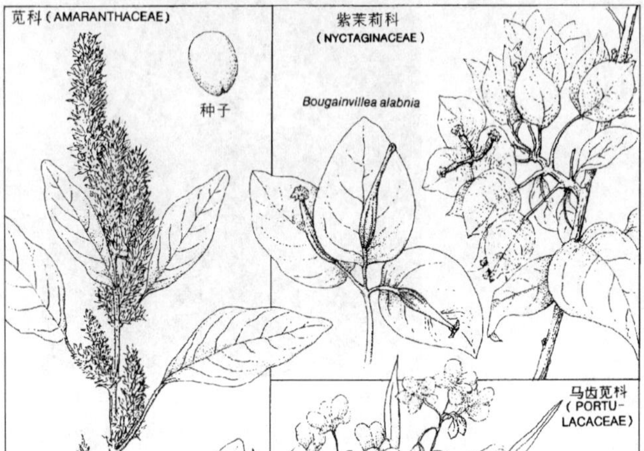

图2 石竹目三个中等大小的科的代表植物

of 印度公司。

Casa de Contratación (Spanish trading house) 参阅**Contratación, Casa de**贸易署。

Casa Grande 卡萨格兰德 美国亚利桑那州中南部皮纳尔县城市。位于卡萨格兰德遗址国家保护区西南26千米处。为疗养胜地。灌溉农业盛产棉花、水果、苜蓿。有铜、银、金等矿藏。当地有14世纪萨拉多印第安人建造的4层砖坯瞭望塔,以及部分出土的早期霍霍卡姆印第安村落。附近还有皮卡乔峰州立公园。1915年设镇,1959年设市。人口19 082(1990)。

Casa Grande Ruins National Monument 卡萨格兰德遗址国家保护区 美国亚利桑那州中南部哥伦布发现美洲以前时期的遗迹。位于希拉河谷,南邻柯立芝。1889年辟出,并于1892年宣布为遗址保留地。1918年定为国家保护区。遗迹于1694年由耶稣会传教士基诺发现。主体卡萨格兰德(大房子)为一座不同寻常的4层黏土建筑,屋顶上有砖坯瞭望塔,系14世纪初萨拉多印第安人所建,是现存的唯一哥伦布发现美洲前的此类建筑。附近有部分出土的村落遗址,系数世纪前霍霍卡姆印第安人所建。由灌溉遗迹可以证明,霍霍卡姆印第安人以农业为生。保护区占地1.8平方千米,其行政楼内有一博物馆,展览当地人工制品。

Casablanca 卡萨布兰卡 阿拉伯语称达尔贝达。摩洛哥主要港口,在北非大西洋沿岸。现址在12世纪为一柏柏尔人村庄,后成为骚扰基督教徒船只的海盗基地,1468年被葡萄牙人摧毁。葡萄牙人1515年返回这一地区,建一新镇卡萨布兰卡(意为"白屋")。1755年发生大地震后被放弃。18世纪末重建。西班牙商人为之取名卡萨布兰卡,其他欧洲商人也来此定居。后法国人人数超过其他欧洲人,因而"梅松布朗奇"(法语"白屋")之名与卡萨布兰卡一样通用。法国人在1907年占领此城。在作为法国保护国期间(1912～1956),卡萨布兰卡成为摩洛哥主要港口。此后该城迅速发展。在第二次世界大战期间,英美于1943年在此举行最高级会议。1961年摩洛哥国王穆罕默德五世在此主持会议,建立卡萨布兰卡非洲国家集团。卡萨布兰卡人工港有防波堤保护。摩洛哥大部分对外贸易经过此港,也是欧洲船只的停靠港。通往港口的汉沙莉大街两侧多旅游商店。旧阿拉伯人城区仍保存原有城墙。街道狭窄,房屋多用白砖或白石建成。街道从"穆罕默德五世广场"向外辐射,与通往海岸的环行路相交。"穆罕默德五世广场"和"联合国广场"为该城的商业和行政中心,有银行、旅馆和大型现代商店。再向南,白色的圣心大教堂俯视阿拉伯联盟公园。公园以西沿岸一带为居住区。穆斯林住在城外的贫民区。公共汽车为主要交通工具。铁路通阿尔及利亚和突尼斯。有国际航空线。港口贸易的发展使该城成为摩洛哥经济上的首都。银行营业额和工业产值占全国的1/2以上。工业有纺织、电子、皮革、食品罐头、酒类和饮料。沿海有捕鱼业。设有各级阿拉伯语和法语学校。也有文化和公用事业机构。作为摩洛哥的主要娱乐中心,有风景宜人的海滩、公园和海滨大道。人口2 940 623(1994)。

卡萨布兰卡城貌
中国大百科全书出版社供图

Casablanca Conference 卡萨布兰卡会议(1943-01-12～23) 第二次世界大战期间,美国总统罗斯福同英国首相丘吉尔以及双方军事首领和助手在卡萨布兰卡举行的一次会议,制订西方盟国的未来全球性军事战略。斯大林虽被邀请,但谢绝出席。会议议程以军事为主——决定进攻西西里(完成北非战役之后),向太平洋战区增派军事力量并规划了远东主要战线的攻势,以及同意集中轰炸德国。罗斯福和丘吉尔还讨论了原子弹研制问题,考虑法国抗击轴心国的各派战斗力量竞争领导权的问题,而最重要的是要求德、意、日"无条件投降"。

Casadesus, Robert 卡扎德絮(1899-04-07,巴黎～1972-09-19,巴黎) 法国钢琴家和作曲家,以演奏法国作品见长。出身于法国音乐世家。在巴黎音乐学院师从L.迪梅,并且多次获奖,其中包括迪梅大奖。1922年起多次赴欧洲、南美洲、美国和加拿大巡回演出。1935年在A.托斯卡尼尼指挥下在美国举行首演。第二次世界大战期间在枫丹白露的美国音乐学院和在美国各地任教。曾录制M.拉威尔的全部钢琴曲。他经常演奏的曲目除法国作品外,还有莫扎特、贝多芬、舒曼等人的音乐。他的弹奏风格清晰并且富于法国人的均衡感。他是一位多产作曲家,作品狂放大胆,但却能保持平衡。

Casal, Julián del 卡萨尔(1863-11-07,哈瓦那～1893-10-21,哈瓦那) 古巴诗人,拉丁美洲现代主义运动最重要的先驱之一。第一本诗集《风中之叶》(1890),明显地表现出法国帕尔纳斯派诗人,特别是波德莱尔的影响。其诗表达了一种对人工和人为事物几乎难以抑制的偏爱。第三本诗集《半身像与诗韵》(1893)在他病逝后不久出版。

Casale Monferrato 卡萨莱蒙费拉托 意大利西北部皮埃蒙特区亚历山德里亚省城镇。位于都灵东部蒙费拉托丘陵波河河畔。建于8世纪。10世纪属于蒙费拉托侯爵。1536年属于贡扎加家族。1707年转属萨伏依。现为主教区中心。著名历史建筑有圣埃瓦西奥大教堂(1107)和15世纪圣多米尼科教堂、17世纪城堡和许多18世纪宫殿等。生产石灰、水泥、人造石、农业机械、电器、酒石酸等。出口葡萄酒。人口:城区约41 161(1984)。

Casals, Pablo 卡萨尔斯(1876-12-29,西班牙本德雷尔～1973-10-22,波多黎各里奥彼德拉斯) 西班牙出生的大提琴家、指挥家,以精湛的技巧、熟练的表演和完美的音乐修养而闻名。早年学习大提琴、钢琴和作曲,1891年在巴塞罗那首演,后去马德里及布鲁塞尔深造,1896年回巴塞罗那任大剧院首席大提琴手。此时他已建立自己的创新技巧,左手把位更为灵活,弓法技术更为自由,从而创造出一种独特风格,给人以轻松自如之感,而且具有如歌的音调。1898～1917年在世界各国大量巡回演出。与A.科尔托(钢琴)、J.蒂博(小提琴)组成著名三重奏小组。1919年协助创立巴黎音乐师范学校,并在巴塞罗那创建卡萨尔斯乐队,自任指挥。因反对法西斯主义于1936年被迫迁居法国普雷德,西班牙内战(1936～1939)后拒绝返回西班牙。1946年为抗议各国承认西班牙佛朗哥政权而宣布停止公演。1950年恢复指挥和录音工作,并决定以大声疾呼来代替无声的抗议。1956年迁居波多黎各,继续从事他以音乐手

美国不列颠百科全书公司供图

段为争取和平而奋斗的事业，直至去世。卡萨尔斯是一位浪漫主义者，讨厌现代主义的比较枯燥刻板的表演。他对巴赫作品的热爱是他的感情核心。他在对巴赫大提琴音乐的评价中注入了新的活力，特别是通过他出色表演的6首无伴奏大提琴组曲得以体现。

Casamance 卡萨芒斯 塞内加尔一区，位于冈比亚以南，卡萨芒斯河两岸。该区雨量充沛，南部更多，因而卡萨芒斯河下游处处林草茂盛；最多的是红树林、油棕和酒椰棕榈。大米、棉花、玉米都有栽培。该区一度曾是与葡萄牙人进行领先贸易的卡萨国王的领地，随后由来自马里帝国的移民迪奥拉人、马林克人以及其他一些部族居住。该区是为欧洲人所征服（开始于1903年）的今塞内加尔的最后部分，直到第一次世界大战后，还有些小的抵抗点仍在活动。该区与较大的北部塞内加尔是隔离的，所以保持着不同的特性；例如，该区许多居民仍保持着精灵崇拜的信仰，而北塞内加尔人则接受了伊斯兰教。一个非法的分离主义组织卡萨芒斯民主武装运动于90年代初期在该区内继续采取行动，甚至袭击该区政府机关。至90年代末已有千余名民众丧生，2万多人逃亡异地。种种要求停火的尝试均告失败，武装运动一直持续到21世纪初。

Casamance River 卡萨芒斯河 西非河流。发源于塞内加尔南部，向西流经冈比亚和几内亚比绍之间的卡萨芒斯地区，接纳一些小支流后注入大西洋，全长300千米。流经宽阔平坦、植被繁茂的冲积平原。法法库鲁（在科尔达东北40千米处）以下常年有水，但航行不便，即使小船也只能航行到内陆约130千米处的塞久。

Casanare 卡萨纳雷 哥伦比亚中北部的省。位于东部平原，西邻东科迪勒拉山，北濒卡萨纳雷河，东和南以梅塔河为界。在哥伦比亚独立战争期间，卡萨纳雷是一个自治省。1974年前是博亚卡省的一部分，1974年建州。1991年建省。地势低洼，平均海拔仅100～400米。属热带气候。主要经济活动是养牛和自给农业。1978年发现当地有油藏，1983年有外国人开采石油，在此之前该地区内几乎没有公路。首府为埃尔·约帕尔。面积44 640平方千米。人口约226 896（1997）。

Casanova, Giovanni Giacomo 卡萨诺瓦（1725-04-02，意大利威尼斯～1798-06-04，波希米亚［今捷克］） 别名塞恩加尔骑士。意大利教士、作家、士兵、间谍和外交官。主要以意大利冒险家和"浪荡公子"而知名。他的自传也许过分夸张了自己的某些冒险行为，但仍不失为18世纪欧洲各国都会社会生活的出色写照。父亲是个演员。卡萨诺瓦年轻时因为品行不端被圣西普里安神学院开除，从此开始了他丰富多彩而又放荡不羁的生涯。曾一度为罗马枢机主教效劳，后在威尼斯当小提琴手。1750年，在里昂加入共济会，随后去巴黎等地漫游。1755年，返回威尼斯后，有人告发他是巫师，被判刑5年，关在

美国不列颠百科全书公司供图

总督宫监狱。1756年10月31日越狱后，前往巴黎。翌年，他把彩票引进巴黎，在财政金融界中有了声望，在贵族当中为自己赢得了美名。卡萨诺瓦在写作上是多面手，写过应景诗、评论，翻译过《伊利亚特》（1775），还写过小册子，讥讽威尼斯贵族阶级，特别是有权势的格里马尼家族。他的生动的自传《我的生平》（确定本，1960～1962）是他的传世之作。

Casas, Bartolomé de Las（Spanish historian）**卡萨斯** 参阅 **Las Casas, Bartolomé de 拉斯·卡萨斯**。

Casas Grandes 大卡萨斯 位于墨西哥北部奇瓦瓦州西北角城镇，临大卡萨斯河畔。1661年或1662年建城。原为印第安人居住点。该城名在西班牙语中意为"大房子"，是

大卡萨斯的前哥伦布时期城镇大房子遗址
美国不列颠百科全书公司供图

指附近有前哥伦布时期城镇大房子建筑遗迹。该地区是全国人类学和历史研究所负责保护的国家文物保护重点，1998年被联合国教科文组织列为世界遗产。种植棉花和谷物，饲养牲畜。人口10 004（2000）。

Casaubon, Isaac 卡索邦（1559-02-18，日内瓦［瑞士］～1614-07-01，英国伦敦） 法国古典学者与神学家，为当时的主要学者之一。父母是法国胡格诺派难民。他出生后3年，全家返回法国，定居多菲内的克雷斯特。他从小接受其父的教育，19岁进入日内瓦学院，1581～1596年任该学院希腊语教授。其间结识许多朋友。1594年起，得与另一主要古典学者J.J.斯卡利杰长期通信。1596～1599年在蒙彼利埃大学任教。这一时期编印和评注雅典文库，被认为是他的杰作。此书展现了独特评注风格，既贴切而又丰富。1600年应召至巴黎，因卷入天主教与新教神学家间的论战而困扰余生。他接受国王亨利四世赐给的养老金及皇家图书馆有薪金的副馆长职位。1610年国王遇刺后，他应邀赴英国。1611年入英国籍。他虽然保留法国的职位，但一直未返回法国。除许多译注作品外，卡索邦还写有两卷本的日记《星历表》（1850）。

cascade 小瀑布 瀑布，特指一系列小跌水，水流漫过岩石或砾石而下。有天然的，也有人工的。小瀑布经常被用作一种园林景观，通常利用天然水流和斜坡；一般选在溪流

意大利卡普拉罗拉的法尔内塞宫小瀑布
美国不列颠百科全书公司供图

处，也有模仿天然形态，利用水泵造成人工水源的。天然小瀑布的所在地，往往是选择花园位置的主要依据，例如在意大利中部的蒂沃利，即借用阿涅内河的瀑布，在埃斯特村建造了一座花园。在园林建筑中，小瀑布常采用梯级的形式，如意大利卡普拉罗拉的法尔内塞宫中的小瀑布。

Cascade Range 喀斯喀特山脉 北美洲西部太平洋山系（**Pacific mountain system**）的一部分。从美国加利福尼亚州北部向北延伸，经俄勒冈和华盛顿州，至加拿大不列颠哥伦

喀斯喀特山脉北段
美国不列颠百科全书公司供图

比亚省南部，绵亘1 100千米。许多山峰海拔超过3 000米，其中胡德山海拔3 424米，为俄勒冈州最高点，雷尼尔山海拔4 392米，为这条山脉和华盛顿州最高点。山峰多为死火山，但拉森等火山近年均有喷发。圣海伦斯火山（海拔2 550米）于1980年和1981年两次爆发。因冰川作用，境内多湖泊山溪，为威拉米特河源头区。除林木线以上山峰外，整个

山岭林木茂密；西坡年降水量2 500毫米，黄杉丛生，景色壮丽，多天然形成的奇观，有若干国家公园、熔岩层国家保护区和加拿大的曼宁省立公园。当地水力资源丰富，有旅游和野外娱乐活动。

Cascade Tunnel 喀斯喀特隧道 美国最长的铁路隧道。在华盛顿州中部西雅图以东约100千米。伯林顿北方铁路经过该隧道而穿过伯恩（东面）与锡尼克之间的喀斯喀特山脉。喀斯喀特隧道全长12.5千米，建于1925～1929年。

Cascais 卡斯凯什 葡萄牙西部里斯本区城镇和自治区。距里斯本28千米，临卡斯凯什湾。1364年为佩德罗一世所建，现为渔业港口和葡萄牙里维埃拉海滨区的游览胜地。镇内诺萨森奥拉达维多利亚教堂藏有圣安东尼的肖像。当地的17世纪城堡是葡萄牙总统官邸。附近有史前墓穴。人口约19 482（1991）。

Cascina 卡希纳 意大利中部托斯卡纳区比萨省城镇。当地矿泉被用于治疗风湿病。镇内有12世纪比萨式圣马利亚教堂。是比萨人抵抗佛罗伦萨人劫掠的历史战场，现仍保留有防御土墙的遗迹。有家具制造业。镇内设有家具制造学校。人口：城区约36 562（1993）。

Case, Steve 凯斯（1958-08-21，美国夏威夷檀香山～ ） Stephen McConnel Case的别名。美国企业家，世界最早的互联网服务提供商美国在线公司（AOL）的创始人之一。2001年商定与时代华纳公司合并，创立全球性的传媒与娱乐业大企业联合体。1981年获威廉姆斯学院政治学学位，后在宝洁公司、比萨饼房公司和图像控制公司等的营销部门任职。后者是一家起步公司，原欲通过电话线为客户提供可下载的电视游戏软件。计划失败，但经凯斯提议，公司重组，取名量子计算机服务公司（QCS），开始为Commodore64计算机用户提供在线网络。1991年，QCS改名为美国在线公司，用户数目稳步增长，超过所有其他在线服务商。至2000年，凯斯已将美国在线公司建成世界最大的互联网服务提供商，并策划兼并竞争对手计算机服务公司和环球网信息检索公司网上素描通讯公司。他还筹划可确保美国在线公司能经由卫星电视、掌上电脑和无线电话传送服务的交易。1999年末开始与传媒和娱乐公司时代华纳商谈，结果达成企业历史上空前的最大合并，开创了互联网业的新纪元。凯斯成为新创立的美国在线时代华纳公司董事长，但2002年，该企业季度亏损达542.4亿美元，创下美国公司的纪录。2003年，这个企业联合体重又称为时代华纳公司，凯斯也辞去董事长职务。

case hardening 参阅**surface hardening表面硬化**。

casebearer 负鞘幼虫 鳞翅目鞘蛾科昆虫的幼虫。全球分布。幼虫淡褐色，头为黑色，

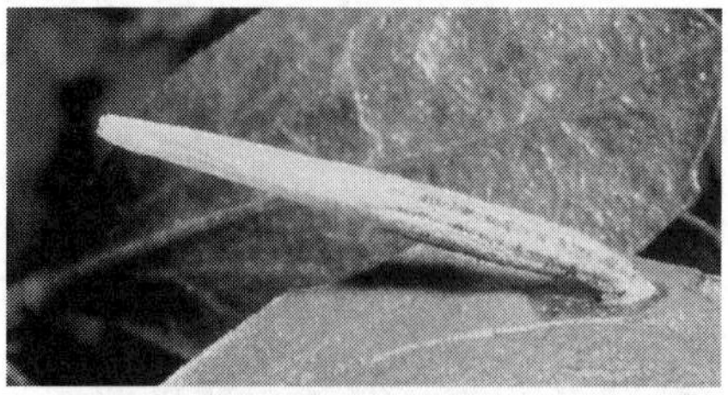

负鞘幼虫（*Coleophora vicidiflorella*）
美国不列颠百科全书公司供图

为害苹果、桦木、樱桃和柳树。初潜入叶中，为潜叶虫，后以叶片、桠枝、丝和排泄物作鞘而居，并在此越冬。鞘垂直附于树枝、果实或叶上，形状多样，或似雪茄，或似手枪。幼虫自鞘内伸出头来取食。成虫多数灰褐或灰色，翅展不到12毫米。翅狭，顶尖，有长缘毛。

casebearing beetle 负粪甲虫 叶甲科数个亚科（如锯角叶甲亚科、隐头叶甲亚科、Chalamisinae亚科和隐肢叶甲亚科等）的昆虫。雌体在每个卵上盖一层粪便，幼虫孵化后，成为它的伪装。成虫受惊时将足缩回，其色泽和形状均似毛虫的粪便，因而能躲过天敌。欧洲的光背锯角叶甲（*Clythra quadripunicata*）和北美的筛翅叶甲（*Coscinoptera dominicana*），均生活于蚁巢中。

casein painting 酪蛋白画 以酪蛋白溶剂作为底色的绘画。酪蛋白是以牛奶加酸加热或加发酵乳酸沉淀而成的一种磷蛋白。以发酵脱脂乳制成的家制凝乳即是酪蛋白，用作

H.马蒂斯绘《奢侈品Ⅱ》（1907～1908）
美国不列颠百科全书公司供图

胶黏剂和结合剂已有8个多世纪的传统。精炼的纯酪蛋白粉能溶解于氨，自19世纪末和20世纪初以来便被画家用于架上绘画和壁画；现今管装酪蛋白成品颜料已广泛应用。酪蛋白画上光油后更似油画，并且还常加透明色或用油画颜色重画。

Casella, Alfredo 卡塞拉（1883-07-25，意大利都灵～1947-03-05，罗马） 作曲家、钢琴家、指挥与教师。其世界性的视野影响了20世纪意大利音乐。曾在巴黎学习，以钢琴家身份进行巡回演出，1915年回国。1917年建立"民族音乐学会"（不久重新命名为"意大利现代音乐学会"），使人们对早期意大利音乐再度发生兴趣，亦曾出版巴赫、莫扎特、贝多芬和肖邦键盘乐曲的珍本。其早期交响乐曲（1905～1909）显示出R.施特劳斯与G.马勒的影响。晚期室内乐与管弦乐作品则显示出M.拉威尔与I.斯特拉文斯基的影响。芭蕾舞剧《壶》（1924）、管弦乐曲《斯卡拉蒂风格

中国大百科全书出版社供图

曲》（1926）与《帕格尼尼风格曲》（1942）表现了他个人的独特风格。其他著名作品有管弦乐曲《意大利》（1910）、《钢琴与管弦乐队帕蒂塔》（1925）及《庄严弥撒曲》（1944）。

Casement, Sir Roger 凯斯门特（1864-09-01，爱尔兰都柏林郡金斯敦［今邓莱里］～1916-08-03，英国伦敦） 英国杰出的公职人员，因叛国罪而被处死，成为爱尔兰反抗英国统治的主要烈士之一。历任英国驻葡属东非（莫桑比克；1895～1898）、安哥拉（1898～1900）、刚果自由邦（1901～1904）和巴西（1906～1911）的领事。由于揭露白人商人在刚果和秘鲁普图马约河流域对土著劳工的残酷剥削而博得国际声誉。他的刚果报告（1904年发表）导致1908年比利时对刚果的统治作出重大的改组；他的普图马约报告使他晋封为爵士。由于健康欠佳，1912年退职回爱尔兰。他虽然出身于阿尔斯特的新教家庭，却一直对主要是天主教徒的爱尔兰民族主义者寄予同情。1913年末参加组织爱尔兰国民志愿军，1914年7月去纽约市为这支反英武装力量寻求美国的援助。8月第一次世界大战爆发，他希望德国能够帮助爱尔兰独立运动，作为对英国的打击。11月他抵达柏林，发现德国政府不愿冒远征爱尔兰的危险。后来他想借用德国军官去领导准备在1916年复活节举行的爱尔兰起义，但未成功。1916年4月12日，他乘德国潜艇去爱尔兰。在凯里郡特拉利附近登岸之后，于4月24日被捕，并被解往伦敦。6月29日，他在伦敦被判犯有叛国罪并被判处死刑。尽管一些有影响的英国人士鉴于他过去为英国政府所做的工作，试图为他争取缓刑，但在上诉被驳回之后，他在彭顿狱中被绞死。1965年凯斯门特的遗体被运回爱尔兰，在举行国葬后，改葬于都柏林。

casement window 平开窗 又称竖铰链窗。可开启窗的最早形式，以木或金属作框，在窗

扇的竖直边梃上装有铰链或转轴，和门一样向内或外开启。英国和德国的习惯，窗向外开。中世纪英国肯特郡坎特伯雷的法尔斯塔夫旅馆有一种铅制小格平开窗，其上方有固定的窗子。法国一般为双扇向内开，其接缝处制作精细，使其不漏水。美国采用法国窗的形式作为出入阳台或门廊的门，称为落地窗。

Caserta 卡塞塔 意大利南部城市，坎帕尼亚区卡塞塔省省会。位于那不勒斯北面。新城东北偏北5千米处有8世纪伦巴第人修建的老城。意大利统一运动时期，民族主义领袖G.加里波第在当地击败那不勒斯武装力量（即1860年的沃尔图诺战役）。第二次世

卡塞塔市的波旁王宫

美国不列颠百科全书公司供图

界大战期间，市内王宫曾为同盟军的指挥部；1945年4月29日在此举行驻意德军投降签字仪式。该王宫内部装饰富丽堂皇，包括一座豪华的礼拜堂和戏院，竖立在有著名花园的宽阔园林中。地处那不勒斯—福贾—罗马铁路干线，为农业贸易中心。有食品加工和玻璃制造业。人口：城市区约75 208（2001）。

Cases，Emmanuel（-Augustin-Dieudonné-Joseph），Count（comte）de Las 卡斯 参阅 Las Cases，Emmanuel（-Augustin-Dieudonné-Joseph），Comte de 拉斯卡斯。

Casey，William J. 凯西（1913-03-13，美国纽约昆斯埃尔姆赫斯特～1987-05-06，纽约格伦科夫） 1981～1987年在里根政府中任美国中央情报局局长，是一个有影响和有争议的人物。凯西毕业于福德姆大学，1934年获理学士学位，后就读于华盛顿（哥伦比亚特区）的美国天主教大学，1937年获纽约牙买加圣约翰大学法学学位。曾在华盛顿的私立美国研究所工作，1941～1946年，到欧洲为战略情报局（中央情报局前身）工作，指挥从伦敦派遣到欧洲大陆的间谍。战后，1948～1962年在纽约大学讲授税法，写有几部法律和商业方面的著作，同时精明地投资，积存了一笔财产。他与共和党领袖霍尔同为纽约一律师事务所的合伙人（1957～1971）。1968年为尼克松的总统竞选效力，此后相继任证券交易委员会主席（1971～1973）、管理经济事务的国务卿（1973～1974）、进出口银行行长兼董事长（1974～1975）和国外情报咨询委员会成员（1976）。在罗杰斯-威尔斯律师事务所工作期间（1976～1981），凯西成为里根总统竞选运动的负责人，并因此而在1981年被任命为中央情报局局长。在其领导下，中央情报局加紧了在阿富汗、中美洲和安哥拉这些地方的秘密活动，加强了对各种反共产主义暴乱组织的支持。在中央情报局秘密卷入的伊朗门事件中，他被认为是关键人物。在这一事件中，美国武器被卖给伊朗，出售武器所得之款项被提供给尼加拉瓜反政府武装，从而可能违反了美国法律。1986年12月在预定为此事到国会作证之际，他患脑溢血而接受了脑外科手术，后死于神经系统淋巴瘤，终于未能出席作证。

Cash，W. J. 卡什（1900-05-02，美国南卡罗来纳加夫尼～1941-07-01，墨西哥墨西哥城） 全名为Wilbur Joseph Cash。美国作家、编辑和新闻记者，以他的一本作品《南方的心态》（1941）而闻名。书中对南方白人的气质和素养作了经典性的分析。卡什的父母为卡罗利纳·皮德蒙特地区的浸礼会教徒。1922年他毕业于北卡罗来纳州的韦克·福里斯特学院，在法学院读了一年后在学院和一男生中学任教两年。之后转而从事新闻工作，多年来主要在北卡罗来纳州的《夏洛蒂新闻》任编辑和向H.L.门肯所编的《美国信使》杂志投寄文章。他背弃了因袭的价值观念，成了坚定的自由主义者，他鄙弃宗教的原教旨主义以及禁酒主张，对他所认为的南方症表示遗憾，并抨击海外的法西斯主义。《南方的心态》一书完稿于1940年7月，12月他结婚，书出版于1941年2月。评论界对此书的赞誉使他于种种奖赏之外，还获得了古根海姆学术资助金，他用这一笔钱去墨西哥，准备写一本关于南方的小说。但他在该国心力交瘁，终于在墨西哥城一旅馆房间中自缢而死。在《南方的心态》中，卡什驳斥了所谓有一个“贵族的”旧南方和一个“进步的”新南方的观点，竭力去描绘浪漫主义反理智论和偏见，他相信这些是从南方特殊的气候、风物、流行于它的边疆的暴力行为、宗族观念和加尔文教义衍生出来的心态。

cash register 现金出纳机 用于记录销售情况且通常具有盛钱抽屉的商业机器。20世纪中期的典型现金出纳机是：通过一套键、手杆和齿轮的电动系统，可在出纳机的顶端指示出交易额，使顾客和售货员都能看到；分门别类地记下销售总额；对现金交易打印并发出收款条，或对赊销交易在签条上添印交易记录，在出纳机内保持一份查账条。出纳机内的专用计数器可显示出顾客数和各类物品的交易次数。由于电子革命和数字电子计算机在商业中使用日益普遍，几年内各主要制造商都把机械现金出纳机改为能完成同样功能的电子操作设备；这种设备通常用电子计算机驱动，有时向计算机输入信息，能立即作出征信、记录交易和记载库存管理账目。计算机驱动的现金出纳机，通常装有扫描设备或光笔，能读出印好或编好的价格数据和产品说明，将其输入记录系统并打印在顾客的收据上。

Cashel 卡舍尔 爱尔兰南部蒂珀雷里郡的镇和市区。高踞城中的109米高的卡舍尔岩石山顶上有古建筑遗迹，如城防工事、圣帕特里克大教堂、主教城堡和古十字架等。大教

卡舍尔岩石山上的古代圆形塔楼与十字架

美国不列颠百科全书公司供图

堂建于1169年，已被现存的13世纪建筑所代替。镇内乔治亚式大教堂（1784）是新教主教的驻地。人口：市区2 405（2002）。

cashew 腰果 漆树科腰果树（槚如树、西方腰果树、鸡腰果，*Anacardium occidentale*）的坚果，可食用。槚如树生于热带和亚热带的潮湿肥沃土壤，为常绿灌木或乔木，高可达12

腰果树（*Anacardium occidentale*）的肉质果柄和坚果

美国不列颠百科全书公司供图

米，主要收获其坚果，木材也用以制做板条箱、烧炭或造小船等；树胶与阿拉伯树胶的用途相似。该种与美洲毒常春藤和毒漆树有亲缘关系，对之敏感的人处理时需小心。坚果形如粗大的豆，有时长逾2.5厘米，形状奇特，好像一端被压入梨形膨大的肉质果柄中。果柄比坚果约大3倍，淡红色或黄色，当地用做饮料、果酱和果子冻。坚果具两层皮（或壳），外壳薄，略有弹性，坚实，表面光滑如玻璃，成熟前橄榄绿，成熟后草莓红色；内壳坚

硬如其他坚果。壳间的棕色油接触皮肤可致水疱，可用做润滑油、杀虫剂，并用于塑料生产。坚果年产量超过 50 多万吨。坚果有浓郁的独特香味，用作鸡和蔬菜烹调时的有特色的佐料。果靠人工采收，剥出坚果晒干。有些地区把干坚果置柴火上烧烤，外壳裂开后流出油（油迅速燃烧，其烟对眼睛和皮肤有害）。有些改良的方法，使有毒成分在烤筒中排除，然后掰开内壳，取出因加热而脱离内果皮的果仁。腰果原产中、南美洲，15 世纪由葡萄牙传教士引入东非和印度，盛产于当地沿海低海拔地区。

cashmere　山羊绒　构成克什米尔山羊绒毛层的动物纤维，属于特种毛发纤维。这种纤维由于在印度克什米尔用来制造美丽的披巾和其他手工产品而闻名于世。19 世纪初，山羊绒披巾极为普及，英格兰、法国和苏格兰的佩斯利都仿制这种披巾。克什米尔山羊的外层毛被为长 4 ～ 20 厘米的粗纤维，底层绒毛由长度为 2.5 ～ 9 厘米的山羊绒细软纤维组成。大多数绒毛纤维在脱毛季节用手工抓取或梳下，但伊朗的山羊绒是剪下来的。每头山羊的年产绒量为几克到约 0.5 千克，一件内衫须用 4 ～ 6 头山羊一次剪下的绒毛。纤维经洗毛清除油脂和植物性杂质，用各种机械分绒工艺去除粗毛，净绒率约为 50%。残留的粗毛含量对山羊绒的价格有很大影响，高质量的山羊绒大衣呢料通常粗毛含量低于 5%，优质山羊绒毛线衫的粗毛含量低于 1%。山羊绒纤维表面的鳞片不如羊毛纤维清晰，但比马海毛明显。皮质层有沟纹，含有不等量的色素，使纤维带有颜色，毛髓不明显。绒毛纤维比优质羊毛更细。中国和蒙古产的山羊绒纤维直径为 14.5 ～ 16.5 微米，伊朗产的为 17.5 ～ 19.5 微米。纤维有从白到黑各种颜色。山羊绒织物暖和舒适，质地柔软，悬垂性极佳。吸湿和含湿性能与羊毛相似，强度比细羊毛稍差，比马海毛低得多，易受强碱和高温损伤。深色纤维经漂白可制浅色织物，但会降低纤维的强度和柔软性。山羊绒织物在穿着时易被磨损，针织品易起球。山羊绒主要用于制造优质大衣、上装、套服衣料以及高品质针织品和袜类。有时与其他纤维混合使用，制成各种织物。粗毛在当地用于制造粮食袋、绳子、毯子和帐幕。由于山羊绒的产量很少，采集和加工费用昂贵。山羊绒作为一种奢华的纤维，现已受到人造纤维竞争的影响。主要生产国是中国、蒙古和伊朗，印度次大陆、阿富汗和土耳其也有生产。美国、英国和日本是山羊绒主要输入国。

cashoo（plant extract）　参阅 **catechu** 儿茶。

Casimir　卡齐米日　又作 Cazimir，Kasimir 或 Kazimir，波兰语作 Kazimierz。波兰公爵和国王之名，按其年代顺序排列于后，并各以●为标记。

● Casimir I　卡齐米日一世（1016-07-25 ～至迟在 1058-11-28）　波兰公爵，重新兼并了原属波兰的西里西亚、马佐维亚、波美拉尼亚等省，并恢复了波兰的中央政府。他是梅什科二世之子，曾采取僧侣般的生活方式，于其父死（1034）后由教皇特许登王位。1037 年，由于贵族的反皇权政变和平民反抗权贵加上异教种族反基督教的暴动，被迫退位。流亡德意志，德意志国王康拉德二世和亨利三世给予军事支援，1040 年复位。他与俄国公主多布罗涅加结婚。在姻兄、基辅大公雅罗斯拉夫支持下，1047 年夺回了马佐维亚和波美拉尼亚省。1050 年从波希米亚夺回了西里西亚，但每年仍须纳贡为补偿。他重建波兰中央政府，恢复天主教并镇压逼他退位的异教部族。他从未加冕为波兰国王；事实上，在他统治期内德意志还重建了对波兰的宗主权。

● Casimir II　卡齐米日二世（1138 ～ 1194-05-05）　1177 ～ 1194 年克拉科夫和桑多梅日大公。皮亚斯特王室成员。他夺取兄弟梅什科三世的王位，在他统治的大部期间与梅什科作战。他是波兰最强大的统治者，在 1180 年的伦奇查大会上为贵族和教士所承认；他们为了换取特权，同意把继承权赋予他的后代。卡齐米日二世之子莱谢克一世继大公位后，与其他觊觎权位者进行了多年战争。

● Casimir III　卡齐米日三世（1310-04-30，波兰库亚维亚～ 1370-11-05）　波兰国王（1333 ～ 1370），被视为和平君主、"农民国王"和熟练的外交家，故被称作"大王"。他以精明的外交手腕兼并俄罗斯西部和德意志东部的土地并在国内统一政府，编制不成文法，赋予新城镇以自治权，创办波兰的第一所大学。弗瓦迪斯瓦夫一世之子。他继承父业后又兼并雷德罗斯和马索维亚两个重要地区，使波兰成为14世纪中欧的强国。他的统治大大

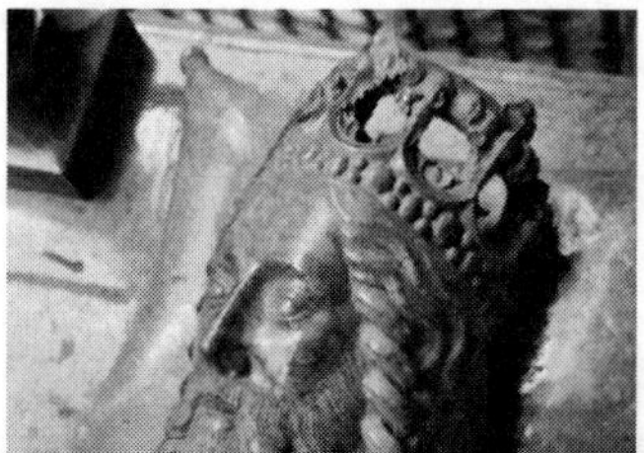

美国不列颠百科全书公司供图

增强了波兰民族的团结。因此尽管他死后无嗣，却没有任何人企图恢复过去诸侯割据的局面。1325 年他与信奉异教的立陶宛大公之女结婚，表明两国和平相处。卡齐米日三世因无子嗣，指定其侄匈牙利的路易为合法继承人。但路易亦无男嗣，他又指定他的内侄西波美拉尼亚的卡齐米日为第二继承人。他利用女儿们和外孙们与当时的几个重要王族联姻，从而获得外来支持。他一向靠外交手段解决问题，1335 ～ 1348 年分别与匈牙利、波希米亚和条顿骑士团签署一系列条约，解决即位之初的重重危机。波兰与匈牙利结成强有力的联盟，条顿骑士团退出所占据的波兰土地，确保了波兰西部边界的安全。随后卡齐米日三世逐步扩张，到 1370 年波兰的领土已从他即位时的 5 万平方英里扩大到 9 万平方英里，一跃而成为中欧的盟主，常常出面调停各国的争端。卡齐米日三世对内大力发展经济，以一个国王、一部法律、一种货币的政策统一国家。他给新建城市以自治权，对犹太人采取亲善态度，建立许多新城市，修筑 50 多座城堡，另外还营造教堂和王宫。他设立克拉科夫特别法庭，按照《条顿法典》进行裁决。曾创办克拉科夫大学，以培养自己的律师和行政人员。1370 年狩猎时意外去世。

● Casimir IV　卡齐米日四世（1427-11-30 ～ 1492-06-07）　立陶宛大公（1440 ～ 1492）和波兰国王（1447 ～ 1492），以灵活善变、忍辱负重的政策维护波兰与立陶宛之间的政治联合并

美国不列颠百科全书公司供图

收复古老波兰失去的土地。最终降服条顿骑士团是他统治期间的伟大胜利。到去世时他的家族据有 4 个王位，成为欧洲首屈一指的大王朝。在他统治下，立陶宛大公国成为东欧的头号强国。他是弗瓦迪斯瓦夫二世亚盖沃之子，1434 年成为其兄弗瓦迪斯瓦夫三世的合法继承人。1440 年立陶宛大公被刺，他以总督身份代其兄统治立陶宛，后被立陶宛贵族扶为大公。其兄在瓦尔纳战役阵亡后他当选为波兰国王，恢复立陶宛与波兰的联盟。1454 年他与有权继承波希米亚和匈牙利王位的哈布斯堡的伊丽莎白结婚。卡齐米日四世的对外政策缺少长期的谋划和远大的抱负。他既没有组织十字军去征讨土耳其人，也没有组织有效的防御体系抗击莫斯科大公国的入侵，但在 1454 年普鲁士人起义反抗条顿骑士团时，他认为这是削弱骑士团实力的天赐良机，便把整个普鲁士并入该国。不料交战后波兰大败，经过 12 年的战争才终于获胜。这是他在外交方面取得的最重大的胜利。在对内方面他积极维护王权，特别是对大主教的任命权。只是在与骑士团作战时，他对波兰贵族才作出一些重大的让步。

Casimir-Périer，Jean(-Paul-Pierre)　卡季米尔-佩里埃（1847-11-08，巴黎～1907-03-11，巴黎）　法国政治家、富贾，曾短暂地担任第三共和国总理与第 5 任总统，无甚建树。其父曾任内政部长。在普法战争中，他任上尉。1876 年以左派共和党人资格被奥布省选入众议院，曾任副议长（1890 ～ 1892）和议长（1893）。1893 年 12 月 4 日组阁，由于无法对

付无政府主义骚乱和棘手的政教关系问题，6个月后垮台。1894年6月仍回众议院任议长，在萨迪·卡诺遇刺后，被选为第三共和国总统(1894-06-27)。由于驾驭不了他的总理夏尔-亚历山大·迪皮伊，又遇到德雷福斯事件所引起的激愤情绪，他很快就成为左派政界人士攻击的目标。任职仅6个月后辞职。弃政后，任昂赞采矿企业的董事长。

casino 卡西诺 最初(19世纪早期)是指供人欣赏音乐和跳舞的场所，19世纪后半叶即专指赌场。世界最闻名的蒙特卡洛赌场开业于1861年，1879年扩充，增设现代赌室。该

蒙特卡洛赌场
美国不列颠百科全书公司供图

赌场很久以来即为摩纳哥大公国的主要财源。美国的内华达(拉斯维加斯)、新泽西(大西洋城)和北达科他(法戈)各州均有合法赌场。20世纪的赌场以所有赌者为一方，庄家为另一方，互相对赌。世界各地赌场均设有轮盘赌，轮盘赌主要兴起于法国，法国赌场对轮盘赌仅抽取不足1%的彩头，以吸引豪赌者。在美洲，轮盘赌主要招引小赌注赌者，所收取的彩头较高。双骰子赌博戏能吸引豪赌者，抽彩头不高于1.4%，有的只有1%，甚至更低。投币式自动赌博机是美国赌场的主要经济支柱，因便于多数人赌且节省时间，赌金可多可少，可根据抽彩头的需要调整机器。在赌场牌戏中，巴卡拉牌(特别是十一点)流行于英格兰和欧洲大陆，特别是多维尔、比亚里茨和里维埃拉等地的赌场；美洲赌场中流行二十一点；法国赌场流行三十到四十。美国赌场还多设有扑克赌台。

Casino 卡西诺牌戏 又拼Cassino。一种2～4人(最好是2人)玩的纸牌游戏，使用52张一副的纸牌。2人玩时，发牌人发给对家2张牌，另外2张面朝上摊在桌上，再给自己发2张。接着，再重复一遍，这样他自己、对家和桌面上就各有4张牌。至此，不再向桌上发牌。牌戏的目标是从桌上收牌。可以用手中的一张牌把桌上同级牌配对吃进；只有用这种办法才能吃进人像牌。如果手上有一张牌的点数相当于桌上两张的点数之和(例如手上10，桌上6和4)，就能把桌上两张牌吃进，这叫做"组合"。例如，用一张10点的牌，可吃进桌上摊开的其点数之和是10的任何牌，如6、3和"爱司"(即1)。可以用"做牌"的办法来收牌，做法是：把一张牌摊在桌上，声明用它和其他牌拼成一个"组合"，以便下次出牌时把它吃进，对手如有所需的牌，也可将这些牌吃进。若玩牌人无法或不愿吃进，他要从手中抽出一张牌，摊在桌上，这叫做"跟牌"。第一次发的4张牌打完后，发牌人再给他自己和对家各发4张，如此直到全部牌发完为止。整副牌打完后，每个玩牌人把所得的牌的分数加起来，牌的花色关系不大，但黑桃牌和2张特殊牌即大卡西诺——方块10和小卡西诺——黑桃2除外；手上牌的数量也要计算一下，记分办法如下：手上牌数最多的3分；黑桃最多的1分；大卡西诺2分；小卡西诺1分；每张爱司1分。通常总计11分或21分。3人玩的规则与2人玩相同，4人玩时每2人结成一方。

Casiquiare 卡西基亚雷 又拼Cassiquiare。委内瑞拉南部可通航河道。源出奥里诺科河，自埃斯梅拉达以下，大致流向西南，与瓜伊尼亚河汇成内格罗河。全长225千米。

Casket Letters 银匣信件 1567年6月20日，即苏格兰女王玛丽在卡伯里山投降叛军后6天，莫顿伯爵(第四)道格拉斯的仆人在博思韦尔伯爵(第四)赫伯恩的一个侍从的财物中找到1只银匣，其中有8封信件和几首不拘格律的十四行诗。如果这些材料真实——特别是第2封信，即《格拉斯哥信件》——的话，就能证明玛丽的丈夫达恩利勋爵斯图尔特是由玛丽与博思韦尔合谋杀害的。玛丽当时被囚禁在英格兰。她对叛乱的苏格兰贵族提出了指控；这些贵族也对她提出了指控。女王伊丽莎白任命一些英格兰官员专门调查这些指控。他们于1568年12月14日在威斯敏斯特教堂对银匣中的信件进行了验证。原件系用法文写成，但已译成苏格兰文，后又译为英文。验证之后又送回苏格兰，交由莫顿伯爵保管。1581年莫顿被处死，几年之后这些信件不翼而飞，可能落入玛丽之子詹姆斯六世手中。几百年来，历史学家们绞尽脑汁研究信件的真伪问题，但至今仍无定论。纵使信件纯系捏造，各种旁证也足以证明玛丽的罪行。

Čáslavská, Věra 恰斯拉夫斯卡(1942-05-03，捷克斯洛伐克布拉格[今属捷克共和国]～) 捷克女子体操运动员。20世纪50～60年代先后在奥运会以及世界和欧洲锦标赛上获22枚奖牌。1958年首次参加世界锦标赛，在团体赛中获银牌。1959年锦标赛上获平衡木冠军，1962年世界锦标赛上以微小差距负于苏联运动员拉特尼娜而屈居第2名。1964年东京奥运会上获个人全能冠军，并获平衡木和跳马金牌。在1965年和1967年世界锦标赛上囊括全部体操项目冠军。在1966年世界锦标赛上获个人全能冠军，从而使捷克队战胜苏联队。在1968年墨西哥城奥运会上，获个人全能、高低杠、自由体操和跳马4项冠军，并使捷克队在团体赛中获全能、平衡木和自由体操亚军。因政治信仰问题，出任国家体操队教练的请求曾一度被捷克当局拒绝。1989年出任国家奥委会主席。1995～2001年任国际奥委会成员。

Caslon, William 卡斯隆(1692，英格兰伍斯特郡克拉德利～1766-01-23，伦敦贝斯纳尔格林) 英国铸字工人。曾于1720～1726年设计一种以他的名字命名的铅字。他的工作有助于书籍印刷的革新，使它成为一项独立的创作，而不再是模拟旧手抄本的印刷品了。卡斯隆早年给一位枪机和枪管雕刻师当学徒。1716年在伦敦开设镌刻店，不久就开始为书籍装订工人和银器镂刻匠制造工具。由于他的制品受到印刷商J.瓦茨的重视，让他为伦敦各家印刷厂刻字模。1720年，他设计了一种英式阿拉伯体铅字，供印制祈祷诗篇和《新约全书》之用。两年后他为印刷商W·鲍耶刻了优美的罗马体、斜体和希伯来字母的铅字；1726年首次采用的罗马体铅字，后来称为卡斯隆体。由于卡斯隆体新铅字在英国几乎立即取得成功，使他得到贷款和大批的生意，从而能创办一座完备的铸字厂。1720～1780年在英国，书籍很少不使用他铸字厂的铅字。1734年发行了第一张卡斯隆体铅字样张，并展示了14种不同字号的罗马体和斜体字型，结果风行全欧洲和美国侨居地，其中有一副他的铅字用于印刷《独立宣言》。卡斯隆体铅字将优美的字型与一种典型的盎格鲁撒克逊风格结合在一起。1735年以后，卡斯隆的长子威廉(1720～1788)参与经营工厂，约在1742年成为合伙人。虽然威廉缺乏他父亲的才干，但是仍然维持住公司的名誉，并在其妻子伊丽莎白的帮助下熟练地管理公司。威廉死后，原来的卡斯隆父子铸字厂的财产，由后嗣分掉。

Casnewydd(Wales) 参阅**Newport 纽波特**。

Caso y Andrade, Alfonso 卡索·安德拉德(1896-02-01，墨西哥墨西哥城～1970-11-30，墨西哥城) 墨西哥考古学者、政府官员，曾探索研究瓦哈卡人早期诸文化，因发掘阿尔班山地7号墓而闻名。该遗址是北美洲已知年代最早的史前坟场。卡索·安德拉德曾就读于墨西哥大学，1918～1940年执教于母校。1930～1933年担任墨西哥国家博物馆考古部主任，1933～1934年任博物馆馆长。卡索1931～1943年领导瓦哈卡州阿尔班山地的萨波特克人古城遗址的发掘工作。根据7号墓出土的随葬品进行分析研究，他论证了在西班牙人征服之前的一定时期内，米斯特克人曾一度驱逐了萨波特克人而占有阿尔班山地一带。卡索收集了表明阿尔班山地历史5个重要阶段的证据，该地区的历史可溯至公元前8世纪。根据该地与其他遗址相互关系的比较论证，卡索提出了该山地粗略的历史年代表。卡索的其他著名成果是对米斯特克人古代抄本所进行的释读工作。卡索自1946年起，曾担任政府部门多种职务，包括1949～1970年的国立印第安文化事务研究所所长一职。

Casper 卡斯珀 美国怀俄明州中东部城市，纳特罗纳县县城。濒临北普拉特河。1888年初建时为帐篷城。19世纪90年代，北

面索尔特河油田的开发使该地兴起石油工业。现经济以产石油、天然气和制造油田设备为主,亦有铀、煤、皂土矿开采和畜牧业。现为内地一广大地区的贸易中心。设有卡斯珀学院(1945)。市东南有卡斯珀山公园、梅迪辛博国家森林。每年8月间举办怀俄明中部集市和竞技会演。老卡斯珀堡博物馆展有拓边时期的旧物。1917年设市。人口:市约49 644;卡斯珀都会统计区约66 533(2000)。

Caspersson, Torbjörn Oskar　卡斯珀松 (1910-10-15,瑞典穆塔拉～　　) 瑞典细胞学家、遗传学家。首创用紫外线显微镜测定细胞结构(如核及核仁)中的核酸含量。1936年获斯德哥尔摩大学医学博士学位。后从事细胞学及遗传学研究。参加了联合国教科文组织的工作。又是多所欧、美大学的客座教授。1950年出版《细胞的生长及功能》一书,总结了他的研究工作,认为蛋白质合成时必须有核酸存在。他最先进行昆虫幼虫巨型染色体的细胞化学研究,又研究了核仁在蛋白质合成中的作用及异染色质的量与癌细胞生长率间的关系。

Caspian Depression　里海沿岸低地 俄语作 Prikaspiyskaya Nizmennost。哈萨克斯坦和俄罗斯的平坦低地。大部分低于海平面,在里海北端。是中亚同类地区中最大的一块,面积约20万平方千米。乌拉尔河和伏尔加河流经这里,注入里海。降雨稀少。仅在零星绿洲上有集约型耕种。还有牧羊业。该地区有重要的恩巴河油田,盐产量很高。

Caspian Sea　里海 世界最大内陆海。位于辽阔平坦的中亚西部和欧洲东南端,西面为高加索山脉。整个海域狭长。南北长约1 200千米,但东西平均宽度只有320千米。面积约386 400平方千米。20%左右的海岸线在南面厄尔布尔士山脉脚下,毗邻伊朗;其余部分(即一度由前苏联控制的海岸线)现分别属于阿塞拜疆、俄罗斯、哈萨克斯坦和土库曼斯坦。伏尔加河、乌拉尔河和捷列克河均从北面流入里海。3大河每年注入海中水量约占全部注入河水量的88%。里海岛屿多达50个,大部分很小。根据海底的起伏,里海海盆大体上可划分为北、中、南三部分。最浅部分为北部平坦的沉积平原,平均深度4～6米。中部有不规则的海盆,西坡陡峻,东坡平缓。南部凹陷,其最深处达1 024米。北部海域属温和的大陆性气候带,整个中部及南部大部海区属温和的热带气候带。海面年蒸发量很高,达1 000毫米。根据几百年来的记载,里海的面积和深度曾多次发生变动。气候的变化引起河水内流减少和蒸发量增加,导致水位下降。20世纪,伏尔加河上修建水库,河水分流用于灌溉和工业,加剧了自然条件造成的影响。长期以来,里海以鲟鱼捕获量大而著称;但因水位下降,最适于产卵的海域干涸,产量大幅度减少。自第二次世界大战以来,石油和天然气已成为该地区最重要的资源。里海在地区运输网中也很重要。其主要港口有阿塞拜疆的巴库,俄罗斯的马哈奇卡拉和阿斯特拉罕,哈萨克斯坦的舍甫琴柯,土库曼斯坦的克拉斯诺沃茨克以及伊朗的恩泽利港。

Cass, Lewis　卡斯(1782-10-09,美国新罕布什尔埃克塞特～1866-06-17,密歇根底特律) 美国陆军军官,积极参与民主党活动的公务员。1812年战争期间,他从志愿兵上校晋升为

美国不列颠百科全书公司供图

正规部队的准将。1813～1831年任密歇根准州州长。1831～1836年任A.杰克逊总统的陆军部长,指挥过黑鹰战争和塞米诺尔战争。此后6年任驻法国公使。作为美国参议员(1845～1848,1849～1857),他成为1846年集团的领袖,主张"重新兼并"北纬54°40′以南的整个俄勒冈地区,否则就与英格兰开战。墨西哥战争期间(1846～1848),他支持J.K.波尔克总统,反对在从墨西哥兼并来的土地上施行反奴隶制度的建议——《威尔莫特但书》。1848年竞选总统失败。1857～1860年任国务卿,后因J.布坎南总统对南方诸州的分离活动不采取坚决的态度而辞职。

cassabanana (species *Sicana odorifera*) **香蕉瓜** 又作curuba。葫芦科多年生藤本植物,原产新大陆热带,果实味香可食,又可观赏,故有栽培。藤蔓长,肉质,卷须多。花黄色,单性,雌雄同株,雄花较小。果长圆形或圆柱形,橘红色,长约60厘米。在温带地区可作为一年生作物种植,但在较冷气候条件下则不开花结果。

Cassander　卡山得(约公元前358～前297) 马其顿摄政安提帕特之子,公元前305～前297年的马其顿国王。公元前319年安提帕特死后,他拒不承认新摄政波利佩孔。在弗里吉亚的统治者安提柯一世的帮助下,他夺取了马其顿以及希腊的大半江山,包括雅典在内。当安提柯从东方各省回师,企图重整亚历山大帝国的时候,卡山得便与埃及王托勒密一世、巴比伦王塞琉古和色雷斯王利西马科斯勾结一起,表示抗拒。公元前315～前303年间,两方时常交锋。卡山得在公元前307年失去雅典,又在公元前303～前302年失去色萨利以南的其他属地。但是,安提柯在弗里吉亚的伊普苏斯战斗中败北(公元前301),却稳定了卡山得对马其顿的控制。卡山得虽然早已谋害了亚历山大大帝的儿子亚历山大四世和遗孀罗克桑娜,但是直到公元前305年,他才即位称王。他对亚历山大家族大下毒手,一部分是由于夺取政权,另一部分是由于积有私仇,可以证明这一点的是他重建了第比斯,而第比斯曾因发动叛乱而被亚历山大夷为平地。

Cassandra　卡桑德拉 希腊神话中特洛伊最后一位国王普里阿摩斯和他的妻子赫卡柏的女儿。卡桑德拉为阿波罗神所爱,如她答应阿波罗的要求,阿波罗允诺给她预卜吉凶的本领。卡桑德拉接受这一建议,学到了本领,但是拒绝和神相好。阿波罗为了报复,而使她的预言无人相信。她准确地预言了特洛伊城的陷落和阿伽门农之死,但她的警告未能引起重视。特洛伊城陷落后分配战利品时,她归属阿伽门农,后来和他一起被杀害。她以亚历桑德拉的名义和阿波罗一道受到崇拜。

cassandra (shrub) 参阅 **leatherleaf 矮绿**。

Cassandre　卡桑德尔(1901-01-24,俄罗斯帝国乌克兰哈尔科夫～1968-06-19,法国巴黎) Adolphe-Jean-Marie Mouron 的笔名。法国美术家、舞台设计师及画家,他的招贴画设计对20世纪前半期广告艺术影响深远。曾在巴黎朱利昂学院学习艺术,因创作招贴画《北方之星》(1927)等而享盛名。1926年与人合作创办广告社,后又从事印刷工艺的实验。1936～1938年间数度访美。1939年返回法国,放弃招贴画,专门从事舞台装置设计及绘画。

cassation　遣兴曲 在音乐中,指18世纪时由几个短乐章组成的管弦乐曲或小型合奏曲的体裁,与18世纪小夜曲和嬉游曲相似。常用于户外演奏。cassation 一词可能源自意大利语 cassa,意为"鼓";亦可能源自奥地利方言 gassatim gehen,意为"上街。"

Cassation, Cour de (French judiciary) 参阅 **Cour de Cassation 法国最高法院**。

Cassatt, Mary　卡萨特(1844-05-22,美国宾夕法尼亚阿勒格尼城～1926-06-14,法国巴黎附近博弗雷斯讷城堡) 美国女油画家和版画家,曾与印象派画家一起举办画展。早年

卡萨特的水粉画《众女夸童孩》(1897)
美国不列颠百科全书公司供图

长期随富有的家庭在欧洲生活。1861～1865年在宾夕法尼亚美术学院学习。后在巴黎一度给C.J.查普林当助手。但是她坚持以自己的方式作画,或临摹18世纪前欧洲伟大画家的作品。卡萨特虽然并未真正作过E.德加的学生,但却是他的好朋友,深受其

影响。卡萨特参加1874年沙龙画展深得德加赞赏，并经他邀请加入了印象画派，后来在印象派画展上展出了她的作品。卡萨特的素描技巧和求自然不求对称的构图明显受到德加的影响。她和德加一样，在巧妙利用水粉的媒介作用上刻意求新，并成功地创作了几幅佳作。她原是人物画家，题材通常是一群妇女饮茶或偕友出游。1890年巴黎举行日本版画大型展览后，她创作了一组彩色版画，共10幅，其中《浴女》和《发型》显然受到日本浮世绘大师歌麿和丰国的影响。这些铜版画综合了蚀镂、干尖刻法和柔软的底版技巧，技法臻于完善，表现重点也从形体转向线条与图案。1900年以后她的视力开始减退，到1914年已不再作画。她在成熟期创作主题多是母亲对幼儿的关怀，例如《给孩子洗澡》（约1892，芝加哥美术学院藏）。卡萨特经常鼓励她在美国的富有亲朋购买印象派画家的作品，这对美国艺术鉴赏所产生的影响远远超过了她本人的作品。纽约市大都会艺术博物馆中的哈夫迈耶收藏品大多是经她选定的。

cassava（*Manihot esculenta*） **木薯** 又作manioc，mandioc，yuca。大戟科植物，原产于美洲热带，现全世界热带地区广为栽培。其块根可食，可磨木薯粉、做面包、提供木薯淀粉和浆洗用淀粉乃至酒精饮料。木薯可能为墨西哥尤卡坦的马雅人首先栽培。大多数品种含有能产生不等量氰化物的糖类衍生物，原始民族会用摩擦、压榨及加热等复杂的工序去毒。所含氰氢酸可用于镖枪和箭头。木薯极易发生变异，所以本身可能就是一个杂交种。为多年生。叶片掌状分裂，裂片5枚或9枚，似蓖麻叶，但裂更深。块根肉质，似大丽花的块根。品种多，有小的低矮草本、稍大的高1米的多分枝灌木及至5米高的小乔木。有些品种适应干燥碱性土壤，有些则适于河边的酸性泥滩。木薯属约160种，均为原产于热带美洲的喜阳光植物。巴西东北部的橡胶木薯（*M. glaziovii*）可产塞阿拉橡胶。西非的糯糊糊及牙买加的巴米糊均由木薯做成。其他木薯制品包括南美印第安人的一种酒精饮料、尤卡坦的卡萨贝饼及北美市场上的唯一木薯制品——木薯淀粉。

Casse，Pierre-Emmanuel-Albert，Baron Du 卡斯 参阅**Du Casse，Pierre-Emmanuel-Albert，Baron 迪卡斯男爵**。

Cassegrain reflector 卡塞格林反射望远镜 1672年法国科学家N.卡塞格林设计的天文望远镜。在这种望远镜中，进入望远镜的平行光线被一面大凹镜（主镜）向该镜的焦点（主焦点）方向反射。在未到达主焦点之前，光线又被一面小凸镜反射到位于主镜中央小孔附近的焦点处。卡塞格林反射望远镜经过1个世纪后才得到正确的评价。英国光学家J.拉姆斯登发现这种设计能减少由于透镜或反射镜呈球面造成的景象模糊，如果将大凹镜做成抛物面，小凸镜做成双曲面，这种模糊（球面像差）就可完全消除。卡塞格林反射器已用于无线电发射机和接收机上。

Cassel（Germany） 参阅**Kassel 卡塞尔**。

Cassel，（Karl） Gustav 卡塞尔（1866-10-20，斯德哥尔摩～1945-01-14，瑞典于什霍尔姆？） 瑞典经济学家。曾在乌普萨拉大学、斯德哥尔摩大学学习，并于1904～1933年在该校任经济学教授。在理论研究中，摈弃英国和奥地利经济学家的边际效用价值说。多次出席国际间经济会议。由于1920年在布鲁塞尔会议中解决世界货币问题及1921年在国际联盟财政委员会工作中成绩卓著，赢得国际盛誉。

Cassel porcelain 卡塞尔瓷器 德国黑森地区卡塞尔的一家工厂生产的瓷器。该工厂在1766年烧制硬质瓷器，直至1769年才生产成套的茶具或咖啡具。大部分保存下来的珍

约1775年的卡塞尔瓷塑人物跪像
美国不列颠百科全书公司供图

品是以釉下蓝作装饰的。该工厂特别以塑造古典群像、动物群像、四季时令图和惟妙惟肖的人物图像作品而闻名于世。它在1788年关闭。

Cassella Farbewerke Mainkur Aktiengesellschaft 卡塞拉颜料公司 德国化工公司。1789年在法兰克福成立，创办人为L.卡塞拉（1766～1847）。现为**赫希斯特公司**（**Hoechst Aktiengesellschaft**）的子公司。1789～1870年，该公司仅从事进口和销售有色木材和天然染料；后来开始制造染料。1904年名利奥波德·卡塞拉公司，被赫希斯特颜料公司所兼并。1925年赫希斯特公司参加新成立的化工卡特尔**法本化学工业公司**（**IG Farben**）时，卡塞拉公司分出而独立，直到1937年才为该卡特尔所合并。第二次世界大战后，法本化学工业公司被解散，卡塞拉公司再一次分出而独立（应用现名）；但为时不久，1970年该公司的股票大部分被赫希斯特公司所收购，而成为其子公司。产品有颜料和纺织业、造纸业、制革业的辅助材料以及制漆原料、制造层压塑料板用的合成树脂和药物。

Casserius，Julius 卡塞利奥（1552?，意大利皮亚琴察～1616，帕多瓦） 意大利解剖学家。首次对言语及听觉器官作了详细描述。他的人体解剖学及比较解剖学教科书以

美国不列颠百科全书公司供图

叙述确切、详尽而著称于世。他原是法布里奇乌斯的仆人，曾在主人和梅尔库里亚利斯指导下学习解剖学，造诣很深；1604年接替法布里奇乌斯任解剖学教授，1609年任外科学教授。他是哈维的导师之一。著有《可听声及听觉器官的解剖学》、《五种感觉》（1601），及《解剖学图表》（1627年出版）。

cassette 盒式磁带 又作tape cassette。在声频和视频记录中，由塑料或轻金属制成的扁平的长方形盒子，内装磁带，用于声频或视频的录制和重放。它可以插入录放机中立即使用，不需要在启动前人工固定磁带头。在盒中，磁带在输送盘的一边启动，沿着导轨通过录、放机制（即磁头），进入在另一边的收带盘。盒式录声带只有3.8毫米宽，却能容纳4～8个声道。家用录像机的录像带宽12.7毫米，用于播放电视的录像带有5厘米宽。20世纪60年代开始使用的家用盒式录声磁带可以装有预先录制的材料，或是空白磁带，使用者可随意录制任何东西。盒式录像带在70年代初就可供消费者使用，它也有预先录制好的材料（诸如受欢迎的电影复制品），或空白磁带供录制电视节目和放映家庭电影。照相胶卷或胶片用的暗盒也可以做成磁带盒。

cassia（*Cinnamomum cassia*） **肉桂** 又作Chinese cinnamon。又称中国肉桂。樟科植物。

肉桂

树皮芳香,亦称肉桂,可作香料;味与产自锡兰肉桂的桂皮相似,但较辣,不及桂皮鲜美,且较桂皮厚。肉桂皮含有1%～2%挥发油,主要成分是肉桂醛。肉桂皮用做菜肴的调味品,特别用于利口酒和巧克力。南欧人对肉桂的喜爱胜于桂皮,在北美则肉桂粉不问来自中国肉桂或锡兰肉桂,均不加区别地一起出售。肉桂皮从茎和枝条剥取,搁置干燥后,卷曲成卷。有的品种则为刮取。刮取者薄而为亮红褐色,未刮过的树皮厚而为灰色。肉桂粉浅红褐色。中国产肉桂的香味稍逊于产自越南和印度尼西亚者,三者均具芳香,味甜而辣。越南肉桂(西贡肉桂)质地最佳。中国肉桂和牡桂(*C. loureirii*)的未成熟果实贴生于硬而具皱的灰褐色杯状花萼中,通常长0.4英寸(包括萼筒);上部径约0.25英寸,连萼筒摘下干燥即称肉桂芽。它们有似桂皮的芳香和肉桂皮的甜辣味,用于食品调味。

Cassian, Saint John　卡西安(360,锡西厄多布罗加～435,马赛)　又称埃雷米泰或马西利安西斯。基督教修士、禁欲主义者、神学家、马赛著名的圣维克托大隐修院创办人及第一任院长。他的著作反映了许多埃及旷野隐修人士的学说,对整个西方隐修制度有影响。他的神学以他的隐修思想为根源和依据。他逐渐成为早期**半贝拉基主义**(**Semi-Pelagianism**)的主要倡导者,半贝拉基主义是5世纪流行于法兰西南部的一派异端。他可能是罗马人后裔,曾在巴勒斯坦的伯利恒隐修,后到埃及,受业于当地的隐士及修士。399年前后,卡西安到君士坦丁堡,并由牧首圣约翰·克里索斯托任命为助祭。几年后,圣约翰·克里索斯托被非法撤职,卡西安前往罗马,为其向教皇陈情。405年卡西安在罗马被立为司铎,415年在马赛创办女隐修院及圣维克托大隐修院,并终生担任圣维克托大隐修院院长。其著作中以《隐修生活规则》(420～429)最为闻名。

Cassidy, Butch　卡西迪(1866-04-13,美国犹他比弗～1909?,玻利维亚圣维森特附近康科迪亚锡矿?)　罗伯特·勒罗瓦·派克(Robert LeRoy Parker)的别名。美国不法分子,19世纪80和90年代横行美国西部、专事抢劫银行和火车的**野帮**(**Wild Bunch**)犯罪集团的魁首。罗伯特·派克是从一个前辈恶徒M.卡西迪得到这个别名的,并从他学到了赶牛和射击技术(1884～1887)。此后,除了两年主要当牛仔(1891～1892)、两年被囚禁在怀俄明州监狱(1894～1896)外,他曾和一系列的歹徒结伙。他曾单独或结伙帮助他的亲密伙伴E.莱多次抢劫火车、银行、出纳员和偷盗马匹牛群。1899年莱被捕入狱后,卡西迪又和森丹斯小子H.朗盖鲍结成一伙。这时当地治安民团及平克顿侦探所的侦探们正在加紧追捕"野帮"分子,卡西迪和森丹斯及森丹斯女友E.普莱斯先逃到纽约市,随后又逃往南美洲(1901)。普莱斯于1907年又返回美国。1902～1906年,他们在阿根廷的丘布特省经营一所牧场,但此后又为非作歹,流窜于南美各国,抢劫银行、火车和矿场,直到1909年。根据平克顿侦探的说法,卡西迪一伙在玻利维亚的圣维森特附近被一队骑兵所诱捕,森丹斯被击致命,而卡西迪则自杀。一说他们于1911年12月在乌拉圭的梅塞德斯抢劫银行时被士兵击毙。另一说卡西迪单独或与森丹斯回到美国,在墨西哥与阿拉斯加之间流窜,而于1937年默默无闻地死于西北部或内华达州(可能是华盛顿州斯波坎或内华达州约翰尼)。

Cassin, René(-Samuel)　卡森(1887-10-05,法国巴约讷～1976-02-20,巴黎)　法国法学家,欧洲人权法院院长,联合国《人权宣言》的主要作者。1968年诺贝尔和平奖获得者。犹太商人之子。曾学法律,第一次世界大战期间加入法军。后在巴黎任国际法教授。1924～1938年任出席国际联盟大会和日内瓦裁军会议的法国代表。1940年6月法国沦陷后,他前往伦敦投靠戴高乐将军,成为自由法国流亡政府的主要成员。第二次世界大战后担任法国最高行政法院院长,以及其他高级司法和行政职务。在国际活动方面,他于1944年参加创立联合国教育科学和文化组织。1945～1952年任法国驻该组织代表。1946～1968年任法国驻联合国代表,曾任联合国人权委员会主席(1947～1948),参加起草《人权宣言》。1965～1968年任欧洲人权法院院长。1968年12月20日获诺贝尔和平奖。此外,他还是犹太复国主义者,任法国以色列人联合会主席。

Cassini, (Jacques-)Dominique, comte de (count of)　卡西尼伯爵(1748-06-30,巴黎～1845-10-18,法国蒂里)　又称卡西尼第四。法国大地测量学家和天文学家,完成了他父亲所制的法国地图,该图后为《全国地图集》(1791)的基础。他在1784年继承父亲的巴黎天文台台长的职位,但法国革命中断了他修复并重新装备天文台的计划。他曾短时间与革命政府合作,但对君主制度深抱同情。终于被揭发逮捕,入狱数月。1794年卡西尼退居蒂里。后来拿破仑一世选他为参议员,并封他为伯爵。

Cassini, Gian Domenico　卡西尼(1625-06-08,热那亚共和国佩里那多～1712-09-16,巴黎)　意大利出生的法国天文学家,是发现土星环的卡西尼缝(即土星A、B环之间暗区)的天文学家之一。他还发现土星的4颗卫星并率先对黄道光进行有记录的观测。他早期工作主要是观测太阳,但当他有了更好的望远镜以后,便把注意力转向行星。他根据木卫穿越太阳和木星之间时投下的影子,测出了木星的自转周期。1666年,他对火星也作了类似的观测,发现火星的自转周期为24小时40分,现今公认的数值为24小时37分22.6秒。两年后他编了一本木卫位置表,被丹麦天文学家O.罗默于1675年引用来建立光速有限理论。他还写过数篇有关防洪的论文,并在应用水利学方面做过广泛实验。当法王路易十四得知卡西尼的发现和研究工作后,便于1669年邀他到巴黎参加刚成立的皇家科学院的工作。巴黎天文台于1671年建成起,他就担任台长。两年后成为法兰西公民,继续他在意大利开始的研究工作,并发现了土卫八(1671)、土卫五(1672)、土卫三(1684)和土卫四(1684)。1671～1679年间,他观测月球,绘制成一幅大月面图并把它献给科学院。1675年发现卡西尼缝并提出土星环是由大量小到不能用观测区分的小卫星组成的。这一看法现已得到证实。在对黄道光作过仔细研究后,他于1683年断定黄道光是一种有宇宙来源的物质,而不是像有些人所说的是一种大气现象。1683年,卡西尼开始测量通过巴黎的子午线。测量的结果使他得出地球略呈扁长状的结论(实际上地球在两极处略扁)。作为一位保守主义者,他只在一定程度上接受哥白尼的太阳系学说并完全否定开普勒关于行星沿椭圆轨道运行的理论。他认为行星的轨道应是某种卵形线。这种曲线后人称作卡西尼线或卡西尼卵形线。尽管卡西尼拒绝接受新理论和新观点,但他的观测和发现仍使他不容置疑地置身于17～18世纪最重要的天文学家的行列。

Cassini, Jacques　卡西尼(1677-02-08,巴黎～1756-04-18,法国蒂里)　法国天文学家,他编制了第一本土卫轨道运动表。1712年,接替他的父亲(天文学家G.D.卡西尼)任巴黎天文台台长。1718年完成了敦刻尔克和佩皮尼昂之间的子午线(经度线)弧长的测量。在他所写的《关于地球的大小和形状》(1720)一书中,他支持地球不是一个扁球体而是一个拉长的椭球体的论断。卡西尼的天文研究主要见于下述两书:《天文学基础》(1740)和《太阳、月亮、行星、恒星、木卫和土卫天文表》(1740)。他强烈反对牛顿的引力理论并继续捍卫他父亲的工作。但他不能使他的观测同他父亲的理论相符。

Cassini de Thury, César-François　卡西尼(蒂里的)(1714-06-17,法国蒂里～1784-09-04,巴黎)　又称卡西里第三,法国天文学家和大地测量学家,继承其父(J.卡西尼)的测量工作,开始绘制法国地形图。他同父亲和祖父都拥护笛卡儿的观点,认为地球是长球体(两极直径大于赤道直径)。牛顿观点则认为地球两极间较扁,在牛顿观点的证据越来越充分的情况下,他放弃了原来的立场。1771年继承父亲任巴黎天文台台长,但他主要以大地测量学家和地图学家而著名。主要著作之一是《地球的几何学描述》(1775)。

Cassini's laws　卡西尼定律　G.D.卡西尼

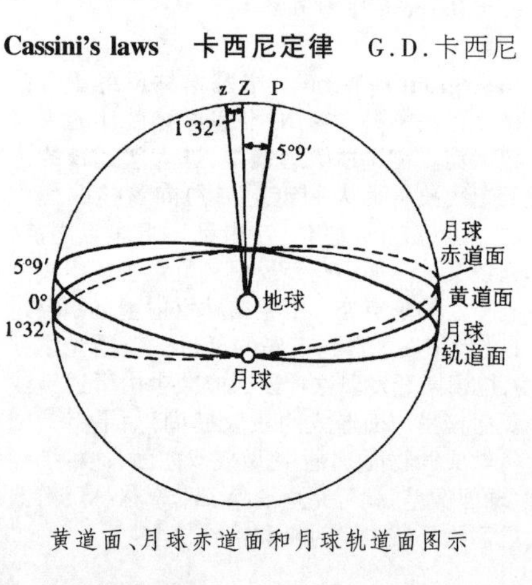

黄道面、月球赤道面和月球轨道面图示

于1693年提出的3条精确描述月球运动的来自经验的定律：①月球绕轴均匀自转一周的同时，也绕地球公转一周；②月球赤道面和地球绕日公转的轨道面（即黄道面）的倾角为一常量，约为1°32′；③月球轨道的升交点永远和月球赤道的降交点重合。升交点是月球轨道从南向北穿过黄道面的交点，而降交点则是月球赤道从北向南穿过黄道面的交点。按照定律③，投影在天空上的月球北极（z点）、黄道的北极（Z点）和月球轨道的北极（P点，对黄道面的倾角约为5°9′），三者在一个大圆上彼此靠近。

Cassino 卡西诺 意大利中部拉齐奥区弗罗西诺内省城镇。位于卡伊罗山脚的拉皮多河畔，罗马的东南面。起源于沃尔西人城镇卡西努姆。公元前312年起由罗马人统治，城镇逐渐繁荣。5世纪成为主教区。529年努尔西亚的圣本尼迪克特在卡西诺山建立著名的隐修院后，古城堡已破败不堪。约866年，居民迁至现址。1871年定名卡西诺。隐修院屡遭破坏，均在原地重建。中世纪时是艺术和学术的杰出中心，基督教执事保罗（约720～799）即在此写伦巴第历史。11世纪重建该隐修院是意大利建筑史上的重要事件。1349年遭地震破坏，市内教堂和隐修院几乎全在16和17世纪重建。第二次世界大战期间是德军的重要驻防地，当地曾发生长达4个月的激战。战后，城镇与隐修院均在原址上重建。隐修院的各种装饰已不可能修复，但是找到了1066年在君士坦丁堡浇铸的青铜门并加以整修。档案馆、图书馆和一些图画也被拯救出来。古城卡西努姆的其他名胜有竞技场、剧院和克罗奇菲索教堂（10世纪改为教堂的原古罗马陵墓）等遗迹。上城区保存有一些中世纪古城的遗迹。现为农业和商业中心。人口：城区约32 870（1993）。

Cassino（card game） 参阅 **Casino** 卡西诺牌戏。

Cassiodorus 卡西奥多鲁斯（约490，东哥特王国布鲁蒂乌姆西勒蒂乌姆～约585，西勒蒂乌姆附近维瓦里乌姆寺院） 古罗马历史学家、政治家和僧侣。东哥特人统治意大利时期，曾任度支官（507～511）、执政官（514）和文官之首（526），533年出任行政长官。540年以后不久退出公职，并建立一座寺院，保存了罗马文化的精华。他的著作有《杂录》（537）、《远古史》（519）、《论灵魂》以及《论宗教文学与世俗文学》等。他虽非大作家，亦非学者，但能从事手稿之收集工作，责成僧侣们进行抄录，所抄既有基督教徒的作品，也有异教徒的作品。此举成为后世各地效法之榜样。其著作可分为两类：一类为历史和政治著作，一类为神学和语法著作。前者包括《瓦利亚》和《编年史》，后者包括《论灵魂》和《论宗教文学与世俗文学》。后一书可算是他最主要的著作，该书第一部分论述经文的研究，涉及一些基督教神父与历史学者；第二部分曾在中世纪时广泛使用，对7种人文科学作了简要的说明，是一种关于异教徒知识的百科全书，为理解《圣经》必不可少之读物。他在93岁时还从8位语法学家的著作中摘取要点编成《拼写法》，其价值在于保存了现已散失的著作中的精华。

Cassiopea 仙女水母属 刺胞动物门钵水母纲根口水母目（Rhizostomeae）的一属，海产，见于热带。直径100～120毫米，略扁。从口或口腕的两侧伸出4～6根扁的短侧支（触手）。每根触手有几个囊，内含共生的虫黄藻（亦见于水母型［**medusa**］盘上）。藻色不同，故仙女水母的色泽也多样。仙女水母借藻的光合作用得到营养。因此，仙女水母颠倒地停留在浅水中，使尽可能多的藻接触阳光。不常游泳。有钵水母特有的固着阶段：初为水螅体，生长到一定大小，便释出自由游泳的水母。仙女水母属对人无害。

Cassiopeia 仙后座 缩写作CAS。北天星座之一，由5颗亮星排列成略不规则的W形，极易辨认。位于赤经（类似地球经度的天球坐标）1时，赤纬（北天球赤道的角距）+60°处。银河系中有记录的少数超新星之一——第谷新星，1572年曾出现于仙后座。

Cassiquiare River 参阅 **Casiquiare** 卡西基亚雷。

Cassirer, Ernst 卡西雷尔（1874-07-28，德国西里西亚布雷斯劳～1945-04-13，纽约市） 德国犹太哲学家、教育家和多产作家。因对文化价值的解释与分析而闻名。曾在德国几个大学学习，在马尔堡大学，他深受新康德主义马尔堡学派创始人赫尔曼·柯亨的影响。曾在柏林教书。第一次世界大战期间担任文官。1919年任汉堡大学哲学教授，从1930年起为该校校长。希特勒掌权后离开德国，1933～1945年先后在英国的牛津大学、瑞典的哥德堡大学、美国的耶鲁大学和哥伦比亚大学教书。他的哲学主要以康德著作为基础，扩充了康德的一些基本原则；这些原则涉及人的概念如何构成物质世界。由于自康德活动时期以来，科学的和文化的观点都有很大变化，所以他认为有必要修订康德的学说，以便包括范围更为广泛的人类经验。在其主要著作《符号形式的哲学》（3卷，1923～1929）中，他研究了各种精神图像和构成人类文化各方面基础的精神功能。在其另一重要著作《物质和功能》（1910）中，他论述了概念形成这一有关题目。他反对把概念看成是从若干特殊事例概括而成，而认为概念作为组织人类知识的工具，在任何任务（包括对特殊事物的分类）能执行之前，便已经预先存在了。他对人类文化的各种不同的表现形式进行考察之后，得出结论说，人主要是通过他的使用符号的活动而表现其特点的。其他作品包括：《语言与神话》（1925）、《启蒙哲学》（1932）、《论人》（1944）、《国家的神话》（1946）。

cassiterite 锡石 又作tinstone。锡的二氧化物（SnO_2）。比重大，红色至褐色，金属光泽，质地坚硬。是重要的锡矿石。具工业价值的矿床产于高温热液矿脉及砂矿中；锡石也产于花岗岩及伟晶岩中。早在15世纪，在中欧（主要是萨克森和波希米亚地区）就开采锡石矿脉以提取锡。17世纪在中欧达到生

产自玻利维亚阿拉卡的锡石
美国不列颠百科全书公司供图

产顶峰。18世纪和19世纪的许多年代里，康沃尔地区非常大的脉矿床曾是锡的主要产地。目前世界上大多数锡石产于马来西亚、印度尼西亚、玻利维亚、扎伊尔、中国、泰国和尼日利亚；其他国家产量不大。详细物理性质，参阅 **oxide mineral**（表）。

Cassius, Gaius 卡修斯（?，帕尔马～公元前31以后） 别名Parmensis（拉丁文："帕尔马人"）。暗杀凯撒的刺客之一。凯撒死后，他加入布鲁图与卡修斯·隆吉努斯的一派。凯撒遇刺后，卡修斯指挥曾于亚细亚省海岸附近与多拉贝拉交战的舰队，但在菲利皮战役后，他加入了在西西里的庞培的阵营。当庞培于瑙洛库斯遭阿格里帕击败、逃往亚细亚省后，卡修斯转而投靠安东尼，且参与亚克兴角战役（公元前31），安东尼在那里被屋大维（日后的奥古斯都皇帝）击败。卡修斯逃往雅典后，被屋大维处死。卡修斯以讽刺文学、挽歌、警句和悲剧著称。根据对《书札》中的一段评论来看，贺拉斯认为他的诗很好。但他的作品均已散佚。

Cassius, Gaius Avidius 卡修斯 参阅 **Avidius Cassius, Gaius** 阿维狄乌斯·卡修斯。

Cassius Longinus, Gaius 卡修斯·隆吉努斯（？～公元前42，马其顿菲利皮附近） 公元前44年刺死罗马独裁者尤利乌斯·凯撒的密谋集团领袖。早年生活不详。公元前53年，他作为度支官，随克拉苏出征安息人（今伊朗境内），挽救了在卡雷（今土耳其哈兰）被击败的罗马军队残部。以后两年，他在叙利亚几次成功地击退了安息人的进攻。公元前49年，卡修斯成为保民官，在凯撒与元老院贵族党之间进行的内战中，他指挥庞培的舰队。公元前48年庞培在色萨利（帖撒利亚）的法萨卢斯被凯撒彻底击败，卡修斯与凯撒和解，被任命为副将。公元前44年，卡修斯成为行政长官，并得到许诺下一年出任叙利亚总督。然而，他仍然发起组织了反对凯撒的密谋，并积极参与刺杀活动。凯撒被刺后群情激愤，卡修斯被迫离开罗马前往叙利亚，组织一支庞大的军队，打败了元老院委任的叙利亚总督多拉贝拉。凯撒党的领袖安东尼、屋大维

以及李必达组成“后三头同盟”时，卡修斯和他的同谋布鲁图也组成联军。公元前42年9月双方在马其顿的菲利皮附近交战。布鲁图战胜了屋大维，但是卡修斯被安东尼击败，于绝望中自杀。

Cassius Longinus, Gaius　卡修斯·隆吉努斯（活动时期约公元1世纪）　杰出的罗马法学家，是著名法学家马苏里乌斯·萨宾努斯的学生，并和他一起创建了一个法律学派。他于公元30年任执政官，公元40～41年任亚细亚地方执政官，公元45～49年任叙利亚总督。公元65年被尼禄皇帝放逐，后又被韦斯巴芗皇帝（公元69～79年在位）召回，死时已达高龄。从他的10卷本的主要著作《民法》中摘出的选录被编入6世纪拜占廷皇帝查士丁尼发布的《学说汇编》。

Cassius Longinus, Quintus　卡修斯·隆吉努斯（？～公元前47，塔拉科嫩锡斯埃布罗河口）　罗马高官，刺杀凯撒的主谋卡修斯·隆吉努斯的兄弟或堂兄弟。在公元前49～前45的内战中，由于他在西班牙实行专横统治，尤利乌斯·凯撒在西班牙的事业受到严重损失。他在公元前49年任保民官时，曾经支持凯撒，因而被凯撒任命为外西班牙总督。他对西班牙行省当地居民的压迫在科尔多瓦激起一场暴动。虽然暴动被他极其残酷地镇压下去，但是他属下的一部分士兵又发生哗变（公元前48），他们拥立一个新总督。卡修斯离开西班牙，他在埃布罗河口因所乘船只失事落水身亡。

Cassius Vecellinus, Spurius　卡修斯·维塞列努斯（活动时期公元前6世纪末和前5世纪初）　罗马执政官，创造罗马周围地区的和平环境，对罗马早期发展作出贡献。出身贵族，据说曾3次担任执政官。第一次（公元前502），他打败了居住在罗马东北方的萨宾人。第二次（公元前493），他与拉丁人缔结了共同防御条约。据某些资料记载，他在第三次担任执政官期间（公元前486）提出旨在帮助贫民的土地法案，但遭到贵族和富人的强烈反对，他们控告卡修斯，将他处决。

Cassivellaunus　卡西维劳努斯（活动时期公元前1世纪）　不列颠有势力的酋长，在J.凯撒第2次远征不列颠时（公元前54）被击败。他领导族人反抗侵略者，巧妙运用游击战术和用战车作战。都邑（故址位于今赫特福德郡惠特汉普斯泰德）失陷后，他答应提供人质并每年向罗马纳贡，但并未履行。

cassock　长袍　天主教和基督教若干其他派别的神职人员的礼服和便服，是带纽扣的紧身长袖外衣。在天主教会，长袍的颜色和边饰因级别而异：教皇素白；红衣主教黑底猩红边；大主教及主教黑底压红边；下级神职人员素黑。在唱诗班和教堂典礼上，教皇穿白色绸长袍；红衣主教穿猩红长袍（但在悔罪节期穿紫色长袍）；以下各级穿素黑色长袍。天主教神职人员随时都穿长袍。英国圣公会神职人员目前仅在教堂和家中穿着长袍，也有

着长袍的神职人员
美国不列颠百科全书公司供图

少数人在所管教区内穿用。

cassone　意大利大箱　意大利流行的一种通常在新婚时用的箱子，是文艺复兴时期装饰最精美的一种家具。按照习惯，这种箱子成双制造，并常常分别刻有新娘和新郎的盾

约1475年的意大利大箱
美国不列颠百科全书公司供图

形纹章。箱内存放新娘的衣服、内衣和其他嫁妆。15世纪当佛罗伦萨的豪门富户特别讲究婚姻要门当户对时，这种箱子达到了艺术的顶峰。常聘请著名的画家在大箱上作画，以为装饰；以战争和古典文学作品为题材的画尤为盛行。许多绘画是从这时期的大箱上保存下来的。16世纪的大箱上雕刻出神话人物和奇形怪状人物，饰以金色石膏像，天使、大量水果和花卉，或添加细工镶嵌。除意大利外，其他许多国家也都使用这种箱子。

cassoulet　法国锅菜　用白扁豆与鲜肉烤制的法国菜肴。起源于法国西南部的朗格多克，曾是一种简单的农家食品，后演变为丰富多彩的佳肴。最早的菜谱出自卡斯泰尔诺达里市，配料有扁豆、鲜猪肉和火腿，以及番茄、大蒜、洋葱、香草和原汤。在卡尔卡松按季节不同另外加羊肉或山鸡肉，而在图卢兹则加鸭或鹅肉（鹅肉片先煮过并用鹅油油封）和图卢兹香肠。在菜上面，用面包屑和鹅油浇盖。

cassowary　鹤鸵　鹤鸵目鹤鸵科动物，产于澳大利亚-巴布亚地区，有数种，体型大，不能飞。鹤鸵目亦包括鸸鹋。已知鹤鸵曾用它的脚猛劈而把人劈死。每足三趾，最内侧的趾

普通鹤鸵（*Casuarius casuarius*）
美国不列颠百科全书公司供图

有一片匕首般的长指甲。能在灌丛中小道上迅速奔驰。头部蓝色，无羽毛，有一骨质头盔保护。成鸟体羽黑色，未成熟鸟淡褐色。每窝产3～6枚绿色卵。卵长13厘米。雄鸟抱卵并照顾孵出不久的幼雏。孵化期约50天。在地面上用植物叶子筑巢。幼雏体上具条纹。吃果实和小动物。有3个（或6个）种，每个种包括几个亚种。产于新几内亚及其附近岛屿和澳大利亚的普通鹤鸵（澳大利亚鹤鸵，*Casuarius casuarius*）是最大的种，体高几达1.5米，喉部有2个红色长肉垂。

cast iron　铸铁　铁的两种形式之一，另一种是熟铁。铸铁含碳2%～4%，还含有数量不等的硅、锰、硫、磷。中国早在公元前6世纪已生产铸铁；欧洲则迟至12世纪才生产铸铁。铸铁仅为次要的金属材料，直到17～18世纪铸造技术改进后，情况才有所改变。铸铁是在高炉内还原铁矿石生产的，放出铁水浇铸冷却成锭，称为生铁。铸铁虽然性脆、抗拉强度低，但不像生产熟铁那样需

要采用锤锻的笨重劳作，从而成为较低廉的产品。铸铁有较高的抗压强度，以致成为首要的结构金属，在19世纪广泛使用，并用于早期摩天楼中。20世纪建筑业铸铁被钢取代，但在工业中仍有许多用途，如汽车发动机缸体、农业机械和机器零件、管道、中空器具、火炉、熔炉等。按照断面颜色，铸铁有灰口或白口之分。灰口铁含硅较高，硬度较低，比白口铁加工性能好。白口铁和灰口铁均较脆。18世纪，在法国发展了将白口铸铁长时间加热处理生产可锻铸铁。1948年在美国和英国发明了在铸造状态下就有延展性的铸铁。这类韧性铸铁，现已形成重要的金属体系，广泛用于齿轮、模具、汽车曲轴和许多其他机械零件。

Castagno, Andrea del　卡斯塔尼奥（约1421，佛罗伦萨共和国卡斯塔尼奥圣戈登佐附近圣马力诺科雷利亚［意大利］～1457-08-19，佛罗伦萨）　Andrea di Bartolo的笔名。意大利文艺复兴早期有影响的画家，其作品以情感强烈和人物形象的自然主义处理手法著称。曾在佛罗伦萨为波代斯塔宫画了一幅描绘被吊的科西莫·德·梅迪契的叛逆者的壁画。1442年到威尼斯，在圣扎卡里亚标有日期的壁画上签上了他和弗朗切斯科·达·法恩扎的名字。其最初的知名作品是《最后的晚餐》和《基督受难》的三个场面，都是为佛罗伦萨的圣阿波洛尼亚女隐修院画的。这些大型壁画显示出马萨乔绘画手法的影响。其在佛罗伦萨为圣米尼亚托·弗拉·莱·托里画的《圣母升天》，风格较为接近哥特式。1451年他接替D.韦内齐亚诺继续完成在圣埃吉迪奥画的壁画。在其杰作《圣尤利安》（1454～1455）中采用了明亮的色调，显露出韦内齐亚诺的影响。他最后标明日期的画（佛罗伦萨大教堂）是尼科洛·达·托伦蒂诺的骑马肖像，富于表现力的写实主义反映出多那太罗的强烈影响。其后，在莱尼亚尼的卡尔杜奇、潘多尔菲尼别墅凉廊的画中，他改变以往的风格，在一个着漆的画框中，画了一组比等身人像还大的《男女名人》（现藏佛罗伦萨卡斯塔尼奥博物馆）。画中表现出来的不仅是技法，亦有人体的运动和面部的表情，创造出戏剧性的紧张气氛。其《但丁》和《皮波·斯帕诺》中，他运用立体感很强的逼真画法，生动地表现出对写实主义的探索。

卡斯塔尼奥所绘《最后的晚餐》
美国不列颠百科全书公司供图

Castalia　卡斯塔利亚泉　诗歌灵感之源泉。卡斯塔利亚原为一个仙女的名字，她投入泉水或是变成泉水，以躲避阿波罗的追求。该泉便以她的名字命名，成了阿波罗和缪斯灵感的源泉。

Castamon（Turkey）　参阅**Kastamonu 卡斯塔莫努**。

castanea　参阅**Brazil nut 巴西果**。

castanets　响板　源自西班牙语castaño，意为"栗木"。板类乐器，由两块凹进的硬木、象牙或其他物质制成。通常握于一手中，一起碰击。作为民间乐器，在西班牙、巴利阿里群岛和南意大利由跳舞的人演奏。梨形的板由绳系在一起套在拇指上，用手指使它们互击。

响板
美国不列颠百科全书公司供图

常见的情况是：左手拿的一对板奏出简单节凑，右手拿的较小的一对板奏出较复杂的节奏。管弦乐队使用的响板有柄，持以摇响，或固定在木块上用手指或鼓槌敲击。古希腊人、罗马人和埃及人演奏的同类乐器，通常是靴形，可能是通过古腓尼基的殖民传入西班牙；而梨形响板则由摩尔人传入西班牙。

caste　种姓　拥有某种特定社会阶级的人类群体，其划分方式大体上按照血统、婚姻及职业而定。种姓制度盛行于印度，溯源于远古，并为每一持有正统观点的人规定出全部社交接触及社会职业的规章和限制。每一种姓有其本身风习，对其成员的职业及饮食习惯进行制约，对他们与其他种姓成员的社交行动亦有所限制。种姓制度在印度得到高度发展，不过这个名称在其他社会中类似的等级森严的群体中同样适用。此名源于葡萄牙语及西班牙语casta，意为"种族"、"种类"或"血统"，最初是由葡萄牙旅行者于16世纪用于印度社会的。印度诸语言里最习用词是查特（意谓"种族"或任何具有共同遗传特征的居民群体），通常是一区域内居民中最小的族外婚社会单元。印度大约有3 000个种姓和25 000多个亚种姓，少者数百人，多者达数百万之众。

传统法律书及民间用法把印度3 000查特或种姓粗略地分为4个瓦尔纳或阶级。最上者为婆罗门（僧侣及学者），其次为刹帝利（武士及统治者），再其次为吠舍（商贾及农民），最低为首陀罗（工匠、劳工、奴仆及奴隶）。从宗教仪节上说，每一阶级的成员各因职业、饮食习惯及风俗上的亵渎而被认为受到不同程度的污染。那些操贱业者被列于首陀罗之下，称为"不可接触者"，现在则因圣雄甘地赋之以新名，改称哈里真，意谓"上帝之子"。印度的穆斯林、锡克教徒，基督教徒因受印度教影响，也各有自己的种姓，不过他们不像印度教徒那样强调食物禁忌和继承的等级地位。习惯上种姓成员只准与本种姓的人结婚，此之谓族内婚。女子与低级种姓男子发生性关系时在正常条件下即意味着她被逐出种姓。男子与低级种姓女子有性行为时，也要降低其社会等级，不过不像女子受罚程度那么严重。

在种姓制度中，污染是一中心概念。身体及饮食洁净的说法，早在梵语文献中即已出现并曾详尽地予以叙述。早期婆罗门阶级大力强调身体洁净与饮食禁忌。后一种习惯有助于积蓄大量"苦行"，以促成达到"解脱"的精神境界，而免于轮回之苦。另一因素是对"不害"（亦即非宗教祭祀不得杀牲）价值的重视程度逐渐增加。根据个人或集体不杀牲以作食用的程度不同，他或他们的圣洁性也就随之增加。牲畜中首先列入免于食用和被视为神圣者是母牛。身体卫生及饮食洁净的观点，导致下述看法：一个人易受外部污染（如与任何体内排泄物接触）和内部污染（如食用不洁食物）；另外，他如与本身不卫生及饮食不洁的人们接触，也会受到污染。由于同一种姓的诸成员习惯上共同烹饪共同进食（即所谓共餐），一个成员受污染后就能在与其他成员来往时污染整个种姓。因此污染就成为一种限度，一个种姓允许在此限度以内行事，而另一个在教仪与社会地位上超越这一种姓的群体就不准许其成员去做同样的事情。然而，每一种种姓所受限制的内容因地区和教派不同而各异。各种姓都有自己的标准，违者要受到本种姓的裁判和处罚，有些传统职业必然是有污染性的，因之就构成低级种姓，如接触死兽者（皮革匠）或接触驱体分泌物者（洗衣匠、理发匠、厕间侍者）。

尽管英国殖民统治长达200年之久，而19世纪受到西方影响的印度改革家不断努力，但印度种姓制度几乎毫无改变地被带到了20世纪。最高等级的是吠陀婆罗门种姓（继续保持吠陀研究及宗教礼仪的诸家族）；最低贱者是不可接触者，过去认为他们的身影都会污染更高一级的种姓。这种极端的见解，到20世纪已有所减轻，部分原因是甘地的影响和历届印度政府努力废除种姓礼仪、取消法律上对不可接触者的种种限制以及普遍提高低级种族的福利等。

到20世纪，特别是印度1947年独立后的几十年间，诸种姓的社会地位上升者越来越多。上升通常都采取查特的形式，通过所谓雅语化过程，采用婆罗门经典所规定的习俗、礼仪和行为模式，以侧身于较高级的瓦尔纳中。一个上升流动的种姓要达到较高的洁净程度，就要放弃早先易致污染的习俗，或限制与本来可以通婚及共餐的群体接触，或增进素食习惯，或另雇其他低级群体的成员来作污染性工作，如洗衣之类。低级种姓可以追求雅语化以期提高其社会地位，那些已然跃居种姓上层的人们则通过欧化来进一步提高自己的地位——也就是说，选择西方文化和思想以及西方的物质消费模式。

城市化和工业化也促使印度社会流动的加剧，因而种姓制度略有改变。现代交通设备、工作场所以及住房条件等，正使印度各个种姓的人们彼此进行密切而不可避免的接触。所以，种姓之间对个人接触所加限制在城市早已松弛，至少在公共场合是如此。传统职业专业化的衰退，亦使种姓制度趋于解体，尤其是在那些工业化程度较高的地区是如此，尽管新兴的或更为现代的职业确有产生新种姓等级的趋势出现。印度宪法已规定不可接触之制为非法（参阅 **untouchable**），并保证全体公民在法律上一律平等。此外，政府还发起许多社会福利项目，专门为提高低种姓者的社会地位而努力。

不过，现代化和经济发展趋向于修改而不是废除种姓制。的确，种姓制度曾显示出足够的灵活性以适应印度新的生活条件，并在这个国家议会民主制的政治框架中正以各种新的形式涌现出来。更为特殊的是，印度教正逐渐与其传统社会结构如种姓、亲族、乡村社区等脱节，而日益被国家、大众宣传媒体及印度政党作为一种政治组织所利用。诸种姓团体也正以空前规模的集团投票的施压形式走向联合，参与各级的政治角逐，争取控制经济机会并为本种姓成员谋求社会福利。因此，尽管出现许多种姓改革运动，并且依法禁止鄙弃"不可接触者"的行为，但种姓联盟始终在印度是一股强大的政治社会力量。同时，种姓制度在乡村中依然保持有巨大势力，而那里是绝大多数印度人民生活的地方。

caste 等级 根据社会性昆虫在其社会中履行职责的不同而划分的类群。所谓不同的职责，即如蜂王生育，工蜂采食，兵蜂保卫群体，雄蜂与蜂王交配。等级表现出结构和行为上的差异，例如工蜂的足上生有花粉篮，而蜂王则没有。蚁、蜂、白蚁和黄蜂是分等级的昆虫。

caste, Christian 参阅 **Christian caste** 基督教徒种姓制度。

caste, Islāmic 参阅 **Islāmic caste** 伊斯兰种姓。

Castel, Charles-Irénée 卡斯泰尔 参阅 **Saint-Pierre, Charles-Irénée Castel, abbé de** 圣皮埃尔。

Castel Gandolfo 甘多尔福堡 意大利中部拉齐奥区罗马省村庄和城堡。位于罗马南面阿尔邦丘陵中的阿尔巴诺湖滨，其宫殿是教皇的著名夏季别墅。作为梵蒂冈的一部分，享有治外法权。有壮丽的梯级公园和建在罗马图密善皇帝别墅废墟上的巴尔贝里尼别墅。该别墅1936年后成为著名的梵蒂冈天文台所在地。1960年奥林匹克运动会划船比赛项目在该村举行。盛产桃、葡萄酒和湖鱼。人口：城区约8 436（2001）。

Castel Sant'Angelo 圣安杰洛城堡 又作 Hadrianeum 或 Sepulcrum Antoninorum。建于135～139年，原为罗马皇帝哈德良的陵墓，后有几代皇帝亦葬于此，5世纪时改为堡垒。在台伯河右岸，守望着圣安杰洛桥（古罗马城主要桥梁之一）。堡垒的平面外方内圆，

圣安杰洛城堡及圣安杰洛桥
美国不列颠百科全书公司供图

方形的各个角上有专门设计的外堡，中央为高大的圆柱形，其中包括厅堂、礼拜堂、住所、天井和监狱。中世纪时主要用作教皇在动乱时的避难所，从拉特兰教堂有一条安全甬道通向堡垒。1901年曾开始修复工作。该城堡的一部分现已改为军事史博物馆。

Castelar y Ripoll, Emilio 卡斯特拉尔-里波尔（1832-09-07，西班牙加的斯～1899-05-25，圣佩德罗-德尔皮纳塔） 西班牙政治家和著作家，19世纪下半期大力倡导西班牙共和制的人物，1873～1874年任第一共和国总统。马德里大学毕业，后来任历史学教授，积极参加政治活动。以发表反对君主制度的演讲出名，为此于1865年遭到解聘。1866年共和派起义失败后，他被判处死刑，因而逃往法国。1868年革命成功后，他回国参加议会，成为共和主义理想的有力维护者。当他任共和国总统时，西班牙正处于极端混乱中。他加强军队，坚决镇压叛乱，并执行与天主教会和解的政策，在"弗吉尼厄斯"号事件上对美国让步。共和派反对他的保守和让步政策，发动军事政变，把他赶下了台。他流亡国外。1874年阿方索十二世（1874～1885）即位后，他回国并进入议会，与君主制妥协但仍主张成立一元化的共和国，实施温和的政策。他身为反对派领袖，但日益为激进共和派所不满。他主张宗教上采取宽容政策，实行普选，废除波多黎各的奴隶制。他有90多部著作，包括长篇小说、历史和政治演说。

Castelfranco Veneto 威尼托自由堡 意大利北部威尼托区特雷维索省西部一城市。有中世纪的围墙环绕着12世纪城堡的遗址。化名乔尔乔涅的画家佐尔奇·达·卡斯泰尔弗兰科在此出生。市内18世纪大教堂藏有乔尔乔涅最佳作品之一的《圣母子与圣方济各和圣利贝拉在一起》（1504）与P. 韦罗内塞的壁画。生产纺织品和电器。人口：城市区约29 605（1993）。

Castell-Nedd（Wales） 参阅 **Neath** 尼思。

Castellammare di Stabia 斯塔比亚海堡 意大利南部坎帕尼亚区那不勒斯省城市和主教区。位于那不勒斯东南部那不勒斯湾的东南角。市名源出古罗马游览地斯塔比亚（公元79年维苏威火山爆发时被毁）和神圣罗马皇帝腓特烈二世所建的城堡（仍保有遗址）。为著名风景区和矿泉疗养地、夏季避暑及游览胜地，又是工商业中心。有兵工厂和大型造船厂；该造船厂曾生产过供瑞士物理学家A.皮卡德作海底勘察用的深海潜艇。人口：城市区约67 974（1993）。

Castellanos, Rosario 卡斯特利亚诺斯（1925-05-25，墨西哥墨西哥城～1974-08-07，以色列特拉维夫） 墨西哥小说家、短篇小说作者、诗人、评论家和外交家，或许是20世纪墨西哥最重要的女作家。她于1950年写成的硕士论文《论女性文化》成为呼唤自我意识的现代墨西哥女作家的转折点。恰帕斯一地主的独生女，曾在墨西哥和欧洲接受极好的教育。1960～1966年间任墨西哥国立自治大学的出版社社长。之后曾在美国各大学任客座教授。后返回墨西哥担任国立自治大学比较文学教授。1971年出任墨西哥驻以色列大使。3年后在特拉维夫家中意外触电身亡。她对两位女作家的著作特别感兴趣：阿维拉的圣泰拉萨（西班牙16世纪宗教激进分子和作家）和墨西哥17世纪修女诗人胡安娜。她本人是知识渊博的天主教教徒，她的作品使人想起了克罗斯的圣约翰的诗歌。她

在诗中对社会的不公正表达了愤怒,而在宇宙之美面前则表达了狂喜之情。她的诗与同时代的O.帕斯的诗一样强劲有力,而且同样有着独创性。其最著名的小说《哀伤篇》(1962)再现了19世纪发生在圣克里斯托瓦尔-德拉斯-卡萨斯城的印第安人的叛乱。

Castello Sforzesco (Milan castle and museum) 参阅 **Sforzesco Castle 斯福尔扎城堡收藏馆**。

Castellón 卡斯特利翁 西班牙东部巴伦西亚自治区省份。为与巴伦西亚古国范围相当的三省中最北部的省。面积6 662平方千米,可分为西北部荒凉的马埃斯特拉斯戈山区、米哈雷斯和帕兰西亚河谷地以及地中海沿岸平原三个地区。经济以伐木、畜牧、谷物种植和农业为主。轻工业集中在省会**卡斯特利翁-德拉普拉纳(Castellón de la Plana)**和翁达、阿尔科拉、比利亚雷亚尔等城镇。布里亚纳、比纳罗斯和贝尼卡洛三港为渔业基地。科斯塔-德尔阿萨阿尔的地中海沿岸旅游业发达。人口约442 049(1992)。

Castellón de la Plana 卡斯特利翁-德拉普拉纳 西班牙东部巴伦西亚自治区卡斯特利翁省省会。地处靠近地中海海岸的肥沃平原上,在巴伦西亚市以北。原址在拉马格达莱纳山顶。1233年由阿拉贡国王詹姆斯一世从摩尔人手中收复。1251年应当地居民请求迁至地中海沿岸平原。1833年设为省会。1873年设市。名胜有一14世纪哥特式教堂(其钟楼[1591～1604]高46米)及17世纪市政厅。出口柑橘、麻和彩绘瓦。旅游业不断发展。人口:城市区约135 683(1992)。

Castelnau, Michel de, SIEUR(sire) DE LA MAUVISSIÈRE **卡斯特尔诺**(1520?,法国图赖讷拉莫维西埃尔～1592,茹安维尔) 法国外交家和军人。《卡托-康布雷齐条约》(1559)缔结

美国不列颠百科全书公司供图

后,开始为国王效劳。1560年奉命出使英格兰、德意志、萨伏依和罗马。弗兰西斯二世逝世后,他奉命护送玛丽·斯图亚特女王回苏格兰。1562年回到法国后,与布列塔尼和诺曼底的胡格诺派作战。1572年,国王查理九世派他到英格兰、德意志和瑞士,平息由于圣巴托罗缪节屠杀法国新教徒而引起的愤怒情绪。从1575年起任亨利三世驻英格兰女王伊丽莎白一世宫廷大使,但未能完成他的一项主要任务,即为伊丽莎白和亨利三世之弟阿朗松公爵的婚姻进行谈判。他在英格兰期间撰写了宗教战争(1562～1598)初期的《回忆录》,在他去世后于1621年出版。

Castelnuovo-Tedesco, Mario 卡斯泰尔诺沃-泰代斯科(1895-04-03,意大利佛罗伦萨～1968-03-15,美国加利福尼亚好莱坞) 意大利出生的新浪漫主义风格作曲家。师承I.皮泽蒂,20世纪20年代名闻遐迩。1939年因墨索里尼排犹政策而移居美国好莱坞。其《第二钢琴协奏曲》上演时,自任钢琴独奏。卡斯泰尔诺沃-泰代斯科还写有3首小提琴协奏曲、1首大提琴协奏曲、1首吉他协奏曲。管弦乐作品有莎士比亚12部戏剧的序曲,并为莎士比亚许多十四行诗与诗歌作配乐。曾以莎士比亚剧本创作了两部歌剧:《威尼斯商人》(1961)与《皆大欢喜》(1957)。所作室内乐的配合多种多样,钢琴曲构思为微型交响诗,歌曲保留了意大利乐派的旋律优美,和声浓艳并且常常很复杂。

Castelo Branco 布朗库堡 葡萄牙中部的区。西北面有埃什特雷拉山(1 993米)和瓜尔杜尼亚山(1 227米)耸立。在这两座山脉之间的上泽济里河河谷中是有水灌溉的肥沃的农业盆地科瓦德贝拉。南部高地较为贫瘠,地势起伏的丘陵地带只能生长软栎木和橄榄小树林。经济还有牲畜饲养、谷物种植、采矿和制造业。伊达尼亚工程使蓬苏尔河上的卡莫纳水坝的灌溉面积达14 000公顷左右。科维良有重要纺织厂,开采的矿产有锡、锌和钛,面积6 675平方千米。人口约213 300(1992)。

Castelo Branco 布朗库堡 葡萄牙中部布朗库堡区城市及首府。靠近西班牙边界。四周地区曾被罗马军团占领,多罗马遗迹。原为一边疆古塞,1209年由圣殿骑士团建立城镇;其城堡(经修复)为当地名胜。其他名胜有大教堂和主教宫。为重要道路交通枢纽,以生产手工刺绣亚麻布床罩闻名。盛行软木、葡萄酒、橄榄油和乳酪贸易。人口约26 410(1991)。

Castelo Branco, Camilo 卡斯特洛·布兰科(1825-03-16,葡萄牙里斯本～1890-06-01,赛伊德) 葡萄牙小说家。他的58部长篇小说从情节火爆的浪漫主义到现实主义,品类繁多。他有时被称为葡萄牙的巴尔扎克。他是非婚生孤儿,出生于葡萄牙北部。曾在波尔图学习医学和神学,后改行从事文学创作。早期写哥特式小说,如《里斯本的秘密》(1854)、《迪尼斯神父的黑皮书》(1855)。后来文笔更趋成熟,写出了《幸福在哪里?》(1856)和《复仇》(1858)。他曾多次恋爱,1861年同一个波尔图商人的妻子私奔被捕入狱。他在狱中以两个星期时间写成其最著名的作品《毁灭性的爱情》(1862),写一对恋人由于家庭反对不能结合,终于使男主人公犯罪逃亡的故事;表现了他对人生的观点:激情具有无可抑止的力量,社会偏见是无法克服的障碍,两者的冲突,往往导致悲剧、罪恶和在痛苦中赎罪。1864年出狱后,继续从事创作,写了大量质量参差不齐的诗、戏剧等,小说则有好有坏,其中许多是应出版商之邀而作。1885年获封子爵。后因儿子疯癫,本人健康衰退,双目即将失明而自杀。卡斯特洛·布兰科的大部分作品,仅仅是达到通俗小说的水平,但有

美国不列颠百科全书公司供图

些作品,如《毁灭性的爱情》、《一个富人的爱情故事》(1861)、《里卡迪娜的肖像》(1868)等均具有悲剧的性质,写得简洁有力。就气质和信念而论,他是一个浪漫主义者,虽然他的《米纽短篇小说集》对米纽的乡村生活作了客观的描绘,颇接近自然主义,但他又同突然出现的自然主义派别展开文学论争。

Castelo Melhor, Luiz de Vasconcelos e Sousa, 3° conde de(3rd count of), 6° CONDE (6th count) DA CALHETA **卡斯特洛·梅略尔**(1636～1720-08-15) 即卡列塔伯爵(第六)。葡萄牙王室宠臣,1662～1667年为葡萄牙的有效治理者,对导致1668年承认葡萄牙独立的反对西班牙的战争作出贡献。1662年阿方索六世任他为枢密官,行使首相职权。在对西班牙的战争中,他克服国家的种种困难,改组军队,提拔有能力的军官。并因英葡联姻而得到英军之助。1663～1665年,葡萄牙胜利在望,西班牙开始求和。两国协议难于达成,葡萄牙国内政局转而恶化。国王不得不在1667年9月9日免去卡斯特洛·梅略尔的职务,不久自己也大权旁落。卡斯特洛·梅略尔后来流亡巴黎和伦敦。1685年获准回国。约翰五世即位(1706)后,他被任命为国家参议官,直到去世。

Castelrosso (Greece) **卡斯特尔罗索** 参阅 **Kastellórizon 卡斯泰洛里宗**。

Castelvetrano 卡斯泰尔韦特拉诺 意大利西西里岛西部特拉帕尼省城镇。历史建筑物有圣多明我教堂(1470)和圣母教堂(16世纪)。市政厅内有一座5世纪的塞利努斯青丁青铜雕像。为所在葡萄酒产区服务中心;生产家具。人口:城市区约30 193(1991)。

Castelvetro, Lodovico 卡斯特尔韦特罗(约1505,摩德纳公国～1571-02-21,瑞士邦联基亚文纳) 文艺复兴时期执牛耳的意大利文学评论家,以翻译亚里士多德的《诗学》及由此独立得出的结论而垂名后世。他维护戏剧上时间、地点和情节的一致性,为此,他为文

艺复兴和法国新古典主义时期确定了评论戏剧的准则。他又主张写诗仅仅是为了自娱娱人。出身贵族。先后在博洛尼亚、费拉拉和帕多瓦攻读法律，后去锡耶纳研究文学。1570年《亚里士多德〈诗学〉通俗读本》出版。此书虽然在传播亚里士多德的思想方面往往有误，但在戏剧史和评论史上影响巨大。他强调戏剧的现实主义，澄清修辞学和诗的区别，并反对早期认为诗不仅是娱乐而且是教导的工具的观点。

Casti, Giovanni Battista　卡斯蒂（1724-08-29，教皇国阿夸彭登泰～1803-02-05，巴黎）意大利诗人、讽刺作家、喜歌剧歌词作者。主要因讽刺诗《鞑靼诗歌》和《能言的动物》而闻名。曾入教团，后还俗，作为诗人奔走于德国、奥地利和俄国宫廷之间。1778年他在圣彼得堡访问了叶卡捷琳娜女皇的宫廷，虽然受到隆重的礼遇，但在《鞑靼诗歌》(1787)中仍嘲讽了女皇的媚态。回到维也纳后，于1790年获得桂冠诗人称号。晚年在巴黎度过。另一部主要著作《能言的动物》(1802)，把欧洲各国喻为动物，将君主制度的观念与法国大革命产生的共和精神作对照。他还为A.萨利埃利和G.帕伊西埃洛的乐谱配过词。

Castiglione, Baldassare　卡斯蒂利奥内（1478-12-06，意大利曼图亚附近卡萨蒂科～1529-02-02，西班牙托莱多）　意大利外交官、侍臣。其《侍臣论》使他成为文艺复兴时期贵族礼仪的权威。曾在米兰一所人文主义学校受教育，并学习骑士技艺。1499年为曼图亚的侯爵F.贡扎加、1507年为乌尔比诺的公爵圭多巴尔多供职。1506年奉命前往英格兰替圭多巴尔多接受嘉德勋章。1509年跟随教皇军队的司令官D.罗韦雷参加对威尼斯的战争。1511年参加教皇尤里乌斯二世的米兰多

美国不列颠百科全书公司供图

拉围城之役。为表彰其功绩，他被封为佩萨罗附近的诺维拉腊伯爵。1513年作为乌尔比诺公爵的使臣，出使罗马利奥十世的宫廷。1524年受命为教廷首席官员，1525年作为罗马教皇驻查理五世宫廷的使节，前往西班牙。《侍臣论》(1528)采用对话体，描写理想的侍臣、贵妇人以及侍臣和王公之间的关系。该书是16世纪杰作之一，出版后在国外很受赞赏，并被译成多种文字，在当时极有影响。

Castiglione, Giovanni Benedetto　卡斯蒂廖内（约1616，热那亚～1670，教皇国曼图亚）法语作 Le Benédette。别名 Il Gerchetto。意大利画家，版画史上重要的技术革新家。先是风格主义者，画风高度矫揉造作；一生作品很多，留下多幅肖像画、历史画和风景画；擅长描绘集市、市场和乡村景象。是目前所知第一个从事独幅版画的人，也是最早利用明暗对比法作木刻的人。

Castiglione, Guiseppe　郎世宁（1688-07-19，意大利米兰～1766-07-16，中国北京）　天主教耶稣会修士、意大利画家、建筑家。1715年东来，至其去世，在中国生活了50年，对东西

郎世宁的《八骏图》
中国大百科全书出版社供图

文化交流作出贡献。先为传教士，不久任清王朝宫廷画家。《石渠宝笈》著录其作品56幅。擅长肖像、花鸟、山水、走兽，尤工画马。画过多幅宣传政绩、表扬战功和反映兄弟民族友好关系、具有纪念意义的作品。参酌中西画法，写实能力很强，注意透视和明暗关系。他本工油画，皇帝却命他用中国工具画中国画，造型观点完全改变，成东方本色，确属难能，因他重视形似，神韵未足，故虽对中国绘画艺术注入新的血液，在中西文化艺术交流史上做出一些成绩，当时也受到人们的重视，最后毕竟影响不大。他还在1747～1757年参与圆明园中带有西方巴罗克风格的建筑设计工作，屋顶上的琉璃瓦和兽形飞檐采用中国的传统式样。俗名“西洋楼”，残迹至今犹存。

Castiglione, Pierre-François-Charles Augereau, duc de（duke of）　**卡斯蒂廖内公爵**　参阅 **Augereau, Pierre-François-Charles** 奥热罗。

Castiglioni, Francesco Saverio（pope）　**卡斯蒂格里奥尼**　参阅 **Pius VIII** 庇护八世。

Castiglioni, Goffredo（pope）　**卡斯蒂格里奥尼**　参阅 **Celestine IV** 切莱斯廷四世。

Castile　卡斯蒂利亚　西班牙语作 Castilla。西班牙中部传统地区，占西班牙本土面积1/4以上。北部称旧卡斯蒂利亚，南部称新卡斯蒂利亚。此地区是卡斯蒂利亚王国的核心。15世纪末16世纪初，西班牙在该王国的统治下归于统一。卡斯蒂利亚一词意为“城堡之地”，此名于公元800年前后开始使用。当时指现代布尔戈斯省最北部坎塔布连山山脚的一小块地区。9世纪中叶，卡斯蒂利亚有所扩展，但仍然是一些分散的小县郡的集合体，各县郡的统治者由阿斯图里亚斯和莱昂二王国的国王指派，直至卡斯蒂利亚第一代伯爵费尔南·冈萨雷斯(970卒)统一全卡斯蒂利亚为止。自此开始了卡斯蒂利亚的政治史。冈萨雷斯设此地为其家族世袭领地，从而在莱昂国王的统治下保有一定的自治权。他在位时伯爵领地的首府设在布尔戈斯，并向南扩张至摩尔人的领土。在加西亚·费尔南德斯(1005卒)和桑乔·加西亚(1017卒)两伯爵的时代，卡斯蒂利亚的疆域扩展至杜罗河。当时莱昂国王 名义上对卡斯蒂利亚仍享有宗主权，但与之屡屡交恶。桑乔三世纳瓦尔大帝之母为卡斯蒂利亚人，1029年他将卡斯蒂利亚从莱昂王国中独立出来，1035年临终封此地于次子，即第1代获卡斯蒂利亚国王称号的费迪南德一世（1037 ～ 1065）。1072～1157年，卡斯蒂利亚又与莱昂合并，但其后此二王国再次分开。卡斯蒂利亚对莱昂在政治和军事上的统治权是由卡斯蒂利亚的阿方索八世建立起来的，他于1188年逼迫莱昂国王对他称臣。当时卡斯蒂利亚的版图已远及塔古斯河以南，东至今亚拉冈的边界。但历代莱昂国王从未承认卡斯蒂利亚的宗主国地位，因此莱昂的阿方索九世在卡斯蒂利亚国王阿方索对穆瓦希德的穆斯林柏柏尔王朝的战争中拒绝支持卡斯蒂利亚一方。这样，卡斯蒂利亚营求取得对莱昂的政治霸权，削弱了基督教对抗穆斯林的力量。1230年卡斯蒂利亚国王费迪南德三世继承莱昂王位，于是两王国最终在卡斯蒂利亚领导下实行统一。在此期间，西班牙的托莱多穆斯林王国于1085年被卡斯蒂利亚吞并，至12世纪中期，卡斯蒂利亚在西班牙的政治霸主地位已是既成事实。在中世纪后期，欧洲各国宫廷往往把卡斯蒂利亚与西班牙视同一体。基督教徒最后征服在最南端由摩尔人占据的安达卢西亚大部，是在费迪南德三世的时期实现的。1383～1385年，卡斯蒂利亚人欲以武力并吞葡萄牙未果。1412年卡斯蒂利亚亲王费迪南德一世登上阿拉贡王位，部分原因是卡斯蒂利亚给予该国经济支持和军事压力。此事预示了1479年卡斯蒂利亚和阿拉贡两国王位由费迪南德与伊莎贝拉以个人结合的形式的联合。1512年，纳瓦拉王国的西班牙部分为卡斯蒂利亚并吞，遂形成现代的西班牙。西班牙统一后，文学语言采用卡斯蒂利亚口语，卡斯蒂利亚一直是西班牙的政治和行政中心。传入拉丁美洲的西班牙文化也大多是卡斯蒂利亚文化。但中世纪曾享有全部或部分独立的地区现在反对卡斯蒂利亚政治霸权的力量仍很强大，且至今仍是一个很现实的问题，尤其是因为西班牙工业力量的中心大部分不在此地区，地势上也使卡斯蒂利亚的

经济处于落后地位。一向有些人夸张地认为,卡斯蒂利亚王国在中世纪有比较发达的统一观念和国家命运意识,因而比临近其他国家更为进取,但其在西班牙历史上起支配的作用也可能是源自其人民的威武不屈的尚武精神和军事组织。

Castile, New (Spain) 参阅 **New Castile** 新卡斯蒂利亚。

Castile, Old (Spain) 参阅 **Old Castile** 旧卡斯蒂利亚。

Castile-La Mancha 卡斯蒂利亚-拉曼查 西班牙一自治区和历史地区,由托莱多、雷阿尔城、昆卡、瓜达拉哈拉和阿尔瓦塞特五省组成。1982年建自治区。西邻卡塞雷斯、巴达霍斯二省;东连阿利坎特、巴伦西亚、特鲁埃尔三省;南与科尔多瓦、哈恩、穆尔西亚三省交界;北接萨拉戈萨、索里亚、塞哥维亚、马德里、阿维拉五省。海拔不高的托莱多山脉将该地区一分为二,塔古斯河流经北部拉阿尔卡里亚高地,瓜迪亚纳河流经南部拉曼查平原。拉阿尔卡里亚高地与北面的中部山脉、东面的伊比利亚山脉相连;拉曼查平原向东南延伸到阿尔瓦塞特省巴埃蒂卡山脉。莫雷纳山脉位于南部。当地属地中海型气候,但受大陆气候影响。气温由东到西、由北到南逐渐升高。年降雨量较小,仅在昆卡省超过500毫米,且集中在春、秋两季。该区人口大量涌入首都马德里。昆卡和瓜达拉哈拉两省山区尤其如此,但省城自1900年以来人口增长一倍。移民多为年轻人。伊比利亚山区人口较分散,全区居民主要集中在有大量农业的城镇拉曼查地区。当地地下水位较高,有利于多样化农业生产。拉曼查地区农用地多为大庄园,而塔古斯河以北地区则多为小块地产。农业在经济中占支配地位,大部耕地为旱地,生产小麦、葡萄和橄榄,也种植葵花、番红花、漆树和棉花。农业机械化在山区难以推广,落后于全国平均水平。畜牧业产值约占该区农业总产的1/3,集中在瓜达拉哈拉省,主要饲养绵羊、猪和山羊。全区面积的1/3为林区,但尚未充分开发。除雷阿尔城省外工业不发达。该省一大型炼油厂已使普埃托利亚诺成为主要石油化工工业中心。阿尔马登生产水银。采矿业仅在雷阿尔城省十分重要。瓜达拉哈拉省有重要铁矿。昆卡省开采高岭土。制造业以原材料加工业为主,加工全国所产面粉的一大部分。该地区酿造的葡萄酒占全国产量的1/2。各省省会均为商业中心。能源不足,全境缺水妨碍了水力发电的发展。索里塔德洛斯卡内斯有一座核反应堆。国家抽象派艺术博物馆1966年建于昆卡市。托莱多省出产的多彩陶器14世纪起便销路很好,其设计显出穆迪扎尔、哥特及文艺复兴风格。人口约1 670 091(1986)。

Castile and León 卡斯蒂利亚和莱昂 西班牙自治区及历史地区,在西班牙中部偏北,由巴利亚多利德、布尔戈斯、莱昂、萨拉曼卡、萨莫拉、帕伦西亚和塞哥维亚七省组成。自治区于1983年设立,相邻的省份有:西北面的奥伦塞省和卢戈省,北面的奥维耶多省和桑坦德省,东北面的比斯开省和阿拉瓦省,东面的洛格罗尼奥省和索里亚省,东南面的瓜达拉哈拉省和马德里省以及南面的阿维拉省和卡塞雷斯省。萨拉曼卡与萨莫拉两省在西面和葡萄牙接壤。卡斯蒂利亚-莱昂属于中央高原,杜罗河自东至西横贯境内。坎塔布连山耸立于北部,它与东北面的伊比利山之间隔有一地势和交通上颇重要的走廊——拉布雷瓦高原。南面有中央山脉拔地而起,安卡雷斯、科雷勒和埃赫等高原地势渐低,延伸入葡萄牙。当地属大陆性气候,但受海洋气候影响。年降雨量低,为400～600毫米,集中在春、秋两季。山区降雨量较高,常有雪。1900年以来,卡斯蒂利亚-莱昂人口占西班牙人口的百分比急剧下降。农村人口大量外迁,结果居民越来越多地集中于城镇,尤其是各省省会。准平原上城镇一般比坎塔布连山和伊比利山附近的村庄较为集中。私有小块土地在农村中占绝大多数,各由其所有者耕种。在萨莫拉和莱昂两省多山的边缘地带上的牧地和森林地为公共所有。农田分为小块,阻碍了农业机械化的发展,使从事农业的人所占劳动力比例偏高。多数田地为旱地,主要种小麦。葡萄种植大多限于贫瘠的农田,其重要性逐步降低。巴利亚多利德和莱昂两省水利灌溉发达;作物有甜菜、马铃薯和菜豆。畜牧业在地区农业生产中占比例很大,主要饲养绵羊、乳牛和菜牛,马、骡饲养头数渐少。巴利亚多利德省有养鸡业。林业为山区的主要行业。1945年始发展工业,但进展缓慢。国家工业研究所通过给予长期贷款和降低税收等手段促进巴利亚多利德市工业化,该市有多种制造业,生产汽车、肥料和纸张。布尔戈斯工业发展始于1964年,该市为本地区主要工业中心。莱昂、萨莫拉和萨拉曼卡三省所产无烟煤约占全国产量的1/4。莱昂省的利略镇有丰富的滑石矿。萨拉曼卡和萨莫拉两省以坝蓄水的发电量占西班牙水力发电量1/4;装机容量达200万千瓦以上,该省生产电力多数输送到巴斯克和马德里两省的工业中心。该自治区有些地方操莱昂方言,是西哥特时期流传下的土语;莱昂、萨莫拉、萨拉曼卡和巴利亚多利德各省均使用此种方言。山区的农舍通常为多层石木结构;自治区中央部分房屋建筑用砖坯。莱昂人所居的城镇马勒加特里亚同族通婚的习俗延续至19世纪;该镇的社会直到19世纪后期仍实行母权制:妇女下田地操作,而男子赶骡。马蒂·特莱诺是主神朱庇特的化身,是附近山岗的山神。人口约2 508 496(1996)。

Castilho, António Feliciano de 卡斯蒂略(1800-01-28,里斯本～1875-06-18,里斯本)葡萄牙诗人、翻译家、葡萄牙浪漫主义运动的中心人物。虽自幼失明,却成为第一流的学16岁时即发表了一系列诗歌、翻译作品和教育著作。1837年出版他的《全集》,成为里斯本文坛人物之一。同年,受托主持重要的《全景报》工作。1838年起,开始和加雷特合作,从事复兴民族戏剧。同年,开始撰写《葡萄牙的历史画》,一本叙述中世纪葡萄牙英雄生平事迹的浪漫主义作品。1842年主

美国不列颠百科全书公司供图

编重要文化刊物《里斯本人环球评论》。从事农业改良归来以后,他从未全心全意地接受浪漫主义;他治学甚勤,但缺乏想象力,终于开始回到高雅的传统主义。他的声望虽然已经达到顶点,但他那毫无生气的文学风格却引起年轻一代作家的反叛。肯塔尔撰写小册子《高见识和高品味》(1865),反驳卡斯蒂略对某些年轻作家的批评,导致葡萄牙文学史上最著名的一场论争,即"科莫布拉问题",这推翻了他的文学独裁者的地位。

Castilian dialect 卡斯蒂利亚方言 又译卡斯提方言。西班牙语作Castellano。西班牙语(**Spanish language**)的一种方言,是现代标准西班牙语的基础。原为西班牙中北部坎塔夫里亚地区方言,其后通行于卡斯蒂利亚。15世纪末卡斯蒂利亚王国和莱昂王国、阿拉贡王国合并后,卡斯蒂利亚方言成为整个西班牙的标准语,而在以后几个世纪里,也成为西属美洲地区的标准语。

Castilla (region, Spain) 参阅 **Castile** 卡斯蒂利亚。

Castilla, Ramón 卡斯蒂利亚(1797-08-27,秘鲁塔拉帕卡～1867-05-25,智利阿里卡)秘鲁军人,政治家。他以总统或幕后掌权者的身份统治秘鲁近20年,他是保守派,却明智地向社会各阶层作出让步,使国家保持长期的政治稳定和经济发展。青年时代为西班牙人作战。他被智利爱国者俘虏后,又掉过枪口对西班牙人作战。他曾与J. de 圣马丁和S. 玻利瓦尔并肩战斗,表现十分英勇。1841年,他在A.加马拉总统死后出现的无政府状态中接管政权,并于1845年当选总统,任职到1851年。1855年推翻继任的J.R.埃切尼克,执政到1862年。当卡斯蒂利亚接管政权时,秘鲁已经历了近20年的动乱。他态度坚决,手腕灵活。执政时秘鲁发现储量丰富的鸟粪层和硝石,得以利用这些资源的收入发展经济,偿还国债,建立学校,改善交通,扶植国内商业。他废除黑奴制和印第安人的人头税,取消教会法庭和什一税。1860年,他支持秘鲁的新宪法。这部宪法限制公民权,授与总统以广泛的权力,承认天主教会为唯一教会,并一直生效到1920年。1862年他的家长式独裁统治结束,国家再度陷入20年动乱。

Castilla la Nueva (Spain) 参阅 **New Castile** 新卡斯蒂利亚。

Castilla la Vieja(Spain)　参阅**Old Castile**旧卡斯蒂利亚。

Castillejo, Cristóbal de　卡斯蒂列霍(1490?, 西班牙罗德里戈城～约 1550-06-12,维也纳)　西班牙诗人,最先对西班牙诗人 G. 德·拉·维加和加泰隆诗人 J. 博斯坎模仿意大利诗体进行革新给予批评。他是专门使用中世纪八音节诗句写作的最后一批西班牙诗人之一。他无情地抨击同时代人引进的新的意大利式格律。他为传统的西班牙格律的优越性辩护。卡斯蒂列霍也以其所作色情诗《爱情的说教》(1542)著称于世。该诗集由于使用《圣经》文字而犯不敬罪,一部分为宗教裁判所查禁。

Castillo, Ana　卡斯蒂略(1953-06-15, 美国伊利诺伊芝加哥～　　)　全名 Ana Hernandez del Castillo。美国女诗人和作家。她的作品探索种族、性欲和性别等主题,尤其是当它们与权力问题发生联系时。曾在东北伊利诺伊大学学习艺术,1975 年获文学士学位。在校期间参与西班牙裔美国艺术家、激进分子和知识分子圈的活动。第一部诗集《新诗》(1977)是一本小册子。1979 年在芝加哥大学获社会科学硕士学位。之后不久出版了第二部小册子《邀请》,内容为女性讲述其性爱的经历。《女人不是玫瑰》(1984)一书探究穷苦的工人阶级妇女的困境,她们必须在献身于色情抑或献身于阶级斗争两者之间作出抉择。在《米什计阿华拉的信件》(1986)中,作者对拉美裔妇女和她们的性欲进行探究。小说以实验形式写成,内容是两位拉丁语系妇女在 10 年间寄出的信件。出了三种不同的版本供"遵纪守法者"、"愤世嫉俗者"和"空想主义者"这三种不同类型的读者阅读。其他著作有:诗集《零起点使我饥渴》(1975)和《我父亲是托尔特克人》(1988);小说《远离上帝的地方》(1993)和短篇小说集《追求女色者》(1996)等。

Castillo, Michel del　卡斯蒂略(1933-08-02, 西班牙马德里～　　)　西班牙裔小说家,以法语写作。1939 年随母从西班牙逃亡法国后又一同被囚于纳粹集中营。24 岁时因发表中篇小说《坦吉》(1957)成名。小说描写他作为政治难民和集中营囚徒的亲身经历,它同《一位少女的日记》(又译《安娜·弗兰克日记》)一样,是一个孩子所目睹的残酷历史事实,因而更加显得凄楚动人。《坦吉》及其后的《贴招贴的人》(1958),都显示出一个少年的头脑过早地陷于政治怀疑主义和宗教信仰危机,以及由此产生的混乱,但没有失去对人类的信心。它们反映了他对社会不公平的焦虑,以及渴望有兄弟情谊的抚慰。由于他深情地喜爱西班牙,后来回国。在《吉他》(1957)中,描写了在痛苦中挣扎的西班牙土地。在《西班牙诡计》(1960)中,讽刺了宗教信仰。其他作品有《石头的沉默》(1975)、《西班牙巫术》(1977)、《柏树在意大利死去》(1979)等。

Castillo de San Marcos National Monument　圣马科斯堡国家保护区　美国最古老的由西班牙人建筑的石砌城堡所在地。在佛罗里达州东北部,1924 年设立,面积 10 公顷。城堡于 1672 ～ 1695 年由西班牙人建造,用以保卫圣奥古斯丁市。呈棱形,墙高 30 英尺(9 米),厚 12 英尺(4 米),四周有护城壕。1819 年美国夺占佛罗里达后,曾被用作军事监狱。

Castillo Solorzano, Alonso de　卡斯蒂略·索洛萨诺(1584, 西班牙托德西利亚斯～1648)　西班牙小说家、戏剧家,才能主要表现在短篇小说创作上。他的作品一般都是冒险故事,写得巧妙曲折。许多故事大多能巧妙地连接在一起,或间接模仿《十日谈》,采用框形结构将故事串连起来。他的流浪汉小说多数以女流浪者为主角或配角。

Castillon, Battle of　卡斯蒂永战役(1453-07-17)　英法百年战争的最后一役。1451 年,法国人从英格兰人统治下收回吉耶讷和加斯科涅,但居民群起反对久已生疏的政权,所以,当 1452 年 10 月施鲁斯伯里伯爵(约翰·塔尔博特)率领英军抵达波尔多时,受到居民的欢迎。翌年夏,法军开来,准备再克吉耶讷。法军在卡斯蒂永城外扎营。施鲁斯伯里以 1 000 名骑兵前去进攻,后续有 5 000 名步兵。法军的大炮使英格兰骑兵遭受重大的损失。虽然施鲁斯伯里的步兵正在激战时到达战场,但是英军终被法军击溃。施鲁斯伯里阵亡,卡斯蒂永驻军次日投降。10 月波尔多投降,吉耶讷和加斯科涅重归法国,百年战争遂告结束。

Castine　卡斯廷　美国缅因州南部汉考克县城镇和具有历史意义的游览胜地。位于佩诺布斯科特湾的一个海岬上,与贝尔法斯特(西)隔海相对。在英法争夺对阿卡迪亚海岸控制权的长达 200 年的斗争中,占有重要地位。1613 和 1626 年法国人及普利茅斯殖民当局先后在此建立贸易点。1760 年英国人在此定居。镇内有历史遗迹 100 多处,如乔治堡和麦迪逊堡等。威尔逊博物馆陈列有殖民时代、独立战争时期以及印第安人的手工艺品。1941 年建立缅因海洋学院,"缅因州"号训练舰现停泊于此。面积 20 平方千米。人口1 343(2000)。

casting　浇铸　在金属和塑料工业中,将熔融的物料注入或压入铸型中并使其硬化的方法。参阅 **founding**。

castle　城堡　中世纪欧洲要塞,多系国王或贵族领主领土内的住所。有时指史前土木工事,如英国的梅登堡。castle 一词还有不同语言形式(如 château, castello 或 Burg 等),用以指豪华宅邸或乡间庄园。

城堡从 9 世纪起在欧洲西部迅速兴起。法国 10 世纪城堡多建在山丘上,有壕沟环绕,内耸立领主居住的塔楼,在布卢瓦及索米尔等城堡中便是如此。后又在山脚构筑一道或多道内有一些空地的外墙或城廓。11 世纪中,这种称为"山丘城廓"的私人城堡在欧洲西部盛行。

城堡周围城墙的厚薄视所在地点的天然地形的防御性能而异,一座城堡不同地点的城墙厚薄可大不相同。外墙常由一道或数道壕沟作防御,只在城门外的壕沟上架有吊桥,吊桥由城堡内拉起时壕沟即无法通过。城门外常有一外堡亦即以墙围住的外围工事,城门门道内有可升降的闸门以及门扇和枪眼,都用作防卫。闸门一般由橡木制成,有铁板包镶,在石槽中升降以阻塞或打开门道。枪眼有两种,一种是门道顶上的开口,敌人通过门道时,可从此向企图强行通过的敌人进攻,另一种开在城门和城墙的胸墙上的梁托之间,从此种枪眼中可向下面的敌人射击或掷物以置城下敌人于死地。

威尔士圭内斯郡梅里奥尼斯的哈勒赫城堡,爱德华一世建于 1285 年

美国不列颠百科全书公司供图

山脚下之城廓外有坚固的木栅,后改为石砌的围墙和塔楼。几乎在欧洲西部构筑炮楼的同时,又建造起一种更为坚固的长方形塔楼式城堡。如 1020 年前后在法国洛什的城堡塔楼和 1130 年前后在英格兰罗切斯特的城堡塔楼。

城堡塔楼是城堡的核心。在城堡被围时,一旦外围工事陷落,全部守军将撤至此防御体系中最坚固、防守最严密的部分。其中有水井一口、私人住室、办公室及服务用房,并备有供长期固守的一切设施。塔楼通常与外围防线联成一线,这样在面向城廓(或城廓延伸处)的一侧可以指挥该处的防御行动,而另一侧可以指挥野外及城堡各入口处的战斗。塔楼有可能受到野战威胁的一侧有一条撤离的路线。

第三次十字军远征(1189 ～ 1192)以后,新堡址往往尽量选在陡峭的山顶上,背靠悬崖,防御重点便可集中在入口的方向,该处常修筑两、三道前卫工事。生活区(府第、内部事务机构和教堂等)都建在内城院内。塔楼已不再用作住所而成为最后一道防线。楼体较过去的小些但设计得更坚固。

15 和 16 世纪,火器迅速普及,要求军事建筑技术作根本变革。1494 年,装配枪炮的法军以惊人速度连续攻陷许多意大利城堡。中世纪城堡时代至此结束,开始了现代军事筑城技术的阶段。遍布欧洲的新型堡垒的设计形式是:整个堡垒建筑在一座坚固的建筑物中,四周矮墙都有大炮防卫,枪炮架在阵地工事和凸角堡上。

虽然城堡的构筑分为军事性和住宅用两

种的变化是经历多年完成而不是突然发生的,但到了文艺复兴时期才有了截然区分。前者是在君主武力控制下的堡垒,后者则是不设防的宫室、宅邸、*庄园宅邸*(**manor house**)或巨厦。

castle 船楼 船上高出主甲板之上的建筑物或场地,供作战或工作之用。艏楼和艉楼分别位于船首及船尾。约在13世纪时,有的船上还有高悬在船桅上的桅楼。第一批船楼见于罗马战船的中部或尾部,目的是在小的海战中居高临下。早在8世纪的北欧海盗船上就有艏楼。截至14世纪,艏楼及艉楼都已变成船体的组成部分,而不再是附加的塔楼。在15世纪的桨帆船上,海军军官位于艉楼上,而士兵则通常部署在艏楼区域。19世纪的舰艇上,虽然从艏至艉都是平甲板了,但仍把前桅附近的区域叫艏楼。许多货船都有艏楼(甲板),而艉楼则为后甲板所取代。

Castle, Vernon and Irene 卡斯尔夫妇(弗农1887-05-02,英国诺福克诺里奇～1918-02-15,美国得克萨斯沃思堡;艾琳1893,美国纽约新罗谢尔～1969-01-25,阿肯色尤里

美国不列颠百科全书公司供图

卡斯普林斯) 美国舞蹈家。组成夫妇舞蹈小组,以首创一步舞及火鸡舞而著名,是世界著名的舞伴。推广了滑步舞、卡斯尔波尔卡、卡斯尔华尔兹、摇摆华尔兹、马克西克斯舞、探戈、小兔舞等舞蹈。1914年合著《现代的舞蹈》一书。第一次世界大战中弗农·卡斯尔在训练飞行员时死于空难,艾琳·卡斯尔著有《我的丈夫》(1919)。1958年又出版《卡斯尔夫妇在空中》。

castle guard 城堡护卫 欧洲封建土地租用制中的一种规定,即国王或较小领主的土地租用人必须为王家的或其他的城堡担任警卫工作。由于要护卫的城堡可能与负有护卫责任的封地相距很远(例如英格兰中部的北安普敦郡的骑士要护卫南部海岸的多佛尔堡),这种义务很早就可以用付款来代替。有些城堡护卫或付款代替保护的办法一直沿袭至现代。

Castle Hill Rising 卡斯尔山起事(1804-03-04～05) 澳大利亚历史上的第一次叛乱,参加者为爱尔兰的罪犯(大部分是政治犯)。3月4日,起事者占领帕拉马塔的新南威尔士犯人营,次日与政府军交战。交战的实际地点在维尼格山(今劳斯山),距卡斯尔山有16千米。4日夜,悉尼当局闻讯后派军队前往。5日,仅有57人的军队和少数移民面对占领维尼格山上阵地的400名起事者。两次谈判未果,政府军首先开火,起事者有15人被打死,多人受伤。首领P.坎宁汉于5日被俘,立即绞死。后来,另外8名起事者也被处绞刑。

Castle Morpeth 莫珀斯堡 英格兰东北的诺森伯兰行政、历史郡一区。面积619平方千米。位于郡的东南部。西北与高度工业化的泰尔-威恩郡相毗邻,东北濒北海。北邻阿尔尼克区。地处粗砂岩高地,最高海拔为215米。东部是沿岸平原,西为切维厄特丘陵。该区出产牛羊、谷物、马铃薯和苜蓿。沿岸地区有煤矿。人口集中在东南部的庞蒂兰、莫珀斯和林茅斯。庞蒂兰是泰尔-威恩郡的郊区居住区。20世纪末煤矿业逐渐衰落,仅剩的一个煤矿前景不甚明朗。行政中心莫珀斯有轻型机械工业。中世纪时该区为英格兰与苏格兰两国交战的战场,现存多座设防庄园和碉楼。人口约50 200(1998)。

Castle Point 卡斯尔角 英格兰东部埃塞克斯行政、历史郡一区。面积45平方千米。靠近泰晤士河口北岸。为潮湾低地和围垦区。经济以园圃业、印刷、雕刻和家具制造业为主,也有液化天然气存贮和炼油工业。20世纪60～70年代,南部的坎维岛和北部的本弗利特两地人口迅速增长。坎维岛是距伦敦最近的海滨胜地,有许多避暑别墅和水、电等均已接通的露营场地。附近地区盛行划船。首府桑德斯利在本弗利特镇内。人口约84 500(1998)。

Castle Rising 赖辛堡 英格兰诺福克郡金斯林-西诺福克区一村(堂区)。有诺曼人城堡。中世纪有重要的商品交易会和集市,后衰落,1832年被取消城镇建制。现仅为一村庄,内有诺曼时期教堂。

Castlebar 卡斯尔巴 爱尔兰梅奥郡首府和集市城镇。位于卡斯尔巴湖畔。1613年建制。现为钓鱼中心。有小型机场以及熏肉厂和制帽厂。人口6 073(1991)。

Castlemaine 卡斯尔梅恩 澳大利亚维多利亚州中部城市。在洛德伦河以东8英里(13千米),墨尔本西北78英里(126千米)处。1851年发现金矿,矿工曾达3万多人。19世纪80年代金矿枯竭。现成为农业和水果种植中心,有一些轻型制造业。市内有植物园、地方美术馆、博物馆等。1950年设镇。人口6 690(1996)。

Castlemaine, Barbara Palmer, countess of 卡斯尔梅恩女伯爵 参阅**Cleveland, Barbara Villiers, duchess of** *克利夫兰女公爵*。

Castlemainian Stage 卡斯尔梅恩阶 澳大利亚和新西兰奥陶纪(始于约5亿年前,延续7 000万年)的时间地层单元。在雅平阶之下,丘顿阶之上。根据阶内等称笔石(*Isograptus caduceus*)的不同亚种区分出几个笔石化石带。卡斯尔梅恩动物群显示出与北美和欧洲动物群有亲缘关系。

Castlereagh 卡斯尔雷 爱尔兰语作An Caisleán Riabhach。北爱尔兰一区。原跨唐和安特里姆两郡,1973年建区,面积84平方千米。位于行政中心贝尔法斯特东南部。为绵延起伏的低地。大部为第二次世界大战后兴建的住宅区。有自给性农田。许多居民在贝尔法斯特造船厂、飞机制造厂工作。与贝尔法斯特有公路相通。人口66 488(2001)。

Castlereagh, Robert Stewart, Viscount 卡斯尔雷子爵(1769-06-18,都柏林～1822-08-12,伦敦) 即R.斯图尔特。英国外相(1812～1822),曾协助领导反拿破仑的大联盟,并在

美国不列颠百科全书公司供图

1815年重绘欧洲地图的维也纳会议上起过主要作用。欧洲一致原则的主张主要是由他提出的。他是英国历史上最著名的外相之一。作为英国在欧洲外交舞台上的代表,其地位唯有马尔伯勒可与之相比。伦敦德里侯爵R.斯图尔特之子,1821年承袭伦敦德里侯爵。受教育于剑桥大学。1790年选入爱尔兰议会。1798年3月起任爱尔兰总督卡姆登伯爵的代理首席秘书。1798年11月任卡姆登的继任者康华里勋爵的首席秘书。此时,爱尔兰发生两大事件,即1798年的叛乱和同英国的合并。他以严厉的手段镇压叛乱,同时主张实行温和政策。由于叛乱和法国入侵的威胁,卡斯尔雷认为有与英国实行议会合并的必要。1800年6月都柏林议会通过了《合并条例》。他认为在与英国合并的同时还必须在政治上解放罗马天主教。1801年2月由于英王乔治三世不同意解放天主教,卡斯尔雷与康华里一起辞职。1802年7月卡斯尔雷出任印度事务管理委员会主席。1805年7月在皮特内阁中任陆军大臣。1806年1月皮特去世后他立即辞职,成为反对党在外交和军事方面的主要发言人。1807年他在波特兰公爵的内阁中重新担任陆军大臣。英国由于采纳他的改编正规军、预备役和民兵的计划,既拥有足够的力量防卫本土又保持一支更强大

更有效的海外作战部队。1808年西班牙爆发反拿破仑的起事，卡斯尔雷立即决定派出一支庞大的远征军。1809年他派兵进攻拿破仑在安特卫普的海军基地，但这支远征军在瓦尔赫伦岛上遭到疫病的袭击。这虽不是他的过错，但因内阁中的长期倾轧，外交大臣G.坎宁要求改变政策，并秘密策划撤换卡斯尔雷。卡斯尔雷得知后要求与坎宁决斗。9月21日决斗中坎宁受轻伤，稍后二人均辞去职务。1812年他重新入阁，任外交大臣。同年5月首相珀西瓦尔被暗杀后，他成为下院领袖。此后10年他执掌英国的外交政策。他把互相猜忌的欧洲反拿破仑各派势力联合起来。1814年在沙蒂永举行的谈判中，各国同意他的由大国主持和会的计划。他在1814年3月的《肖蒙条约》中，达成联盟各国在战后合作20年的条款。拿破仑倒台后，通过1814年5月的《巴黎条约》实现了英国的要求（重建波旁王朝和低地国家成为一个独立王国），使卡斯尔雷在维也纳和会上起着支配和斡旋的作用。他的主要目的是遏制俄国的扩张和加强软弱的中欧德、意地区。他和奥地利外相梅特涅左右了幕后谈判，但带头抵制俄、普领土要求的是他。最后的和约实际上体现了他的“公平均势”原则。和约有专门条款规定缔约各方就共同关心的问题定期协商，被称之为“会议体系”，但卡斯尔雷的目的在于利用会议搞外交，而不在于建立什么国际调整体系。这一点在他政治生涯的最后7年愈来愈明显，只有直接涉及英国政治和商业利益的会议，如1822年的维罗纳会议，他才决定参加。在战后国内的暴力政治中，他作为政府的代言人很不得人心。作为下院领袖，对1815～1819年的镇压政策，他也难辞其咎。他受到拜伦、T.穆尔、雪莱等自由派浪漫主义者的猛烈攻击。在各方压力下，他变得多疑，到1822年完全成为妄想狂。据认为他由于受到被控有同性恋行为的恐吓而自杀身亡。

Castletown　卡斯尔敦　不列颠群岛马恩岛的城镇区和古代都城。濒临卡斯尔敦湾。拉什城堡可能建于947～960年，至18世纪一直为该岛领主驻地。城镇东北有威廉国王学院（1668）。设有马恩岛机场。有航海博物馆和威奇斯米尔巫术博物馆。人口3 141（1981）。

Castor　北河二　又名双子座α。黄道星座双子座中一颗至少由6颗子星组成的聚星。Castor和Pollux（北河三）是以希腊神话中的孪生兄弟命名的。北河二的总目视星等为1.58等，是一颗明亮的目视双星，而且这两颗星又都是分光双星。另外还有两颗子星形成一对食双星，它们是两颗相互绕转的红矮星，绕转的周期不足一天。这两颗星又以几百万年的周期环绕4颗主星转动。

Castor and Pollux（Roman deities）　**卡斯托耳与波鲁克斯**　参阅**Dioscuri狄俄斯库里**。

castor oil　蓖麻油　又作ricinus oil。从大戟科的蓖麻籽中获得的不挥发脂肪油。用于生产合成树脂、塑料、纤维、油漆、清漆以及干性油和增塑剂等各种化工产品。蓖麻油质黏稠，清澈，无色到琥珀色或微带绿色，有微弱的特殊气味，无刺激但微有苦味，通常有恶心感的后味。蓖麻油从蓖麻籽经过压榨或用溶剂提取。印度和巴西是蓖麻籽和油的主产地，主要运销美国，大部用于工业。蓖麻油及其衍生物除上述用途外，还用于化妆品、润发油、抑制真菌剂、尸体防腐注射液、印刷油墨、肥皂、润滑剂、润滑脂和液压液、助染剂及纺织品的整理剂。长期用作助染剂的土耳其红油是用蓖麻油与硫酸作用制成的。蓖麻油几乎全由蓖麻油酸的甘油三酯组成。虽然蓖麻油长期以来都被作为内服泻药，但这种用法是有害的。

castor-oil plant（*Ricinus communis*）　**蓖麻**　大戟科植物，栽培用以提取医药及工业用油，或用作风景树以观赏其叶。叶掌状，12裂，大而美观；果古铜色到红色，生有硬毛和刺，

蓖麻（*Ricinus communis*）
美国不列颠百科全书公司供图

簇生，美观，通常成熟前就采收。种子外形似豆，表面有花斑，成熟后含有毒的蓖麻碱。可能原产非洲，已在全世界热带归化，印度和巴西是主要种植国。蓖麻油用作润滑油及缓泻药。在热带，植株可高达10～13米。在温带气候条件下则成仅高1.5～2.4米的一年生植物。蓖麻属仅蓖麻一种，但有成百个自然类型和许多园艺品种。

Castoroides　大河狸属　巨型河狸类的绝灭属。化石见于北美的更新统（更新世始于250万年前，止于1万年前）。身长2.5米左

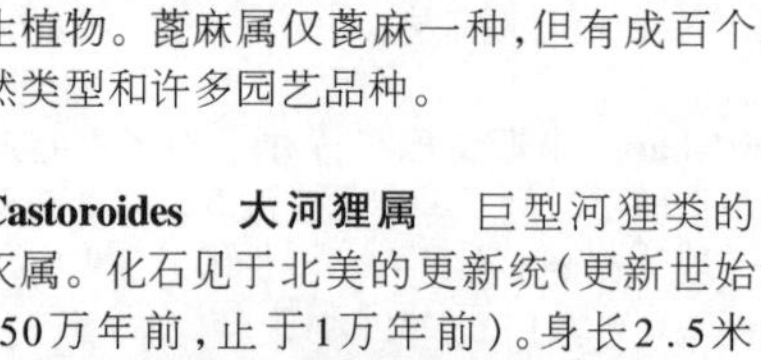

大河狸属头骨化石
美国不列颠百科全书公司供图

右，头骨大，啮齿发育健全。在欧洲，一种类似的巨型河狸（巨河狸属*Trogontherium*）的动物与其平行发展。

Castracani,　Castruccio　卡斯特拉卡尼（1281，托斯卡纳区卡斯特鲁乔～1328-09-03，卢卡）　雇佣兵队长，曾在1316～1328年统治卢卡。1300年当归尔甫派在卢卡掌权时，卡斯特鲁乔家族被逐出卢卡。他便相继充当法兰西人、英格兰人和伦巴第人的雇佣兵队长。1314年亲帝的吉伯林派势力返回卢卡。他战胜对手乌古乔内而成为卢卡的领主和摄政（1316）。1324年皇帝路易四世封他为拉特朗伯爵、卢卡公爵，任命他为罗马总督。1325年他战胜佛罗伦萨人，成为意大利最有权势者之一。因长期与教皇至上主义者归尔甫派作斗争，两次被逐出教门。

castrato　阉人歌手　又作evirato。在青春期以前阉割过的男性女高音或男性女低音歌唱者，音域宽广、灵活、有力。阉人歌手是在16世纪妇女被禁止在教堂唱诗班和舞台上演唱而采用的，在17～18世纪的歌剧中达到了“黄金时代”。独特音色与经过强化训练的歌唱技巧相结合，能演唱难度大的华彩乐段，使阉人歌手在当时歌剧听众中风靡一时，为意大利歌剧的传播做出贡献。18世纪歌剧舞台上的男歌手大部分是阉人，其中最著名的是意大利的C.布罗斯基，以法里内利之名著称。

Castrén,　Matthias Alexander　卡斯特伦（1813-12-02，俄罗斯帝国芬兰泰尔沃拉～1852-05-07，赫尔辛基）　芬兰民族主义者，研究极地及西伯利亚乌拉尔-阿尔泰诸语言的先驱，拥护泛乌拉尔阿尔泰主义，信仰乌拉尔-阿尔泰各民族的种族联合及其伟大未来。曾多年在西伯利亚实地考察，对于偏僻地区的乌拉尔、阿尔泰及古西伯利亚诸语言的研究有过重要贡献。他进而断定，芬兰人来自中亚，且非一孤立的小民族，而是一个包括马扎尔人、突厥人和蒙古人在内的大型政治组织的一部分。卡斯特伦自身即为热忱的民族主义者，1849年公开其观点后，即为芬兰民族主义者所接受，且极大地推动了芬兰国内对芬兰语的研究工作。1851年，任赫尔辛基大学第一位芬兰语教授，翌年改任校长。他的最重要和最长远的贡献，就是对萨莫耶德诸语言中每一语言的详细分析，为此后把芬兰-乌戈尔诸语言与萨莫耶德诸语言合并为一个共同的乌拉尔语系提供了最早进行语音比较的基础。

Castres　卡斯特尔　法国南部米迪比利牛斯大区塔恩省城镇。位于图卢兹以东，临阿古河。早为高卢罗马人营地。约647年建隐修院，其四周才发展起来。16世纪中叶接受宗教改革，历史学家甚至将这城镇看作新教共和国。1685年，《南特敕令》被废除，新教徒首领逃出法国，城镇经济受到损失。路易十四统治时期重新兴旺起来。这一时期留下的建筑有市政厅和巴罗克式教堂及其他公用建筑。从13世纪起当地纺织业兴旺。卡斯特

卡斯特尔阿古河畔的戈雅-若雷斯博物馆及花园，后景为大教堂
美国不列颠百科全书公司供图

尔生产的机床已进入世界市场。也生产药品。人口 45 413(1999)。

Castres，Jacques d'Armagnac，comte de(count of) **卡斯特尔伯爵** 参阅**Nemours，Jacques d'Armagnac，duc de** 内穆尔公爵。

Castries 卡斯特里 加勒比海东部圣卢西亚岛的主要城镇。在马提尼克岛法兰西堡以南 65 千米处。西北岸有深水良港，是圣卢西亚的主要港口。主要外运香蕉，也输出甘蔗、朗姆酒、糖蜜、可可、椰子、椰干、酸橙和

卡斯特里城市和港湾一角
美国不列颠百科全书公司供图

酸橙汁、香料油、香水以及各种热带水果和蔬菜。福琼山(260 米)上的一个要塞俯视全城。城内有一植物考察站。附近有维吉海滩和一机场。人口约 57 000(1999)。

Castriota，George 卡斯特里奥塔 参阅**Skanderbeg** 斯坎德培。

Castro 卡斯特罗 智利奇洛埃省城镇。位于奇洛埃岛东岸。建于 1567 年。1837 年毁于地震后重建。为港口和农业中心(马铃薯、小麦、牲畜)。有木材工业和锯木厂。人口：城市区 39 073(2002)。

Castro (y Quesada)，Américo 卡斯特罗(1885-05-04，巴西坎塔加卢～1972-07-25，西班牙滨海略雷特) 西班牙语言学家、文化史家。主要研究西班牙和西班牙属美洲的文化根源及其与其他西方国家的差异。出生在巴西，父母是西班牙人。1890 年随父母回西班牙。1904 年毕业于格拉纳达大学，1905～1907 年在巴黎大学深造。1910 年在马德里组织历史研究中心，自任词典学部主任。1915 年任马德里大学教授后，仍留在该研究中心。主要著作有《洛佩·德维加传》(1919)、《语言、教学和文学》(1924)和《塞万提斯的思想》(1925)。他还在国外讲学。1931 年在柏林时，西班牙共和国宣布成立，他成为驻德首任大使。1936 年西班牙内战爆发后，他赴美国，先后在威斯康星大学(1937～1939)、得克萨斯大学(1939～1940)和普林斯顿大学(1940～1953)讲授文学。他认为，西班牙人只是在被摩尔人征服后，在那个以基督教徒、摩尔人及犹太人共存为特征的社会中形成一个基督教"种姓"，才成为有"自我意识"的特殊集团。这种见解见之于他的《伊比利美洲的现状和历史》(1941)、《西班牙及其历史》(1948)和《论冲突的年代》(1961)中。

Castro，Cipriano 卡斯特罗(1858-10-14，委内瑞拉塔奇拉卡帕乔～1924-12-04，波多黎各圣胡安) 委内瑞拉军人和独裁者，他打破 20 世纪前一直由平原人和加拉加斯城市居民统治国家的传统，成为第一个统治委内瑞拉的山区人，人称"安第斯山之狮"。他几乎毫无道德顾忌，实行极为腐败的统治长达 9 年(1899～1908)。他盗用大批公款，过着异常放纵的生活。最后为他的更为残酷的副手戈麦斯所废黜。他未受过正规教育，在安第斯地区当牛仔。在一个有势力的委内瑞拉将军支持下进入政界，成为塔奇拉省省长。1892 年加拉加斯政府被推翻后，他流亡哥伦比亚 7 年，通过非法倒卖牛积聚了一笔财产，并招募一支私人军队。1899 年率军攻打加拉加斯，获得胜利。他任最高军事统帅，继而任总统，开始了掠夺和政治混乱时期。在他的统治下，叛乱频仍，杀害和流放反对派，与外国发生纷争，他本人则穷奢极欲。由于他拒绝偿付外债，1902 年英、德、意舰只封锁委内瑞拉逼债，最后通过仲裁才得以解决。1908 年他去法国就医，政府由他的副手戈麦斯代管，戈麦斯旋即夺取政权。卡斯特罗流亡国外达 16 年之久，直至去世，其中主要在波多黎各，策划重返委内瑞拉，未果。

Castro，Eugénio de 卡斯特罗(1869-03-04，葡萄牙科英布拉～1944-08-17，科英布拉) 葡萄牙首要象征主义和颓废派诗人。他最有名的诗集是《悄悄话》(1890)，在葡萄牙开创了象征主义。他的象征主义坚持法国理论家的基本原则，而与他同时代的本国诗人所奉行的怀旧的民族主义有别。最著名的诗集还有《钟点》(1891)、《萨格拉莫》(1895)、《莎乐美及其他》(1896)、《渴望天国》(1899)以及《康斯坦莎》(1900)。

Castro，Fidel 卡斯特罗(1926或1927-08-13，古巴比兰附近～) 古巴政治领导人，他把他的国家改造成西半球的第一个共产主义国家，他是共产主义革命在拉丁美洲

美国不列颠百科全书公司供图

的象征。1976 年前一直保持总理的头衔，当年成为国务委员会和部长会议的主席。卡斯特罗生于古巴最东端奥连特省的马亚里市。其父安赫尔·卡斯特罗系来自西班牙的移民，其弟劳尔后来成为他在古巴掌管事务中的主要人物。卡斯特罗 1950 年后毕业于哈瓦那大学法学院。在大学内，有组织的暴力帮伙寻求推进一种浪漫目标、政治目的和个人事业混在一起的事业；他在大学里的主要活动是政治。他参加了 1947 年在古巴组织的入侵多米尼加共和国、推翻特鲁希略的流产尝试，以及 1948 年 4 月在哥伦比亚波哥大爆发的暴乱。

卡斯特罗大学毕业后执律师业，并成为古巴人民党党员。在原定 1952 年 6 月举行的选举中，他是该党众议院席位的候选人。但是年 3 月，古巴前总统巴蒂斯塔将军推翻了索卡拉斯总统的政府，取消了选举。在用合法手段驱赶新独裁者巴蒂斯塔失败后，卡斯特罗于 1953 年开始组织一支造反队伍，并于 7 月 26 日领导约 160 名造反者攻打圣地亚哥的蒙卡达兵营，事败被捕。他在审判中作了激昂的辩护后，被判处 15 年监禁。1955 年政治大赦中他和兄弟劳尔同被释放。他们前往墨西哥继续反对巴蒂斯塔政权的活动，并把古巴流亡者组成革命小组，称为"七月二十六日运动"。1956 年 12 月 2 日他率领 81 名武装人员乘游艇"格拉马"号在古巴奥连特省登陆。但大部被杀或被俘。只有卡斯特罗、劳尔、格瓦拉等 12 人退入奥连特省西南的马埃斯特腊山区与巴蒂斯塔的军队展开游击战争。在全岛不断增长的革命志愿者的帮助下，卡斯特罗的队伍赢得了一系列的胜利。他的宣传活动特别有效。随着内部政治支持的消失和军事上不断遭受挫败，巴蒂斯塔于 1959 年 1 月 1 日逃亡国外。卡斯特罗的 800 名游击战士打败了 3 万名职业化的政府军。作为无可争辩的革命领袖，卡斯特罗成为古巴新的临时政府的武装力量总司令。1959 年 2 月出任总理，从而成为古巴政府首脑。

大多数古巴城市居民支持卡斯特罗执

政，是以他允诺恢复1940年宪法、建立公正政府、恢复全面的公民和政治自由，并实施温和改革为基础的。但他一旦成为古巴领袖，就实行更为激进的政策：私营工商业的国有化、全面的土地改革、征用美国企业和农用地产。卡斯特罗的政策和激烈的反美言论疏远了美国，1960年2月他与苏联签署的贸易协定进一步加深了美国的怀疑。1960年古美间大多数的经济联系中断，翌年1月美国中止了与古巴的外交关系。1961年4月，美国政府为推翻卡斯特罗政府，秘密装备了数千名古巴流亡者，他们在猪湾登陆，但被卡斯特罗军队所粉碎。

古巴开始从苏联获得武器，而后者立即成为前者的主要支持者和贸易伙伴。1962年苏联秘密地在古巴部署弹道导弹，以便能够向美国城市发射核弹头；在随后的美苏对抗中，世界走近了核战争的边缘。古巴导弹危机以苏联同意从古巴撤出核武器换取美国保证不再寻求推翻卡斯特罗政府而结束。

与此同时，卡斯特罗建立了一党政府，对古巴政治、经济和文化的一切方面实施独裁控制，无情地镇压一切持不同政见者和反对派。许多上层和中产阶级的成员感到被出卖而选择亡命美国。同时，卡斯特罗广泛地扩展国家的社会服务，在平等的基础上使之扩及社会各阶级。古巴人获得免费的教育和保健服务，每个公民都保障有工作。然而，在卡斯特罗制度下，古巴的经济没有明显的增长，反而依赖于主要出口货——蔗糖。经济决策权集中在以卡斯特罗为首的集中化的官僚机构手中，管理无能。没有效率的工业和萧条的农业使古巴益加依赖于苏联的贸易政策，古巴人面对美国的贸易禁运只能维持不太高的生活标准。

卡斯特罗担任总理直至1976年新宪法建立全国代表大会为止，这时他成为国务委员会主席。他仍然担任武装力量总司令、唯一合法政党——古巴共产党总书记的职务，继续对政府实行无争议的全面控制。其弟劳尔担任武装力量部长，在党和政府中位居第二位。

卡斯特罗原先想在拉丁美洲到处掀起马克思主义革命的企图失败了，但古巴军队最后却成为苏联在许多第三世界冲突中的代理人。1975～1989年古巴远征军站在共产主义的安哥拉人民解放运动一边参加安哥拉内战。1978年古巴军队帮助埃塞俄比亚挫败索马里的入侵。80年代卡斯特罗是第三世界和不结盟运动的领袖之一，尽管他显然与苏联有联系。他继续表示愿与美国恢复外交关系，只要它结束对古巴的贸易禁运。

1980年开放马列尔港5个月，12.5万人移民美国，其中包括罪犯。20世纪80年代末，当苏联在戈尔巴乔夫领导下开始民主改革和东欧国家被允许脱离苏联轨道时，卡斯特罗仍坚持强硬立场，奉行共产主义制度。1991年苏联的解体使他震惊，因为这意味着慷慨的苏联津贴的结束。为对付由此产生的经济衰退和消费品短缺，卡斯特罗容许了某些经济自由化措施和自由市场的活动，但同时他的政府仍牢牢地控制着国家的政治生活。1993年底其女寻求美国庇护，公开指责父亲的统治。次年，社会与经济动荡引发了古巴35年以来最大规模的反政府运动。卡斯特罗下令允许出境，约有数千人移居美国。

Castro，Inês de　卡斯特罗（1323？～1355-01-07，葡萄牙科英布拉）　葡萄牙国王佩德罗一世即位前的情妇。她的惨死，因得到作家、诗人如卡蒙斯、格瓦拉和蒙泰朗等人在作品中的描述使她名传千古。卡斯特罗是加利西亚贵族P.卡斯特罗的私生女，约1340年陪伴表姐妹康斯坦萨去葡萄牙与国王阿方索四世的长子和储君（即未来的佩德罗一世）完婚。但佩德罗却迷恋卡斯特罗的美色，与之姘居。这在宫廷中引起嫉恨。1355年，阿方索四世将她杀害。佩德罗即位（1357）以后，将她的遗体移至富丽堂皇的陵墓中。据传说，这位风流国君给死者加冠，并令朝臣吻她的手。

Castro，João de　卡斯特罗（1500-02-07，里斯本～1548-06-06，葡属印度果阿）　葡萄牙海军军官，曾参与保护葡萄牙在印度建立的商业居民点，著有关于航海指南的著作，对航海科学作出贡献。他还是最先注意到铁器的磁效应使船只罗盘指针发生偏差的科学家。里斯本市市长A.de卡斯特罗之子，葡萄牙著名数学家和地理学家P.努内斯的学生。在北非生活20年后，1538年乘船去印度西部，帮助击退奥斯曼-印度军队，为葡萄牙的第乌要塞解围。1540～1541年经红海到苏伊士，1543年回到葡萄牙。1545年再次率葡萄牙舰队为第乌解围。担任几个月的葡属印度总督后，在圣方济各·沙勿略亲自关怀下死去。其航海著作曾在巴黎（1833）、波尔图（1843）及里斯本（1822）等地刊行。

Castro，Rosalía de　卡斯特罗（1837-02，西班牙圣地亚哥-德孔波斯特拉～1885-07-15，圣地亚哥附近帕德龙）　用加利西亚方言写作的西班牙女作家。1858年嫁给历史学家曼努埃尔·莫吉亚（1833～1923），他是一位加利西亚方言文艺复兴的战士。虽然她写有好几本小说，但却以诗歌创作留名后世。所著诗集有用加利西亚方言写的《加利西亚之歌》（1863）、《新混合曲》（1880）和用卡斯蒂利亚方言写的《萨尔河畔》（1884）。部分诗作歌颂了加利西亚人民的乐观、聪敏、热爱乡土等优良品质。

Castro Alves，Antônio de　卡斯特罗·阿尔维斯（1847-03-14，巴西穆里蒂巴～1871-07-06，萨尔瓦多）　巴西浪漫主义诗人。由于同情巴西废奴主义事业，获得"奴隶诗人"之称。在求学时代，写了一个剧本，受到当时巴西文学界领袖阿伦卡尔和马查多·德·阿西斯的重视，后成为山鹰派诗人中的主要人物。该派由于献身于崇高的事业，喜爱高昂的风格，犹如美洲这种飞得最高的鸟类，因取此名。由于在一次打猎中受伤，他觉得自己命运已定，这使他的浪漫主义的形象变得更加崇高。他狂热地生活和写作，但伤势日益严重，终于截掉一足。后因肺结核乘虚而入，24岁即病逝。诗集《浮沫》（1870）收有他的一些最精美的爱情抒情诗。《保罗·阿方索的瀑布》（1876）是描写一个奴隶姑娘被主人之子奸污的故事。这首诗和其他反奴隶制度的诗，都收集在他死后出版的《奴隶集》（1882）中。

Castro y Bellvís，Guillén de　卡斯特罗-贝尔维斯（1569，西班牙巴伦西亚～1631-07-28，马德里）　西班牙巴伦西亚地区最重要的、最有代表性的剧作家，主要以剧本《熙德的青年时代》（约1599）而闻名。法国剧作家高乃依据此写成著名剧本《熙德》（1637）。卡斯特罗的剧作鲜明地显示出他能娴熟地运用生动逼真的对话。在巴伦西亚和意大利积极从事军事和文职人员工作之后，到马德里定居，他的朋友、剧作家维加帮助他，为他的作品找出路。他还被认为是第一位写出婚姻的阴暗面的戏剧家，例如《巴伦西亚的不幸婚姻》。他深受卡斯蒂利亚文化吸引，大量采用该地区传统的叙事歌谣。他有3个剧本是根据塞万提斯的小说改编的。他是一个高傲的人，对他的赞助人有反感，晚年生活贫困。

Castrop-Rauxel　卡斯特罗普-劳克塞尔　德国西北部北莱茵-威斯特法伦州城市。濒临近莱茵-黑尔纳运河。在鲁尔工业区东部。卡斯特罗普于834年首见记载。1484年建制。1926年与劳克塞尔等12个村镇合并。历史建筑有16世纪布莱登霍斯特城堡等。工业以采煤和化工为主。制造业以金属制品和电子产品为主。城镇内有很多空地，其中有一块跑马场。人口约78 208（2003）。

casualty insurance　灾害保险　针对人身和财产发生损失（包括意外事故、疾病和法律责任的风险）而预先采取的措施。灾害保险的主要险别有责任险、盗窃险、航空险、劳工补偿险、信用险和产权险。责任险可包括由于使用汽车、经营企业、工作疏忽（渎职险）或财产所有权所发生的责任。保险人同意代表被保险人偿付被保险人在法律上有责任偿付的一切损害赔偿金的金额。保险人还同意为被保险人进行法庭辩护。盗窃险包括有夜间偷盗、抢窃及其他盗窃所产生的损失。航空险通常包括飞机的有形损害和飞机所有权与驾驶方面的法律责任。劳工补偿险，由雇主提供捐款，赔偿工人由于工伤所遭受的损失；赔偿金可包括医疗补贴、临时损伤救济金、永久伤残抚恤金，日渐增多的国家还包括有重新培训的津贴。信用险有各式各样，其保险范围有：由于无偿付能力、死亡和伤残所造成的坏债风险，银行倒闭所造成的储蓄损失风险，由于商业或政治原因所造成的出口信贷损失风险等。产权险保证房地产购买人不因产权上未发现的瑕疵而蒙受损失。

casuariiform　鹤鸵类　鹤鸵目（Casuariiformes）鸟类，体型大，不能飞，包括鹤鸵属（*Casuarius*）鸟类、鸸鹋（*Dromaius novaehollandiae*）以及一些已绝灭仅存化石的种类。欧洲人在首次见到鹤鸵属鸟类之后一个世纪，即1788年才见到鸸鹋。当时有4种鸸鹋存在，但坎加鲁岛鸸鹋、金岛鸸鹋和塔斯马尼亚岛鸸鹋在各岛屿沦为殖民地后不久相继绝灭。

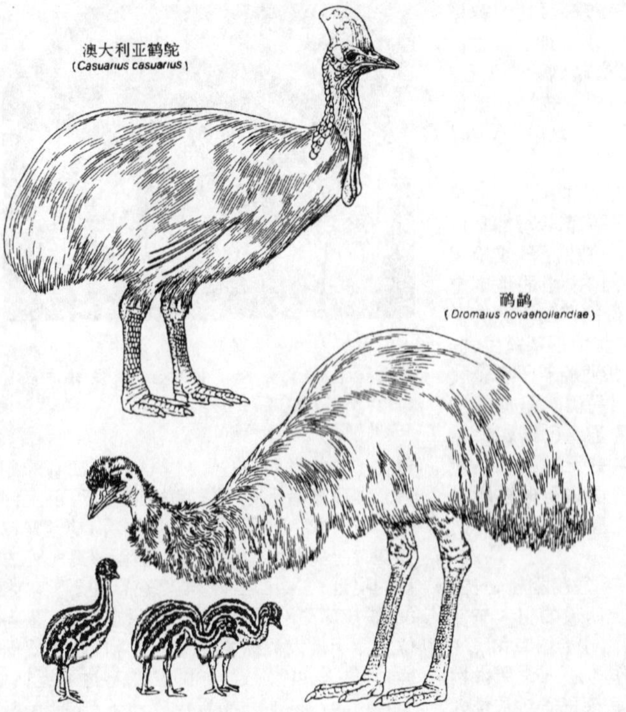

鸸鹋和鹤鸵

鸸鹋原产于澳大利亚,为世界第二大鸟,仅鸵鸟(*Struthio camelus*)体形大于鸸鹋。雄鸸鹋的体重平均为35千克,雌鸸鹋为40千克;身材极大的个体可重达55千克。站高可达1.8米。鹤鸵有3种,仅见于澳大利亚北部、新几内亚及邻近岛屿,这3种为澳大利亚鹤鸵(*C. casuarius*,又称双垂肉鹤鸵)、单垂肉鹤鸵(*C. unappendiculatus*)和倭鹤鸵(*C. bennetti*)。所有鹤鸵类均为走禽,并表现出各种适应其生活方式的结构。就如同许多走禽一样,其后趾退化消失而以三根强壮的前趾行走。鹤鸵内趾上的爪发育为一个长的距状结构,在自卫时用以踢击。鸸鹋属和鹤鸵属鸟类奔跑迅速,又善游泳。鹤鸵目鸟类的羽衣与大多数鸟类不同,外观似毛发,这是因为其羽毛缺少互相钩结构成宽阔扁平羽片的羽小枝。在大多数鹤鸵目鸟类栖居的稠密多刺的矮树丛中这些羽毛不易损伤及缠结。无分化的尾羽。鸸鹋类的羽衣为褐色,而鹤鸵属鸟类的羽衣为黑色。鹤鸵属鸟类的头顶有扁平的角质头盔状结构,据信该结构在密林中穿行时用以保护头部。澳大利亚鹤鸵的头盔可高15厘米。澳大利亚鹤鸵及单垂肉鹤鸵的头部及颈部有特征性的鲜红色或橙色垂肉。鹤鸵属鸟类仅栖于雨林;而鸸鹋见于多种生境:干燥的灌木丛地区、开阔的平原及多森林的地区。鹤鸵目鸟类主要以植物为食,食叶、果及种子,但已知鸸鹋在蚱蜢类数量多时亦食此类昆虫。鹤鸵属鸟类每窝产卵3～8枚;鸸鹋类每窝产卵数更大,平均9枚,有时达16枚。卵浅绿色,长约13厘米,重450～800克。鸸鹋类的孵卵期为58～61天,而鹤鸵属鸟类的卵需49～52天孵化。与大多数鸟类不同,鹤鸵目鸟类的卵仅由雄鸟孵育。雏鸟甫孵出时身上有深浅交替的纵行条纹。约2年发育成熟。鹤鸵属鸟类终年雌雄成对生活或以家庭为单位而居。在非繁殖季节,鸸鹋类会聚成大群,有时活动到很远距离以外。鹤鸵目鸟类一直是澳大拉西亚地区土著人们的重要食物来源。鹤鸵属鸟类的幼雏常被捕捉饲于栏中养到足够大时以供屠宰食用。鹤鸵目鸟类的羽毛,尤其是鸸鹋的羽毛,用作人身上的饰物。鸸鹋在其大部分分布范围内数量已不及以前多,但在澳大利亚西部数量仍多。在麦田附近的鸸鹋会冲破围栏,践踏并吞食庄稼。西澳大利亚对捕杀鸸鹋提供奖赏,每年有约5 000～40 000头鸸鹋被捕杀。

Casuarinales　木麻黄目　双子叶植物的一目。仅木麻黄科(Casuarinaceae)1科,有2属:木麻黄属(*Casuarina*),30种;裸孔木属(*Gymnostoma*),20种。乔木或灌木。许多种的株形远观似松树。分布于热带东非、马斯克林群岛、东南亚、马来西亚、澳大利亚和波利尼西亚。有些种类,特别是木贼叶木麻黄(*C. equisetifolia*),在世界暖温带地区作为观赏树木,且常从栽培变为野生。本目植物枝条绿色,细长下垂,有深沟纹,隔一定距离有轮生的鳞状小叶从沟槽中伸出长毛,用以保护分布于沟槽侧壁的气孔。这些特征是对干燥海滨荒滩和贫瘠土壤条件的适应。花退化,单性,雌雄同株或异株。雄花有1枚雄蕊,2枚鳞状的小花叶(萼叶或苞片)和2个更小的鳞状结构的小苞片;葇荑花序或穗状花序,形细长,直立。雌花密集成球形簇,成熟后木质化而呈球果状,内含种子;雌花无瓣,雌蕊2枚,子房1室,胚株2枚,柱头2,形长,伸出花序之外。风媒传粉。以前曾认为木麻黄目为双子叶植物的最原始类群,但现在认为其花构造等方面表现的原始特征是由于退化所致。有些木麻黄属植物,尤其是木贼叶木麻黄(又称牝栎、澳大利亚松、沼泽栎),材质坚硬,纹理密,浅黄至红褐色,能防白蚁,因色似牛肉,故俗名牛肉木,又因质硬而俗称铁木。

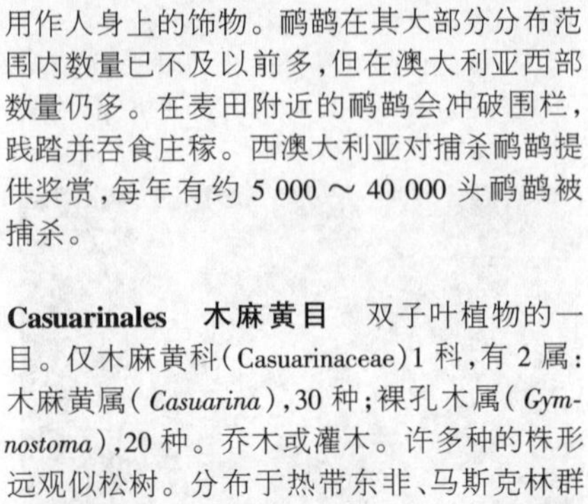

木贼叶木麻黄(*C. equisetifolia*)的叶和果
美国不列颠百科全书公司供图

cat　猫科动物　食肉哺乳动物,包括狮、虎、美洲豹、豹、美洲狮、家猫,以及猎豹。分类学上归入猫科(Felidae)。皮毛柔软,常带明显斑纹。参阅 **domestic cat**。

猫科的历史可追溯到晚始新世(4 360万年前至3 660万年前)。"猫型"似乎在现代哺乳动物进化的极早阶段即已形成;因为当大部分其他哺乳动物的类型还难以辨认时,早期的猫科动物就已经成为典型的猫科动物。典型的猫科动物属于猫亚科(Felinae),约1 000万年前出现,直到现代其形态几无改变。1916年,伦敦动物园的R.I.波科克按舌骨器构造的不同将现存猫科动物分为两类。第一类的一块舌骨(上舌骨)发育不良,仅余丝状的韧带,舌、喉松弛地附着于颅骨下部。本类包括大型猫科动物——狮、虎、豹、美洲豹,均归入豹属(*Panthera*);所发声音为吼声,不能发猫样的呜呜声;瞳孔圆形。第二类归入猫属(*Felis*),其舌骨发育正常;能发呜呜声,但不能吼叫;瞳孔通常为垂直,少数几个种的瞳孔为圆形。猫属包括美洲狮和多种小型猫科动物如家猫。加拿大的猞猁及红猫常归为独立的属猞猁属(*Lynx*)。猎豹的舌骨正常,而爪与其他猫科动物不同,不能自由伸缩;归入猎豹属(*Acinonyx*)。猫科动物是食肉哺乳动物中特化程度最高者。体格强壮,肢体活动十分协调,从高处落下或蹿下时总是四肢先着地。脑大且发达。胃肠结构简单。适合于肉食习惯。小肠仅为体长的3倍。近舌尖处的舌面有一片尖锐的倒刺,有助于舐食液体和梳理自己的皮毛。牙和爪最具特征性。牙齿具有3种功能:穿刺(犬牙)、衔牢(犬牙)和切割(磨牙)。不具牙冠扁平用以研磨的牙,因此不能咀嚼食物,只能将其切碎。有些牙无功能。大部分颊牙在闭嘴时亦不对合。除猎豹外,所有猫科动物均具尖锐、强大、可伸缩的爪。狮、虎和猎豹主要地栖,但善攀爬,体型较小的猫科动物,如豹、美洲豹和豹猫喜树栖,常在树丫间跳跃,有时在树上睡眠。大型猫科动物的活动范围较大,常在野外单独或两个个体结伴活动,偶然以家族为单位活动,如一群狮子可多至23只。这种群体组织松散,不像狗或狼群那样具严密的等级区分。虽然大多数猫科动物夜间猎食,少数种类如猎豹在白天更为活跃。猫科动物通常单独狩猎,先用具肉垫的足潜近猎物,然后作快速短程冲刺或跳跃将其制服。短程冲刺速度极快,但速度难以持久。一般认为猎豹是跑得最快的哺乳动物，时速可达 100 ～ 110 千米。猎豹亦可追逐猎物相当长的一段距离，可达 5.5 千米。猫科动物通常夜间活动。其视网膜含一层对光极为敏感的鸟嘌呤，故其眼于强光照射下会闪光。猫科动物的嗅觉发达，成体尤甚，这对选择食物极为重要，故猫科动物若因病鼻塞，则会完全丧失食欲。所有猫科动物天生为严格的肉食动物，这是根据其消化道和齿式来假设的。猫科动物性喜清洁，常在餐后长时间地用锉样的舌为自己梳理皮毛。猫科动物对水的反应各异：狮和豹不喜入水，但需要时也能游泳；家猫并不讨厌水，但不喜被冷水浇泼或浸入水中。从狮到家猫，所有猫科动物均常神经质地摇动尾巴，这是从母亲处学来的动作，与幼年嬉戏有关，成体摇尾动作出现于掠食之前。

CAT　计算机化轴向层面 X 射线摄影法　Computerized Axial Tomography 的缩写，用于医学中的一种放射诊断技术。参阅 **tomography**。

catabolism　分解代谢　由酶催化的一系列反应，通过这些反应，活细胞中比较大的分子被分解。分解代谢过程中释放的部分化学能以高能化合物（如三磷酸腺苷[ATP]）的形式保存。能量释放分 3 个阶段：①蛋白质、多糖和脂类等大分子被分解，少量能量以热的形式释放；②小分子氧化，放出的化学能转变成 ATP 及热能，并生成乙酸、草酰乙酸或 α－酮戊二酸；③三羧酸循环，在此阶段，上述 3 种代谢产物氧化成二氧化碳，其中形成的中间产物所带的氢原子或电子，通过一系列载体分子最终传递给氧而生成水。这些过程是细胞产生 ATP 的最重要方式，亦称为末端呼吸和氧化磷酸化。

cataclastite　碎裂岩　结晶质母岩在动力变质作用下发生断裂、粒化和流动而形成的任何岩石。当岩石受到的应力超过其破裂强度时就发生破裂。岩石可以整体地破裂，也可以是单个矿物的选择性粒化。在各个方向受的应力一般是不相同的，因此运动是在优选方位上产生，而滑动面、粒化或局部流动也都在优选方位上发生。有些碎裂岩由火成母岩如花岗岩形成。在这种岩石中，几条局部碎裂的岩石呈涡旋形绕过仍然是完整的岩石。许多碎裂岩是由沉积岩（包括灰岩和白云岩）形成的。糜棱岩是极度碎裂变形的产物。这种岩石的化学成分没有变化，但是岩体由于沿着断层带的移动而被磨成粉末。糜棱岩的颗粒极细，但是在显微镜下可以看到原岩的矿物碎屑。大多数糜棱岩具层纹状，这些层次是由破碎物质的不同大小的颗粒形成的。千枚糜棱岩类似糜棱岩，也是颗粒极细，由变形形成。但在千枚糜棱岩中，矿物发生重新组合。有些原岩的矿物受到不同方向的改造，为了适应变质条件还形成新的矿物。

catacomb　地下墓窟　设于地下的墓地，由露天或不露天的墓道以及凹入墓道两侧的墓室构成。此词的语源尚不清楚，最初似曾用于圣塞巴斯蒂亚诺教堂的地下墓地。教堂位于罗马附近的阿庇安大道旁边，据传公元 3 世纪后期，该地曾是临时停放圣彼得和圣保罗遗体之所。其后此词词义扩大，成为罗马城郊所有地下坟场之通称。

地下墓窟的用途　罗马帝国统治下的早期基督教徒各聚居区的地下墓窟除埋葬尸体之外，尚有若干其他用途。殡葬之日或周年纪念之时，悼念宴会可在专供家祭的地下墓室内举行。早期基督教堂实行的伴随送葬的圣餐礼，亦可在那里举办。有些地下墓窟里，辟有较大的厅堂并设有互相联通的若干套小礼拜堂。事实上，这些设施便是供奉圣徒或殉道者的祠堂，著名的例子是圣塞巴斯蒂昂地下墓窟中的“夏宫”，那里曾有无数的朝圣者来自各方，以求分享为圣彼得和圣保罗所设的祭品即所谓“寒食”，并在墙壁上涂写为两圣徒所作的祈祷词。

地下墓窟因其布局复杂、通路秘密，只能通过采石场上及郊外空地上所设的出入口才得以进出。这样，在国家发生政治迫害和民变的日子，地下墓窟就可以作为避难之所。例如，当公元 258 年罗马皇帝瓦莱里安对基督教徒大肆迫害时，据说教皇西克斯图斯二世及 4 名助祭均在圣塞巴斯蒂昂地下墓窟中遭到捕获并被杀害。后来，在蛮族入侵期间，基督徒们也多藏身于地下墓窟中以避兵燹之灾。

一度盛传早期基督教徒利用地下墓窟作为秘密会场举行礼拜仪式，但此说不足信。到公元3世纪时，罗马城中有5万多名基督徒，而5万之众要在每个星期日早晨走出家门，秘密地到地下墓窟参加礼拜，几乎是不可能的。再者，任何礼拜仪式似乎无法在地下墓窟中的狭长通路上举行，即使圣加里斯都地下墓窟中的教皇小礼拜堂那类的最大墓室，也容纳不了 40 人。最后一点是，不论是基督教徒还是非基督教徒，都把死亡视为不洁，因此，为死者安排的祭奠或弥撒可以在适当的时刻在墓地举办，但定时的公开祈祷则不可能在这类地点进行。

罗马城郊的多米蒂拉教堂地下墓窟，有露天通道及两侧墓室
美国不列颠百科全书公司供图

地下墓窟的位置　地下墓窟绝对不是基督徒一家的发明，也不是罗马人所独有的创造。埋葬死者于地下石室的风习，可以上溯至远古时代。地下墓窟曾在地中海地区普遍存在：在马耳他，地下墓窟坐落于该岛一处古都的附近；在西西里，此类墓窟存在于陶尔米纳、锡拉库萨附近及其他地区；在埃及，墓窟位于亚历山大及开罗两城市的附近；在黎巴嫩，则见于西顿附近，亦即现在赛达附近；意大利境内许多地方都能找到地下墓窟，尤以那不勒斯周围一带及古埃特鲁里亚地区数量更多。

罗马拉丁大道旁一地下墓窟，其中筑有一拱形墓室壁龛，饰以早期基督教绘画，题材均取自《旧约全书》及《新约全书》
美国不列颠百科全书公司供图

罗马城周围的早期基督教地下墓窟，大致呈环形排列，大约距城中心 3 英里。已知墓室约 40 处，大多位于通往城中的各主要大道之旁，是全部已被发现的地下墓窟群中规模最大、数量最多的一处。罗马城郊的地下墓窟已部分对旅游者开放。

catafalque　灵柩台　供王室和贵族名流停放灵柩的台子，装饰华丽，通常能移动。一般都放在著名的公共大厅中，如英国伦敦的威斯敏斯特大厅和美国华盛顿国会大厦圆形大厅。西班牙建筑师 J. 丘里格拉以其富丽堂皇的巴罗克风格著称，其成名作即 1689 年为查理二世之后玛丽亚·路易莎设计的灵柩台。在欧洲各地，某些可以看到圣徒遗体的圣祠有时也称为灵柩台。

Catalan language　加泰罗尼亚语　加泰罗尼亚语作 Català。属于罗曼语，通行于西班牙东部及东北部，主要在加泰罗尼亚和巴伦西亚；也通行于法国的鲁西永地区，安道尔公国和巴利阿里群岛。加泰罗尼亚语在 12 世纪时曾是阿拉贡王国官方语言，从那时起已有文学传说，最早书面文献也始于 12 世纪。到 20 世纪晚期，加泰罗尼亚因获得更大的自治权，其语言遂在该地区再度广为通行，成为政治与教育领域以及一般公共生活中的主要语言。现代加泰罗尼亚语有两个主要方言群：西部方言群包括西加泰罗尼亚语和巴伦西亚语；东部方言群包括东加泰罗尼亚语、巴利阿里语、鲁西永语以及通行于撒丁岛上阿尔盖罗镇的方言，加泰罗尼亚语曾在 14 世纪传入该地。这些方言彼此差异甚微，仅在发音、词汇、动词变位等方面有一些细致的区别，因之容易相通。这些方言差别往往并不反映在书面语中。加泰罗尼亚语同法国南部的奥克西坦语以及同西班牙语的亲属关系最近，但与二者显然有别。加泰罗尼亚语与西班牙语之间的不同点是：加泰罗尼亚语没有上升的二合元音，比如，没有 ie 和 ue，可比较加泰罗尼亚语 be，西班牙语 bien“好”，加泰罗尼亚语 bo，西班牙语 bueno“良好的”；另一方面，加泰罗尼亚语却有大量下降的二合元音，如 eu，au，ou，可比较加泰罗尼亚语 peu，西班牙语 pie“脚”，加泰罗尼亚语 bou，西班牙语 buey“公牛”。加泰罗尼亚语还保留着以下诸语音：j（发音同法语 j 或英语“azure”中的 z），z，tj（发音同英语 j），tz 和 x（发音同英语 sh）；而现代西班牙语却没有这些辅音。加泰罗尼亚语某些动词的重音落于词根而不落于原形的词尾之上，而西班牙语则与此相反，如加泰罗尼亚语 VENdre，西班牙语 venDER“售卖”。加泰罗尼亚语与奥克西坦语的差别较之与西班牙语的差别要少些，但常常使用不同的元音及二合元音，语法规则也略有不同。

Catalan literature　加泰罗尼亚文学　用加泰罗尼亚语写的文学作品的总称。兴盛于 13～16 世纪，以后到 19 和 20 世纪又告复兴。现存最早用加泰罗尼亚语写的稿本为《布道书》，它搜集了 12 世纪或 13 世纪早期的布道文，从今天的眼光看来，它的文学价值不如它在语言学方面的价值。早年的阿拉贡国王们和巴塞罗那的伯爵们常收留一些从普罗旺斯来的、用奥克西坦语创作的行吟诗人为门客，但到 15 世纪时，加泰罗尼亚文学已完全摆脱外来影响，进入一个纯粹加泰罗尼亚诗歌的兴盛时期，而以 A. 马尔契和 J. 罗伊格的诗作为其顶峰。文艺复兴时期最出色的加泰罗尼亚诗人大概要推巴伦西亚的德·科莱拉。中世纪的加泰罗尼亚散文则可以基督教的思辩文以及历史和编年史著作为代表。16～18 世纪，加泰罗尼亚语文一蹶不振，而为西班牙王国宫廷的语言卡斯蒂利亚西班牙语所替代。然而到了 19 世纪，加泰罗尼亚文学卷土重来，经历了一次“复兴”，其先行者为诗人阿里包、奥尔斯、巴拉格尔、维尔达格尔，特别是略韦拉。散文家与剧作家们也创作了一些富于独创性的作品。从里韦拉实行独裁（1923～1930）到佛朗哥独裁（1939～1975）期间，加泰罗尼亚文化常常遭到压制，只能进行温和的文学活动，而且主要在流亡的加泰罗尼亚人中进行。20 世纪的最后 25 年内，民族主义风靡一时，与之相随的是加泰罗尼亚文学在加泰罗尼亚和马霍卡的复兴。

catalase　过氧化氢酶　一种能催化过氧化氢分解为水及氧的反应的酶。广泛存于哺乳动物的组织内。许多代谢反应过程中连续不断地产生过氧化氢，过氧化氢酶可防止过氧化氢积聚，从而保护机体组织免受其害。

Çatalhüyük　加泰土丘　中东最大的新石器时代遗址。地点在土耳其中南部科尼亚附近。1961～1965 年英国考古学家 J. 梅拉特进行发掘。表明新石器时代的安纳托利亚曾是高度发达的文化中心。遗址发现有公元前约 6700～约前 5650 年间建造的长方形土坯房屋，屋里有炉子和烘箱，有供睡眠、起坐和工作的平台。宗教地段发掘出许多带有精美壁画的神殿。

Catalina Island（California，U.S.）　**卡塔利娜岛**　参阅 **Santa Catalina Island** 圣卡塔利娜岛。

Catalonia　加泰罗尼亚　西班牙语作 Cataluña，加泰罗尼亚语作 Catalunya。又译加泰隆尼亚。西班牙一自治区，于 1979 年 12 月 18 日根据自治法建立。这一具有历史意义的地区，包括西班牙东北部的赫罗纳、巴塞罗那、塔拉戈纳和莱里达 4 省。面积 32 114 平方千米。西班牙最富饶和工业化程度最高的地区。首府为巴塞罗那。加泰罗尼亚原为阿拉贡王国一公国，在伊比利亚半岛的历史上起过重要作用。自 17 世纪始，是有时左右国家事务的分立主义运动中心。加泰罗尼亚是罗马人在西班牙建立的最早领地之一。5 世纪时为哥特人占领，712 年被摩尔人攻陷，8 世纪末又落入查理曼大帝手中，作为西班牙边疆区被并入法兰克国土，由一位伯爵统治。然而，法兰克人对加泰罗尼亚的宗主权近乎徒有虚名。博雷尔伯爵（991 年卒）统治期间，这种宗主权被彻底摈弃。从 1137 年巴塞罗那的贝伦格尔伯爵四世同阿拉贡女王佩特罗尼拉订婚起，加泰罗尼亚便和阿拉贡合并，统一于一位君主之下。13 和 14 世纪，加泰罗尼亚垄断了西地中海的贸易。直到 1410 年以前，在与阿拉贡的合并中，加泰罗尼亚人的利益处于支配地位。当时，巴塞罗那伯爵无子嗣，绝了继承人。1412 年之后，加泰罗尼亚对阿拉贡的特拉斯塔玛拉新王朝越发不满。在约翰二世统治时期，这种不满发展为全面的造反（1462～1472），但没有成功。1469 年，约翰二世之子费迪南德与卡斯蒂利亚的伊莎贝拉结婚，西班牙实现统一。此后，加泰罗尼亚在西班牙国家事务中退居次要地位。虽然加泰罗尼亚保持了自治和自己的议会，但 17 世纪它与卡斯蒂利亚的利益冲突以及西班牙君主威信的下降还是导致加泰罗尼亚人开始搞一系列的分立主义活动。1640 年，为了反抗西班牙统治，加泰罗尼亚不惜接受法国国王路易十三的保护，但 17 世纪 50 年代反叛就被镇压下去。在西班牙王位继承战中，加泰罗尼亚宣布支持查理大公，抵制波旁王朝进入西班牙；但 1714 年被波旁王朝的腓力五世的武力彻底征服。腓力五世废除了加泰罗尼亚的政体和自治。

19 世纪，加泰罗尼亚人支持卡洛斯运动，分立主义再次抬头。实际上，分立主义的复兴始于 19 世纪 50 年代。他们努力恢复加泰罗尼亚语为当地使用的语言，有该语言的出版社和剧院。1876 年卡洛斯派失败，教会转而支持自治运动，加泰罗尼亚民族主义变成一股危险力量，到 1913 年，加泰罗尼亚赢得了一点地方自治，但 1925 年普里莫·德里维拉又废除了授权自治的法令并攻击各种形式的加泰罗尼亚分立主义。德里维拉的政策导致加泰罗尼亚成立一个左翼联盟党——共和党。共和党在 1931 年的城市选举中大获全胜，两天之后其领导人宣告成立加泰罗尼亚共和国。后来，加泰罗尼亚与中央政府达成妥协，自治法令于 1932 年 9 月成为法律。加泰罗尼亚在共和西班牙的历史上和1936～1939 年的内战中起了重大作用。然而，1939 年民族主义的胜利意味着自治的丧失。弗朗西斯科·佛朗哥将军的政府对加泰罗尼亚民族主义采取镇压政策。佛朗哥死后，西班牙建立了民主制度，但加泰罗尼亚要求自治的愿望并未减少。1977 年 9 月，该地区获准有限自治。1979 年，加泰罗尼亚获准完全自治，成立自治区。1979 年建立的自治区政府由政府委员会（以州长为首的最高行政会议）和单院议会组成。

加泰罗尼亚自治区位于西班牙东北部的三角地带，北与法国和安道尔接壤，西毗阿拉贡，南临巴伦西亚，东濒地中海。比利牛斯山为该区与法国的分界岭。西部的比利牛斯山余脉和埃布罗河盆地是与阿拉贡地区的交界处。西南部的埃布罗盆地有沿海丘陵地带穿过，将加泰罗尼亚的塔拉戈纳省与巴伦西亚地区的卡斯特利翁省隔开。塔拉戈纳、巴塞罗那和赫罗纳 3 省濒地中海，沿海平原为低矮的加泰罗尼亚山脉所环绕。加泰罗尼亚山脉自古以来就把沿海工业城镇和主要从事农业的内地居民点隔开。加泰罗尼亚山脉北部是构成莱里达省大部的高原。加泰罗尼亚的主要河流有特尔河、略夫雷加特河和埃布罗河，它们均流入地中海。该地区大部属地中海型气候。夏季炎热干旱；冬季温暖，雨水较多。加泰罗尼亚沿海城镇为这里最发达的地区。人口大量集中在地中海沿岸，内地人口日益减少。20 世纪，人口进一步向巴塞罗纳市及其卫星城镇集中。加泰罗尼亚的传统农产品主要有供出口的酒、杏仁和橄榄油，还大量生产马铃薯和玉米。加泰罗尼亚的耕地仅略多于全部土地的 1/3，供城市消费的水果和蔬菜正逐步取代橄榄和葡萄之类的传统作物。但农业产值仅占全区总产值的1/10。加泰罗尼亚的纺织业于 1283～1313 年间开始闻名，现仍为该地区的首要工业。主要纺织业中心有巴塞罗那、萨瓦德尔和塔拉萨。自 20 世纪 50 年代以来，工业发展迅速并且部门多样化。金属制造、食品加工和化学工业的重要性正逐渐超过纺织工业。纺织、造纸、刻印艺术、化学制品和金属制造业均集中在巴塞罗那。该市一家工厂生产多种西班牙产的工业用机动车。巴塞罗那炼油厂的发展是加泰罗尼亚对石油产品需求量日益增长的结果。服务业，尤其是旅游业和交通运输业十分发达。人口约 6 813 319（2004）。

Catalonia Museum of Art　加泰罗尼亚艺术博物馆　设于巴塞罗那国家宫内的一座博物馆。它是世界上收藏中世纪绘画作品最重要的博物馆之一，同时拥有西班牙陶器完全的收藏品。罗马式画廊中有一系列来自比利牛斯山村的教堂壁画装饰的复制品，这些艺术品于 1919 年藏入该馆。展品中有典型的精美罗马式建筑残片，如：柱头、石刻以及巴塞罗那圣普埃列斯神父修道院的建筑残片，时间可追溯至 12 世纪。其他重要展品有锡赫纳修道院公祷厅和巴利阿多利德省马塔利亚纳的圣玛丽亚墓的绘画。来自巴塞罗那阿吉拉尔宫的 13 世纪壁画描述阿拉贡国王詹姆斯一世对马霍卡岛帕尔马(1229)的进攻及皮港战役。这里还收藏了苏巴朗、格列柯和委拉斯开兹等人的重要绘画作品。陶瓷博物馆内展出西班牙自13世纪以来的装饰陶瓷。

catalpa　梓　紫葳科梓属(*Catalpa*)植物,11种,原产于东亚、北美东部和西印度群岛。叶大,美观;花艳丽,白色、淡黄或淡紫色。蒴果圆柱形;种子多粒,两端各有一束白毛。该属

美国木豆树(*C. bignonioides*)
美国不列颠百科全书公司供图

最常见种是美国木豆树(普通梓、美国梓,*C. bignonioides*),其木材坚韧耐用,也是广泛栽植的观赏种。

catalufa　花毯鲷　大眼鲷(bigeye)某些种类的统称。

catalysis　催化　化学反应被一种本身不因反应而消耗的物质(催化剂)所加速的现象。瑞典化学家J.J.贝采利乌斯把18世纪末19世纪初化学家所观察到的一系列有关现象联系在一起,于1835年首次使用催化一词。然而催化的实例却早已被人们所熟知,例如古代将酒发酵成醋酸以及用脂肪和碱制造肥皂的工艺,二者均通过催化反应来实现。在催化反应中,催化剂通常与反应物作用,参与化学反应,但最终它又能再生,因此催化剂的量保持不变。由于催化剂在反应中不会被消耗,每一个催化剂分子可以诱导反应物的许多分子转换,一个活化的催化剂分子每分钟内转化反应物分子的数目可高达几百万个。在两个或两个以上的联立反应中,相同的反应物或化合反应可以得到不同的产物。而且产物的分布受所选用的催化剂影响,催化剂可以选择性地加速其中某一个反应。所以选择适当的催化剂可以使一个特定的反应发生,而排除其他反应。这种选择性使催化剂有非常重要的应用。由于一个逆反应可以是多步正向反应的逆反应,而催化剂对一个反应的正、反两个方向的加速是相等的,因此催化剂不会影响化学反应的平衡位置,仅影响达到平衡的速率。自催化反应是一个例外,其特点是反应的产物之一本身也是反应的催化剂。

为降低化学反应的速度向反应中添加的另外物质称为抑制剂,这种作用称为抑制或阻滞作用,有时也称为负催化反应。这类反应在某些情况下抑制剂的浓度可以较反应物的浓度低得多,抑制剂的作用有以下几种:①由于反应物与抑制剂间形成络合物而降低了反应物的浓度。②由于催化剂与抑制剂之间形成络合物而使活性的催化剂的浓度降低(催化剂中毒)。③链载体被抑制剂破坏,而使链反应终止。

催化剂可根据其物理状态、化学性质以及被催化的反应的特征分类,催化剂可以是气体、液体或固体。在均相催化反应中,催化剂是以分子形式分散在与反应物相同的相中(一般是气相或液相)。而非均相催化反应则是反应物与催化剂在不同的相中,其间被相界面隔开。绝大多数非均相催化剂是固体,而反应物则是气体或液体。

非均相(多相)催化一般都是通过至少一种反应物在催化剂表面的化学吸附(与表面形成化学键)来进行的,催化反应的位置就是这吸附层。由于非均相催化反应是在催化剂表面发生,所以它的反应速率与反应物可以达到的催化剂的表面积成正比。因此,活化的催化剂通常是高孔隙率的固体,其总体表面积可以高达每克几百平方米。非均相催化反应的理论着重强调了催化剂活性与催化剂表面原子的几何排列以及固体催化剂的电子性能(包括电子的能带结构、半导体导电率等)之间的关系。

催化剂中毒可能是由于毒素使催化剂的电子性能发生了有害的变化,或是在催化反应的表面位置上由于毒素的吸附优先于反应物的吸附而形成了阻挡层。酶是一类特别重要的、在生物体中自然存在的催化剂,已鉴别出1 000多种酶在活生物体中所发生的特殊化学反应的特征。酶包含了已知催化剂中最具活性和选择性的催化剂。

catalyst　催化剂　化学术语。能增加反应速率而其本身并不消耗的物质。酶是天然催化剂,参与许多重要的生化反应。固体催化剂通常是金属或金属和半金属元素(如硼、铝、硅)的氧化物、硫化物和卤化物。气体和液体催化剂的使用通常以其纯物质形式或配以适当载体(或溶剂)。固体催化剂则一般分散于催化剂载体中。通常,催化作用是催化剂与一种反应物之间进行化学反应,生成一些中间化合物,它们互相之间或与另一反应物以更快的速度反应,生成所需最终产物。在中间化合物和反应物进行反应的过程中,催化剂一般能够再生。催化剂和反应物之间的反应方式很不相同,使用固体催化剂时更为复杂。典型的催化反应有:酸-碱反应、氧化-还原反应、生成配位络合物和生成自由基的反应。使用固体催化剂的反应机理受表面性质、电子组态或晶体结构的影响很大。某些固体催化剂称做多功能催化剂,能以多种方式与反应物作用,双功能催化剂广泛用于石油工业中的重整反应。催化反应是许多工业中化学过程的基础,催化剂的制造本身也是一种迅速发展的工业过程,一些典型的催化过程所用的催化剂如下:

工艺过程	催化剂
合成氨	铁
硫酸生产	一氧化氮、铂
石油裂解	硅-铝
不饱和烃加氢	镍、铂或钯
汽车废气中的烃类氧化	氧化铜、五氧化二钒、铂、钯
正丁烷异构化生成异丁烷	硫酸、氯化铝、氟化氢

catalyst poison　催化剂毒物　化学反应中降低催化剂效能的物质。理论上讲,催化剂在化学反应中不被消耗,可以无限期地重复使用。但实际上,来自反应物或反应本身产生的毒物积累在固体催化剂的表面上,降低了催化剂的效能。为此,当催化剂的效能降低到某一下限时,就要采取一些步骤清除毒物,或添加某种可与毒物反应的催化剂活化组分。常见的毒物有:石油裂解用硅铝催化剂上的积碳,加氢或脱氢反应中金属催化剂上的硫、砷或铅,以及合成氨使用的铁催化剂上的氧和水。

catamaran　双体艇　由两个船体并列而成,靠风力或机动行驶的小艇。操纵双体艇于20世纪后半叶兴起而成为体育运动项目或娱乐项目。其原型是印度尼西亚以及波利尼西亚和密克罗尼西亚群岛居民使用的双木筏,即将两根原木用板材固定在一起。早期双体艇长度可达21.3米,原来靠多人划桨行驶,装帆后可连续航行3 704千米以上。19世纪70年代美国美洲杯划艇设计师N.赫雷肖夫所研制的双体艇性能显著优于单体船,因而被排斥在正式比赛之外。现用双体艇的制造始于20世纪50年代,平均长12.2米,早期

双体艇
美国不列颠百科全书公司供图

的双体艇往往难于逆风行驶,后来的设计虽克服了这一困难,但双体艇仍存在倾覆后难以扶正的缺点。1959年较小型的双体艇在与单体船比赛中获胜。国际比赛自1961年起在美国和英国之间举行,1968年以前英国一直保持优胜。后来丹麦和澳大利亚参加比赛,后者一直称霸。双体艇速度甚高,每小时可达32.19千米。装上发动机就成为流行的沿海摩托巡逻艇。

Catamarca 卡塔马卡 阿根廷西北部省份。面积99 818平方千米。境内多山，间有一些台地和谷地。阿孔基哈山脉西侧的沙漠名为阿根廷大沙漠。12世纪后为印加帝国之一部，现仍可发现一些陶器残片。1816年脱离西班牙取得解放后，卡塔马卡地区军事首脑抵抗布宜诺斯艾利斯政府多年。1943年安托法加斯塔-德拉谢拉地区并入卡塔马卡。由于缺水，农业发展受到阻碍。种植苜蓿、葡萄、橄榄，有养牛业。开采钨和云母矿。受旧传统影响，该省十分闭塞，却因此吸引了许多旅游者。省会卡塔马卡(Catamarca)有铁路和公路运输设施。人口约312 269(1999)。

Catamarca 卡塔马卡 又称圣费尔南多-德尔巴耶-德卡塔马卡(San Fernando del Valle de Catamarca)。阿根廷卡塔马卡省省会。该城1694年建于现址。经济以农业为主，生产

卡塔马卡市的弗京谷地教堂
美国不列颠百科全书公司供图

并加工葡萄、苜蓿、棉花、谷物、皮革及肉类。冬季气候温和。秀丽的景色和附近山区的温泉促进了旅游业的发展。以手工编织羊毛穗饰披巾而著称。有几座殖民时期建筑物。市内的弗京谷地教堂建于1694年，为朝圣中心，1941年设为国家保护区。弗朗西斯科女隐修院建于1694年。市内还有艺术馆和工艺品博物馆。人口约140 000(1999)。

catamount (mammal) 参阅 **puma** 美洲狮。

Catanduanes 卡坦端内斯 菲律宾中东部菲律宾海中的岛屿，隔马克达海峡与吕宋东南部相望。岛屿面积1 425平方千米，地势丘陵起伏，农作物有稻、玉米、椰子、马尼拉麻等。主要港口比拉克位于南岸低地。该岛以石教堂闻名。人口：卡坦端内斯及附近诸小岛215 356(2000)。

Catanduva 卡坦杜瓦 巴西圣保罗州中北部高原的城市。临圣多明戈斯河。海拔497米。1909年建镇，1917年为市政府所在地。咖啡为当地主要作物，也种棉花、玉米、稻米、豆类和花生。工业有农产品加工与制革业。有铁路、公路和航空线通州首府圣保罗和邻近城市。人口约105 771(2000)。

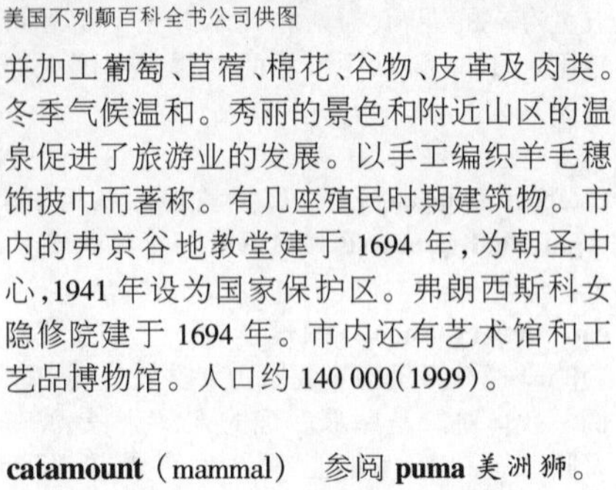

卡坦杜瓦的牲口市场
美国不列颠百科全书公司供图

Catania 卡塔尼亚 意大利西西里岛东部城市，卡塔尼亚省省会。位于埃特纳火山南伊奥尼亚海滨广阔的卡塔尼亚平原上。建于公元前729年。公元前5世纪地位重要。为该岛最早被罗马人占领的城镇之一(公元前263年)。先后被拜占廷、阿拉伯人和诺曼人占据。西西里王国的阿拉贡人统治者常在此居住。后归属那不勒斯的波旁王国。第二次世界大战期间受到1943年的轰炸和激烈战斗的破坏。因用火山石灰华做建筑材料，旧城呈一片深灰色。1693年地震后几乎全部重建。市中心完全是18世纪景象。古迹有古希腊和古罗马剧场遗址、罗马露天竞技场、长方形廊柱教堂、浴场、高架渠和带四个角楼的乌尔西诺城堡(1239～1250)等。城堡内的市博物馆藏有大量艺术品和考古文物。杜奥莫广场为公共活动中心，四周有18世纪宫殿。1091年诺尔曼伯爵罗杰一世所建大教堂内有圣阿加塔的遗物和当地作曲家V.贝利尼的陵墓。圣尼科洛教堂为该岛最大教堂，14世纪动工，17世纪建成。1434年建立该岛第一所大学，其图书馆藏有很多珍贵的中世纪手稿。其他名胜有巴罗克式的圣阿加塔教堂、市政厅、大象喷泉(1736)、皇家教堂、天文台、现为纪念馆的贝利尼出生地等。

卡塔尼亚市的乌尔西诺城堡
美国不列颠百科全书公司供图

现代卡塔尼亚为西西里岛的第二大城市，工业和运输中心，是意大利最繁忙的港口之一。生产各种机械和化工品，西西里岛上一半的精炼硫来自卡塔尼亚工厂。有食品加工业和渔业。集散附近农区的农产品。输出杏仁、柑橘、手工艺品。有铁路通往其他城市。附近有优良海滩，为冬季游览地。人口：城区约306 464(2001)。

Catania, Gulf of 卡塔尼亚湾 伊奥尼亚海海湾。在西西里岛东海岸。约32千米长、8千米宽。主要港口为卡塔尼亚。

Catanzaro 卡坦扎罗 意大利南部城市，卡拉布里亚区首府和卡坦扎罗省省会。海拔343米，俯瞰科森扎东南的斯奎拉切湾。建于10世纪。历受诺曼人、萨拉森人、瑞士人、法国人等的入侵。1928年成为大主教区中心。1971年成为区首府。1783、1905和1907年遭受地震的严重破坏。第二次世界大战中遭到盟军的轰炸。省博物馆收藏有古文物和绘画。圣多明我教堂内有罗萨里奥的圣母像。17、18世纪以丝织业闻名于世。铁路的枢纽和贸易中心。经营橄榄油，生产化肥。人口：城区约93 540(2001)。

cataphoresis (physical chemistry) **阳离子电泳** 参阅 **electrophoresis** 电泳。

Cataphrygian heresy 参阅 **Montanism** 孟他努斯主义。

catapult 弹射器 一种机械装置，用以强力抛射石头、矛枪或其他抛射体，自古即为人使用。罗马人用ballista一词，指抛石的器械，catapulta指发射箭矢与飞镖等的弹射器。较

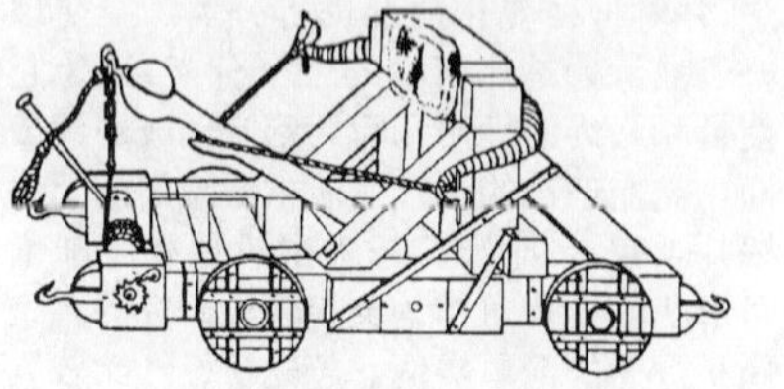

弹射器

大的弹射器装上一个长臂，用以抛射石头与其他物体。古代和中古的炮兵所用的弹射器，几乎都用马鬃、肠线、腱线或其他纤维扭成粗线来操纵木制梁臂，使用时，先拉紧而后突然放松，以弹射物体。现今，利用液压、张力或其他弹力来发射滑翔机、飞机或导弹等的机械，也称弹射器。

cataract 白内障 表现为眼内晶状体混浊的眼科病。若混浊部分是微小、散在的小点(蓝点内障或点状内障)或只侵犯晶状体周边部(冠状内障，据称患这种病的，占世界人口的25%)时，视力可无明显降低。当严重损害视力时，其标准的治疗方法是手术摘除晶状体。出生时即可有严重损害视力的白内障。先天性白内障可因孕母在妊娠头三个月内感染风疹而引起。患半乳糖血症、佝偻病、蒙古样痴呆或甲状腺功能减退的婴儿均可发生白内障。婴儿白内障多非进行性。晶状体严重混浊时，瞳孔呈白色，称为白眼。糖尿病患者，尤其是病情控制不佳的青年患者可出现白内障。长期暴露于高温(如吹制玻璃及搅炼熔铁时)、X射线或受到亚原子微粒(特别是中子)的轰击时可以引起白内障。老年性白内障最常见，是晶状体随年龄的增长而密度增加的结果。若混浊区位于晶状体中部，则对视力的影响大于周边性白内障。白内障早期近视力可暂时增进，达到不戴眼镜便能阅读的程度。

cataract 奔流瀑布 一种瀑布(**waterfall**)，尤指有大量水从绝壁上冲下的瀑布。

Catargiu, Lascăr 卡塔尔久(1823-11-13～1899-04-11，罗马尼亚布加勒斯特) 罗马尼亚政治家，四度出任首相(1866，1871～1876，1889，1891～1895)，在该国独立初期的国家

事务中发挥主要作用。1858年在为确定摩尔多瓦和瓦拉几亚合并后的政治结构而成立的摩尔多瓦代表委员会工作。1859年为摩尔多瓦大公候选人。两公国合并后，他参加秘密委员会，策划推翻罗马尼亚大公A.库扎，拥戴卡尔亲王，即后来的国王卡罗尔一世。1866年2～5月为三人摄政会成员，同年5～7月任首相。1871年再次组阁。1876年下野后，领导保守党人猛烈攻击新上台的自由党人。1888年自由党人倒台后，又两次出任首相，任内实行土地改革和财政改革。

catarrhine　狭鼻猴　参阅**Old World monkey**旧大陆猴。

catastrophe theory　突变理论　数学中用于研究系统的控制变量(一个或多个)连续变化时系统行为经受突然巨大变化的一系列方法，并对种种变化情况进行分类。突变理论一般被认为是几何学的一个分支，因为它的变量和最终的性质和行为都宜画成曲线或曲面。突变理论的正式发展主要应归功于法国拓扑学家R.托姆。一座拱桥荷载逐渐增加时形状的变化可作为突变理论研究的系统性质和行为的简单实例。起先桥始终比较均匀地变形，直至载荷达到某一临界值时，桥的形状突然变化，而遭倾坍。英语catastophe一词还有"灾难"、"灾变"之意，因此能同上述戏剧性事件引起联想，但许多不连续状态的变化并不这样称呼。突变理论对光在运动的水中的反射或折射以及其他许多光学现象的研究已富有成果。更值得思索的是，突变理论的思想已经被社会科学家应用到研究诸如群氓暴力行为的爆发等多种情况中去。

catastrophism　灾变论　解释在连续地层中由于反复发生灾变、创新的结果而造成古生物化石方面差异的一种学说。这个学说通常同法国博物学家B.G.居维叶(1769～1832)联系在一起。20世纪对居维叶观点的发展，实际上是一种"新灾变论派"，力图把地质历史解释成为造山作用、海进和海退、生物界的演化和绝灭的一系列的周期韵律或脉动。

Catatumbo River　卡塔通博河　发源于哥伦比亚北部，向东北经委内瑞拉边境，流贯马拉开波低地石油储量丰富的地区，注入马拉开波湖，长约338千米。下游可通航。在委内瑞拉马拉开波低地的恩孔特拉多斯以西6千米处接纳苏利亚河。

Catawba　卡托巴人　操苏语的北美印第安部落，居住在卡罗来纳卡托巴河附近地区，其主要村落位于河的西岸，即今南卡罗来纳州约克县境。因他们和东南部其他许多部落一样，对男孩要实行头部变形的仪式，白人商人多称之为扁头人。卡托巴人的村落有许多树皮覆盖的小屋，还有一座神庙作为公共集会或举行祭祀的场所。各村由议事会管理，议事会的主席是村长。他们以农业为主，种植玉米，一年两季收获，还在同一块地内种植各样豆、南瓜及葫芦等。北美东南各印第安部落的风俗是农事多由妇女担任，但卡托巴人则由男子耕作。冬季有大批候鸽可作食物。卡托巴人制碗、编筐、织席，并以这些手工艺品同其他部落和白人移民进行贸易，换取肉类及毛皮。鱼也是他们的主要食品，他们用鱼梁、网罟和长棒捕捉鲟鱼、鲱鱼。17世纪时，卡托巴人有5 000人；在与欧洲移民发生交往后，他们成了各个殖民者派系的附庸，人口亦随之急剧下降，半数死于1738年流行的天花，到1780年仅存500人。在图斯卡罗拉战争(1711～1713)中以及在法国人联合印第安人对英战争(1754～1763)中，卡托巴人均是英方盟友；在美国独立战争中，他们支持殖民地移民一方。到20世纪晚期，约有1 200名卡托巴人的后裔住在南卡罗来纳州罗克希尔。

catbird　猫鸟　除啁啾外还能发出猫叫般鸣声的几种鸟类。雀形目嘲鸫科的北美猫鸟(灰猫嘲鸫，*Dumetella carolinensis*)，体长23厘米，灰色，头顶黑色，常去园林和灌丛。黑

北美猫鸟(*Dumetella carolinensis*)
美国不列颠百科全书公司供图

猫鸟(*Melanoptila glabrirostris*)见于尤卡坦沿岸。园丁鸟科猫鸟属(*Ailuroedus*)的3种鸟也称猫鸟，绿色，分布于澳大利亚、新几内亚及附近岛屿；雄鸟不筑居舍，而是在森林中高声鸣叫以保卫其领域。参阅**bowerbird**。

catch　追唱曲　又称轮唱曲(round)。为3个或更多声部演唱而设计的无终止卡农，17和18世纪在英国特别流行。像所有的轮唱曲一样，它可以无终止地反复演唱，其中所有声部均以同样的音高开始唱同一旋律，只是相隔不同时间进入。这一名称可能源自14世纪法国的一种卡农形式卡恰(caccia)，亦可能暗指各个歌手在轮流"追截"曲调。追唱曲的歌词往往幽默或粗俗下流。有时某一声部的旋律中途暂停，由另一声部中的几个音和歌词填入，造成双关含意或改变原意。从文学的记载可知，追唱的形式是16世纪盛行的一种社交活动，虽然第一本追唱曲集、雷文斯克罗夫特的极为成功的《帕米利亚》却一直到1609年才出版。他的另两本曲集(1609，1611)中也收有追唱曲，包括《3只瞎老鼠》一曲。此类曲集可能以J.希尔顿的《追唱追唱》(1652)最为著名。1660年英国王政复辟后，一些最优秀作曲家不遗余力地把这种曲式处理得妙不可言而又猥亵色情，于是追唱曲达到鼎盛时期。H.普赛尔在第1点上可说是超群绝伦，在第2点上亦是高手。18世纪追唱曲俱乐部纷纷成立。这一体裁的歌词变得更高雅，而音乐则淡而无味，但仍很流行。王政复辟后期的追唱曲集大多经过删改，但在20世纪50年代以后偶尔也有未经删改的版本问世。

catchfly(plant)　**捕蝇草**　参阅**campion**冠军花。

catchment area　汇水区　参阅**drainage basin**流域。

Cateau-Cambrésis, Peace of　《卡托-康布雷齐和约》(1559-04-03)　该和约标志法国和西班牙为控制意大利而进行的65年(1494～1559)斗争宣告结束，使哈布斯堡的西班牙在以后的150年里为意大利的统治国。战争最后阶段大部分在意大利之外进行，法国在圣康坦(1557)和格拉沃利讷(1558)的两次战役中败北。上述失败，加上法国天主教徒和胡格诺派教徒开展宗教斗争和两国的经济困难导致了和平。尽管法国最终放弃了对意大利领土的要求，西班牙保持了它根据1529年《康布雷条约》(**Cambrai, Treaty of**)获得的在意大利的支配地位，法国还设法保持了5个要塞，包括都灵、萨卢佐和皮涅罗尔。此外，法国还保住了1552年从哈布斯堡皇帝查理五世夺来的图勒、梅斯和凡尔登三个主教管辖区和1558年从西班牙的同盟者英国人夺来的加来。

catechesis(theology)　**口授教理**　参阅**kerygma and catechesis**初传福音和口授教理。

catechetical school　教理学校　早期基督教会的一种教育机构。亚历山大学校是其中一例。教育对象是探求教理的人，特别是曾在希腊教育制度(派地亚)下受教育者，他们希望更多地了解基督教或受洗入教。

catechism　教理问答　宗教教育所用的手册。通常采用问答式，供教育儿童、劝人信教并申明信仰之用。著书题为《教理问答》显然始于16世纪。15世纪印刷术发明，16世纪宗教改革运动兴起，其后，不论是在基督教(新教)还是在天主教，教理问答都更为受到重视。这些教理问答受到中世纪各种教理问答的影响。中世纪教理问答以早期教父著作为楷模，集中阐述信、望、爱三点，"信"部即《使徒信经》，"望"部即《主祷文》，"爱"部即《十诫》。后世的教理问答多附有这三方面的说明，同时又增加了其他方面。宗教改革家所著《教理问答》以路德的《小教理问答》(1529)最为著名。路德所著《大教理问答》(1529)供教牧人员使用。1537年加尔文出版了一本教理问答，专供儿童学习使用。1563年出版的《海德堡教理问答》经过1619年多尔德会议修订，在归正宗内部使用范围最广。长老宗的《标准教理问答》是威斯敏斯特的长短两种教理问答，均出版于1647年。安立甘宗的《公祷书》内附有教理问答。天主

教最著名的教理问答为耶稣会士卡尼修斯所撰,1555年出版。俄罗斯正教牧首莫吉拉编著《东正教信纲》,1640年经教省会议通过,1672年经过耶路撒冷会议修订。1723年俄罗斯正教会奉彼得大帝谕,出版《正教简易教理问答》。

catecholamine 儿茶酚胺 一类神经介质或激素。来自通常叫L-酪氨酸的氨基酸前体物,这种氨基酸可进行一序列的酶催化转化而依次形成L-多巴、多巴胺、降肾上腺素,最终形成肾上腺素。儿茶酚胺多巴胺是广泛分布的中枢神经系统的神经介质。儿茶酚胺是由肾上腺髓质形成的,可与交感神经系统共同作用以引发起人体对紧张的器官和心理刺激的快速响应("抵抗"或"退却"响应)。儿茶酚胺对人体热量的产生也有作用,通过促进放热和放能反应起作用,例如在肝脏和肌肉内使葡萄糖原分解成葡萄糖以及使甘油三酯(储存脂肪)分解成游离脂肪酸的反应。儿茶酚胺通过其在下丘脑的神经介质的作用控制着激素的分泌,还促进葡萄糖原及来自胰脏的郎格罕氏胰岛的释放。

catechu 儿茶 又作cutch或cashoo。自多种植物提取的物质,用于染色和鞣革。有两种:黑儿茶(得自印度产的金合欢属树木儿茶[*Acacia catechu*]和苏马儿茶[*A. suma*])及苍儿茶(商业上称棕儿茶,得自印度尼西亚群岛产黑儿茶[*Uncaria gambir*]和酸钩藤[*U. acida*]的叶)。均具有甜味,医药上用作收敛药,主要成分为儿茶鞣酸和儿茶素(或称儿茶酸)的混合物。亦指槟榔果的提取物,含槟榔碱,兽医用作驱蠕虫药。

catechumen 望教者 学习基督教义准备受洗的人。4世纪时,洗礼往往举行迟晚,如君士坦丁大帝临终前才受洗,因而许多基督教徒都是望教者。后来婴儿受洗日益普遍,望教者人数逐渐减少。近代在新传教地区对望教者进行洗礼前教育的制度又重新盛行。

Catechumens, Liturgy of the 望教礼拜 基督教礼拜的一部分,在圣餐礼之前举行,其宗旨是教诲望教者,内容包括唱诗、祈祷、读经和布道。在早期教会,望教礼拜结束后未受洗礼的望教者即退席,已受洗礼的信徒留下领圣餐。

categorical imperative 绝对命令 又译定言命令。在批判哲学的创始人——18世纪德国哲学家康德的伦理学中,绝对命令指对一切行为者是无条件的或绝对的道德律。这一道德律的正确性或要求不依任何动机或目的而转移。例如,"你不可偷盗"就是绝对的,不同于那种与欲望有关的假言命令,例如"如你要得人心,你就不可偷盗。"康德认为这样的绝对命令是唯一的,他用各种形式进行了表达。"只能按照你愿意其成为普遍规律的准则行动"是纯粹形式的或逻辑的陈述,表达的是行为理性的条件而不是行为道德的条件,关于后者康德是这样表达的:"就对待人来说,无论是对你自己或对别人,在任何情况下都要将其当作目的,决不只当作手段。"

categorical proposition 直言命题 三段论法或传统逻辑中的一种命题或陈述。在这种命题中,谓词毫无保留地肯定或否定主词的全部或部分。它有四种基本形式:"所有S都是P";"无一S是P";"有的S是P";"有的S不是P"。这四种形式分别用字母A、E、I、O代表。比如,"所有人都是要死的"就是一个A命题。直言命题要与复合命题和复杂命题区别开来。它是复合命题和复杂命题中一些完整的项。它是关于事实而不是逻辑关系的判断,特别要跟"如果所有的人都是要死的,那么苏格拉底也是要死的"这一类假言命题相区别。

category 范畴 在逻辑学中,此术语用于表示若干种最一般或最高级类型的思维形式或实体,或者表示任何这样的特征:如果将属于一种范畴的一个形式或实体代入一个陈述,以取代属于另一种范畴的一个形式或实体,则必定产生无意义的断定。亚里士多德用此术语表示谓项类型;即将可以说明(或述谓)一个给定主项的许多事物分成若干类,例如数量、实体、关系和状态,亚里士多德将这些类称为范畴。希腊人认为,澄清述谓范畴有助于解决看来属于悖论的问题。例如,在一年左右的时间里,苏格拉底可能不再是比亚西比德高,而是变得比他矮;因此,他现在不是从前的他了。他也已不复是个人了。人们可能感到奇怪,怎么会他既不能像往昔那样(比较高),而又仍然像往昔那样(一个人)。答案是:这两个范畴是不同的,即关系的变化不等于实体的变化。虽然古希腊的斯多葛派哲学家们只承认四种"最普遍的"概念,但整个中世纪里始终都把亚里士多德的十范畴奉为权威。在一篇关于亚里士多德的《范畴篇》的评论中,新柏拉图主义者波菲利为中世纪整个关于共相即普遍抽象名词的论争开辟了舞台,他因而提出了这样的争论点:任何范畴理论都必定解体。18世纪时,康德复活了范畴这个术语,用以表示不同类型的判断,即逻辑命题的作用方式应当明了,康德虽然保留了亚里士多德的"范畴"这个术语,甚至某些次一级的术语,例如"质量"、"数量"和"关系",可是他的区分与亚里士多德的不同。例如,对亚里士多德来说,"质量"指诸如"白的"或"甜的"谓项,而在康德,它是表示肯定和否定的区别。在康德以后,黑格尔把许多范畴安排成一个上升的三段式辩证结构,由此开创了现代倾向,即认为范畴为数众多,它们构成逻辑的和(或)形而上学的系统的基本原理;因此,对于黑格尔来说,范畴包括形式和内容。20世纪初,面对数学基础中的一个"矛盾",罗素提出了类型论,它区别了不同的语言层次,认为不应当混淆这些层次。同时,美国逻辑学家、实用主义者查尔斯·桑德斯·皮尔斯捍卫这样的观点:可能有(也只有)三种类型谓项:"一位"即"纯粹可能性";"二位"即"实际存在";和"三位"即"真正的普遍性"。显然,如果共相属于三位范畴,那末,力主共相没有存在(二位范畴)的唯名论者是在混淆范畴,并且根据"范畴"的定义,他们也是在作一个无意义的陈述。20世纪中期的牛津分析哲学家吉尔伯特·赖尔称这类判断错误为"范畴错误"。这种判断错误在最近的语言哲学中起了重要作用。语言哲学(它使范畴激增)已以强大的治疗效果把这种批判施加于哲学议论。波兰逻辑学家斯坦尼斯瓦夫·莱希涅夫斯基(1886～1939)和德国(美籍)语义学家鲁道夫·卡纳普(1891～1970)区别了处理概念间关系的句法范畴和处理概念与指称的语义范畴。现在倾向于将类似亚里士多德的那些区分说成是语义的,是意义的种类或样态之间的区分,而不是语言表达的种类或者事物(或事件)种类的区分。另一位牛津哲学家P.F.斯特劳森讨论了范畴理论对于描述的形而上学的含意。

Catelinus 卡特利努斯 参阅**John Ⅲ**约翰三世。

catenary 悬链线 描绘两端悬挂起来的均匀缆索所呈形状的曲线。一条缆索或细绳,如果单位长度的质量处处相同,并且只受重力的作用,自由悬挂后都取这种形状。悬链

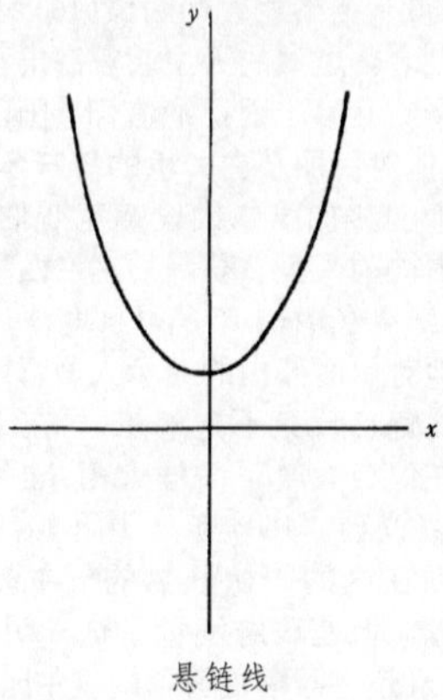

悬链线

线的一般方程是:$y = a\cosh(x/a)$,其中a是常数,表示曲线上的最低点和参考轴之间的距离。如果$a = 1$,这就是双曲余弦(cosh)的方程。在吊桥的缆索中可以看到近似于悬链线的曲线。悬链线可看作沿直线滚动的抛物线的焦点的轨迹。

catenation 链接 同种元素的原子化学结合成链的过程。链接过程只存在于化合价不低于2、彼此能形成较强键的元素的原子之间。这种性质主要表现在碳原子中,在硫原子和硅原子中也较明显,在锗、氮、硒和碲原子中比较微弱。参阅**polymerization**。

caterpillar 毛虫 又称蠋。鳞翅目昆虫(蝶、蛾)的幼虫。体圆柱形,分13节,有3对胸足和数对腹足。头两侧各有6眼,触角短,颚强壮。有些毛虫另有俗名,如尺蠖、蚕和大军虫(一星黏虫的幼虫)等。蠋型幼虫亦见于其他类昆虫,如长翅目的举尾虫和膜翅目的叶蜂。

Caterpillar Inc. 卡特彼勒公司 1925～1986年名为卡特彼勒拖拉机公司。美国生产运土机、建筑机械及材料装卸运输设备的大制造商。也生产工业用及航海用柴油机及天

然气发动机。第一次世界大战前不久数年，加利福尼亚州霍尔特制造公司的业主本杰明·霍尔特发明履带拖拉机。1925年该公司与贝斯特拖拉机公司合并，改名卡特彼勒拖拉机公司。由于与苏联建立贸易关系，在其第一个五年计划期间(1929～1933)为其供应拖拉机和收割机等设备，在大萧条时期公司经营状况良好。1931年对拖拉机进行改良，采用柴油发动机，这一方法后被多数重型交通工具采用。第二次世界大战期间使用柴油发动机装备M4装甲车。二战后重建工作使得该公司的拖拉机和卡车畅销全世界。“卡特彼勒”成为当时推土机的代名词。从1961年起公司面临一系列劳资矛盾，但企业仍持续发展。1986年公司更名为卡特彼勒公司。现生产农业、建筑业、矿业、伐木业和仓储业所需的拖拉机、卡车、开凿机、分级机、铲土机等重型运输设备。公司还生产卡车和轮船的汽油、柴油和电动发动机。公司一半以上的产品销往海外。

Catesby, Robert　凯茨比(1573，英格兰沃里克郡拉普沃思～1605-11-08，斯塔福德郡霍尔比奇豪斯)　英格兰火药阴谋(1605-11-05)的主要策划者。虔诚的天主教家庭出身。由于看到父亲威廉爵士因拒绝信仰英国国教而遭到迫害，他对伊丽莎白一世的政府怀有仇恨。1601年他因参加第二代埃塞克斯伯爵R.德弗罗起事被捕入狱。获释后劝说西班牙进攻英格兰，结果在1603年3月再度被短期投入监狱。他对伊丽莎白的继承人詹姆斯一世许诺的宗教宽容政策不抱幻想，早在1603年5月就想在议会大厦下面埋火药，准备炸死国王和炸毁议会。1604年1月开始纠集包括G.福克斯在内的一伙狂热的天主教徒实现他的计划。但是政府发觉了这一阴谋，他逃出伦敦，躲藏在斯塔福德郡的霍尔比奇豪斯，因拒捕被杀。

catfish　鲶鱼　又称鲇、猫鱼。鲇形目鱼类的统称。鲇类与脂鲤类、鲤类及米诺鱼类(鲤形目)近缘，可一起归于骨鳔超目。而另一分类系统把它们归为鲤形目(或骨鳔目)的鲇亚

斑鮰(*I. punctatus*)
美国不列颠百科全书公司供图

目和鲤亚目。鲶鱼口周有长须，似猫吻端的触毛，故俗称猫鱼。其上颌至少有须一对，吻部也可能有一对，颏部另有一对。许多鲇的背鳍和胸鳍前部生有硬刺，与毒腺相连，刺人甚痛。体光滑或具骨板，无鳞。现存约30科2 500种。大多生活于淡水，但有少数种生活于海水，属于海鲇科和鳗鲇科。淡水鲶鱼几乎遍及世界各地，在缓流或静止的水体或湍急的山溪中均能生存；海水鲶鱼则分布于热带近海。一般底栖，喜于夜间活动。多为食腐动物。几乎以任何动植物为食。卵生，可以各种形式表现出对后代的关心，如褐牛头鮰(*Ictalurus nebulosus*)会筑巢、护巢并保护幼鱼，而雄海鲶鱼(海鲇科)则把玻璃球大小的卵及幼鱼含在口中携带。鲶鱼大小差异很大。兵鲇属(*Corydoras*)体小，如矛兵鲇(倭猫鱼，*C. hastatus*)体长仅4～5厘米，而大型的欧洲种类欧鲇(*Silurus glanis*)可长达4.5米，重达300千克。一些体形较小的种，特别是兵鲇属，是受欢迎的水族箱观赏鱼；而许多体形较大的则可供食用。其中知名的是北美洲的许多鮰科食用鱼和游钓鱼；蓝鮰(*Ictalurus furcatus*)最大者长1.5米，重68千克；斑鮰(*I. punctatus*)长约1米，重约12千克。鮰类在一定程度上可算典型的鲶鱼，其他种类则在外观或行为方面有其特性。如二须缺鳍鲶鱼(玻璃鲶鱼，*Kryptopterus bicirrhus*)是鲶科受欢迎的水族馆鱼类，以其细长而极透明的身体而闻名；南美的蝌蚪鲶或称班卓琴鲶(蝌蚪鲇科)体细小，头扁，表面不光滑，背面观稍似班卓琴；非洲的电鲶(*Malapterurus electricus*)可产生高达450伏特的电流；南美洲的寄生鲇(*Vandellia cirrhosa*)有时侵入游泳者的泌尿生殖道开口。刺陶乐鲶鱼(叫唤鲶鱼，*Acanthodoras spinosissimus*)，见于亚马孙河，有甲，能发出呼噜的声音。歧须鮠(颠倒鲶鱼，*Synodontis batensoda*)等属双背鳍鲿科，惯于头朝下游泳；胡鲶鱼(步行鲶鱼，*Clarias batrachus*)属胡鲇科，能在陆上走动并进行呼吸。鲶鱼是鱼类养殖(**fish farming**)的重要对象。参阅 **bullhead; candiru; corydoras; electric catfish; madtom; wels**。

catgut　肠线　用某些动物肠，特别是羊肠制成的坚韧的线，用于外科手术结扎和缝合以及制作小提琴和有关乐器的弦、网球拍线、射箭的弓弦等。古代埃及、巴比伦、希腊和罗马均用食草动物的肠制作过同样的线。名称来历不明，不知是否用过猫肠。将羊肠洗净、切成带，刮去黏膜及附着的肌肉，浸在碱液中数小时，然后晾在架上，趁其湿润时即取下绞成不同粗细的线，最后将表面打光。意大利肠线最适于制作乐器弦。医用肠线须分几步加热灭菌，持续数小时，并常以浸渍剂处理。

Cathari　清洁派　又拼 Cathars。12、13世纪流行于西欧的基督教异端派别。该派信奉新摩尼派二元论，宣传善恶两元并存，物质世界为恶。该派与巴尔干半岛及近东的保罗派和鲍格米勒派观点相近，且有密切联系。11世纪前半叶德意志西部、佛兰芒、意大利北部等地零星出现这种异端派别组织，到了12世纪40年代，清洁派成为有组织的教会，有各级神长、礼拜仪式和系统教义。比至12、13世纪之交该派共有11个主教区，其中1个在法兰西北部，4个在法兰西南部，6个在意大利。该派有严格的斋戒规定，禁绝肉食和性交，崇尚遁世苦修。该派既然严格禁欲，当然就成为少数特选蒙召者的教会，而在法兰西以及意大利北部竟成为群众性的教会。原因在于该派将信徒分为“纯全信徒”和“一般信徒”两部分，要求不同。该派对《旧约》许多内容持保留态度，有人甚至将它全盘否定。他们反对关于基督是道成肉身的正统教义。他们认为耶稣不过是一名天使，耶稣以肉身在世所历苦难而死亡，无非是幻象。他们严厉抨击教会的世俗化与堕落。清洁派的教义从根本上打击正统基督教和基督教世界的政治体制，于是教会与国家联合对他们进行迫害。教皇英诺森三世(1198～1216在位)强要图卢兹伯爵雷蒙德六世协助镇压清洁派异端，但教皇使节竟遭杀害。教皇宣布发动十字军，即讨伐阿比尔派的十字军。法兰西北部诸侯率军洗劫图卢兹、普罗旺斯两城，屠杀居民，不分清洁派与公教信徒(参阅 **Albigenses**)。随后在法兰西国王圣路易九世的赞许下，配合新成立的异端裁判所，较为有秩序的迫害活动展开，较为有效地挫伤清洁派的元气。1244年比利牛斯山附近蒙塞居尔该派地道的信徒所据守的要塞陷落被毁，该派转入地下，许多法兰西信徒逃往意大利，但该地迫害更甚。13世纪70年代该派各级组织衰微，但迟至15世纪初该派始彻底绝迹。

catharsis　净化　文艺评论用语。亚里士多德在《诗学》中使用的隐喻；用以形容真正的悲剧对观众所产生的效果。这个用法取自医学术语 katharsis(希腊文，意为“清洗”或“净化”)。亚里士多德声称，悲剧的目的在于激起“恐惧与怜悯”，从而使这些情感得到净化。其确切意义许多世纪以来一直是评论家们争辩的题目。德国戏剧家、文学评论家莱辛(1729～1781)认为，净化使多余的激情转化为高尚的情操。还有的评论家认为悲剧是一种道德的教训，悲剧主人公的命运所引起的恐惧与怜悯警告观众不要同样地去冒犯天意。一般人接受的解释是：观众在规定情境中设身处地地体验恐惧的时候，自身的焦虑便被导向外部，并通过出于同情地把悲剧主人公认同为自己，观众的内省与眼界均有所扩大，从而悲剧对观众或读者具有一种健康的、教化的作用。

Cathaya　银杉属　松科常绿针叶乔木属，包括原产中国的2个现存种和一个发现于德国的化石种。现存种高约20米，小枝有顶生长枝和次生短枝2种类型。叶窄长，边缘有细毛；雌雄同株。

cathedra　主教座椅　结构敦实的罗马式座椅，由古希腊人的一种轻便、精致的希腊式椅演变而来。在早期基督教长方形教堂里，高高地放在祭台后面，靠近教堂半圆壁龛，专为主教而设。

cathedral　座堂　在实行主教制的基督教会如天主教会中，指驻堂主教所在的教堂。座堂级别不同，有主教座堂、大主教座堂、都主教座堂、首席主教座堂、牧首座堂。天主教还有教皇座堂。早期教会行政区划沿袭罗马帝国的行政区划，因而最初座堂尽可能设在城市。在某些圣日，主教必须到达座堂；授神职仪式一般也在座堂举行。在东正教，凡主教所在并主持节日礼拜的城市，其主要教堂即称座堂。俄国教区数目少而辖境广，因此任何较大城镇的主要教堂即称座堂，不管是否驻有主教。经过16世纪宗教改革，已废除主

教制之处的座堂即成为普通教堂。但在瑞典,座堂仍是信义宗各主教所驻之处。在圣公会,凡保持主教制之处,座堂也仍是主教所驻之处。

cathedral school　大教堂学校　中世纪欧洲天主教大教堂教士主办的学校。这种学校的任务起初是培养司铎,但后来也教育世俗学生——通常是贵族家庭子弟,培养他们将来在教会、政府或商界担任要职。每所大教堂都有一所这样的学校,每校学生不到百名。欧洲中世纪早期(8世纪末和9世纪初)著名的大教堂学校坐落在英格兰北约克郡的约克和法国的奥尔良及兰斯。

Cather, Willa (Sibert)　凯瑟(1873-12-07,美国弗吉尼亚温切斯特～1947-04-24,纽约州纽约)　美国女小说家。以描绘美洲大平原的开拓者和边地生活著称。9岁时随家人从弗

美国不列颠百科全书公司供图

吉尼亚迁至雷德克劳德的内布拉斯加村。在那些从欧洲来开垦大平原的移民——瑞典人、波希米亚人、俄罗斯人、德国人——中长大。在内布拉斯加大学学习时,在新闻报道和小说写作方面表现出卓越的才能,1895年毕业后在匹兹堡的《家庭》杂志谋到一个职位。后任《匹兹堡要闻》的审稿编辑及音乐、戏剧编辑。1901年改行教书,1903年出版第一本诗集《四月的微光》。1905年出版的第一部短篇小说集《侏儒园》,使她成为纽约专登丑闻的月刊《麦克吕尔》的总编辑。她在挽回颓势、使该杂志的发行量重新增加以后,于1912年辞职,专心致力于写作小说。第一部小说《亚历山大的桥》(1912)是一个虚构的世界到处都有的故事。但在朱厄特的乡土文学影响下,她又转向她所熟悉的内布拉斯加的素材。小说《哦,拓荒者们!》(1913)和《我的安东尼亚》(1918)常被认为是她的最佳之作。随着这两部作品的出版,她发现了自己独特的主题——她年轻时代就熟悉的边疆精神和勇气。获普利策奖的《我们中间的一个》(1922)和另一部小说《一个沉沦的妇女》(1923),哀叹这种开拓精神的消失。早期的作品《百灵鸟的歌声》(1915)、《青春和光明的梅杜萨》(1920)中所汇集的短篇故事,以及《快乐的露西》(1935),反映了她的经历的另一个侧面——一个天才在努力奋斗,以摆脱大草原的压抑生活和小城镇的窒息生活。在《微贱的命运》(1932)中,可以见到上述两个主题成熟的陈述。然而,在功成名就和人到中年后,凯瑟感受到一种强烈的幻灭感。这种感觉反映在《教授的住宅》(1925)和随笔集《并非未到四十岁》(1936)中。她的解脱办法就是去描写另一个时代的开拓精神。在《死神来迎接大主教》(1927)中,描写了法国天主教传教士们在西南部的开拓精神;在《岩石上的暗影》(1931)中描写了魁北克法语加拿大人的开拓精神。最后一部小说《莎菲拉与女奴》(1940)以祖先和自己童年时代的弗吉尼亚为背景。

Catherine I　叶卡捷琳娜一世(1684-04-15[旧历04-05]～1727-05-17[旧历05-06],俄罗斯圣彼得堡)　原名马尔塔·斯科夫龙斯卡,波罗的海地区(可能是立陶宛)农妇,后成为彼得大帝(1682～1725)的第二个妻子和俄国女皇(1725～1727)。三岁成为孤儿,由马林堡-路德教牧师养大。1702年俄国入侵时沦为战俘,被卖给彼得大帝的一个近臣。不久与沙皇堕入情网。1703年两人的第一个孩子出生后,她皈依俄国东正教,改名叶卡捷琳娜·阿列克谢耶夫娜。1712年2月成为彼得大帝的正式妻子。1724年5月18日成为俄罗斯皇后。1725年2月8日彼得大帝去世,未指定继承人。禁卫军和某些权贵拥戴叶卡捷琳娜即位。结果东正教最高会议、枢密院和高级官吏立即宣布她为俄国女皇。1726年2月她建立最高枢密院,以彼得大帝的6名旧臣为成员,把管理政府事务的实权移交给

美国不列颠百科全书公司供图

这个机构,从而削弱了作为彼得大帝主要施政工具的枢密院和东正教最高会议的权力。她临死前,指定彼得大帝的孙子彼得·阿列克谢耶维奇为她的继承人(彼得二世,1727～1730在位)。

Catherine II　叶卡捷琳娜二世(1729-05-02[旧历04-21],普鲁士斯德丁[今波兰什切青]～1796-11-17[旧历11-06],俄罗斯圣彼得堡附近的皇村)　又称叶卡捷琳娜大帝。俄国女皇(1762～1796)。她领导俄国全面参与欧洲的政治生活和文化生活,继续完成彼得大帝开创的事业,与群臣一起改革了俄罗斯帝国的行政并制订了法典,取得了克里米亚和波兰的大部分领土,从而扩大了俄国的疆土。

原名索菲娅·弗里德里克·奥古斯特·冯·昂哈尔特-采尔布斯特,是一位德意志亲王的女儿。14岁被选作荷尔斯泰因-戈拉普公爵卡尔·乌尔里希的妻子。卡尔·乌尔里希是彼得大帝的外孙,俄国皇位的继承人。索菲娅于1744年到俄国,改称叶卡捷琳娜·阿列克

美国不列颠百科全书公司供图

谢耶夫娜女公爵。翌年与卡尔·乌尔里希完婚,但婚姻完全失败,其后18年间她的生活过得十分屈辱。当时俄国由彼得大帝的女儿叶利扎维塔掌管朝政。1762年1月5日叶利扎维塔女皇去世。新皇彼得三世即位后改变了先皇的对外政策,退出七年战争与普鲁士结盟。同年7月9日叶卡捷琳娜率领近卫军团开进圣彼得堡,在喀山大教堂宣布即位为女皇。彼得三世宣布退位,8天后被杀。同年9月在莫斯科举行盛大的加冕典礼,接受"俄国女皇叶卡捷琳娜二世"的称号,此后一直在位34年。她头脑聪敏、壮志凌云,决心要使俄国成为一个繁荣富强的国家,使俄国宫廷堪与凡尔赛宫媲美,并且普及教育,发展一种独特的俄罗斯民族文化。然而,她所面临的最紧迫的问题是充实在叶利扎维塔死时已经挥霍一空的国库。1762年她通过剥夺教会的财产而实现了这一目标。在外交方面,叶卡捷琳娜与普鲁士、法国和奥地利保持友好关系。1764年她把昔日的情夫斯坦尼斯瓦夫·波尼亚托夫斯基扶上波兰王位,从此解决了波兰问题。1767年她召集一个由各省和各阶层(农奴除外)代表组成的委员会,命令这个委员会起草一部宪法。1768年发动对土耳其的战争。这是因为奥斯曼帝国是俄国的宿敌,战事必然激起臣民的爱国热情。

虽然1770年切斯梅战役的胜利给女皇带来了军事上的荣耀,但土耳其并没有被打垮,他们仍在作战。就在这时,俄国遇到了意料不到的困难。起先,是一场可怕的瘟疫席卷了莫斯科,再加上战争造成的种种困难,引起了人民的不满和骚动不安,接着,一个前顿河哥萨克军官普加乔夫假扮成已故的彼得三世皇帝,发动了1917年革命以前俄国历史上最伟大的一次起义。叶卡捷琳娜派遣她的精锐部队前去镇压。普加乔夫虽然被打败和被俘获,并于1775年被斩首,但他引起的恐怖和混乱仍令她心有余悸。她认识到,对她来说,人民不是可怜,而是可怕,不能给他们自由,而必须牢牢地铸住他们。叶卡捷琳娜即位之前曾有过解放农奴的念头。但叶卡捷琳娜即位以后立刻意识到:她的政权依靠农奴主的支持,而农奴主是决不会让她解放农奴的。如果农奴主失去农奴,他们就会兴风作浪。因此,叶卡捷琳娜作出加强这种非人制度的罪恶勾当。她硬把农奴制度的枷锁套到自由乌克兰人的脖子上。她向亲信和大臣赏赐"皇室土地",从而使大批多少还有点自治

权的农民陷入更加悲惨的境地。叶卡捷琳娜在位末期，俄罗斯境内几乎已经没有一个自耕农，农奴的生活情况和劳动条件也比她执政以前更为恶劣。俄国95%的人民非但没有从叶卡捷琳娜统治下得到丝毫的好处，而且要以他们的奴隶劳动为女皇日益增加的经济、军事、文化建设项目源源不断地提供大量资金。

1774年俄国击败土耳其。同年，在战争中赫赫有名的格里高利·波将金成为叶卡捷琳娜的情夫。波将金扮演多方面的政治角色，曾经拥有无限的权力。1783年俄国兼并土耳其的属地克里米亚，即是波将金的功劳。俄国占领克里米亚汗国和取得黑海北岸地区之后，就有可能威胁奥斯曼帝国的生存和在地中海建立一个立足点。1787年，在波将金的安排下，叶卡捷琳娜乘船到达克里米亚，巡视该汗国一周。这次航行使她的荣耀达到顶点。奥地利皇帝、波兰国王，以及各国的外交使节专程前来向她表示颂扬。叶卡捷琳娜与欧洲所有头戴皇冠的人物一样，深感法国大革命的严重威胁。她虽然号称“启蒙运动的朋友”，但她绝对无意放弃自己的特权。1792年她以防止革命的威胁为借口派兵进驻西乌克兰，翌年吞并西乌克兰的大部土地。1795年俄普奥3国再次瓜分波兰。到叶卡捷琳娜统治末期，俄国已经向西方和南方扩张20万平方英里以上的土地，俄国历代统治者企图进入博斯普鲁斯海峡的愿望已经成为即将实现的目标。

叶卡捷琳娜晚年宣布：根据她的行政改革方案，俄国已经有29个省进行了重建工作，她投入大量资金新建100多个市镇，旧市镇也加以扩建和更新。贸易扩大了，交通发展了，日用品丰富起来了。由于这些文治武功，叶卡捷琳娜在历史上占有突出的地位。

她的私生活被公认为放荡不羁，到她67岁中风暴亡时，仍有许多年轻的情人。她无休无止地追求享乐和爱情。她不爱自己的儿子——合法的王位继承人保罗。她宠爱自己的几个孙子，特别是长孙亚历山大，想立他为自己的继承人。她对朋友忠诚而慷慨，对敌人通常能施以仁政。她是一个自命不凡、飞扬跋扈的人，而首要的一点，是一个实干的女人，一个在她的个人利益和帝国的利益岌岌可危时会变得冷酷无情的女人。她是伏尔泰和狄德罗的朋友，并与当时的许多重要人物通信。她保护文学，鼓励发展科学，而且兴办学校。叶卡捷琳娜有求知的好奇心，愿意接触各种各样的事物。她不总是快乐，但却总是热情洋溢。她是一个精力旺盛和求知欲极强的女人，充满了创造欲和支配欲。

Catherine, Saint 凯瑟琳，圣（1522-04-23，佛罗伦萨～1590-02-02，佛罗伦萨共和国普拉托） 又称里奇。意大利天主教多明我会奥秘神学家。她13岁入普拉托多明我会女隐修院，1560～1590年任该院院长。她以曾见过基督受难的异象而且身上带有基督受刑之圣伤痕而闻名。

Catherine de Médicis 卡特琳·德·美第奇（1519-04-13，佛罗伦萨～1589-01-05，法国布卢瓦） 法国亨利二世（1547～1559在位）的王后，后任法国摄政王（1560～1574），在天主教与胡格诺派的战争中是最有影响的人物。她的3个儿子：弗兰西斯二世、查理九世和亨利三世先后为法国国王。父为乌尔比诺公爵洛伦佐·美第奇，母为波旁公主马德莱娜。她在佛罗伦萨和罗马受修女的教育。1533年同奥尔良公爵亨利结婚，亨利于1547年4月继父位，称亨利二世。她生了10个孩子（存活4子3女），并亲自督促他们学习。1552年亨利二世参加梅斯包围战，由她任摄政王。1559年7月亨利二世去世、她的儿子弗兰西斯二世即位后，天主教极端分子吉斯家族窃取大权。他们在西班牙和罗马教廷的支持下，企图把持朝政，使国王丧失独立的地位。1560年12月弗兰西斯二世夭亡，她出任查理九世的摄政王，并由安托万·德·波旁协助她摄政。在1560～1570年的10年间，她为捍卫王权、维持和平和保护新教而与天主教极端分子展开殊死的斗争。1561年她在著名大臣米歇尔·德·洛皮塔尔的支持下实行各种改革、推动经济发展和平息宗教冲突。1562年内战爆发。1563年3月她发布《昂布瓦斯敕令》结束了这次内战。同年8月她在鲁昂最高法院宣布国王成年，1564～1566年陪伴国王周游法国，监督《昂布瓦斯敕令》的执行情况，以及通过1565年6月的巴荣纳会议来加强法国与西班牙的和平关系。1573年她极力推举安茹即波兰王位。1574年查理九世卒，她重任摄政王，直至亨利三世从波兰归来。1589年，她在亨利三世被杀害前8个月去世。她的最后成就是尽力保卫国家，使波旁的亨利四世继位，从而恢复了王权。

美国不列颠百科全书公司供图

Catherine Howard 凯瑟琳（霍华德）（？～1542-02-13，伦敦） 英格兰国王亨利八世的第5个妻子。E.霍华德勋爵之女。王后安妮（克利夫斯的）的女侍。1540年亨利八世打算结束他与安妮的政治婚姻时，迷上了凯瑟琳。7月9日亨利八世宣布废除与安妮的婚姻，同月28日与凯瑟琳秘密结婚，8月8日公开宣布她为王后。在此后的14个月里，亨利迷醉于他的新娘。但到1541年11月，他得知凯瑟琳婚前曾与多人私通，婚后仍与她的秘书通奸，十分愤怒。1542年2月11日，国会通过一项剥夺权利法案，宣布不贞洁的女子与国王结婚是叛逆行为。两天后凯瑟琳在伦敦塔被斩首。

Catherine of Alexandria, Saint 凯瑟琳（亚历山大的），圣（？～约4世纪初，埃及亚历山大） 早期基督教女殉教士。其历史真实性令人怀疑。相传她出身贵族，是有才学的少女。经过她的劝诲，罗马皇后和几名士兵信奉基督教。她抗议罗马皇帝马克森提迫害基督教，皇帝召来著名学者同她辩论，被她驳倒。原判以棘轮处死，但棘轮破裂，后改为斩首。据说天使把她的遗体运往西奈山。中世纪还盛传她嫁给基督。法兰西圣女贞德声言，她经常听到自天堂来的声音，向她讲话，其中即有圣凯瑟琳的声音。

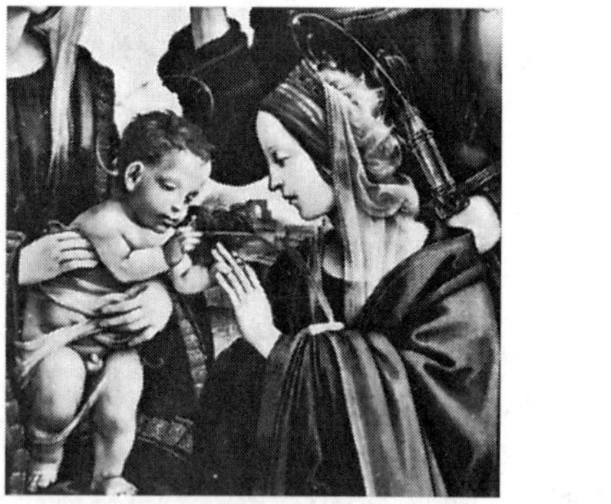

美国不列颠百科全书公司供图

Catherine of Aragon 凯瑟琳（阿拉贡的）（1485-12-16，西班牙埃纳雷斯堡～1536-01-07，英格兰亨廷登金博尔顿） 英格兰国王亨利八世（1509～1547在位）的第1个妻子，因教皇克雷芒七世拒绝同意亨利八世解除与她的婚姻引起亨利与罗马之间的决裂，从而导致英国的宗教改革。

凯瑟琳是西班牙阿拉贡的统治者费迪南德二世和卡斯蒂利亚的伊莎贝拉一世最小的女儿。1501年与英格兰国王亨利七世的长子阿瑟王子结婚。阿瑟次年死去，不久她与亨利七世的次子亨利订婚，1509年亨利继位后结婚，婚后数年夫妻和美。凯瑟琳知识广泛，1512～1514年亨利对法国作战时，她是一位善理朝纲的摄政王。凯瑟琳虽然生过4女2子，但除后来成为英格兰女王的玛丽外，余皆流产或夭折。亨利想要合法的男嗣，1527年向罗马教廷提出离异的要求，理由是这桩婚事违反了圣经中关于男子不能与其兄弟的遗孀结婚的禁律。但教皇不愿招惹凯瑟琳的侄子、神圣罗马皇帝查理五世，所以一直没有批准。1533年亨利命坎特伯雷大主教T.克兰默废除他与凯瑟琳的婚姻。国会通过了《至尊法案》，否定罗马教皇在英格兰的一切权力，确立国王为英格兰教会的首领。

美国不列颠百科全书公司供图

Catherine of Bologna, Saint 凯瑟琳(博洛尼亚的),圣(1413-09-08,教皇国博洛尼亚～1463-03-09,博洛尼亚) 意大利奥秘神学家和著作家,她的灵修著作一直到18世纪末以前风行于意大利。1456年她在博洛尼亚创办克拉雷安贫会女隐修院,自任院长终身。她自称经常见异象,得启示。她的主要著作是《属灵的爱情》(1438年编;1926年英译本问世)。

Catherine of Braganza 凯瑟琳(布拉干萨的)(1638-11-25,葡萄牙维索萨镇～1705-12-31,里斯本) 葡萄牙天主教徒、英格兰国王查理二世(1660～1685在位)之妻。她与查理的婚配是英葡两国重要同盟关系的内容之一,后来她成为双方外交交易和反教廷计划中的筹码。凯瑟琳之父是葡萄牙国王约翰四世,1640年登位。她于1662年5月成婚,从此英国获得重大贸易特权。由于她的不育已经明显,反对查理之弟约克公爵詹姆斯的人便力促查理将她休弃,希望他另娶新教徒为妻。1678年这些人指控凯瑟琳阴谋毒杀国王以便信奉天主教的詹姆斯继位。查理坚信她清白,一直支持她,直至她的冤案得到平反。查理死于1685年,由于凯瑟琳的努力,他在死前不久改奉天主教。凯瑟琳于1692年返回葡萄牙,1704年她的兄弟国王佩得罗二世因病不能视事,凯瑟琳临政。

Catherine of Genoa, Saint 凯瑟琳(热那亚的),圣(1447,热那亚～1510-09-15) 女奥秘神学家。出身显贵家族,曾受严格教育。1473年通过神秘修炼经验信奉上帝,开始与上帝密切交流。她在热那亚一个医院里为病人艰苦服务。她丈夫在信教以后也同她一起在这个医院工作。

Catherine of Siena, Saint 凯瑟琳(锡耶纳的),圣(1347,托斯卡纳锡耶纳～1380-04-29,罗马) 天主教多明我会女修士、奥秘神学家。她于1363年成为多明我会三品修士。1376年教皇格列高利十一世剥夺佛罗伦萨的教权,她决定进行公务活动,谋求教会内部和意大利境内的和平以组成反穆斯林十字军。她与雷蒙德(卡普阿的;她的告解司铎和后来为她作传的人)一同以非官方调解人身份前往阿维尼翁。她的任务没有完成,教皇实际上并不理睬她。此时她发现,要使意大利获得和平从而促进十字军的组成,让教皇格列高利十一世重返罗马是唯一办法。1376年在教皇格列高利十一世动身返回罗马的次日,凯瑟琳前往托斯卡纳。1378年应教皇请求前往佛罗伦萨,6月爆发梳毛工起事时她在当地。她在锡耶纳小住之后于11月前往罗马,在罗马曾协助改组教会。此后她曾试图争取那不勒斯女王乔瓦娜一世重新归服教皇乌尔班六世——先是,乔瓦娜一世曾因拥护敌对教皇克雷芒七世而被乌尔班六世开除教籍。

Catherine of Sweden, Saint 凯瑟琳(瑞典的),圣(1331或1332,瑞典～1381-03-24,瓦斯泰纳) 原名乌尔夫斯多特尔。瑞典圣徒布里吉特之女,继其父任布里吉特修会会长。她嫁给冯·基伦,1350年离瑞典前往罗马陪伴布里吉特。不久冯·基伦死去。直到1373年布里吉特死后她才返回瑞典。她参加当时教会的争论,支持教皇乌尔班六世,反对敌对教皇克雷芒七世。凯瑟琳死时任瓦斯泰纳的女隐修院院长。

Catherine Parr 凯瑟琳(帕尔)(1512～1548-09-07) 英格兰国王亨利八世的第6位,也是最后一位妻子。王室官员T.帕尔爵士之女。1543年7月12日与亨利结婚前曾两

美国不列颠百科全书公司供图

次丧夫。为人机智圆滑,对亨利晚年发生有益的影响。她与亨利前妻们所生3个孩子相处融洽,并专心教育他们。她是人道主义者,与新教改革派友好。1547年亨利死后,她嫁给英格兰海军司令西摩勋爵托马斯,但女儿一出生她即死去。

Catherine the Great 叶卡捷琳娜大帝 参阅 **Catherine II 叶卡捷琳娜二世**。

Catherine the Great, Instruction of 《叶卡捷琳娜大帝诏令》(1767-08-10[旧历07-30]) 俄国女皇叶卡捷琳娜二世提出以自由主义和人道主义的政治理论为基础实行行政改革和制订新法典的文件。诏令说:在法律面前人人平等;法律应该保护而不是压迫老百姓;法律只应禁止对个人或社会产生直接危害的行为,人民可以从事任何不在禁止之列的事情;废除死刑和农奴制度。但是,叶卡捷琳娜并没有进一步作出实质性的努力来用法律的形式贯彻她的原则。

cathode 阴极 电解池和电子管等器件的负端,电子通过它流入直流负载;或指电池或其他电源的正端,电子通过电池或其他电源的正端返回电源。在电化学中阴极相当于还原极。在气体放电管中,阴极放射电子而正离子则趋向阴极。参阅 **anode**。

cathode ray 阴极射线 在充低压气体的放电管中从阴极发射的电子流,或在某些电子管中由加热灯丝发射的电子。阴极射线若聚焦在硬靶(对阴极)上就产生X射线,若聚焦在真空中的小样品上就产生极高温度(阴极射线炉)。阴极射线能使磷光体发光;这种效应加上用电场或磁场控制阴极射线偏转,就产生了检测交流电压或电流变化和数值的阴极射线示波器(阴极射线管)以及电视和雷达用的显像管。放射性原子核发射的电子称作β射线。

cathode-ray oscilloscope 阴极射线示波器 电子显示器件,包含一个阴极射线管(CRT),用来显示电信号的可见图形。这些图形可反映出两个或多个变量之间的关系。横轴常是时间的函数,纵轴是示波器输入信号产生的电压的函数。几乎任何物理现象都可以转换成相应的电压,因此示波器成为各种物理研究中的通用工具。阴极射线示波器比其他画图器件的优点主要是它的响应速度快。通用示波器的绘图频率达100兆赫。专用高速示波器的绘图频率可快到2 000兆赫。阴极射线示波器的中心元件是阴极射线管。它是一个抽空的玻璃容器,其中一端涂有发磷光的覆盖层(像电视机的屏幕一样),另一端有电子枪和电子束聚焦和偏转系统。电子束从电子枪中射出,在2对金属板间受到纵向和横向的偏转,从而控制屏幕上产生的发光图形。屏幕上的影像反映出加在偏转电极上的电压。另外,也能用磁力使电子束偏转,这可以通过外加的偏转线圈,改变通过它的电流来实现。改变纵向和横向的偏转电压或电流使之比例于长度、速度或其他观测的量,则可以在屏幕上产生几乎任何图形。有时需要在示波器屏幕上同时画多个波形。用各种技术可以同时显示4个或更多个图形。用双路放大器和单一CRT枪可以使2个信号同时显示出来。实际上,放大器的电子开关迅速地在2个信号之间转换。在分束CRT中,从单个电子枪中出来的电子束被分成2部分,它们分别受各自的纵向偏转电极的作用。双枪CRT有2个分开的电子枪,各自有独立的聚焦和亮度控制。双枪CRT再加上2个双路放大器就可以画出4个不同的图形。阴极射线示波器是最广泛应用的测试仪器之一。它在商业、工程和科学上的应用包括声学研究、电视机生产和电子设计。

catholic 公 2世纪以后教会著作家所用的形容词,以之形容整个基督教会,以区别于地方性教会或异端分裂教派。圣西里尔(耶路撒冷的)348年在其《教理问答》中,总结3个世纪教会史,提出"公"指4个方面,即广布于世界、教义完备、适应各色人等要求、道德灵性纯全。圣奥古斯丁率先提出,普遍宣讲和普遍实行的道理,就是真理。圣樊尚(莱兰的)在434年所著《备忘录》对此提出典型的定义,根据这种定义得出"古今各地所有人信仰的即是真理"。由此,"公"字含有"正统"之义。此词的使用不免引起混乱,因为由天主教会(罗马公教会)谴责为异端或分裂教的许多团体也从来坚持自己为"公"。不仅是天主教会,而且还有东正教会、安立甘宗和形形色色的民族教会及其他教会,以及新教大多数派别,也都自称属于圣而公的教会。

Catholic Action 公教进行会 在各该主教区的主教指导下,在俗信徒在教理、道德、礼仪、教育及慈善事业等方面进行的有组织的活动。1927年教皇庇护十一世给予公教进行会的典型定义是"在俗信徒参与的圣品人员的活动"。公教进行会分为普通组织与专业组织,前者如圣名会和圣母军,天主教徒中适龄人员均可参加;后者吸收专业人员,如工

人、学生、医生、律师等,其中最著名的是基督教青年工人组织,是卡尔迪金司铎于第一次世界大战后在比利时创建的产业工人组织。公教进行会可以说是神品机构的延伸,但是,更广义地讲,它意味着在俗信徒更加自主地在所在环境中发挥天主教的影响。自从第二次梵蒂冈会议(1962～1965)以来,这第二种意义更加受到重视。

Catholic Emancipation　天主教徒解放　英国史上,指18世纪晚期和19世纪初,在一系列的法律中,赋予英国和爱尔兰的罗马天主教徒以自由,使他们不受歧视并恢复其公民权。宗教改革后,英国的罗马天主教徒遭受种种限制。在英国,他们不能购买土地,不能担任文武官职或议会议员,不能继承财产,不能自由举行宗教仪式,否则必遭民事上的处罚。爱尔兰的天主教徒无权选举议会议员,他的信奉新教的近亲会毫不客气地霸占他的土地。在汉诺威王朝开始继承英国王位时,罗马天主教徒被认为是社会和政治上的危险分子。但是到18世纪晚期,已经不再有这种看法了。第一个《解禁法案》(1778)允许英国的罗马天主教徒获得不动产(如土地)。爱尔兰在一系列的法案(1774,1778,1782)中也制定了类似的法规。1791年通过另外一个法案,允许英国的罗马天主教徒举行自己的宗教仪式,而不给予民事上的处罚。爱尔兰议会1793年通过的《解禁法案》比英国的法案更大大放宽尺度,允许爱尔兰的罗马天主教徒有选举权,并可担任大多数文官官职。1801年英国和爱尔兰的《合并条例》发布之后,随即采取进一步的解放措施,但由于拼命反对天主教的乔治三世、爱尔兰有势力的新教徒以及畏惧天主教徒参与英国政治活动的英国托利党的抵制而失败。在此后的20年间,极负众望的爱尔兰律师和演说家D.奥康内尔开始动员爱尔兰信奉天主教的农民和中产阶级来鼓吹完全解放。为了达到这一目的,他在1823年成立天主教协会,在爱尔兰吸收了数十万会员。到1828年,英国政府已经面临着如不采取行动平息不满情绪,就会在爱尔兰发生全国性叛乱的威胁。这一年,奥康内尔参加克雷尔郡的国会议员的补缺选举,但他坚持说,如果不废除议员必须进行反对天主教的宣誓,他决不进入议会。结果,他在选举中取得胜利,迫使首相威灵顿公爵和R.皮尔爵士在议会中通过了1829年的《解放法案》。该法案允许爱尔兰和英国的罗马天主教徒选入议会、担任除少数几项之外的一切公职。1871年的《大学考试法案》使天主教徒得以上大学就读。至此,在联合王国中的天主教徒实际上已经达到完全解放。

Catholic League　天主教联盟　德意志天主教各邦的军事联盟(1609～1635)。1608年新教联盟的成立导致天主教联盟于1609年成立,巴伐利亚公爵马克西米连一世为盟主。目的在于阻止新教教会在德意志的发展。由蒂利伯爵约翰·采尔克莱斯率领的联盟军队,与哈布斯堡王朝皇帝联合,在三十年战争中起了关键作用。1617年马克西米连改组联盟,将莱茵河流域的成员排除在外,使联盟成为纯属南德意志的邦联。1620年蒂利率军在白山战役中击溃新教联盟的腓特烈五世,并几次打败支援新教徒的丹麦国王克里斯蒂安四世。天主教联盟的势力在1626年后开始下降,1635年根据“布拉格和约”中关于在神圣罗马帝国内部不得成立军事同盟的条款宣告解散。

Catholic Monarchs　天主教君主　阿拉贡的费迪南德二世和卡斯蒂利亚的伊莎贝拉一世的传统称号。1469年他俩联姻使西班牙统一,这对夫妇是统一的西班牙君主国的第一代君主。“天主教”一词早经使用,但1494年由教皇亚历山大六世颁诏正式授予。诏书赞誉他们从摩尔人手里收复格拉纳达(1481～1492),发现新大陆(1492),加强教会势力,设置宗教裁判所和强迫犹太人改宗基督教或予以流放(1492)等方面的成就。“天主教”这个头衔后来传给费迪南德和伊莎贝拉的后继者。

Catholic Reformation (church history)　**天主教改革**　参阅**Counter-Reformation**反宗教改革。

Catholicism　天主教　参阅**Roman Catholicism**天主教(罗马公教)。

catholicos　卡托利科斯　某些东方基督教会首脑的称号。与“牧首”同义,两者都适用于亚美尼亚教会、聂斯脱利派教会(即亚述教会)和格鲁吉亚教会的首脑。亚美尼亚教会有两位卡托利科斯,最高卡托利科斯驻在埃奇米阿津,另一位卡托利科斯驻在锡斯。卡托利科斯牧首这个称号也为亚美尼亚教会和迦勒底教会的高级神职人员所使用。

Catiline　喀提林(约公元前108～前62,伊特鲁里亚皮斯托亚)　罗马共和国末期的贵族。蛊惑民心的政客,试图推翻西塞罗任执政官(公元前63)的共和制,但以失败告终。公元前89年“同盟者战争”期间,他在庞培的父亲属下服役,曾在驱逐苏拉的活动中起过主要作用。他于公元前68年担任行政长官,公元前67～前66年担任阿非利加总督。在选举公元前65年或前64年的执政官时,他正受到犯有敲诈罪的指控,虽然最终被宣告无罪,但却因此未能参加竞选。公元前65年初,一度谣传他计划杀死执政官夺取政权,这就是所谓“第一次喀提林阴谋”。公元前64年,他竞选执政官失败。次年,他再次在竞选中失败。以后,他便策划在罗马纵火,并在意大利全境发动暴乱。在罗马以外,支持他的主要是伊特鲁里亚人和坎帕尼亚人,还有一部分原苏拉部下的老兵。在罗马城内,他的事业吸引失意的政客、负债人以及许多心怀不满的年轻贵族。尽管宣布了戒严令,即公元前63年10月21日通过的西塞罗的《最后法令》,尽管在西塞罗发表第一篇反对喀提林的演说之后,喀提林本人也在11月8日离开了罗马,但是,元老院仍不相信有政变的危险。然而,12月3日抓获了几名阿罗布罗基部落的使节,他们携带着与留在罗马城内的阴谋分子有关的文件。西塞罗下令逮捕所有的嫌疑犯,并于12月5日全部处决。喀提林在菲索莱夺取了一支军队的兵符,公元前62年1月率部试图翻越亚平宁山脉进入高卢,但是在皮斯托亚遭到盖约·安东尼·海布里达的截击。结果,喀提林及其大部分追随者阵亡。

cation　阳离子　带正电荷的原子或原子团。参阅**ion**。

Catlin, George　卡特林(1796-07-26,美国宾夕法尼亚威尔克斯-巴里～1872-12-23,新泽西泽西城)　美国画家和作家,长于描绘印第安人生活。原为律师,1823年转向肖像画创作。少年时代就对印第安人生活感兴趣。1829年开始对印第安部族进行采访,画过500余件油画和速写。1837～1845年间在美国和欧洲展出,称为“印第安画展”。1841年出版《关于北美洲印第安人习俗和情况的信札和笔记》(两卷本),附有许多版画插图。以后他出版的著作还有:《北美洲印第安生活写生集:落基山脉和美洲大草原的狩猎情景与娱乐活动》(1845)、《卡特林旅欧八年记》(1848)、《生活在印第安人中间》(1867)、《最后一次访问落基山脉和安第斯山区印第安人》(1867)等。

卡特林绘《马上作战的科曼切人》(1834)
美国不列颠百科全书公司供图

catnip (*Nepeta cataria*)　**假荆芥**　又作catmint。又称猫薄荷、猫捏草。唇形科芳香草本植物。花小,有紫色斑点,穗状花序。假荆

假荆芥(*Nepeta cataria*)
美国不列颠百科全书公司供图

芥可用作佐料和治疗感冒发热的药茶。具薄荷样的芳香,特别能使猫兴奋,常用于填塞猫用的玩具。

Cato, Marcus Porcius　加图(大)(公元前234,拉丁姆图斯库卢姆～前149)　罗马政治家、演说家、第一位重要的拉丁散文作家。以其保守的反希腊政策而闻名。大加图出身于农民家庭,参加过第二次布匿战争。由于擅长演说和精通法律事务,得到贵族卢西乌斯·瓦勒留·弗拉库斯的赏识,后者帮助他进入罗马政界。大加图先后担任过度支官、营造官(公元前199)和撒丁行政长官。在撒丁时,他曾下令禁止放高利贷(公元前198)。公元前195年,他和弗拉库斯同时担任执政官,他镇压了西班牙发生的一次暴动,建立了"近西班

加图(大)夫妇
美国不列颠百科全书公司供图

牙"行省。公元前191年,大加图在抗击塞琉西国王安条克三世的温泉关战役中战功卓著。此后,他又对卢西乌斯·西庇阿和西庇阿·阿非利加努斯发动攻击,打破了他们的政治垄断权势。公元前184年,大加图当选为监察官。作为监察官,他全力维护罗马的"古风",同一切希腊的影响作斗争;因为在他看来,这些影响正在损害罗马传统的道德标准。他通过了若干对奢侈行为征税的法律,对有资格充当元老院议员的候选者名单严加审查。他坚决制止收税官滥用职权,并大力促进公共建筑物的兴建。监察官任期届满后,大加图继续鼓吹他的社会学说,并在法庭上不断进行政治斗争。他支持通过诸如反对奢侈的《奥契亚法》(公元前181)和限制妇女随意花费金钱的《沃科尼亚法》(公元前169)等。为了尽量避免罗马与希腊化的东方进行接触,大加图赞成让马其顿获得有限的独立,反对向罗得岛宣战。他出使迦太基(约公元前153)之后确信,这个罗马宿敌日益恢复的繁荣构成了新的威胁。因此大加图在每次演说结束时,总要提出他的告诫:"迦太基必须消灭"。他在生前总算看到对迦太基的宣战(公元前149)。大加图对拉丁文学的影响很大。他流传至今的唯一著作是公元前160年左右所写的《农书》。另外,他著有《史源》(7卷),这是用拉丁文写的第一部罗马史,可惜只有断简残篇保存下来。大加图还编一部百科全书,一部《格言集》,此外还有论医学、司法和军事的著述。他生前至少发表了150篇演说,其中80篇留有一些片断。

Cato, Marcus Porcius　加图(小)(公元前95～前46,非洲乌提卡)　监察官加图的曾孙,贵族党领袖。试图保全罗马共和国,反对追逐权力的人,特别反对尤利乌斯·凯撒。父母早亡,由德鲁苏斯(公元前91年的保民官)抚养成人。公元前72年参军,与起义奴隶斯巴达克思作战。公元前67年在马其顿任军团参将,公元前64年任度支官,后来在亚细亚行省任职。他当选为公元前62年的保民官以后,未待上任,即投票赞成处决喀提林阴谋集团的成员,因而招致凯撒的不满。庞培、凯撒和克拉苏由于小加图的反对而在公元前60年联合起来,建立所谓"前三头同盟"。小加图和元老院贵族党成员比布卢斯一道,竭力反对凯撒提出的土地法案,不果。公元前58年,小加图奉派前去兼并塞浦路斯,公元前56年回到罗马,继续与"前三头同盟"展开斗争。内战(公元前49～前45)爆发后,小加图认识到,只有支持他反对过的庞培,才有希望保存共和国。他奉命守卫西西里。在发现该岛难以守住的时候,他前往都拉基乌姆与庞培会合。庞培在法萨卢斯(在今色萨利[帖撒利亚])战败后,小加图率领一小股残军逃往非洲。他在乌提卡闭关死守。当共和派的军队在塔普苏斯被彻底打败后,他让部下从海上逃遁,而自己则以身殉国。小加图刚刚去世,他的人品便成为人们争论的话题。西塞罗为他写了颂歌《加图赞》,凯撒则针锋相对地写了《反加图论》。小加图仅存作品是致西塞罗的一封信。

Cato, Publius Valerius　加图(活动时期公元前1世纪)　古罗马诗人、语法学家和"新"诗派领导人。该派的追随者反对民族史诗及戏剧,主张创作简短的神话叙事诗、哀歌和亚历山大诗体的抒情诗。同时代诗人称颂加图的诗,可见他在当时的卓越地位。据传记作家苏埃托尼乌斯的说法,加图为山南高卢人,在内战纷乱期间失去财产。他颇长寿,死时一贫如洗。

Catoche, Cape　卡托切角　墨西哥尤卡坦半岛(**Yucatán Peninsula**)东北部沙洲地岬。据说是西班牙人最早于1517年在墨西哥登陆之地。与古巴西部隔有尤卡坦海峡。

Caton-Thompson, Gertrude　卡顿-汤普森(1889-02-01,伦敦～1985-04-18,英国赫里福德-伍斯特百老汇)　英国女考古学家,曾在上埃及法尤姆洼地发现两种史前文化:一种约在公元前5000年,另一约为公元前4500年。1921～1926年,她在埃及英国考古学院就读,即与E.W.加德纳开始对法尤姆地区进行考古调查(1924～1926及1927～1928)。1928～1929年,她在南罗得西亚领导考察,对津巴布韦建筑遗迹作过详细的地层学研究,证明它是非洲土著民族的设计风格和建筑工艺,其年代与欧洲中世纪相当。研究成果见于所著《津巴布韦文化》(1931,1969年再版)一书。1934～1951年期间,担任剑桥大学纽纳姆学院研究员,曾于1948年提出最早的文明起源于中非的假说。其他著作有:《法尤姆沙漠》(1935)、《史前哈里杰绿洲》(1952)和《自传杂录》(1983)。

Catonsville　卡顿斯维尔　美国马里兰州中部巴尔的摩县村庄,也是巴尔的摩市的西南郊区。始建于1729年前。现为住宅区,有一些轻工业。设有圣·查尔斯学院(1830)、卡顿斯维尔社区学院(1956)和马里兰大学巴尔的摩县分校(1966)。附近有州立帕塔普斯科公园。1968年一群市民曾焚烧当局兵役局的征兵名册以抗议越南战争,"卡顿斯维尔九人"的受审、监禁和假释受到世界公众的注意。人口35 233(1990)。

Catron, John　卡特伦(1786?,美国弗吉尼亚威思县?～1865-05-30,田纳西纳什维尔)　美国最高法院大法官(1837～1865)。他于1815年获得律师资格,在田纳西州的一个"山地巡回审判区"开业一直到1818年,后任该区的检察官。他精通土地法,当时那是诉讼的主要来源,他在纳什维尔开了一个很赚钱的律师事务所。1824年,田纳西州复审和上诉最高法院扩大,他被州议会选入该院任职。他在该院所作的一个最著名的判决是因一名律师进行决斗而取消其律师资格并宣布决斗行为为非法。在1831年的一次司法改组中,他成了田纳西州的第一任首席法官。作为杰克逊总统的积极的支持者,他领导了杰克逊的门徒范布伦于1836年在田纳西州进行的竞选活动。在杰克逊总统即将卸任的前一天,国会通过了一项扩大最高法院的法律;杰克逊在他任职的最后一天任命卡特伦填补了该院一个新的空缺职位。尽管他是一位很能干的大法官,但并没有判决过什么重大案件,一般只是跟着首席大法官坦尼投同样的票,坦尼在政治上也是拥护杰克逊的。1861年他强烈反对南方脱离联邦,并且出发去执行他的巡回审判任务,指望既能维持联邦的权威,又可利用他的影响阻止他的家乡田纳西州脱离联邦。但这种行动为时太晚。为了自身的安全,他被迫离开田纳西州。在战争期间只是在军队的帮助下才得以审理肯塔基法庭案件。

Catroux, Georges　卡特鲁(1877-01-29,法国利摩日～1969-12-21,巴黎)　法国将军和外交家,第二次世界大战中自由法国政府高级将领之一。1939年任印度支那总督,1940年被维希政府革职,加入戴高乐将军的自由法

国运动。1941年,作为自由法国驻中东代表,他宣布了叙利亚和黎巴嫩独立。1943～1944年任阿尔及利亚总督,1944年任法国临时政府的北非部长。1945～1948年任法国驻苏联大使。

Cats, Jacob　卡茨(1577-11-10,西班牙属荷兰泽兰布劳沃斯港[今在荷兰]～1660-09-12,海牙附近的佐格弗利特)　荷兰作家,寓意书和训导诗篇作者。在荷兰深受人们爱戴。在

美国不列颠百科全书公司供图

奥尔良大学获法学博士后,在海牙开业,后又访问牛津、剑桥,定居泽兰,在此靠垦荒致富。1636～1651年任荷兰大议长,两度受命出使英国。寓意书是17世纪流行的一种艺术形式,即在版画下面配有寓意诗。卡茨因最先把这种配画文学同爱情诗结为一体,又有讲故事才能,所以获得盛名。他的诗作主要取材于《圣经》和古典名著,有时也取材于薄伽丘和塞万提斯的作品。他的第一本作品《罪恶与爱情的象征》(1618),在版画下面配以荷兰文、拉丁文和法文诗句。每幅画用三种文字作三重解释,用以表达卡茨所谓的人生三大要素:爱情、社会和宗教。他最著名的配画诗集是《新旧时代的镜子》(1632),其中许多诗句现已成为家喻户晓的名言。这部作品的文体比早期作品更为平易,语言更为通俗。

cat's-eye　猫眼石　磨成弧面型,呈现发亮的条纹,类似猫的眼睛的宝石。猫眼石的这种特别的性质称为猫眼状闪光。珍贵的或东方的猫眼石中,最稀少和最为珍贵的是带绿色猫眼状闪光的金绿宝石的变种,称为金绿猫眼石。这种猫眼状闪光效应是由微细平行

金绿猫眼石,其在褐色磨石上显现出一条黄色条带

美国不列颠百科全书公司供图

的裂隙引起的。最常见的石英猫眼石之所以具有猫眼状闪光和呈现灰绿色或浅绿色,是由于石英中含有平行的石棉纤维所致;这种猫眼石虽然来自东方,但它却常被称为西方猫眼石,以区别于更为珍贵的东方猫眼石(金绿宝石)。这两种宝石可由它们的比重加以区别,金绿宝石密度更大。青石棉猫眼石(非洲猫眼石),常被称为虎眼石,它是含有定向排列的青石棉纤维的石英,其中青石棉被二氧化硅所交代。刚玉猫眼石是一种不完全的星彩蓝宝石或星彩红宝石,其中星彩已成为明亮的条带。

Catskill Delta　卡茨基尔三角洲　美国东北部中、晚泥盆世(泥盆纪始于4.08亿年前,延续约0.48亿年)沉积的构造。因在纽约州卡茨基尔山研究过此构造的露头而为之命名。在中泥盆世和晚泥盆世,发源自阿巴拉契亚高地的许多河流,在美国东北部形成了一个很大的复合三角洲。在泥盆纪晚期,海岸线退向纽约州西面和宾夕法尼亚州西北,形成了一个辽阔的沿岸低地,宽达320多千米。同时,三角洲淹没部分逐渐增大,延伸进入俄亥俄州。

Catskill Game Farm, Inc.　卡茨基尔野性饲养场　一所私人开办的动物园,1933年创立于纽约州卡茨基尔城,占地370余公顷。其中55公顷在5～10月间向公众开放,其余则作为动物繁殖基地。这所野性饲养场向世界各地动物园供应许多种自己繁殖的野生动物,其中以镰形长角羚、山地斑马、中亚野驴(土库曼野驴)等稀有的有蹄类繁殖种群为大宗。

Catskill Mountains　卡茨基尔山脉　美国阿勒格尼高原的切割部分、阿巴拉契亚山系一部分,大部位于纽约州东南部格林县与阿尔斯特县境内。东和北以莫霍克河和哈得孙

卡茨基尔山脉远眺

印度《电影行列》杂志社供图

河两河谷为界,特拉华河源和无数小溪从山上流出。许多山峰高逾900米,最高峰为斯莱德山(1 281米)。沿莫霍克河延伸的北部,称黑尔登贝格丘陵。谷壁异常陡峭的山谷和巨大的圆形阜丘构成一片距纽约市很近的天然荒野。林木茏葱,峡谷深邃,风光蔚为壮观。卡茨基尔公园(2 850平方千米)是旅游和郊游胜地,有包括州属卡茨基尔森林保护地(1 165平方千米)和较多的私人山地。山中有人工湖多处,是纽约都市区的重要水源,其中包括阿肖肯、唐斯维尔、内弗辛克、朗道特及斯科哈里水库。

catsup　调味酱　又拼ketchup。在英、美两国广泛使用的有香辛味的液体调料。美国的调味酱是一种用番茄、洋葱、青椒熬成的浓甜汁,用醋及腌汁调味,又称番茄沙司,用作肉食,特别是牛肉和油炸土豆条以及快餐三明治的调味品。在英国,调味酱以蘑菇、未熟的胡桃或蠔为主,主要用作烹饪调味品。该英语词来自中国粤语。

Catt, Carrie Chapman　卡特(1859-01-09,美国威斯康星里彭～1947-03-09,纽约新罗谢尔)　美国女权运动领导人。从事女权运动达25年以上,1920年通过美国宪法第19号

伊利诺伊州女权运动联盟供图

(选举权)修正案时,其事业达于顶峰。1881年任艾奥瓦州梅森城中学校长,2年后成为美国的第一批女督学之一。1884年与一名编辑L.查普曼结婚,1886年查普曼死。1887～1890年致力于筹建艾奥瓦州妇女选举权协会。1890年与一名工程师G.W.卡特结婚。这次结婚颇不平凡,因为在两人婚约中规定她每年要有4个月的自由支配时间专门从事女权工作。卡特先生一直鼓励、支持其夫人的奉献精神;1905年他死时,遗产足以使她能在经济上独立,尽她的余生从事社会改革活动。1905～1915年间,卡特夫人根据政治区划原则改组全美女权运动联合会,此时她已是一位有成就的公众代言人。从1915年起担任联合会主席直到去世,在此期间,训练妇女直接参加政治活动并征集有经验的人参加运动。虽遭美国参议院强烈反对,但国会仍然在1919年6月将第19号修正案送交各州。该法案获得通过后,卡特夫人将女权运动联合会——会员超过200万人——改组为妇女选民联盟,以便在全国范围继续争取进步的立法。1902年筹建国际女权运动联盟,担任主席至1923年。1911～1912年,卡特夫人在荷兰人A.H.雅各希斯女士陪同下周游世界。20世纪20年代,卡特夫人拥护和平运动,曾约集11个国家的妇女团体联合组成"战争起因及战后救济委员会"(1925)以敦促美国参加世界和平组织。她还坚决主张国际裁军和禁酒。第二次世界大战后,她非常关心联合国,并且利用她的影响把合格的妇女安排在

一定的职位上。著有《女权与政治》、《女权运动秘闻》(1923,与N.R.舒勒合著)及《为什么必须制止战争》(1935;与其他作者们共同执笔)。

Cattaneo, Carlo 卡塔内奥(1801-06-15,米兰～1869-02-06,瑞士卢加诺附近) 意大利政论家和文化人,其著作在不小程度上促成了复兴运动,他出版的刊物《综合科技》成为发表他的政治观点的媒介,在为意大利引进国外科技改良成果方面起了颇大的作用。帕多瓦大学毕业,知识渊博。他首先在意大利鼓吹实证主义。晚年涉足政治,米兰"五日暴动"时成为革命委员会领导人之一。著有《1848年米兰暴动》(1848)和《论米兰暴动及其后的战争》(1849)。1867年当选为意大利王国众议院议员。但因拒绝宣誓效忠萨伏依王室而未就职,旅居瑞士后仍反对君主制。

Cattaro(Montenegro) **卡塔罗** 参阅**Kotor 科托尔**。

Cattaro, Bocche di(Montenegro) **卡塔罗湾** 参阅**Kotor, Gulf of 科托尔湾**。

Cattell, James McKeen 卡特尔(1860-05-25,美国宾夕法尼亚伊斯顿～1944-01-20,宾夕法尼亚兰开斯特) 美国心理学家。将客观实验法、心理测验引入美国心理学,提倡将心理学应用于教育、商业、工业和广告领域。创办了两种专业姓名录,出版了5种科学期刊。从伊斯顿的拉斐特学院毕业(1880)后曾去德国,师从格丁根大学的哲学家R.H.洛采和莱比锡大学的心理学家W.冯特等人。1886年获莱比锡大学哲学博士学位后,去伦

美国不列颠百科全书公司供图

敦在F.高尔顿的实验室继续研究。1888年任费城宾夕法尼亚大学第一任心理学教授,在该校建立了一个实验室并编制了一套用于大学生的心理测验。1891年任哥伦比亚大学心理学教授,从事于改进和提高心理测验。1894年与人合办《心理学评论》,1894～1944年,编辑《科学》周刊。1900年创办《大众科学月刊》(1915年改名为《科学月刊》),任编辑至1943年。1906～1938年创办、编辑、出版了《美国科学家名录》。1917年在第一次世界大战中他公开批评征兵,而被哥伦比亚大学开除。后主要从事编辑工作,编有《美国博物学家》(1907～1944)及《学校和社会》(1915～1939)。1921年创办心理学公司,以研究应用心理学在工商业中的应用。

Cattell, Raymond B(ernard) 卡特尔(1905-03-20,英格兰斯塔福德郡～1998-02-02,美国夏威夷火奴鲁鲁) 杰出的英国出生的美国心理学家,世界上最主要的人格理论家之一。曾获伦敦大学理学士(1924)及哲学博士(1929)学位。1927～1932年在埃克塞特大学任教,1932～1937年任莱斯特儿童指导所所长。1939～1941年在美国克拉克大学任教。1941～1943年任哈佛大学讲师,1945年后一直任伊利诺伊大学研究教授。1974年任荣誉教授。著作甚多,对心理测量的理论和方法学均做出重要贡献。主要著作有《神经过敏症和焦虑症的意义和测量》(1961)、《多变量实验心理学手册》(1966)、《成就和创造力的预见》(1968)及《能力的结构、形成和表现》(1971)。最重要的著作是《人格与学习理论》(卷1及卷2,1979～1980),他在书中提出一个人类发展理论,该理论将智力、气质和人格的动态变化等方面放在环境和文化影响的背景中研究,将有关人格和学习理论的不同假说加以综合。

Catterji, Bankim Chandra(Indian author) 参阅**Chatterjee, Bankim Chandra 查特吉**。

cattle 家牛 饲养以供肉用、乳用或役用的驯化的牛类。在英语中不同性别和年龄的牛有不同的名称。公牛幼时称为bull calf,不经阉割的幼公牛成熟后称为bull;如果公牛幼时即经阉割,则称为steer,2～3岁后称ox。母牛幼时称为heifer calf,长大些后称为heifer(小母牛),成熟后则称为cow。成年公牛体重450～1 800千克,成年母牛体重360～1 100千克,视品种而定。肉用公牛常阉割,使之性格温驯,便于放牧或舍饲育肥。役用公牛阉割后亦较易驾驭。据信所有现代家牛均属于欧洲牛(*Bos taurus*,如短角牛和泽西牛等欧洲品种)、印度牛(瘤牛[*Bos indicus*],如婆罗门牛)或这二者的杂种(如圣热特鲁迪斯牛[Santa Gertrudis])。许多当代的品种育成的时间不长。虽然品种一词常用,事实上也易理解,但其定义难下而且含糊,一般指经过长期选择性育种培养成的动物,在毛色、大

家牛的品种

名称与种类	分布	外形	特征
安格斯牛(或称亚伯丁-安格斯牛,肉牛)	原产于苏格兰,今分布于英、美	无角,黑色,身矮,结实	能适应各种气候
艾尔牛(乳牛)	广泛分布于温暖地区	胸深,体肥,红或褐色	适应能力强
肉牛王(肉牛)	1908年在得克萨斯育成	红色,常带白色斑点	商品名"兰塞特嘉肉牛"
婆罗门牛(瘤牛,乳牛、役牛)	原产印度,今分布广泛	灰色,肩背有瘤状隆起	广泛用于杂交配种
婆罗门-安格斯牛(肉牛)	20世纪30年代在美国育成	形大,黑色,无角,背直	$\frac{3}{8}$婆罗门牛,$\frac{5}{8}$安格斯牛
瑞士褐牛(乳牛)	北美、南美及欧洲	褐色、体呈楔形	适应能力强
沙尔白雷牛(肉牛)	20世纪40年代在得克萨斯育成	形大,有角,白色	$\frac{1}{8}$～$\frac{1}{4}$婆罗门牛,余为沙罗莱牛
沙罗莱牛(肉牛)	在法国育成,今分布于墨西哥及美国	通常形大,白色	常见于杂交配种
抗旱牛(肉牛)	在澳大利亚育成	红色,有角或无角	对蜱有极强的抵抗力
加洛韦牛(肉牛)	在苏格兰西南部的加洛韦育成	无角,黑色,身矮而结实	耐劳,在恶劣的气候条件下亦能繁殖
根西牛(乳牛)	英国、北美、澳大利亚	色如鹿毛,有白斑,角短	优良的乳牛
赫里福德牛(或称白面牛,肉牛)	英国、北美、南美、澳大利亚、新西兰	红白花,身矮,结实	受欢迎的肉用牛
高地牛(肉牛)	苏格兰	形小,垂肉厚,角宽	适应能力极强
荷尔斯泰因-弗里西亚牛(乳牛)	北美、南美、澳大利亚、南非	黑白花,有角或无角	产奶量高
泽西牛(乳牛)	分布于所有养牛的国家	形小,角短,鹿毛色或黄褐色	温顺,饲料利用效率高
默里灰牛(肉牛)	在澳大利亚育成,今亦见于新西兰、斐济、东亚、英国、北美	无角、银色至灰色	产奶量高,温驯,生长迅速
红毛牛(肉牛及乳牛)	北美、南美、新西兰、澳大利亚、南非	体型中等,红色,有白斑	奶和乳脂产量甚多
圣热特鲁迪斯牛(肉牛)	美国、古巴、南美、澳大利亚	深红色,有角	$\frac{3}{8}$婆罗门牛,$\frac{5}{8}$短角牛
短角牛(或称达拉谟牛,肉牛)	现代几乎分布于所有养牛的地区	有角或无角,红色或红褐色夹杂白色	幼犊成熟迅速,很快即可供市场销售

小、体型和功能方面具有明显的同一性，而这些或其他突出的性状能遗传给后代。世界各地所产重要的肉牛及乳牛品种见附表。

cattle grub　牛皮蝇　参阅 **warble fly** 皮瘤蝇。

cattle plague　牛疫　参阅 **rinderpest** 牛瘟。

Cattle Raid of Cooley, The　《夺牛长征记》　爱尔兰盖尔语作 Táin Bó Cuailnge。古爱尔兰史诗式故事，厄尔斯特英雄故事组中最长的一则，描述厄尔斯特人和康诺特人为争夺库莱的一条棕色牛而进行的斗争。故事为散文，夹杂韵文段落，写于7～8世纪。也许由一熟悉拉丁文史诗如《埃涅阿斯纪》的作者所作。它部分保存在《牛皮书》(约1100)中，也见于《伦斯特集》(约1160)和《勒坎黄皮书》(14世纪末)中。康诺特的善战王后梅德布同丈夫艾利尔为了各自的财产发生龃龉。因为占有白角公牛就能保证艾利尔的优势，梅德布遂决心从厄尔斯特人那里获得更为著名的库莱棕色牛。尽管一个预言家警告梅德布厄运将临，康诺特的军队还是向厄尔斯特进军。厄尔斯特战士由于被诅咒，暂时失去战斗力，但年轻的厄尔斯特武士库丘林却不受诅咒，他单枪匹马挡住康诺特人。战斗的高潮是库丘林与他的朋友和养兄弟费尔·迪亚德之间的3天格斗(费尔·迪亚德曾被厄尔斯特人流放，此时在康诺特军队中服役)。库丘林获胜，但因受伤和精疲力尽，几濒于死亡，此时厄尔斯特军队赶到将敌人击溃。但是，那头棕色牛仍被康诺特人所俘，并击败艾利尔的白角牛，此后和平方告恢复。

cattleya　卡特利兰属　兰科的一属。约65种。原产于热带美洲，广泛种植于温室和潮湿光亮的居室内。附生或岩生。是重要的观赏花卉，有重要商业价值。假鳞茎大；叶1～

卡特利兰属(*Cattleya*)植物
美国不列颠百科全书公司供图

2枚；花1～30朵，大而鲜艳。唇形卡特利兰(*C. labiata*)是最常见的栽培种，曾用以与其他兰属植物杂交培育出许多美丽品种。

Catton, (Charles) Bruce　卡顿(1899-10-09，美国密歇根佩托斯基～1978-08-28，密歇根法兰克福)　美国新闻工作者、历史学家。以论述美国内战的著作闻名。出生在密歇根州一个小镇，从小受到当地老兵关于内战回忆的鼓舞。1920～1926年任《波士顿美国人》、《克利夫兰新闻报》和《克利夫兰老实人》记者期间，继续他终生从事的对美国内战时期的研究。1926～1941年在新闻事业局供职，负责撰写社论和书评，并在美国战时生产局任情报室主任。1954年，到《美国传统》杂志编辑部任编辑，从1959年起任高级编辑。在受命编写内战百年纪念史时，卡顿把它扩写为著名的波托马克军三部曲：《林肯先生的军队》(1951)、《光荣的道路》(1953)、《阿波马托克斯的沉寂》(1953)。后者为他赢得1954年普利策奖和全国图书奖。其他著作有《华盛顿的军阀们》(1948)、《U.S. 格兰特及美国军事传统》(1954)；以及第二部三部曲：《即将爆发的狂怒》(1961)、《可怕的突发战争》(1963)和《永不退却》(1965)。

Cattopadhyay, Bankim Candra (Indian author)　参阅 **Chatterjee, Bankim Chandra** 查特吉。

Catullus, Gaius Valerius　卡图卢斯(约公元前84，山南高卢维罗纳～约公元前54，罗马)　罗马诗人。他对爱与恨的描述被普遍认为是古罗马最优秀的抒情诗。在其25首诗中，他表述了对一个名叫莉丝比娅的女人的爱情，她的身份不得而知。卡图卢斯的其他诗作尽情地发泄了他对凯撒和其他地位较低人物的蔑视或憎恨。

无任何有关卡图卢斯的古代传记流传至今。有关这位诗人的记述只能从他的同时代人或后人的著作中略知一二，有些事实可从他自己的诗作中得到的推论加以补充，其中有些是可靠的，有些仅是一种猜测。未经渲染的、可靠的事实很少。卡图卢斯与西塞罗、庞培、凯撒等政治家是同时代人，他在诗中不同程度地提到过他们。紧接其后的奥古斯都皇帝时代的诗人，包括贺拉斯、普洛佩提乌斯、提布卢斯和奥维德，均称他是一位他们所熟悉的诗人。根据他本人和哲罗姆所提供证据推断，卡图卢斯生于今意大利北部的维罗纳，因此是当地的山南高卢人。他在加尔达湖畔的锡尔苗(今锡尔苗内)置有房产，但他却喜欢住在罗马，并在罗马的郊区蒂武附近一个非常繁华区拥有一幢别墅。据罗马传记作家苏埃托尼乌斯所著《尤利乌·凯撒传》中的记载，卡图卢斯的父亲是凯撒的朋友并经常设宴款待他，但这位儿子不仅写诗讽刺这个未来的独裁者，还讽刺了他的女婿庞培以及他的执法官和军事行动策划人马穆尔拉，凯撒承认卡图卢斯的诗句有损他个人的名誉并会留下历史的痕迹。卡图卢斯道歉之后，在“当天”便收到了赴宴的邀请，凯撒与卡图卢斯父亲的关系依然友好如初(苏埃托尼乌斯以此事为例来证明凯撒的宽容)。

研究卡图卢斯的诗句及其形式是一件非常有趣的事情。这些残存的诗作像他的生平一样，既不完全也不可靠。因为不属于学校课程大纲的一部分，这些作品在大约2世纪末至12世纪末期间失传。对他的诗的了解仅凭约在1300年时发现的一份手稿。该手稿经两度转抄后丢失。那两份抄本中的一份也在传抄了两次之后丢失。根据现存的3份稿本(它们分别存于牛津的博德利图书馆、巴黎的法国国家图书馆和罗马的梵蒂冈图书馆)，学者们得以修复已失传的“原稿”。但是，未经认真校正的抄本(约14处已无法修订)在过去数世纪中一再被人修订，而这些修订之处往往并不可靠。存留下来的诗作有113或114首，其中一首也可算作是两首诗。在已出版的全部116首诗中，第18～20首为从前的编辑所补入，无任何证据说明它们是卡图卢斯所作。明显的遗漏有14处(其中8处遗漏一行或一行以上)，在大概6首诗中，已失传诗作的残片被附在现存的诗上。古人的引证表明至少还有5首诗未能收入。因此，现存的这部诗集是不完全的，并且(与贺拉斯的《颂歌集》形成对照)目前的这个版本既不能体现作者也不能体现出版者的意图，尽管其首页有献给历史学家内波斯的优美题辞。这部诗集有保留地再现了拉丁文学中独有的一种诗人品格和技艺。

该诗集以57首“短诗”起头，长度从5行至25行不等(第10首例外，有34行)，格律各异，但其中51首不是11音步的——即每行有11个音节(这样的有40首)——就是抑扬格的——即基本上是一短一长音节(11首)。这些格律结构严格，又具有应景诗的特点。继其之后是8首“较长的诗”，从48行至408行不等(第65首24行，为第66首的序诗)，具有4种不同的格律。诗集以48首按哀歌体对仗(或称成对的诗句)写成的讽刺短诗结束，从2行至12行不等，仅有2首超出这个限度，一首为26行而另一首为16行。

这种结构安排，间接地使人们看出诗人熟练的格律技巧并提出了3种作诗法，理所当然地使人们注意到一种与现存著作的微乎其微的数量不相称的多样性。应景诗的格律和哀歌体的对仗，在他以前已引入拉丁文学。传统上，这两种形式(如公元前4世纪后的希腊诗人及仿效他们的罗马诗人那样)都曾被用作铭文和题辞，以及用于轻松场合进行讽刺和表达高尚感情的韵文。卡图卢斯及其同时代人继承了这一传统。但在约37处诗人独特地将这些诗歌形式变为传达感情和见闻的工具。他一方面表达得那么美、那么风趣，另一方面又那么热情奔放，按现代的说法，这使他与萨福、雪莱、彭斯和海涅等欧洲抒情诗大师齐名，但他表现出许多世纪以后的浪漫主义个性几乎无法理解的复杂性和矛盾。特别是他用于抒情目的的应景诗格律，获得了任何其他古典诗人无可匹敌的直接性。

在较长的诗中，卡图卢斯写下了给奥古斯都时代的作家和诗人以深刻影响的诗篇：两首动听的婚礼赞歌，一首狂热的阉割礼赞歌，一首用6韵步诗体(一行6个音步)写成的关于珀琉斯与女海神忒提斯婚姻的爱情叙事诗，以及4首哀歌，包括一首介绍亚历山大时代诗人卡利马科斯的一篇优美奇想的译文的书信体诗，接着是一首讽刺诗，或称为诗人与一扇门(质量很差，也许为新手所作)之间一场粗俗的对话，最后是一篇讲给朋友听的独白(如果实际上这不是两首诗)，以赞美诗的形式写成。奥古斯都时代的诗人维吉尔满足于模仿卡图卢斯但不提及他的名字，他甚至在《埃涅阿斯记》中3次整行整行地借用他的诗句。贺拉斯对卡图卢斯既模仿，又批评。

提布卢斯、普洛佩提乌斯、奥维德和较晚的马提雅尔既模仿又深情地纪念他。

卡图卢斯生前是一位极有诗才的诗人，他向与他同时代的博学的诗人、尤其是他的朋友卡尔沃斯朗读他的诗。卡尔沃斯死后常与卡图卢斯一起为人们所纪念。现在时兴将这一派诗人称为新诗派，他们喜欢亚历山大时代诗人博学的引喻和精雕细刻的技巧，而不喜欢古罗马诗歌之父恩尼乌斯的更高雅但已过时的风格。该诗派受到西塞罗和贺拉斯的批评，他们点名批评了卡尔沃斯和卡图卢斯。就卡图卢斯在所谓诗歌的学问这类问题上所持的观点而论，他被列在 G.M. 霍普金斯、T.S. 艾略特和 E. 庞德之列，而不属于浪漫主义诗人之列。

Catulus, Gaius Lutatius　卡图卢斯（活动时期公元前 3 世纪）　罗马统帅。在第一次布匿战争（公元前 264～前 241）中，他取得最后一次战役的胜利。公元前 242 年任执政官。他下令以 200 艘兵船封锁西西里岛的利利巴厄姆城和德雷帕农城。公元前 241 年 3 月 10 日，他在西西里的伊盖蒂兹岛附近将前来解围的迦太基舰队全部歼灭。

Catulus, Quintus Lutatius　卡图卢斯（?～公元前 86）　罗马将军、演说家、诗人和散文作家。原为马略的盟友，后成为劲敌。公元前 102 年与马略同任执政官。他奉命扼守阿尔卑斯山口，抵御入侵的辛布里人和条顿人，但被打退，撤至波河一线。公元前 101 年，卡图卢斯和马略的联军在劳迪安原野（今意大利的韦尔切利附近）打败了辛布里人。马略将胜利的主要功绩归于己有，卡图卢斯因此与马略的政敌苏拉为伍。公元前 87 年底马略占领罗马后，卡图卢斯被迫自杀。

Catulus, Quintus Lutatius　卡图卢斯（公元前 120～前 60 或 61）　罗马政治家，贵族党领袖之一。其父昆图斯·卢塔提乌斯在马略占领罗马后被迫自杀，因此，小卡图卢斯成为马略的政敌、罗马独裁者（公元前 82～前 80）苏拉的追随者。公元前 78 年担任执政官，当另一执政官李必达企图推翻苏拉的宪法革新体制时，卡图卢斯击败了李必达指挥的军队。作为公元前 65 年的监察官，卡图卢斯竭力反对克拉苏打算让山外高卢人取得罗马公民权的建议。他一贯与尤利乌斯·凯撒为敌，公元前 63 年企图把凯撒牵连进喀提林政变阴谋，未能得逞。

Catuvellauni　卡图维勒尼人　古代不列颠最强大的比利其人部落，占有泰晤士河正北地区。最初首府在惠特汉普斯特德附近，公元前 54 年被凯撒打败后，向北部和西北部开拓，在圣奥尔本斯附近的维鲁拉米翁建立新都。这一部落从事农业，经济发达。

Cauca　考卡　哥伦比亚西南部省份。面积 29 308 平方千米。矿藏和森林资源丰富，但因交通不便，农业不甚发达。主要的经济活动为养牛和种植咖啡、香蕉、玉米、水稻和甘蔗。有铁路从省会波帕扬（**Popayán**）通到

考卡省省会波帕扬市街景
《黑星》杂志社供图

考卡山谷省的卡利。泛美公路从北至南纵贯全省。人口约 1 197 874（1997）。

Cauca River　考卡河　哥伦比亚西部和西北部河流。源出波帕扬附近的安第斯山，向北流，经过考卡山谷省宽阔、肥沃的山间低地（种植甘蔗、可可、香蕉、玉米和稻米，亦养

源出安第斯山的考卡河
美国不列颠百科全书公司供图

牛），汇入马格达莱纳河，全长 1 349 千米。地区行政当局合理开发考卡谷地与邻近的高地，促进农、商、工业平衡发展。粮食生产、造纸和纺织业占有重要地位。火山高地的咖啡产量占全国产量的 2/3。卡塞雷斯下游河段可以通行汽轮。

Caucasian PEOPLES　高加索诸民族　高加索地区各种不同的种族集团。当地地势复杂：山脉、高原、山麓、平原、河流、湖泊与草地、森林、沼泽、干草原交错。地势复杂造成 50 多个民族，根据使用不同语言的居民群体来分，小的只有几百人，大的可达百万。这种差异并非始于今日，老普林尼曾记述罗马人在此地经商要通过 80 多名译员，阿拉伯地理学家则称高加索为“语言之山”。高加索的语言分属 4 个语系：高加索语系（或古高加索语系）、印欧语系、突厥语系、闪米特语系。操后三系语言的人们是在有史时期迁来高加索的，而操高加索诸语言者则早在蒙昧时期已在此居住。高加索居民集团分北方两支、南方一支。南支包括：格鲁吉亚人、明格列尔人和拉兹人，还有斯万人，共同组成格鲁吉亚民族，住在外高加索西部（拉兹人住在土耳其境内）。两个较小的北支包括很多民族，最大的有住在库班河流域及德列克河上游地区的卡巴尔达人以及住在大高加索中部的维纳喀人（车臣人、印古什人、巴茨人）。在印欧诸民族中，亚美尼亚人的祖先早在公元前头一千年间早期即由安纳托里亚进入外高加索。第二支古代印欧人是奥塞梯人，住在大高加索中部，是东伊朗游牧民族的一部，自公元前 7 世纪至公元 4 世纪游动于南俄大草原（4 世纪为匈奴人所逐），曾先后称为西徐亚人、萨尔马特人、阿兰人。斯拉夫人占高加索人口的 1/3 强，主要为俄罗斯人和乌克兰人，住在高加索北部。此外，印欧族群体还有库尔德人、塔里什人、塔特人、希腊人、吉普赛人，分布于高加索不同地区。突厥诸民族有住在西南部的阿塞拜疆人和住在北方的钦察部落的突厥人（库梅克人、诺盖人、卡拉恰伊人、巴尔卡尔人）。亚述人是高加索唯一的闪米特人，第一次世界大战结束时，因受土耳其迫害逃到俄罗斯境内，主要住在城市。高加索诸民族的传统经济以农业、畜养牛羊及家庭手工业为基础。主要作物是黍稷、大麦、小麦及玉米。葡萄酒生产在外高加索地区非常发达，尤以格鲁吉亚为著。手工艺为地毯编织等以达吉斯坦、亚美尼亚及阿塞拜疆比较发达。其社会结构还保存有家长制氏族制度及部落的痕迹，尤以山地居民为甚。但一般说来，部落制度已逐渐为村社形式所取代。封建关系在格鲁吉亚、亚美尼亚、阿塞拜疆及北高加索一些地区较为显著，但在苏维埃时期全部地区都在俄罗斯影响之下。传统上高加索人的主要宗教是伊斯兰教（突厥族）、东正教（格鲁吉亚人）、亚美尼亚格列高利教会和犹太教；此外，还有很多小教派。

Caucasian languages　高加索诸语言　通行于高加索地区的一组当地语言，不属于印欧、阿尔泰和含米特-闪米特等大语系。

高加索诸语言分布于大高加索山脉周围地区，有 30～40 种之多，可分为至少两个甚或 5 个不同语族。与该地区之外各语言的系属关系只是推测，至今还极不可靠。有些语言学家建议用“伊比利亚-高加索”语系统括所有高加索诸语言及巴斯克语。另一些语言学家力求将这些语言与至今尚无归属的古代中东动者格诸语言（如苏美尔语和胡里-乌拉尔图语）联系起来。多数学者接受高加索诸语言的下列分组：南高加索（卡尔特维尔）语族、西北高加索（阿布哈兹-阿迪格）语族和东北高加索（纳克赫-达吉斯坦）语族。

卡尔特维尔（南高加索）语族包括格鲁吉亚语、明格列尔语、拉兹语和斯万语。格鲁吉亚民族语言格鲁吉亚语是高加索诸语言中唯一有古代文学传统的语言，其文学传统可追溯至公元 5 世纪。其碑铭用古格鲁吉亚字母雕刻，这种字母来自阿拉米字母，并受希腊字母的影响；现代格鲁吉亚文字系统，是一种圆形草体，从古格鲁吉亚字母间接发展而来。文学也可分为古格鲁吉亚和现代格鲁吉亚两个时期。明格列尔语、拉兹语和斯万语无文献，明格列尔语和拉兹语有时被看做一种语言的两种方言。黑海沿岸通用明格列尔语和拉兹语，厄尔布鲁士山以南的高山峡谷地带用斯万语。

卡尔特维尔诸语言被认为与一种共同的

语言密切相关并源于这一共同语言。这几种语言的语音系统大致相同，只有斯万语各方言元音较多而且均有长短音之分。特别是格鲁吉亚语，词根可由多至6个辅音的辅音丛开头。卡尔特维尔诸语言有很发达的词形屈折变化系统，即词的词尾和派生系统。动词各范畴主要用前缀和后缀表示。动词词形变化为多人称形式，也就是说，动词形式既可指示主语的人称，也可指示直接或间接宾语的人称。发达的动词前缀系统（位于动词词干前面并与动词结为一体的词素）可表示出行为的空间位置、方向和行为的体。所有卡尔特维尔语言的名词、代词和形容词均有6个格，即主格、生格、动者格、与格、夺格和状格。动者格标示及物动词的主语，而主格表示其直接宾语。

找出高加索原始语言的基本语音语法元素并以之重建原始卡尔特维尔语是可能的。元音交替便是它的一个特点：一个词素随该词语法作用的改变而获得或失去一个元音从而构成不同形式。这种元音交替模式在乔治亚语和斯万语中完好地保存下来，与印欧语系中的元音交替模式十分相似，可能是早期与印欧语系的语言有接触所造成的。原始卡尔特维尔语中有一些印欧外来词，就说明了这种接触。斯万语保存了原始卡尔特维尔语中的代词系统，而其他语言失去了这一系统，说明斯万语可能比明格列尔-拉兹语和格鲁吉亚语更早地同原始卡尔特维尔语其余部分分离开来。

阿布哈兹-阿迪格（或西北高加索）语族包括阿布哈兹语、阿巴扎语、阿迪格语、卡巴尔达语和乌比赫语。阿布哈兹语通行于阿布哈兹共和国境内，其他语言则分布在高加索地区的西北部。阿布哈兹-阿迪格语族没有大范围地分为各种方言。语音方面，阿布哈兹-阿迪格语族中元音很少，不同辅音却多达80个。名词系统简单、动词变化形式的系统复杂是它的特点。在阿迪格语、卡巴尔达语和乌比赫语中，名词只有两个基本格；其他语言则无格的变化。阿布哈兹语和阿巴扎语有人和物的语法分类。阿布哈兹-阿迪格语族中的动词是多词素综合型的，也就是说，不同的词结合在一起形成一个复合词，表达一个完整的陈述内容。用前缀和后缀表现的各种动词范畴不仅指示人称和数，而且构成及物性、意指和可能性等形式。“意指”表示动作的目的，“可能性”表示一个动作的可能性。动词有多至4个人称。因此，动词形式可能包含多至9个的一长串词素。

纳克赫-达吉斯坦（或东北高加索）语族包括纳克赫语支和达吉斯坦语支。纳克赫语支包括车臣语和印古什语，通行于车臣、印古什共和国境内。纳克赫语支的第三种语言巴茨语通行于格鲁吉亚。达吉斯坦语支可依其使用人数再分为下列几个亚支：①达吉斯坦中部和西部以及阿塞拜疆一部分地区的阿瓦尔-安迪-迪多诸语言；②达吉斯坦中部的拉克-达尔格瓦诸语言；③主要在达吉斯坦南部通行的莱兹吉诸语言。

按照语言亲缘的观点来说，纳克赫-达吉斯坦语族与其他两个高加索语族相比，其所属诸语言不是那么清晰地具有一致性。一些语言学家想把纳克赫-达吉斯坦语族与阿布哈兹-阿迪格语族合并为一个北高加索语族，但另一些语言学家则想把纳克赫（中高加索）诸语言和达吉斯坦（东高加索）诸语言分别归入不同语族。

纳克赫-达吉斯坦诸语言的语音系统各不相同。基本元音有5个（a,e,i,o,u），补充形式可多至30个。纳克赫诸语言的辅音系统与南高加索诸语言类似。多数达吉斯坦语言有强弱清辅音的明显对照。所有高加索语言都有3种类型的塞音：浊塞音、送气清塞音和声门塞音（亦即：发音时声带振动的；声带不振动但呼出的气流可以听得见的；发音时声门闭合的。纳克赫-达吉斯坦语族中有“类”的语法范畴（巴茨语有8个类，车臣语有6个类），用以区别人和物。代词有内包-外排范畴，例如，包括听话者你的“咱们”和不包括听话者你的“我们”两种不同代词形式。纳克赫-达吉斯坦语族的句法与卡尔特维尔语族相同，使用动者格句子结构。

北高加索诸语言的原始词汇在现代语言中仍然保存着。这一地区的书面语言都是官方语言。报刊、广播、电视使用当地语言，小学用母语教学。北高加索诸语言的字母以西里尔字母为基础，采用于1936～1938年。

Caucasoid geographic race　高加索地理人种　又称欧洲地理人种。居民集团（包括诸地域人种和少数人种），公元1500年左右主要居住在欧洲、北非、中东。公元1500年以后，高加索人种经历了一场异常迅速的扩张活动，排挤了南北美洲、澳大利亚及新西兰的原居民，并在非洲撒哈拉沙漠附近地区及亚洲的一些地区定居下来。他们的特征是：皮肤色素沉着极少；直发或卷曲发；鼻大而窄，高鼻梁；体毛浓密，男子秃顶者多；Rh阴性血型（Rh血型系统）出现率高，也有ABO血型系统的A_2型血型的人。

Caucasus　高加索　俄语拉丁字母转写作Kavkaz。黑海及亚速海（西）与里海（东）之间的地区和山系。分属俄罗斯、格鲁吉亚、阿塞拜疆和亚美尼亚。传统上视高加索为欧、亚两洲分界线的一部分，现在一般已认为高加索全属亚洲。大高加索山脉横亘高加索地区，绵延约1 200千米。北侧称前高加索，南侧称外高加索。大高加索山脉大致为西北至东南走向，最高峰厄尔布鲁士山海拔5 642米，有冰川2 000余条，约占其总面积的1%。前高加索有大片平原，大部已开垦，种植谷物。外高加索大部为同样的平原，并有小高加索山脉。该地区水利资源丰富。最大最深河流有里奥尼河、库拉河及阿拉斯河。最大湖泊为塞凡湖。高加索山两坡密林覆盖，有橡、栗、山毛榉、桤、高加索杉、桦及椴树。动物有小羚羊、赤鹿、熊、山猫、狐和两种山羊。河湖清澈，盛产鲑鱼。高加索矿产丰富，有煤、铁、铅、锌、铜、钼及锰。阿塞拜疆与克拉斯诺达尔及斯塔夫罗波尔等地区有石油开采。天然气储量亦占重要地位。

Cauchon, Pierre　科雄（1371，法国兰斯附近～1442-12-18，鲁昂）　法国博韦主教。以

美国不列颠百科全书公司供图

曾主持对贞德的审判而闻名。曾受教育于巴黎大学，1403年任该校校长。与勃艮第党有联系，并参加卡博什派（激进改革派）1413年所发动的暴乱，1414年5月14日被驱逐出巴黎。1420年起任博韦主教，作为英格兰国王亨利六世的顾问，科雄于1422年在亨利六世驻法国代理人贝德福德公爵手下任职。科雄协助英格兰-勃艮第联军自法国国王手中夺得法国北部大片土地的控制权。1430年，贞德在他的教区内被俘，是他为英格兰人效力的大好时机。科雄谨慎行事，他根据异端裁判所程序审讯贞德以掩饰其审判的政治目的，同时试图诱使贞德表示忏悔以免一死。现在科雄应对贞德被判有罪并以异端分子处决负责。1432年任利雪主教。

Cauchy, Augustin-Louis, Baron　柯西（1789-08-21，法国巴黎～1857-05-23，索镇）　法国数学家，在数学分析和置换群（其元素为某个集合的有序序列的群）理论方面做了开拓性的工作，最伟大的近代数学家之一。他先是军事工程师，1810年去瑟堡为拿破仑入侵英国的军队设计港口和工事。尽管工作很忙，仍然写出了若干数学论文。1813年返回巴黎，拉格朗日和拉普拉斯劝他全力献身于数学。此后，发表了关于定积分的论文，成为复变函数论的基础。1816年起取得巴黎法兰西学院和综合工科学校的理科教授职位。1816年G.蒙日因政治原因被开除出科学院，他被指名递补为科学院院士。同年，由于波的传播的论文获法兰西研究院大奖，该文现被视为流体动力学的经典文献。1822年奠定了弹性的数学理论的基础。他对数学的伟大贡献的特征是引进了清晰的和严格的方法。这些贡献主要包含在他的三部巨著之中：《皇家综合工科学校分析教程》（1821）、《无穷小分析教程》（1823）和《无穷小分析的几何应用教程》（1826～1828）。数学中的现代严格性的

第一阶段开始于他在19世纪20年代所作的分析讲座和研究。他澄清了微积分的原理，借助现在被认为是分析精髓的**极限**(**limit**)和**连续**(**continuity**)的概念，发展这些原理并把它们置于令人满意的基础之上。同一时期他还发展了复变函数论，这一理论是现今从物理学到航空学在应用数学中不可缺少的工具。1830年路易·菲力普复辟，柯西拒绝宣誓效忠而宁愿流放。1838年，效忠宣誓终止才回到法国，恢复了在巴黎综合工科学校的教席。他对数论做出了重大贡献，并写有关于误差理论的三篇重要论文。在天文学中，他描述了火星和木星轨道间的小行星雅典娜的运动，较勒维耶的描述更为简捷。他的光学论著为关于以太性质的实用理论(有些是不能令人满意的)提供了数学基础。所著全集共27卷。

caucus 政治团体 组织起来促进一种特殊利益或事业的任何政治团体或会议。这个词在18世纪初叶出现于波士顿，当时作为一个政治俱乐部的名称，在那里讨论公共事务，筹备地方选举，挑选候选官员。其后以及今天，在美国这个术语较狭义地用来指党派领袖或责任选举人的会议，例如，提名候选官员或挑选出席提名会议代表的“提名会议”。1796～1824年期间，由国会中一个政党成员的干部会议来提名总统或副总统候选人。同时，州长和副州长候选人由州立法机关的政党成员在所谓“立法提名会议”上提名。在进行这些提名时，在立法机关里没有代表的地区派出代表列席立法机关成员的会议，称为“混合立法提名会议”。这个术语的美国用法还延伸为意指立法机构内一个派别设法在关于立法或立法机关的提案方面影响政党的政策以增进本身的利益，诸如黑人政治团体会议(代表美国黑人)和妇女政治团体等。在英国，这个术语于1878年首次使用。当时，张伯伦和施纳霍斯特以严格的纪律组织伯明翰自由党联盟，其特殊用意在于操纵选举和控制选举人。这种类型的组织成为全国其他自由党联盟的典范。由于它被设想为模仿美国的政治“机器”，迪斯累里称它为政党地区会议，从此开始使用这一名称。该词在英国不是指美国的那种会议，而是指具有严密纪律的政党组织制度，又常被某一政党的成员用来诋毁其反对派所控制的组织。

Caudine Forks 考迪尼岔路口 拉丁语作Furculae Caudinae。古萨谟奈姆(今意大利南部坎帕尼亚的蒙特萨尔基奥附近)的贝内文托附近的狭窄山口。公元前321年，第2次萨谟奈战争期间，在考迪尼岔路口战役由蓬提乌斯指挥的萨谟奈人军队击败并俘虏了一支罗马军队。罗马军队投降，从萨谟奈人用长矛架成的“轭门”下通过(这是一种极大的耻辱)，以承认他们已经败北。

caudle cup 滋补品杯 一种带两个把手的小银杯，通常都有盖。17世纪后半叶最初产于英国，用以盛装流质滋补食物——拌以面包或粥、鸡蛋、糖和香料的温热的麦芽酒或葡萄酒作为产妇和病人康复调养用。杯呈葫

1660年的英国滋补品杯
美国不列颠百科全书公司供图

芦形，无足，以薄金属制成，通常饰有浮雕花卉图案。两侧闪亮的把手铸成各种奇特的形状。有时杯盖上有扁圆的顶饰，可作为杯盖翻转过来的支撑物。

Caughley ware 考格利瓷器 英国什罗普郡考格利地方的一座工厂——考格利瓷器厂——生产的瓷器。托马斯·特纳在1772年扩充了当地的一家陶器厂，开始制造皂岩瓷器。该厂与伍斯特瓷器厂有密切的联系，伍斯特瓷器厂的一位印花铜版雕刻师先驱罗伯特·汉科克在1775年加入了特纳的工厂。考格利的大量的所谓“萨洛普式”瓷器是青花瓷器，大部分为蓝色印花或用蓝粉绘画。约在1780年，原来柔和的蓝色色调被较强烈的紫蓝色色调所取代。蓝色绘饰则并无特色，产量也不多。特纳对蓝色印花技术的开发为他带来了成功。他发展了大量的图案，这些图案包括运动题材、风景画以及有纪念意义的单项题材，这些制品的装饰包括精巧的卷形边或锦缎似的镶边。考格利瓷器的多色装饰质量较差，但有些花卉绘饰却是丰富多彩。白胎瓷器常供给独立的装饰家。工厂的特色

约1790年的考格利瓷器——狭嘴带柄大罐
美国不列颠百科全书公司供图

之一是引进了白底蓝花柳树图案；最初是在1779年，而最著名的式样是特纳于18世纪80年代后期开发出来的。有许多后来的瓷器厂都一直生产蓝色柳树图案瓷器，这或是一种最广泛流行的图案。考格利工厂于1799年被约翰·罗斯收购。

Caulaincourt, Armand (-Augustin-Louis), marquis de, DUC (duke) DE VICENCE **科兰古侯爵**(1773-12-09，法国科兰古～1827-02-19，巴黎) 法国将军、外交官，拿破仑时代的外交大臣。1804年起为拿破仑的御马总管，在历次大战役中均追随皇帝左右。他的回忆录是1812～1814年时期的重要史料。1795年当骑兵，1799年升任一支精锐的骑兵团团长，1800年参加霍恩林登战役。1807年11月至1811年2月任驻俄国大使，极力争取和平。1808年拿破仑封他为维琴察公爵。1812年法国开始侵入俄国时，他请求被派往西班牙，以便尽可能地远离皇帝。但是，他却是护送拿破仑从俄国返回巴黎的少数随从中的一员。莱比锡战役后，他出任外交大臣。1814年4月10日在将拿破仑送往厄尔巴岛的条约上签字。在枫丹白露的最后一周的严峻时间内，他仍在拿破仑身边。科兰古侯爵于滑铁卢战役后退隐。

Cauliaco, Guido de (medieval surgeon) 参阅**Chauliac, Guy de 肖利亚克**。

cauliflower (*Brassica oleracea*, Botrytis group) **花椰菜** 又称菜花。**甘蓝**(**cabbage**)的一种类型，原始花轴和花蕾变形增厚，在茎顶端形成白色肥大花球块状花序。叶宽而长，

花椰菜(*Brassica oleracea*, Botrytis group)
美国不列颠百科全书公司供图

高出花团甚多。在收获花团前数天应将叶扎起包住花团或折断后盖在花团上，以防花团晒得退色。菜花常用以炒菜，也可做沙拉或做配菜生食。

cauliflower ear 菜花耳 外伤造成的外耳软骨变形。若外伤导致软骨与皮肤之间出血，便形成一个光滑、圆形、略呈紫色的肿块。凝血块若不清除，就变成瘢痕组织，使外耳永久性地增厚畸形。由于拳击运动员和摔跤运动员的外耳经常受伤，故本病常见于这些运动员。

cauliflower ware 花椰菜形陶器 一种施绿釉和黄釉的花椰菜形状的陶瓷制品，也泛指其他果品或蔬菜形状的器皿。约1760年约西亚·韦奇伍德请威廉·格雷特巴赫承包制作花椰菜型带垫脚的大汤碗、莴苣形罐以及菠萝型茶壶，坯体制成后，由韦奇伍德瓷厂施釉。这种产品因其生动而被斯塔福德郡的其他陶工所模仿；1769年韦奇伍德在伊特拉里亚新建的工厂开工之后，它就逐渐消亡了。但是，卷心菜或花椰菜型的壶嘴则仍作为一

种模塑的细部而继续为韦奇伍德所使用。在18世纪50年代的许多切尔西盘碟和小汤碗上,可以见到洛可可风格的植物造型,形状有花椰菜和卷心菜,以及西瓜、榅桲、黄瓜和柠

约1763年的英国花椰菜形陶茶壶
美国不列颠百科全书公司供图

檬形汤碗,但在"韦奇伍德-格雷特巴赫"制品中则绝少见到。这些图形大多来源于迈森工厂,而锡釉汤碗则是某些欧洲大陆工厂的特长。生产花椰菜形陶器的著名的工厂有布鲁塞尔和霍利芝的工厂。这种流派中特别成功的是一个花椰菜形茶壶,形体小而部分敷有韦奇伍德绿釉。

Caullery, Maurice (-Jules-Gaston-Corneille) 科勒里(1868-09-05,法国贝尔格～1958-07-15,巴黎) 法国生物学家,以研究寄生原生动物和海生无脊椎动物闻名。曾任教于马赛大学(1900)和巴黎大学(1903),1909年继A.吉雅尔任维姆勒动物站站长。对被囊类动物

美国不列颠百科全书公司供图

和环形动物的形态、生殖和生态与其进化的关系特别感兴趣。描述和命名了韦伯氏西伯达虫(*Siboglinum weberi*),为后来建立须腕动物门奠定了基础。重要著作有:《寄生与共生》(1922)、《进化问题》(1931)及《生物与性》(1942)等。

Caulonia 考洛尼亚 意大利南部的古代希腊城市,亚该亚人在意大利成立的移民地中最南端的一个。考洛尼亚可能建于公元前7世纪上半叶,是克罗顿的前哨。从它在公元前6世纪后半叶所铸造的大量美丽的钱币看来,这个城市虽小,但还相当重要。在伊庇鲁斯王皮洛士入侵(公元前280～前275)、被坎帕尼亚军队占领后,于公元前215年向汉尼拔投降,并在第二次布匿战争中站在汉尼拔方面作战。在现今卡拉布里亚东部沿海,距现考洛尼亚9英里处曾发掘出一座碉堡

公元前540～前510年的考洛尼亚银币
美国不列颠百科全书公司供图

(上有希腊化时期的城楼)、一座多立斯式神殿、一座小寺院以及建筑物的红陶土碎片。

Caunt, Benjamin 康特(1815-03-22,英国诺丁汉郡哈克诺尔托卡德～1861-09-10,伦敦) 英国职业拳击运动员。1838年4月3日同本迪戈激战75回合,由于对方有一次有争议的犯规而取胜,是英格兰冠军。1840年10月26日经过101回合击败利奇曼而被认为是英格兰冠军。1845年9月9日经过93个回合由于犯规败于本迪戈,丧失有争议的冠军称号。

Caupolicán 考波利坎(16世纪初,智利帕尔梅昆～1558,卡涅特) 又拼Quepolicán。马普切人酋长,曾领导印第安人抵抗西班牙人对智利的入侵。在1553年12月的图卡佩尔战役之后,他和部下得到另一马普切人劳塔罗的支援,俘获了西班牙人首领P.de巴尔迪维亚。据记载,他曾企图使巴尔迪维亚免受折磨和不被处死,没有成功,巴尔迪维亚于1554年1月被处决。1557年4月劳塔罗为F.de比利亚格拉率领的军队击败和处死,从此,考波利坎一人领导印第安人进行抵抗。他开始战胜比利亚格拉,后来却3次惨败给D.G.H.de门多萨的军队。在一次失败中损失6 000余人。他撤到卡涅特附近的山中,后在该处被A.de雷诺索上尉俘获,1558年惨遭杀害。他虽然才艺出众、作战勇猛,但他的出名主要由于诗人A.de埃尔西利亚-苏尼加为纪念他而写的长诗《阿劳坎人》。这位诗人曾参加门多萨的军队,显然对考波利坎的事迹有亲身了解。

Causses 科斯 法国西南部满布峡谷的石灰岩高原。海拔900～1 200米。大科斯形成中央高原的一部分,地跨阿韦龙和洛泽尔两省。较低石灰岩高原称小科斯,在西面的凯尔西和佩里戈尔。南北长约60英里(100千米),宽30英里,地表光秃。引人注目的峡谷和令人生畏的白色高原吸引着越来越多的游客。旅游是当地的经济支柱。冰川作用和流水侵蚀使平原表面形成落水洞,下面常有洞穴。科斯德凯尔西洞穴中有史前人类居住的遗迹。西部边缘上的罗克福尔岩洞被用于制作一种有名的羊奶酪。养羊业是旅游业之外又一经济项目。米约曾是羊毛纺织中心,现生产羊皮手套。

caustic, lunar 硝酸银棒 参阅 **silver nitrate** 硝酸银。

caustic potash 苛性钾 氢氧化钾。一种钾盐,能迅速在水中溶解并形成强碱性和腐蚀性溶液。参阅 **potassium**。

caustic soda 苛性钠 氢氧化钠。一种白色结晶,广泛用于制造肥皂、人造丝和纸。参阅 **sodium**。

Cauto River 考托河 古巴东部河流。流经格拉玛和圣地亚哥两省。为古巴最大河流。源出马埃斯特腊山,西流经冲积沼泽地注入瓜卡纳亚沃湾,全长230英里(370千米)。约70英里河段可通航。支流有萨拉多河、巴亚莫河和康特拉马埃斯特勒河。沿河地区出产稻米、甘蔗和烟草,饲养牛。

Cauvery River 高韦里河 又拼Kāverī。印度南部圣河。长765千米。源出西高止山的布勒赫默吉里丘陵(卡纳塔克邦古尔格县)。流经卡纳塔克邦与泰米尔纳德邦,注入孟加拉湾。为重要灌溉水源。虔诚的印度教徒称该河为德格西讷甘加河,意即"南方的恒河"。在泰米尔文献中以景色和圣洁著称,河流全程均被认为是圣地。上游曲折,穿过狭窄的峡谷和落差18～24米的均金格德代险滩,在穿越卡纳塔克高原时河宽达275～365米。在克里希纳拉贾萨格拉处筑坝用于灌溉,并形成一31平方千米的水库。在卡纳塔克邦境内分为两支,并形成锡沃瑟穆德勒姆瀑布群,落差100米,雨季宽达300米。瀑布为迈索尔、班加罗尔等地提供水力发电。在泰米尔纳德邦又流经峡谷和霍纳格尔瀑布群。在塞勒姆附近的峡谷修建梅杜尔坝,用于发电与灌溉。穿过历史上有名的蒂鲁奇奇拉伯利岩石后,在主要的朝圣中心斯里兰格姆岛分为众多支流,形成灌溉面积约1.036万平方千米的三角洲。当地在古代即有灌溉工程。

cava (ritual beverage) 参阅 **kava** 卡瓦酒。

Cava de' Tirreni 卡瓦德蒂雷尼 意大利南部坎帕尼亚区萨莱诺省城镇和主教区。地处四周环山的富饶河谷中,在萨莱诺市的西北。西南侧的科尔波迪卡瓦村有著名的特里尼塔德拉卡瓦本笃会隐修院(1011,建在岩洞中)。虽然大多数建筑物均于1796年予以现代化,但仍保留有哥特式的隐修院。当地档案馆收藏有8世纪羊皮纸文稿;图书馆收藏有7世纪的西哥特圣经和11世纪的伦巴第法律书等珍贵手稿。镇内还有博物馆和绘画廊。为游览胜地和国际体育活动中心。生产纺织品、食品和烟草等。人口:城区约53 385(1999)。

Cavafy, Constantine 卡瓦菲(1863-04-17,亚历山大～1933-04-29,亚历山大) 康斯坦丁诺斯·佩特鲁·卡瓦菲斯的笔名。希腊诗人。他发展了独具一格的个人风格,从而不仅在希腊诗歌界而且在西方诗歌界都成为最重要

人物之一。一生大部分生活在亚历山大，爱好英国和法国文学，通常讲英语，甚至他的希腊语也带有英国口音。卡瓦菲写作很多，但又是对自己的最苛刻的评论者，他只发表了

美国不列颠百科全书公司供图

大约200首诗。他最重要的诗都是40岁以后写的，因此他带着某种辩解意味称自己为"老年诗人"。他是一个怀疑论者，对基督教、爱国精神和异性爱的传统价值持否定和嘲笑态度，尽管他对自己的不肯随俗的作法也感到不安。他的语言是从拜占廷人那里继承下来的一种被称为纯正希腊语的精练而又夸张的语言和口头的通俗希腊语的奇妙混合体。他的风格和格调是亲切的和现实主义的。他对常见的历史体裁所作的抒情的处理使他在去世之后仍受到欢迎并产生影响。

Cavaignac, Louis-Eugène　卡芬雅克(1802-10-15，巴黎～1857-10-28，法国萨尔特)　法国将军，1848年革命期间的最高行政官，以对巴黎起义工人实行严酷镇压著称。19世纪

美国不列颠百科全书公司供图

40年代法国征服阿尔及利亚期间，他表现突出，1848年被任命为总督。在1848年革命中，他被选入法国的立法议会。第二共和国临时政府成立后，任陆军部长。同年6月巴黎工人起来抗议国民议会排挤社会主义者的领袖和反对政府关闭国立工场时，他指挥军队镇压工人，因此号称"六月屠夫"。同年6月28日，国民议会任命他为法国最高行政官，但在12月总统选举中他败给路易-拿破仑。他继续充当反对党领袖，拒绝向新皇帝效忠，因而在1851和1857年被剥夺了议会席位。1899年出版了回忆录及通信集。

Cavaillé-Coll, Aristide　卡瓦耶-科尔(1811-02-04，法国蒙彼利埃～1899-10-13，巴黎)　法国杰出管风琴制作家，法国管风琴制作与作曲中管弦乐风格的创始人。出身管风琴制作世家。22岁因发明环形锯获奖。1833年听从作曲家罗西尼建议而去巴黎，为圣但尼大教堂制作大管风琴，该琴于1841年制成，在音响和机械装置方面成为此后法国许多管风琴的样板。拿破仑三世命他改建许多重要教堂的管风琴，从此声名大振。有600余件乐器刻有他的姓名，其中有一部分在英国，他在那里声望甚高。他在管风琴制作上的主要贡献是：为使管风琴如同交响乐队一样富有表现力，对机械装置和琴管构造作了一系列改进，使键盘的配置和音栓的操纵标准化，既保持浪漫主义交响式管风琴特有的强烈音色对比，又达到每组琴管音响的极度平衡和统一。他虽然成功地模仿了一些管弦乐队乐器的声音，却丧失了巴罗克时期管风琴所特具的透明和清晰的音色，因而他的乐器不太适合于巴赫的音乐。不过他却影响了一个管风琴作曲的新乐派。19世纪作曲家如弗兰克、圣-桑、维多尔和维埃纳在创作时都在心中记住卡瓦耶-科尔的琴声。他制作的管风琴有许多至今仍在使用。

Cavalcanti, Alberto　卡瓦尔坎蒂(1897-02-06，里约热内卢～1982-08-23，巴黎)　原名阿尔贝托·德阿尔梅达-卡瓦尔坎蒂。巴西电影导演兼制片人、编剧和美工师。他从事电影业伊始，便与20年代初期的先锋派艺术关系密切。在瑞士学完法律和建筑以后，前往巴黎。他的布景设计以富于创新精神闻名。1934年加入英国J.格里尔森领导的邮政总局电影部，作为导演兼制片人以及音响专家，为英国纪录片运动做出了不朽的贡献。后来到伊灵电影制片厂任导演。1949年返回巴西拍片，3年后因涉嫌共产党被解雇，重返欧洲。此后，卡瓦尔坎蒂定居法国，从事电视工作。

Cavalcanti, Guido　卡瓦尔坎蒂(约1255，佛罗伦萨[意大利]～1300-08-27或28，佛罗伦萨)　意大利诗人。"温柔的新体"诗派的主要人物之一，诗名仅次于但丁。生于佛罗伦萨一个有影响的圭尔弗党(亲教皇)贵族世家，曾在哲学家、学者B.拉蒂尼门下学习。他娶了吉伯林党(亲皇帝)首领乌贝蒂的女儿为妻，1300年圭尔弗党分裂成黑、白两党后，加入白党。在萨尔扎纳流放时患有疟疾，获准返回佛罗伦萨后，死于该地。他留下约50首诗歌，为同时代人以及后来大诗人如英国罗塞蒂和美国庞德所赞赏；其中许多是献给两位女性的：一位是诗人于1292年在法国图卢兹遇到的芒黛塔，一位是诗人称之为"春天"的乔万娜。造成极大痛苦的爱情是他诗歌的常用主题。所著十四行诗及谣曲堪称佳作。在流放期间写的最著名也是最后的谣曲为《因为我希望再也不会回去》。他的诗歌于1527年首次汇编成集，以后又收入《圭多·卡瓦尔坎蒂诗歌集》(1902)中。英国诗人罗塞蒂翻译过他的大部分诗作。

Cavalcaselle, Giovanni Battista　卡瓦尔卡塞莱(1820-01-22，伦巴第和威尼斯王国莱尼亚戈[意大利]～1897-10-31，莱尼亚戈)　意大利美术史家，与G.莫雷利(**Morelli, Giovanni**)同为研究现代意大利美术史的开创者。早在威尼斯美术学院学习时，就研究意大利美术。1846～1847年与美术爱好者英国人J.A.克劳在柏林共同从事研究。回威尼斯后，参加1848年革命，被奥地利宪兵逮捕，后加入G.加里波第的部队，1849年被法国人俘虏。在巴黎他有幸再遇克劳，并在其帮助下转往伦敦。1857年，他们共同研究早期佛兰德斯画家的历史，1864年出版巨著《新意大利绘画史》，接着又出版《北意大利绘画史》。两人合著的还有《提香》(1877)和《拉斐尔》(1882～1885)。

cavalier　骑士　此词(源出拉丁文)本义为骑手或骑兵。在英语中骑士一词最初一般指豪侠气质，但也有"恃强凌弱"或"盛气凌人"的贬义。在英国内战时期(1642～1651)，查理一世的拥护者自称骑士，而将对方贬称为圆颅党。在王政复辟时期，宫廷党仍保留骑士的名称，直到托利党一词出现为止。

Cavalier, Jean　卡瓦利耶(1681-11-28，法国里博泰附近～1740-05-17，英国伦敦)　1702～1704年称为卡米撒派的胡格诺派教徒起义的领袖。他是法国南部一个胡格诺派牧羊人之子。1701年躲藏到日内瓦，以逃避残酷迫害新教徒的浪潮。后回故乡，1702年成为卡米撒派的领袖，这次起义席卷朗格多克和塞文山脉一带。他善于打游击战，1703年2月在瓦尼亚击败政府军。1704年3月击败路易十四的一支最精锐的部队。1704年4月在纳日受重挫，后又丧失了他在厄泽的兵工厂，因而被迫停战。4天后他在尼姆投降。由于得不到政府给予宗教信仰自由的许诺，他被追随者抛弃。他于8月26日逃往瑞士。1707年在葡萄牙和西班牙同英国人并肩作战，共同进攻法国人，最后退隐至爱尔兰胡格诺派居留地。1726年在都柏林出版了关于塞文山脉战役的回忆录。1735年任英军旅长。1738年任泽西岛副总督，翌年晋升少将。

Cavalier Parliament　骑士议会(1661-05-08～1679-01-24)　查理二世复辟后成立的英格兰的首届议会。骑士议会具有浓烈的保皇色彩，但后来议员结构改变，越来越激烈地批评查理二世的许多政策。骑士议会以制定严酷法律对付天主教徒和基督教新教不从国教者而闻名。

Cavalier poet　骑士诗人　英国内战时期忠于查理一世(1625～1649)的一批绅士诗人。与支持议会的圆颅党相对立。他们采取骑士的生活方式，认为写作精美的抒情诗仅仅是作为军人、朝臣、豪侠和才子的多种技能中的一项。这派诗人包括R.洛夫莱斯、T.卡鲁、J.萨克林爵士、E.沃勒和R.赫里克。赫里克写的关于爱情和嬉戏的短小、流畅和优美的抒情诗，以及他那及时行乐的哲理诗是骑士诗人的典型风格。

Cavaliere, Emilio del　卡瓦列雷(约1550，意大利罗马～1602-03-11，罗马)　意大利最早从事戏剧音乐的作曲家。本人为贵族，曾在斐迪南一世大公宫中主管艺术与娱乐事宜。为佛罗伦萨卡梅拉塔会社的成员，该组织的理论促使最初歌剧的诞生。曾写作间奏曲与

田园歌，最重要作品为《灵与肉》，是寓言性的宣扬道德的戏剧，是歌剧与清唱剧的前身，具有两者的特色，1600年出版，是最早附有通奏低音的乐谱。虽然它在音乐与戏剧激情方面都比最早的真正歌剧逊色，但它却是早期歌剧中盛行一时的那种单声部宣叙调风格的最早范例。

Cavaliere D'ARPINO **卡瓦利耶(阿尔皮诺的)**（约1568，那不勒斯王国阿尔皮诺[意大利]～1640，罗马） 又作 Il Giuseppino。原名G.塞萨里。意大利文艺复兴后期风格主义

卡瓦利耶绘《基督与施洗者圣约翰》(1597～1601)
美国不列颠百科全书公司供图

画家。他将这一画派的影响扩大到国外。早期作品受梵蒂冈和意大利皇宫风格主义湿壁画家C.龙卡利的影响。1589～1591年卡瓦利耶完成了那不勒斯圣马蒂诺教堂的大规模装饰画，与在罗马时一样，由他兄弟贝纳迪诺当助手。在罗马他是很受欢迎的壁画家。他技法纯熟，给罗马教皇克雷芒八世留下良好印象。可是他于1596年开始为音乐厅画的壁画却一直没有完成。他的最佳作品也许是罗马拉特兰宫圣乔万尼教堂内施洗者圣约翰的四幅生平壁画。他漫长的绘画生涯中还为圣彼得大教堂穹顶创作过镶嵌图案，为圣母马利亚教堂的保林纳礼拜堂和圣普拉塞德教堂的奥格利阿特礼拜堂画过壁画。卡瓦利耶虽然很出名，但是在独创性上却不如他同时代的画家卡拉瓦乔、卡拉齐兄弟，甚至自己的一些学生。

Cavaliere di Candia, Mario(singer) **卡瓦列雷·迪·坎迪亚** 参阅**Mario, Giovanni Matteo** 马里奥。

Cavalieri, (Francesco) Bonaventura 卡瓦列里（1598，米兰[意大利]～1647-11-30，教皇国博洛尼亚） 意大利数学家，发展了几何学，这方面的工作成为积分学的先驱。少年时代加入耶稣会。欧几里得的著作激起了他对数学的兴趣，他遇见伽利略后，就自认为是这位伟大天文学家的门徒。1629年他任博洛尼亚大学数学教授时，完满地发展了他的不可分法，这是一种确定几何图形大小的方法，类似于积分法。伽利略当时也打算做类似的工作，卡瓦列里为了尊重伽利略，推迟6年于1635年才发表这一研究成果：《一种推进连续不可分新几何学的方法》。正如书中指出的，这种不可分法不能令人满意，因而受到尖锐的批评，特别是P.古尔丁的批评。为了答复，他写了《六道几何习题》(1647)，以比较令人满意的形式阐述了17世纪数学家广泛应用的这一原理。还通过他的著作《天体测量常用指南》(1632)在意大利引进对数作为计算工具。其他著作有《凸透镜：或论圆锥曲线》(1632)和《平面和球面三角学，线性和对数三角学》(1643)。

Cavalla River 卡瓦拉河 又称卡瓦利河，尤博河，久古河。西非河流。源出几内亚宁巴山脉北面。流向南，形成利比里亚-科特迪瓦边界的大部。经过515千米流程，在利比里亚哈珀以东21千米处注入几内亚湾。连同支流，流域面积30225平方千米。由于15世纪的葡萄牙航海家在河口发现卡瓦拉鱼而得名。河口至尼亚凯的80千米河段可通航。

Cavalli, (Pier) Francesco 卡瓦利（1602-02-14，威尼斯共和国克雷马[意大利]～1676-01-14，威尼斯） 原名 Pier Francesco Caletti-Bruni。17世纪中叶最重要的意大利歌剧作曲家。

中国大百科全书出版社供图

1617年成为威尼斯圣马可教堂唱诗班歌手，在蒙特威尔地手下工作；后又担任多种职务，1668年任教堂乐长。在世时对欧洲人的艺术趣味影响巨大。《狄多》(1641)可能是他最令人感兴趣的作品，但引起法国与意大利风格之争的却是他的《埃葵斯托》(1646年在巴黎上演)。作为一位歌剧作曲家，他采用的是小型弦乐队，他的歌剧不要求训练有素的合唱队。他很少为独唱者写作协唱的曲目，但其作品中已有迹象表明正式的宣叙调、咏叹调技巧的萌芽，有时甚至有"返始"的段落。歌剧音乐的平淡特点用华丽服装和豪华布景来弥补，如果没有这些服装和布景，卡瓦利的作品尽管具有戏剧活力和荒诞不经的幽默，也是不完整的。在他的42部歌剧中，有27部的手稿藏于圣马可教堂图书馆。由于人们对卡瓦利重新发生兴趣，他的歌剧得到大量重演、录音和出版。《艾里斯曼纳》和《奥尔明多》已录制成唱片。

Cavallini, Pietro 卡瓦利尼（约1250，罗马[意大利]～约1330） 罗马湿壁画家和镶嵌画家。其作品表明意大利艺术开始试图突破拜占廷的程式化而用立体的、逼真的方法描

卡瓦利尼的《末日审判》(约1291～1293)片断
美国不列颠百科全书公司供图

绘人物与空间。他的作品对佛罗伦萨绘画革新家乔托有极大影响。可以证实的作品是罗马城外圣保罗教堂正厅的5世纪壁画复原画，作于1277～1290年间。复原部分和未经重绘的古壁画都毁于1823年的火灾。现仅存这些画的临摹品。1291年开始为罗马特拉斯特维尔的圣马利亚教堂制作表现马利亚生平的大套镶嵌画。13世纪90年代初在罗马的圣塞西利亚教堂完成其最著名的作品《末日审判》、《旧约故事》(只存几个片断)和《圣母领报》。

Cavallotti, Felice (Carlo Emmanuele) 卡瓦洛蒂（1842-12-06，米兰[意大利]～1898-03-06，罗马） 意大利左翼新闻记者和政治领袖。1860年随同加里波第在西西里作战。1866年创办《蔷薇报》，以写讽刺保皇派的文章出名。1873年当选众议员，继续批评右翼对手F.克里斯皮和A.德普雷蒂斯，为民主改革而斗争。后因与人决斗丧生。

Cavally River（western Africa） **卡瓦利河** 参阅 **Cavalla River** 卡瓦拉河。

cavalry 骑兵 骑马的作战部队。以前各大国的陆军中，骑兵是一个重要的兵种。骑兵作为诸兵种合成部队的一部分使用时，主要任务有侦察和报告敌情、掩护己方部队调动、追击和瓦解溃败的敌人、不断威胁敌人的后方、对侦察到的敌人的弱点进行突然袭击、包抄暴露的侧翼、突防或突围。在19世纪后期，主要由于使用连发步枪和机枪，骑兵的价值大为下降。到第一次世界大战时，骑兵再向装备速射轻武器的筑壕据守的敌军防线冲击无异于自杀。因之，骑兵部队放弃马匹而使用装甲战斗车，成为机械化骑兵或装甲骑兵，甚至连骑兵这个名称最后也放弃了。到

20世纪50年代,美国或英国的陆军都没有骑马的骑兵部队了。到60年代初,美国第一骑兵师改为"空中机动"师,装备直升机和便于空运的武器与车辆。在越南战争中,该师承担了多种任务。

Cavan 卡文郡 爱尔兰语作 An Cabhán。旧阿尔斯特省的三个郡之一,现为爱尔兰共和国的一部分。面积1 891平方千米。东北界莫纳亨郡,南邻米斯、西米斯和朗福德三郡,西北与利特里姆郡相连,北为北爱尔兰。西北部为高地和河谷,向厄恩河谷倾斜,此处的主要特征是鼓丘与湖、河、泥炭沼和牧场相间。东部有一系列页岩和板岩山丘。居民仅有1/4住在村庄和城镇中。郡首府卡文及库特希尔和贝尔特比特为该地区最大城镇。卡文镇有天主教大教堂,基尔莫尔有新教教堂。每户农场平均占地12～16公顷;1/10改良土地种植农作物,1/5种植饲草,其余用作牧场。乳酪生产普遍。城镇是集市贸易中心,有塑料、食品加工、合成纤维和墙纸等制造业。从贝尔法斯特、都柏林和阿斯隆来的主要公路在此交会。人口53 965(1986)。

cavatina 卡瓦蒂纳 在歌剧或偶尔在康塔塔和器乐中出现的一种音乐体裁。它在18世纪初的康塔塔(特别是J.S.巴赫的作品)中是一种短而简练精辟的乐曲,有时在说话般的宣叙调和较抒情的咏叙调之间演唱。在歌剧中,卡瓦蒂纳是一种咏叹调,通常是辉煌性质的,唱一段或二段,无反复。它成型于18世纪中叶,恰与以前备受欢迎的返始咏叹调的衰落属于同一时期。例子可见于莫扎特、韦伯与罗西尼的歌剧。卡瓦蒂纳也可作为一种术语用于歌唱性器乐曲的标题,如在贝多芬《弦乐四重奏》(作品第130号)中。

cave 洞穴 指任何天然形成的地下空腔,包括熔岩管和海蚀窟。在很多情况下,洞穴由大量地下洞室组成,构成洞窟系列。被较小通道连接起来的这类洞窟的组合,就构成洞穴系统。

洞穴可以按成因划分为两大类:原生洞穴和次生洞穴。原生洞穴发育于主岩体固结时期。次生类的洞穴起源于主岩体沉积和硬结之后。大多数洞穴都是后一种类型的。在某些情况下,原生洞穴在地质历史时期中,被与次生洞穴形成相关的机械作用所扩大或进一步发育。

原生洞穴 这类洞穴最好的例子是熔岩管,它是圆筒形的隧道,沿着熔岩原野的通道延伸。大多数这类洞穴由单一的、不分叉的隧道组成,但是有少数在一定距离分叉,形成错综交织的侧通道,它们或与主通道再次相连通,或终端岩石崩塌。熔岩管被认为是形成于熔岩流表面冷却和凝固之时。当熔岩仍处于熔融状态、内部继续流动时,它就在后面留下特殊的圆筒形洞腔。支持洞顶所需的压力是热气体提供的。在一些情况下,这些熔岩流的压力产生高的、穹窿形的天花板,然而在另一些情况下,过大的压力使得气体冲破洞顶,形成火山口形的通气道。熔岩管有其他各种各样的特性,例如类似石钟乳的熔岩悬垂体,它是由于冷凝的洞顶板向下滴或是被热气体再熔融的结果而形成的。

原生洞穴的另一个重要的类型是珊瑚洞。这类洞穴是当浅水里珊瑚群体扩大与联合,围绕海水的下空腔产生花边状或鳞茎状外壁之时形成的。当海岸线升高或海水面下降时,珊瑚洞暴露在波浪作用之下或遭到风化,这样就使空洞扩大或将其完全毁掉。

次生洞穴 这类洞穴是由机械的和化学的作用过程产生的。虽然这两类作用过程一般都会涉及到,但其中总有一类占主导地位。

机械作用成因的次生洞穴一个常见的类型就是海蚀洞。这类洞穴发育于海蚀崖受到波浪作用的地方。波浪内部水动力压力变化将海蚀崖表面被断裂作用所弱化的部分剥蚀掉。波浪携带的岩石碎块和砂粒把松软岩石物质磨蚀掉。与之相似的一类洞穴在溪流与河流两岸,被满含粉砂和卵石的流水机械作用磨蚀也可形成。

次生洞穴中,以及一般意义的洞穴中,最常见的类型是那些已被断裂和机械侵蚀作用削弱了的主岩体再遭化学溶蚀作用而形成的洞穴。肯塔基州的马默斯洞穴和新墨西哥州的卡尔斯巴德大洞就是这类溶蚀洞的典型实例。当含有一定天然酸(例如水和碳酸离解而形成的)的地下水沿着碳酸盐岩如石灰岩或白云岩中的节理和断层循环,并将它们溶解和侵蚀时,这类巨型洞穴就形成了。发生在水面以下的这一作用过程,逐渐产生溶蚀洞穴所特有的蜂巢形通道与走廊。当水面下降,洞穴排水变干,由于从周围石灰岩或白云岩中被溶解出来的碳酸盐矿物的沉积,就形成各种各样的洞穴次生堆积物,包括石钟乳、石笋、石幔、流石和石枝。

附表:世界主要洞穴和洞穴系统,见540～541页。

cave bear 洞熊 以穴居习性而著名的熊的绝灭种(*Ursus spelaeus*)。化石往往保存在洞穴中。欧洲的洞穴沉积层内,已发现10万多个洞熊化石。从更新世晚期洞穴沉积层中洞熊才被了解得很清楚,虽然能追溯到更新世(始于250万年前,终止于1万年前)早期。

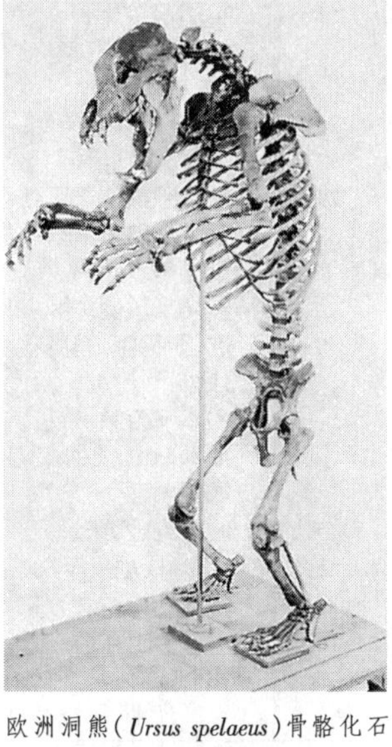

欧洲洞熊(*Ursus spelaeus*)骨骼化石
美国不列颠百科全书公司供图

其化石见于英国、比利时、德国、俄罗斯、西班牙、意大利、希腊,可能到达北非。已描述出几个地区性变种。某些地区可见矮小的变种。石器时代的人们往往猎取这种熊,但猎取的证据是很零散的。由于人类的猎取致使其绝灭的看法是很靠不住的。大多数可能因在冬眠时遇到了严寒的冰期而死亡。其化石大部分是很幼小或很衰老的个体,许多标本表现出明显的疾病与瘟疫的迹象。其绝灭是一个逐渐的过程,继续到最后冰期终止时,最后的居群消失。洞熊很可能像当今最大的熊——阿拉斯加的科迪亚克熊一样大,头很大,颌部有特殊的牙齿。据推断,这种动物主要是以植物为食的。

cave deposit 洞穴沉积 又作 speleothem。溶洞生成后洞内形成的结晶沉积物,这些沉积物一般是地下水溶解周围石灰岩而产生的碳酸钙。当水与洞中的空气相遇时,水中的二氧化碳逸出,从而降低了水对方解石的溶解度,使方解石淀积。这些沉积物堆积,形成石钟乳、石笋、流石、石枝、洞穴珠和其他岩层。沿洞顶裂隙形成的沉积可产生滴水帘或帷幕,达洞底后便形成洞壁。洞穴沉积也能在水潭中生长,形成洞穴珊瑚的瘤状结壳和天然堤坝,并通过方解石的生长而继续增高。纯白色的碳酸钙常常染上红、黄和灰色的色彩,甚至可能呈半透明状。洞穴沉积的生长速度因流速和二氧化碳含量的季节变化等因素的影响而发生明显变化。

cave fish 洞穴鱼 洞鲈科洞鲈属(*Amblyopsis*)和盲鳉鲈属(*Typhlichthys*)几种浅色的穴居盲鱼的统称。体小,长约10厘米,见于美国黑暗的石灰岩洞淡水中。共3种,即南方

玫瑰洞鲈(*A. rosae*)
美国不列颠百科全书公司供图

洞穴鱼(地下盲鳉鲈,*T. subterraneus*)、玫瑰洞鲈(*A. rosae*)和北方洞穴鱼(洞鲈,*A. spelaea*)。前两种无腹鳍,第三种产于肯塔基州马默思洞,有腹鳍。洞穴鱼眼小,无视觉功能。全身及头、尾部遍布敏感的触觉器,因此能感觉到它所看不到的东西。沼泽鱼(鳉鲈属,*Chologaster*)亦属洞鲈科,形亦小,但眼健全,体色深,非穴居,生活于北美沼泽溪流中。其他与洞鲈科近缘关系的洞居鱼类,为了适应生境,也往往两眼失明和全身淡色。在古巴和尤卡坦的洞穴中有3种须鳚(蛇鳚科或须鳚科)。骨鳔超目脂鲤科的乔丹氏丽脂鲤(*Astyanax*[或 *Anoptichthys*]*jordani*)无眼、体长7.5厘米,产于墨西哥,为家养观赏鱼。海尔茨氏盲鲃(*Caecobarbus geertsi*)属于鲤科,产于

世界主要洞穴和洞穴系统

名称和位置(所在国名)	深度*		长度†	
	英尺	米	英里	千米
非洲				
阿希拉·勒穆恩(阿尔及利亚)	1 060	323	…	…
昂巴托昂雅阿纳(马达加斯加)	…	…	6.7	10.8
昂巴托阿拉那纳(马达加斯加)	…	…	11.2	18.1
昂德拉菲亚勃(马达加斯加)	…	…	7.5	12.0
昂特萨特拉邦科(马达加斯加)	…	…	6.5	10.5
阿波卡利普斯·波索尔(南非)	279	85	7.5	12.1
布哈杰尔(阿尔及利亚)	896	273	…	…
布苏伊尔(阿尔及利亚)	2 641	805	2.0	3.2
弗里乌阿托(摩洛哥)	889	271	…	…
伊弗里斯(阿尔及利亚)	3 802	1 159	1.0	1.6
萨尔日山(突尼斯)	876	267	1.1	1.7
勒维亚桑尼(肯尼亚)	1 526	465	7.0	11.2
索福乌马尔(埃塞俄比亚)	…	…	9.4	15.1
塔福纳(布·马扎)(阿尔及利亚)	…	…	11.4	18.4
蒂库拜(摩洛哥)	1 017	310	…	…
托哥贝特(摩洛哥)	2 339	713	2.3	3.7
北美洲				
阿古阿·德·卡里佐(墨西哥)	2 743	836	2.3	3.7
阿克马蒂(墨西哥)	3 707	1 130	…	…
阿兹托滕帕(墨西哥)	2 297	700	2.5	4.0
宾克利斯(美国)	…	…	19.1	30.7
布鲁斯普林("兰泉")(美国)	…	…	20.1	32.3
巴特勒辛津河(美国)	623	190	20.0	32.2
卡尔斯巴德大洞(美国)	1 027	313	20.8	33.5
克勒维斯(美国)	…	…	28.2	45.4
奎卡特卡(墨西哥)	4 035	1 230	5.8	9.3
卡尔弗逊河(美国)	341	104	20.8	33.5
坎伯兰大洞(美国)	…	…	27.6	44.4
菲希尔里吉(美国)	…	…	44.4	71.5
弗赖尔斯洞(美国)	617	188	42.8	68.8
归克桑尼·恩迪亚·古吉奥(墨西哥)	3 084	940	1.2	2.0
希登河(美国)	…	…	19.8	31.8
洞穴(美国)	…	…	22.9	36.8
瓦乌特拉(墨西哥)	4 439	1 353	32.4	52.1
朱厄尔(美国)	443	135	76.9	123.8
勒楚圭拉(美国)	1 503	458	32.9	53.0
马默斯弗林特山脊(美国)	360	110	329.3	530.0
奥科特帕(墨西哥)	3 488	1 063	…	…
奥尔干(美国)	…	…	37.6	60.5
普兰诺斯(墨西哥)	2 277	694	…	…
普里菲卡西翁(墨西哥)	2 936	895	44.5	71.6
斯洛安谷(美国)	…	…	24.6	39.6
索尼安斯(墨西哥)	2 444	745	1.1	1.8
蒂拉科(墨西哥)	2 129	649	…	…
特里尼达德(墨西哥)	2 736	834	…	…
回格皮斯特尔(美国)	…	…	22.5	36.2
维因德(美国)	564	172	51.0	82.1
维因迪茅斯(美国)	…	…	18.0	29.0
克桑纳都(美国)	…	…	24.0	38.6
克松加(墨西哥)	2 428	740	1.0	1.6
南美洲				
安杰里卡(巴西)	…	…	4.0	6.4
阿翁达(委内瑞拉)	1 188	362	…	…
阿翁达埃斯特 2(委内瑞拉)	968	295	…	…
阿翁达苏尔 1(委内瑞拉)	951	290	…	…
北奥扬特普伊(委内瑞拉)	1 050	320	…	…
布雷容伊斯(巴西)	…	…	4.8	7.8
卡纳布拉瓦(巴西)	…	…	3.4	5.5
孔文托(巴西)	…	…	3.5	5.7
古阿恰罗(委内瑞拉)	164	50	6.3	10.2
古阿拉塔罗(委内瑞拉)	1 001	305	…	…
考吉兰(秘鲁)	1 335	407	1.3	2.1
梅杰·德·萨里萨里纳马(委内瑞拉)	1 030	314	…	…
奥柳斯达瓜(巴西)	…	…	3.9	6.3
圣安德列斯(秘鲁)	1 096	334	…	…
圣安娜(巴西)	…	…	3.2	5.2
萨沃·马特乌斯-英比拉(巴西)	…	…	12.7	20.5
南极洲　无重要洞穴				
亚洲				
埃尔·杰尔尼(马来西亚)	1 165	355	32.1	51.6
比尔雷莫斯(韩国)	…	…	7.3	11.7
白莲(洞)(日本)	1 476	450	0.7	1.1
法乌阿尔(黎巴嫩)	2 041	622	1.5	2.5
爪兰(印度尼西亚)	518	158	6.9	11.1
卡普-库坦/普罗梅祖托契纳亚(乌兹别克斯坦)	…	…	31.3	50.3
吉耶夫(乌兹别克斯坦)	3 248	990	1.1	1.8
满容(韩国)	…	…	8.3	13.3
纳西布·巴古斯(马来西亚)	1 388	423	1.8	2.9
青海-千里(日本)	1 198	365	…	…
奥雷什纳亚(俄罗斯)	623	190	25.5	41.0
帕拉乌(伊朗)	2 464	751	0.9	1.4
萨鲁坎·卡朗(印度尼西亚)	673	205	7.6	12.3
萨朗·拉巴-拉巴(马来西亚)	381	116	9.4	15.2
乌拉尔(乌兹别克斯坦)	1 854	565	1.5	2.5
吴家(中国)	1 430	436	…	…
欧洲				
阿兰诺勒拉(西班牙)	3 888	1 185	4.0	6.5
巴达罗纳(西班牙)	3 770	1 149	…	…
贝尔热(法国)	4 072	1 241	12.9	20.7
勃拉卡·德·土吕尼 6(法国)	3 825	1 166	4.2	6.7
安达拉 56(西班牙)	3 835	1 169	3.5	5.7
库莫·狄乌埃尔内多(法国)	3 294	1 004	56.2	90.5
达赫斯坦-马木特(奥地利)	3 871	1 180	23.9	38.5
当·德·克罗勒(法国)	1 978	603	33.6	54.1
伊斯·吉尔(英国)	…	…	32.6	52.5
艾斯里森维尔特(奥地利)	1 335	407	26.1	42.0
芬农杜(英国)	1 010	308	26.7	43.0
菲吉拉-法罗尔菲-安特罗·德尔科尔齐亚(意大利)	3 986	1 215	28.0	45.0
希尔拉茨(奥地利)	2 008	612	35.4	57.0
惠罗赫(瑞士)	2 844	867	82.7	133.1
让·贝纳尔(法国)	5 036	1 535	11.1	17.9
茹比娄姆斯(奥地利)	3 848	1 173	…	…
奎布谢夫斯卡娅(格鲁吉亚)	3 642	1 110	1.2	2.0
拉尔普(法国)	2 014	614	28.7	46.2
拉明纳科·阿蒂克(伊拉明纳)(西班牙)	4 619	1 408	7.4	11.9
米罗尔达(法国)	3 973	1 211	5.6	9.0
奥霍·瓜勒纳(西班牙)	…	…	55.4	89.1
奥普蒂米斯蒂切斯卡娅(乌克兰)	…	…	102.5	165.0
奥泽尔纳娅(乌克兰)	…	…	66.5	107.0
皮埃尔·圣-马丁(法国-西班牙)	4 403	1 342	32.3	52.0
罗切卡尔(奥地利)	2 379	725	29.8	48.0
勒德·德尔·里约·西伦契奥(西班牙)	1 614	492	32.9	53.0
什维尔(奥地利)	3 999	1 219	3.8	6.1
希本亨斯特-霍甘特-惠伦(瑞士)	3 346	1 020	68.4	110.0
斯勒日诺耶-梅绒诺戈(格鲁吉亚)	4 495	1 370	11.8	19.0
索阿索(西班牙)	3 871	1 180	…	…
特拉维(西班牙)	4 528	1 380	1.8	2.9
V.V. 伊里玉辛纳(格鲁吉亚)	4 068	1 240	3.1	5.0
维亚切斯拉夫·潘蒂尤辛纳(格鲁吉亚)	4 948	1 508	…	…
希图(西班牙)	3 766	1 148	4.7	7.5
卓鲁什卡(摩尔多瓦)	…	…	51.0	82.0

续表

名称和位置(所在国名)	深度*		长度†	
	英尺	米	英里	千米
大洋洲				
阿蒂亚(巴布亚新几内亚)	1 148	350	21.4	34.5
比比马(巴布亚新几内亚)	1 621	494	…	…
布尔梅(新西兰)	2 388	728	6.8	11.0
科拉-林恩(澳大利亚)	…	…	8.3	13.3
甘波(巴布亚新几内亚)	1 568	478	3.7	6.0
加德勒尔斯·古特(新西兰)	…	…	7.4	11.9
H.H. 霍尔(新西兰)	2 044	623	…	…
霍尼寇姆(新西兰)	…	…	8.1	13.1
伊帕库-库孔布(巴布亚新几内亚)	1 273	388	6.8	11.0
卡瓦库纳2(巴布亚新几内亚)	1 499	457	2.2	3.5
马莫(巴布亚新几内亚)	1 732	528	34.1	54.8
米尼-马丁-艾克西特(澳大利亚)	722	220	9.9	16.0
米尼叶(巴布亚新几内亚)	1 535	468	3.4	5.4
穆鲁克(巴布亚新几内亚)	2 090	637	2.9	4.6
内特尔贝德(新西兰)	2 917	889	15.2	24.4
塞尔米农(巴布亚新几内亚)	…	…	12.7	20.5

* 从最高洞口往下计算深度；† 洞穴之开发部分长度；…未获数据。资料来源：保尔·库尔邦等著，《世界大洞穴图集》(1989)。

非洲，亦无眼。美国、墨西哥、南美洲及非洲还有几种分属数科的鲶鱼(猫鱼)亦属此类。

cave pearl　洞穴珠　又称穴珠。近球形的小的方解石结核。形成于洞穴中的小水潭，但并不贴附其形成的表面。饱和的水滴不时落入小水潭，小水潭有一定活动性，致使石笋不能形成。潭中小粒异物可能被方解石包裹，水的微弱活动又能使之保持运动，从而层层增加新的方解石包层。同心层状的洞穴珠以这种方式加大并变光滑，珠体终因太大不能保持运动而贴附于一处。

caveat emptor　货物出门不退　拉丁语意指“买主留心”。指商业交易法中，若契约没有明示的保证时，买主购货自担风险的原则。作为早期普通法中的格言的这一条规则，完全适用于市场上和近邻间进行的买卖。但是现代商业日趋复杂化，使得买主处于不利的地位，买主被迫越来越依赖于卖主和制造商的技巧、判断力和诚实。有鉴于此，现代商业交易法为了保护买主，对于“货物出门不退”这项原则的适用，规定了各种例外。例如，在按货样售货的场合，法律要求契约包含下列条件：大宗货物的质量应与货样一致，而且买主应有合理的机会对大宗货物的质量进行检验。又如，凡买主对货物有特殊要求并已告知卖主的，法律要求订立的契约应包含以下条件：货物应具有可销售的(一般水平的)质量，而且要合理地适应买主预定的要求。

Cavelier, René-Robert (French explorer)　**卡弗利耶**　参阅 **La Salle, René-Robert Cavelier, sieur de 拉萨尔**。

Cavell, Edith (Louisa)　卡维尔(1865-12-04，英格兰诺福克斯沃兹顿～1915-10-12，布鲁塞尔)　英国护士，第一次世界大战中家喻户晓的女英雄，由于救助协约国军人逃出德国占领下的比利时而被处死。1895年从事护士职业，1907年任布鲁塞尔贝肯戴尔研究所护士长，大大改进了护理工作水平。德国占领比利时后，她参加一个帮助英国、法国和比利时军人逃往中立国家荷兰的地下组织。这些军人隐蔽在已成为红十字会医院的贝肯戴尔研究所内，由比利时人P.博克为他们提供金钱和向导。到1915年8月卡维尔和其他数人被捕时，已有约200名军人获助。1915年10月7日，他们被提交军事法庭，卡维尔完全坦白后被判处死刑。尽管美国和西班牙公使设法要求缓刑，但3天后她和博克被枪决。对她的处决引起协约国的普遍谴责。

美国不列颠百科全书公司供图

Cavendish　卡文迪什　参阅 **Jones, Henry 琼斯**。

Cavendish　卡文迪什　加拿大爱德华王子岛省中部偏北昆斯县未建制农村社区。在爱德华王子岛国家公园西端的沙滩附近。约在1772年可能以陆军元帅F.卡文迪什之姓命名。经济以夏季旅游业为主。人口179(1991)。

Cavendish, Lord Frederick Charles　卡文迪什(1836-11-30，英格兰苏塞克斯东伊斯特本～1882-05-06，都柏林)　英国政治家，W.E.格莱斯顿的心腹，1882年爱尔兰危机达到顶点时作为爱尔兰事务首席大臣和英格兰的友好使者在都柏林遇刺。第7代德文郡公爵的次子。1865年进入议会。此前一年与格莱斯顿夫人的侄女露西结婚。格莱斯顿很赏识他，特别是在1872年让他充当私人秘书以后，即把他视为议会中自由党未来的领袖。卡文迪什自1880年起任财政部财务大臣，成为首相兼财政大臣格莱斯顿的左右臂。后担任爱尔兰事务首席大臣。他于1882年5月5日夜渡海前往都柏林。第2天傍晚与爱尔兰事务部常务次官T.H.伯克一道徒步经过凤凰公园时，两人同时被秘密团体常胜军的4名成员刺杀。

Cavendish, George　卡文迪什(1500～1561或1562)　英国廷臣、作家，只写过一部《枢机主教沃尔西传》，因此博得小小的、但是永久的名声。这部著作是英国传记发展的一个里程碑，是研究都铎王朝历史的重要文献，也是了解著者本人性格的珍贵资料。他在写作时采用具体观察主人公的一举一动和一言一行的方法，文笔优美自然，主教的形象栩栩如生。尽管他依然固守中世纪悲剧的章法，认为沃尔西的浮沉是由命运来主宰的，但是他摆脱了只能为圣徒或帝王树碑立传的旧观念。卡文迪什大约于1526年开始充当沃尔西的迎宾员，以后不论沃尔西权极一时或因失宠于亨利八世而一旦垮台，始终对之忠诚不渝，因此他得以亲眼目睹沃尔西的情况，特别是其权势的末日。他于1557年完成此传。传记的全本在伊丽莎白一世时代未能问世，手抄本曾经广为流传，为后来的编年史、诗歌和戏剧提供了素材，如莎士比亚的《亨利八世》就是从该书中取材的。

Cavendish, Henry　卡文迪什(1731-10-10，法国尼斯～1810-02-24，伦敦)　英国物理学家和化学家，曾在多种领域做过实验研究并发现了许多现象，例如空气的成分、氢的本质

美国不列颠百科全书公司供图

和性能、某些物质的比热、水的成分，以及电的各种性能等。他还用一种现在称为**卡文迪什实验(Cavendish experiment)**的方法测量了地球的密度和质量。

教育　1742年，他进入伦敦附近的哈克

尼学校。1749 ～ 1753 年在剑桥大学彼得豪斯学院学习,但未拿到学位,原因可能是他拒绝继续按照要求宣布忠于英格兰教会。在欧洲大陆旅行一段时间之后,他与其父居住在伦敦,直至 1783 年其父逝世。正是在这段时间里,从为其父作助手开始,卡文迪什做了他全部的电学研究和大部分化学研究。40 岁时继承的一笔遗产使他成了百万富翁。按照当时一位法国科学家 J.-B.毕奥的说法,这笔财产使他成了"所有有学问的人中最富有的,很可能也是所有富人中最有学问的"。

他的财富几乎没有改变他的生活方式。一如既往,他的大部分开销都花费在购置科学仪器和书籍上。当他积攒了一个大图书馆以后,就将它供科学家使用。他沉默寡言,除了与科学家伙伴的聚会之外,几乎从不在公共场合出头露面。卡文迪什在科学悟性方面可谓奇才。他于 1760 年被选为皇家学会会员;1803 年被选为法兰西学院的八位外籍院士之一。虽然他确实写过供发表的论文,但是他还完成了许多研究项目而并未发表它们的详情。

化学研究 关于气体的研究是他化学研究的基本内容。他是认识到氢是一种独立物质的最早发现者之一,并且对二氧化碳做了天才的实验。他注意到,当把空气分解为氧和氮之后,还剩有少量残留物;这一发现对于一个多世纪后发现氩和其他惰性气体是至关重要的。他对化学理论还做出了其他贡献,并且在未发表的关于砷酸的实验中为后来的科学家开了路。卡文迪什在 1784 ～ 1785 年间描述的关于空气的实验,是后来发现水并非元素而是化合物以及发现硝酸的先声。英格兰科学家 J.普里斯特利曾注意到,当氢与空气的混合物被电火花引爆时,容器壁会蒙上一层湿气,但是他并没有重视。卡文迪什细心地重复了普里斯特利的实验后断定,这层湿气的主要成分是水。几乎在同时,苏格兰工程师 J.瓦特也得出类似的结论,并通知了普里斯特利和皇家学会。关于这一发现的领先权问题,曾经引起轩然大波。1785 年,当瓦特被选为皇家学会会员之后,这两位当事人本人友好地解决了他们的分歧。

电学实验 卡文迪什独自发现,一对电荷之间的作用力与它们之间距离的平方成反比,这就是后来由法国物理学家 C.A.库仑建立并以他的名字命名的静电学基本定律。卡文迪什先于 M.法拉第证明了电容器的电容量与极板之间物质有关。他使用了势的概念,这一概念在数学中虽已熟知,但从前还未结合电学实验使用过。由卡文迪什首先明确起来的这一概念对电学理论的进一步发展意义深远。在关于各种导电体的一系列实验中,他发现跨导体的势与流过导体的电流成正比,从而先于德国物理学家 G.S.欧姆于 1827 年发表的相应定律。最后一项发现尤为值得称道:因为卡文迪什没有掌握测量电流的手段,所以只能用双手抓住电极两端,把自己的身体作为电表,根据对电流的感觉是能够达到手指还是腕部乃至直达肘部来估计电流强度。一个世纪以后当他的一些笔记本和手稿被发现时,苏格兰数学物理学家 J.C.麦克斯韦倾其生命的最后 5 年重复了所有这些实验,编纂并出版了卡文迪什电学论文的评注本(1879)。同样地,卡文迪什关于热学的大部分研究结果在他生前也未发表。这些工作先于苏格兰化学家 J.布莱克后来的研究。有证据表明,卡文迪什是有意地推迟发表这项研究成果,以免显得是与布莱克竞争。

其他贡献 他的工作并不全是在纯科学方面,对气象学和其他应用科学也感兴趣。曾参与研究一座火药库的最佳避雷方法,并应政府要求,为减少因硬币磨损导致损失黄金而研究过金合金的性能。他在近 70 岁时做的最后一项研究是极其困难而要求苛刻的卡文迪什实验,是根据一套错综复杂的仪器的测量结果推算地球的密度。该仪器中包括一架高灵敏度的扭力天平。

卡文迪什终年 78 岁,葬于今英格兰的德比大教堂。他的家族于 1871 年在剑桥大学创立了卡文迪什实验室。在历任卓有成就的实验室主任的领导下,现代物理学的许多成就都是在该实验室取得的。

Cavendish, Spencer Compton　卡文迪什 参阅 **Devonshire, Spencer Compton Cavendish, 8th duke of** 德文希尔公爵(第八)。

Cavendish, Thomas　卡文迪什(1560-09-19 受洗,英国萨福克特林莱圣马丁～约 1592-05,北大西洋)　Cavendish 又拼 Candish。英国航海家和海盗,第三支环球航行队的领导

美国不列颠百科全书公司供图

人。曾陪同 R.格伦维尔爵士航行到美洲(1585),返回英国时作环球航行。1586 年 7 月 21 日率 3 艘船从普利茅斯启航,在南美洲巴塔哥尼亚海岸发现心愿港(今阿根廷德塞阿多港),这是他仅有的对地理知识的重要贡献。过麦哲伦海峡后,袭击了西班牙的殖民点和从南美洲驶往墨西哥的船只,还抢掠运输财宝的西班牙大帆船"圣安娜"号。驶过菲律宾、摩鹿加和爪哇以后,绕过好望角,于 1588 年 9 月 9 日夜、10 日晨带领他仅剩的一艘船"心愿"号,还有大批掠夺物到达普利茅斯。1591 年进行第二次美洲-太平洋航行时,他的船队未能通过麦哲伦海峡,本人在返回英国途中身亡。

Cavendish, William　卡文迪什 参阅 **Devonshire, William Cavendish, 4th duke of** 德文希尔公爵(第四); **Newcastle, William Cavendish, 1st duke of** 纽卡斯尔公爵(第一)。

Cavendish experiment　卡文迪什实验 通过测量两个铅球之间的吸引力,人们首次能够计算万有引力常数 G 值的一个实验。G 值等于两物体之间产生的吸引力除以两物体质量乘积与距离平方的比(牛顿万有引力定律)。实验是由英国科学家 H.卡文迪什于 1797 ～ 1798 年完成的。他采用的方法和装备是他同国人地质学家 J.米歇尔(1793 卒)提出和设计的。所用的设备是一杆用金属丝吊着两个重球的扭秤。这样,两重球之间的引力便会使金属丝产生微小的扭转。这一实验通常被称为"秤地球",因为确定 G 值便可求出地球的质量。

caviar　鱼子酱 盐渍的鲟鱼子。从刚捕获的新鲜鲟鱼体内取出卵块,用细目筛细心地将鱼卵与其他无用的组织和脂肪分离,立即加入 4%～6%的盐以保鲜并提味。在伊朗,除盐外还加硼砂。质量较高的鱼子叫"马拉索"(malassol),亦即俄罗斯人所谓的"淡盐渍鱼子"。新鲜鱼子酱应在 0 ～ 7 ℃温度条件下储存,否则易腐败,杀菌后储存更好。所有货真价实的鱼子酱都是在俄罗斯及伊朗从里海、黑海捕获的鲟鱼中出产的。鱼子酱按鱼子颗粒大小和加工方法区分等级。以不同种类鲟鱼的名称来命名等级。"培罗加"(beluga)白鲟鱼子最大,呈黑或灰色;"奥萨屈罗芙"(osetrova)稍小呈灰、灰绿或棕色;"斯夫罗加"(sevruga)最小,呈墨绿色;最珍贵的鱼子酱是用小鲟鱼的金黄色鱼子制作的,过去专为沙皇准备,近代在苏联大人物和伊朗国王的餐桌上也发现过。次等鱼子酱是用大量盐重腌并经过压制的破的或不成熟的卵,这种鱼子酱以其更为强烈的味道而受人喜爱。红鲑鱼子及其他鱼子通常亦以鱼子酱的名称出售。鲱鱼卵则用墨鱼汁染黑至近乎鲟鱼子的色泽。

cavitation　空化 液体内部低压区形成蒸气泡的现象。低压发生在液体被加速至高速的区域,如正在运转的离心泵、水轮机和船舶螺旋桨等。空化是有害的,因为它使旋转叶片受到过度冲蚀,由于冲击和振动而产生额外噪声以及流型畸变引起效率显著降低等。当液体的压强降低到它的蒸气压时,便形成空泡,随着流体压强进一步降低,空泡进一步膨胀,当到达高压区时就突然崩裂。这些气泡的突然增生和崩裂引起异乎寻常的压强变化,导致接触空化液体的金属表面产生麻坑。

Cavite　甲米地 菲律宾吕宋南部城市。在马尼拉之南沿马尼拉湾延伸,马尼拉上班族的主要居住地。1872 年菲律宾士兵和甲米地兵工厂工人举行起义,反抗西班牙统治,但以失败告终。1896 ～ 1897 年该地为菲律宾领袖阿奎纳多的大本营。1940 年特许为直辖市,曾一度为省会。桑格莱岬海军基地现有菲律宾和美国的海空军设施和船坞。制造运输设备。是商业中心和渔港。人口 103 422(1994)。

Cavite Mutiny　甲米地哗变(1872-01-20) 200 名菲律宾士兵和甲米地兵工厂工人举行的昙花一现的起义。此事成为西班牙镇压菲律宾初期民族主义运动的借口。具有讽刺意

味的是，对哗变的严厉镇压反而大大推动了菲律宾民族主义运动。哗变很快就被粉碎，但是在反动总督拉斐尔·德·伊斯基尔多领导下的西班牙政权却夸大这一事件，以此为借口去镇压那些要求政府实行改革的菲律宾人。许多菲律宾知识分子遭到逮捕，被指控与哗变者同谋。在草草了事的审判之后，有3名司铎(何塞·布尔戈斯、哈辛托·萨莫拉和马里亚诺·戈梅斯)被公开处决。后来，这3个人成为菲律宾独立事业的烈士。

Cavour, Camillo Benso, conte di (count of) **加富尔**(1810-08-10，法兰西帝国皮埃蒙特都灵～1861-06-06，意大利都灵)　皮埃蒙特政治家，使萨伏依王室统一意大利的主要人物，

美国不列颠百科全书公司供图

意大利王国第一任首相。从16世纪起他的祖先就为萨伏依王室效劳。加富尔10岁时进入都灵军事学院。1826年毕业后任工程兵中尉。最初驻屯都灵，以后到前线各地构筑要塞。但他到处都不得志，以赌博和女色为乐。1830年被调到热那亚，与美丽多情的A.G.斯基亚菲诺邂逅。这位姑娘具有民主共和的理想，她的沙龙成为秘密革命团体烧炭党的聚会场所，复兴运动(统一意大利的运动)领袖马志尼是烧炭党的灵魂。1830年的法国革命推翻了波旁家族查理十世的统治，"平民国王"路易-菲力普登基。这件事大大鼓舞了加富尔的革命热情，竟至高呼"共和国万岁"。他的行动引起官方的怀疑，因而被调到一个偏远的山区要塞。1831年11月退役，重返都灵。1834年撰写一篇论述皮埃蒙特贫困情况的文章，题名为《国王特派专使的报告，对＜贫民法＞的实施和管理的调查》。1835年在都灵出版讲述英国贫民法历史的小册子。在此期间他第一次访问巴黎和伦敦，开阔了对欧洲的眼界。他兴致勃勃地考察英法两国的议会情况，到大学旁听，并参观工厂、铁路、港口、医院、学校以及监狱。1835年旅行归来即从事实业活动，成为大名鼎鼎的农艺师、财政专家和企业家。但他对政治的兴趣逐渐超过其他一切事务，在国王C.阿尔贝特决定实行改革后，完全投身于政治，创办了《复兴运动报》。1848～1861年成为皮埃蒙特、意大利和欧洲政治中的主要人物。他劝说阿尔贝特颁布自由宪法，鼓吹立即对奥地利宣战。1848年7月他为批准对奥和约奔走呼号。1850年10月就任农业大臣，很快成为内阁中最活跃和最有影响的成员。他与法国、比利时、英国签订一系列条约，试图取得最大限度的自由贸易额。他还极力与大国间形成经济利益网，开辟建立反奥地利政治同盟的道路。1850年出任财政大臣。自1852年11月直至去世他是国内公认的政治领袖。皮埃蒙特在政治、财政、经济、军事诸方面突飞猛进，成为意大利诸王国的楷模。1854年他进入欧洲政治舞台，参加英法同盟对俄国的克里米亚战争。1856年他冲破重重阻力，代表皮埃蒙特参加欧洲列强的巴黎会议。他在巴黎会见一些最杰出的外交家，并认识到指望欧洲各国对意大利的事业提供无私援助纯粹是幻想。然而他机敏过人，善于扭转局势，终于赢得了拿破仑三世的支持。1858年7月在普隆比埃尔举行的秘密会议上，拿破仑三世和加富尔一致同意发动反对奥地利的欧洲战争。1860年1月，加富尔努力把中意大利的各公国统一起来。但不幸身染重病而去世。

cavy　豚鼠类　啮齿目豚鼠科几种南美动物的统称，包括驯养的豚鼠。除长耳豚鼠属(*Dolichotis*)的2种巴塔哥尼亚豚鼠(*D. patagona*)和盐滩豚鼠(*D. salinicola*)外，均形小而粗壮。体长25～30厘米，耳小，腿短，尾不明显。这些小型豚鼠类分为4个属：豚鼠属(*Cavia*，真豚鼠)、岩豚鼠属(*Kerodon*，岩豚鼠)、盔豚鼠属(*Galea*)以及小豚鼠属(*Microcavia*，山豚鼠、沼泽豚鼠及潘帕斯豚鼠)。巴塔哥尼亚豚鼠和盐滩豚鼠腿长，形似兔，善跳跃，耳较大，眼大，尾短；与其他豚鼠类不同之处是后脚趾有蹄形爪。巴塔哥尼亚豚鼠体长达75厘米，体重达16千克。盐滩豚鼠较小，约长45厘米。豚鼠类群居，栖于地洞，有时将地下掏空，人在地面行走时会陷入其中。以草、树叶等为食。栖息在平原、沼泽和岩石

巴塔哥尼亚豚鼠(*D. patagona*)
美国不列颠百科全书公司供图

地区。多为夜行性；巴塔哥尼亚豚鼠和盐滩豚鼠则为昼行性，常晒太阳取暖。豚鼠属的种一年繁殖两次，妊娠期约2个月，每产1～4仔。斑豚鼠(参阅 **paca**)是完全不同的科(刺豚鼠科)的啮齿动物。

Cawahíb(people)　参阅 **Kawaíb** 卡瓦伊夫人。

Cawdor　考德　苏格兰高地政务会辖区村庄和城堡。属奈恩历史郡。在因弗内斯附近。据传1040年考德的乡绅麦克佩斯在该城堡刺杀了国王邓肯一世，此说经莎士比亚描写而历久不衰。城堡最古老部分建于1454年。17世纪扩建，至今仍为考德历代伯爵的驻地。人口617(1981)。

Cawnpore(India)　参阅 **Kānpur** 坎普尔。

Caxias　卡希亚斯　巴西东北部马腊尼昂州中东部城市。濒临伊塔皮库鲁河，海拔63米。为马腊尼昂州东部商业中心。加工本地区所产稻米、棉花、巴西蜡棕和巴巴苏棕、腰果、杏仁等产品。为一主教区的中心。有铁路、公路和航空线通皮奥伊州首府特雷西纳和附近社区。人口约139 551(2000)。

Caxias, Luiz Alves de Lima e Silva, duque de (duke of) **卡希亚斯公爵**(1803-08-25，里约热内卢～1880-05-07，里约热内卢)　即阿尔韦斯·德利马-席尔瓦。巴西军队的英雄和

美国不列颠百科全书公司供图

政治家。他使军人在巴西王国政府占有极重要的地位。出身军人世家，14岁到军队中服役，不到一年便升任少尉。21岁任皇帝禁卫营副官。1823年巴西独立战争期间，在巴伊亚州首次显露出军事才干。1831年4月7日佩德罗一世皇帝退位，他组织一营人去维持里约热内卢的秩序，直至新政府成立。1837年任马拉尼昂州州长。1840年当选众议员。1841～1845年平息圣保罗、米纳斯吉拉斯和南里奥格兰德州分离主义分子的骚乱。1852年他率巴西军队帮助推翻阿根廷的独裁者J.M.de罗萨斯。1855年起任陆军部长多年。1866年和1875～1878年两次任大臣会议主席。巴西军队在巴拉圭战争(1864～1870)中接连两年受挫之后，1867年卡希亚斯出任军队总指挥。1869年攻占亚松森后被封为公爵。他被视为巴西保守派的斗士。

Caxias do Sul　南卡希亚斯　巴西南部南里奥格兰德州东北部城市。海拔760米。1875年由意大利殖民者建立。1910年建市。经济以冶金工业和栽培葡萄为主。周围地区的葡萄园被认为是巴西最好的葡萄园。该市有南卡希亚斯大学(1967)，为一条铁路支线终点站，有公路干线与圣保罗相连。人口约360 207(2000)。

Caxton, William　卡克斯顿(约1422，英国肯特～1491，伦敦)　英国第一个印刷商。作为翻译家和出版商，他对英国文学有重大影响。1470～1472年在科隆学习印刷术。1474年在法国布鲁日设立印刷所。1476年回英国，在威斯敏斯特创办印刷所。他虽然是英国印刷业的先驱者，但在技术上缺乏创新，并没有出版过特别精美的图书。他的朋友中，国王、贵族和富商是他的主顾，他们有时委托他印刷特定书籍。他出版的骑士故事

及有关道德、历史和哲学等各类书籍，包括第一本带图解的英文百科全书《世界镜鉴》(1481)，表明他也能迎合一般公众。他出版的祈祷书是多数文化人的主要读物。还出版了所能得到的当代所有英国文学作品，包括G.乔叟的《坎特伯雷故事集》和他的其他诗歌。一生译过24种书，有些还是长篇巨著。他出版的各类书籍约达100种。

cay　砂礁　又拼key。指位于珊瑚礁台地上的通常是砂质的矮小的岛。这种岛在佛罗里达和加勒比海部分地区一般叫做“key”。砂礁往往建立在珊瑚礁台地的边缘正背着盛行风吹来的方向。从珊瑚礁上破碎下来的碎屑在高潮时扫过台地，但由于海浪围绕台地发生折射和聚合作用产生的海浪阻止了碎屑从台地边缘上被冲掉。砂的堆积物最初可能来回移动，但当海滩岩石(海平面上的砂和碎屑被沉淀的碳酸钙胶结起来)形成时，就逐渐稳定下来，而小小的海岛也就有植物生长了。砂一般可堆积到高潮水位以上1.5～3米，尽管海风可以使砂丘稍高些。砂礁的长轴方向往往同盛行的风向垂直，但其形状由于风平浪静时的沉积作用和暴风骤雨时的侵蚀作用可能有很大变化。即使是相当大的砂礁也易于遭到强烈飓风或台风的彻底破坏。偶尔，砂礁可以在迎风面长满红树林的浅潟湖外面，具有一道由粗物质构成的防护障。在有些情况下，由死亡珊瑚块和其他碎屑构成的砂礁或防护障可以形成于珊瑚礁台的向风边缘。

Cayapa　卡亚帕人　厄瓜多尔西部海岸低地的印第安人，是该地区遗留下来的极少数土著居民之一。卡亚帕人使用一种奇布查语，与邻近的科罗拉多人的语言有些系属关系。卡亚帕人和科罗拉多人都自认为本族源于安第斯高地。20世纪70年代初卡亚帕人可能有3 000人。耕作、捕鱼和狩猎在传统上是卡亚帕人主要的食物来源。他们也种植大蕉、木薯、甘蔗、薯蓣及胡椒；饲养一些家畜，但不是主要食物来源。沿海鱼产十分丰富，森林中有各种哺乳动物可供猎取。典型的居住区由一些自立门户的家宅组成，分布于河边的热带森林。传统住房为草顶木架，常无墙壁，但有时分为两个部分。妇女着裙，长可及踝，男子穿紧身短裤及印花布薄衬衫。织物、陶器和木制品是他们的主要手工制品。宗教是一种天主教与土著的异教信仰的混合物。政治体系由世袭酋长和下级官员构成。

Cayenne　卡宴　法属圭亚那首府和大西洋港口。在卡宴岛东北端。1643年由法国人建立，称拉瓦尔迪尔。1777年改称现名。1848年后曾是法国的犯人流放地中心，有“囚城”之称。监狱于1945年关闭。现输出少量木材、青龙木香精、酒、黄金。20世纪60年代中期开始种植甘蔗、菠萝，有菠萝罐头厂、河虾加工厂、法国热带美洲研究所和巴斯德研究所。历史建筑有圣救世主教堂。建有国际机场。该城为1969年建立的卡宴专区首府(面积49 500平方千米)，包括部分伊尼尼(Inini)海岸区与法属圭亚那热带海岸带(24～48

卡宴市政府大厦
美国不列颠百科全书公司供图

千米宽)。人口：城市区50 594；专区84 181(1999)。

cayenne pepper　卡宴辣椒粉　其味极辣的香料，把辣椒属(*Capsicum*)植物橙色到深红色的果实干燥后磨碎而成。

Cayes(Haiti)　**凯**　参阅**Les Cayes**莱凯。

Cayey　卡耶伊　波多黎各城镇和自治区。建于1773年。海拔400米，夏季凉爽，为理想的西班牙军事据点。有服装和烟草加工业。卡耶伊大学学院为波多黎各大学分校，1967年建立。自治区面积130平方千米。经济以种植烟草为主。人口：城镇19 940；自治区47 370(2000)。

Cayley, Arthur　凯莱(1821-08-16，英国萨里里士满～1895-01-26，剑桥郡剑桥)　19世纪享有盛誉的英国数学家，近代纯粹数学不列颠学派的奠基人。年轻时就显示了数学才

美国不列颠百科全书公司供图

能，在老师的劝说下，进入剑桥大学三一学院(1839)，毕业后，得到在三一学院工作3年的一个职位，开始研究数学。3年后转向法律任律师14年，这期间他写了许多光辉的数学论文，并同数学家J.西尔维斯特开始了长期合作。他的研究几乎涉及纯粹数学的各个课题。是不变量理论的奠基人之一。对n维几何学的发展、对相对论的四维(时空)概念的形成以及不依赖点和线作为构成几何空间的元素的研究做出重要贡献。他所发展的矩阵代数，被用于量子力学的研究中。他设计了一种把投影几何和度量几何结合起来的方法，为把欧几里得几何和非欧几里得几何看作是同一种几何的特殊情况的思想铺平道路。直至1863年，他才被选为剑桥大学新创立的萨德勒纯粹数学教授，除去1881～1882年受聘去美国约翰斯·霍普金斯大学外，一直在剑桥从事数学研究。他发表过900多篇数学论文，刊登于1889～1898年期间剑桥大学出版的14卷《数学论文汇编》中。他拥有许多国家的荣誉学位，任过剑桥哲学学会、伦敦数学学会、皇家天文学学会的会长，得过皇家学会的科普利奖章。

Cayley, Sir George　凯莱(1773-12-27，英国约克郡斯卡伯勒～1857-12-15，约克郡布朗普顿)　英国航空界的先驱，空气动力学的奠基人，制成第一架载人的滑翔机。他摈弃扑翼飞行的想法，全力研制固定翼飞机、直升机和飞艇。到1799年他确定了现代飞机的基本构型，包括固定翼、机身以及包括升降舵和方向舵的尾翼组。1804年他成功地飞行了第一

美国不列颠百科全书公司供图

架滑翔机模型，1809年他发表首批研究报告，奠定了现代空气动力学的基础。他一生致力于航空研究和写作，包括流线型的优点、纵向和横向安定性、产生最大升力的翼面、方向舵和升降舵以及叠加机翼(最后用于双翼机和三翼机)，并对各种设想用模型进行试验。经过努力终于在1853年制造一架滑翔机，完成了第一次载人的滑翔机飞行。他还发明了轻张力车轮(自行车轮的前身)、膨胀空气发动机(热空气发动机，约1805)和履带式拖拉机(1825)。1839年他创建伦敦摄政街综合技术研究所。其他的研究领域包括科学教育、垦荒、声学、铁路设备、救生船、弹道学、光学和电学。

Caylus, Anne-Claude-Philippe de Tubières, comte de(count of)　**凯吕斯**(1692-10-31，巴黎～1765-09-05，巴黎)　法国考古学家、雕刻家、文学家。早年曾参加西班牙王位继承战争(1704～1714)，战后游历意大利、君士坦丁堡、希腊、尼德兰及英国。回巴黎后，专心从事雕刻及考古工作，被选为法国绘画雕塑学会会员及法国铭文学会会员。著有《埃及、

美国不列颠百科全书公司供图

埃特鲁斯坎、希腊、罗马及高卢古物汇编》(7卷;1752～1767?)。

cayman(reptile) 参阅 **caiman 凯门鳄**。

Cayman Islands 开曼群岛 加勒比海中的英国殖民地。由大开曼岛、开曼布拉克岛和小开曼岛等岛屿组成,位于牙买加岛西北约290千米处。总面积264平方千米。首府乔治敦在大开曼岛上。人口约34 763(2000)。

土地 地势一般低平。海滩上的白砂主要为珊瑚,因而在最热的时候也很凉爽。面积最大、人口最多的岛是大开曼岛,总面积197平方千米。其次为开曼布拉克岛,岛内有群岛海拔最高处,达42米,总面积36平方千米。小开曼岛最小,总面积26平方千米。群岛上无河流。

宜人的热带气候为主要资产之一。经济以旅游业为主。气候温和,年平均温度26°C。雨季从5月中旬至10月,其余为干季。红树沼泽覆盖约30%的陆地面积。有各种有商业价值的树木,包括椰子树、面包果树、香蕉树、芒果树和柑橘树。当地唯一的哺乳动物是刺鼠。有多种爬虫。鸟类品种很多。

人民 约1/4的开曼人为欧洲人,主要是英国血统;约1/4是非洲奴隶的后裔,其余主要是混血种。官方语言是英语,西班牙语为第二语言。约半数人口住在乔治敦。人口增长率很低。

经济 经济以金融和旅游为主。优惠的税收政策和客户保密制度有利于金融业。岛上景色美丽、气候宜人,为加勒比海的旅游胜地。只有很少人务农,食品多数依赖进口。主要作物有水果,以及椰子、甘薯、番茄等。主要饲养牛和家禽。出口商品很少,主要是虾、蜂蜜和珠宝类。邮票税也是收入来源。主要进口商品有机械和交通工具、燃料和食品。主要交通工具是汽车和公共汽车。大开曼岛和开曼布拉克岛上有国际机场。

政体与社会状况 开曼群岛殖民地政府根据1994年修订的宪法治理。立法议会由总督、3位官方议员和15位当选议员组成。总督代表国家元首英王。行政委员会由3名官方委员和5名当选委员组成,向总督提出建议。无政党。

生活水平相对较高,政府提供充分的社会服务,几乎无失业。卫生部提供保健服务。热带病发病率低。5～15岁的未成年人须接受义务教育。政府办的小学免费。政府还办有3所中学。在开曼群岛国际学院可接受高等教育。出版几份报纸。有广播电台和电视台。

历史 哥伦布在1503年最后一次航行至西印度群岛时,第一次看见开曼群岛,当时无人居住。1670年群岛为英国人拥有。来自牙买加的移民开始到群岛来,海盗也多次前来骚扰。早期移民主要对捕龟感兴趣。群岛位置偏僻,不利于经济发展,直到20世纪40年代才有航空运输。

开曼群岛以前是牙买加殖民地属地,1959年成为单独的属地,牙买加总督兼任开曼群岛总督。牙买加1962年独立后,一位行政长官掌握了开曼群岛总督的大部分权力。1971年,行政长官改为总督头衔。1972年通过新宪法,规定了更大程度的自治。

Cayman Trench 开曼海沟 又称巴特莱特海渊或巴特莱特海槽。加勒比海西部海底的沟槽。位于牙买加岛和开曼群岛之间。东东北—西西南走向。最深处7 686米,是加勒比海最深处。海沟周围有时发生水下地震。

Cayo(Belize) **卡约** 参阅 **San Ignacio 圣伊格纳西奥**。

Cayrol, Jean(-Raphaël-Marie-Noël) 凯罗尔(1911-06-06,法国波尔多～2005-02-10 波尔多) 法国诗人、小说家、小品文作家。20世纪50年代出现的法国先锋派小说"新小说"运动的先驱。第二次世界大战期间,因参加抵抗运动,被送进集中营,这一经历后来成为他的文艺创作的核心。第一批作品有诗集《夜与雾的诗》、随笔《拉撒路在我们当中》(1950)及获奖的三部曲小说《我将经历别人的爱情》(1947～1950)。拉撒路是《圣经》中人物,是凯罗尔作品的中心形象。他的人物都是远离正常世界的人与物。他是一位多产作家,发表了许多小说、诗歌、小品文、电影剧本等。小说有《一夜之间》(1954)、《异体》(1959)。其他值得注意的作品有《太阳的寒冷》(1963)、《中午与午夜》(1966)、《我还能听到它》(1968)、《草原故事》(1969)、《沙漠故事》(1972)、《海洋故事》(1973)、《天空故事》(1975)、《森林故事》(1975)、《一座房子故事》(1976)、《一年四季》(1977)及《光天化日之下》(1980)等。

Cayuga 卡尤加人 操易洛魁语的北美印第安人,易洛魁联盟成员,原住卡尤加湖附近地区,即今纽约州中部(参阅 **Iroquois**)。卡尤加男人猎捕本地区丰富的猎物、水禽、鱼类,女人种植玉米。村庄由多家居住的长形房屋组成,每栋房屋由若干有亲属关系的家庭居住。1656年法国耶稣会士R.梅纳尔最早到达卡尤加人地区时,他们的城镇坐落于卡尤加湖东部,约有1 500人居住在约100栋长房里。地区议事会由8个族外婚氏族的代表组成,指导各村村长的工作。每一氏族又分为两个半偶族,大体上负责葬仪及狩猎仪式。卡尤加人的全部历史过程,就是一个混合民族的历史。当他们在安大略湖以北设置了临时居民点时,曾将休伦人和伊利人俘虏收容进来,以补充其战争损失。17世纪晚期,他们又从附近的南部和西部地区吞并了许多操苏语和阿尔冈昆语的宗族。美国独立战争初期大部分支持英国人的卡尤加人迁往加拿大。战后,留在美国的卡尤加人将其纽约土地卖掉,分散到威斯康星、俄亥俄以及安大略格兰德河一带,与当地其他易洛魁人混居在一起。20世纪晚期,在易洛魁六部落印第安人居留地上,约有1 500名卡尤加人的后裔,延续了这个部落的语言和礼仪。另有约200名卡尤加人住在纽约州西部塞内卡民族当中,100名居住在俄克拉何马州。

Cayugan Series 卡尤加统 志留纪地层时间的三个主要单元中最上部的一个统(志留纪始于约4.3亿年前,延续约3 500万年)。以美国纽约州卡尤加湖地区附近研究过的露头而得名。在卡尤加世,北美大陆的海域逐渐收缩,干燥环境占优势,蒸发作用产生许多盐、石膏和硬石膏。这些已大规模开采。在纽约和大湖区,卡尤加统地层中广泛发育不纯的白云岩即所谓水硬石灰(water limes)。这些地层含有相当特殊的动物化石。其中最常见的有板足鲎类——大的水生蝎状节肢动物,可能食虫和早期鱼状脊椎动物。

cayuse 卡尤塞马 又称bronco(布朗科马)或mustang(北美野马)。北美的一种野生状态的马,由16世纪西班牙人引入新大陆的马繁衍而成。印第安人常加以驯养。卡尤塞

卡尤塞马

美国不列颠百科全书公司供图

是华盛顿州东部及俄勒冈州一个印第安部落的名称,该部落以育成这种体型小的马而著称。

Cazembe(African nation) 参阅 **Kazembe 卡曾贝**。

Cazenovian stage 卡泽诺维亚阶 北美中泥盆世(3.87亿年前至3.74亿年前)的时间地层单元。以纽约州卡泽诺维亚地区研究过的露头命名。对纽约州中东部地区研究得较好,表明:贝科文页岩组(黑色页岩)位于马里恩山砂岩组之下,海相砂岩和页岩厚约240米,富产化石,并按海相无脊椎动物(腕足动物门)差异而划分。马里恩山砂岩上面的埃肖肯砂岩由厚约150米、非海相页岩和砂岩组成。卡泽诺维亚阶反映了中泥盆世沉积环境的转变,陆相沉积物代替了海相沉积物,海岸线退向西面。卡泽诺维亚阶位于欧纳斯阔索阶之上,蒂欧尼欧格阶之下。

C.B. 巴思下级爵士勋位 英国巴思爵士勋位中之最低阶级,但并未授予爵士勋职。参阅 **Bath, The Most Honourable Order of the**。

CB radio 参阅 **citizens band radio 民用波段无线电通信**。

C.B.E. 大英帝国三等爵士勋位 大英帝国勋位中的高阶级者,但未授予爵士勋职。参阅 **British Empire, The Most Excellent Order of the**。

CBS Inc. CBS公司 原名哥伦比亚广播公司(1928～1974)。美国的主要广播公司,

经营全国的 CBS 无线电广播网和电视网。1927 年创立，原名联合独立广播公司，1928 年改为哥伦比亚广播公司，1974 年取现名。总部在纽约市。1928 年 W. 佩利开始投资于这一小而财政困难的公司。在他任董事长的期间，公司刷新了广播宣传的历史。10 年间从原有 22 个广播站扩大到 114 个。20 世纪 30 年代该公司雇用明星在广播中表演，使广播渐受欢迎。40 年代以后该公司电视节目也因雇用许多明星表演在国内最受欢迎。虽然在 70 年代后期该公司丧失了收视率最高的地位，但其节目仍深受大众欢迎。1938 年购得美国唱片公司，即后来的哥伦比亚唱片公司。公司试验室的 P. 戈德马克发明了高保真慢转密纹唱片，1948 年以哥伦比亚商标问世。20 世纪 60 和 70 年代，CBS 公司实行经营多样化，包括书籍、杂志、乐器和玩具。1985 ～1988 年售出所有其他业务单位（包括极其成功的唱片公司），集中力量从事其中心业务——电视与无线电广播。1995 年该公司被威斯汀豪斯电气公司收购。

CCC（U.S.） 参阅 **Civilian Conservation Corps** 公共资源保护队。

CCF（Canadian political party） 参阅 **Co-operative Commonwealth Federation** 全民合作联盟。

Cchinvali（Georgia） 参阅 **Tskhinvali** 茨欣瓦利。

CCP 参阅 **Chinese Communist Party** 中国共产党。

CD 参阅 **Córdoba Durchmusterung**《科尔多瓦星表》。

CD 参阅 **deposit, certificate of** 存款单。

CD-ROM 只读光盘 Compact Disc Read Only Memory 的缩写。一类**计算机存储器**（**computer memory**），形状为小型圆盘，其内容可借助光学手段读出。CD-ROM 驱动器用低功率激光束读取光盘上以极细小的凹坑形式编码的数字化（二进制）数据，然后由驱动器把这些数据馈送给计算机进行处理。由于采用数字化数据，所以 CD-ROM 不仅可以存储文本，还可以存储图像和声音，因而在影像和音响设备中用于存储音乐、图片和电影。与常规的磁存储技术（例如硬盘）不同，CD-ROM 驱动器不能写信息（即不能接受新输入的数据），故名“只读”。容量较大的 CD-ROM 可存储 800 兆字节（800 个百万字节）的信息。20 世纪 80 年代末期，CD-ROM 还被看做是实验室里的技术，到 90 年代初期，它已得到广泛的商业应用，原因就在于它能在很小的空间里存储极其大量的信息。虽然从 CD-ROM 中检索信息比较慢，但其容量极高的特点使它在信息密集型任务中很受欢迎，例如用于存放活动画面或存放百科全书和其他参考工具书中卷帙浩繁而内容相对变化不大的文本。由于它可以存放文本、声音和图片，所以 CD-ROM 也已成为多媒体工作站中的重要存储设备。WORM（一次写多次读光盘）是 CD-ROM 的变种，顾名思义，它允许用户在盘上一次性地写入（建立、保存）信息。更先进的驱动器不但能在盘上写入信息，而且可以在同一张盘上改写不同的信息。交互式光盘（CD-I）设备与 CD-ROM 类似，但它们是同电视机相连而不是同计算机相连，主要用于交互式影像视听。磁光型光盘（MO）驱动器则把 CD-ROM 和磁存储技术的优点结合起来。

CDU（German political party） 参阅 **Christian Democratic Union** 基督教民主联盟。

CE（contagious ecthyma; animal disease） **传染性丘疹** 参阅 **sore mouth** 羊口疮病。

Ceadda, Saint（7th-century English cleric） 参阅 **Chad, Saint** 查德，圣。

Ceanannus Mór 锡厄南努斯莫尔 原名凯尔斯。爱尔兰米斯郡的集市城镇和市郊区。临布莱克沃特河。原为皇室住地，公元 6 世纪成为一学术中心。807 年建立主教区，13 世纪与米斯的主教区合并。现教堂附近有一座圆塔和几个古代十字架。约 9 世纪初期，可能在当地完成彩饰的拉丁文福音书《凯尔斯书》，记载当地历史。该书现存都柏林三一学院图书馆，是爱尔兰-萨克逊手稿艺术珍品之一。当地工业有计算机外壳的制造。人口 2 183（1991）。

Ceanothus 美洲茶属 鼠李科的一属。原产于北美，约 55 种灌木。叶互生或对生；花小，蓝色或白色，密生成直立花簇。美洲茶（*C. americanus*）又称新泽西茶，分布于加拿大至佛罗里达。在美国独立战争期间，其叶曾用以代茶。株高约 1 米；叶广椭圆形，脱落；花白色，聚生成平顶花簇。卡塔利娜美洲茶（毡叶美洲茶、树状美洲茶，*C. arboreus*）产于加利福尼亚沿海岛屿；常绿乔木，高 5 ～ 8 米；叶面深绿色，叶背白色，密生短柔毛；花蓝色，芳香，早春开放。

一种美洲茶属（*Ceanothus*）植物
美国不列颠百科全书公司供图

Ceará 塞阿拉 巴西东北部的一州。北部和东部的一部分临大西洋，东邻北里奥格兰德州和帕拉伊巴州，南接伯南布哥州，西接皮奥伊州。面积 148 016 万平方千米。首府福塔莱萨是全州主要的文化、商业和海运中心。其他主要城镇有北茹阿泽鲁、索布拉尔、克拉图、伊瓜图和克拉特乌斯。这个州的一部分在巴西大高地的东北斜坡上，另一部分是沙土的海岸平原。在地理上可分为沿海、山区和腹地 3 个区域。沙土的海岸平原几乎不生长植物；高地的沙质土壤经过改良可以种植棉花、水果和其他热带作物；腹地的土质既薄而且渗水。干季很长，使腹地变为荒地。半干旱气候。年降雨量：沿海和山区为 1 600 毫米，腹地为 400 毫米。雨量集中在 3 ～ 5 月，所以全年大部分时间溪河干涸，严重干旱引起饥馑、经济破产和农民流离他乡。全年平均温度 26 ～ 28 °C，在腹地遇到干旱年份达到 30 °C或 32 °C，加剧干旱的程度。在 18 世纪，经济以役使黑奴的甘蔗种植园为主。1884 年成为巴西第一个解放奴隶的州。19 世纪种植棉花，现在是巴西最大的产棉州之一。养牛数百万头。甘蔗也是主要作物。其他商品作物还有腰果、木薯、蜡棕、水果和蔬菜等。种植棉花和饲养牛都由大种植园经营，种植园里有以实物交租的佃农。大量小土地自耕农的收获所得，只能勉强维持生活。矿产蕴藏量还没有全面勘探，现在开采的只有石灰石、石膏、铜和锰。城镇是农产品加工和贸易的中心，也有一些小型工业，制造纺织品、食品、化学品和药品。福塔莱萨设有塞阿拉联邦大学（1954 年建立）。人口约 6 356 100（1989）。

cease-fire 停火 按照停战所规定的同一原则，全面停止武装敌对行动。在现代外交用语中，指交战国双方的谈判条件相距甚远，以致无法签订一项正式停战协定。

Ceauşescu, Nicolae 齐奥塞斯库（1918-01-26，罗马尼亚斯科尔尼切什蒂～ 1989-12-25，布加勒斯特附近） 罗马尼亚共产党官员，1965 年起为罗马尼亚领导人，直至 1989 年被推翻并被处死。20 世纪 30 年代初为罗马尼亚共产主义青年运动的杰出成员。1936 和 1940 年因从事党的活动两次坐牢。与罗共领导人乔治乌-德治为同室难友。1944 年 8 月越狱后任共产主义青年联盟书记（1944 ～ 1945）。1947 年共产党当政后，任农业部长（1948 ～ 1950）。1950 ～ 1954 年任武装部队副部长，领少将衔。在乔治乌-德治领导下，升为党内第二把手，在政治局和书记处任要职。1965年3月乔治乌-德治逝世后，他任党

东方图片公司供图

中央第一书记，1965 年 7 月改任总书记。1967 年起任国务委员会主席，成为国家元首。因一贯奉行独立和民族主义政治路线而赢得人民的拥护。20 世纪 60 年代他终止了罗马尼亚在华沙条约军事组织的活动，谴责华约军队对捷克斯洛伐克的入侵（1968），谴责苏联对阿富汗的入侵（1979）。1974 年罗马尼亚社会主义共和国设总统职，他当选为总统。对内实行严格的集权制度。为支付沉重的外债，1982 年下令出口大量工农业产品，导致国内食品、燃料、能源、药品的匮乏，经济发展停滞。个人崇拜的盛行及强行迁居农村的计划增加了人民的不满。齐奥塞斯库政权由于他 1989 年 12 月 17 日命令保安部队向蒂米什瓦拉市反政府示威者开枪后倒台。12 月 22 日罗马尼亚军队倒向示威者一方。同日，齐奥塞斯库夫妇逃离首都，被军队俘获，25 日被特别军事法庭判处死刑并处决。

Ceawlin　塞瓦林（？～593）　英国历史上 560 ～ 592 年的西撒克逊（即韦塞克斯）国王，将不列颠人逐出南英格兰的大半地区，并在英格兰中部地区的南部创建王国。556 年帮助其父西恩里克国王在贝兰伯格（巴伯里）击败不列颠人。568 年与兄弟卡撒一起击败肯特的国王艾特尔伯赫特一世。577 年在德奥哈姆（代尔汉姆）战胜不列颠人，占领格洛斯特、赛伦塞斯特和巴斯。591 年，一个名叫塞奥尔的国王占领了塞瓦林的部分领土。592 年在沃德内斯贝奥格（今威尔特郡亚当斯格雷夫）又被塞奥尔击败。塞瓦林被迫流亡，翌年被杀。8 世纪的历史学家比德将他列为相继统治亨伯河以南的 7 位君主之一。

Cebidae　卷尾猴科　又称悬猴科。灵长目的一科，包括栖于森林的灵活的阔鼻猴（新大陆猴）；分布于墨西哥北部到阿根廷南部一带。包括夜猴（durukuli）、秃猴（uakari）、松鼠猴（squirrel monkey）、蜘蛛猴（spider monkey）、绒毛猴（woolly monkey）、绒毛蜘蛛猴（woolly spider monkey）等。

Cebu　宿务　菲律宾中部岛屿。米沙鄢-宿务文化的中心，在文化生活方面至今保留着浓厚的西班牙传统。岛长 196 千米、宽不超过 32 千米，面积 4 422 平方千米。北临米沙鄢海，西为塔尼翁海峡，东南是保和海峡，东濒卡莫特斯海。海港甚少。较低的火山山地将岛分为两部分，除北端的博戈平原外，极少平地，博戈平原主要产甘蔗。宿务中央国家公园（1937）位于巴兰班、托莱多市与宿务市之间的三角地带，占地 15 394 公顷，是岛上仅有的林地。岛上有鸟兽禁猎区。土地贫瘠，人口过剩，农作物以玉米为主，粮食不能自足。中部山区有煤、铜、石灰石、金、银等矿。除省会宿务市外，主要居民点有达瑙、拉普-拉普、托莱多、曼达韦。人口：宿务及附近小岛约 2 377 588（2000）。

Cebu City　宿务市　菲律宾中南部宿务岛上的城市。位于宿务岛东岸，在近海麦克坦岛和内地中科迪勒拉山之间。为菲律宾最大城市之一，也是个繁荣港口。麦克坦岛与海岸之间的海峡成为港口的天然屏障。菲律宾历史上最早的殖民地，至今仍保留着古老的西班牙习俗。宿务市为中米沙鄢地区的文化和商业中心，1936 年特许为市。是内陆商品的集散地，也是重要的空运和海运中心。许多以马尼拉为基地的工业和商业公司在该市都设有分公司。主要产品有纺织品、鞋、食品、植物油、家具、化工品等。其他产品有化妆品、蜡烛、珍珠、海蓝宝石等。岛上交通方便，沿海铁路北起达瑙，南至卡尔卡尔，另有公路横贯中科迪勒拉山。宿务市也是教育中心。市内有圣卡洛斯大学、宿务理工学院、西南大学等 5 所高等院校。西班牙建的圣佩德罗堡遗址在港口附近。人口 718 821（2000）。

Cebuano　宿务人　菲律宾最大的文化-语言群体，20 世纪末约有 1 460 万人，操澳斯特罗尼西亚（马来-波利尼西亚）语，有时与希利盖农人和萨马尔人并称为比萨扬人。宿务人住在宿务岛、锡基霍尔岛和保和岛以及内格罗斯岛东部、莱特岛西部、马斯巴特岛南部和棉兰老岛北部。多数宿务人从事耕种并在海洋捕鱼，沿袭传统的生活方式。宿务人的典型村落由竹屋和木房组成，每一住所有房屋二至三间，建于木桩之上，屋顶覆以棕榈枝叶。食物以鱼、米为主，佐以蔬菜、水果。然而，在宿务岛和内格罗斯岛东部，居民多以玉米粉代替稻米为主食。宿务人的社会生活以洗礼、婚嫁、丧葬、就学、节假日及天主教礼拜活动为重点。宿务人聚居的主要城市中心是菲律宾人口最密的宿务岛上的宿务市。

Cebuano language　宿务语　又拼 Sebuano。又称苏格布哈农语。属澳斯特罗尼西亚（马来-波利尼西亚）语系西部语族或印度尼西亚语族。20 世纪末在菲律宾有 1 460 万人操宿务语。分布于内格罗斯东部、宿务、保和、莱特西部、卡莫特斯群岛以及棉兰老岛北部和西部沿海。宿务语和希利盖农语以及沃莱语紧密相关，有时共同被划为米沙鄢语的方言。以宿务语为母语的人约占菲律宾人口的 1/4，为该国最大的语言和文化群体。尽管讲宿务语的人很多，报刊和电影也都使用它，但宿务语并非文学语言。

Cech, Thomas Robert　切赫（1947-12-08，美国伊利诺伊芝加哥～　）　美国生物化学家和分子生物学家，与奥尔特曼于 1989 年共获诺贝尔化学奖。切赫于 1970 年获艾奥瓦州格林内尔学院文学士学位，1975 年获伯克利加利福尼亚大学化学博士学位。1975 ～ 1977 年任麻省理工学院的国立癌症研究所研究员，1978 年到科罗拉多大学化学系任职，1983 年任教授。同时他从 1978 年起在国立卫生研究院从事研究工作，从 1988 年起在霍华德·休斯医学研究所从事研究工作。切赫与奥尔特曼独立地发现核糖核酸（RNA）不仅像过去所设想的那样仅被动地传递遗传信息，还起酶的作用，能催化细胞内的为生命所必需的化学反应。在他们的发现之前，人们认为只有蛋白质才能起酶的作用。切赫最先证明 RNA 分子能催化化学反应，并于 1982 年公布其研究结果。奥尔特曼的早期研究有说服力地指出这个结论，1983 年证实 RNA 的此种酶活动。

Cecchetti, Enrico　切凯蒂（1850-06-21，教皇国罗马［意大利］～ 1928-11-13，米兰）　意大利芭蕾舞演员和教师。因创立一套训练方法，并参加培养许多杰出的演员而驰名。父

《舞蹈新闻报》社供图

母均为舞蹈演员，切凯蒂出生于罗马一家剧院的化妆室。他是一位以足尖单腿立地旋转著名于世的舞蹈家，驰名全欧，在米兰的拉斯卡拉剧院和在伦敦演出都获得巨大成功。1887 年到圣彼得堡玛丽亚剧院（今国立基洛夫歌剧舞剧院）在柴可夫斯基的《睡美人》中扮演蓝鸟和卡拉波斯这两个角色。1890 ～ 1902 年在俄罗斯帝国芭蕾舞团及其附属学校中培养了包括 O. 普列奥布拉仁斯卡、T. 卡尔萨温娜和 V. 尼任斯基在内的许多舞蹈家。从 1910 年到 1918 年任佳吉列夫俄罗斯芭蕾舞团的正式教师，但在 1913 年他曾离开该团，和他举世闻名的私人学生巴甫洛娃一起作巡回演出。他的妻子 G. 德·玛丽娅也是一位舞蹈家，1918 年他俩在伦敦开办了一所学校，在这所学校学习的学生中有 A. 玛尔科娃和 S. 里法尔。从 1925 年起他主持米兰拉斯卡拉剧院的舞蹈学校，直到逝世。切凯蒂的芭蕾训练方法规定了一套严格的练习程序，要求应用古典芭蕾的 5 种姿势和 7 种基本动作。这种训练方法在英国和美国都被广泛应用。英国的切凯蒂学会（现与帝国舞蹈教师学会合并）成立于 1922 年，美国的切凯蒂委员会成立于 1939 年。

Cecil FAMILY　塞西尔家族　英格兰最著名并拥有权势的家族之一，伊丽莎白一世的财政大臣、伯利勋爵 W. 塞西尔的后裔，有两个支系。长子托马斯被封为埃克塞特伯爵，其后裔第 10 代伯爵 1801 年被封为侯爵；次子罗伯特 1605 年被封为索尔兹伯里伯爵，其后裔（后亦封为侯爵）在 19 和 20 世纪成为保守党著名人物。

Cecil, Lord David　塞西尔（1902-04-09，英国伦敦～ 1986-01-01，多塞特克兰伯恩）　英国文学批评家、传记作家、教育家。因写有许多有见识、富有同情心和文笔优雅的文坛人物传记而闻名。他是索尔兹伯里侯爵（第四）的幼子，曾在牛津大学受教育，先后任沃德姆学院（1924 ～ 1930）和新学院（1939 ～ 1969）评议员。1948 ～ 1969 年在牛津大学任英国文

学教授。他的传记人物包括诗人 W.柯珀(《负伤的鹿》,1929)、J.奥斯丁(《简·奥斯丁》,1935)、梅尔本勋爵(《年轻的梅尔本》,1939)、T.哈代(《小说家哈代》,1943)、17世纪书简体作家 D.奥斯本和诗人 T.格雷(《两种安宁的生活》,1948)、作家和漫画家马克斯·比尔博姆爵士(《马克斯》,1964)。《图书馆之镜》(1975)是一部追溯他自己思想历程的选集。

Cecil, Robert 塞西尔 参阅 **Salisbury, Robert Cecil, 1st earl of** 索尔兹伯里伯爵(第一);**Salisbury, Robert (Arthur Talbot Gascoyne-) Cecil, 3rd marquess of** 索尔兹伯里侯爵(第三)。

Cecil, Robert (Arthur Talbot Gascoyne-) 塞西尔 参阅 **Salisbury, Robert (Arthur Talbot Gascoyne-) Cecil, 3rd marquess of** 索尔兹伯里侯爵(第三)。

Cecil, Lord Robert 塞西尔 参阅 **Cecil of Chelwood, (Edgar Algernon) Robert Gascovne-Cecil, 1st Viscount** 塞西尔子爵(第一)。

Cecil (of Essendine), Robert Cecil, Baron 塞西尔 参阅 **Salisbury, Robert Cecil, 1st earl of** 索尔兹伯里伯爵(第一)。

Cecil (of Chelwood), (Edgar Algernon) Robert Gascoyne-Cecil, 1st Viscount 塞西尔子爵(第一)(1864-09-14,伦敦～1958-11-24,英国肯特坦布里奇韦尔斯) 即 E.A.R.加斯

美国不列颠百科全书公司供图

科因-塞西尔。英国政治家,1937年诺贝尔和平奖获得者,国联盟约主要起草人之一,国际联盟最忠实的工作人员之一,一直工作到1945年该组织被联合国所替代。索尔兹伯里侯爵第三之子。他在第一次世界大战期间历任外交部次官、封锁大臣、外交副大臣。早在1916年就开始起草一项维护国际和平的协定。1919年参加巴黎和会时,他的主张与美国总统 W.威尔逊和南非陆军元帅 J.C.斯穆茨以及其他鼓吹建立国联的人的主张大致相同。他与斯穆茨一样,认为世界秩序决定于白人国家,反对国联成员国之间绝对的种族平等。1926～1927年日内瓦裁军会议上任英国主要代表,因不同意首相 S.鲍德温的指示而辞职。20世纪30年代,他极力主张国际联盟采取措施反对日本侵略中国东北和意大利侵略埃塞俄比亚,但未生效。在议会中,他是投票反对1938年在慕尼黑向纳粹德国让步的少数几名议员之一。

Cecil, William, 1st Baron Burghley 塞西尔(1520-09-13,英格兰林肯郡伯恩～1598-08-05,伦敦) 英国女王伊丽莎白一世在位大部分时期的主要顾问,文艺复兴时期著名

美国不列颠百科全书公司供图

政治家。作为外交家、政治家和行政官员,他才华出众,位居要津。父亲和祖父均为贵族,他小时候就和父亲一起在宫廷中任侍从。1535年入剑桥圣约翰学院,研究古典著作,接受基督教新教的影响。1542年由于拥护王室的政策而受到亨利八世的嘉奖,被任命为高等民事法院法官。翌年进入议会。1545年与M.库克结婚,使他能进入宫中有影响的基督教新教集团。爱德华六世即位后,他于1548年任摄政大臣萨默塞特的秘书。1549年萨默塞特失势,他一度被关入伦敦塔。1550年重新受宠,成为国王的秘书。1558年伊丽莎白即位,他担任女王唯一的秘书。他劝女王干预苏格兰事务并缔结《爱丁堡条约》(1560)。1571年受封贵族,称伯利男爵。1572年获嘉德骑士勋位并成为财政大臣。1587年西班牙无敌舰队的威胁日益增长。他在外交、陆军、海军和财政方面都做好充分的准备,因而英国得以在1588年击败西班牙的无敌舰队。他作为伊丽莎白的主要顾问,名震欧洲。塞西尔认为,他的责任是向女王提供最好的方案,然后去执行有利于女王的政策。他对女王忠心耿耿,也赢得女王的信任。他办事谨慎,竭力维护国家的利益。他宁愿以外交代替战争。他处理政务勤勉干练,反对贪污腐败。他在教会和政府中都安插自己的人,因此能够利用教士和贵族完成行政任务。他领导着审查和宣传工作和一个国内外的情报网。他在财政方面实行紧缩和节约,控制王室和陆海军的开支。在16世纪的欧洲,他领导的政府算是最宽容和有效的一个。1559年起塞西尔任剑桥大学名誉校长。他的家是学者们活动的中心。他的3处宅邸的装修、收藏品和花园为人们广泛称赞。他对伊丽莎白时代的建筑成就做出了积极的贡献。

Cecilia, Saint 塞西利亚,圣(活动时期2世纪或3世纪,罗马) 早期基督教著名女殉教士之一,对其历史真实性议论最多。根据5世纪晚期传说,她出身贵族,自幼向上帝发贞洁愿。被迫嫁与瓦莱里安(日后成为圣瓦莱里安),瓦莱里安尊重她的誓愿。瓦莱里安和他的弟弟经她劝导信教受洗,后来两人一同殉教。她把财产分给穷人,激怒了地方官阿尔马齐乌斯,他下令把她焚死,由于火焰不伤害她,于是将她斩首。

Cecropia(*Cecropiaceae*) **轻桑轻桑科** 植物,有数种,常分布于中南美洲受扰动的森林生境的下层。树干细,具白色的环状纹;枝端叶大,排列成伞状。这些特征易于辨识。生长极为迅速,易移生于森林的间隙或空地上。寿命通常30年左右,株高不到18米,木材质地很软。雌雄异株,雌株结果后能产生近100万粒种子。花极小,生于细长、下垂的结构上(柔荑花序)。轻桑与阿兹特克蚁之间的相互作用是热带地区互惠共生的典型例子。尽管有严密的防御机制,轻桑还是吸引了许多不同的鸟类和其他动物来食其果、花和叶子。

Cecrops 凯克洛普斯 传说中古希腊阿提卡的第一个国王。据说他制订了有关婚姻和财产的法律以及一种新的祭拜仪式。不杀生的祭献、掩埋死者、发明书写均被认为是由他引进的。当雅典娜神和波塞冬神为占有阿提卡而发生争论时,他是仲裁人。作为阿提卡的土著,他被描绘成上身为人形下身为蛇形的怪物。

cecum 盲肠 又作caecum。腹腔下部的囊袋状器官,接受来自小肠的未消化的食物。一般认为是大肠的第一部分。回盲瓣(亦称鲍欣氏瓣)将盲肠与回肠分开,控制食物进入盲肠的速度,并防止食物返流入小肠。在人,盲肠的主要功能为吸收经消化和吸收后仍留在肠腔内的液体及盐类,并分泌黏液与肠内容物相混合。盲肠的内壁由一厚层黏膜组成,能吸收水分及盐类。黏膜下为肌肉组织,可产生搅动和揉搓运动。其他动物的盲肠结构和功能有所不同。兔及马之类以植物为食,其盲肠较大,为吸收营养的重要器官,内多细菌,可帮助消化纤维素。肉食动物的盲肠较小甚或缺如。猫科和狗科动物的盲肠肌肉收缩力较大,且可作逆蠕动,已通过盲肠进入升结肠的食物团块可返回盲肠与新的食物混合。参阅 **appendix**。

cedar 雪松 松科雪松属(*Cedrus*)针叶乔木,4种,其中3种原产地中海地区山地,另一种原产喜马拉雅山脉西部地区。英语中一些木材芳香、红色或淡红色,能防腐和抗虫的常绿针叶树,也叫做 cedar。巨柏、翠柏(incense cedar)和某些刺柏属种类(junipers,参阅红柏[**red cedar**]),产"雪松木"(柏木,cedarwood),用制铅笔、箱柜、橱柜衬里、篱笆桩等;从木材蒸馏所得油质,用于许多化妆品。阿特拉斯雪松(大西洋雪松,*C. atlantica*)、塞浦路斯雪松(短叶雪松,*C. brevifolia*)、喜马拉雅雪松(神树雪松,*C. deodara*)和黎巴嫩雪松(*C. libani*)4种是真正的雪松,均为高大乔木,树干粗大,枝条开展,树冠外形不规则。

幼树树皮深灰色，较平滑，成熟后呈棕色，龟裂成鳞片状。叶针状三棱形，坚韧，沿长枝散生，在短枝顶端则成密丛。叶宿存3～6年，每叶内有2条树脂道。雌球花浅绿色或带紫

黎巴嫩雪松（*C. libani*）
美国不列颠百科全书公司供图

色，桶状，具树脂，着生在短梗上；被宽而薄的重叠覆盖的木质鳞片，每个鳞片有一个爪状突起。雪松木材轻软，具树脂，即使接触土壤或湿气亦经久耐用。在原产地是一种重要的建筑用材，在其他地区使用率不高。木材蒸馏还可得芳香油。喜马拉雅雪松和大西洋雪

黎巴嫩雪松（*C. libani*）的叶与球花
美国不列颠百科全书公司供图

松许多变种在北美，尤其沿太平洋和临墨西哥湾海岸为常见的观赏植物。雪松属的4个种很难区别，而且能发生种间杂交，因此，一些专家认为四者均可能是黎巴嫩雪松的地理变种。

cedar-apple rust　桧苹果锈病　北美的红柏（即弗吉尼亚刺柏，*Juniperus virginiana*）和桧属（*Juniperus*）的一些种类、苹果及花红植物受桧胶锈菌（*Gymnosporangium juniperi-virginianae*）所致的病害。此锈菌生活史需经桧属及苹果两种寄主才能完成。在红柏及其他桧属植物小枝上形成绿褐色至赭褐色瘿瘤，圆形或肾形，径达5厘米。在多雨的春季，瘿瘤上被以胶质黄色至橙褐色孢子角，长5厘米。瘿瘤产生担孢子或小孢子数万亿。气流携带孢子侵染苹果及花红的嫩叶及果实。在叶片及靠近萼端上，黄白色及橙黄色斑出现黏性中心和微小的黑色的性孢子器。随后在叶背及果实上发育成橙色小管状春孢子器，叶和

桧苹果锈病
美国不列颠百科全书公司供图

果早落。春孢子产生在春孢子器中，夏末经风传播至桧属植物，侵染叶部，瘿瘤至翌春产生孢子以完成两年的生活史。防治法是铲除寄主，及时施用杀菌药剂（春季施于桧类，夏季用于苹果类）。

Cedar Breaks National Monument　锡达布雷克斯国家保护区　美国犹他州西南部的自然保护区。建于1933年。位于锡达城东南24千米。位于马卡根特高原西端，海拔3 200米。占地26平方千米。石灰岩的铁、锰氧化杂质随阳光照射角度不同而反射出各种迷人的色彩。春雪消融后，野花遍及山坡和草地。野生动物有大耳黑尾鹿、花栗鼠、松鼠、獾和各种鸟类。

Cedar City　锡达城　美国犹他州西南部艾恩县城镇。在哈里肯断层的悬崖上，海拔1 768米。1851年始建，1868年设建制，1923年通联合太平洋铁路支线后发展迅速。经济以旅游、采矿、农业和牧业为主。20世纪90年代因环境优美、消费水平低，吸引临近西部各州退休人员在此定居。设有州立冶铁会历史纪念地和迪克西国家森林管理处。附近有锡达布雷克斯国家纪念地、布莱斯谷和宰恩国家公园。南犹他州立学院设此（夏季举行犹他莎士比亚节）。帕尔默纪念博物馆内存有派尤特印第安人遗物。人口20 527（2000）。

Cedar Falls　锡达福尔斯　美国艾奥瓦州中东部布莱克霍克县城市。濒临锡达河，东邻沃特卢市。1845年始有人定居。一度繁荣，成为谷物、牲畜和木材集运点。1853～1855年曾为县城。1857年设市。现主要为居住区。工业生产回转泵、农业设备等。有北艾奥瓦大学。人口：市36 145；沃特卢-锡达福尔斯都会统计区128 012（2000）。

Cedar Rapids　锡达拉皮兹　美国艾奥瓦州中东部城市，林县县城（1919）。跨锡达河两岸。位于玉米带中部，得梅因东北偏北40千米处，邻接马里恩市。1849年设镇，1856年建市。1859年通铁路后，成为谷物、牲畜市场。经济以农业及有关工业（加工谷物、肉类、饲料，生产农具和牛奶加工机）为主，也制造电子设备。设有科埃学院（1851）、芒特默

锡达拉皮兹城市风光
美国不列颠百科全书公司供图

西学院（1928）、柯克伍德社区学院（1966）。市内共济会图书馆及共济会总部办公大楼所藏共济会文物数量之多居世界之冠。人口：市120 758；都会区191 701（2000）。

Cedar River　锡达河　美国中北部不通航河流。源于明尼苏达州东南部，东南流，经艾奥瓦州，距密西西比河约32千米处，汇入艾奥瓦河。全长529千米，流域面积20 251平方千米，落差226米，不能通航。流域大部为肥沃农田。河上建有数座小水电站。流经城市有明尼苏达州的奥斯汀和艾奥瓦州的查尔斯城、锡达福尔斯、沃特卢和锡达拉皮兹。主要支流为小锡达河和谢尔罗克河。

Ceduna　塞杜纳　澳大利亚南澳大利亚州中西部城镇和港口。濒临迪奈厄尔湾。位于阿德莱德西北550千米处。专门捕捞和包装鱼。附近有圣弗朗西斯岛自然保护公园。人口2 599（1996）。

Cefalù　切法卢　意大利西西里岛北部巴勒莫省城镇和主教区中心。濒临第勒尼安海，在巴勒莫市东。古时称切法拉迪姆。1131年建造著名大教堂时建起新城。大教堂外部保存完好，内部于16和17世纪全面整修。古代遗迹有狄安娜寺（古希腊之前的巨石建筑）

切法卢的诺曼式大教堂
美国不列颠百科全书公司供图

等。曼德拉利斯卡博物馆藏有考古文物和艺术珍品。为港口和公路铁路枢纽以及旅游业中心。栽培葡萄、橄榄、柑橘等水果。渔业重要，有食品罐头业。人口：城市区约13 791（1991）。

Cefuyuangui 《册府元龟》 英语作Guide to Books。中国北宋四大部书之一，史学类书。宋真宗景德二年（1005），王钦若、杨亿等奉敕编。历8年成书。辑录上古至五代君臣事迹，初名《历代君臣事迹》，后改题《册府元龟》。“册府”意为书籍总汇，“元龟”指古代占卜用大龟，引申有鉴戒之意。全书1 000卷，分31部，1 104门，约940万字。取材限于正史，间及经书、子书。但所据书皆北宋以前古本，内容与今本多有不同。引文系整篇照录，文中俚语也未删节，可用以订正今本之误，对宋以前史籍的辑佚和校勘有重要价值。

Cegled 采格莱德 匈牙利中部佩斯州城镇。为匈牙利大平原上有特色的农民社区，是历史悠久的农产品市场；其南面广阔地区种植蔬菜和水果，饲养家禽和家畜，以供应西北72千米的布达佩斯市场。来自布达佩斯的铁路干线在采格莱德分成两条支线：一条向南驶向塞格德，另一条向东驶向索尔诺克、德布勒森和罗马尼亚。从布达佩斯出发、贯穿匈牙利东部的主要公路也通过该镇。人口约36 000（1999）。

Ceglie Messapico 切列梅萨皮科 意大利南部普利亚区布林迪西省城镇。位于塔兰托东北。为一农业贸易中心。有一中世纪城堡。人口：城市区约20 699（1991）。

ceiba (fibre) 参阅 **kapok** 木棉。

ceiling 天花板 又称顶棚、吊顶。架空覆盖房间的表面及楼层或屋顶的底面。常用天花板遮掩楼层和屋顶结构。自古以来人们就喜好在天花板上进行装饰，或在上作画，或作成浮雕图案，或使屋顶或楼层的构件突出。古代希腊的天花板如何不详，但罗马的天花板多有浮雕和绘画，庞培浴厅的拱圈内面可为佐证。哥特式时期，一般潮流是用构件作装饰，遂引起有梁支承的天花板的发展，即以大顶梁支承较小的楼层梁，互成直角，小梁和大梁均有很多凹槽并饰以线脚，往往刷上鲜亮的颜色。文艺复兴时期，天花板设计的新颖别致和千变万化都达到登峰造极的地步。精心制定了3种类型：第一种是藻井天花板，意大利文艺复兴建筑师们的复杂图案远远超过其罗马原型的水平。圆形、方形、八角形和L形的藻井大量存在，其边缘有丰富的雕刻，而每个藻井心部均饰一玫瑰花形。第二种是全部或部分拱形的天花板，往往有拱的交叉，以扁带彩饰突出建筑设计，其余空间添入图画。由拉斐尔和朱里奥（罗马诺）装饰的罗马法尔内塞别墅的敞廊便是此种天花板的良好范例。在巴罗克时期，这一类天花板也用高浮雕的奇异图形、涡卷、涡卷形边框和花饰来装饰。佛罗伦萨的皮蒂宫以及路易十四风格的许多法国天花板即是这方面的例证。第三种天花板变成了一巨幅带框的绘画，威尼斯尤其具有这一特征，如在总督府中。在现代建筑艺术中，天花板可以分为两大类——悬挂天花板（或称吊顶棚）和明敞天花板。一些建筑师将天花板吊在构件下面，留有一定距离，以便隐藏大量的机械设备和电气设备，如电气导线管、空调管道、上下水管道和照明装置。大多数悬挂天花板使用一个重量很轻的金属格架，用钢丝或细杆从建筑物结构吊下，支承石膏薄板或吸声面砖。其他一些建筑师注重明敞结构体系的美感，喜欢使机械设备和电气设备露在外面。为了满足这一愿望，许多结构体系已经发展到其本身具有一种表现力，而且制出美妙绝伦的天花板，例如F.L.赖特为威斯康星州拉辛的约翰逊制蜡公司设计的办公楼和P.L.内尔维在意大利都灵设计的展览厅。

ceilometer 云幂计 一种测量云底高的装置，设置在机场上用来测定云幂高度。这种设备昼夜工作，向顶空射出一束经音频调制的强光束（通常为紫外线），从云底反射回来后，由云幂计接收器中的光电池发现。有两种云幂计：①扫描接收式云幂计的发射器发射固定的垂直光束，接收器安装在已知距离外，其抛物面收集器不断沿垂直光束上下扫描，搜索光束与云底的交点，发现交点后量出该点的仰角，经过简单的三角计算，即可求出云底的高度。②旋转发射式云幂计的接收器固定指向正上方，发射器搜索天空，当调制光束与接收器正上方的云底相交时向下反射而被发现。

Ceiriog (Welsh lyricist) **凯里奥格** 参阅 **Hughes, John Ceiriog** 休斯。

Ceiriog, Eos (Welsh poet) **凯里奥格** 参阅 **Morus, Huw** 莫尼斯。

Cela, Camilo José 塞拉（1916-05-11，西班牙伊里亚弗拉维亚～2002-01-17，马德里） 西班牙作家。获1989年诺贝尔文学奖。他也许因其小说《帕斯库亚尔·杜亚尔特一家》（1942）而名噪一时，并被认为赋予了西班牙文学以新的生命。他的文学作品主要是长、短篇小说和游记，其特征是形式和内容上的试验和革新。某些评论家还认为塞拉创立了一种叫做“恐怖主义”的小说风格，倾向于强调暴力和怪诞形象。塞拉在西班牙内战（1936～1939）的前后就读于马德里大学，在内战期间他在佛朗哥军队服役。他第一本小说《帕斯库亚尔·杜亚尔特一家》奠定了他在欧洲的声誉。该书属于传统形式，获得大众的喜爱和评论界的好评。他第二本小说《蜂房》（1951），情节按不完整的年代顺序发展，人物众多，该书从革新和透视的角度描绘了战后的马德里景象。该书巩固了塞拉在评论界和读者中的声誉。他的另一本比较著名的先锋派小说《圣卡密罗，1936》（1969）是一连续的意识流作品。他在西班牙农村地区旅游和对拉丁美洲国家访问的基础上写就的游记也明显表现出他的敏锐的观察力以及富有色彩的描绘技巧。其中最著名的游记有《阿尔卡里亚游记》（1948）、《从米尼奥河到比达索》（1952）和《犹太人、摩尔人和基督徒》（1956）。在他的许多短篇小说中有《飘去的云》（1945），以及收录在短篇小说集《风车和其他短篇小说》（1956）中的4篇小说。后期小说包括《为两个死者演奏的玛祖卡舞曲》（1983）和《圣安德列斯的十字架》（1994）等。还著有散文、诗篇和回忆录。晚年他经常在电视上露面。1955在马霍卡岛定居，在该地他创办颇受尊敬的文学评论刊物《舰队之声报》（1956～1979），并出版印刷精美的书籍。1968年他开始出版多卷本《俚语词典》，其中编录了“不宜付印的”但家喻户晓的单词和短语。1957年被选入西班牙皇家学院。

Čel'abinsk (Russia) 参阅 **Chelyabinsk** 车里雅宾斯克。

celadon 青瓷 中国人、朝鲜人、暹逻人和日本人的炻器，加釉，其色调有各种绿、橄榄色、青和灰。颜色是由上釉前在坯体上施一层含铁量高的土釉（泥浆）而来。在烧制时，铁与釉相互作用，给釉著色。青瓷传入西方比较晚，而在东方世界，很早以前就被视为珍品。由于四面八方需求，唐朝（618～907）曾输往印度、波斯和埃及，宋朝（960～1279）和明朝（1368～1644）向亚洲大部分地区出口。这种瓷器所以受人欢迎，一是因为美观；一是因为有一种迷信，认为青瓷碟子放入有毒食物就会破裂或者变色；一是因为在中国人看来，它酷似玉制品。

西晋青瓷羊，江苏南京出土
中国大百科全书出版社供图

初制于汉朝（公元前206～公元220）的越窑瓷器是最早的青瓷；釉的颜色是橄榄绿和褐绿。宋朝青瓷产自龙泉窑，14世纪最初到达欧洲，现存者有大皿、碗和大花瓶。釉质极佳，色绿透明。体黏厚，常具明显碎纹。通常为刻饰，但亦见模饰。有一些罐的模制不挂釉，因而烧制后呈深红褐色，与釉的颜色形成有力对比。可归属明朝的青瓷大多有釉下花和叶刻饰。

朝鲜高丽时代（918～1392）的青瓷有多种釉色，由青绿直至油灰。许多青瓷作西瓜或葫芦形，上面开口。有不少样品为釉下嵌饰，这可能是与典型中国青瓷的最大区别。在后来通称“三岛”的样品中，首先把图案刻入黏土，然后把黑白两色的泥釉注入刻纹。刻饰的图案有种种不同，但主题大多为花，偶然有鸟。亦可见单独的花，花瓣对称放射，主要在盒子上。李朝（1392 ～ 1910）初期，图案往往盖印而非手刻。也有五彩拉毛粉饰，经由灰白泥釉刻出图案。

暹逻青瓷受中国瓷器影响，在灰白坯体上施半透明釉，釉一般灰绿，常带碎纹。一种普通装饰是粗线条垂直凹槽，瓶肩刻环圈以突出轮廓。比较明确的装饰总是在釉下刻

朝鲜高丽时代的"三岛"纹样青瓷瓶，13 世纪
中国大百科全书出版社供图

出，而且通常是花卉。常见的形式有带盖的碗、皿、大口水罐，以及颈上有两个小环柄的小口瓶。

在日本，由于输入越窑瓷器和珍视朝鲜青瓷，镰仓时期（1192 ～ 1333）于濑户（今属爱知县）附近开始仿制。最重要的瓷器称"本业烧"（旧濑户），这是一种真正的青瓷，但是往往氧化成日本人叫做"枯叶"的颜色。"本业烧"的瓷器有：上供花瓶、环柄罐子、米酒容器、大口水罐和香炉。有黑釉和橄榄绿釉。在 17 世纪期间（江户时期），日本青瓷的精美制品是有田的著名锅岛窑生产的。

当今，曼谷大规模生产传统的家用青瓷瓷器。20 世纪，在中国和日本，以及在汉城，均有早期瓷器的精妙复制品。

Celaenae 切兰纳 弗里吉亚古代要塞城市（在今土耳其境内），居鲁士对阿塔塞克西斯的万人军远征（公元前 401）的出发地（据色诺芬《远征记》的记述）。公元前 333 年切兰纳为亚历山大大帝所征服，后来救世主安条克一世将其更名为阿帕梅亚（西博土斯的）（**Apamea Cibotus**），并重建于较为开阔的地点，想从东方贸易大道上兴隆的商业获利。其地现为土耳其迪纳尔镇。

Celâli Revolts 参阅 **Jelālī Revolts** 杰拉里叛乱。

Celan, Paul 策兰（1920-11-23，罗马尼亚切尔诺蒂［今乌克兰切尔诺夫策］～ 1970-05-01，法国巴黎） 原名保罗·安切尔。诗人。虽然从未在德国住过，但是，他使第二次世界大战后的德国文学发出最有力和最有革新精神的呼声。他的诗风受到法国超现实主义的影响，题材则受他作为犹太人的悲伤心情所左右。第二次世界大战中罗马尼亚处于纳粹控制之下时，策兰的双亲被杀害，他本人则被送往强制劳动营。1945 ～ 1947 年，策兰在布加勒斯特做过翻译和审稿人，后迁居维也纳，在那里发表第一本诗集《骨灰罐里倒出来的沙》（1948）。他的诗一开始就显示出特色：对现实中种种恐怖和伤害的变幻不定的感受以及运用比喻和诗艺的娴熟。1948 年策兰定居战前在那里学过医的巴黎，在师范学院任语言讲师。此外还把莎士比亚戏剧以及法国、意大利和俄国的诗译成德文。他的第二本诗集《罂粟和回忆》（1952）使他在德国成名。接着又出了 7 本诗集，其中包括《光的力量》（1970）。后自杀身亡。

celandine 燕子草 几种外表相似的有花植物的统称。尤指大燕子草（白屈菜，或称大白屈菜，*Chelidonium majus*），既往在旧大陆入药，现只有少量生长在野生植物园里。属罂粟科。具有毒的橙色液汁；叶分裂，有粗锯齿；花瓣 4 枚，黄色，直径约 2.5 厘米；蒴果窄而薄。白屈菜能除疣，曾称疣草。燕子草罂粟即二苞叶罂粟（二叶人血草、二叶金罂粟，*Stylophorum diphyllum*），亦属罂粟科，产北美，似白屈菜属植物，但花大，为白屈菜属植物的 2 倍；叶分裂更多，生在花簇下面的茎上，并有基生叶；液汁橙黄色。二苞叶罂粟是这个属在西半球的唯一的种。本属其他几个种原

大燕子草（*Chelidonium majus*）
美国不列颠百科全书公司供图

产亚洲。二苞叶罂粟在新旧大陆土壤肥沃、湿润的条件下生长旺盛。小燕子草又称小花菱草、痔草，即无花果状毛茛（*Ranunculus ficaria*），属毛茛科，叶心形，具典型的毛茛花；原产于欧洲，在北美已引种。

Celano, Lago di（Italy） **切拉诺湖** 参阅 **Fucino Basin** 富齐诺盆地。

Celastraceae 卫矛科 卫矛目的一科，约55 属，木质藤本、灌木或乔木，原产于热带和温带地区。最著名的是卫矛属（*Euonymus*）和南蛇藤属（*Celastrus*）的观赏种类。本科植物的果实常色彩鲜艳；叶通常革质；花小，萼片和花瓣 4 或 5；雄蕊发自通常显著的花盘，与花瓣互生。阿拉伯茶（非洲茶，*Catha edulis*）原产东非，为纤细直立乔木，高达25米；叶大，

日本卫矛（*Euonymus japonica*）
美国农业部政务与公共事业局供图

广椭圆形，通常对生，叶缘具细齿，叶内含刺激性物质，味略辛辣，常取来供咀嚼用。*Paxistima*（或 *Pachystima*）属约 5 种，为低矮匍匐的灌木，原产北美，如 *P. canbyi*，叶常绿，花小，淡绿色。

Celastrales 卫矛目 显花植物的一目，属于木兰纲或双子叶植物（**dicotyledon**）。12 科，147 属，约 2 000 种。主要为乔木。冬青科、卫矛科、茶茱萸科及翅子藤科等 4 科广泛分布于世界各地，包含本目 90% 的种。这些种类生长成森林，要求中等肥沃的土壤。

冬青科 300 种，其中许多种原产于中美、南美热带及亚洲温暖地区。但几种为人熟知的冬青分布范围北至南欧和美国东部。枸骨叶冬青（*Ilex aquifolium*）又称欧洲冬青，高可达 16 米，木质优良，可制镶板。枸骨叶冬青用作装饰植物，已有数以百计的园艺品种用作观赏植物。美国冬青即不透明冬青（*I. opaca*）广布于美国东部温暖地区，并栽种于商业性的果园中用以观赏其红色、黄色或黑色浆果状果实。木质优良，用于家具制造及内部装饰。美国冬青有 1 000 多个园艺品种，亦用作主景树、行道树、防风树，甚至用于盆景。巴拉圭冬青（*I. paraguariensis*）的叶在南美用以制备一种富含咖啡因的饮料——巴拉圭茶。

卫矛科有 55 属。南蛇藤属（*Celastrus*）和卫矛属（*Euonymus*）是本科在北半球最为人熟知的属。美洲南蛇藤即攀缘南蛇藤（*C. scandens*）为灌木，可缠绕在棚架上，附生在高树上，从而在多树木的地区蔓延生长。秋季，其干燥的蒴果裂开，露出成团的种子，外被鲜艳橙色浆果状的假种皮，因色彩鲜艳，常用于干花束中。卫矛属的许多亚洲种及栽培品系为常绿植物。扶芳藤（*E. fortunei*）原产于中国中部及西部，有许多类型可用作地被植物，耐寒，分布范围北至新英格兰。欧洲卫矛（*E. europaea*）又称欧洲纺锤树，高可达 6 米，假种皮的颜色从橙色至薰衣草色（淡紫色）。

茶茱萸科 58 属，400 种。均为热带乔木及藤本，主要分布于南半球。少数种，如彭南特氏木属（*Pennantia*）、维拉尔氏木属（*Villarsia*）的种类，在当地栽作观赏植物。

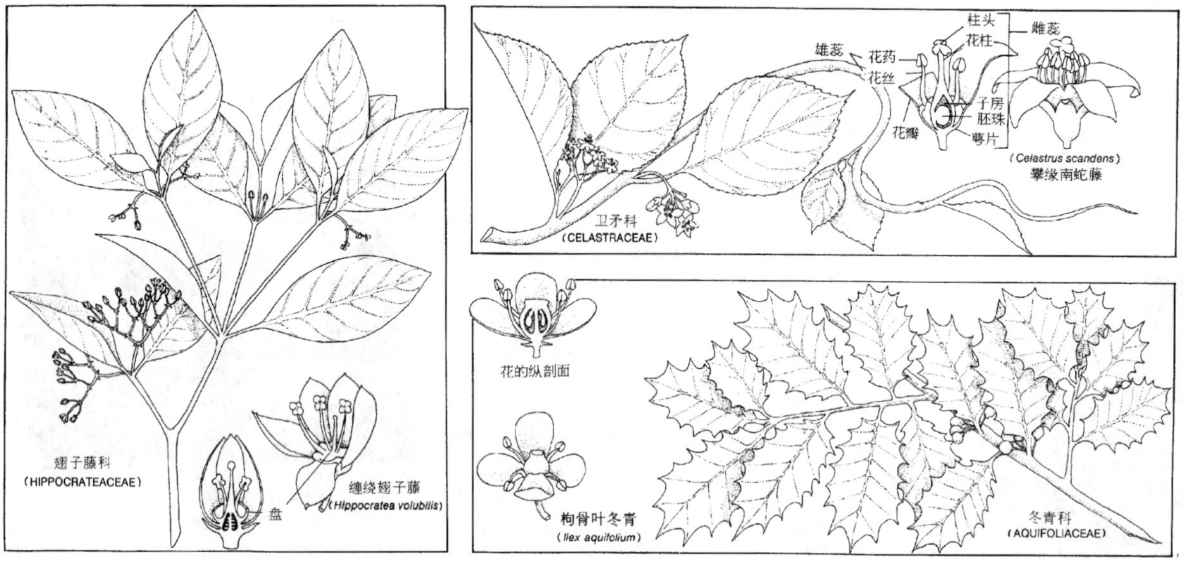

卫矛目3个大科的代表植物

翅子藤科的种类为木质藤本及细长的乔木，主要原产于南美，但亦见于非洲。许多种类具乳汁管，内含乳状汁液。

南蛇藤属及卫矛属的种类具有一种独特的无性繁殖方式。胚珠内的卵受精后可形成胚胎，此外，内种皮区亦形成另一胚胎。于是两个胚胎通过两个不同的过程形成：第一个胚胎为有性繁殖的产物，另一个为无融合生殖的产物。第二个胚胎实为内生芽，仅携带其所由产生的植株的特性。种子萌发后两个胚胎均可发育为籽苗。卫矛目许多属的花单生于叶腋（茎与叶柄之间的角）。另一些种类，如冬青的花簇生成花序，通常花序内的花数不多。典型的卫矛目植物的花每轮具4～6枚萼片、花瓣及雄蕊。萼片和花瓣的基部可部分连合。雌蕊由3～6心皮构成，子房膨大，柱头分叶。子房上位，每室内含两颗胚珠。受粉和受精后胚珠发育成种子，子房发育为果实。冬青的果实肉质，但非真正的浆果，实为核果或核果状浆果。卫矛目其他科植物的果为蒴果至翅果。冬青和卫矛目其他植物可以具有几个不同类型的花。具有完全（两性）花的植株上也可以具有雄花（仅雄蕊有功能）和雌花（仅雌蕊发育完全）。这种多样性增加了受粉的机会。卫矛目的7个科具有独特的分泌花蜜的盘状结构，位于雄蕊之下、之间或之上。盘的位置有助于科的鉴别。冬青不具此种盘状结构。一般都认为卫矛目4个主要的科构成一个关系密切的类群。至于其他一些较小的科，其结构特征尚未经详细研究。卫矛目各科的共同特征有：单叶，子房每室内含胚珠1或2颗；雄蕊附近有产蜜盘。各科之间的区别在于：托叶的有无，藤本习性，花序类型，雄蕊花、雌蕊花和完全花的分布，雌蕊的结构，胚珠的弯曲度，以及种子的特征。

Celaya　塞拉亚　墨西哥瓜纳华托州中南部城市。位于墨西哥高原肥沃的巴希奥地区，在拉哈河以北4千米处。海拔1 760米。1571年始建。19世纪在历史上起过重要作用。依靠莱尔马河上游水源灌溉，为重要的农牧业中心。盛产玉米、豆类、小麦等。饲养牛、猪和羊。还有乳制品、糖果和纺织品。铁路和公路枢纽。建筑师F.E.特雷斯格拉斯（1765～1833）诞生于此，他的代表作是卡门圣母教堂（1807）。他的其他作品有殖民时期风格的圣弗朗西斯科教堂（1715）中的祭坛。人口277 750（2000）。

Celaya，Battle of　塞拉亚战役（1915-04）1911年墨西哥革命后各革命派别间的一次战斗，是墨西哥历史上最血腥的战斗之一。战场在瓜纳华托州塞拉亚。一方是A.奥夫雷贡的军队，另一方是P.比利亚的军队。在内战中，奥夫雷贡支持V.卡兰萨。比利亚的骑兵曾发动两次攻势，未能突破奥夫雷贡的阵地，由于伤亡惨重，只好北撤，从而使卡兰萨有效地控制了墨西哥。比利亚继续在北部从事叛乱活动，直至1920年卡兰萨被推翻。

Celebes　西里伯斯　印度尼西亚语作Sulawesi（苏拉威西）。印度尼西亚大巽他群岛四大岛之一。岛形奇特，由4个形状各异的半岛围成3个海湾，最大的托米尼湾位于东北部，托洛湾在东部，波尼湾在南部，海岸线总长5 478千米，连同附近小岛面积共计227 654平方千米。岛上多山，有些活火山，半岛南部有较大平原，岛的中南部种植水稻。最高峰兰特孔博拉山（或称马里奥山）海拔3 455米。主要深水湖有托武蒂、波索和马塔纳。据测量，马塔纳湖深达590米。河流短小，无足轻重。西里伯斯位于澳、亚两大陆的大陆架之间。中央广阔地域由火成岩混杂构成，其东南角是宽阔的火山岩屑即凝灰岩带，已有6 500万年之久，边缘区偶尔有珊瑚石灰石。南部山脉中心地区有片岩和石英岩，而由火山构成的米纳哈萨地区在结构上与岛屿的任何其他地区都有所不同。气候炎热，但有海风调剂，年降雨量由兰特包（西南部中央）的4 060毫米到帕卢（近西海岸的裂谷）的530毫米不等。一般说来，动物群属亚洲类而非澳洲类。独特品种有鹿豚或称猪鹿、黑颈狒狒和倭水牛等。婆罗洲的淡水鱼与西里伯斯的淡水鱼存在明显不同。西里伯斯大部分地区仍然森林密布，植物群与菲律宾有许多相似之处，但在西部亚洲品种较多，东部澳洲品种较多。

居民主要由7个民族组成，即托亚拉、托拉查、布吉、望加锡、米纳哈萨、莫里和戈龙塔洛人。托亚拉人散布于岛上各地，是隐居丛林中的游牧居民，有自己的语言。托拉查人在岛中部、东南部和东部，属于澳斯特罗尼西亚族（马来-波利尼西亚族），有自己的语言，基本上务农，大部分信基督教，但仍保留许多有灵论的习俗。布吉人和望加锡人是穆斯林，体格强壮，精力充沛，肤色白皙，酷爱赌博、欢宴和斗鸡，他们住在南部，很勤奋，善于制作编织物品、纺织品、金银细工和造船等。米纳哈萨人与其他民族不同，他们肤色白皙、高鼻梁、突嘴唇、双眼间距较大，黑发短而硬，身材高大健壮，住在万鸦老周围，是岛民中最西方化的民族，生活方式也是欧洲式的，每座村落都有基督教堂和学校。莫里人是高地民族，住在东部许多地方。戈龙塔洛人住在东北半岛西部和中南部，身材矮小，头发平直，肤色较白，是穆斯林。该岛及邻近岛屿分为4省。岛上经济最发达的地区在南半岛和东北半岛端部。南方种水稻、玉米、木薯、芋类、豆类；沿海种烟草，制取海盐；坦佩与锡登伦两湖周围的冲积平原种植谷类；巴里巴里以东的萨维洛河上有水电站。东北出产椰干、林产品和一些硫磺，还有相当规模的渔业。东半岛大部分未开发，人口稀疏，主要是自给性农业。西南半岛和岛的中部是国家移民计划的中心，根据这个计划，中央政府试图从爪哇和巴厘岛大量移民来此定居，以减轻那些岛屿的人口压力。这些地方的经济因此日益发达，经济部门也逐步多样化。西南半岛的主要城镇之间有公路相接，而在其他地方，公路（万鸦老—克马、肯达里—科拉卡及多拉亚高原公路除外）则仅限于沿海地区。主要机场在望加锡、万鸦老、哥仑打洛、肯达里、波索和帕卢。

西里伯斯最早的人类居住痕迹是托亚拉文化的石器。欧洲人到来之前的1个世纪里，西里伯斯南部建立了马来海岸的穆斯林苏丹国。1512年一心想垄断香料贸易的葡萄牙人来到这里,1607年荷兰人在望加锡建起殖民点。荷兰势力逐渐扩展,一直到波尼和戈瓦国分别于1905和1911年丧失独立。第二次世界大战期间被日本人占领,1950年加入印度尼西亚共和国。此后政治骚动和叛乱从未停止过,但并未危及中央政府的统治。人口约14 946 488(2000)。

Celebes black ape(*Cynopithecus niger*) **西里伯斯黑猴** 又作Celebes crested macaque。又称西里伯斯冠猕猴。猴科树栖动物,分布于西里伯斯、巴占和附近岛屿。尾短;眉突出;脸黑,裸露;吻长而扁平。大小和狒狒相近,体长55～65厘米,尾长1～2厘米,毛色深棕或黑。雌性体重约为5.5千克,雄性体重约为10千克。雄体有纵向的冠毛。对其习性了解很少。昼行性,以果实为食,栖息于雨林。某些部落人视之为祖先。

Celebes Sea **西里伯斯海** 印度尼西亚语作Laut Sulawesi(苏拉威西海)。太平洋西部的一部分洋面。北界苏禄群岛、苏禄海和棉兰老岛;东连桑义赫群岛;南接苏拉威西岛;西邻婆罗洲。南北长675千米,东西宽837千米,总面积280 000平方千米。苏拉威西海通过望加锡海峡向西南的爪哇海展开,海盆为断层陷落所形成的两边陡峭、底部大致平坦的构造断块。水域深度大多为4 000米以上,最深为6 220米。深部海水从棉兰老岛以南的太平洋流入,通过望加锡海峡向西南流出,表层流也如此。渔业发达。沿岸和岛屿之间的贸易兴盛。

Celer, Quintus Caecilius Metellus **塞莱尔** 参阅 **Metellus Celer, Quintus Caecilius** 梅特卢斯·塞莱尔。

celery(species *Apium graveolens*) **芹菜** 伞形科草本植物。原产于地中海地区和中东。古希腊人和罗马人用于调味,古代中国亦用于医药。古代芹菜的形态与现今的野芹菜相

芹菜
美国佐料商会供图

似。18世纪末期,芹菜经培育形成大而多汁的肉质直立叶柄。芹菜的特点是多筋,但近年来已培育成一些少筋的变种,著名者如帕斯卡尔(Pascal)。在欧洲,芹菜通常作为蔬菜煮食或作为汤料、蔬菜炖肉等的佐料。芹菜的果实(或称籽)细小,具有与植株相似的香

芹菜的叶和花
伯比种子公司供图

味,可用作佐料,特别用于汤和腌菜。芹菜种子约含2%～3%的精油,主要成分是*d*-苎烯(柠檬烯)和芹籽烯。块根芹(*A. g.* var. *rapaceum*)具有可食用的粗根,生食或烹调作菜。

celery cabbage(*Brassica pekinensis*) **大白菜** 芥属蔬菜,栽培以食其叶。参阅 **Chinese cabbage**。

celery-top pine (*Phyllocladus asplenifolius*) **芹叶松** 又作adventure bay pine。又称冒险湾松。罗汉松科针叶乔木。原产于塔斯马尼亚温带雨林从海平面至750米高处,生长缓慢,

芹叶松(*Phyllocladus asplenifolius*)
美国不列颠百科全书公司供图

可供观赏和用材。在高海拔地区呈灌木状,在低海拔地区可高达18米,偶达30米。叶鳞片状,不显著。分枝不规则,小枝扁平,绿色,呈芹菜叶状(叶状枝),可代行光合作用。

celesta **钢片琴** 外形像小型竖式钢琴的一种用于管弦乐队的打击乐器。巴黎人A.米斯泰尔于1886年获得专利。由多条小金属板条组成(因此是一架金属击鸣乐器),并有键盘和简化的钢琴机械装置,用小毡槌击板条。各板条均用木箱或类似物产生共鸣,借以加强板条的泛音基音。踏板可使毡垫制音器离开板条,使所奏的音延续。一般音域从中央C到以上的4个8度。音叉琴(typophone)是一种与之类似的、但发音较柔和的乐器,用由短到长的钢制音叉代替金属板条,

钢片琴
美国不列颠百科全书公司供图

有时被误称为钢片琴,1865年由米斯泰尔之父创造,1868年加以改进后获专利权。

celestial globe **天球仪** 按恒星和星座在天空中的位置而制成的一种球形仪器,被用来从事某些天文学或占星术的计算或用作装饰品。在古希腊就已有天球仪。一般认为米利都人泰勒斯(活动时期公元前6世纪)是这种仪器的首创者。现存最古老的天球仪(估计制成于公元前3世纪)可能是法奈斯天球仪。该天球仪现收藏在那不勒斯的国家考古博物馆里。由于上面只有星座而无单星,对天文学家可能没有什么实用价值。据认为它是罗马人仿照希腊天球仪制作的。一些制成于11世纪的阿拉伯天球仪仍保留至今。生活在太平洋岛屿的航海人员把天球仪用作学习天文导航的教具。

celestial mechanics **天体力学** 天文学的一个分支。它研究自然和人造天体的运动问题,传统上尤指太阳系动力学问题。由于动力学和天体力学关系密切,创立动力学基本定律的I.牛顿也可说是天体力学的创始人。

简史 早期的天体力学只注重太阳系天体的运动。当时观测既不准确,概念也多错误,或建立了一些根本没考虑力学的“模型”,因而不能作出满意的预测。到公元前约4世纪,希腊哲学家柏拉图用圆运动的组合来描述天体运动,这种观点后来发展成为亚里士多德和托勒玫的地心体系。这一体系也是一种没有动力学概念的纯运动学模型。17世纪开普勒发现的开普勒行星运动定律可认为是纯运动学天体力学的最后成果。这些定律的发现为牛顿后来发现万有引力定律和力学的基本规律奠定了基础。此后,天体力学由运动学阶段跨入动力学阶段并获得飞速发展。牛顿天体力学的特点在于用数学分析方法解运动方程,把天体的位置表为时间的“显函数”。这种方法固然很好,但只在一些最简单的问题才能有解。实际上,所有不能用分析方法求解的问题都须用近似法或级数法求解,而这些级数只在时距不长的条件下才是正确的。尽管级数解并不具备分析解所具有的各种性质,在帮助人们了解天体近似动态

这一点上,它还是有价值的。天体力学的另一发展途径是庞加莱提出的“定性方法”。这种方法不用具体数字描述天体的运动,而是探测天体运动轨道的特性,因而对理论研究、尤其是对不能用定量方法求解的问题更有意义。

现代方法 发展现代定性方法和使用电子计算机是现代天体力学的两大特点。由于电子计算机既快又可靠,欧拉和布劳威尔等人的级数法又获得新生。自从宇航时代开始以来,用电子计算机算出问题的特解比寻求问题的通解更为重要。电子计算机的出现也使人们能用“实验方法”来判断行星或卫星的轨道的稳定性,即在什么条件下轨道是周期性的,在什么条件下体系会瓦解。近代天体力学的另一个方法是处理“紧密接近”问题。这种问题在自然天体中并不多见,在宇航中则比比皆是,月球探测器在飞近月球时的运动问题就是一例。由于万有引力随距离的缩小而增大,相对速度和加速度也会随之增大,而当距离趋于零时还会出现“奇点”,从而使传统的计算方法变得很困难。在这种问题中,计算上的微小误差会使计算结果同实际相差很大,因此必须研究消除奇点的办法。研究表明,只要选择合用的变数,大多数奇点问题都可解决。这种方法称为“正规化”。实际上,早在17世纪,开普勒就已知道这种方法。他在研究行星运动时除用真近点角和平近点角外,还引入偏近点角这一变量来代替时间,实际上就是一种“正规化”方法。后人在研究中引入其他新的独立变量或非独立变量,都可看成是引入偏近角方法的推广。

摄动问题 如果只有两个天体,它们的轨道将是椭圆、抛物线或双曲线,视运动的初始条件而定。如果还存在第三个天体,则第三个天体的引力将使原来两天体偏离它们的轨道,即产生摄动。但摄动也可不是来自第三个天体,例如,地球内部物质的非球对称分布也会对人造地球卫星产生摄动;此外,大气对低空人造卫星,太阳辐射压对体积大、重量轻的气球型人造卫星也会产生摄动。由于轨道是由轨道根数决定的,摄动可以用这些根数的变化来描述。在这些变化中,总朝一个方向变化的称长期摄动,周期性变化的称周期摄动。长期摄动因有积累效应显得尤为重要。太阳系稳定性的研究是天体力学的另一个重要课题,因为它同太阳系能否稳定保持下去的问题直接有关。但对这个问题的研究迄今仍无最终答案,原因主要有二:一是理论往往牵涉到一些对太阳系来说不一定成立的假设;另一是万有引力并非唯一能影响太阳系成员轨道运动的因素,大气阻力、辐射压、相对论性效应以及其他因素也能在长时间内产生可观的积累效应。

三体问题 即研究三个天体在彼此引力作用下的运动问题,它们的质量和初始条件(包括位置和速度等)都是任意的。这一问题表面上好像很简单,但迄今仍未找到分析解。为此,有些天文学家把注意力转向寻求问题的某些特解上。例如,假设三个天体中有一天体的质量很小,以致它不影响其他两个天体的运动。这种称为“限制性三体问题”,是18世纪由欧拉提出的。但即使是这样简单的问题也找不到严格解,只能利用系统的某些特性来了解它们的某些动态。例如,从系统的能量守恒可推知天体的运动范围。希尔就是利用这种特性在没解出太阳-地球-月球这个三体问题的条件下得出月球不可能脱离地球这一重要结论。拉格朗日也于1772年用类似方法作出如下有趣的预测:在同太阳和木星构成等边三角形的位置应有小行星存在。这一预言在134年后随着特罗央群小行星的发现而得到证实。三体问题的另外一些著名的特解是所谓周期解,即探寻三个天体在过一段时期后又恢复到原来运动状态的那种解。“俘获问题”也是天体力学研究的一个重要课题,例如,研究月球过去是否为一颗绕太阳运动的独立行星,只因轨道靠近地球才被地球俘获就是一例。

n 体问题 三体问题的推广($n>3$)。由于这一问题比三体问题更复杂,求分析解就更困难,因而只能用数值法求解。应用高级计算机,已能探讨 $n=10,25,50$ 以至数百个天体的运动问题。对于太阳系,用这种方法已能计算出行星在数千年内的星历表。此外,还能用于研究星团成员星的运动以及双星的动力起源和瓦解。

celestial navigation 天文领航 利用观察天体位置来确定领航者所在的位置。某一天体在任何时刻都处在地球表面某一点的天顶,因此地面位置可用天球坐标来表示,即以天体的倾角为纬度、格林尼治时角为经度。从美国海军天文台航海天文年历科出版的天文年历等资料中可查出太阳、月亮和行星的天球坐标。表中给出的是格林尼治民用时,据此可画出一条位置线,理论上这条线应画在巨大的球面上,但在实际上可用墨卡托投影图或领航作业图代替。然后领航员用六分仪或气泡八分仪测出天体的地平纬度,并按格林尼治民用时记下地平纬度。领航员根据推测领航计算出自己的大致位置,在这个位置上天体的地平纬度和方位可通过计算或从表中查出。将推测领航计算出的位置标示在领航作业图上,并按计算出的天体方位画一条方位线,根据方位线以及观测与计算所得的天体地平纬度之差,即可计算出领航员所在的位置。

celestial sphere 天球 天空的视表面,恒星好像都固定在它上面。为了建立能表示天体位置的坐标系,可设想有一个距地球无穷远的大球,无限延伸的地轴与这个大球的南天极和北天极相交,而整个天空则好像围绕着这个轴旋转。地球的赤道面无限延伸并与天球相交的大圆便是天赤道。参阅 **hour circle; ecliptic; zenith**。

Celestina, La 《塞莱斯蒂娜》 西班牙对话体小说,被公认为西班牙散文中的杰作,西班牙文艺复兴初期最伟大和最有影响的作品。自从以主要人物塞莱斯蒂娜为书名出版以来,即享有盛名。塞莱斯蒂娜是一个老鸨,为一对年轻恋人卡利斯托和梅利贝亚牵线。她的洞察一切的性格,主宰着两个恋人无法抑制的激情的发展。情节表面上看起来是悲剧性的,恋人如愿以偿却以灾祸结束。卡利斯托从梅利贝亚窗口的梯子爬下时跌落摔死,梅利贝亚也跳楼自杀。然而,塞莱斯蒂娜粗俗的幽默和嘲讽的议论,却削弱了情节的悲剧性潜力。对她的性格的生动描写,也冲淡了作品主题的哲学意义,即人们反抗命运力量的挣扎是徒劳的。该书出版时无署名,一般认为其作者是费尔南多·德·罗哈斯(约1465～1541),一位改信天主教的犹太律师。《塞莱斯蒂娜》常常被认为是欧洲最早的小说,对欧洲散文小说的创作产生过深刻的影响。

Celestine 切莱斯廷 天主教几代教皇和一代敌对教皇的称号,按年代顺序分列于后,并各以●为标记。

● **Celestine I, Saint 切莱斯廷一世,圣**(?,罗马坎帕尼亚～432-07-27,罗马) 教皇(422～432在位)。他猛烈抨击聂斯脱利派和贝拉基主义。431年在罗马立圣帕拉第乌斯为主教,派遣他出任第一任爱尔兰主教。同年委派大主教圣西里尔(亚历山大的)出席以弗所会议,听取聂斯脱利公开声明放弃自己主张。切莱斯廷批准这次会议的决议,判处聂斯脱利以绝罚,撤销神职,驱逐出境。于是引起教会分裂,历时一个多世纪之久仍未能解决。

● **Celestine (Ⅱ) 切莱斯廷(二世)**(活动时期12世纪初) 原名布加佩科。1124年12月当选教皇后数日即逊位,正式教皇名单将其不予列入。教皇加里斯都二世死后,弗兰吉帕尼和皮耶莱奥尼两大家族争夺教皇之位。弗兰吉帕尼家族推选洪诺留二世,皮耶莱奥尼家族推举布加佩科。布加佩科阻止意大利南部成立诺曼王国未遂,让位于洪诺留。

● **Celestine Ⅱ 切莱斯廷二世**(?,翁布里亚卡斯泰洛城或安科纳马切拉塔～1144-03-08) 原名吉多(卡斯泰洛城的)。教皇(1143～1144在位)。他是出身贵族的学者,曾就学于神学家阿伯拉尔。阿伯拉尔受到1140年桑斯会议谴责后,两人仍保持友善。登位后立即撤销前代教皇英诺森二世对法兰西国王路易七世所判停圣事处分。关于西西里国王罗杰二世作为教皇代表的特权问题,切莱斯廷与罗杰二世意见不合,但他在此时去世。

● **Celestine Ⅲ 切莱斯廷三世**(约1106,罗马～1198-01-08,罗马) 原名波波纳。教皇(1191～1198在位)。85岁时登位,次日即主持德意志国王亨利六世的加冕礼,使亨利六世成为神圣罗马帝国皇帝。切莱斯廷三世在位期间,亨利六世飞扬跋扈,不仅不承认西西里为教廷属国,而且不按神圣罗马帝国皇帝腓特烈一世(红胡子)与教皇克雷芒三世的协议将教廷领地完全归还切莱斯廷三世。切莱斯廷三世对亨利六世所发动的十字军东征给予了微弱的支持,这次东征本来有可能使罗马帝国更早地征服拜占廷，但事实未能如此。

● **Celestine IV 切莱斯廷四世**(?,米兰～1241-11-10) 教皇(1241-10-25 ～ 1241-11-10在位)。原名卡斯蒂格里奥尼。他是教皇乌尔班三世的侄子，是第一代通过秘密会议选出的教皇，举行秘密会议是由于枢机主教院在教皇人选问题上陷入僵局。他年老患病，登位两星期后在教廷与神圣罗马帝国皇帝腓特烈二世争执中死去。

● **Celestine V, SAINT 切莱斯廷五世，圣**(约1209,两西西里王国伊塞尔尼亚？～1296-05-19,教皇国费伦蒂诺附近) 教皇(1294-07-05～1294-12-13在位)。原名莫罗内，他是第一个自动逊位的教皇。他原为本笃会修士，在苏尔莫纳附近阿布鲁齐山中隐居，刻苦修行，招收弟子，1260年前后自成一派，日后称为切莱斯廷修会，属本笃会。当选教皇时已年过八十。为人虔敬，但缺乏管理才能，而且认为忙于教廷事务不利于个人虔修得救。他不信任各枢机主教而依赖那不勒斯国王查理二世，教廷的职位全为查理派所占据。同时，偏惠自己手下的隐士和方济各会属灵派人员，允许他们脱离各自所属本会主体。他呼吁那不勒斯与阿拉贡言和，敦促法兰西与英格兰息兵，都劳而无功。遭遇重重困难之后，于12月13日自请逊位。枢机主教卡埃塔尼继位，称卜尼法斯八世。有人声称切莱斯廷自请逊位一举并无法律效力，因此大多数枢机主教主张对切莱斯廷加以监督，不许他重回隐修之处。正当他准备经亚得里亚海潜逃时被捕，押解给卜尼法斯，囚于富莫内城堡终身。

celestite 天青石 天然的硫酸锶($SrSO_4$)。类似重晶石、硫酸钡，但不常见。钡与锶在晶体结构中可互相置换，这使天青石与重晶石之间存在着逐渐过渡的关系。天青石产在世界各地的沉积岩中，尤其是白云岩和白云石质石灰岩中，也产在热液矿脉和基性喷发岩孔穴中。天青石作为锶的来源，用于甜菜的精制和烟火制造。它大量产于意大利的西西里，英国的布里斯托尔，美国俄亥俄州的伊利湖的南巴斯岛和加利福尼亚州的圣贝纳迪诺县。

Celestius 塞莱斯蒂乌斯(活动时期5世纪，英格兰) 英格兰基督教神学家，不列颠神学家贝拉基(**Pelagius**)的第一个或许是最杰出的追随者。原在罗马开业为律师，结识贝拉基。两人痛感当代道德败坏，遂弃俗业而从事宗教事业，他们的改革思想在罗马得到很多人支持。409年前后哥特人威胁罗马，两人先到西西里，约410年到北非，411年贝拉基前往巴勒斯坦，塞莱斯蒂乌斯则留在北非。米兰教会助祭保利努斯访问迦太基，指控塞莱斯蒂乌斯否认人有原罪并否认洗礼能除罪。塞莱斯蒂乌斯被412年迦太基会议判处绝罚。在塞莱斯蒂乌斯的宣传和贝拉基的著作的影响下，许多人信从他们，圣经学者哲罗姆和主教圣奥古斯丁等则纷纷反对他们。417年教皇英诺森一世判处两人绝罚，但继位的教皇索西穆斯同情他们，并谴责北非各主教擅自行动。贝拉基派在罗马举行暴乱，西罗马皇帝洪诺留谴责贝拉基派，流放塞莱斯蒂乌斯。教皇索西穆斯召见塞莱斯蒂乌斯，他抗命逃出罗马，索西穆斯遂判处他绝罚。431年以弗所会议也宣布塞莱斯蒂乌斯有罪。

celiac disease 乳糜泻 又称非热带性口炎性腹泻。一种比较少见的吸收不良综合征，可见于儿童及成人。乳糜泻的特点为脂肪痢(粪便量多，恶臭，油脂状)、进行性营养不良(常伴有多种维生素缺乏)、发育障碍，疾病晚期可有小细胞性贫血(常见于儿童)的血象或与恶性贫血相类似的大细胞性贫血(常见于成人)的血象。儿童乳糜泻发病常在出生后6～21个月，多发生于感染之后；病程为慢性，周期性出现肠胃不适、腹泻及消瘦。成人乳糜泻常发生在30岁之后，25%的患者在童年时期有过反复腹泻发作的历史。轻度乳糜泻的症状有食欲不振、体重减轻、精神抑郁、烦躁、便秘与腹泻交替出现；重症可有骨痛、骨骼变形、骨质疏松(因缺乏钙质及维生素D所致)、视力障碍(缺乏维生素A所致)、出血倾向(缺乏维生素K所致)及坏血病(缺乏维生素C所致)。乳糜泻的病因目前还不清楚。许多病例显有家族倾向。多数患者进食不含谷蛋白的食物后其症状可减轻，因此有人认为，缺乏消化谷蛋白所需要的一些酶(如肽酶)可能是本病的原因。高蛋白质、低谷蛋白及低饱和脂肪饮食对本病的治疗有效，但在重症时还需增加一些其他的支持治疗。

celibacy 独身 指未婚状态，但通常专指宗教职业者或虔诚信徒为了宗教上的缘故而禁绝嫁娶。未婚的宗教职业者不一定是独身主义者，因为此词专指为了履行誓愿、为了断绝尘缘、为了适应个人在宗教团体中的地位或为了认真进行宗教修养而不嫁不娶。独身制种类繁多。一种是祭司的独身制。信徒们认为，不论祭司德行与热忱如何，只要他能正确地履行仪式，并有正式的神职资格，或具有礼仪所要求的洁净，他都能完成这种职责。祭司守独身就可以表明他有这种资格和洁净。另一种独身制是隐修院的独身制。修士守独身主要是出于在品德和灵性上的追求。由于心灵的解放，能有进行禁欲默思的机会，也由于有互相亲爱集体生活，因而修士感觉超脱世俗，得以专心追求灵性进步。女信徒的事业独身制通常与宗教身份无关。守童身和守独身的妇女认为这样做有利于灵性上的追求。独身妇女多是住院的修女，也有单独生活者。个别独身制指普通信徒或个别教牧人员为了虔修的缘故或为了履行特殊宗教任务而发愿不婚。另有一种是自发的独身主义，人可能由于强烈的宗教热忱或事业上的需要而顾不上结婚，因而自觉或不自觉地过独身生活。

在原始民族，独身主要是萨满的事，是为了保持礼仪上的洁净。古罗马的维斯太贞女起码在担任维斯太女神的祭司30年间必须独身，可见独身曾在古罗马宗教中占有一定位置。随着古典文化的进步，出现了禁欲哲学家和密教祭司的独身制。前者的例子是希腊的毕达哥拉斯派。同时，斯多葛派哲学家爱比克泰德(约生于公元50)教导说，理想的导师应当不娶以避免家庭俗事的干扰。密教祭司们的独身是另外一种形式。对“众神之母”的崇拜中的祭司必须独身，这是它的一大特色。同样，摩尼教、诺斯替教和隐逸派等崇拜形态也都有实行不娶不嫁的核心集团。印度教的祭司是世袭，因此不实行独身。但是，该教中有一批称为“圣者”的人士，他们实行绝财绝色。佛教起源于印度的一个禁绝婚配的教团。佛教成为世界宗教以后，在独身问题上出现了不同的形式：在东南亚，男子大多仅出家一年；在中国西藏，密宗僧人娶妻；在日本，势力最大的净土真宗根本不讲独身。中国道教中也有人进行隐修并禁绝嫁娶，日本神道教没有出家的神职人员，也没有禁婚的祭司，但是保有“嫁给”神祇的女祠官，过去各大神宫有独身不嫁的女祠官。伊斯兰教不以独身为定例，个人为了灵性进步或出于热忱可以独身。在正规犹太教，无所谓禁绝婚嫁之事，但是，在举行某些典仪或祭献时，在进行圣战时，则讲求禁绝男女房中之事。在《旧约》以后的年代，艾赛尼派中有人禁绝婚嫁。在基督教，最初是出于期望末世到临而实行独身的。原始基督教信徒相信，现世即将结束，上帝之国即将降临，在新时代，人人都如同天使，根本不存在嫁娶之事。在使徒后期(1世纪末、2世纪初)有人走极端，认为凡基督徒必须弃绝婚娶。在基督教出现之前，人们就认为，在祭台上服务的人，特别不应有男女交媾之事，这种观念为基督教所吸收，于是，受祝圣任神职的人一般要禁绝娶妻行房。公元692年第五、六次宗教会议的决定阐明了东派教会的立场：主教必须独身；受祝圣的司祭、辅祭和副辅祭凡已婚者可继续保持已婚状态。在10和11世纪，加洛林帝国的没落和北欧海盗的入侵使得神职人员独身不婚的习俗陷入危机。教堂被毁，教会田产落入世俗地主手中，不少司铎结婚或与女人姘居。神职人员独身的习俗固然动摇，它的原则也受到了挑战。第一、二次拉特兰会议(1123;1139)决定，神职与婚姻互不相容。这一点目前仍然是天主教的正式态度，但偶有例外。

新教各派(信义宗、安立甘宗、归正宗等等)不再要教牧人员独身。教皇保罗六世发布通谕(1967-06-23)，重申传统的关于独身问题的教会法。

Céline, Louis-Ferdinand 塞利纳(1894-05-27,巴黎附近的库伯瓦～1961-07-01,法国默东) 法国作家和医生。L.F.德图什的笔名。1924年获医学学位，参加国际联盟医疗调查工作，到过很多地方。1932年发表处女作《长夜漫漫的旅程》，一举成名。随后，又出版《缓期死亡》(1936)，描绘一个凄凉可怕的没有价值、没有美、没有道德的世界。他虽然是左派的宠儿，但访苏归来后，却改变了自己的看法，并在《我的罪过》(1937)中表明自己的观点。稍后，成为狂热的反犹太主义者，写了

《比起屠杀这不算什么》(1934)、《尸首学校》(1938)和《困境》(1941)。这些作品也谩骂了法国人。第二次世界大战爆发,他参加救护队,1940年法国陷落,他既拒绝与敌合作也拒绝参加抵抗运动。因担心受到通敌的指控,他在盟军解放法国时,经德国逃往丹麦。他在那里因被怀疑曾与纳粹合作,被关押一年多。1951年获赦返国。回国后,除重操医疗旧业外,继续写作。他的最后作品是一部描绘在德国境内所看到的第二次世界大战的三部曲《从一个城堡到另一个城堡》(1957)、《北方》(1960)、《里戈东》(1969)。其他作品有《木偶剧团》(1944)、《射击场》(1949)、《与Y教授的谈话》(1955)等。塞利纳在30年代享有盛名。但在战时和战后,由于他对世界抱有恶意和仇视,声名渐减。他的作品中所表现的绝望、不道德、狂怒,以及色情描写使当代某些评论家极为不安。他们尽管赞赏他充满隐喻的抒情笔调,但对他潜在的世界观却表示反对。有的评论家则认为他那痛苦的呻吟是人道主义的呼喊,他的胡言呓语是对世界上罪恶的抗议。

Celinograd (Kazakhstan) 参阅 **Tselinograd** **切利诺格勒**。

Celje 采列 意大利语和德语作 Cilli。斯洛文尼亚中部城市,西南距首都卢布尔雅那56千米,濒临萨维尼亚河。公元1世纪由罗马皇帝克劳狄建立。公元3世纪,圣马克西米利安曾住在这里。后成为采列伯爵领地的中心(1333～1456)。目前仍有中世纪城墙、教堂和古堡的遗迹,成为旅游胜地。始建于14世纪的圣丹尼尔教堂也很著名。20世纪初,采列生活着大量的少数民族德意志人。20世纪后期成为现代都市,是重要的文化经济中心。工业包括化工、建材、纺织和金属加工。农业也很重要。主要的文化设施包括地区博物馆、现代历史博物馆、儿童博物馆和现代艺术馆。每年举行许多国际展览会。人口37 834(2002)。

cell 细胞 生物体的基本单位。所有细胞在成分、形态和功能方面均很相似。在进化的过程中特化出许多细胞特征,这就使生物具有极大的多样性。

17世纪显微镜发明后不久人们就观察到细胞,但直到19世纪早期显微镜得到改进、人们得以对细胞作进一步的观察之后,其重要性才被认识。

细胞由大分子和各种小分子构成。这些大分子就是核酸(脱氧核糖核酸[DNA]和核糖核酸[RNA])、蛋白质以及多糖。DNA包含遗传密码,遗传密码携带着生物体代代相传的基本性状。RNA将遗传信息翻译成执行关键的细胞功能的蛋白质。例如,这些蛋白质可以辨识具体的分子并将其运入或输出细胞,并催化所有细胞内的化学反应。多糖是细胞外表面的重要成分。细菌和植物细胞的外表面有坚硬的细胞壁,动物细胞的外表面有柔软的细胞膜。

重要的细胞小分子成分有脂质、ATP(三磷酸腺苷)、cAMP(环-磷酸腺苷)、卟啉和水。脂质是细胞膜的主要成分。三磷酸腺苷是细胞可以直接利用的唯一能源,能的"通用货币";当细胞需要将能量贮藏时就合成三磷酸腺苷,需要使用能量时就将这种高能分子分解。环-磷酸腺苷用以调节细胞的活动;卟啉是对氧化和光合作用有重要意义的色素。细胞组分中的70%～80%是水,水对生物体内的化学过程是必不可少的。若水的含量降到细胞重量的50%以下,细胞的生命过程即将停止。

细胞有两大类型:原核细胞(仅见于细菌和蓝绿藻)及真核细胞(构成所有其他生物)。真核细胞的结构从外到内包括细胞膜、细胞质和细胞核。细胞质内包含各种有膜围绕的结构——细胞器。细胞核也有膜包被,其中容纳携带基因的染色体。原核细胞也有细胞膜和细胞质,但无细胞核和具膜的细胞器;其遗传物质组织成单个的染色体。两类细胞的分子成分和活动却非常相似。

细胞由一层半透膜包绕,并能通过半透膜与周围环境交换某些物质。关于细胞膜的分子结构有一个被广泛接受的模型:细胞膜有两层脂质,中间镶嵌着蛋白质分子。有些蛋白质分子完全穿透脂质层,另一些仅部分穿入脂质层,据认为还有一些全部嵌入脂质层内。植物的细胞膜还包有一层坚韧的纤维素质的细胞壁。

细胞之间的空间充以细胞间基质,这是由多糖构成的凝胶,因含水而体积膨胀,其中悬浮着蛋白质纤维,用以将细胞联结在一起构成组织。

在原核细胞和真核细胞的细胞质内均有称为核糖体的小体,蛋白质即在细胞质的核糖体上合成。此外,真核细胞内还有多种各自分离各具功能的细胞器。这些细胞器包括内质网、戈尔吉氏器、溶酶体、线粒体和质粒。内质网是由管道组成的网络,其功能似为参与物质在细胞内的移动。戈尔吉氏器与这些管道有联系,由许多小液泡组成,小液泡似从内质网上以芽生的方式形成。液泡负责某些细胞产物的加工,并将产物运输到细胞外面。溶酶体是充满消化酶的小囊泡,能消化已老旧的细胞结构或进入细胞的非细胞结构。线粒体用作细胞的能量工厂;ATP在线粒体内释出能量。质粒见于大部分植物的细胞,但不见于动物细胞。称为叶绿体的质粒最为重要;内含进行光合作用的机构,光合作用是捕捉太阳能以制造碳水化合物的过程。

细胞核是真核细胞的控制中心。细胞核外有一层膜围绕,核内有携带遗传物质的染色体。染色体内的DNA指导细胞内的蛋白质合成;信使RNA(mRNA)将DNA的指示从细胞核携带到细胞质中。原核细胞不含由膜包绕的核,但也含有由单个染色体组成的核质。

当一个真核细胞的体积增大到原来的两倍时,细胞就分裂或繁殖,成为两个遗传特征完全相同的子细胞,这过程称为**有丝分裂**(**mitosis**)。在有丝分裂以前,染色体进行复制,因此每个子细胞都有一套完整的遗传信息。已经复制的染色体由两条染色单体组成;在有丝分裂过程中,两个染色单体分开,每一条进入一个子细胞。进行有性繁殖的真核细胞,在称为配子(即卵和精子)的性细胞形成过程中,会出现另一种形式的细胞分裂,这种过程称为**减数分裂**(**meiosis**)。减数分裂产生四个配子,每个配子所含的染色体数只是母细胞染色体数目之半。雄配子与雌配子结合后形成一个新的个体,此个体中染色体的数目得到恢复。

原核细胞以多种方式繁殖,最普通的方式是二分裂。二分裂过程中单一的染色体复制,随后母细胞分裂为两个子细胞。这种分裂方式似真核细胞的有丝分裂,但无有丝分裂时可见到的纺锤体等结构。

cell 电池 在电学上,不用导体在磁场内运动的方法而产生电流的单元结构。例如,太阳能电池是将阳光直接转变为电能的半导体结。干电池是里面没有流动液体的化学电池,电解液是用纸板之类的吸收材料吸附着的。原电池或伏打电池靠化学反应产生电流,基本上不能再充电。传统的干电池(例如,手电筒或晶体管收音机的电池)是原电池。蓄电池(像铅酸蓄电池)可以重新充电,有些原电池也一样,例如镍镉电池。燃料电池是把分开贮存的燃料和氧化剂供给一个装有电极的容器,在不断地改变它们的化学能中产生电能。两个或更多的电池连在一起叫电池组(battery),不过,"battery"一词通常也用以指单个电池。

cell, electrolytic 参阅 **electrolytic cell** **电解池**。

cell culture 细胞培养 使多细胞生物的细胞在体外生存和生长的技术。要在特别设计的容器中,并在精密调节温度、湿度、营养及没有污染的情况下进行。广义上说组织培养的目的是将细胞、组织及器官分离出来并在试验室条件下保存。细胞培养技术使科学家能将细胞培养物用于实验研究以及多种类型的生物测定。参阅 **tissue culture**。

cell division 细胞分裂 细胞借以复制自己的过程。参阅 **meiosis; mitosis**。

cella 内殿 希腊语作naos。又称主殿。古典建筑中神庙内部供奉神像的主体部分。在早期的希腊和罗马建筑中,内殿只是一个长方形的房间,一端有入口,常延长内殿的侧墙而形成门廊。在较大的神庙中建有露天的内殿,有时就在其中再设一小神殿。在拜占廷建筑传统中,内殿是教堂中心部分举行礼拜仪式的地方。

cellar 地窖 建于地平面之下的储藏室。用来储藏新鲜的或罐装的水果和蔬菜。典型的地窖可建于室内或户外的地下或局部在地平面之下,上部覆以土堆以防冰冻,并保持窖内有合适的温度和湿度。地窖的围墙可用混凝土筑成,地面为泥土地,用经防腐处理的圆木或原木作窖顶。如果配备有排水管和通风管时,常可作暴风雪时藏身之用。有采暖和保暖的地面建筑物的无采暖地下室,有时可用来短期储藏水果和蔬菜。在用禾秆、草茎、油毛毡或土覆盖的室外土坑中,食物也能储存数星期或几个月。地窖盛行于北部地带单户式房屋中,使用自然通风取暖时更有此需要;利用强制通风取暖时,可少建地窖,储藏室宜设在地面上。

cellarette 酒柜 一种可移动的小型冷酒器。也指餐具柜内带有金属格条分格存放酒瓶的底橱。大多数可移动的酒柜是用桃花心木制成的,其形状在一定程度上取决于酒瓶的形状。早期的酒瓶短粗,到18世纪后期渐渐变长,酒柜的高度随之变化。普通的酒柜呈圆形或椭圆形,用黄铜圈箍紧,装有渐渐变

19世纪初期的桃花心木酒柜
美国不列颠百科全书公司供图

细的柜腿,腿上有凹槽装饰并装有小脚轮。18世纪末19世纪初在复古倾向的影响下,流行石棺形的酒柜。20世纪冰箱出现后,酒柜被逐步取代。

Celle 采勒 德国中部偏北下萨克森州城市。濒临阿勒尔河。位于吕讷堡灌丛南缘,汉诺威东北。采勒的旧城约建于1248年。现在仍留下许多16～19世纪的露木架结构建筑,包括霍彭纳住宅(1532)、一所中学(1603)。该市的教区教堂(1308～1675)内有公爵地下灵堂,在公爵宫内有现今仍在使用的德国最古老的剧场(1674～1675)。采勒市建有数所工科学院以及林业、农业、养蜂和病毒研究所。有专门展出下萨克森物品的博物馆和欧洲大陆最早的印染厂(1817)。该市的工业产品有饼干、绝缘器件、电子元件、采矿机械和石油产品、钾碱、砾石等。养马对当地很重要,另外还有大片的种树苗圃。人口约71 050(1989)。

Cellini, Benvenuto 切利尼(1500-11-01,佛罗伦萨～1571-02-13,佛罗伦萨) 意大利佛罗伦萨金匠、雕刻家,在法国和佛罗伦萨都有重要地位。他在《论雕塑》中自称"总是想用大理石作出一些伟大作品来"。切利尼的《珀尔修斯》雕像(1545～1554)也许是米开朗琪罗之后佛罗伦萨最杰出的雕刻作品。少年时代当过金匠的学徒,1516年被流放,1517～1519年间返回佛罗伦萨。1523年,切利尼被控参加决斗并被判处死刑,后逃亡罗马,为教皇克莱芒七世服务。罗马被劫后返回佛罗伦萨。1529年又回罗马任教廷铸造厂铸压师,设计出多种金属制品,现存有为教皇设计的2枚奖章(1534)。1540年,切利尼应法国国王

切利尼1540年为法国国王弗兰西斯一世制作的黄金盐碟
美国不列颠百科全书公司供图

弗兰西斯一世邀请,赴枫丹白露,用黄金制造一个盐碟,这是其唯一可信的贵重金属作品。1542年法王批准他入法国籍,并于1544年任命他制造12个饰以神话故事的银烛台。1543～1544年,切利尼为罗浮宫铸造了铜质弦月窗。1545年他离开巴黎回到佛罗伦萨,受到科西莫·德·梅迪契的信任,雕刻《珀尔修斯》(铜雕)和托斯卡纳大公胸像。1546年因被控道德败坏,逃亡威尼斯。这时他复制了古代的胸像雕刻,并且创作了大理石像《阿波罗与希亚新特》(1546)和《那喀索》(1546～1547)。约1550年在佛罗伦萨完成银行家、文艺保护者阿尔托维蒂的半身铜像。1545年《珀尔修斯》揭幕展出后,他开始为自己的墓地雕刻大理石十字架,于1556年完成,这一作品显示了其非凡的艺术才能。切利尼于1558年开始写自传,1562年完成。1565年他还开始写作论述金匠工作和雕刻工作的重要著作,直至逝世。

Cellini's halo 切利尼晕 又称露面宝光(heiligenschein)。太阳低仰角时,在结露的草原上的观测者头影周围的亮白色光环。太阳角低使影子伸长,头部的影子远离观测者,这是观测切利尼晕的基本条件。一般认为这一种现象是起因于露滴对入射阳光的反射。从露滴表面逆向反射回来的阳光最强,偏离180°便逐渐减弱。观测者的头影正好挡住180°线,因此从这一方向没有光反射回来。可是,如果头影有足够远,则其周围的水滴可以通过近180°的方向把光反射回观测者的眼里。观测者的影子愈远,反射光愈接近180°。观测者头影周围的反射光愈明亮,因而形成切利尼晕。

cello 大提琴 又作violoncello。提琴族的低音乐器。有4根弦,定弦由中央C以下两个8度起向上的C-G-D-A,长约70厘米(连颈共119厘米)。按比例来说,它的琴脊较小提琴厚,琴颈较短。最早的大提琴发展于16世纪,常用5根弦,主要用于合奏中,以加强低音线条。直至17、18世纪,大提琴才代替低音维奥尔琴成为独奏乐器。17世纪,大提琴与拨弦键琴相结合,演奏通奏低音声部已成为常规。海顿、莫扎特及其后的作曲家在器乐合奏中给予大提琴更加突出的地位。著名大提琴曲有:J.S.巴赫的6首无伴奏大提琴组曲、贝多芬的5首大提琴与钢琴奏鸣曲、德

大提琴的正面(左)与侧面(右)
美国不列颠百科全书公司供图

沃夏克与科达伊的协奏曲、维拉-洛博斯为8把大提琴与女高音写的《巴西的巴赫风格》等。20世纪杰出大提琴家有E.费尔曼和P.卡萨尔斯。

cellophane 赛璐玢 一种再生纤维素,可压成透明薄片,也可通过小孔或喷丝头挤压成为纤维。对于干燥气体、油脂和细菌等具有高度的抗渗透性。主要用于食品和其他易腐物品包装,通常加一层防潮涂料,有时还染色。其生产过程是将黏胶液(即纤维素纤维的碱溶液)通过一条狭窄的缝隙挤入酸洗池,酸使纤维素再生即形成薄膜,经洗涤、漂白等进一步处理即获得赛璐玢。

cellular framing(architecture) **蜂窝框架构筑法** 参阅**box frame construction**箱形框架结构。

cellular respiration 细胞呼吸 生物体内发生的一个过程:将氧和食物中的分子结合,把这些物质中的化学能用于维持生命的过程,并把二氧化碳和水作为废物而丢弃。不依赖氧的生物体以发酵的形式来降解食物。

降解食物的目的之一是将食物中的能量转变为三磷酸腺苷(ATP)而保存起来。动物细胞内催化与呼吸和能量转化有关的各个步骤的酶在线粒体上。而微生物的这些酶是细胞膜的组分。一个肝细胞大约有1 000个线粒体;某些脊椎动物的卵细胞较大,其线粒体达200 000个之多。主要营养物质(糖、脂肪和蛋白质)降解成二碳片段(乙酸基)而放出能量,这二碳片段在结合成乙酰辅酶A时,就为三羧酸循环提供了燃料。每当一对氢原子从参与三羧酸循环的化合物中移出,它们就提供一对电子,这对电子通过一系列含铁的血红素蛋白(细胞色素)的作用,最终将一个氧原子还原而生成水。1951年已经发现,一对电子转移到氧上的结果是生成三个ATP分子。这过程称为氧化磷酸化或呼吸链磷酸化,是食物中大量的能量得以保存和被细胞利用的主要机制。电子通过一系列的步骤向氧流去,其能量便逐渐降低。

cellular slime mold　集胞黏菌　参阅**Acrasieae** 集胞黏菌纲。

celluloid　赛璐珞　19世纪60年代末美国发明家J.W.海厄特用硝酸纤维素和樟脑的均匀胶体分散液研制成功的第一种合成塑料。为一种坚韧材料,具有很大的抗张强度,耐水、耐油、耐稀酸。能够低成本地生产各种颜色的产品。有多种用途,如制造梳子、衣领、胶片、玩具及许多其他消费品。虽然因为容易燃烧它在许多用途方面已被新的合成聚合物所取代,但是赛璐珞在欧洲、美国、日本等地仍继续生产和广泛应用。参阅 **Bakelite**。

cellulose　纤维素　一种复杂的多糖,由3 000个或更多的葡萄糖分子组成。是自然界分布最广的有机化合物,植物细胞壁的基本结构成分,平均约占全部植物质料的33%(棉花占90%、木材占50%)。不能为人消化。食草动物(如牛、马)以纤维素为食,食入后在其消化道内停留的时间很长,这样生活于其消化道内的微生物便得以将它消化。白蚁之类昆虫肠内的原生动物也能消化纤维素。纤维素有巨大的经济意义,可制纸张、纤维,经化学处理后可制造塑料、照相软片及人造丝等。纤维素衍生物又可用作胶黏剂、炸药、食物增稠剂及防潮涂料等。

cellulose acetate　醋酸纤维　又称醋酯纤维、醋酸人造丝。从植物中提取纤维素制成的人造纤维。从软木或棉短绒取得的纤维素经醋酸、醋酸酐处理和部分水解后,将所得到的生成物溶于丙酮而成为纤维素醋酸酯溶液,从喷丝孔中喷出,形成纤维,并稍加抽伸以增加其强度。醋酸纤维不具有一般**人造丝(rayon)**对染料的亲和力,所以在研制出合适的染料以前一直未能普遍采用;但有时可在纺丝液中加入颜料进行着色。它可制成长丝,也常切成短纤维,有时还加以卷曲,供纺纱用。普通醋酸纤维具有光泽,可用适当的消光剂消光。它的强度比尼龙长丝甚至尼龙短纤维低得多,弹性也差。能吸收约为本身重量6.5%的水分,加热时会软化,在232 ℃左右熔融。能燃烧,但不易着火。长期存放和经阳光暴晒后强度稍有降低,但不影响色泽。20世纪20年代醋酸纤维在纺织纤维中取得重要地位,因具有良好的手感和悬垂性而得到高度评价。由于吸湿性低,醋酸织物穿用时不易起皱,也不容易留下某些污渍。醋酸服装洗涤性好,能保持原有尺寸,能快干,但在湿态时加上的折皱不易消除。纤维可纯纺或混纺,制作外衣、运动服、内衣、衬衫和领带,也可织制地毯和其他家具布。由于具有良好的绝缘性能,在电器工业中用作电线包皮。三醋酸纤维在美国的商品名称为阿尼尔,它的化学组成与二醋酸不同,但相接近,已充分醋酯化。与二醋酸相比,三醋酸耐热较好、能快干,通过热定型可形成永久性褶裥。三醋酸纤维可制成纯纺或混纺针织物或机织物,特别适于制作妇女服装。

cellulose nitrate　硝酸纤维素　参阅 **nitrocellulose** 硝化纤维。

Celosia　青葙属　苋科的一属。约60种草本植物,原产于热带美洲和非洲。特征为叶互生;花鲜艳,穗状花序,栽培的花聚生成紧密的或羽状的簇。少数种是常见的园林观赏

鸡冠花(*C. argentea*)
美国不列颠百科全书公司供图

植物。其中鸡冠花(*C. cristata*)有许多变种,这些变种大体可分为3群:羽毛状花序群(称为羽苋)、矮化群及蔡尔兹氏群(花序形如球状)。花的颜色多样,有白色、黄色及深浅不同的橙色、红色和紫色。

celsian　钡长石　一种不常见的长石矿物,钡铝硅酸盐($BaAl_2Si_2O_8$)。硬度大,浅色,呈玻璃质块状和结晶体,产于接触带的锰矿床中,如瑞典的雅各布斯贝里、日本的栃木县、威尔士的莱伍、纳米比亚奥乔松朱干河(干河床)附近和美国加利福尼亚州的因克林附近。可以认为钡长石是相当于另一种长石——钙长石($CaAl_2Si_2O_8$)的钡的等价物。钡冰长石是含5%～30%钡长石的钾长石,它同钡长石伴生于接触带中。关于钡长石和钡冰长石的详细物理特性,参阅 **feldspar**(表)。

Celsius, Anders　摄尔西乌斯(1701-11-27,瑞典乌普萨拉～1744-04-25,乌普萨拉)　瑞

美国不列颠百科全书公司供图

典天文学家,发明摄氏温标。1730～1744年任乌普萨拉大学天文学教授;1740年建乌普萨拉天文台。1733年发表他和别人在1716～1732年对北极光进行316次观察的记录汇编。他主张在拉普兰对子午圈的弧形进行测量,并于1736年参加为此而组织的考察队。这次考察证实了牛顿关于地球在两极地区略呈扁平的学说。1742年,他在瑞典科学院宣读一篇论述他的温度计的论文。他的其他著作有:《论测定地球与太阳间距离的新方法》(1730)和《关于在法国进行的地球形状观测的专题论文》(1738)。

Celsius temperature scale　摄氏温标　也称百分温标,以水的凝固点为0°、沸点为100°的温标。由瑞典天文学家A.摄尔西乌斯于1742年制定。下面的公式可用来将华氏温度(℉)转换为摄氏温度(℃):℃ = 5/9 (℉ − 32)。摄氏温标在采用米制单位的地方通用,科学工作中则普遍使用。

Celsus, Aulus Cornelius　塞尔苏斯(活动时期公元1世纪,罗马)　公认的最伟大的罗马医学作家。写过一部关于农业、军事艺术、修辞学、哲学、法律及医学的百科全书,但只有医学部分保存下来。《医学》一文现在被认为是最优秀的医学经典著作之一,当时却不受重视。后为教皇尼古拉五世所发现。印刷机传入后是最早付印的医学著作之一。值得注意的是文中有许多当时显系十分先进的论述。他主张清洁:伤口必须洗净并涂以食醋、百里香油之类,现在认为这些物质都有消毒作用。描述了移植身体其他部位皮肤的面部整形外科,确立了炎症的四个基本体征:红、肿、痛、热。《医学》一文根据各种疾病对治疗的需求(饮食、药物和外科治疗)而分成三部分,首次提到心脏病及精神病,提到用结扎法来止住动脉出血,对水疗和侧面切石术的描述十分出色。本文的历史部分极为重要,现在所谓希腊主义时期医学及亚历山大时期解剖学和外科学的知识主要或全部来自该文。

Celt　凯尔特人　又拼Kelt。古代印欧民族成员之一。自公元前2千纪至前1世纪时,曾散居于欧洲大部地区。凯尔特人部落或集团最终所到之处,西起不列颠群岛和西班牙北部,东则远达特兰西瓦尼亚、黑海沿岸以及安纳托利亚地区的加拉提亚;并且部分地融入罗马帝国,成为不列颠人、高卢人、博伊人、加拉太人、凯尔特伊比利亚人。从语言学角

度看来，这些人就是当今还生活在爱尔兰、苏格兰高地、马恩岛、威尔士和布列塔尼的操凯尔特语的居民。

关于凯尔特人的最早考古资料是在奥地利萨尔茨堡附近的哈尔施塔特村出土的。当地所发掘的许多部落酋长的墓葬，时代可追溯至公元前700年前后。出土文物显示出它是一种铁器时代的文化，而且是欧洲最早的铁器文化之一。凯尔特人曾与希腊人通商，因而获得诸如青铜器皿、陶器之类的奢侈品。这种情况大概可以说明，这些富有的凯尔特人，以从巴伐利亚到波希米亚为基地，控制了沿罗讷河、塞纳河、莱茵河及多瑙河各个水系的商路；他们曾是凯尔特民族当中具有支配力和团结力的要素。当哈尔施塔特的武士们西迁时，他们对其他凯尔特人大肆劫掠，无意中引进了铁器，这也就是他们之所以能称霸的原因之一。

关于凯尔特人与希腊人建立贸易往来之后的几个世纪的概况，考古发掘更为确切可信。公元前5世纪中叶以前，拉坦诺文化就已出现于聚居在莱茵河中游的凯尔特人中间。拉坦诺文化以其独特的艺术风格而著称，往往以抽象的几何纹饰和刻板化的鸟兽图形为主题。莱茵河中游的凯尔特人当时与意大利中部的埃特鲁斯坎人，而不是与希腊人，有更多的贸易往来。公元前5～前1世纪之间，拉坦诺文化又伴随着凯尔特各部族的东迁而传入东欧，随着西迁而进入不列颠群岛。

尽管凯尔特各部落可能很早就已进入意大利北部，但一般认为公元前400年大约是凯尔特人大迁徙的开始时期。据后代拉丁历史家们的记载，这些大迁徙的部落是因苏布雷人、博伊人、塞农人、林贡斯人。公元前390年前后，凯尔特人洗劫了罗马，他们成群结队，四处劫掠，流窜于整个意大利半岛，还进入了西西里岛。阿尔卑斯山以南这片凯尔特人居住区后来便得名为山南高卢，而其尚武好战的居民，对罗马政权来说，就成了一种从未有过的边患之源，直到公元前225年凯尔特人在泰拉蒙战败为止。

凯尔特人迁到巴尔干半岛的时间：一说是公元前335年，是年亚历山大大帝接见了居住在亚得里亚海沿岸的凯尔特人所派的代表团；另一说法是公元前279年，当时凯尔特人洗劫了希腊的德尔斐城但最后为埃托利亚人所败。翌年，3个凯尔特部落跨过博斯普鲁斯海峡，进入安纳托里亚，所到之处，大肆破坏、蹂躏。到公元前276年之际，凯尔特人曾在弗里吉亚的部分地区定居下来，但仍继续到处侵扰、劫掠，直到公元前230年前后才被帕加马国王阿塔罗斯一世最后予以平定。同时在意大利，约公元前192年罗马人已取得了对山南高卢全部地区的统治权，而在公元前124年又征服了西阿尔卑斯山以外的那片土地，即所谓"山外罗马行省"，亦即后来的普罗旺斯。

凯尔特人建立独立政权的最后几段插曲是在山外高卢这片土地上出现的。山外高卢包括自莱茵河和阿尔卑斯山向西延伸到大西洋的全部领土。对凯尔特人国家的威胁来自两方面：一是日耳曼诸部落向西推进，跨过莱茵河，节节进逼；二是罗马人陈兵南线，意在进一步兼并。日耳曼人首先进军博伊人国家波希米亚，又进攻东阿尔卑斯山地区的凯尔特诺里库姆王国。日耳曼进犯者被称为辛布里人；一般认为，这个民族来自日德兰半岛。公元前113年，一支罗马部队驰援诺里库姆之围，但被日耳曼军击败。此后辛布里人与条顿人联合，在山外高卢大举掳掠，挫败了所有高卢人和罗马人的抵抗。其后日耳曼人试图进犯意大利，但在公元前102和101年终为罗马大军所败。毫无疑问，这一时期内有很多凯尔特部落从其原来居住的莱茵河以东地区被迫逃往莱茵河以西以寻求庇护。然而，凯尔特人的这次迁徙活动，再加上日耳曼部落对凯尔特人的进一步的威胁，却给尤利乌斯·凯撒以机会，使其能在公元前58年开始进军高卢，最终征服高卢全境。

关于凯尔特人在不列颠和爱尔兰的定居这一事实，主要是根据考古学和语言学的研究加以推论而得知的。直接见诸历史记载而可以把一个海岛民族与凯尔特人等同起来的资料，只有凯撒在其著作中所记述的有关比利时诸部落迁往不列颠的那段史实；不过罗马人认为这两个海岛的居民同高卢人有更密切的亲缘关系。

凯尔特人的典章制度资料，可见诸不同的古典作家，亦可求之于爱尔兰古代文学作品中。这个部落或"民族"的社会体系是三级结构的，即：国王、武士贵族和自由农民。凯尔特人的家族结构同其他印欧民族一样，也是族长制。凯尔特人的经济活动主要是以混合农业为基础，而且除非局势动荡不安，通常都采取单个农舍独立生活的方式。由于凯尔特各部落住地的地形与气候相差很大，在某些地方牲畜放牧就比粮食生产更为重要。高地多设堡垒，作为避难之所；不过战争大体上都是公开进行的，不管是单一的挑战和决斗，还是大规模的战斗，都是如此。拉坦诺艺术为凯尔特人的审美观念提供了证明，凯尔特人也高度重视音乐和多种形式的口头文学作品。

celt　斧锛类工具　典型的新石器时代工具，一种绑在木柄上的磨制石斧或石锛头，可能主要用于伐树或加工木料。不列颠群岛及丹麦曾大量出土这种工具。青铜器时代也有形状大致与此相似的工具。

Celtes, Conradus(German scholar)　参阅**Celtis, Conradus** 采尔蒂斯。

Celtiberia　凯尔特伊比利亚　位于现在西班牙东北部的一个地区，自公元前3世纪起，由伊比利亚人和凯尔特人混血的部落所占据。这些凯尔特伊比利亚人居住在塔古斯河和埃布罗河两河源之间的山地中，包括现在索里亚省的绝大部分地区及与之相邻的瓜达拉哈拉省和特鲁埃尔省的大部分地区。在有史时期，凯尔特伊比利亚人是由阿雷瓦西人、贝利人、蒂蒂人和卢松人组成。阿雷瓦西人从奥基利斯(现代的梅迪纳塞利)和努曼提亚(**Numantia**)的强大据点控制周围的凯尔特伊比利亚人部落。凯尔特伊比利亚的物质文化受到埃布罗河流域的伊比利亚人强烈影响。马嚼、短剑和盾牌部件证明凯尔特伊比利亚人好战，他们发明的一种双刃西班牙剑后来被罗马人所采用。凯尔特伊比利亚人最初于公元前195年归顺罗马人，但直到公元前133年西庇阿摧毁努曼提亚之前，罗马人尚未完全控制他们。罗马城市克卢尼亚以后成为行政中心。

Celtiberian language　参阅**Celto-Iberian language** 凯尔特-伊比利亚语。

Celtic Church　凯尔特教会　不列颠列岛上的早期基督教会。建立于2、3世纪，其教义强调禁欲苦修，在7世纪盎格鲁-撒克逊人接受基督教过程中颇起作用，以后其体制逐渐为罗马制度所取代。威尔士在11世纪仍有凯尔特教会，苏格兰和爱尔兰的凯尔特教会一直存留到12世纪。

Celtic languages　凯尔特诸语言　Celtic又拼Keltic。印欧语系的一个分支。在罗马时代和罗马前时代，西欧的大部分地区操此种语言，当前主要在不列颠群岛及布列塔尼使用。

根据地理因素和历史因素，凯尔特诸语言可分成大陆凯尔特语(或诸语言)和海岛凯尔特语。大陆凯尔特语一般叫做高卢语，只是从铭文和古典文献中才略有所知。海岛凯尔特语由现代凯尔特诸语言组成，再分成盖尔语族(包括爱尔兰语、曼克斯语和苏格兰盖尔语)和不列颠语族(包括威尔士语、康沃尔语、布列塔尼语)两个分支。

这些凯尔特语暂可追溯到共同凯尔特语，这是大陆凯尔特语和海岛凯尔特语的母语。古爱尔兰语是现存大量文字记载的最古老的凯尔特语，因而在结构上最接近共同凯尔特语。古爱尔兰语表明，共同凯尔特语保存了其始祖语言——印欧语——的辅音和元音系统以及语法或结构等方面的特征。操共同凯尔特语的人们很可能是住在中欧的东部，其中有些人住地靠近日耳曼诸部落地区。

现代凯尔特诸语言均源自海岛凯尔特语，也是唯一为人们彻底了解的凯尔特语言。它们具有许多其他印欧语言极少见的语言学特征。凯尔特人于公元前约500年入侵不列颠后，一支非凯尔特人继续留住在不列颠，互有影响，这也许能解释为什么凯尔特语有这些语言特征。

在爱尔兰语、苏格兰盖尔语和曼克斯语这3种现代爱尔兰语中，爱尔兰语的文字历史最悠久。在欧甘字母铭文时期(300～500)之后，拉丁字母被引进爱尔兰，不久，口头传说被记载成文字形式。这段时期即600～900年，叫做古爱尔兰语时期。8世纪时北欧海盗的入侵破坏了曾捍卫过爱尔兰语纯洁性的修道会。约在900年时，随着中古爱尔兰语时期的开始，为一般人接受的形式开始进入该语言。盎格鲁-诺曼人的入侵可能激励了爱尔兰知识界再一次使本族语言标准化。约在1200年，这次再标准化过程开始了现代爱尔兰语时期。17世纪，英国势力在爱尔兰得到了巩固，因此英语成为广泛使用的语言，而说爱尔兰语的人则越来越少，到现在以爱尔兰语为母语的人不到5万人，虽然能阅读爱尔兰语作品的人还有约30万人。

现代爱尔兰语也曾是苏格兰的文学标准语，直到17世纪，苏格兰诗人才开始用本民族的语言写诗。苏格兰盖尔语也受到了英语的威胁，但以苏格兰盖尔语为母语的人数也许超过8万。在马恩岛上，曼克斯语于1610年才开始有书面文献，到18世纪，很少几个居民懂得英语。然而到了19世纪，说曼克斯语的人数迅速下降，到20世纪初，该语言已停止使用。

虽然威尔士语从8世纪到12世纪也有过不完整的文字记载，但只是从12世纪起才有以诗歌形式出现的连续不断的记载。虽然英语在威尔士开始盛行，但由于18世纪卫理公会的复兴，威尔士语得以持续不衰，因为用威尔士语翻译的《圣经》及其他宗教书籍被送到每一个家庭。由于产业革命把说英语的工人送到了威尔士的工厂矿山，威尔士语又一次受到影响。到1901年，该地区说威尔士语的人不到一半；到20世纪后期，只有不到1/4的当地人说威尔士语了，但是在威尔士农村许多人仍说威尔士语。近年来已作出努力使学校越来越多地使用这种语言。

现存用布列塔尼语写的作品都是从15世纪开始的。而从15世纪起，布列塔尼语的各方言间的差异越来越大。到20世纪初曾努力使布列塔尼语的4种方言标准化，但由于法国官方政策不许学校使用这种语言，没有儿童能学习布列塔尼语。

与布列塔尼语的情况相似，用康沃尔语写的作品也只是从15世纪才开始出现的。18世纪初，人们还偶尔使用康沃尔语，但到18世纪末，人们已不再使用这种语言。

Celtic literature　凯尔特文学　以盖尔语及其所衍生的苏格兰盖尔语和曼克斯语、威尔士语及其姊妹语言布列塔尼语、康沃尔语撰写的文学作品之总称。

爱尔兰从未并入罗马帝国，因此与不列颠的苏格兰、威尔士和康沃尔各地区相比，罗马化的程度最小，因此保存了更多的凯尔特文化。它也不曾屈服于盎格鲁-撒克逊的入侵。但它接受了基督教，因此作为异教神祇的祭司的巫师消失了，但其后继者培育了当地的文化，被称为“菲利”，原意为“预言者”，后指诗人，被认为保留了他们前辈的某些预言能力。他们均是饱学之士，负有保存和留传本民族口头文学的责任。他们留下了若干家谱与法律的片断，均为诗体，无疑是为了便于记忆。基督教对爱尔兰本土文化的宽容甚于其他国家，并传来写作技巧，使当地宗教与世俗的文化蓬勃发展。北欧海盗入侵期间，旧日的修道院系统瓦解，许多爱尔兰学者携带珍贵的手稿，逃离本土。海盗被击退后，文化复兴，但注重的是盖尔特学问而非拉丁学问。

教会学者重又努力将主要赖口头流传的传说记录下来，12世纪的《牛皮书》和《伦斯特集》是这一努力成功的证明。这些及后来的一些手稿，如16世纪的《利斯莫尔教长集》，保存了范围广泛、种类繁多、富于古代特色的文学作品。

统称《马比诺吉昂》的11则威尔士故事，虽具古代特色，但晚于爱尔兰的故事，它们保存在较晚的手稿中，主要在《莱德奇白皮书》与《赫格斯特红皮书》中，两者大约都完成于14世纪。其中最著名的《马比诺吉的四个分支》为11世纪后半期或更晚的作品，其叙事风格较《库尔威奇和奥尔温》(约1100)老练，后者明显保留了民间故事的特点。在后者及另外3个传奇故事中出现了亚瑟王。编年史家蒙默思的杰弗里所著《不列颠史》(约1136)将亚瑟王传奇与凯尔特文学的一些主题注入欧洲文学主流中。杰弗里出身于布列塔尼家族，随诺曼人进入不列颠。当时布列塔尼人以善讲故事闻名，因此布列塔尼可能是凯尔特传说的又一来源。

早期的布列塔尼文学作品，除少数诗歌片断外，已荡然无存。现存的中世纪布列塔尼文本大多是16世纪或更晚时期的作品，且主要是衍生的。可分为两部分：一为宗教诗，最长者为《死亡之镜》(1519)；另一为宗教诗剧。《圣凯瑟琳传》(1576年出版)虽只是译本，却是现存最早的有价值的散文作品。现存最早的中世纪康沃尔文学作品，是一篇剧作(约1400)，它赞美一位与人为妻的姑娘的品德。15世纪有长诗《吾主受难记》、戏剧三部曲《奥迪那里亚》和1504年的《梅里亚斯克传》。当第一篇、也是唯一的一篇现代康沃尔语作品《创世记》(1611)出现时，这一语言已开始衰落。

中世纪后期的盖尔语、苏格兰盖尔语及威尔士语的吟游诗人，继承其先辈的传统，继续吟唱赞美诗。威尔士诗歌始于6世纪初的吟游诗人，12、13世纪时曾有过一次复兴，后因自都铎王朝以后逐渐英语化，这些诗人失去了赞助人，遂无法维持其专业地位与水准。

除威尔士以外，印刷术的发明、文艺复兴及宗教改革对凯尔特文化并未有多少直接的影响。而在威尔士，人文主义与翻译成威尔士语的《圣经》影响非常深远。18世纪，卫理公会派的复兴，给历史上初次能写能读的威尔士人带来了新教，造就了他们的最伟大的圣诗作家W.威廉斯(1717～1791)。在其他地区早已消失的中世纪看法，在爱尔兰、苏格兰和布列塔尼部分地区仍留存了很长一段时间，因此直到20世纪，这些地区一直保存着异常丰富的民间文学。

长期不实行地方自治，加以非地方语的教育政策，延缓了凯尔特散文的发展，以致未能适应现代生活的需要和采用小说之类的新文学样式。凯尔特语言的衰落迫使它的使用者学习另一种语言，作家更是以第二种语文或外国语文作为他们的文学语言，从而产生了爱尔兰英语、苏格兰英语、威尔士英语及布列塔尼法语等写作派别。虽然如此，各种语言复兴的运动仍造就了许多使用爱尔兰语、苏格兰盖尔语、威尔士语和布列塔尼语十分生动的作家，他们创作了异常成功的小说、短篇小说和戏剧，以及现代诗。

Celtic religion　凯尔特宗教　凯尔特人的宗教信仰和仪式。凯尔特人属印欧民族，公元前4世纪，他们在欧洲的人数与地理分布都达到最高点。凯尔特宗教由一些大祭司(德鲁伊特)领导，它的一些信仰和仪式与古代印度的某些信仰与仪式相似，说明两者同源。

基督教以前的凯尔特人并未留下文献。近代所知有关他们的记载，除了很少的碑铭外，主要来源是同时代的希腊与拉丁的著作家，特别是波塞多尼奥斯、卢卡与凯撒。从基督教修士相隔几个世纪追述的爱尔兰、威尔士等地的传说与神话中，亦可看出一些蛛丝马迹。

在凯尔特男神中，以太阳神卢古斯为最重要。希腊的著作家们认为卢古斯即是太阳神阿波罗，二者均精通工艺，护佑音乐。另一个重要的神是塞尔农诺斯，为长鹿角的万兽之神。在所有女神当中，以牝马女神为最有势力，她在各地有不同的称呼：在高卢称埃波娜，在爱尔兰称玛查，而在不列颠则称里安农。她与乌鸦女神摩利甘一样，密切控制国王与部落的命运。前者是生育的化身，后者则为死亡与再生的化身。众女神经常以3种形态或3位一组的方式出现，如高卢的玛特罗涅为三圣母；爱尔兰的布里吉特(掌诗歌、治病与金属工艺)；“伟大女王”摩利甘有3种形态，分别表示死亡—预言、战争—惶恐以及命殒沙场。根据卢卡所述，高卢人还有一位三面神，他接受人祭，此神的3种形态为雷电、战争及神秘牡牛(象征丰饶)。

凯尔特人的宗教崇拜集中于“另一世界”(或神素)与陆地和水域间的交互作用。他们相信在井、泉、河流及山丘中均住有守护神，通常为女性，许多地名仍然保留着她们的名字。凯尔特人把陆地拟人化，视为女性。海洋由男神马南南统治，尤其是在不列颠与爱尔兰的宇宙论中，也是一股极为神秘的力量。凯尔特人所想象的另一世界是在遥远的西方海上或海底的一群岛屿。他们相信住在该处的居民均是青春永驻，且不断以盛宴、音乐、武艺竞技来狂欢享乐。凯尔特神话对死后灵魂转生有强烈的信仰。

爱尔兰常举行季节性礼拜仪式，有两个每年举行的大节日：一为11月1日的亡人节；另一为5月1日的贝勒努斯神节，这天向该神及其所司战争、放牧、打猎、求爱等活动致敬。此外，尚有两个较次要的节日。一是2月1日祭拜布里吉特女神的初春节；另一是8月1日的卢古斯结婚节，这天也是丰收节。基督教吸收合并了这些大的节日，其原始精神有些尚可从现代相关的宗教仪式中看出。

Celtis, Conradus　采尔蒂斯(1459-02-01，维尔茨堡附近维普费尔德[德国]～1508-02-04，奥地利维也纳)　Celtis又拼Celtes。以“大人文学者”著称的德国学者，也是拉丁文抒情诗人。在德国唤起对古典学术和日耳曼古代文物的兴趣。曾在科隆和海德堡求学。1487年在纽伦堡被神圣罗马帝国皇帝腓特烈三世封为德国第一位桂冠诗人，在意大利人文学者团体中度过两年，在克拉科夫研究过数学和天文学，1491年在因戈尔施塔特大学任诗律和修辞学教授。1497年，马克西米连一世任命他为维也纳大学教授。他按照意大利模式在维也纳创立了一个人文科学研究中心，起名多瑙河学会。他重新发现德国第一个女诗人、10世纪修女赫罗斯维塔的手稿，以及所谓坡廷格尔古地图，即罗马帝国的一张地图。他的学术著作有编纂校订塔西佗的《日耳曼地方志》(1500)、赫罗斯维塔的剧本(1501)等。爱国主义在他的作品中是一个重要因素。古往今来的日耳曼光荣在主题中一再重现，他在因戈尔施塔特大学的就职讲演《演说》(1492)就是如此。他的音乐假面剧《狄安娜的游戏》(1501)和《狂想曲》(1505)，是巴罗克歌剧的前驱。然而，他的最佳作品却是抒情诗：《颂歌》(1513)、《讽喻短诗集》(1881年前均为手稿)，尤其是《爱情诗歌集》(1502)，这是些直接描写色欲艳情而又遣词精美的抒情诗。

Celto-Iberian language　凯尔特-伊比利亚语　又拼Celt-Iberian language。伊比利亚半岛西部已消亡的一种印欧语言，用伊比利亚文字(借自西班牙东部和南部操非印欧语者)书写，主要以少量钱币铭文及石刻铭文为人所知。权威学者认为它是凯尔特语的一种古代方言。

Cemal Paşa　杰马勒帕夏(1872-05-06，奥斯曼帝国君士坦丁堡[今土耳其伊斯坦布尔]～1922-07-21，俄罗斯苏维埃社会主义联邦外高加索格鲁吉亚梯弗里斯[今格鲁吉亚第比利斯])　土耳其陆军军官，第一次世界大战期间奥斯曼政府的主要成员。曾参加秘密团体统一与进步委员会。1908年革命后任军政委员会委员。后历任省长、君士坦丁堡保安司令、公共工程部长。第一次世界大战爆发时，他是政府中最有影响的人物之一。他入侵埃及失败后，曾任叙利亚省长，大量屠杀少数民族亚美尼亚人。战后在新成立的土耳其共和国工作，后被亚美尼亚民族主义者刺杀。

cement　水泥　建筑及工程建设中使用的粉末状材料，加水拌和后能凝结成坚硬的固体。其他种类的水泥可用作黏合材料。古代罗马人用石灰及火山灰制作水泥，并在罗马帝国各地的建设中加以使用。1824年英国工程师J.阿斯普丁获得了波特兰水泥的专利，称之为波特兰水泥是因为其颜色与波特兰岛上开采的石灰石相似。波特兰水泥同以前出产的各类水泥相比，较为坚固，抗水性能也较为持久，不久即成为使用最广泛的品种。制作波特兰水泥最常用的两种原料为石灰石及黏土，这些原料包含水泥的四种基本成分：存在于石灰石中的碳酸钙，存在于黏土中的二氧化硅、氧化铝和氧化铁。制作水泥时，将原料破碎并碾磨成粉末，按预定比例配合拌和，然后送入高温窑内焙烧。烧成的团块即水泥熟料，要掺入石膏添加剂，以延缓水泥的凝结时间。还可以添加某些特殊材料，以生产具有特定性能的水泥——例如生产专供油井开采使用的水泥(可经受油井深处的高温及高压)和防水水泥等。最后，把掺入添加剂的水泥熟料碾磨成粉末，便制成水泥成品。波特兰水泥与水混合后凝结，主要是由于其中硅酸钙水合作用成为凝胶状态，待剩余的水分蒸发后，凝胶就变成了坚硬的固体。其他种类的水泥有：利用炼铁高炉的炉渣制成的矿渣水泥及用铝酸盐含量高的原料制成的高铝水泥。由于这些水泥具有抗化学腐蚀(如被污染空气中的硫酸)的性能，而常被人们使用。用石膏制作的水泥可用作抹墙材料或制造石膏板。还有用塑料、树脂以及其他天然或人造材料制作的水泥品种。单是水泥本身的使用范围很小，例如只能作为砖石缝隙灌浆之用。使用水泥时一般要将它同粒料混合在一起，同砂子拌和后，就成为水泥砂浆，可用来砌筑砖石；同砾石或碎石拌和后，就成为混凝土。混凝土具有坚固、适应性强和价廉的优点，乃是世界上使用得最广泛的建筑材料。

cementation　胶结作用　在地质学上，指由于矿物质在碎屑沉积物的孔隙空间中沉淀而使其硬化和结合的作用。这一作用是沉积岩形成的最后阶段。胶结物是岩石的重要组成部分，胶结物的沉淀会影响岩石的孔隙度和渗透率。许多矿物可以成为胶结物，最常见的是二氧化硅(一般是石英)、方解石和其他碳酸盐类，以及氧化铁、重晶石、硬石膏、沸石类和黏土矿物也能起胶结物的作用。胶结物究竟怎样沉淀，什么时候沉淀，还不甚清楚。部分胶结物似乎来源于岩层内部，部分似乎是由循环水由外部带来的。相反的作用(称为去胶结作用)据认为也有出现。有证据证明去胶结作用曾在钙质砂岩中出现过，在这种情况下，钙质胶结物和钙质颗粒被溶解，其溶解方法与石灰岩的溶解相同。在一些易碎和松散胶结的砂岩中，石英颗粒具霜状和刻蚀的表面似乎表明了以前存在过碳酸盐质胶结物，但是已经被淋滤掉了。

cementum　牙骨质　又作cement。哺乳动物牙上的薄层骨样物质。覆于牙根之上，有时亦覆于牙的其他部分。色微黄，硬度低于牙本质及牙釉质。由一层毗连牙本质的成牙骨质细胞所生成。牙周膜纤维将牙固定于牙槽内，纤维的一端埋入牙骨质中。牙骨质沉积的过程终生不断地进行，尤其是对应力作出反应时。例如，人类的牙冠磨耗后，牙根处又沉积新的牙骨质，使牙从牙槽内长高，以维持良好的咬合。

cemetery　公墓　规划出来供埋葬死者之用的土地。公墓反映地理条件、宗教信仰、社会观念以及美学和卫生上的考虑，有时因陋就简，有时富丽堂皇，甚至超过生者的居住区。公墓也可能被奉为"圣地"即禁区。在日本、墨西哥等国，公墓是在某种场合为纪念死者进行参拜之处。在另外一些国家以及其他宗教团体，公墓荒凉简陋，鲜有人迹。

在大多数文化形态中，为死者提供葬身之地原是家族的义务，因为人们普遍相信，人虽死而亲缘关系犹存。在《圣经》中，亚伯拉罕从赫人所购之地，其主要特点是有洞穴，亚伯拉罕可以将他家族中的死者葬在其中，保有家茔是长期流行于世界许多地区的习俗。家茔的地点往往要加意选择：在中国，由风水先生选址，选风好水佳的地点；朝鲜人传统上请泥土占卜师选定吉地，使邪灵凶鬼不能望见。与先人团聚的愿望一向十分强烈，亚裔孝子有时不惜重金把先人遗体运回日本或中国安葬；在西方世界，人们往往把死者遗体用航空、铁路和海运手段"运回故土"。即使是在由部落或社区负责提供墓地的场合，葬身于社区墓地也是众人羡慕的特权。外乡人可以居住在市镇或城市，但不能葬身于它们的公墓。古代犹太人、罗马人和其他民族建立特别的公墓为埋葬罪犯、异族人和贫穷人之用。在欧洲，从中世纪一直到19世纪若干年代，经过定罪的巫者和杀人犯，还有自杀而死者，都不得葬于公墓。

环境卫生上的考虑一向影响到公墓的性质及选址。例如，罗马人和犹太人就认为公墓具有危险性，因而把墓地安排在罗马及耶路撒冷的城垣之外。古代埃及人和中国人也同样拥有这种环境卫生上的考虑。另一方面，基督教徒却不考虑此点，他们的地下墓穴既是集体墓地又是礼拜场所，到了基督教徒可以自由举行宗教活动的时代，他们把死者葬在教堂或教堂后面的墓地。6世纪以后，人口过于稠密已是十分普遍的问题，于是许多世俗当局决定恢复罗马国旧制，埋葬死者必须在城垣之外。但是，教会的土地不受世俗环境卫生法的约束，于是，在欧洲中世纪和文艺复兴时代，问题愈益严重。

到了18世纪中叶，教会墓地拥挤，城市范围之内也再无埋葬死者之地，其后果已是众人忧虑的问题。教堂的地下室以及教堂周围的狭小空间已经是棺木丛集。这种场所许多已成为病源，常去者难免罹灾。在教堂墓地，掩埋的棺木逐层垒置，高到距地表仅几英尺(有时甚至仅几英寸)，地面不断升高，常与教堂低层窗口持平。为了给新葬者腾出空间，教堂司事只好暗中将骸骨和尚未完全腐朽的尸体移往他处，有时是有计划地另行掘坑掩埋，掘墓工将挖出的棺木铭牌、棺柄、棺钉收归己有，当作废金属出售。这样一来，教堂墓地附近的居民往往丧失健康，面色难看得令人无法忍受。

各大城镇的这类情况仅在程度上有所不同。在伦敦，由于人口众多，死者也多，这种情况更加及时受到公众关注，经过不止一次地采取治标措施，终于在1855年依法关闭全部教堂墓地，仅留少数例外。先是一些私人企业在伦敦附近开办了几处公墓，但是1855年的丧葬法案标志着公墓制在不列颠和爱尔兰的全面实施。几乎在各个地方，在城市和市镇范围以内的墓葬都已废止，如果某地尚有墓葬，则必须以种种方式保证其无害。

从1860年起，在教会墓地埋葬死者的习俗，在许多国家逐渐终止，丧葬经历了一个过程，先是在私人地产上单葬，再是葬于教堂墓地，再是葬于公墓，今日则是葬在纪念园中，各坟以金属牌标出，不再用传统的墓石。19世纪最大的此类工程之一是英格兰的布鲁克伍德纪念园，它是由伦敦墓地公司所举办。它在伦敦市内有私有火车站，在公墓范围有两个这样的火车站，有自己的电报挂号，并有针对不同宗教、民族、社团和职业的特别葬区。美国加利福尼亚州的福雷斯特劳恩公墓或许是这类设施中最著名者。在美国,目前仍有公共公墓、合作公墓、教会公墓和大规模的共有公墓。对于军人和军人家属,除了州、县和市开办的公墓以外,联邦政府还在美国境内和国外办有许多国家公墓。在现代,公墓由政府机关、宗教团体、商业机构或其他负责机构出售地块。丧家须缴纳一定费用以使坟墓常年受照料,同时还要为开墓以及司事和监督人员所履行的其他工作交费。

Cen Shen 岑参(约715～770) 又拼Tsén Shen。中国唐代诗人。荆州江陵(今湖北江陵)人。30岁中进士。天宝后期两次从军在安西生活多年。安史乱后东归,曾任嘉州刺史,人称岑嘉州。诗思奇特,造语新警,擅长写景,早期歌咏隐居生活。从军西域所作边塞诗尤为出色,与高适齐名,并称"高岑"。七言古诗写雄浑辽阔的边塞风光,其中《轮台歌》描绘大军奔赴前线的雄壮气势,《白雪歌送武判官归京》、《天山雪歌送萧治归京》等用夸张笔墨写西域山川奇特景色,想象丰富,色彩瑰丽,反映出诗人积极昂扬的精神面貌。风格意境都为以往作品所未见。有《岑嘉州集》。今人陈铁民、侯忠义有《岑参集校注》(1981)。

cénacle 文社 在法国浪漫主义运动早期领袖周围形成的文艺社团。最早的一个文社聚集在德尚兄弟周围,他们是历时虽短但影响巨大的《法兰西缪斯》的编辑。1824年该刊物停办,它的撰稿人都转移到阿尔瑟纳勒图书馆馆长诺迪埃的沙龙中。这群作家中有拉马丁、维尼、缪塞、雨果。大仲马在回忆录中描绘了他们的活动。3年后,雨果和评论家圣伯夫在他的家中(圣母院街)组织了另一个文社,吸收了另一些青年作者,如梅里美、戈蒂埃、G.德·奈瓦尔等。戈蒂埃周围有一批喧嚷而不拘小节的浪漫派作家,如G.德·奈瓦尔和P.博雷尔,被称为小文社。雨果的诗剧《爱尔那尼》于1830年上演时,他们的喝彩声压倒了传统主义者对此剧的谴责谩骂,于是结束了浪漫主义为叫古典主义那过时的戏剧常规让位之战,即所谓"爱尔那尼"战役。

Cenci, Beatrice 钦契(1577-02-06,罗马[意大利]～1599-09-11,罗马) 罗马年轻女贵族,被教皇克雷芒八世处死而引起公众的同情,成为诗歌、戏剧和小说的题材,其中有P.B.雪莱的《钦契一家》(1819)和A.莫拉维亚的《贝特丽采·钦契》(1958)。她是弗朗切斯科·钦契——一个非常富有、权势很大的恶毒、暴虐的罗马贵族——(与其第1个妻子)的女儿。1595年,父亲把他的第2个妻子卢克雷齐娅和她一起带到阿奎拉省彼得雷拉山中一座人迹罕至的城堡,将她们囚禁在那里并极其残暴地对待她们。为了获取自由她作过各种各样的努力,后与城堡管家O.卡尔韦蒂私通而获得庇护。她与卡尔韦蒂、她的兄弟贾科莫及其他人一道策划杀死她的父亲。父亲于1598年9月9日被杀,尸体被从阳台扔下,造成意外事故的假象。但不久真相大白,钦契家族成员全部被捕。卢克雷齐娅、贾科莫和她的另一个兄弟贝尔纳多承认有罪,

美国不列颠百科全书公司供图

她起初否认一切,即使受刑也不改口,最终亦认罪。为使被告获得宽恕,人们作了很大的努力,但克雷芒八世拒绝赐予赦免,于是她、卢克雷齐娅和贾科莫被处决,贝尔纳多因年幼而未被处死。钦契家族的财产被没收,谣传此即教皇除掉他们的目的。

Cendrars, Blaise 桑德拉尔(1887-09-01,瑞士拉绍德封～1961-01-21,巴黎) 弗雷德里克·索塞的笔名。瑞士法语诗人,随笔作家。曾创造一种有力的新诗歌风格,以表现充满奋斗和艰险的人生。诗集《纽约的复活节》(1912)和《西伯利亚大铁路和法国的小让娜的散文》(1913),都是游记和哀歌的结合物。

美国不列颠百科公司全书供图

对桑德拉尔来说,诗歌就是以大胆的新手法形之于文字的行动,即:用时断时续、中间有省略的节奏传达的一大堆形象化比喻、感情、联想、惊人效果和与此同时产生的印象。桑德拉尔的小说《东冲西撞》(1948)赞美危险的生活。他那丰富的基本上属于自传性质的作品,对同时代人产生了强烈影响。美国先锋派作家H.米勒认为他是"现代文学的一片大陆"。桑德拉尔于1961年获巴黎市文学大奖,同年去世。

Cenis, Mount 塞尼山 法语作Mont Cenis,意大利语作Monte Consio或Moncensio。法国和意大利之间阿尔卑斯山脉的山地和山口。位于法国东南部萨瓦省境内布里扬松东北和意大利都灵市西面。这个山口自古就是战略要冲,有一条由拿破仑一世于1803～1810年修建的长38千米的公路,将法国萨瓦省朗勒堡与意大利皮埃蒙特的苏萨山谷连接起来。这条公路穿过两座高于2 500米的山峰后,沿塞尼山高原继续向前延伸,途经一个大水库(面积6.7平方千米),连同一个1.4千米长的水坝。在弗雷瑞斯山口下面的塞尼山隧道有助于法国莫达讷和意大利巴多内基亚之间的交通。这是工程建筑的一个里程碑,因为有许多技术在此首次应用。

Cennai(city, India) **森奈** 参阅**Madras**马德拉斯。

Cennini, Cennino (di Drea) 琴尼尼(约1370,佛罗伦萨附近[意大利]～约1440,佛罗伦萨) 晚期哥特式佛罗伦萨画家,遵循乔托的传统。他的重要性在于撰写的著作《艺人手册》(1437),该书广泛介绍了中世纪艺术家的方法、技法和观点,资料丰富。他认为绘画是一种高尚的职业,因为它把理论或想象与手的技巧结合在一起。此书最早阐述了蛋彩画技法。

cenobitic monasticism 留院隐修 隐修者共同生活的隐修方式。其特点是戒律严明,按时进行宗教活动和体力劳动。这种隐修方式是由圣帕科米乌斯首创,后来经过圣大巴西勒(约329～379)的发扬而更加完善。留院隐修由圣本尼狄克引入西方教会,成为本笃会的制度。

Cenomani 塞诺马尼人 山南高卢(北意大利)的凯尔特民族。公元前3～前2世纪与罗马人结盟反对其他高卢部落。起初他们于公元前200年参加了迦太基将领哈米尔卡尔领导的起义,但在公元前196年拉留斯湖(科莫湖)战役中,他们背弃了因苏布雷人(Insubres),与罗马人单独签订条约。他们的疆界大致以奥留斯(奥廖)河、帕杜斯(波)河、阿特西斯(阿迪杰)河为界。

cenotaph 纪念碑 又称墓碑、纪念塔。为遗体葬在他处的死者建立的纪念性建筑,有时采用坟墓的形式。据希腊的记载,古代有许多纪念碑,其中包括雅典人为其诗人、悲

纪念碑

美国国会图书馆供图

剧作家欧里庇得斯修建的墓,但如今都已不复存在。现存的这类建筑主要分布在一些著名的教堂里,例如佛罗伦萨的圣十字教

堂，其中有但丁、马基雅弗利和伽利略的纪念冢；伦敦威斯敏斯特教堂和圣保罗大教堂中也有这类纪念冢。但在现代，此词多指国家的战争纪念建筑，如著名的伦敦第一次世界大战阵亡将士纪念塔，由E.勒琴斯设计，1920年建成。

cenote　洞状陷穴　中美洲尤卡坦半岛上常见的天然井或天然水库，是表面石灰岩层坍陷而露出地下水所形成。这种洞状陷穴在现在和古代都是尤卡坦岛居民的主要水源，同时又与对众雨神（恰克）的崇拜有关。古代在奇琴伊察等地，人们向洞状陷穴投入玉、金、铜等珍器和香乃至人（一般是儿童），作为祭品。如果人祭投入洞穴而得不死，人们就说他从诸神那里带回了信息，以此预卜当年丰歉。

Cenozoic Era　新生代　地球历史上第三个主要的代，在这一代的时间范围内，各大陆形成了现代的轮廓和地理位置。新生代也是地球上的植物群和动物群向现代的植物群和动物群进化的时期。

新生代，原文名 Cenozoic 源出希腊语，意为“近代生物”，大约开始于6 640万年前，并按国际协议划分成两个纪：第三纪（6 640万年前至160万年前）和第四纪（160万年前至现在）。第三纪和第四纪这两个名称是从早年的地质命名法中沿袭下来的，当时用以将较新的岩层与较老的岩层相区别，那时把老岩层分成为原生的和次生的两类。有些权威学者宁可把第三纪所包含的这段时间分成为老第三纪和新第三纪，而完全废除第三纪这个术语。

第三纪和第四纪又分成若干个世。第三纪分成古新世（6 640万年前至5 780万年前）、始新世（5 780万年前至3 660万年前）、渐新世（3 660万年前至2 370万年前）、中新世（2 370万年前至530万年前）和上新世（530万年前至160万年前）；第四纪分成更新世（160万年前至1万年前）和全新世（最近这1万年）。

第三纪是个造山时期。地壳中的主要构造运动结果造成了今天的这些大山脉：安第斯山、阿尔卑斯山、喜马拉雅山以及北美洲西部的喀斯喀特火山链。落基山脉中的拉拉米造山运动的最后一幕也出现在第三纪。

植物在第三纪的演化改变了地球的面貌。被子植物——有花植物，其种子是被封闭起来加以保护的，并在其果实内携带着本身的营养供应——超越了裸子植物或者说“种子裸露”植物，这种植物在中生代（2.45亿年前至6 640万年前）曾占有很大优势。被子植物显然起源于现在是东南亚的地区，迅速地散布到了全世界各处，到达了南北两极地区，当时南北两极是没有冰盖的。被子植物的分布情况在某种程度上也受到了几个大山脉走向的影响。在欧亚大陆的大部分，山脉为东西走向；在南北美洲和东南亚，山脉为南北走向。更新世大冰期之后，欧亚大陆的许多植物当冰川衰退时仍然停留在南方地区，因为山脉阻挡了它们的去路。可是在美洲和东南亚，它们却找到了返回到北方地区去的道路。

第三纪最重要的生物发展情况是哺乳动物的进化。两大类哺乳动物——有胎盘类和有袋类，在白垩纪期间（1.44亿年前至6 640万年前）就出现了，并在第三纪早期向四面八方迅速传播。大陆漂移在哺乳动物的进化中有影响。澳大利亚在整个第三纪的大部分时间里与其他大陆是隔绝的，所以它的有袋类种群进行了无竞争的演化，分化成了许多类型，并利用了各种生态环境。南美洲不仅已经被有袋类所到达，而且也被某些特殊化的有胎盘类哺乳动物到达了。这些有胎盘类更加成功地进行了演化，但有些有袋类也仍然幸存下来。

在古新世期间，哺乳动物的演化在新旧两个大陆上的进度都越来越快，而且出现了许多种越来越分化的类型。这些当中有啮齿类、食肉类、有蹄类和灵长类。在上新世，出现了最早的类人猿，它们具有直立姿势和现代躯干比例。从化石记录看来，人属（*Homo*）最早的类型似乎是在东非、南非和印度尼西亚出现的。早期的现代人类终于在更新世出现。

在整个第四纪，发生了一系列的冰川前进和后撤的周期，这大大地影响了北半球植物群和动物群的发育。早期的人类也像其他许多种动物那样，因冰川作用被迫转移了地方，但不像其他某些动物，却经住了所谓大冰期的考验而继续生存下来。

censer（incense burner）　参阅 **thurible** *香炉*。

censor　监察官　古罗马官员，原来负责登记公民的户口和财产，后来职权大大扩充，包括检查元老院案卷和道德行为、评估财产供征税和订立契约之用、惩罚有违道德伦理者、在每次人口普查后举行驱邪仪式等。公元前443年设监察官官职，公元前22年废除。人数两名，每5年在百人团大会选出。最初只有贵族才有资格担任此职，公元前351年向平民开放。监察官的决定只有两人共同认可时才具效力。一人故去或逊位，另一人也应退隐。

censor　御史　在传统的东亚地区，负责监察和弹劾官吏和统治者的行为的政府官吏。这一官职源自中国，在秦朝（公元前221～前206）和汉朝（公元前206～公元220），御史的职能是谏阻皇帝的行为。但因皇权日重，御史一职主要变成皇帝控制官僚机构、调查官吏贪污和失职行为的工具。到唐朝（618～907），其机构“御史台”已经成为政府重要部门之一。宋朝（960～1279）更扩大了其机构，到了明（1368～1644）、清（1644～1911）两朝，其权力臻于巅峰。1380年（明洪武时）改称“都察院”，已是一个庞大的政府机关，下设4个部分，由两名都御史总管。御史审核重要文件，监督建筑工程，复审诉讼案件，监护国家财产，全面监视颠覆活动和贪污现象。御史由文官中选拔，一般为级别较低的中青年，任期不超过9年，任期终了后仍复原职。他们的主要权力在于可直接面见皇帝。但是，有少数御史由于过分激烈批评皇帝得意的政策而受到惩罚，这就导致其他御史缄口不言和忽视许多官吏失职现象。御史的主要作用是使所有官吏皆有所畏惧，防止他们制定任何激进的或革新的政策。1911年清朝被推翻后，中国的御史制度实际上已经结束。东亚和中亚袭用中国官制的国家，也都设立了御史机构。在朝鲜，由于国王的权力较弱而贵族的力量很强，御史机构变成极为重要的机关，它不但监察贪污现象，而且直接批评君主的政策。朝鲜除原有的司宪府和司谏院外，又增设了弘文馆和经筵，它们成为品评国家政策以及国王和官员的行为的论坛。日本的德川幕府（1603～1867）在17世纪创立一种御史机构“目付”，监察全国各藩的事情。许多“大名”由于“目付”的弹劾，结果被调往较小的藩甚至完全丧失他们的领地。

censorship　书刊检查制度　指对于被指控为危害公共利益的言词或文字进行压制或禁止的制度。书刊检查制度的历史是学术、教育、政治制度、宗教信仰以及艺术的历史当中的一部分。

从古至今，书刊检查是在不同形式之下存在的。中国有焚书坑儒，印度有大乘、小乘之争，以色列有关于托拉法典解释的争执，希腊有对于政治家、哲学家、艺术家的迫害，罗马有对犹太人、基督教徒的迫害，基督教则有教义及教廷的专制及排外，伊斯兰教则有关于《古兰经》解释必须依照既定三原则的问题。

欧洲在中古、文艺复兴及宗教改革时期各有其书刊检查办法，自不待言。以中古论，12世纪是比较自由的，而13世纪时的限制反而较多，且发生很矛盾的现象。如1215年创立巴黎大学的法规，一方面允许传授亚里士多德的逻辑学；另一方面却禁止传授他的关于形而上学、物理学和自然科学的著作。

文艺复兴和宗教改革时期，印刷已逐渐风行，使书刊检查制度发生了一些变化：①把出版前的检查和禁止未经检查的书籍的流行区分开来；同时把教会和政府的检查也区分开来；②公布书刊的目录和索引，作为检查工作的依据；③百科全书的出现，标志着人文主义的兴起。

但由于宗教改革时期，新旧教双方斗争的激烈，就导致了教廷方面发表《禁书目录》以及10条控制出版的条例（1564），其范围除禁止异端的书籍出版外，也包括有关道德风尚甚至魔术迷信的著作。

近代的书刊检查：随着出版方法的新发展、宗教教义的新组合、民族国家的兴起、新百科全书和新交通方式的出现，书刊检查制度也有所改变。总的说来，16世纪检查的重点是异端和颠覆活动，而19世纪的检查重点则为道德和科学。但17和18世纪则逐渐为言论和出版自由开辟了道路。同时检查也趋于专门化及分类化了，特别是出版前的检查。大学变成了提供书刊检查专家的来源。但这种检查却产生一些适得其反的结果，如在法国因实行禁止秘密印刷，反而使秘密印刷盛行。在英国许多学者提出有力的反对检查的论据。

19和20世纪关于书刊的判断和控制：在

法国,自大革命一直到现在,每一政权的变动,都各自有其对书刊、戏剧的特别规定。目前这些限制已于1912年被应用于电影,之后又被用于无线电和电视。英国在1832年前曾特别注意对叛逆的作品和言论的检查,但1832年后情况有所改善,目前检查的范围已逐渐缩小。但法律以外的压力和间接的政府控制却继续发挥着检查的作用。美国殖民地时期和建国初期也是厉行书刊检查的,特别是有关宗教问题。1791年宪法第一条修正案成立后,取消了出版前的检查,但政府仍可通过种种方式对书商施加压力。

census 人口普查 泛指一个国家或地区在某一特定时间内的人口、房屋、企业及其他特别项目的数字统计,但单独使用时通常只指人口普查——本条所述即属此类。但是,在很多国家仍然指房地产业、制造业和农业的数字统计。

人口普查花费很大,只间或进行:许多国家每隔10年进行一次,有些国家则5年一次或没有固定间隔时间。在不进行人口普查的年份里,则借助于必要的统计资料来进行人口估计。

历史 严格地说,现代人口普查直到17世纪才开始发展起来。在此之前,对人口、纳税者或贵重财物肯定是要清查的,但清查的方式和目的都与现代的普查不同。最主要的区别在于,早年的清查是为了对某些特定的人实行控制,例如,调查谁该纳税、谁该应征入伍、谁该服劳役等等。因为它通常不是为了调查对象的个人利益,也不是为此等目的提供准确资料,因而早期的统计数字往往不准确。第二个差别是,早期的清查对象并不是全体居民,甚至也不从全体居民中选取一部分有代表性的人作调查样品,那时只对特定类别的人进行调查,如调查户主或符合入伍年龄的男子。在古巴比伦、巴勒斯坦、波斯、中国和埃及都进行过这种调查。古罗马每隔5年对公民及其财产进行盘查以确定他们的义务。公元前5年这种调查扩展到整个罗马帝国;罗马帝国崩溃后,这种调查在西方不再继续,直到现代。当然1086年在英国进行的调查,《末日审判书》(**Domesday Book**)是个主要的例外,那是为了使英王征服者威廉一世了解他的新领土上的土地所有者及其财产。另外1449年在敌人包围的威胁下德国纽伦堡市对城内居民作了几乎是全面的清点。

对全体居民和他们的重要特征进行全面人口调查的目的是为了弄清社会的基本结构和动向,而不是为了鉴定和掌握特定的个人,这种现代的人口普查概念是17和18世纪才出现的。这里不存在所谓的"第一次人口普查"。因为虽然早期的努力体现了一种或另一种现代人口普查的特征,但是并不能体现全部现代的特征。也许第一次比一个城市更大的范围里的人口普查是1665～1754年在新法兰西(魁北克)及阿卡迪亚(新斯科舍)进行的,它对所有居民作了16次连续定期的人口调查。瑞典的教会牧师长期保存着其教区内教民的名册,1749年从这些统计表得到了瑞典(包括芬兰)的人口总数;1787年在丹麦也开始了类似的工作。意大利的一些城邦进行了接近精确的人口调查。从1774年起若干德意志城邦也进行过人口调查。虽然一些英属北美殖民地——如弗吉尼亚在1624～1625年和其后——曾经进行过全面的人口调查,但美国载入史册的第一次人口普查是在1790年。那不仅是因为进行调查的地区范围广大和为取得各种人口特征资料所作出的努力,更因为进行调查的政治目的,是为了在人口总数的基础上确定在国会中的代表。英格兰在1801年进行了首次人口普查,而尽管法兰西在1800年和1806年亦曾尝试着进行,但由于行政机构水平低劣,直到30年后其普查结果还不可靠。

早期人口普查工作者只是逐渐地学习人口普查的基本知识及如何获得可靠数字。美国第一次人口普查对职业、出生地、婚姻状况和确切年龄都没有获得可靠资料。一个按5岁年龄段对白种人进行的分类统计是在1800年人口普查时提供的,但是其他项目还须等较晚时间,直到1850年普查还是以家庭为单位而不是以个人为单位进行。在英格兰直到1841年才获得满意的年龄资料,而到1851年才着手获取婚姻状况的资料。

现代人口普查的发展史包括三个平行的方面:①提出并推广这样一个观点,为科学研究和政治管理而进行全国范围的统计调查;②对于普查工作的行政管理、技术及精确度的改进,包括从法律上保证对被调查者提供的答案实行保密;③更深入、系统地对所获情报进行分类。所有三个方面的发展都是为了提高人口普查作为重要资料来源的有效性。

如果认为在每个国家的历史上都记载着第一次人口普查的日期,在此之前人口规模及特征含混不清,而在此之后则完全清楚明了,这是一种误解。通常在首次人口普查以前也可获得有用的片断信息,而在此以后,要使人口普查的资料变得完整和精确还需要经历一段时间。那些人口普查的先行国家逐渐地摸索出一套更好的人口调查方法,这些方法可以传给其他一些新作调查的国家,使它们可以不必重复全部的尝试与错误。加拿大第一次全国范围的人口普查是在1871年进行的,印度是在1871～1872年、埃及是在1897年。

除了全国性的人口普查外,还有在殖民地、国家的部分地区、城市等进行的人口普查。据估计,第二次世界大战后的10年中至少有150个国家或地区进行人口普查,收集了20多亿人的个人资料。20世纪后半叶,很多国家所进行的人口普查部分地是由于联合国的努力,联合国不仅支持各国进行人口普查,而且主办地区统计委员会在计划和实行人口调查时还提出最低标准并进行技术指导。中国在1953年报道过一次人口普查,至此,世界上最后一个重要部分走出了人口统计的盲区。和以前相比,全世界的人口统计数已经达到远比以前精确的程度,人口的结构(包括其社会经济特征)及其变化模式也远比从前清楚。

现代人口普查的方法 现代人口普查要求有明确的地区和分区界限,因而通常要借助于详细的地图来进行计划和管理。普查的目的在于清点某一指定地区内的每一个人。"法定"普查根据人们正规、合法的住所来清点人数;"事实"普查根据普查进行时人们的所在地来清点人数——是按普查之日其过夜地点来计算。不论使用两种方式中的哪一种,所说的地域分布都是按人们睡眠的地点(夜间人口)而不是工作的地点(白天人口)来计算的。因此,中心城市的人口数往往大大低于白天在那里工作的人数,而郊区人口数往往大大高于在郊区工作的人数。

另外,与要有明确的地域界线一样,人口普查也要有明确的时间界线;因而,一般选定一个特定的时刻。这个"人口普查标准时"常常被定在午夜,成为区分计入和不计入的时间界线。所有在人口普查标准时之后出生或在此之前死亡的人都不计入,其余的则都计入。这一普查标准时也是某种问题的参照点,如年龄、婚姻状况和国籍等。虽然有些问题,如职业和劳动力参加率指的是一段时间而不是极短的片刻,但是要做到明确也需要有具体时期界限。

人口普查要求对所有的个人都进行调查,这并不意味着必须会见所有的人。妻子可以提供丈夫的情况;父母可以提供孩子的情况。这也不意味着关于每个人的问题都必须有答案。如果所有的个人都被查过——也就是说进行过清点并对几个基本问题进行了归类,那么就有了对其他相关问题进行抽样的基础。

由于人口普查的资料是通过固定的访问问卷获得的,因此答案资料有两大类型:直接资料,即按对规定表格中具体问题的回答而得到的资料;导出资料,即将各种问题的回答加以分类和相互联系而得出的事实。直接资料又分两种:姓名、住址等项目,一般常作为调查程序本身的引导;出生地、婚姻状况和职业等项目,则通常直接用于编制人口普查统计表。从直接资料的第二种可以得到导出资料,如总人口、城乡分布和家庭构成等。以下是联合国提供的一个有实用价值的普查项目表。

(1)直接项目:地理①调查地点及/或常住地;家庭②和户主或家庭的关系;人口统计③性别,④年龄,⑤婚姻状况,⑥出生子女,⑦出生地;经济⑧活动类型,⑨职业,⑩行业,⑪雇佣状况;社会和政治⑫国籍,⑬语言,⑭种族和宗教信仰;教育⑮受教育程度,⑯所上学校。

(2)导出项目:⑰总人口;⑱城镇和本地人口;⑲城乡分布;⑳家庭结构。

可能有的附加项目包括以前的居住地(可了解国内迁移情况)、土地占有情况、收入、劳动力参加率、婚龄和再婚次数。

运用机器分析普查结果对整个人口普查工作具有深远影响。在19世纪,人们手工操作制表时,没有提出过复杂的问题,因为不可能对它们加以分析。随着计算机制表和分析的引入,情况完全改变了。现代计算机的应用导致了人口普查的第二次革命,依靠它,复杂的统计报表便可以很快制出。

centaur 半人半马怪 在希腊神话中,住在色萨利和阿卡迪亚山中的一批怪物,部分是马,部分是人。传说他们是邻近的拉庇泰人王伊克西翁的子孙。以同拉庇泰人的恶战而闻名,其原因是他们企图抢走伊克西翁的儿子和继承人庇里托俄斯的新娘。他们战败后,被撵出派利翁山。在希腊后期,他们常被描绘成替酒神狄俄尼索斯拉战车,或被爱神

雅典帕台农神庙中的半人半马怪与一拉庇泰人作战的浮雕
美国不列颠百科全书公司供图

厄洛斯束缚并骑乘,以暗示他们酗酒和好色的习性。他们的一般特征是粗野放荡、无法无天、不好客,为兽性所支配。对半人半马怪最好的解释是,它们是一个民间故事的创造,在这个故事里,山里的野蛮居民和森林里的野蛮精灵被结合在半人半兽的外形之中。在早期的艺术作品中,它们被描绘成前身是人形,后背则连着马的躯体和后腿。后来他们的人形只到腰部。它们用树木的粗枝作为作战武器。

Centaur object 半人马星 冰质的天体,大小近似于小行星,成分与彗星相近,其绕行太阳的轨道主要介于木星与海王星轨道之间。最早发现的半人马星是1977年发现的卡戎,但直到10多年后人们才认识到它与彗星的相似性。随后又记录到数十个半人马星。天文学家认为这些半人马星源于柯伊伯带,即海王星轨道外侧庞大的彗核来源。

Centaurea 矢车菊属 菊科的一属,约500种草本植物,主要原产于旧大陆,集中分布于地中海地区。该属含大量一年生和多年生庭园花卉植物,如蓝矢车菊(*C. cyanus*)和大矢车菊(*C. americana*),以及白绒毛矢车菊、山矢车菊、香芙蓉、球形矢车菊、无刺蓟、河谷蓟、蓝瓶矢车菊、黑矢车菊等。

centigrade temperature scale (physical science) **百分温标** 参阅**Celsius temperature scale** 摄氏温标。

centimetre 厘米 又拼centimeter。公制长度单位,等于0.01米(**metre**),或0.3937英寸。

centipede(class Chilopoda) **蜈蚣类** 唇足纲节肢动物,与其他数纲组成多足类。约有3 000种,世界性分布,白天藏在石块、树皮下和落叶层,夜间捕食其他小无脊椎动物。体扁,多节。除最末节外,每节有一对足,共14～177对足,行动迅速。有一对多节的长触角,头后方有一对毒爪。蚰蜒俗称钱串子,见于欧洲及北美,属蚰蜒目(Scutigerida 或 Scutigeromorpha),体短,长2.5厘米,有条纹,步足长,15对,是唯一常见于住所的唇足纲动物。其他蜈蚣类的足较短,钩状,有些种的最末一对足钳状。地蜈蚣目(Geophilida 或 Geophilomorpha)的种类钻洞,身体像蚯蚓那样交替伸缩。蜈蚣目(Scolopendrida 或 Scolopendromorpha)分布于热带,包括最大的蜈蚣种类。东印度群岛的巨蜈蚣(*Scolopendra gigantea*)长可达28厘米,咬人可致剧痛。蜈蚣目种类的运动方式同地蜈蚣,但较慢而柔软。

蜈蚣类(*Scolopendra*)
美国不列颠百科全书公司供图

石蜈蚣目(Lithobiida 或 Lithobiomorpha)的种类体短,和蚰蜒一样,运动速度快,行进时身体仍伸直。

Cento 琴托 意大利中北部艾米利亚-罗马涅区费拉拉省城镇。位于博洛尼亚西北24千米,雷诺河畔。镇内玫瑰经圣母教堂中有一座为纪念本地出生的17世纪巴罗克派画家圭尔奇诺而建造的小教堂,并藏有他的绘画。有大麻和金属加工业。人口:城市区约29 055(1989)。

Cento 参阅**Central Treaty Organization** 中央条约组织。

Central 中部区 英国苏格兰大区。1975年行政改制时设置。面积2 700平方千米。由前克拉克曼南郡全部、斯特灵郡大部、珀斯郡一部和西洛锡安郡一小部组成。下设克拉克曼南、斯特灵和福尔柯克3个区。工业种类繁多,有石油化工、啤酒酿造、工程、电子和造纸等。农业区广袤而繁荣。人口约271 400(1989)。

Central, Cordillera 中科迪勒拉山 多米尼加共和国西部山岭。高原主体部分在首都圣多明各西面不远,向西北延伸至海地边境。为全国三大河系(尤纳河、北亚克河、南亚克河)的发源地。山脉平均海拔1 500～2 400米。有几个孤立的较高的山峰。杜阿尔特峰海拔3 175米,为西印度群岛最高山峰。地势崎岖,山坡森林密布,只有少数几条山区公路。当地人烟稀少。

Central, Cordillera 中科迪勒拉山 波多黎各岛内地的石灰石山脉。分为三段。主脉在中西部,从西部的圣赫尔曼延伸80千米至岛屿中东部马纳蒂河和拉普拉塔河的分水岭,山中有波多黎各岛的最高峰塞罗-德蓬塔(1 338米),西部拉斯梅萨斯丘陵有褐铁矿。中科迪勒拉山和东面较低的卡耶伊山之间为渐降的过渡地带,源自这两条山岭的河流广泛利用于发电和供水。第三部分是另一条支脉,称卢基约山脉,构成岛屿的东北部,这一潮湿的热带地区的2/3覆盖着加勒比国家森林。埃尔托罗峰(1 074米)和埃尔云克峰(1 065米)一度被认为是全岛最高峰。

central Africa 中部非洲 非洲地跨赤道两边的地区,多属刚果河水系流域。所谓中部非洲一般包括刚果(布)、中非共和国和刚果(金);加蓬通常与中非共和国一同包括在内,因为两国有着共同的历史纽带,曾经同是法属赤道非洲的一部分。卢旺达和布隆迪虽然均位于形成刚果河流域东部分水岭的东非裂谷系的东面,但两国因与前比属刚果(今刚果[金])在行政上的联系,包括在中部非洲的讨论范围之内。加蓬大西洋岸外的岛国圣多美和普林西比共和国亦包括在本地区之内。面积3 632 000平方千米。人口约67 600 000(1997)。

自然地理和人文地理 中部非洲可分为几大地理区。西部加蓬和刚果大西洋沿岸区,包括刚果(金)西南部的刚果河口。东部、中部和南部为广阔的刚果河流域,地势低洼,热带雨林密布,多在刚果(金)境内。北部靠近刚果河水系有中非共和国境内乌班吉高原的树木较多的稀树草原区。最东端为刚果(金)东部的米通巴山,靠近属于东非裂谷系(南北向)的坦噶尼喀湖、基伍湖、爱德华湖、乔治湖和艾伯特湖。卢旺达和布隆迪境内裂谷系的东面有相对较小的高地。刚果内陆盆地占据中部非洲的大部分。

中部非洲的气候炎热、潮湿,平均气温约27 °C,全年雨量充沛。最靠近赤道的地区有热带雨林密布,总面积近100万平方千米。雨林区周边为较干燥、不太稠密的森林和树木较多的稀树草原。

中部非洲是热带非洲最为均匀的多雨区,亦属人口密度最低的地区,人口分布不均匀,广大的赤道森林区几乎杳无人迹。人口密度最高地区为最东端的布隆迪和卢旺达高地以及刚果河下游沿岸地区,特别是刚果金沙萨市。中部非洲的人口由许多不同种族集

团组成，多使用的语言属于尼日尔-刚果语系之分支的贝努埃-刚果语，即班图语。最北部地区各族使用的语言属尼日尔-刚果语系的阿达马瓦-乌班吉语言分支。使用的语言总共约有1 400种。俾格米人被认为是刚果河流域最早的居民，散布在本区的整个中部地区。

中部非洲各国的经济以农业为主，依赖生存农业技术在森林和热带稀树草原种植大蕉、木薯、玉米和芋头等粮食作物。经济作物有棉花、烟草、花生、咖啡和可可。由于许多地区都有舌蝇，几乎没有养牛业。开采矿物有铜、钴、锰、锌和锡(刚果[金])、石油、锰、铀(加蓬)和金刚石(刚果[金]和中非共和国)。小型工业主要有矿物加工和当地农产品加工业。

历史 中部非洲现今居民的祖先为讲班图语的各部族，在800年迁入本地区，并取代最早的居民俾格米人。15世纪建立刚果和卢巴王国，16世纪建立隆达王国。15世纪末欧洲人开始侵入该地区，16世纪和随后几个世纪葡萄牙人、荷兰人和法国人贩卖奴隶活动的规模日趋扩大。18世纪和19世纪初大规模的大西洋贩奴活动达到高峰，实际上使若干地区人口灭绝，迫使其他地区的居民逃往内地，对中部非洲造成了不可磨灭的深刻影响。

19世纪后半叶英国人最先来到中部非洲内地各处探险。19世纪80年代比利时国王利奥波德二世在今刚果(金)建立起刚果自由邦，而法国人在同一时期则于今刚果(布)、加蓬和中非共和国地区建立起法属刚果殖民地。1908年比利时接管利奥波德的刚果自由邦作为殖民地，并改称比属刚果。1960年比利时承认卢旺达和比属刚果(1971年改称扎伊尔，1997年改称刚果[金])独立，法国承认新成立的加蓬、刚果(布)和中非共和国独立，1962年比利时承认布隆迪独立。殖民地时代在中部非洲大部分地区顿然告终。

Central African Federation　中非联邦　参阅 **Rhodesia and Nyasaland, Federation of** *罗得西亚和尼亚萨兰联邦*。

Central African Republic　中非　全称中非共和国。位于非洲大陆中心的内陆国家。北邻乍得，东接苏丹，南界刚果(金)和刚果(布)，西连喀麦隆。国土东西长约1 350千米，南北宽约470千米。面积622 436平方千米，与法国面积相当。首都班吉。人口约3 684 000(2003)。

土地 该国全境为海拔610～760米的低高原，是非洲三大水系，即南面的刚果河、北面的沙里河和东北面远处的尼罗河流域的分水岭。沙里河支流占该国1/3的北部国土。乌班吉河支流占其余2/3的南部地区；乌班吉河构成南部与刚果(金)的边界。中非共和国主要位于热带稀树草原带，但热带雨林覆盖南部地区，并沿诸河延伸到热带稀树草原区深处。林区占土地总面积1/2以上，提供了大量的热带硬木资源。

中非共和国的气候属北面的撒哈拉沙漠以南气候与南面赤道气候之间的过渡性气候。除南部沿乌班吉河茂密的雨林区外，降雨有季节性，多半降于3～10月。降雨量向南和西南递增，并趋于全年降雨均匀分布。气温相对稳定，大部分地区全年平均气温介于24～27℃之间。

人民 境内居民的原籍几乎全部为18世纪和19世纪为躲避北面和东面地区的奴隶贩子而逃往内地的非洲各族居民。他们构成各种不同种族的混合体，使用尼日尔-刚果语系的阿达马瓦-东部语言分支所属各种语言。班达、巴亚、恩格班迪和阿赞德人为人数最多的种族，几乎占全国居民总数的3/4。该国大体上属人口稀疏国家。人口最稠密地区是乌班吉河沿岸一带；沿河两岸的各族居民即称为乌班吉人。民族语言为山果语，系一种通用语。正式书面语言为法语，各学校均开设法语课。也有人讲其他民族语言，如赞德语。仍有一大部分居民信仰以万物有灵为基础的各种宗教，但多数人信奉基督教，其中多半为新教徒。

人口增长迅速，但在撒哈拉沙漠以南地区仍相对较慢。人口出生率与次大陆的平均水平相当，但死亡率大大高于平均水平，这主要是因婴儿死亡率太高所致。城市人口几乎占人口总数的1/3，且这一比例仍在增加。

经济 中非共和国属发展中的自由企业经济，国有与私有企业共存。该国基础设施缺乏，为不发达国家中最贫穷的国家之一。国民生产总值的增长赶不上人口增长，人均国民生产总值属世界最低之列。农业(含林业)和贸易为国民生产总值的主要组成部分。

农业收入约占国内生产总值的1/2，而耕地仅占土地总面积的3%左右，其中多属生存农业。最重要的粮食作物为木薯等薯类和粟。经济作物包括花生、棉花、咖啡和烟草。20世纪80年代发展以获利为目的的棕榈种植，以获取棕榈仁和棕榈油。

林业在国内生产总值的农业部分中占有很大比重；木材为出口大宗。然而由于该国交通不便，伐木业仍不发达。所产木材多用作燃料。

矿业在国内生产总值中不足3%，但金刚石却占出口总值的50%以上，尽管所产金刚石多经走私出境。制造业主要局限于传统手工业和轻加工业。最重要的产品有棉纺织品和服装、皮革制品、胶合板和家具、精炼植物油、食品、卷烟和啤酒。

该国出口以金刚石、棉花、木材、咖啡、烟草和黄金为主，大多销往比利时、法国和瑞士。境内道路很少铺设路面，交通不便有碍经济发展。约7 100千米长的内陆水道为传统运输干线，可通行浅水船。乌班吉河自班吉以下河段可通远洋轮船。班吉为主要港口，并建有全国唯一的国际机场。

政体与社会状况 1995年的宪法取代了1986年颁布的宪法，规定总统为国家元首和武装部队总司令，并且由选举产生，任期6年。总统负责任命总理和25名部长。国民大会负责立法，由109人组成，成员须由普选产生，任期5年。宪法法院协助最高法院和高级法院工作，其法官均由总统任命。还设有上诉法院、刑事法院、多个轻罪法庭和一个军事法庭。

医疗卫生条件极差，疟疾、昏睡症和麻疯病等严重疾病甚为普遍。由于医务人员和医院设施严重短缺，医疗服务落后。婴儿死亡率属非洲中部地区最高之列。平均预期寿命男性仅约48岁，女性约53岁，属世界平均预期寿命最短之列。

教育实行免费制，但据估计仅约有1/2儿童接受小学教育。接受中学教育的人数则更少。班吉大学(1969年创办)为主要高等学府。新闻媒体受政府严格控制，电台和电视台亦由政府所有和经营。

历史 据考古发现，中非共和国可能在旧石器时代末期即有人类居住。但19世纪以前的中非历史几乎无任何文献记载，19世纪以后的史料也很少。有迹象表明，今中非共和国的部分地区曾属16世纪高加帝国。16、17和18世纪该地区连遭贩奴潮席卷，早期居民大为减少，并为来自遥远的北方和东方地区的移民所取代。

法国人来此探险后，宣布中非为己有，并

美国不列颠百科全书公司供图

于1889年在班吉设据点。到1911年法国人完全控制了这一地区,但暴动持续不断。1898年法国将此殖民地分给各大商业特许公司。由于该地区普遍贫困,且除河流外交通不便,法国人便大批征用劳动力。法国人的行径遭到强烈抗议,但这种滥用人力的行径一直持续到20世纪20年代末。

1946年该殖民地(当时称乌班吉沙里)成为法国的一个海外领地,B.波冈达被选入法国议会。波冈达领导的一场独立运动获得成功。该地于1958年成立中非共和国,成为法兰西共同体内的一个自治共和国。1959年波冈达去世,翌年继承人D.达科宣布独立。1965年J.-B.博卡萨发动军事政变成功,成为非洲声名狼藉、荒淫无度的暴君。1976年他自封为皇帝,并改国名为中非帝国。次年,他参与屠杀约100名儿童,在法国干预下终遭罢黜;达科重新就任总统。1981年A.科林巴将军经过一次不流血政变,成立了国家复兴军事委员会,接管政权。1985年科林巴采取一系列措施来扩大政府中文职官员的比例。中非民主联盟作为执政党于1986年成立。1993年帕塔塞当选总统,是自中非独立以来首位通过民主选举任职的总统。面对民族矛盾,在联合国维和部队的帮助下,帕塔塞继续掌握政权,并于1999年选举获胜连任。

Central America 中美洲 北美洲最南端区域,位于墨西哥与南美洲之间,包括巴拿马、哥斯达黎加、尼加拉瓜、洪都拉斯、萨尔瓦多、危地马拉和伯利兹。面积523 000平方千米,人口约37 036 000(2002)。

自然地理和人文地理 该地区东临加勒比海,西濒太平洋,由西北向东南延伸,长1 835千米,大致呈拱形。东西两个海岸均为潮湿的沼泽和低地,但中美洲约4/5的土地为山地或丘陵。太平洋沿岸低地西边是一狭长地带,为山峦所遮蔽。除尼加拉瓜及洪都拉斯外,加勒比海沿岸东部平原也十分狭窄。地形从加勒比海低地以西渐次升高至太平洋沿岸,高原台地最后升为山脊和约40个火山锥,其中有些高达3 700米。

中美洲的一些火山时常会猛烈地喷发,地震在该地区也时有发生。1931年和1972年严重的震灾使尼加拉瓜首都马那瓜遭到重大破坏。该地区被风化的火山熔岩却形成肥沃的土壤,火山区高地因此变得物产丰富,人口稠密。

较高的地形减缓了中美洲热带地区的气候影响,高地的平均气温大大低于沿海低地。降雨主要集中在夏季,5～11月雨量最多。1～3月为最干旱季节。加勒比海沿岸一带的雨量在总体上比太平洋沿岸多2倍。

中美洲天然植被多种多样,东部低地为热带雨林,而太平洋沿岸的低坡地则被常绿林所覆盖,海拔较高地区则长有松树和栎树林。中美洲许多林区已遭刀耕火种的耕种者砍伐殆尽,当一块土地地力耗尽,他们就继续前移。

美洲土著印第安人至今仍是该地区的基本人口,并在危地马拉居多数。19世纪初以前,正式移民只限于西班牙公民,西班牙人因此成为该地区种族混杂的人口中唯一不可忽略的欧洲人种。中美洲2/3的人口为梅斯蒂索混血儿,即美洲印第安人和西班牙人通婚所生的后代。这种人在洪都拉斯、尼加拉瓜、萨尔瓦多和巴拿马等国的人口中均占多数,但在哥斯达黎加西班牙人的后裔则占多数。被带到这一地区的黑人不多,但却是巴拿马和伯利兹人口的重要组成部分。

该地区人口增长率位居世界前列,但婴儿死亡率高,预期寿命总体上偏低。多数人信奉天主教,但在偏远地区(主要居民为印第安人)传统宗教与天主教并存。除伯利兹以英语作为官方语言外,西班牙语是整个中美洲的官方语言。各种美洲印第安语也有人口头使用。

经济 自19世纪中叶起,中美洲经济一直以出口咖啡和香蕉为基础。第二次世界大战后,棉花、糖和牛肉的出口量逐年增长。玉米、豆类和南瓜也有种植,主要作为主食。现在该地区经济正在向多元化方向发展,尽管这并不能够使财富分配更加合理。中美洲有限的矿产和能源资源以及有限的市场规模都严重地制约了制造业的发展。许多行业是以家庭手工业形式从事生产,手工艺工人的数量多于工厂工人。食品加工、饮料、烟草制品、纺织品、服装、制鞋、家具制造和皮革制品是当地主要行业。农业人口多于任何其他行业的从业人员,只有巴拿马例外,那里与巴拿马运河相关的服务业在该国经济中占主要地位。

历史 到公元前11 000年,中美洲大部分地区已被各狩猎民族所占据。到公元前500年,在今日的伯利兹以及在危地马拉山区高原、萨尔瓦多和洪都拉斯一带,被称为马雅人的民族开始发展其文明,在古典时期(约公元250～900)臻至顶峰。16世纪初西班牙人到达并征服了该地区,中美洲受西班牙统治达300年之久。在历经数次行政变迁之后,西班牙大约在1560年时将大部分地区设为危地马拉都督管辖区。1821年该地区摆脱西班牙人统治取得独立,1823年中美洲联邦成立,其中包括危地马拉、萨尔瓦多、洪都拉斯、尼加拉瓜和哥斯达黎加等国。英属洪都拉斯仍为殖民地,未加入联邦,巴拿马仍为哥伦比亚的一部分。

1824年联邦正式通过一部宪法,但在1838年哥斯达黎加、洪都拉斯和尼加拉瓜纷纷退出联邦,实际上导致了该联邦的解体。中美洲各国在19世纪其余时间的历史主要是各保守党派与自由党派之间的斗争,前者支持天主教教会和西班牙王室的传统,而后者则倡导全面推行社会和经济改革以及中美洲诸国在政治上重新联合。1840～1865年,中美洲的政治为保守的危地马拉独裁者R.卡雷拉所控制,此后,除尼加拉瓜以外,自由党人到1872年又在中美洲所有其他各国重新掌权。由于美英两国对商业权利以及对跨越巴拿马地峡的运输线的控制权争夺激烈,中美洲政局变得更加复杂。然而,英国在19世纪初对该地区商业的控制不得不在20世纪让位于美国对这一地区在经济、外交和文化等方面的控制。1903年巴拿马脱离哥伦比亚正式宣告独立,并授权美国在其领土上修建一条沟通两大洋的运河;1914年巴拿马运河开通。

自由党人自19世纪70年代起开始当政,强调大量农产品的出口是国家现代化的关键。咖啡成为自由党人大力扶持的最重要商品,其丰厚的利润使多数国家里的大咖啡种植园主的社会地位不断上升。美国各水果公司与自由党人合作,大力发展沿海地区的香蕉出口。但是,尽管自由党人在政治上大发宏论,军事独裁仍是这一时期政治制度的主要特征,因为大种植园主们越来越依赖军队来维护他们的既得利益,使之不受无地者或一贫如洗的梅斯蒂索混血人和印第安人的侵扰。

到20世纪中叶,这些拥有土地的大种植园主们遇到了来自中产阶级和工人阶级各政党及工会组织的有力挑战,他们反对不公平的土地占有。在40年代,危地马拉、萨尔瓦多和哥斯达黎加的保守党政府均被推翻,但是1954年美国对危地马拉改良主义政府的秘密颠覆证明了它是对这一地区有重要影响的国家,在后来几年中右翼军人政权在整个地区又重新占据优势。20世纪末,人口的迅猛增长、财富的分配不均以及政局动荡一直是影响中美洲经济和社会发展的几个主要障碍。

Central America, United Provinces of(1823～1840) 参阅 **United Provinces of Central America** 中美洲联邦。

Central American Common Market(CACM) **中美洲共同市场** 国际组织,目的是通过区域性的自由贸易和经济一体化,促进地区经济发展。它是根据1960年12月由危地马拉、洪都拉斯、萨尔瓦多和尼加拉瓜签订的中美洲经济一体化总条约而成立的。哥斯达黎加于1962年7月参加。共同市场的组织包括由经济部长和副部长组成的几个委员会、一个由财政部长和中央银行总裁组成的委员会和一个处理行政事务的常设秘书处。中美洲经济一体化银行于1961年开业;其宗旨是为发展项目提供资金及管理一笔用于地区基础设施项目的基金。还附设有几个其他的联合会和研究所。中美洲共同市场是应这些小国在吸引工业资本和经济多样化方面进行合作的需要而成立的,但它未能达到预期目的。中美洲民族主义情绪依然强烈。这些国家未能就劳工自由流动问题达成协议。部分地由于有关住在洪都拉斯的萨尔瓦多工人受到虐待的报告,两国之间在1969年爆发了战争,该组织也没有就农产品共同市场达成协议。1969年尼加拉瓜认为有必要对来自中美洲各国的产品重新课征进口税,因为它不能通过向其他国家出口食物来支付进口的制成品。1970年洪都拉斯亦开始对来自本地区的一切进口品课征关税,1983年危地马拉也对区内贸易施加许多限制。到80年代中期,由于内部政治不稳定与暴乱,成员国间的边境冲突以及日益增高的债务和保护主义措施,中美洲共同市场处于停顿状态。为促进中美洲各国的合作,90年代中美洲共同市场重新开展活动。1993年萨尔瓦多、危地马拉、洪都拉斯和尼加拉瓜确立了新的中美洲自由贸易区(哥斯达黎加后加入),商定几年内逐步削减关税,但实施工作有所推迟。1996 年引入电力系统实现区域电力供应的连接。次年通过多项改革加强区域融合。

Central American States, Organization of 中美洲国家组织 西班牙语作 Organización de Estados Centroamericanos。1951 年成立的国际组织,目的是重建中美洲地区团结。成员国有:哥斯达黎加、萨尔瓦多、危地马拉、洪都拉斯和尼加拉瓜。这个组织包括行政、立法和经济理事会,以及中美洲法院。1960 年设立中美洲共同市场(**Central American Common Market**)。

Central Asia 中亚 亚洲中部地区,西起里海,东至中国西部边境,北接俄罗斯,南与伊朗、阿富汗、中国毗邻。其中包括哈萨克斯坦、乌兹别克斯坦、塔吉克斯坦、吉尔吉斯斯坦和土库曼斯坦等前苏联的几个共和国。面积 4 003 400 平方千米。人口约 55 761 000 (2000)。

自然地理和人文地理 中亚地貌可分为两部分,北部为哈萨克斯坦的辽阔禾草草原,南部为咸海水系流域。约有 60% 的土地为沙漠,两个主要的沙漠是占土库曼斯坦大部分地区的卡拉库姆沙漠和占乌兹别克斯坦西部大片土地的克孜勒库姆沙漠。大部分沙漠地区不适于农耕,只有在沿着阿姆河和锡尔河水系的边缘地区可进行农业生产。阿姆河与锡尔河发源于南部与东部的山脉,向西北方蜿蜒流经吉尔吉斯斯坦、塔吉克斯坦、乌兹别克斯坦东部和土库曼斯坦。这两条主要河流均注入咸海,并为这个地区提供了大部分水源,而哈萨克斯坦北部的河流则向北流入俄罗斯。中亚东部和南部边界是阿尔泰山西麓以及其他延伸入伊朗、阿富汗和中国西部的高山。

中亚地区饱受气候干旱之苦。由于降水不足,该地区的灌溉主要依赖锡尔河和阿姆河。整个地区夏季炎热,冬季凉爽,阳光充足而降雨稀少。由于缺水,该地区人口分布极不均匀。大部分人口居住在这些河流两岸肥沃地区,或东南面肥沃的山麓上。在哈萨克斯坦中部与西部,乌兹别克斯坦和土库曼斯坦西部一带广阔的不毛之地上,居民很少。

中亚 5 个最大民族,按人口多少排列依次是:乌兹别克人、哈萨克人、塔吉克人、土库曼人和吉尔吉斯人。除了塔吉克人讲一种与波斯语有联系的语言外,其他民族的语言都与土耳其语有关。伊斯兰教是最大的宗教,大部分信徒属逊尼教派。由于历史上该地区曾被并入俄罗斯,后来又并入苏联,大量俄罗斯人和乌克兰人移居此地,使这个地区具有显著的多民族特色。20 世纪,由于人口出生率高以及苏联采取的保健措施使死亡率大大降低,中亚地区人口增长很快。由于农业发展迅速,过度依赖于灌溉和苏联在该地区某些地方进行核武器试验,该地区在 20 世纪后期遇到各种环境问题。

中亚地区的经济活动以南部的灌溉农业,哈萨克斯坦的轻、重工业和采矿业为中心。在苏联统治下,该地区是苏联的主要棉花供应地,也是工业用煤和其他矿物的主要供应地。灌溉的棉花种植在东部和东南部占显著地位,而哈萨克斯坦极北部各省份则有若干旱田种植小麦。苏联在 50 年代制订的开垦处女地和土地休闲计划,使那里的许多草原首次得到开垦。

历史 中亚地区的人类活动可追溯至约 25 000 ~ 35 000 年前的更新世后期。但是,西部的辛梅里安人和西徐亚人(公元前 1000)和东部的匈奴人(从公元前 200 年起)是可考的最早居住在该地的人群。公元前 6 世纪,第一支突厥人在此建立了帝国,延续两个世纪,这批突厥人极大地影响了该地区后来的民族特征。另一支突厥人,即维吾尔人,在 8 世纪时崛起,他们的统治又相继让位于契丹人和卡拉哈尼德人,后者是与维吾尔人紧密相联的一支突厥人。在 11 ~ 12 世纪期间该地区开始逐渐伊斯兰化,整个过程到 15 世纪基本完成。13 世纪时蒙古人占领了几乎整个中亚,分成众多独立的汗国,这种统治一直持续到大约公元 1 400 年,这时帖木儿征服这个地区。帖木儿王朝瓦解后,中亚南部地区分裂为若干相互敌对的小汗国,都由帖木儿的后代统治。到 15 世纪末,所有这些帖木儿人的国土都落入乌兹别克人之手。

俄罗斯对该地区的征服始于 17 世纪,到 19 世纪 70 年代,最后几个乌兹别克汗国被吞并,或沦为俄罗斯的保护领地。1917 年俄国"十月革命"后,苏维埃统治取代了沙皇的统治。此后,通过计划经济和交通的改善,该地区逐渐被并入苏维埃体系。在 20 ~ 30 年代,苏联政府在该地区成立了哈萨克、乌兹别克、吉尔吉斯、塔吉克和土库曼 5 个苏维埃社会主义共和国。在苏联统治下,中亚南部从事大规模的棉花种植,为苏联棉纺织业提供原材料。苏联解体后,中亚 5 个苏维埃社会主义共和国于 1991 年分别获得独立,成为 5 个独立的主权国家:哈萨克斯坦、乌兹别克斯坦、吉尔吉斯斯坦、塔吉克斯坦和土库曼斯坦。

Central Asian arts 中亚艺术 世界上一个广大地区的文学、表演和视觉艺术。这一地区包括几个突厥人共和国(乌兹别克斯坦、哈萨克斯坦、吉尔吉斯斯坦、土库曼斯坦)、中国西藏自治区、俄国的部分地区、蒙古、阿塞拜疆、阿富汗和尼泊尔。由于地形不同,各地区皆与外界隔绝,结果发展出截然不同的艺术流派,这些流派通常与在人种、文化方面各不相同的人民的宗教信仰有关。

突厥人大部分是游牧民族,他们的艺术作品主要反映一种草原特点,但也和佛教传入前的中国西藏一样,带有萨满教的神秘气息。整个地区的手工艺水平普遍很高,不过由于地形不利和牢固的游牧传统,很少可观的建筑物。在佛教的影响下,中亚文学在中国的西藏和蒙古得到了发展。西藏人在 7 世纪就采用印度文字翻译佛语(甘珠尔)和印度对佛语的论述(丹珠尔),而蒙古在将近 1 000 年后才引入这些经典。世俗文学极少。与此类似,西藏拥有中亚唯一的音乐曲目,由于念诵曼怛罗而具有悠久的谱写歌曲的历史。在布哈拉和撒马尔罕的宫廷中则发展起一种完全不同的严肃风格。在各种民族集团中拥有形形色色的民间艺术体裁,起到礼仪、巫术和娱乐的作用。虽然中亚很少特殊的乐器,但是西藏的人股骨喇叭毫无疑问具有极突出的风格。在西藏,萨满教的仪式转化为僧侣的舞蹈和演剧。现在用来表达佛教教义的跳神舞,最初用意是抵挡恶魔和安抚保护神。至今,它仍保存抚慰神灵的作用。华丽的服装和面具,象征可怕的魔鬼、骷髅、印度法师和佛教众神中的保护神。道德剧表演佛教历史与民间传说,故事中也贬低恶魔的力量。一般都有复杂的脚本、服装、面具和固定的对白,而神话的主题则与印度戏剧非常接近。在尼泊尔,宗教剧完全是由梵文戏剧派生出来的。

视觉艺术可按风格和影响区分为三大类。8 世纪从印度传入的大乘佛教刺激了西藏和尼泊尔的艺术;18 世纪时,又由喇嘛教徒传入蒙古。对西方人而言,中亚各部族大都拥有一种"游牧的"西徐亚-阿尔泰艺术,偏好动物和狩猎的主题。这种风格的残余因素有时成为安息、土耳其斯坦和阿富汗的定居人口的形象艺术的基础。与希腊-罗马世界以及与印度、伊朗和中国的接触都对它发生了显著的影响。希腊化的影响在大夏最为显著,到了犍陀罗的贵霜风格达到顶点。琐罗亚斯德教的亡命徒把他们的宗教带至安息和粟特,但是在伊斯兰教以前,最普遍的信仰是佛教,包括小乘和大乘。贝格拉姆的象牙雕刻、阿富汗巴米扬悬崖面上刻凿的两座大佛和犍陀罗艺术家们的浮雕,都是取材于佛经。北极圈的爱斯基摩人保存下来一种以狩猎和萨满教为基础的史前文化,扁脸的"欧克维克女神像"(公元前 2 ~公元 2 世纪)是他们的海象长牙雕刻的代表作。西徐亚文化分布甚广,最好的代表作品是公元前 6 世纪帕米尔高原的塞族的金饰——腰带、马具和首饰。至于从西阿尔泰山冰葬地点挖出来的金质和青铜质腰带及马饰,则以西徐亚动物主题为特色。

尼泊尔的佛教建筑与印度原型大致雷同,但是尼泊尔的印度教寺庙精细的外形与鳞次栉比的倾斜屋瓦,在印度却很少有比得上的。印度教的众神像雕刻得很精美,造型丰富与变化和西藏寺庙刻板的外表形成鲜明的对比。中国西藏的宗教建筑采用当地坚固的石材,尤以拉萨的布达拉宫为代表,宫内的华丽雕刻富于印度和尼泊尔的图式。尼泊尔雕刻的流畅线条所产生的优美形式,因 8 ~ 18 世纪采用镀铜而更加精致。11 世纪孟加拉盛行棕榈叶画风,到 13 世纪则为更具活力与创意的尼泊尔卷轴画所取代。中国西藏的所有艺术皆具实用目的,无论从技艺精湛的金属匠人所制作的仪式用具和家庭用具来看,还是从复杂难懂的图像来看,都是如此。如果要充分欣赏西藏的艺术,必须牢牢掌握它的象征与哲学。唐卡画师必须百分之百地精确;由于复杂的象征性,没有什么创新的余地。艺术家的目标不过是忠实于错综复杂的固定图案而已。